AAOS
American Academy of Orthopaedic Surgeons

SEGUNDA EDICIÓN

Nancy Caroline

Programa de formación profesional del Paramédico

Volumen 1

Preparación
El cuerpo humano, sus aparatos y sistemas humanos
Evaluación del paciente
Farmacología
Manejo de la vía aérea
Emergencias médicas

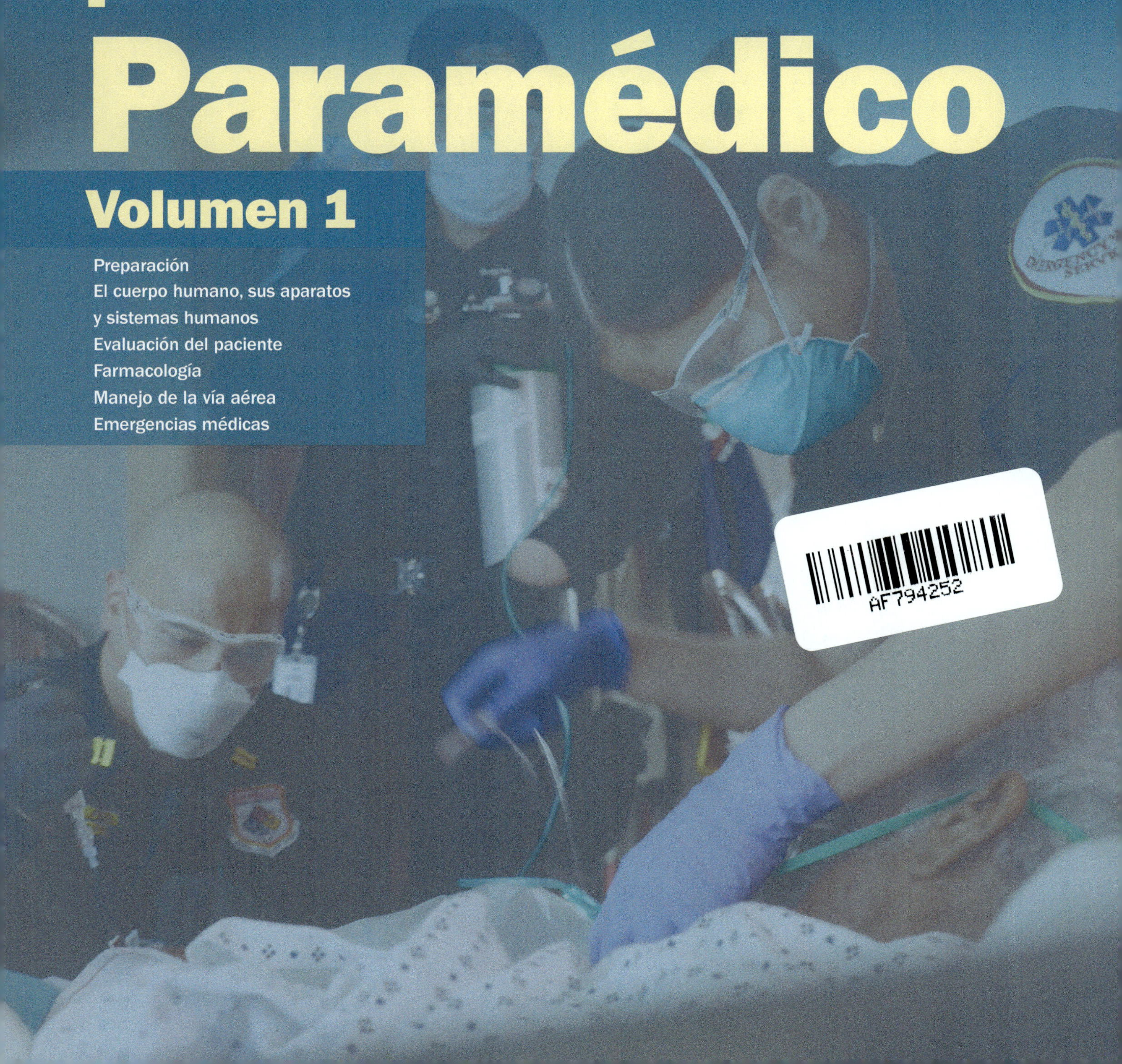

AAOS
American Academy of Orthopaedic Surgeons

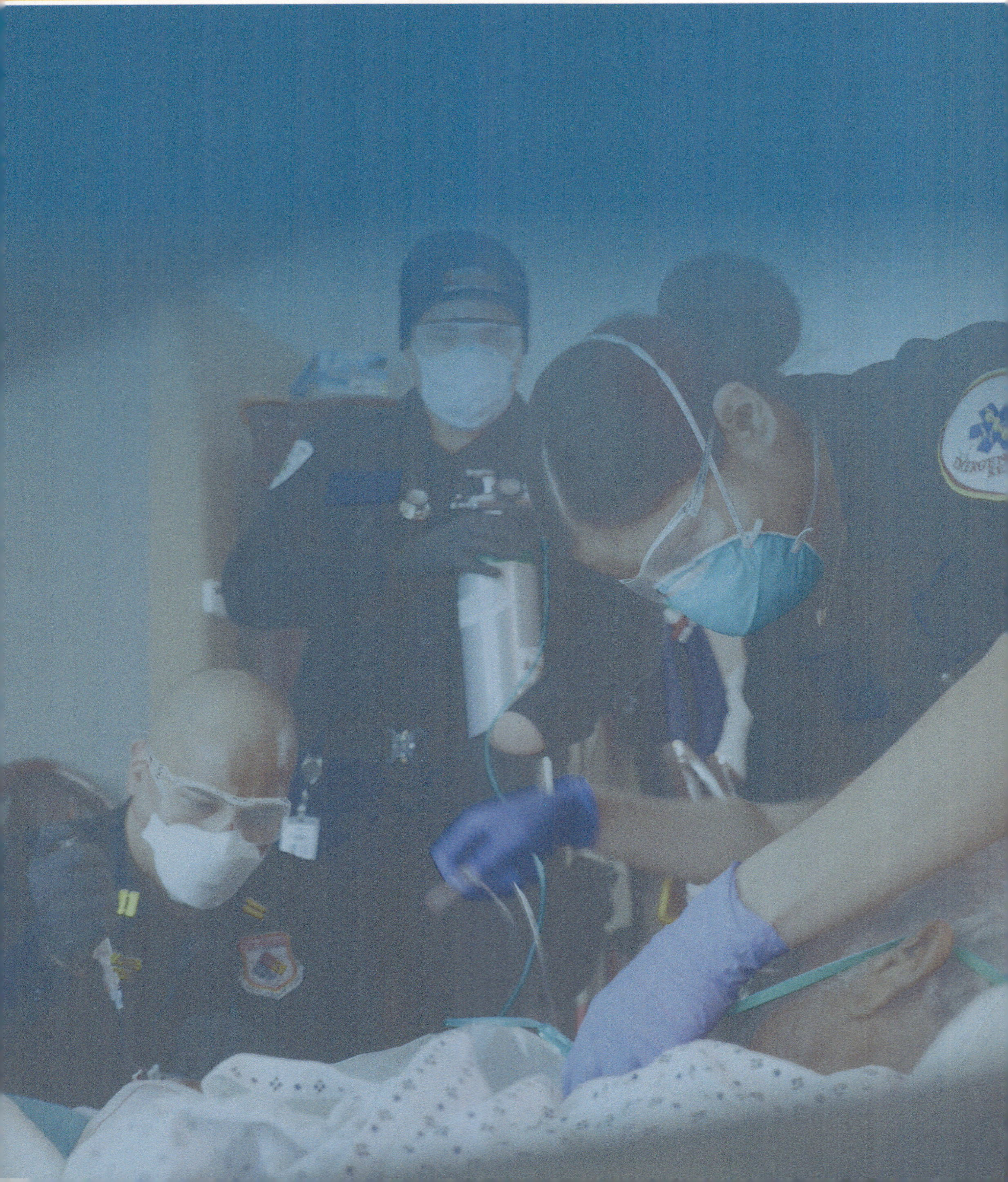

SEGUNDA EDICIÓN

Nancy Caroline

Programa de formación profesional del Paramédico

AAOS
AMERICAN ACADEMY OF ORTHOPAEDIC SURGEONS

Editor de la serie:
Alfonso Mejia, MD, MPH, FAAOS

Editores principales:
Barbara Aehlert, MSEd, BSPA, RN
Bob Elling, MPA, EMT-P

JONES & BARTLETT
LEARNING

Sede mundial
Jones & Bartlett Learning
25 Mall Road
Burlington, MA 01803
978-443-5000
info@jblearning.com
www.jblearning.com
www.psglearning.com

Créditos editoriales
Directora comercial: Anna Salt Troise, MBA
Director de edición: Hans J. Koelsch, PhD
Directora editorial senior: Lisa Claxton Moore
Editor Senior: Steven Kellert

Puede haber imágenes en este libro en las que aparezcan modelos; estos modelos no necesariamente respaldan, representan o participan en las actividades representadas en las imágenes. Las capturas de pantalla que aparecen en este producto tienen únicamente fines educativos e instructivos. Las personas y los escenarios que aparecen en los casos de estudio de este producto pueden ser reales o ficticios, pero se utilizan únicamente con fines didácticos.

Los procedimientos y protocolos de este libro se basan en las recomendaciones más actuales de fuentes médicas responsables. Sin embargo, la Academia Americana de Cirujanos Ortopédicos y el editor no garantizan ni asumen responsabilidad alguna por la corrección, suficiencia o integridad de dicha información o recomendaciones. Posiblemente, en determinadas circunstancias se requieran medidas de seguridad adicionales. Los médicos deben usar su propio juicio médico independiente, además de una conversación abierta con el paciente, con el fin de plantear recomendaciones para el cuidado del paciente y planes de tratamiento.

Este libro de texto pretende ser únicamente una guía de los procedimientos apropiados que se deben emplear cuando se presta atención de emergencia a enfermos y heridos. No pretende ser una declaración de las normas de atención requeridas en una situación particular, porque las circunstancias y el estado físico del paciente pueden variar mucho de una emergencia a otra. Tampoco se pretende que este libro de texto asesore en modo alguno al personal de emergencias sobre la autoridad legal para llevar a cabo las actividades o procedimientos comentados. Dicha determinación local debe realizarse únicamente con la ayuda de un asesor jurídico.

Créditos de producción
Imagen de portada y páginas de título: © John Moore/Getty Images News/Getty Images

Traducción: Dr. Félix García Roig, Lic. Israel Díaz, Lic. Martha Mauri
Cuidado de la edición: Olga Adriana Sánchez N.
Formación: Eric Aguirre G., Aarón León G., Ernesto Aguirre, Alicia León
Traducido, editado y formado con autorización de Jones & Bartlett Learning, por:

Intersistemas, S.A. de C.V.
Aguiar y Seijas 75
Lomas de Chapultepec
11000, México, D.F.
Tel. (5255) 5520 2073
Fax (5255) 5540 3764
intersistemas@intersistemas.com.mx
www.intersistemas.com.mx

6048
27 26 10 9 8 7 6 5 4 3 2

Contenido breve

VOLUMEN 1

Contenido breve

VOLUMEN 2

Contenido

VOLUMEN 1

Prácticas de destreza

VOLUMEN 1

Agradecimientos

AAOS
AMERICAN ACADEMY OF ORTHOPAEDIC SURGEONS

La American Academy of Orthopaedic Surgeons (AAOS) agradece a los editores y revisores del Programa de Formación Profesional del Paramédico.

Editores Principales

Alejandro de Jesús Gómez Álvarez
Médico y Cirujano universidad de Antioquia Medellín
Tecnólogo en atención prehospitalaria Universidad Adventista Medellín
Editor en las versiones en español de los libros PHTLS 9na edición
Colombia

Edwin Dávila Núñez, Tlgo. EM., IPR-A
Vicepresidente Comité Latinoamericano de Educación NAEMT
Director Académico ASTRA VITAE
Docente de Cuidados Críticos
Quito - Ecuador

Editores Colaboradores

Adriana Lorena Carmona Aguilar
Técnico en Urgencias Médicas Nivel Avanzado
Cruz Roja Mexicana
México

Alberto Contreras Acosta Mgtr, TUM, LUMD
Subdirector Universidad Especializada de las Américas
Coordinador nacional Urgencias médicas y Desastres
SAR Aeronáutico AAC – Instructor BLS-ACLS AHA
Chiriquí -Panamá

Alfonso Adrián Salas Lomelí
Maestro en Rehabilitación neurológica
Licenciado en Fisioterapia, Técnico profesional en urgencias médicas
Coordinador estatal de capacitación de Cruz Roja Mexicana
Estado de México – México

Amaury Bernáldez Figueroa, F.P., TUM-A., A.R.S
Vitalis Air Ambulance MedCREW
Educational Specialist
PSG International
Toluca - México

Andrés Cairol Barquero, MD
Médico especialista administración servicios de salud

Director médico, académico e investigador
Coordinador centro autorizado AHA. UNIBE
San José - Costa Rica

Byron Trujillo Ronquillo, MD
Médico Internista
CEO, Medicine-me Training Center
Médico Tratante Hospital del Día Central Quito. IESS
Quito - Ecuador

Daniel Peñaflor Jamaica TEM-A
Paramédico de vuelo y cuidados críticos
CEO - DHO Premier Medical Service
México

Germán Darío Orjuela TAPH, IPR-A
Docente en la universidad CES y FUCS
Instructor NAEMT en PHTLS - AMLS - AHDR
Revisor y evaluador del Internacional Paramedic Registry
Bogotá – Colombia

José Antonio Martínez Gérard
Técnico Profesional en Urgencias Médicas
Paramédico de vuelo
Profesor Titular del Curso TAMP-Avanzado, ENMYH/IPN
Ciudad de México - México

Juan Gabriel Tolentino Brancacho
Lic. Enfermería - Mg. Investigación y Docencia Universitaria
Instructor PHTLS, AMLS, AHDR, TECC, GEMS, PTEP, BLS-ECSI
Faculty by NAEMT – PHTLS
Perú

Lucas Henkel EMT-P
Coordinador Académico TEM Issag
Director SAR Bariloche
Bariloche – Argentina

Luciano J. Gandini
Tec. Sup. en Emergencia Médica
ISPA 4078 RET - Instructor NAEMT - AHA
Coordinador Académico Centro de Entrenamiento Paramédico Argentino
Argentina

María Melina Celis
Técnico Superior en Emergencia Médica
Enfermera Técnico Profesional
Directora Carrera TSEM Instituto Superior R.E.T.
Córdoba – Argentina

Omar Rojas Tapia, MD
Director de REEDS.
Maestría en educación (UVEG) y Gestión de Salud (UVEG)
Doctorado en Salud Pública (UNICLA)
Instructor AHA, NAEMT, ECSI
Guanajuato – México

Oscar Enrique Cañas Figueroa
Bombero / Paramédico
Director Ejecutivo - Fast Care El Salvador
Presidente - Asociación de Medicina de Emergencias de El Salvador (AMEES)
San Salvador - El Salvador

Patricia Caro Uribe
Médica especialista en Toxicóloga Clínica
Docente de atención prehospitalaria
Directora médica de PMU Colombia
Bogotá - Colombia

Sergio Trigo Aranibar MD - TEM
Médico General - Técnico Emergencias Médicas
Coordinador LlajtaMed - Training Center
Docente Escuela Técnica de Salud Boliviana Japonesa de Cooperación Andina
Cochabamba - Bolivia

Ximena Grove Maureira
Medico Intervención de ambulancias (SAMU)
Especialista en Medicina de Urgencia
Magister en Gestión y Planificación del Riesgo de Desastres
Chile

Revisores de Herramientas para el instructor (ITK)

Alberto Contreras Acosta Mgtr, TUM, LUMD
Subdirector Universidad Especializada de las Américas
Coordinador nacional Urgencias médicas y Desastres
SAR Aeronáutico AAC – Instructor BLS-ACLS AHA
Chiriquí -Panamá

Alejandro Haro Y, EMT-P, IPR-A
Paramédico avanzado,
Educador en medicina pre hospitalaria
Faculty TECC
Quito - Ecuador

Cristian Hornig Acuña MD
Médico Cirujano - Anestesiólogo
UCI y Pabellón Hospital Base de Puerto Montt
Centro de Simulación y habilidades clínicas
Chile

Estrella de Luz González García, MD
Médica Especialista en Medicina de Urgencias, Medicina Familiar y Sexología.
Facultado AHA.
Hospital SIMNSA internacional, Hospital Del Prado.
México

Jaime L. Flores Luna, MD. MBA. IPR-A
Docente en la Facultad de Ciencias de la Salud - Universidad Particular Internacional SEK y
Facultad de Ciencias Médicas - Universidad Central del Ecuador
Voluntario - Cruz Roja Ecuatoriana
Quito- Ecuador

Juan David Ricardo Escobar Espinosa MD. Esp.
Médico y Cirujano - Esp. anestesiología y Reanimación
Esp. Epidemiologia
Director general PMU Colombia
Bogotá, Colombia

María Alejandra Schro
Médica especialista jerarquizada en emergencias
IPR- A
Bahía Blanca – Argentina

Oscar Echeverry, EMT-P, BBA.
Coordinador Centro de Simulación - Hospital Simulado
Pontificia Universidad Javeriana
Cali – Colombia

Patricia Caro Uribe
Médica especialista en Toxicóloga Clínica
Docente de atención prehospitalaria
Directora médica de PMU Colombia
Bogotá – Colombia

Coordinador del Programa

Deivid Francisco Narváez Benavides

La Academia Americana de Cirujanos Ortopedistas y el Grupo de Seguridad Pública desean expresar su reconocimiento a los editores, autores y revisores de las ediciones anteriores de *Programa de Formación Profesional del Paramédico de Nancy Caroline* que han participado en la elaboración de este libro de texto.

Editor de la Serie

Alfonso Mejia, MD, MPH, FAAOS
Program Director, Orthopedic Surgery Residency Program
Vice Head, Department of Orthopedic Surgery
University of Illinois College of Medicine
Medical Director
Tactical Emergency Medical Support Physician
South Suburban Emergency Response Team
Chicago, Illinois

Editores principales

Barbara Aehlert, MSEd, BSPA, RN
Presidente
Southwest EMS Education, Inc.
Dallas, Texas

Bob Elling, MPA, EMT-P (retirado)
Autor, educador, defensor y paramédico
Hernando, Florida

Autores

Barbara Aehlert, MSEd, BSPA, RN
Capítulos 5, 10, 11, 12, 15
Presidente
Southwest EMS Education, Inc.
Dallas, Texas

Chuck Allias, MS, NRP
Capítulos 7, 41
Director del Programa de Servicios de Emergencia
Universidad de Pensilvania Indiana
Indiana, Pensilvania

Andrew Bartkus, JD, MSN, RN, NRP, CEN, CCRN, CFRN, Esq.
Capítulo 24
Director del Departamento de Emergencias
Centro Médico Regional Sandoval
Rio Rancho, Nuevo México

Dave Bledsoe, NREMT-P, RN, LNC (retirado)
Capítulo 4
Teniente/Paramédico
Departamento de Bomberos de Orlando
Orlando, Florida

Andrew G. Dubina, MD
Capítulo 34
Médico residente
Facultad de Medicina de la Universidad de Maryland
Departamento de Ortopedia
Baltimore, Maryland

Rommie L. Duckworth, MS, LP
Capítulo 45
Capitán/Coordinador de SEM
Departamento de Bomberos de Ridgefield
Ridgefield, Connecticut

Bob Elling, MPA, PAP (retirado)
Capítulos 2, 6, 8, 9, 36, 37
Autor, Educador, Abogado Defensor y Paramédico
Hernando, Florida

Wm. Travis Engel, DO, MSc, NRP, FP-C, CCP-C
Capítulos 33, 38, 39, 40
Becario de Medicina Crítica Pediátrica
Children's Mercy Hospital
Kansas City, Missouri

Jason Ferguson, EdD, NRP
Capítulos 14, 27
Vicepresidente asociado del Colegio Comunitario de Virginia Central
Lynchburg, Virginia

Seth Hawkins, MD, FACEP, FAEMS, MFAWM
Capítulo 35
Profesor Adjunto de Medicina de Emergencias, Universidad de Wake Forest
Director Médico de SEM del Condado de Burke y Comunicaciones del Condado de Burke
Director Médico de los Programas de Servicios de Emergencias del Colegio Comunitario Western Piedmont
Director médico de Parques Estatales de Carolina del Norte
Jefe del Equipo de Rescate de Appalachian Mountain,
Winston-Salem, Carolina del Norte

Matt Hunt, BSEd, PAP
Capítulos 1, 3
Instructor Paramédico de la Universidad Estatal de Albany,
Albany, Georgia

Rhonda J. Hunt, MEd, NRP
Capítulos 21, 25, 28, 30, 31
Directora del Programa SEM
Profesora adjunta de la Universidad Estatal de Albany,
Albany, Georgia

Michael Kaduce, MPS, PNR
Capítulos 32, 42
Director del Programa PAP
Centro de atención prehospitalaria de la UCLA
Facultad de Medicina David Geffen
Los Ángeles, California

William J. Leggio, EdD, NRP
Apéndice
Oficina del Director Médico
Austin, Texas

Stephen J. Rahm, NRP
Capítulo 13
Jefe, Oficina de Dirección Clínica
Copresidente, Centro de Ciencias de la Salud en Emergencias
Spring Branch, Texas

Charles Sowerbrower, MEd, NRP, NCEE, CCP-C
Capítulo 17
Presidente
Colegio Comunitario Sinclair
Dayton, Ohio

Bryan Ware, BS, PAP
Capítulos 16, 26, 29, 43, 44, 46
Jefe de Bomberos
Protección contra incendios y ambulancias del Distrito de Beulah
Beulah, Colorado

Katherine H. West, MSEd, RN, DICO-C
Capítulo 23
Consultor en control de infecciones
Conceptos emergentes en el control de infecciones
Palm Harbor, Florida

Brittany Williams, DHSc, RRT-ACCS, NPS, AE-C, REMT-P
Capítulos 10, 11, 18, 19, 20, 22, Apéndice
Profesora, Directora de cuidados respiratorios, Educación Clínica del Colegio de Santa Fe
Gainesville, Florida

Colaboradores

Andrew N. Pollak, MD, FAAOS
Profesor y Presidente de James Lawrence Kernan
Departamento de Ortopedia
Facultad de Medicina de la Universidad de Maryland
Vicepresidente Senior de Transformación Clínica y Jefe de Ortopedia
Sistema Médico de la Universidad de Maryland
Director Médico
Departamento de Bomberos del Condado de Baltimore
Director del equipo Shock Trauma Go
Ayudante especial del US Marshall
Baltimore, Maryland

Rebecca Ridenhour, Farmacéutica
BJC- Hospital Progress West
O'Fallon, Missouri

Revisores

Jonathan A. Alford, NRP
Centro de Educación en Trauma y Cuidados Críticos, Facultad de Medicina
Universidad Virginia Commonwealth
Richmond, Virginia

Nick Baker, AASN, RN, EMT-P
SEM del Condado de Austin/Travis
Austin, Texas

Jeannett Banks, EdS, MEd, NRP
Hospital Infantil de King's Daughters
Norfolk, Virginia

Ryan Batenhorst, MEd, NRP
Universidad Creighton
Omaha, Nebraska

Alan M. Batt, PhD(c), MSc, CCP, PGCME, FHEA
Colegio de Fanshawe
Ontario, Canadá

Edward L. Bays, BS, NRP
Colegio Comunitario y Técnico Mountwest
Huntington, Virginia Occidental

Mark A. Boisclair, MPA, NRP
Colegio Comunitario del Valle de Chattahoochee
Phenix City, Alabama

Jason Brooks, EdD, RNP
Universidad del Sur de Alabama, Departamento de Educación de SEM
Mobile, Alabama

Chad Burkhart, AS, Paramédico
Escuela de SEM
New Windsor, Nueva York

Ted Chialtas, BA, Capitán de Bomberos/Paramédico
Programa de paramédicos del Departamento de bomberos y rescate de San Diego
San Diego, California

Sharon F. Chiumento, BSN, BS, PAP
Colegio Comunitario Monroe
Rochester, Nueva York

Kevin T. Collopy, MHL, FP-C, NRP, CMTE
Transporte de atención crítica AirLink/VitaLink
Centro médico regional Novant Health New Hanover
Wilmington, Carolina del Norte

Kent Courtney, Paramédico/ Bombero
Essential Safety Training and Consulting
Rimrock, Arizona

Anthony Cuda, RNP
Colegio Comunitario del Condado de Allegheny
Pittsburgh, Pensilvania

Kevin Curry, AS, RNP, CCEMTP
United Training Center
Lewiston, Maine

Reuben Farnsworth, BS, NRP, CCP/CP-C
RockStar Education and Consulting
Delta, Colorado

David Fifer, MS, RNP, FAWM
Programa paramédico de la Universidad del Este de Kentucky
Richmond, Kentucky

Charles Foat, PhD, NRP
Colegio Comunitario del Condado de Johnson
Overland Park, Kansas

Lori Gallian, BS, EMT-P
Summit Science
Sacramento, California

Fidel O. Garcia, Paramédico
Professional EMS Education, LLC
Grand Junction, Colorado

Rodney L. Geilenfeldt II, BS, PAP
Jefe de División de Servicios Clínicos
Sistema de SEM del Condado de Kootenai
Coeur d'Alene, Idaho

Craig Gesterling, BS, NRP
Escuela de SEM
San Petersburgo, Florida

Jeffery D. Gilliard, MEd, RNP, CCEMTP, FPC
Instituto EMETSEEI
Rockledge, Florida

Jamie O. Gray, BS, AAS, NRP, FF
Oficina de servicios de emergencia médica de Alabama
Prattville, Alabama

James E. Gretz, MBA, NRP, CCP-C
JeffSTAT- Hospital Universitario Thomas Jefferson
Filadelfia, Pensilvania

Kevin M. Gurney, MS, CCEMTP, I/C
Delta Ambulance
Waterville, Maine

Katie E. Hall, BA, RNP, CCP, IC
Colegio Estatal Comunitario de Roane
Knoxville, Tennessee

Kirk Hallett, PAP
Richmond Ambulance Authority
Richmond, Virginia

Jennifer Hannigan, MEd, Paramédico, CIC
Departamento de Bomberos de la Ciudad de Nueva York
Oficina de Formación de Servicios de Emergencia Médica
Bayside, Nueva York

Anthony S. Harbour, MEd, BSN, RN, NRP
Servicio de Emergencia Médica del Sur de Virginia
Roanoke, Virginia

Greg Helmuth, MA, RNP
Colegio Comunitario de Hawkeye
Waterloo, Iowa

Thomas Herron, AAS, RNP
Colegio Estatal Comunitario de Roane
Knoxville, Tennessee

Paul Hitchcock, RNP
Departamento de Seguridad Nacional
Herndon, Virginia

Michele M. Hoffman, MSEd, RN, PAP
Departamento de Bomberos del Condado de James City
Condado de James City, Virginia

Suh Hughart, PAP
SEM de San Marcos del Condado de Hays
San Marcos, Texas

Sandra Hultz, BS, NRP
Colegio Comunitario Holmes
Ridgeland, Mississippi

Joseph L. Hurlburt, BS, NREMT-P
Manton, Michigan

Darin (DJ) Jackson, MDiv, Paramédico
Colegio Técnico Comunitario de Asheville-Buncombe
Asheville, Carolina del Norte

Adam Johnson, NRP
Departamento de Bomberos de Rhinelander
Equipo de respuesta especial del Condado de Oneida
Colegio técnico del área de Nicolet
Colegio técnico del área del centro norte
Rhinelander, Wisconsin

William Johnston, BA, AEMCA
Servicio Paramédico de Ottawa
Ottawa, Ontario, Canadá

Brian D. Katcher, RNP, FP-C
PHI Air Medical
Colegio Comunitario de Lord Fairfax
Front Royal, Virginia

Jared Kimball, MPS, NRP
Tulane Trauma Education
Nueva Orleans, Louisiana

Timothy M. Kimble, BA, AAS, NRP, CEM
Departamento de Bomberos y Rescate de Washington Township
Waynesboro, Pensilvania
LifeCare Medical Transports
Fredericksburg, Virginia

Don Kimlicka, RNP, CCEMTP
Coordinador Regional de SEM, Estado de Wisconsin DPH/DHS,
Madison, Wisconsin
Profesor Adjunto, Colegio Técnico del Medio Estado
Wisconsin Rapids, Wisconsin

Mark A. King, MEMS, Paramédico/IC (retirado)
Colegio Comunitario del Valle de Kennebec
Fairfield, Maine

Blake E. Klingle, MS, RN, CEN, CCEMTP
Colegio técnico del Condado de Waukesha
Pewaukee, Wisconsin

Karen (Keri) Wydner Krause, RN, PAP, CCRN
Colegio técnico de Lakeshore
Cleveland, Wisconsin

Jim Ladle, BS, FP-C, CCP-C (retirado)
Departamento de Bomberos de South Jordan
University of Utah AirMed
Salt Lake City, Utah

Tony Lipari, PAP
Servicios de Emergencia Médica de Bolton
Bolton Landing, Nueva York

Ricky Lyles, NRP
Colegio Comunitario de Southside Virginia
Keysville, Virginia

Monica Malec, MD
Universidad de Chicago
Chicago, Illinois

Paul Mallon, BSN, RN, LP, CFRN
SEM del Condado de Austin/Travis
Austin, Texas

John Morrissey, BS, NREMT-P (retirado)
Clay, Nueva York

Patrick Murphy, BA, PAP, FP
SEM del Condado de Austin Travis
Austin, Texas

Jim O'Connor
División de Bomberos de Columbus
Columbus, Ohio
Academia de Bomberos de Ohio
Reynoldsburg, Ohio

Keito Ortiz, Paramédico, NYS CIC
Centro de Traumatología Nivel 1 del Centro Médico Jamaica
Jamaica, Nueva York

Jose A. Perez, Paramédico, Coordinador Instructor Certificado (CIC)
Departamento de Bomberos de Nueva York
Academia de SEM
Oficina de Formación
Queens, Nueva York

Joyce M. Pettengill, AAS, NRP
Colegio Técnico Comunitario de Fayetteville
Fayetteville, Carolina del Norte

Ian Pleet
Laboratorio de Simulación y Formación de MedStar (SiTEL)
Washington, DC

Alexander Price, BSN, RN, CEN
Centro Médico Regional Sandoval
Rio Rancho, Nuevo México

Ernest K. Ralston, PG, EMTP-T, CMAS, NAEMSP
Centro de Medicina de Emergencia Asimétrica
Centreville, Virginia

Kevin Ramdayal, Paramédico
Departamento de Bomberos de la Ciudad de Nueva York
Colegio Comunitario de Borough de Manhattan
Nueva York, Nueva York

Curtis A. Rhodes, NRP, CCEMTP
Centro Tecnológico Gordon Cooper
Shawnee, Oklahoma

Chris Rock, MSN, RN
Departamento de Bomberos de la Ciudad de Tacoma
Tacoma, Washington

Keith A. Sharisky, NRP
Cuerpo de Bomberos de Aberdeen, Ambulancia de Cuidados Avanzados
Aberdeen, Dakota del Sur

Douglas Skinner, MPA, NRP, NCEE
SCS Safety Health and Security Associates LLC
Leesburg, Virginia

Jeremy H. Smith, NRP
Centro de Formación Médica para Operaciones Conjuntas Especiales
Fort Bragg, Carolina del Norte

Scott A. Smith, MSN, APRN-CNP, ACNP-BC, NRP, I/C
Medical Education Solutions, LLC
Portland, Maine

Sara Sproule, CCEMTP
Departamento de Bomberos y Rescate del Condado de Prince William
Woodbridge, Virginia

Robert Stanley, MPH, NRP
Escuela de SEM
San Petersburgo, Florida

Andrew W. Stern, MPA, MA, RNP, CCEMTP
Servicios de Emergencia Médica
Colonie, Nueva York
Colegio Comunitario de Hudson Valley
Troy, Nueva York

Stephanie Stewart, DNP, APRN, CRNA
Universidad Estatal Central de Connecticut
New Britain, Connecticut

Jonathan C. Stone, MPA, NRP, FP-C
Universidad de Utah Valley
Orem, Utah

Frank Strange Jr, MS
Universidad Estatal de Oklahoma
Oklahoma City, Oklahoma

Justin G. Tilghman, PhD, Paramédico, CEM
Colegio Comunitario Lenoir
Kinston, Carolina del Norte

Laura Tipping-Wilhelm, MSN, BSN, APRN-C, CEN, CCRN, CAPA, CPAN
New Haven, Connecticut

Scott Tomek, EdS, MA, FP-C, CCP-C
Allina Health EMS
St. Paul, Minnesota

Amy E. V. Trujillo, MA, NRP
Departamento de Bomberos de Fielding
Fielding, Utah

Brian Turner, RN, CCEMTP
UnityPoint Health
Princeton, Iowa

Jerad Warlick, BS, NRP, FP-C
Universidad Estatal de Oklahoma
Oklahoma City, Oklahoma

Thomas F. (Tom) Watson, AS, AAS, Paramédico
Colegio Comunitario Thomas Nelson
Hampton, Virginia

Gregory West, EdD, JD, NRP
Colegio Técnico del Condado de Waukesha

Pewaukee, Wisconsin

Michael H. Wilhelm, DNP, APRN, CRNA
UCONN Health- Hospital John Dempsey
Farmington, Connecticut

David Yarmesch, BSOL, AAS-EMS, CSSGB, EMSI, Paramédico
Centro Médico MetroHealth
Cleveland, Ohio

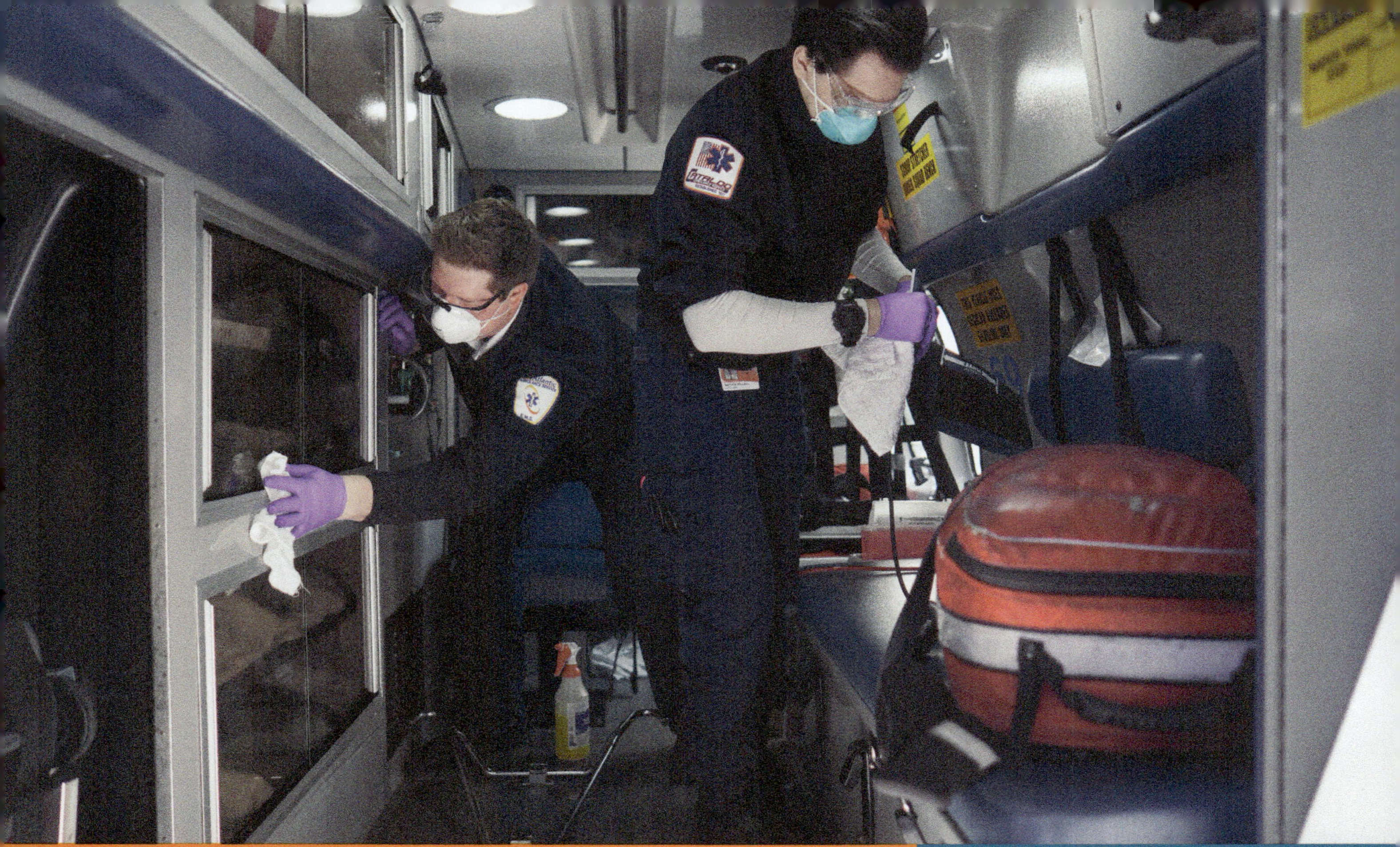

Preparación

VOLUMEN 1

SECCIÓN

1

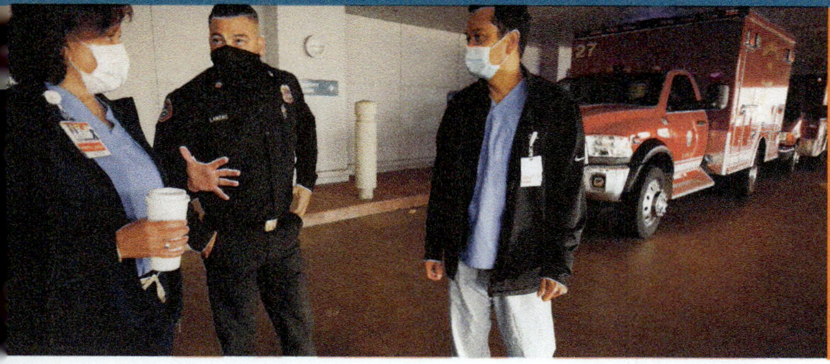

Capítulo 1

Sistemas de los servicios de emergencias médicas (SEM)

COMPETENCIAS DEL ESTÁNDAR NACIONAL DE EDUCACIÓN EN EL SEM

Preparación

Integra un amplio conocimiento del sistema de los servicios de emergencias médicas, la seguridad y el bienestar del paramédico, cuyo objetivo es mejorar la salud del personal que proporciona los servicios de emergencias médicas, los pacientes y la comunidad.

Sistemas de los servicios de emergencias médicas (SEM)

- Sistemas de los servicios de emergencias médicas (p. 4)
- Historia de los SEM (pp. 5, 14-15)
- Funciones, responsabilidades y profesionalismo del personal que participa en los SEM (pp. 23-26)
- Mejora de la calidad (pp. 27-30)
- Seguridad del paciente (pp. 4, 10, 19)

Investigación

- Impacto de la investigación sobre el respondedor de emergencias médicas (REM) (p. 16)
- Recopilación de datos (p. 33)
- Toma de decisiones basadas en la evidencia (pp. 36-37)
- Principios de investigación para interpretar la bibliografía y promover la práctica basada en la evidencia (p. 30)

OBJETIVOS COGNITIVOS

1. Enumerar los principales acontecimientos en la historia de los servicios de emergencias médicas (SEM). (p. 5)
2. Analizar los procesos para obtener una licencia y certificación. (pp. 10-12)
3. Definir la reciprocidad, incluida su relevancia para la práctica de las emergencias médicas. (p. 12)
4. Enumerar los cinco tipos principales de servicios que ofrecen atención en emergencias médicas. (pp. 12-14)
5. Discutir los puntos críticos, los componentes necesarios y los elementos del sistema del SEM. (pp. 14-15)
6. Describir los niveles de formación de los SEM en términos del conjunto de habilidades necesarias para cada uno de los siguientes: respondedor en emergencias médicas, técnico en emergencias médicas, técnico en emergencias médicas avanzado y paramédico. (pp. 15-17).
7. Analizar el papel del *National EMS Scope of Practice Model* y las *National EMS Education Standards* en relación con los niveles educativos de los SEM. (p. 17)
8. Analizar la educación inicial en medicina prehospitalaria y la importancia de la educación continua. (pp. 17-18)
9. Describir los distintos tipos de transporte que puede realizar el paramédico, incluidos aquellos a centros especializados y entre centros. (pp. 18-19)
10. Discutir el papel del paramédico en el trabajo con otros proveedores de atención prehospitalaria y agencias de seguridad pública. (pp. 19-20)
11. Identificar las características de la función del sistema del SEM en la prevención y educación pública en la comunidad. (p. 20)
12. Describir los atributos que se esperan de un paramédico. (pp. 22-23)
13. Describir las funciones y responsabilidades del paramédico. (pp. 23-26)

14. Analizar aspectos relacionados con el método adecuado de transporte, así como situaciones ajenas al transporte. (pp. 18-19, 28)
15. Describir cómo funciona la dirección médica de un sistema del SEM y el papel del paramédico en el proceso. (pp. 26-27)
16. Analizar el propósito del proceso de mejora continua de la calidad (MCC) de los SEM. (pp. 27-28)
17. Analizar ejemplos de cómo se pueden prevenir los errores cuando se presta la atención en el SEM. (pp. 28-30)
18. Analizar la importancia de la investigación médica y su papel en el perfeccionamiento de las prácticas de los SEM. (pp. 30-32)
19. Enumerar los tipos de investigación y los subtipos dentro de cada categoría. (pp. 32-34)
20. Analizar las consideraciones éticas relacionadas con la realización de investigaciones médicas. (pp. 34-35)
21. Definir la bibliografía avalada por expertos y describir cómo se relaciona con un paramédico en la práctica. (pp. 35-36).
22. Analizar la medicina basada en la evidencia y cómo incorporar este concepto en la práctica paramédica diaria. (pp. 36-37)

OBJETIVOS DE DESTREZA

No hay objetivos de destreza para este capítulo.

Introducción

El **sistema de los servicios de emergencias médicas (SEM)** ya no se considera que esté en sus primeros años; sin embargo, sigue evolucionando. Cuando se estableció al inicio, se llamaba a un socorrista para que acudiera a un lugar en busca de personas enfermas o heridas y simplemente las trasladaba con rapidez a un centro médico; esta práctica a menudo se denominaba "cargar y llevar". A medida que aumentaba la concientización sobre las capacidades de los SEM, se hizo evidente la necesidad de mejorar los sistemas en diversos lugares, sobre todo rurales. Esta conciencia, junto con la investigación y las directrices de las organizaciones nacionales, ha llevado al avance de los SEM.

Como paramédico, usted se encontrará con diferentes tipos de pacientes y situaciones. Lo más importante que debe recordar es que su llamada es una verdadera emergencia a los ojos de las personas que llaman o de los pacientes, así que si considera que la situación en realidad no es una emergencia no los juzgue. De hecho, la mayoría de las llamadas no se tratan de casos que generen amenazas reales para la vida, pero siguen siendo acontecimientos importantes para sus pacientes **FIGURA 1-1**. La percepción que el público tiene de usted a menudo se comparará con lo que se ve en televisión, lo que se lee en artículos publicados y de la experiencia de los pacientes; además, se basará en el trato que usted proporcione a sus seres queridos. Siempre que lleve uniforme o represente a su profesión, esté o no de servicio, trate a todas las personas con las que se encuentre con respeto y dignidad.

A medida que avance en su formación y carrera, esté siempre preparado para el cambio: el SEM es un campo en continua evolución. Al margen de si va a ser

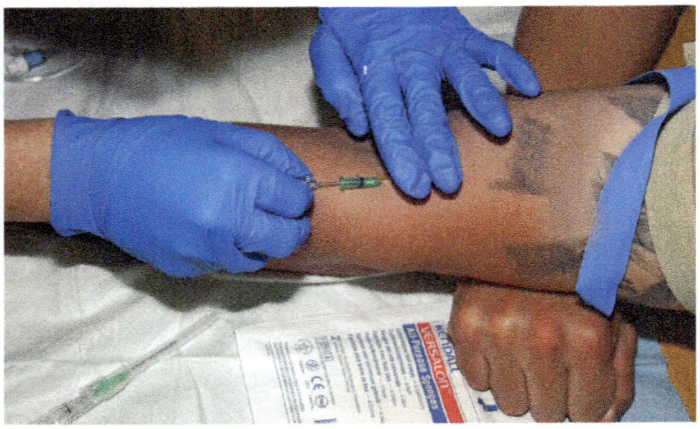

FIGURA 1-1 Los proveedores prehospitalarios de hoy en día están altamente capacitados para proporcionar una amplia variedad de servicios de emergencias médicas al público.

SEGURIDAD

La seguridad del proveedor es primordial, pero ¡también lo es la del paciente! ¿Por qué tanto énfasis en la seguridad del paciente? El proceso de atención a un paciente es complejo y comprende muchos componentes (p. ej., atención prehospitalaria, proveedores del Departamento de Emergencias (DE), radiología, laboratorio, transporte). Todos estos grupos de proveedores deben coordinar sus acciones como parte del esfuerzo conjunto que conforma la experiencia de atención médica general al paciente. En un mundo ideal, un paciente se movería sin problemas desde la escena a través de los diversos departamentos y desde la presentación inicial hasta el alta o la referencia. Por supuesto, no vivimos en un mundo tan ideal, y la complejidad de los numerosos pasos implicados abre muchas oportunidades para fallas en los procesos, errores y resultados adversos.

voluntario o a prestar su servicio en un departamento profesional remunerado, la capacitación continua es imprescindible; es posible que parte de lo que aprenda hoy no sea aplicable mañana.

Desarrollo del sistema del SEM

Historia de los SEM

Gran parte de la atención de emergencia médica prehospitalaria que prestará como paramédico se puede atribuir de manera directa o indirecta a las aventuras visionarias de los pioneros en el campo, incluyendo el trabajo de los doctores Peter Safar y Nancy Caroline. En este capítulo aprenderá más sobre ellos. Si se investiga la historia de los SEM, puede sorprender la antigüedad de los sistemas organizados. Por ejemplo, el primer uso registrado de una ambulancia fue por parte de los militares durante el sitio de Málaga en 1487. Se utilizó exclusivamente para el transporte y no hay constancia de que se prestara atención médica. Durante el siglo XIX, los SEM empezaron a avanzar con los siguientes desarrollos clave:

- 1800: se atribuye al barón Dominique-Jean Larrey, médico en jefe del ejército de Napoleón, el haber establecido el primer sistema prehospitalario de clasificación y transporte de pacientes.
- 1860 a 1870: se inician los servicios civiles de ambulancia en Cincinnati (Ohio) en 1865 y en Nueva York en 1869. En Nueva York, las ambulancias (carruajes tirados por caballos) eran enviadas por telégrafo desde el Hospital Bellevue en la avenida central. Tan solo en el primer año, estas ambulancias respondieron a más de 1 800 llamadas para obtener auxilio en toda la ciudad.
- 1899: la primera ambulancia de tipo automóvil salió del Michael Reese Hospital de Chicago, Illinois.

El siglo XX siguió siendo testigo de la evolución de los SEM, con cambios significativos entre la Primera y la Segunda Guerra Mundial. Durante esta época se produjo un cambio importante; muchos servicios de ambulancia basados en hospitales no sobrevivieron debido a la falta de fuerza laboral resultante de las guerras. Algunos avances importantes en los SEM antes de 1950 fueron los siguientes:

- 1926: el Departamento de bomberos de Phoenix agregó un servicio similar al actual SEM.
- 1928: Julian Stanley Wise fundó el primer escuadrón de rescate en Roanoke, Virginia, llamado *Roanoke Life Saving and First Aid Crew.* Pronto se crearon numerosas organizaciones de equipos de rescate a lo largo de la costa este, sobre todo en Nueva Jersey.
- Década de 1940: debido a la escasez de personal médico, la función de los SEM pasó a manos de los departamentos de bomberos y policía. Por desgracia, no se establecieron normas mínimas de formación para esta labor. Además, la función de proporcionar atención de emergencias médicas no siempre fue aceptada o bien recibida por estos departamentos.

USTED es el Paramédico

PARTE 1

A las 16:18 horas se le envía al número 300 de la calle Hunt Road debido al reporte de una colisión entre un vehículo y una motocicleta y usted les informa que va en camino. Tres minutos más tarde, cuando se acerca al lugar del accidente, observa un vehículo detenido en diagonal al otro lado de la vía y una motocicleta tirada de lado a unos 6 m del coche. Observa una fuga de líquido debajo del coche, pero parece que no hay nadie dentro. En la entrada de la casa se ha reunido una multitud de transeúntes y observa a un hombre con un casco de motocicleta en la mano. Usted piensa que puede ser el motociclista hasta que el hombre se aparta de la multitud y ve a alguien tendido en el suelo. También observa a dos mujeres que intentan hablar con una joven que grita histérica. No ha llegado al lugar ninguna otra dependencia de seguridad pública. En este momento no observa ningún peligro.

Al salir de la ambulancia y acercarse al lugar de los hechos, observa daños en la defensa delantera derecha y en la puerta del copiloto del vehículo. El hombre que lleva el casco se gira y le pide que se apresure. Le dice que él conducía el vehículo y que está bien, pero que el motociclista está "malherido".

1. ¿Cuál es su primera acción al acercarse a la escena y realizar una evaluación de esta?
2. ¿Qué papel desempeña el sistema del SEM en esta llamada?

Perlas de sabiduría

Nancy Lee Caroline, hija de Leo y Zelda Caroline, nació en 1944 en un suburbio de Boston. Nancy tenía una fuerte conciencia social y dedicó su vida a la medicina, la enseñanza y a sus pacientes, y tenía un magnífico sentido del humor. A menudo se la ha llamado con razón la "Madre de los paramédicos" por su dedicación a la formación de paramédicos (**FIGURA 1-2**). Nancy murió en 2002 de mieloma múltiple a los 58 años.

La carrera médica de Nancy empezó a la temprana edad de 15 años en el laboratorio de patología del famoso Dr. Benjamin Castleman, en el Hospital General de Massachusetts, donde realizó investigaciones médicas mucho antes de entrar en la universidad. Nancy se especializó en lingüística en el *Radcliffe College* y en 1977 obtuvo su título en Medicina por la *Case Western Reserve University*. Posteriormente, obtuvo una beca en medicina de cuidados intensivos por parte de la Universidad de Pittsburgh, donde empezó su labor pionera en medicina prehospitalaria.

Por aquel entonces, el difunto Dr. Peter Safar supervisaba una subdivisión del Departamento de Transporte de Estados Unidos para crear un plan de estudios para paramédicos. El Dr. Safar ofreció a Nancy la oportunidad, como directora médica de *Freedom House Enterprises Ambulance Service*, de formar a paramédicos elegidos de entre un grupo de hombres afroamericanos que no habían podido terminar los estudios de preparatoria. Nancy tuvo tanto éxito que le pidieron que escribiera un plan de estudios para la formación de paramédicos. Ese plan de estudios se publicó como la primera edición del libro de texto que está leyendo: *Programa de formación profesional del paramédico*.

FIGURA 1-2 Nancy L. Caroline con una ambulancia del Departamento de Salud y Hospitales de Boston.

Fotografía de Nancy L. Caroline proporcionada como un cariñoso recuerdo por su madre, Zelda Caroline.

La lista de otros logros de Nancy es larga. Fue la primera directora médica de la *Red Cross Society* de Israel (Magen David Adom), donde, además de formar a los primeros paramédicos israelíes, recibió clases de hebreo (para ella era un orgullo conocer los idiomas de los países en los que trabajaba). Una vez finalizado su cargo allí, en 1981, Nancy se trasladó a Nairobi, Kenia, para convertirse en oficial médico superior de la AMREF (*African Medical and Research Foundation*), la fundación que supervisa el famoso servicio de Flying Doctors. Cuando se enteró de la devastadora hambruna que asoló Etiopía a principios de la década de los ochenta, Nancy se convirtió en asesora de la Liga de Sociedades de la Cruz Roja, escribió un manual sobre soporte vital básico e impartió clases de primeros auxilios para las naciones africanas. Trabajó con la Iglesia Ortodoxa Etíope para mejorar la alimentación y la atención médica de los niños de más de 600 orfanatos. Además, Nancy fue directora de programas médicos del *American Jewish Joint Distribution Committee* en Addis Abeba.

En 1987, Nancy regresó a Israel para trabajar como asesora médica para el *Center for Educational Technology* y para la AMREF, donde elaboró material de formación en medicina de emergencias y redactó cursos por correspondencia para trabajadores de salud rurales en África. De igual modo, trabajó como profesora adjunta en la facultad de medicina de la Universidad de Pittsburgh. Mientras trabajaba como voluntaria en el Departamento de oncología de Tel Hashomer, Nancy colaboró con Alexander Waller, MD, en la creación del *Manual de cuidados paliativos en el cáncer*.

Nancy se estableció en Metula, Israel. Se dio cuenta de que había una necesidad de cuidados especiales en el norte de Israel para las personas con cáncer avanzado. En 1995 fundó el HUG (*Hospice of the Upper Galilee*). En 2002 se casó con el genetista y biólogo molecular Lazarus Astrachan.

Nancy se fue demasiado pronto, pero sin duda dejó un mundo mejor. A pesar de todos sus logros, el cumplido que más significó para ella fue que la llamaran la Madre de los paramédicos. Ella era, sin duda, la mejor madre que los paramédicos podían tener.

El siglo XX y la tecnología moderna

Durante la Primera y la Segunda Guerra Mundial, los cuerpos de combate (sistemas de tratamiento y transporte en campo) evolucionaron de manera continua a medida que se aprendían nuevas técnicas que mejoraban la atención en el campo. En las décadas de 1950 y 1960, los SEM empezaron a avanzar de forma significativa. Durante la década de 1950 y la guerra de Corea, los médicos militares reconocieron que acercar los servicios hospitalarios al campo podía mejorar las posibilidades de supervivencia de los pacientes. En 1951 se utilizaron por primera vez los helicópteros durante la guerra de Corea. Llevaron a los pacientes a los *Mobile Army Surgical Hospitals* (unidades MASH), que ayudaron a miles de soldados y civiles a sobrevivir a sus heridas en esa guerra (**FIGURA 1-3**).

En 1956, los doctores James Elan y Peter Safar desarrollaron la reanimación con ventilación boca a boca. En 1959 Frank Pantridge desarrolló el primer desfibrilador portátil. Ambos avances fueron decisivos para salvar vidas en campo.

A finales de la década de 1950 y principios de la de 1960, en algunos países europeos se insistió en acercar la atención hospitalaria al paciente. En estos países se crearon **unidades móviles de cuidados intensivos (UMCI)**, dotadas de médicos con formación específica. Este concepto se extendió rápidamente a Estados Unidos. Sin embargo, en aquella época escaseaban los médicos estadounidenses y los que estaban interesados en participar en este tipo de unidades tenían una experiencia mínima fuera del entorno hospitalario. Se preguntó entonces a los médicos: "¿se puede formar a una persona que no es médico para que realice habilidades médicas avanzadas?". Muchos respondieron "sí".

FIGURA 1-3 Los hospitales temporales, como este que se utilizó durante la guerra de Corea, se crearon para proporcionar una atención más rápida a los lesionados.

En 1965, la *National Academy of Sciences* y el *National Research Council* estadounidenses publicaron "El Libro Blanco", cuyo título formal era *Muerte accidental y discapacidad: la enfermedad desatendida de la sociedad moderna*; el cual se publicó de manera subsecuente en 1966. Algunas de las conclusiones relacionadas con la atención médica que se destacan en este documento son las siguientes:

- Falta de leyes y normas uniformes.
- Las ambulancias y los equipos eran de mala calidad o inexistentes.
- Falta de comunicación entre los SEM y los hospitales.
- Falta de formación del personal.
- Los hospitales solo tenían personal de medio tiempo.
- Cada año mueren más personas en accidentes de tráfico en Estados Unidos que en la guerra de Vietnam.

Con base en estos hallazgos, El Libro Blanco describía 10 puntos críticos para establecer un sistema funcional.

Como respuesta a las necesidades no satisfechas en relación con la atención médica en terreno identificadas en El Libro Blanco, el Congreso de Estados Unidos aprobó la *National Highway Safety Act* de 1966. Como parte de esta ley, se creó el Departamento de Transporte de Estados Unidos (US DOT, por sus siglas en inglés) para proporcionar autoridad y apoyo financiero a fin de desarrollar programas de soporte vital básico y avanzado. En 1968, el Grupo de Trabajo del Comité del SEM redactó las normas básicas de formación, y se crearon los principios de un sistema 9-1-1 para proporcionar acceso universal a los servicios de emergencia. En el **CUADRO 1-1** se enumeran los puntos críticos, los componentes necesarios y los elementos del sistema de los SEM que finalmente se desarrollaron como resultado de la publicación de El Libro Blanco.

En 1969, un año después de que se desarrollaron las normas básicas de formación, el Dr. Eugene Nagel, entonces de Miami, Florida, empezó a capacitar a los bomberos del Departamento de Bomberos de Miami en técnicas avanzadas de emergencias médicas, creando así el primer programa paramédico real (**FIGURA 1-4**). A continuación, el Dr. Nagel dio un paso más en el uso de tratamientos avanzados de emergencias médicas: desarrolló un sistema de telemetría que permitía a los bomberos transmitir el electrocardiograma (EKG) de un paciente a los médicos del Hospital

Jackson Memorial y recibir instrucciones por radio de los médicos sobre las medidas que deberían realizar. Al Dr. Nagel se le suele llamar el "Padre de la paramedicina". En 1969 también se publicaron normas para el diseño y equipamiento de ambulancias.

En la década de 1970 continuaron los avances en los SEM, se generalizó el uso de helicópteros para el transporte con atención médica y se creó el Registro Nacional de Técnicos en emergencias Médicas (NREMT por sus siglas en inglés). En 1971, el primer

CUADRO 1-1 Puntos críticos, componentes requeridos y elementos del sistema del SEM

Año	Fuente	Reactivos
1966	*Muerte accidental y discapacidad: la enfermedad desatendida de la sociedad moderna* (El Libro Blanco)	Puntos críticos para establecer un sistema del SEM que funcione: 1. Desarrollar estrategias de colaboración para identificar y abordar los problemas de salud y seguridad de la comunidad. 2. Alinear los incentivos financieros de los SEM y otros proveedores y pagadores de atención médica. 3. Participar en los esfuerzos de prevención basados en la comunidad. 4. Desarrollar y obtener una agenda nacional de investigación de los SEM. 5. Aprobar una ley sobre los SEM en cada estado que apoye la innovación y la integración. 6. Asignar recursos adecuados para la dirección médica. 7. Desarrollar sistemas de información que vinculen los SEM en todo su continuo. 8. Determinar los costos y beneficios de los SEM para la comunidad. 9. Designar un número de teléfono único de emergencias a nivel nacional. 10. Garantizar que todas las llamadas de ayuda de emergencia vayan acompañadas automáticamente de información que permita identificar la ubicación.
1973	*Emergency Medical Services Systems Act*	Componentes obligatorios de un sistema del SEM: 1. Integración de los servicios de salud 2. Investigación de los SEM 3. Legislación y regulación 4. Financiamiento del sistema 5. Recursos humanos 6. Dirección médica 7. Sistemas de educación y formación 8. Acceso y educación al público 9. Prevención 10. Transporte 11. Sistemas de comunicación 12. Instalaciones de atención hospitalaria 13. Sistemas de información y educación a los pacientes 14. Acuerdos de ayuda mutua 15. Evaluación
1988	*National Highway Traffic Safety Administration (NHTSA)*	Elementos esenciales del SEM de la NHTSA: 1. Regulación y política 2. Administración de recursos 3. Recursos humanos y formación 4. Transporte 5. Instalaciones 6. Comunicación 7. Información y educación del público 8. Dirección médica 9. Sistemas de traumatología 10. Evaluación

Año	Fuente	Reactivos
1996	*National Highway Traffic Safety Administration*	Atributos del sistema de la Agenda para el futuro de los SEM: 1. Integración de los servicios de salud 2. Investigación de los SEM 3. Legislación y regulación 4. Financiamiento del sistema 5. Recursos humanos 6. Dirección médica 7. Sistemas educativos 8. Educación pública 9. Prevención 10. Acceso público 11. Sistemas de comunicación 12. Atención hospitalaria 13. Sistemas de información 14. Evaluación
2019	*National Highway Traffic Safety Administration*	Agenda 2050 de los SEM de la NHTSA: los SEM deben ser: 1. Intrínsecamente seguros y eficaces 2. Integrados e ininterrumpidos 3. Socialmente equitativos 4. Confiables y preparados 5. Sostenibles y eficientes 6. Adaptables e innovadores

FIGURA 1-4 El Dr. Eugene Nagel, ampliamente considerado el Padre de la paramedicina, proporcionó un liderazgo muy necesario al campo en desarrollo de la formación de los SEM. Aquí se le muestra (a la izquierda) en 1967 con el jefe Larry Kenney del Departamento de Bomberos de Miami, con el primer paquete de telemetría utilizado por los paramédicos.

Cortesía de Eugene L. Nagel y el Departamento de Bomberos de Miami.

libro de texto para el técnico en emergencias médicas (TEM), *Atención y traslado de emergencia del enfermo y del lesionado,* fue publicado por la AAOS (*American Academy of Orthopaedic Surgeons*). Ese mismo año, la AAOS empezó con la formación de proveedores de atención prehospitalaria en todo el país a través de un taller nacional. Al año siguiente, la primera serie de televisión centrada en los servicios de emergencias médicas: *Emergency!,* inició una exitosa carrera de 8 años. Los protagonistas, John Gage y Roy DeSoto, se hicieron muy conocidos. Muchos proveedores del SEM siguen pensando en esta serie por su descripción realista de los SEM modernos.

En 1973, la *Emergency Medical Services Systems Act* definió 15 componentes necesarios de un sistema del SEM, incluidos en el Cuadro 1-1, haciendo hincapié en el desarrollo regional y la atención del trauma. Esta ley proporcionó estructura y uniformidad al sistema del SEM que surgió de los programas pioneros de Miami, Seattle, Pittsburgh y el Illinois Trauma System (Dr. David Boyd). En 1974, después de que un informe federal revelara que menos de la mitad del personal de ambulancias había completado una formación suficiente, se publicaron directrices para desarrollar e implantar sistemas del SEM. En 1975, la *American Medical Association* reconoció la medicina de emergencia como su propia especialidad dentro de la medicina. Muchas ciudades crearon cursos individuales de formación avanzada en el SEM y las regiones añadieron su propio toque a lo que consideraban el estándar esencial de atención. Sin embargo, no fue hasta

1977 que el Departamento de Transporte de Estados Unidos desarrolló el primer plan de estudios estándar nacional para paramédicos, basado en el trabajo de la Dra. Nancy Caroline.

A lo largo de las décadas de 1980 y 1990 continuaron los cambios en los SEM y el número de personas formadas creció de manera significativa. La *National Highway Traffic Safety Administration* (NHTSA) elaboró 10 reactivos para el sistema, incluidos en el Cuadro 1-1, para sostener los sistemas del SEM. De manera desafortunada, el financiamiento federal y el personal para apoyar estos esfuerzos se redujeron, y la responsabilidad de los SEM se transfirió a los estados. Aunque se dejó claro que el financiamiento federal proporcionado era solo de "capital inicial" y que era necesario desarrollar estrategias de financiamiento local a largo plazo, muchos estados al parecer creyeron que los fondos federales no desaparecerían. Por desgracia, el dinero dejó de llegar y, hoy en día, el financiamiento de los sistemas del SEM sigue siendo un reto importante para los gobiernos locales y estatales.

En esta época también surgieron otras iniciativas legislativas importantes, como el financiamiento a través de subvenciones del programa EMSC (*Emergency Medical Services for Children*), que se puso en marcha en 1985.[1] En 1986 se introdujo una enmienda al programa de prestaciones de los agentes de seguridad pública para que, en caso de que el proveedor perdiera la vida en servicio, las familias de los bomberos, los miembros de los equipos de rescate y el personal de las ambulancias recibieran una compensación. A medida que avanzaba la década de 1990, los **sistemas de trauma** empezaron a abrirse paso como parte de los SEM. Algunos de estos programas secundarios recibieron financiamiento federal, pero siguen luchando por demostrar su necesidad y mantener este apoyo. Su experiencia es fundamental para el avance de los SEM, pero la falta de financiamiento a menudo ha limitado su impacto práctico.

Los SEM siguen evolucionando y cambiando en el siglo XXI. Están surgiendo numerosas iniciativas, como la NEMSQDA (*National EMS Quality Alliance*) estadounidense, antes llamada *EMS Compass*. Esta organización elabora y respalda medidas de calidad basadas en pruebas para los SEM y los socios de atención médica que mejoran la experiencia y los resultados de los pacientes y los profesionales de la salud.[2] También se está reconociendo la idea de que la formación de los SEM se puede aplicar en muchos otros entornos de la atención médica, en lugar de estrictamente en una ambulancia. Los paramédicos proporcionan atención en los servicios de emergencia prehospitalaria, clínicas de salud, centros de vacunación y consultorios médicos. Asimismo, la medicina prehospitalaria comunitaria como un modelo de atención médica en el que los paramédicos experimentados reciben formación avanzada para prestar servicios adicionales en el entorno prehospitalario, se está convirtiendo en una realidad y se están produciendo avances continuos en este ámbito. Es importante señalar que el desarrollo de estas capacidades adicionales no es para sustituir a las actuales modalidades de atención médica, sino más bien para aplicar las capacidades de los paramédicos en áreas no atendidas anteriormente, por ejemplo, como asistencia a una enfermera de atención domiciliaria.

SEGURIDAD

Cada hospital y sistema del SEM maneja su cultura de la seguridad de forma local; ambos eligen qué programas van a aplicar para controlar los problemas de seguridad. Una **cultura de la seguridad** tiene varias características importantes:

- Reconoce las organizaciones que realizan actividades de alto riesgo y determina la importancia de unas operaciones congruentes y seguras para contrarrestar estos riesgos.
- Apoya un entorno libre de culpas en el que se puede presentar un informe de los errores sin temor a ser castigados.
- Mantiene el compromiso de la organización para abordar los errores y problemas de seguridad reportados.

La cultura de seguridad de una organización se puede medir mediante encuestas validadas que se realizan a los proveedores, como la Encuesta sobre Cultura de Seguridad del Paciente y el Cuestionario sobre Actitudes de Seguridad elaborados por la AHRQ. En estas encuestas se pide a los proveedores que califiquen la cultura de seguridad de su lugar de trabajo y de la organización en su conjunto. La AHRQ actualiza cada año los datos de referencia de su encuesta hospitalaria. Algunas actividades específicas, como la formación para el trabajo en equipo, las rondas de ejecutivos y la creación de equipos de seguridad, se han asociado con algunas mejoras en las mediciones de la cultura de la seguridad, pero aún no se han relacionado con tasas de error más bajas.

Licencia, certificación, registro y acreditación

A lo largo de esta sección utilizaremos de manera indistinta los términos *licencia* y *registro*, aunque tienen significados del todo diferentes. De acuerdo con su estado o localidad, usted puede estar autorizado con una licencia o un registro. **Registro** significa que una junta de registro reconocida mantiene registros de su educación, licencia estatal o local y recertificación. La **licencia** es la forma en que los estados controlan quién puede ejercer como profesional de la salud. Una vez que haya completado su educación inicial como paramédico, usted será elegible para tomar el examen de certificación de su estado, dependiendo del mismo.

La **acreditación** se produce a nivel local, donde el director médico determina qué habilidades están autorizados para realizar por parte de los proveedores de atención médica en el sistema del SEM. Estas competencias no pueden sustituir a las definidas por el estado: en general, no se transfieren de un servicio a otro. El director médico solo puede aprobar las competencias de los paramédicos que están bajo su control. En particular, algunos proveedores pueden recibir formación para realizar procedimientos invasivos o de monitorización más avanzados y recibir una acreditación especial.

Perlas de sabiduría

Los términos: *director* médico y *dirección* médica pueden confundirse fácilmente. El *director* médico supervisa las directrices y protocolos de un organismo, es decir, la *dirección* médica. En el campo, un paramédico actuará bajo la dirección médica, pero es poco probable que se comunique de manera directa con el director médico.

Algunos estados exigen que los proveedores del SEM realicen un examen y obtengan la licencia a través de un sistema de registro como el NREMT. Se utiliza un examen de **certificación** para garantizar que los proveedores de atención médica tienen al menos el mismo nivel básico de conocimientos y habilidades. Una vez que haya aprobado los exámenes requeridos, su estado o el NREMT le otorgarán un certificado o licencia.

Diferentes estados se refieren a la autoridad otorgada a los proveedores del SEM para funcionar como paramédico autorizado con licencia, certificado o acreditado. Para los fines de este texto, se utilizará el término *licencia.* Es ilegal llevar a cabo las funciones de un paramédico antes obtener la licencia; para ser más específicos, hacerlo se considera practicar la medicina sin una licencia a menos que un instructor de prácticas del programa paramédico lo supervise directamente como parte de su programa de formación. Aun cuando el hecho de contar con una licencia demuestra que se han completado con éxito los requisitos de formación y exámenes para obtener dicha licencia, no significa que se pueda ejercer como paramédico sin la supervisión del director médico de su servicio o fuera de ella. Las dependencias (estatales, locales y nacionales) siguen exigiendo que los paramédicos reciban **dirección médica** (tanto en línea como presencial). El concepto y los principios del control médico se analizan más adelante en este capítulo.

USTED es el Paramédico

PARTE 2

Su impresión inicial respecto al paciente es que es un hombre joven y parece que no responde. Él no lleva ropa protectora y algunos de los transeúntes le dicen que le quitaron el casco "para que pudiera respirar". Usted observa que el paciente respira, pero que lo hace de forma muy superficial y tiene una pequeña hemorragia por una fractura evidente en la parte inferior de la pierna izquierda. Antes de que llegue al paciente, la mujer histérica corre hacia usted y le suplica que se dé prisa y haga algo porque "¡Mi novio se está muriendo!". Ella no considera que lo estén atendiendo lo suficientemente rápido. Las dos mujeres vuelven a intentar consolarla, pero ella está frenética. Le indican a usted que ella no estuvo implicada en el accidente.

Tiempo de registro: 1 minuto	
Aspecto	Pálido, no se mueve, deformidad evidente de la parte inferior de la pierna izquierda
Nivel de conciencia	No responde a ningún estímulo
Vía aérea	Permeable
Respiración	Rápida y superficial, con un patrón aparentemente asimétrico
Circulación	Pulsos radiales rápidos y débiles

3. ¿Qué aspectos de profesionalismo deben emplearse en esta situación?
4. Además de las mencionadas en la pregunta anterior, ¿qué funciones y responsabilidades son vitales como proveedor de atención médica prehospitalaria?

Si en su estado se exige que apruebe los exámenes cognitivo y psicomotor del NREMT para obtener la licencia, tendrá que aprobar un examen escrito y demostrar varias habilidades prácticas. Para ser elegible, primero debe completar con éxito la educación paramédica inicial a través de un programa acreditado. Su escuela está obligada a verificar que usted finalice el curso antes de que pueda presentar el examen. El examen NREMT pone a prueba al candidato según la carpeta de competencias psicomotoras de un paramédico, una amplia colección de habilidades y escenarios fundamentales para la práctica paramédica. En el sitio web del NREMT, nremt.org, encontrará información detallada sobre los requisitos del examen.

De hecho, el CoAEMSP (*Committee on Accreditation of Educational Programs for the EMS Professions*/Comité de Acreditación de Programas Educativos para las Profesiones del SEM) es el único organismo de acreditación para los programas paramédicos. Su misión es mejorar de forma continua la calidad de la educación de los SEM a través de servicios de acreditación y reconocimiento para toda la gama de profesiones de los SEM. Debido a los cambios en el *National EMS Scope of Practice Model*, la necesidad de ampliar la imagen profesional de los SEM, y el deseo de establecer directrices congruentes para la medicina prehospitalaria, se espera que el número de centros de formación de paramédicos acreditados crezca en los próximos años de manera significativa.

Reciprocidad

En Estados Unidos cada estado tiene diferentes requisitos y procedimientos para obtener una licencia o certificación, al margen de si sigue el *National EMS Scope of Practice Model*. La concesión de la certificación a un proveedor de otro estado o agencia se conoce como **reciprocidad**. Si tiene previsto trasladarse a otro estado o país, infórmese de antemano sobre el proceso de obtención de la licencia. Tome en cuenta que muchos otros países no aceptarán la formación impartida en Estados Unidos y que la reciprocidad no será automática. Los requisitos de reciprocidad más comunes incluyen tener la licencia estatal o certificación del NREMT vigente, estar en regla y cumplir con todos los requisitos de formación del estado en el que se solicita la licencia. Es posible que le soliciten que presente su historia académica, horas de formación continua o pruebas de que ha realizado cursos de actualización. Tal vez algunos estados exijan una prueba de habilidades prácticas, pero otros pueden eximirle de este requisito si cuenta con la certificación del NREMT. Quizá se requiera estudios sobre protocolos y procedimientos específicos del estado. También es probable que se le solicite una constancia en la que se pueda corroborar que no cuenta con antecedentes penales. Debido a que será una parte integral del sistema de salud, la mayoría de los estados quiere asegurarse de que no tiene antecedentes que puedan poner en duda su integridad o profesionalidad. Por último, algunos estados exigen una cantidad a pagar para tramitar la solicitud de reciprocidad y expedir la licencia.

Perlas de sabiduría

En 2020, el NREMT lanzó el sistema nacional de números EMS-ID, el cual es un número de identificación de 12 dígitos emitido de forma gratuita a todos los proveedores del SEM, desde los respondedores de atención prehospitalaria hasta los paramédicos, y a los estudiantes que ingresan en la profesión. El número lo genera de forma automática el NREMT cuando una persona crea una cuenta. Para los proveedores de atención prehospitalaria con una cuenta existente, se crea un EMS-ID con carácter retroactivo. A diferencia del número emitido por el NREMT (número de RN) cuando una persona obtiene la certificación, los EMS-ID no se modifican a medida que cambia el nivel de certificación de la persona. Por lo tanto, los diversos números de certificación que los proveedores pueden obtener a lo largo de sus carreras están vinculados a un único EMS-ID.

Perlas de sabiduría

La certificación del NREMT a menudo facilita la obtención de licencias en otros estados. La *Interstate Commission for EMS Personnel Practice* tiene como objetivo aumentar la capacidad de los proveedores del SEM para ejercer en otros estados a través del reconocimiento de la ley interestatal de licencias del personal del SEM *CompAct* (REPLICA, por sus siglas en inglés). REPLICA no es una forma de reciprocidad de la licencia de los SEM, sino que solo extiende un privilegio al personal del SEM de los estados miembros para ejercer a corto plazo o de forma intermitente en circunstancias aprobadas en otros estados miembros. Los ejemplos incluyen a los proveedores del SEM que responden como parte de una agencia con una huella multiestatal, la dotación de personal para grandes eventos no planeados que no alcanzan el nivel de un desastre declarado por el gobernador, y la dotación de personal para grandes eventos planeados, como conciertos y otros eventos masivos.

Empleo tradicional en los SEM

Una vez que se convierta en un paramédico autorizado, tendrá una variedad de opciones de carrera disponibles. Aunque, en general, su ámbito de práctica volverá a ser el mismo, puede haber ligeras modificaciones de lo que se espera de usted. Las horas de trabajo pueden variar en gran medida, desde turnos de 24 horas a turnos de 12 horas a turnos de 8 horas, o cualquier número de turnos programados. Algunas de las posibilidades profesionales son las siguientes:

- **SEM de bomberos.** En general, el gobierno municipal estadounidense paga a la mayoría de los proveedores del SEM que están integrados en un cuerpo de bomberos y operan bajo sus órdenes. Sin embargo, dependiendo de su estado, no siempre es así. Algunos lugares funcionan sobre todo con voluntarios no remunerados, mientras que otros utilizan proveedores a los que se paga por llamada, es decir, no reciben remuneración hasta que entra una llamada. Los SEM pueden tener un sistema administrativo por separado dentro de estas organizaciones y operar de manera independiente de la agrupación de bomberos. De acuerdo con la situación específica de cada agencia, mantener sistemas de gestión de operaciones separados puede o no ser valioso debido a las numerosas expectativas de ambas áreas. Si existe una gestión separada, los administradores suelen depender de un jefe o director para garantizar la coherencia de las operaciones del departamento. Los bomberos y el personal del SEM pueden responder en conjunto a incidentes importantes donde se requiera personal adicional, y usted puede tener una doble función de trabajar tanto con los bomberos como con los proveedores del SEM. Recién se incrementó la tendencia del trabajo conjunto del SEM y los bomberos: la incidencia de los incendios ha disminuido gracias a los esfuerzos de prevención, por lo que los cuerpos de bomberos pueden justificar mejor el mantener un departamento interno dotado de personal si los SEM se suman a su variedad de servicios.
- **SEM de tercera línea (municipios): único o compartido.** Algunos municipios, según sus capacidades financieras, pueden establecer y operar sus propios servicios de ambulancia independientes de los bomberos, la policía y otras entidades de seguridad pública. En algunos casos, las agencias de ambulancias independientes ofrecen sus servicios bajo contrato a los municipios que no pueden permitirse prestar sus propios servicios. Algunos estados permiten que varios municipios compartan servicios mediante acuerdos, siendo cada uno de ellos propietario del sistema resultante a partes iguales. Estos servicios compartidos reducen el costo para todos, lo que les permite cubrir el costo de la prestación del servicio paramédico. Los sistemas de servicios de tercera línea suelen funcionar independientemente del servicio de bomberos. Por consiguiente, es posible que tenga que solicitar de manera explícita una respuesta si necesita la asistencia del departamento de bomberos o de rescate; puede que no se envíen de manera automática. Esto funciona en ambos sentidos: tal vez el cuerpo de bomberos tenga que solicitar la respuesta del SEM para recibir apoyo paramédico, a menos que las dependencias hayan establecido con anterioridad un proceso de respuesta.
- **Agencia privada del SEM: con o sin fines de lucro.** En general, los servicios privados funcionan de forma similar a los SEM de tercera línea. La principal diferencia es que contratan sus servicios a los municipios. Este tipo de contrato puede incluir desde la gestión de un servicio existente hasta la prestación de un servicio completo a las comunidades. El funcionamiento de los servicios privados varía en gran medida. Algunos siguen prácticas estándar de turnos de 24 horas, mientras que otros siguen una estructura de "gestión de sistemas de estado". Con esta última estructura, los proveedores se presentan en una ubicación central al comienzo del turno, recogen una ambulancia y son enviados a una zona de parada dentro del área de servicio. La ubicación de dicha zona suele establecerse en función de las solicitudes de servicio anteriores. Aunque en la mayoría de los casos este enfoque funciona bien, no se pueden predecir las emergencias, por lo que existe la posibilidad de que una llamada grave tenga que esperar un tiempo considerable hasta que llegue una unidad.
- **SEM hospitalario.** Estos servicios pueden variar en gran medida, pero, en la mayoría de los casos, los servicios hospitalarios tienden a ofrecer transporte de tipo interfacultativo, así como servicios aeromédicos, que suelen estar disponibles en organizaciones más grandes y remotas. Algunos hospitales también ofrecen respuesta al servicio de emergencias médicas y servicio de interceptación paramédica en algunos lugares. Como paramédico que trabaja en un sistema hospitalario, a menudo se le pedirá que durante su tiempo libre ayude con la atención al paciente en otras áreas del hospital. Por lo general, trabajará desde un servicio de emergencias, aunque también puede formar parte de un equipo interno de respuesta a emergencias. Una de las ventajas de formar parte de un equipo hospitalario es el acceso a la información disponible de varios proveedores médicos, en particular en casos complejos.
- **Híbrido u otro.** A medida que crezca el sector paramédico, también lo harán las expectativas y los puestos de trabajo. Muchas grandes empresas, como las que operan plataformas de perforación petrolífera y fábricas con cientos o miles de

empleados, tienen sus propias instalaciones de respuesta y atención médica. En algunas zonas, los paramédicos trabajan en colaboración con proveedores de atención primaria, asistentes médicos y enfermeros. Se han creado numerosas empresas que contratan personal para cubrir puestos médicos en lugares específicos, como parques nacionales, parques de atracciones y otros sitios.

Al margen de dónde trabaje como paramédico, debe mantener su formación y habilidades al día para asegurarse de que está preparado para responder en todo momento.

El sistema de los SEM

El sistema actual de los SEM es una compleja red de servicios coordinados que proporcionan diversos niveles de atención a una comunidad. Estos servicios trabajan al unísono para satisfacer las necesidades nuevas y permanentes de los ciudadanos en la comunidad en la que residen. Como paramédico, usted forma parte de esta red; a su vez, debe permanecer activo en su comunidad para satisfacer sus necesidades siempre cambiantes.

La red de los SEM empieza con la participación de los ciudadanos en el complejo sistema de los SEM. En la mayoría de los casos, el público no entiende el funcionamiento del sistema de emergencias médicas y solo sabe lo que ve en los periódicos, la televisión y las películas. Prepárese porque es posible que supongan que los comportamientos inapropiados de los actores en las series de televisión sobre los SEM reflejan la realidad, por lo que usted también tendrá la tarea de educarles sobre la verdad. Tal vez los miembros de la comunidad necesiten que se les enseñe qué es una emergencia y qué no lo es, cómo activar el SEM y cómo se pueden proporcionar los cuidados básicos antes de que lleguen los SEM. Recuerde que el público no suele tener formación o conocimientos médicos, por lo que, a su manera de ver, un corte superficial puede ser una emergencia.

Inteligencia en la calle

Muchos ciudadanos tienen teléfonos inteligentes equipados con cámaras, por lo que sus acciones en el lugar de los hechos pueden ser retransmitidas a un público mucho más amplio, a veces en tiempo real. Sea siempre profesional y mantenga la calma.

Cuando le llamen a las 2:00 de la mañana para atender a un "enfermo" que solo tiene un resfriado común y no puede dormir, debe evitar molestarse con el paciente, con su carrera o con su sistema del SEM. A lo largo de su carrera y formación se encontrará con muchos síntomas generales que podrían hacerle pasar por alto un problema grave. Sea compasivo y atento con su paciente; esto fomentará la confianza tanto en usted como en el sistema del SEM.

Inteligencia en la calle

Un paciente puede experimentar una sola vez lo que usted, como paramédico, puede vivir cientos de veces. Identifique el miedo y la ansiedad del paciente y demuestre empatía y comprensión mientras le atiende.

Entre los factores que influyen en el resultado o la probabilidad de supervivencia del paciente se incluyen los siguientes:

- Atención a las personas en la escena.
- Despacho (incluidas las indicaciones previas a la llegada).
- Respuesta (modo y distancia).
- Evaluación prehospitalaria y atención proporcionada (nivel de personal formado en el SEM).
- Transporte (ambulancias terrestres, unidades de atención crítica, transporte aéreo).
- Sala de emergencias (médicos especialistas y personal del área de emergencias).
- Cuidados definitivos (incluye especialistas médicos en diferentes áreas cargados del cuidado inicial y secundario del paciente).
- Rehabilitación.

Así, cuando los ciudadanos activan el sistema del SEM, su primer contacto suele ser un operador. Los requisitos para la formación de los operadores varían de un estado a otro, y ellos a menudo deben cubrir las comunicaciones con el departamento de policía y la estación de bomberos, así como todas las llamadas telefónicas generales del departamento. Los despachadores deben interpretar las necesidades de la persona que llama para determinar si se trata de una emergencia al obtener la información apropiada, y luego decidir los recursos que se deben enviar. Los hallazgos en el lugar de los hechos no siempre reflejan con exactitud la información recibida y transmitida. Nunca subestime o sobreestime esa información ni se enoje con la central si su información es por completo diferente a la que usted encuentra en el lugar de los hechos.

Ser activo en su comunidad aumenta su conocimiento de los recursos locales y sus capacidades. Por ejemplo, consideremos un paciente que puede estar sufriendo un accidente cerebrovascular agudo. Este paciente debe ser trasladado a un centro capaz de realizar una tomografía computarizada (TC). Si su centro local no dispone de esta capacidad, debe trasladar al paciente a un centro que disponga de ella en un plazo y a una distancia razonables. Por supuesto, en algunas regiones, los pacientes adultos competentes pueden solicitar el centro al que desean ser trasladados. Sin embargo, si no es el que usted considera más apropiado, es el momento de concientizar al paciente, no de discutir. Si no puede convencer al paciente de que vaya al centro que usted considera más adecuado, considere la posibilidad de pedir ayuda al control médico en línea (directo). Si no funciona, documente en su informe de atención prehospitalaria la elección del paciente y sus esfuerzos por concientizarlo a él o a la familia.

Poblaciones especiales

Los sistemas de los SEM deben tener la capacidad de manejar muchas situaciones diferentes, incluyendo emergencias obstétricas, pediátricas y geriátricas. Los procedimientos adecuados, las dosis de fármacos e incluso las técnicas de evaluación pueden variar en función de las características del paciente, como la edad y el género.

Niveles de formación

La licencia del personal de los SEM suele ser una función estatal, sujeta a las leyes y los reglamentos del estado en el que ejerce el proveedor del SEM. Por esta razón, hay variaciones de un estado a otro en el alcance de la práctica y en los requisitos de educación y renovación de licencia. La siguiente información explica cómo se supone que funciona el sistema desde el nivel federal hasta el nivel local en Estados Unidos.

A nivel federal, la NHTSA reunió a expertos de todo el país para crear el *National EMS Scope of Practice Model.*[3] Este documento proporciona directrices generales sobre las competencias que cada nivel de proveedor del SEM debe ser capaz de realizar. El siguiente paso es el nivel estatal. Debido a que la concesión de licencias suele ser una función estatal, se promulgan leyes y reglamentos para especificar cómo operarán los proveedores del SEM. Estas leyes son ejecutadas por las oficinas administrativas estatales de los SEM, que controlan la concesión de las licencias. Muchos estados tienen un conjunto de estatutos o normas que se deben seguir y un alcance de práctica para cada nivel del SEM. Por último, el director médico del servicio por lo regular elabora un conjunto de directrices de atención al paciente que describen las habilidades y los tratamientos aprobados para cada nivel. Por ejemplo, los medicamentos que se llevarán en el vehículo de emergencias o el lugar al que se transportará a los pacientes son cuestiones operativas cotidianas en las que puede intervenir de forma directa el director médico. Los estados pueden definir la función del director médico de manera diferente, así que asegúrese de que entiende y sigue los procesos de su estado o región.

Las directrices nacionales tienen por objeto garantizar una prestación más congruente de los SEM en todo el país. El director médico puede limitar el alcance de la práctica, pero no puede ampliarlo más allá de la ley estatal. La ampliación del alcance de la práctica requiere la aprobación estatal.

En 2009 se revisaron los planes de estudios nacionales estándar para todos los niveles de proveedores de los SEM para un nuevo formato y se les cambió el nombre a *National EMS Education Standards.*[4] En Estados Unidos, la NHTSA es la fuente administrativa federal para estas normas y documentos relacionados. En el sitio web de la NHTSA, ems.gov., se pueden descargar las *National EMS Education Standards* para los cuatro niveles de proveedores de los SEM.

El despachador

El despachador desempeña un papel fundamental en una llamada del SEM. Es el integrante del personal que recibe e ingresa toda la información de la llamada, la interpreta y luego envía los recursos apropiados (**FIGURA 1-5**). En algunos lugares, este operador puede estar capacitado como despachador de emergencias médicas. Esta persona tiene además la tarea de dar instrucciones previas a la llegada (por ejemplo, reanimación cardiopulmonar [RCP], control de hemorragias) después de hacer una serie de preguntas a la persona que llama con la esperanza de que las

FIGURA 1-5 El despachador coordina todo el esfuerzo de rescate. Es quien interpreta la información de quien llama y envía el personal y los recursos adecuados al lugar de los hechos.

instrucciones proporcionadas puedan beneficiar al paciente mientras usted llega a la escena.

Respondedor en Emergencias Médicas

Hasta hace poco, el nivel del Respondedor en emergencias médicas (REM) se conocía como "primer respondiente". No todos los estados incorporan este nivel de certificación o licencia, y en aquellos que sí lo hacen, puede haber una considerable variación en los requisitos y las habilidades permitidas. En el uso genérico del término, un REM suele ser una persona capacitada para RCP y/o primeros auxilios. En algunos estados, los REM solo pueden trabajar como parte de un grupo organizado, y este debe estar afiliado a un servicio de transporte en ambulancia. Como paramédico, deberá familiarizarse con el nivel de formación de los REM de su sistema.

Un REM ha completado un curso que cubre las *National EMS Education Standards* para el nivel de REM. Esta formación ayudará al REM a reconocer la gravedad del estado del paciente, administrar los cuidados básicos adecuados y transmitir la información al paramédico. Los REM son un nivel esencial de proveedor para el sistema del SEM, en especial en las zonas rurales (**FIGURA 1-6**).

Técnico en Emergencias Médicas (TEM)

Históricamente llamado TEM-Básico (TEM-B), TEM es la columna vertebral y el nivel de proveedor primario en muchas áreas rurales (**FIGURA 1-7**). Asimismo, es el nivel de certificación requerido para tener acceso a un programa de formación paramédica. En este nivel se prestan muchos de los cuidados que salvan vidas.

Las habilidades y los tratamientos que los TEM están autorizados a realizar varían de un estado a otro. Los TEM pueden recibir formación en manejo básico de la vía aérea, administración limitada de medicamentos y líquidos intravenosos (IV); sin embargo, de acuerdo con las *National EMS Education Standards*, los TEM con este alcance de práctica ampliado no están reconocidos en un nivel de certificación diferente. Hay más proveedores formados y certificados como TEM que en cualquier otro nivel del SEM.

FIGURA 1-6 El respondedor de emergencias médicas es fundamental para proporcionar la atención inicial de emergencia al paciente, en especial cuando el personal paramédico se debe desplazar largas distancias hasta el lugar de los hechos.

TEM Avanzado

A lo largo de los años, el nivel antes denominado TEM-Intermedio (TEM-I) ha sufrido muchos cambios. Inicialmente se creó en 1985, cuando se conocía como el nivel TEM-I 85. El nivel de destreza del TEM-I experimentó un cambio significativo en 1999, cuando el plan de estudios de 1985 sufrió una revisión sustancial. En fechas más recientes, los cambios introducidos en el *National EMS Scope of Practice Model* han eliminado en la mayoría de los estados el nivel intermedio

Controversias

Algunos sostienen que lo único que se necesita en un entorno urbano son PAP avanzados en lugar de paramédicos. Por el contrario, otros sostienen que los PAP avanzados realizan tareas de soporte vital avanzado (SVA) sin tener la preparación académica adecuada y que deberían ir desapareciendo de manera progresiva. El jurado aún no ha decidido si este nivel de formación se convertirá en una opción atractiva para las jurisdicciones y los proveedores del SEM.

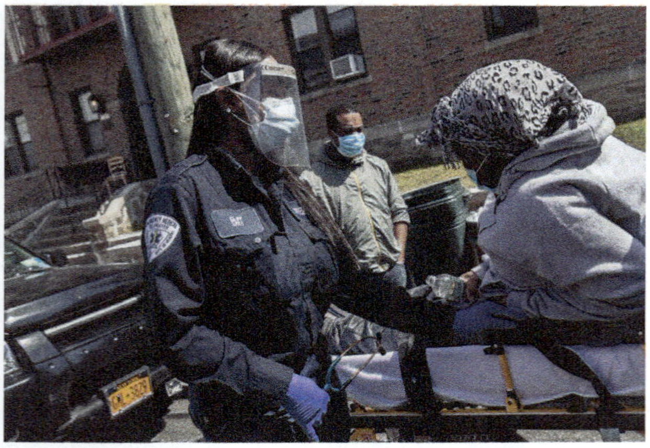

FIGURA 1-7 Los proveedores de atención prehospitalaria constituyen el mayor número de proveedores del SEM.

y lo han sustituido por el TEM avanzado (TEM-A). Los TEM-A están formados en fisiopatología más avanzada y en algunos procedimientos avanzados, como el establecimiento de accesos vasculares, la administración de líquidos intravenosos, el monitoreo de glucosa en sangre, la administración de varios medicamentos y el manejo avanzado de la vía aérea.

Paramédico

En la actualidad, paramédico es el nivel más alto de habilidad del SEM en el que se puede obtener un certificado o una licencia. En 1998, el plan de estudios de paramédico del US DOT sufrió importantes revisiones y aumentó en gran medida el nivel de formación y habilidades. En 2009, cuando se completaron las *National EMS Education Standards*, las habilidades permitidas en el nivel paramédico cambiaron en cierta medida. A partir de 2013, un estudiante paramédico debe haber asistido y completado con éxito la formación en una institución acreditada para realizar la prueba a través del NREMT. Los estados que no consideran el NREMT como mecanismo de examen tal vez no requieran la acreditación de instituciones de formación en el SEM. Aunque un paramédico puede tener una licencia o certificación de forma independiente, los estados requieren que los paramédicos trabajen de forma directa bajo la dirección de un médico con licencia y que estén afiliados a un servicio de nivel paramédico. En algunos estados se exige a los paramédicos que completen su formación y obtengan el título de paramédico en cuidados intensivos. Busque si en las leyes de su estado lo anterior está permitido.

Educación del paramédico

Educación inicial

La educación puede variar de un estado a otro, pero todos los estados basan sus programas de educación en medicina prehospitalaria sobre todo en las *National EMS Education Standards* para el paramédico. Como ya se ha mencionado, en 2009 se introdujeron cambios significativos en estos estándares (antes llamados planes de estudios). Una recomendación importante fue la inclusión de un curso de anatomía y fisiología de nivel universitario. Algunas instituciones de formación lo ofrecen como parte del programa de formación de paramédicos; para otras, es un requisito previo. Las *National EMS Education Standards* describen lo mínimo que un paramédico debe saber para ejercer. Los estados exigen diferentes horas de formación, pero el promedio estadounidense se sitúa entre 1 000 y 1 500 horas de formación combinada en aula, clínica y en campo. Algunos líderes quieren estructurar la educación de manera que la designación de paramédico se logre a través de un programa acreditado de grado de diplomado o licenciatura. La ventaja distintiva de este enfoque es que puede dar a los paramédicos créditos para obtener títulos universitarios de nivel superior.

Perlas de sabiduría

El número de convocatorias a las que acuda no es el factor decisivo para decidir cuánta más formación necesita.

Formación continua

La mayoría de los estados requiere que los paramédicos completen un cierto número de horas de educación continua o un programa de actualización. Estos programas le mantienen al día sobre los nuevos hallazgos de la investigación, las nuevas técnicas y habilidades, y le ayudan a prevenir la degradación de las habilidades que utiliza con menos frecuencia (**FIGURA 1-8**). La formación continua también puede incluir temas de actualidad en su estado que le afectan a usted y a la capacidad de su sistema para proporcionar una atención médica de emergencias de calidad. La formación continua puede ser agradable, y lo debería ser.

Siempre que sea posible, debe asistir a congresos y seminarios fuera de su región o estado; esto le ayudará a ampliar su base de conocimientos y su red del SEM. Considere la posibilidad de asistir a conferencias que no estén diseñadas para paramédicos, como las dirigidas a enfermeras o médicos. Lea las revistas de los SEM e investigue en publicaciones para mantenerse al día. Gracias a los avances en tecnología, se han ampliado

FIGURA 1-8 La formación continua le puede mantener actualizado sobre las mejoras tecnológicas que se ponen continuamente a disposición de los paramédicos.

en gran medida los recursos de formación continua a través de internet, aunque se debe asegurar que estos programas cumplen con los requisitos nacionales o estatales. Cuando investigue las opciones de formación continua, considere la posibilidad de buscar cursos de organizaciones que se hayan esforzado por obtener la acreditación de la CAPCE (*Commission on Accreditation for Pre-Hospital Continuing Education*), antes denominada CECBEMS (*Continuing Education Coordinating Board for EMS*/Junta de Coordinación de Educación Continua para SEM). Esta organización desarrolla normas de educación continua y participa en el establecimiento de normas de acreditación para los proveedores prehospitalarios.[5]

Realice las gestiones correspondientes para que todo su equipo de trabajo haga parte de los concensos de mejoramiento y prácticas de retroalimentación; estas pueden ayudar a identificar áreas problemáticas en su práctica. En algunos estados, la retroalimentación posterior al servicio se considera una manera de formación continua.

Al margen de los requisitos exigidos por su agencia estatal de certificación, la responsabilidad de la educación médica continua recae en última instancia en usted. Además sabe qué áreas de su conocimiento han disminuido y qué habilidades requieren esfuerzos adicionales de actualización. Usted es la persona que tendrá que vivir con las preguntas y dudas que de modo inevitable surgen después de que algo sale mal en el campo. Si algo sale mal, después de la llamada no es el momento de darse cuenta de que debería haber hecho algo diferente o asistido a una capacitación adicional. La formación médica continua es una manera de asegurarse de que sigue las mejores y más recientes prácticas y permite aumentar la confianza en sus habilidades.

Tipos adicionales de transportes

Transporte a centros especializados

Además de las salas de emergencias de los hospitales, muchos sistemas del SEM incluyen centros especializados que se enfocan en tipos específicos de atención (p. ej., traumatismos, quemaduras, intoxicaciones y condiciones cardíacas o psiquiátricas) o tipos específicos de pacientes (p. ej., niños). Los centros especializados

USTED es el Paramédico

PARTE 3

Una evaluación inicial revela que el paciente no responde y que la única lesión visible está en su pierna. Usted también observa daños en el lado izquierdo del casco. Mientras su compañero recoge el equipo de inmovilización, llega el personal de rescate del departamento de bomberos y usted pide a uno de ellos que hable con la novia y obtenga toda la información posible sobre el paciente.

La evaluación subsecuente revela una disminución de los ruidos respiratorios en el hemitórax izquierdo, ingurgitación yugular y movimiento asimétrico del hemitórax izquierdo. Los pulsos radiales se debilitan y aumentan de frecuencia. Luego de identificar los signos de un neumotórax a tensión y siguiendo sus protocolos locales, usted realiza rápidamente una descompresión torácica con catéter en el lado afectado. Se escucha una ráfaga de aire y el color y el pulso del paciente mejoran.

Su compañero inserta una cánula orofaríngea y empieza a ventilar al paciente con un dispositivo de bolsa-mascarilla y oxígeno al 100% mientras el personal de rescate le ayuda a colocar al paciente en la férula espinal. Se le sujeta la pierna izquierda a la derecha y se controla la hemorragia con compresión directa y un apósito. Se sube al paciente a la ambulancia y se obtienen rápidamente sus signos vitales. El paramédico que estaba hablando con la novia le dice que el paciente tiene 22 años, no tiene antecedentes médicos relevantes y no toma medicamentos. La novia no cree que sea alérgico a nada. Tiene un nivel de glucosa en sangre de 102 mg/dL y el monitor cardíaco muestra taquicardia sinusal.

Tiempo de registro: 6 minutos	
Respiraciones	12 respiraciones/min asistidas
Pulso	138 latidos/min, pulsos radiales débiles
Piel	Pálida, fría, diaforética
Presión arterial	96/54 mm Hg
Saturación de oxígeno (Spo_2)	92% con ventilaciones mediante dispositivo bolsa-mascarilla y oxígeno al 100%
Pupilas	Simétricas pero lentas al reaccionar

5. ¿De qué manera determinará cómo y a dónde transportar a este paciente?

por lo regular cuentan con especialistas propios, mientras que otros centros deben recurrir a equipos quirúrgicos, cirujanos u otros especialistas fuera del hospital. Por lo regular, solo unos cuantos hospitales de una región están designados como centros especializados. El tiempo de transporte a uno de ellos puede ser un poco superior al tiempo que se tarda en llegar a un servicio de emergencias, pero los pacientes recibirán la atención definitiva con mayor rapidez en un centro especializado.

Conozca la ubicación de los centros de su zona y cuándo debe trasladar al paciente directamente a uno de ellos. En ocasiones se necesitará de transporte médico aéreo. En estos casos, los protocolos locales, regionales y estatales pueden ser una guía para su decisión.

SEGURIDAD

Algunos eventos adversos recientes asociados a los traslados entre centros han hecho que se preste más atención a estos transportes. Un estudio canadiense reciente sugiere que la tasa de estos eventos es menor cuando los traslados cuentan con personal de transporte de cuidados críticos específicamente capacitado.[6] En general, los datos indican que 1 de cada 15 pacientes sufrió eventos adversos graves durante el transporte, que incluyen hipotensión, inicio de vasopresores e insuficiencia respiratoria. Un análisis mostró que la inestabilidad hemodinámica que requirió una intervención como líquidos o vasopresores fue por mucho el acontecimiento adverso más común, seguido de la inestabilidad respiratoria o la hipoxia. Además, los eventos de cuidados críticos en tránsito se asociaron de forma independiente con la ventilación mecánica y la inestabilidad hemodinámica basal.

Se han detectado algunos sucesos problemáticos en relación con determinados tipos de transporte. Los eventos adversos más comunes observados en los transportes pediátricos fueron hipotermia, errores de medicación, taquicardia, error en los procedimientos, pérdida del acceso intravenoso y cianosis. Lo interesante es que la tasa de eventos adversos fue menor en esta población cuando los equipos especializados realizaron el transporte.

El valor de emplear equipos con formación especializada en el transporte entre centros de casos complejos está aumentando a medida que se emplean más terapias nuevas y avanzadas durante el transporte, como el óxido nítrico inhalado y la oxigenación por membrana extracorpórea. En una revisión de transportes para adultos, un grupo de autores descubrió que 70% de los eventos adversos podría haberse evitado con una mejor preparación antes del transporte, comunicación entre los centros de origen y destino, el uso de listas de chequeo y protocolos.[7]

Transportes entre centros

Muchas agencias de los SEM proporcionan transporte entre centros para los pacientes. Los ejemplos incluyen el traslado de una clínica a un hospital, de un hospital a un centro de rehabilitación, de un hospital a un centro de cuidados a largo plazo o de un hospital a otro. Durante dicho traslado, la salud y el bienestar del paciente son su responsabilidad. Si se requiere control médico durante el transporte, este debe provenir del centro de transporte hasta que usted llegue al centro receptor y entregue los cuidados con un informe. Obtenga los antecedentes médicos del paciente, la queja principal y los últimos signos vitales antes del traslado y proporcione atención continua al paciente durante el mismo. Cuando un paciente está gravemente enfermo o lesionado y requiere transporte con suministros y servicios más allá del alcance de la práctica de un paramédico, tal vez sea necesario un equipo de transporte de atención especializada. De acuerdo con las necesidades del paciente, el equipo puede estar conformado por uno o más enfermeros o paramédicos de cuidados intensivos, un terapeuta respiratorio o un médico.

Trabajar con otros profesionales

Trabajar con el personal hospitalario

Familiarícese con los hospitales receptores a los que trasladará a los pacientes, las funciones de los miembros del personal y sus procedimientos operativos de rutina en todas las áreas del hospital, en particular en la sala de emergencias. Además, infórmese sobre los avances en la atención médica de emergencias y sobre cómo interactuar con el personal del hospital. Esta experiencia le ayudará a comprender cómo influyen sus cuidados en la recuperación de un paciente y hará hincapié en la importancia y los beneficios de una atención prehospitalaria adecuada. De igual modo, le mostrará las consecuencias de una negligencia, atención inadecuada o falta de criterio. Usted es una parte fundamental del plan de atención de un paciente; por lo tanto, debe interactuar de manera profesional con todo el personal del hospital que formará parte del cuidado de su paciente. Nunca ridiculice ni menosprecie a ningún integrante del personal del hospital. A veces ellos pueden no darse cuenta de las capacidades del SEM o de la situación en la que se prestó la atención; una pequeña explicación puede ayudar mucho a educarles. También debe reconocer que la atención que recibe un paciente en el hospital puede diferir de lo que usted hace en campo.

Es poco probable que los médicos estén en campo con usted para darle instrucciones personales en el sitio. Sin embargo, puede consultar con el personal médico apropiado mediante el uso de la radio a través de los procedimientos de control médico establecidos (en línea). Además, un médico o enfermero puede actuar en su programa educativo como instructor de asignaturas médicas. A través de estas experiencias, se sentirá más cómodo utilizando términos médicos, interpretando los signos y síntomas de los pacientes y desarrollando habilidades para el manejo de estos últimos.

Trabajar con dependencias de seguridad pública

Algunos integrantes del personal de seguridad pública tienen formación en el SEM, y usted debe familiarizarse con las funciones y responsabilidades de estos trabajadores. En muchas ocasiones, el personal de ciertas dependencias suele estar mejor preparado que usted para desempeñar determinadas funciones. Por ejemplo, los empleados de una empresa de servicios públicos están mejor equipados para controlar los cables de electricidad caídos, que usted o su compañero. El personal del orden policiaco puede manejar mejor las escenas violentas y el control del tráfico, mientras que usted y su compañero proporcionan los servicios de emergencias médicas (**FIGURA 1-9**). Si trabajan juntos, identifican que cada persona tiene una formación especial y un trabajo que hacer en el lugar de los hechos, prevalecerá el manejo efectivo de la escena y del paciente. Recuerde que la mejor y más eficaz atención al paciente se obtiene mediante la cooperación entre las distintas dependencias.

Expectativas de la comunidad

Además de responder a las llamadas del SEM, atender al paciente, transportarlo y volver al servicio, los proveedores del SEM tienen responsabilidades con la comunidad. Esta tiene expectativas de los proveedores del SEM y, como proveedor de atención prehospitalaria y servidor público, usted debe proyectar confianza a la comunidad a la que sirve. Como ya se mencionó, el público en general por lo regular no tiene idea de lo que hace el SEM, por lo que sus encuentros con los integrantes de la comunidad son oportunidades para educarlos.

Ya sea que trabaje en el sector público o en el privado, anime a las personas de la comunidad a participar de alguna manera en su servicio. La medicina actual se centra en la prevención; participar en los esfuerzos de la comunidad le brinda la oportunidad de utilizar sus conocimientos médicos para ayudar a las personas a las que atiende. Por ejemplo, podría revisar los tipos de llamadas a las que responde con más frecuencia y utilizar esta información para desarrollar estrategias o actividades de prevención en su comunidad para reducir ese tipo de llamadas. Tal vez su comunidad tenga muchas llamadas relacionadas con caídas accidentales. Existen diversos programas de formación para ayudar a identificar las posibles causas de las caídas, conocidos como "programas de prevención de caídas". Como parte de un programa de este tipo, puede visitar los hogares de su comunidad, en especial los complejos de viviendas y las instalaciones que atienden a personas mayores, para ofrecer sugerencias de prevención.

Como nuevo paramédico, se le considerará parte de la comunidad de atención prehospitalaria y de los servicios de emergencias. Trabajará codo a codo con otros profesionales y grupos. Por ejemplo, integrará su trabajo con el de otros profesionales médicos, el orden policiaco, los servicios de salud pública, los servicios para el manejo de emergencias y desastres, grupos de atención a domicilio, como hospicios y, por supuesto, personal de emergencias. Debe entender su papel y el de las personas con las que interactúa para que las llamadas se desarrollen con la mayor fluidez posible. De igual modo, debe estar preparado para cualquier tipo de situación y establecer las expectativas para cada función en cada escena.

FIGURA 1-9 Trabajará con el personal del orden policiaco cuando trate con pacientes violentos.

Perlas de sabiduría

Los mejores paramédicos buscan formación continua y actualizan sus conocimientos de soporte vital básico y avanzado.

Participación del grupo nacional de los SEM

Existen muchas organizaciones nacionales y estatales de SEM, y gran parte de ellas invita a los paramédicos a ser miembros. Estas organizaciones influyen en la

CUADRO 1-2 Organizaciones estadounidenses de los SEM

- *National Highway Traffic Safety Administration* (NHTSA).
- *National Association of Emergency Medical Service Physicians* (NAEMSP).
- *National Association of State EMS Officials* (NASEMSO).
- *National Association of EMS Educators* (NAEMSE).
- *National Registry of EMTs* (NREMT).
- *National Association of EMTs* (NAEMT).
- *Emergency Medical Services for Children* (EMSC).
- *American College of Emergency Physicians* (ACEP).
- *American Ambulance Association* (AAA).
- *Committee on Accreditati on of Educational Programs for the Emergency Medical Services Professions* (CoAEMSP).
- *International Association of Flight and Critical Care Paramedics* (IAFCCP).

dirección futura de los SEM, por lo que es fundamental que las identifique y participe en ellas. A través de estos grupos, también puede tener acceso a valiosos recursos que le ayudarán a su desarrollo y al de su área de servicio, así como a mejorar su capacidad de resolución de problemas. Un objetivo común que defienden muchas organizaciones nacionales y estatales es promover la uniformidad de las normas y prácticas de los SEM. Algunas de estas organizaciones se incluyen en la **CUADRO 1-2**.

Profesionalismo

Durante su educación en medicina prehospitalaria, aprenderá una gran cantidad de información diseñada para hacer de usted un **profesional de la salud**, ejerciendo a nivel paramédico. Una **profesión** es un campo de actividad que requiere un conjunto especializado de conocimientos, habilidades y experiencia, a menudo adquiridos después de una larga educación.

Un profesional de la salud tiene los siguientes atributos:

- Se ajusta a las mismas normas que otras profesiones de atención médica.
- Proporciona una atención de calidad al paciente.
- Infunde orgullo por la profesión.
- Se esfuerza continuamente por alcanzar niveles elevados.
- Se gana el respeto de los demás en la profesión. Cumple con las elevadas expectativas que la sociedad tiene de la profesión, ya sea dentro o fuera de servicio.

FIGURA 1-10 Adoptar una actitud y un aspecto profesionales es fundamental para trabajar con el público y ganarse su confianza.

Como proveedor del SEM, debe cumplir con muchas normas, competencias y requisitos de formación continua. La profesión paramédica tiene también expectativas de normas y parámetros de desempeño, así como un código de ética. En conjunto, estos son los criterios por los que se determinará su desempeño.

Debe recordar que desempeña un papel muy visible en la comunidad (**FIGURA 1-10**). Por lo tanto, la imagen y el comportamiento profesionales deben ser una prioridad, tanto si lleva el uniforme de servicio como si está vestido de calle. Usted representa a la dependencia, la ciudad, el condado, el distrito o el estado en el que trabaja. Se ha dicho que la gente se formará una primera opinión de usted en los primeros 10 segundos de conocerle, aunque no diga nada. Con una impresión positiva por lo regular se gana la plena confianza de los pacientes y sus familiares. Por el contrario, una impresión negativa se reflejará mal no solo en usted, sino también en su servicio, y puede ser muy difícil cambiar dicha imagen. Como paramédico, conocerá gente nueva cada día como parte de su carrera. Para proporcionar la mejor atención posible, debe infundirles confianza, así como establecer y mantener la credibilidad. Siempre que se encuentre ante una situación, recuerde que una parte importante de su trabajo consiste en mostrar siempre su preocupación por el bienestar de los pacientes y sus familias. Su aspecto también es de suma importancia y tiene más efecto del que cree. No es apropiado llegar a una llamada con ropa sucia, las manos sucias y un olor desagradable. Se debe presentar y actuar como un profesional en todo momento. El profesionalismo no tiene límites; decir que "solo es voluntario" o "solo trabaja medio tiempo" no es excusa para un comportamiento poco profesional.

Perlas de sabiduría

Obtener la licencia de paramédico aporta nuevo prestigio, aunque también impone nuevas responsabilidades. A los paramédicos se les confía la vida de otras personas y, aunque algunas llamadas serán aterradoras y desafiantes para usted, no hay responsabilidad más impresionante o sagrada que esa. Su educación como paramédico no debe terminar con este libro de texto. Continúe leyendo, estudiando y haciendo preguntas. Perfeccione sus conocimientos y habilidades para que pueda ofrecer a cada paciente lo mejor de lo que es capaz. Debe darse cuenta de que tener una gran cantidad de conocimientos y habilidades no significa que pueda y deba utilizarlos en cada llamada. Al igual que un médico, dispone de un amplio abanico de capacidades, así que aprenda en qué momento aplicarlas o no y cómo hacerlo de forma adecuada. Aprenda a comportarse con humildad, a aceptar las críticas, a aprender tanto de los errores como de los logros y a exigirse a sí mismo y a sus expertos nada menos que lo mejor. Solo entonces el título de paramédico significará lo que quiere decir: un compromiso con los demás.

Como paramédico, usted es parte integrante de todo el sistema de salud. En esta función, debe presentar una imagen profesional y tratar a los demás profesionales con el respeto con el que le gustaría que lo trataran. Aun cuando no es apropiado discutir con otros profesionales de la salud o con el personal del hospital, sí puede mantener conversaciones profesionales sobre la atención al paciente. Recuerde que usted es un defensor del paciente, y es apropiado que plantee de manera profesional sus preocupaciones sobre la atención al paciente en los momentos y lugares adecuados. En algunas ocasiones, pueden surgir diferencias de opinión; la mejor forma de resolverlas es ponerse en contacto con un supervisor. Estas conversaciones pueden identificar casos en los que otras ramas de la atención médica no siguen las mismas prácticas que los SEM, debido a que tienen diferentes expectativas o requisitos.

Otros atributos del profesionalismo como paramédico son los siguientes:

- **Integridad.** Este es el atributo más importante para todos los paramédicos. Sea abierto, honesto y sincero con sus pacientes y compañeros de trabajo.
- **Empatía.** Demuestre a sus pacientes, los familiares y a otros profesionales de la salud que identifica y comprende sus sentimientos. Está bien mostrar emociones hasta cierto punto.
- **Automotivación.** Procure que su motivación sea la excelencia, que a menudo es una fuerza motriz para asegurarse de que siempre se comporta de manera profesional. Continúe con su formación, acepte los comentarios negativos o constructivos y realice su desempeño con una supervisión mínima.
- **Confianza.** Demuestre que confía en sus capacidades y habilidades, de modo que infunda confianza a sus pacientes y expertos. Haga un esfuerzo continuo por ser el mejor paramédico que pueda; asista a sesiones educativas y realice autocríticas. Estas medidas son solo algunas de las formas de aumentar la confianza y, a su vez, ayudarle a cubrir sus llamados sin problemas y con eficacia.
- **Comunicación.** Exprese e intercambie con eficacia sus ideas, pensamientos y hallazgos con otros expertos profesionales. Recuérdese a sí mismo escuchar bien y hablar directamente cuando interactúe con los pacientes y sus familias, sin utilizar términos médicos confusos. También es fundamental que la documentación escrita o electrónica sea clara y profesional. El mantenimiento de registros y la elaboración de informes son responsabilidad de todos los proveedores del SEM.
- **Trabajo en equipo y respeto.** El trabajo en equipo es necesario en los SEM. En cada llamada, todos deben trabajar juntos para lograr un objetivo común: brindar la mejor atención prehospitalaria posible para garantizar el bienestar general del paciente. La mayoría de las veces en el campo, usted como paramédico es considerado el líder del equipo. Esto no le da derecho a menospreciar a otros integrantes del equipo, al margen de su nivel; por el contrario, debe ayudar a orientar y apoyar al equipo. Manténgase flexible y abierto a los cambios en cualquier momento, y comuníquese en el lugar y momento adecuados con otros integrantes del equipo para resolver problemas. Sea siempre tan respetuoso con los demás como espera que lo sean con usted.
- **Abogar por el paciente.** Esta incluye abogar por los pacientes a los que trata y por los cambios en el sistema del SEM que mejoren la atención o salven vidas. Actúe siempre en el mejor interés de sus pacientes, respetando sus deseos y creencias, independientemente de los suyos. Esto incluye a los pacientes con necesidades especiales y a aquellos con estilos de vida, valores y culturas diferentes a los suyos. Nunca permita que sus sentimientos personales hacia un paciente influyan en la atención que le proporcione. Respete a las personas a las que atiende. A pesar de que debe haber comunicación para realizar su trabajo, asegúrese de mantener un alto nivel de confidencialidad. Al margen de los

detalles que deba comunicar sobre su paciente, asegúrese de que esta comunicación no se realice delante de alguien que no forme parte de su equipo. Cuando hable con los integrantes de su equipo, hágalo en privado y lejos del oído del público, en voz baja y con el debido respeto. Su papel como defensor del paciente también significa que debe estar siempre alerta ante posibles abusos conyugales, abusos o negligencias a menores o a personas de edad avanzada. Si sospecha de malos tratos, informe y comunique sus hallazgos a las autoridades competentes o según lo establecido en la legislación de su estado.

- **Prevención de lesiones.** Como paramédico, usted está en la posición única de ver el entorno del paciente antes de su traslado. Si detecta un peligro potencial (como una alfombra suelta en lo alto de las escaleras), utilice sus habilidades diplomáticas y hable de sus hallazgos con el paciente o con un familiar. Participe en programas de formación que se enfoquen, por ejemplo, en la prevención de caídas o en la seguridad de los niños que viajan como pasajero. Al educar al público sobre estos temas, puede evitar una posible lesión. Siempre que pueda, hable de la importancia de utilizar cascos de ciclista, cinturones y sillas de seguridad para niños: compartir esta información es otra forma de prevenir lesiones.
- **Prestación cuidadosa del servicio.** Los paramédicos deben prestar la mejor atención posible al paciente. Preste especial atención a los detalles y evalúe y reevalúe de forma continua su proceder. Utilice a otros profesionales médicos como recursos en lugar de verlos como enemigos. Siga las políticas, los protocolos y procedimientos, así como las órdenes de sus superiores.
- **Manejo del tiempo.** Esta es una habilidad fundamental en cualquier profesión. Utilice su tiempo con prudencia. Por ejemplo, dé prioridad a las necesidades de sus pacientes, tenga siempre listo su vehículo de emergencias y asegúrese de documentar cada llamada de emergencia tan pronto como haya concluido. Cada uno de estos elementos es un componente de la prestación profesional de servicios. Aproveche el tiempo de inactividad para investigar y reciclarse en habilidades o áreas temáticas poco utilizadas.
- **Administración.** Parte de su papel como paramédico será administrativo. Además de documentar cada llamada de forma detallada y profesional, es posible que se le pida que se encargue de proyectos especiales o de tareas del puesto. A medida que avance en su carrera, puede desempeñar un papel en la colaboración con otras dependencias y forjar alianzas con otros recursos de seguridad pública. Quizá le nombren para un puesto de liderazgo dentro de su organización; esta es su oportunidad de brillar y de ayudar a otros a alcanzar sus objetivos dentro de su servicio.

Inteligencia en la calle

Una de sus responsabilidades como proveedor del SEM es proporcionar apoyo emocional. Recuerde que calmar y tranquilizar al paciente, a la familia y a los demás respondedores puede contribuir en gran medida a convertirle en un paramédico eficaz.

A medida que el sector de atención médica va conociendo mejor las habilidades y capacidades de los paramédicos, cada vez son más los centros de salud que utilizan los servicios paramédicos dentro de sus organizaciones. Por ejemplo, muchos hospitales incorporan paramédicos en sus salas de emergencias y clínicas. Los consultorios médicos también están identificando las ventajas de utilizar servicios paramédicos en sus organizaciones. Como en los últimos años han aparecido nuevas formas de influenza y coronavirus, algunas clínicas y departamentos locales de salud pública han contratado a paramédicos para que administren vacunas contra estas infecciones. En otros lugares, los paramédicos pueden ayudar a las organizaciones de salud domiciliaria a prestar asistencia a los pacientes en sus propios domicilios. También pueden realizar tipos especiales de traslado más allá de las llamadas de emergencia 9-1-1 normales. Por ejemplo, su servicio puede realizar traslados entre centros de salud, incluidos servicios especializados como cuidados intensivos, neonatología o traslados obstétricos de alto riesgo. La experiencia que adquiere un paramédico es una parte vital de todo el entorno de emergencias médicas; ofrezca sus habilidades de todas las maneras posibles.

Funciones y responsabilidades

¿Qué significa ser paramédico? ¿Cuáles son sus funciones? ¿Cuáles son sus responsabilidades? Estas son las preguntas que se debe hacer a lo largo de su carrera. El sistema del SEM sigue creciendo y madurando, y con

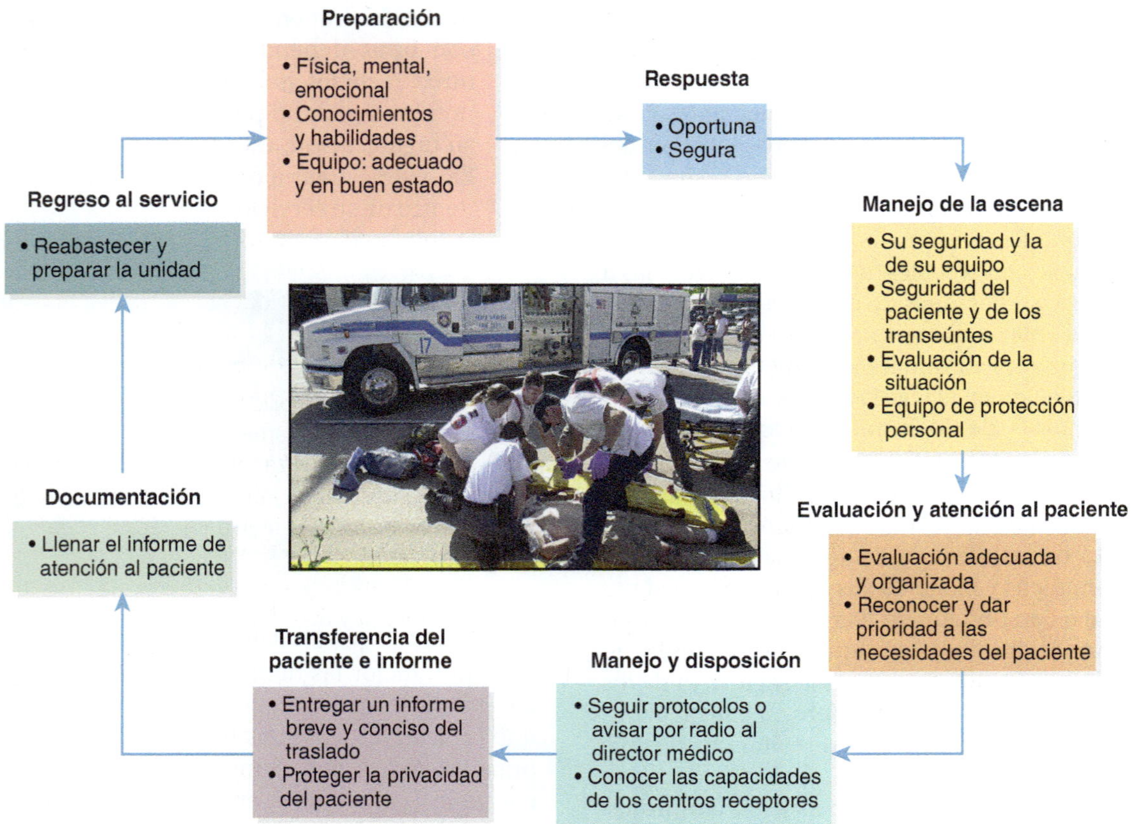

FIGURA 1-11 Los paramédicos siguen una secuencia de procedimientos para cada llamada de emergencia.

esos cambios vendrán nuevas funciones y responsabilidades adicionales. Algunas de las principales responsabilidades son las siguientes (**FIGURA 1-11**):

- **Preparación.** Prepárese física, mental y emocionalmente. Mantenga al día sus conocimientos y habilidades. Asegúrese de que dispone del equipo adecuado para la llamada y de que funciona de manera correcta. Cuando reciba la llamada, su oportunidad de prepararse habrá terminado.
- **Respuesta.** Es muy importante responder a tiempo y de manera segura. No es aceptable que el vehículo circule a gran velocidad sin tener en cuenta su seguridad, la de su compañero, la de su paciente y la de otras personas que circulan por el camino (incluso si debieran apartarse de su trayecto, pero no lo hacen). En la mayoría de los casos, ir a toda velocidad no ofrece ningún beneficio cuantificable para la evolución del paciente.
- **Manejo de la escena.** Su prioridad es garantizar su seguridad y la de su equipo. A continuación, debe asegurarse de que el paciente está a salvo, así como los transeúntes. Parte de su preparación antes de llegar al lugar de los hechos debe incluir la consideración de todas las posibilidades a partir de la información de despacho; sin embargo, nunca se quede con una sola de ellas basándose en esa información inicial. Una vez en el lugar de los hechos, examine la situación a fondo, ya que la naturaleza de la llamada puede generar información valiosa sobre su seguridad. Las medidas de seguridad en la escena incluyen, entre otras, el uso de equipos de protección personal (EPP) como guantes, mascarillas y anteojos protectores. El paramédico suele dar ejemplo de seguridad a los integrantes del equipo del SEM.
- **Evaluación y atención del paciente.** Lleve a cabo una evaluación organizada de todos los pacientes. Aunque la evaluación de un paciente es similar en todos los niveles del SEM, en este libro de texto aprenderá otros conceptos de evaluación. Identifique y dé prioridad a las necesidades del paciente en función de las lesiones o enfermedades que requieran un tratamiento más urgente.
- **Gestión y traslado al sitio adecuado.** Siga las directrices o los protocolos médicos aprobados

por su director médico y, tal vez, por su estado. Cuando esté en campo, a veces descubrirá que estos protocolos o directrices no cubren su situación en particular. En tal caso, póngase en contacto en línea con control médico y utilice su capacidad de pensamiento crítico. Es fundamental que tenga una buena relación de trabajo con su director médico. Usted es los ojos, los oídos y el contacto del director médico. Debe comunicarle cualquier situación que requiera de una variación del protocolo o de las directrices, o una decisión que pueda estar fuera de su ámbito de práctica. Si no puede establecer contacto, debe ponderar con cuidado sus opciones antes de llevar a cabo cualquier intervención, y comunicarse con su director médico lo antes posible. Aunque la mayoría de las llamadas requerirá el traslado a emergencias, también debe tener en cuenta otras decisiones de transporte y destino. Por ejemplo, un paciente con intoxicación por monóxido de carbono tal vez necesite ser trasladado a un hospital con una cámara hiperbárica: ¿sabe dónde está y cómo llegar? Puede ser que los centros receptores locales no le mantengan informado de los cambios en sus capacidades; por lo tanto, es su responsabilidad mantenerse al día de las capacidades de atención médica en su zona. Debe saber qué centros tienen programas especializados en cardiología y cuáles pueden atender emergencias traumatológicas o pediátricas. Conozca las capacidades de todos los centros receptores con los que pueda interactuar antes de una llamada; esto le ayudará a tomar la decisión correcta o a proporcionar información al paciente y a sus familiares. También puede responder a llamadas en las que el paciente rechace su atención.

- **Traslado del paciente e informe.** Una vez que llegue al centro receptor, siga actuando como protector del paciente y entregue al personal del centro un informe de entrega breve y conciso. Una vez más, actúe con discreción para proteger la privacidad del paciente. Si el centro receptor está muy ocupado, es posible que el personal no siempre le ofrezca todo el tiempo que usted esperaría para hacer un informe de entrega. No se frustre ni se moleste; más bien, haga todo lo posible por proporcionarles toda la información pertinente y asegúrese de que el centro está informado y preparado para hacerse cargo de la atención del paciente.
- **Documentación.** Después de trasladar al paciente, es imprescindible llenar un informe de atención al paciente, de preferencia de inmediato. Muchos estados exigen que se deje algún tipo de informe escrito en el centro. De no ser posible o no es obligatorio, informe al centro de cómo ponerse en contacto con usted en caso de que los proveedores tengan alguna pregunta. Tenga en cuenta que su informe de atención al paciente sirve como registro legal de todos los aspectos de la llamada. Al igual que los médicos deben documentar la atención que prestan a los pacientes, usted también debe hacerlo. Las directrices para la documentación se incluyen en el capítulo 4, *Documentación.*
- **Regreso al servicio.** Cada integrante del equipo del SEM es responsable de reabastecer y preparar la unidad para la siguiente llamada tan pronto como sea posible. La preparación para la siguiente llamada debe ser lo primero que se haga al regresar de un servicio. No hacerlo puede acarrear graves consecuencias legales si se recibe otra llamada y la unidad no está totalmente reabastecida y lista para responder.

Documentación y comunicación

La documentación de las reparaciones y comprobaciones de los equipos es casi tan importante como la documentación de la atención al paciente.

Como paramédico, se le considera un profesional de la salud, así que aproveche esta función. Eduque al público sobre lo que usted hace y su importancia. Participe en actividades de prevención, comunitarias y de liderazgo siempre que sea posible (**FIGURA 1-12**). No pierda la oportunidad de enseñar a la comunidad la prevención de lesiones y enfermedades. Explique a la gente cómo utilizar de manera adecuada sus servicios. En las zonas en las que el personal formado del SEM es limitado, utilice sus capacidades para promover programas que involucren al público, como la capacitación en RCP y desfibrilador externo automático (DEA), que es uno de los factores determinantes comprobados de si sobrevive o muere una persona con paro cardíaco.

Algunos paramédicos pueden tener otras responsabilidades de atención médica, como trabajar en clínicas, centros de emergencias independientes y hospitales. También existen las visitas a domicilio de los paramédicos bajo control médico directo (atención médica integrada móvil). En los últimos años, con el aumento de la preocupación por la influenza y las pandemias, se ha pedido a los paramédicos y a las enfermeras de atención domiciliaria que evalúen a las

FIGURA 1-12 Parte de su función como servidor público consiste en interactuar con el público y educarlo.

personas en su casa y les administren algunas vacunas y medicamentos.

Los proveedores de todos los niveles del SEM tienen que ser defensores de la atención médica prehospitalaria, lo que a menudo significa establecer campañas bien pensadas referentes al SEM. Investigue en su comunidad, observe los puntos fuertes y débiles del sistema y desarrolle planes de iniciativas para mejorarlo. Muchas personas no entienden en realidad el papel del SEM y no reconocen lo vital que es hasta que un ser querido enferma de manera inesperada. Si se involucra en su comunidad, puede educarla y protegerla. El personal del SEM es responsable de educar a los medios de comunicación y al público. Haga un esfuerzo por mantenerse en lo más alto de su profesión. Continúe su formación y conviértase en mentor de los nuevos proveedores del SEM.

Dirección médica

Una diferencia importante entre los proveedores con distintos niveles de educación del SEM es que los paramédicos poseen habilidades en cuidado cardiovascular, farmacología y de atención traumatológica avanzadas. Sin embargo, no tienen autoridad independiente para actuar. Más bien, están sujetos a la autoridad de los médicos con conocimientos acerca de los niveles y el alcance de la educación del personal del SEM; estos médicos desempeñan un papel vital en la dirección médica de un sistema del SEM. Los mejores directores médicos participan de manera activa en todos los aspectos del servicio que supervisan, una función que va mucho más allá de la simple firma de formularios. La función de un director médico de un SEM puede incluir las siguientes responsabilidades:

- Educar y capacitar al personal.
- Participar en la recomendación o selección de nuevo personal.
- Participar en la recomendación o selección de equipos.
- Desarrollar protocolos o directrices clínicas en colaboración con otros integrantes del personal del SEM expertos en la materia.
- Desarrollar y colaborar en un programa de mejora de calidad.
- Aportar información sobre la atención al paciente.
- Actuar como enlace entre los sistemas del SEM y otras dependencias de la salud.
- Actuar como defensor del SEM ante la comunidad.
- Ser la "conciencia médica" del sistema del SEM.

El director médico proporciona control médico en línea y sin servicios electrónicos para el sistema del SEM. El **control médico en línea (directo)** es la dirección médica proporcionada en tiempo real a un servicio o proveedor del SEM, ya sea por radio u otro medio de comunicación electrónica. Por lo regular lo proporciona un médico de emergencias, que trabaja en el servicio de emergencias de un hospital que sirve como estación base para las unidades del SEM de la zona, en lugar de su director médico. El control médico en línea ofrece múltiples ventajas: proporciona al paciente recursos de atención inmediatos y específicos, permite la transmisión de telemetría, así como la mejora continua de la calidad y puede ofrecer asistencia en el lugar de los hechos. En algunos lugares se cuenta con telemetría por video, lo que permite al médico de control médico ver lo que ve el equipo del SEM.

El **control médico sin servicios electrónicos (indirecto)** es la dirección médica que se proporciona a través de un conjunto de protocolos, políticas o normas desarrollados por o con la aprobación de su director médico. Este control permite el desarrollo de protocolos o directrices, órdenes permanentes, procedimientos y capacitación. Un **protocolo** o una directriz es un plan de tratamiento para una enfermedad o lesión específica. Una **orden permanente** es un tipo de protocolo o directriz que es un documento escrito firmado por el director médico del sistema del SEM; describe instrucciones específicas, permisos y, a veces, prohibiciones en relación con la atención al paciente que se presta antes de ponerse en contacto con el control médico (p. ej., descompresión torácica). Los protocolos o directrices se suelen desarrollar en conjunto con las normas nacionales. Por ejemplo, el personal del SEM en muchas ocasiones utiliza los algoritmos de soporte vital cardíaco avanzado de la AHA (*American Heart Association*) como guía para elaborar un protocolo de tratamiento para pacientes cardíacos.

Los protocolos dictan qué tipos de equipos y suministros están aprobados y son necesarios, así como las expectativas mínimas del personal.

De igual modo, el director médico desempeña un papel una vez finalizada la llamada de emergencia. Este médico puede ayudar con las revisiones de los informes de atención al paciente o incluso realizarlas personalmente para garantizar la mejora continua de la calidad.

Perlas de sabiduría

Es posible que en algunas llamadas se encuentre con un médico en la escena. Si él está familiarizado con los protocolos del SEM o resulta ser su director médico, puede ser una gran ayuda. En otros casos, tal vez usted se vea atrapado entre lo que el médico en la escena quiere hacer y los protocolos que su director médico le ha indicado durante su servicio. Recuerde, usted trabaja con su director médico y se debe apegar a los protocolos locales y a las órdenes permanentes.

En caso de que el médico del lugar exija el control médico de la situación conserve la calma y la compostura. Explique en tono amable que todas sus acciones deben estar de acuerdo con los protocolos de su director médico del SEM. Señale que usted puede transferir el cuidado del paciente a un médico en la escena solo si este asume toda la responsabilidad por el paciente y estará presente durante el traslado, si viaja con el paciente en la ambulancia a emergencias, y firma cualquier instrucción que se reciba.

La mayoría de los estados y servicios tiene normas con las que deben cumplir los SEM en estos casos. Asimismo, exigen que el médico presente firme los formularios de autorización. La única excepción se produce cuando el médico que atiende al paciente es también el director médico del servicio.

Mejora de la calidad del sistema

Mejora continua de la calidad y control de calidad

Parte de su carrera como paramédico siempre debe ser mejorar lo bueno. Una herramienta utilizada a menudo para evaluar de forma continua la atención de los SEM es la **mejora continua de la calidad (MCC)**. La MCC se centra en evaluar las prácticas actuales y buscar las formas de crear mejoras continuas, reduciendo así la posibilidad de que, en primer lugar, surja un problema. Cuando se desarrolla y se sigue de forma adecuada, un programa de MCC le puede ayudar tanto a usted como paramédico como a su servicio.

El proceso de MCC es dinámico, y su sistema del SEM debe desarrollar una estructura para ello antes de lanzar su programa de evaluación de la MCC. Además, consulte con su estado o región para identificar cualquier requisito que pueda tener para la MCC. Un buen proceso de MCC debe incluir los siguientes pasos:

- Identificar los problemas departamentales o de todo el sistema.
- Identificar los elementos específicos que se deben determinar.
- Llevar a cabo un examen a fondo de los problemas.
- Evaluar los problemas y elaborar una lista de soluciones.
- Elaborar un plan de acción para corregir los problemas.
- Hacer cumplir el plan de acción, incluidos los plazos.
- Volver a examinar el problema.
- Identificar y promover la excelencia en la atención durante la evaluación.
- Identificar las modificaciones que puedan ser protocolos y órdenes permanentes.
- Identificar situaciones que a la fecha no estén consideradas en los protocolos y las órdenes permanentes.

Un programa integral de MCC puede ayudar a evitar que surjan problemas mediante la evaluación de las operaciones diarias y la identificación de posibles puntos de tensión en estas operaciones. Estos pueden incluir los siguientes elementos:

- Cuestiones de dirección médica.
- Educación.
- Comunicación.
- Tratamiento prehospitalario.
- Problemas de transporte.
- Cuestiones financieras.
- Revisión del centro receptor.
- Despacho.
- Información y educación del público.
- Planeación de desastres.
- Ayuda mutua.

Aun cuando no siempre sea factible, deben revisarse todas las llamadas de emergencia. En última instancia, el objetivo de la MCC debe ser mejorar la atención al paciente. A menudo, los proveedores muestran reticencia cuando se enfrentan a un proceso de MCC por miedo a ser ridiculizados o reprendidos. Para evitar esta reticencia a participar, es fundamental utilizar el proceso de MCC no como una herramienta de castigo, sino como una herramienta constructiva para la mejora continua.

FIGURA 1-13 Las revisiones por expertos se deben considerar una parte constructiva de la práctica paramédica.

El **control de calidad** es otro proceso que evalúa los problemas y busca soluciones. Algunos servicios optan por realizarlo mediante revisiones por expertos (**FIGURA 1-13**). Una revisión de este tipo puede ser una buena experiencia de aprendizaje si las personas que la llevan a cabo siguen directrices adecuadas y congruentes y mantienen la mente abierta. Por muy buena que sea su formación, es inevitable cometer errores y de vez en cuando pasar cosas por alto. Cuando un revisor encuentra cosas que puede mejorar, usted debe considerar dichos comentarios como una herramienta educativa. En un sistema ideal, se rotan los integrantes del equipo de revisión, lo que significa que en algún momento usted también será revisor.

Inteligencia en la calle

Nunca utilice el proceso de revisión por expertos como una herramienta para degradar o menospreciar a un compañero del SEM, y no discuta sus hallazgos con nadie que no esté identificado como parte del proceso de revisión. Sea profesional.

Minimizar los errores

Una función del proceso de evaluación para garantizar el control de calidad consiste en determinar formas de eliminar los errores humanos. Para reducir la posibilidad de que se produzcan errores, asegúrese de tener una iluminación adecuada cuando manipule los medicamentos y reduzca al mínimo las interrupciones. Además, guarde los medicamentos en un lugar específico y en su envase original.

Las actividades de alto riesgo incluyen la entrega de pacientes. Se debe ocupar de temas relacionados con el traslado físico del paciente desde su camilla y la comunicación con el siguiente cuidador en la línea. Proporcione una copia escrita de su evaluación y tratamiento junto con el informe verbal para ayudar a garantizar la continuidad de los cuidados. Debe informar de la atención que ha brindado al paciente y de cualquier cambio que se haya producido desde que se hizo cargo de este. Existen otras cuestiones de seguridad relacionadas con el manejo avanzado de la vía aérea, la administración de medicamentos y el traslado seguro (como evitar accidentes de ambulancia e inmovilizar de forma adecuada) de pacientes con posibles lesiones traumáticas.

Se debe esforzar por identificar y eliminar en la medida de lo posible los errores potenciales. El comprender las circunstancias que provocan los errores le ayudará a identificar aquellos que se pueden evitar. Hay tres fuentes principales de errores que pueden ocurrir por separado o en combinación: falla basada en las reglas, falla basada en el conocimiento y falla basada en las habilidades. Por ejemplo, ¿tiene el paramédico derecho legal a administrar el medicamento concreto que necesita el paciente? De no ser así, si un paramédico colabora en la administración, se presenta una falla basada en las normas. ¿Conoce el paramédico toda la información pertinente sobre el medicamento que se va a administrar? Si no es así, una falla en este punto, como la administración de un medicamento incorrecto, se denominaría falla basada en el conocimiento. Por último, ¿el equipo funciona y se utiliza de forma correcta? De no ser así, se produce un error basado en las habilidades. Cualquier error se puede deber a múltiples fuentes.

Como ya se señaló, las dependencias deben disponer de protocolos claros, es decir, planes detallados que describan cómo se deben tratar los problemas específicos de los pacientes, como el dolor torácico o la dificultad respiratoria. En algunos estados se utilizan directrices en lugar de protocolos. Cada una tiene un significado diferente. Los servicios con directores médicos activos ofrecerán directrices que describen los planes de tratamiento permitidos que usted, como paramédico, puede utilizar para determinar lo que necesita hacer y cuándo, sin tener que ponerse en contacto primero con el control médico. Por lo general, los protocolos describen un plan de atención en un orden específico y no le permiten actuar fuera del plan de tratamiento del director médico sin primero ponerse en contacto con él. Los paramédicos del servicio deben conocer los protocolos y las directrices. Es posible que no logre ayudar al paciente siguiendo un protocolo o una directriz al pie de la letra, pero también puede fallar si no lo hace. Debe estar preparado para hacer modificaciones y utilizar el mejor recurso del que dispone: el control médico en línea (directo).

El entorno puede ser parte de la causa de los errores. ¿Hay formas de limitar las distracciones? ¿Pueden los paramédicos encontrar rápidamente lo que necesitan? A veces la solución es tan sencilla como asegurarse de que todos los vehículos de emergencia disponen de linternas. Asegúrese de que todos los medicamentos y equipos estén bien etiquetados y organizados.

Perlas de sabiduría

Siempre que el entorno esté en CAOS (del inglés CHAOS):

- El **c**ontrol.
- Tiene (del inglés ***H****as*).
- Ventaja (del inglés ***A****dvange*).
- Sobre él (del inglés ***O****ver*).
- Estrés (del inglés ***S****tress*).

Cuando esté a punto de realizar una habilidad, pregúntese: "¿por qué lo estoy haciendo?". Considere la razón de sus acciones para tener tiempo de reflexionar y tomar una decisión más informada. El hecho de que *pueda* realizar una gran variedad de procedimientos no significa que *deba hacerlo*. Debe tener claro por qué utiliza una habilidad o administra un medicamento. Si no puede encontrar una solución al problema del paciente, pida ayuda. Hable con su compañero, póngase en contacto con el control médico o llame a su supervisor del SEM.

Otra forma de ayudar a limitar los errores médicos es utilizar "manuales". Lleve consigo una copia de su libro de protocolos o tenga los protocolos de su sistema disponibles en su teléfono celular. Aunque algunos pueden sugerir que revisar un protocolo durante una llamada equivale a admitir que no sabe lo que está haciendo, en realidad no se pueden memorizar todos los aspectos de los protocolos. Optar por revisar y confirmar que la decisión es correcta demuestra profesionalismo y preocupación por el paciente. Los médicos de emergencias disponen de muchos materiales de referencia. Los médicos reconocen que no pueden memorizarlo todo, por lo que consultar un libro u otros recursos confiables ayuda a garantizar el uso de información precisa.

USTED es el Paramédico

PARTE 4

Debido a la urgencia de la situación, usted pide a uno de los integrantes del personal de rescate autorizado para conducir su ambulancia que inicie el traslado al Mayfield Medical Center, un centro de traumatología que se encuentra a 14 km de distancia. Son las 16:28 horas. Usted llama a control médico y describe con detalle el mecanismo de la lesión, los signos y síntomas, la presentación y los signos vitales del paciente. Informa que ha logrado una descompresión en el hemitórax izquierdo del paciente, lo que ha mejorado su presión arterial y pulsaciones, aunque sigue sin responder.

Llega al centro de traumatología a las 16:38 horas. Presenta un informe verbal y otro escrito al centro receptor. Su compañero y usted limpian y preparan la ambulancia por si reciben otra llamada antes de volver a su puesto. Guarda una copia del informe para que su supervisor la agregue a un estudio que se está realizando sobre los beneficios de la descompresión prehospitalaria con aguja. Diez minutos más tarde, entra en servicio y es enviado de inmediato a otra llamada.

Tiempo de registro: 13 minutos	
Respiraciones	12 respiraciones/min con ventilación asistida con bolsa-mascarilla
Pulso	118 latidos/min
Piel	Pálida, ligeramente diaforética
Presión arterial	104/62 mm Hg
Saturación de oxígeno (Spo_2)	98% con oxígeno mediante bolsa-mascarilla
Pupilas	Iguales pero lentas para reaccionar

6. Explique por qué esta situación es un buen ejemplo de cómo la investigación en los SEM puede ayudar a futuros pacientes a través de la práctica basada en la evidencia.

7. ¿Qué ventajas tiene la investigación retrospectiva para la formación del personal de los SEM?

Para evitar errores hay que ser consciente de los protocolos y no permitir interrupciones mientras se atiende al paciente. Utilice ayudas para la toma de decisiones, como algoritmos, y reflexione sobre lo que se ha hecho a modo de crítica informal para mejorar su desempeño en el futuro. Por último, después de una llamada problemática, siéntese y hable. Platique con su compañero o con su supervisor. Hablar de lo que ha ocurrido recientemente es una excelente fuente de aprendizaje. Sus discusiones pueden ayudar a introducir cambios en los protocolos, en la forma de almacenar los equipos o incluso en la compra de nuevos equipos.

Investigación en los SEM

A medida que la medicina se ha ido orientando cada vez más hacia la **práctica basada en la evidencia**, también lo ha hecho el sistema del SEM. A pesar de que los sistemas del SEM se han utilizado durante más de 40 años, la investigación que se ha llevado a cabo para demostrar que lo que usted hará como paramédico en realidad mejorará los resultados del paciente ha sido mínima. Debido al énfasis por parte de muchas organizaciones y a la atención del público en este proceso de atención médica, los protocolos de atención al paciente se deben basar con más frecuencia en hallazgos científicos.

En 2001 se dio un paso fundamental en el esfuerzo por vincular los hallazgos científicos a la atención al paciente con la publicación de la *National EMS Research Agenda*,[8] un documento encargado por el Departamento de Transporte y el Departamento de Salud y Servicios Humanos estadounidenses, que describía procesos y establecía objetivos para la optimización de la atención médica prehospitalaria de emergencia. En una publicación en el sitio web ems.gov titulada *Progress of Evidence-Based Guidelines for Prehospital Emergency Care*[9] se describen algunos de los avances en relación con los resultados de la investigación.

La investigación puede obligar a apartarse de manera drástica del método de operación estandarizado y no basado en la evidencia utilizado históricamente en los SEM. Por ejemplo, los estudios siguen demostrando que una técnica de RCP "solo con las manos" por parte de los transeúntes, junto con el uso precoz de un DEA, mejora en gran medida las posibilidades de que una víctima de paro cardíaco súbito sobreviva hasta el alta hospitalaria. Antes, el protocolo de tratamiento dictaba que se atendieran primero los problemas respiratorios y de la vía aérea en todos los pacientes, seguidos de los problemas circulatorios (el ABC). Sin embargo, la investigación ha demostrado que, para obtener los mejores resultados para los pacientes en paro cardíaco, primero se deben atender los problemas circulatorios, lo que significa cambiar el acrónimo ABCDE en el contexto del paro cardíaco por CABDE. Se tienen planeados o están en proceso estudios similares para cambiar o reafirmar las normas de atención médica prehospitalaria.

Es fundamental garantizar que los investigadores con la debida educación lleven a cabo la investigación. Aunque la mayoría de los investigadores tiene un doctorado o una maestría y un interés personal en la investigación de los SEM, en realidad, cualquier persona que reciba la capacitación adecuada puede formar parte de la investigación. El NREMT y la Fundación Robert Wood Johnson siguen investigando diversos temas relacionados con la atención médica de emergencia y los servicios de emergencia en general.

El creciente número de universidades acreditadas que ofrecen programas para paramédicos, esto supone un gran beneficio tanto para el sistema SEM como para la investigación de este. Ahora puede entrar en el campo del SEM formado como paramédico y tener una licenciatura. Aunque en la actualidad el campo de los SEM se compone sobre todo de proveedores que poseen una licencia o una certificación, los estudiantes paramédicos con título de licenciatura mejorarán aún más la imagen profesional dentro de la comunidad médica. Muchas instituciones de enseñanza superior también producen investigación de alta calidad, que luego retroalimenta el sistema educativo y la práctica. Como estudiante paramédico, usted puede tener la oportunidad de ayudar en un proyecto de investigación relacionado con su carrera en el campo de los SEM; esta es una oportunidad que no debe dejar pasar. Puede formar parte de algo que cambiará el futuro de los SEM.

Medicina basada en evidencia

La investigación basada en la evidencia se puede encontrar en las siguientes publicaciones: *Journal of Trauma and Acute Care Surgery, New England Journal of Medicine, Journal of the American Medical Association, Prehospital Emergency Care, Circulation* y *Annals of Emergency Medicine.*

El proceso de investigación

El primer paso para llevar a cabo una investigación es identificar el problema, el procedimiento o la pregunta específica por investigar. En general, un tema de investigación surge cuando se cuestiona una práctica específica. Usted puede identificar elementos durante sus llamadas de emergencia que podrían iniciar proyectos de investigación válidos. Por ejemplo, la eficacia de la intubación endotraqueal y la secuencia de intubación farmacológicamente asistida en campo ha sido un apartado de investigación muy popular, al igual que las respuestas con "luces y sirenas". Aunque el tema ya se haya investigado antes, a menudo se puede volver a tratar desde una nueva perspectiva. A veces, los resultados de la investigación son erróneos, y en un nuevo estudio se pueden identificar esas fallas o mejorar los resultados de la búsqueda anterior. Algunos temas de investigación están impulsados por el fabricante de un producto o por una entidad que quiere demostrar estrictamente que algo está bien o mal, al margen de su importancia para los SEM. Por lo tanto, es muy importante revisar con detenimiento la investigación en su totalidad y no solo el resumen.

Una vez determinada la duda, se elabora un **programa de investigación**, donde se especifican las preguntas a las que hay que dar respuesta, los objetivos específicos que se buscan y los métodos precisos para llevar a cabo el estudio y recopilar los datos. Aunque los resultados del estudio pueden dar lugar a muchas más preguntas, el investigador se debe apegar al programa de investigación y responder a las preguntas concretas. Otros temas de interés encontrados en el transcurso de la búsqueda se pueden convertir a su vez en temas de investigación de un estudio independiente.

Una vez que el investigador calificado decida la pregunta concreta a la que desea dar respuesta y elabore el programa de investigación, el siguiente paso consiste en determinar el **ámbito de investigación** en el que debe realizarse el estudio. Un ámbito de investigación es el área de investigación que se va a abordar: clínica, ciencias básicas, sistemas o educación. Por ejemplo, el ámbito clínico incluiría la investigación del accidente vascular cerebral con ensayos clínicos que busquen mejorar la atención al paciente. Un ejemplo de investigación en ciencias básicas es el estudio de la eficacia de un nuevo fármaco para limitar la intoxicación por monóxido de carbono en un modelo animal. El ámbito de investigación en los sistemas del SEM se centraría en las operaciones, como los efectos de la privación del sueño en los proveedores del SEM y su consecuencia en la atención al paciente. El ámbito de la educación se centraría en cómo se imparten los programas, por ejemplo, en un estudio de los componentes que conforman los programas de paramédicos de alto rendimiento. Este ámbito también puede incluir la investigación sobre las normas de competencia educativa.

Los profesionales de los SEM pueden realizar investigaciones, pero lo más habitual es que las lleven a cabo personas que estudian una rama concreta de la medicina o la ciencia. En muchos casos, la investigación se llevará a cabo dentro de un **consorcio de investigación**, un grupo de dependencias que trabajan juntas para estudiar un tema en particular. Los paramédicos pueden participar en este tipo de investigación de colaboración recopilando datos. Por ejemplo, puede formar parte de un estudio para determinar los resultados de los pacientes con IAMCEST (infarto agudo al miocardio con elevación del segmento ST) que son trasladados a un centro que no ofrece servicios de especialidad cardíaca, como un laboratorio de cateterismo cardíaco, o para establecer si el tiempo ahorrado mediante el transporte en helicóptero mejora los resultados.

Es posible que en algunos casos se le pida que identifique a determinadas poblaciones para la investigación o incluso que en sus llamados reúna voluntarios. Si le piden que identifique a pacientes que podrían ser candidatos para participar en un estudio, lleve consigo información sobre la investigación. Si un paciente acepta formar parte de la investigación, obtenga su consentimiento informado de manera específica para la investigación; el consentimiento informado que los pacientes le proporcionan para tratarles durante una emergencia no es igual a la autorización para utilizar sus datos en la investigación. *Es crucial que las iniciativas asociadas a la investigación nunca tengan prioridad sobre la atención que pueda necesitar el paciente.* Si el paciente acepta participar, escríbalo en su informe de atención al paciente. Su trabajo consiste en asegurarse de que recopila y transporta con precisión los datos de los pacientes con los que se encuentra y que se ajustan a los parámetros del estudio. Los investigadores recopilarán la información obtenida para responder a la pregunta planteada. Los resultados podrían compartirse con el resto de la comunidad científica y de los SEM, mejorando así las prácticas de atención al paciente. La práctica médica basada en la evidencia se fundamenta en este tipo de investigación.

Financiamiento

Antes de que pueda iniciar un proyecto de investigación en el que participen seres humanos, se requiere la aprobación de un **consejo de revisión institucional (IRB**, por sus siglas en inglés) para garantizar que los derechos de los sujetos del estudio estén protegidos a lo largo del mismo. Una IRB está formada por un grupo o institución que revisa la investigación. El Servicio de Salud Pública de Estados Unidos diseñó en 1966 los requisitos para la revisión de la IRB, a través de la cual la investigación es legal, ética y potencialmente elegible para el financiamiento federal.

Las investigaciones grandes requieren un financiamiento específico. En particular, los ensayos clínicos grandes o la investigación de sistemas pueden conllevar un costo financiero significativo. Este costo se financia a través de diversas fuentes, como la administración local o federal, las subvenciones de fundaciones sin fines de lucro y el financiamiento de la industria o las empresas. Para calilficar a una subvención federal o pública, primero se debe someter el estudio a un riguroso proceso de evaluación para garantizar que responderá a una pregunta dentro del ámbito que cubre la subvención. A continuación, los métodos y los resultados se someten a las condiciones impuestas por el donante. Del mismo modo, las organizaciones sin fines de lucro o las fundaciones financian la investigación en sus áreas de interés específicas y por lo regular tienen cierto control sobre los métodos utilizados. El apoyo empresarial puede adoptar la forma de una subvención a una organización de investigación sin fines de lucro, pero lo más habitual es que se trate de un proyecto de investigación para validar un producto fabricado por la empresa, como un nuevo medicamento o un equipo médico. Cuando busque financiamiento, tenga en cuenta que algunas subvenciones tienen estipulaciones que se pueden percibir como un intento de alterar los resultados a favor del otorgante. Antes de solicitar una subvención, asegúrese de que cumple con todos los criterios y se apega a las expectativas del proyecto.

Cualquier tipo de apoyo prestado a un investigador se considera financiamiento, incluido el espacio de laboratorio gratuito, los viajes o los ayudantes que colaboran en la investigación. Para evitar la apariencia de parcialidad o posibles conflictos de intereses, los investigadores deben revelar todas las fuentes de financiamiento y apoyo, y mantener una transparencia total con respecto a sus métodos de investigación.

Tipos de investigación

Existen varios tipos de investigación, tanto cuantitativa como cualitativa. El tipo de investigación que dará mejores resultados puede depender del tema de investigación y de lo que el investigador desee aprender.

La investigación **cualitativa** se centra en las preguntas dentro de un contexto de acontecimientos y procesos concurrentes e intenta construir un panorama más completo e integral. En otras palabras, la investigación cualitativa tiene en cuenta los factores del mundo real que pueden influir en los resultados de un estudio y trata de interpretar los resultados para tener en cuenta estos factores. Este tipo de investigación con frecuencia se lleva a cabo cuando la investigación cuantitativa no puede dar respuestas concretas. La investigación cualitativa en muchas ocasiones se basa en la interpretación que el investigador hace de los datos previamente publicados y produce una declaración de los resultados. Los métodos cualitativos no solo investigan el objeto, el lugar y el tiempo de la toma de decisiones, sino también la causa y la forma. Es difícil evaluar los estudios cualitativos utilizando directrices fijas. Más bien, cada estudio debe tener una serie de parámetros específicos. Algunas investigaciones médicas entran en la categoría cualitativa.

La investigación **cuantitativa** se basa en datos numéricos. Entre los tipos de investigación cuantitativa se incluyen los siguientes:

- **Investigación experimental.** Enfoque científico de la investigación en el que un investigador controla, manipula y luego mide una o más variables para determinar la forma en que la manipulación de las variables afecta a los sujetos. La investigación experimental se centra en las relaciones causa-efecto.
- **Investigación no experimental.** Investigación descriptiva que no implica la experimentación con pacientes ni la manipulación de variables para llegar a una conclusión. Por ejemplo, un estudio sobre la eficacia de distintos niveles de tratamiento del dolor no sería ético o incluso sería difícil de realizar en seres humanos; en su lugar, los datos se obtendrían entrevistando a los pacientes y observando los parámetros de los signos vitales.
- **Investigación mediante encuestas.** En este tipo de investigación, las conclusiones se basan en los resultados de una encuesta. Para que sean válidos, los investigadores deben identificar lo que se va a medir y determinar el tamaño adecuado de la muestra. Además, la población de la muestra debe reflejar la composición de la población investigada. Por ejemplo, si se realizara un estudio sobre la incidencia del cáncer en una zona con una incidencia en especial alta, los resultados de ese estudio no serían indicativos de todo el país. Por lo tanto, es imperativo que cuando revise un informe de investigación retrospectiva, identifique si los resultados fuesen similares en su localidad, es decir, si los hallazgos se pueden generalizar a su población de pacientes.

La **investigación retrospectiva** utiliza los datos disponibles, como las historias clínicas o los informes de atención al paciente. Esta investigación puede implicar el examen de esos registros para determinar los tipos de llamadas que se producen por la noche en comparación con las recibidas durante el día, o el número de llamadas en las que el abuso de sustancias fue la causa de la queja del paciente. Esta información se puede utilizar para desarrollar sesiones educativas para el personal de los SEM o para planear estrategias de educación y prevención pública. A veces, el investigador debe colaborar con un hospital o grupo de hospitales para recopilar la información necesaria sobre los resultados de los pacientes. Para cumplir leyes federales como la HIPAA (*Health Insurance Portability and Accountability Act*), es posible que se deba eliminar la información de identificación del paciente de los registros antes de compartir los datos entre dependencias. Sin embargo, en algunos estados, las dependencias gubernamentales o municipales cuentan con normas que sustituyen a los requisitos de la HIPAA y establecen que toda la información en poder de estos organismos forma parte del registro público.

Muchos grandes estudios retrospectivos recopilan y analizan datos de bases de datos generalizadas, a veces a nivel nacional. Dichas bases pueden vincular a los SEM, los hospitales e incluso los proveedores de servicios posteriores a la hospitalización en el sistema y permitir la construcción de una imagen amplia y total de la población de pacientes en cuestión. En Estados Unidos existen bases de datos nacionales para pacientes que han sufrido un paro cardíaco, pacientes que requieren oxigenación por membrana extracorpórea, niños y pacientes de trauma. Estas bases de datos por lo regular están bajo la supervisión de una dependencia centralizada, la mayoría de las veces dentro del gobierno federal; los gobiernos estatales o locales suelen recopilar información para llenar las bases de datos. Las mismas técnicas de recopilación y análisis de datos se pueden utilizar a nivel local para proyectos de investigación más pequeños: los datos de varios hospitales y dependencias del SEM se pueden ingresar en una base de datos centralizada, que se puede utilizar para estudiar poblaciones específicas de pacientes. Con el fin de garantizar la exactitud de los resultados de la investigación, se deben establecer y aplicar directrices claras para la introducción de datos que permitan su comparación.

Además de la investigación retrospectiva, otros tipos de estudio son la investigación prospectiva, la investigación de cohortes y los casos de estudio. En los estudios de **investigación prospectivos** se recopila información a medida que se producen los acontecimientos en tiempo real. La **investigación de cohortes** examina patrones de cambio, una secuencia de acontecimientos o tendencias a lo largo del tiempo dentro de una población específica o "cohorte" de sujetos de estudio. Por el contrario, el método de **casos de estudio** consiste en investigar y documentar un único caso a lo largo de un periodo específico. El control de casos de estudio por lo regular es un estudio retrospectivo que compara grupos de personas que se sabe que padecen la enfermedad o condición estudiada (casos) con un grupo similar de personas que no la padecen (controles) para ayudar a identificar la causa probable y los factores de riesgo de la afección.

Además, estas categorías de investigación se pueden dividir en subgrupos transversales o longitudinales. Un **diseño transversal** recopila todos los datos en un momento dado, sirviendo en esencia como una "instantánea" de los acontecimientos y la información. En un **diseño longitudinal** se recopila información en varios intervalos establecidos. Por lo tanto, un estudio prospectivo debe tener, por diseño, un método longitudinal de recopilación de datos. Por el contrario, la investigación retrospectiva, de cohortes o de casos puede utilizar una técnica de recopilación de datos transversal o longitudinal.

Por último, una **revisión bibliográfica** es una forma de investigación en la que se revisa la bibliografía existente y el investigador analiza este conjunto de investigaciones para obtener una conclusión. Entre los métodos más formales de revisión de la bibliografía se encuentran las revisiones sistemáticas de casos y los metaanálisis. En las revisiones sistemáticas de casos, los investigadores evalúan y sintetizan la bibliografía pertinente sobre un tema mediante un enfoque estructurado y exhaustivo. En los metaanálisis, los investigadores combinan y analizan estadísticamente los resultados de múltiples estudios.

Métodos de investigación

Un primer paso en la realización de una investigación es identificar al grupo o grupos de personas necesarios para la investigación. Una vez identificado el grupo, se puede perfeccionar aún más, limitando la investigación a personas de un grupo de edad determinado, con una enfermedad concreta o de un género específico. Por ejemplo, es posible que un investigador quiera estudiar a hombres mayores de 50 años con hipertensión.

Una vez que se ha identificado una lista de sujetos elegibles, los investigadores eligen al azar quiénes formarán parte de la investigación, utilizando una de las muchas técnicas. La lista de sujetos o grupos se puede generar por computadora (**muestreo sistemático**) o se pueden establecer parámetros temporales (**muestreo temporal alternativo**). El método menos preferido es cuando los sujetos se asignan manualmente a un investigador específico (**muestreo por conveniencia**), en lugar de asignarse de forma aleatoria. Incluso en los mejores casos, se puede producir **errores de muestreo**. Por ejemplo, es posible que un estudio no incluya a todos los sujetos necesarios, o algunas personas del estudio cumplen con los criterios y, sin embargo, no son la mejor representación de la población de interés. Los investigadores también deben tener en cuenta el número de personas a las que se pide su participación. Se recomienda que los investigadores seleccionen un tamaño de muestra mucho mayor del que en realidad se necesita, lo que permite un margen en caso de que no todos los participantes completen el estudio o algunos se salgan de los parámetros de la investigación. Por ejemplo, si los investigadores necesitan 500 participantes, podrían plantearse buscar 600 candidatos.

Para que el muestreo produzca resultados significativos y confiables, el tamaño de la población debe ser adecuado. ¿Cómo saben los investigadores cuántas personas necesitan? Para evitar un error de tipo II (no encontrar una diferencia entre dos o más grupos cuando en realidad existe), el estudio debe tener la potencia adecuada, lo que requiere un análisis de potencia. Para formular el análisis de potencia, los investigadores deben conocer la varianza, que es la variabilidad de los resultados en la población objetivo. Para estimar la varianza, ellos realizan un estudio piloto. Sin estos pasos iniciales, el estudio prospectivo aleatorizado no arrojará los datos precisos que la gente asocia con este método de investigación.

Perlas de sabiduría

La investigación de nivel inferior sienta las bases de la investigación de nivel superior.

Los investigadores también deben identificar los **parámetros** para su estudio, es decir, el tipo de personas que son apropiadas para él. Otra herramienta por considerar es el **enmascaramiento**, en el que el paciente y los investigadores no saben si el sujeto (paciente) está recibiendo la intervención evaluada o un placebo. En los estudios con enmascaramiento simple, doble o triple, llamados también ciego o doble ciego, una, dos o todas las partes implicadas en la investigación están cegadas o enmascaradas, respectivamente. Cuando se informa a los participantes en el proyecto de investigación de todos los aspectos del proyecto, se denomina **estudio no ciego**.

A medida que avanza la investigación, se van obteniendo datos. Las estadísticas recopiladas se pueden presentar en formato **descriptivo** o **inferencial**. En un formato descriptivo se realizan observaciones, pero no se intenta alterar o cambiar un acontecimiento. En un formato inferencial se utiliza una hipótesis para probar un hallazgo frente a otro. Las estadísticas descriptivas también se pueden presentar en estilo cualitativo o cuantitativo. El enfoque cuantitativo abarca variables adicionales, como la media, la mediana y la moda. Por ejemplo, en un estudio sobre la diabetes en mujeres de entre 30 y 40 años, la edad media de las participantes en el estudio es igual a la edad media de estas mujeres, la edad mediana es la edad media de ellas y la moda es la edad más frecuente de ellas. Por último, la **desviación estándar** indica cuánto difieren los valores de un conjunto de datos de la media.

Consideraciones éticas

Como en muchos aspectos de una profesión, al realizar una investigación se deben tener en cuenta las cuestiones **éticas**. Una entidad que supervisa si un estudio se lleva a cabo de forma ética es la IRB de la organización; su objetivo principal es garantizar que los participantes en el estudio estén protegidos y que los investigadores actúen de forma adecuada.

Los investigadores se deben asegurar de que los riesgos para los sujetos del estudio no superen los beneficios potenciales de cualquier estudio. Deben obtener el consentimiento informado de todos los sujetos y asegurarse de que sus derechos y bienestar están bien protegidos. Se debe identificar cualquier posible conflicto de intereses relacionado con el estudio. Por ejemplo, si una persona participa en un estudio similar o es empleada de la persona o empresa que patrocina el estudio, esto se consideraría un conflicto de intereses y dicha persona debería ser retirada del estudio.

Los sujetos deben participar de manera voluntaria en cualquier investigación, sin que se les obligue a hacerlo. También se les debe informar de todos los riesgos potenciales que se puedan presentar y se les debe permitir retirarse de la investigación en cualquier momento (**FIGURA 1-14**). Como mínimo, se debe informar a los sujetos de que están protegidos por la Office of Human Research Protections y se les debe ofrecer el material educativo de esta dependencia para las personas que participan en la investigación. (La *Food and Drug Administration* también ofrece orientación para los investigadores en varias áreas temáticas). Antes de

FIGURA 1-14 Toda persona que participe en un estudio de investigación debe estar bien informada de los objetivos del estudio, así como de los posibles riesgos y beneficios asociados a su participación.

iniciar el estudio, se debe identificar la posibilidad de que el sujeto se retire o cualquier otra variable que pueda afectar al resultado a fin de garantizar que la investigación no sea defectuosa.

Los pacientes que son participantes potenciales en un ensayo de investigación de ámbito clínico deben recibir la información sobre los protocolos del estudio antes de inscribirse en el mismo. Un ejemplo podría ser una empresa farmacéutica que introduce al mercado un nuevo medicamento para la vía respiratoria. Los pacientes se seleccionan para participar en un ensayo en el que recibirán el nuevo medicamento, un medicamento más estudiado o un placebo para validar la eficacia del medicamento. Cada paciente debe recibir la información de los posibles efectos (positivos o adversos) de participar en el estudio y, si se inscribe en el programa, firmar una renuncia. En algunos casos, un tratamiento bajo estudio se puede administrar en situaciones de emergencia con una renuncia al consentimiento informado; se asume que el paciente querría recibir el tratamiento por su potencial para salvarle la vida.

Evaluación de la investigación médica

Los paramédicos deben saber cómo evaluar qué es una verdadera investigación médica y qué es una preferencia personal impresa. Cuando evalúe un artículo de investigación, busque criterios específicos para determinar la calidad de la investigación. En el **CUADRO 1-3** se presentan 15 preguntas a las que debe responder cuando evalúe e interprete la investigación. Una vez que haya identificado el tipo de estudio, sus métodos y sus puntos fuertes, deberá examinar el cuerpo del estudio en sí. Lo más importante es evitar la tentación de hojear el estudio y fijarse solo en un par de conclusiones. Si no lee todo el estudio, puede omitir puntos clave que alterarán su comprensión de la información presentada.

Para empezar, determine la hipótesis del estudio y si la base de población coincide con su región. Por ejemplo, si trabaja en una zona donde las temperaturas ambientales son altas, como Arizona, ¿qué relevancia tendría un estudio sobre la hipertermia si se realizara en un entorno por lo regular frío, como Alaska? Los estudios válidos tienen una hipótesis claramente establecida y mediciones de resultados bien definidas. Evite los estudios con hipótesis o mediciones de resultados vagas, ya que suelen estar sujetas a manipulación. Cuanto mayor sea el número de sujetos que participan en un estudio, más relevantes serán los datos. Por ejemplo, si estuviera leyendo dos estudios sobre la validez de la aspirina para dolor torácico, y uno de ellos incluye una base de 1 000 pacientes mientras que el otro tiene una base de 15 000, la información obtenida de este último estudio quizá será más relevante.

CUADRO 1-3 Quince preguntas para evaluar e interpretar la investigación

1. ¿La investigación fue revisada por compañeros?
2. ¿Cuál era la hipótesis de la investigación?
3. ¿Una junta de revisión institucional aprobó el estudio y se llevó a cabo de forma ética?
4. ¿Cuál era la población bajo estudio?
5. ¿Cuáles fueron los criterios de inclusión y exclusión?
6. ¿Qué método se utilizó para obtener una muestra de pacientes?
7. ¿En cuántos grupos se dividió a los pacientes?
8. ¿Cómo se asignaron los sujetos del estudio a los grupos?
9. ¿Qué tipo de datos se recopilaron?
10. ¿Participó en el estudio un número suficiente de sujetos?
11. ¿Existen variables de confusión que no se hayan tenido en cuenta?
12. ¿Se analizaron de manera correcta los datos?
13. ¿Su conclusión se apoya de forma lógica en los datos?
14. ¿Será aplicable en sus sistemas locales del SEM?
15. ¿Los sujetos eran similares a los pacientes de sus sistemas locales del SEM?

A continuación, examine los perfiles de los pacientes y los criterios de selección. ¿Cómo se decidieron? ¿Se seleccionaron los pacientes al azar? ¿Qué criterios de inclusión existían para participar en el estudio? Para que un estudio sea válido, se debe tener en cuenta a todos los sujetos, incluso si no llegaron al resultado final. Si se eliminaron sujetos del estudio, se deben presentar las causas de su retiro. A continuación, considere el número de sujetos. ¿Es el mismo número al principio y al final, incluidos los pacientes que abandonaron? Si las cifras no coinciden, los datos no son válidos y no se deben tomar en consideración. Básicamente, se debe reportar y explicar cualquier discrepancia durante un estudio.

Determine cómo se analizaron los datos. Asegúrese de que los métodos de análisis sean apropiados para lo que pretende determinar el estudio.

Identifique a los autores del estudio y sus conclusiones. Asegúrese de que sus conclusiones no sean sesgadas de algún modo por conflictos de intereses financieros o de otro tipo que pudieran influir en el análisis final.

Por último, determine si los resultados son significativos, tanto estadística como clínicamente. La significación estadística describe la frecuencia con la que los resultados de un estudio podrían darse por casualidad. Por ejemplo, si la probabilidad de que los diferentes resultados entre los distintos grupos de sujetos se deban únicamente al azar es inferior a 5%, se dice que la diferencia es estadísticamente significativa. La significación clínica es igual de importante. ¿El hallazgo es eficaz en un número suficiente de pacientes como para convertirlo en un tratamiento útil para la mayoría? Por ejemplo, si un nuevo medicamento solo beneficia a 1 de cada 1 000 pacientes y cuesta 5 000 dólares por dosis, ¿se consideraría estadísticamente significativo? ¿Valdría la pena? Si ese mismo medicamento diera lugar a 80% de probabilidades de obtener un resultado positivo y, por lo tanto, mostrara resultados clínicamente significativos, ¿valdría ahora la pena ese costo?

El tipo de revista en la que se publica la investigación es otra parte vital para determinar la calidad y la validez. Un método para garantizar la calidad y la validez es el proceso de **revisión por expertos**. Muchas revistas médicas aceptan estudios de investigación de una amplia variedad de fuentes. Antes de su publicación, estos estudios se envían a otros expertos en la materia (los "expertos" del autor) para que revisen el contenido y los métodos de búsqueda. La investigación y sus conclusiones se aceptan, revisan o rechazan en función de los resultados de la revisión por expertos. Este método permite mayores controles y equilibrios para garantizar la calidad de los métodos de investigación y la validez de las conclusiones de la investigación. Muchas revistas médicas y del SEM revisadas por expertos están disponibles tanto en formato impreso como en línea.

En términos más generales, la proliferación de la formación médica en internet ha hecho que determinados sitios de internet se conviertan en herramientas útiles para tener acceso a la investigación. Las fuentes van desde aquellas integrales, como *Google Scholar*, hasta otras más específicas desde el punto de vista médico, como *Medscape* y *PubMed*, que contienen un número considerable de artículos publicados de diversas revistas y publicaciones. Al examinar la investigación disponible sobre un tema concreto, dichos sitios pueden ser útiles para encontrar investigaciones revisadas por expertos.

Como ya se ha dicho, un estudio de investigación debe seguir un proceso estructurado. Un buen estudio definirá con precisión lo que se pretende medir, la población afectada y el objetivo de la investigación. Un buen artículo de investigación contará con datos adecuados; por ejemplo, se identificó y llevó un seguimiento a 5 000 personas durante un periodo de 5 años, con datos disponibles de todas las personas implicadas. En cualquier tema de investigación existen limitaciones en cuanto a lo que se puede medir y con qué precisión. Si al revisar un artículo de investigación se descubre que algunas personas se arrepintieron, murieron o fueron omitidas por alguna razón que en un principio no se había esperado o previsto, los resultados pueden ser incorrectos.

Como nuevo paramédico, debe revisar la investigación con detenimiento y solo utilizar fuentes fidedignas. Leer y comprender a fondo los estudios pertinentes es algo que se debe a sí mismo y a sus pacientes.

Medicina basada en la evidencia

Es importante asegurarse de que la investigación que se utiliza para tomar decisiones es fidedigna y sigue los procesos de investigación correspondientes.

Por ejemplo, un estudio supuestamente bien diseñado y realizado que se presentó en 1998 sobre el tema de una posible relación entre las vacunas y el autismo no contaba con una descripción de un grupo de control ni de estudios reales.[10] Se elaboró mediante el recuerdo individual de personas y conclusiones vagas que no ofrecían pruebas estadísticas. En 2010, *The Lancet*, la revista que publicó los resultados del estudio, se retractó del artículo, y poco después se revocó al autor del estudio (el Dr. Andrew Wakefield) la licencia médica.[11]

En los años siguientes se llevaron a cabo muchas investigaciones. Aunque el "estudio" original de 1998 afirmaba que existía una relación directa, hasta el 2018 se habían realizado más de 48 estudios validados, incluidos estudios con millones de niños, que demostraban con claridad que no existía relación entre la vacunación y el autismo.[11]

Asimismo, se han publicado muchos trabajos de investigación sobre la eficacia de las vacunas. Las investigaciones válidas demuestran que las vacunas reducen en gran medida el riesgo de muerte y discapacidad, y que no tienen relación con el autismo.

Este ejemplo demuestra la importancia de revisar los trabajos de investigación a los que se hace referencia en un estudio actual.

Práctica basada en la evidencia

Esta se está convirtiendo en una parte integral del funcionamiento como paramédico. Su atención al paciente se debe centrar en los procedimientos que han demostrado ser de provecho para mejorar los resultados del paciente. Solo existe una cantidad limitada de investigación en los SEM prehospitalarios en relación con otras áreas de investigación médica; sin embargo, a medida que la investigación en los SEM siga en expansión, la práctica basada en la evidencia tendrá una función consecuentemente mayor en los SEM.

Una atención de alta calidad al paciente debe centrarse en procedimientos útiles para mejorar los resultados de los pacientes a través de una investigación sólida. Los proveedores del SEM deben estar al día de los últimos avances en atención médica. El ILCOR (*International Liaison Committee on Resuscitation*/Comité Internacional de Enlace sobre la Reanimación) revisa las directrices sobre RCP y otras técnicas de reanimación con base en una revisión de las nuevas pruebas publicadas en el mundo. Aunque antes se revisaban cada 5 años, desde 2015 el ILCOR ha pasado a un programa de revisión más frecuente, y actualiza las directrices cada 2 años. Estas directrices revisadas son publicadas en *Circulation*; son un excelente ejemplo del uso de pruebas médicas para desarrollar directrices de tratamiento específicas para su aplicación en el entorno de la atención prehospitalaria. Para obtener más información sobre la ciencia de la elaboración de directrices consensuadas para la reanimación, consulte el sitio web de ILCOR (ilcor.org).

Medicina basada en la evidencia

En 2020, el ILCOR, junto con la AHA, miembro del ILCOR, publicó un documento de consenso actualizado sobre la ciencia de la reanimación que respalda las directrices 2020 para la reanimación cardiopulmonar y la atención cardiovascular de emergencia. En este libro se hace referencia a dichas directrices, en especial en las secciones relacionadas con cardiología, neurología, pediatría y reanimación.

Advertencia: cuando lea los resultados de una nueva investigación, asegúrese de entender lo que significan. Haga preguntas y evalúe de manera crítica los estudios publicados. Las conclusiones que parecen demasiado buenas para ser ciertas bien pueden serlo.

Para vincular la investigación y la evidencia médica a la atención al paciente, se debe asegurar que la calidad de la evidencia es suficiente para justificar el cambio de los protocolos de atención al paciente. Para garantizar la calidad de la evidencia, los investigadores con frecuencia califican la calidad de un estudio. Se pueden utilizar muchos sistemas de calificación diferentes. Por ejemplo, la *American Heart Association* asigna clases (grado) de recomendación y niveles (calidad) de evidencia (**CUADRO 1-4**).

CUADRO 1-4 Clases de recomendaciones y niveles de evidencia de la American Heart Association

Clase (grado) de recomendación	Nivel (calidad) de la evidencia
Clase I (fuerte)	Nivel A (evidencia de máxima calidad)
Clase IIa (moderada)	Nivel B-R (aleatorizado)
Clase IIb (débil)	Nivel B-NR (no aleatorizado)
Clase III (sin beneficio-moderado)	Nivel C-LD (datos limitados)
Clase III (daño-fuerte)	Nivel C-EO (opinión de expertos)

Datos de: *American Heart Association*. Aspectos destacados de las directrices de la Asociación Americana de Hospitales de 2020 para la RCP y la RCE. https://cpr.heart.org/-/media/cpr-files/cpr-guidelines-files/highlights/hghlghts_2020_ecc_guidelines _english.pdf. Consultado el 28 de enero de 2021.

La investigación de calidad en los SEM tiene muchos beneficios para el futuro. Determina la eficacia del tratamiento en todos los campos de la atención de la salud: lo que funciona y lo que no funciona. Debido a que el financiamiento de los SEM sigue siendo un reto y que muchos aspectos de lo que usted hará será objeto de un escrutinio cada vez mayor, será vital que usted y los SEM en general puedan demostrar que sus acciones marcan la diferencia. Una investigación adecuada se obtiene cuando se basa en los resultados, lo que significa que el tema genera conclusiones sobre la mejora de los resultados de los pacientes. La investigación puede ayudar a identificar qué procedimientos, medicamentos y tratamientos funcionan y cuáles no. Una vez que se ha realizado un estudio y su director médico ha decidido seguir sus recomendaciones, su servicio debe medir los resultados de estas nuevas prácticas como parte de su programa de MCC. Estos cambios en las prácticas pueden ser tan sencillos como cambiar el diseño del kit de emergencia para acelerar el tiempo de administración de fármacos a los pacientes críticos o añadir equipos como ventiladores para traslado. Estos esfuerzos combinados al final conducirán a una mejor imagen profesional ante la comunidad de los servicios que usted proporciona, sin importar si usted es un voluntario o un paramédico profesional remunerado.

USTED es el Paramédico RESUMEN

1. ¿Cuál es su primera acción al acercarse a la escena y realizar una evaluación de esta?

Mientras se acerca al lugar, busque riesgos y considere la necesidad de recursos adicionales. Pida el envío de los bomberos en caso de riesgos en la escena, extracción (por ejemplo, de un vehículo) y ayuda adicional. Solicite la intervención del orden policiaco para controlar el tráfico o a la multitud. ¿Existen otros riesgos que requieran atención especializada, como cables eléctricos caídos o materiales peligrosos derramados, como aceite o gasolina? Realice una rápida inspección visual para determinar el mecanismo de la lesión. ¿Cuántos pacientes ve? Solicite unidades adicionales tan pronto como sea posible para minimizar el tiempo en la escena y el que tardarán todos los pacientes en recibir atención definitiva.

2. ¿Qué papel desempeña el sistema del SEM en esta llamada?

El papel del sistema del SEM en esta llamada será igual que en todas las demás: proporcionar una atención de alta calidad al paciente y el transporte dentro del ámbito de la práctica con licencia. La red del SEM empieza con la participación ciudadana. El público debe reconocer una necesidad y ser consciente de cómo tener acceso al sistema del SEM en su comunidad. De igual forma, se debe educar al público sobre qué hacer y qué no hacer a los pacientes antes de su llegada. Una vez que se ha activado el sistema del SEM, un despachador recibe la información, la procesa o interpreta, identifica si se trata de una emergencia real y, a continuación, distribuye las unidades correspondientes.

La función del sistema del SEM continúa cuando los profesionales, como los paramédicos, llegan al lugar de los hechos. Las funciones en la escena incluirán la determinación de lo que está ocurriendo en el lugar y el desarrollo de un plan de atención para los pacientes, incluida la decisión sobre el método de traslado y el centro de recepción adecuados.

3. ¿Qué aspectos de profesionalismo deben emplearse en esta situación?

Como profesional de la salud, debe prestar los cuidados adecuados a su nivel de licencia y hacerlo de forma que genere confianza en el paciente y en los demás presentes en la escena. Su función es muy visible y se le juzgará por su nivel de profesionalismo y su aspecto general. Usted es un representante de su profesión y de su dependencia. Debe demostrar siempre que en realidad está preocupado por el bienestar del paciente y su familia.

En esta situación, debe emplear la integridad y empatía al tratar con la novia del paciente. Ella está asustada y alterada, como la mayoría de las personas cuando se enfrentan a una situación traumática desconocida. La comunicación con ella no debe tener prioridad sobre la atención al paciente, pero una palabra amable puede marcar la diferencia. Tenga en cuenta que la novia puede ser una valiosa fuente de información sobre la historia del paciente. Si considera que la situación es lo bastante grave como para que el paciente necesite su atención inmediata, pida a otro respondedor que obtenga esta información de ella. Trabaje en equipo con su compañero y, en este caso, con el personal de rescate para ayudar a evaluar, tratar y transportar al paciente. Pida a uno de los miembros del personal de rescate que hable con la novia y le haga saber que está haciendo todo lo posible por ayudar al paciente. Dígale también a qué hospital lo va a trasladar. Debe actuar como protector de este paciente, ya que no puede hablar por sí mismo, e informar al hospital de cualquier información recibida de la novia en la escena.

4. Además de las mencionadas en la pregunta anterior, ¿qué funciones y responsabilidades son vitales como proveedor de atención médica prehospitalaria?

Educar al público es una parte importante de su responsabilidad como paramédico. Debe participar en actividades de prevención, comunitarias y de liderazgo siempre que le sea posible. El público debe saber cómo utilizar de manera adecuada sus servicios, y la promoción de la participación pública en actividades como la capacitación en RCP es fundamental en las zonas donde los recursos del SEM son limitados.

5. ¿De qué manera determinará cómo y a dónde transportar a este paciente?

En muchas ocasiones, las decisiones adecuadas sobre el transporte y el destino se toman en colaboración con otros profesionales médicos. Las lesiones y el estado del paciente deben determinar si se le traslada al centro más cercano (por ejemplo, paro cardíaco) o a un lugar más apropiado que puede estar más lejos (es decir, en el caso de este paciente, un centro de traumatología).

En este caso, el paciente presenta una alteración del estado mental y compromiso respiratorio, por lo que se trata de un traslado de emergencia. Si los cuidados definitivos se encuentran a una distancia considerable, quizá la mejor opción sea el transporte aéreo. Identifique las capacidades de los hospitales en su localidad; muchos pueden proporcionar cuidados vitales y atención de estabilización en emergencias y luego organizar el traslado del paciente a un centro más definitivo. Sin embargo, si el paciente necesita potencialmente una intervención quirúrgica para su estabilización, su traslado a un centro que no sea de traumatología solo puede retrasar la atención definitiva y aumentar el riesgo de morbilidad o mortalidad.

USTED es el Paramédico RESUMEN continuación

6. Explique Por qué esta situación es un buen ejemplo de cómo la investigación en los SEM puede ayudar a futuros pacientes a través de la práctica basada en la evidencia.

Con la práctica basada en la evidencia, la atención al paciente se centra en los procedimientos que han demostrado ser útiles para mejorar los resultados del paciente, en este caso la descompresión con aguja. Documentar los procedimientos que en el pasado han sido de beneficio para los pacientes ayuda a que se genere información para que la investigación pueda conducir a establecer protocolos u órdenes permanentes para pacientes similares en el futuro.

7. ¿Qué ventajas tiene la investigación retrospectiva para la formación del personal de los SEM?

La investigación retrospectiva utiliza la información disponible en la actualidad. La mejora continua de la calidad (MCC) es una forma de investigación retrospectiva; el examen de los registros de atención al paciente ayuda a determinar las oportunidades de mejora y proporciona información para orientar las necesidades educativas del personal de los SEM. También puede utilizarse para planear estrategias de educación pública y prevención.

Reporte de atención prehospitalaria (RAP)

Fecha: 04-20-22		**Naturaleza de la llamada:** accidente automovilístico	**Ubicación:** calle 300 de Hunt Road

Despacho: 16:18	**En camino:** 16:18	**En la escena:** 16:21	**Transporte:** 16:28	**En el hospital:** 16:38	**En servicio:** 16:48

Información del paciente

Edad: 22 años **Sexo:** M **Peso: (en kg [lb]):** 78 kg (172 lb)	**Alergias:** Se desconoce que tenga alergias **Medicamentos:** Ninguno **Antecedentes médicos:** Ninguno **Principal manifestación:** Estado mental alterado, posible neumotórax, posible fractura abierta de la pierna izquierda

Signos vitales

Hora: 16:27	**PA:** 96/54	**Pulso:** 138	**Respiraciones:** 12	**Spo_2:** 92% con O_2 mediante bolsa-mascarilla
Hora: 16:34	**PA:** 104/62	**Pulso:** 118	**Respiraciones:** 12	**Spo_2:** 98% con O_2 mediante bolsa-mascarilla
Hora:	**PA:**	**Pulso:**	**Respiraciones:**	**Spo_2:**

Tratamiento en el SEM (circule todo lo aplicable)

Oxígeno @ 15 L/min por (circular uno): **NC NRM Dispositivo de bolsa y mascarilla** (circulado)		**Ventilación asistida** (circulado)	**Dispositivo de la vía aérea:** Oral (circulado)	**RCP**
Desfibrilación	**Control de la hemorragia** (circulado)	**Vendaje** (circulado)	**Inmovilización** (circulado)	**Otro:** Monitor cardíaco (circulado)

Narrativa

Hombre de 22 años implicado en un accidente automovilístico: motociclista choca con un coche, no reacciona, posible neumotórax a tensión y fractura abierta de la parte inferior de la pierna izquierda con hemorragia leve. Las personas en la escena le retiraron el casco antes de la llegada del SEM. A su llegada, el paciente está en decúbito supino en el suelo y no responde, pupilas simétricas, pero con reacción lenta, presenta hipoventilación en hemitórax izquierdo, hiperresonancia a la percusión, ingurgitación yugular. Pulsos radiales débiles, aumento de la frecuencia y movimiento asimétrico del tórax izquierdo. Se realiza descompresión con aguja según protocolo local. Las ventilaciones mejoran, las venas del cuello se aplanan, el Spo_2 aumenta a 98%, los pulsos radiales son más fuertes, la PA aumenta, pero no hay cambios en el estado mental, monitor cardíaco mostrando taquicardia sinusal, glucosa 102 mg/dL. Piel pálida, fría, diaforética. Inserción de cánula orofaríngea, ventilación asistida con bolsa-mascarilla, inmovilización de pierna izquierda con la pierna derecha, hemorragia controlada con presión directa y vendaje, restricción de la columna con collarín cervical e inmovilizadores laterales, perfusión conservada en todas las extremidades antes y después de la inmovilización. Traslado al Centro Médico Mayfield sin incidentes.

Fin del reporte

Kit de preparación

Resumen rápido

- En la Primera y Segunda Guerras Mundiales se crearon sistemas de ambulancias para atender y trasladar rápidamente a los soldados heridos desde los campos de batalla.
- Durante las guerras de Corea y Vietnam se logró salvar a los soldados heridos utilizando helicópteros para trasladarlos con rapidez desde el campo de batalla a una unidad médica.
- En 1966, la *National Academy of Sciences* y el *National Research Council* estadounidenses publicaron "El Libro Blanco", en el que se esbozaban 10 puntos críticos relacionados con la atención médica. Con base en estos puntos:
  - En 1966 se aprobó la NHTSA (*National Highway Safety Act*)
  - Se creó el Departamento de Transporte de Estados Unidos.
- A los paramédicos se les exige una licencia, que también puede llamarse certificación o acreditación. El desempeño de funciones como paramédico antes de obtener la licencia es ilegal.
- Las normas para los servicios de emergencia prehospitalaria y las personas que la prestan se rigen por las leyes de cada estado y normalmente las regula una oficina estatal del SEM.
- Un paramédico tiene diversas opciones profesionales. Los empleos tradicionales incluyen SEM con base en los bomberos, SEM de terceros, agencias particulares del SEM, SEM con base en hospitales y los modelos híbridos donde los paramédicos trabajan junto a otros proveedores o para sitios específicos.
- En general, hay cuatro niveles de formación en los SEM: socorrista o primer respondiente, proveedor de atención prehospitalaria, proveedor de atención prehospitalaria avanzado (PAP avanzado) y paramédico. Existen variaciones de un estado a otro. En los niveles de soporte vital avanzado (paramédico y PAP avanzado), el personal puede realizar procedimientos invasivos bajo órdenes permanentes o directrices del control médico en línea (directo).
- Los paramédicos pueden participar en varios tipos de traslados, incluidos aquellos a centros de especialidad que se enfocan en tipos específicos de atención a determinadas poblaciones. También pueden realizar traslados entre centros.
- Los paramédicos trabajan con otros proveedores de atención médica y otras dependencias de seguridad pública. Familiarizarse con sus funciones y responsabilidades es un beneficio para las llamadas del SEM.
- Los programas de educación continua exponen a los paramédicos a los nuevos hallazgos de la investigación y actualizan sus habilidades y conocimientos. Considere aquellos acreditados a través de la CAPCE (*Commission on Accreditation for Pre-Hospital Continuing Education*).
- Cada sistema del SEM tiene un director médico que autoriza a los proveedores del servicio a prestar atención médica en campo. El control médico por lo regular es tanto en línea (directo) como sin servicios electrónicos (indirecto).
- Se espera que los miembros de la profesión paramédica cumplan con las normas y los parámetros de desempeño, así como con un código de ética.
- Los atributos profesionales que se esperan de un paramédico incluyen integridad, empatía, automotivación, confianza, habilidades de comunicación, trabajo en equipo, respeto, defensa del paciente, esfuerzos de prevención de lesiones, prestación cuidadosa del servicio, habilidades para el manejo del tiempo y administrativas.
- Algunas de las principales responsabilidades de los paramédicos incluyen la preparación, la respuesta, el manejo en la escena, la evaluación y el cuidado del paciente, el manejo y la disposición, la transferencia y el informe del paciente, la documentación y el regreso al servicio.
- El control de calidad y la mejora continua de la calidad son herramientas que los paramédicos utilizan para evaluar y mejorar la atención que prestan a los pacientes.
- La investigación ayuda a reunir los hallazgos de muchos profesionales implicados en los SEM y a alcanzar un consenso sobre lo que el personal de los SEM debe o no hacer. Los tipos de investigación incluyen la investigación cuantitativa y la cualitativa.

Kit de preparación continuación

- Existen muchas consideraciones éticas cuando se lleva a cabo una investigación médica. Los investigadores deben obtener el consentimiento de los sujetos del estudio, informarles plenamente de los parámetros de la investigación y garantizar la protección de sus derechos y su bienestar.
- Los paramédicos deben saber cómo evaluar la investigación médica. Se deben familiarizar con los criterios para determinar la calidad de la investigación, incluyendo cómo reconocer la bibliografía revisada por expertos y cómo utilizar internet para encontrar artículos de investigación de calidad.
- La práctica basada en la evidencia se está convirtiendo en una parte integral del funcionamiento como proveedor del SEM. Participe en la revisión de la bibliografía médica a medida que esté disponible, y haga esfuerzos para mantenerse al tanto de los cambios en las directrices relacionadas con su práctica de la paramédica.

Vocabulario esencial

Acreditación Proceso de obtención, verificación y evaluación de las calificaciones de un profesional para prestar asistencia en una dependencia de salud específica.

Ámbito de investigación Área (clínica, ciencia básica, sistemas o educación) en la que influirá un estudio.

Caso de estudio Tipo de investigación en el que se investiga y documenta un solo caso durante un periodo determinado.

Certificación Proceso mediante el cual se evalúa y reconoce que una persona, institución o programa cumple con ciertas normas predeterminadas para brindar atención segura y ética.

Consejo de revisión institucional (IRB) Grupo o institución que sigue una serie de requisitos para revisar las investigaciones propuestas diseñadas por el Servicio de Salud Pública de Estados Unidos.

Consorcio de investigación Grupo de dependencias que colaboran en el estudio de un tema concreto.

Control de calidad Responsabilidad del director médico de garantizar que el personal del SEM cumple con las normas de atención médica adecuadas en cada llamada.

Control médico en línea (directo) Dirección médica aplicada en tiempo real a un servicio o proveedor del SEM.

Control médico sin servicios electrónicos (indirecto) Dirección médica impartida a través de un conjunto de protocolos, políticas o normas.

Cualitativa Tipo de estadística descriptiva en la investigación que no utiliza información numérica.

Cuantitativa Tipo de medición en investigación que utiliza datos numéricos y estadísticos, como la media, la mediana, la moda y la desviación estándar.

Cultura de seguridad En una organización del SEM, un sistema de creencias y prácticas que (1) reconoce que las organizaciones realizan actividades de alto riesgo; (2) determina la importancia de las operaciones congruentes y seguras para contrarrestar estas actividades; (3) apoya un entorno libre de culpas en el que los errores se pueden notificar sin miedo al castigo, y (4) mantiene el compromiso organizacional para abordar los errores reportados y los problemas de seguridad.

Descriptivo Formato de investigación en el que se observa un acontecimiento, pero sin intentar alterarlo o cambiarlo.

Desviación estándar Medida del rango de puntuaciones en un conjunto de datos en relación con la puntuación media.

Dirección médica Dirección asignada a un sistema o proveedor del SEM por parte de un médico.

Diseño longitudinal Método de recopilación de datos en el que la información se recoge en varios intervalos establecidos, y no solo en un momento determinado.

Diseño transversal Método de recopilación de datos en el que se recogen todos los datos en un momento determinado, lo que sirve esencialmente

Kit de preparación continuación

como una "instantánea" de los acontecimientos y la información.

Enmascaramiento Diseño de investigación en el que el paciente y los proveedores no saben si el sujeto (paciente) está recibiendo la intervención bajo investigación o un placebo. Todos los demás aspectos del estudio (es decir, el consentimiento) deben cumplir los requisitos del IRB que lo aprueba.

Errores de muestreo Errores previstos que se producen en la fase de muestreo de la investigación.

Estudio de cohortes Tipo de investigación que examina patrones de cambio, una secuencia de acontecimientos o tendencias a lo largo del tiempo en una determinada población de sujetos de estudio.

Estudio no enmascarado Tipo de estudio en el que se informa a los sujetos de todos los aspectos del estudio.

Estudio prospectivo Tipo de investigación que recopila información a medida que ocurren los hechos en tiempo real.

Estudio retrospectivo Investigación realizada a partir de la información disponible en el momento.

Ética Comportamiento esperado de una persona o grupo que sigue un conjunto de normas.

Inferencial Formato de investigación que utiliza una hipótesis para probar un hallazgo a partir de otro.

Licencia Proceso por el que un estado permite a personas calificadas realizar un acto regulado.

Mejora continua de la calidad (MCC) Sistema de revisiones y auditorías internas y externas de todos los aspectos de un sistema del SEM.

Muestreo de conveniencia Tipo de investigación en el que los sujetos se asignan de manera manual a una persona o equipo específico, en lugar de asignarse de forma aleatoria; el componente menos preferido de la investigación.

Muestreo de tiempo alternativo Parámetros de tiempo que se establecen durante un proyecto de investigación.

Muestreo sistemático Lista generada por computadora de sujetos o grupos para la investigación.

Orden permanente Tipo de protocolo escrito firmado por el director médico del sistema del SEM en el que se describen instrucciones específicas, permisos y, en ocasiones, prohibiciones relacionadas con la atención al paciente que se presta antes de ponerse en contacto con el control médico.

Parámetros Medidas generales que pueden ser difíciles de obtener en un proyecto de investigación.

Práctica basada en la evidencia El uso de prácticas que han demostrado ser eficaces para mejorar los resultados de los pacientes; se basa en gran medida en la bibliografía revisada, pero incorpora la experiencia y la formación del proveedor, así como las características de la población.

Profesión Conjunto especializado de conocimientos, habilidades o experiencia.

Profesional de la salud Persona que sigue los atributos profesionales específicos que se describen en esta profesión.

Programa de investigación Preguntas específicas que un estudio pretende responder y los métodos precisos con los que se recopilarán los datos.

Protocolo Plan de tratamiento desarrollado para una enfermedad o lesión específica.

Reciprocidad Proceso por el que se concede la licencia o certificación a un proveedor de otro estado o dependencia.

Registro Proporcionar información a una entidad que la almacena en algún tipo de libro de registro. En el contexto de los SEM, los registros de su educación, licencia estatal o local y recertificación están en manos de una junta reconocida.

Revisión bibliográfica Forma de investigación en la que se revisa la bibliografía existente y el investigador analiza el conjunto de investigaciones para obtener una conclusión.

Revisión por expertos Proceso utilizado por revistas médicas, publicaciones especializadas y otras publicaciones para garantizar la calidad y validez de un artículo antes de su publicación, y que consiste en enviar el artículo a expertos en la materia para que revisen el contenido y los métodos de investigación.

Servicios de emergencias médicas (SEM) Sistema de atención médica diseñado para prestar atención inmediata en la escena a quienes la necesitan, junto con el traslado a un centro de atención médica definitiva.

Kit de preparación continuación

Sistemas de trauma Colaboración de la medicina prehospitalaria e intrahospitalaria que se centra en optimizar el uso de los recursos y activos de cada una de ellas, con el objetivo principal de reducir la mortalidad y morbilidad de los pacientes traumatizados.

Unidades móviles de cuidados intensivos (UMCI) Denominación inicial de una unidad de tipo ambulancia.

Referencias

1. EIIC. Emergency Medical Services for Children Innovation & Improvement Center website. https:// emscimprovement.center. Consultado el 3 de marzo de 2021.
2. Acerca de NEMSQA. Sitio web de NEMSQA. https://www.nemsqa.org/about/. Consultado el 2 de marzo de 2021.
3. National Highway Traffic Safety Administration. National EMS Scope of Practice Model. https://www.ems.gov / education/EMSScope.pdf. Publicado en febrero de 2007. Consultado el 29 de enero de 2021.
4. National Highway Traffic Safety Administration, Office of EMS. National Emergency Medical Services Education Standards. https://www.ems.gov/pdf/National-EMS -Education-Standards-FINAL-Jan-2009.pdf. Publicado en enero de 2009. Consultado el 29 de enero de 2021.
5. CAPCE. Commission on Accreditation for Pre-Hospital Continuing Education website. https://www.capce.org. Consultado el 3 de marzo de 2021.
6. Singh JM, MacDonald RD, Ahghari M. Critical events during land-based interfacility transport. *Ann Emerg Med*. 2014:64(1):9-15.
7. Ligtenberg JM, Arnold LG, Stienstra Y, et al. Quality of interhospital transport of critically ill patients: a prospective audit. *Crit Care*. 2005;9(4):R446-R451.
8. National Highway Traffic Safety Administration, Department of Transportation, and Maternal and Child Health Bureau, Health Resources Services Administration, Department of Health and Human Services. National EMS Research Agenda. https://one.nhtsa.gov /people/injury/ems/Archive/EMS03-ResearchAgenda /home.htm. Publicado el 31 de diciembre de 2001. Consultado el 29 de enero de 2021.
9. Office of Emergency Medical Services, National Highway Traffic Safety Administration. Progress of Evidence-Based Guidelines for Prehospital Emergency Care. https://www.ems.gov/pdf/2012/EBG_Project_Overview_Dec2011.pdf. Publicado en diciembre de 2011. Consultado el 29 de enero de 2021.
10. Federman RS. Understanding vaccines: a public imperative. *Yale J Biol Med*. 2014;87(4):417-422.
11. American Academy of Pediatrics. Vacine safety: examine the evidence. Sitio web de Healthy Children. https://www .healthychildren.org/English/safety-prevention/immunizations/Pages/Vaccine-Studies-Examine -the-Evidence.aspx. Actualizado el 24 de julio de 2018. Consultado el 10 de mayo de 2021.

Capítulo 2

Seguridad y bienestar del personal

COMPETENCIAS DEL ESTÁNDAR NACIONAL DE EDUCACIÓN EN SEM

Preparación

Integrar el amplio conocimiento de los SEM, la seguridad y bienestar del personal, los aspectos médico-legales y éticos con los que se pretende mejorar la salud del personal, de los pacientes y la comunidad.

Seguridad y bienestar del personal

- Seguridad y bienestar del personal. (pp. 47-48)
- Precauciones de seguridad estándar. (pp. 47, 48)
- Equipo de protección personal. (pp. 60-66)
- Manejo del estrés (pp. 70-79)
  - Comprensión, abordaje de la muerte y el proceso previo. (pp. 79-82)
  - Prevención de lesiones relacionadas con la respuesta. (pp. 75-76)
- Prevención de lesiones relacionadas con el trabajo. (p. 83)
- Levantamiento y traslado de pacientes. (pp. 53-54)
- Transmisión de enfermedades. (pp. 56-57)
- Principios de bienestar. (pp. 47-56)

Medicina

Integra los datos de valoración con los principios de epidemiología y fisiopatología para formular una impresión en el escenario e implementar un plan amplio de tratamiento y atención del paciente con una afección médica.

Enfermedades infecciosas

Conocimiento de:

- Paciente que puede presentar enfermedad infecciosa. (p. 57)
- Cómo descontaminar el equipo después de tratar a un paciente. (capítulo 43, *Operaciones de transporte*)

Valoración y tratamiento de:

- Paciente que puede presentar enfermedad infecciosa. (capítulo 23, *Enfermedades infecciosas*)
- Cómo descontaminar la ambulancia y el equipo después de atender a un paciente. (capítulo 43, *Operaciones de transporte*)
- Paciente posiblemente infectado por un microorganismo patógeno de transmisión hemática. (capítulo 23, *Enfermedades infecciosas*)
  - Virus de la inmunodeficiencia humana (VIH). (capítulo 23, *Enfermedades infecciosas*)
  - Hepatitis B. (capítulo 23, *Enfermedades infecciosas*)
- Infecciones resistentes a los antibióticos (capítulo 23, *Enfermedades infecciosas*)
- Enfermedades infecciosas actuales prevalentes en la comunidad (capítulo 23, *Enfermedades infecciosas*)

Anatomía, fisiología, epidemiología, fisiopatología, impacto psicosocial, cuadros clínicos, pronóstico y tratamiento de:

- Enfermedad relacionada con el VIH (capítulo 23, *Enfermedades infecciosas*)
- Hepatitis (capítulo 23, *Enfermedades infecciosas*)
- Neumonía (capítulo 14, *Emergencias respiratorias*)
- Meningitis meningocócica (capítulo 23, *Enfermedades infecciosas*)
- Tuberculosis (capítulo 23, *Enfermedades infecciosas*)
- Tétanos (capítulo 23, *Enfermedades infecciosas*)

- Enfermedades virales (véase capítulo 14, *Emergencias respiratorias*; capítulo 23, *Enfermedades infecciosas*, y capítulo 40, *Emergencias pediátricas*)
- Enfermedades de transmisión sexual (capítulo 23, *Enfermedades infecciosas*)
- Gastroenteritis (capítulo 17, *Emergencias abdominales y gastrointestinales*, capítulo 23, *Enfermedades infecciosas*)
- Infecciones micóticas (capítulo 23, *Enfermedades infecciosas*)
- Rabia (capítulo 23, *Enfermedades infecciosas*)
- Escabiosis y pediculosis (capítulo 23, *Enfermedades infecciosas*)
- Enfermedad de Lyme (capítulo 23, *Enfermedades infecciosas*)
- Fiebre manchada de las Montañas Rocosas (capítulo 23, *Enfermedades infecciosas*)
- Infecciones resistentes a los antibióticos (capítulo 23, *Enfermedades infecciosas*)

OBJETIVOS COGNITIVOS

1. Describir los componentes del bienestar para el personal del SEM, y su importancia para el tratamiento del estrés. (pp. 48-56)
2. Enlistar siete factores para mejorar la salud cardíaca, de acuerdo con la *American Heart Association*. (p. 48)
3. Explicar cómo el bienestar mental, emocional y espiritual impactan en su carrera como profesional de la salud. (pp. 55-56)
4. Definir las enfermedades infecciosa y transmisible. (p. 57)
5. Describir las diversas vías de transmisión de enfermedades. (p. 57)
6. Describir las precauciones estándar para prevenir contagios, cuando se trata a pacientes infectados. (pp. 58-59)
7. Explicar la importancia de las inmunizaciones. (p. 58)
8. Describir los diferentes equipos de protección personal usados contra los microorganismos patógenos aéreos y de transmisión hemática. (pp. 60-63)
9. Describir la importancia de la limpieza y desinfección de la ambulancia. (p. 64)
10. Identificar el protocolo después de la exposición a la sangre y los líquidos corporales de un paciente, que se incluye en su reporte. (p. 58)
11. Reconocer la posibilidad de situaciones hostiles y los pasos para enfrentarlas. (pp. 67-68)
12. Describir cómo determinar la seguridad de la escena y evitar lesiones relacionadas con sus labores en un incidente de tráfico. (pp. 68-69)
13. Describir la respuestas fisiológica, física y psicológica al estrés. (p. 70)
14. Describir las reacciones esperadas de los pacientes enfermos y lesionados, incluido cómo puede usted atender de manera eficaz a las personas que muestran una variedad de conductas relacionadas con el estrés. (pp. 73-76)
15. Describir las técnicas para su actuar en circunstancias particularmente estresantes, incluidos los incidentes de muertes múltiples y del deceso de un niño. (pp. 81, 82)
16. Describir aspectos que se relacionan con la atención a un paciente moribundo, la muerte y el proceso de duelo de los miembros de la familia. (pp. 79-81)
17. Describir el trastorno por estrés postraumático (TEPT) y los pasos a seguir, incluido el tratamiento del estrés por incidentes críticos (EIC), para disminuir su probabilidad. (p. 82)

OBJETIVOS DE DESTREZA

1. Demostrar cómo retirarse apropiadamente los guantes. (p. 61, Práctica de destreza 2-1)
2. Demostrar las técnicas apropiadas del lavado de manos. (p. 62, Práctica de destreza 2-2)
3. Demostrar los pasos necesarios para enfrentar una situación potencial de exposición. (pp. 58-66)

Introducción

Como paramédico, usted ha seguido los pasos para asegurarse que puede proveer un nivel de atención más alto a la comunidad, está dedicado a proveer atención prehospitalaria de emergencia y transporte a quienes la requieren, lo que hace que su labor sea gratificante, pero también muy demandante. Aunque adquirirá muchas destrezas para asistir en la provisión de atención médica de emergencia, nunca debería perder de vista el factor más importante, su bienestar y seguridad personales, tanto en el escenario como fuera. La seguridad del escenario es crucial, por los riesgos de las condiciones ambientales, las amenazas humanas, la violencia dirigida a los primeros rescatistas y las enfermedades infecciosas. Las demandas para usted como paramédico pueden ser mínimas o extremas. Por ejemplo, tal vez se encuentre laborando en un doble turno o desempeñando más de una tarea, lo que puede comprometer su seguridad por la falta de descanso. Incluso un solo turno puede ser tan intenso que nunca tenga tiempo para sentarse. Agregue a eso el reto de asegurarse de ingerir comidas apropiadas y podrá encontrarse con sobrecarga de trabajo, desnutrido y en riesgo de numerosos problemas de salud.

Dadas las demandas crecientes a que se someten los paramédicos, su preparación es de máxima importancia. Al inicio de su carrera, se le puede asignar a un paramédico veterano que servirá como su mentor. Muchos de ellos fueron entrenados antes de que se diera tan alta importancia en los SEM al entrenamiento para el bienestar y la seguridad. Independientemente de con quien trabaje usted, este capítulo está diseñado para insistir en las recomendaciones de bienestar actuales y las formas de estar listo para cualquier emergencia. El mantener su salud desde el inicio le ayudará a asegurar una carrera prolongada, saludable y satisfactoria cuando llegue la veteranía en 20 años o más.

Perlas de sabiduría

Algunas enfermedades pueden dar como resultado a un paciente rastreado, aislado, o en cuarentena, circunstancias que no son iguales. De acuerdo con los *Centers for Disease Control and Prevention* (CDC), el aislamiento separa a un individuo con una enfermedad contagiosa de las personas sanas, en contraste, la cuarentena se refiere a la restricción del desplazamiento de una persona que puede haber estado expuesta a una enfermedad contagiosa, para vigilar sus signos de afección.[1]

En varios estudios se ha valorado la lesión, la enfermedad y la muerte de los trabajadores de los SEM y en uno de ellos, de 2013, se encontró que presentan una de las tasas de mortalidad más baja, en comparación con otros servicios de emergencia, como los de policía y bomberos.[2] En los datos correspondientes, las muertes tendieron a vincularse con colisiones durante el transporte, donde las ambulancias participaron en el máximo número de decesos. Estas colisiones de ambulancias ocurrieron principalmente durante la respuesta a llamadas de emergencia. En el mismo estudio se informó que la mortalidad en los SEM también rebasa a todas las profesiones de emergencias en el número de lesiones no fatales experimentadas. Las frecuentes fueron tensiones y esguinces, por lo general durante la respuesta inicial en el escenario y mientras se moviliza a un paciente. El sitio más frecuente de lesión fue la espalda. Los autores concluyeron que las lesiones son costosas y constituyen una carga para el sistema del SEM, lo que disminuye el número de proveedores disponibles para ayudar a los pacientes. Finalmente, también encontraron que la fatiga y la privación del sueño fueron los principales factores contribuyentes a las lesiones y muertes. De acuerdo con ese estudio, el permanecer despierto durante 21 horas da como resultado un estado equivalente a la intoxicación desde el punto de vista legal.

Perlas de sabiduría

De acuerdo con el *Bureau of Labor Statistics*, se presentan aproximadamente 4.1 millones de lesiones graves y 4 500 muertes en los sitios laborales estadounidenses cada año, con un costo directo de más de 50 000 millones de dólares anuales.[3] Los proveedores del SEM acuden a DE por lesiones y exposiciones relacionadas con su trabajo más de 20 000 veces al año.[3] Como paramédico usted presenta el máximo riesgo de esguinces y tensiones, exposiciones a sangre, líquidos corporales y caídas., Recuerde que las medidas simples, como practicar el levantamiento seguro de los pacientes, el uso de equipo de protección personal (EPP) apropiado, y de calzado resistente a los resbalones, pueden disminuir mucho los riegos.

Los datos de la *National Highway Traffic Safety Administration* sugieren que ocurren 1500 colisiones de ambulancias en Estados Unidos (EUA) cada año, y de ellas 59% durante una respuesta a un llamado de emergencia, en tanto 34% en un transporte que no lo es. De 2007 a 2011, hubo más de 3000 colisiones de ambulancias en EUA, que causaron 1400 lesiones, y de ellas, 29 tuvieron un resultado fatal, con un informe total de 33 muertes.[4] Se puede encontrar información adicional acerca de la operación segura de los vehículos del SEM en el curso Operación Segura de Vehículos de Emergencia, impartido por la *National Association of Emergency Medical Technicians.*

Todos estos datos enfatizan que, como nuevo paramédico, usted debe estar alerta respecto a su salud y bienestar, además de sus limitaciones. Nunca se impulse más allá de su límite normal, y busque asistencia siempre que sea posible. Finalmente, manténgase pendiente de los riesgos y otros problemas de tráfico. Un punto que requiere énfasis ante cada respuesta a un llamado es que *¡el escenario nunca es seguro, y los proveedores de atención del SEM nunca deberían bajar la guardia!*

Componentes del bienestar

Sir Archibald Johnston, un juez escocés, definió por primera vez el bienestar en 1654, como la calidad o el estado de buena salud, especialmente como una meta buscada de manera intensiva. De hecho, el centrarse en el bienestar es un componente esencial de cualquier programa de entrenamiento del SEM, porque permite a los proveedores de atención prehospitalaria tener una carrera prolongada y equilibrada en la atención de pacientes.

El bienestar a menudo se considera con tres componentes fundamentales: físico, mental y emocional. Algunos autores incluyen un cuarto, el espiritual, como esencial.

Bienestar físico

Si usted tiene una condición física excelente y se lesiona, tenderá a cicatrizar más rápidamente y con menos complicaciones que si estuviese en mal estado. La fuerza muscular, la flexibilidad, la resistencia cardíaca, el equilibrio emocional, la postura (tanto sentada como de pie), el estado de hidratación, los alimentos que ingiere y la cantidad de sueño que disfruta, todas modifican su calidad de vida. Cada uno de esos factores puede también cambiar de manera directa sus posibilidades de evitar una lesión o enfermedad en el trabajo. Por ejemplo, en la *Lista de Vida Simple 7* de la *American Heart Association* (AHA) se incluyen siete factores que se encontró mejoran la salud cardíaca: activarse, regular el colesterol, comer mejor, cuidar la presión arterial (PA), bajar de peso, disminuir la glucemia y no fumar, **FIGURA 2-1**. El cumplir con estos pasos puede mejorar su bienestar físico y mental.

Nutrición

Usted encontrará muchos pacientes con mala salud por su deficiente nutrición; sin embargo, algunos proveedores del SEM practican ellos mismos hábitos nutricionales en extremo deficientes. Aunque la información nutricional cambia con regularidad, se dispone con facilidad de guías actuales. La investigación a menudo señala las consecuencias de la mala nutrición, incluidas cardiopatías, diabetes de tipo 2, obesidad, y diversas afecciones médicas. Aunque se alienta importantemente a los proveedores del SEM para mantener una buena salud, en muchos servicios aún se requieren proveedores que laboren en turnos de 24 horas, durante los cuales a menudo evitan comidas o descansos. Situaciones como esta serán un reto para usted si trata de tener un estilo de vida sano.

En las *Guías dietéticas para estadounidenses* del Departamento de Agricultura de EUA se recomienda ingerir alimentos de seis categorías —vegetales, frutos,

USTED es el Paramédico

PARTE 1

Usted está realizando su revisión matutina de su ambulancia cuando recibe una llamada a las 0712 horas por un posible paro cardíaco en la calle Solomon núm. 984. Un minuto después usted está en ruta. El tránsito es muy denso en ese horario, y usted se agita al sortearlo. La frustración aumenta en la medida que piensa en la información del despacho y en el potencial código de campo. No ha descansado mucho porque recién regresó de otro trabajo en el SEM en el que estuvo ocupado toda la noche. Además de la falta de descanso, no ha comido bien y suele recurrir a los autoservicios. También ha estado descuidando su rutina de ejercicios; ha obtenido algunos kilos y nota que se queda sin aliento con más facilidad que antes. Sus compañeros de trabajo le han hecho notar ese cambio, pero usted argumenta que es joven y puede lidiar con eso.

1. El deterioro de su bienestar físico acabará afectando su actitud y, al mismo tiempo, pondrá en peligro su puesto de trabajo. ¿Qué medidas puede tomar para evitar ese desenlace?
2. ¿Por qué es tan importante también hallar formas de mejorar su bienestar mental, emocional y espiritual?

FIGURA 2-1 En la *Lista de Vida Simple 7* de la *American Heart Association* se incluyen factores clave que se encontró que mejoran la salud cardíaca.

© Antonio Guillem/Shutterstock; © Prostock-studio/Shutterstock; © Sirtravelalot/Shutterstock.

semillas, lácteos, proteínas y aceites— en porciones sugeridas.[5] La investigación mostró que los requerimientos nutricionales de cada persona son diferentes, por lo que usted debería ajustar su estilo de alimentación a sus necesidades individuales. Por ejemplo, una mujer de 19 a 30 años con actividad moderada requiere casi 2 000 calorías diarias. En comparación, el ingerir 2 200 calorías diarias constituye el límite sugerido para los hombres sedentarios mayores de 50 años. En el sitio de internet *MyPlate* (Mi Plato) del USDA

FIGURA 2-2 En el gráfico MyPlate de la USDA se hace énfasis en las porciones saludables de vegetales, frutas, granos, proteínas y productos lácteos.

Cortesía de la USDA.

(MyPlate.gov), su ícono le provee un rápido vistazo de los tamaños relativos a la porción de los cinco grupos de alimentos, **FIGURA 2-2**.[6] La cantidad que usted requiere de cada uno de estos grupos depende directamente de su edad, sexo y grado de actividad física.[5] Siga estas guías para obtener los nutrimentos que necesita:

- **Vegetales.** Cualquier jugo o la totalidad de un vegetal constituye un miembro de su grupo y pueden ser crudos o cocidos; en fresco, congelados, enlatados o secos/deshidratados, y completos, cortados o molidos. Varíe los vegetales que ingiere; tome más de hoja verde y naranja, así como frijoles y cacahuates. Se sugiere que la mitad de su plato sea de frutos y vegetales.
- **Frutos.** Cualquier fruto o 100% de su jugo es parte del grupo de frutos, que pueden ser frescos, enlatados, congelados o secos, y también completos, picados o en puré.
- **Granos.** Cualquier alimento hecho con trigo, arroz, hojuelas de avena, harina de maíz, cebada u otro cereal es un producto de grano. El pan, la pasta, las hojuelas de avena, los cereales rápidos para el desayuno, las tortillas, y las sémolas son ejemplos de productos de granos. Tome la mitad de sus granos integrales, que son más saludables, porque contienen nutrimentos importantes que disminuyen el riesgo de enfermedad, así como más proteína y fibra.

- **Lácteos.** Todos los productos líquidos de leche y muchos alimentos fabricados con esta se consideran parte de este grupo. La mayoría de las opciones del grupo de lácteos debería ser bajo en grasa o sin ella. Los alimentos fabricados con leche que conservan su contenido de calcio son también parte del grupo. En contraste, aquellos fabricados a partir de leche con poco o ningún calcio, como el queso crema, la crema y la mantequilla, no se consideran dentro de este grupo. La leche de soya fortificada con calcio es parte del grupo de lácteos.
- **Proteínas.** Todos los alimentos hechos con carne, aves de corral, mariscos, frijoles y cacahuates, huevos, productos de soya procesados, nueces y otras semillas, se consideran parte del grupo de alimentos proteínicos. (Los frijoles y los cacahuates también son parte del grupo de vegetales). Consuma proteínas magras; elija aquellas bajas en grasa o carentes de ella y aves de corral. Ase, hornee o cocine a la parrilla tales productos. Varíe sus opciones al consumir más pescados, frijoles, cacahuates, nueces y otras semillas.
- **Aceites.** Los aceites son grasas líquidas a temperatura ambiente, como los vegetales usados para cocinar. Provienen de muchas plantas diferentes y de pescados. *No* constituyen un grupo de alimentos, pero proveen nutrimentos esenciales, motivo por el que se incluyen en los patrones de dieta de la USDA. Conozca sus grasas; obténgalas de fuentes como pescado, nueces y aceites vegetales. Limite las grasas sólidas, como mantequilla, margarina, aderezos y manteca; evite las grasas trans, como los aceites parcialmente hidrogenados, **FIGURA 2-3**.

Finalmente, es indispensable leer la etiqueta de nutrición de los alimentos preparados o procesados, pues muchos de ellos incluyen sodio como conservador y lo contienen a concentraciones que alcanzan 50% de lo permitido a diario en una comida para usted. Vea la cantidad y el tipo de grasa, así como el contenido de carbohidratos (almidones, azúcares y fibra). Recuerde, aunque un producto alimentario puede anunciarse como "sin grasa", no necesariamente es saludable para usted. Busque alimentos con alto contenido de fibra, que le ayuda a sentirse satisfecho más tiempo, mantiene las bacterias digestivas saludables, y disminuye la PA y el colesterol.

FIGURA 2-3 Las barras saludables son una alternativa rápida y sana de la comida rápida. Cuando seleccione una, lea los ingredientes para asegurarse que en realidad sea saludable.

Debido a la naturaleza de su trabajo, será un reto planear comidas sanas por completo. Organícelas para su turno como si tuviese un tiempo mínimo para descansar o alimentarse. Porte botellas de agua y diversas barras saludables o frutas como tentempié. Cuando tenga hambre, la comida rápida puede ser tentadora, pero trate de evitarla. Debido a las altas cantidades de grasa que se encuentran en la mayoría de esos alimentos, la nutrición obtenida no será suficiente para conservar su nivel energético. También evite las barras de dulce, la cafeína y las bebidas energéticas; pueden darle un impulso instantáneo de energía, pero después de que desaparece el efecto de la cafeína y los azúcares, usted se sentirá cada vez más cansado.[7]

Regulación del peso corporal

Como paramédico, usted tendrá que actuar con rapidez y en forma apropiada. A diario debe observar, valorar, tener acceso, enfrentar y manejar situaciones caóticas; por lo tanto, el mantenerse en buena forma física es un componente importante de todos los que trabajan en un servicio público. Muchos hábitos de usted como adulto se formaron en su juventud. A menudo, las actividades que le hacían más feliz cuando niño son aquellas que lo impulsan más adelante en la vida, e incluyen el comer bien y mantenerse activo. Aunque puede constituir un reto, es posible cambiar sus hábitos desarrollados en la infancia.

Las guías dietéticas de la USDA incluyen los siguientes principios clave:

- Tenga un patrón de alimentación saludable en toda su vida.
- Concéntrese en la variedad, la densidad y la cantidad de nutrimentos.
- Limite las calorías y azúcares añadidos y grasas saturadas, y disminuya la ingestión de sodio.
- Cambie a opciones más saludables de alimentos y bebidas.
- Respalde los patrones de alimentación saludable para todo el mundo.[5]

En las guías dietéticas se define más un patrón de alimentación saludable y se resta énfasis a las dietas.[5] Estas por lo general, no son tan eficaces como el elegir opciones de alimentos saludables. El estadounidense promedio consume demasiadas calorías, que finalmente se almacenan como grasa. Conforme se envejece, dicha grasa se obtiene con mayor facilidad y es más difícil de eliminar. El propósito debería ser la disminución gradual de peso, que es mucho más seguro que las dietas intensivas o aceleradas. La disminución gradual de peso requiere un plan de nutrición y acondicionamiento físico y su cumplimiento. En lugar de tomar descansos para ingerir café, haga una caminata o realice otras formas de actividad. Por ejemplo, si usted trabaja en un edificio de múltiples pisos, elija usar las escaleras en lugar del elevador. Levántese y desplácese tanto como pueda, evite sentarse durante horas viendo TV, navegando en internet, o utilizando las redes sociales. Si usted debe comer fuera de casa, considere raciones menores o incluso compartir una con su compañero. Ingiera hojuelas de avena o cereal frío para el desayuno, una ensalada con aderezo mínimo o ninguno y la mitad de un emparedado para el almuerzo, así como una comida sensible, constituida por alimentos horneados o asados a la parrilla.

Perlas de sabiduría

Las recomendaciones para comer de manera saludable incluyen:

- Evitar las porciones exageradas, comer lentamente, y dar tiempo a su cuerpo para identificar la plenitud gástrica.
- Concéntrese en frutos y vegetales.
- Varíe los tipos de alimentos que ingiere. Por ejemplo, alterne mariscos, carne y frijoles, como sus fuentes de proteínas.
- Beba agua en lugar de refrescos (incluidos los de dieta) u otras bebidas azucaradas (que se asocian con aumento de peso/obesidad, diabetes de tipo 2, cardiopatías, nefropatías, hepatopatía no alcohólica, caries dentales y gota).
- Lea con cuidado las etiquetas de los alimentos. Elija aquellos con menos calorías, bajas cantidades de grasa, azúcar y sodio, y altas de fibra.

Ejercicio

El ejercicio regular se asocia con el peso corporal total, el estado nutricional y la hidratación. Se mostró que mejora el sueño, la capacidad mental y la de enfrentar el estrés, la vida sexual y la salud total a largo plazo. El programa de ejercicios que usted elija depende de sus preferencias personales y propósitos de acondicionamiento físico. Es más probable que usted se apegue a un programa de ejercicio si se trata de algo que disfruta. Pretenda mantener o mejorar tres aspectos: su resistencia cardiovascular, su flexibilidad y su fuerza física total. Si está iniciando un programa de ejercicios, se recomienda que consulte a su médico de atención primaria (MAP). Aunque usted pudiese estar ansioso por alcanzar la disminución de peso y entrar en forma, debe tomarlo con lentitud para evitar lesiones. Recuerde, usted no ganó todo ese peso durante la noche; ni tampoco lo disminuirá así.

En general, se recomienda que los adultos participen en al menos 30 minutos de actividad física de moderada a vigorosa *todos los días* para ayudar a estructurar una resistencia cardiovascular óptima. No obstante, cualquier actividad física planeada es útil. Aunque usted pudiese sentir que tiene suficiente actividad por el trabajo durante su turno en un departamento muy activo, ante una llamada del SEM no es suficiente para cumplir con los requerimientos de actividad sugeridos para el bienestar. Para mantenerse en buena condición física, necesita encontrar un equilibrio saludable entre el ejercicio físico pleno (cuando se está "en plena forma") y ninguna actividad en absoluto, **FIGURA 2-4**. En muchos departamentos de atención sanitaria, el percatarse de que es indispensable una condición física máxima de su personal, se puede proveer a sus empleados equipo de entrenamiento para utilizarlo durante su turno y fuera de él.

Dependiendo de su estado de salud, debería intentar alcanzar su frecuencia cardíaca diana cada vez que haga ejercicio; sin embargo, esto no debería ser el propósito si está empezando un programa, que sería de aumentar gradualmente su actividad para cumplir

FIGURA 2-4 El ejercicio regular, además del que realiza en las llamadas del SEM, debería ser parte de su rutina diaria o semanal.

con esa frecuencia cardíaca. En la AHA se sugiere que su meta sea entre 50 y 69% de su frecuencia cardíaca máxima.[7] El método para encontrar su frecuencia cardíaca meta es como sigue:

1. Tome la cifra de 220 y reste su edad en años para encontrar la frecuencia máxima cardíaca calculada (no la meta). Por ejemplo, si usted tiene 40 años, debería ser de 180 latidos/min su máxima frecuencia cardíaca.
2. Multiplique su frecuencia cardíaca máxima por 0.5 y 0.69 para encontrar su rango meta. Sería de 90 a 124 latidos/min en este caso.

Si usted conoce su frecuencia cardíaca en reposo, que corresponde al pulso al despertar por la mañana y antes de salir de la cama, calcule su frecuencia cardíaca diana como sigue:

1. Reste su edad en años a 220, y a continuación haga lo propio con su frecuencia cardíaca en reposo.
2. Multiplique esta cifra por 0.5 a 0.8, y entonces añada su frecuencia cardíaca en reposo para encontrar el rango meta.

Por ejemplo, suponga que un individuo de 40 años tiene una frecuencia cardíaca de 60 latidos/min en reposo. Los cálculos serían los siguientes:

1. **Frecuencia cardíaca en reposo**
   60 latidos/min
2. **Máxima frecuencia cardíaca** (para un paciente sano sin arteriopatía coronaria)
   220 − 40 = 180 latidos/min
3. **Máxima frecuencia cardíaca menos la frecuencia cardíaca en reposo**
   180 − 60 = 120 latidos/min
   $120 \times 0.5 = 60$ latidos/min
   $120 \times 0.8 = 96$ latidos/min
4. **Frecuencia cardíaca meta**
   60 + 60 = 120 latidos/min
   96 + 60 = 156 latidos/min
   Rango: 120 a 156 latidos/min

Inteligencia en la calle

Es demandante física y mentalmente ser un paramédico en activo. Seguir guías simples para la nutrición, el ejercicio y la salud mental, favorecerá mucho y prolongará su carrera. Considere formar un grupo de compañeros de trabajo que comparta ideas de bienestar o inicie una competencia amigable de actividad física o disminución de peso. Recuerde, la única forma de beneficiarse de estas metas de bienestar es comprometerse con ellas a largo plazo.

Fumar y tabaco

El conocimiento acerca de los efectos lesivos por fumar en relación con la salud continúa aumentando. Como se mencionó antes, el comportamiento de los adultos a menudo se vincula con su salud. En algunos estudios se sugiere que la presencia de fumadores en la familia aumenta la probabilidad de fumar del individuo. Si usted no fuma ahora ¡no comience! Con las numerosas regulaciones que se han impuesto al fumar y los anuncios en los cigarrillos durante años, el número de fumadores descendió. Lamentablemente, con la introducción de dispositivos para fumar por vapor, el hábito de fumar ha resurgido, en especial en la generación del milenio. El uso de cigarrillos electrónicos (vapeo) está prohibido en las aeronaves y muchos espacios públicos. Hay investigación en proceso acerca de los efectos de estos dispositivos, pero ya se han vinculado con enfermedades pulmonares graves.[8] Usted también debe comprender que todo el mundo responde diferente al fumar, y algunos de sus pacientes pueden ser muy sensibles al olor. Si usted fuma apenas antes de una llamada de emergencia, el olor en su uniforme puede ser suficiente para causar efectos graves en un paciente ya afectado.

Si usted fuma y está tratando de dejar el hábito, comprenda primero que se trata de una adicción y tal vez no sea muy fácil dejarla. Busque ayuda. En muchas agencias del SEM se ofrecen ahora clases a sus empleados para el cese de fumar. Hable con su médico de atención primaria (MAP). Hay una diversidad de programas que pueden ayudar a disminuir la dependencia psicológica del fumador e incluyen instrucciones, medios electrónicos (p. ej., DVD), medicamentos y asesoramiento para obtener un respaldo constante. Otras opciones incluyen psicoterapia, hipnotismo y acupuntura, cuya eficacia parece depender del individuo.

Como se señaló antes, en años recientes los cigarrillos electrónicos (*e-cigarettes*) se volvieron una alternativa popular de los cigarrillos de tabaco. También llamados sistemas de administración electrónica de nicotina o vaporizadores personales, estos aparatos pueden simular el fumar tabaco al producir un aerosol de una solución líquida con saborizante. Aunque no se ha determinado el grado completo de su daño,[9] estos dispositivos ciertamente no son saludables y deberían evitarse.

El consumo de alcohol

Como paramédico, usted puede notar que algunas personas expresan la idea común que beber alcohol puede aliviar el estrés, en particular después de una "llamada de emergencia problemática". El alcohol es una sustancia que afecta la percepción del cerebro ante el estrés. Desafortunadamente, no es capaz de brindar alivio y su incomodidad perdura más allá de su consumo. Esté al tanto de que usar alcohol para enfrentar el estrés puede llevar a la dependencia y magnificar el efecto de las situaciones tensas en su vida. En el sitio de internet de los CDC se proveen recursos para ayudar a las personas a evaluar sus hábitos de beber alcohol. El reconocer hábitos no saludables de dicho consumo tempranamente es vital para la carrera y la salud a largo plazo del proveedor del SEM.

Ritmos circadianos y turnos laborables

Su trabajo como paramédico a menudo entrará en conflicto con el ritmo circadiano de su cuerpo, o sistema de programación natural. Los núcleos supraquiasmáticos son regiones del encéfalo que regulan su ritmo circadiano y rigen el llamado reloj interno. El ignorar su ritmo circadiano puede causar que experimente dificultades constantes con el sueño, las funciones pensantes elevadas, la coordinación física, e inclusive las funciones sociales. Idealmente, usted debería determinar cuáles son sus ritmos naturales y diseñar su horario para coordinarse con ellos. Apenas empieza a aparecer en las revistas médicas la investigación sobre los ritmos circadianos, lo que sugiere que algún día una persona podrá modificar su reloj interno.

Algunas recomendaciones para los turnos laborables son las siguientes:

- Evitar la cafeína.
- Ingerir comidas sanas y tratar de hacerlo a la misma hora todos los días.
- Mantener un esquema regular de sueño.

Es muy importante no ignorar la necesidad de reposo, cualquiera que pudiese ser su ritmo individual. La investigación y las publicaciones actuales mostraron que el sueño inadecuado tiene el mismo efecto en su cuerpo y mente que una intoxicación por consumo de sustancias. Muchos empleadores finalmente se dan cuenta de que el sueño inadecuado puede tener consecuencias graves cuando se está operando un vehículo de emergencia o se seleccionan y administran medicamentos. A la vez, en muchas agencias del SEM se adoptaron políticas para asegurar horarios de trabajo que den suficiente tiempo para el reposo y el sueño, con la intención de disminuir los errores laborales, como las colisiones de ambulancias.

Valoraciones periódicas del riesgo para la salud

Además del sueño, la dieta, el ejercicio, la hidratación, y todas las otras cosas que constituyen un estilo de vida saludable, los factores hereditarios pueden modificar su salud total. Investigue los antecedentes de salud de su familia, la enfermedad de Alzheimer, la adicción a sustancias químicas, el cáncer, las enfermedades cardíacas, la hipertensión, la migraña, las enfermedades mentales y las enfermedades vasculares cerebrales, todos factores hereditarios prominentes. Los más comunes de todos los factores de riesgo hereditarios para la salud son las cardiopatías y el cáncer. Aunque no se puede cambiar la historia familiar, usted puede modificar su estilo de vida para ayudarle a enfrentar cualquier aspecto hereditario que surja.

Comparta esta información con su médico personal. Esfuércese para establecer un horario de sus valoraciones de salud, transformándolas en sus revisiones sistemáticas de exploración física. Su médico debería ser su aliado en la detección de esas enfermedades y la valoración de su estilo de vida, así como sus factores hereditarios.

Mecánica corporal

Como paramédico, se le requerirá levantar y desplazar a diversos pacientes, algunos pequeños y ligeros, mientras otros quizá con obesidad mórbida. Usted puede desarrollar varios hábitos para prepararse para levantar con seguridad a la mayoría de los pacientes, sin importar su peso, incluyendo las siguientes acciones:

- **Disminuya al mínimo el número de levantamientos corporales que tenga que realizar.** Cuando es necesario levantar a un paciente, prepárese y planéelo. En muchos casos no es necesario levantarlos hasta un dispositivo plegable o cualquier otro lugar. Por ejemplo, un paciente con una laceración aislada del brazo y ningún otro problema puede caminar hasta la ambulancia. Evalúe cada situación para identificar la forma más segura y fácil de levantar o desplazar a un paciente.
- **Coordine todo levantamiento antes de realizarlo.** Informe a sus pacientes acerca de lo que pueden experimentar durante su levantamiento, de manera que no entren en pánico. Una vez que se planea un levantamiento, utilice comunicación clara para ejecutarlo, como: "En la cuenta de tres, arriba". Asegúrese de planear y aclarar con antelación con los miembros de su equipo si el levantamiento se hará *en el* "tres" o *después* de que usted diga "tres".
- **Disminuya al mínimo la cantidad de peso total que debe levantar.** Si cuenta con una persona adicional, pida su ayuda. En algunos casos, el paciente puede ofrecer alguna ayuda con su desplazamiento. De ser posible, retire cualquier equipo no necesario del dispositivo plegable.
- **Nunca levante nada con su espalda.** Una lesión dorsal puede constituir un suceso que

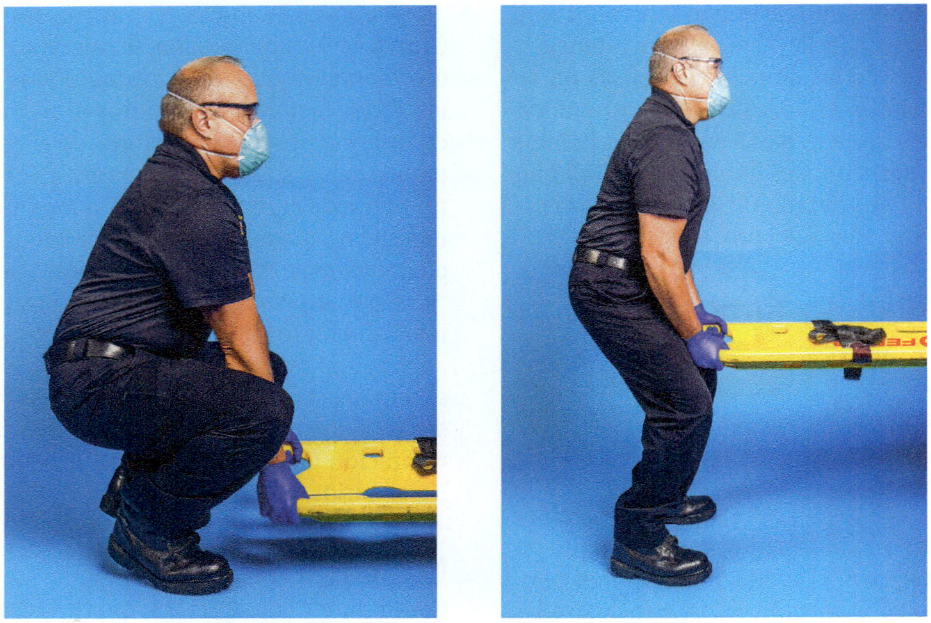

FIGURA 2-5 Si su cuerpo está adecuadamente alineado cuando hace un levantamiento, la línea de fuerza ejercida contra la columna se presenta esencialmente en forma recta sobre las vértebras, que así soportan el levantamiento.

termine con su carrera, pero usted puede prevenirlo si no levanta con su espalda. Para ayudar a protegerla siga estas precauciones, **FIGURA 2-5**:

- Siempre mantenga su dorso en una posición erguida, y levante sin girar.
- Cuando esté levantando, separe sus rodillas casi 38 cm (el ancho de los hombros) y coloque los pies de manera que su centro de gravedad esté apropiadamente equilibrado. Mantenga su cabeza recta y viendo al frente.
- Sostenga su espalda recta al descender la parte superior de su cuerpo mediante la flexión de las rodillas.
- Levante por ascenso de la parte superior de su cuerpo y los brazos, enderezando las piernas hasta que alcance la bipedestación.
- Siempre levante con sus piernas, ¡no con su espalda!
- Recuerde respirar mientras levanta; no detenga su ventilación.
- Si usted trabaja con un compañero cuando levanta a un paciente, planee su estilo de conteo y exactamente cómo se realizará la acción.

- **No cargue lo que puede poner sobre ruedas.** Coloque la ambulancia y la camilla tan cerca del paciente como pueda. En muchos servicios se cambió a camillas con mecanismos de levantamiento neumáticos o de baterías para disminuir el esfuerzo físico requerido para que los proveedores de atención suban la camilla a la ambulancia. La mayoría de las sillas de escalera ahora tienen sistemas para permitir el descenso más fácil y seguro en escaleras.
- **Pida ayuda.** En cualquier momento que usted requiera movilizar a un paciente que no puede o no debería caminar, considere la posibilidad de pedir a una persona adicional que le ayude, **FIGURA 2-6**. Muchos servicios cuentan con unidades especiales para ayudar al transporte de pacientes con obesidad que incluyen equipo específico (p. ej., elevadores, colchones de aire, camilla bariátrica) diseñado para facilitarlo.

SEGURIDAD

Las lesiones de la espalda pueden terminar con una carrera y tienden a suceder tempranamente en los proveedores de atención prehospitalaria, donde 25% de los del SEM experimenta una lesión dorsal que termina con su carrera en sus primeros 4 años laborables. El hecho de que estas lesiones ocurran menos frecuentemente más adelante en la carrera de los proveedores de atención prehospitalaria sugiere que la técnica de levantamiento apropiado que se aprende y refuerza con la práctica, es la clave para la seguridad.[10]

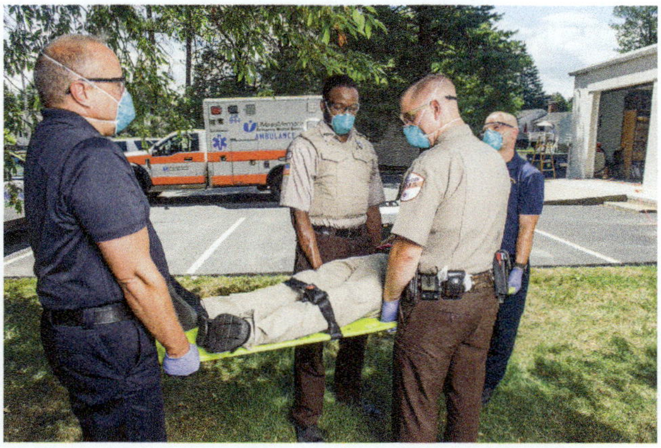

FIGURA 2-6 Nunca dude en pedir ayuda de sus compañeros de trabajo, o proveerla cuando se le solicita.

Bienestar mental

Como paramédico, usted se verá expuesto no solo a enfermedades y lesiones, sino también al estrés, en cuyo caso se activa su **respuesta de luchar o huir**, la misma que entra en acción cuando usted hace ejercicio o realiza algo agradable para promover su sentimiento de bienestar (conocido como estrés positivo). Es crucial que se prepare para la forma en que reaccionará cuando se inicie la respuesta de luchar o huir. Si usted no está acondicionado o preparado para el estrés, no se adaptará eficazmente a las respuestas fisiológicas desencadenadas por su factor tensional, que puede incluir aumento del tono simpático, con dilatación de las pupilas, incremento de la frecuencia cardíaca, dilatación bronquial, movilización de glucosa, desviación de sangre lejos del tubo digestivo y el encéfalo, y aumento del flujo sanguíneo a los músculos esqueléticos. Colectivamente, estas respuestas fisiológicas le ayudan a enfrentar situaciones de estrés cuando se presentan, un periodo en el que usted debería confiar en la planeación previa y el instinto como recursos primarios. Sin embargo, para mantener su bienestar mental a largo plazo, usted requiere manejar las situaciones de estrés utilizando destrezas de enfrentamiento apropiadas.

Como paramédico usted requerirá regular sus emociones en todo momento, independientemente de la situación. Recuerde, un profesional es alguien que puede mantenerse en calma y pensar claramente cuando todo lo demás se está desordenando. El paso más importante que usted puede seguir para regular su respuesta de luchar o huir es la planeación. Se dispone de muchos recursos para ayudarle a prepararse ante situaciones de estrés, como los programas de ejercicio físico y el asesoramiento. El tratamiento del estrés se describe con mayor detalle más adelante en este capítulo.

Bienestar emocional

Los paramédicos tienen un interés genuino por ayudar a la gente. Para mantenerse saludable durante su carrera de proveedor de servicios del SEM, usted requiere hacer un esfuerzo deliberado para crear un equilibrio saludable entre su trabajo y la vida personal. Si bien usted puede ser muy dedicado en su trabajo, debe separarse respecto de su carrera de tiempo en tiempo, independientemente de cuánto lo goce, y centrarse en su vida personal y familiar. Los miembros de la familia pueden no comprender su vida en SEM y quizá se sientan abandonados o, desde otro punto de vista, se vean impactados por los efectos de su estrés. Inclusive si usted comparte la misma carrera con miembros de su familia y amigos, no es saludable este estilo de vida "24/7/365" sin tomarse un tiempo para retroceder y revalorar su relación laboral.

Como un proveedor de atención prehospitalaria del SEM, usted dedicará una gran cantidad de energía al trabajo. Si bien tal dedicación es admirable, usted necesita, no obstante, abordar eficazmente el estrés que conlleva este trabajo. Un factor estresante común en los SEM es la necesidad siempre presente de tratar con la discapacidad y la muerte del paciente. Otro factor de estrés común es el de los pacientes "que huyen con frecuencia, combativos y/o beligerantes". Si bien muchos de ellos presentan afecciones médicas o lesiones traumáticas que causan sus conductas, estas situaciones, no obstante, pueden ser estresantes para usted. Como nuevo paramédico, tal vez sienta que puede o debe salvar todas las vidas o tener un efecto positivo en todo paciente, pero los resultados de algunos sin duda serán negativos, incluso con sus mejores esfuerzos. Es importante aprender a no tomar dichas circunstancias de manera personal.

Los buenos paramédicos son personas fuertes y sensibles, **FIGURA 2-7**. Sin embargo, tales propiedades también se entrelazan con las reacciones emocionales normales ante los factores de estrés laboral, por lo que es necesario que usted desarrolle estrategias de enfrentamiento para las presiones en la vida del SEM. Si un colaborador o líder que notó cambios en su conducta se las señala, tome en serio sus preocupaciones; podría tratarse de signos precautorios que indiquen su necesidad de buscar asistencia. De manera similar, si usted nota cambios en sus colaboradores, no los ignore; aproveche un momento apropiado y, de manera calmada, expréseles lo que usted está notando. Aleje cualquier malestar que tenga acerca de hablar de sus observaciones o temer a la reacción, porque la acción que usted está tomando puede ser un primer paso para regresar a alguien a su bienestar emocional y físico.

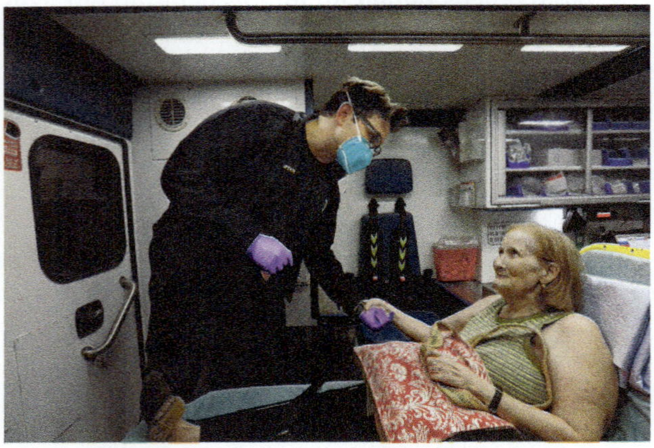

FIGURA 2-7 Una de las cosas que impulsa a trabajar como paramédico es el placer de interactuar estrechamente con las personas.

Bienestar espiritual

La espiritualidad es una dimensión oculta de la experiencia humana que influye en las creencias, actitudes, emociones y conducta de las personas. Algunos individuos abordan su espiritualidad con una religión formal, en tanto otros se embarcan en momentos de reflexión, como hacer una caminata, practicar la meditación o el yoga. La atención médica respalda la dignidad, el valor de la vida y sacralidad de todas las personas. Como paramédico, es indispensable respetar las prácticas espirituales (y culturales) de los pacientes para proveerles una atención eficaz.

Transmisión de enfermedades

Como paramédico, usted será llamado para tratar y transportar pacientes con diversas enfermedades infecciosas o transmisibles. En ocasiones, tal vez tenga que transportar algún paciente con enfermedad crónica sin saber que presenta una infección o una enfermedad contagiosa hasta después de acudir al llamado. Dadas tales posibilidades, usted debe hacer

USTED es el paramédico

PARTE 2

Usted arriba al escenario 7 minutos después, solo para percatarse que ya estuvo en esa residencia antes y que ahí vive un hombre de 23 años con antecedente de leucemia. Cuando arriba, los miembros de la familia le informan que el paciente, ese mismo joven, se ha deteriorado rápidamente en las últimas semanas. Su ánimo decae al recordar las veces que lo transportó y las conversaciones que tuvieron y piensa lo afortunado que es por estar sano y contar con un buen trabajo. Este joven valeroso siempre se mantuvo optimista acerca de su estado, lo que hace que usted y todos los que lo rodean se sientan mejor. Además, empieza a sentirse un poco culpable de cómo reaccionó cuando acudió; obviamente, sus frustraciones no son nada en comparación con la magnitud de las emociones de esta familia.

La madre del paciente le hace pasar a la casa y le expresa que empezó a sentirse mal ayer y que no cenó anoche. Apenas vino a revisarlo y encontró que no respiraba.

Tiempo de registro:	0 minutos
Aspecto	Pálido, cianótico, no se percata de su llegada
Nivel de conciencia	Sin respuesta
Vía aérea	Permeable y limpia
Respiración	Apnéico
Circulación	Sin pulso
Piel	Fría al tacto

3. De acuerdo con el reporte de la madre, el paciente ha tenido apnea por un tiempo que se desconoce. ¿Cuál debería ser su siguiente acción?
4. Con base en sus interacciones previas con el paciente, ¿qué etapa de duelo piensa usted que alcanzó?

todo intento por identificar una enfermedad contagiosa que pudiera estar presente. Una **enfermedad infecciosa** es una afección médica causada por la proliferación y diseminación de microorganismos lesivos dentro del cuerpo. Una **enfermedad transmisible** es aquella que se disemina de una persona o especie a otra. En el capítulo 23, *Enfermedades infecciosas,* se habla con mayor profundidad sobre la atención médica de emergencia a pacientes con enfermedades infecciosas y la protección respecto a cada afección específica; y en este se aborda la protección general de los paramédicos en contra de tales enfermedades.

Perlas de sabiduría

Muchas personas confunden los términos *infeccioso* y *contagioso*. De hecho, todas las enfermedades contagiosas son infecciones, pero solo algunas enfermedades infecciosas se contagian. Por ejemplo, la neumonía bacteriana por neumococos es un proceso infeccioso, pero no contagioso. En otras palabras, no se transmite de una persona a otra. Algunos microorganismos infecciosos, como los virus de la hepatitis B (VHB) y el COVID-19, son contagiosos porque se pueden transmitir de una persona a otra.

Las inmunizaciones, el equipo de protección personal (EPP), y el simple lavado de manos pueden disminuir al mínimo su riesgo de **infección**. Cuando usted utiliza estas medidas de protección, su riesgo de contraer una enfermedad infecciosa grave disminuye de manera significativa. La limpieza y desinfección apropiadas de la ambulancia y el equipo después de cada servicio también ayudarán a prevenir la transmisión de enfermedades a otros pacientes.

Cuando entra en contacto con un paciente que tiene un riesgo potencial de infección para usted, es imperativa la discreción, mientras se comunica con otros proveedores de atención sanitaria y sus compañeros de trabajo. No exprese antecedentes sensibles del paciente por el radio durante su reporte de atención o a persona alguna que no tenga relación directa con su atención. Sin embargo, durante su traslado, provea los antecedentes completos del paciente al personal de la instalación receptora e incluya estos en su RAPP escrito o electrónico.

Aun cuando todas las infecciones son resultado de la invasión de espacios corporales y tejidos por microorganismos, diversos de ellos utilizan medios de ataque diferentes, conocidos como mecanismos de transmisión. La **transmisión** es la diseminación por diferentes mecanismos de un organismo a otro. Las enfermedades infecciosas se pueden transmitir en varias formas, específicamente por contacto (directo o indirecto), por aire, por los alimentos y por vectores (a través de insectos, gusanos o parásitos).

La transmisión por contacto corresponde al desplazamiento de un microorganismo de una persona a otra durante su interacción física. Los dos tipos de transmisión por contacto son directo e indirecto. Ocurre **contacto directo** cuando un microorganismo pasa de una persona a otra sin intermediario alguno. Por ejemplo, los **microorganismos patógenos de transmisión hemática** son aquellos presentes en la sangre humana; pueden causar enfermedad si la persona infectada entra en contacto con el componente sanguíneo de otra. Un ejemplo de contacto directo es la transmisión sexual. Los pacientes infectados por el virus de la inmunodeficiencia humana (VIH) pueden transmitirlo a sus compañeros durante la actividad sexual.

El **contacto indirecto** se refiere a la infección que se disemina entre el paciente infectado y otro individuo por un objeto contaminado, inanimado, que la transmite y se denomina fómite. Un piquete de aguja es ejemplo de la diseminación de una infección por contacto indirecto. En este caso, el virus pasa de un paciente a la aguja y de ahí al proveedor de atención sanitaria. Hace muchos años, esta vía de transmisión era frecuente antes de contar con equipos de seguridad, como los sistemas IV sin aguja.

La **transmisión aérea** implica la diseminación de un microorganismo infeccioso por mecanismos como gotitas o polvo. Tanto el virus del resfriado común o el COVID-19 se transmiten de una persona a otra mediante la tos y los estornudos. Debido al riesgo de transmisión aérea, no es saludable utilizar sus manos para cubrirse ante esas reacciones corporales: el microorganismo viaja a sus manos y puede diseminarse desde ahí. El utilizar un pañuelo desechable cuando se tose o estornuda es lo mejor para regular la diseminación de los microorganismos; por supuesto, debido a que usted después tiene un fragmento de papel lleno de microorganismos en la mano, debe lavarla después de desecharlo. Si usted está usando guantes largos, una técnica eficaz para evitar contaminar sus manos al toser o estornudar hacia el ángulo interno del brazo. Puesto que no tocó objetos con al ángulo interno del brazo, el riesgo de trasladar el microorganismo a un objeto o persona disminuye. Los microorganismos quedan atrapados en la tela y en un momento dado, mueren.

Inteligencia en la calle

La pandemia de COVID-19 tuvo un efecto importante sobre las agencias y los proveedores de atención prehospitalaria del SEM de todo el mundo. Casi 6 meses después de su inicio, en un pequeño estudio se encontró que la tasa de mortalidad era casi 50% mayor para los proveedores de atención prehospitalaria del SEM que en la población general.[11] Cada agencia del SEM requiere contar con un plan local para la seguridad de su personal en todos los aspectos laborales, incluyendo cuando se encuentran en la estación, ante una llamada y atendiendo pacientes, así como las pruebas y su seguimiento.

Tratamiento ante una exposición

Si usted estuvo expuesto a la sangre o los líquidos corporales de un paciente, siga el plan de control de infecciones de su departamento. En general, cualquier proveedor de atención prehospitalaria del SEM que tuvo una exposición significativa debería hacer lo siguiente:

- Dejar la atención del paciente a otro proveedor del SEM.
- Lavar de inmediato la zona afectada con jabón y agua.
- Si tuvo exposición ocular, enjuagar los ojos con agua durante al menos 20 minutos, tan pronto como sea posible.
- Cumplir con todos los requerimientos de reporte.
- Obtener una valoración médica.
- Obtener los refuerzos de inmunización apropiados.
- Documentar el incidente, inclusión de las acciones tomadas para disminuir las posibilidades de infección.

El tópico de los protocolos después de una exposición se cubre con mayor detalle en el capítulo 23, *Enfermedades infecciosas.*

Protéjase

Mucho han cambiado los SEM desde su inicio. El uso de EPP era raro en los primeros años. De hecho, se consideraba como un símbolo de su estatus verse cubierto con sangre y polvo. Los cirujanos en la década de 1800 sentían orgullo similar por sus mandiles de operaciones sucios, pero en realidad estaban transmitiendo enfermedades infecciosas. Las prácticas actuales del SEM cambian con rapidez, en especial ante la pandemia de COVID-19. En particular, las recomendaciones de protección se están actualizando conforme se comparten la investigación y mejores prácticas entre los profesionales de atención sanitaria.

Gracias a la investigación y los reportes de los CDC, los proveedores del SEM ahora están mucho más conscientes de los riesgos biológicos que son parte integral de su profesión y pueden tener efectos prolongados sobre los trabajadores de atención sanitaria si no se apegan a las precauciones recomendadas.[12,13] En los SEM se siguen **precauciones estándar**, abordaje en el que se considera a todos los líquidos corporales como potencialmente infecciosos. En el **CUADRO 2-1** se resumen las recomendaciones de los CDC con respecto a las precauciones estándar.

Inmunizaciones

Como paramédico, usted tiene un riesgo aumentado de adquisición de enfermedades infecciosas o transmisibles y las medidas de protección básicas lo disminuyen al mínimo.

La prevención se inicia al mantener su salud personal. Usted debería ser objeto de estudios sanitarios anuales, con registro de los antecedentes de sus enfermedades infecciosas infantiles —por ejemplo, varicela, parotiditis epidémica, sarampión, rubéola y tos ferina— y su inclusión en el expediente. Si usted no presentó una de tales enfermedades, entonces debe inmunizarse en su contra.

Los CDC y la *Occupational Safety and Health Administration* (OSHA) perfeccionaron los requerimientos de protección contra microorganismos patógenos de transmisión hemática, como el VHB.[14] Su sistema del SEM debería contar con su propio programa de inmunizaciones local. Se deberían mantener sus inmunizaciones actualizadas y registrarse en el expediente. Las inmunizaciones recomendadas incluyen las siguientes:

- Refuerzos contra el tétanos y difteria (cada 10 años).
- Vacuna de sarampión, parotiditis epidémica, rubéola (MMR).
- Vacuna contra la gripe anual.
- Vacuna contra VHB y detección del virus de la hepatitis C.
- Vacuna contra la varicela o el antecedente de haber padecido la enfermedad.
- Vacuna contra COVID-19.[15]

También debería usted ser objeto de una prueba cutánea de tuberculosis (TB) antes de empezar a trabajar como paramédico, cuyo propósito es identificar cualquier exposición al microorganismo patógeno previamente. La prueba debería repetirse cada año si ha estado expuesto a la TB. Tenga en mente que las pruebas sistemáticas pueden causar que un individuo estructure un nivel de tolerancia al reactivo, con el resultado positivo de una prueba cutánea incluso cuando en realidad no esté infectado. Por lo tanto, un resultado positivo de la prueba cutánea no

CUADRO 2-1 Precauciones estándar para la atención de los pacientes en todos los contextos sanitarios

Componente	Recomendación
Higiene de manos	• Después de tocar sangre, líquidos corporales, secreciones, excreciones o artículos contaminados. • Inmediatamente después de retirarse los guantes u otro EPP. • Antes, después y entre los contactos con pacientes.
Equipo de protección personal (EPP)	
Guantes	• Para tocar sangre, líquidos corporales, secreciones, excreciones o artículos contaminados. • Para tocar membranas mucosas y piel no íntegra.
Bata	• Durante procedimientos y actividades de atención a pacientes cuando se prevé el contacto de la ropa/piel del paramédico con la sangre, líquidos corporales, secreciones, excreciones o artículos contaminados.
Máscara, protección ocular, escudo facial	• Durante procedimientos o actividades de atención a pacientes que probablemente generen salpicaduras o nebulizaciones de sangre, líquidos corporales, secreciones o excreciones (p. ej., aspiración, intubación ET y la administración de medicamentos en aerosol); durante los procedimientos que generan aerosoles, incluida la atención de pacientes con COVID-19.
Respirador HEPA o mascarilla N95	• Cuando se trabaja con un paciente afectado por TB o cualquier otra enfermedad respiratoria (p. ej., COVID-19).
Entorno de atención a los pacientes	
Equipo sucio	• Manéjelo de manera que prevenga la transferencia de microorganismos a otras personas y al ambiente. • Utilizar guantes si hay contaminación visible. • Higiene de las manos.
Regulaciones ambientales	• Contar con procedimientos para la atención sistemática, limpieza y desinfección de superficies ambientales. • Especial atención a las superficies que se tocan con frecuencia dentro de la ambulancia (p. ej., pasamanos, asientos, gabinetes, puertas). • Hacer que los pacientes con TB o COVID-19 utilicen una mascarilla quirúrgica. • Mantener ventiladores funcionando para impulso/extracción de aire en el compartimiento del paciente.
Textiles y objetos de lavandería	• Manejar de manera que se prevenga la transferencia de microorganismos a otras personas y al ambiente.
Agujas y otros objetos cortantes	• No tapar nuevamente, doblar, romper o manipular las agujas usadas. • Utilizar dispositivos de seguridad disponibles (p. ej., sistemas IV sin aguja). • Colocar los objetos cortantes en recipientes resistentes a las punciones.
Circunstancias especiales	
Reanimación del paciente	• Usar una bolsa de reanimación u otro dispositivo de ventilación para prevenir el contacto con boca y las secreciones bucales.
Higiene respiratoria/etiqueta para la tos	• Instruir a los pacientes sintomáticos para cubrirse boca/nariz cuando tosan o estornuden. • Utilizar pañuelos de papel desechables y tirarlos en un recipiente. • Realizar higiene de manos después de tocar tejidos. • Colocar mascarillas quirúrgicas al paciente y al proveedor de atención prehospitalaria. • Si no se puede usar una mascarilla, mantener una separación espacial (de casi 1 m), de ser posible.

Abreviaturas: ET, endotraqueal; HEPA, filtro partículas de alta eficacia; IV, intravenoso(a); TB, tuberculosis.

Datos de: Centers for Disease Control and Prevention. Guideline for Hand Hygiene in Health-Care Settings: Recommendations of the Healthcare Infection Control Practices Advisory Committee and the HICPAC/SHEA/APIC/IDSA Hand Hygiene Task Force. *MMWR.* 2002;51(No. RR-16). Siegel JD, Rhinehart E, Jackson M, Chiarello L, Healthcare Infection Control Practices Advisory Committee. 2007 Guideline for Isolation Precautions: Preventing Transmission of Infectious Agents in Healthcare Settings. http://www.cdc gov/hicpac/pdf/Isolation/Isolation2007.pdf. Con acceso en febrero 26, 2021.

necesariamente significa que sufra TB; simplemente indica que puede haber estado expuesto al microorganismo patógeno causal. Se requerirá un seguimiento adicional mediante pruebas radiológicas o incluso sanguíneas, para determinar si la enfermedad está activa, y así confirmar o refutar tal resultado. Otras vacunas ahora sugeridas para los paramédicos pueden también incluir la de tosferina.[16]

Si usted sabe que transportará a un paciente con una enfermedad transmisible, cuenta con una ventaja definitiva. En estas circunstancias, su expediente de salud será valioso. Si usted ya antes presentó la enfermedad o fue vacunado, entonces su riesgo disminuye de manera significativa o se elimina. Sin embargo, no en todo momento sabrá si el paciente presenta una enfermedad transmisible y por ello, siempre deberá apegarse a las precauciones estándar si hay posibilidad de exposición a sangre u otros líquidos corporales.

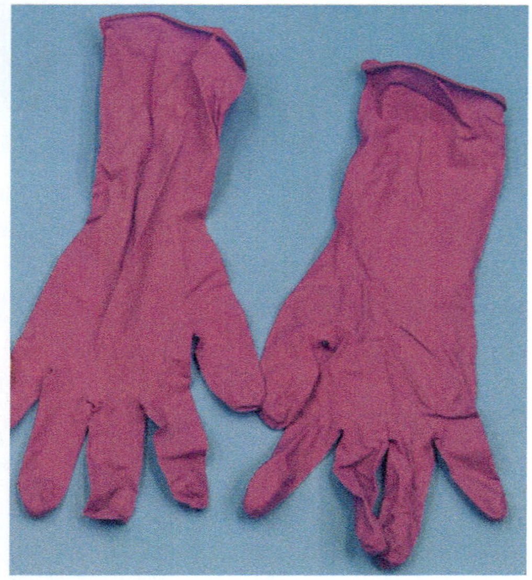

FIGURA 2-8 Use guantes médicos en cada llamada del SEM.

Equipo y prácticas de protección personal

Como mínimo, cada ambulancia debería estar equipada con EPP específico, no solo porque es obligado de acuerdo con la OSHA, sino también porque es parte esencial para su seguridad. Como mínimo, usted debería tener acceso a guantes, protección facial (mascarillas y anteojos, batas, y dispositivos N95 o N100 para la respiración). En esta sección se hace énfasis en la importancia de las prácticas para **prevención de las infecciones**.

> **Perlas de sabiduría**
>
> Si usted no tiene acceso a jabón y agua, cargue toallitas manuales sin agua en su ambulancia y úselas en su lugar. El alcohol isopropílico, este ingrediente activo es un bactericida muy eficaz.
>
> Después de cualquier cosa adicional que realice, siempre lave sus manos.

Usar guantes

Los guantes son absolutamente indispensables ante cualquier llamado del SEM, y algunos encuentros con pacientes pueden justificar que un proveedor de atención prehospitalaria cuente con más de un par, dependiendo del procedimiento, los antecedentes personales del paciente y el ambiente, **FIGURA 2-8**. En cualquier momento en que usted pudiera estar expuesto a los líquidos corporales de un paciente considere ponerse un nuevo par de guantes antes de cargarlo en la ambulancia. Asegúrese de quitarse los guantes antes de conducir o abandonar la ambulancia. Use guantes de nitrilo (no de látex) de ser posible, para evitar desarrollar una sensibilidad al látex o exponer a un paciente que pudiera presentar alergia a este.

Cambie los guantes médicos si se expusieron a aceite de motor, gasolina o cualquier producto a base de petróleo. No realice tareas como el uso de un radio o el de cualquier dispositivo de vigilancia como un monitor cardíaco o un oxímetro de pulso, la conducción y la escritura en un RAPP, cuando sus guantes estén contaminados.

El retiro de los guantes médicos usados requiere una técnica metódica para evitar contaminarse usted mismo con los materiales de los que estos le protegieron, **PRÁCTICA DE DESTREZA 2-1**.

Lave sus manos

El lavado de manos apropiado es una de las formas más simples y, no obstante, más eficaces, para evitar la transmisión de enfermedades. Acostúmbrese a lavar sus manos antes y después de ir al baño, de ingerir cualquier cosa, de ingresar a su vehículo personal después de una llamada o terminar un turno, y antes y después del contacto físico con un paciente o un instrumento. También lávese las manos después de retirarse los guantes.

PRÁCTICA DE DESTREZA 2-1 Técnica apropiada para el retiro de los guantes

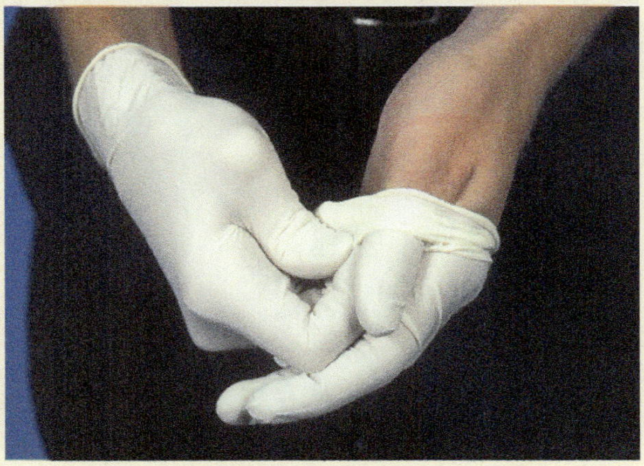

Paso 1

Inicie el retiro parcial de un guante. Con la otra mano enguantada, sujete el primer guante en la muñeca —asegurándose de tocar solo la parte externa— e inicie su enrollamiento lejos de la mano, de adentro hacia afuera. Deje el exterior de los dedos del primer guante expuesto.

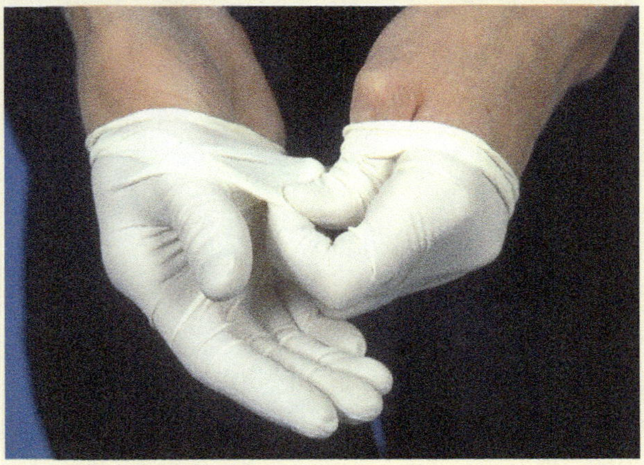

Paso 2

Use los dedos parcialmente enguantados para tomar la muñeca del segundo guante y empezar a jalarla, enrollándola de adentro a afuera hacia los dedos, como hizo con el primer guante.

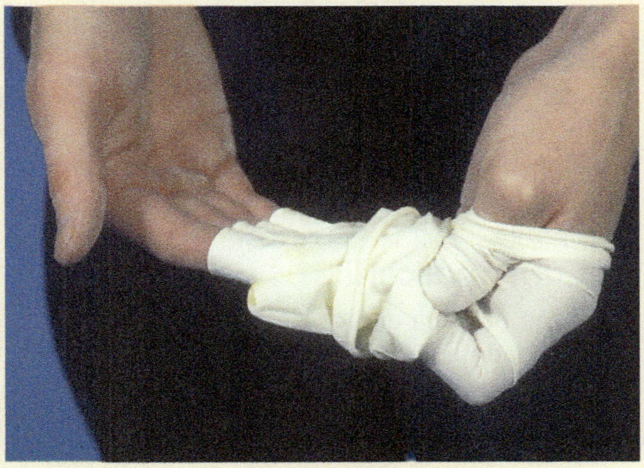

Paso 3

Continúe jalando el segundo guante hasta que libere la segunda mano.

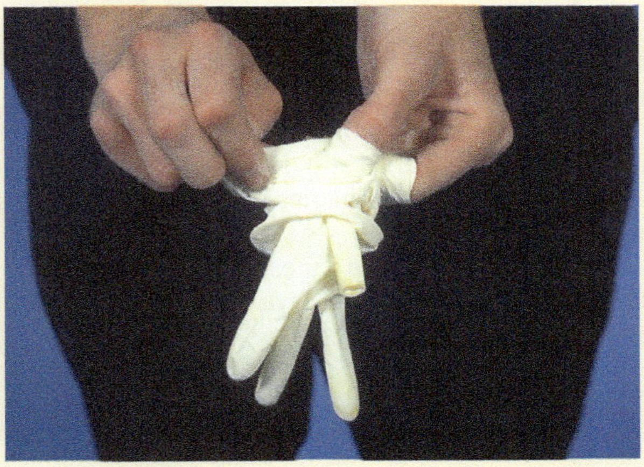

Paso 4

Con su mano, ahora sin guante, sujete la parte interna del primer guante y jálelo fuera de su primera mano sobre el segundo guante, ahora suelto. Asegúrese de tocar solo las caras internas limpias con su mano sin guante.

PRÁCTICA DE DESTREZA 2-2 Lavado de manos

Paso 1

Aplique jabón a las manos, haga espuma y frótelas durante al menos 15 segundos. Preste particular atención a las uñas. Enjuague ambas manos con agua tibia.

Paso 2

Seque sus manos con una toalla de papel y úsela para cerrar la llave.

Cuando usted lave sus manos, hágalo vigorosamente con espuma o gel antimicrobiano durante al menos 20 segundos antes de enjuagarlas con agua limpia.[17,18] Lave sus manos de manera sistemática y a menudo. Convierta el lavado de manos en un hábito, pues los hábitos son confiables incluso cuando usted se encuentra bajo estrés.

Siga los pasos que se muestran en la **PRÁCTICA DE DESTREZA 2-2** para el lavado apropiado de las manos.[17,18]

Utilice crema de manos

Cuando usted hace lavado de manos frecuente, sus manos pueden agrietarse porque también se eliminan los aceites naturales durante el proceso. Use una crema de manos varias veces al día, esté o no laborando. Su piel es una barrera muy eficaz contra los microorganismos patógenos, en tanto no haya sido fragmentada por los efectos de secado del lavado frecuente.

Utilice protección ocular

Muchos paramédicos experimentados hacen estándar la práctica de usar protección ocular contra las salpicaduras ante cualquier contacto con pacientes, lo que es una buena idea. La protección ocular es una necesidad absoluta durante los procedimientos de aspiración o intubación. De hecho, durante la intubación, un escudo facial puede ofrecer una mejor protección. Los anteojos obtenidos por prescripción no ofrecen el mismo nivel de protección; utilice gafas protectoras o escudos para cubrirlos.

Use una mascarilla

Si alguna persona en el escenario muestra signos de enfermedad de transmisión aérea, protéjase con una mascarilla quirúrgica como mínimo, que cubre contra las infecciones adicionales durante un estado de debilidad. Si usted está enfermo (p. ej., síntomas GI, tos), quédese en casa; este paso es la mejor prevención para evitar enfermedades. En particular, cuando usted esté enfermo no debería responder a llamadas que impliquen pacientes con afección del sistema inmunológico.

Proteja su cuerpo

Las mascarillas y los guantes son apropiados siempre que preste atención a un paciente en extremo sucio o que sangra, **FIGURA 2-9**. Se puede usar una bolsa de basura de 114 L como guante doble para trasladar un paciente de un sillón o camilla a la ambulancia, si el

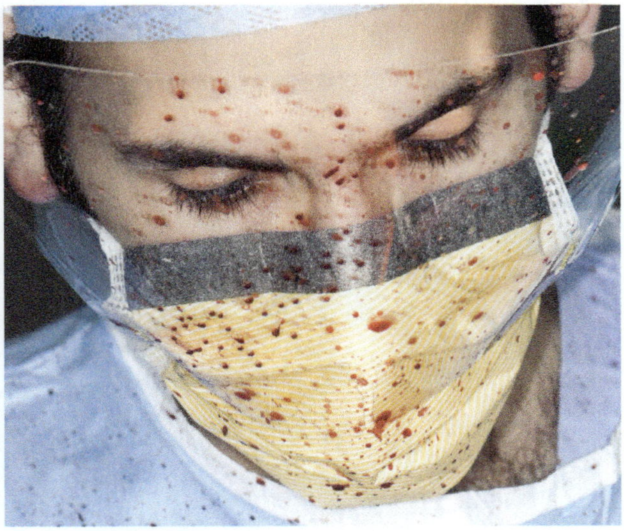

FIGURA 2-9 Usted debe siempre protegerse del contacto con cualquier tipo de líquidos corporales.

Perlas de sabiduría

Los procedimientos que generan aerosoles (PGA) son tratamientos que aumentan el riesgo de transmisión de infecciones que se diseminan a través del aire o gotitas. Durante los PGA pasan al aire pequeñas partículas y gotas desde el aparato respiratorio del paciente. Los proveedores de atención prehospitalaria del SEM que se encuentren cerca y no usen EPP apropiado pueden inhalar estas partículas o gotitas, o presentar su ingreso a través de ojos o boca, exponiéndolos así a virus o bacterias. Cuando un paciente presenta una enfermedad infecciosa respiratoria o en situaciones de diseminación comunitaria de enfermedades transmisibles, los PGA conllevan un riesgo elevado para los proveedores de atención prehospitalaria. Los ejemplos de PGA incluyen RCP y algunos procedimientos de vía aérea básicos y avanzados.

paciente está cubierto de heces, orina o sangre. Después de que se movilizó al paciente usted simplemente voltea la bolsa de dentro a afuera, la comprime para expulsar el aire, hace un nudo en su extremo abierto y la coloca en un recipiente de materiales peligrosos.

Las barreras para la incontinencia deberán tenderse sobre una superficie si el paciente emite cualquier tipo de líquido o presenta lesiones cutáneas.

Dispositivos de respiración N95 o N100

Lea algunas de las estadísticas recientes sobre la TB y rápidamente se dará cuenta de que es una de las enfermedades más comunes contraídas en todo el

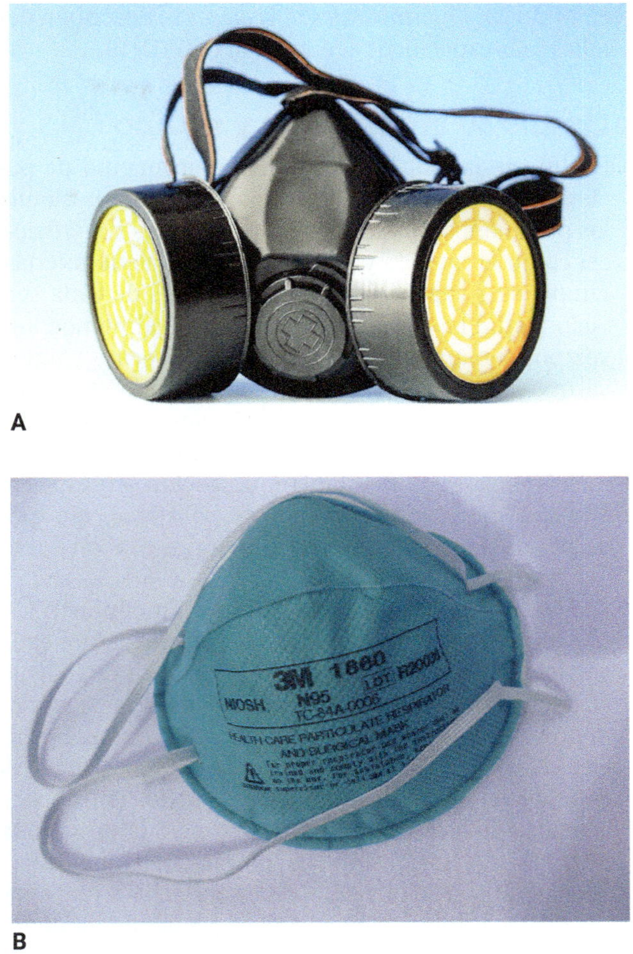

FIGURA 2-10 Las mascarillas para respiración de diseño especial, como N95 o N100, protegen contra las infecciones por las bacterias de la tuberculosis y los coronavirus. **A.** Mascarilla con filtros para atrapar partículas de alta eficiencia (HEPA) en cartuchos. **B.** Mascarilla N95.

mundo. De acuerdo con cálculos de la Organización Mundial de la Salud, hubo 10 millones de nuevos casos y 1.4 millones de muertes por TB en el 2019.[19] El riesgo del contacto con el bacilo de la TB hace mucho más importante usar un dispositivo de respiración N95 o N100, **FIGURA 2-10** y no solo una simple mascarilla quirúrgica. Estos dispositivos a menudo requieren pruebas de adecuación, que se pueden ofrecer en su servicio.

Cuando la pandemia del 2020 azotó al mundo, se hizo todavía más urgente la necesidad de uso de dispositivos de ventilación N95 y N100. Las lecciones aprendidas en esa pandemia, por toda la comunidad de atención sanitaria, hasta ahora se están comprendiendo de manera completa, pero tendrán un efecto prolongado en cuanto a cómo interactuamos con los pacientes y la comunidad en los años venideros. En el capítulo 23, *Enfermedades infecciosas* se describen detalles más específicos acerca de la COVID-19.

Limpie su ambulancia y equipo

Desinfecte las superficies del compartimiento de pacientes con frecuencia, en especial la camilla, el asiento, los pasamanos, el tablero, los aparatos, las superficies, así como el interior y exterior de manijas de puertas. Limpie esas superficies a diario después de cada servicio. Retire las cubiertas de la camilla al menos una vez por semana para eliminar sangre seca y vómito, ya que tienden a acumularse ahí. Limpie esta zona más a menudo si participa en servicios especialmente sucios. Desinfecte de manera sistemática teléfonos, micrófonos y equipos de comunicación, en especial aquellos del compartimiento de pasajeros, que podrían haber sido manipulados mientras usaban guantes contaminados.

Desinfecte o sustituya su pluma a menudo, pues, por lo general, la manipula varias veces durante cada servicio con los guantes puestos. Por lo tanto, hágalo al final de cada servicio y después de lavar sus manos. ¡No ponga la pluma en su boca! De manera similar, esterilice su estetoscopio con alcohol o toallitas desinfectantes después de *cada* servicio. En muchas agencias de atención sanitaria se inició el uso de luz ultravioleta para desinfectar plumas, teléfonos celulares y otros artículos potencialmente expuestos a los pacientes durante su atención. Siga cualquiera de las políticas de su agencia respecto de procedimientos especiales.

Deseche cualquier parte del equipo que se pretende sea de un solo uso, en una bolsa apropiada de materiales de riesgo (por su plan de regulación de las exposiciones en servicio). Para cualquier artículo reutilizable del equipo que haya tenido contacto directo con el paciente o sus líquidos corporales, utilícese un desinfectante para la descontaminación, como el cloro diluido en agua (1:10). La desinfección eliminará muchos microorganismos de la superficie de su equipo. Sepa el tipo de desinfectante que usa: no todos se pueden utilizar en cualquier superficie y algunos son lesivos si entran en contacto con su piel. Dependiendo de la sustancia, usted puede requerir mantener la superficie húmeda con el desinfectante durante 5 minutos o más, para asegurar una descontaminación adecuada.

Eliminación apropiada de los objetos cortantes

Los recipientes para eliminación de objetos punzantes (grandes para la ambulancia y pequeños para equipos portátiles), como agujas y hojas de bisturí, son indispensables para proteger a la tripulación contra piquetes o heridas cortantes, **FIGURA 2-11**.

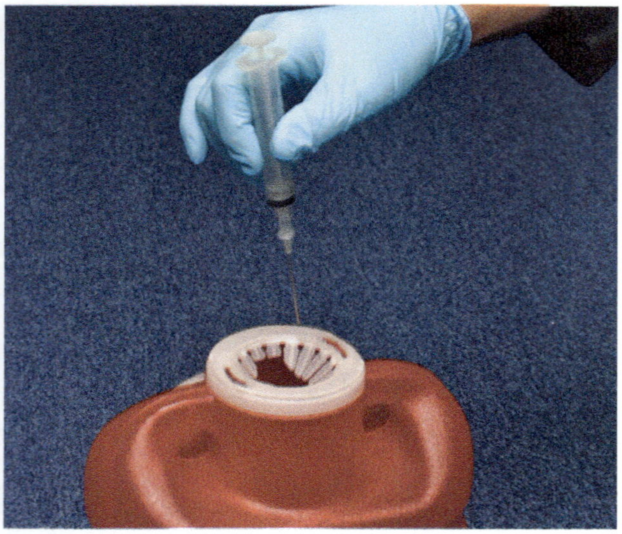

FIGURA 2-11 Cualquier aguja u hoja de bisturí debe desecharse en un recipiente de objetos punzantes.

Utilice vestimenta apropiada para la situación

La vestimenta ignífuga (o *bunker*) se refiere a un término del servicio de bomberos para la vestimenta de protección diseñada para ambientes contra fuego estructural, que provee alguna protección por el uso de diferentes capas de tela u otro material para proteger del calor de un incendio, disminuir el traumatismo por el impacto o cortes, y alejar el agua del cuerpo. Como la mayoría de la ropa de protección, sin embargo, la vestimenta ignífuga agrega peso y disminuye hasta cierto grado el rango de movimiento de quien la usa. Además, es difícil de limpiar, por lo que debería evitarse usarla en circunstancias que probablemente le expongan a la sangre o los líquidos corporales del paciente.

La tela exterior de la vestimenta ignífuga provee mayor protección contra cortes y abrasiones, y también actúa como barrera contra temperaturas extremas elevadas. En un clima frío, se recomienda una capa térmica interna aislada, de material que ayude a conservar el calor corporal.

La vestimenta o una chaqueta ignífuga provee protección mínima contra un choque eléctrico, pero sí protege del calor, el fuego, posible descarga disruptiva, y de las chispas. La abertura del frente de la chaqueta debería ceñirse y esta usarse con el cuello levantado y cerrado al frente para protección cervical y de la parte

SEGURIDAD

En el *American National Standards Institute* (ANSI) se requiere que todos los proveedores de atención prehospitalaria del SEM utilicen un chaleco de seguridad de alta visibilidad para el público cuando esté cerca de una calle, camino o carretera.

alta del tórax. Es indispensable su ajuste apropiado, de manera que le permita moverse libremente.

Guantes, cascos y botas

Los guantes de bombero proveen la mejor protección del calor, frío y los cortes, pero también pueden disminuir la destreza manual. Además, estos guantes no le protegen de los riesgos eléctricos. En situaciones de rescate, usted debe tener la capacidad de usar sus manos en forma libre para accionar herramientas, proveer atención a los pacientes y realizar otras tareas. Los guantes de piel a prueba de punciones, con guantes de látex debajo, le permitirán el uso libre de sus manos al mismo tiempo que le dan protección añadida contra lesiones y líquidos corporales.

Usted debería usar un casco siempre que trabaje en la zona con riesgo de una caída, que es aquella en la que usted posiblemente encuentre objetos que caen. El casco le proveerá protección contra impactos superiores y laterales, y también debe contar con una cinta de seguridad para el mentón. Los objetos a menudo caerán uno tras otro: si dicha cinta no está segura, el primer objeto que cae puede golpearle fuera expulsando el casco, lo que deja su cabeza sin protección mientras cae el resto.

Los cascos para la construcción no son apropiados para las situaciones de rescate. Ofrecen una protección de impacto mínima y tienen cintas de mentón inadecuadas. Los cascos modernos contra el fuego brindan una mejor protección térmica y contra impactos.

Usted puede perder una cantidad significativa de calor corporal en un clima frío si no usa un gorro o casco. Un gorro aislado fabricado con lana o material sintético se puede deslizar sobre la cara y la base del cráneo para disminuir la pérdida de calor ante un clima en extremo frío.

En situaciones que pueden involucrar un riesgo eléctrico, usted debería usar siempre un casco con una cinta para el mentón y un escudo facial. La carcasa del casco debe estar hecha de un material no conductor eléctrico certificado. La cinta del mentón no debería estirarse, sino más bien apretarse, de modo que el casco se mantenga en su lugar cuando reciba un golpe descendente o entre en contacto con una línea eléctrica. También debería usted ser capaz de cerrar el escudo facial sobre el casco, lo que le protegerá cara y ojos de las líneas eléctricas y chispas. Un casco estándar ignífugo cumplirá con todas estas necesidades.

Las botas deben ser resistentes al agua, bien ajustadas y flexibles, de manera que pueda usted caminar largas distancias en forma cómoda. Si va a estar trabajando en el exterior, debería elegir otras que cubran y protejan sus tobillos, en tanto mantengan alejadas piedras, detritos y nieve. Se prefieren las botas con punta de acero. En un clima frío sus botas también deben protegerlo de este. La piel es uno de los mejores materiales para fabricar botas, sin embargo, aquellas de otros materiales, como telas a prueba de agua, viento y porosas, también son muy buenas opciones. Las suelas de sus botas deben proveer tracción. Las suelas de tipo para arrastre pueden sostenerse bien en la nieve, pero se tornan muy resbaladizas cuando se cubren con lodo.

Las botas y los zapatos apropiadamente ajustados son muy importantes, porque una irritación menor puede convertirse en una lesión incapacitante si continúa con el transcurso del tiempo. Usted podría presentar ampollas dolorosas si sus pies se deslizan dentro de las botas. No obstante, asegúrese de tener suficiente espacio para mover sus dedos.

Las botas deberían ser a prueba de punciones, proteger los dedos gordos y proveer sostén para el pie y el tobillo. Tal vez sea un reto obtener un buen ajuste de las botas ignífugas; quizás se requieran insertos de zapatos o varias capas de tobilleras para asegurar un ajuste cómodo. Asegúrese que las partes altas de sus botas estén selladas para impedir el ingreso de agua de lluvia, nieve, vidrios y otros materiales. La humedad aumenta la formación de ampollas, los calcetines de lana o transpirables ayudan a prevenir la humedad en los pies.

Las tobilleras mantendrán el calor de sus pies y proveerán algún acojinamiento mientras camina. En un clima frío, en general se prefiere usar dos pares de tobilleras en lugar de uno, aunque sean gruesas. Una tobillera delgada junto al pie ayuda a la transpiración hacia una tobillera externa, más gruesa, lo que tiende a mantener el calor de los pies, que estarán más secos y, en general, más cómodos. Tenga estos puntos de vista en mente cuando compre zapatos o botas nuevos.

Protección de ojos, oídos y piel

El ojo humano es frágil, y puede ocurrir la pérdida permanente de la vista incluso ante lesiones muy pequeñas. Como paramédico usted necesitará proteger sus ojos de la sangre y otros líquidos corporales, objetos extraños, plantas, insectos y detritos de extracción. Usted puede usar anteojos con escudos laterales durante la atención de un paciente. En contraste, cuando se usan herramientas durante la extracción, debería usted utilizar una mascarilla facial o gafas. En estos casos los anteojos obtenidos por prescripción no proveen una protección adecuada.

En la nieve o arena blanca, en particular a grandes alturas, usted también debe proteger sus ojos de la exposición a la luz ultravioleta con anteojos o gafas de diseño especial. Además, su protección ocular debe ser adaptable al clima y las demandas físicas de la tarea. Es crucial que tenga una visión clara en todo momento.

La exposición a ruidos altos durante periodos prolongados puede causar pérdida auditiva permanente. Los equipos específicos, como helicópteros, algunas herramientas de extracción, y las sirenas, producen niveles altos de ruido. El uso de tapones de espuma blanda de tipo industrial suele proveer protección adecuada.

Su piel necesita protección contra las quemaduras solares mientras usted trabaja en el exterior. La exposición a largo plazo al sol aumenta la posibilidad de cáncer cutáneo. Pudiese considerarse una molestia, pero la quemadura solar es un tipo de quemadura térmica. En zonas de reflexión, como la arena, el agua y la nieve, el riesgo de quemadura actínica aumenta. Proteja su piel aplicando pantallas con un factor de protección solar mínimo (FPS) de 15.

CUADRO 2-2 Niveles de amenaza del *National Institute of Justice*

Nivel de amenaza	Protección que ofrecen
De tipo IIA	Municiones de masa y velocidad altas. Ejemplos: Smith & Wesson de 9 y 0.40 mm.
De tipo II	Municiones de alta velocidad y desplazamiento hasta de 480 m/segundo. Son ejemplos: Magnum .357 y 9 mm.
De tipo IIIA	Mejor protección en rondas de punta hueca con cobertura. Ejemplos: Magnum 44 y 9 mm de alta velocidad.
De tipo III	A menudo usados en situaciones tácticas. Ejemplo: protección de rondas de rifles y otras armas de alta velocidad.
De tipo IV	El máximo nivel de protección con placas de cerámicas pesadas. Ejemplo: balas que perforan armaduras.

Datos de: National Institute of Justice. Ballistic Resistance of Body Armor, NIJ Standard 0101.06. https://www.ncjrs.gov/pdffiles1/nij/223054.pdf#page=17. Publicado en julio, 2008. Con acceso en diciembre 30, 2020.

Blindaje corporal (Protección balística)

Si bien usted ha entrenado para evitar cualquier situación que pudiera involucrar violencia, los escenarios son dinámicos y una circunstancia que parece segura al inicio pudiese rápidamente deteriorarse y tornarse peligrosa, motivo por el que los rescatistas del SEM a veces utilizan un equipo de protección resistente a las balas o las punciones para su protección personal.

SEGURIDAD

Recuerde, la protección balística no es a prueba de fallas y tiene el potencial de brindar una sensación falsa de seguridad.

En el *National Institute of Justice* (NIJ) se perfeccionó una escala para identificar los requerimientos mínimos de protección y los métodos de prueba de un chaleco antibalas personal.[20] La calificación resultante, conocida como nivel de amenaza de NIJ, se puede encontrar en la etiqueta del producto, junto con la fecha de caducidad. Hay cinco clasificaciones generales de protección, que van desde aquellas de peso ligero y flexibles, hasta las pesadas y voluminosas, **CUADRO 2-2**.[20] Los chalecos antibalas más ligeros no detienen proyectiles de gran calibre, pero ofrecen más flexibilidad, por lo que la mayoría de los proveedores de atención prehospitalaria del SEM y el personal de la policía los prefieren. Estos chalecos suelen usarse bajo una camisa o chaqueta del uniforme. Los chalecos más grandes y pesados se usan fuera del uniforme, ya que son voluminosos y difíciles de maniobrar bajo temperaturas elevadas y de humedad, además de ser costosos y de requerir ser sustituidos con más frecuencia.

Si bien un chaleco antibalas puede proteger a los órganos subyacentes de una lesión penetrante, la fuerza del traumatismo contuso aún puede ser significativa, en especial por armas de fuego de alto poder. Los chalecos antibalas también ofrecen poca o ninguna protección de los fragmentos que se generan durante una explosión o contra los ataques con arma punzante. Aunque un chaleco antibalas puede no ser práctico en todas las circunstancias, aún ofrece una medida de protección mejor que ninguna.

Familiarícese con el tipo de equipo usado en su departamento, y recuerde que la seguridad en el escenario es siempre su primera preocupación. Se usa chaleco antibalas para protección adicional; no sustituye a la revisión del escenario ni para evitar las condiciones peligrosas. Como todo equipo del SEM, debe tenerse entrenamiento de uso del chaleco para asegurar la facilidad de utilizarlo en circunstancias de la vida real.

Situaciones hostiles

Como paramédico, usted podría ser enviado e involucrarse para dar auxilio durante situaciones hostiles. A menudo, al analizar la información de despacho, se pueden identificar situaciones potencialmente hostiles como por ejemplo: un reporte de que "el paciente no coopera" o "el paciente emite amenazas verbales". En el 2003, la *National Association of EMS Physicians* por primera vez hizo una declaración de su postura, donde ofrecía un respaldo oficial a los *derechos y a la seguridad* no sólo de los pacientes, sino también a los proveedores de atención del SEM.

Inteligencia en la calle

Algunas de las llamadas más peligrosas son aquellas limitadas o con información vaga. Si alguien que llamó al 9-1-1 rehúsa dar al despachador información adecuada, entonces él debería comunicar ese hecho a usted. Asegúrese que se despachó a personal de la policía o solicite su respuesta en el escenario antes o acompañándolo, para establecer la seguridad.

Si usted debe responder a una situación hostil, entonces lo mejor es establecer una sana distancia del escenario y esperar a la policía para asegurarlo. Específicamente, esté alerta ante cualquier llamada cuyo despacho señala un pleito, heridas punzantes, disparos, posible disturbio, trastorno doméstico, "persona caída" o "auxiliar médico desconocido". Cada una de esas llamadas es de sospecha y justifica una respuesta inicial por la policía. Además, usted debería solicitar su intervención ante cualquier llamada que sus instintos sugieran que pudiera ser una situación violenta.

Usted debe buscar el entrenamiento necesario para ayudarle a entender cómo manejar con seguridad las situaciones hostiles. Hay numerosos recursos disponibles, que incluyen los programas *Tactical Emergency Medical Services or Rescue Task Force* (Servicios Médicos Tácticos de Emergencia o Grupo de Tarea de Rescate). Muchas agencias de policía han hecho uso de estos recursos para perfeccionar sus propios sistemas ajustados a las regiones que les corresponden. Usted se verá involucrado de manera sistemática en situaciones hostiles, su agencia del SEM debería trabajar primero con las agencias de policía local, para identificar las necesidades, y después, cubrirlas, preferentemente con base en sus recomendaciones.

Nunca ingrese por primera vez a la escena si el elemento de hostilidad se conoce o puede preverse. Realice a profundidad el análisis de la información que le llega de otras personas y manténgase en "alerta amarilla" siempre que esté desempeñando su labor. Recuerde, esperar el arribo de la policía no le hace un proveedor insensible. Si usted es herido, no podrá ayudar a otros pacientes.

Antes de entrar en contacto con un paciente hostil, revise cuidadosamente su entorno. Primero identifique la vía más rápida para salir de la zona (plan de egreso), y después, busque armas potenciales en toda la zona y que puedan estar al alcance del paciente. Después de que haga contacto con un paciente hostil, escuche más que hablar, y no discuta con él ni lo ridiculice. Concéntrese en disminuir las emociones del paciente. Muchos pacientes hostiles que al inicio no desean ir al hospital, aceptarán el transporte como resultado de su paciencia, razonamiento discreto y respaldo. Muestre empatía y la comprensión de la situación, así ganará la confianza de sus pacientes.

Perlas clínicas

En algunos casos, los proveedores de atención prehospitalaria de emergencia pudiesen ser objeto directo de violencia. La tasa de lesiones relacionadas con la violencia y con pérdida del trabajo de los rescatistas de emergencia, es 22 veces mayor que la global para otros empleados en Estados Unidos.[21] Asegurar la salud y el bienestar ante la violencia contra los proveedores de atención prehospitalaria del SEM demanda estrategias de prevención y protección.

Las recomendaciones para la prevención de la violencia incluyen las siguientes:

- Entrenar y practicar en escenarios donde se identifica violencia potencial.
- Entrenar y practicar estrategias para neutralizar personas o situaciones violentas.
- Entrenar y practicar para mejorar las comunicaciones interpersonales.
- Practicar en la valoración continua del escenario.
- Al despachar o transmitir la información, identificar las amenazas previas o potenciales de violencia.

Las recomendaciones para la protección contra la violencia incluyen las siguientes:

- Entrenamiento y práctica en las técnicas de autodefensa y escape.
- Entrenar y practicar las técnicas de sujeción física y química.
- Ajustar y usar un chaleco antibalas.
- Entrenar y practicar en operaciones con personal de la policía.

Si usted experimenta violencia física o verbal, repórtelo en el formato de incidentes apropiado. Cumpla con las leyes y políticas estatales del departamento para el reporte de casos de ataque físico.

Recuerde que siempre que se encuentre en el territorio de algún extraño, el individuo tiene una clara ventaja. Es de esperar que la persona conozca todo acerca del ambiente, mientras usted no sabe nada (incluida la localización de cualquier arma). Los pacientes hostiles en sus medios caseros son mucho más peligrosos que en cualquier otro lado, en especial bajo una iluminación deficiente.

Perlas de sabiduría

Si usted constituye la primera unidad que arriba al escenario, haga su valoración y notifique a otras unidades que acuden acerca del riesgo real o potencial que pudiese existir. Su primera labor es lograr su seguridad, así como la de su tripulación y cualquier transeúnte.

Inteligencia en la calle

El conocimiento de diversas culturas es muy importante para una comunicación eficaz. Mientras más sepa usted de las personas que atiende, probablemente conocerá más sus costumbres y expectativas. Sea diligente en su tarea de tratar a todos los pacientes con respeto y dignidad, haciendo a un lado sus perjuicios personales. Al hacerlo, usted potencialmente puede disminuir el estrés de la situación de emergencia.

Incidentes de tráfico

Independientemente de donde viva o trabaje, los vehículos pueden desplazarse a altas velocidades, transportar sustancias peligrosas y colisionar entre sí en lugares que son peligrosos para usted y todos los involucrados. Es esencial estar alerta de su entorno, incluyendo sus compañeros de trabajo. Con el uso amplio de diversas tecnologías en vehículos motores (p. ej., teléfonos inteligentes y sistemas de posicionamiento global), el distraerse durante la conducción de un vehículo se está volviendo tan problemático como hacerlo bajo la influencia de drogas o alcohol. En muchos escenarios, los transeúntes u otros conductores desean ver o usan su teléfono para grabar a qué se trata la acción. Si bien se centran intencionadamente en un incidente de tráfico, tal vez no presten atención a usted; por lo tanto, usted siempre necesita estar al tanto de otros vehículos y curiosos.

Empiece por hacer observaciones físicas 1.5 km o antes de llegar al escenario de un accidente de tráfico. Observe el tráfico, preste atención a la dirección del viento, busque humo y empiece a planear los aspectos de iluminación y los relacionados con el clima. Conforme usted se acerca, verifique los tipos de vehículos y obstáculos involucrados. Si aún no se ha actuado sobre el tráfico, determine cómo se está desplazando y cómo regularlo de inicio. Son consideraciones importantes las siguientes: ¿qué tan grande es el incidente que presencia, tanto en dimensiones como en alcance? ¿Está usted tratando con transportadores comerciales de productos industriales? ¿Qué recursos necesitará de inmediato? ¿Cuál es la topografía? ¿Dónde habrá escape de líquidos en forma natural (si es evidente)? ¿Dónde deseará estacionar la ambulancia? ¿Cuál será su espacio de trabajo?

Como con cualquier escenario, su abordaje a un incidente de tráfico debería incluir una valoración visual de todo su entorno. Busque riesgos antes de ingresar al escenario, que pueden incluir caída de líneas de postes eléctricos o escape de combustible y el potencial de incendio. Familiarícese con su zona de respuesta para determinar la mejor y más segura vía crítica, porque también alerta a los que pudieran estar disponibles para ayudarlo a regular el tráfico, el respaldo aéreo, la respuesta de materiales riesgosos, aspectos del terreno y destinos potenciales. En algunos estados de EUA se cuenta con programas diseñados para ayudar al manejo de los incidentes de tráfico. Por ejemplo en Wisconsin se inició el Programa de Reforzamiento de la Atención de Incidentes de Tráfico (TIME, por sus siglas en inglés), donde se instruye a todos los rescatistas de emergencias en como establecer un escenario seguro e identificar riesgos. Como paramédico poco experimentado, busque cualquier programa y recurso que pudiesen ofrecer en su estado o región (su vida podría depender de ello).

El tráfico puede ser sólo uno de los muchos riesgos en el escenario de una colisión de vehículos motores, **FIGURA 2-12**. Por ejemplo, el estacionar una ambulancia caliente sobre césped seco puede iniciar un incendio de éste o del vehículo. Recuerde, su preocupación primaria en cualquier escenario es la seguridad propia, así como la de los que lo rodean. Identifique tantos riesgos como sea posible mientras conduce y antes de abandonar su unidad.

Perlas de sabiduría

La seguridad del escenario inicia con la preparación. Conforme usted y su compañero o tripulación se preparan para responder al escenario, asegúrese de colocarse sus cinturones de seguridad y arneses de hombros antes de movilizar la ambulancia.

FIGURA 2-12 Es crucial ubicar su vehículo en una localización segura y visible desde la que usted pueda fácilmente salir, y que no esté muy cerca de riesgos potenciales, para minimizar cualquier incidente adicional en un escenario de colisión.

Perlas de sabiduría

La operación segura de los vehículos de emergencia es parte integral del trabajo de los proveedores de atención prehospitalaria del SEM. Los principios de la operación apropiada y segura de un vehículo de emergencia incluyen el uso juicioso de las luces y sirenas, el proceder con cuidado a través de las intersecciones, el siempre mantener la calma, y nunca asumir que otros conductores se desempeñarán bien. Estos y otros principios se abordan con mayor detalle en el capítulo 43, *Operaciones de transporte*.

El conducir con luces y sirenas *no* significa ignorar a otros automovilistas en el camino o alcanzar velocidades excesivas. Recuerde que las ambulancias no se manejan como otros vehículos de motor más pequeños y ligeros. Requieren significativamente más tiempo y distancia para detenerse y usted puede más fácilmente perder el control. En la mayoría de los estados de la unión americana se cuenta con reglas específicas o estatutos acerca del uso de luces y sirenas, conocerlos y respetarlos es su responsabilidad.

Riesgos con líneas eléctricas y rayos

Usted nunca debería tocar líneas eléctricas caídas. El abordaje de líneas eléctricas potentes está fuera del alcance del entrenamiento del paramédico. Sin embargo, usted debería marcar una zona de peligro aislada alrededor de tales líneas. Las líneas energizadas ("vivas") eléctricas, en especial las de alto voltaje, se conducen en formas impredecibles. Usted requiere un entrenamiento profundo para poder manejar el equipo que se usa en una emergencia eléctrica, que también tiene necesidades específicas de almacenamiento y requiere de una limpieza cuidadosa. El polvo u otros contaminantes pueden tornar a este equipo inútil o peligroso.

En el escenario de una colisión de vehículos motorizados (CVM), las líneas eléctricas subterráneas y superficiales pueden convertirse en peligros. Los cables rotos en partes altas pueden o no constituir un riesgo visible. Usted debe ser cuidadoso incluso si no ve chispas provenientes de las líneas. No siempre hay chispas visibles en los alambres cargados. La zona alrededor de líneas eléctricas subterráneas siempre es de peligro y se extiende más allá del escenario inmediato del accidente.

Use postes de electricidad como marcas de advertencia para establecer un perímetro de zona peligrosa que debe ser restringida. Recuerde, la zona de seguridad por lo regular abarca los postes de electricidad. Sólo se permite el ingreso del personal de emergencias, el equipo y los vehículos dentro de esa zona.

No se acerque a alambres caídos o toque nada hasta que el personal calificado haya concluido que no hay riesgo de lesión eléctrica. Esto podría significar que no puede acceder a una víctima gravemente lesionada de un CVM, aunque pueda verlo y hablar con él.

Los rayos constituyen un fenómeno natural complejo. No es cierto que un "rayo nunca cae en el mismo lugar dos veces". Si las condiciones pertinentes se mantienen, puede ocurrir la caída repetida de un rayo en la misma zona.

Los rayos constituyen una amenaza en dos formas: por un golpe directo y por la corriente en tierra. Después que cae un rayo, la corriente se desplaza por la tierra, siguiendo la vía de máxima conducción. Para evitar ser lesionado por una corriente en tierra, aléjese de las zanjas de drenaje, zonas húmedas, pequeñas depresiones y ropas húmedas. Si usted participa en una operación de rescate, tal vez requiera retrasarla hasta que haya pasado la tormenta. Detecte los signos de precaución justo antes del golpe de un rayo. Conforme su entorno se carga, tal vez reciba una ligera sensación de hormigueo en la piel o su cabello podría incluso levantarse. En esas circunstancias, un rayo puede ser inminente. Desplácese de inmediato a la zona más baja posible.

Si usted es sorprendido en una zona abierta, trate de convertirse en el objetivo más pequeño posible para un golpe directo o una corriente en tierra. Para evitar ser alcanzado por el golpe inicial, aléjese de las proyecciones de tierra, como un árbol aislado. Deshágase de todo equipo, en particular objetos metálicos que se proyecten arriba de su cuerpo. Evite las rejas y otros objetos de metal, ya que pueden transmitir la corriente del golpe inicial a una gran distancia. Sepárese de otras personas y colóquese en una posición agachada que expone sólo sus pies a la corriente terrestre. Por comparación, si usted se sienta, tanto los pies como los glúteos se exponen. Coloque un objeto de material no conductor, como una manta, bajo sus pies. De ser posible, entre a su vehículo o unidad, ya que le protegerá de los rayos.

SEGURIDAD

Detecte los signos precautorios antes de la caída de un rayo. Si usted percibe una sensación de hormigueo en la piel o su cabello se eriza, desplácese de inmediato a una zona baja. Si usted es sorprendido en una zona abierta, hágase un objetivo tan pequeño como sea posible.

Estrés

Como se mencionó antes, el trabajo del personal de atención prehospitalaria del SEM es de gran estrés, comprender sus causas y conocer cómo abordarlo, es crucial para su desempeño, su salud y sus relaciones interpersonales.

Para prevenir que el estrés afecte negativamente su vida, es necesario que comprenda que es el estrés, cómo se manifiesta fisiológicamente, cómo puede reducirlo al mínimo y cómo enfrentarlo a nivel emocional.

Cualquier suceso que le cause reaccionar en forma física, emocional o mental, se considera **estrés**, y puede ser placentero, desagradable, leve o intenso.

Hans Selye, MD, PhD, considerado el "padre de la teoría del estrés", definió al estrés biológico como la "respuesta inespecífica del cuerpo a cualquier demanda que se le imponga".[22]

Perlas de sabiduría

Como paramédico, puede sentir que mostrar emociones es un signo de debilidad, sin embargo, expresar las emociones adecuadas en ciertas circunstancias puede ayudar a una familia o un paciente en duelo. Todas las personas reaccionan de manera diferente a las situaciones de estrés. Algunos pueden enojarse, en tanto otros reír o permanecer en silencio. No asuma que las personas no están afectadas por el estrés simplemente porque no reaccionan de la manera que usted cree que deberían hacerlo.

El estrés es una respuesta corporal a cualquier agente o situación (**factor estresante**) que requiere adaptación de una persona para cumplir con las demandas de la vida cotidiana. El estrés, en sí mismo, no es ni bueno ni malo y no debe ser evitado a toda costa. Según el Dr. Selye, el estrés se clasifica en dos categorías: el euestrés (estrés positivo), que es aquel que motiva a una persona a lograr objetivos, y el distrés (estrés negativo), que es abrumador y debilitante para una persona, **FIGURA 2-13**.

¿Qué desencadena el estrés?

La respuesta al estrés a menudo comienza con eventos percibidos como abrumadores o exigentes, pero los factores específicos que desencadenan la respuesta varían ampliamente de una persona a otra. Los siguientes factores son los desencadenantes más frecuentes de estrés en la mayoría de las personas:

- La pérdida de un ser amado (p. ej., muerte de un cónyuge, miembro de la familia, amigo cercano o colega) o de un bien preciado.
- Lesión o enfermedad personal.

USTED es el paramédico

PARTE 3

Su compañero coloca el monitor cardíaco en el paciente y usted observa asistolia en dos derivaciones. Al levantar la camisa del paciente para la colocación de los electrodos, nota también signos de lividez. Están empezando a llegar miembros de la familia. La madre del paciente se desespera y le pide hacer algo, le expresa que no puede morir su hijo. Mientras tanto, su compañero se dirige al exterior para hacer las llamadas al despachador, policía y forense, dejándole a cargo de hablar con la familia.

5. ¿Cómo explicará la situación a la familia? y ¿cuál es su responsabilidad con ellos?
6. ¿Qué etapa del proceso de duelo muestra la madre del paciente?

FIGURA 2-13 El estrés positivo, también conocido como euestrés, puede ser un factor motivador que impulsa a lograr mayores objetivos.

Cortesía de Island Photography/US Air Force.

- Un suceso vital importante (p. ej., el inicio o la conclusión de la escuela, el matrimonio, el divorcio, el embarazo, o el que un hijo se vaya de casa).
- El estrés relacionado con el trabajo (p. ej., conflictos con otros, responsabilidad excesiva, la posibilidad de perder el trabajo o cambiarlo).

Durante las últimas 4 décadas, varios estudios han examinado los niveles de estrés psicológico en los paramédicos. Estos estudios evalúan y comparan los niveles de estrés utilizando la escala de cambio de vida (UCV), originalmente descritas por Adolf Meyer y posteriormente exploradas por los investigadores Thomas Holmes y Richard Rahe,[23] quienes usaron la "Escala de calificación de reajuste social", que ubica 43 sucesos productores de estrés en la vida de la persona y otorga un puntaje ponderado para cada uno, **CUADRO 2-3**.[23] Se predice que un puntaje total de 150 UCV o más podría estar relacionado con el desarrollo de enfermedades como un ataque cardíaco o enfermedad vascular cerebral.[23]

Para combatir el estrés eficazmente como paramédico, usted requiere hacer un abordaje personal de los desencadenantes en su vida y tomar medidas apropiadas para minimizar sus efectos.

SEGURIDAD

A menudo, los errores humanos surgen en sistemas diseñados de manera deficiente. Por ejemplo, el cansancio debido a horas de trabajo prolongadas puede dar lugar a errores en las tareas humanas, y los no experimentados pueden cometer errores previsibles cuando se enfrentan a decisiones cognitivas complejas. En lugar de castigar a los paramédicos, los sistemas de los SEM deben identificar las circunstancias que llevan a los errores humanos y abordar los problemas subyacentes.

Fisiología del estrés agudo

Un modelo clave para el estrés investiga cómo los seres humanos reaccionan a las amenazas. Se observó que cuando una persona percibía un suceso como amenazador se desencadenaba el mismo conjunto de reacciones fisiológicas, cualquiera que fuese la amenaza (por lo que Selye se refirió al estrés como una respuesta "inespecífica").

Por lo general, estas reacciones fisiológicas preparan al cuerpo para la respuesta de pelear o alejarse por activación del sistema nervioso simpático que fue un mecanismo de supervivencia benéfico para los primeros seres humanos, movilización de una persona para defenderse (pelear) o alejarse (huir) ante un posible daño. En el mundo actual, sin embargo, una respuesta automática de pelear o huir ante circunstancias de estrés no es tan útil como alguna vez lo fue. La mayoría de los factores de estrés que se enfrentan hoy, no debería resolverse peleando o huyendo. En realidad, la mayoría de las respuestas de estrés negativo son el resultado acumulativo de eventos menores de estrés, lo que coloca el cuerpo en un estado de alerta constante sin descanso, lo que puede resultar en fatiga crónica y una mala salud. Para evitar estos resultados indeseados usted debería valorar y manejar todo suceso de estrés de inmediato, en especial si su naturaleza es negativa. El alejarse o ignorar el problema no hará que desaparezca. Estas reacciones fisiológicas se describen con mayor amplitud en el capítulo 6, *Anatomía y fisiología*.

Las reacciones al estrés pueden clasificarse como agudas, diferidas o acumulativas. Una **reacción de estrés agudo** se presenta durante una situación tensa. Como paramédico, es natural sentir una combinación de nerviosismo y emoción, lo que puede aumentar su capacidad de concentración. Si el estrés aumenta

CUADRO 2-3 Escala de calificación de reajuste social

Rango	Suceso vital	UCV	Rango	Suceso vital	UCV
1	Muerte de un cónyuge	100	23	Hijo o hija que abandona la casa	29
2	Divorcio	73	24	Problema con la familia política	29
3	Separación marital	65	25	Logro personal importante	28
4	Término de condena en prisión	63	26	Inicio o terminación del trabajo del cónyuge	26
5	Muerte de un miembro cercano de la familia	63	27	Inicio o terminación de la escuela	26
6	Lesión o enfermedad personal	53	28	Cambio en las condiciones de vida	25
7	Matrimonio	50	29	Revisión de los hábitos personales	24
8	Despido del trabajo	47	30	Problema con el jefe	23
9	Reconciliación marital	45	31	Cambio en el horario y las condiciones de trabajo	20
10	Retiro	45	32	Cambio de residencia	20
11	Cambio en la salud de un miembro de la familia	44	33	Cambio de escuela	20
12	Embarazo	40	34	Cambio de actividad de recreación	19
13	Disfunción sexual	39	35	Cambio en actividades en la iglesia	19
14	Llegada de un nuevo miembro de la familia	39	36	Cambio en actividades sociales	19
15	Reajuste de un negocio	39	37	Préstamo pequeño, como para electrodomésticos o un vehículo	17
16	Cambio en el estado económico	38	38	Cambio en los hábitos de sueño	16
17	Muerte de un amigo cercano	37	39	Cambio en el número de familiares que viven juntos	15
18	Cambio a una línea de trabajo diversa	36	40	Cambio en los hábitos de alimentación	13
19	Cambio en el número de argumentos de discusiones con el cónyuge	35	41	Vacaciones	13
20	Una deuda grande, como la hipoteca de la casa	31	42	Navidad	12
21	Embargo por un préstamo o hipoteca	30	43	Violación menor de la ley	11
22	Cambio en las responsabilidades laborales	29			

Revise aquellos sucesos que en la actualidad se aplican a su vida y sume los puntos correspondientes. Una calificación menor de 150 se considera dentro del rango del estrés normal. Aquella entre 150 a 199 se considera un estrés leve.De 200 a 299 señala un estrés moderado. Mayor de 300 es índice de estrés significativo.

Abreviaturas: UCV, unidad de cambio de vida.

Reimpresa de *Journal of Psychosomatic Research*, vol. II, T. H. Holmes and R. Rahe, "The Social Readjustment Rating Scale", pp. 213-218. Copyright 1967, con autorización de Elsevier.

demasiado, puede experimentar reacciones emocionales y físicas negativas.

Una **reacción de estrés diferida** se presenta después del acontecimiento tensional. Durante una crisis, usted podrá concentrarse y actuar, pero después, tal vez quede nervioso, con excitación energética que continúa aumentando. Como nuevo paramédico, debe identificar sucesos que podrían causar una reacción de estrés diferida, y aprender las técnicas de manejo del estrés para mejorar su capacidad de enfrentarlo de manera eficaz.

Las **reacciones de estrés acumulativas** pueden presentarse cuando se está expuesto a una tensión prolongada o excesiva. Después que termina el suceso estresante, usted tal vez no pueda deshacerse de sus efectos, incluso con la ayuda de técnicas de manejo del estrés. Inevitablemente, se presenta otra situación estresante, y después otra. En cada ocasión, puede resultar más difícil para usted recuperarse de un evento, es posible que experimente fatiga o apatía. El estrés acumulativo puede causar síntomas físicos, siendo esta la forma en que su cuerpo dice que hay un problema, y a menudo incluyen fatiga, cambios de apetito, problemas digestivos o cefalea. El estrés puede también causar insomnio o hipersomnio, irritabilidad, incapacidad de concentración, e hiperactividad o subactividad. Además, el estrés se puede manifestar mediante reacciones psicológicas como temor, apatía, conducta insensible, depresión, hipersensibilidad, ira, irritabilidad, frustración, aislamiento, imposibilidad de concentrarse, abuso de alcohol o drogas y pérdida de interés en el trabajo o la actividad sexual. Su estilo de vida acelerado como paramédico puede complicar estos efectos al no permitirle descansar y recuperarse por completo después de periodos de estrés. Se ha demostrado que el estrés prolongado o excesivo es un factor relevante en la contribución a enfermedades cardíacas, hipertensión, cáncer y depresión. Además, el estrés acumulativo puede en un momento dado llevar al agotamiento laboral, un tema que se describe más adelante en este capítulo.

Perlas de sabiduría

Aprenda a buscar o detectar signos de estrés en usted mismo, así como en colaboradores y sus pacientes. Detectarlo temprano a menudo puede permitirle la práctica de técnicas de prevención de agravamiento del estrés.

Cómo reaccionan las personas durante las situaciones de estrés

El paciente, la familia, los transeúntes o los proveedores de atención sanitaria, que enfrentan una enfermedad o lesión crítica, responden de manera diferente al estrés de cada emergencia.

Respuestas de los pacientes a la enfermedad y la lesión

Las respuestas de los pacientes a las emergencias están determinadas por sus métodos personales de adaptarse al estrés. Como paramédico, le ayudará el detectar ciertos patrones comunes de enfrentamiento. Una respuesta que muestran muchos pacientes es la ansiedad. Algunas personas mostrarán ésta al negarla. Otras se pueden tornar irritables o iracundas y tal vez dirijan su hostilidad hacia usted; no tome tal conducta de manera personal. Mantener la calma y brindar aliento es una de las mejores técnicas para reducir la tensión y la escalada de una situación. Esté al tanto de las reacciones comunes a la enfermedad o lesión que incluyen las siguientes:

- **Temor.** Los pacientes pueden presentar temores reales, como el de dolor, discapacidad, muerte o el impacto económico. Los pacientes también pueden temer a las acciones que se necesitan tomar para atenderlos, como usar agujas para iniciar una línea IV o administrar medicamentos.
- **Depresión.** La depresión es una respuesta natural a una pérdida. Un paciente que experimentó un evento vascular cerebral, por ejemplo, puede haber perdido la capacidad de mover un brazo o una pierna en un lado del cuerpo o incluso la capacidad de hablar, pero puede comprender todo lo que usted dice y hace. La depresión puede también ser palpable cuando usted llega al escenario donde apenas cesó el esfuerzo por reanimar a un ser amado.
- **Ansiedad.** Los pacientes pueden mostrar ansiedad difusa, un sentimiento de impotencia o pérdida de control. Las personas cuya autoestima depende de mantenerse activos, independientes y agresivos son particularmente vulnerables a la ansiedad cuando enferman o son lesionados. En ocasiones, la ansiedad puede parecer similar a la ira; usted debe reconocer la diferencia. La identificación incorrecta de alguien iracundo puede ponerlo en una posición defensiva y evitar que aborde la ansiedad y las necesidades de atención individual de un paciente.
- **Ira.** La ira es un problema que constituye un reto de abordaje para muchos proveedores de atención prehospitalaria del SEM, **FIGURA 2-14**. Usted podría presentar una tendencia natural a pensar, "¿estoy tratando de ayudar a esta persona, entonces por qué trata de desquitarse conmigo?" Es crucial recordar que algunos pacientes responden al temor, el malestar o la limitación de funciones con ira, y sus reacciones extremas no son responsabilidad suya ni de su equipo.
- **Confusión.** Puede ocurrir confusión a cualquiera, pero es más frecuente entre los pacientes de edad avanzada, en quienes la lesión o la enfermedad con frecuencia causan desorientación. La confusión se puede exacerbar por la presencia de personas no conocidas o equipo de atención,

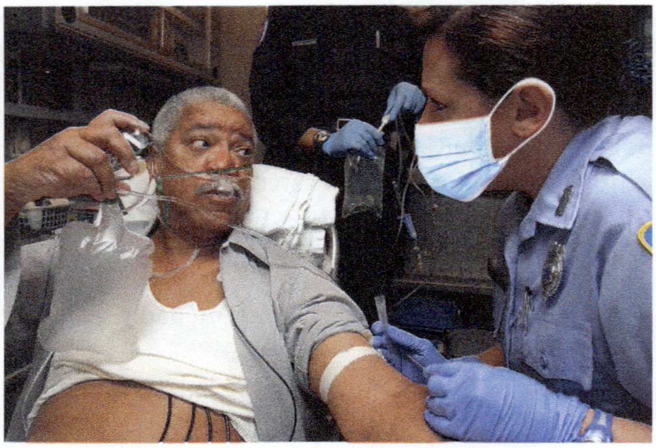

FIGURA 2-14 La pérdida súbita de control que percibe un paciente cuando es tratado durante una emergencia puede llevar a reacciones inesperadas y, algunas veces, extremas.

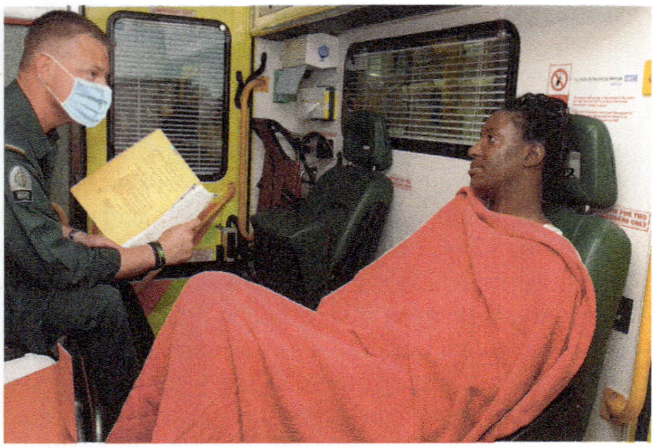

FIGURA 2-15 Particularmente cuando se atiende a personas cuyo ámbito es diferente del suyo, siempre debe mantener una actitud abierta, y no de juicio.

que podría parecer amenazante para el paciente. Cuando el paciente parece confundido, es indispensable explicarle con cuidado, desde el inicio, quién es usted y qué planea hacer. Brinde al paciente tiempo suficiente (dentro de lo razonable) para manejar sus pensamientos y sentirse cómodo con la situación.

Además de experimentar las reacciones apenas descritas, algunos pacientes pueden mostrar uno o más de los siguientes **mecanismos de defensa** psicológicos:

- **Negación.** Los pacientes a menudo ignoran o disminuyen la gravedad de una situación de emergencia. Algunos pueden minimizar sus síntomas con palabras como "apenas" o "un poco", en tanto otros ignoran sus síntomas por completo, solo para ocultarlos ante el personal hospitalario y después del arribo al DE. Puede ser necesario buscar otras fuentes para obtener información confiable en estos casos.
- **Regresión.** Se trata de un regreso a una etapa de edad temprana donde hay un ajuste conductual o emocional. Los niños a menudo muestran este mecanismo de defensa cuando se encuentran bajo estrés, o por el temor de "estar en problemas". Los adultos también pueden regresar a conductas infantiles cuando están bajo estrés. Los pacientes con otros trastornos psicológicos pueden mostrar una regresión como parte de su respuesta normal.
- **Proyección.** La proyección consiste en atribuir sentimientos, motivos, deseos o conducta personal (a veces inaceptables) a otros. Los pacientes que muestran indignación vehemente o ira pueden de manera inconsciente estar negando su propia "mala" conducta, atribuyéndola a otras personas.
- **Desplazamiento.** Es un fenómeno que se produce cuando una persona redirige sus emociones de la causa original (p. ej., una afección cardíaca) a un sustituto más inmediato (p. ej., un paramédico). El desplazamiento a menudo es el mecanismo que actúa cuando el paciente expresa ira contra usted, pero en realidad la dirige contra alguien más, hacia sí mismo, hacia un miembro de la familia, hacia el destino o hacia la situación en general.

Como se señaló, la mayoría de las respuestas de estrés psicológico no están bajo control consciente de su paciente. Es frecuente que aquellos enfermos o lesionados respondan con ira contra los proveedores de atención prehospitalaria del SEM sólo para olvidarlo después de que pasó la situación.

A menudo, las reacciones a la enfermedad o lesión tienen origen en la cultura del paciente. La sociedad moderna se está volviendo más multicultural, y las personas de algunas culturas pueden mostrar abiertamente conductas que podrían considerarse inapropiadas en otra. Usted necesita respetar cada origen cultural de todo paciente. Nunca intente cambiar la conducta de alguien solo porque es diferente de la suya.

Muchos estadounidenses ponen gran énfasis en hacer contacto ocular, tener un apretón de manos firme y respetar el espacio personal. Algunos pacientes tal vez no hagan contacto ocular, porque en su cultura se cree que bajar los ojos muestra deferencia a su autoridad y uniforme. Cuando se hace contacto físico, de ser posible, obtenga permiso antes. Identifique y comprenda las características culturales de la población que atiende, **FIGURA 2-15**.

Poblaciones especiales

Cuando los niños presentan una enfermedad o lesión grave, los miembros de la familia y otras personas en el escenario pueden tornarse agitados. Usted necesita mantener la calma y confiar en sus destrezas; eso será lo mejor para proveer aliento a todo el mundo en el escenario. Los niños a menudo responden mejor a las personas tranquilas, incluso si su enfermedad o lesiones son significativas.

Respuestas de familiares, amigos y transeúntes

Los transeúntes y miembros de la familia pueden mostrar respuestas similares a las de los pacientes. Los miembros de la familia pueden mostrarse ansiosos, con pánico, o ira, en especial si están luchando con el sentimiento de la culpa. De manera consciente o no, pueden sentirse responsables de lo que sucedió. Por ejemplo, podrían pensar que si hubieran mantenido una mayor vigilancia a un niño, no hubiera corrido hacia la calle y no habría sufrido la lesión. Algunos miembros de la familia pueden insistir que usted haga algo diferente o actúe más rápidamente durante una emergencia.

Como paramédico, usted debe reconocer que los familiares y amigos del paciente también tienen preocupaciones, y que su conducta, no importa qué tan desagradable, es resultado del distrés. No lo tome de manera personal y manténgase en calma. Informe a los miembros de la familia de que usted está haciendo todo lo que puede y que dispondrá en todo momento de guía médica. Usted con frecuencia enfrentará situaciones donde todos se encuentran bajo estrés, y no tiene garantía que las personas se van a conducir de manera apropiada.

En una situación que implica múltiples muertes, como una colisión de muchos vehículos, el colapso de un edificio o un desastre natural (p. ej., un tornado, una inundación o un sismo), donde pacientes y transeúntes pueden reaccionar aturdidos, desorganizados, o avasallados. Las reacciones al estrés son definidas de manera diferente dependiendo de la organización o fuente; a continuación, cinco de las reacciones más frecuentes.

En general, las personas con estas reacciones (incluidos sus colaboradores) deberían retirarse del escenario, pero no quedar solas, encuentre alguien que pueda manejarlas.

- **Ansiedad.** Los signos de ansiedad incluyen sudoración, temblor, debilidad, náusea y a veces vómito. Las personas que experimentan esta respuesta pueden recuperarse por completo en minutos y proveer la asistencia útil cuando son dirigidos de manera apropiada. Usted tampoco es inmune a la ansiedad, por lo que debe ser capaz de identificar esta respuesta y aceptar la ayuda según lo necesite.
- **Pánico ciego.** Es una reacción más preocupante en la que el juicio de una persona parece desaparecer por completo. Tal vez no comprenda del todo la situación o sus riesgos. El **pánico ciego**, es particularmente peligroso porque puede causar un pánico masivo entre los demás presentes.
- **Depresión.** Se presenta en personas que permanecen sentadas o de pie, en un estado de entumecimiento o aturdimiento. Los transeúntes con depresión necesitan retornar a la realidad tan pronto como sea posible; no deje que se siente y obsesione en la situación.
- **Sobrerreacción.** Las personas que responden exageradamente al estrés tienden a hablar de manera compulsiva, bromear en forma inapropiada, tornarse en exceso activos, y apresurarse de una tarea a otra sin lograr nada útil.
- **Histeria de conversión.** En la **histeria de conversión** el paciente de manera inconsciente transforma la ansiedad en una disfunción corporal; puede ser incapaz de ver u oír o quizá presentar parálisis de una extremidad.

En el capítulo 44, *Gestión de incidentes y accidentes masivos*, se incluyen más detalles de cómo tratar a los transeúntes.

Perlas de sabiduría

No asuma que las manifestaciones que parecen no ser de emergencia no son indicativas de que algo está mal. Una visión de túnel puede causar muchos errores en la evaluación de los pacientes y finalmente en su evolución.

Respuestas del paramédico

Como paramédico usted no es inmune al estrés de las situaciones de emergencia. Prevea que algunas veces puede experimentar una multitud de sensaciones, no todas ellas placenteras, incluso las molestas o esperadas, usted necesita regularlas aunque resulte difícil, usted debe durante una emergencia o cuando trata a pacientes y sus familiares, mantener una actitud de calma y confianza; esto hará mucho para tranquilizar a otros en el escenario. Recuerde que aliviar la ansiedad también es parte de su función terapéutica.

Una reacción frecuente en los profesionales de atención sanitaria es un sentimiento de irritación frente el paciente que no parece particularmente enfermo o lesionado. Considere la posibilidad de que las personas que llaman al 9-1-1 con manifestaciones en apariencia menores, lo hacen porque la situación es una emergencia en su concepto. Por ejemplo, imagine a una mujer que llama al 9-1-1 porque no puede dormir. Su problema es que es su primera noche de regreso a casa después del funeral de su marido. Ella siente temor de pasar la primera noche sola en la casa y no sabe a quién más llamar. Reconozca que las situaciones como ésta, son momentos pedagógicamente aprovechables y brinde el tiempo para instruir y recordar de manera cortés a las personas que su problema no es de emergencia, y que puede impedir la atención a alguien que quizás lo necesite en forma genuina.

A veces descrita como "el costo de atender paciente", la **fatiga por compasión** es frecuente en quienes trabajan en la atención sanitaria, servicios de emergencia y ante desastres. La fatiga de compasión, también conocida como trastorno de estrés secundario, se caracteriza por una disminución gradual de la compasión con el transcurso del tiempo. Difiere del trastorno de estrés postraumático, que es causado por la exposición directa a un incidente traumático o serie de ellos. La fatiga de compasión es una reacción ante la atención de otros que experimentaron un traumatismo. Puede caracterizarse por los siguientes síntomas:

- Ausentismo elevado.
- Relaciones difíciles con colaboradores y colegas.
- Incapacidad de trabajar en equipo.
- Conducta agresiva con los pacientes.
- Actitudes negativas fuertes con el trabajo.
- Falta de empatía por los pacientes.
- Actitud enjuiciante hacia los pacientes.
- Preocupación con aspectos no laborales mientras trabaja.
- Otros síntomas de estrés significativo.

Puede ser difícil apoyar a los pacientes en situaciones de emergencia. Es estresante tanto para ellos como para usted. Como paramédico a cargo, usted es vulnerable a todos los tipos de estrés que conllevan el ejercicio de su profesión. Es importante reconocer los signos de fatiga emocional para evitar que afecten en su trabajo o vida fuera del ámbito laboral, incluida la familiar. Los signos y síntomas son similares a los de estrés acumulativo, tal vez no sean notorios al principio, más bien son sutiles y no se presentan todo el tiempo.

Afrontamiento de su propio estrés

Los signos tempranos de su propio estrés pueden incluir palpitaciones cardíacas, respiración rápida, rigidez de tórax o sudoración. Podría notar que ya no disfruta su carrera y que carece de la energía o los deseos que alguna vez tuvo. Es importante que reconozca su reacción corporal a la respuesta de luchar o huir. Tal vez perciba respiración rápida y dificultad ventilatoria, gritar, o el uso de un lenguaje inapropiado que no suele utilizar. Como se describió antes, otras personas podrían notar estos signos de estrés y advertirle al respecto; no se ofenda por esta observación que puede ayudarle a actuar de manera apropiada e inmediata.

Usted se puede preparar para el estrés o manejarlo de formas diferentes. Recuerde que una vez que se encuentra en el modo de lucha o huida, está actuando principalmente por instinto. Explore las siguientes técnicas de manejo del estrés para liberar la tensión.

- **Ventilación profunda regulada.** Haga inspiraciones profundas a través de la nariz y exhale por la boca. La ventilación profunda regulada puede invadir el cuerpo y el cerebro con oxígeno apenas antes de la activación de la respuesta de lucha o huida.
- **Relajación progresiva.** La relajación progresiva es una estrategia en la que usted contrae y después relaja grupos musculares específicos para iniciar la relajación de todo el cuerpo. Esta técnica se puede usar, antes, durante o después de una llamada.
- **Asistencia profesional.** Incluso el mejor paramédico tal vez no pueda manejar los continuos sucesos violentos o de estrés vinculados al entorno del SEM. Busque servicios profesionales como los programas de asistencia de empleados o los de manejo del estrés crítico incidental, descritos más adelante en este capítulo, **FIGURA 2-16**.

Otras técnicas para afrontar la presión incluyen concentrarse en el momento presente durante el trabajo y recordar: "hacer lo mejor que pueda, incluso en situaciones desafiantes".

Como se describió antes, evite cantidades excesivas de estimulantes como la cafeína, el consumo de alcohol, cigarrillos o auxiliares para dormir después de un suceso estresante. Trate de tener un reposo natural suficiente. Ejercítese vigorosamente y en forma regular (no es recomendable inmediatamente antes de irse a dormir). Identifique personas y actividades que le hacen reír o sentirse bien, o haga amistad con

FIGURA 2-16 La consulta con un asesor profesional o terapeuta puede ser parte vital para el manejo del estrés y el mantenimiento de su bienestar emocional. Esto no significa que usted sea débil y no pueda manejar el estrés; todo profesional, incluido usted, tiene un punto de quiebre.

un colaborador que pueda relacionarse con usted y ofrecer respaldo cuando sea necesario.

Agotamiento

Otro indicador de estrés es el agotamiento laboral. ¿Por qué debería usted empezar a preocuparse acerca de algo que tal vez nunca ocurra? Debe comprender que el inicio de su carrera en el SEM es el momento preciso para que empiece a desarrollar actitudes y hábitos que le eviten el agotamiento laboral.

El **agotamiento** es el consumo de la fortaleza física y emocional. Tal vez encuentre que ya no disfruta su carrera, que le faltan la energía o los deseos que alguna vez tuvo. El agotamiento puede ser consecuencia del estrés crónico no aliviado. Su trabajo es de paramédico, lleno de factores de estrés potenciales, desde luego que los profesionales del SEM no son las únicas personas susceptibles al agotamiento; puede sucederle a cualquiera en diferentes profesiones, y se debe a cómo una persona reacciona ante el estrés. El estrés relacionado con SEM con frecuencia se vincula con relaciones interpersonales, prestigio, beneficios económicos y otros aspectos legítimos. La línea temporal para el agotamiento varía de persona a persona; una circunstancia que afecta a un paramédico en 1 año puede requerir 10 años para afectar a otro, o no hacerlo jamás. Un paramédico que no sale de vacaciones quizá experimente desgaste físico más rápido que los colegas que lo hacen. Una técnica para prevenir el agotamiento es apagar su teléfono u otros dispositivos de alerta cuando no esté en horario laboral y no estar disponible para el trabajo de vez en cuando.

El euestrés de una persona puede ser el distrés de otra y el motivo es que este último es una reacción

USTED es el Paramédico

PARTE 4

Usted le habla a la madre del paciente y también a la familia, les dice que no hay nada que se pueda hacer, y que murió. Le explica que no tiene actividad cardíaca y la sangre empezó a acumularse en las zonas declives del cuerpo. La madre está desesperada y le ruega que haga algo. Usted repite con calma que no hay nada que pueda hacer y le pide si hay alguien a quien pueda llamar para ayuda con su duelo. También puede preguntarle si su hijo se encontraba en una institución de cuidados paliativos. Ella le expresa que no pensaba que fuera tiempo para ello. Un familiar de la madre, sobrino de 19 años, se presenta y lo acusa de no hacer su trabajo. Cada vez con mayor hostilidad. Usted sabe que está en camino el personal de la policía, pero pueden transcurrir algunos minutos antes de su arribo.

7. ¿Cómo debería tratar la hostilidad del sobrino?
8. ¿Cómo abordaría usted sus propios sentimientos y estrés en relación con esta llamada?

aprendida con base en cómo se percibe e interpreta el mundo que le rodea. En otras palabras, el distrés es casi siempre resultado de lo que una persona cree. He aquí algunas creencias comunes en el personal de el servicio de emergencias médicas:

- Tengo que ser *perfecto* en todo momento.
- Mi seguridad depende de poder prever cualquier riesgo.
- Soy por completo responsable de lo que sucede a los pacientes; si mueren, es por mi causa.
- Si hay algo que yo no sé, entonces las personas pensarán que no soy bueno en lo que hago.
- Si muestro emociones, soy débil y no puedo manejar el estrés.
- Un buen paramédico nunca comete errores.

Estas son creencias falsas todas y pueden llevar al agotamiento. La prevención y el alivio del estrés en el personal del SEM empieza con reconocer que estas creencias son irreales e inválidas.

Como muchas de las afecciones médicas que estudiará en este libro de texto, el agotamiento es un tipo de enfermedad y tiene sus propios signos y síntomas, que parecen triviales al principio, pero si se ignoran, el proceso avanza de manera natural hasta que se torna incapacitante. Los síntomas de un agotamiento inminente incluyen los siguientes:

- Fatiga e irritabilidad crónicas.
- Actitud cínica o negativa.
- Carencia del deseo de reportarse al trabajo.
- Inestabilidad emocional (llanto fácil, pérdida de paciencia sin provocación, risas inapropiadas).
- Cambios en los patrones de sueño (insomnio o el dormir más de lo usual) y el despertar sin sentirse recuperado.
- Sentimiento de agobio o impotencia y desesperanza.
- Pérdida de interés en las actividades recreativas.
- Capacidad de concentración disminuida.
- Deterioro de la salud (resfríos frecuentes, malestares estomacales, dolores musculares, lumbalgias, y en especial cefaleas).
- Rigidez constante en los músculos.
- Alimentación excesiva, tabaquismo, abuso de drogas o alcohol.

Algunos paramédicos han pasado 20 años en el campo y no muestran signos de agotamiento, se reportan al trabajo todos los días y con el mismo entusiasmo que lo hacían cuando novatos. ¿Cuál es su secreto? En general, los paramédicos que no experimentan agotamiento son aquellos que aprendieron a respetarse, valorarse e identificaron y trataron las causas de agotamiento, también tomaron acciones para prevenirlo. En realidad, no es tan fácil como suena, pero como nuevo paramédico, usted debería aprender de esos veteranos. Hablando de manera práctica, ¿qué significa respetarse y valorarse a sí mismo? ¿Cómo puede traducir una actitud en una acción concreta? En el **CUADRO 2-4** se resumen algunos pasos que puede tomar para protegerse del agotamiento.

CUADRO 2-4 Guías de la Dra. Caroline para prevenir el agotamiento

1. ¡El paramédico se cura a sí mismo! Preste atención a su propia salud.
   - Descanse lo suficiente.
   - Ingiera una dieta equilibrada.
   - Haga ejercicio físico de manera regular, al menos 30 minutos de actividad aerobia (caminata, carrera o natación) tres a cuatro veces por semana.
   - No abuse de su cuerpo. El tabaquismo, consumo de alcohol, tomar drogas recreativas, y la autoprescripción de cualquier otra sustancia, son todas formas de autoabuso.
2. Dé algún tiempo para "usted" todos los días. Algunos de los paramédicos más resistentes al estrés son aquellos que aprendieron técnicas de meditación y pueden usarlas para escapar de vez en cuando a un sitio tranquilo consigo mismo. Intente los diferentes métodos de meditación o relajación y vea cuál funciona mejor para usted.
3. Aprenda a relajarse, **FIGURA 2-17**.
   - Dedique tiempo a las actividades recreativas.
   - Participe en actividades sociales con personas fuera del SEM.
   - Deje su trabajo detrás cuando termina su turno.
4. No se exija demasiado.
   - Olvide la idea de que tiene que ser perfecto, nadie lo es. Si usted hace el mejor de los trabajos, entonces esto es suficientemente bueno.
   - Usted no tiene que ser correcto todo el tiempo. Acepte el hecho de que de vez en cuando cometerá un error, y que el mundo no terminará por ello.
5. No haga demandas irracionables a otros.
6. Manténgase en contacto con sus sentimientos.
   - Encuentre alguien con quien pueda platicar, comparta el estrés.
   - Llore cuando lo necesite. No hay que sentir vergüenza por estar triste.
7. Aprenda técnicas para manejar el estrés mientras está en actividad laboral, no deje que se acumule.
8. Reporte después de llamadas difíciles.

FIGURA 2-17 Una de las mejores formas de manejar el estrés de trabajo como paramédico, es invertir en relaciones y actividades que sean significativas fuera de este. Aproveche al máximo su tiempo libre; es una oportunidad para reanimarse.

FIGURA 2-18 Las personas a menudo experimentan un proceso prolongado de duelo antes de aceptar plenamente la muerte de un ser querido.

Perlas de sabiduría

El manejar el estrés como paramédico requiere la capacidad de distanciarse emocionalmente de la situación y aceptar los límites personales.

Afrontar la muerte y su proceso

Como paramédico, usted enfrentará la muerte alguna vez en su carrera. ¿Qué les dice a las personas que saben que están muriendo? ¿Qué le dice usted a un padre, un cónyuge u otro miembro de la familia en duelo? ¿Cómo aborda usted sus propios sentimientos cuando un paciente murió mientras estaba bajo su atención? Estas son todas preguntas que usted necesita responderse en algún momento y podría requerir toda la vida.

La muerte en el hemisferio occidental en general se considera como una experiencia traumática, algo que se debe temer y posponer tanto como sea posible. Como paramédico usted estará ahí cuando las personas nacen y cuando muchos de ellos mueren. Todos estos encuentros constituyen un honor, un momento de máxima privacidad en la vida de alguien, al que están invitados usted y un pequeño número de sus colaboradores. Se trata de un periodo sagrado; independientemente de la cultura, la muerte es como uno de los más importantes pasajes de la vida de una persona. Muchos pacientes mostrarán gran dignidad cuando estén moribundos, lo que podría mostrarle a usted cómo morir con dignidad algún día.

Como paramédico, usted tendrá oportunidad de ayudar a muchas personas, pero pocas reanimaciones tendrán éxito, sin importar qué tan larga sea su carrera. La suya podría ser la última cara que ve una persona que muere, haga que cuente. Muestre compasión y preocupación por la persona, así como por su familia y amigos.

A continuación, algunas guías generales y técnicas para tratar al moribundo, sus familiares y su propio estrés.

Etapas del proceso de duelo

En su estudio clásico, *On Death and Dying* (Sobre la muerte y los moribundos), Elisabeth Kübler-Ross, MD, definió cinco etapas que atraviesan las personas en duelo, por lo general individuos moribundos, pero a veces también sus supervivientes, **FIGURA 2-18**.[25] Cada una de esas etapas de alguna manera ayuda al moribundo o los miembros de su familia a adaptase a su propia realidad. Ayuda a conocer estas etapas y considerar la conducta de los pacientes moribundos o sus familiares en el contexto del proceso de duelo. Tome en cuenta que las personas no siguen o experimentan las etapas en orden, y que usted puede llegar una vez que ya haya transcurrido una etapa.

- **Etapa 1: negación.** Como se describió antes, la negación es un mecanismo por el que las personas pretenden ignorar un problema o fingir que no existe. La negación es una forma de amortiguar las malas noticias, hasta que la persona pueda activar sus recursos para tratarlas de forma más eficaz. Dé a las personas suficiente tiempo para superar esta etapa y ofrezca asistencia solo si la piden.
- **Etapa 2: ira.** Cuando las personas ya no pueden negar la realidad de una situación, la ira por la

pérdida puede sustituir a la negación. Tal vez pregunte, "¿por qué yo?" y desplacen su ira en forma aleatoria a quienes los rodean. Como se mencionó antes, tal ira puede significar un reto para usted. Algunas personas pueden manifestar su ira por acciones físicas; esté preparado para dicha reacción y mantenga su seguridad y la de otros.

- **Etapa 3: negociación.** Cuando la ira no cambia la realidad dolorosa de una situación, las personas pueden recurrir a la negociación, es decir, tratar de hacer alguna forma de trato en espera de posponer lo inevitable ("si solo pudiera vivir lo suficiente para ver la boda de mi hija, entonces moriré en paz").
- **Etapa 4: depresión.** Cuando fracasa la negociación en el cambio de la realidad de una pérdida y las personas deben enfrentar a la muerte, se presenta una sensación súbita y enorme de pérdida. Tal vez se tornen muy quietos. La depresión ante el proceso de morir es común en parejas que han estado casadas o juntas durante la mayoría de sus vidas y rara vez estuvieron separados. Las personas quizás se den permiso para expresar su pena, con palabras, mediante lágrimas, o por lo que Kübler-Ross llama "el silencio que va detrás de las palabras". Reconozca su pérdida y tristeza, y si actúan como con deseo de llorar, ofrezca algunos pañuelos desechables, una toalla, o un hombro para que lloren ahí. Si parecen desear un abrazo ofrézcalo. Si parecen solo desear estar tranquilos por sí solos, haga lo que pueda para ajustarse a ello también. No es erróneo que usted muestre apropiadamente las emociones a una persona en duelo.
- **Etapa 5: aceptación.** En la etapa final de aflicción, las personas en proceso de morir se preparan para separarse del mundo que las rodea. Se despojan de sus temores y otros sentimientos, empiezan a perder los lazos que las unen con los seres vivos. Cuando una persona moribunda entra a la etapa de aceptación, con frecuencia la familia necesita más ayuda. Si bien los familiares pueden estar conscientes que la muerte es inminente, sus emociones y reacciones quizá cambien por completo cuando ese momento se presenta. El proceso de morir no es agradable y puede ser impactante cuando ocurre.[25]

Abordaje de un paciente moribundo

Las personas moribundas por lo general saben que su situación es grave; podrían estar muy al tanto de que morirán y quizá deseen hablar al respecto. Algunos profesionales de atención sanitaria rechazan platicar de la muerte con los pacientes, por lo que tratan de mantener una actitud de aliento al expresar "todo va a estar bien". Eso es hacer una promesa que no puede cumplir. No brinde una falsa sensación de esperanza ante una situación; no diga a un paciente que se recuperará cuando tal vez no lo haga. Quizás lo más importante que puede hacer para los pacientes moribundos es dejarles saber que los comprende y hablar acerca de la muerte si lo desean. Usted no necesita preguntar directamente: "¿quiere usted hablar acerca de la muerte?" Usted puede decir simplemente, "si es algo de lo que usted quisiera hablar, entonces le escucho".

Deje a los pacientes hablar tanto como deseen, **FIGURA 2-19**. Haga el contacto físico apropiado. Sostenga su mano, ponga una mano en su hombro o haga algún otro gesto inconfundible de empatía.

Qué hacer si los pacientes acuden directamente a usted y le preguntan: "¿Voy a morir? Su respuesta debería tener en mente la gravedad de su condición sin retirar toda esperanza. Por ejemplo, podría responder: "Su enfermedad es grave, pero le daremos la mejor atención disponible".

Los pacientes moribundos también necesitan sentir que aún tienen algún control sobre sus vidas. Cuando lo pierden, quizás también lo hagan de su dignidad y autorrespeto en cierta medida. Explíqueles lo que está haciendo y déjelos participar en el tratamiento tanto como sea posible. Pregúnteles si hay alguien con quien desearían estar en contacto o si tienen

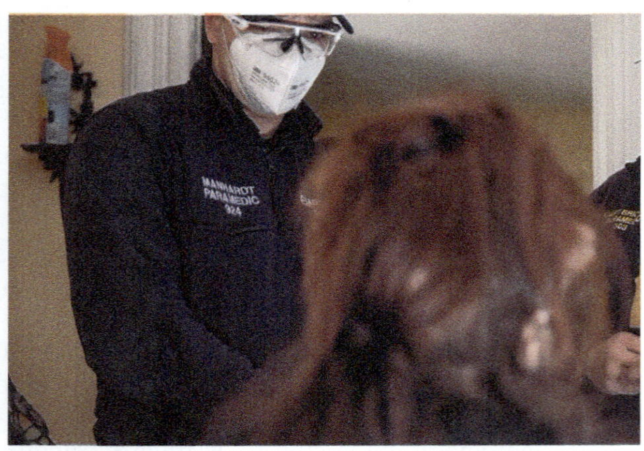

FIGURA 2-19 Los pacientes tendrán diferentes formas de abordar su situación inmediata. Algunos se pueden sentir aliviados al hablar abiertamente de cómo se sienten, mientras que otros tendrán una mayor sensación de estoicismo.

instrucciones especiales que desean dar a alguien. Si le piden entregar un mensaje, escríbalo palabra por palabra como se lo expresen. Usted encontrará que las personas que saben que van a morir a menudo entrarán en contacto ocular y expresarán, "pienso que voy a morir". Independientemente de la situación siempre provea la mejor atención médica de emergencia que pueda.

Abordaje de la familia en duelo

Suponga que se le llama al escenario donde un niño fue atropellado por un camión y usted se percata con una mirada que está muerto. Dos oficiales de policía se encuentran con la madre que llora desesperadamente. El hecho de que no hay nada que pueda usted hacer por el niño, no significa que su tarea terminó. Hay otro paciente en el escenario, su madre, y la llamada de rescate no concluye hasta que usted haya hecho todo lo que pueda por ella, **FIGURA 2-20**.

Su protocolo local tal vez señale que tendrá que verificar una muerte al obtener un registro con el monitor cardíaco y en un caso como este, tal acción puede dar a la madre una falsa esperanza de que puede reanimar al niño.

¿Qué tipos de cosas puede usted hacer por una familia en duelo? ¿Cómo puede ayudarles a empezar el proceso de enfrentar su pérdida? Estas son algunas guías:

- No trate de ocultar el cuerpo del paciente fallecido de la familia, incluso cuando haya sido muy mutilado. En circunstancias en las que el aspecto del difunto puede ser de desfiguración, intente prevenir o explicarle a la familia lo que pueden ver. A las personas que se les impide ver el cuerpo de un ser amado pueden después tener enorme dificultad para manejar su duelo, porque quizás no puedan pasar de la fase de negación. El ver el cuerpo ayuda a la persona a alcanzar el cierre de la situación.
- Por motivos similares, no use eufemismos para la muerte, como "expiró" o "se fue". La familia necesita escuchar la palabra "murió".
- No se apresure para retirar todo su equipo de reanimación. Deje a la familia que lo vea antes de que empiece a guardarlo y empacar su vestimenta, de modo que sepan que se hizo todo lo posible.
- Permita a la familia algún tiempo con su ser amado, en especial cuando se trata de un niño. Si la muerte ocurrió en un lugar público, traslade al difunto a la ambulancia o proteja el escenario de curiosos, y deje a la familia despedirse a su propia forma.
- Trate de hacer los arreglos para un respaldo emocional adicional. Ofrezca el contacto con un vecino, amigo o el clérigo de la familia.
- Acepte el derecho de la familia a experimentar una diversidad de sentimientos: culpa, shock, negación o ira.

FIGURA 2-20 Mientras permanezca en el escenario, una de sus responsabilidades es ayudar a los miembros de la familia en la etapa inicial después de la muerte de un ser querido.

Cómo tratar a un niño en proceso de duelo

Usted necesita ser particularmente sensible respecto de las necesidades emocionales de los niños y cómo difieren dependiendo de su grupo de edad. Cuando se exponen a la muerte de un miembro de la familia, los niños de hasta 3 años estarán al tanto de que algo sucedió y que las personas están tristes. Los de 3 a 6 años creen que la muerte es temporal y quizás pregunten continuamente cuándo regresará la persona. La familia debería hacer énfasis al niño de que no son responsables de la muerte, que él no regresará a casa y que está bien llorar cuando se está triste.

Los niños de 6 a 9 años pueden ocultar sus sentimientos para no verse como bebés. Los miembros de la familia deberían describir los sentimientos usuales de duelo, y además no deberán dudar de llorar frente a un niño.

Los niños de 9 a 12 años pueden desear saber los detalles que rodean al incidente. Los miembros de la familia deberían promover el compartir los sentimientos y los recuerdos para facilitar el proceso de duelo.

Después de terminar la llamada de rescate

Muchas llamadas pueden ser abrumadoras. En esos casos, todos los involucrados probablemente experimenten algunos sentimientos intensos. Si permanecen ocultos, entonces quizás resulten diferentes tipos de problemas después. Por ese motivo, es necesario que todo servicio de ambulancia desarrolle procedimientos sistemáticos de informe después de cualquier llamada, en especial aquellas en las que interviene la muerte de un paciente. Todos los que participaron necesitan la oportunidad de sentarse juntos, en una atmósfera de confidencialidad, y expresar sus sentimientos en cuanto a lo que sucedió.

Las llamadas de rescate no deberían alterar sus funciones cotidianas, pero algunas en especial traumáticas quizá preocupen incluso a los proveedores de atención prehospitalaria muy experimentados durante semanas o incluso meses después. Este tipo de reacción de estrés diferido se llama **trastorno de estrés postraumático (TEPT)**. Un **incidente crítico** es aquel que rebasa la capacidad del trabajador del SEM o el sistema para enfrentar la experiencia, ya sea en el escenario o después.

La mayoría de los paramédicos nunca experimenta un TEPT, pero puede ocurrir. Deje que sus superiores se enteren de que usted o un colaborador experimenta uno o más de los siguientes signos del TEPT:

- Si tiene dificultad para sacar de sus pensamientos el incidente.
- Si continúa teniendo recuerdos de un incidente.
- Si presenta pesadillas u otros trastornos del sueño después de un incidente.
- Si su apetito no es el mismo después de un incidente.
- Después de un incidente, usted ríe o llora sin un motivo adecuado.
- Si se encuentra evitando a los colaboradores y los miembros de la familia después de un incidente.
- Si depende del alcohol o los cigarrillos, o recurre a otras opciones no saludables para calmarse.

El **manejo del estrés por incidentes críticos (MEIC)** es un recurso disponible para el personal de emergencias que participó en llamadas o incidentes en particular traumáticos, proceso que se perfeccionó para abordar situaciones de estrés agudo y potencialmente disminuir la probabilidad de que ocurra un TEPT después de ese incidente. Aunque las organizaciones de seguridad pública han usado el MEIC durante más de 30 años, no hay prueba concreta de su eficacia para prevenir el TEPT o la postración. Los siguientes son sucesos en los que se sugiere que se puede considerar algún tipo de informe o tratamiento:

- Lesión grave o muerte de un compañero de trabajo durante su ejercicio laboral.
- El suicido de un compañero de trabajo.
- Incidentes de muertes múltiples, como un avión que se estrella o un choque de trenes.
- Lesiones graves o muerte de un niño.
- Atención intensa a un incidente por los medios de comunicación.

Controversias

Los profesionales de psicología y del SEM han debatido acerca de la eficacia del MEIC durante algún tiempo. Mantenga una mente abierta acerca de la experiencia, y después, saque su propia conclusión.

Es imposible predecir cómo reaccionará una persona determinada, y debería ofrecérsele la oportunidad de informar, pero nunca se le forzará u obligará.

Algunos sistemas del SEM presentarán equipos de MEIC o un formato para proveer respaldo después de la llamada de rescate por un traumatismo, y algunas veces incluso durante el incidente. La intervención puede tomar la forma de una sesión breve (por lo general de casi 30 minutos) inmediatamente después de la llamada, en la que se ofrece a todos los que participaron una oportunidad de expresar sus sentimientos respecto de lo que sucedió. Un resumen formal suele ser coordinado y manejarlo uno de los asesores más profesionales de 24 a 72 horas después de un incidente, cuando es claro que este tuvo un efecto grave y está causando síntomas persistentes en la tripulación. Nuevamente, este proceso debería ser opcional y no abierto a los medios de comunicación.

En algunos servicios se ofrece un **programa de asistencia de empleados (PAE)**, recurso que brinda un asesor profesional entrenado que trabaja fuera del servicio y está disponible fuera de servicio. Los PAE con mayor éxito, no se centran solo en conductas "relacionadas con el trabajo", ya que algunos aspectos personales (p. ej., cuidado de niños, finanzas, dependencia, estrés en las relaciones) pueden llevar a malos desempeños laborales y conductas inaceptables. El PAE tiene éxito solo si quienes lo siguen lo hacen por su propia decisión y desean compartir todo tema que pudiera molestarlos. Si usted o sus compañeros de trabajo notan cambios en la conducta laboral y se dispone de un PAE, entonces constituye una aventura meritoria en el mejoramiento de su salud y carrera.

SEGURIDAD

Es posible que se genere un informe posterior a un evento adverso o centinela (incidente previsto que puede causar daño o incluso la muerte a un paciente). El interrogatorio es un poderoso recurso de indagación en el que hay un intercambio breve para identificar lo sucedido, lo que se aprendió, y qué se puede hacer mejor en el futuro. Un miembro veterano de liderazgo suele conducir el proceso. También debería usarlo para proveer respaldo emocional al personal y/o la familia, determinar obligaciones de reporte y tal vez visitar el sitio del suceso. El interrogatorio no se centra en cambios del sistema y no debería usarse con fines disciplinarios.

Respaldo por compañeros y prevención de suicidios

Como todas las poblaciones, los proveedores de atención prehospitalaria del SEM no son inmunes a las ideas o intentos de suicidio. Esto es debido al estrés prolongado, que es un factor de riesgo del suicidio, la prevención se inicia al detectar que usted o sus colegas están siendo avasallados. Incluso si no identifica tendencias suicidas en sí mismo, puede recibir la información de sus colegas. No ignore lo que detecte o lo que otros noten en usted. Una encuesta de más de 4 000 proveedores de atención hospitalaria del SEM mostró que 37% contempló el suicidio y 6.6% lo intentó.[26] Aunque ese número de intentos pudiese parecer relativamente bajo en comparación, en los CDC se mostraron cifras de ideas e intentos de suicidio en la población general de 3.7 y 0.5%, respectivamente.[26] El estudio sugiere que los proveedores de atención prehospitalaria de emergencia tienen mayor riesgo de ideas e intentos de suicidio que otros trabajadores.[26]

Una combinación de estrés acumulativo y su forma aguda puede constituir una carga pesada para los proveedores de atención prehospitalaria del SEM. Si bien el conocimiento de suicidios de proveedores de atención prehospitalaria del SEM ha aumentado durante el transcurso de los años, usted debería comprender y seleccionar estrategias para tratar el estrés de manera constructiva. Es indispensable estar al tanto de los signos de estrés y el agotamiento en usted y sus compañeros. Cualquier idea o intento de suicidio debe tomarse en serio. Si usted experimenta ese tipo de ideas o un colega se las expresa, debería buscar ayuda, incluyendo el asesoramiento profesional.

El apoyo de colegas, es un proceso en el que un miembro adecuadamente entrenado de su departamento le provee respaldo confidencial a otro que experimenta problemas emocionales, personales o laborales, y actúa como un enlace respecto de los servicios profesionales externos. En muchos departamentos se proveen tanto programas de manejo del estrés por incidentes críticos (MEIC) como de respaldo por colegas. En tanto MEIC son en especial valiosos después de incidentes estresantes que involucran a múltiples miembros de un departamento, el respaldo por colegas es más apropiado para ayudar a los individuos y para circunstancias donde se requiere seguimiento constante. Ambos tipos de programas proveen asistencia valiosa para abordar situaciones de estrés.

La ventaja de tener el respaldo de colegas es que se basa en la confianza y comprensión mutua entre miembros del mismo departamento. El respaldo de colegas provee un ambiente seguro y de instrucción a todos los afectados. Los colegas asesores entrenados comprenden las necesidades únicas de los proveedores de seguridad pública, comprenden la importancia de la confidencialidad, los requerimientos físicos y factores de estrés por ser el primer rescatista. Además están preparados para ajustarse a los horarios irregulares y otros retos logísticos de los primeros rescatistas. Los asesores colegas pueden responder en un momento de crisis y ayudar a dirigir a uno de sus miembros al autocuidado, o proveer un enlace con el auxilio profesional externo, cuando sea requerido.

El respaldo entre colegas es voluntario. Se puede iniciar a solicitud del afectado, un colaborador preocupado, un compañero de trabajo o supervisor, y puede seguir a una llamada de rescate potencialmente traumática. Las personas con quienes usted trabaja pueden ser capaces de identificar signos tempranos de estrés y entrar en contacto con otros miembros del equipo antes de que tales signos se conviertan en problemas significativos. Los asesores colegas pueden dar seguimiento durante semanas o meses después de que ocurre un suceso preocupante.

El respaldo entre colegas no se limita a los problemas relacionados con el trabajo. También se enfoca en aspectos familiares, dificultades económicas, estrés, ansiedad y el abuso de sustancias. El colega

Perlas de sabiduría

En algunos programas de respaldo por colegas se usan las siglas LOVE para describir la participación de asesor:

L Escuche cuidadosamente (del inglés ***Listen*** = oír).
O Ofrezca asistencia.
V Valide a través de la comprensión.
E Estimule a la persona para que busque asistencia y nunca se rinda.

con entrenamiento apropiado puede también estar disponible para los miembros de la familia del primer rescatista.

La eficacia del respaldo por colegas yace en la confidencialidad, que se mantiene cuidadosamente excepto en casos donde hay riesgo de daño para el afectado u otros, o cuando hay una actividad criminal. Verifique con su supervisor si el programa de respaldo por colegas está disponible para los integrantes de su departamento.

USTED es el Paramédico RESUMEN

1. El deterioro de su bienestar físico en un momento dado cambiará su actitud, y a su vez, pondrá en riesgo su trabajo. ¿Qué pasos puede tomar para evitar este resultado?

Los componentes del bienestar físico incluyen nutrición, ejercicio, sueño adecuado, y evitar hábitos o sustancias no saludables. Ingiera alimentos saludables, preferentemente a la misma hora todos los días. Planee las comidas con antelación y tenga en cuenta la posibilidad de no estar cerca de un microondas o un refrigerador. Siga las guías dietéticas de My Plate de la USDA. Lleve consigo agua embotellada y botanas, como pasitas, nueces y frutos.

El ejercicio es esencial para regular el peso y manejar el estrés. Si usted elige una actividad que disfruta, tendrá más probabilidad de cumplirla. Su esquema de ejercicios debería centrarse en los siguientes aspectos: resistencia cardiovascular, flexibilidad y fortaleza física, trate de participar al menos 30 minutos de actividad física de moderada a vigorosa casi todos los días de la semana. Evite la cafeína, el uso del tabaco y el consumo excesivo de alcohol.

También es importante mantener un horario regular de sueño, aunque esto es virtualmente imposible en un trabajo con turnos cambiantes. Obtenga tanto sueño como sea posible de acuerdo con lo que el tiempo le permita.

2. ¿Por qué es tan importante encontrar formas de estimular su bienestar mental, emocional y espiritual?

La claridad mental y la capacidad de reaccionar adecuadamente están en su máximo potencial cuando se mantiene un equilibrio en el bienestar mental. Practique técnicas de manejo de situaciones de estrés antes de que surjan emergencias, para estar preparado en esos momentos. Para mantener la salud emocional, necesita un equilibrio entre su vida laboral y aquella fuera del trabajo. Cuando se encuentre usted descansando, trate de respetar ese tiempo y mantenerse así.

Mantenga sus destrezas e instrucción, pero acepte el hecho de que los pacientes quizás no evolucionen bien y mueran. Esta realidad no es algo que usted pueda impedir (a menos que sea usted responsable directo de esa muerte por negligencia). Esfuércese al máximo además recuerde que usted es valioso y lo que hace constituye una diferencia.

Quizás usted no sea miembro de un grupo religioso organizado, pero si lo es, entonces encontrará tranquilidad con sus creencias. La atención médica respalda la dignidad, el valor de la vida y lo sagrado de los individuos. El tener un sentido generoso de su propia espiritualidad le ayudará a mantener su vida en buena perspectiva.

3. De acuerdo con el informe de la madre, el paciente estuvo con apnea durante un periodo que se desconoce. ¿Cuál debería ser su siguiente acción?

El primer paso es asegurarse de que el paciente no puede reanimarse. Acople un monitor cardíaco y verifique la asistolia en dos derivaciones. Si encuentra actividad eléctrica, considere proceder con la RCP y siga sus protocolos locales para el ritmo cardíaco que se presente. Si el paciente muestra asistolia, o si hay otros signos de muerte evidentes, deje de manipular el cuerpo y exprese a la familia que sus datos claramente muestran que la persona murió y que no es posible cambiar la situación.

Además, notifique al despachador que debería enviar personal de la policía (si no lo hizo antes) y entrar en contacto con el médico forense. En la mayoría de los estados, este o un revisor médico tomará las decisiones sobre los escenarios del fallecimiento (p. ej., si se requiere una necropsia, a donde transportar al difunto, y quién firmará el certificado de defunción). Si nota algo de naturaleza sospechosa, no intente abordar sus preocupaciones con ningún pariente del difunto. Documente

USTED es el Paramédico RESUMEN continuación

sus hallazgos y dirija sus preocupaciones a la policía o el médico forense. En casi todas las regiones también es práctica estándar que el personal de la policía realice un reporte, incluso para casos de muerte por causas naturales evidentes, como el de una persona de edad avanzada con antecedente de cáncer.

4. Con base en sus interacciones previas con el paciente, ¿qué etapa del proceso de duelo considera que alcanzó?

Este paciente alcanzó la etapa de aceptación del duelo. Durante sus interacciones previas, usted observó que parecía preparado para su inevitable muerte y, sin embargo, mantenía una actitud positiva.

5. ¿Cómo explicará la situación a la familia? y ¿cuál es su responsabilidad con ellos?

El decir a la familia que un ser amado murió nunca es fácil. Sea directo. No "suavice" la situación y no utilice eufemismos para la muerte. Es importante utilizar la palabra "muerto" o "difunto" para ayudar a la familia a avanzar después de su negación. Deje que los familiares vean el cuerpo si así lo deciden, a menos que se trate de un potencial escenario criminal. Dé a la familia algún tiempo con el paciente para permitirle despedirse. Trate de disponer de un apoyo adicional, según sea necesario. Si lo solicitan, llame a un vecino, religioso u otros miembros de la familia, para que acudan. Nunca entre en contacto con personas a nombre de la familia sin su solicitud.

Probablemente la parte más desafiante es recordarse a sí mismo no tomar las cosas de manera personal si la familia está molesta. Pueden experimentar culpa, shock, negación o ira y debe reconocer que se trata de mecanismos de enfrentamiento que no están dirigidos hacia usted. Trátelos con respeto y empatía y déjeles pasar por su duelo mientras les ofrece asistencia con lo que pudieran requerir. A menudo, después que los miembros de la familia se acostumbran a la situación, se darán cuenta de cómo lo trataron y se disculparán; si eso ocurre, acéptelo sin dudar.

6. ¿Qué etapa muestra la madre del paciente en cuanto al proceso de duelo?

Ella parece estar en dos etapas, aún en la de negación, pero también tratando de negociar. Comprende que su hijo presenta una enfermedad terminal, pero aún tiene la esperanza de que el problema pueda detenerse. La muerte de su hijo es una realidad, no obstante, podría pasar rápidamente a la etapa de depresión.

La pérdida de un hijo es una experiencia traumática, sin importar su edad. Al paciente que usted puede auxiliar en esta situación es la madre, pregúntele qué puede hacer para ayudarla. Si le pide auxilio, sugiera grupos de apoyo que podrían ofrecerle por medio del hospital u otras agencias locales. Cada situación es diferente y debería manejarse con base en las necesidades del afligido.

7. ¿Cómo debería usted tratar la hostilidad del sobrino?

El primer paso es asegurarse de que se retira de una situación peligrosa, y solicite el apoyo de la policía si no se encuentra aún en camino o en el escenario. El retirarse de una situación peligrosa no significa que abandone a su paciente.

La conducta de una persona puede cambiar en un parpadeo durante situaciones críticas o cuando se enfrenta a la muerte. Utilice su intuición o instinto para ayudar a predecir cuándo se está desarrollando una situación hostil. Si usted está en contacto con la persona agresiva, escúchela sin discutir. Concéntrese en controlar sus emociones. Una persona molesta no escucha o razona bien; a menudo se activó su respuesta de luchar o huir. Es vital generar confianza con la persona, que se basa en la empatía y la comprensión. Aunque usted no desea decir, "sé cómo se siente", es importante recalcar, "le ayudaré si usted así lo desea", "hágame saber cómo puedo ayudarle". Recuerde retirar cualquier prejuicio personal y hacer el mejor de sus esfuerzos por comprender y aceptar.

8. ¿Cómo manejará usted sus propios sentimientos y el estrés relacionado con esta llamada?

Como nuevo paramédico, comprenda que no puede salvar a todos los pacientes. Con frecuencia necesita recordarse, "siempre proveeré la mejor atención posible en todas las situaciones, pero, no obstante, no todos los pacientes tendrán un resultado positivo". El manejar el estrés es parte de ser un paramédico. Cuando la situación involucra a un niño, un compañero de trabajo o un miembro de la familia, esto puede ser más difícil de manejar.

Esta llamada sería en particular estresante debido a su estructura mental frustrada en camino al rescate, seguida por el cambio súbito de emociones cuando arribó al escenario. Si bien la muerte puede ser estresante, la situación podría muy fácilmente ser desencadenante del estrés agudo. Hablar con su compañero debería ser el primer paso. Sin embargo, si usted se encuentra cada vez más irritable, no puede conciliar el sueño adecuadamente e ingiere más bebidas alcohólicas, o si detecta cualquier otro signo que indique que no está enfrentando bien el proceso, debe buscar ayuda profesional. La mayoría de los llamados para rescate no deberían alterar sus funciones cotidianas normales, pero si usted se encuentra preocupado durante semanas o meses después, tal vez esté experimentando el TEPT. Informe de cualquier preocupación a su supervisor de inmediato y siga las políticas de su departamento para buscar ayuda.

USTED es el Paramédico RESUMEN continuación

Reporte de atención de paciente prehospitalario (RAPP)					
Fecha: 01-12-22	**Incidente No.:** 1101034	**Naturaleza de la llamada:** posible paro cardíaco		**Localización:** Calle Solomon 984	
Despacho: 07:12	**En camino:** 07:13	**En el escenario:** 07:20	**Transporte:**	**En el hospital:**	**En servicio:** 07:35

Información del paciente	
Edad: 23 **Sexo:** M **Peso:** 70 kg	**Alergias:** NKDA **Medicamentos:** véase la lista (anexa) **Antecedentes médicos:** leucemia **Principal manifestación:** paro cardíaco

Signos vitales				
Hora: 07:21	**PA:** 0	**Pulso:** 0	**Respiraciones:** 0	**Spo$_2$:**
Hora:	**PA:**	**Pulso:**	**Respiraciones:**	**Spo$_2$:**
Hora:	**PA:**	**Pulso:**	**Respiraciones:**	**Spo$_2$:**

Tratamiento en SME (circule todo lo aplicable)				
Oxígeno @ __ L/min por (circular uno): **NC NRM Dispositivo de bolsa y mascarilla**		**Ventilación asistida**	**Dispositivo de la vía aérea**	**RCP**
Desfibrilación	**Detención de la hemorragia**	**Vendaje**	**Férula**	**Otro:** monitor cardíaco

Narración

Se despachó la unidad para un posible paciente con paro cardíaco. Se arribó al escenario y se encontró a un hombre de 23 años en posición supina apnéico y sin pulso. Había estado decaído por un tiempo desconocido. La madre declara que rehusó comer la noche anterior y que lo encontró "sin respirar" apenas antes de llamar al SEM. Paciente frío al tacto, sin signos evidentes de lesión, presenta livideces. El monitor cardíaco muestra asistolia en dos derivaciones. El paciente tiene el antecedente de leucemia y la madre declara "ha estado empeorando en el último mes", no estaba en una institución de cuidados paliativos. La madre declaró que no se "sentía bien" la noche anterior. Entró en contacto con el Centro de Control Médico por información y se aprobó retirar las maniobras de reanimación @ 0722. Se avisó al despacho para notificar a la policía y al médico forense de la muerte. Se estuvo en el escenario con el paciente y la familia hasta que se habló con el médico forense.

Fin del reporte

Kit de preparación

Resumen rápido

- Como paramédico, usted necesita saber cómo asegurar su propio bienestar.
- El bienestar tiene al menos cuatro dimensiones: física, mental, emocional y espiritual. Es indispensable mantener saludables y equilibradas las cuatro dimensiones.
- En la *Lista de Vida Simple 7* de la *American Heart Association* se identifican siete factores que mejoran la salud cardíaca: regular la PA, regular el colesterol, activarse, bajar de peso, disminuir la glucemia, comer mejor y no fumar.

Kit de preparación continuación

- La nutrición participa en el mantenimiento de la energía cotidiana y un cuerpo sano durante la vida. Las Guías Dietéticas para estadounidenses 2020-2025 del Departamento de Agricultura de EUA incluyen recomendaciones para la nutrición.
- Practicar técnicas de levantamiento y desplazamiento de pacientes apropiadas para proteger su cuerpo y prolongar su carrera.
  - Disminuir al mínimo el número de levantamientos de cuerpos que realice.
  - Coordinar cada levantamiento antes de realizarlo.
  - Disminuir al mínimo la cantidad total de peso que tiene que levantar.
  - Nunca haga el levantamiento con su espalda.
  - No cargue lo que puede llevar sobre ruedas.
  - Pida ayuda en cualquier momento que la necesite.
- Una enfermedad transmisible es cualquiera que se pueda diseminar de una persona a otra o de un animal a ésta. Las enfermedades infecciosas pueden transmitirse por contacto (directo o indirecto), o diseminarse por vía aérea, alimentos, o a través de vectores.
- Incluso si usted se expone a una enfermedad infecciosa, su riesgo de enfermar es bajo. El que ocurra infección aguda después de la exposición depende de varios factores, que incluyen la cantidad y el número de microorganismos infecciosos y su resistencia ante el proceso.
- Usted puede tomar varios pasos para protegerse contra la exposición a enfermedades infecciosas, incluido el mantenerse al día con las vacunaciones recomendadas, tomar las precauciones estándar en todo momento, manejar todas las agujas y otros objetos cortantes con gran cuidado.
- Debido a que a menudo es imposible detectar qué pacientes presentan enfermedades infecciosas, evite el contacto directo con la sangre y los líquidos corporales.
- Las precauciones estándar son medidas de protección diseñadas para prevenir que los trabajadores de atención prehospitalaria entren en contacto con microorganismos infecciosos que portan los pacientes. El lavado de manos apropiado es una de las formas más simples y, no obstante, más eficaces para evitar la transmisión de enfermedades. También use el EPP apropiado para la situación, el cual incluye guantes, batas, protección ocular, mascarillas y posiblemente otro equipo especializado.
- La regulación de las infecciones debería ser parte esencial de su actividad diaria. Asegúrese de seguir los pasos apropiados cuando enfrente una situación de potencial exposición. Sepa qué hacer si se expone a una enfermedad transmisible por vía aérea o sanguínea.
- Limpiar su ambulancia y equipo es parte de la protección de usted mismo y sus pacientes. La descontaminación del equipo y otras provisiones que potencialmente se expusieron a sustancias corporales requiere un sistema de limpieza diferente, en lugar de sólo agua y jabón; tal vez se requiera un desinfectante.
- Algunas situaciones pueden necesitar que los proveedores de atención prehospitalaria del SEM usen ropa contra ignición; guantes contra fuego, cascos, botas, protección ocular, auditiva y cutánea, o de ser necesario protección balística.
- Manténgase alerta cuando esté en actividad laboral. No dude en preguntar por políticas para responder o ingresar por primera vez a un escenario.
- Durante su carrera usted estará expuesto a muchos riesgos. Algunas situaciones serán peligrosas para usted o su tripulación, en cuyo caso debería estar adecuadamente protegido, o debe evitar del todo la situación.
- Los riesgos en el escenario pueden incluir los de tráfico, vehículos inestables, otros vehículos, transeúntes, la exposición potencial a materiales peligrosos, electricidad, fuego y rayos. Su seguridad es lo más importante. Nunca se acerque a un escenario sin observarlo primero desde una distancia prudente o segura.
- Las llamadas de rescate más peligrosas son las de todos los días, porque usted se siente cómodo con ellas y ello podría hacerle bajar la guardia.
- Su principal preocupación en cualquier escenario es la seguridad propia, así como la de los que lo rodean.
- La operación segura de un vehículo de emergencia es crucial para el paramédico, la tripulación, el paciente y otros motoristas.

Kit de preparación continuación

- Las reacciones al estrés pueden ser agudas, diferidas o acumulativas. El trastorno de estrés postraumático es un síndrome que se desarrolla después de un evento traumático, que pone en riesgo la vida. El manejo del estrés crítico incidental es un proceso desarrollado para enfrentar situaciones de estrés agudo. También puede buscar ayuda a través de un programa de asistencia de empleados.
- La fatiga por compasión, también conocida como trastorno de estrés secundario, se caracteriza por una disminución gradual de la compasión con el transcurso del tiempo. Sus signos y síntomas son similares a los del estrés acumulativo.
- Aprenda cómo aliviar eficazmente el estrés de manera que no afecte su bienestar. Tome las acciones apropiadas. Las técnicas iniciales de manejo del estrés incluyen las siguientes:
  - Respiración profunda regulada.
  - Relajación progresiva.
  - Asistencia profesional.
- Las reacciones de los pacientes al estrés pueden incluir temor, ansiedad, depresión, ira, confusión, negación, regresión, proyección y desplazamiento.
- Usted no es inmune al estrés de las situaciones de emergencia y pudiese experimentar muchos sentimientos; no todos placenteros.
- El agotamiento es consecuencia de un estrés crónico no aliviado.
- Como paramédico, usted estará presente cuando las personas nacen y mueren. El paciente moribundo podría estar al tanto del hecho y quizás desee hablar al respecto. Prepárese para escuchar y ser empático; usted puede ser la última persona que el paciente ve o con la que habla.
- Esté alerta de aquellos cambios en su comportamiento y el de sus compañeros de trabajo, que podrían indicar un riesgo de suicidio. Busque profesionales específicamente entrenados para ayudar, y saque ventaja de recursos como los procesos de PAE y MEIC.

Vocabulario esencial

Agotamiento La pérdida de fortaleza física o emocional.

Contacto directo Exposición a una enfermedad transmisible o su contagio de una persona a otra por contacto físico.

Contacto indirecto Exposición a la transmisión de enfermedad de una persona a otra por contacto con un objeto inanimado contaminado.

Control de las infecciones Procedimientos para disminuir la transmisión de infecciones entre pacientes y el personal de atención sanitaria.

Desplazamiento Un mecanismo de defensa caracterizado por la redirección de una emoción de una persona a otra.

Enfermedad infecciosa Aquella causada por la proliferación y diseminación de microorganismos lesivos dentro del cuerpo, o que es capaz de transmitirse con o sin contacto directo.

Enfermedad transmisible Cualquier padecimiento que se pueda diseminar de una persona a otra o de un animal a una persona.

Estrés Una reacción del cuerpo ante cualquier sujeto o situación que requiere adaptación de la persona.

Factor estresante Cualquier sujeto o situación que cause estrés, ya sea bueno o malo.

Fatiga por compasión También conocida como trastorno de estrés secundario; una afección caracterizada por la disminución gradual de la compasión con el transcurso del tiempo.

Histeria de conversión Una reacción en la que una persona de manera subconsciente transforma su ansiedad en una disfunción corporal. Tal vez no pueda ver u oír, o quizás presente parálisis parcial.

Incidente crítico Un evento que supera la capacidad de enfrentamiento, ya sea en el escenario o después.

Infección Infección de un huésped o sus tejidos por microorganismos como bacterias, virus o parásitos, que pueden o no causar signos o síntomas de enfermedad.

Manejo del estrés por incidentes críticos (MEIC) Un proceso en el que se recurre a asesores

Kit de preparación continuación

entrenados que confrontan las respuestas a incidentes críticos, y ayudan a calmarlas, dirigen al personal de servicios de emergencia hacia el equilibrio físico y emocional.

Mecanismos de defensa Formas psicológicas de aliviar el estrés, que suelen ser automáticas o inconscientes; incluyen negación, regresión, proyección y desplazamiento.

Microorganismos patógenos de transmisión hemática Aquellos presentes en la sangre humana y que pueden causar enfermedad, por ejemplo: virus de la hepatitis B y de la inmunodeficiencia humana, entre otros.

Negación Una respuesta temprana a una emergencia médica grave, que se aminora o disminuye al mínimo. La negación es el primer mecanismo de enfrentamiento de las personas que creen que van a morir.

Pánico ciego Una reacción de miedo que desencadena la pérdida total del juicio es especialmente peligrosa, ya que puede generar un pánico colectivo en los demás.

Precauciones estándar Las medidas de protección diseñadas por los *Centers for Disease Control and Prevention* para prevenir la exposición a enfermedades transmisibles a través de objetos, sangre, líquidos corporales, o similares, son ampliamente utilizadas en la actualidad.

Programa de asistencia de empleados (PAE) Un programa de asesoramiento para ayudar con situaciones que quizás afecten la salud y el bienestar de los proveedores de atención prehospitalaria del SEM.

Proyección Un mecanismo de defensa caracterizado por el desvío de la culpa hacia otros por sentimientos, motivos o deseos inaceptables.

Reacción de estrés agudo Aquella que se presenta durante una situación tensa.

Reacción de estrés diferida La tensión que sigue a una situación estresante.

Reacciones de estrés acumulativas Tensión prolongada o excesiva.

Regresión Un mecanismo de defensa caracterizado por el retorno a una conducta infantil mientras se enfrenta el estrés.

Respuesta de luchar o huir Una reacción fisiológica ante un factor de estrés importante y que ayuda a la persona a abordar la situación; incluye aumento del tono simpático y causa dilatación de pupilas, aumento de la frecuencia cardíaca, dilatación bronquial, movilización de glucosa, desviación de sangre del tubo digestivo al encéfalo y aumento del flujo sanguíneo a los músculos esqueléticos.

Transmisión La transmisión de un microorganismo patógeno de un individuo a otro puede ocurrir por medio de diferentes vías, que incluyen el contacto directo o indirecto, la vía respiratoria, la alimentaria, y a través de vectores como insectos o roedores.

Transmisión aérea La diseminación de un microorganismo en forma de aerosol, gotitas o polvo.

Trastorno de estrés postraumático (TEPT) Una reacción de estrés tardía ante un suceso previo, generalmente se debe a uno o varios aspectos no resueltos relacionados con el incidente en cuestión.

Referencias

1. Centers for Disease Control and Prevention. Quarantine and isolation. https://www.cdc.gov/quarantine/. Actualizado el 29 de septiembre de 2017. Consultado el 25 de febrero de 2021.
2. BJ Maguire, S Smith. Injuries and fatalities among emergency medical technicians and paramedics in the United States. *Prehosp Disaster Med.* 2013;28(4):376-382
3. Bureau of Labor Statistics. Occupational employment statistics. https://www.bls.gov/oes/current/oes_nat.htm. Modificado el 31 de marzo de 2020. Consultado el 30 de diciembre de 2020.
4. National Highway Traffic Safety Administration. The National Highway Traffic Safety Administration and ground ambulance crashes. Abril de 2014. https://www.naemt.org/Files/HealthSafety/2014%20NHTSA%20Ground%20Amublance%20Crash%20Data.pdf. Consultado el 25 de febrero de 2021.
5. US Department of Agriculture. Dietary guidelines for Americans, 2020–2015. 9th ed. https://www.dietaryguidelines.gov/sites/default/files/2020-12/Dietary_Guidelines_for_Americans_2020-2025.pdf. Publicado en diciembre de 2020. Consultado el 25 de febrero de 2021.

Kit de preparación continuación

6. US Department of Agriculture. Choose MyPlate. https://www.myplate.gov/. Consultado el 25 de febrero de 2021.
7. American Heart Association. Target heart rates chart. https://www.heart.org/en/healthy-living/fitness/fitness-basics/target-heart-rates#.V9q9TpgrKhc. Actualizado el 4 de enero de 2015. Consultado el 25 de febrero de 2021.
8. Centers for Disease Control and Prevention. Outbreak of lung injury associated with the use of e-cigarette, or vaping, products. https://www.cdc.gov/tobacco/basic_information/e-cigarettes/severe-lung-disease.html. Actualizado el 25 de febrero de 2020. Consultado el 25 de febrero de 2021.
9. RH Shmerling. Can vaping damage your lungs? What we do (and don't) know. Harvard Health Publishing blog. https://www.health.harvard.edu/blog/can-vaping-damage-your-lungs-what-we-do-and-dont-know-2019090417734. Actualizado el 10 de diciembre de 2019. Consultado el 25 de febrero de 2021.
10. National Institute for Occupational Safety and Health. Emergency medical services workers: injury data. Centers for Disease Control and Prevention website. https://www.cdc.gov/niosh/topics/ems/data.html. Consultado el 10 de mayo de 2021.
11. BJ Maguire, BJ O'Neill, S Phelps, PM Maniscalco, DH Gerard, KA Handal. COVID-10 fatalities among EMS clinicians. EMS1. https://www.ems1.com/ems-products/personal-protective-equipment-ppe/articles/covid-19-fatalities-among-ems-clinicians-BMzHbuegIn1xNLrP/. Publicado el 25 de septiembre de 2020. Consultado el 13 de octubre de 2020.
12. Centers for Disease Control and Prevention. Guideline for hand hygiene in health-care settings: Recommendations of the Healthcare Infection Control Practices Advisory Committee and the HICPAC/SHEA/APIC/IDSA Hand Hygiene Task Force. *MMWR*. 2002;51(RR-16):1-45, quiz CE1-4.
13. JD Siegel, E Rhinehart, M Jackson, L Chiarello, Healthcare Infection Control Practices Advisory Committee. 2007 guideline for isolation precautions: preventing transmission of infectious agents in healthcare settings. https://www.cdc.gov/infectioncontrol/pdf/guidelines/isolation-guidelines-H.pdf. Actualizado en julio de 2019. Consultado el 26 de febrero de 2021.
14. Centers for Disease Control and Prevention, National Institute for Occupational Safety and Health. Bloodborne infectious diseases: HIV/AIDS, hepatitis B, hepatitis C. http://www.cdc.gov/niosh/topics/bbp/default.html. Actualizado el 7 de septiembre de 2016. Consultado el 26 de febrero de 2021.
15. Centers for Disease Control and Prevention. COVID-19 vaccination. https://www.cdc.gov/vaccines/covid-19/index.html. Actualizado el 20 de diciembre de 2020. Consultado el 25 de febrero de 2021.
16. Centers for Disease Control and Prevention. Vaccines & immunizations. http://www.cdc.gov/vaccines/index.html. Actualizado el 16 de febrero de 2021. Consultado el 26 de febrero de 2021.
17. Centers for Disease Control and Prevention. When and how to wash your hands. http://www.cdc.gov/handwashing/when-how-handwashing.html. Actualizado el 24 de noviembre de 2020. Consultado el 26 de febrero de 2021.
18. Centers for Disease Control and Prevention. Clean hands count for healthcare providers. https://www.cdc.gov/handhygiene/providers/index.html. Revisado el 31 de enero de 2020. Consultado el 30 de diciembre de 2020.
19. World Health Organization. Global tuberculosis report 2020. https://apps.who.int/iris/bitstream/handle/10665/336069/9789240013131-eng.pdf. Consultado el 26 de febrero de 2021.
20. National Institute of Justice. Ballistic Resistance of Body Armor, NIJ Standard 0101.06. https://www.ncjrs.gov/pdffiles1/nij/223054.pdf#page=17. Publicado en julio de 2020. Consultado el 30 de diciembre de 2020.
21. BJ Maguire, BJ O'Neill. Emergency medical service personnel's risk from violence while serving the community. *Am J Public Health*. 2017;107(11):1770-1775
22. H Selye. Stress without distress. En: SerbanG, ed. *Psychopathology of Human Adaptation*. Boston, MA: Springer; 1976. https://doi.org/10.1007/978-1-4684-2238-2_9.
23. TH Holmes, RH Rahe. The Social Readjustment Rating Scale. *J Psychosom Res*. 1967;11(2):213-218
24. American Psychological Association. Stress effects on the body. https://www.apa.org/topics/stress/body. Publicado el 1o. de noviembre de 2018. Consultado el 26 de febrero de 2021.
25. E Kübler-Ross. *On Death and Dying*. New York, NY: Macmillan; 1969.
26. C Newland, E Barber, M Rose, A Young. Survey reveals alarming rates of EMS provider stress and thoughts of suicide. *JEMS*. 2015;40(10):30-34. https://www.jems.com/special-topics/survey-reveals-alarming-rates-of-ems-provider-stress-and-thoughts-of-suicide/. Consultado el 26 de febrero de 2021.

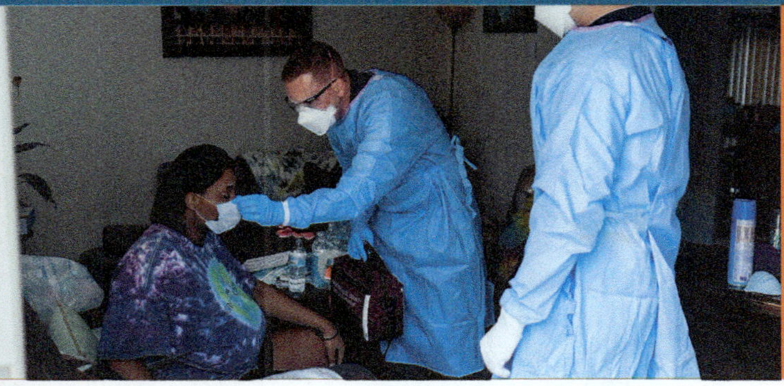

Capítulo 3

Comunicaciones

COMPETENCIAS DEL ESTÁNDAR NACIONAL DE EDUCACIÓN EN EL SEM

Preparación

Integra un amplio conocimiento del sistema de los SEM, la seguridad y el bienestar del paramédico, cuyo objetivo es mejorar la salud del personal de los SEM, los pacientes y la comunidad.

Comunicación del sistema SEM

Comunicación necesaria para

- Solicitar recursos (pp. 94-97).
- Transferir la atención al paciente (pp. 111-113).
- Interactuar dentro de la estructura del equipo (pp. 94-95).
- Sistema de comunicación del SEM (pp. 98-99).
- Comunicación con otros profesionales de la salud (p. 113).
- Comunicación y dinámica en equipo (pp. 93-95).

Comunicación terapéutica

Principios de la comunicación con los pacientes de forma que se obtenga una relación positiva

- Técnicas de entrevista (pp. 114-115).
- Adaptar las estrategias de comunicación a la edad, la etapa de desarrollo, los pacientes con necesidades especiales y las diferentes culturas (pp. 115-116).
- Estrategias de desactivación verbal (p. 117).
- Cuestiones de presencia familiar (pp. 113-114, 121-122).
- Cómo tratar a los pacientes difíciles (pp. 117-118).
- Factores que afectan la comunicación (p. 124).

Terminología médica

Integra terminología médica, anatómica completa y abreviaturas en la comunicación escrita y oral con otros profesionales de la salud.

OBJETIVOS COGNITIVOS

1. Analizar la importancia de una comunicación eficaz durante la prestación de atención médica de emergencia. (pp. 92-93).
2. Describir el lazo de comunicación y cómo se utiliza con eficacia. (pp. 93-94).
3. Enumerar las barreras que impiden una comunicación verbal eficaz. (pp. 93-94).
4. Explicar la importancia del despacho de emergencias médicas (DEM) y las instrucciones previas a la llegada de los servicios de emergencias médicas (SEM). (pp. 95-96).
5. Explicar el papel del despachador de emergencias médicas en una respuesta típica de los SEM. (pp. 95-98).
6. Describir los componentes, la función y el uso del sistema local de comunicaciones para despacho. (pp. 99-101).
7. Enumerar las fases del despacho de emergencias DEM. (p. 97).
8. Explicar los conceptos básicos de las radiocomunicaciones. (pp. 98-99).
9. Enumerar los componentes de los sistemas de comunicaciones. (pp. 99-101).

10. Diferenciar entre los siguientes tipos de tecnologías de la comunicación:
    - Sistemas de radio símplex (p. 99).
    - Sistemas de radio dúplex (p. 99).
    - Sistemas de radio múltiplex (p. 100).
    - Sistemas de radio digitales (p. 100).
    - Repetidoras (p. 100).
    - Sistemas de radio troncales digitales (p. 101).
    - Tecnología celular (p. 102).
    - Biotelemetría (p. 104).
    - Redes informáticas (pp. 104-105).
11. Definir la interoperabilidad, incluida su importancia durante acontecimientos a gran escala. (p. 101).
12. Reconocer la condición legal protegida de la información de salud del paciente. (pp. 103, 107, 114).
13. Describir las funciones y responsabilidades de la *Federal Communications Commission*. (p. 98).
14. Describir las fases de comunicación necesarias para completar una respuesta típica de los SEM. (pp. 108-109).
15. Describir el formato para reportar la información fundamental de la evaluación del paciente al control médico. (pp. 110-111).
16. Describir la importancia de la comunicación verbal eficaz de la información del paciente al hospital. (p. 110).
17. Enumerar los factores que pueden mejorar la comunicación verbal. (p. 93).
18. Identificar los factores internos y externos que afectan las entrevistas con pacientes y transeúntes. (p. 128).
19. Analizar las estrategias para desarrollar una buena relación con el paciente. (pp. 113-114).
20. Proporcionar ejemplos de preguntas abiertas y cerradas. (pp. 114-115).
21. Analizar estrategias de entrevista para obtener información útil de un paciente. (pp. 115-116).
22. Analizar los errores más comunes que deben evitarse al entrevistar a un paciente. (pp. 116-117).
23. Identificar las habilidades no verbales que se utilizan al entrevistar a un paciente. (p. 117).
24. Describir las estrategias que se utilizan al entrevistar a un paciente hostil o potencialmente violento. (pp. 117-118).
25. Hacer un resumen de las consideraciones sobre el desarrollo de los distintos grupos de edad que influyen en la entrevista con el paciente. (pp. 118-119).
26. Analizar las técnicas que se utilizan al entrevistar a pacientes con dificultades especiales. (pp. 120-121).
27. Definir la competencia cultural. (p. 121).
28. Analizar las consideraciones relativas a las entrevistas utilizadas en las comunicaciones interculturales. (p. 122).
29. Proporcionar ejemplos de medicina popular tradicional, incluyendo por qué es importante comprender esas prácticas. (pp. 122-124).

OBJETIVOS DE DESTREZAS

En este capítulo no hay objetivos de destrezas.

Introducción

Este capítulo trata sobre la comunicación, incluyendo cómo comunicarse de manera eficaz y cómo utilizar las distintas tecnologías de la comunicación. La capacidad de comunicarse con claridad es una habilidad fundamental de los servicios de emergencias médicas (SEM) y uno de los factores más importantes en las operaciones de estos. Debe ser capaz de comunicarse con el centro de despacho para recibir la información necesaria para responder a una llamada de emergencia. También tendrá que comunicarse con otros miembros del sistema de los SEM, incluidos su compañero, otros respondientes, así como el personal médico y no

Documentación y comunicación

Comunicar: transmitir información, pensamientos o sentimientos para que sean recibidos o comprendidos de manera satisfactoria.
Comunicación: proceso mediante el cual se intercambia información entre individuos a través de un sistema común de símbolos, signos o comportamiento.
Comunicación: tecnología de transmisión de la información (p.ej., mediante la impresión o las telecomunicaciones).[1]

médico del hospital. Además, se debe comunicar con eficacia con los pacientes, los familiares y transeúntes, que en situación de emergencias médicas están sometidos a un estrés considerable.

Hay muchos factores que pueden influir en la eficacia de la comunicación, como el estilo de comunicación, el nivel de conocimientos, la capacidad de escuchar y comprender, la capacidad de transmitir información con precisión y la experiencia vital. La comunicación también se puede ver afectada por el tono de voz (especialmente en la radio o por teléfono), el lenguaje corporal (fundamental en las interacciones cara a cara) y su capacidad para utilizar la tecnología.

Teoría de la comunicación

La comunicación es un proceso o lazo tanto interactivo como circular (**FIGURA 3-1**). Empieza con el emisor, que formula y codifica el mensaje que va a enviar. La *codificación* implica determinar las palabras o ideas que se van a enviar y dar formato a la información para

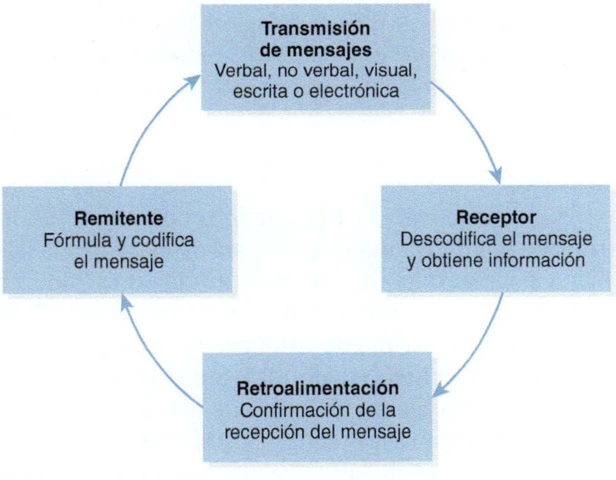

FIGURA 3-1 El lazo de la comunicación.

su transmisión. A continuación, el mensaje se transmite al receptor, quien recibe y descodifica el mensaje para descubrir la información transmitida. Aunque existen muchos métodos para transmitir información, los más utilizados en los SEM son los siguientes:

- Verbal.
- No verbal (lenguaje de señas, lenguaje corporal, expresiones faciales, etcétera).
- Escrito.
- Visual (fotografías, imágenes, gráficas, trazados de electrocardiogramas [ECG], etcétera).
- Electrónico (voz, datos, texto, imágenes y video).

El último paso de una comunicación eficaz es la retroalimentación, que es la confirmación por parte del receptor de que el mensaje se ha recibido de forma correcta. La retroalimentación también permite aclarar el mensaje si no estaba claro. Este paso completa el lazo de comunicación. Un ejemplo sencillo del lazo de comunicación en acción podría ser el siguiente:

- **Despachador:** *Paramédico 1, Central de despacho, accidente de tráfico, responda Prioridad 1 a la intersección de Calle Oeste y Calle Tres.* (La información se codifica y se transmite).
- **Paramédico:** *Central de despacho, Paramédico 1 enterado, respondiendo Prioridad 1 a Calle Oeste y Calle Tres.* (La información es recibida, decodificada, entendida y confirmada).

Barreras para una comunicación eficaz

Como proveedor del SEM se encontrará con una amplia variedad de posibles barreras a la comunicación en sus interacciones con los pacientes, familiares y transeúntes. Estas dificultades pueden incluir barreras lingüísticas, problemas de visión o audición, trastornos cognitivos o confusión, trastornos psiquiátricos, abuso de sustancias, enfermedades preexistentes, falta de capacidad de comprensión, estrés y prejuicios.

USTED es el Paramédico

PARTE 1

Un hombre mayor no se siente bien. Su familia se preocupa y activa el sistema del SEM llamando al 9-1-1.

1. Como paramédico del sistema del SEM, ¿cómo se le notificará la ubicación y la naturaleza del incidente?
2. ¿Qué hará el despachador mientras usted se dirige al lugar de los hechos?
3. ¿Cómo se comunicará con los demás respondientes y dependencias implicadas en la respuesta a la emergencia?

Para minimizar estas barreras, hay que adaptar la forma de comunicarse. Si trabaja con un paciente que habla otro idioma, y usted tiene un vocabulario limitado en ese idioma, recurra a un intérprete calificado siempre que sea posible. Esta práctica ayuda a reducir el riesgo de omitir información fundamental o de utilizar la palabra equivocada, lo que podría causar confusión o resultar insultante para el paciente.

Es posible que cuando interactúe con sus compañeros de trabajo o con otros miembros del sistema del SEM también se encuentre con obstáculos en la comunicación, como el uso de terminología o definiciones diferentes por parte de otras oficinas o jurisdicciones, problemas de interoperabilidad (compatibilidad tecnológica) y fallas en el sistema de comunicaciones. En este capítulo se explica cómo afrontar cada uno de estos retos.

Por último, su actitud y comportamiento pueden afectar a la comunicación. Por ejemplo, el mensaje que se envía (intencional o no) cuando se atiende a un paciente sin hogar puede ser diferente de aquel que se envía a un residente bien vestido de una zona residencial exclusiva. Trate de manera profesional y lo mejor que pueda a todos los pacientes que atienda, al margen de sus circunstancias.

Respuesta a la llamada de servicios de emergencias médicas

Gestión de los recursos de personal

Durante la década de 1980, varios accidentes aéreos catastróficos llevaron a la industria aérea a examinar qué había fallado. Uno de los problemas más importantes fue la falta de comunicación entre los pilotos y los demás integrantes de la tripulación. En muchas ocasiones, los copilotos y otros integrantes de la tripulación se daban cuenta de que había problemas, pero no querían hablar o cuestionar el juicio del piloto debido a la cultura imperante en la cabina, o eran ignorados cuando informaban de una situación peligrosa. Esta falta de comunicación llevó a los pilotos al mando a tomar decisiones erróneas que provocaron accidentes que costaron muchas vidas.

La **gestión de los recursos de personal** (**CRM**, por sus siglas en inglés) es una práctica operativa desarrollada por la Fuerzas Aéreas de Estados Unidos y el sector de las líneas aéreas para mejorar la comunicación y el trabajo en equipo y reducir los errores previsibles. Implica a todos los integrantes de la tripulación en la seguridad del vuelo, animándolos a prestar atención, expresar sus preocupaciones y participar en el proceso de toma de decisiones. Se espera de ellos que cuestionen cualquier decisión que no consideren segura o acertada. Los servicios de vuelo utilizan un concepto de cabina estéril, lo que significa que toda la atención se centra en la seguridad de la tripulación y del entorno durante el despegue y el aterrizaje. Los SEM también deben aplicar este concepto cuando responden a las llamadas y durante el traslado de los pacientes. Se debe eliminar cualquier estímulo externo innecesario y evitar las conversaciones ajenas a la llamada. La esencia de la CRM es el trabajo en equipo que se basa en una comunicación eficaz. Utiliza todos los recursos disponibles para maximizar la seguridad. Las fuerzas armadas y muchos entornos de salud, incluido el sector del transporte médico aéreo (helicóptero y ala fija) han adaptado los principios de la CRM.

SEGURIDAD

El uso de la CRM en los SEM implica el trabajo en equipo y una comunicación eficaz entre todos los integrantes del equipo de respuesta. Permite que todos estén en sintonía y reduce el riesgo de errores derivados de la falta de conocimiento de los riesgos reales o posibles para el paciente o los respondientes.[2]

En la práctica, la CRM empieza con una reunión informativa previa mientras se está de camino a la llamada. Por ejemplo, cuando se responde a un accidente de tráfico con un informe de múltiples pacientes, la planeación previa puede implicar la designación de quién estará a cargo, quién realizará el triage y quién iniciará el tratamiento. Después de que los proveedores del SEM llegan a la escena, la CRM implica comprobaciones y actualizaciones frecuentes, reevaluaciones de la situación y ajustes del plan según sea necesario. Los integrantes del equipo deben cotejar entre sí cuando exista un alto riesgo de errores; por ejemplo, deben comprobar dos veces las dosis de los medicamentos cuando traten a un paciente pediátrico. Cada integrante del equipo es responsable de mantener el conocimiento de la situación y de informar a los demás de un problema potencial o de una situación de riesgo. Del mismo modo, las preocupaciones expresadas por cualquier integrante del equipo deben ser tomadas en serio por el resto del equipo.

La capacitación y la práctica de la CRM deberían formar parte de la educación de los SEM. De hecho, ahora se incorpora en la Cartera de competencias psicomotoras para paramédicos del Registro nacional de técnicos en emergencias médicas de Estados Unidos.[3]

Etapas del despacho de los SEM

La mayoría de los sistemas del SEM responde las llamadas al 9-1-1 para recibir el apoyo de emergencia médica a través de un sistema de **despacho de emergencias médicas (DEM)**. Este sistema está diseñado para satisfacer las necesidades únicas de la respuesta de los SEM y de las personas que llaman para reportar una emergencia médica. El término **despacho** significa enviar a un destino específico o a una tarea; sin embargo, el despachador de emergencias médicas hace mucho más que solo mandar ambulancias. Él funciona como una parte vital del equipo de los SEM. Obtiene toda la información posible sobre la emergencia, determina qué recursos son necesarios y envía los vehículos y el personal adecuados al lugar de los hechos. En algunos sistemas, el proceso de DEM también incluye instrucciones de atención médica de emergencia para la persona que llama al 9-1-1. El despachador monitorea y coordina las comunicaciones con quien llama, supervisa y coordina la comunicación con el personal en campo durante todas las etapas de la respuesta, localiza y envía recursos adicionales en caso necesario y mantiene registros escritos y electrónicos de la llamada.[4]

El despacho de emergencias de los SEM es un componente clave del sistema general de seguridad pública. Una respuesta del SEM casi siempre incluirá una ambulancia, pero también puede contar con unidades de bomberos, de rescate o de las fuerzas del orden. Como paramédico, usted debe entender cómo funcionan los sistemas de ambulancias y de despacho en general en su área.

Todas las llamadas a los SEM se originan cuando alguien —por lo general una persona en el público— reconoce que existe una posible emergencia médica y lo comunica al sistema local de respuesta a emergencias. En la mayor parte de Estados Unidos y en algunos otros países, este paso se realiza llamando al 9-1-1. Esta llamada telefónica se dirige de manera automática a un **punto de respuesta de seguridad pública** (**PSAP**, por sus siglas en inglés). Un PSAP primario puede enviar recursos de forma directa o dirigir la llamada a un PSAP secundario, como un centro de despacho especializado en SEM.

Recopilación de información

Cuando una persona llama pidiendo una ambulancia, a menudo se encuentra angustiada. Este estado emocional puede interferir en su capacidad para transmitir información. El método más eficaz para obtener información de una persona que llama bajo estrés es utilizar una serie de preguntas cortas. Cuando se recibe una llamada al 9-1-1, el despachador intentará obtener la siguiente información:

- **La ubicación exacta del paciente o pacientes.** Esta información incluye el nombre y el número de la calle, la ubicación geográfica correcta (p. ej., si la calle es East Maple o West Maple) y el nombre del barrio (porque las ciudades adyacentes pueden tener calles con el mismo nombre). Si la llamada procede de una zona rural, el despachador intentará establecer las marcas de referencia (como la calle transversal o el establecimiento comercial, la torre de agua o la antena más cercanos).
- **El número de teléfono de la persona que llama.** Esta información es fundamental si la llamada se desconecta o si el despachador necesita volver a llamar para obtener más información. Es frecuente que los respondientes no encuentren la dirección y tengan que pedir ayuda a la persona que llamó. Solicitar el número de teléfono de quien llama también ayuda a evitar las llamadas molestas, ya que los bromistas son reacios a proporcionar su número de teléfono.
  - Muchas zonas tienen **sistemas 9-1-1 mejorados** en los que gran parte de esta información, como el número de teléfono y la ubicación de la persona que llama, es determinada y mostrada de forma automática por la terminal de computadora del despacho. Sin embargo, no todos los sistemas tienen esta capacidad. Incluso si se trata de un sistema mejorado, el número de teléfono celular generado puede ser genérico, no el número real de quien llama. Los despachadores comprobarán por duplicado la información proporcionada por la persona que llama.
  - En las zonas con sistemas 9-1-1 inalámbricos (celulares) mejorados, los despachadores pueden ver el número del teléfono inalámbrico (celular) desde el que se realizó la llamada y, en muchos casos, la latitud y longitud de la ubicación de la persona que llama desde el receptor del sistema de posicionamiento global (GPS, por sus siglas en inglés) del teléfono. Esta tecnología puede ser útil para localizar el origen de las llamadas inalámbricas desde lugares remotos.
- **Motivo de la llamada a los SEM.** Esta información es la percepción de la persona que llama sobre la naturaleza de la emergencia.
- **Información sobre el estado del paciente.** Obtener información más específica ayudará a que el despachador evalúe la emergencia de la situación y decida si la persona que llama necesita recibir por teléfono instrucciones previas a la llegada. El despachador debe preguntar:

  - ¿Está consciente el paciente?
  - Si no lo está, ¿respira?
  - ¿Está sangrando mucho?
- **Detalles sobre la ubicación.** El despachador tratará de obtener información adicional que ayude a los respondientes a tener acceso a la escena de la forma más rápida y segura posible, por ejemplo, si la puerta de la residencia está cerrada con llave o si hay mascotas.
- **Información sobre la situación.** Esta información permite al despachador estimar la magnitud de la emergencia e identificar los recursos necesarios. Por ejemplo, si se trata de un accidente de tráfico, el despachador debe preguntar lo siguiente:
  - Los tipos de vehículos implicados (sedán, camiones, motocicletas, autobuses, etcétera).
  - Si se trata de un camión comercial, ¿sabe la persona que llama qué tipo de carga transporta? Un camión que transporta materiales peligrosos requiere de un manejo diferente al que transporta plátanos.
  - Número de heridos y una estimación del alcance de las lesiones.
  - Peligros aparentes en el lugar de los hechos, como tráfico intenso, cables eléctricos caídos, fuego, productos químicos derramados y olores peculiares. La información sobre estos peligros permite al despachador ponerse en contacto con otras dependencias que puedan necesitar ayuda, como los trabajadores de los servicios públicos para el manejo de cables caídos o los equipos de materiales peligrosos para ocuparse del combustible o los productos químicos derramados.

Perlas de sabiduría

Durante la pandemia de COVID-19, los despachadores también buscaron información sobre enfermedades infecciosas que pudiera tener el paciente. Si existe la posibilidad de exposición, el equipo del SEM puede decidir enviar al lugar a un solo proveedor que esté totalmente cubierto con el EPP adecuado para evaluar al paciente. Si se necesitan recursos adicionales, el proveedor que entró en contacto con el paciente los puede solicitar. Este enfoque reduce la posibilidad de exposición de todo el equipo en cada llamada. Los despachadores también pueden pedir al paciente que se reúna con los proveedores del SEM en el exterior en vez de que estos entren en el domicilio.

Despacho

Tan pronto como el despachador haya obtenido la dirección de la emergencia, el número de teléfono de la persona que llama y la naturaleza de la emergencia, pedirá a quien llama que espere en la línea. En función de la naturaleza de la llamada, de su localización y de los recursos disponibles, el despachador determina los recursos que se deben enviar. A continuación, notifica estos recursos y les informa sobre la naturaleza de la llamada y su ubicación exacta. El despacho se puede realizar por radio, teléfono, dispositivo móvil con función de pulsar para hablar (PTT, por sus siglas en inglés), localizador o terminal de computadora. Aun cuando este proceso por lo general se realiza en un centro de despacho, la tecnología ha permitido que los despachadores de los servicios que responden en áreas remotas o rurales realicen esta tarea desde su casa con el uso de una computadora portátil y una línea telefónica dedicada.

Una vez enviada la ambulancia, el despachador volverá a hablar con la persona que ha llamado para obtener el resto de la información que describió con anterioridad. Es posible que otras preguntas den a conocer circunstancias especiales que podrían afectar la respuesta. El despachador transmitirá esta información mientras la unidad de respuesta esté en camino. Este proceso permite al equipo del SEM determinar si debe responder utilizando las luces y la sirena (según los protocolos locales), anticiparse y prepararse para las tareas que se puedan necesitar en la escena.

Despacho asistido por computadora

La mayoría de los sistemas del SEM utiliza sistemas de **despacho asistido por computadora (DAC)**, que hacen uso de computadoras conectadas al centro de despacho y terminales de datos móviles (TDM) instaladas en vehículos. El sistema DAC permite al despachador ver toda la información sobre la llamada, incluida la recibida de la persona que llama, la hora de los acontecimientos y las indicaciones visuales que enumeran las preguntas clave que se deben hacer a la persona que llama. También puede mostrar información adicional proporcionada por el sistema 9-1-1 mejorado, como mapas, la ruta más rápida al lugar de la escena, llamadas anteriores a la misma dirección, riesgos y peligros conocidos en el lugar (p. ej., productos químicos tóxicos almacenados en un negocio, mascotas potencialmente peligrosas). El sistema DAC puede hacer recomendaciones sobre las unidades del SEM que se deben enviar en función de la ubicación y los tiempos de respuesta. A través del sistema DAC, el despachador puede enviar toda esta información al equipo del SEM que responde a través de TDM, y los integrantes del equipo podrán ver la información mostrada en la terminal de DAC.

Consejos para la persona que llama

Después de dirigir los recursos necesarios (ambulancia, bomberos, rescate, orden policiaco, etc.) al lugar de los hechos y avisar a los respondientes de cualquier circunstancia especial, el despachador regresará al teléfono e informará a la persona que llama de lo que se está haciendo (p. ej., "Una ambulancia está en camino y deberá llegar en unos 5 minutos"). Si el paciente tiene una emergencia potencialmente mortal, el despachador, a través del programa DEM, puede proporcionar instrucciones médicas a la persona que llama en lo que llega la asistencia. Estas pueden incluir una serie de técnicas de atención médica de emergencia, como mantener la vía aérea, aplicar compresiones torácicas, usar un desfibrilador externo automático (DEA) o controlar una hemorragia. Es probable que la persona que llama esté alterada, por lo que las instrucciones del despachador deben ser claras y directas.

Comunicación continua con las unidades de respuesta en el campo

El despachador siempre debe estar al tanto de lo que ocurre en el campo y mantenerse en contacto con la ambulancia y los demás respondedores. Como ya se mencionó, el despachador es el recurso de los proveedores del SEM que responden para ponerse en contacto con otras dependencias, como los bomberos, el rescate y la policía, cuya presencia puede ser necesaria en la escena. El despachador también puede solicitar cualquier recurso especializado que quizá sea necesario, como extracción pesada o transporte médico aéreo, así como coordinar la comunicación entre la ambulancia y el control médico (que se trata más adelante en este capítulo) o ayudar a determinar el centro de destino correspondiente.

En el **CUADRO 3-1** se presenta un resumen de las etapas del proceso de despacho de emergencias médi-

CUADRO 3-1 Etapas del Despacho de Emergencias Médicas

Etapas del despacho/información recopilada	Acción del despachador
• Recepción inicial de la llamada al 9-1-1.	• Atiende inmediatamente la llamada telefónica. • Se identifica como agencia.

• Recopilación de información:
  • Dirección/ubicación del incidente.
  • Número al cual llamar en caso de que se corte la llamada.
  • Emergencia percibida.
  • Nombre y estado del paciente.
  • En caso de un accidente de tránsito:
    • Número de vehículos.
    • Tipo de vehículos.
    • Número de pacientes.
  • Peligros en el lugar de los hechos.
	• Obtiene toda la información posible sobre la emergencia.

• Despacho.	• Envía ambulancias y otros recursos (bomberos, fuerzas de seguridad, etc.) según sea necesario. • Informa a las unidades de respuesta sobre las posibles situaciones especiales. • Se pone en contacto con los equipos de materiales peligrosos y otras dependencias según sea necesario. • Supervisa las comunicaciones en campo.
• Orientación a la persona que llama.	• Informa a la persona que llama de lo que se está haciendo. • De ser necesario, da instrucciones por teléfono sobre la atención al paciente.
• Comunicación continua con las unidades de respuesta en campo.	• Registra las horas de unidades de respuesta en campo y llegada. • Coordina las solicitudes de recursos adicionales. • Facilita la comunicación con otras agencias o centros médicos. • Se mantiene al tanto de la ubicación y el estado de todas las unidades en campo.

Datos de: Association of Public-Safety Communications Officials. Minimum training standards for public safety telecommunicators. APCO ANS 3.103.2.2015. https://www.apcointl.org/training-and-certification/comm-center-training-programs/training-standards-guidelines/. Consultado el 6 de julio de 2021.

cas y las funciones del despachador. Por práctica de rutina, en el despacho del SEM y la documentación se utiliza un horario de 24 horas (uso militar) (en el capítulo 4, *Documentación* se aborda el horario de 24 horas).

Sistemas de comunicación de los SEM

Durante una respuesta de emergencia empleará diversos equipos de comunicación. Algunos sistemas de los SEM utilizan sistemas de radio bidireccionales básicos, mientras que otros usan sofisticados sistemas de radio computarizados. Es común el uso de la tecnología celular. Todos estos sistemas y dispositivos de comunicación se basan en señales de radio para enviar y recibir información. Como paramédico, debe comprender la teoría básica de las radiocomunicaciones y el funcionamiento de los equipos de radio.

Los sistemas de comunicación de los SEM y de la seguridad pública por lo general son confiables, pero todo lo que se basa en la tecnología puede fallar (y en algún momento lo hará). Es fundamental contar con sistemas de comunicaciones de respaldo, los cuales pueden incluir frecuencias y sistemas de radio independientes, teléfonos celulares, teléfonos satelitales o TDM. Los sistemas de respaldo se tratan con más detalle más adelante en este capítulo.

Teoría básica de las radiocomunicaciones

Ondas de radio

Las ondas de radio son un tipo de radiación electromagnética que se codifica para transmitir una amplia variedad de información. La onda de radio básica en la que se codifica una señal se denomina onda transmisora.[5,6]

Radiofrecuencias

La **radiofrecuencia** es el número de oscilaciones (o ciclos) por segundo de la onda transmisora, por lo regular se mide en **hertz (Hz)**. Un hertz equivale a un ciclo por segundo, un megahertz (MHz) a 1 millón de ciclos por segundo y un gigahertz (GHz) a 1000 MHz, es decir, 1000 millones de ciclos por segundo. Así, una onda de radio con una frecuencia de, 156 075 MHz oscila 156 075 000 veces por segundo.[5,6]

La **FCC** (***Federal Communications Commission***/Comisión Federal de Comunicaciones) agrupa las frecuencias en bandas y asigna cada banda para un propósito específico. Los sistemas de comunicaciones de los SEM y de seguridad pública por lo regular operan en la **banda de frecuencia muy alta** (**VHF**, por sus siglas en inglés), de 30 MHz a 300 MHz, y en la **banda de frecuencia ultraalta** (**UHF**, por sus siglas en inglés), de 300 MHz a 3.0 GHz. Las bandas de frecuencias más altas por lo regular tienen menos interferencias, aunque también cuentan con un alcance de transmisión más corto.[5,6]

Normas de banda estrecha de la FCC

A lo largo de los años, el número de dependencias que utilizan sistemas de radio ha aumentado y, de manera paralela, se han desarrollado nuevas tecnologías. A su vez, la FCC ha reconocido la necesidad de asignar más frecuencias para la seguridad pública y el uso de los SEM. Según las normas anteriores, las asignaciones de frecuencias individuales estaban espaciadas 25 KHz (0.025 MHz). Sin embargo, desde el 1 de enero de 2013 se han reasignado las frecuencias del espectro de radio de seguridad pública entre 150 y 174 MHz y entre 421 y 470 MHz con una separación de 12.5 KHz, lo que se conoce como tecnología de **banda estrecha**. Por consiguiente, los radios que utilizan la antigua tecnología de 25 kHz han quedado obsoletos.

La adopción del sistema de banda estrecha ha duplicado el número de frecuencias disponibles para la seguridad pública y los SEM. De igual modo, permite sistemas de radio digital más recientes y sofisticados.[7] Los estándares de radio de banda estrecha se analizan con más detalle en la sección *Interoperabilidad* de este capítulo.

USTED es el Paramédico

PARTE 2

Su unidad llega a la residencia. Una mujer mayor recibe a su equipo en la puerta. Les dice que su marido tiene cáncer y que no se siente bien. Después de confirmar que la escena es segura, usted entra a la residencia. Ve a un hombre mayor de aspecto frágil sentado en un sillón reclinable en una habitación ordenada con un televisor a todo volumen en una esquina. La esposa le dice que su marido no oye bien.

4. ¿Cómo iniciará la comunicación con este paciente?
5. ¿El ruido de la televisión es un factor que necesita considerar para su evaluación?

Señales de radio

La radiocomunicación requiere de dos tipos de dispositivos. En primer lugar, el transmisor toma los datos o el sonido, los convierte en una señal de radio y los transmite en la frecuencia designada. Luego, el receptor recoge la señal de radio y la vuelve a convertir en datos o sonido. La mayoría de las radios utilizadas en las comunicaciones de los SEM contiene un transmisor y un receptor, y se denominan **transceptores** (radios bidireccionales).[5,6]

Un factor limitante que afecta a todas las señales de radio es el alcance. El alcance de un transmisor depende de su potencia de salida, de la frecuencia utilizada, de la ubicación y del tamaño de su antena y de si existe una "línea de visión" (trayectoria) sin interrupciones hasta el receptor. Cuanto más lejos esté el receptor de la antena del transmisor, más débil será la señal. Cualquier cosa que interrumpa la señal de radio, como edificios, montañas u otros objetos grandes, puede reducir el alcance efectivo de la radio.[5,6]

En todas las frecuencias de radio existe un nivel constante de estática o **ruido** de fondo. Los receptores de radio están equipados con un sistema de filtrado conocido como **silenciador**, que garantiza que los usuarios no tengan que escuchar estática cuando no se está transmitiendo una señal de radio. La configuración del silenciador se ajusta para bloquear el ruido de fondo, pero permite que se escuchen las señales de radio.[5,6]

Componentes de los sistemas de comunicación

Estaciones base

Las radios de **estación base** son las más potentes del sistema de comunicación, con una potencia de salida del transmisor de hasta 275 watts. Tienen una ubicación fija, como un centro de despacho o un hospital. Las estaciones base cuentan con antenas grandes que por lo regular se colocan en lo alto de edificios, torres o mástiles altos, lo que les da un alcance mayor que las radios móviles o portátiles. Muchas veces tienen la capacidad de operar en múltiples frecuencias y bandas. Algunos hospitales y centros de mando tienen acceso a varios sistemas de radio.

Transceptores móviles

Estos transceptores se instalan en vehículos, embarcaciones o aeronaves y su funcionamiento depende del sistema de energía del vehículo. Utilizan una antena colocada en el exterior del vehículo. La potencia de transmisión puede variar de 5 a 50 watts, y el alcance de la línea de visión puede ser de hasta 24 km.

Transceptores portátiles

Estos son pequeñas unidades alimentadas por baterías (a veces denominadas "de mano" o *walkie-talkies*). La potencia de salida del transmisor es baja, en general entre 1 y 5 watts, y las pequeñas antenas colocadas en la radio por lo regular limitan el alcance a entre 5 y 8 km. La mayoría de las radios portátiles funciona en una banda y tiene capacidad para uno o varios canales. Las radios portátiles son útiles cuando debe trabajar a distancia de su vehículo, pero necesita mantenerse en comunicación con el centro de despacho, el control médico u otros profesionales de los SEM (**FIGURA 3-2**).

Sistemas de radio

El tipo de sistema de radio más básico es el **símplex**, en el que todas las transmisiones de radio se producen en la misma frecuencia. Las radios simplex permiten que varios usuarios se comuniquen entre sí utilizando una frecuencia común. Estos sistemas por lo regular se limitan a la línea de visión. En las comunicaciones de seguridad pública y SEM, las radios símplex en general se utilizan solo para comunicaciones de corto alcance, como para uso táctico en la escena de un incidente.

Los sistemas de radio **dúplex** utilizan un par de frecuencias. Las señales de radio se transmiten en una frecuencia y se reciben en otra. Los sistemas semidúplex permiten la comunicación en una sola dirección a la vez y el uso de repetidoras (tema tratado en la siguiente sección). En cambio, los sistemas full-dúplex permiten la comunicación continua en ambas direcciones simultáneamente (como un teléfono).

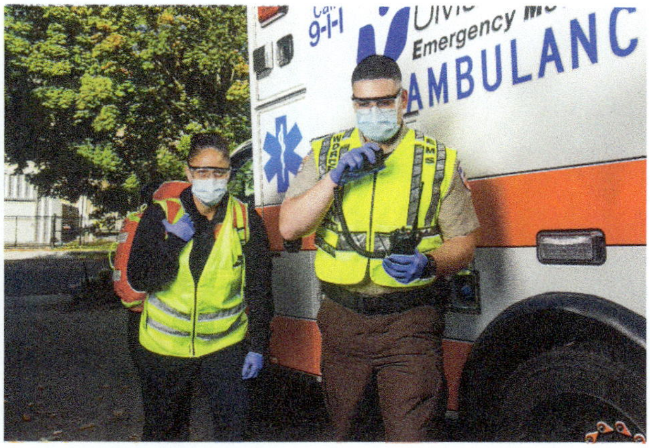

FIGURA 3-2 Es fundamental que cuente con una radio portátil si necesita comunicarse con el despachador, con otras unidades en la escena o que responden a la escena, o con control médico cuando está lejos de la ambulancia.

Los sistemas de radio **múltiplex** utilizan señales de radio para transportar múltiples flujos de audio o datos al mismo tiempo. La radio comercial de frecuencia modulada (FM) utiliza una señal multiplexada para transmitir sonido estéreo. El uso más común de la tecnología múltiplex en los sistemas de comunicaciones de los SEM es transmitir tanto voz como trazados de EKG (biotelemetría). Este tema se analiza más adelante en este capítulo.

Los sistemas de **radio digital** permiten la transmisión de señales digitales (computadora, etc.) o análogas (voz) que han sido digitalizadas y comprimidas por computadora. Las señales digitales son más claras que las analógicas y permiten la transmisión de un mayor volumen de datos en el mismo ancho de banda. Las radios digitales pueden comunicarse con otras radios digitales y analógicas.[6]

Repetidoras

Las repetidoras se utilizan en la mayoría de los sistemas de radio semidúplex. Una **repetidora** es un transceptor de estación base especializado con un potente transmisor y una gran antena, por lo regular situado en un punto elevado como una torre, la cima de una montaña o un edificio alto **FIGURA 3-3**. Recibe la señal de radio en la frecuencia de transmisión (entrada) y la retransmite a un nivel de potencia más alto en la frecuencia de recepción (salida). El uso de repetidoras permite que el sistema de radio cubra un área geográfica mucho mayor y evite obstáculos como colinas, cañones o edificios. De igual modo, permite a los transceptores de menor potencia, como las unidades portátiles, comunicarse a mayores distancias. Los vehículos también pueden tener repetidoras para retransmitir señales desde una unidad portátil utilizando la radio del vehículo. La mayoría de los sistemas de radio cuenta con varias repetidoras colocadas en diferentes lugares de la zona de servicio.[6]

Las **señales de radio codificadas** permiten que varios usuarios compartan frecuencias y repetidoras. El tipo más común de codificación utilizado en los sistemas de radio de seguridad pública y SEM es el Sistema de Silenciamiento Continuo de Tono Codificado (CTCSS, por sus siglas en inglés), también conocido como sistema "PL" (abreviatura en inglés de línea privada). El CTCSS transmite un tono continuo e inaudible junto con la señal de radio normal. Los receptores que tengan un decodificador CTCSS ajustado a ese tono podrán recibir la transmisión, contrario a aquellos que no cuenten con los receptores. La codificación permite el uso de múltiples repetidoras en las mismas frecuencias. La codificación CTCSS especifica qué repetidora se "abrirá" para recibir y retransmitir la señal.

Otro sistema de codificación utilizado en algunas regiones es el sistema DTMF (por sus siglas en inglés, multifrecuencia de doble tono). Los tonos DTMF se codifican mediante un teclado en el transmisor; "marcan" y activan el receptor remoto designado, permitiéndole recibir la transmisión. En muchas ocasiones, los sistemas que utilizan canales Med de banda UHF emplean este tipo de codificación.[8]

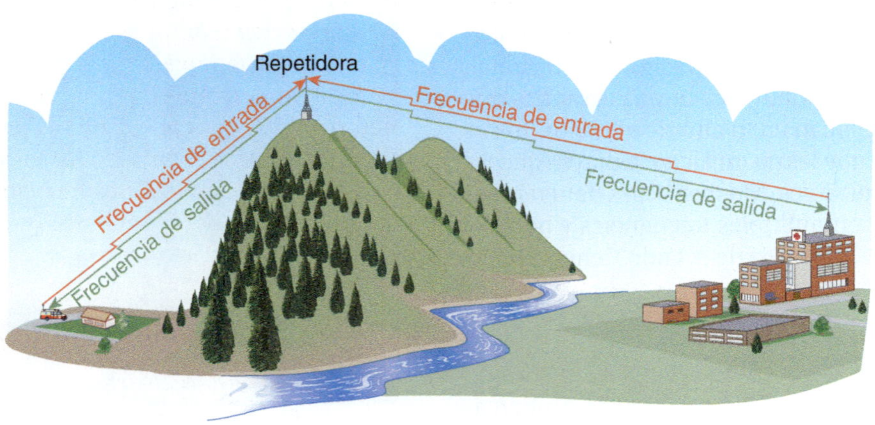

FIGURA 3-3 Las repetidoras utilizan radiofrecuencias emparejadas para evitar obstáculos, como colinas, y ampliar el alcance de los transceptores portátiles.

Sistemas de radio troncalizados digitales

Los **sistemas de radio troncalizados** son sofisticadas redes de comunicación digitales que por lo regular operan en las bandas UHF de 800 y 900 MHz y utilizan repetidoras multipunto y computadoras para enrutar el tráfico de radio dentro del sistema. Los sistemas de radio troncales pueden transportar voz o datos, como información del sistema CAD. En un sistema troncalizado, el transceptor se ajusta a un canal o modo, en lugar de a una frecuencia específica. Cada modo se designa para un propósito concreto, como despacho, operaciones tácticas o comunicaciones hospitalarias. La computadora "agrupa" las frecuencias de la red. Cuando un transceptor del sistema necesita transmitir en un modo seleccionado, la red asigna esa transmisión a la siguiente frecuencia disponible. Una vez finalizada la transmisión, la frecuencia regresa al grupo.[6]

Puntos muertos de radio

Estos puntos son áreas donde las radios móviles o de mesa no se pueden comunicar con una repetidora o entre sí. Dichos puntos se pueden deber a la distancia, como en las zonas rurales, o por obstrucciones como montañas, edificios u otros objetos altos. Usted debe conocer la ubicación de los puntos muertos de radio en su área de servicio.

Existen muchas maneras de establecer o mantener la comunicación en los puntos muertos de radio. Un método es utilizar sistemas de comunicación alternativos, como teléfonos celulares o **fijos** (con cable). Se pueden instalar repetidoras adicionales en las zonas rurales, o establecer acuerdos con organismos federales o estatales para utilizar sus sistemas de radio como respaldo. En caso de una emergencia, y que no exista otra opción, se pueden utilizar frecuencias de radio o repetidoras de otra agencia bajo permiso previo de las mismas.

En entornos urbanos, los puntos muertos de radio con frecuencia se producen en zonas con edificios altos, en el interior de grandes edificios y en ubicaciones subterráneas como metros o sótanos. En lugares donde las comunicaciones por radio se utilizan con frecuencia, se pueden instalar pequeños repetidores locales en los vestíbulos de los edificios o en las estaciones de metro. Si no se dispone de una repetidora local, se puede crear una estación de retransmisión temporal colocando a un respondiente de emergencia con una radio portátil en lo alto de las escaleras del metro o cerca de la salida de un edificio, de forma que se puedan establecer comunicaciones directas tanto con los respondientes en el interior como con el comandante del incidente o un repetidor local en el exterior.

Interoperabilidad

Durante su carrera como paramédico, es probable que se vea involucrado en uno o más eventos a gran escala, como un desastre natural o un incidente con víctimas masivas (MCI, por sus siglas en inglés). Estos incidentes pueden rebasar los recursos disponibles a nivel local y requerir la ayuda de dependencias externas, lo que se conoce como **ayuda mutua**. Las dependencias locales celebran acuerdos de ayuda mutua con jurisdicciones vecinas o regionales para apoyarse en caso de un incidente a gran escala.

Las solicitudes de ayuda mutua pueden ser desde una petición de ambulancias adicionales de comunidades cercanas hasta una respuesta a escala estatal o nacional, en caso de una catástrofe a gran escala. Estos sucesos exigen que los integrantes de varias dependencias trabajen juntos en condiciones de mucha tensión y riesgo. Para lograr la cooperación, el sistema de comunicaciones de cada dependencia debe ser compatible con el de las demás dependencias que participan en la respuesta. Este principio se denomina **interoperabilidad**.

El impulso actual en favor de la interoperabilidad tiene su origen en varios incidentes a gran escala donde los equipos de ayuda mutua con sistemas de radio incompatibles no se podían comunicar con las dependencias locales ni entre sí. Para hacer frente a esta situación, el Departamento de Seguridad Nacional de Estados Unidos desarrolló el programa de comunicaciones SAFECOM. Sus normas nacionales de interoperabilidad se publicaron en 2006 y tienen por objetivo desarrollar "un sistema de comunicación de seguridad pública interoperable en todos los sistemas de comunicación de 'primera respuesta' locales, tribales, estatales y federales".[9]

Un componente importante de estas normas de interoperabilidad es el uso de frecuencias estandarizadas a nivel nacional para las respuestas a catástrofes y otras comunicaciones. Estas frecuencias se establecieron como parte del sistema de banda estrecha de la FCC. Asimismo, cada estado estableció sus propias normas internas para la interoperabilidad entre las jurisdicciones locales. Las normas estatales se utilizan para MCI y otras respuestas locales de ayuda mutua, mientras que las normas nacionales se utilizan para eventos interestatales y nacionales. Las normas estatales también suelen incluir frecuencias estatales designadas para fines específicos, como las comunicaciones de aire-tierra.

La *Association of Public-Safety Communications Officials* estadounidense también estableció normas de hardware de radio digital, conocidas como normas del Proyecto 25 (P25). Estas normas garantizan que los equipos de radio digital suministrados por los distintos fabricantes a la comunidad de comunicaciones de seguridad pública sean compatibles entre sí.[10] Las radios que cumplen las normas P25 satisfacen las normas nacionales de diseño de hardware, conformidad de banda estrecha e interoperabilidad. Son capaces de comunicarse tanto con los sistemas de radio analógicos (heredados) como con los sistemas de radio digitales más recientes, una característica denominada "compatibilidad con versiones anteriores".

Perlas de sabiduría

Hay algunos puntos que se deben tener en cuenta durante las comunicaciones interoperables. La tecnología permite que diferentes dependencias se comuniquen a través de una frecuencia al mismo tiempo que utilizan su frecuencia de origen. Sin embargo, esta transmisión está sujeta a un retraso debido al proceso de dos pasos: la fusión de dos frecuencias, seguida de la retransmisión. Tiene que dar al sistema uno o dos segundos para fusionar las dos frecuencias antes de empezar a hablar. De lo contrario, no se escuchará la primera parte de su conversación.

Tecnología celular

Durante muchos años se han utilizado los **teléfonos celulares** en las comunicaciones de los SEM. A medida que ha avanzado la tecnología relacionada con los teléfonos inteligentes y las tabletas, la tecnología celular se ha convertido en un componente más importante de los sistemas de comunicación de los SEM y de la seguridad pública **FIGURA 3-4**. Un teléfono celular es una radio portátil de baja potencia que se comunica a través de una serie de repetidoras interconectadas llamadas células, las cuales se enlazan a través de un sofisticado sistema informático y están conectadas a la red telefónica.

Los teléfonos celulares se deben programar con números de teléfono importantes y de uso común, como los de control médico, los departamentos de emergencias de los hospitales locales y los centros de despacho. Estos teléfonos pueden tener acceso directo a hospitales, centros de toxicología y otros servicios que tal vez no dispongan de capacidad de comunicación directa por radio. Las llamadas telefónicas pueden conectarse a las redes de radio a través de centros de despacho o estaciones base, lo que permite la comunicación directa entre un paramédico que utiliza una radio en campo y otra parte que utilice un teléfono, como un médico de control médico. La conexión telefónica es importante cuando se solicitan órdenes o permiso para realizar un procedimiento. El simple hecho de ponerse en contacto con el control médico con el teléfono celular no permite grabar la conversación, como ocurriría normalmente con la comunicación por radio estándar. Para reducir su responsabilidad al utilizar el teléfono celular, asegúrese de que puede grabar la conversación.

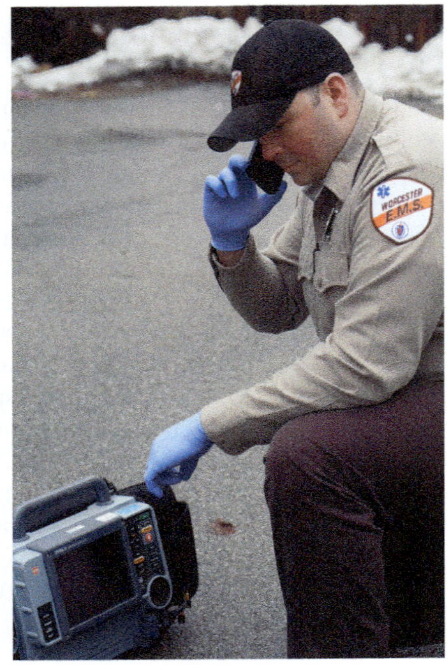

FIGURA 3-4 Los teléfonos celulares son un complemento habitual de la infraestructura de comunicaciones de muchos sistemas del SEM.

Los teléfonos inteligentes han aportado a los proveedores del SEM capacidades hasta ahora desconocidas. Permiten a los usuarios comunicarse de forma inalámbrica mediante voz, texto y video, así como tomar y enviar fotografías o videos a otros dispositivos. Con frecuencia cuentan con receptores GPS integrados con software cartográfico y pueden tener acceso a una amplia variedad de aplicaciones médicas (software), incluidos protocolos locales de los SEM, referencias farmacéuticas y libros de consulta médica. Otros tipos de dispositivos móviles que se pueden utilizar en los sistemas de comunicaciones de los SEM y de seguridad pública son los dispositivos PTT y las tabletas, que pueden emplear en los reportes de atención de paciente prehospitalario (RAPP) y la facturación.

Como paramédico, debe ser consciente de las implicaciones de privacidad de tomar fotografías o videos con teléfonos inteligentes o tabletas. Aunque la capacidad de documentar el aspecto de un vehículo accidentado para mostrárselo al traumatólogo receptor pueda parecer inofensiva, debe proteger el derecho a la privacidad del paciente, como establece la *Health Insurance Portability and Accountability Act* (HIPAA, Ley de Responsabilidad y Transferibilidad de Seguros Médicos). El intercambio de este tipo de imágenes solo debe realizarse de forma segura, de acuerdo con las directrices o los protocolos locales de los SEM. Algunos sistemas del SEM utilizan aplicaciones móviles que capturan la imagen y la envían directamente a un software seguro de historias clínicas, de modo que la imagen no se almacena en el teléfono o tableta individual. *Siempre* es inapropiado publicar en las redes sociales imágenes, videos o demás información sobre el paciente que permita identificarlo. Los paramédicos y otros profesionales de la salud han perdido su trabajo y se han enfrentado a otras penas importantes por hacerlo.[11]

Otro uso de la tecnología móvil que está evolucionando y que es importante para los SEM es la **notificación automática de accidentes** (**ACN**, por sus siglas en inglés), también conocida como notificación automática avanzada de accidentes. Los sistemas ACN utilizan computadoras de a bordo especializados en vehículos de motor para enviar datos a una estación de control en caso de accidente. Esta información puede incluir los siguientes elementos:

- Localización geográfica del accidente.
- Tipo de vehículo.
- Gravedad del accidente.
- Dirección principal de la fuerza en el impacto.
- Si se utilizaban los cinturones de seguridad.
- Si se desplegaron las bolsas de aire.

Los sistemas ACN también pueden permitir la comunicación bidireccional directa por voz con los ocupantes del vehículo. Se ha demostrado que los datos proporcionados por estos sistemas predicen con exactitud la gravedad de las posibles lesiones de los ocupantes del vehículo y pueden ayudar a los proveedores del SEM a tomar decisiones sobre el transporte (p. ej., si un paciente debe ser trasladado a un centro de traumatología o si debe enviarse un helicóptero a un lugar remoto donde se ha producido un accidente de tráfico).[12]

Comunicaciones por satélite

Los teléfonos satelitales pueden ser valiosos en áreas rurales y remotas que carecen de cobertura confiable —o a veces de cualquier cobertura— de radio y telefonía celular. También son un recurso inestimable en situaciones de desastre. Esta tecnología es cara, lo que puede limitar su uso cuando existen otras alternativas.

El GPS es una red de satélites que utiliza receptores portátiles o instalados en vehículos para localizar la posición del usuario y proporcionarle indicaciones para llegar a otros lugares, como la escena de una emergencia. Los datos del GPS se pueden utilizar para localizar ambulancias, otros vehículos de emergencia y aeronaves. La tecnología de **sistemas de información geográfica (SIG)** utiliza sistemas de cartografía GPS computarizados para llevar a cabo las siguientes funciones:

- Realizar un seguimiento y pronosticar los tiempos de respuesta de las ambulancias.
- Determinar la distancia al centro de traumatología u otros hospitales más cercanos desde ubicaciones específicas.
- Realizar un seguimiento de la frecuencia de los accidentes de tráfico y la gravedad de las lesiones en diferentes ubicaciones geográficas.
- Determinar la ubicación de helipuertos de emergencia.
- Proporcionar información adicional útil para las operaciones y la planificación del sistema del SEM.

Los datos de los SIG se pueden utilizar para mejorar los tiempos de respuesta y transporte de las ambulancias al ubicar las fuentes donde y cuando es más probable que se necesiten, y para determinar los tipos de recursos que se envían a un lugar determinado basándose en respuestas anteriores.

Las señalizaciones y los mensajeros de auxilio por satélite pueden ser una tecnología de seguridad útil para las ambulancias y el personal médico de emergencia que operan en zonas rurales o remotas, o durante operaciones de búsqueda y rescate o desastres. La mayoría de las señalizaciones y mensajeros incorporan receptores GPS que transmiten su ubicación al satélite. Todas estas señalizaciones pueden enviar mensajes de auxilio, y algunas también pueden enviar datos de seguimiento y mensajes de texto a través del sistema satelital.

Sistemas de comunicaciones de respaldo

Cualquier sistema que dependa de la tecnología tiene el potencial de fallar. Cuanto mayor sean las consecuencias de una falla de este tipo, más importante es disponer de un sistema de respaldo eficaz. Como se mencionó antes, todos los sistemas de comunicaciones de los SEM y de la seguridad pública deben tener algún tipo de plan de respaldo. El sistema de respaldo más utilizado es uno de radio alternativo, por lo regular uno que se basa en tecnología básica como radios VHF o UHF símplex y dúplex y repetidoras redundantes, y al que se puede tener acceso fácilmente mediante radios de base, portátiles y móviles. Casi todos los sistemas del SEM utilizan redes de telefonía fija y móvil como respaldo de otras tecnologías de comunicación. Los sistemas de respaldo también deben incluir generadores en los centros de despacho y los hospitales para mantener las comunicaciones de radio en caso de apagones y los pueden compartir varias dependencias locales (SEM, bomberos, fuerzas de seguridad, etcétera).

En situaciones de desastre, los principales métodos de comunicación pueden quedar fuera de servicio. Es posible que las torres y las repetidoras estén dañados, las antenas de telefonía móvil inutilizadas y las redes de computadora caídas. En estas circunstancias, es fundamental contar con sistemas redundantes o de respaldo. Con frecuencia, los planes de desastre locales y regionales utilizan como sistemas de respaldo adicionales grupos de radioaficionados, por ejemplo, en Estados Unidos, el *Amateur Radio Emergency Service* (ARES, Servicio de Emergencia de Radioaficionados) y el *Radio Amateur Civil Emergency Service* (RACES, Servicio de Emergencia Civil de Radioaficionados).[13] Debe saber cómo tener acceso y utilizar ARES, RACES y todos los demás sistemas de comunicación de respaldo utilizados en su área de servicio.

Biotelemetría

La **biotelemetría** es la medición y transmisión de signos vitales y otros datos fisiológicos a una **terminal remota**. La biotelemetría, en muchas ocasiones denominada simplemente telemetría, se utiliza para monitorizar la salud de los astronautas en el espacio y de los pilotos de NASCAR durante una carrera.[14,15] En los SEM, se utiliza sobre todo para enviar datos de EKG al médico de control médico o al servicio de emergencias de un hospital. La telemetría de EKG se originó en Miami, Florida, a principios de la década de 1970, y desempeñó un papel fundamental en el establecimiento de la medicina prehospitalaria. La telemetría hizo posible que los médicos supervisaran a los paramédicos que atendían a los pacientes en campo. La viabilidad técnica de dicha supervisión convenció a la comunidad médica y al público para aceptar la idea de que los paramédicos realizaran procedimientos avanzados como la desfibrilación. A medida que los sistemas del SEM han madurado y los paramédicos están cada vez más calificados, el uso de la telemetría EKG para confirmar los ritmos cardíacos antes del tratamiento se ha vuelto mucho menos común. La mayoría de los sistemas del SEM confían ahora en que el paramédico evalúe el ritmo cardíaco del paciente y tome decisiones independientes sobre el tratamiento.

En los últimos años, los avances en medicina y la tecnología de comunicación han vuelto a hacer de la telemetría de EKG una valiosa herramienta para los SEM. El estándar nacional estadounidense actual de tratamiento de los pacientes con infarto agudo de miocardio con elevación del segmento ST (IAMCEST) es la intervención coronaria percutánea (ICP). El traslado rápido de los pacientes directo al hospital primario de ICP/centro de recepción de IAMCEST más cercano y los tiempos cortos de "puerta-balón" han dado lugar a resultados mucho mejores para los pacientes.[16] Muchos sistemas del SEM tienen ahora políticas para evitar los hospitales que no pueden proporcionar de manera temprana ICP y transportar a los pacientes directo a un centro primario

USTED es el Paramédico

PARTE 3

Usted se agacha hasta la altura de los ojos del paciente y se presenta junto con su compañero. El paciente le mira y sonríe. Usted le pregunta su nombre. El paciente sigue sonriendo y mira a su mujer. La mujer dice que su marido se llama John Smith. Se inclina hacia la oreja izquierda de su marido y le grita: "¡querían saber tu nombre, John!". El Sr. Smith asiente con la cabeza. Continúa con su evaluación y pregunta: "¿podemos llamarle John?". La Sra. Smith responde a la pregunta por su marido: "sí, se llama John".

Tiempo de registro:	2 minutos
Aspecto	Frágil
Nivel de conciencia	Responde a la voz
Vía aérea	Abierta
Respiración	Adecuada
Circulación	Adecuada

6. ¿Qué significa "ponerse a la altura del paciente"? ¿Cuál es la importancia de esta acción?
7. ¿Cómo puede abordar el problema de que un familiar responda a las preguntas que se le hacen al paciente?

de ICP, si dicho centro está fácilmente disponible.[17] (Para obtener más información sobre la atención a pacientes con IAMCEST, véase el capítulo 15, *Emergencias cardiovasculares*).

Las redes de telefonía celular, las redes de banda ancha y los sistemas de radio digital pueden transmitir de forma directa trazados de EKG de 12 derivaciones y otros datos desde el campo al hospital.[16] Los nuevos sistemas de alta seguridad pueden enviar el trazado del EKG a cualquier persona con acceso a una conexión a internet. Esta práctica permite al médico de control diagnosticar un IAMCEST antes de que el paciente llegue al hospital y tomar las decisiones de destino y tratamiento adecuadas, como transportar al paciente directo al laboratorio de cateterismo cardíaco. En algunos sistemas del SEM, los paramédicos son responsables de interpretar los trazados de EKG y tomar la decisión de destino.

La **telemedicina** es otro campo apasionante en el que están avanzando los SEM y otras áreas de la atención médica. La tecnología de la telemedicina utiliza terminales y redes informáticas especializadas que permiten la transmisión bidireccional segura de sonido, video, signos vitales, trazados de EKG y otros datos diagnósticos. Esta tecnología permite un intercambio interactivo de información entre el paramédico y el médico de control.[18] La tecnología de la telemedicina puede facilitar la evaluación y el tratamiento rápidos de una amplia variedad de afecciones de pacientes en el entorno prehospitalario, incluidos los pacientes con accidente vascular cerebral e IAMCEST, así como los pacientes pediátricos y con trauma.

De forma constante se introducen nuevas tecnologías, y lo que antes se consideraba nuevo y vanguardista puede convertirse rápido en el estándar. En la actualidad, las ambulancias están equipadas con redes inalámbricas internas que pueden comunicarse con los dispositivos de a bordo y con múltiples redes informáticas externas que utilizan banda ancha, telefonía móvil, redes inalámbricas (wifi) y otras redes de comunicación.[19] Es fundamental familiarizarse con la telemetría, la telemedicina y otras tecnologías de comunicación utilizadas en su zona. Los sistemas del SEM deben mantenerse actualizados con los avances tecnológicos que pueden mejorar la comunicación de información vital y la calidad de la atención médica de emergencia.

Comunicación por radio

La eficacia de un sistema de comunicaciones de los SEM depende tanto del hardware y software en uso como de las personas que los utilizan. Comunicarse por radio en condiciones de emergencia requiere un conocimiento del proceso de comunicación y una comprensión de las operaciones técnicas de las radios y otros dispositivos ya descritos. También requiere una apreciación de las convenciones y la etiqueta de las comunicaciones por radio. Su comunicación debe ser sencilla, breve y directa.

Reglamentos de la FCC

La FCC regula todas las comunicaciones de radio y televisión en Estados Unidos.[20] Expide licencias de emisoras de radio, asigna frecuencias, elabora normas técnicas y establece y aplica normas y reglamentos para el funcionamiento de los equipos de radio. Los funcionarios de la FCC supervisan las transmisiones en diversas frecuencias y realizan controles aleatorios de las estaciones base para asegurarse de que están debidamente autorizadas. Se pueden imponer multas y otras sanciones a dependencias y proveedores individuales por no respetar las normas y reglamentos de la FCC.

La FCC exige que las frecuencias asignadas a la seguridad pública y a las comunicaciones de los servicios médicos de emergencia se utilicen solo para ese fin. Está prohibida la transmisión de mensajes no relacionados con la prestación de los SEM y el uso de lenguaje obsceno. Si es necesario que un despachador le comunique un mensaje personal (p. ej., llamar a su casa de inmediato), entonces el despachador debe llamar a su teléfono celular personal, o notificarle por radio que se comunique con la base o el centro de despacho por teléfono.

Claridad de la transmisión

A continuación, se indican algunas directrices básicas que pueden ayudarle a mejorar la claridad de sus comunicaciones por radio:

- Saber lo que quiere decir antes de iniciar su transmisión.
  - Tomar notas (o utilizar el RAPP).
  - Anticipe las preguntas que quizá le hagan.
- Antes de empezar a transmitir, asegúrese de que la radio está encendida. Compruebe el volumen y escuche para asegurarse de que el canal está libre.
  - Si hay otra transmisión en curso, espere hasta que ambas partes hayan terminado antes de empezar a transmitir.
- Mantenga la boca cerca del micrófono, pero no demasiado. Por lo regular, lo ideal es de 5 a 7 cm.

- Cuando el canal esté libre, oprima la tecla PTT en el micrófono o en el costado de la radio portátil durante al menos 1 segundo antes de empezar a hablar, así se asegura de que no se corte el inicio de su mensaje.
- Comience su transmisión con la identificación (número o nombre) de la unidad a la que se llama y, a continuación, su propia identificación ("*Hospital Mercy, aquí paramédico 3*").
  - Esta práctica garantiza que la unidad a la que se llama está alerta y escuchará cuando usted se identifique, evitando así retrasos innecesarios.
  - Si al principio dice: *"paramédico 3 llamando al Mercy Hospital"*, es posible que los destinatarios no presten atención hasta que haya mencionado su identificación y no sepan quién llama. Entonces responderían: "*aquí Mercy Hospital. ¿Qué unidad está llamando?*".
  - Esta práctica es una convención general de radio. Algunos sistemas del SEM pueden utilizar un formato diferente. Aprenda y utilice el formato para radio aceptado en su área.
- Espere una respuesta para asegurarse de que la otra estación le escucha.
- Hable despacio, con claridad y de manera inequívoca, pronunciando cada palabra con cuidado.
- No grite; hablar a un volumen demasiado alto distorsiona la señal. Hable en un tono normal.
- Mantenga la calma y hable en un tono de conversación. Conserve un tono de voz, firme y claro, sin mostrar emoción.
- Use un **texto claro** (lenguaje sencillo) y utilice solo códigos de radio aprobados de forma específica por su sistema y que todo el mundo entienda. En caso de duda, evite utilizar códigos de radio en sus transmisiones. Las comunicaciones en texto y códigos claros se detallan más adelante.
- Si tiene que transmitir mucha información, divida su transmisión en frases cortas (30 segundos).
  - Haga pausas periódicas para preguntas, etc.
  - Diga "pausa" para indicar una pausa.
- Cuando pronuncie una palabra o un nombre que se pueda malentender, deletréelo utilizando el Alfabeto fonético radiotelefónico internacional (**CUADRO 3-2**) o un sistema similar.
- Cuando diga números que puedan ser malinterpretados, primero transmita el número como un todo, luego dígito por dígito. Por ejemplo, si las respiraciones del paciente son 16 por minuto, entonces diría "las respiraciones son dieciséis, es decir, uno-seis".
- Confirme la recepción de todas las respuestas.
  - Repita la información para garantizar la exactitud ("repetir como en espejo"; exactamente la misma información).
- Indique cuando finalice la transmisión.

Contenido de las transmisiones

El contenido de su comunicación por radio debe ser preciso y conciso (**FIGURA 3-5**). A continuación se

CUADRO 3-2 Alfabeto fonético de radiotelefonía internacional

A	Alfa (o Alpha)	**J**	Juliett (o Julieta)	**R**	Romeo
B	Bravo	**K**	Kilo	**S**	Sierra
C	Charlie	**L**	Lima	**T**	Tango
D	Delta	**M**	Mike	**U**	Uniform
E	Eco	**N**	Noviembre	**V**	Victor
F	Foxtrot	**O**	Óscar	**W**	Whisky
G	Golf	**P**	Papa	**X**	X ray
H	Hotel	**Q**	Quebec	**Y**	Yankee
I	India			**Z**	Zulu

Datos de: International Civilian Aviation Organization. Alphabet—radiotelephony. https://www.icao.int/pages/alphabetradiotelephony.aspx. Consultado el 30 de enero de 2021.

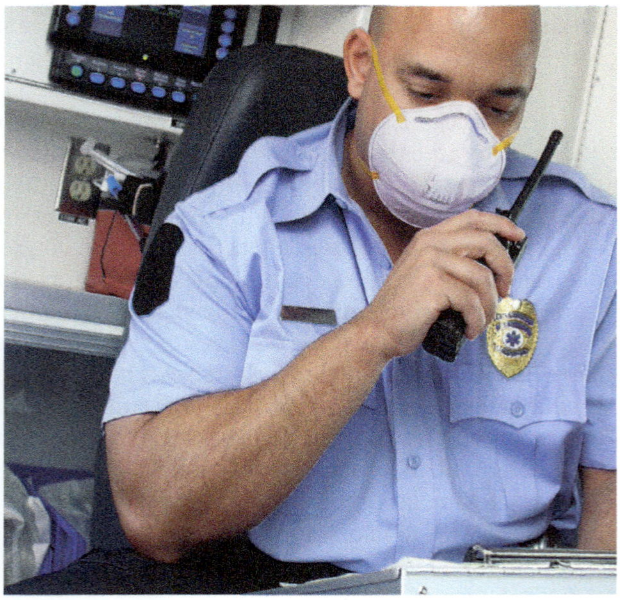

FIGURA 3-5 Realice el informe por radio de forma objetiva, precisa y profesional.

presentan otras directrices relacionadas con el contenido de la comunicación por radio de los SEM:

- Tenga en cuenta que todo lo que diga por radio es en público. Un paciente o un visitante en el pasillo del servicio de emergencias, un aficionado a la radio de 12 años jugando con una aplicación de escáner en un teléfono inteligente o un reportero local pueden estar escuchando su transmisión. Esta consideración también se aplica a la comunicación a través de teléfonos celulares o sistemas troncales digitales. No diga por radio nada que no quiera que oigan los demás.
- Es fundamental proteger en todo momento la privacidad del paciente. Como ya se ha mencionado, la normativa HIPAA exige esta confidencialidad. No utilice el nombre del paciente al aire ni transmita de forma innecesaria información personal sobre él. Por lo general, es mejor dar la información delicada cara a cara al personal del centro receptor.
- Sea impersonal. Use "nosotros", no "yo", cuando hable de sí mismo, y utilice nombres y títulos propios ("Paramédico Smith") para referirse a los demás.
- Utilice una terminología médica adecuada y correcta.
- Evite utilizar palabras difíciles de escuchar. Las palabras "sí" y "no" se pueden perder fácilmente en la transmisión; en su lugar, utilice "afirmativo" y "negativo".
- Actúe con profesionalismo. No intente hacerse el simpático ni criticar. La radio no es el lugar adecuado para el sarcasmo u otras conductas inadecuadas. Utilice formatos estándar acordados por su oficina del SEM para la transmisión de información. Cuando los oyentes saben lo que están escuchando, es menos probable que se pierdan partes de la transmisión.
- Cuando reciba instrucciones por radio de la central o del control médico, repita "en espejo" (exactamente la misma información) la orden para asegurarse de que entendió de modo correcto. Si el médico le indica que "administre lidocaína de 75 miligramos lentamente por vía intravenosa", usted responderá: "enterado, lidocaína de 75 miligramos lentamente por vía intravenosa".
- Cuestione cualquier orden que no haya escuchado con claridad o que no haya entendido.
- Si tiene que transmitir un mensaje largo, divídalo en segmentos de 30 segundos y compruebe al final de cada segmento si se ha recibido y entendido. La forma aceptada de indicar una pausa es decir "pausa", para que el receptor sepa que se está haciendo una pausa y pueda hacer preguntas, si es necesario.
- Cuando termine de transmitir, notifique al receptor que la transmisión ha terminado diciendo "cambio", "fin de transmisión", "fuera", "pendiente" o simplemente el código numérico que indica que finalizó la transmisión; "10-4", "18-31"...

Códigos

El sistema de **diez códigos** y otros códigos de radio eran de uso cotidiano, pero en la mayoría de los sistemas del SEM se han ido eliminando. Uno de los mayores inconvenientes del uso de códigos de radio es que el mismo código suele tener significados diferentes en distintas jurisdicciones. Por ejemplo, el código "10-55" puede significar un conductor intoxicado, un caso forense (persona fallecida) o una amenaza de bomba, dependiendo de la jurisdicción.

Un sistema de códigos utilizado por los despachadores en muchos sistemas del SEM es el **sistema de despacho de prioridad médica** (**MPDS**, por sus siglas en inglés). El MPDS utiliza un formato específico para indicar la naturaleza de la emergencia (protocolo de DEM) y la prioridad (nivel/número determinante). El despachador utiliza esta información para decidir la prioridad y el modo de respuesta al asignar las unidades de respuesta. Estos códigos pueden o no transmitirse a las unidades de respuesta, en función del protocolo del sistema local. Aunque el formato general está estandarizado, los códigos de prioridad específicos pueden variar entre jurisdicciones.

El *National Incident Management System* (NIMS, Sistema Nacional de Manejo de Incidentes) no aconseja el uso de todos los códigos de radio. El formato preferido es el texto claro, que se analiza a continuación. Para que los códigos de radio sean útiles, todos los usuarios del sistema de radio deben conocer el significado de las palabras clave. Si en su dependencia se utilizan códigos u otra terminología específica, apréndalos y utilícelos de manera correcta. El NIMS se analiza con detenimiento en el capítulo 44, *Gestión de incidentes y accidentes masivos*.

Comunicaciones con texto claro

No hay espacio para los malentendidos ni errores de comunicación durante la respuesta a un incidente de emergencia. Cuanto mayor sea el incidente, más importante es que el personal de respuesta, los despachadores y los comandantes del incidente utilicen una terminología común. Es por ello que el formato de comunicación preferido en muchos sistemas es el texto claro (también llamado lenguaje sencillo). Esta práctica consiste simplemente en utilizar lenguaje cotidiano y los términos aceptados para comunicarse. Por ejemplo, para solicitar recursos adicionales, se diría: "Central, aquí paramédico 17. Necesitamos dos ambulancias adicionales de soporte vital avanzado. Solicito que se acerquen por el sur".

El texto claro es el formato recomendado por las normas de interoperabilidad del NIMS.[21] Disponer de equipos de radio interoperables tiene un valor limitado si quienes los utilizan hablan diferente idioma.

Formatos de comunicación utilizados en las distintas etapas de la respuesta

Cada dependencia o región tendrá su propio formato para las comunicaciones por radio y de otro tipo. Los detalles pueden variar entre las diferentes regiones y dependencias, pero los fundamentos son comunes para todos los sistemas. En esta sección se revisa el formato básico para cada etapa de una respuesta del SEM, pero usted se tiene que familiarizar con el o los formatos esperados en su área.

Comunicaciones de despacho

Cuando se le avise de una llamada del SEM, registre la ubicación y la información de la llamada a medida que se le proporcione. Este paso es primordial para asegurarse de que entiende perfecto el mensaje. Después de que se despache la llamada y que usted haya registrado los detalles, responda al despachador que ha recibido la información. La secuencia básica es la siguiente:

- **Despacho:** *paramédico 2, despacho regional. Prioridad 1: accidente de vehículo de motor, Calle Segunda con Calle Principal. Posiblemente dos pacientes. Hora 21:04.*
- **Paramédico 2:** *despacho regional, paramédico 2 enterado, prioridad 1: accidente de vehículo de motor, Calle Segunda con Calle Principal, dos pacientes.*

Su respuesta al despacho confirma que ha recibido el mensaje y que se está preparando para responder al lugar correspondiente, confirma que se ha producido una transferencia de información efectiva y precisa, y establece su hora de despacho.

Respuesta a la escena Comunicaciones

Luego de recibir la información y acusar recibo de la llamada, debe determinar cómo llegar al lugar de la llamada. Este proceso puede implicar el uso del conocimiento de la zona por parte de los integrantes del equipo, de un sistema de navegación electrónico basado en GPS o de mapas físicos (que se deben seguir llevando en caso de falla de internet o del GPS). Debe informar a la central al momento en que inicie su desplazamiento hacia el lugar de los hechos. Este paso les permite saber que está en camino y establece su tiempo en ruta. Este intercambio podría realizarse del siguiente modo:

- **Paramédico 2:** *despacho regional, paramédico 2 en ruta hacia la Calle Segunda y la Calle Principal.*
- **Despacho:** *paramédico 2, en ruta a las 21:05.*

Su siguiente transmisión debe ser su llegada a la escena. Este paso le permite actualizar el despacho y establece su hora de llegada. Su notificación puede ser la siguiente:

- **Paramédico 2:** *paramédico 2, en escena. Confirmo dos vehículos, daños moderados; ambos ocupantes están todavía en los vehículos. Notifique a los demás respondedores que el acceso a la Calle Segunda está bloqueado y que deben aproximarse por el lado norte de la calle.*
- **Despacho:** *paramédico 2, llegó. Dos vehículos, ocupantes dentro, el acceso a la calle Segunda está bloqueado. Hora de llegada, 21:10.*

Con este intercambio, usted confirma la llegada de su unidad, el número de vehículos y pacientes, y la ubicación de los pacientes. También ha dado instrucciones críticas previas a la llegada para las demás unidades de respuesta. Ahora es el momento oportuno para solicitar recursos adicionales, si los necesita.

Es posible que en algún momento de la respuesta necesite recursos adicionales (p. ej., más ambulancias, una unidad de rescate pesada, un equipo de materiales peligrosos, un helicóptero). El momento en el que usted determine que se necesitan recursos adicionales, es entonces el momento adecuado para solicitarlos. Otros momentos en los que puede considerar la posibilidad de solicitarlos son cuando se está de camino al lugar de los hechos (basándose en lo que se sabe o en lo que se puede anticipar sobre la escena), y después de haber tenido la oportunidad de determinar el número de pacientes, la naturaleza de sus lesiones y la presencia o ausencia de una persona físicamente atrapada o bien el momento adecuado para cancelar el recurso adicional.

Comunicaciones tácticas y en la escena

Mientras trabaja en la escena de una emergencia médica, debe mantenerse en contacto con otros respondedores en el lugar. Por lo regular este contacto se realiza utilizando una radio portátil en un canal táctico asignado. El uso de un canal o frecuencia tácticos saca las comunicaciones en el lugar de los hechos del canal de despacho principal, dejándolo abierto para el tráfico de radio. En el caso de un incidente a gran escala, se puede implementar un plan de comunicaciones más elaborado, utilizando diferentes frecuencias o canales para distintos propósitos (triage, operaciones de rescate, servicios médicos aéreos, etcétera).

SEGURIDAD

El **tiempo de espera universal** es una pausa planeada antes del inicio de un procedimiento que mejora la seguridad y la comunicación entre todo el personal y ayuda a prevenir errores humanos. Permite que todos repasen en silencio los aspectos importantes del procedimiento con una distracción mínima, se aseguren de que todos los preparativos y el equipo están en su sitio y confirmen que se está realizando el procedimiento correcto en el lugar indicado. Como se mencionó con anterioridad, este concepto se utiliza en la aviación (donde se conoce como cabina silenciosa o "estéril" durante el despegue y el aterrizaje) y es obligatorio en los hospitales antes de intervenciones quirúrgicas o de otros procedimientos. Se ha demostrado que el tiempo de espera reduce los errores evitables, incluso en condiciones de gran tensión.[22]

El uso del tiempo de espera universal también es útil en el entorno de los SEM. Los ejemplos incluyen la realización de un tiempo de espera antes de las decisiones o procedimientos cruciales en campo, y a la llegada de los SEM al centro receptor de traumatismos y otros pacientes críticos para que no se pierda información clave durante la transferencia de la atención al paciente. Muchos de los procedimientos que se deben realizar durante una llamada al 9-1-1 son urgentes y críticos, por lo que no siempre es posible realizar una pausa de grupo. En estas situaciones, puede realizar un tiempo de espera interno rápido para asegurarse de que está preparado. Durante años, en los programas de formación de los SEM, se ha enseñado una versión de este método con el consejo de "paren, respiren profundo, piensen y luego actúen". Es posible que se disponga de más tiempo en una situación como un traslado entre centros, lo que hace más factible un tiempo de espera general.

Comunicaciones durante el traslado del paciente

Una vez que haya evaluado a su paciente e iniciado el tratamiento, se debe preparar para el transporte. Este proceso implica otras dos etapas de comunicación. La primera es avisar a la central del traslado y la segunda es ponerse en contacto con el control médico o el centro receptor.

Debe informar a la central de que va a trasladar al paciente. Esto permitirá a la central conocer su situación y establecer una hora de salida de la escena. Cuando se ponga en contacto con la central, su informe por radio puede ser el siguiente:

- **Paramédico 2:** *paramédico 2, saliendo de Segunda y Principal, en ruta al Hospital Municipal, dos pacientes a bordo, tráfico que no es de emergencia.*
- **Despacho:** *paramédico 2, enterado. Le veo en ruta al Hospital Municipal, tráfico que no es de emergencia con dos pacientes. Hora 21:34.*

Esta transmisión documenta el hecho de que usted ha completado las operaciones en el lugar y está de camino al hospital, y que la respuesta no es de emergencia.

La siguiente transmisión de radio al despacho es para notificarles su llegada al centro médico. Este informe por radio puede ser el siguiente:

- **Paramédico 2:** *paramédico 2, llegada al Hospital Municipal, fuera de servicio.*
- **Despacho:** *paramédico 2 enterado. Lo tengo fuera del Hospital Municipal y no disponible para servicio. Hora 21:45.*

En este intercambio, la unidad del SEM confirma la llegada al hospital y establece su estado. Este paso es importante porque documenta que su unidad no está disponible para más respuestas en este momento. Es posible que no esté disponible para el servicio mientras entrega la atención al paciente, da su informe y reabastece su ambulancia.

Una vez que haya completado estas tareas y esté listo para otra llamada, debe informar a la central de que regresa al servicio. Nunca suponga que la central conoce su estado. Por ejemplo, la actualización podría ser de la siguiente manera:

- **Paramédico 2:** *paramédico 2, estamos fuera del Hospital Municipal y disponibles.*
- **Despacho:** *paramédico 2, enterado. Le veo de nuevo en servicio y disponible. Hora 21:59.*

Transmisión de información al control médico

La base legal para la práctica paramédica es la supervisión por parte de un médico. Esta supervisión puede ser a través de un **control médico sin servicios electrónicos**, bajo el cual usted puede realizar procedimientos o tratamientos específicos basados en protocolos u órdenes permanentes sin contacto con el médico, y **control médico en línea**, en el cual el médico le da a usted órdenes e instrucciones específicas del paciente por radio o teléfono. Muchos sistemas del SEM se basan en un híbrido de estos dos modelos, es decir, los protocolos cubren la atención médica de emergencia de rutina, pero las situaciones más complejas requieren el contacto y la orientación de un médico.

Cuando se encuentre en campo, sus comunicaciones por radio con el médico de control deben ser claras, concisas y precisas. El uso de un formato estándar para comunicar la información del paciente por radio garantizará que la información básica se transmita de forma coherente y que no se omita nada **FIGURA 3-6**.

En la siguiente sección se analiza la información básica de la evaluación del paciente que se debe incluir en su informe por radio al control médico. En sistemas del SEM más grandes, los paramédicos por lo común transportan pacientes a otros hospitales distintos al centro de control médico asignado. En estos casos, siga siempre el protocolo local e informe de su decisión a ambos centros. Cuando el paciente sea trasladado a un centro diferente, notifique al control médico del motivo de esta elección de destino y del nombre del centro receptor.

Formato de notificación de información médica

Las dos claves de un buen informe por radio son la organización y saber lo que se quiere decir antes de iniciar la transmisión. Debe incluir toda la información necesaria. Lo ideal es escribir el formato de su reporte en una tarjeta y pegarla en el transmisor de mano o en la ambulancia cerca de la radio para que pueda consultarlo con facilidad mientras realiza su informe. El formato exacto varía dependiendo del sistema del SEM, pero todos los informes médicos por radio deben incluir la siguiente información:

- El centro de destino y el tiempo estimado de llegada (ETA, por sus siglas en inglés).
- Edad y género del paciente.
- Queja principal del paciente.
- Una breve historia pertinente de la enfermedad o lesión.
- Medicamentos y alergias importantes.
- Todo lo que el médico necesite saber sobre los antecedentes médicos del paciente en relación con la situación actual, incluidas las principales enfermedades subyacentes.
- Nivel de conciencia y grado de angustia del paciente.
- Estado mental del paciente.
- Signos vitales del paciente.
- Hallazgos físicos pertinentes en orden de cabeza a los pies.
- Resultados del EKG.
- El tratamiento administrado hasta el momento y la respuesta al tratamiento.

Esta es una transmisión de control médico clara, concisa y precisa sobre un paciente con insuficiencia cardíaca:

- **Paramédico:** *Hospital Memorial, aquí paramédico 8.*
- **Hospital:** *paramédico 8 adelante, aquí el Dr. McCalla, la hora es 16:43.*
- **Paramédico:** *Hospital Memorial, aquí el paramédico García en unidad 8. Estamos de camino a su centro con un tiempo estimado de llegada de 11 minutos. A bordo tenemos a un paciente masculino de 53 años que refiere dificultad respiratoria grave, que le ha despertado del sueño y empeora cuando está acostado. Tiene antecedentes de hipertensión y toma hidroclorotiazida. Está alerta, niega dolor torácico y presenta una dificultad respiratoria importante. El monitor cardíaco muestra taquicardia sinusal de 130 con el pulso correspondiente, respiraciones de 36 y con dificultad, PA de 190/120, y la oximetría de pulso ha subido de 88 a 96% después de administrarle oxígeno con una cánula nasal a 3 litros por minuto. Presenta crépitos y sibilancias en ambos campos pulmonares. No hay ingurgitación yugular. Tiene edema de tobillo con fóvea 2+. Hemos establecido*

FIGURA 3-6 Utilice un formato estándar para comunicar la información del paciente al control médico.

una vía venosa con solución salina. ¿Tiene alguna pregunta u orden?

La transmisión anterior fue organizada y directa. El médico que la escuche reconocerá con facilidad que se trata de un paciente hipertenso con insuficiencia cardíaca izquierda y podrá tomar una decisión acertada sobre las órdenes de tratamiento.

Cuando los paramédicos llaman sin utilizar un formato de informe estándar, es posible que el médico tenga que reunir la información para saber qué está pasando. Considere el siguiente diálogo (*no se recomienda*):

- **Paramédico:** *Hospital Memorial, tenemos un paciente con pulso de 130, presión de 190/120 y respiración de 36. Le enviamos un registro.*
- **Médico:** *¿quién llama?*
- **Paramédico:** *aquí paramédico 8.*
- **Médico:** *paramédico 8, ¿cuál es el problema del paciente?*
- **Paramédico:** *le falta el aire.*
- **Médico:** *¿cuánto tiempo lleva así?*
- **Paramédico:** *solo un minuto* (pausa). *Dice que lo despertó hace una hora.*
- **Médico:** *¿tiene alguna enfermedad subyacente?*
- **Paramédico:** *toma medicamentos para la hipertensión.*
- **Médico:** *¿tiene algún problema?*
- **Paramédico**: *sí, tiene dificultad para respirar.*
- **Médico:** *¿cómo se escuchan sus pulmones?*
- **Paramédico:** *tiene crepitaciones y sibilancias por todas partes.*
- **Médico:** *¿a dónde lo llevan?*
- **Paramédico:** *a su hospital.*
- **Médico:** *¿cuál es su tiempo estimado de llegada?*
- **Paramédico:** *11 minutos.*

Este intercambio fue desorganizado, incompleto e ineficiente. Un intercambio de este tipo hace perder tiempo, causa frustración y crea un alto riesgo de que se pierda información importante o no se comunique con claridad. Para evitar conversaciones ineficaces, primero recopile la información en la escena, organícela con claridad en su mente y solo entonces tome el micrófono. Escuchar las grabaciones de las llamadas de control médico puede ser una forma eficaz de aprender el formato que se prefiere en su sistema.

Es fundamental que continúe con su evaluación al paciente. Una vez finalizado su informe por radio, vuelva a evaluar al paciente y esté atento a cualquier cambio. Todos los pacientes pueden empeorar rápidamente. Actualice al centro receptor de cualquier cambio.

Comunicación durante el reporte en persona y la transferencia de la atención

La etapa final de la comunicación sobre la atención al paciente es el reporte a pie de cama. Durante este informe, debe transmitir toda la información pertinente sobre el paciente y, a continuación, transferir (entregar) la atención del paciente al personal médico y de enfermería del centro receptor. Utilice el mismo formato que en el informe por radio, pero con los detalles adicionales que sean necesarios, e incluya cualquier actualización de la información que haya proporcionado en el informe por radio.

Tenga en cuenta que el paciente, y tal vez su familia, también estarán escuchando (**FIGURA 3-7**). Si necesita comunicar información delicada, quizá lo más apropiado sea que salga de la sala de atención al paciente o que hable en un tono más bajo al personal receptor. Respete siempre el derecho a la privacidad del paciente.

El último paso es asegurarse de haber respondido a todas las preguntas del personal médico y de enfermería. El traspaso de pacientes también implica la documentación escrita. Su historia debe reflejar la atención de emergencia médica que ha prestado y ser coherente con su informe verbal. Para más información sobre la documentación, véase el capítulo 4, *Documentación*.

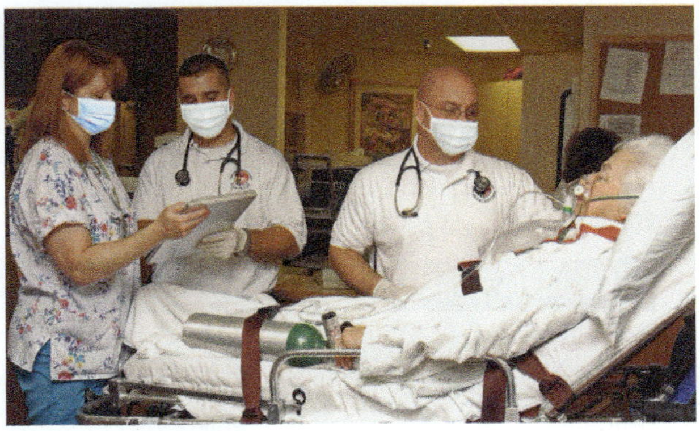

FIGURA 3-7 Preste atención a la forma de dar su informe cuando el paciente o sus familiares estén presentes.

SEGURIDAD

La transferencia de la atención al paciente, o entrega, es uno de los aspectos de mayor riesgo de la atención de emergencias médicas (o de cualquier otro tipo). La entrega puede ser múltiple entre varios proveedores, incluidos médicos, enfermeras, paramédicos, PAP y otros respondientes. Es fácil que se produzcan errores u omisiones durante las entregas. En muchos estudios sobre la comunicación prehospitalaria se ha examinado la transferencia entre los SEM y el personal del servicio de emergencias o del hospital.[23] En estos estudios se ha demostrado una pérdida de información clínica clave durante la entrega, como cambios en los signos vitales (p. ej., hipotensión transitoria), medicamentos administrados y cambios en los ajustes del ventilador, todo lo cual puede provocar daños directos al paciente. Para ayudar a prevenir estos errores, se recomienda mucho utilizar un método estandarizado al transferir la atención del paciente.

Un método utilizado por muchos sistemas de salud es la técnica de **situación, antecedentes, evaluación y recomendación** (**SBAR**, por sus siglas en inglés). Esta técnica se ha convertido en una práctica recomendada en la atención médica para transmitir con precisión información fundamental; permite una transferencia de información breve, aunque completa y esperada. Todas las personas implicadas en la entrega comparten un modelo mental, lo que mejora la seguridad de la transferencia de la atención. Los elementos de la técnica SBAR son los siguientes:[24]

- **Situación.** Describa de forma breve la situación actual. Proporcione una visión clara y concisa de los aspectos pertinentes.
- **Antecedentes.** Exponga con brevedad los antecedentes pertinentes. ¿Qué nos trajo hasta aquí?
- **Evaluación.** Proporcione un resumen de los hechos y su mejor evaluación. ¿Qué está ocurriendo? Utilice su mejor criterio.
- **Recomendación.** ¿Qué acciones solicita? ¿Qué quiere que ocurra a continuación?

Terminología médica

El uso correcto de la terminología médica es fundamental para una comunicación eficaz de los SEM y mejora la precisión de su comunicación. Familiarícese con la terminología médica aceptada o aprobada y las abreviaturas utilizadas en su sistema del SEM. La terminología médica puede parecer otro idioma, y de hecho, lo es; la mayor parte de ella proviene del griego y del latín. Un repaso del capítulo 5, *Terminología médica*, le ayudará a dominar el uso de esta terminología.

USTED es el Paramédico

PARTE 4

Su compañera le pide a la Sra. Smith que por favor la lleve a ver los medicamentos de John para que pueda anotarlos. Ella acepta de buen agrado. Usted sigue a la misma altura que John y le pregunta lentamente en voz un poco más alta: "¿me puede entender, John?". Luego de una pausa, John responde: "sí".

Tiempo de registro:	5 minutos
Respiraciones	14 respiraciones/min
Pulso	76 latidos/min, fuertes y regulares
Piel	Pálida, fresca, seca
Presión arterial	110/66 mm Hg
Saturación de oxígeno (Spo_2)	93% aire ambiente
Pupilas	Pupilas iguales, redondas y reactivas a la luz (PIRRL)

8. Proporcione algunos ejemplos de técnicas de comunicación eficaces para personas con discapacidad auditiva.

9. ¿Cómo puede afectar su lenguaje corporal su evaluación de este paciente?

Perlas de sabiduría

Como paramédico, usted puede ser su peor enemigo al momento de comunicarse con otros integrantes del equipo de atención médica. Los paramédicos a veces usan palabras rimbombantes para tratar de impresionar a la persona que escucha o leer sus informes. Algunos términos médicos se pueden malinterpretar, sobre todo por radio o teléfono. Las palabras que contienen los prefijos hiper-, hipo-, inter- o intra- tienden a sonar igual cuando una persona está alterada o tiene prisa. Si se malinterpretan, las órdenes para los medicamentos o procedimientos pueden ser incorrectas. En algunos casos, ni siquiera se reciben las órdenes. Para evitar errores, recuerde que su comunicación debe ser sencilla y directa. Además, asegúrese de utilizar la terminología, la gramática y la ortografía adecuadas.

Comunicación terapéutica

Como paramédico, su trabajo implicará interactuar diario con personas, a menudo cuando están en su peor momento o son más vulnerables. Al menos la mitad de las llamadas que atienda como paramédico los llevarán a los hogares de las personas, de día y de noche, y en los momentos más privados de sus vidas. Intente ver cada invitación a la casa de otra persona como un honor personal en un momento y lugar en el que pocos serían bienvenidos **FIGURA 3-8**.

Con frecuencia trabajará en entornos ruidosos, caóticos, extraños y, en ocasiones, peligrosos. En estas circunstancias, la comunicación con los pacientes (y sus familiares) puede resultar difícil. En este tipo de situaciones, otros respondientes buscarán su liderazgo. Si la escena es ruidosa, no grite. Cuando usted grita, también lo hacen los demás. Cuando la gente grita, tiende a alterarse. Si mantiene la calma y el control, los demás también lo harán.

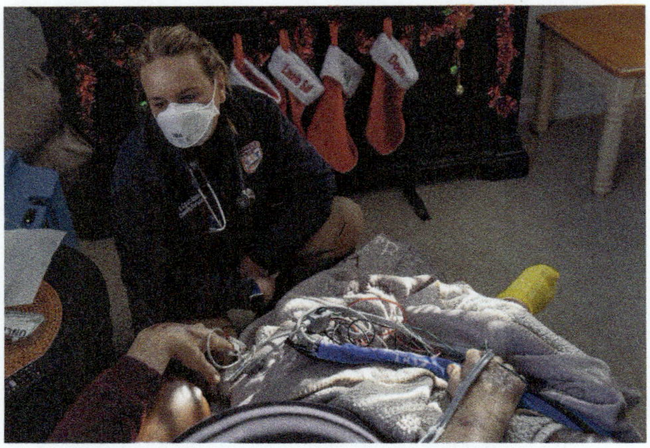

FIGURA 3-8 Considere un honor que le inviten a entrar en casa de un paciente. Sea siempre respetuoso y amable.

Si responde a una llamada en un lugar oscuro y ruidoso, como un bar, pida al camarero que apague la música, suba las luces y vigile a los demás. Si tiene que utilizar un compresor ruidoso o hacer funcionar un motor diésel en la escena, apáguelo en cuanto pueda. Hable cerca de los oídos del paciente con voz tranquila. Esta técnica permite al paciente saber que usted tiene sus emociones bajo control, y le ayudará a mantener la calma.

La **comunicación terapéutica** consiste en utilizar estrategias específicas para animar al paciente a expresar sus ideas y sentimientos. También es una forma de que usted transmita su comprensión, aceptación y genuina preocupación por alguien a quien no conoce. Si quiere que la gente le cuente sus problemas, primero tiene que convencerles de que quiere escuchar lo que tienen que decir. Preste toda su atención a los pacientes, escuche y esté atento a lo que dicen, y siempre lleve una libreta donde anotar. Repetir las preguntas porque usted no anotó la respuesta la primera vez que preguntó es ineficaz e influye en la confianza del paciente.

Una excelente forma de demostrar que realmente está escuchando es con la técnica llamada escucha activa. Esta consiste en repetir las partes clave de las respuestas del paciente a las preguntas. Repetir esta información ayuda a asegurar al paciente que en realidad le está escuchando y confirma que ha recibido la información que le comparte.

Establecer una buena relación

Un primer paso fundamental en todo encuentro con un paciente es establecer una buena relación. Para que pueda tratar con eficacia a un paciente, debe obtener información precisa sobre su estado y su historia clínica. Este proceso es mucho más fácil si el paciente está tranquilo y confía en usted. Empiece por intentar que el paciente en crisis se tranquilice.

La recopilación de información es una habilidad que se aprende. Incluso en las mejores circunstancias, obtener la información necesaria puede ser una tarea difícil. Es posible que algunos pacientes se resistan a dar detalles sobre sí mismos. Otros pueden tener problemas para concentrarse en usted debido al caos de la escena de la emergencia, pueden estar distraídos por sus condiciones físicas o emocionales, o pueden sentirse amenazados por usted o por otras personas presentes en la escena.

Si el paciente se niega a compartir información personal, empiece explicándole por qué necesita su nombre y fecha de nacimiento. Asegúrele al paciente que toda la información es confidencial y que se protegerá como establece la ley federal. Trasladar al paciente a la ambulancia puede ayudar a crear un ambiente más tranquilo para él y facilitar la conversación y la escucha. Haga preguntas personales en voz baja y en privado siempre que sea posible. Aunque se haya ganado la confianza del paciente, muchas personas no quieren hablar de ciertas cosas delante de los demás.

Si el paciente se siente amenazado y es reacio a comunicarse, acérquese con cautela y adopte una postura abierta (p. ej., colóquese con las palmas de las manos hacia fuera). Sonría y mantenga la calma. Tranquilice al paciente y, si es posible, muévase y hable un poco más despacio de lo habitual. Todas estas acciones pueden crear un entorno menos amenazador.

Inteligencia en la calle

Los pacientes se darán cuenta de cómo trata o le tratan los demás miembros del personal del SEM en el lugar de los hechos. Si lo hacen con respeto y usted trata a los demás con respeto, el paciente tendrá más confianza en usted.

Presentaciones

El primer paso para promover una comunicación abierta es la presentación. En cuanto sea razonablemente posible, preséntese. Por lo regular, un simple saludo es suficiente; por ejemplo: "Buenas tardes. Mi nombre es Érica. Soy paramédico del cuerpo de bomberos. ¿Cómo se llama?".

Establecer el contacto visual puede tranquilizar al paciente y ayudarle para que usted inicie el examen neurológico. La falta de respuesta puede indicar un estado mental alterado. Una mirada perdida puede sugerir abuso de sustancias o un trastorno psiquiátrico. Los ojos también pueden indicar que alguien se está volviendo hostil o potencialmente violento.

Si no hay evidencia de amenaza, póngase al mismo nivel que el paciente. Siéntese en una silla o póngase en cuclillas junto al paciente. Esta técnica fomenta la confianza y ayuda a aliviar la ansiedad. Ponerse al mismo nivel es en particular útil cuando se trata de niños. Colóquese en un lugar donde el paciente pueda verle con facilidad, y de modo que un paciente con discapacidad auditiva pueda observar mejor sus labios y expresiones faciales. Sea consciente de su lenguaje corporal, que puede tranquilizar o incomodar al paciente. Utilice gestos con las manos abiertas, no se cruce de brazos y no reaccione a las respuestas del paciente con escepticismo. Más adelante en este capítulo se trata con más detalle el lenguaje corporal.

Utilice el nombre del paciente en todas las interacciones. Una buena regla general es que, si el paciente es de su edad o menor, le puede hablar por su nombre de pila. Si el paciente es mayor que usted, diríjase a él como "señor", "señora", o "señorita". Hable despacio y con calma, sea siempre sincero, porque una mentira o engaño puede dañar gravemente la confianza del paciente en usted.

Respetar y proteger el pudor de las personas

El pudor es importante, por muy grave que sea la afección médica o lesión. Es en especial importante en el caso de los adultos mayores, los adolescentes y los niños pequeños. Si el paciente no es sensible al pudor, entonces con toda seguridad lo serán los integrantes de su familia (**FIGURA 3-9**).

Cómo realizar una entrevista

En una entrevista eficaz se utilizan dos tipos de preguntas: abiertas y cerradas. Una **pregunta abierta** es aquella que no admite una respuesta simple de sí o no. Cuando entreviste a un paciente, comience siempre con preguntas abiertas. Esta técnica permite que él le dé información libremente y que usted empiece a evaluar su estado mental. Ejemplos de preguntas abiertas son: "¿cómo se siente ahora?" y "¿me puede decir qué

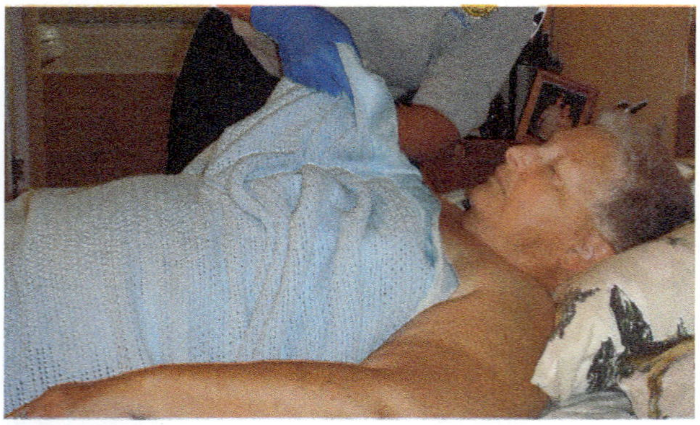

FIGURA 3-9 Muestre a su paciente el mismo respeto que a usted le gustaría que otros mostraran a sus abuelos, padres, hermanos o a sus seres queridos simplemente. Proteja el pudor del paciente con una manta o toalla.

Cortesía de Rhonda Hunt.

pasó?". Haga una pregunta a la vez, no presione a los pacientes; deje que respondan a su propio ritmo. Muchos contestarán todas sus preguntas describiendo lo que les ha ocurrido en los últimos días. Debe estar preparado para documentar esta respuesta para no tener que hacer preguntas que ya han sido contestadas.

Una **pregunta cerrada**, también conocida como pregunta directa, tiene por objeto obtener una respuesta concreta. Ejemplos de preguntas cerradas son: "¿en qué año nació?" y "¿le duele el brazo aquí?" (mientras palpa la zona lesionada). Las preguntas cerradas son muy útiles para los pacientes con dificultad para respirar. Al ser específico con sus preguntas y esperar respuestas afirmativa o negativa, puede obtener la información que necesita sin empeorar la dificultad respiratoria del paciente.

Una buena idea es desarrollar un conjunto estándar de preguntas de la historia clínica que se hacen a casi todos los pacientes. Utilice un lenguaje sencillo que puedan entender las personas sin formación médica, pero evite menospreciarlas.

Estrategias para obtener respuestas útiles a las preguntas

Si las personas atraviesan una crisis, es posible que su capacidad de comunicación se vea afectada. Puede resultar casi imposible pensar y organizar las ideas cuando se está aterrorizado o con dolor. En una situación así, hacer preguntas sencillas, abiertas o cerradas, puede no aportar la información necesaria para hacerse una idea clara de lo que está pasando. Usted puede utilizar diversas herramientas de entrevista para obtener las respuestas que necesita de estos pacientes.

Reflexión

La reflexión es la repetición de una palabra o frase que un paciente ha utilizado en enunciados anteriores para obtener más detalles. Por ejemplo, el paciente puede haber dicho: "no podía respirar".

- **Paramédico:** *¿dice que no podía respirar, señora?*
- **Sra. López:** *bueno, sentía una opresión en el tórax y no podía respirar por completo.*
- **Paramédico:** *¿qué estaba haciendo cuando ocurrió este episodio?*
- **Sra. López:** *estaba en mi silla, y empezó de repente.*

Esta técnica proporciona información vital. Ahora usted sabe que el inicio fue repentino y que no fue resultado de un esfuerzo, lo cual es más información de la que le comunicó en un principio la paciente.

Empatía

Esta se puede describir como ponerse en el lugar del paciente e intentar comprender sus sentimientos y su perspectiva.

- **Paramédico:** *¿por qué nos llamó esta noche, Sr. Solis?*
- **Sr. Solis:** *me siento muy triste y deprimido. Parece que no puedo funcionar.*
- **Paramédico:** *¿qué cree que lo hace sentirse así, señor?*
- **Sr. Solis:** *no me he sentido bien desde que mi esposa murió de cáncer la semana pasada. Simplemente, no tengo el ánimo para continuar.*
- **Paramédico:** *lamento mucho lo de su esposa, Sr. Solis. Entiendo lo difícil que debe ser este momento. Estoy aquí para ayudarlo.*

Este paciente puede o no tener otros problemas que afecten a su salud, pero necesita ayuda.

Confrontación

Es la técnica que consiste en hacer ver al paciente que hay algo que no concuerda con su historia. Considere siempre si el uso de esta técnica puede provocar al paciente. La clave es mantener la profesionalidad y no juzgar. Piense en un paciente que ha sufrido un accidente de tránsito y que está en su ambulancia:

- **Paramédico:** *¿qué le hizo perder el control de su vehículo?*
- **Sr. García:** *iba conduciendo cuando patiné sobre algo.*
- **Paramédico:** *¿tomó alcohol esta noche?*
- **Sr. García:** *no, nada.*
- **Paramédico:** *todo lo que me diga es confidencial y detecto olor a alcohol en su aliento. También había algunas botellas vacías en su vehículo. Es importante que me diga la verdad para asegurarme de que nosotros y el personal del hospital podamos atenderle de manera adecuada.*
- **Sr. García:** *sí, tomé cuatro cervezas esta noche.*

Interpretación

Si no está seguro de lo que un paciente intenta decirle, a veces puede ser útil repetir lo que usted cree que él dijo. Después, invite al paciente a que le corrija. La interpretación también se puede utilizar cuando un paciente se niega a dar información que usted necesita para determinar un plan de tratamiento.

Con este método, se empieza diciendo de forma diplomática al paciente lo que usted considera haber escuchado y lo que se cree que está pasando, y luego le pregunta si se está en lo cierto. Por ejemplo, está con una paciente de 16 años. Sus padres llamaron porque "actúa deprimida y creemos que consume drogas". Usted la lleva a la ambulancia para su traslado y ella dice: "no sé cómo me metí en este lío".

- **Paramédico:** *"¿qué sucedió?".*
- **Paciente:** *"no puedo decirlo. No quiero lastimar ni a mis amigos ni a mis padres".*
- **Paramédico:** *"¿por qué crees que le haces daño a tus padres?".*
- **Paciente:** *"nunca les gustó mi novio, y ahora tengo problemas".*
- **Paramédico:** *"¿te lastimó tu novio?".*
- **Paciente:** *"no, pero no puedo decirles a mis padres lo que pasa".*
- **Paramédico:** *"esto tal vez esté mal, pero debo hacerte esta pregunta para poder informar al médico por tu bien. ¿Crees estar embarazada?".*
- **Paciente:** *(empieza a llorar) "no lo sé, pero creo que puedo estarlo".*

La habilidad de la interpretación requiere que utilice su mejor intuición y sus habilidades diplomáticas. Una de las mejores frases para empezar es: "entonces, si entendí bien, lo que me está diciendo es...".

Facilitación

Si los pacientes dudan en responder a las preguntas de forma exhaustiva, procure que le proporcionen más información. Una expresión que funciona, es decir simplemente, "por favor, cuénteme más sobre eso". Otras son: "dígame qué es lo que más le preocupa" y "¿qué más necesitamos saber sobre usted para ayudarle mejor?". Deje que el paciente hable, no le interrumpa, y asiente con la cabeza a medida que le comparta la información para reconocer que está escuchando lo que dice.

Silencio

Si tiene la sensación de que el paciente intenta expresar algo con palabras, pero le cuesta trabajo, recuerde este famoso consejo: "nunca pierda una buena oportunidad para guardar silencio". Sea paciente. No diga nada durante unos segundos. Deje que hable el paciente.

Aclaración

Si no entiende lo que le dicen los pacientes, pídales que le expliquen lo que quieren decir. Este método comunica que usted está escuchando y tomando en serio sus comentarios. También puede ayudarle a entender lo que intentan decirle.

Redirección

A veces los pacientes mencionan algo de pasada o evitan responder a una pregunta concreta. Puede redirigir de manera amable su atención hacia esa pregunta (varias veces, si es necesario) hasta que consiga que la responda.

Simplificación y resumen

A algunos pacientes les cuesta trabajo hablar claro, por mucho que lo intenten. Puede ser difícil comunicarse con personas que padecen trastornos psiquiátricos, que inventan sus enfermedades o que están asustadas o alteradas. Si los pacientes le responden de manera confusa o desorganizada, intente poner sus comentarios en términos más sencillos y ver si están de acuerdo con su resumen. Este método les puede ayudar al paciente centrar sus pensamientos y a usted como entrevistador.

Errores comunes en las entrevistas

Además de las buenas técnicas de entrevista, a continuación se indican algunos errores comunes que se deben evitar:

- **Nunca asegure en vano ni haga afirmaciones poco probables.** Su trabajo consiste en ser neutral y objetivo. Asegurar a alguien que se pondrá bien parece una afirmación cariñosa y directa, pero nunca haga promesas que no pueda cumplir.
- **No ofrezca un diagnóstico o consejo médico que esté fuera de su ámbito de práctica.** Lo apropiado es que ofrezca su opinión médica y consejos con base en su ámbito de práctica individual y su mejor juicio, como los siguientes: "no sé si el dolor que siente en el pecho sea el corazón o por una indigestión, pero me preocupa que pueda ser de su corazón. Creo que deberíamos llevarle al hospital para que lo evalúen bien".
- **No haga preguntas capciosas.** Es probable que no obtenga una respuesta confiable a

una pregunta como "no ha tenido visión borrosa, ¿verdad?".

- **Evite interrumpir al paciente o hablar demasiado.** Debe escuchar lo que el paciente tiene que decir.

Habilidades no verbales

Como proveedor del SEM, también tendrá que dominar algunas habilidades de comunicación no verbal. Tenga siempre presente la frase: "solo se tiene una oportunidad para causar una primera impresión". La gente con frecuencia se forma una opinión de los demás a primera vista. Si su aspecto es descuidado y desaliñado, el paciente puede suponer que sus conocimientos y habilidades son también inferiores. Por el contrario, un aspecto y una conducta profesionales pueden infundir confianza a los pacientes.

Sea tolerante y manténgase tranquilo, porque actuar de forma impaciente hará que el paciente se sienta incómodo y estresado. Se sobreentiende que la mayoría de las emergencias requiere que actúe rápido; sin embargo, se puede ser eficiente y rápido al mismo tiempo que muestra un aire de paciencia y calma.

Evite una postura cerrada (p. ej., cruzarse de brazos), porque este tipo de lenguaje corporal envía señales negativas. Preste atención a sus gestos y expresiones faciales. Evite gestos físicos que puedan transmitir falta de respeto, como sonreír ante las respuestas del paciente o poner los ojos en blanco. Evite que el paciente sienta que le falta al respeto o incómodo porque puede limitar su capacidad de obtener información. Mantenga un contacto visual constante y sin prejuicios, un tono de voz neutro y procure que conteste sus preguntas, no le exija.

A algunas personas no les gusta que las toquen, mientras que otras sienten que es una valiosa demostración de que alguien se preocupa por ellas. Intente tocar con suavidad al paciente en una parte neutra del cuerpo, como el hombro o el brazo. Esta técnica puede tranquilizar al paciente y reducir su ansiedad **FIGURA 3-10**. Si él se aparta de usted, es probable que el tacto no sea una estrategia útil en este caso; si reacciona de forma positiva inclinándose hacia usted o parece relajarse, entonces el tacto terapéutico funcionará.

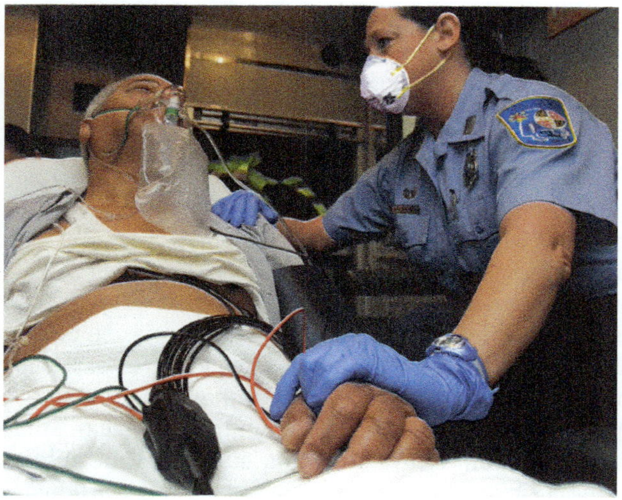

FIGURA 3-10 Un toque suave en la mano, el brazo o el hombro puede reconfortar a alguien que está enfermo o herido y asustado.

> **SEGURIDAD**
>
> Los pacientes que se han visto implicados en un suceso física o psicológicamente traumático se ven afectados por las acciones y la actitud percibida de quienes les atienden, incluido el personal de los SEM. Los estudios han probado que mostrar empatía, explicar lo que está pasando, lo que hay que hacer y por qué hay que hacerlo (p. ej., poner una vía intravenosa [IV]), involucrar a los pacientes en sus cuidados y darles opciones cuando sea posible son acciones que pueden reducir la gravedad potencial del estrés postraumático experimentado por estos pacientes. No subestime el efecto positivo que puede tener el apoyo emocional y la atención a sus pacientes.[25]

Situaciones especiales en una entrevista

Ciertas situaciones en su práctica paramédica pueden requerir técnicas especiales de comunicación. Algunas de estas situaciones incluyen pacientes poco comunicativos, hostiles o violentos, adultos mayores, niños pequeños y personas con dificultades especiales. Evite estereotipar a cualquiera de estos grupos de pacientes, ya que ello dificultará una comunicación eficaz.

Personas hostiles o violentas

Las situaciones de emergencia pueden ser emotivas para las personas implicadas, sobre todo para los pacientes y sus seres queridos. Esta emoción exacerbada puede hacer que algunas personas se vuelvan hostiles, incluso hacia los profesionales que intentan ayudarles, como usted. Preste atención y actúe siempre de forma que garantice su seguridad y la de los demás.

Es fundamental reconocer las preocupaciones de la persona hostil y empatizar con ella. Mantenga la calma e intente comprender qué le preocupa a la persona. Utilice la interpretación, la aclaración y el resumen para ayudarla a sentirse escuchada y comprendida. Considere la posibilidad de que quizá no pueda calmar una situación en la que esté implicada una persona hostil, en cuyo caso tal vez tenga que recurrir a las fuerzas del orden.

Durante su carrera como paramédico, es un hecho de que recibirá algunos insultos de personas en crisis, tal vez casi a diario. Este tipo de reacción es en especial predecible cuando se trata de personas con problemas químicos. Aprenda a no responder nunca de la misma manera. Nada agrava más una situación que intercambiar insultos con otras personas, en particular cuando hay testigos presentes. Este tipo de comportamiento no solo no tiene sentido, sino que además es poco profesional y puede ser peligroso. En estos días de omnipresencia con las cámaras de los teléfonos inteligentes y las redes sociales, no querrá perder los estribos y aparecer minutos después en internet.

Los pacientes hostiles o enojados pueden suponer una amenaza para usted y para los demás. Algunos pueden estar bajo los efectos de las drogas o el alcohol, o tener problemas de comportamiento o de salud mental. Estos factores pueden hacer que el comportamiento del paciente sea impredecible. Acérquese siempre con precaución a un paciente hostil o enojado y mantenga el contacto visual. Además, evite entrevistar a esta persona usted solo. Lo ideal es que su compañero esté presente, pero que se quede un poco más atrás para evitar que el paciente se sienta agobiado. Cuando atienda a un individuo potencialmente violento, tenga cerca unidades de refuerzo adicionales, ya sea personal de las fuerzas de seguridad u otros respondientes del SEM. Si el paciente está cada vez más agitado o violento y no se dispone de refuerzos, considere la posibilidad de abandonar el lugar para garantizar su seguridad (siga el protocolo local).

A continuación, se ofrecen algunos consejos adicionales para tratar con pacientes potencialmente violentos:

- Cuando entre en el lugar, identifique las vías de escape. No permita que el paciente se interponga entre usted y la única salida de la habitación.
- Acérquese al paciente de frente, con las manos visibles y las palmas abiertas.
- Comience por presentarse, explicar su función y preguntar el nombre del paciente.
- Si puede hacerlo sin peligro, póngase a la misma altura que el paciente.
- Pida permiso para hacer preguntas y tocar al paciente.
- Sea siempre sincero.
- Esté atento a señales de ataque inminente, como manos empuñadas, lenguaje hostil, músculos del cuello y la cara tensos y gestos amenazadores.

Inteligencia en la calle

Convierta en parte de su rutina la búsqueda de lenguaje corporal agresivo que indique un aumento de la ira y un posible ataque. Estas señales incluyen manos empuñadas, mirada intensa dirigida hacia usted y respiración agitada a través de los dientes apretados.

Pacientes sexualmente agresivos

En ocasiones se encontrará con un paciente sexualmente agresivo hacia usted o hacia otros respondientes. Esta situación puede darse tanto con pacientes como con respondedores masculinos o femeninos. Empiece por asegurarse de que hay otra persona presente en todo momento cuando esté con el paciente. Comuníquese de forma profesional y educada. Asegúrese de que sus palabras no sean sexualmente ambiguas. Sobre todo, mantenga el profesionalismo en todo momento. Siga las normas de su dependencia, documente con detalle el encuentro y obtenga los nombres y firmas de los testigos en las notas del paciente o en el informe de la visita. Este tema se trata con más detalle en el capítulo 8, *Evaluación del paciente*.

Consideraciones especiales sobre la edad

No suponga que es más difícil comunicarse con las personas mayores que con los jóvenes solo por su edad. Cuando están enfermas, sus dolencias suelen ser más complejas que las de los jóvenes. Pueden padecer más de un proceso patológico y tomar varios tipos de medicamentos. Los miembros de la población de edad avanzada presentan una amplia variedad de diferencias individuales en cuanto a oído, vista, mente y movilidad, a las que es posible que usted tenga que adaptarse. Al mismo tiempo, reconozca que cada paciente es un individuo, y que debe basar su evaluación y tratamiento en las necesidades individuales del paciente, y no en un conjunto general de suposiciones. Cuando se comunique con un paciente de edad avanzada, haga una sola pregunta a la vez. Recuerde que estos pacientes pueden tener una capacidad cognitiva deprimida y pueden tardar unos instantes en formular una respuesta a sus preguntas. Si hace preguntas rápidas a los miembros de este grupo de pacientes, es posible que provoque en ellos confusión e irritabilidad.

Los niños pueden plantear problemas de comunicación incluso a los mejores paramédicos. Tienden a protestar enérgicamente contra el dolor, pueden tener miedo a los extraños, entrar en pánico cuando se separan de sus padres o cuidadores, y es posible que usted no esté familiarizado con sus cuerpos. Muchos paramédicos no tienen tanta experiencia ni se sienten tan cómodos tomando los signos vitales a los niños, colocándoles vías intravenosas o intubándoles como con los adultos. Este titubeo es común, pero, con un poco de práctica, podrá sentirse cómodo con estas habilidades.

Los aspectos más importantes de su contacto inicial con los niños son un contacto visual amistoso, una sonrisa tranquilizadora y explicaciones en voz baja adaptadas a la edad y el nivel de comprensión del niño. Minimice sus movimientos, baje la voz y toque al niño con la mayor suavidad posible. Empiece hablando con los padres o cuidadores del paciente. Este paso mostrará al niño que el padre o cuidador confía en usted, lo que puede mejorar también la confianza del niño en usted.

Intente mantener la mirada a la altura del niño o por debajo de ella. Puede intentar sentarse en el suelo y colocar al niño en la cuna o en el regazo de uno de los padres o cuidadores **FIGURA 3-11**. Cuando examine a un niño de 1 a 3 años o a un niño pequeño, siga el orden inverso al del examen normal, empezando por los pies y avanzando hacia la cabeza, ya que este proceso suele ser menos intimidatorio para el niño. Siempre que sea posible, involucre a uno de los padres o a un cuidador en la atención práctica de un niño pequeño consciente. Esta técnica es más importante con lactantes y niños pequeños y menos útil con niños mayores.

Si los padres o cuidadores no están disponibles o se encuentran en otras situaciones estresantes, los juguetes pueden ser útiles para salvar la distancia entre los paramédicos y algunos niños **FIGURA 3-12**. Muchos programas del SEM abastecen sus ambulancias con osos de peluche para niños pequeños. Los grupos o clubes locales de servicio público a menudo donan juguetes de peluche a los hospitales y dependencias del SEM.

En general, tratar a los adolescentes como adultos es una buena idea. Puede obtener más cooperación ofreciendo a los adolescentes opciones y respetando sus elecciones, pero nunca ofrezca una opción que sabe que no puede respetar. Es posible que los adolescentes (a partir de los 13 años aproximadamente) no quieran que sus padres o cuidadores estén presentes durante el interrogatorio o la exploración física.

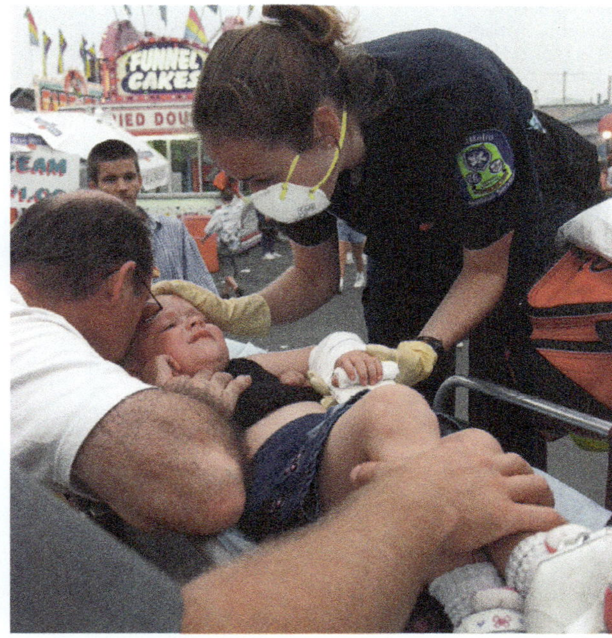

FIGURA 3-11 Cuando examine a un niño pequeño, involucre a los padres o cuidadores. Pida a uno de los padres que sostengan al niño en su regazo o que lo mantenga ocupado mientras usted trabaja.

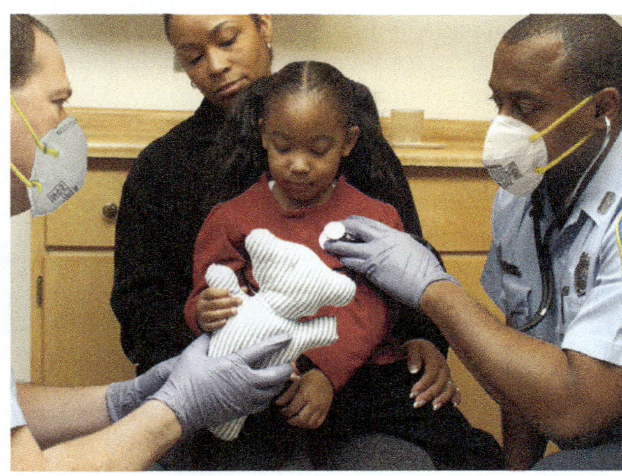

FIGURA 3-12 Un peluche o un juguete puede tranquilizar a un niño pequeño.

Haga un esfuerzo especial por proteger el pudor de los pacientes mayores de 2 años y de los adolescentes en particular. Los pacientes de este grupo de edad son cada vez más conscientes de su cuerpo y pueden sentirse en especial avergonzados durante un examen físico; evite desvestirlos a menos que sea necesario.

Inteligencia en la calle

Es posible que un padre que se muestra excesivamente vigilante o controlador con respecto al cuidado de su hijo tan solo esté estresado por las circunstancias. Se espera que los padres quieran participar en la atención de sus hijos. Sin embargo, si el padre insiste en controlar la conversación, incluso cuando es claro que hacerlo no beneficia al paciente adolescente, sobre todo si el padre muestra signos físicos de agresividad, debe documentar y comunicar el comportamiento del padre a la persona adecuada.

Personas con capacidades especiales

No pase por alto las necesidades de las personas con dificultades para hablar, escuchar, ver u otros tipos de trastornos de la comunicación. Cuando se encuentre con un paciente que tenga problemas para comunicarse, recuerde que los familiares o cuidadores principales que conozcan bien a estos pacientes pueden apoyarle en su esfuerzo de comunicación. Por ejemplo, muchos cuidadores se inscriben en clases de lenguaje de signos y lectura de labios para facilitar la comunicación con estos pacientes. También pueden ayudarle a aliviar el miedo y la ansiedad del paciente. Si este lleva lentes o audífonos, asegúrese de que estén disponibles y funcionan.

Muchos cuidadores descubren que el tacto terapéutico y el contacto visual son mecanismos de acercamiento útiles cuando atienden a pacientes con capacidades especiales. Por ejemplo, una ligera caricia en el hombro de un paciente puede transmitir amabilidad, mientras que un apretón firme puede tranquilizar. Algunos pacientes responden bien a un abrazo breve con un solo brazo.

Un grupo de pacientes en particular difícil es el de los autistas. El autismo puede variar en gravedad y se engloba en una categoría más amplia conocida como **trastornos generalizados del desarrollo (TGD)**. Los TGD provocan retrasos en muchas áreas del desarrollo infantil, como el desarrollo de habilidades para comunicarse e interactuar socialmente, y sus efectos pueden durar toda la vida.

Los niños con autismo pueden tener dificultades para desarrollar el lenguaje y comprender lo que les dicen los demás. También pueden tener dificultad para comunicarse de forma no verbal, por ejemplo, mediante gestos con las manos, contacto visual y expresiones faciales. No todas las personas con autismo tienen dificultades con el lenguaje. Algunas de ellas no tienen la capacidad de hablar, mientras que otras pueden tener un vocabulario rico y ser capaces de hablar sobre temas específicos con gran detalle. La mayoría de los niños con autismo tiene poco o ningún problema para pronunciar las palabras; sin embargo, pueden tener dificultades para utilizar el lenguaje de forma eficaz, en especial cuando hablan con otras personas. Asimismo, es posible

USTED es el Paramédico

PARTE 5

Se da cuenta de que John puede oírle con unos pequeños ajustes de su parte. Él le dice que se siente débil y que la semana pasada su médico le recetó una nueva "pastilla para el corazón". Cree que le está cayendo mal y no recuerda su nombre. Usted prepara oxígeno para el paciente mediante una cánula nasal. Cuando va a ponérsela, el paciente le aparta la mano y gira la cabeza. Usted le dice: "John, es solo una cánula". A disgusto, deja que se la ponga.

Tiempo de registro: 10 minutos	
Respiraciones	14 respiraciones/min
Pulso	78 latidos/min
Piel	Pálida, fresca, seca
Presión arterial	110/64 mm Hg
Saturación de oxígeno (Spo_2)	98% con 4 L/min por cánula nasal
Pupilas	PIRRL

10. ¿Cómo podría haber evitado la reacción del paciente a la cánula nasal?

que no tengan la capacidad de comprender el lenguaje corporal y los matices de los tonos vocales.

Los niños con autismo que pueden hablar con frecuencia dicen cosas que no tienen sentido o que parecen fuera de contexto en conversaciones con otras personas. Un ejemplo es la repetición continua de palabras o frases. Cuando se comunique con un paciente autista, lo mejor será dirigir las preguntas a sus padres o cuidadores. En muchas ocasiones, ellos son la mejor fuente de comunicación con el paciente.

Consulte en el capítulo 42, *Pacientes con necesidades especiales*, información adicional sobre la comunicación y el cuidado de estos pacientes.

Comunicación intercultural

Competencia cultural

Ante una situación estresante, las personas reaccionan de forma diferente. Muchas veces, esta respuesta viene determinada por los antecedentes culturales y la educación del individuo. Las reacciones de los miembros de algunas culturas ante una lesión, enfermedad o muerte pueden parecer extrañas (y a veces incluso inquietantes) para los miembros de otras culturas. Como profesional de la salud, debe evitar considerar a los demás desde un punto de vista etnocéntrico. El **etnocentrismo** es la creencia de que la propia cultura o grupo étnico es intrínsecamente superior a los demás, o que el propio punto de vista cultural es siempre "correcto" y aquellos de los demás son "erróneos". Un punto de vista etnocéntrico interpreta las acciones y creencias de personas de diferentes grupos culturales o étnicos, basándose solo en las normas y los valores de la propia cultura.

Un punto de vista etnocéntrico puede dar como resultado suposiciones incorrectas e interferir en su capacidad para proporcionar una atención de emergencia médica adecuada porque ha malinterpretado información clave. Un ejemplo puede ser un paciente etíope con dificultad respiratoria. Si le aplica oxígeno, el paciente y su familia se pueden alterar y sentir miedo. La creencia cultural estadounidense predominante es que el uso de oxígeno es rutinario y reconfortante, pero la creencia cultural etíope es que el uso de oxígeno significa una enfermedad grave o casi mortal.[26] La respuesta culturalmente competente consiste en comprender por qué el paciente reacciona de una manera que usted no esperaba. Las reacciones de personas de orígenes diferentes pueden resultarle desconocidas, más no son erróneas. Tan solo son diferentes y están dictadas por las expectativas de la cultura del individuo. Para ser un proveedor del SEM eficaz, debe comprender estas diferencias.

La **cultura** se puede definir como el sistema de creencias, actitudes y comportamientos aprendidos y compartidos por los miembros de un grupo. Este último se puede definir por un origen étnico, una lengua o una religión compartidos, o basarse en otra identidad compartida, como el ejército o la comunidad gay. La atención médica y los SEM tienen sus propias culturas distintivas, con su propio lenguaje, tradiciones, rituales y ritos de iniciación.

Los seres humanos no nacen con un sentido de la cultura, más bien lo aprenden de los demás. Sus padres y su familia son los primeros en conocer su cultura. Con el paso del tiempo, la gente aprende otros aspectos de la cultura de sus amigos, de grupos sociales y religiosos, de los medios de comunicación y de muchas otras fuentes. Como individuo, usted es una mezcla de muchas influencias culturales. Puede pertenecer a un grupo cultural basado en la etnia, la lengua o la religión. También es miembro de la cultura de su ciudad o región, de su círculo de amigos y de su profesión. La gente cambia sus identidades y prácticas culturales según las circunstancias. Por ejemplo, la forma de relacionarse con sus familiares mayores será distinta de la forma de relacionarse con sus amigos, compañeros de trabajo o pacientes.

Cada persona con la que se encuentre tiene una mezcla similar de influencias culturales que repercuten en la forma en que se comporta y en que reacciona cuando surgen situaciones estresantes. Como paramédico, es su responsabilidad reconocer estas diferencias y entender cómo pueden afectar a sus interacciones con la población diversa a la que sirve. Esta comprensión se conoce como **competencia cultural**. En los SEM, la competencia cultural se puede definir como comprender las culturas predominantes en la zona geográfica en la que se presta atención al paciente.

El resto de esta sección se centra en que usted se concientice de cómo las creencias y prácticas culturales influyen en el punto de vista de las personas respecto a la salud, la enfermedad y la atención médica. De igual modo, se explora cómo interactuar y comunicarse de manera eficaz con pacientes y familiares de diferentes culturas. Aquí se examinan sobre todo los grupos culturales, étnicos y tradicionales, así como sus creencias y prácticas médicas. En este espacio limitado, es imposible proporcionar descripciones detalladas de todas las prácticas médicas culturales que pueda encontrar. Aun cuando en esta sección se destacan algunos ejemplos que ilustran la amplia variedad de creencias y prácticas culturales, tendrá que identificar los principales grupos culturales de su zona y conocer sus prácticas culturales y de salud específicas.

Conciencia cultural

Lenguaje corporal

El lenguaje corporal y los gestos son ampliamente utilizados por individuos de diversos grupos, aunque miembros de distintas culturas los pueden interpretar de forma diferente. Es posible que no se reconozca el significado deseado y se produzca confusión, o que un gesto inocente en una cultura se considere ofensivo en otra. Quizás el gesto intercultural más universal sea la sonrisa, la cual es comprensible con facilidad en casi todas las culturas y transmite buena voluntad.

Cada cultura tiene sus propias normas sociales, prácticas religiosas e interpretación del lenguaje corporal. Lo que puede percibirse como ofensivo o extraño puede ser simplemente una diferencia de normas culturales. En este capítulo no se pueden abarcar todas las normas culturales con las que podría encontrarse, pero la siguiente lista describe algunas prácticas culturales que debería reconocer:

- **Contacto visual.** Los miembros de algunas culturas pueden evitar el contacto visual directo. Evitarlo es un signo de respeto en muchos grupos culturales nativos americanos y en algunas culturas asiáticas, africanas, latinoamericanas y caribeñas. El contacto visual prolongado es aceptable en el mundo árabe, Somalia, Brasil y la mayoría de las culturas europeas.
- **Tocar con la mano izquierda.** Las culturas islámica e hindú evitan tocarse con la mano izquierda porque, por tradición, esta mano se utilizaba para funciones impuras. Se considera de mala educación usar la mano izquierda para saludar.
- **Tocar la cabeza.** Los miembros de muchas culturas asiáticas no se tocan la cabeza, ya que esta se considera la parte más sagrada del cuerpo y es la residencia del alma. Creen que tocar la cabeza puede poner el alma en peligro.
- **Los pies.** Mostrar la planta de los pies se considera ofensivo en muchos países musulmanes y en la mayor parte de Tailandia.
- **Manos en las caderas.** Esta postura puede ser un signo de hostilidad en México y Argentina.
- **Asentir con la cabeza.** Los miembros de las culturas india y árabe pueden indicar que están de acuerdo moviendo la cabeza de un lado a otro (el "no" occidental). Algunos miembros de culturas asiáticas asienten con la cabeza para indicar "reconozco que me está hablando", pero este gesto no por fuerza significa que estén de acuerdo.
- **Gestos con las manos.** Los gestos con las manos pueden tener significados muy diferentes en las distintas culturas. Algunos pueden ser inocentes para un grupo cultural, pero ofensivos para otro. Infórmese acerca del uso de los gestos con las manos y sea prudente con los miembros de las distintas culturas de su comunidad.

Perlas de sabiduría

Es fundamental familiarizarse con los grupos culturales que viven en su área de servicio. Algunas zonas han organizado programas de formación en sensibilización cultural. Si en su comunidad no existen programas de este tipo, considere la posibilidad de organizar uno. Invite a representantes de organizaciones religiosas o culturales locales a reunirse con su dependencia del SEM y desarrollar clases de formación. Otros recursos pueden ser los hospitales locales, las universidades y los grupos comunitarios.

Medicina popular tradicional y la comprensión de la enfermedad

No todas las culturas ven la salud y la enfermedad de la misma manera. La mayoría de los pacientes con los que se encontrará suscribirá el modelo biomédico occidental, que hace hincapié en una comprensión biológica de la enfermedad y las lesiones, junto con el uso de pruebas de diagnóstico y tratamientos científicamente comprobados. Considere la enfermedad como una batalla que hay que ganar mediante pruebas de laboratorio, radiografías, medicamentos y procedimientos quirúrgicos.

Muchos inmigrantes en Estados Unidos siguen las prácticas de la medicina popular tradicional de su cultura o país de origen. Los modelos tradicionales de enfermedad suelen implicar la creencia de que la salud es el resultado de un equilibrio de fuerzas. Si se produce un desequilibrio, el individuo enferma. Por lo tanto, los tratamientos y remedios tienen como objetivo restablecer el equilibrio. Otras creencias pueden considerar la enfermedad como el resultado de la pérdida del espíritu o de influencias mágicas **CUADRO 3-3**. La medicina occidental siguió las prácticas de la medicina humoral hasta el siglo XIX, y algunas de ellas han recuperado popularidad entre los seguidores del movimiento New Age. Es común que los inmigrantes, y los hijos de estos, practiquen una mezcla de prácticas

CUADRO 3-3 Creencias tradicionales acerca de la salud, las enfermedades y los tratamientos populares

Creencias	Ejemplos	Tratamientos tradicionales

Equilibrio humoral.	• Equilibrio entre humores: sangre, bilis amarilla, bilis negra, flema.
	• Cada humor se asocia a una estación, elemento, órgano o cualidades específicas de calor/frío y humedad/sequedad.
		• "Alimentar un resfriado, mata de hambre una fiebre".
		  • Alimentos que se cree que calientan o refrescan.
		• Magia imitativa (sacar la enfermedad [veneno] del cuerpo):
		  • Acuñación: se aplica aceite caliente sobre la piel, luego se frota la piel con monedas, creando ronchas rojas.
		  • Ventosas: se colocan frascos o tazas de cristal calientes sobre la piel; cuando las copas se enfrían, crean succión, marcas rojas y, a veces, hematomas.
		  • Velas para oído: se introducen conos de papel encerado en el conducto auditivo y se queman para eliminar el cerumen.
		• Sangrado y formación de ampollas como tratamientos para restablecer el equilibrio.

La enfermedad como pérdida del espíritu.	• El espíritu del individuo puede huir del cuerpo debido a:
	  • Ruidos repentinos.
	  • Trauma físico o lesión.
	  • Trauma espiritual o emocional.
		• Rituales para regresar el espíritu errante al cuerpo.

La enfermedad como resultado de fuerzas mágicas.	• El mal de ojo.	• Al igual que con la pérdida del espíritu, los rituales para regresar el espíritu errante al cuerpo. • Amuletos para evitar el mal de ojo u otras maldiciones.

Datos de: Juckett J. Cross-cultural medicine. *Am Fam Physician*. 2005;72(11):2267-2274; Lipson JG, Dibble SL. *Culture and Clinical Care*. San Francisco, CA: UCSF Nursing Press; 2005.

de salud occidentales y tradicionales. Pueden alternar entre su curandero tradicional y su médico occidental.

Dos prácticas de medicina popular que debe reconocer son las "ventosas" y la "acuñación", porque con facilidad pueden malinterpretarse como signos de abuso físico.[27] Estas prácticas se tratan con más detalle en el capítulo 40, *Emergencias pediátricas*. Una parte importante de la historia clínica es preguntar si se han utilizado prácticas curativas tradicionales.

Otra área de la medicina popular tradicional es el uso de medicamentos a base de hierbas. Muchos fármacos de uso cotidiano se derivan de antiguas medicinas populares. Por ejemplo, de la corteza del sauce o del abedul, la aspirina, que se utiliza para reducir el dolor o la fiebre, y del árbol de la quina, la quinina, que se utiliza para tratar la malaria. El uso de remedios tradicionales está muy extendido, y es esencial que el paciente sea consciente de lo que está tomando. Muchas hierbas medicinales tienen importantes efectos farmacológicos que pueden ser la causa de los síntomas del paciente o interactuar con otros medicamentos prescritos.

Los pacientes también pueden estar tomando medicamentos traídos de su país de origen o suministrados por sus familiares. A menudo, estos medicamentos tienen marcas o nombres genéricos diferentes a los de sus equivalentes estadounidenses, o puede ser que su uso no esté aprobado en Estados Unidos. La mejor práctica consiste en recoger todos los medicamentos del paciente (de venta libre, recetados, a base de hierbas y los procedentes de farmacias extranjeras) y llevarlos al hospital con el paciente para que puedan identificarlos y que el personal receptor esté al tanto de todo lo que toma el paciente.

Por último, tenga en cuenta que algunos pacientes pueden no compartir las creencias de su familia o cultura y, por lo tanto, estar en desacuerdo con los miembros de su familia respecto a su enfermedad y tratamiento. Siempre sea sensible a las creencias religiosas, culturales y sociológicas de cada paciente.

Interpretación lingüística

Tal vez el problema de comunicación más importante que puede surgir con miembros de otras culturas es la falta de un idioma en común. Este problema dificulta, si no es que imposibilita, la realización de una buena historia clínica y evaluación. La interpretación lingüística es vital cuando se atiende a un paciente que habla un idioma diferente, incluidas las personas con deficiencias auditivas que utilizan el lenguaje de signos.

A menos que domine el otro idioma, siempre es mejor recurrir a un intérprete calificado. Los centros de salud están obligados por ley a prestar servicios de interpretación, y los pacientes del ámbito prehospitalario merecen el mismo nivel de servicio. Obtener interpretación médica calificada es más difícil en campo, pero es posible. En el **CUADRO 3-4** se enumeran los tipos de servicios de interpretación que pueden estar a su disposición. Al tratar con un paciente que habla otro idioma, siempre hay que suponer que se está pasando por alto algo importante en la historia clínica y la evaluación, y actuar en consecuencia.

CUADRO 3-4 Recursos de interpretación lingüística

Opción	Ventajas	Desventajas
Intérpretes proporcionados por el hospital o el centro de despacho.	• Intérpretes médicos calificados. • Pueden estar disponibles por teléfono o radio.	• No está presente con usted en campo. • La selección de idiomas puede ser limitada. • Las horas de disponibilidad pueden ser limitadas.
Otros respondedores como intérpretes (otro personal de los SEM, bomberos, fuerzas de seguridad, etc.).	• Fácil acceso.	• Puede o no hablar con fluidez, o no conocer la terminología médica. • Es posible que no pueda acompañar al paciente al hospital.
Servicios de interpretación por teléfono.	• Fácil acceso desde cualquier lugar. • Intérpretes médicos calificados.	• Requiere de acceso telefónico. • Suele implicar una suscripción u otra cuota.
Aplicaciones de traducción electrónica (teléfonos inteligentes, etc.).	• Fácil acceso desde una tablet o teléfono inteligente. • Muchos son económicos.	• No es específico de la interpretación médica. • Puede no cumplir con los requisitos legales.
Familiares o amigos como intérpretes.	• Con frecuencia están presentes con el paciente en la escena. • El paciente puede sentirse más cómodo con un familiar o amigo.	• Puede tener una fluidez limitada. • Puede tener una comprensión limitada de las preguntas o de los conceptos médicos. • La exactitud de la interpretación puede ser cuestionable (p. ej., pueden editar lo que dice el paciente o dar su propia opinión, no lo que el paciente ha dicho).
Menores como intérpretes.	• Disponibilidad inmediata. • Pueden ser bilingües.	• Rara vez tiene una buena idea. • Puede tener una fluidez limitada. • A menudo tendrá una comprensión limitada. • La precisión de la interpretación puede ser cuestionable. • La ética de utilizar niños pequeños en esta función es cuestionable.

Abreviatura: SEM, servicios de emergencias médicas.

USTED es el Paramédico RESUMEN

1. Como paramédico del sistema del SEM, ¿cómo se le notificará la ubicación y naturaleza del incidente?

Se realizará una llamada de asistencia de emergencia médica al punto de respuesta de seguridad pública (PSAP, por sus siglas en inglés) a través del 9-1-1, donde un despachador obtendrá la información y dirigirá los recursos apropiados (usted) a la escena.

2. ¿Qué hará el despachador mientras usted se dirige al lugar de los hechos?

El despachador obtendrá más información de la persona que llama y le dará las instrucciones médicas necesarias previas a la llegada. También pondrá al tanto al personal de la ambulancia con cualquier información nueva.

3. ¿Cómo se comunicará con los demás respondientes y dependencias implicadas en la respuesta a la emergencia?

La comunicación entre los equipos de respuesta utilizará el sistema de comunicaciones de emergencia, que puede hacer uso de la radio, los dispositivos móviles o los terminales de computadora. El método más común de comunicación en la escena es un canal símplex que utiliza radios portátiles y móviles.

4. ¿Cómo iniciará la comunicación con este paciente?

Tan pronto como sea razonablemente posible, empiece por presentarse. Esta presentación no implica ninguna habilidad social especial ni normas sociales. Por ejemplo, diga: "buenos días, mi nombre es Mark. Soy paramédico del cuerpo de bomberos. ¿Cuál es su nombre?". Este sencillo intercambio ofrece comodidad y fomenta un sentimiento de unión y buena voluntad.

Asegúrese de mantener el contacto visual. Esta acción refuerza la confianza y la honestidad. También le permite evaluar el estado neurológico del paciente, ya que ciertas afecciones pueden provocar una alteración del estado mental que se hace evidente a través de la mirada de la persona. Una mirada vaga y lejana puede sugerir la presencia de problemas físicos o abuso de sustancias. Los ojos también pueden indicar agitación, hostilidad o potencial de violencia.

5. ¿El ruido de la televisión es un factor que necesita considerar para su evaluación?

A veces, incluso con las mejores técnicas de comunicación, es difícil comunicarse con el paciente. Factores externos como el ruido, las escenas perturbadoras, las barreras lingüísticas y las deficiencias sensoriales pueden dificultar la comunicación. En esta situación, el ruido de la televisión puede interferir en la comunicación eficaz con el paciente. Procure evitar el impulso de acercarse y simplemente apagarlo. Siempre que sea posible, pida permiso antes de mover muebles o apagar aparatos. El respeto que demuestre contribuirá en gran medida a mejorar la comunicación general con su paciente.

6. ¿Qué significa "ponerse al mismo nivel que el paciente"? ¿Cuál es la importancia de esta acción?

Si no hay ninguna amenaza evidente, colóquese físicamente al mismo nivel que el paciente. Esta práctica consiste en colocarse en una posición en la que el paciente no tenga que levantarle la vista; fomenta la confianza y alivia la ansiedad. Esta técnica es de beneficio cuando se trata de niños. En esencia, está demostrando una postura de igualdad a través de la orientación física.

7. ¿Cómo puede abordar el problema de que un familiar responda a las preguntas que se le hacen al paciente?

Si se produce este tipo de problema, no se irrite con el familiar. Este método específico de comunicación puede funcionar bien para esta pareja porque el paciente tiene una discapacidad auditiva. En este caso, tiene varias opciones. Puede pedir de forma amable al familiar que deje hablar al paciente para que usted pueda escuchar su voz. También puede pedirle que realice otra función, como recoger los medicamentos, lo que le permitirá hablar de manera directa con el paciente. Haga lo que haga, que sea con tacto.

8. Proporcione algunos ejemplos de técnicas de comunicación eficaces para personas con discapacidad auditiva.

Existen distintos niveles de discapacidad auditiva, desde déficits mínimos hasta la sordera total. No grite porque es posible que el paciente no tenga deficiencia auditiva. Observe a los miembros de la familia. En este caso, la Sra. Smith se acercó al oído izquierdo del paciente y le habló. O bien, colóquese de forma que el paciente pueda verle bien; háblele despacio y con claridad. Muchas personas sordas o con problemas de audición pueden leer los labios y las expresiones faciales. También puede intentar escribir sus preguntas y dejar que el paciente escriba las respuestas. Tal vez sea necesario utilizar un intérprete de signos cuando trabaje con personas sordas.

USTED es el Paramédico RESUMEN continuación

9. ¿Cómo puede afectar su lenguaje corporal su evaluación de este paciente?

Evite una postura cerrada (como cruzarse de brazos) porque este tipo de lenguaje corporal envía señales negativas. Preste atención a sus gestos y expresiones faciales. No frunza el ceño ni sonría ante las palabras del paciente. Tampoco es apropiado poner los ojos en blanco porque es ofensivo y podría provocar una pelea con el paciente por un problema de conducta. Mantenga un contacto visual constante y sin prejuicios. Muestre paciencia hacia el paciente. Utilice gestos con las manos abiertas para demostrar franqueza.

10. ¿Cómo podría haber evitado la reacción del paciente a la cánula nasal?

Puede ser aterrador que alguien le pase un aparato por la cara. Usted le dijo al paciente: "es solo una cánula". ¿Sabe el paciente qué es una cánula y para qué sirve? Antes de tocar a un paciente, debe educarle y comunicarle lo que intenta hacer por él. Explíquele lo que hace una cánula de oxígeno, cómo se usa y cómo le ayudará antes de colocársela en la cara. Lo mismo puede decirse de cualquier objeto que coloque sobre el paciente.

Reporte de atención de paciente prehospitalario (RAPP)

Fecha: 07-01-22	**Incidente No.:** 876	**Naturaleza de la llamada:** médico general	**Ubicación:** Calle Maple 450

Despacho: 08:10	**En camino:** 08:12	**En el escenario:** 08:16	**Transporte:** 08:36	**En el hospital:** 08:45	**En servicio:** 08:55

Información del paciente

Edad: 86 años **Sexo:** M **Peso (en kg [lb]):** 59 kg (130 lb)	**Alergias:** se desconoce que tenga alergias **Medicamentos:** muchos: se adjunta lista **Antecedentes médicos:** cáncer de páncreas, fib-A **Principal manifestación:** debilidad general

Signos vitales

Hora: 08:21	**PA:** 110/66	**Pulso:** 76	**Respiraciones:** 14	**Spo_2:** 93% en aire ambiente
Hora: 08:26	**PA:** 110/64	**Pulso:** 78	**Respiraciones:** 14	**Spo_2:** 98% bajo 4 L/min CN
Hora:	**PA:**	**Pulso:**	**Respiraciones:**	**Spo_2:**

Tratamiento en SEM (circule todo lo aplicable)

Oxígeno @ 4 L/min por (circular uno): **(NC)** **NRM** **Dispositivo de bolsa-mascarilla**		**Ventilación asistida**	**Dispositivo de la vía aérea**	**RCP**
Desfibrilación	**Control de la hemorragia**	**Vendaje**	**Inmovilización**	**Otro:** monitor cardíaco

Narrativa

El paciente es un hombre de 86 años con antecedentes de cáncer que refiere debilidad general y dificultad para respirar desde hace 2-3 días. Dice que su médico le cambió un medicamento cardíaco en la última semana y cree que esto puede estar causando la debilidad, pero no sabe el nombre del medicamento. Está alerta y orientado ×4, sentado en un sillón reclinable. Los ruidos respiratorios son iguales pero disminuidos en todos los campos, sin sibilancias. El paciente niega dolor torácico, mareos y náusea/vómito. El monitor cardíaco muestra fibrilación auricular. Amplia lista de medicamentos adjunta a este reporte. El paciente fue puesto en 3 L/min de O_2 CN antes del transporte. Se levantó al paciente del sillón y se colocó y aseguró en la camilla. Informe de control médico al Dr. Brown, sin órdenes. El paciente fue transportado sin cambios al Hospital Regional. Informe a Shari, enfermera registrada, a la llegada.
Fin del reporte

Kit de preparación

Resumen rápido

- Para desempeñar su función como paramédico, usted debe tener la capacidad de comunicarse de forma rápida, eficiente y eficaz cuando responda a una llamada de emergencia.
- Durante una llamada de los SEM, las etapas de la comunicación incluyen la notificación, la recopilación de información, el despacho, la respuesta, las posibles instrucciones previas a la llegada de la persona que llama, la comunicación durante la atención en la escena, el traslado y la comunicación con el control médico o el centro receptor durante el trayecto.
- Los despachadores se comunican con las personas que llaman al 9-1-1 en caso de emergencia y con los proveedores del SEM que se envían a la escena. El despachador identifica la ubicación exacta del paciente, el número de teléfono, la naturaleza de la emergencia e información específica sobre el estado del paciente y la emergencia, así como los tipos de vehículos implicados en un accidente de tránsito o los peligros en el lugar de los hechos.
- Los despachadores también son responsables de supervisar la comunicación con la ambulancia, coordinar la comunicación con el control médico y otras dependencias, y registrar cuándo se produjeron las distintas etapas de la llamada.
- El despacho de emergencias médicas requiere una formación especial que enseñe a los despachadores a proporcionar instrucciones médicas básicas a las personas que llaman por teléfono debido a una emergencia. Las actualizaciones resultantes de esta atención previa a la llegada pueden comunicarse al equipo de los SEM mientras están en ruta.
- La radio es uno de los principales métodos de comunicación en los SEM. Las bandas más utilizadas para las comunicaciones médicas son las bandas VHF y UHF. Cuanto más alta sea la frecuencia, menos interferencias habrá, pero menor será el alcance de la transmisión.
- Los sistemas utilizados para las transmisiones de radio incluyen símplex, dúplex y múltiplex.
  - Símplex opera en una frecuencia y permite la transmisión unidireccional.
  - Dúplex utiliza dos frecuencias emparejadas que pueden permitir la transmisión y recepción simultánea o el uso de repetidoras para mejorar el alcance.
  - Múltiplex permite la transmisión simultánea de múltiples flujos de datos.
- Un sistema de comunicación SEM consta de una estación base, transceptores móviles y portátiles, repetidoras y un sistema de comunicación de respaldo.
- Los sistemas de radio troncalizados digitales utilizan sofisticados sistemas informáticos para manejar el uso de frecuencias y canales para múltiples usuarios, y permiten la comunicación entre una amplia variedad de usuarios.
- La interoperabilidad es la capacidad de los sistemas de radiocomunicación para comunicarse entre sí y con equipos de distintos fabricantes y sistemas.
- La FCC controla la asignación de radiofrecuencias y la concesión de licencias en Estados Unidos. También establece normas técnicas para los equipos de radio, establece y aplica normas y reglamentos para el funcionamiento de los equipos de radio y supervisa las transmisiones. Las frecuencias asignadas para fines médicos se deben utilizar estrictamente para ese fin.
- Los teléfonos celulares son cada vez más comunes en los sistemas de comunicación de los SEM. Muchos de los teléfonos más recientes (teléfonos inteligentes) llevan GPS incorporados, que ayudan al sistema operativo 9-1-1 mejorado para determinar con exactitud dónde se está realizando la llamada.
- La biotelemetría (o telemetría) se utiliza para transmitir datos del paciente a una terminal remota. En los SEM se suele utilizar para transmitir EKG de 12 derivaciones. Esta tecnología puede ayudar a diagnosticar un IAMCEST y ayudar al control médico o a usted a realizar el tratamiento adecuado y las decisiones de tratamiento y destino adecuados.
- Mantenga una comunicación por radio clara, precisa y concisa. Uno de los principales objetivos es la claridad. Utilice el Alfabeto fonético

Kit de preparación continuación

radiotelefónico internacional para aclarar la ortografía cuando sea necesario.

- Recuerde que lo que usted diga lo podrá oír cualquier persona que esté escuchando la comunicación por radio. Mantenga el profesionalismo en sus comunicaciones en todo momento. No transmita el nombre de un paciente ni información personal por radio, ya que infringiría las normas de privacidad de la HIPAA.
- La mayoría de los sistemas del SEM utiliza texto claro o lenguaje sencillo en las comunicaciones por radio, pero algunos siguen utilizando códigos de radio. Si su dependencia utiliza códigos, apréndalos y utilícelos de manera correcta.
- Cuando comunique información médica, incluya el centro de destino y el tiempo estimado de llegada; edad y género del paciente; queja principal; breve historial; medicamentos y alergias importantes; todo lo que el médico necesite saber sobre los antecedentes médicos del paciente en relación con la situación actual, incluidas las principales afecciones médicas subyacentes; nivel de conciencia y grado de angustia; estado mental; signos vitales; hallazgos físicos en orden de cabeza a pies; hallazgos en el EKG; tratamiento, y respuesta al mismo.
- Muchas de las llamadas que realizará como paramédico le llevarán a los hogares de las personas, de día y de noche, y en los momentos más privados de su vida. Intente ver cada invitación a la casa de otra persona como un honor personal en un momento y un lugar en los que nadie más sería bienvenido. Preste toda su atención a sus pacientes.
- Escuchar de forma activa es repetir las partes clave de las respuestas de un paciente a sus preguntas. Esto ayuda a confirmar la información que proporciona el paciente y puede aclarar cualquier malentendido.
- Como comunicador terapéutico, su reto es transmitir calma e interés real por alguien a quien no conoce.
- Cuando conozca a un paciente, preséntese y pregúntele su nombre. Esta técnica transmite respeto.
- El pudor del paciente es importante, por muy grave que sea su estado de salud. Si el paciente no es en lo personal sensible a ello, sin duda lo serán sus familiares.
- Cuando necesite saber cómo se sienten los pacientes, intente hacer preguntas abiertas, es decir, preguntas que no tengan una respuesta de sí o no y que no den a los pacientes opciones específicas entre las que elegir. Cuando intente averiguar datos concretos (p. ej., el historial médico), utilice preguntas cerradas o directas.
- Si percibe que el paciente intenta expresar algo con palabras, pero le cuesta trabajo formular su respuesta, tenga paciencia. No diga nada durante unos segundos. Permita que hable.
- Si ha intentado aclararlo y sigue sin estar seguro de lo que los pacientes intentan decirle, a veces ayuda a vocalizar lo que cree que han dicho e invitarles a que le corrijan.
- La comunicación no verbal puede ser tan poderosa como las palabras.
- El contacto visual directo en general transmite honestidad e interés, pero esta técnica puede no ser la esperada en algunas culturas.
- La postura es importante. Intente colocar los ojos al mismo nivel o por debajo del nivel de los ojos del paciente.
- A algunas personas no les gusta nada que las toquen. A otras, el tacto les ofrece la valiosa seguridad de que alguien se preocupa por ellas. Intente tocar con suavidad al paciente en una parte neutral del cuerpo, como un hombro o un brazo, en especial cuando intente tranquilizar a alguien o reducir el miedo.
- Los pacientes hostiles o enojados pueden suponer una amenaza para usted y los demás. Acérquese siempre con precaución y mantenga el contacto visual. No entreviste usted solo a pacientes hostiles o potencialmente violentos o a transeúntes.
- No suponga que las personas mayores, solo por su edad, plantearán problemas de comunicación especial en comparación con los jóvenes.
- Los niños pueden representar problemas de tratamiento y comunicación incluso al personal más experimentado del SEM. Minimice sus movimientos, baje la voz y toque a los pacientes pediátricos con la mayor suavidad posible. Siéntese en el suelo y coloque al niño en el piso o en el regazo de uno de sus padres o cuidadores.

Kit de preparación continuación

- Cuando se encuentre con un paciente con problemas de comunicación, recuerde que los familiares o cuidadores principales que conocen bien a estos pacientes pueden ayudarle en su esfuerzo. También le pueden apoyar para aliviar el miedo y la ansiedad del paciente.
- Interactuar con personas de culturas diferentes a la suya puede ser un reto. Infórmese sobre los diferentes grupos culturales que existen en su área de servicio. Se considera respetuoso hacer un esfuerzo por conocer el idioma y la cultura de otra persona.
- Los modales, los gestos con las manos y el lenguaje corporal pueden diferir de una cultura a otra. Recuerde que la cultura de otra persona puede tener reglas de cortesía diferentes a las suyas.
- Como proveedor del SEM se puede encontrar con prácticas de medicina tradicional o popular que le parezcan extrañas. Si no entiende una práctica en particular, considere la posibilidad de que el paciente o la familia intentan manejar la enfermedad utilizando prácticas de salud tradicionales de su cultura.
- Siempre que sea posible, recurra a intérpretes médicos calificados para los pacientes que hablen otro idioma. Tenga cuidado cuando utilice a familiares para interpretar, y evite utilizar a niños pequeños como intérpretes a menos que no haya otra opción disponible.

Vocabulario esencial

Ayuda mutua Acuerdos con jurisdicciones vecinas o regionales para apoyo mutuo en caso de incidente a gran escala.

Banda de frecuencia ultra alta (UHF, por sus siglas en inglés) Parte del espectro de radiofrecuencia comprendida entre 300 y 3 000 megahertz.

Banda de muy alta frecuencia (VHF, por sus siglas en inglés) Parte del espectro de radiofrecuencias comprendida entre 30 y 300 megahertz.

Banda estrecha Reasignación de frecuencias por parte de la *Federal Communications Commission* a una separación de 12.5 megahertz, ahora exigida para todos los sistemas de radio de los SEM y de seguridad pública.

Biotelemetría Transmisión de datos fisiológicos, como un electrocardiograma, desde el paciente a un punto de recepción distante (por lo común conocida en los SEM como telemetría).

Código diez Sistema de códigos de radio que utiliza el número 10 más otro número. Ya no se utiliza en muchos sistemas del SEM.

Competencia cultural Conocimiento de las culturas predominantes en la zona geográfica en la que el paramédico presta atención al paciente.

Comunicación terapéutica Comunicación con el paciente utilizando estrategias específicas para procurar que este exprese lo que piensa y siente, así como transmitirle respeto y aceptación.

Control médico en línea Órdenes de atención del paciente proporcionadas de forma directa al paramédico por el médico de control médico por radio o teléfono.

Control médico fuera de línea Órdenes de atención al paciente en forma de protocolos u órdenes permanentes que no requieren contacto directo con el médico de control médico.

Cultura Sistema de creencias, actitudes y comportamientos aprendidos y compartidos por los miembros de un grupo.

Despacho Enviar a un destino específico o encargar una tarea.

Despacho asistido por computadora (DAC) Consolas de computadora conectadas a centros de despacho y terminales de datos móviles montados en vehículos.

Despacho de emergencias médicas (DEM) Programa diseñado específicamente para satisfacer las necesidades únicas de respuesta de los servicios de emergencia médica y de las personas que llaman para informar de una emergencia médica, incluidas las instrucciones de primeros auxilios que dan los despachadores capacitados a las personas que

Kit de preparación continuación

llaman por teléfono mientras una ambulancia está en camino hacia la llamada.

Dúplex Sistema de radio que utiliza frecuencias emparejadas para permitir el uso de repetidoras remotas o la transmisión y recepción simultáneas.

Estación base Radio situada en un lugar fijo (p. ej., un hospital o un centro de despacho) que consta de un transmisor, un receptor y una antena.

Etnocentrismo Ver otras culturas basándose solo en las normas y valores de la propia cultura; creencia en la superioridad inherente de la propia cultura o grupo étnico.

***Federal Communications Commission* (FCC, Comisión Federal de Comunicaciones)** Agencia gubernamental independiente que en Estados Unidos regula las comunicaciones interestatales e internacionales por radio, televisión, cable y satélite en los 50 estados, el Distrito de Columbia y los territorios estadounidenses.

Frecuencia Número de oscilaciones (o ciclos) por segundo de una señal de radio.

Gestión de recursos de personal (CRM, por sus siglas en inglés) Práctica operativa diseñada para mejorar la comunicación, el trabajo en equipo y reducir así los errores que se pueden prevenir.

Hertz (Hz) Unidad de medida de una frecuencia igual a 1 ciclo por segundo; 1 millón de Hz equivale a un megahertz y 1 000 megahertz equivalen a un gigahertz.

Interoperabilidad Sistemas de comunicación de seguridad pública compatibles entre todas las dependencias locales, tribales, estatales y federales.

Múltiplex Sistema de transmisión simultánea de varios flujos de datos, en general señales de voz y electrocardiogramas.

Notificación automática de accidentes (ACN, por sus siglas en inglés) Sistemas informáticos especializados a bordo de los vehículos de motor que en caso de accidente envían de manera automática datos telemétricos a una estación de control, que a su vez los transmite a los servicios de emergencia; también se denomina notificación automática avanzada de accidentes.

Pregunta abierta Pregunta que no tiene una respuesta de "sí" o "no" y que no da al paciente opciones específicas entre las que elegir.

Pregunta cerrada Pregunta específica y centrada, que requiere una respuesta de "sí" o "no", o una respuesta elegida entre opciones específicas; este tipo de pregunta es útil para los pacientes que tienen dificultad para respirar.

Punto de respuesta de seguridad pública (PSAP, por sus siglas en inglés) Lugar al que se dirigen las llamadas del 9-1-1, que puede o no servir como centro de despacho.

Puntos muertos de radio Zonas en las que las radios móviles o portátiles no pueden comunicarse con un repetidor o entre sí.

Radio digital Transmisión de información a través de ondas de radio utilizando datos digitales nativos (computadora) o señales analógicas (voz) convertidas en una señal digital comprimidas.

Repetidor Transceptor de radio remoto que recibe señales de radio y las retransmite a mayor potencia, ampliando el alcance de un sistema de radiocomunicación.

Ruido Interferencia en una señal de radio.

Señales de radio codificadas Señales incorporadas que permiten a varios usuarios compartir frecuencias y repetidoras.

Silenciador Sistema de filtrado para bloquear el ruido de fondo, pero que permite escuchar las señales de radio.

Símplex Comunicación por radio que utiliza una sola frecuencia.

Sistema de despacho de prioridad médica (MPDS, por sus siglas en inglés) Sistema de despacho que utiliza un formato específico para indicar la naturaleza de la emergencia (protocolo de MED) y su prioridad (nivel/número determinante).

Sistema de información geográfica (SIG) Tecnología que utiliza el sistema de posicionamiento global y otros datos para (1) realizar un seguimiento y predecir los tiempos de respuesta de las ambulancias; (2) determinar la distancia al centro de traumatología u otros hospitales más cercanos desde

Kit de preparación continuación

ubicaciones específicas; (3) realizar un seguimiento de la frecuencia de las colisiones de vehículos de motor y la gravedad de las lesiones desde diferentes ubicaciones geográficas; (4) determinar la ubicación de los helipuertos de emergencia, y (5) proporcionar otra información útil para las operaciones y la planificación del sistema del SEM.

Sistemas 9-1-1 mejorados Sistemas de comunicaciones de emergencia que recopilan información sobre las llamadas al 9-1-1 de la red telefónica, como el número de teléfono y la ubicación de la persona que llama, y distribuyen esta información en la terminal de computadora del despacho.

Sistemas de radio troncalizados Frecuencias de radio computarizadas compartidas por varias unidades, dependencias o sistemas.

Situación, antecedentes, evaluación y recomendación (SBAR, por sus siglas en inglés) Formato de reporte estructurado del paciente diseñado para transmitir información importante de forma concisa.

Teléfono fijo Sistema de comunicación conectado por cables, por lo regular en referencia a un sistema de telefonía convencional.

Teléfonos celulares Teléfonos inalámbricos que se comunican por ondas de radio con el sistema telefónico a través de una red interconectada de estaciones repetidoras denominadas células.

Telemedicina Sistema por computadora que permite la transmisión bidireccional en tiempo real de sonido, video, signos vitales, trazados de EKG y otros datos de diagnóstico entre el paramédico y el médico de control.

Terminal remota Terminal que recibe transmisiones de telemetría y voz desde el terreno y transmite mensajes de vuelta, por lo regular a través de la estación base.

Texto claro Uso de un lenguaje normal (sencillo) y de términos aceptados para mejorar la claridad de la comunicación, en lugar de utilizar decodificaciones u otros sistemas de códigos.

Tiempo de espera universal Pausa programada antes de iniciar un procedimiento que mejora la seguridad y la comunicación entre todo el personal y ayuda a evitar errores humanos.

Transceptores Radios que contienen un transmisor y un receptor; radios bidireccionales.

Trastornos generalizados del desarrollo (TGD) Grupo de trastornos que causan retrasos en muchas áreas del desarrollo infantil, como el desarrollo de habilidades para comunicarse e interactuar socialmente y que pueden incluir movimientos corporales repetitivos y dificultad con los cambios de rutina; incluyen el autismo y el síndrome de Asperger, entre otros.

Referencias

1. Communicate. *Merriam-Webster: Dictionary and Thesaurus*. http://www.merriam-webster.com. Consultada el 29 de enero de 2021.
2. Trembley AL, Page D. EMS improves with crew resource management training. *J Emerg Med Serv*. https://www.jems.com/patient-care/ems-improves-with-crew-resource-management-training/. Publicada el 6 de abril de 2015. Consultada el 29 de enero de 2021.
3. Page D. New psychomotor exam for nationally registered paramedics begins in January. *J Emerg Med Serv*. https://www.jems.com/training/new-psychomotor-exam-for-nationally-registered-paramedics-begins-in-january/#:~:text=New%20Psychomotor%20Exam%20for%20Nationally%20Registered%20Paramedics%20Begins%20in%20January,-David%20Page%2C%20MS&text=Beginning%20January%202017%2C%20candidates,new%20and%20improved%20psychomotor%20exam. Published September 30, 2016. Consultada el 29 de enero de 2021.
4. APCO International. *Minimum Training Standards for Public Safety Telecommunicators*. APCO ANS 3.103.2.2015. https://www.apcointl.org/download/minimum-training-standards-for-public-safety-telecommunicators-3/?wpdmdl=6288. Consultada el 29 de enero de 2021.
5. Wilson MJ. *The ARRL Operating Manual*. 9th ed. Newington, CT: Amateur Radio Relay League; 2007:2-1–4-28.
6. U.S. Fire Administration, Federal Emergency Management Agency. *Voice Radio Communications Guide for the Fire Service: June 2016*. https://www.usfa.fema.gov/downloads/pdf/publications/Voice_Radio_Communications_Guide_for_the_Fire_Service.pdf. Consultada el 29 de enero de 2021.
7. Federal Communications Commission. Narrowbanding overview. https://www.fcc.gov/narrowbanding-overview. Publicada el 3 de febrero de 2016. Consultada el 29 de enero de 2021.

Kit de preparación continuación

8. Office of Emergency Communications, US Department of Homeland Security. *National Interoperability Field Operations Guide, Version 1.4.* https://www.dhs.gov/xlibrary/assets/nifog-v1-4-resized-for-pda-viewing.pdf. January 2011. Consultada el 29 de enero de 2021.
9. US Department of Homeland Security. Statement of requirements for public safety wireless communications and interoperability. The SAFECOM Program. Version 1.1. https://www.npstc.org/documents/SRSoR_V11_030606.pdf. Publicada el 26 de enero de 2006. Consultada el 29 de enero de 2021.
10. APCO Project 25 Steering Committee. APCO Project 25 statement of requirements. http://project25.org/images/stories/ptig/15-009_12131211_Approved_P25_SoR_12-11-13.pdf. Publicada el 11 de diciembre de 2013. Consultada el 29 de enero de 2021.
11. LeBlanc C. Three additional EMS employees terminated over Facebook posts. https://www.ems1.com/ems-management/articles/3-additional-ems-employees-terminated-over-facebook-posts-ye4HNJVr8flg4akZ/. Publicada el 19 de julio de 2016. Consultada el 19 de febrero de 2021.
12. Wang SC, Kohoyda-Inglis CJ, MacWilliams JB, et al. Results of first field test of telemetry based injury severity prediction. Abstract presented at 24th International Technical Conference on the Enhanced Safety of Vehicles (ESV). Gothenburg, Sweden: June 8–11, 2015.
13. Amateur Radio Relay League. Two flavors of amateur radio emergency operation. http://www.arrl.org/ares-races-faq. Consultada el 29 de enero de 2021.
14. Grigoriev AI, Orlov OI. Telemedicine and spaceflight. *Aviat Space Environ Med*. 2002;73(7):688-693
15. Grose T. Speed is the drug. *Newsweek*. http://www.newsweek.com/2014/05/02/speed-drug-248536.html. Publicada el 24 de abril de 2014. Consultada el 18 de marzo de 2016.
16. Rao A, Kardouh Y, Darda S, et al. Impact of the prehospital ECG on door-to-balloon time in ST elevation myocardial infarction. *Catheter Cardiovasc Interv*. 2010;75(2):174-178. doi:10.1002/ccd.22257.
17. American Heart Association. Opportunities to improve STEMI systems of care. https://www.heart.org/en/professional/quality-improvement/mission-lifeline/opportunities-to-improve-stemi-systems-of-care. Revisada el 29 de junio de 2018. Consultada el 19 de febrero de 2021.
18. Bashford C. Telemedicine today: part 1—getting started. *EMSWorld*. https://www.emsworld.com/article/12184039/telemedicine-today-part-1-getting-started. Publicada el 18 de marzo de 2016. Consultada el 29 de enero de 2021.
19. Wireless Sierra. The "firstnet-ready" mobile office: top considerations for connecting first responders [White paper]. http://www.jems.com/whitepapers/2015/12/the-firstnet-ready-mobile-office-top-considerations-for-connecting-first-responders.whitepaperpdf.render.pdf. Publicada el 10 de noviembre de 2015. Consultada el 29 de enero de 2021.
20. e-CFR Title 47, Chapter 1, Subchapter D, Part 90, Subpart B, §90.15. Electronic Code of Federal Regulations. US Government Publishing Office.ecfr.gov/cgi-bin/text-idx-?SID=b41258b0691d3b0b98a9ff13931e8597 &mc=true&node=pt47.5.90&rgn=div5#se47.5.90_115. Consultada el 29 de enero de 2021.
21. Federal Emergency Management Agency. NIMS and use of plain language [FEMA publication no. NA: 023-06]. https://www.fema.gov/pdf/emergency/nims/plain_lang.pdf. Actualizada el 19 de diciembre de 2006. Consultada el 29 de enero de 2021.
22. Harrington JW. Surgical time outs in a combat zone. *AORN J*. 2009;89(3):535-537.
23. American College of Emergency Physicians. Transfer of patient care between EMS providers and receiving facilities [Policy statement]. *Ann Emerg Med*. 2013;63(4):503. doi:10.1016/j.annemergmed.2013.12.023.
24. toolkit SBAR. Institute for Healthcare Improvement. http://www.ihi.org/resources/Pages/Tools/SBARToolkit.aspx. Consultada el 29 de enero de 2021.
25. Masters R. Preventing invisible wounds. *EMSWorld*. https://www.emsworld.com/article/12223916/preventing-invisible-wounds. Publicada el 1 de agosto de 2016. Consultada el 29 de enero de 2021.
26. Beyene Y. Ethiopians and Eritreans. In: LipsonJG, DibbleSL, eds. *Culture and Clinical Care*. San Francisco, CA: UCSF Nursing Press; 2008:163-176.
27. Galanti G-A. *Caring for Patients from Different Cultures*. 5th ed. Philadelphia, PA: University of Pennsylvania Press; 2014.

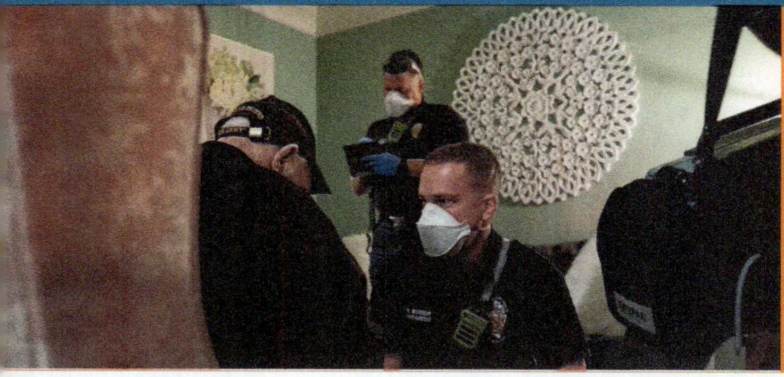

Capítulo 4

Documentación

COMPETENCIAS DEL ESTÁNDAR NACIONAL DE EDUCACIÓN EN EL SEM

Preparación

Integra un amplio conocimiento de los sistemas de los SEM, la seguridad y bienestar del paramédico y cuestiones médicas, legales y éticas, con la intención de mejorar la salud del personal de los SEM, los pacientes y la comunidad.

Documentación

- Registro de los hallazgos del paciente (pp. 135, 137-138, 146-149).
- Principios de documentación médica y redacción de reportes (pp. 149-150).

OBJETIVOS COGNITIVOS

1. Explicar las implicaciones legales del reporte de atención de paciente prehospitalario (RAPP). (p 135).
2. Analizar las implicaciones de la Ley de Portabilidad y Responsabilidad del Seguro Médico de 1996 en relación con la documentación. (p. 135)
3. Describir los objetivos de la documentación. (pp. 135-137)
4. Comparar los RAPP en manuscrito con los RAPP electrónicos y analizar las ventajas y desventajas de cada tipo. (pp. 137-138)
5. Identificar la información necesaria en un RAPP, incluidos los elementos estándar que deben documentarse en cada llamada de emergencia. (pp. 138-139)
6. Analizar el proceso para documentar la transferencia de cuidados y la atención antes de la llegada. (pp. 139-140)
7. Analizar el proceso de documentación del rechazo de la atención, incluyendo las implicaciones jurídicas. (pp. 140-141)
8. Analizar los requisitos para la presentación de reportes a nivel estatal y/o local para circunstancias especiales, incluyendo lesiones y enfermedades en el lugar de trabajo, incidentes con múltiples víctimas, exposiciones ocupacionales, casos de presunto abuso o negligencia y participación de médicos en la escena u otras dependencias. (pp. 141-145)
9. Analizar los distintos formatos de la parte narrativa del RAPP. (pp. 146-149)
10. Explicar por qué es fundamental que la documentación sea precisa, legible y profesional. (pp. 150-152)
11. Explicar el procedimiento por seguir en caso de que se produzca un error durante o después de la elaboración de un RAPP. (pp. 152-153)
12. Analizar las consecuencias de la falsificación intencional de documentación. (p. 153)
13. Analizar por qué es importante documentar con precisión la hora de los incidentes. (p. 154)

OBJETIVOS DE DESTREZA

1. Demostrar cómo se completa un RAPP. (pp. 142-144)

Introducción

Aunque la documentación puede no ser lo primero que le venga a la mente cuando piensa en seguir una carrera en los Servicios de Emergencias Médicas (SEM), es una parte integral del proceso de atención al paciente. Una documentación minuciosa facilita el proceso a todas las partes implicadas. Se dice que "ningún trabajo está terminado hasta que el papeleo está hecho" y es especialmente cierto en los SEM. Su informe, más comúnmente conocido como el **reporte de atención de paciente prehospitalario (RAPP)** o, a veces, llamado reporte de atención prehospitalaria es el único registro escrito de los acontecimientos que ocurrieron desde la llamada de servicio. Redactar un RAPP eficaz, preciso y adecuado es una de las habilidades más importantes que aprenderá como paramédico. El RAPP es el registro legal de la llamada y formará parte del historial médico del paciente y de la historia clínica del servicio de emergencias del hospital receptor. Un RAPP completo no solo permitirá a otros profesionales de la salud obtener información sobre lo ocurrido desde el inicio de la llamada hasta su finalización, sino que también servirá de guía para la futura atención al paciente a través de la investigación y la garantía de calidad (**FIGURA 4-1**). Como paramédico, usted debe tener la capacidad de elaborar un RAPP de manera detallada y eficiente.

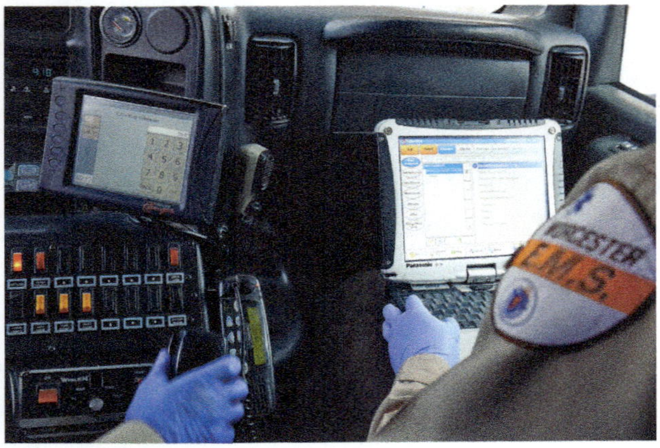

FIGURA 4-1 Los reportes de atención de paciente prehospitalario electrónicos, o RAPP, que se muestran aquí, son el estándar en la documentación de los SEM.

Debe saber qué constituye un RAPP, qué información debe incluir, quién podría leer el RAPP, cuándo lo debe completar y qué terminología puede utilizar. La información de su reporte se puede clasificar como objetiva o subjetiva. La **información objetiva** incluye signos mensurables que usted observa y registra (como el pulso, la frecuencia respiratoria, la presión arterial). La **información subjetiva** incluye información que le comunican, pero que usted no puede ver (p. ej., síntomas que describen los pacientes, nivel de dolor, náusea). Cuando escriba su RAPP use, en lo posible, las propias palabras del paciente. Entrecomille cualquier afirmación directa, por ejemplo: "El paciente califica el dolor como '8' en una escala de 0 a 10". En cada llamada debe recordar la información objetiva *y* la subjetiva, así como los detalles de la atención al paciente.

El RAPP debe ser completo, preciso y legible, ya que podría constituir la base de su defensa en caso de que surgieran procedimientos legales después de la atención brindada. El RAPP es fundamental para su servicio o dependencia por muchas otras razones, como facilitar una atención de calidad, la continuidad de la atención y la facturación a los proveedores de seguros. Su reporte debe ofrecer al lector una imagen precisa y clara de toda la atención brindada, desde la llamada de activación del SEM hasta la entrega del paciente al hospital receptor.

USTED es el Paramédico

PARTE 1

Su unidad fue enviada al lugar de una colisión de un solo vehículo contra un poste, cerca del juzgado del condado, aproximadamente a las 13:00 horas de un día laborable. Al llegar, se asegura de que se encuentren a salvo en el sitio, antes de salir de la ambulancia. El vehículo parece tener daños leves en la defensa delantera y el cofre. Se pone el equipo de protección personal y se acerca al vehículo. Mientras se aproxima, un hombre al interior del vehículo abre la puerta e intenta levantarse sin éxito. El hombre vuelve a caer sobre el asiento y exclama en voz alta y arrastrando las palabras: "Necesito a mi abogado". Usted observa más allá del paciente hacia el asiento del copiloto y se da cuenta que se activaron las bolsas de aire.

1. ¿Cuál es su primera consideración con respecto a este paciente?
2. ¿Qué es lo primero que tiene en cuenta en relación con el lugar de los hechos?

Implicaciones legales de un RAPP

Aunque puede incluir información subjetiva del paciente en su reporte (como declaraciones sobre los síntomas), no incluya ninguna opinión o prejuicio personal. Por ejemplo, evite enunciados subjetivos como "El paciente estaba ebrio y fuera de control". Mejor, utilice afirmaciones objetivas como "El paciente presentaba un estado mental alterado y declaró que hoy consumió 'ocho cervezas'". Un RAPP mal redactado o mal documentado puede tener consecuencias negativas tanto para la atención al paciente como para su propia carrera profesional. Las omisiones o errores en su reporte podrían dar lugar a más errores en la atención. Los informes incorrectos e inadecuados también pueden dar lugar a demandas, la pérdida de su trabajo o puesto funcional, una imagen negativa en su reputación como profesional de los SEM, y mucho más.

El sistema judicial de Estados Unidos ha declarado culpables de negligencia a paramédicos por no realizar exámenes a los pacientes y no presentar la documentación completa. En uno de estos ejemplos, un equipo acudió al lugar de un accidente de tráfico y, después de una breve conversación con los paramédicos, el paciente se negó a ser trasladado. El equipo abandonó el lugar sin evaluar al paciente. Más tarde, volvieron a llamar a los paramédicos por el mismo paciente, que había fallecido en el lugar. Los paramédicos alegaron que no tenían obligación de actuar porque nunca atendieron al paciente. El juez no aceptó este alegato y declaró negligentes a los paramédicos. Si los paramédicos hubieran ejecutado una evaluación adecuada del paciente, su documentación habría ofrecido pruebas que respaldaran su declaración. Aun cuando el paciente haya rechazado cualquier contacto por parte de los paramédicos, estos debieron documentar la negativa de recibir la atención en su defensa sobre por qué no pudieron evaluar al paciente.

El reporte debe estar completo, bien redactado, legible y ser profesional, sea cual sea su estilo de redacción. Además, debe servir como única fuente de información respecto a la atención. Puede ser que el RAPP se utilice en un procedimiento legal contra usted u otra persona, incluso mucho tiempo después de terminada la atención prehospitalaria. En algunos casos, puede ser su única defensa contra una queja en uno llamado: si documenta con precisión lo que ocurrió, tendrá pruebas tangibles de su conducta y de lo que sucedió durante todo el proceso de atención. Quizá en 5 o 7 años no recuerde mucho, pero su informe escrito quedará como la única constancia de por qué realizó un procedimiento específico o por qué administró cierto medicamento a un paciente. Si está bien redactado, le refrescará la memoria y ofrecerá una imagen clara de lo ocurrido, durante su atención, a todos aquellos que lo lean. Además, su reporte debe incluir ortografía correcta, gramática adecuada y terminología apropiada, como se explica en el capítulo 5, *Terminología médica*. Una documentación inadecuada puede dar lugar a errores en la atención al paciente y, si se cuestiona el reporte, poner en peligro su reputación profesional. Más adelante, en este capítulo, se mencionan las consecuencias de una documentación deficiente.

La Ley de Portabilidad y Responsabilidad del Seguro Médico (HIPAA) describe las ramificaciones relacionadas con los reportes de atención de pacientes prehospitalarios.

Perlas de sabiduría

La HIPAA exige que existan garantías administrativas, técnicas y físicas razonables para proteger la información de los pacientes. Si no está seguro de si el equipo que utiliza está protegido, pida la asesoría de los administradores de su organización.

Documentación y comunicación

Para ayudar a proteger la información de los pacientes, no deje los RAPP en papel ni tarjetas de evaluación en mostradores o cualquier otra zona que no esté protegida. Cuando termine su RAPP, cierre siempre la sesión de cualquier sistema de computación que esté utilizando. Muchas dependencias proporcionan cajas de seguridad donde se deben depositar las RAPP en papel ya completadas.

Objetivos de la documentación

Continuidad de la atención

El RAPP sirve como un registro del estado del paciente a su llegada a la escena, la atención prestada, cualquier cambio en el estado del paciente durante el trayecto y también a su llegada al hospital. Debe documentar el incidente de la forma más clara posible, ya que el RAPP ayudará a que otros proveedores de atención médica en el hospital comprendan la emergencia concreta, las evaluaciones y tratamientos realizados hasta el momento. Un reporte preciso ayuda a hacerse una idea del entorno en el que se encontró al paciente, junto con el mecanismo de lesión (ML) o la naturaleza de la enfermedad (NE), y en última instancia conduce a una mejor atención del paciente.

Requisitos mínimos y facturación

La facturación y la administración son razones importantes por las cuales su RAPP debe ser preciso y completo. La mayoría de las dependencias del SEM facturan los servicios para recuperar los costos de la atención al paciente. Para una recuperación de gastos completa y precisa, debe documentar todos los procedimientos realizados y obtener las firmas de **necesidad médica** correspondientes (cuando sea necesario). Medicare, un programa nacional de seguros en Estados Unidos, establece las normas de necesidad médica. En el **CUADRO 4-1** se identifican algunos de los hallazgos significativos que se requieren para demostrar que el paciente debía ser trasladado en ambulancia en lugar de otros medios de transporte.

Sea tan específico como pueda en la parte narrativa de su RAPP (la sección que le permite escribir libremente). Incluya información como el cuadrante en el que el paciente tenía dolor abdominal, qué suministros utilizó, qué ritmo mostraba el monitor cardíaco, si el paciente tenía una afección relacionada con la diabetes, si era hipoglucemia o hiperglucemia. Algunas compañías de seguros rechazarán el cobro de todo lo que no esté documentado en la declaración narrativa. (La redacción narrativa se trata más adelante en este capítulo).

En el caso de traslados privados o programados en especial, debe documentar la causa por la que un paciente necesitaría atención de emergencia para asegurarse de que la información de facturación de su servicio dará lugar al pago por parte de la aseguradora, dependencia o la entidad privada responsable de realizar el pago. Su documentación debe ser precisa y estar completa para no perder tiempo corrigiéndola, retrasando el proceso de facturación. A menudo recibirá preparación de su dependencia y de su compañía de facturación sobre los formularios adicionales que debe llenar como parte de cada respuesta de los SEM. Una parte necesaria de todos los llamados es llenar el papeleo de facturación, proporcionar la información lo más precisa y sostenible posible para la dependencia de los SEM.

CUADRO 4-1 Ejemplos de hallazgos significativos que indican la necesidad médica de traslado en ambulancia

Para ser considerado elegible para el servicio de ambulancia de emergencia de Medicare (diciembre de 2017) se debe cumplir con las siguientes condiciones:

- Un proveedor de servicios de ambulancia aprobado traslada al paciente.
- El paciente sufre una enfermedad o lesión que contraindica el traslado por otros medios.

Los siguientes ejemplos constituyen necesidad médica:

- El paciente es transportado en una situación de emergencia (p. ej., como resultado de un accidente, lesión o enfermedad aguda).
- El paciente requiere sujeción para evitar lesiones a sí mismo o a otros.
- El paciente está inconsciente o en estado de shock.
- El paciente presenta signos y síntomas de insuficiencia respiratoria aguda o insuficiencia cardíaca, como dificultad para respirar o dolor torácico.
- El paciente presenta signos y síntomas que indican la posibilidad de un accidente cerebrovascular agudo.
- El paciente debe permanecer inmóvil debido a una fractura o la posibilidad de una fractura.
- El paciente estaba confinado en una cama antes y después del traslado en ambulancia.
- El paciente requiere tratamiento de emergencia durante el traslado (p. ej., oxigenoterapia, terapia intravenosa).
- El paciente presenta una hemorragia incontrolable.

Datos de: Local Coverage Determination (LCD): Ambulance Services (Ground Ambulance) (L35162). Centros de Servicios de Medicare y Medicaid. https://www.cms.gov/medicare-coverage-database/details/lcd-details.aspx?LCDId=35162. Consultado el 13 de julio de 2021.

Investigación en los SEM

Así como la facturación es necesaria en los SEM, lo es también la investigación. Colectivamente, la documentación adecuada de los proveedores del SEM da lugar a la recopilación de datos que revisan los investigadores, quienes después utilizan dichos datos para justificar técnicas innovadoras que salvan vidas, como se menciona en el capítulo 1, *Sistemas del SEM*. En la actualidad, muchos estados exigen a los servicios de emergencias que envíen datos a la oficina de emergencias del estado para verificar el volumen de llamadas y las técnicas utilizadas. Estos datos pueden incluir el número de llamadas a las que responde una dependencia, los tipos de llamadas, la atención prestada y los resultados de los pacientes, cuando se conocen. Esta recopilación de datos sobre la atención al paciente puede conducir a la mejora del sistema del SEM en su conjunto.

El Sistema Nacional de Información sobre Servicios Médicos de Emergencia (NEMSIS, por sus siglas en inglés) de Estados Unidos almacena los datos estandarizados de los SEM de cada estado. Este depósito central ayuda a que los estados recopilen datos comparables, de modo que todo el país pueda beneficiarse de la investigación y utilizar las tendencias indicadas en los datos para el desarrollo de futuros planes de estudios. El objetivo de NEMSIS es definir la atención de los SEM mediante la recopilación de datos para mejorar la atención a los pacientes, identificar las necesidades de equipamiento y definir un estándar de atención en todo el país.

Revisión de incidentes y garantía de calidad

En ocasiones, se pueden solicitar los RAPP para auditorías médicas y otras actividades de formación. Las revisiones o sesiones donde los compañeros y otros profesionales médicos revisan los RAPP para comprobar que se ajustan a los protocolos locales, la garantía de calidad y la supervisión de la calidad se deben llevar a cabo con regularidad. Estas sesiones de revisión por pares favorecen un proceso de garantía de calidad saludable y permiten a los revisores aprender de las técnicas de atención al paciente de los demás. Asimismo, los reportes se pueden utilizar para determinar el número de veces que lleva a cabo una habilidad específica, como la administración de un medicamento o la intubación oral. Documente siempre con precisión todas las habilidades que intente y realice durante la atención al paciente.

Documentación y comunicación

Las dependencias y los departamentos de los SEM deben tener un proceso para asegurarse de que todos los reportes están bien escritos y un programa de control de calidad para garantizar que no existen discrepancias entre lo que se escribió en el RAPP y lo que realmente ocurrió en la llamada.

Tipos de RAPP

La documentación electrónica se ha convertido en la norma en los SEM. Aunque algunos servicios todavía utilizan documentación impresa, lo más probable es que documente electrónicamente sus llamados de emergencia y otros informes. Muchas ventajas de la documentación electrónica se tratan más adelante en esta sección. Quizás el beneficio más significativo sea la capacidad de compartir datos electrónicos, no solo entre los centros y el personal implicado en la atención de un paciente, mejorando así la continuidad y la eficiencia, sino también entre las bases de datos estatales y nacionales para optimizar la recopilación de datos nacionales y fomentar el avance de la práctica basada en la evidencia.

Existen muchos diseños de RAPP en Estados Unidos, desde notas de media página hasta informes completos y exhaustivos. Los reportes de atención de paciente prehospitalario de los SEM han evolucionado a lo largo de los años porque el campo de la medicina ha reconocido la necesidad de información sobre el estado del paciente y las intervenciones realizadas en campo. Algunos servicios han desarrollado RAPP que casi eliminan la sección narrativa y sustituyen el espacio por casillas de verificación o menús desplegables con términos predeterminados. Es posible que encuentre algunos reportes con cientos de casillas de verificación que le permiten marcar cada acción realizada. El problema de este formato es que aumenta el riesgo de cometer errores: la vista se satura con tantas casillas de verificación y es posible que accidentalmente seleccione la casilla equivocada. Independiente de la forma de reporte al paciente que utilice su servicio, debe documentar la información correcta.

Existen muchos diseños de RAPP que capturan los datos mediante casillas de verificación, pero por motivos legales la atención solo se tiene que documentar una vez. Todo lo requerido en relación con la atención y el tratamiento del paciente se debe capturar en el RAPP, pero documentarlo más de una vez, lo que se conoce como **doble documentación**, puede dar lugar a errores y hacer que el reporte sea cuestionado por el tribunal. Recuerde que la redacción del reporte debe ser precisa, pero concisa. Desgraciadamente, tal vez se requiera que documente dos veces debido al software de su dependencia y a la necesidad de reembolso del seguro. Sea consciente de este peligro y tenga especial cuidado al revisar y corregir su reporte. Asegúrese de conocer y comprender la política de su dependencia a este respecto.

En la mayoría de las zonas de Estados Unidos, la documentación física ha pasado a la historia porque duplica otras tareas del sistema de salud. Los reportes escritos a mano se deben ingresar en un sistema electrónico para cumplir con los requisitos de recopilación de datos de los SEM, ya sea por parte de las dependencias de salud o mediante la subcontratación a terceras empresas. Además de las necesidades adicionales para ingresar los datos, un sistema en papel requiere espacio para almacenar los registros, posiblemente durante un largo periodo, dependiendo de las leyes estatales. La última razón para no utilizar más los sistemas de reportes físicos es que se cometen menos errores. En muchas ocasiones, la mala caligrafía y las faltas de ortografía provocan errores médicos relacionados con las dosis y las órdenes de medicación;

un sistema electrónico minimiza estos errores. Sin embargo, a menos que su ambulancia lleve una impresora, lo más probable es que requiera un formulario físico de rechazo de atención cuando tenga que obtener la firma de un paciente. Deberá dejar una copia del formulario de rechazo de atención al paciente. Más adelante en este capítulo se abordará el rechazo de atención por parte de los pacientes.

Muchas empresas han generado y comercializan diversas opciones de RAPP electrónicos. Estos servicios abarcan desde el escaneo de formularios físicos hasta la creación de programas y aplicaciones electrónicas para computadoras de escritorio, portátiles, tabletas y teléfonos inteligentes que permiten obtener informes más precisos y legibles **FIGURA 4-2**.

Los sistemas modernos de datos pueden incorporar datos de muchas fuentes diferentes, como múltiples centros. Esta característica concuerda con el importante esfuerzo por parte de hospitales y médicos por mejorar la calidad de la atención cardíaca, diabética y de accidentes cerebrovasculares, así como el éxito de los esfuerzos de reanimación. En última instancia, estos sistemas de vanguardia incluirán la documentación del SEM, de modo que el RAPP contenga tanto la información obtenida en campo como los datos recopilados en los hospitales o centros donde se trató al paciente. El resultado será un registro completo de la atención que recibió el paciente.

Los sistemas de documentación electrónica deben ser compatibles con NEMSIS para garantizar que los datos se puedan compartir a nivel nacional. Como se ha mencionado, el envío de datos a NEMSIS es fundamental para la investigación de los SEM a fin de evaluar y mejorar la atención de los SEM en todo el país. NEMSIS tiene como objetivo facilitar la presentación de datos de los SEM de todos los estados, y parte de ese proceso implica la puesta en práctica de sistemas de documentación electrónica en todos los estados. En la actualidad, la mayoría de los estados y territorios de Estados Unidos envían datos electrónicos a NEMSIS o se trabaja activamente para alcanzar pronto este objetivo.

Documentación de cada llamada a los SEM

Cada llamada a los SEM requiere de documentación. El **conjunto mínimo de datos** es la información estándar de evaluación clínica que se debe documentar en cada llamada de emergencia como entrada al sistema nacional de datos de acuerdo con las normas de Medicare y Medicaid, y por *National Highway Traffic Safety Administration*. El conjunto mínimo de datos se divide en dos secciones: datos de ejecución y datos del paciente. Los datos de ejecución consisten en información como los horarios de los incidentes,

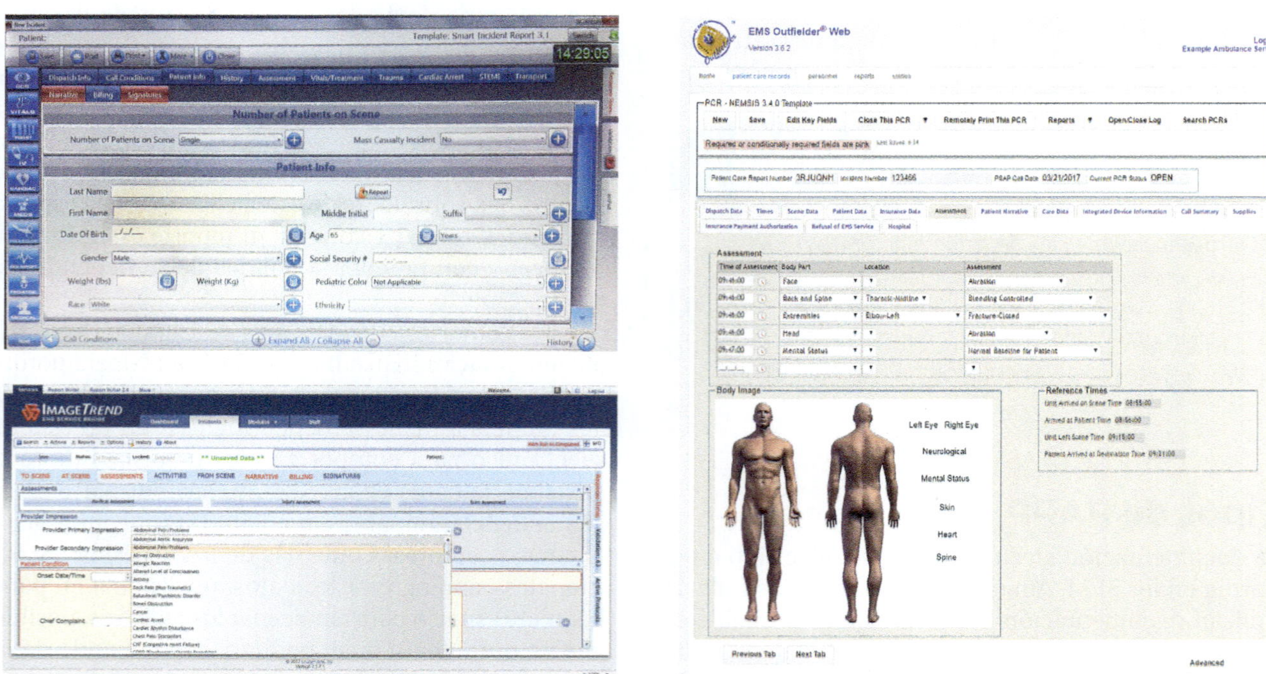

FIGURA 4-2 Existen varios programas de software para generar informes electrónicos de atención al paciente, lo que permite al personal de los SEM documentar claramente los detalles de cada llamada.

Cortesía de Rhonda Hunt; Cortesía de Jim Emerton; © Inspironix, Inc. Utilizado bajo autorización.

ubicaciones, unidades que respondieron y nombres de los integrantes de los equipos que trabajaron en el incidente. Los datos del paciente incluyen los siguientes elementos:

- Queja principal.
- Nivel de consciencia (según la escala AVDI [despierto y Alerta, responde a estímulos Verbales, responde al Dolor, Inconsciente, no responde]) o estado mental.
- Signos vitales.
- Valoración.
- Datos demográficos del paciente (edad, sexo, origen étnico).

El RAPP debe documentar sus observaciones objetivas de la escena, los tratamientos administrados, los efectos de dichos tratamientos y cualquier cambio en el estado del paciente durante la llamada de emergencia **FIGURA 4-3**. Sus observaciones objetivas de la escena deben reflejar factores como las condiciones de vida del paciente, el MOI en un accidente de tráfico u otras preocupaciones que usted pueda tener, pero que no cumplan con los criterios de presentación del reporte. De acuerdo con el tipo de servicio de transporte, posiblemente deba diferenciar los tratamientos entre los que estaban programados, como en un traslado, y los que fueron inesperados y resultaron necesarios debido a cambios en el estado del paciente.

Transferencia de la atención

A medida que la necesidad de atención médica se incrementa y empieza a superar los servicios disponibles, el personal de los SEM se encuentra con emergencias que rebasan su capacidad y a menudo dejan a los pacientes en los pasillos de hospitales esperando a ser atendidos por los proveedores de atención. En su RAPP, usted debe tener la capacidad de demostrar a cargo de quién dejó al paciente; de lo contrario, podría enfrentarse a acusaciones de abandono. Algunas dependencias exigen firmas de médicos o enfermeros para verificar que el paciente quedó bajo responsabilidad de un profesional médico con un nivel de formación superior. Otra situación que tal vez requiera que documente una transferencia de la atención es cuando entrega su paciente a otra dependencia, como un equipo médico aéreo.

Perlas de sabiduría

Para reducir el riesgo medicolegal, también para evitar cargos legales por abandono, asegúrese de que su reporte incluya a quién y cuándo se entregó el reporte de transferencia. Conozca las políticas locales acerca de quién puede recibir un reporte de entrega y, si se requiere una firma, quién está autorizado a firmar.

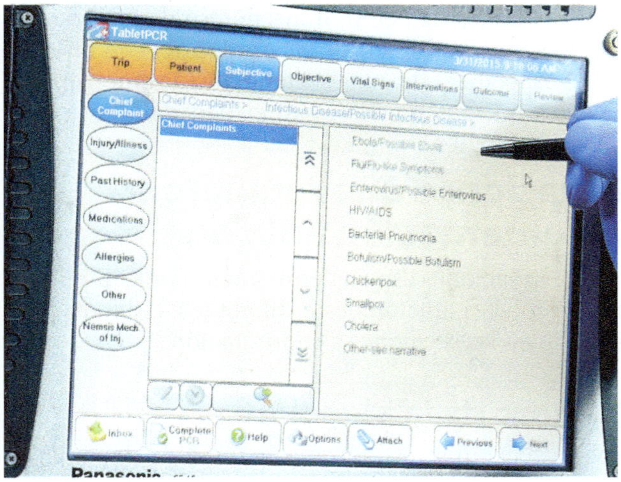

FIGURA 4-3 El conjunto mínimo de datos incluye información sobre el paciente e información administrativa.

Atención antes de llegar

Cada vez son más los centros de emergencias que utilizan el **despacho de emergencias médicas (DEM)**, un sofisticado sistema que ayuda a los operadores a seleccionar las unidades adecuadas para responder a una llamada de asistencia concreta y proporciona, a quienes llaman, información vital hasta la llegada de los equipos médicos de emergencias. Posiblemente se encuentre con casos de este tipo en su área de respuesta. Es fundamental no solo obtener información del paciente o de la persona que llama sobre la atención que haya recibido antes de su llegada, sino también documentar tales observaciones. Por ejemplo, supongamos que una persona llama al 9-1-1 y le dice al operador de un centro de DEM que tiene dolor torácico. Después de un detallado interrogatorio, el operador puede hacer que el paciente mastique 324 mg de aspirina. Si usted no cuenta con esta información respecto al tratamiento del paciente, tal información no se transmitirá al hospital a través de su RAPP. Como resultado, el paciente podría recibir de forma inadvertida otra dosis del mismo medicamento, lo que aumenta el riesgo de complicaciones.

Es probable que también se encuentre con profesionales de la salud fuera de servicio y/o personas no profesionales prestando atención de emergencia antes de la llegada del SEM. Asegúrese de incluir sus nombres y procedimientos en su reporte, con anotaciones específicas de que esta atención de emergencia médica se proporcionó antes de su llegada.

Situaciones que requieren documentación adicional

Ciertas situaciones especiales requieren procedimientos de reportes adicionales o diferentes, las cuales se estudian en las secciones a continuación.

Rechazo de la atención

En esta sección se estudia más a fondo la documentación necesaria. Con el incremento de las demandas por mala praxis, el rechazo de la atención es uno de los elementos más difíciles de la documentación sobre la atención al paciente, y a la vez uno de los más importantes. Los pacientes adultos competentes tienen derecho a rechazar la atención médica o a consentir el tratamiento. Conozca y comprenda los derechos de sus pacientes. Familiarícese con las leyes correspondientes en su estado que se refieren a la atención al paciente y sobre quién tiene derecho a rechazar dicha atención. Para que una persona pueda rechazar la atención, la decisión se debe basar en el conocimiento suficiente del paciente sobre su situación.

Su labor más importante es asegurarse de que el paciente esté plenamente informado sobre la situación actual, el derecho a recibir o rechazar atención médica y las consecuencias de rechazarla. Explique detalladamente las posibles consecuencias de rechazar la atención médica cuando esta esté justificada, incluida la posibilidad de muerte. Debe transmitir esta información en un lenguaje que la persona entienda y, a continuación, documentarla en el RAPP. En algunas dependencias, el SEM hace que un testigo observe que el paciente lee la declaración de rechazo y luego le pide que ponga sus iniciales en la declaración, seguida de una firma en la sección de rechazo del RAPP. Este proceso no está orientado únicamente a conseguir que el paciente firme la sección de rechazo. Es decir, la documentación sobre el rechazo debe mostrar claramente el proceso que se siguió, cómo se documentó y quiénes estuvieron presentes.

Si debe trasladar a un paciente en contra de su voluntad, es imprescindible que documente minuciosamente sus motivos. Debe documentar por qué medios se trasladó al paciente en contra de su voluntad, así como si se le sujetó, se le instruyó verbalmente o se le coaccionó de alguna forma. Considere la posibilidad de pedir a control médico que hable con el paciente para ver si puede aportar una perspectiva diferente (algunos servicios exigen esta consulta).

USTED es el Paramédico

PARTE 2

La unidad de bomberos que le fue asignada fue despachada, llega al lugar de los hechos y estaciona su vehículo para garantizar la seguridad de la escena. Su equipo dirige a la unidad de bomberos para asegurar que el vehículo accidentado esté a salvo mientras su compañero y usted intentan hablar con el paciente. El paciente les grita que le dejen en paz. Su compañero le toca el hombro y le pregunta si huele a alcohol; usted responde que sí. También señala una botella de vodka vacía en el piso del vehículo. El paciente le grita: "No sabes quién soy, ¿verdad? Me las vas a pagar". Se escucha decir a un transeúnte: "¿No es ese el asambleísta Taylor?"

Tiempo de registro:	0 minutos
Aspecto	Despierto
Nivel de conciencia	Alerta
Vía aérea	Abierta
Respiración	Adecuada
Circulación	Parece ser normal

3. ¿Por qué no es aceptable documentar el aspecto del paciente como "ebrio" en un RAPP?
4. ¿Sería aceptable documentar en un RAPP que el paciente "grita" para describir su respiración?

Los pacientes que no responden pueden ser tratados bajo consentimiento implícito. Familiarícese con las leyes de su estado relacionadas con la edad de consentimiento, la atención a menores, menores emancipados y personas con deficiencias mentales o cognitivas, como enfermedades mentales o los efectos por el consumo de drogas o alcohol. Ante todo, se debe asegurar de que ha hecho todo lo posible y razonable por garantizar el bienestar y el interés del paciente.

Si la persona que se niega a recibir la atención tiene una enfermedad o dolencia evidente que requiere atención médica inmediata, pida ayuda y orientación al control médico en línea. Si no está de acuerdo con la negativa, su dependencia debe contar con un protocolo o política que le guíe en los pasos a seguir; por ejemplo, ponerse en contacto con su supervisor, pedir el apoyo de las fuerzas de seguridad o al control médico. Si se pone en contacto con alguna de esas partes, documéntelo en el RAPP, incluidos los hechos ocurridos.

Es fundamental que haya un testigo del proceso de rechazo para asegurarse de que el paciente tiene suficiente capacidad para tomar una decisión informada. Si el paciente se niega a firmar el formulario de rechazo de atención, el testigo también debe estar presente en ese momento. Documente las observaciones del testigo, incluya su nombre y la información de contacto del paciente.

Siempre que sea posible y práctico, lleve a cabo o intente realizar una historia clínica completa y una valoración del paciente. Este proceso incluye obtener una serie completa de signos vitales de referencia. Si un paciente se niega a permitir dicha evaluación, documéntelo cuidadosamente en el RAPP. Asegúrese de evaluar el estado mental del paciente utilizando la escala AVDI. Si la persona hace afirmaciones sin sentido o no se orienta en cuanto a persona, lugar o tiempo, puede considerar que su estado mental está alterado. Este deterioro se puede deber a una lesión, una afección médica (como un desequilibrio electrolítico o una hipoglucemia), una enfermedad mental o el consumo de drogas o alcohol.

Explique siempre con educación y tacto a los pacientes que tienen derecho a cambiar de opinión y que pueden volver a ponerse en contacto con los SEM más adelante. Este intercambio de información debe hacerse ante testigos y documentarse con firmas. Incluya información sobre identificación, como los números de teléfono de los testigos implicados, que a menudo pueden ser agentes de la ley u otras personas que se encuentren en la escena. Documente claramente la atención médica de emergencia que pretendía prestar si el paciente no se hubiera negado a recibirla. De igual modo, debe documentar a quién dejó al cuidado del paciente, si a usted mismo, a las fuerzas de seguridad o a un familiar.

Asimismo, asegúrese de haber propuesto todos los posibles métodos de atención, incluidas las alternativas, aunque no sean su primera opción de tratamiento. Por ejemplo, puede sugerir que un familiar lleve al paciente al hospital para que reciba más atención. Aunque esa situación no sea la ideal, el paciente terminará por recibir la atención en el hospital. Recomiende siempre el traslado en ambulancia porque el estado del paciente puede cambiar en cualquier momento y, sin personal médico disponible para intervenir inmediatamente, el cambio podría tener consecuencias graves.

A veces, los pacientes aceptan el traslado, pero rechazan un procedimiento concreto, como la terapia intravenosa o la inmovilización. En dichos casos, considere el rechazo del procedimiento o procedimientos específicos como si se tratara de un rechazo total de la atención. Incluya una explicación de los riesgos y complicaciones asociados al rechazo, una firma del paciente reconociendo el rechazo de una parte de la atención y la firma de un testigo. Asegúrese de que la documentación esté completa y sea precisa (**FIGURA 4-4**).

En el **CUADRO 4-2** se presenta una lista razonable de los elementos que se deben incluir en el RAPP cuando se documenta un rechazo de atención.

Documentación y comunicación

Durante la evaluación del paciente, tenga en cuenta el patrón del habla, la marcha, la capacidad de repetir instrucciones y otras observaciones que puedan influir en la capacidad de la persona para tomar decisiones.

Lesiones y enfermedades laborales

Con las crecientes restricciones presupuestarias en muchos lugares de trabajo, a menudo es un paramédico, en lugar de un enfermero tradicional, quien presta la atención médica. De acuerdo con las directrices de la Administración de Seguridad y Salud Ocupacional (OSHA) de Estados Unidos, se deben registrar las lesiones en el lugar de trabajo. Las instituciones también pueden tener formularios y requisitos específicos para documentar las lesiones en el lugar de trabajo. Muchas lesiones son leves y solo requieren primeros auxilios básicos, por lo que no requieren de un registro de la OSHA. Cuando documente un incidente o una enfermedad en el lugar de trabajo, asegúrese de anotar las precauciones que se tomaron y el equipo

Nombre del paciente: Smith, John A. ()

Nombre de la dependencia de los SEM: *eMEDS testing/Demo Service
Número de la dependencia de los SEM: 18551-DA

MD: Formulario de rechazo de atención por parte del paciente

Sección 1: Capacidad médica

1.a. ¿Desorientación en persona?:	No	**1.c. ¿Desorientación en la hora/el tiempo?:**	No
1.b. ¿Desorientación en el lugar?:	No	**1.d. ¿Desorientación en la situación?:**	No
2. ¿Nivel de conciencia alterado?:	No		
3.a. ¿Ingesta de alcohol o drogas por antecedentes o examen y arrastra las palabras al hablar?:	No	**3.b. ¿Ingesta de alcohol o drogas con marcha inestable?:**	No
4. ¿El paciente no comprende la naturaleza de la enfermedad y el posible mal resultado?:	No		

Sección 1: Criterios de riesgo

5.Adulto.a. Signos vitales anormales para un adulto: ¿Pulso mayor a 120 o menor a 60?:	No	**5.Adulto.b. Signos vitales anormales para un adulto: ¿PA sistólica menor a 90?:**	No
5.Adulto.c. Signos vitales anormales para un adulto: ¿Respiraciones mayores a 30 o menores a 10?:	No		
5.Ped.a. Signos vitales anormales para un menor/ paciente pediátrico: FC ihadecuada para la edad o:	No es menor/ paciente pediátrico	**5.Ped.b. Signos vitales anormales para un menor/ paciente pediátrico: ¿PA inadecuada para la edad?:**	No es menor/ paciente pediátrico
5.Ped.c. Signos vitales anormales para un menor/ paciente pediátrico: FR inadecuada para la edad o:	No es menor/ paciente pediátrico		
6. ¿Principal queja grave (dolor torácico, disnea, síncope)?:	No	**7. ¿Lesión en la cabeza con antecedentes de pérdida de conciencia?:**	No

Número de incidente: 123456

Integrante del equipo que completa este informe: Usuario, Demo (*DemoUser653*)
Código de llamada a la Unidad del SEM: A391

Fecha actual: 05/25/2021 15:54

FIGURA 4-4 Ejemplo de formulario de rechazo de atención médica. Un paciente adulto competente tiene derecho a rechazar un tratamiento médico, pero es fundamental que usted informe plenamente al paciente de las posibles consecuencias.

Nombre del paciente: Smith, John A. ()

Nombre de la dependencia de los SEM: *eMEDS testing/Demo Service
Número de la dependencia de los SEM: 18551-DA

8. ¿ML significativo o sospecha importante de lesión?: No

9. Para menores/pacientes pediátricos: ALTE (evento de aparente amenaza a la vida), antecedentes médicos significativos o sospecha de: No es menor/ paciente pediátrico

10. La impresión del proveedor es que el paciente requiere de evaluación hospitalaria: Sí, consulta

Sección 2: Para proveedores

1. ¿Evaluó a este paciente (incluyendo examen)?: Sí

De ser sí, pase a #1, vaya a #3

2. Si no puede realizar el examen, ¿intentó tomar los signos vitales?:

3. ¿Intentó convencer al paciente o tutor de aceptar el traslado?: Sí

4. ¿Se puso en contacto con la dirección médica respecto al rechazo del paciente a la atención?: Sí

Sección 3: Marque todas las que correspondan

Disposición inicial (marque todas las que correspondan): EXAMEN: el paciente se negó; TRASLADO: el paciente se negó; TRATAMIENTO: el paciente se negó.

Intervenciones (marque todas las que correspondan): Intento convencer al paciente; contacto con dirección médica.

Centro de contacto para la dirección médica: St. Elsewhere ED.

Disposición final: EXAMEN: el paciente aceptó; TRASLADO: el paciente aceptó; TRATAMIENTO: el paciente aceptó.

Sección 4: SE DEBE COMPLETAR

Número de incidente: 123456

Integrante del equipo que completa este informe: Usuario, Demo (*DemoUser653*)

Código de llamada a la Unidad del SEM: A391

Fecha actual: 05/25/2021 15:54

FIGURA 4-4 (*continuación*)

Nombre del paciente:	Smith, John A. ()	**Nombre de la dependencia de los SEM:**	*eMEDS testing/Demo Service
		Número de la dependencia de los SEM:	18551-DA
Proporcione en palabras del paciente por qué rechazó la atención o el servicio arriba mencionado:	El paciente informa que, a pesar de los daños sufridos a su vehículo, solo tiene una pequeña laceración en el dedo y ningún otro síntoma. Finalmente accedió a que el SEM le evaluara y le pusiera un vendaje para una pequeña laceración en el dedo índice derecho. Ha accedido a acudir a su médico de cabecera más tarde. Cuando le ofrecieron llevarle al hospital, dijo: "No, gracias, estaré bien". Se discutió el plan con el Dr. Smith del servicio de emergencias del St Elsewhere; está de acuerdo con el seguimiento de la laceración.		
Firmas			
Número de incidente:	123456	**Integrante del equipo que completa este informe:**	Usuario, Demo (*DemoUser653*)
		Código de llamada a la Unidad del SEM:	A391
		Fecha actual:	05/25/2021 15:54

FIGURA 4-4 *(continuación)*

CUADRO 4-2 Componentes de un documento exhaustivo sobre el rechazo del paciente
Evidencia de que el paciente tiene la capacidad para tomar una decisión racional e informada.
Documentación de la evaluación completa. Si el paciente rechaza la atención o no permite una evaluación completa, documente que el paciente no permitió una evaluación adecuada, así como cualquier evaluación que se haya completado.
Hable con el paciente sobre la atención y el traslado que a usted le gustaría proporcionarle.
Hablar con el paciente sobre lo que puede ocurrir si no se permite a los SEM proporcionar la atención o el traslado. (Debe enumerar estas consecuencias claramente e incluir la posibilidad de enfermedad/lesión grave o muerte si se rechaza la atención o el traslado).
Hablar con familiares/amigos/personas cercanas para animar al paciente a permitir la atención.
Reportarse con la dirección médica según el protocolo local.
Hablar con el paciente sobre otras alternativas (p. ej., acudir a un médico de familia, o que un familiar lleve al paciente al hospital).
Comunicar al paciente que los SEM tienen la disponibilidad de regresar en caso de que cambie de opinión.
Firmas: pida a un familiar, policía o transeúnte que firme el formulario como testigo. Si el paciente se niega a firmar el formulario de rechazo, pida a un integrante de la familia, un oficial de policía o un transeúnte que firme el formulario para verificar que el paciente se negó a firmar.

de protección que llevaba la persona implicada. Debido a que las empresas pueden ser acreedoras a multas fuertes por infracciones de seguridad, es fundamental que la documentación sea adecuada tanto desde el punto de vista del empleador como de la OSHA. Debe tener en cuenta que la normativa sobre documentación varía entre un estado y otro. Familiarícese con los requisitos de su estado. Como paramédico, también puede realizar el control médico de los equipos de materiales peligrosos, puede responder a las lesiones en el lugar de trabajo de otros empleados públicos, o puede experimentar una lesión o enfermedad en el trabajo, que deberá documentar adecuadamente e informar a los supervisores para recibir la compensación de los trabajadores.

Circunstancias especiales

Los requisitos de documentación de algunas circunstancias pueden resultar desconcertantes. Algunos ejemplos de estas situaciones son los incidentes con múltiples víctimas (IMV), las exposiciones ocupacionales, los casos de presunto abuso o negligencia y los casos en los que un médico llega o ya está presente en el lugar de un llamado. Cada una de estas situaciones puede requerir formularios especiales según su dependencia estatal o local, por lo que se debe familiarizar con estos formularios locales de documentación y los requisitos para su uso.

Durante un IMV, la carga de pacientes puede abrumar fácilmente a los proveedores y, en el mejor interés de la atención al paciente, la documentación a menudo se realiza inicialmente en las etiquetas de triage. No espere a que se produzca una IMV para familiarizarse con las etiquetas de triage. Aprenda dónde se almacenan, la información necesaria en las etiquetas y las situaciones que pueden justificar su uso en su dependencia o departamento. Las etiquetas de triage y los procedimientos se consideran en el capítulo 44, *Gestión de incidentes y accidentes masivos*. Todos aquellos que responden a una emergencia deben completar las etiquetas para facilitar la mayor cantidad de información posible. Cuando llegue el momento de trasladar al paciente, el personal de la ambulancia debe llenar un RAPP para cada paciente. Aunque la información contenida en el RAPP será limitada, es imperativo completar este reporte lo mejor posible.

Durante su trabajo como paramédico, es inevitable exponerse a fluidos corporales u otros agentes en potencia tóxicos o infecciosos. Si sus dispositivos de barrera fallan o no ofrecen suficiente protección, llene un informe de exposición ocupacional. En los estados en los que ya es legal consumir marihuana con fines médicos o recreativos, algunos organismos consideran que el humo de la marihuana es una exposición ocupacional. Si está expuesto al humo de la marihuana durante una llamada, incluya esta información en su reporte de exposición. Debido a que cada dependencia o estado crea sus propios formularios para estas exposiciones, usted se debe familiarizar con los requisitos. Si atiende y/o traslada a un compañero de trabajo por una exposición ocupacional, llene un RAPP completo junto con el formulario de exposición ocupacional.

Es posible que encuentre documentación especializada adicional cuando le llamen por presuntos casos de negligencia o maltrato. Proporcione tantos detalles como sea posible sobre estas circunstancias, porque sus hallazgos iniciales pueden ser más tarde el centro de una investigación de un crimen. Algunos proveedores no documentan sus sospechas de abuso y negligencia por temor a acusaciones de **difamación** (una declaración verbal falsa que daña el buen nombre de una persona), ya sea por parte del paciente o del abusador. Lo mejor es documentar los hallazgos objetivos y dejar que el sistema legal investigue y determine en última instancia si ha habido maltrato o negligencia.

Cuando un médico (de cualquier especialidad) llega o está presente en el lugar del llamado, el médico puede tener autoridad según el protocolo local para intervenir en la atención al paciente y dar instrucciones. Una vez que el médico empieza una atención que va más allá del ámbito del paramédico, la mayoría de los protocolos exigen que el médico acompañe al paciente al hospital para evitar ser acusado de abandono. Cuando termine de documentar un traslado de este tipo, registre todas las órdenes y acciones del médico.

Documente también el uso de servicios de ayuda mutua, como helicópteros, equipos de rescate especializados y otras agencias de servicios a los que se haya recurrido para ayudar en el incidente. Documente también los sucesos inusuales, incluida la necesidad de sujetar al paciente con dispositivos de inmovilización para un traslado seguro. Si se solicita la ayuda de un elevador o un vehículo especializado para levantar a un paciente muy pesado, o si se prolonga el tiempo en la escena debido a una extracción prolongada, documente claramente esta información para explicar por qué ha ocurrido algo fuera de lo común. En caso de que las condiciones meteorológicas retrasen su respuesta, documente también dicha información.

Otra circunstancia especial que requiere una documentación adecuada, según lo definido por el control médico y las leyes de su estado, es la extracción de una muestra de sangre como prueba para el personal de las fuerzas de seguridad que tenga bajo su custodia a un conductor sospechoso de estar bajo los efectos del alcohol. Siga siempre la política de su director médico en estas circunstancias.

Cada vez hay más programas de paramédicos comunitarios en Estados Unidos. Es posible que los paramédicos de estos programas deban proporcionar documentación adicional a la que se incluye normalmente en el modelo prehospitalario. Si trabaja en un programa de este tipo, asegúrese de que entiende y sigue las directrices locales y estatales.

Por último, cada vez más se permite a los proveedores del SEM utilizar sustancias controladas para tratar a los pacientes. Como paramédico, usted es responsable de la seguridad y la contabilidad de estos medicamentos, si los lleva en su unidad. La mayoría de los servicios exige un sistema de doble firma cuando se comprueba, utiliza, desecha o sustituye una sustancia controlada. Documente en su RAPP la fecha y la hora, la cantidad utilizada de la sustancia frente a la cantidad desperdiciada, el paciente al que se le administró y quién la administró, junto con cualquier formulario especializado de contabilidad que utilice su dependencia.

Llenado de un RAPP

La documentación de los SEM es un factor obligatorio y necesario de la atención al paciente. Así como usted siente orgullo de sus habilidades de atención al paciente, se debe enorgullecer de sus habilidades de documentación. Ahora que ha recibido una visión general de los diversos aspectos del RAPP, al igual que de situaciones especiales que debería documentar, aprenderá a completar el RAPP.

Narrativa del RAPP

Como se mencionó anteriormente, el RAPP contiene casillas de verificación y una parte narrativa. La parte narrativa debe ser una sección detallada donde explique los elementos específicos del llamado. Debe estar escrita en un formato aceptado por su dependencia y debe ser precisa y estar completa. Escribir simplemente "Se siguieron los protocolos SVCA" puede no ser suficiente documentación para su dependencia o director médico. Más bien, registre los detalles del llamado, como "Se intubó al paciente con un tubo endotraqueal de 7.5 y se le proporcionó apoyo ventilatorio con oxígeno suplementario a 15 L/min. Los ruidos respiratorios bilaterales y la elevación del tórax confirmaron la colocación del tubo endotraqueal antes de asegurar este último en los dientes en la marca de 22 cms. Se colocaron de inmediato el detector de CO_2 al final de la espiración y el pulsioxímetro, y sus lecturas fueron Spo_2 de 94% y $ETCO_2$ de 35 mm Hg". (Asegúrese siempre de aclarar cuál es cuál). Además, algunos servicios exigen que se adjunte a la documentación una copia de la(s) lectura(s); quizá le interese hacerlo. En el **CUADRO 4-3** se presentan directrices sobre cómo redactar la parte narrativa de su informe.

En la parte de narrativa, documente cualquier orden de control médico y/o consejo médico que haya recibido. En algunos sistemas del SEM, también debe documentar elementos como consultas, órdenes solicitadas o recibidas de control médico y cualquier situación de rechazo en la que se haya consultado a control médico. Escribir simplemente "Ver negativa en el dorso" no es un método eficaz para documentar la atención al paciente.

Existen muchos métodos para la documentación narrativa, pero es posible que su dependencia del SEM o director médico prefieran un método específico para documentar los RAPP. Familiarícese con los métodos aprobados y todos los elementos requeridos para la redacción de informes de su dependencia. Entre los ejemplos de estilos de redacción narrativa para los RAPP se incluyen las siguientes opciones:

- **Orden cronológico.** Este método le permite explicar el llamado en un formato narrativo desde el principio (hora del despacho inicial) hasta el final (finalización del llamado) **FIGURA 4-5**.
- **Método SOAP:** información subjetiva, información objetiva, evaluación (*assesment* en inglés) y plan (para el tratamiento). Este método sencillo y lógico permite documentar diversos aspectos de la atención al paciente (**FIGURA 4-6**)
- **Método CHARTE:** queja principal, antecedentes (incluye la historia del acontecimiento, así como la historia clínica del paciente), evaluación, tratamiento, traslado y excepciones. Este enfoque es similar al método SOAP, sin embargo, permite desglosar la narración en secciones lógicas

USTED es el Paramédico

PARTE 3

Su compañero y usted intentan razonar con el paciente, pidiéndole que les permita evaluar las lesiones. El paciente intenta apartarlos y, arrastrando las palabras al hablar, les dice: "¡No me toquen!, tengo derechos". Usted se pone en contacto con su despachador para confirmar que las fuerzas del orden se dirijan a su ubicación.

Tiempo de registro:	5 minutos
Respiraciones	No se pueden medir; parecen adecuadas, aproximadamente de 20 a 24 respiraciones/min.
Pulso	No se puede medir.
Piel	No se puede medir; aparentemente es de color normal.
Presión arterial	No se puede medir.
Saturación de oxígeno (Spo_2)	No se puede medir.
Pupilas	No se puede medir.

5. ¿Cómo debe documentar que el paciente le ha indicado que "le quite las manos de encima", así como reportar que no puede obtener los signos vitales del paciente?
6. ¿Tiene este paciente derecho a rechazar el tratamiento?

CUADRO 4-3 Cómo escribir una narrativa

Tema	Elementos que se debe incluir
Precauciones estándar	Indique qué precauciones ha tomado y por qué.
Seguridad en la escena	¿Tuvo que mantener segura la escena? De ser así, indique qué hizo y por qué. ¿Este paso generó un retraso en la atención al paciente?
ML/NE	Utilice una declaración simple. Por ejemplo: "accidente de tráfico" o "dificultad respiratoria".
Número de pacientes	Solo registre cuando haya más de un paciente. Por ejemplo: "este es el paciente 2 de 3".
Recursos adicionales	¿Pidió ayuda? De ser así, indique por qué, a qué hora y a qué hora llegó la ayuda. ¿Se retrasó el transporte?
Columna cervical	Indique si aplicó estabilización manual o restricción del movimiento de la columna. Puede incluir el motivo. Por ejemplo: "debido a un ML significativo..."
Impresión general inicial	Solo indique con una declaración simple, si no está ya documentada en el RAPP.
NC	Informe sobre el NC, cualquier cambio en el NC y en qué momento se produjeron los cambios.
Queja principal	Anote y cite las declaraciones correspondientes del paciente y/o los transeúntes, incluidas las negativas pertinentes. Por ejemplo: "el paciente niega dolor torácico...".
Amenazas para la vida	Enumere todas las intervenciones y cómo respondió el paciente. Por ejemplo: "ventilaciones asistidas con bolsa-mascarilla y oxígeno (15 L/min) a 20 respiraciones/min sin cambios en LOC".
ABCDE	Documente lo que ha encontrado y las intervenciones realizadas.
Oxígeno	Registre si administró oxígeno, cómo lo aplicó y qué cantidad administró.
Encuesta primaria, antecedentes del paciente, evaluación secundaria o reevaluación	Indique el tipo de evaluación que ha utilizado y los resultados correspondientes. Por ejemplo: "la evaluación secundaria reveló pupilas desiguales, crepitación en las costillas derechas y una aparente fractura cerrada de la tibia izquierda". Anote la hora a la que se realizó cada evaluación y los hallazgos.
SAMPLE/OPQRST	Escriba y cite las respuestas correspondientes.
Signos vitales	Escriba las horas en que tomó los signos vitales del paciente y los resultados. (Es posible que su servicio quiera que registre los signos vitales en la parte narrativa, así como en otras secciones del RAPP).
Orden médica	Cite las órdenes que haya recibido del control médico e indique quién las dio.
Tratamiento de lesiones secundarias/tratamiento por shock	Indique todas las intervenciones, a qué hora se realizaron y cómo respondió el paciente.

Abreviaturas: ABCDE, vía aérea, respiración, circulación, déficit neurológico y exposición; NC, nivel de consciencia; ML, mecanismo de lesión; NE, naturaleza de la enfermedad; OPQRST, inicio, provocación/paliación, calidad, región/radiación, gravedad, momento; RAPP, reporte de atención de paciente prehospitalario; SAMPLE, signos y síntomas, alergias, medicamentos, antecedentes médicos pertinentes, última ingesta oral, acontecimientos que condujeron a la enfermedad o lesión.

Reimpreso bajo autorización. Cortesía de Jay C. Keefauver.

similares a las utilizadas en la evaluación del paciente (**FIGURA 4-7**).

- **Método por sistemas/partes del cuerpo.** En este formato se documenta la evaluación de cada sistema corporal de la cabeza a los pies. Este método de redacción de reportes puede ser difícil de aplicar en los SEM y llevar demasiado tiempo a los paramédicos.

Independientemente del estilo de redacción de reportes narrativos que acuerden con su servicio, asegúrese de seguirlo de rutina. Si durante la redacción del reporte pasa de un formulario a otro o intenta cambiar de formulario, es posible que olvide ciertos elementos o detalles importates.

La gramática y la ortografía correctas son primordiales en la redacción de un reporte. Considere la

Se llama al equipo del SEM a una residencia debido a un hombre que está enfermo. A su llegada encontraron a un hombre de 78 años, alerta y orientado, sentado en el sofá, que informaba de dolor torácico. El paciente dice que empezó aproximadamente 30 minutos antes, cuando estaba cortando el césped. El paciente niega cualquier irradiación del dolor y en la escala de dolor lo califica con un "7" sobre 10. El paciente tiene un historial cardíaco conocido con un infarto de miocardio, 2 años antes. El paciente niega dificultad respiratoria o N/V con este episodio. S/V estables, CTA pulmonar, Spo_2 93% AR. Piel pálida/cálida/seca al tacto, PIRRL 4 mm, GCS 15. El paciente recibe O_2 a 15 L/min por mascarilla no reinhalación. El monitor indica RSR a 88 lpm sin ectopia.
Se estableció una vía venosa con solución salina (paramédico 785). Se administra cuatro tabletas de 80 mg de ASA vía oral a las 15:01 (paramédico 785). El paciente recibió una dosis sublingual de aerosol de nitroglicerina a las 15:03 con alivio del dolor en una escala de "4" sobre 10 (paramédico 785). Signos vitales siguen estables. El examen secundario no mostró nuevos hallazgos. Se contactó con control médico. Se dejó al paciente al cuidado del personal de emergencias en la sala 7 con reporte.

FIGURA 4-5 Ejemplo de una narración escrita en orden cronológico.

Nota: En este ejemplo "(paramédico 785)" identifica qué proveedor realizó la intervención. También se pueden utilizar las iniciales del profesional. Es importante documentar quién realizó el procedimiento, ya que la persona que escribe la narración puede no haber sido el integrante de la tripulación que realizó el procedimiento o administró el medicamento.

(S) Llamado a una escena debido a que un hombre de 78 años se queja de dolor torácico. El paciente dice que el dolor empezó 30 minutos antes de llegar, cuando estaba cortando el césped. Niega cualquier irradiación del dolor. Dice que el dolor es de "7" sobre 10 en la escala de dolor. El paciente tiene antecedentes cardíacos conocidos con un infarto de miocardio hace 2 años. El paciente niega dificultad respiratoria. El paciente no refiere alergias.

(O) La unidad de respuesta encontró al paciente sentado en el sofá. Paciente alerta y orientado sin aparente dificultad respiratoria y pulso radial fuerte. Paciente tranquilo y cooperativo. Piel: pálida/cálida/seca. Pupilas simétricas y reactivas 4 mm, Glasgow 15/15. No se observa ingurgitación yugular. Abdomen blando y no doloroso a la palpación. Examen secundario sin observaciones.

(A) Posible IM.

(P) Hx primario, secundario, S/V como se mencionó arriba. Ayuda al paciente a sentarse. Monitor cardíaco: RSR a 88 lpm sin ectopia. Vía venosa con catéter # 18 pasando solución salina normal; Spo_2 93% AR, O_2 a 15 L/min vía mascarilla de no reinhalación. Cuatro tabletas de 81 mg de ASA administrado vía oral, una dosis sublingual de nitroglicerina dolor baja a "4". Traslado a ______. El paciente fue trasladado a emergencias con reporte.

FIGURA 4-6 Ejemplo de una narración escrita con el método SOAP.

(C) Hombre de 78 años que se queja de dolor torácico sin radiación. El paciente dice que el dolor es de "7" sobre 10 en la escala de dolor.

(H) El paciente tiene antecedentes cardíacos conocidos con un IM 2 años antes.

(A) El paciente niega tener dificultad para respirar o náusea/vómito con este episodio. Signos vitales estables, pulmones limpios a la auscultación, Spo_2 93% AR, piel pálida/cálida/seca al tacto, PIRRL 4 mm, GCS 15. El monitor muestra RSR a 88 lpm sin ectopia.

(R) Se coloca a paciente O_2 a 15 L/min vía mascarilla sin reporte. Se establece IV de SN en CA I con 18 g a abierta (paramédico 785). 4 × 81 mg ASA fueron administrados VO a las 15:01 (paramédico 785). Se administró 1 SL 0.4 mg nitro a las 15:03 (paramédico 785).

(T) El paciente mejoró durante el traslado, el dolor bajó a "4" en la escala, los S/V se mantuvieron estables y se transfirió la atención del paciente al personal de emergencias.

(E) Ninguno.

FIGURA 4-7 Ejemplo de una narración escrita con el método CHARTE.

posibilidad de llevar consigo una guía de bolsillo, un manual de referencia o un texto de terminología médica, o de utilizar una aplicación en su teléfono inteligente para evitar errores ortográficos.

Cuando escriba su RAPP, asegúrese de documentar todos los resultados **negativos correspondientes**, es decir, un registro de los hallazgos negativos que no justifiquen atención o intervención médica pero que indican que se han realizado un examen y una historia clínica exhaustivos. Por ejemplo, su narración podría decir: "El paciente niega que le falte el aire con el dolor torácico y niega que haya irradiación del dolor a otras partes del cuerpo". Este enunciado indica que usted obtuvo la información sobre el dolor torácico y preguntó sobre la dificultad para respirar y la irradiación del dolor.

La inclusión de los relatos orales pertinentes de su paciente y de otras personas en la escena puede ser fundamental para la continuidad de la atención al paciente. Si en su RAPP hace referencia a algún relato oral hecho por el paciente u otras personas, asegúrese de indicar quién hizo la declaración y poner las palabras exactas entre comillas. Los relatos orales pertinentes pueden incluir declaraciones sobre el comportamiento del paciente, el ML e información relacionada con la seguridad, como el uso de armas. También puede ser útil enumerar la información que pueda servir a investigadores de crímenes como parte de su investigación, la disposición de objetos de valor, la admisión de intenciones suicidas hechas por un paciente y cualquier intervención de primeros auxilios proporcionada por los transeúntes antes de la llegada de los SEM.

Elementos de un RAPP correctamente redactado

La exactitud de la documentación depende de la exhaustividad y precisión del reporte. Debe proporcionar toda la información, como las horas del incidente y la información narrativa. Complete todas las secciones del reporte, incluso si una sección no se aplica al llamado. Por ejemplo, si su RAPP contiene casillas de verificación de información específica para llamados por paro cardíaco, pero el llamado que está documentando no incluía un paro cardíaco, escriba este hecho en el reporte como aprobado por su dependencia. El simple hecho de dejar casillas en blanco puede suscitar dudas sobre si el reporte está completo.

Cuando elabore un reporte por escrito, hágalo de forma legible y con tinta. El color de la tinta utilizada puede determinarse de acuerdo con la dependencia de los SEM. Los colores de tinta estándar negro y azul son los más utilizados para este fin. La caligrafía, especialmente en la parte narrativa del informe, debe ser nítida y fácil de leer. Además, tenga mucho cuidado de no contaminar sus reportes escritos con ningún líquido que se encuentre en el campo. Coloque todos sus reportes completos en un lugar seguro que acuerden usted y su compañero para proteger la privacidad del paciente, hasta que puedan ser guardados en el lugar apropiado en la oficina o sede de su dependencia del SEM.

El RAPP debe ser oportuno, incluso en los sistemas del SEM con un gran volumen de llamadas. Si responde a varias llamadas sin completar con precisión el RAPP antes de pasar a la siguiente, puede olvidar detalles y/u omitir información importante. Peor aún, puede registrar información inexacta. Su dependencia del SEM debe permitirle una cantidad razonable de tiempo para completar sus reportes, reabastecer suministros, así como limpiar y desinfectar el vehículo antes de regresar al servicio. Muchos paramédicos utilizan tarjetas de evaluación durante sus llamadas para tomar notas, y el monitor electrocardiográfico (EKG) para anotar los tiempos y los signos vitales. El RAPP lo terminan después de la llamada, no en el accidentado trayecto hasta los servicios de emergencias. Reserve tiempo en el hospital para llenar de forma ordenada toda la documentación.

Si no tiene tiempo suficiente para completar el RAPP en el hospital, debe dejar un registro escrito con el paciente. En estos casos, la mayoría de los sistemas del SEM dispondrán de un reporte de entrega o de traslado (**FIGURA 4-8**). Estos formularios abreviados de una sola página se utilizan como ayuda de memoria durante una llamada del SEM. Si no puede permanecer en el hospital para completar el RAPP, copie estos documentos y déjelos con la enfermera o el médico. Algunos estados exigen que se entreguen copias de los reportes escritos (o registros electrónicos) al centro u hospital receptor en un plazo determinado, por ejemplo 24 horas. Conozca las leyes y requisitos aplicables de su estado y sistema del SEM. En algunos sistemas, los proveedores del SEM envían por fax o correo electrónico el formulario completo al servicio de emergencias porque el hospital dispone de recepción segura y confidencial de esta informacion que cumple los requisitos de la HIPAA.

Como se mencionó anteriormente, los RAPP no deben contener jerga, modismos y opiniones. Asegúrese de que su documentación no sea difamatoria. La **calumnia** es una declaración falsa por escrito que puede dañar la reputación actual o futura de una persona. Solo documente declaraciones verdaderas y precisas. Si su relato incluye citas de testigos o declaraciones del paciente, asegúrese de indicar quién las hizo e incluya en el reporte las palabras exactas entrecomilladas.

Revise con detenimiento todos los reportes antes de enviarlos al centro médico receptor y a su dependencia del SEM. Revise siempre su RAPP para comprobar que está completo, es preciso y correcto en cuanto a gramática, ortografía, terminología médica y abreviaturas. Su objetivo es presentar un informe completo, preciso, profesional y legible.

Muy a menudo se ignora la importancia de la redacción de reportes y la documentación en los SEM.

Instituto de Maryland para Sistemas de Servicios de Emergencias Médicas

Formulario breve sobre la información del paciente

Jurisdicción: ______ **Fecha:** ______
Núm. de incidente: ______ **Hora de llegada al hospital:** ______
Núm. de unidad: ______
Edad: ______ **Fecha de nac.:** ______ **Peso:** ____kg **Género:** ❑M ❑F
Prioridad: ❑1 ❑2 ❑3 ❑4 **Categoría de trauma:** ❑A ❑B ❑C ❑D
Nombre del paciente: ______
Dirección del paciente: ______
Ciudad: ______ **Estado:** ______
Persona de contacto: ______ **Número telefónico:** ______
Queja principal: ______
Hora de inicio: ______ **Antecedentes médicos: (DNR/MOLST)** ❑A1 ❑A2 ❑A3
Cardíaco ❑ **ICC** ❑ **Hipertensión** ❑ **Convulsión** ❑ **Diabetes** ❑ **EPOC** ❑ **Asma** ❑
Otro: ______
Medicamentos actuales: ______
Alergias: **Látex** ❑ **Penicilina/cef** ❑ **Sulfas** ❑ **Otro:** ______

Evaluaciones

Vitales
Hora: ______
Temperatura: ______
PA: ______ / ______
Pulso: ______
Respiraciones: ______
SAO_2: ______%
Capnografía: ______
Monóxido de carbono: ______

Repetir vitales
Tiempo: ______
PA: ______ / ______
Pulso: ______
Respiraciones: ______
SAO_2: ______%
Capnografía: ______
Monóxido de carbono: ______

Respiración

Izquierda		Derecha
❑	despejada	❑
❑	crepitaciones	❑
❑	entrecortada	❑
❑	estridor	❑
❑	roncus	❑
❑	sibilancias	❑
❑	disminuida	❑
❑	agónica	❑
❑	ausente	❑

Piel
❑ Cálida
❑ Caliente
❑ Fresca
❑ Seca
❑ Diaforética
❑ Cianótica

Escala de coma Glasgow
Ojos (4): ______
Motor (6): ______
Verbal (5): ______
TOTAL: ______

Pupilas
❑ PERRL
❑ Desiguales
❑ Fijas/dilatadas

Pulso
❑ Regular ❑ Irregular
❑ DVY ❑ Edema periférico
Llenado capilar: ______ segundos

Neuro
❑ A ❑ V
❑ P ❑ U

Evaluación

Procedimientos

Ritmo cardíaco: ______
Se realizan 12 derivaciones Sí ❑ No ❑ 12
Transmisión de derivaciones Sí ❑ No ❑
Glucómetro: ______
❑IV1 ❑IV2 Hora de inicio ______
❑IO ❑VYE
Cantidad infundida: ______

Se realiza RCP Sí ❑ No ❑
RCE Sí ❑ No ❑
Hipotermia inducida Sí ❑ No ❑

Escala de accidente cerebrovascular de Cincinnati
Normal/anormal
Asimetría facial Normal ❑ Anormal ❑
Desplazamiento del brazo Normal ❑ Anormal ❑
Habla Normal ❑ Anormal ❑
Última vez en que se sabe que estaba bien/fecha: ______

Escala motora de Los Ángeles (LAMS)

Asimetría facial		Fuerza de agarre	
Ausente	0	Normal	0
Presente	1	Agarre débil	1
		Sin agarre	2

Desplazamiento del brazo	
Ausente	0
Presente	1
Cae con rapidez	2

Puntuación: ______

Oxígeno
❑ Mascarilla de no reinhalación ❑ Vía aérea King
❑ Cánula nasal ❑ PPC
❑ VAN/VAO ❑ TDN
❑ BVM ❑ Ventilador
❑ ET ❑ NT ❑ TNG
❑ Tubo simple

Tratamiento:

Adiciones jurisdiccionales:

Nombre del médico en letra imprenta: ______

FIGURA 4-8 Libreta/reporte de entrega prehospitalaria (reporte de traslado).

Siempre tenga en mente que el reporte que redacta se refleja directamente en usted; que su llamada no estará terminada hasta que no haya completado el proceso de documentación.

Documentación y comunicación

Recuerde documentar los problemas que encuentre al responder o durante la llamada (p. ej., una exposición a una enfermedad infecciosa, un retraso en la respuesta, un conflicto en la escena con la familia u otras dependencias de respuesta, una lesión a un proveedor del SEM que ocurrió mientras brindaba la atención al paciente).

Consecuencias de una documentación deficiente

Una documentación inadecuada, inexacta e insuficiente puede afectar negativamente a la calidad de la atención que reciben los pacientes a su llegada al hospital. Por ejemplo, imagine que administra un tratamiento respiratorio de camino al hospital, pero olvida documentar el medicamento, el procedimiento y la hora de administración. El hospital no tendría constancia del medicamento administrado, y el paciente podría recibir un tratamiento inadecuado por no haber documentado la atención prestada. Si documenta lo que el paciente o sus familiares le dicen y los resultados de la exploración del paciente, mejorará la calidad de la atención al paciente. Por ejemplo, no olvide documentar la hora concreta en que los familiares vieron "normal" por última vez a un paciente con sospecha de un accidente cerebro vascular; esta información es vital para determinar el intervalo de tiempo en el que puede ser apropiado el tratamiento con fibrinolíticos. Otro ejemplo: si el personal del hospital sabe que un paciente padece un trastorno convulsivo o que un paciente con ataques isquémicos transitorios previos presenta síntomas de deterioro neurológico de camino al hospital, puede planear con mayor eficacia la atención adecuada.

Como ya se ha mencionado, las implicaciones legales de la documentación pueden ser importantes. Si surge una demanda después de la llamada, los reportes mal redactados, inexactos o ilegibles pueden llevar a un juez o jurado a decidir a favor del demandante. Por el contrario, un abogado puede decidir no seguir adelante con el caso cuando la documentación revela un informe correctamente redactado y bien documentado.

El siguiente es un ejemplo que ilustra la importancia de una documentación pulcra y precisa. El servicio de emergencias de una ciudad fue demandado por haber prestado una atención inadecuada a un paciente con una lesión medular. Durante la etapa de presentación de pruebas de la demanda, el abogado de la ciudad decidió llegar a un acuerdo extrajudicial con base en el hecho de que el RAPP estaba mal hecho (porque una documentación descuidada implica una atención descuidada) e incompleto (porque los proveedores no documentaron claramente si se habían valorado los pulsos distales y las funciones motoras y sensoriales *antes* y *después* de la inmovilización del paciente).

Otro ejemplo de documentación deficiente se produjo en un caso en el que un chico de 15 años sufrió un accidente de tránsito y el personal paramédico tuvo que asegurar su vía aérea debido a un traumatismo craneoencefálico. El paciente fue trasladado a un centro de traumatología, donde el médico de emergencias comprobó que el paciente estaba extubado. El paciente sobrevivió, pero presentó una importante lesión cerebral. La familia demandó al personal paramédico, alegando que su hijo había presentado lesiones cerebrales hipóxicas causadas por la intubación fallida y no por el traumatismo craneoencefálico. El equipo testificó que habían utilizado una capnografía continua para confirmar que la vía aérea estaba asegurada durante el traslado, mas no documentaron estas lecturas en su narrativa. Aunque es probable que la extubación se produjo mientras el paciente era trasladado a la cama para la valoración en la sala de emergencias, el hecho de que la tripulación no documentó sus lecturas dio lugar a una sentencia a favor de la familia. Como resultado, la dependencia perdió una importante suma de dinero.

USTED es el Paramédico

PARTE 4

Cuando los oficiales de policía llegan a la escena, el paciente grita: "¡Genial! oficiales, detengan a estas personas, me están acosando". Un oficial le dice al paciente que se relaje y haga lo que le pide el equipo de emergencias: "lo único que intentan es asegurarse de que está bien". La oficial pregunta al paciente: "¿Ha bebido hoy?" El paciente responde: "Solo bebí un poco durante la comida... eso es todo; estoy bien". El oficial pide y recibe la licencia de conducir del paciente. Le dice: "estoy seguro de que sabe, asambleísta Taylor, que hay leyes que tiene que cumplir y que quedaría mucho mejor ante sus electores si coopera. Ir al hospital en ambulancia es mucho mejor que ir en una patrulla". El paciente acepta, y usted al fin puede evaluar al paciente y prepararse para el traslado.

Tiempo de registro:	15 minutos
Respiraciones	16 respiraciones/min con un volumen corriente adecuado.
Pulso	100 latidos/min, fuerte y regular.
Piel	Cálida, seca, color normal.
Presión arterial	130/80 mm Hg.
Saturación de oxígeno (Spo_2)	97% en aire ambiente.
Pupilas	Pupilas iguales, redondas y reactivas a la luz (PIRRL).

7. ¿Es esencial documentar la interacción entre el paciente y los oficiales de policía cuando no está implicada la atención al paciente?
8. ¿Cuál es la base jurídica para determinar si un paciente es competente para rechazar la atención?

Una documentación deficiente también puede afectar a su reputación como paramédico. Los reportes mal redactados, inadecuados o inexactos pueden hacer que otros cuestionen la atención que prestó. Por el contrario, un reporte bien escrito puede sugerir capacidad de organización, conocimiento de las condiciones y necesidades del paciente, y respeto por las políticas y procedimientos de la organización. Parte de ser un buen paramédico es completar el papeleo y los informes como se requiere. Si le resulta difícil redactar reportes, tome clases adicionales sobre este tema o estudie técnicas de redacción de reportes para mejorar sus habilidades. Su dependencia o servicio puede tener un programa educativo para ayudarle con dicha educación y formación.

Errores y falsificaciones

Aunque debe hacer todo lo posible por crear un reporte inicial preciso y legible, en algunas ocasiones tal vez deba revisar o corregir su RAPP inicial. Si es necesario revisar o corregir un reporte, anote la fecha y hora de la revisión, así como el motivo de la revisión o corrección. Nunca deseche ni destruya el RAPP original.

Un reporte original solo lo puede revisar la persona que lo redactó. Las adiciones o anotaciones agregadas por otras personas después de completar el informe pueden suscitar dudas sobre la autenticidad del reporte y las prácticas de confidencialidad de su dependencia. Se necesita el manejo y la revisión de rutina de los reportes administrativos para introducir información en las bases de datos, facturar los servicios y supervisar la garantía de calidad. En ningún momento las actividades administrativas deben implicar la alteración o reescritura del reporte o de partes de este.

Si comete un error al escribir a mano su informe, coloque una sola línea horizontal sobre el error y anote sus iniciales y la fecha en la línea, preferiblemente con tinta de otro color. Escriba al lado la información corregida **FIGURA 4-9**. No borre la información, no escriba sobre los errores ni utilice líquido corrector o cinta adhesiva. Recuerde que el RAPP es un documento legal.

Si descubre un error después de enviar un RAPP electrónico, la mayoría de los sistemas permitirán realizar modificaciones, pero impedirán que se borre información en un documento ya completado. Consulte las instrucciones de uso para saber cómo modificar el RAPP electrónico original. Si no es posible modificar el informe electrónicamente, imprima una copia del RAPP electrónico y siga el mismo procedimiento utilizado para un documento escrito. Cuando sea posible hacer correcciones electrónicamente, tenga en cuenta que el sistema registra el denominado historial de cambios, aunque el producto final no lo muestre. Por lo tanto, una vez publicada una ejecución, debe documentar por qué se llevó a cabo cualquier modificación en un RAPP electrónico. La mayoría de los sistemas

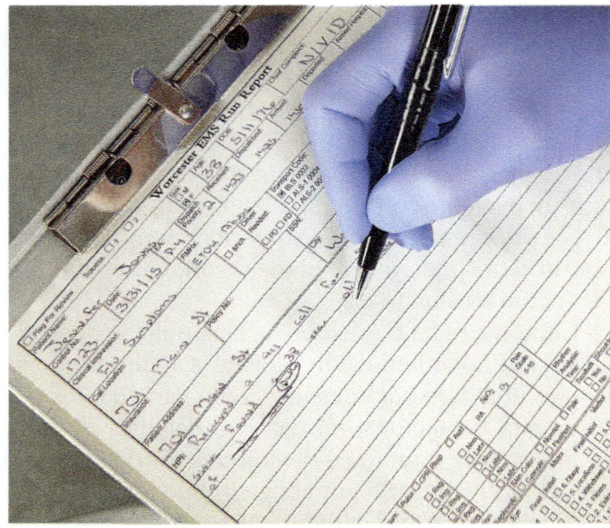

FIGURA 4-9 Si comete un error al escribir a mano su reporte, la forma correcta de corregirlo es trazar una sola línea horizontal sobre el error, poner sus iniciales y escribir la información correcta al lado.

SEGURIDAD

En 1999, el reporte *To Err Is Human* (Errar es humano) del Instituto de Medicina (IOM) de Estados Unidos, señalaba que casi 100 000 estadounidenses mueren cada año como consecuencia de errores médicos, lo que supone la octava causa de muerte en Estados Unidos. La principal revelación de este informe era que las fallas o errores en la atención no solían ser resultado del comportamiento o la decisión de una sola persona, sino que en muchas ocasiones estaban relacionados con procesos intrínsecos de la atención en el sistema de salud. Así pues, el Instituto de Medicina sugería que los esfuerzos por mejorar la seguridad debían centrarse en mejorar los errores durante el proceso, en lugar de enfocarse en las personas.
Poco a poco, con el paso del tiempo, ha ido ganando credibilidad la idea de "falla del sistema" en lugar de la de "error humano". Organizaciones estadounidenses como *National Quality Forum, Institute for Healthcare Improvement, Agency for Healthcare Research and Quality* y otras, se esfuerzan por reducir la frecuencia de los errores médicos. El carácter crítico de sus esfuerzos es evidente: un análisis publicado en 2016 sugiere que los errores médicos pueden ser ahora la tercera causa de muerte, cobrando anualmente unas 251 000 vidas en Estados Unidos.[1]

SEGURIDAD

Existe la creencia generalizada de que los "cuasi accidentes" no se notifican en su totalidad. Un **casi accidente** es un suceso imprevisto que no causa lesiones, enfermedades o daños, pero que podría haberlos causado. A menudo, el personal no informa de estos sucesos por miedo a ser sancionado, porque percibe falta de apoyo o de atención por parte de los supervisores, o porque cree que no es necesario informar del incidente si no se ha dañado a ningún paciente. De hecho, los casi accidentes son de lo más importante, porque permiten a la organización analizar sus procesos y mejorar la seguridad. Además, hablar de los casi accidentes puede ser más fácil para el personal, ya que hay menos problemas de responsabilidad cuando nadie ha sufrido daños.

SEGURIDAD

La Herramienta de Notificación Voluntaria del SEM (EVENT, por sus siglas en inglés, *EMS Voluntary Event Notification Tool*) es un sistema anónimo, no punitivo y confidencial que la *National Association of Emergency Medical Technicians* (NAEMT) puso en marcha en 2012. Su objetivo es identificar procesos y sistemas defectuosos que requieren mejoras.

de RAPP electrónicos mantienen un registro de quién realizó una modificación en el informe y cuándo se hizo.

Si olvidó incluir información importante, quizá deba redactar un anexo a su reporte original. También es posible que tenga que redactar un apéndice si se le pide que escriba declaraciones de hechos relacionados con la garantía de calidad o el manejo de riesgos y que responda a reclamaciones. En el apéndice, indique que se ha añadido al reporte original y explique el motivo del retraso en el ingreso. Incluya la fecha de ingreso, la hora y su firma.

Asimismo, es posible que se requieran reportes complementarios si se dispone de información adicional después de redactar el reporte original. Documente dichos reportes con la fecha, la hora, el motivo de la información añadida y su firma. Algunas dependencias del SEM utilizan un reporte complementario para escribir información extensa cuando el espacio del reporte original es limitado. Siga las normas de su servicio en cuanto al uso de reportes complementarios y los procedimientos para redactarlos. Independiente del momento en que se agregan los informes complementarios, se deben adjuntar de alguna manera al reporte original con fines de registro.

Como parte de su función, es posible que se le pida que obtenga y documente la información de facturación de los servicios prestados. Es fundamental que entienda la naturaleza sensible y confidencial de dicha información y las leyes y reglamentos relacionados con la seguridad de la facturación y la documentación en virtud de la HIPAA. Las dependencias del SEM deben tener cuidado de no agregar información proporcionada por los empleados de facturación u otras personas después de que se haya enviado el reporte, ya que al hacerlo podrían violar las leyes locales, estatales o federales. Si tiene información adicional que documentar después de entregar el formulario, siga la política de su dependencia en cuanto a la necesidad de un formulario complementario. Siempre sea honesto y minucioso en el proceso de documentación.

Los reportes perdidos tienen importantes implicaciones legales para los paramédicos, las dependencias y departamentos del SEM y los directores médicos. Recuerde, usted es responsable de asegurar que sus reportes sean completados y entregados según lo requerido por la política o el procedimiento. (No guarde copias de sus reportes. Si necesita documentar números de procedimientos o edades de pacientes para sus prácticas de paramédico, siga la política específica de su centro de formación). Si la pérdida de reportes es una preocupación constante para una dependencia o proveedor, se deben tomar medidas para corregir el problema. Intentar recrear los RAPP es irresponsable e incluso ilegal. Además, el mantenimiento de registros puede ser un requisito legal en su estado, y es posible que la normativa estatal especifique el tiempo permitido para la presentación de reportes.

Documentación y comunicación

La redacción de los reportes debe hacerse de forma tal que los profesionales de todos los niveles que tengan acceso a ellos, tanto el director médico como el empleado de la oficina administrativa que facture el servicio prestado, puedan leerlos y comprender exactamente lo que ocurrió en el llamado de los SEM. Si su reporte no ofrece una imagen clara de lo sucedido, entonces no está bien redactado. Recuerde que su informe es un reflejo de sus acciones y de su profesionalismo.

Documentar los tiempos de los incidentes

El registro de las horas exactas es fundamental para todas las operaciones de los SEM. El papel de registrar las horas exactas de todo el incidente recae en los operadores que despachan los llamados. Sin embargo, cuando se trata de los procedimientos en el lugar del incidente, usted debe controlar el registro de los horarios durante la documentación. Compare sus horas con las del despachador para garantizar la exactitud y la forma correcta del registro, y asegúrese de que sus relojes y los del despachador estén sincronizados. Por ejemplo, si sus reportes del monitor ECG o las horas registradas en la documentación no están sincronizados con las del despachador, esta discrepancia podría crear una controversia en la sala del tribunal.

En particular, es vital que registre y documente las siguientes horas de los incidentes:

1. **Hora del llamado:** hora en la que se realiza o solicita la llamada de auxilio.
2. **Hora de despacho:** hora en la que se toma la llamada o se alerta para una respuesta.
3. **Hora de llegada al lugar de los hechos:** hora en que la unidad del SEM llega a la escena.
4. **Tiempo con el paciente:** hora de contacto con el paciente, que puede no coincidir con la hora de llegada. Por ejemplo, cuando se atiende a un paciente en el piso 17 de un edificio alto, se debe incluir el tiempo que se tarda en llegar físicamente hasta el paciente.
5. **Hora de administración del medicamento:** hora en que se administra el medicamento para comprobar que se cumple con los protocolos y la respuesta del paciente. Ejemplo: se administró 1 × 0.4 mg de nitroglicerina sublingual a las 18:04 sin alivio [paramédico 785].
6. **Hora del procedimiento médico:** hora en la que se realiza un procedimiento en el paciente, como cuando se toman los signos vitales, cuando se intuba a un paciente o cuando se da a luz a un niño. Ejemplo: el paciente fue intubado con un tubo endotraqueal de 7.5 mm con confirmación de ausencia de ruidos epigástricos, ruidos pulmonares bilaterales claros en todos los campos y una lectura de capnografía en forma de onda de 35 mm Hg a las 18:07 por paramédico 785.
7. **Hora de salida de la escena:** hora registrada en que los SEM salen del lugar de los hechos.
8. **Hora de llegada al centro médico:** hora de llegada al centro médico (si se traslada al paciente).
9. **Hora de transferencia de la atención:** hora en que se transfirió la atención a otro profesional de la salud en el centro receptor (si se traslada a un paciente).
10. **Hora de regreso al servicio:** hora en que la unidad y el personal de los SEM están listos para volver al servicio.

El procedimiento estándar es utilizar el horario de 24 horas (militar) en la documentación del SEM. Este formato permite que cada hora sea única; por ejemplo, la 1:00 am no se puede confundir con la 1:00 pm. En el **CUADRO 4-4** se presenta el horario militar.

CUADRO 4-4 Horario militar

Hora estándar	Hora militar	Hora estándar	Hora militar
Medianoche	00:00	Mediodía	12:00
1:00 a.m.	01:00	1:00 p.m.	13:00
2:00 a.m.	02:00	2:00 p.m.	14:00
3:00 a.m.	03:00	3:00 p.m.	15:00
4:00 a.m.	04:00	4:00 p.m.	16:00
5:00 a.m.	05:00	5:00 p.m.	17:00
6:00 a.m.	06:00	6:00 p.m.	18:00
7:00 a.m.	07:00	7:00 p.m.	19:00
8:00 a.m.	08:00	8:00 p.m.	20:00
9:00 a.m.	09:00	9:00 p.m.	21:00
10:00 a.m.	10:00	10:00 p.m.	22:00
11:00 a.m.	11:00	11:00 p.m.	23:00

USTED es el Paramédico RESUMEN

1. **¿Cuál es su primera consideración con respecto a este paciente?**

   El paciente no se encuentra lo suficientemente bien como para ponerse de pie cuando intenta salir del vehículo por sus propios medios y parece tener un equilibrio inadecuado. En este momento, no sabe si el paciente ha bebido. El comportamiento del paciente podría ser consecuencia de condiciones médicas como diabetes, reacciones alérgicas o insuficiencia cardíaca. También se puede tratar de un traumatismo. El paciente se pudo haber golpeado la cabeza, lo que podría haber afectado su equilibrio. También puede que tenga algo tan simple como una lesión en el pie que le duela al pararse. El habla arrastrada puede deberse a dientes sueltos o que se le haya caído la dentadura postiza. No dé por sentado que el paciente ha bebido. Debe obtener más información para hacer la determinación.

2. **¿Cuál es su primera consideración con respecto a la escena?**

   Aunque los daños visibles del vehículo parezcan menores, es posible que existan peligros como fugas de líquidos o metales afilados y desgarrados. Debido a estos peligros potenciales, debe llevar equipo de protección personal para garantizar su seguridad, incluso si la escena parece inicialmente segura. El juzgado del condado es un lugar muy concurrido a las 13:00 horas de un día laborable, y usted podría tener que preocuparse tanto del control del tráfico como de controlar la multitud. Asegúrese de que hayan enviado al personal de policía al incidente.

3. **¿Por qué es inaceptable documentar en un RAPP el aspecto del paciente como "ebrio"?**

   Documente solo los hechos. No describa la situación según sus primeras sospechas, como por ejemplo "Está despierto y parece ebrio". Declaraciones subjetivas como esta pueden volverse en su contra en un tribunal cuando intente definir cómo determinó que el paciente estaba "ebrio". Incluya hallazgos objetivos, como "presenta estado mental alterado" o "huele a alcohol". Realice una evaluación exhaustiva antes de determinar si un paciente está intoxicado.

4. **¿Sería aceptable documentar en la descripción de la respiración de un RAPP que el paciente está "gritando"?**

   Es evidente que el paciente respira porque está intentando salir del vehículo. Usted no dispone de otros puntos de valoración directa para determinar la frecuencia, el ritmo y la calidad de la respiración. Usted es testigo directo de los gritos del paciente, que es una descripción precisa de su observación inicial, por lo que podría documentarlo así.

5. **¿Cómo debe documentar que el paciente le ha indicado que "no lo toque", así como explicar su incapacidad para obtener los signos vitales del paciente?**

   Utilice las propias palabras del paciente en la medida de lo posible. Sería aceptable escribir: "Al intentar acercarnos al paciente para iniciar la evaluación, el paciente dijo: 'No me toquen'. No pudimos evaluar el pulso, la respiración, la presión arterial, las pupilas, el nivel de Spo_2 o los signos cutáneos más que visualmente hasta después de la intervención de las fuerzas del orden". Manténgase informado acerca de cuestiones médicas, legales y éticas, para conocer sobre los conceptos de consentimiento y rechazo del paciente en su localidad.

6. **¿Este paciente tiene derecho a rechazar el tratamiento?**

   El paciente muestra signos asociados a intoxicación. El paciente le dijo al oficial que había tomado unas copas durante la comida. Además, usted vio una botella vacía de alcohol en el piso del vehículo. Debido a que la capacidad de decisión del paciente está afectada, no debe aceptar una petición de negativa. También debe seguir valorando el estado mental del paciente (orientación hacia la persona, el lugar, la fecha y hora, e incluso observaciones como el habla y la marcha).

7. **¿Es importante documentar la interacción entre el paciente y los oficiales de policía cuando no hay atención al paciente?**

   Debe documentar la interacción entre el oficial de policía y el paciente. Las leyes estatales suelen permitir a los oficiales detener a las personas si son un "peligro para sí mismos o para otros". Revise los derechos de los oficiales de policía en relación con los pacientes de su área. En este caso, el oficial apeló a la autoestima del paciente para convencerle de que era mejor actuar de dos maneras, por lo que no fue necesario detener al paciente. Cuando documente una interacción entre el personal de las fuerzas de seguridad y un paciente, asegúrese de anotar en el formulario el nombre del oficial, su número de placa y el organismo al que pertenece. Esta información le ayudará a usted y a su dependencia si necesita más información sobre el llamado.

USTED es el Paramédico RESUMEN continuación

8. **¿Cuál es la base legal para determinar si un paciente es competente para rechazar la atención?**

Como paramédico, debe estar familiarizado con las leyes de su estado relacionadas con la edad de consentimiento, la atención a menores, menores emancipados y personas con impedimentos mentales o cognitivos, como enfermedades mentales o efectos del consumo de drogas o alcohol. Por encima de todo, se debe asegurar de que se han tomado todas las medidas razonables para el bienestar y el mejor interés del paciente. No suponga que el paciente "sólo está ebrio" y preste siempre el máximo nivel de atención.

Reporte de atención de paciente prehospitalario (RAPP)

Fecha: 06-01-22	**Incidente Núm.:** 890	**Naturaleza de la llamada:** Accidente automovilístico		**Ubicación:** Calle Primera 200	
Despacho: 13:00	**En camino:** 13:01	**En el escenario:** 13:05	**Transporte:** 13:35	**En el hospital:** 13:45	**En servicio:** 13:55

Información del paciente

Edad: 60 años **Sexo:** M **Peso (en kg [lb]):** 113 kg (250 lb)	**Alergias:** Se desconoce que tenga alergias **Medicamentos:** Ninguno **Antecedentes médicos:** Ninguno **Principal manifestación:** Accidente automovilístico

Signos vitales

Hora: 13:20	**PA:** 130/80	**Pulso:** 100	**Respiraciones:** 16	**Spo_2:** 97%
Hora:	**PA:**	**Pulso:**	**Respiraciones:**	**Spo_2:**
Hora:	**PA:**	**Pulso:**	**Respiraciones:**	**Spo_2:**

Tratamiento en el SEM (circule todo lo aplicable)

Oxígeno @ __ L/min por (circular uno): **NC NRM Dispositivo de bolsa y mascarilla**		**Ventilación asistida**	**Dispositivo de la vía aérea**	**RCP**
Desfibrilación	**Control de la hemorragia**	**Vendaje**	**Inmovilización**	**Otro:** Monitor cardíaco

Narrativa

Llegamos al lugar de los hechos y nos encontramos con una colisión de un solo vehículo en la que estaba implicado un poste frente al juzgado del condado. Al salir de nuestra unidad, presenciamos cómo un hombre abría la puerta del conductor del vehículo implicado en el choque e intentaba salir del vehículo sin ayuda. No pudo mantener el equilibrio y volvió a sentarse en el asiento del conductor. Una vez que nos acercamos al vehículo, determinamos que con el impacto se había desplegado el sistema de bolsas de aire. Había daños mínimos visibles en la parte delantera del vehículo. Se tuvo contacto con un varón de 60 años que estaba despierto pero desorientado. Al intentar evaluar la presión arterial, el pulso, la respiración y el nivel de Spo_2, el paciente, con dificultad para hablar, dijo: "Necesito a mi abogado" y "No me toquen". El paciente presentaba signos de intoxicación alcohólica. En el piso del vehículo se veía una botella de vodka vacía y abierta. Se confirmó que la policía estaba en camino. El oficial B. D. Smith, placa 1345, del departamento de policía del centro de la ciudad, y el oficial R. H. Jenkins, placa 1429, también del centro de la ciudad, llegaron para ayudar. El oficial Smith convenció a la víctima para que permitiera nuestra valoración, tratamiento, inmovilización y transporte sin más incidentes. Esto explica el retraso inicial en la obtención de los signos vitales de este paciente. El paciente cooperó y su estado no cambió durante el traslado. V/S estable según la lista, Spo_2 97% AR, pulmones bien ventilados, color de piel normal/cálida/seca al tacto, PIRRL. Los resultados de la valoración primaria y de la evaluación secundaria no fueron destacables. Se hizo contacto con el control médico del Hospital Downtown con órdenes negativas. El paciente fue trasladado y se proporcionó un reporte verbal a la enfermera Shelley sobre el traslado del paciente.

Fin del reporte

Kit de preparación

Resumen rápido

- Para cada llamada del SEM, debe completar un informe formal por escrito antes de abandonar el hospital. Esta acción es una parte vital de la prestación de la atención de emergencia médica y garantizar la continuidad de la atención al paciente. Esta información garantiza la transferencia adecuada de la responsabilidad, cumple con los requisitos de los departamentos de salud y los organismos encargados de hacer cumplir la ley, y satisface las necesidades administrativas.
- Su reporte de atención de paciente prehospitalario (RAPP) escrito o electrónico sirve como registro legal. Debe estar completo, bien redactado, ser legible y profesional.
- Es posible que su reporte se utilice en procedimientos legales contra usted u otra persona, y es el único registro de la atención que proporcionó y por qué.
- Cuando documente lo que dijo un paciente, utilice las palabras textuales del paciente y entrecomille sus citas.
- La facturación y la administración son razones importantes, por ello su RAPP debe ser preciso y estar completo. Asegúrese de documentar todos los procedimientos realizados y de obtener la firma de necesidad médica correspondiente (cuando sea necesario).
- El RAPP puede elaborarse a mano o de forma electrónica. En cualquier caso, incluirá una lista de comprobación y una parte narrativa. El reporte debe ser objetivo, preciso y ordenado; esto refleja una buena atención al paciente.
- Si un paciente rechaza la atención, asegúrese de haber obtenido los signos vitales y una historia clínica completa, informe plenamente al paciente de la situación, involucre a control médico si es necesario y documente minuciosamente el rechazo de la atención. Registre también a cargo de quién quedó el paciente.
- Entre las situaciones especiales que pueden requerir el llenado de formularios diferentes o adicionales se incluyen las lesiones que se producen en el lugar de trabajo, los incidentes con múltiples víctimas, la exposición a enfermedades potencialmente infecciosas, los casos que implican presuntos abusos o negligencia, la transferencia de la atención a un médico en la escena, los traslados entre centros, los llamados que implican sustancias controladas, los llamados de emergencia cancelados y los llamados en los cuales participan otras instituciones. La normativa sobre la presentación de un reporte varía de un estado a otro, por lo que debe familiarizarse con los requisitos de su estado.
- Existen muchos métodos para registrar la narrativa en su RAPP. Las opciones incluyen el método cronológico, el método SOAP, el método CHARTE y el enfoque de sistemas corporales.
- El RAPP se debe llenar lo antes posible. Asegúrese de completarlo inmediatamente después de la llamada.
- Si debe revisar o corregir su RAPP, anote la fecha, la hora y el objetivo de la corrección. Utilice el protocolo de su sistema para modificar reportes electrónicos. Si debe corregir un reporte escrito a mano, trace una sola línea horizontal sobre el error y escriba al lado la información correcta. Anote lo que ocurrió o no ocurrió y los pasos que se adoptaron para corregir la situación.
- Una documentación inexacta o insuficiente puede dar lugar a que el personal médico preste una atención inadecuada al paciente. También podría perjudicarle en caso de que se inicie un proceso judicial y afectar negativamente su reputación.
- El registro preciso de la hora es fundamental para todas las operaciones de los SEM. El uso del horario de 24 horas (horario militar) es estándar en la documentación de los SEM.

Kit de preparación continuación

Vocabulario esencial

Calumnia Declaración falsa por escrito que puede ser perjudicial para la reputación actual o futura de una persona.

Casi accidente Evento no previsto que aun cuando no causó una lesión, enfermedad o daño tenía sin embargo el potencial de hacerlo.

Conjunto mínimo de datos La información estándar de evaluación clínica obligatoria que debe documentarse en cada llamada de emergencia, según lo determinado por *Medicare* y *Medicaid*, y por la *National Highway Traffic Safety Administration* con el fin de informar al sistema nacional de datos de Estados Unidos.

Despacho de emergencias médicas (DEM) Sistema que ayuda a los despachadores a seleccionar las unidades correspondientes para responder a una llamada de ayuda en particular y proporciona instrucciones vitales a las personas que llaman hasta la llegada de los equipos del SEM.

Difamación Declaración verbal falsa que lesiona el buen nombre de una persona.

Doble documentación Acto de documentar más de una vez la atención y el tratamiento proporcionados en un incidente, lo que aumenta el riesgo de errores e inconsistencias.

Información objetiva Información observable y mensurable, como la presión arterial de un paciente.

Información subjetiva Información que se obtiene del paciente pero que no se puede ver, como los síntomas que describe un paciente.

Método CHARTE Método de redacción narrativa que permite dividir la narración en secciones logísticas similares a los pasos de la valoración del paciente; los componentes incluyen la queja principal, los antecedentes (es decir, los antecedentes del suceso y los antecedentes médicos del paciente), la evaluación, el tratamiento, el traslado y las excepciones.

Método SOAP Método de redacción narrativa en el que la información se organiza en cuatro categorías: información Subjetiva, información Objetiva, evAluación y Plan (para el tratamiento).

Necesidad médica Norma utilizada por *Medicare* para determinar si en una situación concreta, el estado de un paciente requiere el traslado en ambulancia.

Negativos pertinentes Registro de hallazgos negativos que justifican el que no se preste atención o intervención médica alguna, pero que demuestran la minuciosidad del examen y la historia clínica del paciente.

Reporte de atención de paciente prehospitalario (RAPP) Documento legal utilizado para registrar todas las actividades de atención al paciente durante un incidente; informe manuscrito o electrónico que describe la naturaleza de las lesiones o la enfermedad del paciente en el lugar del accidente y el tratamiento proporcionado; también conocido como reporte de atención prehospitalaria.

Referencia

1. Makary MA, Daniel M. Medical error—the third leading cause of death in the US. *BMJ* 2016;353:i2139.

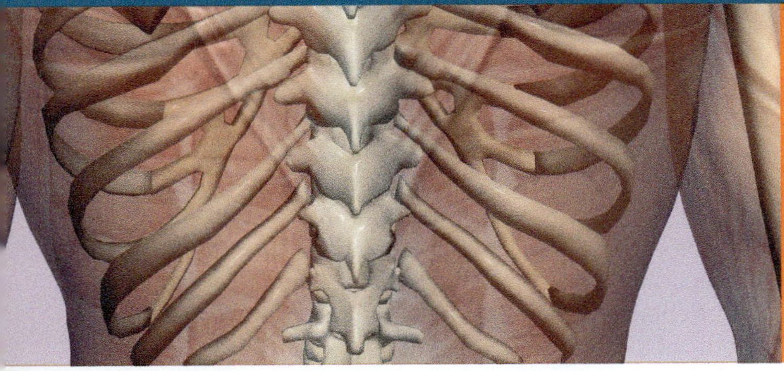

Capítulo 5

Terminología médica

COMPETENCIAS DEL ESTÁNDAR NACIONAL DE EDUCACIÓN EN EL SEM

Terminología médica

Uso de términos anatómicos y médicos básicos y abreviaturas en la comunicación escrita y oral con colegas y otros profesionales de atención a la salud.

OBJETIVOS COGNITIVOS

1. Explicar el propósito de la terminología médica y la importancia de estar familiarizado con la misma. (p. 169)
2. Explicar los orígenes griego y latino de los términos médicos. (pp. 161-162)
3. Definir epónimos, homónimos, antónimos y sinónimos médicos; e indicar los diferentes usos en el ámbito del SEM) (pp. 161, 167-168)
4. Reconocer las raíces de las palabras, formas combinadas, prefijos y sufijos; dar ejemplos de cada uno. (pp. 162-165)
5. Describir cómo se crean las palabras compuestas y cómo se forma el plural cuando se utiliza terminología médica; dar ejemplos de cada uno. (p. 167)
6. Describir la posición anatómica y explicar el contexto de utilización de cada una. (pp. 168-169)
7. Identificar los tres planos del cuerpo humano. (p. 169)
8. Enumerar los términos médicos asociados a la anatomía regional. (p. 169)
9. Explicar la importancia de utilizar terminología médica precisa para la dirección, el movimiento y la posición en su documentación y comunicaciones. (pp. 171-174)
10. Describir la topografía de la región abdominal, incluidos los cuatro cuadrantes abdominales y las nueve regiones abdominales. (pp. 174-175)
11. Identificar los prefijos especializados que se utilizan para indicar posición, dirección y localización. (p. 164)
12. Definir los términos específicos utilizados para indicar la posición del paciente en la escena o antes del transporte: decúbito prono, decúbito supino, posición de Fowler y posición de recuperación (decúbito lateral izquierdo). (pp. 175-176)
13. Interpretar abreviaturas, acrónimos y símbolos médicos estándar y de amplia aceptación. (176-177).
14. Identificar abreviaturas, acrónimos y símbolos médicos susceptibles a errores. (p. 178)
15. Conocer la terminología adecuada relacionada con la farmacología. (pp. 179-189)

OBJETIVOS DE DESTREZA

No hay objetivos de destreza para este capítulo.

Introducción

Como paramédico, es necesario desarrollar un sólido conocimiento práctico de la terminología médica, el lenguaje médico internacional. La terminología médica se utiliza para describir y registrar todos los aspectos de la atención al paciente, incluida la historia clínica, los datos obtenidos en la evaluación, el tratamiento y los resultados de la integración de ambas. El lenguaje de la medicina se deriva casi siempre de términos griegos y latinos. Si comprende el origen de los términos médicos (palabras), sus componentes (partes) y las pautas para formar palabras, podrá identificar y utilizar la terminología médica de forma correcta y comunicarse de manera eficaz con otros profesionales de la salud.

Piense en lo que ocurriría si usted, como paramédico, utilizara la terminología médica de forma incorrecta:

- Un término mal utilizado en un informe por radio, o bien, documentado de forma inadecuada en el formulario de reporte de atención de paciente prehospitalario (FRAPP) podría dar lugar a que el paciente pueda recibir un tratamiento ineficaz o incluso perjudicial en el hospital.
- Los pacientes podrían perder la confianza en la capacidad del paramédico para atenderles de manera apropiada.

Su comprensión de términos clave, acrónimos, símbolos y abreviaturas es vital para una comunicación y documentación eficaces. Comprender la terminología médica exige que analice los componentes de cada palabra y tener un buen conocimiento práctico de los mismos. Aprenda los términos y abreviaturas médicos establecidos y aceptados en su zona. Algunos de los SEM tienen una lista específica de abreviaturas y términos médicos aprobados que se deben utilizar.

Perlas de sabiduría

Nunca utilice un término médico si no está seguro de su significado. Si no se acuerda de la palabra *fémur*, es mejor decir *hueso del muslo* que arriesgarse a utilizar un término incorrecto.

Cuanto más amplio sea su vocabulario, más competente parecerá ante el resto de la comunidad médica y mejor será la atención que ofrezca al paciente. Además de la terminología aceptada, sin duda escuchará algunos términos de la jerga común que se utilizan en los SEM, como *subir* a un paciente para su traslado o *colocar una bolsa* o un *tubo* al paciente durante el manejo de las vías aéreas. Descargue una aplicación de terminología médica o lleve consigo una guía de campo o un manual de documentación para buscar de manera rápida y fácil cualquier término desconocido sin tener que memorizar cada página de términos (**FIGURA 5-1**).

USTED es el Paramédico

PARTE 1

Usted y su compañero son requeridos en una escuela primaria local para ayudar a una persona que se cayó. Al llegar, se les conduce al patio de recreo, donde hay un niño pequeño tendido en el piso, bajo unas barras para trepar, en posición fetal sobre su costado izquierdo, sollozando y sujetándose el abdomen. Su profesora de segundo año, la señorita Hawthorne, les dice que cayó desde casi 1.5 m de altura, y que tiene un "bulto" en el lado derecho de la cabeza, justo arriba del ojo. Comenta que ha intentado mantenerlo quieto y evitado que se levante.

Tiempo de grabación:	0 minutos
Aspecto	Despierto
Nivel de conciencia	Alerta
Vía aérea	Permeable
Respiración	Adecuada
Circulación	Parece normal

1. ¿Cuál es el término médico correcto para la posición en la que está tendido el niño?
2. ¿Cómo puede ayudarle el conocimiento de la terminología médica en la documentación de la atención a este paciente?

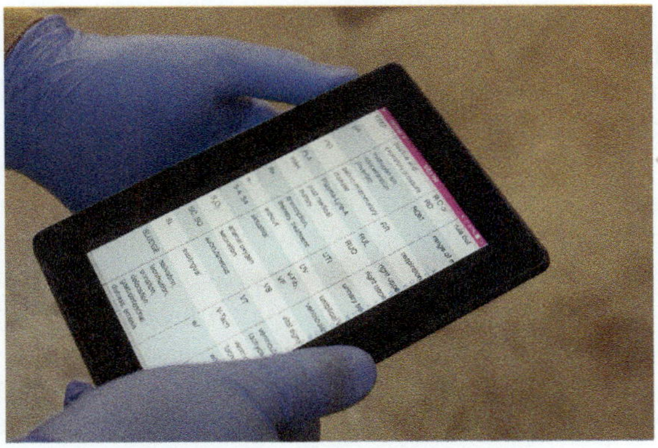

FIGURA 5-1 Las aplicaciones de terminología médica son un gran recurso para consultar términos mientras se trabaja en campo.

Orígenes de las palabras médicas

Comprender el origen de los términos médicos ayuda a descifrar su significado. Como ya se ha señalado, la mayoría de los términos médicos son de origen griego o latino **CUADRO 5-1**. En general, los términos médicos que se refieren a enfermedades, diagnósticos y tratamientos derivan de palabras griegas. Los vocablos que se refieren a estructuras anatómicas suelen derivar de palabras latinas. La palabra original y su significado suelen ser bastante interesantes. Por ejemplo, la palabra *músculo* procede de la palabra latina designada para ratón, porque se pensaba que el movimiento de un músculo bajo la piel se parecía al correteo de un ratón. La palabra *cóccix*, que se refiere al extremo inferior de la columna vertebral, procede de la palabra griega designada para el ave cuco; esta estructura se parece al pico de esta ave.

Epónimos

El lenguaje médico también procede de epónimos y términos derivados de los avances de la medicina moderna, como *fibra óptica* y *marcapasos*. Un **epónimo** es el nombre de una enfermedad, un dispositivo, un procedimiento o un medicamento basado en la persona que lo inventó, descubrió o describió por primera vez. Usted utiliza epónimos a diario y es posible que ni siquiera sea consciente de su origen. Por ejemplo, el motor diésel debe su nombre a su inventor, el alemán Rudolf Diesel. Los epónimos médicos a veces aparecen en forma posesiva (como enfermedad de Hodgkin) y otras veces no (enfermedad Hodgkin). Con frecuencia, los epónimos incluyen el nombre del médico o cirujano que descubrió, describió, desarrolló, identificó o inventó una determinada parte o región anatómica, función o proceso fisiológico, enfermedad o síndrome, procedimiento diagnóstico o quirúrgico, protocolo de tratamiento o instrumento. Algunos ejemplos son:

- Enfermedad de Alzheimer
- Puntuación de Apgar
- Reflejo de Babinski
- Cesárea

SEGURIDAD

Un tipo de error de medicación consiste en recetar y dispensar medicamentos parecidos y similares (p. ej., sulfato de magnesio [$MgSO_4$] y morfina [MS y MSO_4]). La Comisión Conjunta recomienda centrarse en la legibilidad de las recetas mediante la mejora de la caligrafía o el uso de recetas electrónicas. Otras soluciones incluyen la separación física de los medicamentos LASA (del inglés Look Alike, Sound Alike; es decir, se ven igual, suenan igual) en diferentes áreas de almacenamiento y el uso de letras mayúsculas o mixtas para enfatizar las diferencias en los nombres de los medicamentos (como DOPamina frente a DoBUTamina).

CUADRO 5-1 Términos médicos seleccionados de origen griego o latín

Griego	Enfermedad	Latín	Anatómico
burs/o	bursitis	dors/o, dors/i	espalda/dorsal
colecist/o	colecistitis	faci/o	cara/facioplejia
glos/o	glositis	lingua	lengua/lingüística
hepat/ic	hepatitis	mam/o	mama/ mamografía
nefr/o	nefritis	ren	riñón/renal

- Respiraciones de Cheyne-Stokes
- Enfermedad de Crohn
- Sonda de Foley
- Síndrome de Guillain-Barré
- Signo de Levine
- Síndrome de Marfan
- Punto McBurney

Perlas de sabiduría

Tener conocimientos profundos de anatomía y la comprensión del contexto en el que se suele utilizar cada término le pueden ayudar a discriminar (y deletrear) la palabra correcta a utilizar en una situación determinada.

Componentes de los términos médicos

Cuando encuentre una palabra nueva, divídala en sus partes. Algunos términos médicos son bastante largos y constan de tres o cuatro componentes. Si conoce el significado de cada parte, puede combinar las definiciones para determinar el significado más amplio de la palabra. Los términos médicos se dividen en distintas partes que desempeñan funciones específicas:

- **Raíz de la palabra.** Base del término.
- **Prefijo.** Parte que aparece antes de la palabra raíz.
- **Sufijo.** Parte que aparece después de la palabra raíz.
- **Forma combinada.** Raíz de la palabra, prefijo o sufijo con una vocal añadida que une una o varias raíces de palabra a otro componente de un término.

El significado de cada parte y la forma en que las partes se unen determinan el significado de la palabra. Cambiar o suprimir cualquier parte de un término puede alterar de modo significativo su contenido.

Además de lo que se expone a continuación, al final de este capítulo encontrará una serie de cuadros maestros con la terminología médica, incluidos prefijos, sufijos, raíces de palabras y abreviaturas, que utilizará a menudo en su trabajo.

Raíces de palabras

La raíz de una palabra, a veces denominada *vocablo raíz*, es el cuerpo de la palabra. Establece el significado básico de la misma. Algunas raíces son palabras completas. Por ejemplo, la raíz de la palabra *célula* es en sí misma una palabra completa, pero la raíz de la palabra *céfalo* se convierte en una palabra completa hasta que se une con partes de otras palabras (p. ej., cefálico, cefalópodo). Además, una misma raíz puede tener distintos significados en diferentes campos de estudio. Es posible que deba tener en consideración el contexto de una palabra antes de asignarle un significado.

En el campo de la medicina, es importante comprender las raíces de las palabras relacionadas con el color, ya que estos términos con frecuencia se utilizan para describir el aspecto del paciente y muchos otros conceptos clave. En el **CUADRO 5-2** se enumeran algunas raíces de palabras comunes relacionadas con el color.

Prefijos

Los prefijos se encuentran con frecuencia en el lenguaje cotidiano (p. ej., piloto *auto*mático, *sub*marino, *tri*ciclo) y son habituales en la terminología médica y científica. Un prefijo aparece al principio de una palabra y por lo general describe la ubicación o intensidad de la raíz de la palabra que le sigue. No todos los términos médicos tienen prefijos.

Un prefijo no cambia el significado de la raíz de la palabra, aunque sí modifica el significado del término médico al describir el qué, cómo, por qué o cuándo de la raíz. Por ejemplo, *cutáneo* significa piel, independientemente de lo que le preceda. El prefijo *sub-* significa debajo; por lo tanto, *subcutáneo* significa debajo de la piel. Otra palabra, *apnea*, que significa sin respiración, puede entenderse fácilmente cuando se sabe que está formada por el prefijo *a-*, que significa sin o falta de, y la raíz *-pnea*, que significa respiración.

Muchos prefijos se utilizan para indicar el número de lados, miembros u órganos sensoriales afectados (visión monocular, por ejemplo). Otros prefijos numéricos se utilizan para especificar el tiempo, como octogenario (persona de entre 80 y 89 años), o para indicar cantidades que no se pueden contar (semicoma, por ejemplo). En el **CUADRO 5-3** se presentan los prefijos numéricos más comunes.

Los prefijos especializados se utilizan para especificar posición, dirección o ubicación. Entre otras funciones, estos prefijos pueden hacer lo siguiente:

- Describir el movimiento del cuerpo o de algo dentro de él, como un coágulo sanguíneo o la metástasis tumoral
- Indicar la ubicación de un órgano, cuerpo extraño o masa

CUADRO 5-2 Raíces de palabras que describen el color

Raíz	Definición	Ejemplo	Definición
alb-, albin/o	blanco	albinismo	Afección en la cual la piel, el pelo y los ojos de una persona carecen de pigmentación (pelo blanco, piel muy pálida e iris no pigmentado)
cian/o	azul	cianosis	Coloración azul de la piel
cirr/o	amarillo-anaranjado	cirrosis	Cicatrización de un órgano, como la cirrosis hepática, que provoca la pigmentación amarilla-anaranjada de la piel
clor/o	verde	clorofila	Pigmento verde de las hojas necesario para que la planta realice la fotosíntesis
eritr/o	rojo	eritrocito	Glóbulo rojo que contiene hemoglobina para transportar oxígeno
icteric/o	amarillo	ictericia	Piel y escleróticas amarillas
leuc/o	blanco	leucocito	Glóbulo blanco que combate las infecciones
melan/o	negro	melena	Heces negras y alquitranadas causadas por una hemorragia digestiva alta
poli/o	gris	poliomielitis	Enfermedad viral aguda que ataca la materia gris del cerebro meninges y nervios periféricos
purpur/i	púrpura	púrpura	Zonas purpúricas de la piel o las mucosas que miden entre 4 y 10 mm de diámetro; las zonas más pequeñas se denominan petequias
xant/o	amarillo	xantoma	Afección cutánea en la que se acumulan depósitos de colesterol de color amarillo bajo la superficie de la piel

CUADRO 5-3 Prefijos numéricos comunes

Prefijo	Significado	Ejemplo
ambi-	ambos	ambidiestro (capaz de utilizar la mano derecha y la mano izquierda por igual)
bi-, di-	dos, doble, dos veces	bilateral (perteneciente a ambos lados del cuerpo), dióxido (un óxido que contiene dos átomos de oxígeno)
diplo-	doble o en pares	diplopía (visión doble)
hemi-	mitad; un lado	hemiplejía (debilidad en un lado del cuerpo)
mono-, uni-	uno	monocromático (que tiene un solo color), unilateral (que afecta a un lado del cuerpo)
multi-	muchos	multípara (mujer que ha dado a luz a más de un hijo)
nuli-	ninguno	nulípara (mujer que nunca ha dado a luz)
pan-	todo, entero	pandemia (brote de una enfermedad en una amplia zona geográfica)
primi-	primera	primigrávida (mujer embarazada por primera vez)
quad-, quadri-, tetra-	cuatro	tetraplejia (parálisis de las cuatro extremidades), tetralogía de Fallot (anomalía congénita que implica cuatro anomalías anatómicas del corazón)
quint-	cinco	quintípara (mujer que ha tenido cinco embarazos con cinco nacidos vivos)
semi-	mitad; parte	semipermeable (parcialmente permeable)
tri-	tres	tricúspide (diente con tres cúspides o puntas, válvula cardiaca con tres cúspides)

- Describir un procedimiento quirúrgico y el instrumento médico utilizado para llevarlo a cabo
- Referirse a la dirección de las ondas de radiación o ultrasonido utilizadas en el diagnóstico o tratamiento

En el **CUADRO 5-4** se muestran los prefijos comunes utilizados en terminología médica para especificar posición, dirección o ubicación.

Sufijos

Un *sufijo* es un componente que se añade al final de la raíz de una palabra. Cambia o amplía el significado de la palabra o aporta una definición adicional. En terminología médica, un sufijo suele especificar un procedimiento, afección, enfermedad o parte de una oración. Por ejemplo, el sufijo *-asa* indica una enzima. Lipasa (*lip-*, que significa... grasa, más *-asa*) es una

CUADRO 5-4 Prefijos seleccionados que especifican posición, dirección o ubicación

Prefijo	Definición	Ejemplo
ab-	lejos de	abducción (lejos de la línea media del cuerpo o de un punto de referencia específico)
ad-	hacia	aducción (hacia la línea media del cuerpo)
ante-, pre-	antes de, delante de	anteparto (el periodo anterior al parto), precanceroso (células anormales o una afección que puede convertirse en cáncer, si no se trata)
circum-, peri-	alrededor de	quemadura circunferencial (quemadura alrededor de toda una zona, como el brazo, el pecho y el abdomen), pericardio (saco que rodea el corazón)
contra-	contra, opuesto	contralateral (perteneciente al lado opuesto)
de-	abajo, de, quitar	debride (eliminar tejido necrótico de una herida para mejorar la cicatrización)
ecto-, ex-, exo-, extra-	fuera, sin, lejos de	embarazo ectópico (embarazo en el que el embrión se desarrolla fuera del útero), extraño (que existe o pertenece fuera del organismo)
en-, endo-	dentro, en el interior	endoscopio (instrumento luminoso utilizado para ver las estructuras internas del cuerpo)
epi-	arriba, sobre, en	epigástrico (zona arriba del estómago)
hiper-	arriba, excesivo	hiperglucemia (exceso de glucosa en sangre)
hipo-, infra-, sub-	debajo de, abajo, por debajo de lo normal	hipotermia (temperatura por debajo de lo normal), infraescapular (debajo de la escápula), subcutáneo (debajo de la piel)
inter-	entre	intercostal (entre las costillas)
intra-	dentro, dentro de	intrauterino (dentro del útero)
ipsi-	igual	ipsilateral (en o que afecta al mismo lado)
para-	cerca, adyacente, aparte de, anormal	paratiroides (adyacente a la tiroides)
per-	a través de, por	percutáneo (a través de la piel)
retro-	detrás de	retroperitoneal (zona situada detrás del peritoneo)
sub-	abajo, debajo de	subclavia (debajo de la clavícula)
supra-	superior, arriba	muesca supraesternal (por encima del esternón)
trans-	a través de, más allá de	transuretral (a través de la uretra)

enzima que digiere las grasas. Gastritis, que significa inflamación del estómago, es una combinación de la raíz de la palabra *gastr-*, que significa estómago, y el sufijo *-itis*, que significa inflamación. Los sufijos pueden convertir el término médico en un sustantivo o en un adjetivo, según sea necesario. En el **CUADRO 5-5** se muestran ejemplos de sufijos relacionados con síntomas o diagnósticos.

Combinación de formas y vocales

Algunas raíces, prefijos y sufijos de palabras no pueden combinarse con otras formas de palabras sin ayuda **CUADRO 5-6**. Una forma combinada es una raíz de palabra, prefijo o sufijo con una vocal añadida, conocida como **vocal combinatoria**. La vocal combinatoria más común es la *o*. Las vocales combinadas

CUADRO 5-5 Sufijos seleccionados relacionados con síntomas o diagnósticos

Sufijo	Definición	Ejemplo
-edema	hinchazón	linfedema (hinchazón causada por la acumulación de líquido en el cuerpo)
-émesis	vómito	hematemesis (vómito con sangre)
-espasmo	movimientos involuntarios repentinos como contracciones, calambres o espasmos	broncoespasmo (contracción anormal del músculo liso bronquial)
-géno	causante	cancerígeno (causante de cáncer)
-oide	parecido a	mucoide (que implica o se asemeja a la mucosidad)
-penia	deficiencia	leucopenia (deficiencia de leucocitos)

USTED es el Paramédico

PARTE 2

Después hablar de forma breve con la profesora, usted se arrodilla para mirar más cerca al niño. "Hola, soy paramédico y estamos aquí para atenderte. Mi compañero, Matt, va a sostener tu cabeza mientras hablamos un momento. ¿Te duele la cabeza o la barriga?"

El niño dice que se llama Tommy y que le duele más la barriga que la cabeza. Está alerta y orientado en cuanto a persona, lugar, tiempo y acontecimiento. Su frecuencia respiratoria es de 22 respiraciones/min y normal, y su pulso radial es fuerte y regular, con una frecuencia de 104 latidos/min. Dice que se sintió mareado toda la mañana y que eso fue lo que causó su caída. La profesora Hawthorne le dice que Tommy tiene diabetes tipo 1. La enfermera del colegio le indica que su madre informó de que su nivel de glucosa era de 183 mg/dL cuando llegó al colegio esa mañana. La enfermera también indica que no es alérgico a ningún medicamento.

Tiempo de grabación: 3 minutos	
Respiraciones:	22 respiraciones/min
Pulso	104 latidos/min
Piel	Pálida, fría, seca
Saturación de oxígeno (Spo_2)	98%
Pupilas	Pupilas iguales, redondas y reactivas a la luz (PIRRL)

3. ¿Por qué sería preferible evitar el uso de terminología médica al hablar con este paciente?

4. ¿Cuáles son los términos médicos correctos para describir el estado mental y el nivel de glucosa en sangre de Tommy?

5. ¿Cómo documentaría que el paciente no es alérgico a ningún medicamento?

CUADRO 5-6 Formas combinadas seleccionadas

Forma combinada	Significado	Forma combinada	Significado
artr/a	articulación	pelv/i	pelvis
cardi/o	corazón	rabd/a	en forma de varilla
carp/o	muñeca	torácico/o	pecho, tórax
céfal/o	cabeza	tir/o	glándula tiroides
chrondr/i	cartílago	ureter/o	uréter
cist/a	vejiga	vas/o	vaso
col/e	bilis	traque/o	tráquea
glos/o	lengua	vesic/o	vejiga, ampolla
nas/o	nariz	viscer/o	víscera
ot/o	oído		

facilitan la pronunciación y la formación de términos nuevos y más complejos. En este capítulo, una forma combinada se reconoce por una barra diagonal delante de una vocal final. Por ejemplo, en *osteopático*, la primera raíz de la palabra es *osteon* (hueso, en griego). Se elimina la *n* y se agrega la vocal combinatoria o para crear la forma combinada *os- te/o*. Así, la adición de la *o* facilita la adición de una segunda forma combinada, *-patía* (de la raíz de la palabra *pato-*, que significa enfermedad).

Veamos otro ejemplo. La raíz de la palabra *gastr-*, que significa estómago, no puede combinarse bien con *megalia*, que significa agrandamiento. El término resultante, gastrmegalia, sería difícil de pronunciar y tendría una ortografía extraña. Un guion al final de la raíz de una palabra indica que *gastr-* no es una palabra completa. Añadirle una vocal —en este caso, una *o*— resuelve el problema. *Gastr/o* + *megalia* da gastromegalia, o agrandamiento del estómago. Si el sufijo empieza con una vocal, ya no es necesario añadir otra vocal. Por ejemplo, *gastr-* + *-ic* = *gástrico*. No se necesitan letras adicionales para formar la palabra.

Cuando agregue vocales combinadas a palabras raíz, siga estas pautas:

- Utilice una vocal combinatoria antes de un sufijo que vaya unido a una consonante (p. ej., *cit/o* + *logía*).
- Utilice una vocal combinatoria para unir otras palabras raíz (p. ej., *gastr/o/enteritis*).
- No utilice una vocal combinatoria antes de un sufijo que empiece con vocal (p. ej., *gastritis*, no *gastroitis*).

Otros ejemplos de combinación de formas y vocales son estos términos:

- *cardi* + *o* + *logía* = cardiología (especialidad que estudia del corazón)
- *neur* + *o* + *logía* = neurología (especialidad que estudia el sistema nervioso)

Terminaciones en plural

Al cambiar un término médico de singular a plural se aplica ciertas reglas. En la mayoría de los casos, como ocurre con otras palabras, el plural se forma añadiendo una *-s* o *-es* a la palabra en singular. *Pulmón* se convierte en *pulmones*, por ejemplo. Sin embargo, en el caso de otros términos médicos, la formación del plural es más complicada:

Las palabras en singular que terminan en *-vocal* se les agrega la letra *-s* en el plural.
- Ejemplo: *vértebra* se convierte en *vértebras*.

Las palabras en singular que terminan en *-r* cambian a *-es* en plural.
- Ejemplo: *fémur* se convierte en *fémures*.

Las palabras en singular que terminan en *-ex* o *-ix* cambian a *-ices*.
- Ejemplo: *cérvix* se convierte en *cérvices*.

Las palabras en singular que terminan en *-on* cambian a *-ones*.
- Ejemplo: *embrión* se convierte en *embriones*.

Palabras compuestas

Algunos términos médicos contienen más de una raíz, por lo que se denominan **palabras compuestas**. En las palabras compuestas, cada raíz conserva su significado básico. Ejemplos sencillos de este tipo de palabras que contienen dos raíces son *electrocardiograma* y *termómetro*. Un ejemplo más complejo es *osteoartritis*. La forma combinada *oste/o* procede de la raíz de la palabra *ost-*, que significa hueso; la raíz de la palabra *artr-* significa *articulación* o *articulaciones*; y el sufijo *-itis* significa inflamación. Por lo tanto, la palabra combinada *osteoartritis* significa inflamación de las articulaciones óseas.

Homónimos

La pronunciación incorrecta de los términos médicos puede dar lugar a diagnósticos erróneos u otros errores médicos graves. La pronunciación y ortografía correctas son esenciales con ciertas palabras conocidas como **homónimas**, que son dos o más palabras que se escriben o pronuncian de la misma manera pero que tienen significados diferentes **CUADRO 5-7**.

Antónimos

Las distintas partes de una palabra desempeñan funciones diferentes. Los **antónimos** son pares de raíces, prefijos o sufijos con el significado opuesto al de otra palabra **CUADRO 5-8**.

Sinónimos

Los **sinónimos** son pares de raíces, prefijos o sufijos con el mismo o casi el mismo significado. Por ejemplo, los prefijos de las palabras pulmonólogo

CUADRO 5-7 Selección de homónimos utilizados en terminología médica

Homónimo	Significado
asco	sensación física de desagrado que puede llegar a provocar vómito
asco	impresión desagradable
bazo	órgano
vaso	recipiente
disfagia	dificultad para comer o tragar
disfasia	dificultad para hablar
humor	líquido que cumple con una función biológica específica
humor	estado de ánimo
íleon	última porción anatómica del intestino delgado
ilion	hueso mayor de la pelvis
palatal	que tiene relación con el paladar
paleta	tablero de pintura del artista
pleural	membranas serosas que cubren los pulmones y revisten la cavidad torácica
plural	más de uno
tubo	conducto
tuvo	pretérito del verbo tener
vial	recipiente pequeño, por lo general de vidrio, que suele utilizarse para almacenar líquidos
vil	desagradable, repugnante
vista	visión
vista	ubicación, lugar, posición

CUADRO 5-8 Antónimos seleccionados utilizados en terminología médica

Parte de la palabra y significado		Parte de la palabra opuesta y significado	
ad-	hacia	ab-	lejos de
bio-	vida	necro-	muerte
bradi-	rápido	taqui-	lento
dextro-	derecha	siniestr/o	izquierda
eu-	bueno, normal	mal-, dis-	malo, difícil, doloroso, anormal
hiper-	por encima, excesivo	hipo-	por debajo de lo normal
pre-	antes de	pos-	después, detrás

y neumólogo significan ambos, pulmón, pero estas palabras no son intercambiables. Las razones son más históricas que lógicas: el término *pulmonólogo* simplemente no es aceptado, mientras que el término *neumólogo*, sí. En el **CUADRO 5-9** se presentan más sinónimos que quizá encontrará en su desempeño.

En terminología médica, a menudo podemos utilizar una sola palabra para expresar un concepto que, de otro modo, requeriría muchas palabras de explicación. Por ejemplo, se puede decir "artritis" más rápido que "inflamación de la articulación". En la siguiente sección analizaremos a detalle los términos médicos más utilizados y sus significados.

Anatomía topográfica

La superficie del cuerpo presenta muchas características superficiales visibles que sirven como guías o puntos de referencia que indican las estructuras que se encuentran debajo de ellas. Dichas características constituyen la topografía del cuerpo (de la palabra griega *topos*, que significa lugar, y *-grafía*, que significa descripción). Familiarícese con estos puntos de referencia vivos —la **anatomía topográfica** del cuerpo— para poder realizar una evaluación exhaustiva.

Para describir la topografía con precisión, debe imaginar el cuerpo en una posición fija, conocida como **posición anatómica**: la persona está de pie, de cara a usted, con los brazos a los lados y las palmas

CUADRO 5-9 Sinónimos seleccionados utilizados en terminología médica

Parte de la palabra y significado		Parte de la palabra similar y significado	
angi/o	vaso (como en angiograma)	vas/o	vaso (como en vascular)
cardi/o	corazón (como en cardiología)	coron/o	corazón (como en coronaria)
mam/o	mama (como en mamograma)	mast/o	mama (como en mastectomía)
nefr/o	riñón (como en nefritis)	ren/o	riñón (como en renal)
pulmon/o	pulmón (como en pulmonía)	neum/o	pulmón (como en neumonía)

USTED es el Paramédico

PARTE 3

Usted le explica a Tommy que su compañero va a sostener su cabeza mientras usted gira su cuerpo y lo acuesta sobre su espalda para revisar dónde siente dolor. Observa un hematoma del tamaño de una pelota de golf y una pequeña laceración justo arriba del ojo derecho. La hemorragia está controlada y las pupilas del paciente son iguales y reactivas. Tiene el abdomen muy sensible del lado derecho, justo debajo de las costillas, y presenta hematomas. Niega dolor en cualquier otra zona. Tommy le dice que se aplicó la insulina en la mañana y que desayunó antes de ir al colegio.

Tiempo de grabación: 8 minutos	
Respiración	22 respiraciones/min
Pulso	108 latidos/min
Piel	Pálida, fría, seca
Saturación de oxígeno (Spo_2)	99%
Pupilas	PIRRL

6. Describa la posición de la lesión en la cabeza del paciente.
7. ¿Cuál es la abreviatura del cuadrante abdominal sensible al tacto?

Perlas de sabiduría

Solo existe una posición anatómica. No hay que confundirla con la posición del paciente —prono o supino, por ejemplo— ni con la posición del paciente, como la posición de Fowler.

de las manos hacia adelante, de modo que los pulgares apunten hacia afuera del cuerpo. Esta posición sirve como punto de referencia común, por lo que los significados de los distintos términos direccionales permanecen constantes, al margen de la posición o el movimiento corporal real del paciente. Por ejemplo, suponga que una persona reporta que le duele el brazo y usted tiene que documentarlo. ¿De quién debe ser el lado izquierdo o derecho que debe usarse? Para ser coherentes, los profesionales de la salud utilizan la izquierda y la derecha del *paciente* en la posición anatómica como punto de referencia.

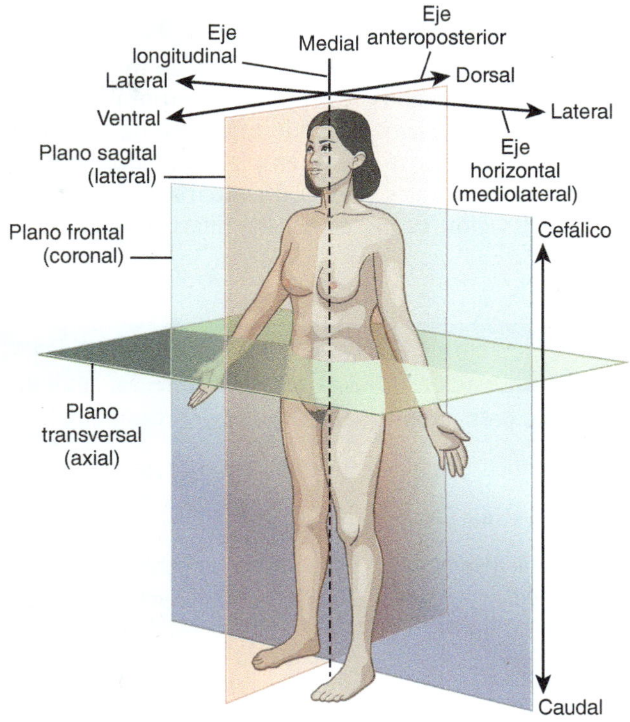

FIGURA 5-2 Planos y ejes corporales.

Planos anatómicos y ejes del cuerpo

Un plano anatómico del cuerpo es una superficie plana imaginaria —piense en hojas de vidrio que atraviesan el cuerpo, dividiéndolo en secciones de forma horizontal y vertical **FIGURA 5-2**—. Un *eje* es una línea imaginaria que divide el cuerpo en partes iguales y crea un punto de rotación. Piense en ello como si fuera una varilla o un palo que atraviesa el centro de un objeto. El cuerpo se puede dividir a lo largo de tres ejes principales para crear los siguientes planos:

1. **Plano coronal (frontal).** Imagine una hoja de vidrio (el plano) que corta el cuerpo verticalmente, de oreja a oreja, dividiéndolo en las porciones delantera (ventral) y trasera (dorsal). Lo llamamos plano coronal, un término fácil de recordar porque corona significa cabeza.
2. **Plano transversal (axial).** Imagine ahora un plano que pasa horizontalmente por el cuerpo a la altura de la cintura, creando las porciones superior e inferior. Este corte se denomina plano transversal.
3. **Plano sagital (lateral).** Por último, imagine que volvemos a dividir el cuerpo verticalmente, pero esta vez cortándolo de adelante hacia atrás. Este es el plano sagital. *Sagitta* (flecha en latín) describe cómo la línea recta de este plano divide el cuerpo en partes derecha e izquierda. Un plano sagital puede pasar o no por la línea media del cuerpo. Si lo hace, se denomina **plano medio sagital (línea media)** y divide el cuerpo en mitades iguales izquierda y derecha. La nariz y el ombligo se encuentran a lo largo de esta línea imaginaria. Otros planos sagitales son paralelos a la línea media.

El cuerpo se puede dividir en tres ejes:

1. El **eje anteroposterior** es perpendicular al plano coronal.
2. El **eje longitudinal** es perpendicular al plano transversal.
3. El **eje horizontal**, también llamado eje mediolateral, es perpendicular al plano sagital.

Estos planos y ejes ayudan a identificar la localización de las estructuras internas y a comprender las relaciones entre los órganos **CUADRO 5-10**.

Una **sección transversal** se obtiene cortando un objeto de forma perpendicular a su eje longitudinal, como lo haría si quisiera contar los anillos del tronco de un árbol. En cambio, una **sección longitudinal** es una vista de un objeto cortada a lo largo de su eje longitudinal. En medicina, este corte suele ser imaginario o puede realizarse con una cámara o un haz de radiación, en lugar de con un bisturí.

Estructuras corporales específicas

Además de utilizar planos y puntos de referencia topográficos, muchas estructuras corporales tienen nombres específicos. Cuando una persona se lesiona, los paramédicos se basan en planos anatómicos, superficies corporales y líneas imaginarias para describir la localización de la lesión. Familiarizarse con estas regiones corporales no solo le ayudará a comunicarse con otros profesionales, sino también a desglosar otros términos, ya que muchos de ellos se utilizan como palabras raíz. Por ejemplo, esternocleidomastoideo es una combinación de *esterno-*, *cleido-* y *-mastoideo*, que se refieren al esternón, la clavícula y la apófisis mastoides, respectivamente. Si comprende estas raíces, podrá localizar el origen y la inserción de este gran músculo del cuello. En el **CUADRO 5-11** se indican las formas combinadas asociadas a estructuras corporales específicas.

CUADRO 5-10 Planos anatómicos del cuerpo

Plano del cuerpo	Descripción
Coronal (frontal)	Frente y parte posterior
Transversal (axial)	Superior e inferior
Sagital (lateral) • Medio sagital (línea media)	Izquierda y derecha (divide el cuerpo en cualquier punto de la línea media o paralelo a ella) • Izquierda y derecha (divide el cuerpo en mitades iguales izquierda y derecha)

Cavidades corporales

El cuerpo humano contiene varias cavidades, que a su vez comprende diversos órganos y otras estructuras. Estas cavidades pueden agruparse en cavidades dorsales, que son más posteriores, y cavidades ventrales, que son anteriores. Las cavidades dorsales incluyen la cavidad craneal (que contiene al cerebro) y la cavidad espinal (que rodea la médula espinal). Las cavidades ventrales incluyen la cavidad torácica (que contiene al corazón, los pulmones y los grandes vasos), la cavidad abdominal (que contiene varios órganos digestivos y endocrinos) y la cavidad pélvica (que

CUADRO 5-11 Combinación de formas asociadas con estructuras corporales específicas

Forma combinada	Significado	Forma combinada	Significado
abdomen/o	abdomen	cardi/o, card/o, coron/o	corazón
acr/o	extremidades (brazos, piernas)	carp/o	huesos de la muñeca
adip/o	grasa	caud/o	cola
adren/o, suprarrenal/o	glándulas suprarrenales	cefal/o	hacia o perteneciente a la cabeza
aort/o	aorta	cerebel/o	cerebelo
apénd/o, apéndice/o	apéndice	cerebr/o	cerebro
artr/o, articul/o	articulación	cervic/o	cuello, cérvix
aur/o, auricul/o, ot/o	oído	cist/o	vejiga, saco
axil/o	axila, sobaco	clav/i, clavicul/o, cleid/o	clavícula
blefar/o	párpado	colecist/o	vesícula biliar
braqui/o	brazo, parte superior del brazo	col/o	colon, intestino grueso
bronc/o	bronquio	cran/o	cráneo
buc/o	mejilla	cutane/o, derm/a, derm/o, dermat/o	piel
calcane/o	calcáneo, hueso del talón	dactil/o	dígito (dedos de los pies y de las manos)

Forma combinada	Significado	Forma combinada	Significado
encefal/o	cerebro	nas/o, rin/o	nariz
enter/o	intestino delgado	nefr/o, ren/o	riñón
epiteli/o	epitelio	neur/o	nervio
espin/o	columna vertebral	ocul/o, oftalm/o	ojo
falange/o	falanges, huesos de los dedos	olécran/o	codo
faringe/o	faringe	or/o, estomat/o	boca
femor/o	fémur, muslo	oste/o	hueso
peron/o	peroné	patel/o	patela, rótula
gastr/o	estómago	pector/o	pecho
glute/o	glúteo	ped/o	pie
hem/o, hemat/o	sangre	pleur/o	pleura
hepat/o	hígado	pod/o	pie
hist/o	tejido	proct/o	ano, recto
humer/o	húmero	pub/o	pubis, región genital
inguin/o	ingle	pulm/o, pulmon/o, pneumon/o	pulmón
laring/o	laringe	somat/o	cuerpo
lumb/o	lumbar, parte baja de la espalda	tars/o	tarsianos, huesos del tobillo
linfa/o	linfa	torac/o	tórax
mam/o, mast/o	mama	umbilic/o	ombligo
metacarp/o	metacarpianos, huesos de la mano	vascul/o	vaso sanguíneo
metatars/o	metatarsianos, huesos del pie	vertebr/o	vértebra
muscul/o, mi/o	músculo	viscer/o	órgano interno

contiene algunos órganos digestivos y los órganos reproductores femeninos). Las cavidades abdominal y pélvica pueden denominarse en conjunto cavidad abdominopélvica **FIGURA 5-3**. La cavidad retroperitoneal está separada de la cavidad abdominal, se encuentra posterior (dorsal) a esta, y contiene diferentes órganos, entre los que destacan los riñones.

Términos direccionales

Los términos direccionales utilizados en el estudio de la anatomía describen las posiciones relativas de las partes del cuerpo y las divisiones anatómicas imaginarias. Cuando hable, describa o documente la ubicación del dolor o una lesión, es fundamental que utilice los términos direccionales correctos **FIGURA 5-4**. En el **CUADRO 5-12** se proporcionan los términos básicos utilizados en medicina. Debido a que cada dirección tiene un opuesto (arriba y abajo, adelante y detrás, etc.), en medicina los términos direccionales tienden a aparecer en pares.

Superior e inferior

La parte **superior** de cualquier parte del cuerpo es la que se encuentra por arriba o más cerca de la cabeza

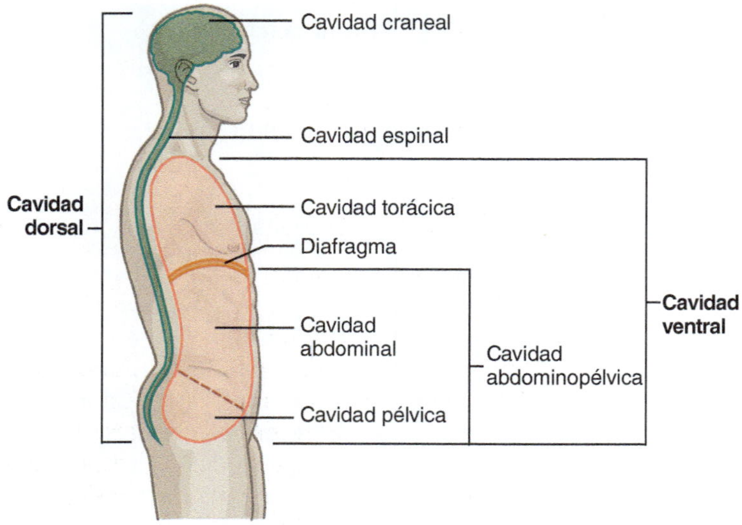

FIGURA 5-3 Cavidades corporales.

CUADRO 5-12 Términos direccionales comunes

Término común	Término direccional	Definición
Derecha e izquierda	Derecha Izquierda	Derecha del paciente Izquierda del paciente
Arriba y abajo	Superior Inferior	Más cerca de la cabeza Más cerca de los pies
Medio y lateral	Medial Lateral	Más cerca de la línea media Más alejado de la línea media
Más cerca y más lejos	Proximal Distal	Más cerca de la línea media Más alejado de la línea media
Dentro y fuera	Superficial Profundo	Más cerca de la superficie de la piel Más al interior del cuerpo
Anterior y posterior	Ventral Dorsal	Parte anterior del cuerpo Parte posterior del cuerpo

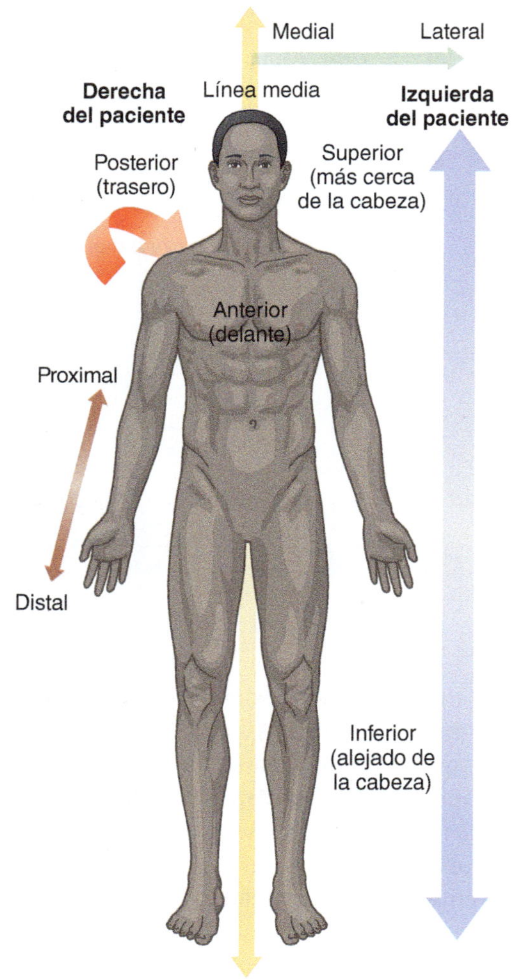

FIGURA 5-4 Los términos direccionales indican la distancia y la dirección a partir de la línea media.

desde un punto de referencia específico. La porción del cuerpo más cercana a los pies es la parte **inferior**. Estos términos se utilizan para describir la relación de una estructura con otra. Por ejemplo, la rodilla es superior al pie e inferior a la pelvis.

Lateral y medial

Las partes del cuerpo que se encuentran más alejadas de la línea media se describen como **laterales** (externas). Las partes que se encuentran más cerca de la línea media se describen como **mediales** (interiores). Por ejemplo, la rodilla tiene aspectos (superficies) mediales (interiores) y laterales (exteriores).

Proximal y distal

A veces resulta útil describir una parte de una extremidad en función de su distancia a la línea media del cuerpo. **Proximal** describe las estructuras que están más cerca de la línea media de una estructura o punto de referencia. Por ejemplo, una fractura del húmero proximal afectaría al extremo del hueso más cercano al hombro. **Distal** indica las estructuras que están más alejadas de la línea media de una estructura o punto de referencia, es decir, más cerca del extremo libre de la extremidad. Con el uso de nuestro ejemplo anterior, una fractura distal del húmero afecta al extremo del hueso más alejado del cuerpo (adyacente al codo). Puede utilizar estos términos para describir la relación de una estructura con otra. Por ejemplo, el codo es distal al hombro y proximal a la muñeca y la mano.

Superficial y profundo

Superficial significa más cerca o en la superficie de la piel. **Profundo** significa más adentro del cuerpo y más lejos de la piel.

Ventral y Dorsal

Ventral se refiere al lado del vientre del cuerpo. Otro término que se puede usar es **anterior**. **Dorsal** se refiere al lado espinal del cuerpo, incluyendo el dorso de la mano (recuerde, las palmas miran hacia adelante cuando el cuerpo está en posición anatómica). Otro término que se puede usar es **posterior**.

Palmar y plantar

La región anterior de la mano se denomina palma o superficie **palmar** o volar. La parte inferior del pie se denomina superficie **plantar** o volar.

Ápice

El **ápice** es la punta de una estructura. Por ejemplo, el ápice del corazón es la parte inferior de los ventrículos del lado izquierdo del tórax.

Términos de movimiento y posición

Desde el agarre más sencillo hasta el paso de *ballet* más complejo, todos los movimientos corporales pueden desglosarse en una serie de componentes simples y describirse con términos específicos. Al igual que ocurre con los términos que describen la ubicación anatómica y la dirección, existe un conjunto aceptado de términos que describen el movimiento corporal. Estos términos son especialmente útiles para explicar el mecanismo de la lesión.

El **rango de movimiento** es la capacidad total de movimiento que tiene una articulación. En la posición anatómica, mover el punto distal de una extremidad hacia el tronco por lo general se denomina **flexión**. Por ejemplo, la flexión del codo acerca la mano al hombro, la flexión de la rodilla acerca el pie a los glúteos y la flexión de los dedos cierra la mano en un puño.

En algunos casos, se utilizan términos específicos para aclarar el movimiento, como en el pie. La dorsiflexión es el movimiento del pie hacia la cara dorsal, mientras que la flexión plantar describe el movimiento hacia la planta. La **extensión** es el retorno de una parte del cuerpo desde una posición flexionada a la posición anatómica. En la posición anatómica, todas las extremidades están en extensión. La **abducción** de una extremidad la aleja de la línea media. La **aducción** mueve la extremidad hacia la línea media (**FIGURA 5-5**). El cuello de un paciente puede estar en una de varias posiciones cuando se encuentra en decúbito supino (**FIGURA 5-6**).

A menudo se agrega el prefijo *hiper-* a los términos *flexión* o *extensión* para indicar un mecanismo de lesión. La hiperflexión indica que la amplitud normal de movimiento de la articulación en cuestión se ha

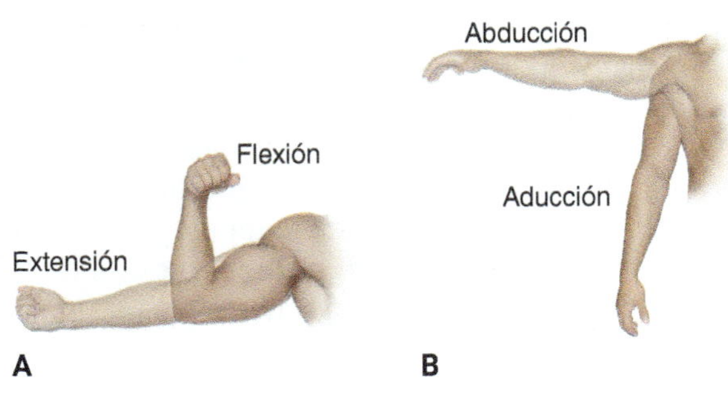

FIGURA 5-5 A. Flexión y extensión. **B.** Abducción y aducción.

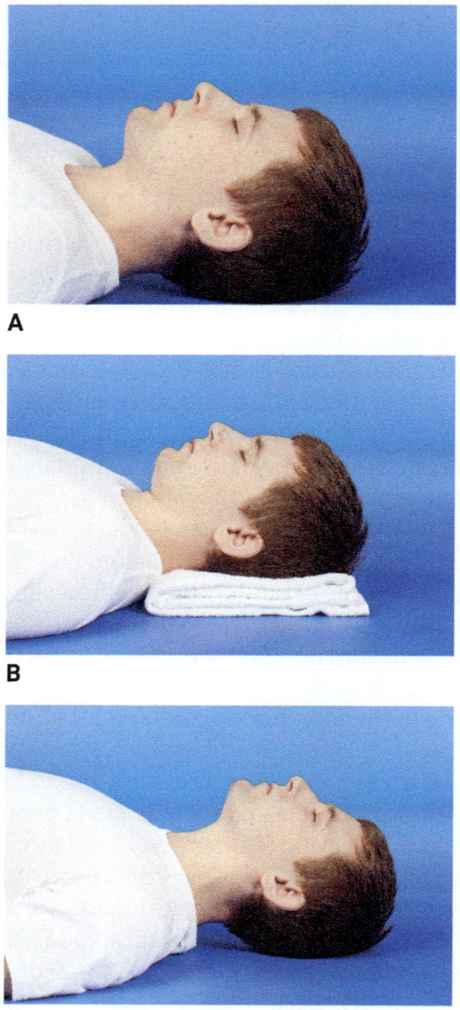

FIGURA 5-6 Posiciones del cuello en un paciente que se encuentra en decúbito supino. **A.** Neutro. **B.** Flexionado. **C.** Extendido.

maximizado o incluso superado, lo que puede provocar lesiones. La **hiperflexión** se refiere a la flexión de una parte del cuerpo hasta el nivel máximo o incluso más allá del rango normal de movimiento. La **hiperextensión** se refiere a la extensión de una parte del cuerpo hasta el nivel máximo o incluso más allá del rango normal de movimiento. Un ejemplo de lesión por hiperextensión es la que se produce cuando una persona cae sobre su mano extendida y se fractura el radio distal. Una lesión por hiperflexión de la espalda puede producirse al agacharse. Las lesiones de muñeca también pueden describirse utilizando los términos **supinación** y **pronación**. Girar las palmas hacia arriba (hacia el cielo) constituye una supinación del antebrazo. Al girar las palmas hacia abajo (hacia el suelo) se produce una pronación del antebrazo.

Documentación y comunicación

Utilice la terminología anatómica correcta en su FRAPP. Esto permite que el reporte sea más útil para el personal del hospital y mejora su imagen profesional como paramédico.

La **rotación interna** consiste en girar la parte anterior de una extremidad hacia la línea media. La extremidad inferior está en rotación interna cuando los dedos de los pies están girados hacia adentro. La **rotación externa** significa girar una extremidad alejándola de la línea media. En muchas ocasiones, al comparar una extremidad lesionada con otra no lesionada, se observan deformidades rotacionales. La cadera puede luxarse de forma anterior o posterior. En una luxación anterior de cadera, el pie está en rotación externa y la cabeza del fémur es palpable en la zona inguinal (las regiones laterales inferiores del abdomen y la ingle). En la luxación posterior de cadera, la más frecuente, la rodilla y el pie por lo general están flexionados y en rotación interna. El término *rotación* también puede aplicarse a la columna vertebral. La columna se rota cuando gira sobre su eje. Colocar la barbilla sobre el hombro rota la columna cervical.

Otros términos direccionales

Se dice que una parte del cuerpo o una afección que aparece en ambos lados de la línea media es **bilateral**. Por ejemplo, los ojos, las orejas, las manos y los pies son estructuras bilaterales, al igual que las estructuras internas del cuerpo, como los pulmones y los riñones. Las estructuras que aparecen en un solo lado del cuerpo se denominan **unilaterales**. Por ejemplo, el bazo solo se encuentra en el lado izquierdo del cuerpo, y el hígado está de forma predominante en el lado derecho. Los términos unilateral y bilateral también pueden describir la ubicación del dolor, entumecimiento, comezón u otros fenómenos (p. ej., el dolor en un lado del cuerpo es un dolor unilateral). También puede utilizar los términos ipsilateral y contralateral. El término **ipsilateral** se refiere al mismo lado del cuerpo. Un paciente que sufre un accidente cerebrovascular en el hemisferio derecho del cerebro por lo general presenta caída facial ipsilateral, en este caso, en el lado derecho. **Contralateral** se refiere al lado opuesto del cuerpo. El mismo paciente tendría hemiplejía en el lado contralateral, o el opuesto, a la zona de la lesión cerebral.

Como parte de su proceso de evaluación, palpará el abdomen e informará de sus hallazgos. Para ello, debe describir la ubicación exacta de las zonas del abdomen. La cavidad abdominal se divide en cuatro partes iguales denominadas **cuadrantes**: el cuadrante superior derecho (CSD), el cuadrante superior izquierdo (CSI), el cuadrante inferior derecho (CID) y el cuadrante inferior izquierdo (CII). Los cuadrantes se forman a partir de dos líneas que se cruzan en el ombligo (**FIGURA 5-7**). El dolor o la lesión en un cuadrante determinado normalmente procede de o afecta a los órganos de ese cuadrante. Una vez más, recuerde que derecha e izquierda se refieren a la derecha e izquierda del paciente, no a las suyas.

Para describir la ubicación de forma aún más específica, el abdomen también se puede dividir en nueve regiones (**FIGURA 5-8**).

Posición del paciente

Utilizará términos específicos para describir la posición del paciente en la escena o cuando esté preparado para trasladar al paciente al servicio de urgencias (**FIGURA 5-9**).

Decúbito prono y decúbito supino

El cuerpo está en **decúbito prono** cuando está boca abajo; está en **decúbito supino** cuando está boca arriba.

Posición de Fowler

La **posición de Fowler** debe su nombre al cirujano estadounidense George R. Fowler. A finales del siglo XIX, el doctor Fowler colocaba a sus pacientes en posición sentada con la cabeza elevada en un ángulo de 90° para ayudarles a respirar con más facilidad y controlar sus vías aéreas. Por ello, se dice que un paciente sentado derecho, con las rodillas dobladas o rectas, está en la posición de Fowler. Un paciente en posición semi-Fowler estaría sentado con la espalda en un ángulo de 45°. Esa es una posición generalmente cómoda para los pacientes que no necesitan restricción de movimiento de la columna vertebral.

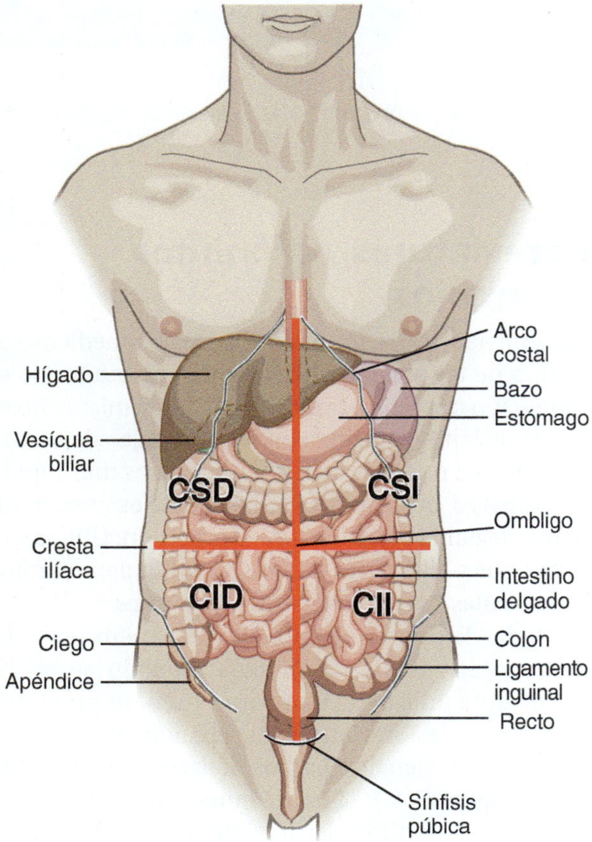

FIGURA 5-7 El abdomen se divide en cuatro cuadrantes: CSD, cuadrante superior derecho; CSI, cuadrante superior izquierdo; CID, cuadrante inferior derecho, y CII, cuadrante inferior izquierdo.

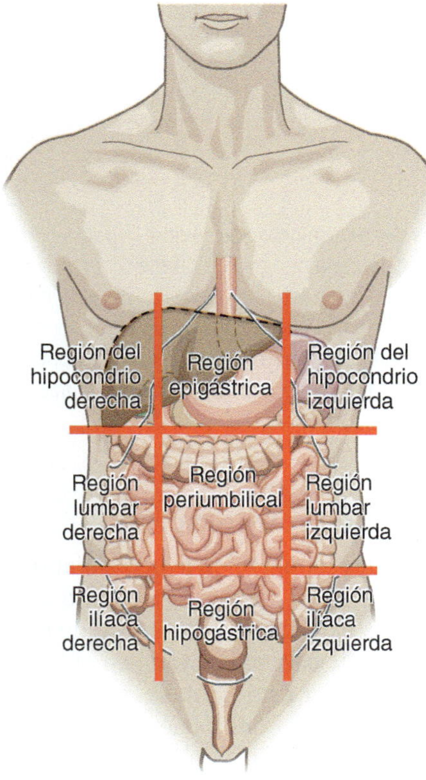

FIGURA 5-8 Regiones abdominales.

Datos de: Shier DN, Butler JL, Lewis R. *Hole's Essentials of Human Anatomy and Physiology*, 10ª ed., Nueva York. New York: McGraw-Hill Higher Education; 2009.

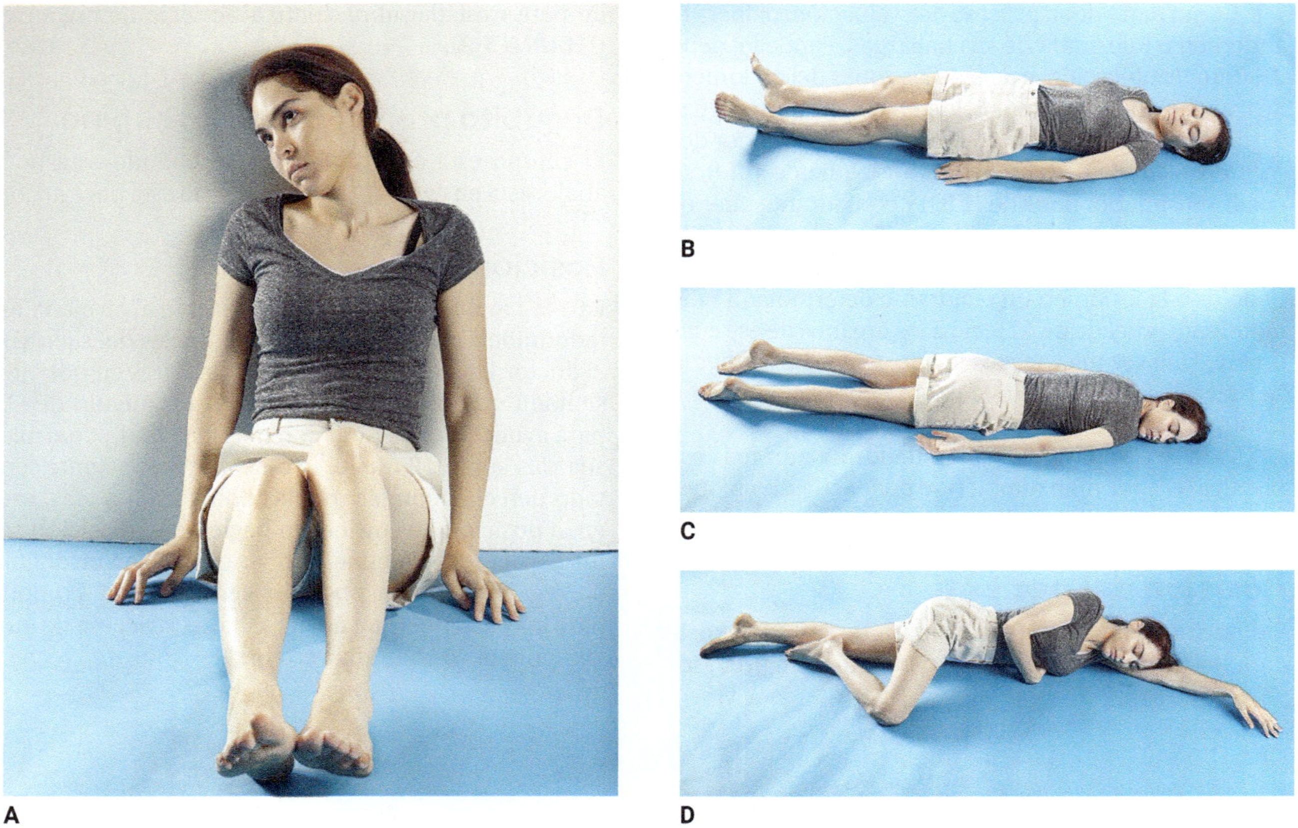

FIGURA 5-9 Posiciones del paciente. **A.** Posición de Fowler. **B.** Decúbito supino. **C.** Decúbito prono. **D.** Posición de recuperación (decúbito lateral izquierdo).

Perlas de sabiduría

Además de la terminología médica, la población de una determinada zona geográfica puede tener sus propios modismos o jerga regional. Familiarizarse con este lenguaje mejorará su comunicación al responder a llamados en esos lugares. Por ejemplo, muchos adultos mayores se refieren a la diabetes como "el azúcar" y a la hipertensión como "la presión alta".

Posición de recuperación

La posición de recuperación ayuda a mantener despejadas la vía aérea en un paciente que no responde. En esta posición, el paciente está recostado sobre el lado izquierdo, con la cabeza apoyada en el brazo inferior. La rodilla superior está doblada, inclinando la parte delantera del cuerpo del paciente ligeramente hacia el suelo. Esta posición, también denominada *decúbito lateral izquierdo*, ayuda a evitar la aspiración de vómito. La posición de recuperación se trata con más detalle en el capítulo 13, *Manejo de la vía aérea.*

Abreviaturas, acrónimos y símbolos

Las abreviaturas, acrónimos y símbolos médicos son un tipo de taquigrafía utilizada para comunicarse en la atención a la salud. Evolucionan por la misma razón que abreviamos palabras en los mensajes de texto y en los chats: nos permiten comunicarnos más rápido. Sin embargo, en la atención al paciente es importante no privilegiar la velocidad por la precisión. Utilice solo acrónimos y abreviaturas de uso común para minimizar las malas interpretaciones y los errores.

Todas las siglas son abreviaturas, pero no todas las abreviaturas son acrónimos. Cuando se acorta una palabra utilizando una abreviatura, se pronuncia cada letra de la abreviatura por separado. Por ejemplo, proveedor de atención prehospitalaria se abrevia PAP, pronunciado "P-A-P". Los acrónimos forman palabras abreviadas a partir de las iniciales de varias palabras para producir una palabra nueva. Los acrónimos y otras abreviaturas se combinan a veces para acortar una frase. Por ejemplo, el acrónimo para Búsqueda y Rescate Urbano es USAR, por sus siglas en inglés.

SEGURIDAD

Tenga cuidado con los nombres de medicamentos que se parecen y suenan igual. Preste mucha atención a las etiquetas para asegurarse de escribir correctamente los nombres. A continuación, se enumeran algunos errores frecuentes. Cada fármaco es diferente, pero sus nombres pueden confundirse debido a su ortografía o pronunciación similares:

- Zantac: Xanax
- Toradol: Tegretol
- Clonazepam: Lorazepam
- Alprazolam: Lorazepam
- Amiodarona: Amrinona
- Haloperidol: Alopurinol
- Flumazenil: Fluimucil
- Dopamina: Dobutamina

Una abreviatura se sigue considerando acrónimo si se pronuncia como una palabra, aunque la palabra no forme parte del español. Un ejemplo es HIPAA, abreviatura de *Health Insurance Portability and Accountability Act* (Ley de transferencia y responsabilidad de seguro médico), una ley que protege la privacidad de los pacientes en Estados Unidos. Esta abreviatura se clasifica como acrónimo porque se pronuncia "hippa", no se deletrea letra por letra. En cambio, FDA (por sus siglas en inglés), que es una abreviatura de la Administración de Alimentos y Medicamentos (*Food and Drug Administration*) de Estados Unidos, no se considera un acrónimo porque se deletrea "F-D-A", esto es, no se puede leer como se pronuncia.

Abreviaturas médicas

Las abreviaturas ocupan el lugar de las palabras que representan con el objetivo de abreviar las notas de atención al paciente u otra documentación. Algunos acrónimos se han convertido en un estándar. Por ejemplo, ASAP significa "as soon as possible" (tan pronto como sea posible), pero se suele pronunciar como la propia palabra. Las abreviaturas médicas pueden ser útiles para la documentación, pero debe asegurarse de que son coherentes con las aprobadas para su uso en su sistema del SEM.

USTED es el Paramédico

PARTE 4

"Bueno, Tommy, tenemos que llevarte al hospital para que te revisen ese chichón que tienes en la cabeza y averigüen por qué te duele la panza. Matt y yo vamos a ponerte en una tabla con unos cinturones de seguridad y fijar tu cuerpo para que no se te mueva la cabeza. No te preocupes, no te dolerá y estaremos aquí contigo. La profesora Hawthorne ya llamó a tu mamá y a tu papá, y nos van a alcanzar en el hospital".

Luego de ponerle un collarín cervical y sujetar a Tommy a una camilla con correas y un dispositivo de inmovilización cervical, lo suben a la camilla y a la ambulancia. Le colocan el monitor cardíaco, que muestra un ritmo sinusal de 98 latidos/min. Su presión arterial es de 96/54 mm Hg y respira a 18 respiraciones/min, pero su piel está pálida, fría y húmeda al tacto. Los ruidos respiratorios de Tommy son claros e iguales, y su saturación de oxígeno (Spo_2) es de 96%. Le coloca un pequeño vendaje en la frente y vuelve a evaluar su abdomen. Observa que sigue muy sensible al tacto y que está ligeramente descolorido.

Tiempo de grabación: 13 minutos	
Respiraciones:	18 respiraciones/min
Pulso	98 latidos/min
Piel	Pálida, fría, pegajosa
Presión arterial	96/54 mm Hg
Saturación de oxígeno (Spo_2)	96%
Pupilas	PIRRL

8. ¿Por qué es importante tener conocimientos de anatomía a la hora de evaluar y tratar a este paciente?
9. ¿Cuál es el término médico para piel fría y húmeda?
10. ¿Cuál es el término médico para un fenómeno (como dolor, hinchazón o erupción cutánea) que afecta ambos lados del cuerpo?

Abreviaturas propensas a errores

La Comisión Conjunta y el Instituto para el uso seguro de medicamentos (ISMP, por sus siglas en inglés) han publicado una lista de las abreviaturas que no se deben utilizar por considerarlas más propensas a errores de interpretación.[1,2] Pueden producirse errores graves cuando una abreviatura no se interpreta como es debido. Por ejemplo, en una receta BID significa que el medicamento debe ser administrado dos veces al día, pero esto puede ser desconocido para el paciente. Para evitar este tipo de errores, algunas dependencias limitan el uso de abreviaturas o no las permiten en absoluto.

Ceros al final y decimales

Otro problema frecuente son los *ceros al final* y los *decimales*. Evite utilizar ceros al final de un punto decimal. Por ejemplo, si no se distingue el decimal, 5.0 mg puede leerse como 50 mg. Lo mismo ocurre si se omite un cero inicial antes de un decimal. Si se escribe 0.5 mg sin el cero inicial, como .5 mg, puede confundirse con 5 mg si no se distingue el decimal. Omita siempre los ceros después del decimal, pero incluya ceros a la izquierda, antes del decimal, para evitar errores.

Símbolos

Al igual que las abreviaturas, los símbolos a veces se utilizan como atajos en la documentación y otros tipos de comunicación. Es importante utilizar solo símbolos que sean ampliamente aceptados y comprensibles **CUADRO 5-13**.

Para garantizar la seguridad del paciente, no se debe utilizar algunas abreviaturas. Por ejemplo, debido a que es posible confundir sulfato de morfina (MS o MSO_4) y sulfato de magnesio ($MgSO_4$), siempre es mejor escribir el nombre completo del fármaco.

Cada sistema del SEM también debe tener una lista de abreviaturas médicas aprobadas para la presentación de reportes y documentación. Averigüe qué abreviaturas son aceptadas en su área de servicio antes de usarlas en un informe. Por ejemplo, algunas dependencias no utilizan abreviaturas para dificultad respiratoria. En caso de duda, escriba el término completo. La precisión, la pulcritud y la exhaustividad reflejan un estilo de redacción profesional.

USTED es el Paramédico

PARTE 5

Cubre a Tommy con una manta y le coloca una vía intravenosa (IV) en el dorso de la mano izquierda, utilizando un catéter calibre 20 para infundir solución salina normal a una velocidad de 10 gotas por minuto. También evalúa su nivel de glucosa en sangre, que ahora es de 147 mg/dl.

Usted y su equipo trasladan al paciente a un centro de traumatología pediátrica, donde los padres de Tommy esperan, y dan un informe verbal al personal receptor. A continuación, usted se sienta en la oficina del SEM para redactar su informe mientras Matt limpia y reabastece la ambulancia.

Tiempo de grabación: 18 minutos	
Respiraciones:	20 respiraciones/min
Pulso	98 latidos/min
Piel	Pálida, fría, pegajosa
Presión arterial	98/60 mm Hg
Saturación de oxígeno (Spo_2)	99%
Pupilas	PIRRL
Nivel de glucosa en sangre	147 mg/dL

Terminología médica relacionada con la farmacología

Como paramédico, debe estar familiarizado con la terminología relacionada con los medicamentos y la administración de los mismos, así como con las conversiones métricas comunes utilizadas en el cálculo de estos **CUADRO 5-14**, así como las abreviaturas médicas comunes relacionadas con la farmacología **CUADRO 5-15**.

Cuadros maestros

En los **CUADROS 5-16** y **5-17** se proporcionan listas de referencia de prefijos, sufijos, formas combinadas y abreviaturas.

CUADRO 5-13 Símbolos comunes

°	grados	/	por
1°	primero, primer grado, primario	±	más o menos
2°	segundo, segundo grado, secundario	≠	no igual, diferente
↑	aumento(s)	>	mayor que
↓	disminución(es)	<	menor que
Ⓡ	derecha	≥	mayor o igual a
Ⓛ	izquierda	≤	menor o igual a
α	alfa	?	cuestionable, posible
β	beta	Δ	cambio
Ø	nulo o ninguno	–	negativo
~, ≈	aproximadamente	♀	mujer, femenino
N	normal	♂	hombre, masculino
×2	veces dos		

CUADRO 5-14 Conversiones métricas utilizadas en el cálculo de medicamentos

Peso		**Temperatura**	
1 kilogramo (kg)	2.2 libras (lb) 1 000 gramos (g)	37 °Celsius (°C)	98.6 °Fahrenheit (°F)
1 gramo (g)	1 000 miligramos (mg)	**Longitud**	
1 miligramo (mg)	1 000 microgramos	1 centímetro (cm)	0.39 pulgadas (pulg.) 10 milímetros (mm)
Volumen		100 centímetros (cm)	1 metro (m)
1 litro (L)	1 000 mililitros (ml)		

CUADRO 5-15 Abreviaturas médicas relacionadas con la farmacología

Abreviatura	Significado	Abreviatura	Significado
ac	antes de las comidas	RL	Ringer Lactato
amp	ámpula, ampolla	máx	máximo
bid/b.i.d./BID	dos veces al día	IDM	inhalador de dosis medida
caps	cápsulas	mEq	miliequivalente
elix	elixir	mg	miligramo
ET	endotraqueal	ml	mililitro
fl, fld	fluido	SN	solución salina normal
g	gramo	AINE	antiinflamatorio no esteroide
gtt	gota(s)	NTE	no debe exceder
h, hr	hora	OTC	de venta libre
HHN	nebulizador portátil	oz	onza
IM	intramuscular	VR	vía rectal
IV	intravenoso	PRN	por razones necesarias
IVP	bolo intravenoso	LR	Lactato de Ringer
IVPB	conexión intravenosa secundaria	Rx	prescripción
kg	kilogramo	stat	inmediatamente
KO	mantener abierto	NPV	nebulizador de pequeño volumen
KVO	mantener vena abierta/permeable	tab	tableta
L	litro	tid/t.i.d./TID	tres veces al día
lb	libra	TKO	mantener abierto/permeable

CUADRO 5-16 Prefijos, sufijos y formas combinadas utilizados en terminología médica

Parte de la palabra	Significado	Parte de la palabra	Significado
a-	no, sin	-ad, ad-	hacia
a-, an-	sin, falta de	aden/o	glándula
ab-	lejos de	adip/o, adipos/o	grasa
abdomin/o	abdomen	- aféresis	extracción
-ac	relativo a	-al	perteneciente a
ac-	hacia	-algia	dolor
-ación	proceso de	-alisis	descomposición
acus/o	auditivo	-an (o)	perteneciente a

Parte de la palabra	Significado	Parte de la palabra	Significado
ana-	arriba, aparte, lejos	coagul/o	coagulación
andr/o	masculino	cost/o	perteneciente a una costilla
angi/o	vaso	crino	secreta
ante-	delante, delante de	de-	abajo de, falta de
anter/o	delante	dia-	a través de, completo
anti-	contra, opuesto a	dis-	malo, anormal, no, opuesto a
aort/o	aorta	dors/o, dors/i	espalda
apo-	separado, lejos de	dur/o	duro, resistente
aqua-	agua	-eal	perteneciente a
-ar	perteneciente a	-ectasia	dilatación o distensión de una estructura tubular
-ari/o	perteneciente a	-ectomía	extirpación quirúrgica, recorte
-arque	comienzo	electr/o	electricidad
arteri/o	arteria	-emia	afección relacionada con la sangre
-asa	enzima	end-, end/o	dentro de
atri/o	aurícula	-ent	perteneciente a
auto-	sí mismo	enter/o	intestino delgado, intestinos
bas/o	base, fondo	epi-	sobre, en, arriba
bi/o	vida	escler/o	dura; también la esclerótica del ojo
-blasto	célula inmadura	-estenosis	estrechamiento
blefar/o	párpado	estesi/o	sentimiento, sensación, percepción
bradi-	lento	esteto/o	pecho
calculi/o	cálculo, piedra	ex-	fuera
carcin/o	cáncer	fag/o	comer, ingerir, tragar
-cardia	estado del corazón	farmac/o	medicamento
-cele	hernia, protrusión	fas/o	habla
-centesis	procedimiento en el que se punza un órgano o cavidad corporal	-fisis	crecimiento
-ceps	cabezas	fleb/o	vena
cili/o	pelos diminutos	-fobia	miedo irracional
-cist/	saco	foramin/o	foramen, agujero
cist/o	vejiga o cualquier saco que contenga líquido	fract-	rotura
-cito	célula	-genic/o	genética
cit/o	célula	ger/o	edad avanzada
cleid/o	clavícula	ges-	llevar, producir

(*continúa*)

CUADRO 5-16 Prefijos, sufijos y formas combinadas utilizados en terminología médica (continuación)

Parte de la palabra	Significado	Parte de la palabra	Significado
gin/e, ginec/o	femenino, mujer	lit/o	piedra, cálculo
gluc/o, glic/o	azúcar	log/o	estudio
-gnosis	conocimiento	macro-	grande
-grafía	registro o el instrumento utilizado para crear el registro	-malacia	ablandamiento
-grama	registro (como en documentación escrita o resultados de un estudio)	medi/o	medio
gravid/o	embarazo, gestación	-megalia	agrandamiento
-gravida	embarazo, gestación	mening/o	meninges
hemi-	mitad	mi/o	músculo
herni/o hernia	miel/o	micro-	pequeño
heter/o	otro, diferente	miel/o	médula espinal, médula ósea
hiat/o	abertura	narc/o	sueño
hidr/o	agua, fluido	nas/o	nariz
hister/o	útero	nefr/o	riñón
home/o,	hom/o mismo	neo-	nuevo
-iasis	presencia de, condición	neur/o	nervio
-ic, -itic	perteneciente a	noct/i	noche
-igo	condición	nuc/o	cuello
infer/o	hacia abajo	-oide	parecido a
is/o	igual	olig/o	poco, escaso
-ismus	espasmo	-oma	tumor, masa
-itis	inflamación	oofor/o	ovario
-kine, -kinesis	movimiento	-opia, -opsia	afección relacionada con la visión
lacrim/o	lágrima	or/o	boca, cavidad oral
lact/o	leche	orc/o, orqui/o, orchid/o	testículo, testis
-lapso	caída	ort/o	erguido, recto
-later/o	lado	os/i, ose/o, oste/o	hueso
-lepsia	convulsión	-osis	proceso de enfermedad (véase también -sis)
-lisis	descomponer, disolver	-oso	perteneciente a
lis/o	romper, disolver	-ostomía	creación quirúrgica de una abertura u orificio

Parte de la palabra	Significado	Parte de la palabra	Significado
-otomía	incisión quirúrgica	-rragia	flujo o descarga anormal o excesivo
ov/i, ov/o, ovari/o, ovul/o	ovum, óvulo	-rrea	flujo, secreción
pan-	todo	salping/o	tubo
par-	cerca, al lado	-scopia	examen con un instrumento
-para	parto	-scopio	instrumento para examinar
para-	al lado de, anormal	sebac/o, seb/o	sebo, aceite
pat/o	enfermedad	sept/o	tabique, pared, partición; también se refiere al número siete
-patía	proceso de la enfermedad o un sistema de tratamiento de la enfermedad	septic/o	infección
-pausia	parada, final	ser/o	suero
-penia	deficiencia	sin/o, seno/o	seno, cavidad, canal o espacio hueco
peri-	alrededor	-sis	proceso, acción o condición
piel/o	riñón, pelvis renal	-spir/o	respiración
pil/o	cabello	-stalsis	contracción
pir/o	fiebre, fuego	-stasis	desaceleración o detención del flujo normal de un fluido, como la sangre
-plasia	formar, desarrollar	tax/o	orden, disposición de
-plastía	formación quirúrgica, como en cirugía plástica o reconstructiva	term/o	temperatura
-plejía	parálisis	tox/o, toxic/o	veneno
-pnea	respiración	-trofia	nutrición (alimentación)
poli-	muchos, excesivo, frecuente	-ula	pequeña
poster/o	después de, detrás de	ur/o	sistema urinario, orina
pro-	antes, delante de	-uria	condición
proct/o	recto y ano	-uria	afección urinaria
prurito/o	comezón	vag/o	nervio vago
pseud/o	falso	valv/o, valvul/o	válvula
psic/o	mente	ventr/o	lado del vientre
ptial/o	saliva	xen/o	(material) extraño
-ptosis	decaimiento, caída	xer/o	secreción seca
pur-, pi/o	pus	zigom/o, zigomat/o	zigoma, pómulo
-rrafía	sutura de; reparación de		

CUADRO 5-17 Abreviaturas comunes en terminología médica[a]

Abreviatura	Significado	Abreviatura	Significado
a	año	ASA	aspirina (ácido acetilsalicílico)
ā	antes de	ASCT	área de superficie corporal
A&F	anatomía y fisiología	ASCVD	enfermedad cardiovascular aterosclerótica
AAA	aneurisma aórtico abdominal	ASHD	cardiopatía arteriosclerótica o aterosclerótica
ABCDE	vía aérea, respiración, circulación, incapacidad y exposición	AV	auriculoventricular
abd	abdomen	AVD	actividades de la vida diaria
AC	antecubital (fosa)	BGL	nivel de glucosa en sangre
AC	arteriopatía coronaria	BKA	amputación por debajo de la rodilla
ACLS	soporte vital cardiaco avanzado	BM	movimiento intestinal
ACV	accidente cerebrovascular	BRHH	bloqueo rama de haz de Hiz
ACVA	accidente cerebrovascular isquémico agudo	BS	azúcar en sangre, ruidos respiratorios, sonidos intestinales, licenciatura en ciencias
ad lib	según se desee	BVM	bolsa-válvula-mascarilla
ADM	armas de destrucción masiva	bx, Bx	biopsia
AF, A-fib, Afib, AFib	fibrilación auricular	c̄	con
AIT	ataque isquémico transitorio	°C	grados Celsius (centígrados)
AK	por arriba de la rodilla	C dif	*Clostridioides difficile, Clostridium difficile*
AKA	amputación por arriba de la rodilla	c/o	queja de
AMA	contra consejo médico	CA	cáncer, carcinoma, paro cardiaco, edad cronológica, arteria coronaria, aglutinina fría
amb	ambulatorio	CABDE	circulación, vía aérea, respiración, discapacidad y exposición
ant	anterior	CC, C/C	queja principal
AO × 4, A/O × 4, A&O × 4	alerta y orientado a persona, lugar, tiempo y evento	CDIA	cardio desfibrilador implantable automático
AOS	apnea obstructiva del sueño	CID	cuadrante inferior derecho (del abdomen)
AP	anteroposterior (de adelante hacia atrás), acción potencial, angina de pecho, pituitaria anterior	CII	cuadrante inferior izquierdo (del abdomen)
APP	arteriopatía periférica	cm	centímetro
AR	artritis reumatoide, aurícula derecha	CN	cánula nasal

Abreviatura	Significado	Abreviatura	Significado
CO	monóxido de carbono	DSD	vendaje estéril seco
CO2	dióxido de carbono	DtaP	vacuna antidiftérica, antitetánica y antitosferínica acelular
COE	Centro de Operaciones de Emergencia	DTP	vacuna contra la difteria, el tétanos y la tos ferina
COVID-19	enfermedad por coronavirus-2019 (nuevo coronavirus)	DTs	*delirium tremens*
CP	dolor torácico, químicamente puro, parálisis cerebral	DVY	distensión venosa yugular
CRNA	enfermero anestesista diplomado	Dx	diagnóstico
CSD	cuadrante superior derecho (del abdomen)	EAC	enfermedad arterial coronaria
CSI	cuadrante superior izquierdo (del abdomen)	EAL	evento aparentemente letal
CVM	colisión por vehículo motorizado	EBL	pérdida de sangre estimada
CVP	complejo ventricular prematuro, policloruro de vinilo	ECA	enzima convertidora de angiotensina
DAE	desfibrilador automático externo	ECG	Escala de coma Glasgow
DAVI	dispositivo de asistencia ventricular izquierda	ECV	enfermedad cardiovascular
DBM	dispositivo de bolsa-mascarilla	EEG	electroencefalograma
DDE	director de enfermería	EF	fracción de eyección
DDE	disnea de esfuerzo	EKG	electrocardiograma (la "K" procede de la palabra alemana *Elektrokardiogramm*)
DE	Departamento de emergencias	EMA	estado mental alterado
DEK	dispositivo de extricación de Kendrick	EP	embolia pulmonar, exploración física
DIC	dispositivo de inmovilización cervical	EPI	enfermedad pélvica inflamatoria
DIU	dispositivo intrauterino (anticonceptivo)	EPOC	enfermedad pulmonar obstructiva crónica
dl	decilitro	ERC	enfermedad renal crónica
DM	diabetes mellitus	ERV	enterococo resistente a la vancomicina
DMID	diabetes mellitus insulinodependiente	ESRD	enfermedad renal terminal
DMNID	diabetes mellitus no insulinodependiente	EST	elevación del segmento ST
DOA	muerto a su llegada	ETA	hora estimada de llegada
DPT	toxoides diftérico y tetánico y vacuna contra la tos ferina, médico fisioterapeuta	$ETCO_2$	dióxido de carbono al final de la espiración

(continúa)

CUADRO 5-17 Abreviaturas comunes en terminología médica[a] (continuación)

Abreviatura	Significado	Abreviatura	Significado
ETOH	alcohol etílico	HD	cardiopatía
°F	grados Fahrenheit	HH	hernia hiatal
FBS	glucemia en ayunas	HPI	antecedentes de enfermedad actual
FC	frecuencia cardiaca	HSA	hemorragia subaracnoidea
FCF	frecuencia cardiaca fetal	HTA	Hipertensión arterial
FD	fecha de defunción	Hx	antecedentes
Fe	hierro	I&E	ingesta y excretas
FEI	fecha estimada de ingreso	IAM	infarto agudo al miocardio
FEL	férula espinal larga	IC	insuficiencia cardiaca
FHx	historia familiar	ICP	intervención coronaria percutánea
FIO_2	fracción de oxígeno inspirado	IDAC	injerto de derivación de la arteria coronaria
FN	fecha de nacimiento	IET	intubación endotraqueal
FPP	fecha probable de parto	IHCA	paro cardiaco intrahospitalario ó parada cardiaca intrahospitalaria
FV, fib V, FibV	fibrilación ventricular	IHD	Cardiopatía isquémica
fx	fractura	IM	infarto al miocardio
GB	vesícula biliar	IMC	índice de masa corporal
GC	gasto cardiaco	IMSEST	infarto al miocardio sin elevación del segmento ST
GCS/ECG	escala de coma de Glasgow	IO	Vía intraósea
GI	gastrointestinal	IPPB	respiración con presión positiva intermitente
GIN, gin	ginecología	IPPV	ventilación con presión positiva intermitente
GSW	herida de bala	IRM	imágenes de resonancia magnética
GTT	prueba de tolerancia a la glucosa	ITS	infección de transmisión sexual
GU	genitourinario	ITU	infección del tracto urinario
H/A	cefalea	L/M, LPM	litros por minuto
H&P	Historial físico	lac, LAC	laceración
H_2O	agua	LCR	líquido cefalorraquídeo
Hb, Hgb	hemoglobina	LE	extremidad inferior, ojo izquierdo, lupus eritematoso
HBP	hipertensión arterial	LID	lóbulo inferior derecho (del pulmón)
HCVD	enfermedad cardiovascular hipertensiva	LII	lóbulo inferior izquierdo (del pulmón)

Abreviatura	Significado	Abreviatura	Significado
LMD	lóbulo medio derecho (del pulmón)	OB	obstetricia
LOC	nivel de conciencia, pérdida de conciencia	OBS	síndrome cerebral orgánico
LOM	pérdida de movimiento	OD	sobredosis, ojo derecho, densidad óptica, diámetro exterior, doctor en optometría
LPM	latidos por minuto	OHCA	paro cardiaco extrahospitalario
LSD	lóbulo superior derecho (del pulmón)	OP	paciente ambulatorio
LSI	lóbulo superior izquierdo (del pulmón)	OPA	vía orofaríngea
MACE	eventos cardiovasculares adversos mayores	OR	quirófano
MAE	Moviliza todas las extremidades	ORL	oídos, nariz y garganta
MAEW	Moviliza bien todas las extremidades	$\bar{p}$	después
min	minuto	PA, P/A	presión arterial
ML	mecanismo de lesión	PAD	presión arterial diastólica
mm	milímetro	PAS	presión arterial sistólica
mm Hg	milímetros de mercurio	pc	después de comidas
MVA	accidente automovilístico	PCO_2	presión parcial de dióxido de carbono
MVP	prolapso de la válvula mitral	PDR	Referencia digital de prescriptores (antes llamado *Libro de referencia de médicos* o *Vademécum*)
NA, N/A	no aplicable, no disponible	ped, peds	pediátrico
NAD	sin sufrimiento aparente, sin enfermedad aparente	PEEP	presión positiva al final de la espiración
NARD	sin dificultad respiratoria aparente	PIC	presión intracraneal
NG	nasogástrico (tubo)	PEARL, PERL	pupilas iguales y reactivas a la luz
NKA	ninguna alergia conocida	PEARLA	pupilas iguales y reactivas a la luz y al acomodamiento
NKDA	alergias medicamentosas no conocidas	PIRRL	pupilas iguales, redondas y reactivas a la luz
NOI	naturaleza de la enfermedad	PMH	antecedentes médicos
NPA	vía aérea nasofaríngea	PND	disnea paroxística nocturna
NR	no reanimar	PO	posoperatorio, pos-op
NRB, NRBM	mascarilla de no reinhalación	psi	libras por pulgada cuadrada
NTG	nitroglicerina	pt	paciente
N/V, N&V	náusea y vómito	PT	terapia física, tiempo de protrombina
N/V/D	náusea, vómito y diarrea	PTA	antes del ingreso, antecedente tromboplastina en plasma
O_2	oxígeno	PVD	enfermedad vascular periférica

(*continúa*)

CUADRO 5-17 Abreviaturas comunes en terminología médica[a] (continuación)

Abreviatura	Significado	Abreviatura	Significado
q̄	cada	SMSI	muerte súbita infantil inesperada
R/O	descartar	SNC	sistema nervioso central
RAD	enfermedad reactiva de las vías respiratorias, desviación de eje hacia la derecha	SOB	dificultad respiratoria
RBC	glóbulos rojos o eritrocitos	Spo_2	saturación de oxígeno periférico
RC	relleno capilar	STEMI	infarto agudo al miocardio con elevación del segmento ST
RCP	reanimación cardiopulmonar	SU	servicio de urgencias, disfunción eréctil
RGE	enfermedad por reflujo gastroesofágico	SVN	nebulizador de pequeño volumen
Rh	factor sanguíneo Rhesus, rodio	sym, Sx	síntomas
RN	enfermera registrada	T	temperatura
ROM	rango de movimiento, ruptura de membranas	TB	tuberculosis
RSC	recuento sanguíneo completo	TBA	por admitir, por anunciar
RSN	ritmo sinusal normal	tec	técnico, tecnólogo
s̄	sin	TLC	tiempo de llenado capilar, tubo de rayos catódicos
S/S, S&S	signos y síntomas	TPT	tiempo parcial de tromboplastina
SAO_2	saturación arterial de oxígeno	TQSV	taquicardia supraventricular
SARM	Staphylococcus aureus resistente a la meticilina	TSVP	taquicardia supraventricular paroxística
SCA	paro cardiaco súbito	TV taqV	taquicardia ventricular
SCA	síndrome coronario agudo	TVP	trombosis venosa profunda
SCD	muerte súbita cardiaca	Tx	tratamiento
SCI	sistema de comando de incidentes, espacio intercostal	UA, U/A	análisis de orina
SDRA	síndrome de dificultad respiratoria aguda	UCC	unidad de cuidados coronarios o unidad de cuidados críticos
SDRA	síndrome de dificultad respiratoria del adulto	UCI	unidad de cuidados intensivos
SIDA	síndrome de inmunodeficiencia adquirida	UCI quirúrgica	unidad de cuidados intensivos quirúrgicos
SIDS	síndrome de muerte súbita del lactante	UE	extremidad superior
SL	sublingual	UMCI	unidad móvil de cuidados intensivos; unidad médica de cuidados intensivos
SMI	sistema de manejo de incidentes	UNCI	unidad neonatal de cuidados intensivos

Abreviatura	Significado	Abreviatura	Significado
UPM	último periodo menstrual	VPPC	ventilación con presión positiva continua
URI	infección respiratoria superior	VS	signos vitales
VBM	ventilación bolsa-mascarilla	W/	con
VHA	virus de la hepatitis A	W/O	sin
VHB	virus de la hepatitis B	WBC	glóbulos blancos o leucocitos
VHC	virus de la hepatitis C	WNL	dentro de los límites normales
VIH	virus de inmunodeficiencia humana	wt	peso
VPH	virus del papiloma humano	x̄	excepto

[a] A veces, las abreviaturas se escriben con punto (por ejemplo, abd.), y otras veces se utilizan mayúsculas diferentes que pueden transmitir un significado distinto. En este cuadro no se indican todos los significados posibles de cada abreviatura. A menos que esté seguro del significado, pregunte a la persona que utilizó la abreviatura y no la utilice usted mismo.

USTED es el Paramédico RESUMEN

1. ¿Cuál es el término médico correcto para la posición en la que está tendido el niño?

Está tendido sobre su lado izquierdo, que es la posición de recuperación, también llamada decúbito lateral izquierdo.

2. ¿Cómo puede ayudarle el conocimiento de la terminología médica en la documentación de la atención a este paciente?

La terminología médica es el lenguaje de la medicina y la atención médica. Como paramédico, usted debe tener una buena comprensión de la terminología médica y ser capaz de identificar y utilizar los términos correctamente. Este conocimiento le permite comunicarse eficazmente con otros proveedores de atención médica y le asegura el uso de documentación precisa y concisa, lo que resulta en una mejor continuidad de la atención.

3. ¿Por qué sería preferible evitar el uso de terminología médica al hablar con este paciente?

Los pacientes, especialmente los niños, rara vez están familiarizados con la terminología médica. Por lo tanto, el uso de este tipo de términos durante una entrevista con un paciente puede llevar a una mala comprensión y a la falta de información pertinente. Cuando hable con los pacientes, utilice términos cotidianos para aumentar la probabilidad de comunicarse con claridad. Como paramédico, también debe estar familiarizado con los términos y frases habituales en la zona geográfica en la que trabaja.

4. ¿Cuáles son los términos médicos correctos para describir el estado mental y el nivel de glucosa en sangre de Tommy?

Su estado mental se documenta como AO × 4 porque está alerta y orientado a la persona, el lugar, el tiempo y el evento. El término apropiado para un nivel alto de glucosa en sangre es hiperglicemia. Se forma a partir del prefijo *hiper-* (exceso) + la forma combinada *gluc/o* (glucosa) + el sufijo *-emia* (perteneciente a la sangre).

5. ¿Cómo documentaría que el paciente no es alérgico a ningún medicamento?

La abreviatura correcta para "sin alergias conocidas a medicamentos" es NKDA.

6. Describa la posición de la lesión en la cabeza del paciente.

Su herida está en el lado derecho de la frente, justo arriba del ojo. Debido a que superior es el término para arriba y órbita es la cuenca del ojo, se documentaría como superior a la órbita derecha. También podría utilizar ® para sustituir en su documentación el término direccional *derecha*.

7. ¿Cuál es la abreviatura del cuadrante abdominal sensible al tacto?

El abdomen está dividido en cuadrantes por dos líneas imaginarias que se cruzan en el ombligo. Tommy siente dolor en el cuadrante superior derecho. La abreviatura es CSD.

USTED es el Paramédico RESUMEN continuación

8. ¿Por qué es importante tener conocimientos de anatomía a la hora de evaluar y tratar a este paciente?

El conocimiento de las estructuras y funciones de los sistemas corporales permite evaluar mejor al paciente y predecir posibles complicaciones derivadas de lesiones ocultas (no visibles a simple vista). En este caso, si sabe qué órganos están situados en la CSD, puede predecir posibles lesiones, lo que permite un mayor índice de sospecha y da lugar a un tratamiento más adecuado y al traslado al centro apropiado.

9. ¿Cuál es el término médico para la piel fría y húmeda?

El término para la piel húmeda asociada a signos de shock es *diaforesis*.

10. ¿Cuál es el término médico para un fenómeno (como dolor, hinchazón o erupción cutánea) que afecta ambos lados del cuerpo?

Muchas estructuras corporales son bilaterales, y ciertas afecciones médicas tienden a presentarse de forma unilateral o bilateral. Se dice que un fenómeno que afecta o aparece a ambos lados de la línea media es bilateral.

Reporte de atención de paciente prehospitalario (RAPP)

Fecha: 4-20-22	**Incidente Núm.:** 050109	**Naturaleza de la llamada:** Caída		**Ubicación:** 184 Calle principal	
Despacho: 09:35	**En camino:** 09:36	**En el escenario:** 09:42	**Transporte:** 09:57	**En el hospital:** 10:09	**En servicio:** 10:17

Información del paciente

Edad: 8 **Sexo:** M **Peso:** 25 kg	**Alergias:** NKDA **Medicamentos:** Insulina **Antecedentes médicos:** DMID **Principal manifestación:** Caída

Signos vitales

Hora: 09:45	**PA:**	**Pulso:** 104	**Respiraciones:** 22	**Spo_2:** 98%
Hora: 09:50	**PA:**	**Pulso:** 108	**Respiraciones:** 22	**Spo_2:** 99%
Hora: 09:55	**PA:** 96/54	**Pulso:** 98	**Respiraciones:** 18	**Spo_2:** 96%
Hora: 10:00	**PA:** 98/60	**Pulso:** 98	**Respiraciones:** 20	**Spo_2:** 99%

Tratamiento en el SEM (circule todo lo aplicable)

Oxígeno @ __ L/min por (circular uno): **NC NRM Dispositivo de bolsa y mascarilla**		**Ventilación asistida**	**Auxiliar de la vía aérea**	**RCP**
Desfibrilación	**Control de la hemorragia**	**Vendaje** Hematoma frente (circulado)	**Inmovilización**	**Otro:** Inmovilización espinal (circulado)

Narrativa

Despacho de 9-1-1 para un paciente masculino que ha caído. Al llegar a la escena, se encontró al paciente, un varón de 8 años, tendido en posición fetal y sujetándose el abdomen. La profesora dice que el paciente se cayó a 1.5 m de la parte superior del equipo del patio de recreo y no ha sido movido. Pt AO × 4, c/o dolor en CSD. Presenta hematoma del tamaño de una pelota de golf en la parte superior de la órbita. Pt afirma que en la mañana estaba "mareado" y que eso le causó la caída. PIRRL, ligeramente taquicárdico y taquipneico. Hx-DMID, para la que toma insulina y tiene NKDA. La profesora afirma que el nivel de glucosa en sangre era de 183 mg/dl a su llegada esta mañana. El paciente afirma que comió y se puso insulina esta mañana. Una evaluación más detallada del abdomen del paciente reveló que estaba blando, pero muy sensible a la palpación del CSD, con decoloración de la zona. El paciente fue inmovilizado por completo en la columna vertebral con un collarín-c LSB c̄ y un inmovilizador cervical, y fue subido a la ambulancia para ser trasladado al centro de traumatología pediátrica. En ruta, se reevalúan SV y se anotan arriba, BS clara e igual bilateralmente, piel pálida, fría y diaforética, glucosa 147 mg/dl. Se cubre al paciente para mantener el calor, se venda la herida de la cabeza, se le coloca un monitor cardíaco que muestra ectopia del ritmo sinusal y se le administran 20 ml de suero intravenoso.

(L) Fosa AC c̄ NS TKO. Reevaluación del abdomen con sensibilidad ↑ y decoloración más oscura. Encuentro con los padres del paciente y traslado del paciente al hospital sin incidentes. Informe verbal a Mary RN. Informe escrito completado y ambulancia limpia y reabastecida. Salió del hospital y volvió al servicio.

Fin del reporte

Kit de preparación

Resumen rápido

- El conocimiento de la terminología médica es fundamental para que los miembros del equipo de atención médica se puedan comunicar con eficacia y documentar los llamados.
- Usted debe ser capaz de identificar los puntos de referencia superficiales del cuerpo. Estos puntos indican qué estructuras se encuentran debajo de la piel, para que pueda realizar una evaluación precisa del paciente.
- Comprender cómo se forman los términos y las definiciones de las distintas partes de un término médico le ayudará a determinar el significado de un término desconocido.
- Para reforzar su comprensión de la terminología médica, familiarícese con los epónimos, homónimos y antónimos médicos de uso común, así como con los símbolos y términos utilizados en farmacología.
- Un prefijo es la parte de un término que aparece al principio de una palabra. Por lo general describe la ubicación e intensidad de la raíz de la palabra que le sigue.
- Un sufijo se coloca al final de una palabra para cambiar su significado original. En terminología médica, un sufijo suele indicar un procedimiento, afección, enfermedad o parte de la oración.
- La raíz de la palabra es el fundamento del término. Establece el significado básico de la palabra.
- Una vocal combinatoria es la parte de un término que conecta una raíz de palabra con un sufijo u otra raíz de palabra para facilitar su pronunciación.
- Los prefijos también pueden indicar números o direcciones. Las raíces también pueden describir colores.
- Las palabras compuestas son palabras que contienen más de una raíz.
- Para hacer plurales algunos términos, se agrega *-s* al término. Hay términos que utilizan otras formas plurales.
- Posición del paciente se refiere a la posición que presenta el paciente cuando se llega a la escena. Las posiciones del paciente incluyen decúbito prono, decúbito supino y Fowler.
- La posición anatómica supone que la persona está de pie, mirando hacia usted, con los brazos a los lados y las palmas de las manos mirando hacia adelante. Los planos anatómicos del cuerpo incluyen el coronal (frontal), el transversal (axial) y el sagital (lateral).
- Los términos direccionales indican la distancia y la dirección desde la línea media. Incluyen derecha, izquierda, superior, inferior, lateral, medial, proximal, distal, superficial, profunda, ventral, dorsal, anterior, posterior, palmar, plantar y ápice.
- Los términos relacionados con el movimiento y la posición incluyen flexión, extensión, aducción, abducción, supinación, pronación y rotación.
- Otros términos direccionales se refieren a una posición en uno o ambos lados del cuerpo. Estos términos incluyen bilateral, unilateral, ipsilateral y contralateral.
- El concepto de cuadrante es útil en terminología médica. El abdomen suele dividirse en cuadrantes para ayudar a especificar una zona de dolor o lesión.
- Las abreviaturas, los acrónimos y los símbolos se utilizan como taquigrafía para comunicar y documentar de forma concisa. Para evitar interpretaciones erróneas potencialmente peligrosas de su documentación, asegúrese de utilizar solo abreviaturas que se entiendan comúnmente en su sistema; evite utilizar las que no se recomienden.

Vocabulario esencial

Abducción Movimiento de una extremidad que se aleja de la línea media.

Aducción Movimiento de una extremidad hacia la línea media.

Anatomía topográfica Puntos de referencia superficiales del cuerpo que sirven de guía a las estructuras que se encuentran debajo de ellos.

Kit de preparación continuación

Anterior Superficie anterior del cuerpo; el lado que mira hacia usted en posición anatómica.

Antónimos Pares de raíces de palabras, prefijos o sufijos que tienen significados opuestos.

Ápice Extremo puntiagudo de una estructura cónica.

Bilateral En anatomía, parte del cuerpo o afección que aparece a ambos lados de la línea media.

Contralateral En el lado opuesto del cuerpo.

Corte transversal Producto del corte transversal de un objeto, perpendicular a su eje longitudinal.

Cuadrantes Las cuatro secciones de la cavidad abdominal mostradas por dos líneas imaginarias que se cruzan en el ombligo, dividiendo el abdomen en cuatro áreas iguales.

Distal Más alejado del tronco o un punto específico y más próximo al extremo libre de la extremidad.

Dorsal Superficie posterior del cuerpo, incluido el dorso de la mano.

Eje anteroposterior Eje que va perpendicular al plano coronal.

Eje horizontal Eje que va perpendicular al plano sagital; también denominado eje mediolateral.

Eje longitudinal Eje perpendicular al plano transversal.

Epónimo Nombre de una enfermedad, aparato, procedimiento o medicamento que se basa en la persona que lo inventó, descubrió 00o describió por primera vez.

Extensión Enderezamiento de una articulación.

Flexión Doblar una articulación.

Forma combinada Raíz, prefijo o sufijo de una palabra seguido de una vocal.

Hiperextensión Extensión máxima o más allá de la amplitud normal de movimiento.

Hiperflexión Flexión máxima o más allá de la amplitud normal de movimiento.

Homónimos Palabras que suenan igual, pero se escriben distinto y tienen significados diferentes.

Inferior Por debajo o más cerca de los pies.

Ipsilateral Del mismo lado del cuerpo.

Lateral En anatomía, partes del cuerpo alejadas de la línea media.

Medial Más próximo a la línea media.

Palabras compuestas Palabras que contienen más de una raíz.

Palmar Parte de la mano orientada hacia adelante en posición anatómica.

Plano coronal (frontal) Plano imaginario en el que el cuerpo se divide en partes anterior y posterior.

Plano medio sagital (línea media) Línea vertical imaginaria trazada desde el centro de la frente hasta el suelo, pasando por la nariz y el ombligo.

Plano sagital (lateral) Plano del cuerpo que pasa verticalmente de adelante hacia atrás, dividiendo al cuerpo en porciones izquierda y derecha.

Plano transversal (axial) Plano imaginario que atraviesa horizontalmente el cuerpo a la altura de la cintura, dividiéndolo en dos mitades.

Plantar La planta o superficie inferior del pie.

Posición anatómica La posición de referencia en la que el paciente está de pie frente a usted, con los brazos a los lados y las palmas de las manos mirando hacia adelante.

Posición de Fowler Posición sentada, con la cabeza elevada en un ángulo de 90° (sentado erguido).

Posterior En anatomía, la superficie posterior del cuerpo; el lado opuesto a usted en la posición anatómica estándar.

Prefijo Parte de un término que aparece antes de la raíz de una palabra, cambiando el significado del término.

Profundo Más al interior del cuerpo y alejado de la piel.

Pronación Girar las palmas de las manos hacia abajo (hacia el suelo).

Prono Tendido en posición horizontal, boca abajo.

Proximal Más próximo al tronco o un punto específico.

Raíz de la palabra La base de una palabra; establece el significado básico de una palabra.

Rango de movimiento Toda la amplitud de movimiento de una articulación.

Kit de preparación continuación

Rotación interna Rotación de la superficie anterior de una extremidad hacia la línea media.

Sección longitudinal Vista de un objeto cortada a lo largo de su eje longitudinal.

Sinónimos Pares de raíces, prefijos o sufijos que tienen el mismo o casi el mismo significado.

Sufijo Parte de un término que va después de la raíz de la palabra, al final del término.

Superficial Más cerca o en la superficie de la piel.

Superior Por encima o más cerca de la cabeza.

Supinación Girar las palmas de las manos hacia arriba (hacia el cielo).

Supino Tendido boca arriba.

Unilateral Ocurre o aparece en un solo lado del cuerpo.

Ventral Superficie anterior del cuerpo.

Vocal combinatoria Vocal utilizada para combinar dos raíces o una raíz y un prefijo o sufijo.

Referencias

1. List of error-prone abbreviations, symbols, and designations. Institute for Safe Medication Practices website. https://www.ismp.org/recommendations/error-prone-abbreviations-list. Consultado el 4 de marzo de 2020.
2. Official "do not use" list. The Joint Commission website. https://www.jointcommission.org/facts_about_do_not_use_list/. Actualizada en 2020. Consultado el 4 de marzo de 2020.

El cuerpo humano, sus aparatos y sistemas

VOLUMEN 1

SECCIÓN

2

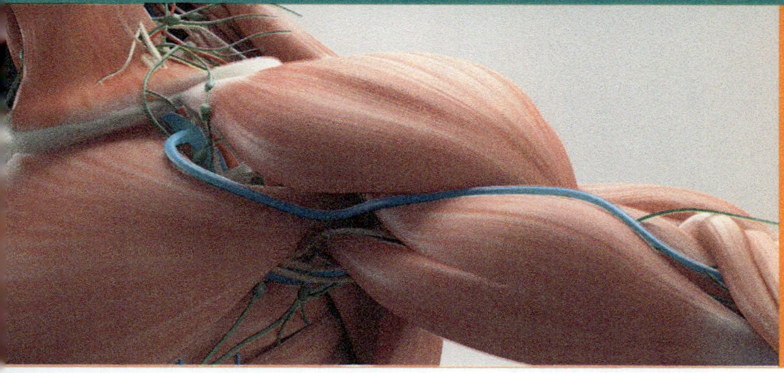

Capítulo 6

Anatomía y fisiología

COMPETENCIAS DEL ESTÁNDAR NACIONAL DE EDUCACIÓN EN EL SEM

Anatomía y fisiología

Se integra una compleja y amplia revisión del conocimiento de la anatomía y fisiología de todos los aparatos y sistemas humanos.

OBJETIVOS COGNITIVOS

1. Describir las características que comparten todos los seres vivos. (p. 199)
2. Describir los niveles de organización en el cuerpo, desde el menor hasta el más complejo. (p. 200)
3. Describir la composición química del cuerpo, incluyendo las sustancias clave: carbohidratos, proteínas, lípidos, ácidos nucleicos, oligoelementos y enzimas. (pp. 201-207)
4. Describir la composición atómica del cuerpo con inclusión de los enlaces y las reacciones} químicas. (pp. 200-208)
5. Explicar el concepto de equilibrio de líquidos con inclusión del propósito y los mecanismos para mantener la homeostasia. (pp. 208-210)
6. Diferenciar entre anabolismo y catabolismo. (p. 208)
7. Describir los componentes de la célula, incluida la función de sus estructuras. (pp. 211-215)
8. Describir el ciclo vital de una célula, con inclusión de interfase, mitosis, citocinesis y diferenciación. (pp. 216-217)
9. Describir el metabolismo celular aeróbico y anaeróbico. (pp. 218-219)
10. Identificar los principales compartimentos de líquidos del cuerpo. (pp. 219-220)
11. Describir los mecanismos de transporte celular, con inclusión de difusión, difusión facilitada, osmosis, y transporte activo. (pp. 220-224)
12. Definir *isotónico*, *hipotónico*, e *hipertónico*. (pp. 222-224)
13. Describir los tipos de tejidos que se encuentran en el cuerpo, con inclusión del epitelial, el conectivo, el muscular, el nervioso y las membranas. (pp. 224-232)
14. Describir cómo el cuerpo mantiene la homeostasia. (pp. 232-234)
15. Describir la anatomía y fisiología del sistema tegumentario, incluidas su función, las capas y otras estructuras de la piel. (pp. 236-239)
16. Describir los componentes del sistema esquelético, incluidos los tipos de huesos. (pp. 239-240)
17. Describir las características y la composición de los huesos, con inclusión de la arquitectura de los largos. (pp. 240-241)
18. Discutir la formación y el crecimiento óseos, y las hormonas relacionadas. (pp. 242-243)
19. Describir las clasificaciones y los tipos de articulaciones. (pp. 243-246)
20. Enlistar las secciones de la columna vertebral. (pp. 252-254)
21. Describir la anatomía macro y microscópica y la fisiología del sistema muscular, las acciones musculares, la contracción de las fibras del músculo esquelético y los principales músculos del cuerpo. (pp. 262-268)

22. Enunciar las divisiones y subdivisiones del sistema nervioso. (pp. 268-269)
23. Describir las estructuras involucradas en la conducción de impulsos eléctricos entre el encéfalo y el resto del cuerpo. (pp. 269-272)
24. Enunciar las estructuras del sistema nervioso central y sus funciones. (pp. 273-284)
25. Definir las denominaciones *presión de perfusión cerebral* y *presión del pulso*. (p. 275)
26. Describir los componentes de las subdivisiones del sistema nervioso periférico. (pp. 284-296)
27. Describir la función sensorial del sistema nervioso, con inclusión de los tipos de dolor. (pp. 296-304)
28. Describir la anatomía básica de los órganos de los sentidos y explicar su función. (pp. 298-304)
29. Describir la anatomía y fisiología del sistema endocrino, con inclusión de las glándulas endocrinas y exocrinas, la química de las hormonas, la regulación de su secreción y su participación en diversos procesos corporales. (pp. 304-315)
30. Describir la anatomía y fisiología del sistema circulatorio, incluidas la composición y función de la sangre, el corazón, los vasos y los grupos sanguíneos. (pp. 315-324)
31. Describir los conceptos de gasto cardíaco, volumen sistólico, precarga, poscarga y resistencia vascular sistémica. (pp. 324-327)
32. Describir de mecanismo de Frank-Starling. (pp. 326-327)
33. Describir la anatomía y fisiología de los sistemas linfático e inmunitario, con inclusión de sus principales estructuras. (pp. 339-341)
34. Describir la anatomía y fisiología del aparato respiratorio, incluidas la estructura y función de las cavidades nasales, la faringe, la laringe, la tráquea, el árbol bronquial, los alvéolos, los pulmones y sus capilares. (pp. 341-351)
35. Describir los volúmenes pulmonares y el concepto de espacio muerto. (pp. 351-352)
36. Diferenciar entre ventilación, oxigenación y respiración. (pp. 352-357)
37. Describir el proceso de intercambio de gases en los alvéolos. (pp. 357-358)
38. Explicar cómo el oxígeno y el dióxido de carbono se transportan en la sangre. (pp. 356-358)
39. Describir los mecanismos que regulan la respiración. (pp. 358-360)
40. Describir el concepto de impulso hipóxico. (p. 360)
41. Explicar cómo la concentración de dióxido de carbono y el pH de la sangre se relacionan con la ventilación. (pp. 360-362)
42. Explicar la anatomía y fisiología del aparato digestivo, con inclusión de su función general, los órganos y estructuras involucrados en el proceso de la digestión. (pp. 362-373)
43. Describir la anatomía y fisiología del aparato urinario, con inclusión de su función general y de sus componentes, el proceso de la formación de la orina, y la participación de los riñones en la regulación del equilibrio electrolítico, el acidobásico y la presión arterial. (pp. 373-379)
44. Describir la anatomía y fisiología del aparato reproductor con inclusión de las hormonas y las estructuras involucradas en la reproducción, espermatogénesis y oogénesis, y el ciclo menstrual. (pp. 379-389)

OBJETIVOS DE DESTREZA

No hay objetivos de destreza para este capítulo.

Introducción

El conocimiento de la anatomía y fisiología es fundamental para la instrucción de cualquier proveedor de atención en salud y primordial para la práctica profesional exitosa como paramédico. En cada encuentro con los pacientes usted recordará su conocimiento de la anatomía y fisiología para ayudarle a comprender el cuadro clínico, prever o comprender el proceso de enfermedad que se sospecha y tomar decisiones acerca de la atención que proveerá. También se requiere una sólida base de anatomía y fisiología para ayudarle a comprender por completo los conceptos que se incluyen en muchos otros capítulos de este libro de texto, como aquellos relacionados con la valoración de pacientes, la farmacología y los procesos de enfermedad específicos.

La **anatomía** es el estudio de la estructura y constitución del organismo, conocimiento que se puede dividir en anatomía macroscópica, que se dedica a los órganos y su localización en el cuerpo, y la microscópica, que estudia los componentes de tejidos y células que no se pueden visualizar sin aumento.

La **fisiología** es el estudio de los procesos y funciones del cuerpo, que actúan de manera simultánea y dependen de una miríada de interacciones, todos dedicados a mantener el estado de equilibrio en el que los órganos, aparatos y sistemas pueden funcionar con eficacia, conocido como **homeostasia**. Mantener la homeostasia significa que el cuerpo tiene el rango necesario de temperatura, equilibrio acidobásico, concentraciones de gas y minerales, y otras condiciones necesarias para el funcionamiento correcto de los procesos vitales. Al añadir el prefijo *pato-*, que significa "enfermedad", a la palabra *fisiología* se forma el término *fisiopatología*, que es el estudio de cómo las funciones corporales cambian y reaccionan cuando el cuerpo enfrenta una enfermedad o se altera de algún otro modo la homeostasia. Véase el capítulo 7, *Fisiopatología*, para más información.

Características de la vida

Para comprender el diseño y la función corporales, es de utilidad considerar las siguientes características que comparten todos los seres vivos:

- **Absorción.** Capacidad de captar materiales o líquidos a través de diversas membranas, como en el tubo digestivo.
- **Circulación.** Capacidad de transportar sustancias por el cuerpo a través de sus líquidos.
- **Digestión.** Capacidad de convertir fuentes alimentarias en compuestos más simples.
- **Excreción.** Capacidad de expulsar materiales de desecho.
- **Crecimiento.** Capacidad de aumentar en dimensiones.
- **Movimiento.** Capacidad del organismo de cambiar de ubicación o posición, o desplazar estructuras internas.
- **Reproducción.** Capacidad de crear nuevas células o nuevos organismos, como la descendencia.
- **Respiración.** Capacidad de usar fuentes alimentarias en combinación con el oxígeno para liberar la energía que contienen hacia el ambiente.
- **Capacidad de respuesta.** Aquella de reaccionar ante estímulos internos y externos.

Estructura organizacional

Para realizar las funciones antes enlistadas, el cuerpo se organiza para asegurar que actúa como un todo. Este es uno de los conceptos más importantes por comprender en cuanto a la anatomía y fisiología; de hecho, el término *organismo* proviene de *organizar* + *-ism*, que indica que la estructuración de un orden es crucial para el cuerpo.[1] Los niveles de organización avanzan desde los más simples (químicos) hasta los más complejos (el cuerpo como unidad). En el **CUADRO 6-1** se presentan las seis unidades de organización básicas.

Nivel químico

Los cambios químicos dentro de las células influyen en las funciones corporales y el estado de las estructuras constitutivas. Las sustancias químicas del cuerpo incluyen agua, **proteínas**, **carbohidratos**, **lípidos**, **ácidos nucleicos** y sales, así como aquellas ingeridas en forma de alimentos sólidos, bebidas y medicamentos.

Materia, elementos y átomos

La masa es una propiedad física que determina el peso de un objeto con base en la atracción gravitacional

USTED es el Paramédico

PARTE 1

Se le despacha con su tripulación para asistencia ante una colisión de "camioneta contra una motocicleta" en una carretera de dos carriles. Al arribar, se entera que una camioneta de 750 kg de caja abierta estaba detenida en el carril izquierdo esperando que se despejase el tráfico. Una motocicleta con un solo ocupante que se desplazaba a la velocidad de carretera en la línea opuesta del tráfico atravesó la línea amarilla y la golpeó en el centro del parachoques frontal y causó que se deformase. El motociclista fue expulsado y chocó con el parabrisas de la camioneta, después de lo cual rodó al piso.

1. ¿Qué regiones anatómicas del cuerpo del motociclista se pueden lesionar como resultado de esta colisión?
2. ¿Qué estructuras anatómicas del cuerpo del motociclista pudiesen tener lesiones que ponen en riesgo la vida en este escenario?

CUADRO 6-1 Niveles de organización en el cuerpo humano

Nivel	Descripción
Químico	Consta de átomos y moléculas; los primeros son partículas pequeñas que forman los bloques de construcción de la materia, que es todo (líquidos, gases y sólidos) lo que ocupa un espacio y tiene masa. Se forma una molécula cuando dos o más átomos se unen a través de estructuras electrónicas.
Celular	Constituido por las células, que son las unidades básicas de la estructura y función vitales en el organismo humano. Cada célula en el cuerpo tiene un propósito o función específico.
Tisular	Los **tejidos** se crean cuando varias células con funciones comunes se unen para formar una estructura. Por ejemplo, muchas células musculares se unen para crear el **tejido muscular**.
De órganos	Se forman órganos cuando varios tipos de tejidos se unen para realizar una función. Por ejemplo, el corazón contiene tejidos muscular, epitelial y nervioso.
De aparato o sistema orgánico	Los aparatos y sistemas orgánicos se forman cuando se combinan varios órganos para realizar una función común. Por ejemplo, el aparato digestivo incluye a varios órganos, cada uno con participación en la fragmentación de los alimentos hasta componentes que el cuerpo puede utilizar.
De organismo	El organismo, o ser humano (como en nuestro estudio de la anatomía humana), es la combinación de todos los niveles de organización más bajos, que actúan juntos para asegurar la supervivencia.

de la Tierra. La materia incluye líquidos, gases y sólidos, tanto dentro como fuera del cuerpo humano. Toda materia, viva o no, está constituida por elementos, que son su forma más simple, pues no se pueden fragmentar en dos o más sustancias diferentes. Por ejemplo, carbono, hidrógeno, oxígeno y nitrógeno son elementos que forman hasta 96% del peso del cuerpo humano. En el **CUADRO 6-2** se enlistan los oligoelementos y los principales elementos requeridos por el cuerpo humano.

Estructura atómica

Las características de los seres vivos y no vivos son resultado de los átomos que contienen. Los átomos son las unidades más pequeñas de un elemento, que varían en dimensiones, masa (o peso atómico), y de cómo se combinan e interactúan con otros. Mediante la formación de enlaces químicos, los átomos se pueden combinar e interactuar con otros que no son similares.

Están compuestos de partículas que incluyen al protón, de carga positiva; el electrón, de carga negativa, y el neutrón, sin carga. Un átomo que tiene el mismo número de protones y electrones carece de carga; esto es, no es positivo ni negativo. Los protones y neutrones, de dimensiones y masas similares, se localizan en el **núcleo** del átomo. La masa de un átomo está determinada sobre todo por el número de protones y neutrones en su núcleo. La masa de un objeto más grande, como el cuerpo humano, corresponde a la suma de las masas de todos sus átomos.

Los electrones orbitan el núcleo de un átomo a gran velocidad y forman una nube esférica. Los átomos normalmente contienen números equivalentes de protones y electrones. El número de protones en un átomo se conoce como su número atómico, por lo tanto, el hidrógeno (H), el más simple de los átomos, tiene un protón, por lo que le corresponde el número atómico 1, en tanto el magnesio, con 12 protones, tiene el 12.

El peso atómico del átomo de un elemento equivale al número de protones y neutrones en su núcleo. Por ejemplo, el oxígeno (O) tiene 8 protones y 8 neutrones, por lo que su peso atómico es 16. Los átomos con núcleo que contienen el mismo número de protones, pero diferente de neutrones, se conocen como isótopos.

Enlaces químicos

Los átomos se pueden unir entre sí formando enlaces químicos, resultantes de la interacción entre sus electrones, proceso en el que pueden ganarlos, perderlos o compartirlos. Los átomos químicamente inactivos se conocen como *inertes*, como los del helio.

Los átomos que ganan o pierden electrones tienen una carga eléctrica, y solos o en grupo se conocen como **iones**. Aquellos con carga positiva ($^+$) son los *cationes*, y los de carga negativa ($^-$) son los *aniones*.

CUADRO 6-2 Elementos del cuerpo humano

Elementos principales (en total 99.9%)	Porcentaje en el cuerpo
Oxígeno (O)	65%
Carbono (C)	18.5%
Hidrógeno (H)	9.5%
Nitrógeno (N)	3.2%
Calcio (Ca)	1.5%
Fósforo (P)	1%
Potasio (K)	0.4%
Azufre (S)	0.3%
Cloro (Cl)	0.2%
Sodio (Na)	0.2%
Magnesio (Mg)	0.1%
Oligoelementos (en total 0.1%)	
Cromo (Cr)	
Cobalto (Co)	
Cobre (Cu)	
Flúor (F)	
Yodo (I)	
Hierro (Fe)	
Manganeso (Mn)	
Zinc (Zn)	

Cuando se transfieren o comparten electrones entre los átomos, se forman enlaces químicos que mantienen juntos a estos, y forman así una molécula. Un **enlace iónico** es aquel enlace químico formado por la atracción entre dos iones de carga opuesta. Por ejemplo, el cloruro de sodio (sal de mesa) se forma cuando el sodio forma un enlace iónico con el cloro.

Se habla de un enlace covalente cuando los átomos comparten electrones para unirse. Algunos no lo hacen de manera equivalente, con el resultado de una *molécula polar*, aquella que tiene una distribución de cargas desigual. Las moléculas polares tienen números equivalentes de protones y electrones, pero uno de sus extremos es ligeramente negativo, en tanto el otro es ligeramente positivo. Un ejemplo de una molécula polar es el agua, formada por dos átomos de hidrógeno y uno de oxígeno. Se describe más adelante en este capítulo al enlace peptídico, otro de tipo covalente, en relación con las proteínas.

Un enlace de hidrógeno es un enlace químico formado por un átomo de hidrógeno y uno de carga negativa, como el oxígeno, el nitrógeno o el flúor. Los enlaces de hidrógeno son importantes en la estructura de las proteínas y los ácidos nucleicos, y se forman entre regiones polares de diferentes partes de una sola molécula grande.

Una fórmula molecular representa los números y tipos de átomos presentes en una molécula. La del agua es H_2O, lo que significa que consta de dos átomos de hidrógeno y uno de oxígeno. Se usan tales fórmulas para señalar cómo están unidos y dispuestos los átomos dentro de las moléculas. Con líneas únicas se representan los enlaces únicos y con dobles, los enlaces dobles. Cuando se representan fórmulas estructurales en modelos tridimensionales, se usan colores diversos para mostrar los diferentes tipos de átomos.

Compuestos

Un **compuesto** es una sustancia que puede fragmentarse en dos o más elementos que contiene. Son ejemplos el agua, el azúcar de mesa, el bicarbonato, el alcohol (p. ej., como se usa en las bebidas), el gas natural y la mayoría de los medicamentos. Una molécula de un compuesto incluye tipos y números específicos de átomos. Por ejemplo, como se señaló antes, el agua consta de dos átomos de hidrógeno y uno de oxígeno. Cuando se unen dos átomos de hidrógeno con dos de oxígeno, forman peróxido de hidrógeno H_2O_2 en lugar de agua.

Un **mineral** es un elemento inorgánico natural, de los que se usan en las reacciones químicas que ocurren en el cuerpo y son necesarios para mantener la función normal de sus células. Los seres humanos obtienen minerales de las plantas y de los animales que las ingirieron. Los minerales tienen máxima concentración en los huesos y dientes y se clasifican como *macrominerales* (también llamados macronutrimentos, oligominerales u oligoelementos), cuando su requerimiento diario en la dieta es de 100 miligramos (mg) o más, y como *microminerales,* cuando es menor. Son ejemplos de macrominerales el calcio, el magnesio y el fósforo. Cromo, cobre, yodo, hierro, selenio y zinc son ejemplos de microminerales.

Compuestos orgánicos

Los compuestos orgánicos contienen el elemento carbono. Muchas moléculas orgánicas están formadas por cadenas largas de átomos de carbono en enlace covalente, y suelen formar otros enlaces de ese tipo con los de hidrógeno u oxígeno y, menos a menudo, con los de nitrógeno, fósforo, azufre y otros elementos.

Los compuestos orgánicos presentes en los organismos vivos se llaman *compuestos bioquímicos*, indispensables para muchas de las reacciones químicas que se requieren para mantener la vida, e incluyen carbohidratos, proteínas, lípidos, vitaminas y ácidos nucleicos.

Carbohidratos

Los carbohidratos (sacáridos) son azúcares o almidones, compuestos formados por carbono, hidrógeno y oxígeno, cuya energía se utiliza sobre todo para los procesos celulares.

Los tipos de carbohidratos incluyen **monosacáridos** (azúcares simples), **oligosacáridos** (azúcares simples formados por 2 a 10 monosacáridos), disacáridos (azúcares dobles) y **polisacáridos** (azúcares complejos). La glucosa (dextrosa), una importante azúcar simple, por lo regular se encuentra en la sangre (tejido líquido que se desplaza dentro del sistema cardiovascular). La fructosa, presente en jugos de fruta y miel, y la galactosa, que se encuentra en la leche y los productos lácteos, también son azúcares simples. Las **enzimas** en el hígado (el órgano interno más grande del cuerpo), convierten la fructosa y galactosa en glucosa, que es la forma de carbohidrato más frecuentemente oxidada para usarse como combustible celular. La ribosa y la desoxirribosa son azúcares simples que se usan para formar el ácido ribonucleico (ARN) y el ácido **desoxirribonucleico (ADN)**, que le proveen la llamada impronta hereditaria de la célula.

Los disacáridos deben convertirse en monosacáridos antes que se puedan absorber y usar por las células del cuerpo humano. Son ejemplos de disacáridos, la sacarosa (azúcar de mesa), la maltosa (azúcar de malta) y la lactosa (azúcar de leche).

El almidón de las plantas, el glucógeno de los animales y la celulosa son ejemplos de polisacáridos, constituidos por grandes cadenas de monosacáridos enlazados. Son fuentes de almidón vegetal las papas, el arroz, y los chícharos. El **glucógeno**, o almidón animal, es el principal polisacárido y la forma de almacenamiento de la glucosa (azúcar) en el cuerpo humano, sobre todo en el hígado y el músculo esquelético. La celulosa es un carbohidrato complejo que no puede digerir el ser humano. Provee volumen (fibra), que ayuda a las paredes musculares del sistema digestivo a impulsar el alimento en dirección distal.

Proteínas

Las proteínas son los más abundantes de los compuestos orgánicos y todas contienen carbono, oxígeno, hidrógeno y nitrógeno. Muchas también incluyen azufre, hierro, zinc y magnesio, y algunas, fósforo.

Las proteínas que se encuentran en el cuerpo incluyen a las enzimas, las del plasma, las de componentes musculares (actina y miosina), hormonas y anticuerpos. Las **hormonas** son sustancias formadas en cantidades pequeñas por un órgano especializado o grupo de células, y después transportadas a otro órgano o grupo de células en el mismo organismo, para realizar funciones regulatorias; esto es, actúan como mensajeros químicos. Los *anticuerpos* (también llamados inmunoglobulinas) son proteínas que detectan y destruyen sustancias extrañas. Las proteínas también pueden proveer energía después de que por digestión se fragmentan y forman aminoácidos, que se transportan al hígado, donde presentan desaminación, esto es, pérdida de las porciones que contienen nitrógeno. El residuo reacciona para formar urea, producto de desecho que se excreta en la orina. Otros tipos de proteínas incluyen las estructurales, como el colágeno, de tipo cordón trenzado que da fortaleza a los ligamentos y **tejidos conectivos**, y la queratina, que actúa para prevenir la pérdida de agua a través de la piel. Las proteínas de la **membrana celular** (pared celular) pueden servir como receptores y transportadores de moléculas específicas.

Diferentes aminoácidos, 21, constituyen las proteínas en los seres humanos y en la mayoría de otros seres vivos. Las moléculas proteínicas constituidas por aminoácidos que se mantienen juntas por enlaces peptídicos se llaman **péptidos**. Un **polipéptido** es aquel formado por muchos aminoácidos unidos en una cadena, y suelen tener funciones especializadas. Cuando un polipéptido contiene más de 100 moléculas, se considera una proteína, y ciertas moléculas proteínicas constan de más de un polipéptido.

El cuerpo de un adulto humano puede sintetizar todos los aminoácidos necesarios, excepto nueve. Se requieren aminoácidos esenciales para el crecimiento apropiado y la reparación de los tejidos, pero el cuerpo no los puede sintetizar, por lo que deben obtenerse de los alimentos; los aminoácidos no esenciales se producen en el hígado, por lo que no se consideran parte de los requerimientos alimentarios. Las proteínas completas (p. ej., las que se encuentran en la leche, las carnes y los huevos) contienen cantidades adecuadas de aminoácidos esenciales. Las proteínas incompletas (como la del maíz) tienen muy poco triptófano y lisina para mantener los tejidos humanos y respaldar su crecimiento y desarrollo. Una proteína parcialmente completa (como la gliadina, del trigo) no tiene suficiente lisina para promover el crecimiento, pero sí para mantener la vida.

Lípidos

Los lípidos están formados por carbono, hidrógeno y oxígeno. Muchos también contienen nitrógeno y fósforo. Si bien los lípidos no son solubles en agua, pueden disolverse en otros lípidos, aceites, éter, cloroformo o alcohol.

Los lípidos más abundantes en el cuerpo son los triglicéridos, los **fosfolípidos** y los esteroides (un grupo que incluye al colesterol; **CUADRO 6-3**). Los triglicéridos (grasas) están formados por glicerol y ácidos grasos. Los lípidos más frecuentes se encuentran en los alimentos tanto de origen vegetal como animal. Las grasas que tienen consistencia líquida a temperatura ambiente se llaman aceites. Las **prostaglandinas** son derivados de un ácido graso esencial y se distribuyen de manera amplia en las células del cuerpo.

Se encuentran grasas saturadas en su mayor parte en carnes, huevos, leche, grasa animal (manteca), aceite de palma y coco, y cuando son consumidas en cantidades excesivas constituyen un factor de riesgo de enfermedad cardiovascular. Las grasas insaturadas están presentes en nueces, semillas y aceites vegetales. Las grasas monoinsaturadas, las de tipo más saludable, se encuentran en los aceites de oliva, cacahuate y canola. El colesterol es parte de los productos animales, que incluyen hígado, yema de huevo, leche entera, mantequilla, queso y en las carnes. No se encuentra en los alimentos de origen vegetal.

Los lípidos tienen muchas funciones, pero en su mayor parte proveen energía al cuerpo. Las moléculas de triglicéridos deben primero presentar hidrólisis (fragmentación en presencia de agua) para liberar su energía. Por este proceso, los ácidos grasos y el glicerol se liberan, absorben y transportan en la linfa y la sangre hacia los tejidos. Algunas porciones de los ácidos grasos reaccionan para formar moléculas de acetil coenzima A mediante reacciones que se conocen como de *oxidación beta* o *β-oxidación*. Las cantidades excesivas de esta coenzima se convierten en cuerpos cetónicos, como la acetona, pero pueden reconvertirse a su forma original si es necesario.

CUADRO 6-3 Tipos de lípidos

Tipo	Ejemplos
Lípidos	• Fosfolípidos • Esteroides (p. ej., colesterol, sales biliares, hormonas adrenales y sexuales) • Triglicéridos
Sustancias lipoides	• Vitaminas liposolubles • Lipoproteínas • Prostaglandinas

El hígado utiliza los ácidos grasos libres para sintetizar triglicéridos, fosfolípidos y lipoproteínas. No obstante, no puede formar algunos ácidos grasos esenciales. Por ejemplo, el ácido linoleico (necesario para la síntesis de los fosfolípidos, la formación de membranas celulares y el transporte de lípidos) es un ácido graso esencial que se encuentra en los aceites de maíz, semilla de algodón y soya.

Los lípidos son menos densos que las proteínas; por lo tanto, su porcentaje en una lipoproteína aumenta conforme lo hace la densidad de la molécula. Lo inverso también es válido. Las lipoproteínas de muy baja densidad tienen una concentración relativamente alta de triglicéridos y colesterol. Las lipoproteínas de alta densidad tienen una concentración relativamente alta de proteínas.

El hígado regula la concentración de colesterol en el cuerpo, lo sintetiza, lo libera hacia la corriente sanguínea, y lo retira de esta para su excreción a través de la bilis o para producir sales biliares. Si bien el colesterol no aporta energía, sí brinda materiales estructurales para las membranas celulares y contribuye a la producción de ciertas hormonas sexuales y suprarrenales.

Los triglicéridos se almacenan en el tejido adiposo (graso) y pueden hidrolizarse (fragmentarse) hasta ácidos grasos libres y glicerol cuando la concentración de lípidos en sangre desciende, como durante el ayuno. En el **CUADRO 6-4** se muestran las funciones del hígado.

Vitaminas

Las **vitaminas** son compuestos orgánicos que se requieren para el metabolismo normal, y se pueden definir, en general, como indispensables para los cambios químicos que ocurren dentro de las células, necesarios para mantener la vida. Las células corporales no pueden sintetizar cantidades adecuadas de vitaminas, por lo que deben obtenerse de los alimentos y se clasifican por su solubilidad. Las liposolubles incluyen a las A, D, E y K, en tanto las hidrosolubles al grupo de vitaminas B y la C.

Las sales biliares en el intestino delgado promueven la absorción de las vitaminas liposolubles, y puesto que se acumulan en varios tejidos, debe limitarse su ingestión. Por ejemplo, cuando se consume demasiada vitamina A, el cuerpo recibe caroteno β en exceso, y la piel puede adquirir un tinte anaranjado. En el **CUADRO 6-5** se describen las vitaminas liposolubles.

CUADRO 6-4 Funciones de los lípidos

Tipo de lípido	Función
Lípidos	
Triglicéridos	Almacenan energía a largo plazo; protegen y aíslan los órganos corporales
Fosfolípidos	Componentes esenciales de las membranas celulares
Esteroides	
Colesterol	Ayuda a estabilizar las membranas celulares; necesario para muchas reacciones dentro de la célula
Sales biliares	Ayudan a la digestión y absorción de las grasas
Hormonas lipídicas	Las hormonas sexuales secretadas por los **ovarios** y los testículos; las hormonas adrenales influyen en la presión sanguínea y el volumen de líquidos
Sustancias lipoides	
Vitaminas liposolubles	Asisten en la regulación de procesos biológicos
Prostaglandinas	Ayudan a regular la inflamación y la reparación tisulares; regulan los efectos de varias hormonas; estimulan al músculo liso; inhiben la secreción gástrica; influyen en la presión arterial; afectan la agregación plaquetaria (adhesión)
Lipoproteínas	Ayudan al transporte de ácidos grasos hacia y desde las células

CUADRO 6-5 Vitaminas liposolubles

Vitamina	Fuentes	Características	Funciones
A	Hígado, pescado, leche entera, mantequilla, huevos, vegetales de hoja verde, vegetales amarillos y anaranjados, y frutos	En varias formas, se sintetiza a partir de carotenos; se almacena en el hígado, estable ante el calor, ácidos y bases; inestable ante la luz	Necesaria para la síntesis de pigmentos visuales, mucoproteínas y mucopolisacáridos; para el desarrollo normal de los huesos y dientes, y para el mantenimiento de las células epiteliales
D	Se produce cuando se expone la piel a la luz ultravioleta; también se encuentra en la leche, la yema del huevo, los aceites de hígado de pescado y los alimentos fortificados	Del grupo de esteroides; resistente al calor, la oxidación, los ácidos y las bases; se almacena en el hígado, la piel, el encéfalo, el bazo y los huesos	Promueve la absorción de calcio y fósforo, así como el desarrollo de dientes y huesos
E	Aceites de granos de cereales, para ensaladas, margarina, aderezos, frutos, nueces y vegetales	De un grupo de compuestos resistentes al calor y la luz visible; inestables en presencia de oxígeno y luz ultravioleta; se almacenan en los músculos y el tejido adiposo	Antioxidante; impide la oxidación de la vitamina A y de los ácidos grasos poliinsaturados; puede ayudar a mantener la estabilidad de las membranas celulares
K	Vegetales de hoja verde, yema de huevo, hígado de cerdo, aceite de soya, jitomates y coliflor	Se presenta en varias formas; resistente al calor, pero la destruyen los ácidos y las bases, así como la luz; se almacena en el hígado	Necesaria para la síntesis de protrombina, que participa en la coagulación sanguínea

Las vitaminas liposolubles incluyen a las B y la C. Las vitaminas del complejo B constan de compuestos esenciales para el metabolismo normal, ayudan a oxidar carbohidratos, lípidos y proteína, y a menudo están presentes juntas en los alimentos, por lo que reciben este nombre. La cocción y procesamiento de los alimentos destruyen algunas de estas vitaminas. La vitamina C (ácido ascórbico) es una de las menos estables, se encuentra en muchas plantas alimenticias, y es necesaria para que el cuerpo produzca colágeno, transforme el ácido fólico en folínico y fragmente ciertos aminoácidos. La vitamina C también promueve la síntesis de hormonas a partir del colesterol y es vital para la absorción del hierro.

Ácidos nucleicos

Los ácidos nucleicos son grandes moléculas orgánicas (macromoléculas) formadas por la unión de muchas más pequeñas (nucleótidos). Son portadores de la información genética o forman estructuras dentro de las células. Contienen carbono, hidrógeno, oxígeno, nitrógeno y fósforo, y se encuentran en todos los seres y células vivos, y en los virus.

Las moléculas de ácidos nucleicos son de dos tipos: ADN y ARN. El ADN, material genético de la célula, se ordena en unidades hereditarias llamadas genes, cuya información se almacena en el código genético, que especifica la estructura y función del organismo. Por ejemplo, el ADN en las células determina las características heredadas, como el color del cabello y de los ojos, y el tipo sanguíneo. Las moléculas de ADN codifican la información necesaria para formar proteínas y mediante la dirección de la síntesis de las estructurales, regula la forma y las características físicas del cuerpo humano.

El ARN tiene participación esencial en el proceso de fabricación de proteínas, que depende de la información provista por el ADN. Las células humanas tienen tres tipos de ARN: (1) mensajero, (2) de transferencia y (3) ribosómico.

Hay diferencias estructurales importantes entre ARN y ADN. Una molécula de ARN consta de una sola cadena de nucleótidos, en tanto que una molécula de ADN consta de dos (**FIGURA 6-1**), que se trenzan en una doble hélice que simula una escalera espiral.

Compuestos inorgánicos

Los compuestos inorgánicos son necesarios para el equilibrio de líquidos y el transporte de materiales a través de las membranas celulares. El **equilibrio de líquidos** es el proceso de mantenimiento de homeostasia mediante la ingestión (agua que ingresa al cuerpo) y la excreción (agua que se excreta del cuerpo) de líquidos. Las sustancias inorgánicas en las células corporales incluyen oxígeno, dióxido de carbono, compuestos que se conocen como sales y agua. El compuesto más abundante en el cuerpo humano es el agua, que constituye casi 66% del peso corporal. Un **soluto** es una sustancia disuelta. Puesto que los solutos que se disuelven en agua tienen más probabilidad de reaccionar entre sí al fraccionarse hasta partículas más pequeñas, la mayoría de las reacciones metabólicas ocurre en el agua. En la sangre, su porción acuosa transporta sustancias vitales como el oxígeno, las sales, azúcares y vitaminas hacia el tubo digestivo y, desde este, al aparato respiratorio y las células.

El oxígeno ingresa al cuerpo a través de los órganos respiratorios y se transporta en la sangre. Los eritrocitos llevan la cantidad más grande de oxígeno a los tejidos. Los **orgánulos** son estructuras en el interior de las células que utilizan oxígeno para liberar energía a partir de **nutrimentos** como la glucosa, e impulsan las actividades metabólicas. El dióxido de carbono es un compuesto inorgánico que se produce como residuo de algunos procesos metabólicos que liberan energía y se exhala a través de los pulmones, los dos órganos principales de la respiración.

Las sales son compuestos formados por iones de carga opuesta, abundantes en los líquidos y tejidos. Muchos iones que requiere el cuerpo se proveen en forma de sales. Los iones de sales son importantes para el transporte de sustancias hacia y desde las células, así como para las contracciones musculares y la conducción de impulsos nerviosos. En el **CUADRO 6-6** se resumen las sustancias inorgánicas comunes presentes en las células corporales.

Reacciones químicas

Las sustancias químicas se pueden modificar por las reacciones donde se forman y rompen enlaces químicos. Las células nerviosas, musculares y sanguíneas se especializan en realizar reacciones químicas distintivas; sin embargo, cada tipo de célula realiza ciertas reacciones químicas básicas, a saber: de estructuración y fragmentación de carbohidratos, lípidos, ácidos nucleicos y proteínas.

Las enzimas son quizás las proteínas más importantes del cuerpo, porque catalizan las reacciones que sostienen la vida. Los *catalizadores* son sustancias químicas que aceleran la velocidad de una reacción

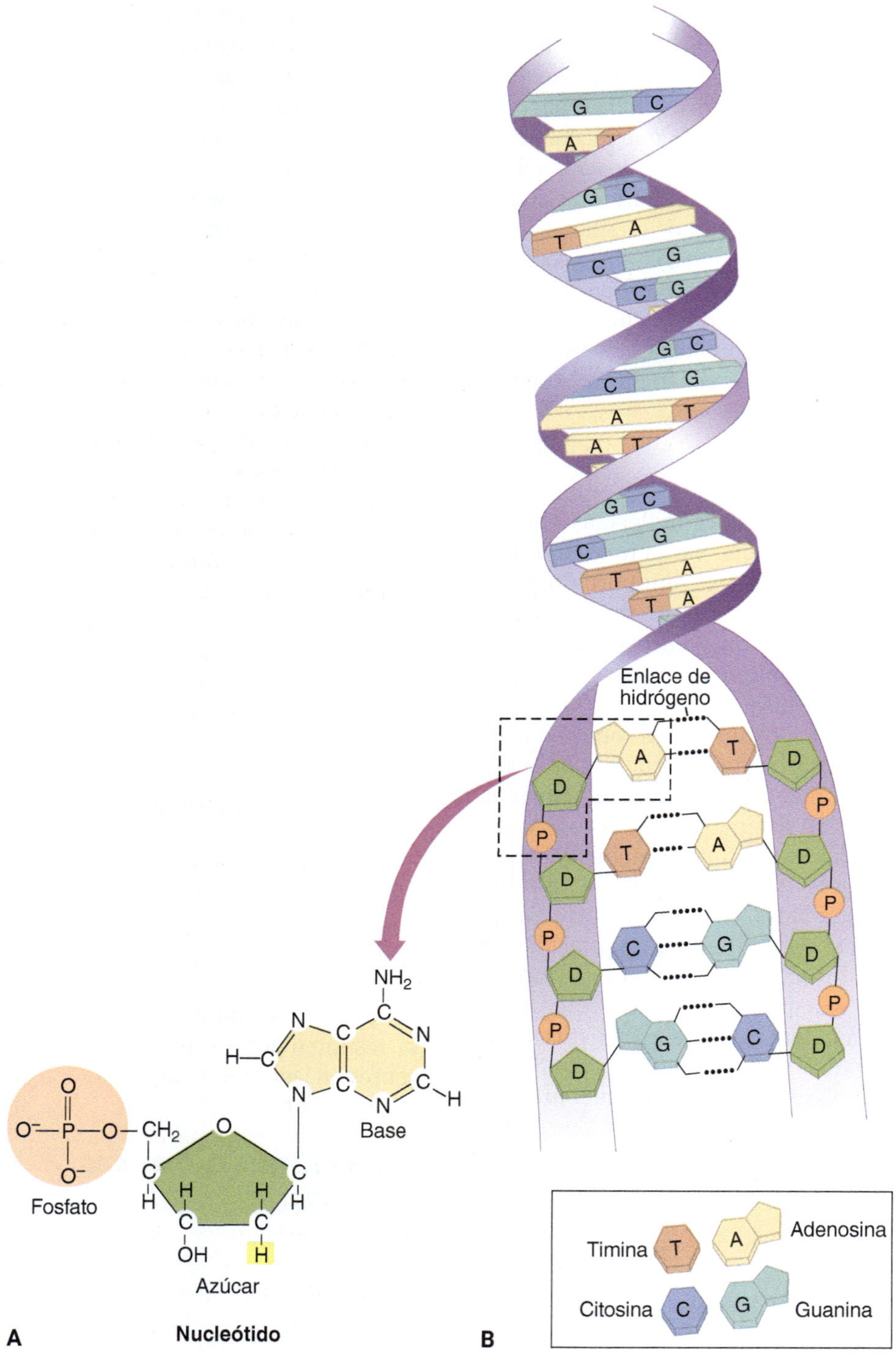

FIGURA 6-1 ADN. **A.** Nucleótido. **B.** Estructura de escalera espiral de ADN.

química sin perderse en el proceso. Una célula fabrica moléculas de enzimas para promover una reacción específica y aquellas que no se usan en las reacciones que catalizan se reciclan.

Las enzimas específicas facilitan casi toda reacción química que ocurre en el cuerpo humano. Por ejemplo, ayudan a la digestión de alimentos, el metabolismo de fármacos, la formación de proteínas, y muchos otros tipos de reacciones. Hacen posible las reacciones metabólicas dentro de las células al regular las condiciones de temperatura que de otra manera serían muy débiles para que ocurriesen. También

CUADRO 6-6 Sustancias inorgánicas de las células

Moléculas o iones	Función
Moléculas de dióxido de carbono	Productos de desecho metabólico; forman ácido carbónico al reaccionar con el agua.
Moléculas de oxígeno	Se usan para la liberación de energía de las moléculas de glucosa.
Moléculas de agua	Principal componente de los líquidos corporales, las reacciones bioquímicas, el transporte químico y la regulación de la temperatura.
Iones bicarbonato	Ayudan al equilibro acidobásico.
Iones de calcio	Se usan en el desarrollo óseo, la contracción muscular y la coagulación sanguínea.
Iones carbonato	Se usan en la formación de tejido óseo.
Iones cloruro	Ayudan a mantener el equilibrio hídrico.
Iones de magnesio	Se usan en la formación de tejidos óseos y ciertos procesos metabólicos.
Iones de fosfato	Se usan en la síntesis de trifosfato de adenosina, ácidos nucleicos, y otras sustancias vitales; necesarios para la formación de tejido óseo y para mantener la polarización de la membrana celular.
Iones de potasio	Se usan en la polarización de la membrana celular.
Iones de sodio	Se usan en la polarización de la membrana celular y el mantenimiento del equilibrio de líquidos.
Iones de sulfato	Ayudan en la polarización de la membrana celular.

promueven las reacciones químicas al disminuir la cantidad de energía de activación necesaria para las metabólicas, lo que aumenta la velocidad de las reacciones a través de un proceso denominado catálisis.

Cada enzima actúa sobre un sustrato, que se modifica en una forma química particular. Las enzimas a menudo se nombran de acuerdo con sus sustratos, con uso del sufijo *-asa*. Por ejemplo, un lípido es fragmentado hasta glicerol y otros alcoholes con la ayuda de una enzima llamada lipasa. Otra llamada catalasa, facilita la fragmentación del peróxido de hidrógeno hasta agua y oxígeno. El peróxido de hidrógeno es una sustancia tóxica resultante de ciertas reacciones metabólicas.

Toda célula contiene cientos de enzimas, cada una de las cuales reconoce a su sustrato específico. Las moléculas enzimáticas tienen formas tridimensionales (conformaciones) que les permiten identificar a sus sustratos. La cadena polipeptídica espiral y trenzada de cada enzima específicamente se corresponde con la forma de su sustrato. El sitio activo de una molécula de enzima se combina con porciones de sustrato de manera temporal para formar un complejo enzima-sustrato. Cuando se forman estos complejos, algunos enlaces químicos de los sustratos se distorsionan o se tensan. Como resultado, se requiere menos energía para llevar a cabo la reacción y la enzima se libera después, con su configuración original. Estas reacciones a menudo son reversibles. En ocasiones, la misma enzima cataliza la reacción en direcciones tanto anterógrada como retrógrada. Las reacciones pueden ocurrir a diferentes velocidades, con base en el número de moléculas de la enzima y su sustrato. Algunas enzimas procesan unas cuantas moléculas de sustrato cada segundo, en tanto otras pueden procesar miles en el mismo periodo.

Las enzimas pueden cambiar por la exposición al calor, la electricidad, sustancias químicas, radiación o líquidos que tienen cifras de pH extremas. Muchas enzimas son inactivas a 45 °C (111 °F), y la mayoría se desnaturaliza a 55 °C (131 °F). La desnaturalización es un proceso que cambia algunas de las estructuras de la enzima. Los venenos, como el cianuro de potasio, desnaturalizan las enzimas para alcanzar sus efectos, proceso que impide que las células puedan liberar energía a partir de las moléculas de nutrimentos.

Algunas enzimas deben combinarse con un componente no proteínico para activarse, los llamados cofactores, que pueden constar de un ion de un elemento (p. ej., calcio, magnesio, cobre, hierro o zinc), y también pueden ser moléculas orgánicas no proteínicas pequeñas llamadas coenzimas. En el cuerpo humano se convierten muchas vitaminas en coenzimas esenciales. Un ejemplo es la coenzima A, que participa en la **respiración celular** (se cita más adelante en este capítulo).

Las reacciones químicas se representan con ecuaciones que indican el número y tipo de las moléculas involucradas en la reacción. Cuatro tipos de reacciones químicas son indispensables para la fisiología: las de síntesis, las de descomposición, las de intercambio y las reversibles.

Reacciones de síntesis

Las reacciones químicas cambian los enlaces entre átomos, moléculas y iones, para generar nuevas combinaciones. Ocurre una reacción de síntesis cuando dos o más reactivos (átomos) se unen para formar un producto o estructura más complejo. La formación de agua a partir de moléculas de hidrógeno y oxígeno es una reacción de síntesis. La síntesis siempre implica la formación de nuevos enlaces químicos, en tanto los reactivos son átomos o moléculas. La síntesis también requiere energía, y es importante para el crecimiento y la reparación de los tejidos. Una reacción de síntesis se representa como sigue:

$$A + B \rightarrow AB$$

Reacciones de descomposición

Ocurre una reacción de descomposición cuando los enlaces de una molécula reactiva se rompen y forman moléculas más simples, átomos o iones separados. Por ejemplo, una comida típica contiene moléculas de azúcares, proteínas y grasas, que son demasiado grandes y complejas para absorberse y utilizarse por el cuerpo en su forma original. Las reacciones de descomposición en el tubo digestivo fragmentan estas moléculas en otras más pequeñas, antes de iniciar la absorción de los nutrimentos. Una reacción de descomposición se representa como sigue:

$$AB \rightarrow A + B$$

Reacciones de intercambio

En una reacción de intercambio, se descomponen dos sustancias y se sintetizan para producir nuevos compuestos. Un ejemplo es la reacción de un ácido con una base, que da lugar a una sal y agua. Una reacción de intercambio se representa como sigue:

$$AB + CD \rightarrow AD + CB$$

Reacciones reversibles

En una reacción reversible, sus productos pueden cambiar de retorno a los reactivos originales. Estas reacciones pueden proceder en direcciones opuestas, dependiendo de los porcentajes relativos de reactivos y productos, así como de cuánta energía esté disponible. Muchas reacciones biológicas importantes son libremente reversibles.

Una reacción reversible se representa, por lo general, con el uso de una flecha con dos puntas, como se muestra:

$$H_2O + CO_2 \leftrightarrow H_2CO_3$$

Las flechas dobles ($\leftrightarrows$), también llamadas arpones bidireccionales, se consideran técnicamente el símbolo apropiado de las reacciones reversibles. Sin embargo, la fecha con doble punta ($\leftrightarrow$) suele usarse en los documentos en línea porque es más fácil de codificar.

Metabolismo celular

Dentro de la jerarquía estructural del cuerpo humano, las funciones de tejidos, órganos y sistemas orgánicos dependen de las de las células individuales, que constantemente fragmentan sustancias y sintetizan otras, necesarias para la supervivencia del organismo. Gracias al metabolismo, los organismos crecen, mantienen sus funciones corporales, liberan o almacenan energía, producen o eliminan residuos, ingieren nutrimentos y destruyen sustancias toxinas, por reacciones que modifican la naturaleza química de las sustancias y les permiten mantener un estado de homeostasia.

Los procesos metabólicos incluyen tanto al catabolismo como al anabolismo. En el **catabolismo**, las reacciones químicas son de fragmentación de moléculas más grandes en pequeñas, que el cuerpo puede usar para sus propias necesidades. Durante el catabolismo se libera energía, que en un momento dado se convierte en **trifosfato de adenosina (ATP)**, la fuente poderosa del cuerpo que se usa para impulsar las reacciones químicas. Ocurre catabolismo de manera continua hasta grados diversos y su exceso lleva al consumo de los tejidos.

En contraste con el catabolismo, el **anabolismo** es el proceso de formar sustancias más grandes a partir de las pequeñas, como las proteínas a partir de aminoácidos. Las reacciones anabólicas, por lo general, requieren energía en forma de ATP. Cuando una persona está sana y tiene nutrición adecuada, el cuerpo utiliza nutrimentos simples (p. ej., aminoácidos, grasas y glucosa) para estructurar las sustancias químicas básicas, que respaldan el funcionamiento celular y mantienen la vida. El metabolismo celular se describe con mayor detalle más adelante en este capítulo.

Electrólitos

Los **electrólitos** son sustancias que liberan iones en el agua. La capacidad del cuerpo de realizar sus funciones normales, como la transmisión de impulsos nerviosos, depende de la presencia de cantidades apropiadas de estas sustancias. Cuando los electrólitos se disuelven en agua, los extremos negativo y positivo de sus moléculas causan que los iones se separen e interactúen con las moléculas de agua en lugar de entre sí. La solución resultante contiene partículas con carga eléctrica (iones) que conducen la electricidad.

Una **solución** es una mezcla de dos sustancias: (1) un **solvente**, que es el líquido que disuelve o la sustancia que contiene los componentes disueltos, y (2) un soluto, que corresponde a las partículas disueltas que contiene el solvente. El agua sirve en el cuerpo como solvente universal de una variedad de solutos, que se pueden clasificar como electrólitos o no electrólitos.

La unidad de medición de los electrólitos es el miliequivalente (mEq), que representa el poder de combinación química del ion y se basa en el número de cargas disponibles en una solución. Un mEq de cualquier catión reacciona por completo con 1 mEq de cualquier anión. Por ejemplo, el sodio (Na^+) es un catión (monovalente) de carga única y el cloro (Cl^-) es un anión de carga única. Así, 1 mEq de Na^+ reaccionará con 1 mEq de Cl^- para formar NaCl, la sal de mesa. El calcio (Ca^{+2}) tiene dos cargas positivas (bivalente); por lo tanto, el ion Ca^{+2} representa 2 mEq y reacciona por completo con 2 mEq de un anión de una sola carga.

Los principales cationes en el cuerpo son sodio, potasio, calcio y magnesio.

- **Sodio.** El sodio (Na^+) es el principal catión extracelular y el soluto más significativo para determinar la distribución de agua corporal total y en los compartimientos intravascular e intersticial. Su participación en el mantenimiento de una perfusión celular adecuada da origen a la frase, "Donde va el sodio, le sigue el agua".
- **Potasio.** Casi 98% del potasio corporal (K^+) se encuentra dentro de las células, lo que lo convierte en el principal catión intracelular, con participación significativa en la función neuromuscular y en la conversión de glucosa a glucógeno. La concentración de potasio celular es regulada por la insulina, cuya presencia y la de epinefrina ayudan a actuar a la **bomba de sodio-potasio** (descrita más adelante en este capítulo). La hipopotasemia, una cifra baja de potasio en el suero o **plasma** sanguíneo, puede llevar a una disminución de la función del músculo esquelético, trastornos gastrointestinales (GI) y alteraciones de la función cardíaca. Las cifras altas de potasio en suero (hiperpotasemia) pueden llevar a la hiperestimulación de la transmisión de las células nerviosas con el resultado de un paro cardíaco.
- **Calcio.** El calcio (Ca^{+2}) es el principal catión, necesario para el crecimiento óseo. También tiene un papel vital en el funcionamiento del músculo cardíaco, los nervios y las membranas celulares, y es necesario para una coagulación sanguínea apropiada. Las cifras bajas de calcio sérico (hipocalcemia) pueden llevar a la sobreestimulación de las células nerviosas. La concentración alta de calcio sérico (hipercalcemia) puede llevar a una menor estimulación de las células nerviosas.
- **Magnesio.** El magnesio (Mg^{+2}) tiene participación esencial como coenzima en el metabolismo de proteínas y carbohidratos. Además, actúa como el calcio para regular la irritabilidad neuromuscular.

Los principales aniones en el cuerpo son bicarbonato, cloruro y fosfato.

- **Bicarbonato.** La concentración de bicarbonato (HCO_3^-) es un factor determinante en la acidosis y alcalosis metabólica corporales (descritas a continuación). El bicarbonato es el principal amortiguador utilizado en todos los líquidos corporales circulantes.
- **Cloro.** El cloro (Cl^-) regula principalmente el pH gástrico y también las concentraciones de líquidos extracelulares.
- **Fósforo.** El fósforo (P) es un componente esencial del ATP.

Ácidos, bases y la escala de pH

Los **ácidos** son electrólitos que liberan iones hidrógeno en el agua. Un ejemplo de ácido es el clorhídrico, constituido por iones hidrógeno (H^+) y cloro (Cl^-). Una *base*, o álcali, es un electrólito que libera iones que se unen con los de hidrógeno. Un ejemplo de base es el hidróxido de sodio (NaOH), constituido por los iones de sodio (Na^+), oxígeno e hidrógeno. Los átomos de oxígeno e hidrógeno mantenidos juntos por enlace covalente forman el ion hidróxido (OH^-). La acidez o lo básico (alcalinidad) de una solución está determinado por la cantidad de hidrógeno libre que contiene. En los líquidos corporales, la concentración de iones hidrógeno e hidróxido modifica mucho las reacciones químicas que regulan ciertas funciones fisiológicas, como la presión arterial (PA) y la frecuencia respiratoria.

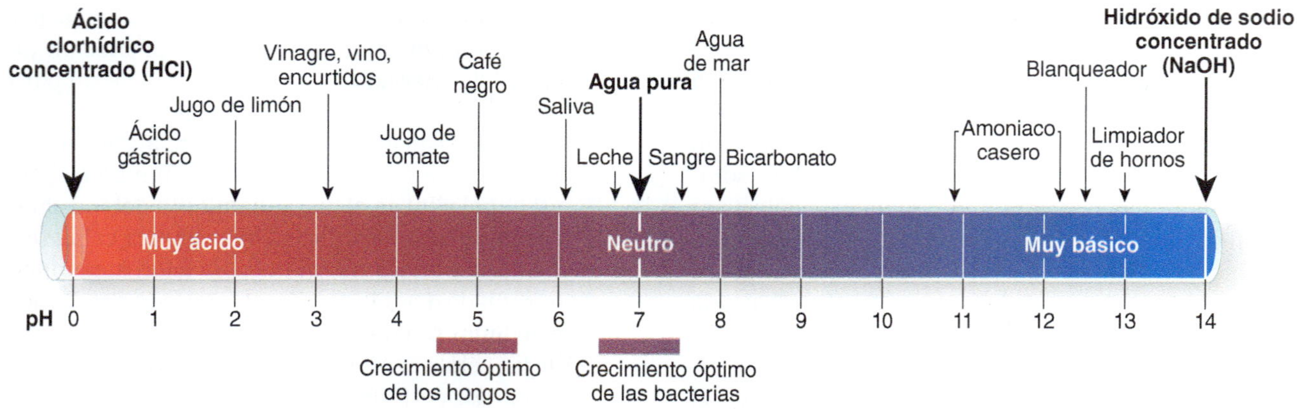

FIGURA 6-2 Escala del pH.

La concentración de iones hidrógeno en los líquidos corporales se expresa con una abreviatura matemática basada en la concentración calculada en moles por litro (donde un mol representa cierta cantidad de soluto en una solución). La concentración de iones hidrógeno puede también medirse por el **pH**; el de una solución indica su acidez o alcalinidad. La escala de pH va de 0 a 14, donde 7 es el punto medio (que indica que la solución tiene cifras equivalentes de iones hidrógeno e hidróxido; **FIGURA 6-2**). El agua pura tiene un pH de 7, y este punto medio se considera neutro (no ácido ni alcalino). La leche es un ejemplo de una solución ligeramente ácida por su contenido de ácido láctico. Un pH menor de 7 se considera ácido, lo que significa que la sustancia tiene más iones hidrógeno que hidróxido. Un pH de más de 7 se considera básico, también conocido como alcalino, lo que significa que la sustancia contiene más iones hidróxido que hidrógeno. Cualquier solución con un pH muy alto (como el líquido destapa caños, puede tener un pH que se acerca a 14) y se considera una base fuerte. En contraste, cualquier solución con un pH muy bajo (como el ácido gástrico, con un pH que va de 1.5 a 3.5) se considera un ácido muy fuerte.

Por lo regular, el cuerpo humano es ligeramente alcalino, con un pH entre 7.35 y 7.45, cuyas fluctuaciones anormales pueden dañar a células y tejidos, cambiar la forma de las proteínas y alterar las funciones celulares. La **acidosis** es un estado fisiológico anormal causado por un pH sanguíneo menor de 7.35. Si el pH sanguíneo desciende de 7, puede presentarse el coma. La **alcalosis** es resultado de un pH sanguíneo mayor de 7.45 y cuando este rebasa 7.8, en general, causa contracciones del músculo esquelético incontrolables y sostenidas.

El cuerpo depende de sus sistemas amortiguadores para mantener su delicado equilibrio acidobásico. Los *amortiguadores* son moléculas o compuestos que limitan los cambios de pH al neutralizar el exceso de ácidos o bases. En ausencia de amortiguadores, la acumulación rápida de ácido puede causar un cambio abrupto del pH. Los amortiguadores regulan esos cambios para evitar que sean rápidos. Por ejemplo, el hueso actúa como amortiguador al absorber el exceso de ácidos y bases, y por la liberación de calcio a la corriente sanguínea.

La capacidad de los ácidos débiles de unirse poco a los iones H^+ los hace amortiguadores ideales, porque pueden fácilmente aceptar o donar iones H^+, dependiendo de las necesidades corporales. Los sistemas amortiguadores incluyen proteínas, iones fosfato y bicarbonato (HCO_3^-). Debido a que la producción de ácido es el principal reto para la homeostasia del pH, la mayoría de los amortiguadores fisiológicos se combina con H^+. La amortiguación por las proteínas se refiere al hecho de que aquellas cargadas presentes en las células pueden aceptar o donar iones hidrógeno, lo que así ayuda a regular el equilibrio acidobásico al desplazarlos dentro o fuera de la sangre.

Concentración celular

Como se discutió antes, las células son la unidad funcional básica del cuerpo y varían en forma y función. Con el transcurso del tiempo, las células maduran o siguen el proceso de **diferenciación**, por el que se especializan para realizar una función específica. Por ejemplo, algunas producen pelo, otras participan en el almacenamiento de la memoria y otras ayudan a mover los ojos cuando se está leyendo. Las células con una labor común se agrupan estrechamente en tejidos. Los grupos de tejidos que realizan labores interrelacionadas forman órganos. El conjunto de órganos que trabajan juntos constituye los aparatos y sistemas corporales, que se describen en este capítulo.

Las células realizan las siguientes siete funciones generales:

1. Movimiento (células musculares)
2. **Conductividad** (células nerviosas)
3. Absorción metabólica (células renales e intestinales)
4. Secreción (células de glándulas mucosas)
5. Excreción (todas las células)
6. Respiración (todas las células)
7. Reproducción (casi todas las células)

Estructura celular

El cuerpo humano contiene dos clases generales de células: las sexuales (también llamadas germinativas o reproductivas), que se describen con mayor detalle más adelante en este capítulo, y las somáticas (nombre derivado de *soma*, que significa "cuerpo"), todas las demás en el cuerpo humano, a las que se dedica esta sección.

Las células son estructuras muy organizadas rodeadas por una membrana celular, también llamada membrana citoplásmica o plasmática (**FIGURA 6-3**). Numerosas estructuras con funciones específicas se encuentran en el interior de la célula; colectivamente, se denominan organelos. En el interior de la célula, estos están suspendidos en una sustancia que se denomina **citoplasma**. La mayoría de las células corporales también contiene un núcleo, donde se almacena el material genético y ordena la reproducción celular y producción de células nuevas.

Membrana celular

La membrana celular envuelve al citoplasma y sus organelos, además de dar forma a la célula y constituir donde se lleva a cabo su máxima actividad. Las moléculas en la membrana celular crean vías que permiten que las señales externas se detecten y transmitan al interior. Cuando las células forman tejidos, la membrana celular ayuda a su interconexión, por la adhesión de cada célula a otras. La membrana es en extremo delgada y delicada, y puede distenderse hasta cierto grado. Pequeños pliegues sobre la superficie de la célula le ayudan a aumentar su superficie.

La membrana celular está formada por una bicapa (dos capas), que consta de moléculas de fosfato y grasa llamadas fosfolípidos y da origen a una estructura casi fluida (**FIGURA 6-4**). La membrana también forma el borde externo de la célula y separa su interior del líquido que la rodea. Cualquier sustancia dentro de esta membrana se denomina *intracelular*, y aquella afuera, *extracelular*.

Además de proveer aislamiento físico entre los compartimentos intra y extracelular, una de las principales funciones de la membrana es regular la trans-

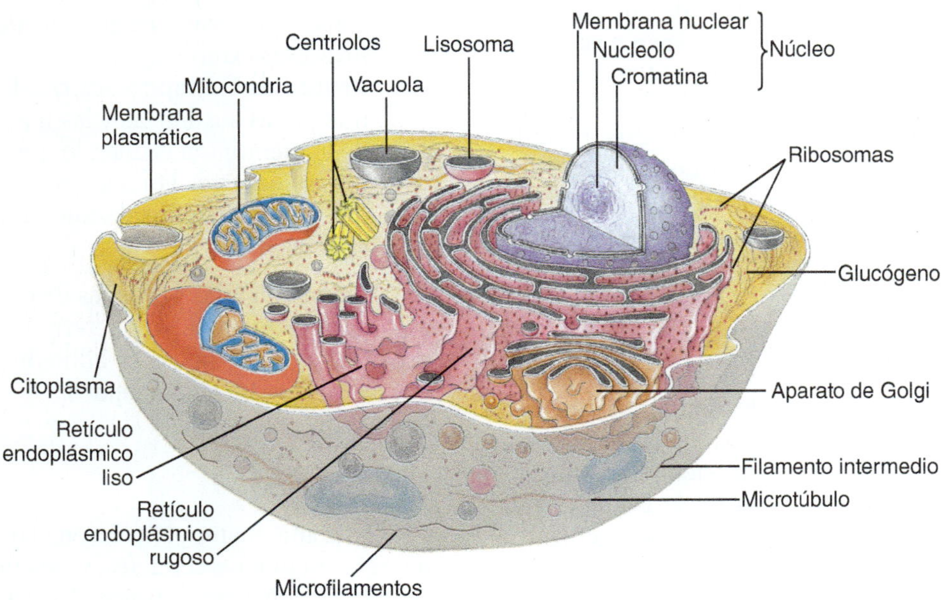

FIGURA 6-3 Estructura de la célula. Las células se dividen en compartimentos nuclear y citoplásmico. El citoplasma está lleno de organelos.

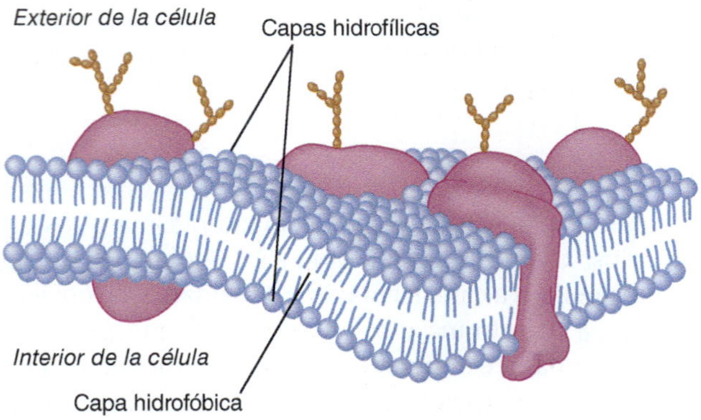

FIGURA 6-4 La bicapa de fosfolípidos.

ferencia de sustratos al interior y fuera de la célula. Dependiendo de su estructura, las membranas celulares pueden ser permeables de manera diferencial o **semipermeables**. Una membrana semipermeable permite que ciertos elementos pasen atravesándola, en tanto a otros no. En algunos casos, y a menudo dependiendo de diversos factores, solo ciertas sustancias pueden ingresar o abandonar a cada célula (circunstancia conocida como permeabilidad selectiva). Usted puede visualizar el diseño de la membrana celular como una serie de globos con vistas al exterior que representan moléculas de fosfato y sus cuerdas juntas, que corresponden a moléculas de lípidos. Las moléculas de fosfato atraen agua, y las de lípidos las repelen, lo que da como resultado una membrana selectivamente permeable en la que oxígeno, dióxido de carbono, alcohol y otras sustancias liposolubles pueden pasar libremente. Sin embargo, el agua y otras sustancias, como los aminoácidos, las proteínas, los ácidos nucleicos, ciertos iones y los azúcares, no pueden pasar. El transporte de sustancias al interior y fuera de la célula se describe con mayor detalle más adelante en este capítulo.

La membrana celular también cuenta con varias proteínas, que se conocen como proteínas de membrana, embebidas en su interior y flotando, que tienen las siguientes funciones:

- **Proteínas conducto.** Estas proteínas actúan como un poro a través de la membrana, que permite el ingreso pasivo de sustancias al compartimiento intracelular. Como ejemplo, considere cómo entra y sale el agua de la célula. Como se mencionó antes, el agua no puede cruzar la membrana; sin embargo, debido a la cantidad de proteínas conducto que permiten su paso, puede en esencia tener ingreso y salida libres de la célula. Otra categoría de proteínas conducto son las de compuerta iónica, que se abren y cierran en momentos específicos y, en general, permiten que pasen solo sustancias específicas. El calcio, por ejemplo, pasa a través de los conductos del calcio y el sodio a través de los del sodio. Ambos son ejemplos de conductos de compuerta iónica. Algunos medicamentos que usted administrará (p. ej., bloqueadores de los conductos del calcio y del sodio) causan un efecto espectacular en la función celular al alterar el transporte a través de las proteínas conducto de membrana.
- **Receptores enzimáticos.** Estos receptores actúan como sitios donde las enzimas se pueden unir, lo que ocurre dentro de la célula, y estas funcionan como catalizadores para una reacción que se presenta en la célula misma.
- **Proteínas que actúan como sitios receptores.** Estas proteínas tienen su sitio de unión en el exterior de la membrana celular. La mayoría de los sitios receptores es específica para ciertas moléculas; cuando la molécula correcta se une al sitio receptor, se presenta un cambio en la función celular, crucial para el funcionamiento apropiado; sin embargo, como paramédico, usted también utilizará estos sitios para fines terapéuticos. Por ejemplo, la administración de un narcótico o su antagonista causa la unión del medicamento a los sitios receptores de narcóticos.
- **Proteínas de identificación.** Estas proteínas detectan a la célula como parte de un organismo particular. El sistema inmunitario utiliza esta identificación para determinar "lo propio" de lo "no propio" como parte de su defensa contra los invasores externos.
- **Proteínas transportadoras.** Estas proteínas se unen a las sustancias y las hacen pasar a través de la membrana celular, lo que en general es un proceso activo. Por ejemplo, la bomba de sodio-potasio expulsa al sodio de la célula e ingresa el potasio.

Además, algunas proteínas de membrana se unen al citoesqueleto y ayudan a determinar su forma. Otras proteínas de membrana se adhieren a las de células adyacentes, y así forman tejidos.

Citoplasma

El citoplasma, material fluido en el que están suspendidos los organelos celulares, yace entre la membrana celular y el núcleo. El fluido dentro del núcleo es el *nucleoplasma*. El citoplasma suele ser claro con puntos oscuros dispersos, aunque con aumento se revela

> **Perlas de sabiduría**
>
> Los compuestos grasos (como los de la membrana celular) son químicamente neutros (sin carga), en tanto los electrólitos (como sodio y potasio) tienen como base el agua (con carga). Por lo tanto, una molécula con carga tiene que usar una vía especial de transporte para atravesar una membrana celular. Estos canales de transporte, llamados canales iónicos, constan de poros revestidos de proteínas (aberturas), de dimensión específica para cada sustancia (p. ej., calcio, potasio). Los anestésicos locales (como la lidocaína) y los antiarrítmicos (como la amiodarona) ejercen sus efectos por bloqueo de estos canales.

que contiene redes de membranas, estructuras proteínicas y un citoesqueleto.

El citosol es la porción fluida del citoplasma, contiene predominantemente agua, así como glucosa, aminoácidos, ácidos grasos, iones, lípidos, proteínas, ATP y productos de desecho. Muchas de las reacciones químicas necesarias para la vida ocurren en el citoplasma y una de las más importantes es la glucólisis, el primer paso de la respiración celular.

Organelos

Los organelos dentro del citoplasma actúan como fábricas miniatura intracelulares para realizar funciones específicas relacionadas con estructura como el crecimiento, el mantenimiento y el metabolismo celular. Los siguientes organelos tienen acciones específicas que ayudan a las células a realizar sus actividades:

- **Centriolos.** La división celular requiere un par de centriolos, estructuras cilíndricas formadas por microtúbulos cortos, en la que forman una estructura a manera de huso, necesaria para el desplazamiento de las cadenas de ADN. Las células musculares cardíacas, las esqueléticas, los RBC maduros y las **neuronas** (células nerviosas) típicas no tienen centriolos; por lo tanto, son incapaces de reproducirse. El centrosoma es el citoplasma que rodea a los centriolos. Los microtúbulos del citoesqueleto, por lo general, se inician en el centrosoma y se irradian hacia el citoplasma.
- **Cilios y flagelos.** Estas estructuras se extienden desde ciertas superficies celulares. Los cilios son extensiones a manera de pelos que se mueven en forma de barrido coordinado para impulsar líquidos sobre la superficie de los tejidos. Se encuentran en células que revisten tanto el aparato respiratorio como el reproductor y las del primero tienen un gran número de cilios que desplazan las partículas que se inhalaron y atraparon en el **moco** al interior de la **orofaringe**, donde pueden deglutirse o expulsarse. En tanto los cilios mueven diferentes sustancias a las células, los flagelos, que son más largos, dan impulso a las células a las que están unidos. En los seres humanos hay un flagelo que forma la cola del espermatozoide.
- **Ribosomas.** Los ribosomas están hechos de bandas complejas de macromoléculas de proteínas y ARN.[2,3] Las cadenas de ribosomas crean estructuras para la impronta genética y la síntesis de proteínas. Se pueden encontrar libres dentro del citoplasma o aunados al retículo endoplásmico. Puesto que sus funciones implican la formación de proteínas, los ribosomas a menudo se conocen como las fábricas de proteínas celulares.
- **Retículo endoplásmico (RE).** El RE es una cadena de conductos y sacos que se enrollan en el citoplasma y conectan la membrana nuclear con la celular. El RE traslada sustancias y proteínas a través de la célula. También tiene participación en el proceso de desintoxicación. Se identifica al RE como liso o rugoso con base en la presencia o ausencia de ribosomas en su superficie (**FIGURA 6-5**). El RE liso carece de cromosomas y puede sintetizar fosfolípidos y colesterol, necesarios para el crecimiento y el mantenimiento de la membrana celular. El RE rugoso presenta ribosomas en su superficie y se encuentra en las células que producen proteínas para su excreción y uso externo. Tanto los ribosomas libres como los fijos sintetizan proteínas con base en las instrucciones de su ARN mensajero. Después, las transfieren al RE rugoso para su transporte al aparato de Golgi, donde se procesan adicionalmente.
- **Aparato de Golgi.** También llamado complejo de Golgi, este orgánulo consta de una serie de varios sacos aplanados, estructuras huecas a manera de panqueques con cavidades llamadas cisternas en su interior. El aparato de Golgi interactúa sobre todo con las proteínas sintetizadas por los ribosomas. Un extremo de este organelo se especializa en la recepción de glucoproteínas y las modifica por retiro o adición de moléculas de glucosa. El aparato de Golgi tiene tres funciones principales: (1) concentrar y empaquetar

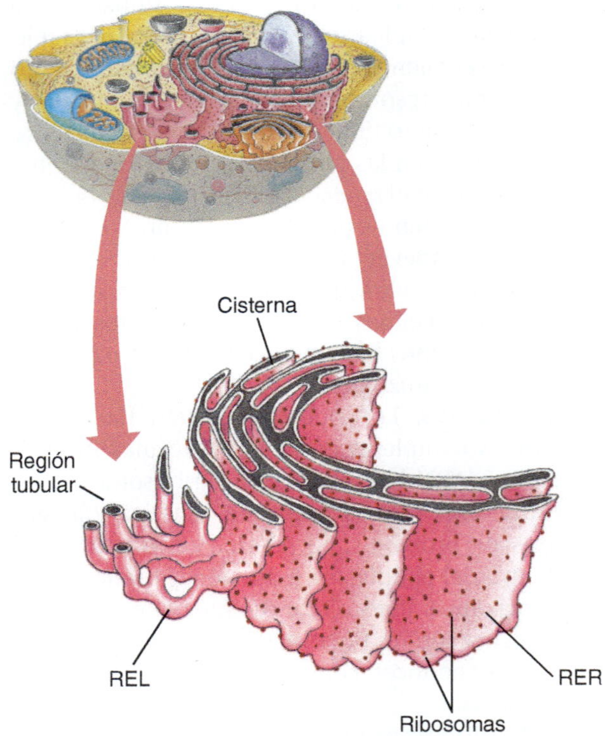

FIGURA 6-5 Retículo endoplásmico rugoso (RER) con ribosomas fijos en su cara externa.

Abreviatura: REL, retículo endoplásmico liso.

secreciones (como hormonas o enzimas) para su expulsión de la célula, (2) empaquetar enzimas especiales dentro de las vesículas para su uso en el citosol, y (3) renovar o modificar la membrana celular. El moco es un ejemplo de producto del aparato de Golgi.

- **Lisosomas.** Estos pequeños sacos realizan tareas de "limpieza" dentro de la célula. Las enzimas que contienen ayudan a digerir ácidos nucleicos, grasas, proteínas, polisacáridos y lípidos. Ciertos leucocitos (WBC, por sus siglas en inglés) contienen grandes cantidades de lisosomas, con enzimas diseñadas para digerir bacterias. Los lisosomas también digieren organelos no funcionales.
- **Microfilamentos.** Son los más pequeños de los elementos del citoesqueleto; están constituidos por dos proteínas, actina y miosina, y por lo regular se encuentran en las células musculares. Los microfilamentos permiten el movimiento de las células y la contracción por interacción con actina y miosina, proceso en que también cambia la forma de toda la célula.
- **Mitocondrias.** Las llamadas plantas energéticas de las células y el cuerpo, las mitocondrias, son el sitio de la respiración aeróbica, que da lugar a la producción de ATP que sirve como fuente de energía en el cuerpo. El número de mitocondrias en una célula en particular varía con base en sus demandas energéticas. El hígado, los riñones y los músculos contienen muchas mitocondrias en sus células porque utilizan ATP a gran velocidad. Dos membranas rodean a una mitocondria; la externa da su forma al organelo y la interna crea varios pliegues que se llaman crestas. Estas dos membranas son importantes en la respiración celular. Las mitocondrias contienen su ADN propio, si bien, en una forma más primitiva que la que se encuentra en el núcleo de las células.
- **Peroxisomas.** Son sacos que contienen enzimas que aceleran muchas reacciones bioquímicas, abundantes en las células del hígado y el riñón, y sus diversas acciones incluyen la síntesis de ácidos biliares, la desintoxicación del peróxido de hidrogeno o el alcohol y la fragmentación de lípidos y otras sustancias bioquímicas.
- **Filamentos gruesos.** Estos organelos son haces relativamente masivos de subunidades constituidos por la proteína miosina, y se encuentran solo en las células musculares, donde interactúan con los filamentos de actina para producir poderosas contracciones.
- **Vesículas.** También conocidas como vacuolas, estos sacos se forman cuando parte de una membrana celular se pliega hacia el interior, y establece una estructura a manera de burbuja dentro del citoplasma. Transportan una amplia variedad de sustancias al interior de las células (vesículas endocíticas) y al interior (vesículas exocíticas).

Núcleo

Este suele ser una estructura grande, se localiza cerca del centro de una célula típica, rodeado por la membrana nuclear (similar a la membrana celular) que rodea al nucleoplasma, dentro del que se encuentran estructuras especializadas que portan el material genético que la célula usa para la reproducción y sirve como impronta para su función. El ADN reside en las células de cromatina que son marañas de **cromosomas** que contienen miles de genes.

El núcleo también contiene un suborganelo, llamado nucleolo, que carece de membrana, está densamente empaquetado con el ARN y rodeado por cromatina. El ARN se encarga de la producción de ribosomas, que después pasan a través de poros de la envoltura nuclear (límite externo entre el núcleo y el resto de la célula) hacia el RE para la síntesis de proteínas. Recuerde que el ARN y el ADN son los llamados improntas de las células y debido a esta función, los productos, la apariencia, la reproducción y todos los otros aspectos de las células son regulados por el núcleo. Las células sin núcleo, como los eritrocitos (RBC, por sus siglas en inglés), tienen una vida limitada.

En el **CUADRO 6-7** se resumen las estructuras celulares y su función.

CUADRO 6-7 Estructuras celulares y su función

Localización	Estructura celular	Función
Núcleo • Centro de mando de la célula • Almacena información genética • Se encarga de la reproducción celular	Cromatina	Tiras largas y angostas sobre las que se presenta el ADN durante la división o replicación celular. La cromatina se enrolla para formar cromosomas que contienen a los genes.
	Membrana nuclear	Constituida por dos capas, rodea al núcleo, contiene poros (aberturas para el transporte de materiales), regula el movimiento del material hacia dentro y fuera del núcleo.
	Nucleolo	Pequeña estructura esférica que tiene una gran concentración de ARN y es sitio de la formación de ribosomas.
Citoplasma • Material transparente, pegajoso, fluido, que se encuentra fuera del núcleo, pero dentro de la membrana celular que rodea, da sostén y protege a los organelos • Medio a través del cual se desplazan los nutrimentos y productos de desecho	Centriolos	Cilindros pequeños que ayudan a separar los cromosomas durante la mitosis (división celular).
	Citoesqueleto	Cilindros proteínicos que proveen la forma y el sostén intracelular y ayudan al desplazamiento de materiales dentro y fuera de las células.
	Retículo endoplásmico (RE)	Conductos membranosos que sirven como sistema de transporte de la célula a través del citoplasma; el RE rugoso contiene ribosomas donde sintetizan las proteínas; el RE liso es el sitio de síntesis de esteroides, fosfolípidos y ácidos grasos; el RE liso en las células hepáticas fragmenta el alcohol y algunos fármacos como las anfetaminas.
	Aparato de Golgi	Estructuras membranosas que simulan una pila de panqueques; se encuentran cerca del núcleo y sirven para empaquetar y exportar proteínas.
	Lisosomas	Estructuras pequeñas, redondas, que realizan tareas de limpieza dentro de las células al digerir los desechos mediante poderosas enzimas.
	Mitocondrias	Sacos llenos de líquido que sirven como las llamadas plantas de energía de las células y se encargan de la respiración celular con la conversión de energía de los nutrimentos en ATP.
	Ribosomas	Pequeños gránulos de ARN que cuando están totalmente ensamblados actúan como fábricas miniatura de proteínas.
	Vesículas	Delgados sacos de membrana que se usan para el almacenamiento y transporte de productos celulares y la digestión de los desechos metabólicos de las células.
Superficie • Rodea al citoplasma y forma el límite externo de la célula	Membrana plasmática	Provee soporte y protección; la membrana plasmática es selectivamente permeable, deja que algunas sustancias pasen y salgan de la célula en tanto no permiten el cruce de otras.

Abreviaturas: ATP, trifosfato de adenosina; ADN, ácido desoxirribonucleico; ARN, ácido ribonucleico.

Ciclo vital de la célula

El ciclo vital de la célula es regulado por la estimulación mediante hormonas o factores de crecimiento. La disrupción de este ciclo puede afectar la salud del cuerpo. La mayoría de las células humanas se divide entre 40 y 60 veces antes de morir. El ciclo vital de una célula incluye los siguientes cuatro pasos:

1. **Interfase.** Las células obtienen nutrimentos para crecer y duplicarse.
2. **División celular (mitosis).** El núcleo se fracciona a la mitad.
3. **División del citoplasma (citocinesis).** El citoplasma se divide a la mitad.
4. **Diferenciación.** Las células se especializan.

Interfase

Una célula, así como a la mayoría de su contenido, debe crecer y duplicarse antes de que pueda dividirse en forma activa. La *interfase* describe este periodo de preparación para la división. Fabrica nuevo material vivo durante la interfase por duplicación de membranas, lisosomas, mitocondrias y ribosomas, y también de su propio material genético.

Divisiones celular y citoplásmica

Los dos tipos de división celular son meiosis y mitosis–citocinesis. La **meiosis** es una división celular presente en la producción de **oocitos** y espermatozoides. Durante la mitosis el número de cromosomas disminuye a la mitad, de 46 a 23. Cuando un espermatozoide se une con un óvulo y ocurre la fecundación, las células resultantes tendrán 46 cromosomas, por los 23 que recibieron del espermatozoide y 23 del óvulo.

En el resto del cuerpo al número de células aumenta por **mitosis**, la división del núcleo de una célula, y citocinesis, la correspondiente del citoplasma. El núcleo debe dividirse de manera precisa, de modo que cada nueva célula pueda formar una copia precisa del ADN. La mayoría de las células corporales humanas, excepto las sexuales y los eritrocitos, se reproduce por mitosis.

En este proceso continuo de división y multiplicación una célula se fracciona para formar dos nuevas que son idénticas a la original (que se conocen como hijas). Muchas células del cuerpo se reproducen de esta forma durante la vida (p. ej., las de la piel). Otras se dividen solo en el feto, con detención de su replicación en un momento dado, cerca del nacimiento (p. ej., células nerviosas y esqueléticas).

La mitosis procede a través de cuatro pasos (**FIGURA 6-6**):

1. **Profase.** Los dos nuevos pares de centriolos se dirigen a los polos opuestos de las células. La cromatina se hace más corta y gruesa. Aparecen

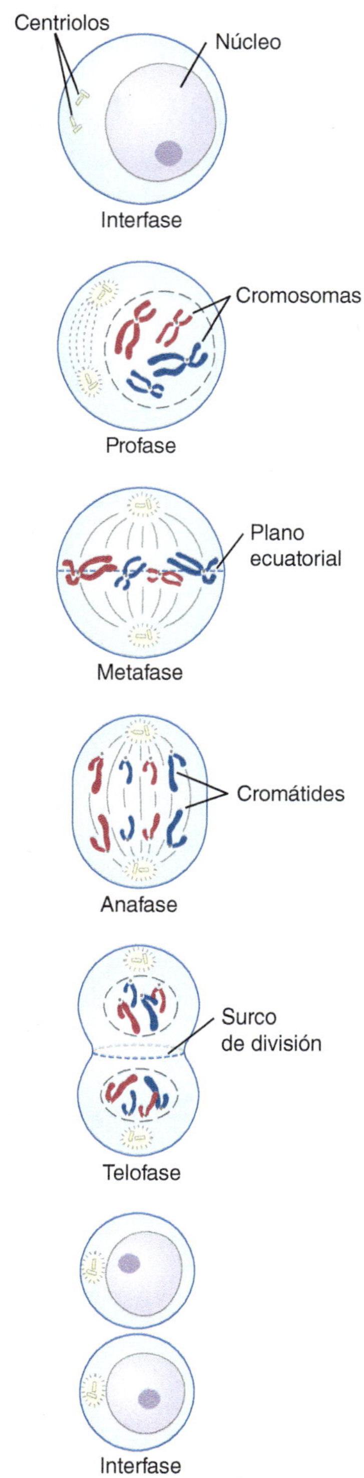

FIGURA 6-6 Mitosis y división celular.

las fibras del huso, en tanto desaparecen el nucleolo y la membrana nuclear.

2. **Metafase.** Los cromosomas se alinean cerca de la porción media de la célula entre los centriolos y las fibras del huso a las que se adhieren.
3. **Anafase.** Las zonas centrales de cada cromosoma, llamadas centrómeros, se separan para convertirse en cromosomas individuales y se dirigen hacia extremos opuestos de la célula.
4. **Telofase.** Las fibras del huso desaparecen y los cromosomas se elongan y desenrollan con la estructura de una envoltura nuclear a su alrededor y aparecen nucleolos en cada núcleo recién formado.

La división citoplásmica (citocinesis) se inicia durante la anafase, cuando la membrana celular se constriñe en la porción media de la célula, proceso que continúa hasta la telofase para dividir el citoplasma. Los dos núcleos recién formados se separan entonces y casi la mitad de los organelos se distribuye en cada nueva célula.

Diferenciación

Como se mencionó antes, la diferenciación, es decir, el proceso de especialización de una célula, hace única a cada una. Deben generarse nuevas células para que ocurra el crecimiento y la reparación de los tejidos. Los **blastocitos** pueden dividirse de forma repetida sin especializarse en dos células hijas idénticas, o de manera tal que una de ellas se especialice de manera parcial (células progenitoras). En el cuerpo humano todos los tipos de células diferenciadas se crean finalmente a partir de blastocitos y células progenitoras. Debido a la capacidad de los primeros de convertirse en múltiples tipos de células especializadas, los investigadores exploraron su uso en el tratamiento de enfermedades como la diabetes, las cardiopatías, los accidentes vasculares cerebrales, la degeneración macular, las quemaduras, la osteoartritis y la artritis reumatoide, así como las lesiones raquídeas.

División celular y cáncer

La división y el crecimiento celulares suelen presentarse casi a la misma velocidad que la muerte. Sin embargo, cuando los primeros lo hacen a una mayor velocidad que la de la muerte, los tejidos aumentan de volumen. Una **neoplasia** (tumor) es una masa de tejido producida por el crecimiento y la división de células anormales. Un tumor es *benigno* cuando se mantiene dentro del epitelio (una cápsula de tejido conectivo). Un tumor benigno rara vez pone en riesgo la vida y, por lo general, se extirpa quirúrgicamente cuando afecta la función de los tejidos.

En contraste, un tumor *maligno* se extiende a los tejidos circundantes en un proceso llamado invasión o metástasis y se presenta a menudo cuando un gen normal muta; estos genes mutados reciben el nombre de oncogenes. En la enfermedad conocida como cáncer, las mutaciones afectan al crecimiento celular normal. Las células malignas pueden escapar del tumor de origen (tumor o neoplasia primario) e invadir otros órganos o tejidos con tumores secundarios resultantes. Este proceso de metástasis no es fácil de interrumpir. Por lo general, las células tumorales son hijas de una sola, maligna. El cáncer a menudo se inicia donde los blastocitos se dividen, porque mientras más frecuentemente se dupliquen los cromosomas para la división celular, mayor es la probabilidad de errores en el proceso de copiado del ADN que lleva a mutación en las nuevas células.

Las células cancerosas cambian de forma al crecer, de modo que cada vez se parecen menos a las células normales. Si las células tumorales penetran vasos sanguíneos, circulan por el cuerpo. Cuando las células tumorales ingresan al **sistema linfático** proliferan en los **ganglios linfáticos**. La presencia de células tumorales estimula la proliferación de nuevos vasos sanguíneos dondequiera que se sitúen células. La sangre transportada por estos nuevos vasos riega a las células con más nutrimentos, acelera su crecimiento y aumenta las metástasis.

Conforme aumentan las metástasis, la función del órgano cambia. Las células de cáncer crecen y se multiplican con la toma de nutrimentos y de espacio de las células normales, lo que causa disminución de peso en la mayoría de los pacientes afectados conforme se deterioran las células normales. Puede ocurrir la muerte cuando las células de cáncer comprimen órganos vitales o sustituyen sus células sanas.

Señales celulares

Para funcionar de forma colectiva con unidad cohesiva, las células deben ser capaces de comunicarse con otras y también en su interior. El cómo las células se comunican electroquímicamente se denomina comunicación intercelular o por señales celulares; estas últimas se usan para mantener la homeostasia, combatir infecciones, reproducirse y realizar otras funciones normales. Las alteraciones en las señales también pueden llevar a la disfunción. De hecho, se cree que algunos tumores y cánceres son resultado de disrupciones en el proceso. Las señales celulares se describen con mayor detalle más adelante en este capítulo.

Respiración celular

Casi todas las funciones metabólicas consumen energía, cuya primera fuente es un azúcar de seis carbonos, la glucosa ($C_6H_{12}O_6$), cuyo uso por las células se denomina oxidación, proceso que da como resultado dióxido de carbono (CO_2), agua (H_2O) y la molécula de alta energía, ATP, que es la fuente real de la energía celular debido a los enlaces de alta energía contenidos entre sus moléculas de fosfato. Cuando es necesario para la función celular, estos enlaces se rompen para liberar la energía que almacenan. Si bien una gran cantidad de energía está contenida en esos enlaces y se libera cuando se rompen, la glucosa en realidad tiene incluso el potencial de liberar más energía. Si se fuesen a fragmentar las moléculas de glucosa en un solo paso, ocurriría una considerable pérdida de energía en forma de calor con producción mínima de ATP. Sin embargo, para maximizar el número de moléculas de ATP creadas por cada molécula de glucosa, la respiración celular se presenta en tres etapas.

Glucólisis

Como primer paso en la respiración celular, la **glucólisis** ocurre en el citoplasma; se trata de un proceso *anaeróbico*, lo que significa que no requiere oxígeno (**FIGURA 6-7**). Después de que la molécula de glucosa ingresa a la célula, dos moléculas de fosfato obtenidas de la rotura de dos moléculas de ATP se unen de inmediato en pasos separados, proceso que impide tanto que la glucosa salga de las células como que sea más alta su concentración en su interior que afuera. También prepara a la molécula de glucosa para una mayor fragmentación. A continuación, se presenta una serie de pasos complejos para fragmentar la molécula de glucosa hasta su producto final, dos moléculas de ácido pirúvico. Durante esta fase de la respiración celular se forman dos moléculas de ácido pirúvico y cuatro de ATP. Sin embargo, recuérdese que se fragmentaron dos moléculas de ácido pirúvico en los primeros pasos de este proceso, por lo que el resultado neto de la glucólisis es de dos de ellas y dos de ATP, lo que corresponde a un uso ineficaz de la glucosa, pero, por fortuna no culmina aquí.

Ciclo de Krebs

El segundo paso en la respiración celular es el ciclo de Krebs, también conocido como **ciclo del ácido cítrico** (ciclo de los ácidos tricarboxílicos), cuya clave es la

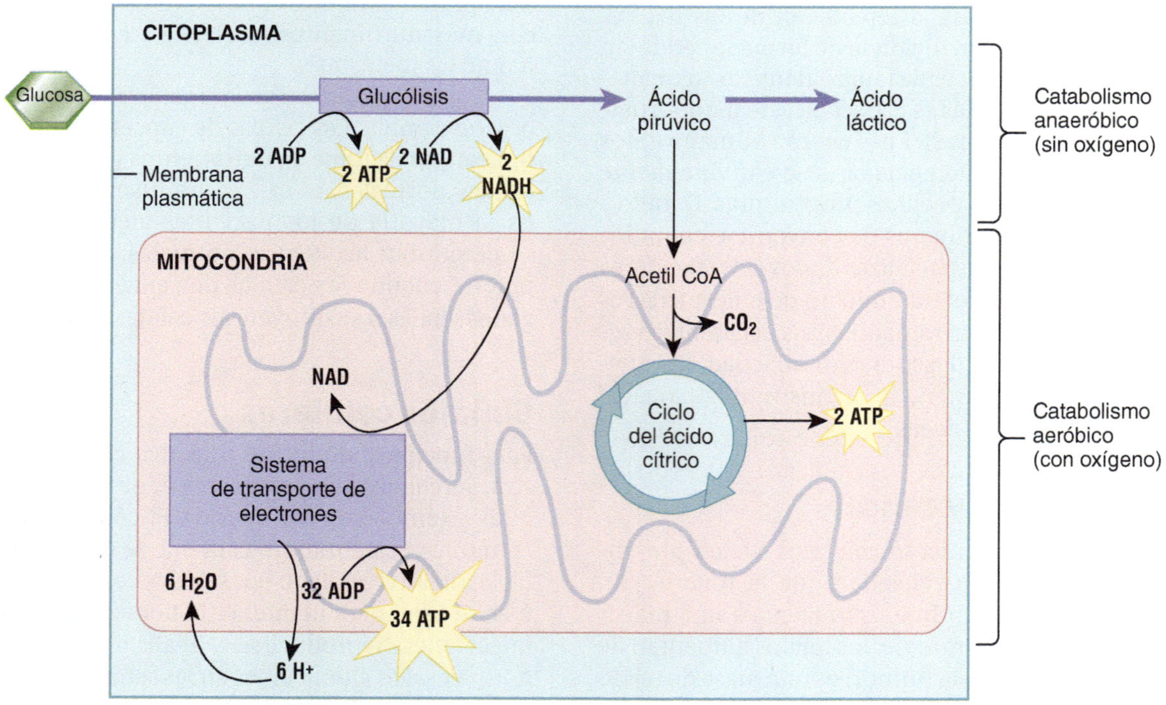

FIGURA 6-7 Durante el metabolismo anaeróbico, que se lleva a cabo en el citoplasma, la fragmentación de la glucosa produce ácido láctico. Durante el metabolismo aeróbico, que ocurre en la mitocondria, la fragmentación de la glucosa da origen a dióxido de carbono, agua y trifosfato de adenosina (ATP).

Abreviaturas: ADP, difosfato de adenosina; CoA, coenzima A; NAD, dinucleótido de nicotinamida y adenina; NADH, dinucleótido de nicotinamida y adenina reducida.

fragmentación de la glucosa en presencia o ausencia de oxígeno. El ciclo de Krebs ocurre solo en presencia de oxígeno (**metabolismo aeróbico**) (véase figura 6-7). Dentro de la matriz de la mitocondria (el material inanimado que separa las células en el tejido conectivo), el ácido pirúvico formado durante la glucólisis presenta una serie compleja de pasos con varios productos, que incluyen tres moléculas de dióxido de carbono y una de ATP. Puesto que se producen dos moléculas de ácido pirúvico durante la glucólisis, el ciclo de Krebs actúa dos veces por cada molécula de glucosa que se oxida. En consecuencia, el resultado del ciclo de Krebs es de seis moléculas de dióxido de carbono (principio vital en el concepto de la capnografía) y dos moléculas de ATP por cada molécula de glucosa.

Para resumir, hasta ahora en la respiración celular, se produjeron cuatro moléculas de ATP, dos de la glucólisis y dos en el ciclo de Krebs. Es decir, solo se ganó una cantidad mínima de energía a partir de la molécula de glucosa original.

Sistema de transporte de electrones

El paso final en la oxidación de la glucosa implica a la cadena de transporte de electrones, que actúa en las crestas internas de la mitocondria, paso en el que se produce ATP. Se crean varios otros productos durante la glucólisis y el ciclo de Krebs, además de ATP y las moléculas de dióxido de carbono. Después de desplazarse a las crestas internas de la mitocondria, estos productos transfieren sus electrones durante una serie de reacciones que finalmente obtienen 34 moléculas de ATP. Debido a que el sistema de transporte de electrones depende del ciclo de Krebs, este proceso se considera parte de la respiración aeróbica.

Resultados de la respiración celular

Tras concluir todos los pasos de la respiración celular se producen 38 moléculas de ATP: 2 de la glucólisis y 36 de la respiración aeróbica (2 del ciclo de Krebs y 34 del sistema de transporte de electrones). Si bien este resultado representa un uso eficaz de la energía contenida en una molécula de glucosa, no lo es al 100% debido a que algo de la energía se pierde en forma de calor.

Respiración aeróbica *versus* anaeróbica

Como se describió antes, la presencia de oxígeno es crucial para la oxidación eficaz de la glucosa por las células, pues la mayor parte de la respiración que ocurre es aeróbica (véase figura 6-7). Sin embargo, la respiración también puede presentarse en ausencia de oxígeno (respiración anaeróbica), circunstancia en que la glucólisis ocurre como lo hace normalmente. Sin embargo, debido a la ausencia de oxígeno, el ácido pirúvico no se puede oxidar en el ciclo de Krebs y como resultado se convierte rápido en **ácido láctico**. La respiración anaeróbica excesiva puede causar una *acidosis láctica*, proceso que se presenta en situaciones como el estado de shock, en el que no se dispone de oxígeno suficiente para las células. Por fortuna, cuando se restablece el aporte de oxígeno a las células, el ácido láctico cambia otra vez a pirúvico y se puede reiniciar la respiración aeróbica.

A menudo se dice que la respiración anaeróbica *se inicia* durante una falta de oxígeno; sin embargo, es una declaración más precisa que *se detiene*, porque la respiración anaeróbica (glucólisis) es el primer paso para la respiración celular, al margen de la presencia de oxígeno. Sin embargo, la respiración anaeróbica es de uso muy ineficaz de la glucosa con el resultado de una ganancia neta de solo dos moléculas de ATP en comparación con la de 38 cuando ocurren tanto la forma anaeróbica como la aeróbica.

Perlas de sabiduría

Cuando las células funcionan con uso de oxígeno utilizan componentes anaeróbicos y aeróbicos del metabolismo, generan grandes cantidades de ATP (energía celular) y producen dióxido de carbono y agua como desechos. Cuando las células funcionan sin uso de oxígeno utilizan solo el **metabolismo anaeróbico**, producen pequeñas cantidades de ATP (energía celular), y ácido láctico como desecho.

Composición de los líquidos corporales

Deben mantenerse parámetros específicos para que las células, los tejidos, los órganos, aparatos y sistemas realicen sus funciones de manera eficaz, e incluyen la cantidad, la distribución y el desplazamiento de líquidos corporales, equilibrio de electrólitos y el número de iones de hidrógeno o equilibrio acidobásico.

El líquido más importante en el cuerpo humano es el agua, parte esencial de todas las reacciones químicas que se presentan de manera regular en él. El agua también sirve como medio de transporte de

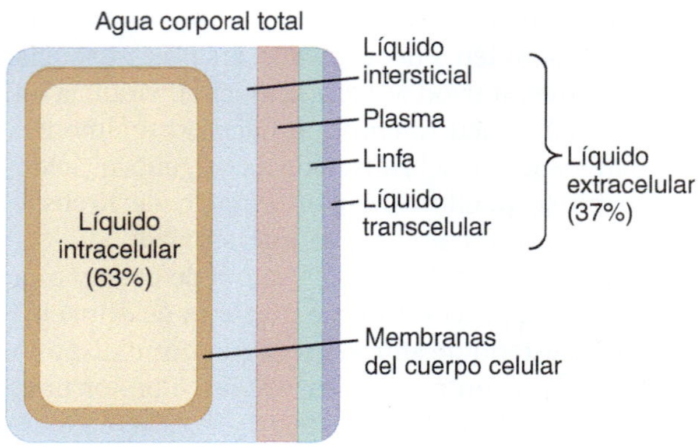

FIGURA 6-8 Los líquidos intracelular y extracelular están separados por la membrana celular.

nutrimentos, hormonas y materiales de desecho. La cantidad total de líquido en el cuerpo humano en cualquier momento se conoce como **agua corporal total (ACT)** que forma casi 60% del peso de un adulto masculino sano y está constituida por el **líquido intracelular (LIC)** y el **líquido extracelular (LEC)**. Las membranas celulares separan los compartimentos intracelular y extracelular. El LIC consta del fluido que se contiene dentro de las células. Este compartimento intracelular contiene casi 63% del ACT, y el compartimento extracelular, el restante 37% (**FIGURA 6-8**). El LIC contiene grandes cantidades de iones de potasio, magnesio y fosfato. En contraste, el LEC contiene grandes cantidades de iones de sodio, cloro y bicarbonato, además de nutrimentos para las células, como oxígeno, glucosa ácidos grasos y aminoácidos.[4] También incluye productos de desecho por excretar desde los pulmones (dióxido de carbono) y los riñones (otros de origen celular).

Al nacer, el porcentaje total de líquido en el cuerpo (casi 75 a 80%) es mayor al correspondiente en los adultos, proporcionalmente por la presencia de más LEC, que disminuye durante el primer año de la vida. Los lactantes pierden agua corporal por motivos fisiológicos al ajustarse a su nuevo ambiente fuera del útero. En este grupo etario hay un mayor riesgo de consecuencias adversas de la pérdida excesiva de líquido (deshidratación) por su tasa metabólica y superficie corporal más grandes. Para el momento en que el niño llega a la adolescencia, el ACT desciende hasta casi 60%, la cifra normal del adulto. Esta tendencia continúa durante la vida de una persona. Conforme el cuerpo envejece y la cantidad de masa muscular y tejido adiposo cambia, el ACT decrece, porque la masa muscular está compuesta por más agua que la que se encuentra en el tejido adiposo, que la repele. Los lactantes también tienen riesgo de consecuencias mortíferas de los desequilibrios de líquidos y electrólitos.

El LEC está constituido por el **líquido intersticial**, el plasma, la linfa y el **líquido transcelular**. El componente intravascular es el fluido contenido en las cámaras cardíacas y los vasos sanguíneos. El *volumen sanguíneo* se refiere al total del compartimiento intravascular. Casi 3 L del volumen sanguíneo total corresponden al plasma, lo que se conoce como volumen plasmático. Los 2.5 L restantes constan de eritrocitos, leucocitos y **plaquetas** (trombocitos), que constituyen los elementos que forman la sangre. La mayoría del LEC está formado por el líquido intersticial, que se encuentra fuera del compartimiento intravascular y baña a las células corporales no sanguíneas.[5] Las paredes de los capilares separan los compartimientos intravascular e intersticial. Se encuentra líquido transcelular en los espacios rodeados por células epiteliales, como el **líquido sinovial** en las articulaciones (que se forma donde dos huesos entran en contacto) y el **líquido cefalorraquídeo (LCR)**, transparente, acuoso, que rodea al encéfalo y la médula espinal (descritos más adelante en este capítulo).[5]

Mecanismos de transporte celular

Es indispensable conservar el delicado equilibrio entre los compartimientos líquidos del cuerpo para conservar la hemostasia. Bajo condiciones normales, el volumen total de agua en el cuerpo y la distribución en sus compartimientos se mantiene relativamente constante, aunque la cantidad de agua que ingresa y egresa fluctúa todos los días.

Los líquidos corporales se encuentran en una solución de elementos disueltos y agua. Recuérdese que la membrana celular es semipermeable, permite que las sustancias liposolubles se desplacen libremente al interior y afuera, en tanto no lo hace con las hidrosolubles. Sin embargo, para mantener la vida debe permitirse el ingreso y la salida de ambas a las células.

El agua y los electrólitos se desplazan en los compartimientos de líquidos corporales de acuerdo con algunos principios químicos y biológicos básicos. Uno de los principios rectores es que las concentraciones diferentes de sitios diversos de una membrana celular presentarán desplazamiento para equilibrarse a ambos lados. El equilibrio en una membrana celular tiene dos componentes: (1) el de los compuestos (p. ej., agua y electrólitos) y (2) el de las cargas [positivas (⁺) o negativas (⁻) que portan los átomos] a cada lado.

Cuando las concentraciones de las cargas o compuestos son mayores en un lado de la membrana celular que en el otro, el desequilibrio crea un gradiente. La tendencia natural de los materiales es a fluir de una zona de mayor concentración a una en la que es menor, lo que así establece un *gradiente de concentración*, que es la diferencia en la cantidad de una sustancia a cada lado de una membrana semipermeable. Los gradientes se clasifican de acuerdo con el tipo de material que fluye por ellos: las sustancias químicas fluyen de acuerdo con los gradientes químicos, en tanto las corrientes eléctricas lo hacen por los gradientes eléctricos. El proceso de flujo de un gradiente depende de que la membrana celular permita que pase el material a través de ella. Ciertos compuestos pueden pasar libremente a través de la membrana celular (una situación cinéticamente favorable que requiere poca energía). Otros requieren un **transporte activo** a través de la membrana por su tamaño o por una carga incompatible, que se describe con mayor detalle más adelante en este capítulo.

Cada uno de los compartimentos corporales está separado por una membrana. La **presión osmótica** es aquella ejercida por la concentración de solutos en un espacio determinado para detener el flujo de solvente a través de una membrana semipermeable. La presión osmótica de una solución o su capacidad de modificar el desplazamiento del agua es la *osmolaridad*, que se expresa en osmoles o miliosmoles por kilogramo de agua. En general, la cantidad de agua en cada compartimento es regulada de manera estrecha para mantener la osmolaridad del ACT en equilibrio. El cuerpo utiliza varios mecanismos para lograr una osmolaridad equilibrada en cada uno de los compartimentos.

Difusión

La **difusión** es el proceso por el que las partículas se desplazan de una zona de mayor concentración a una en la que es menor, de acuerdo con un gradiente hasta alcanzar el equilibrio (**FIGURA 6-9**), y debido a que no se requiere energía, se considera un mecanismo pasivo de transporte. La difusión de ambos, sólidos y gases, puede ocurrir dentro del cuerpo humano. Por el desplazamiento de algo del soluto de un lado de la membrana al otro, el cuerpo disminuye o elimina el gradiente de concentración y crea, tanto como sea posible, un equilibrio. Como se describió antes, esta tendencia natural del cuerpo se conoce como desplazamiento de acuerdo con el gradiente de concentración. Es imposible la eliminación completa de los gradientes de concentración, porque los iones y las moléculas se encuentran en constante movimiento aleatorio. Sin embargo, la carga neta es cercana a 0, proceso por el que el cuerpo desplaza algunos nutrientes al interior y productos de desecho fuera de las células. En cuanto a los gases, sus moléculas se separan más y la tasa de difusión depende de su peso.

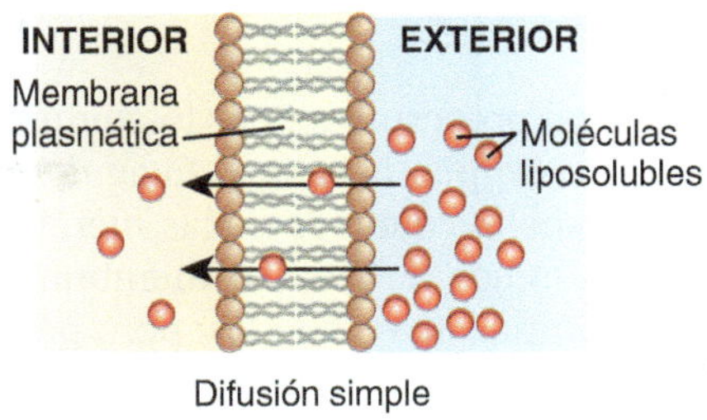

FIGURA 6-9 Difusión.

Para visualizar la difusión, imagínese que muchas personas se presentan a una obra de teatro. El gerente decide abrir otra zona de asientos para alojar a la multitud. Los espectadores (cargas o compuestos) se concentran en una pequeña zona (la célula) fuera de la puerta (la membrana celular) que lleva a la nueva zona de asientos. Cuando el gerente abre la puerta los espectadores pueden atravesarla (permeabilidad selectiva de la membrana celular) desde la zona congestionada (de acuerdo con un gradiente de concentración). Los espectadores se dispersan en una forma homogénea (difunden) por toda la zona, con algunos que deciden mantenerse detrás del área original de asientos y otros que se desplazan a la nueva hasta que tienen una cantidad equivalente de espacio.

Las sustancias que pueden atravesar libremente la membrana celular, como oxígeno y dióxido de carbono, se desplazan por el proceso de difusión en el cuerpo humano. Por ejemplo, la sangre que retorna a los pulmones desde el resto del cuerpo tiene una alta concentración de dióxido de carbono y una baja de oxígeno. Los pulmones, sin embargo, contienen una alta concentración de oxígeno y una baja de dióxido de carbono. Conforme la sangre pasa a través de la vasculatura pulmonar, el dióxido de carbono la abandona e ingresa a los pulmones hasta que hay una cantidad equivalente en ambos. Por el mismo proceso, el oxígeno abandona los pulmones e ingresa a la sangre, hasta que hay una cantidad equivalente en ambos. Como resultado de este principio, la cantidad del dióxido de carbono exhalado es casi equivalente a aquella en la sangre arterial.

Filtración

La **filtración** es el proceso que, por lo común, utilizan los riñones para limpiar la sangre. El agua transporta compuestos disueltos a través de las membranas celulares de los túbulos renales. La membrana tubular atrapa estos compuestos disueltos, pero permite que el agua pase, proceso que limpia la sangre de los desechos y retira los compuestos atrapados de la circulación, de modo que se puedan eliminar del cuerpo. La hormona antidiurética (ADH, por sus siglas en inglés) impide la pérdida de agua de los riñones por su resorción hacia los túbulos.

Difusión facilitada

A veces es necesario desplazar moléculas a través de una membrana, aunque estas no puedan usar la difusión o deban hacerlo contra un gradiente de concentración. En esas circunstancias el desplazamiento ocurre por transporte activo o difusión facilitada.

Se usa el transporte activo para desplazar sustancias contra un gradiente de concentración o hacia el lado con mayor concentración. Este tipo de transporte requiere el uso de energía por las células, pero es más rápido que la difusión. El transporte activo es similar a la conducción de un vehículo motor, porque este puede descender de una colina en la posición neutral de la caja de velocidades sin que el motor esté activo, pero para ascender una colina tiene que estarlo y en una velocidad.

La *difusión facilitada* es un mecanismo pasivo de transporte, similar a la difusión simple, porque involucra a partículas que pasan de una zona de mayor concentración a una donde es menor. Sin embargo, en este tipo de difusión la molécula que ingresa a la célula no puede hacerlo sin el auxilio de una proteína acarreadora. Durante la difusión facilitada la sustancia necesaria en el interior de la célula se une con la proteína acarreadora y se presenta uno de dos procesos: la combinación molécula-acarreador, que puede ser liposoluble y pasar a través de la membrana citoplásmica, o los dos pueden entrar a la célula a través de una proteína de membrana. Este paso es posible debido a la nueva forma de la combinación acarreador-molécula o porque la combinación de las dos puede acoplarse a un sitio de unión en una proteína de membrana (**FIGURA 6-10**), que entonces cambia de forma para permitir el paso de la combinación acarreador-molécula a la célula. Después de que la proteína acarreadora ingresa a la célula, se retira de la molécula y retorna a la superficie de la membrana donde se encuentra otra vez libre para transportar otras moléculas al interior de la célula.

La glucosa, por ejemplo, ingresa a la célula por este proceso de difusión facilitada; puesto que no es liposoluble, no puede atravesar la membrana celular, además de ser una molécula muy grande para atravesar a través de las proteínas de la membrana. Por su unión a una proteína acarreadora, la glucosa puede ingresar a la célula. La insulina es una hormona que se encarga de regular la velocidad con que las proteínas acarreadoras desplazan la glucosa al interior de la célula.

Osmosis

La **osmosis** es el movimiento de un solvente, como el agua, de una zona de baja concentración de solutos a una de alta concentración, de manera selectiva a través de una membrana permeable. La osmosis es otro mecanismo de transporte pasivo; sin embargo, a diferencia de la difusión, las partículas mismas no se desplazan.

Recuerde que la soluciones contienen tanto un líquido (solvente) como partículas suspendidas en el (solutos). El principal solvente del cuerpo es el agua, que se considera el solvente universal, y en ella hay varios solutos: electrolitos como el sodio y el potasio, y moléculas como la glucosa. El agua, por lo general, se puede desplazar sin mucha dificultad entre los diferentes compartimentos corporales, porque las membranas que los separan son permeables a ella. La membrana celular se considera semipermeable porque también es permeable de manera selectiva a ciertos solutos (**FIGURA 6-11**). Se logra la permeabilidad selectiva a través de poros en la membrana, que permiten o impiden el paso de ingreso con base en el tamaño, la forma o la carga eléctrica de las moléculas. El cuerpo trata de mantener una concentración equivalente de solutos a cada lado de la membrana. Una **solución isotónica** es aquella en la que hay una cantidad igual de solutos y agua a cada lado de una membrana semipermeable.

Por ejemplo, si una solución en un lado de la membrana contiene 25 iones de sodio y 100 moléculas de agua (solución al 25%) y aquella en el otro lado de la membrana contiene 50 de sodio y 100 de agua (solución al 50%), el agua pasará de la zona de menor concentración de solutos a aquella en la que es mayor, en un esfuerzo por alcanzar una concentración equivalente a ambos lados. En este ejemplo el resultado será de 25 moléculas de sodio y 66 de agua en un lado (37%) y 50 moléculas de sodio y 134 de agua en el otro (37%).

La concentración de una solución o su capacidad de drenar o aportar agua se describe como tonicidad

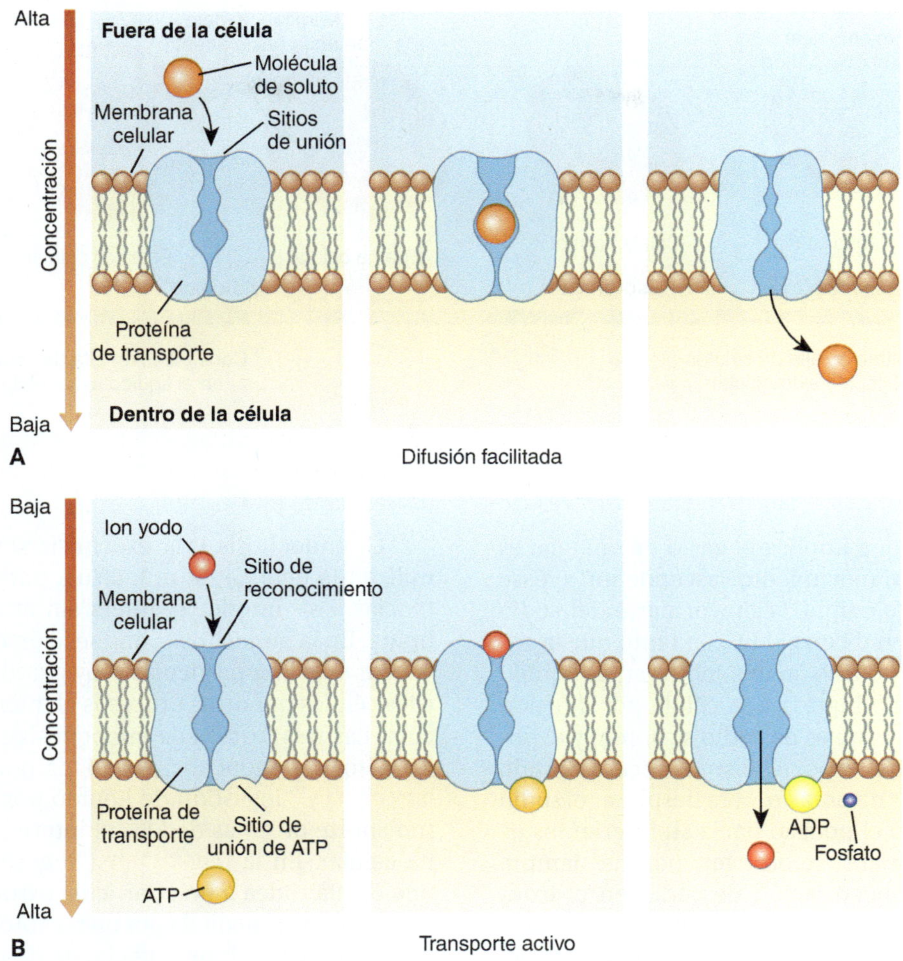

FIGURA 6-10 **A.** La difusión facilitada implica que las partículas se desplacen de una zona de mayor concentración a una en la que esta es menor, con la ayuda de una proteína. **B.** En el transporte activo se usa la energía del trifosfato de adenosina (ATP) para abrir una vía de paso para que los compuestos se desplacen en contra de un gradiente de concentración.

Abreviatura: ADP, difosfato de adenosina.

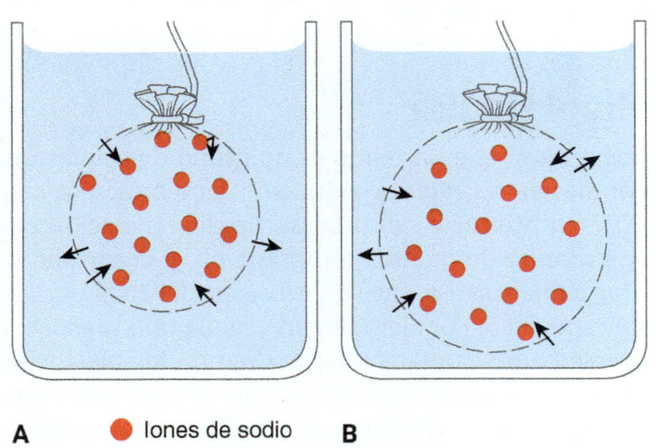

FIGURA 6-11 **A.** Ocurre un ejemplo de osmosis cuando una bolsa permeable con agua salada se sumerge en una solución de agua pura. **B.** El agua se desplaza al interior de la bolsa (hacia la zona de menor concentración de agua), lo que hace equivalente la concentración a cada lado de la membrana.

(**FIGURA 6-12**), y la diferencia en concentraciones de un lado de una membrana selectivamente permeable al otro es el gradiente osmótico. El grado de diferencia entre las dos concentraciones determina cuánta presión osmótica hay y qué tan rápido las dos concentraciones tenderán a hacerse equivalentes. Una solución con una concentración más alta de solutos en comparación con otras es **hipertónica**, y aquella con una concentración de solutos menor es **hipotónica**. Si se desplaza demasiada agua afuera de una célula, esta se encoje anormalmente por un proceso conocido como crenación. Si ingresa demasiada agua a una célula, esta se hincha y estalla, un proceso conocido como lisis.

Transporte activo

Como se mencionó antes, en algunas situaciones los iones y las moléculas deben transportarse de una zona de baja concentración a una donde es alta. El

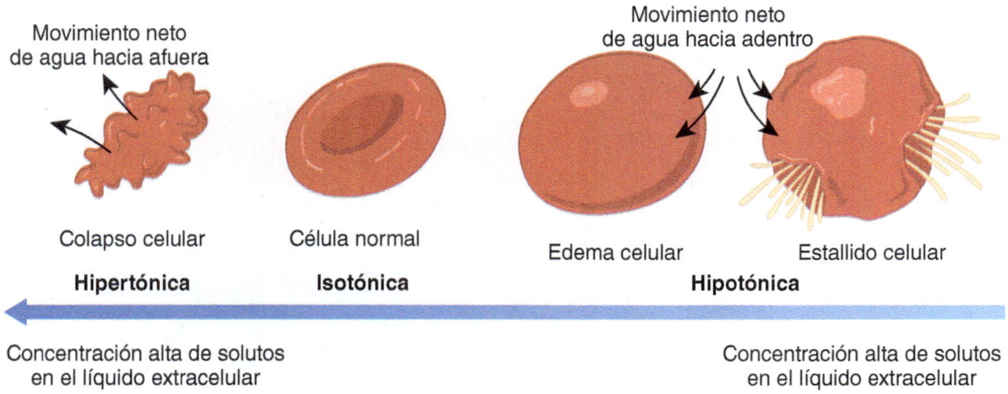

FIGURA 6-12 Tonicidad.

transporte activo, que implica el gasto de energía, es necesario para este movimiento "ascendente" (véase figura 6-10B). Por ejemplo, la mayor parte del sodio corporal está contenida en el LEC, en tanto que la correspondiente del potasio se encuentra en el líquido intracelular. El sodio ingresa a la célula por difusión simple, cuando los canales de sodio se abren, y el potasio abandona la célula por el mismo proceso cuando se abren los canales de potasio. Para desplazar el sodio fuera de la célula o el potasio hacia su interior, estos canales no pueden abrirse otra vez, porque siempre hay una mayor concentración de sodio en el exterior y de potasio en el interior. Se debe usar un proceso de transporte activo, la bomba de sodio-potasio, para desplazar estos iones en contra de su gradiente de concentración. Como en la difusión facilitada, en este proceso se usa un sistema donde la partícula por desplazarse se une con una proteína transportadora. Sin embargo, a diferencia de la difusión facilitada, este sitio de unión requiere el uso de energía. Después de que se adosa la partícula, se transporta a través de la membrana y, a continuación, se libera. Aunque el transporte activo demanda un alto gasto de energía, sus beneficios rebasan al uso inicial de ATP como fuente. El bombeo de sodio fuera de la célula y del potasio hacia su interior tiene el beneficio adicional de, al mismo tiempo, introducir glucosa.

Perlas de sabiduría

La bomba de sodio-potasio retira continuamente tres iones de sodio de la célula por cada dos iones de potasio que retornan a su interior. Si esta bomba se altera por una cantidad insuficiente de potasio en el cuerpo, el sodio aumenta y provoca que las células se hinchen.

La endocitosis y la exocitosis son procesos que utilizan la energía de una célula para desplazar sustancias a su interior o afuera sin atravesar la membrana. En la endocitosis, una sección de la membrana celular desplaza partículas muy grandes para ingresar a las células por otros procesos al interior de una vesícula. Las tres formas de endocitosis son: pinocitosis, fagocitosis y endocitosis mediada por el receptor. La **pinocitosis** ("ingestión de líquido por la célula") es el transporte de gotas de LEC al interior de la membrana celular. En la **fagocitosis** ("ingestión de sólidos") una célula rodea a una partícula extraña y la engulle. La endocitosis mediada por un receptor implica el desplazamiento de tipos específicos de partículas al interior de la célula con moléculas de proteínas que se extienden de una parte de la membrana a la superficie externa de la célula. El proceso opuesto a la endocitosis es la exocitosis, en la que una sustancia almacenada dentro de una vesícula se desplaza fuera de la célula. En el **CUADRO 6-8** se resumen los mecanismos de transporte celular.

Nivel tisular

Recuérdese que un tejido es un grupo de células que comparten estructura y función similares. Los tejidos son producto del proceso de diferenciación que se presenta de manera temprana en el desarrollo de una célula y causa que se torne especializada para un fin específico. Por ejemplo, una célula puede especializarse como cardíaca u ósea. Cuando los blastocitos presentan mitosis, una célula hija se mantiene como indiferenciada, en tanto la otra se diferencia y toma las características de un tejido particular.

El cuerpo humano está constituido principalmente por cuatro tipos de tejidos, que se clasifican por su forma, estructura y función: epitelial, conectivo, muscular y nervioso. Los **tejidos epiteliales** cubren las

CUADRO 6-8 Mecanismos de transporte celular

Mecanismo	Desplazamiento
Difusión	El paso de un solvente, como el agua, de una zona de baja concentración de solutos a una de alta concentración a través de una membrana selectivamente permeable, para equilibrar la concentración de solutos en ambos lados.
Filtración	El paso de agua y la sustancia disuelta de una zona de alta presión a una donde esta es baja.
Difusión facilitada	Asistencia por una molécula de transporte (auxiliar) dentro de la membrana para el paso de una sustancia de una zona de mayor concentración a una de menor concentración.
Osmosis	El paso de un solvente, como el agua, de una zona de baja concentración de solutos a una de alta concentración, a través de una membrana selectivamente permeable para equilibrar la concentración de solutos en ambos lados.
Transporte activo	Paso, mediante moléculas de transportes o bombas que requieren energía, de una sustancia de una zona de baja concentración a una donde esta es alta.

superficies corporales y hacen lo mismo además de revestir a los órganos internos, y forman las glándulas. Los tejidos conectivos están ampliamente distribuidos en el cuerpo, llenan los espacios internos y actúan para unir, soportar y proteger estructuras corporales. Los tejidos musculares están especializados para la contracción e incluyen los del músculo esquelético, el corazón y las paredes musculares de los órganos huecos. Los músculos esqueléticos están unidos a los huesos y se utilizan para el movimiento del cuerpo. Los **tejidos nerviosos** llevan información de una parte del cuerpo a otra a través de impulsos eléctricos. Se encuentran en el encéfalo, la médula espinal y los nervios.

Perlas de sabiduría

El tejido epitelial es capaz de repararse solo (regenerarse) con rapidez cuando se lesiona.

Tejidos epiteliales

Los tejidos epiteliales cubren la mayoría de las superficies corporales (tanto externas como internas) y revisten el interior de los órganos huecos. Están constituidos por muchas células que se acoplan en extrema proximidad para formar una capa continua con poco o ningún material intercelular. El tejido epitelial tiene dos superficies. Puesto que forma las coberturas y los revestimientos una superficie del tejido suele estar suelta y expuesta al exterior (p. ej., la superficie de la piel, el revestimiento interno de la boca) o al interior a un espacio abierto (p. ej., revestimiento intestinal). En el lado opuesto a la superficie libre (p. ej., inferior a la superficie), las células se unen a una membrana basal, una capa muy delgada de tejido que ancla al epitelio a la estructura subyacente, como el tejido conectivo. Puesto que el tejido epitelial, en general, es avascular (es decir, no tiene riego sanguíneo propio), recibe oxígeno y nutrimentos por difusión desde los vasos sanguíneos que riegan a los tejidos conectivos subyacentes. Las glándulas son estructuras secretoras derivadas del epitelio.

El epitelio tiene cuatro funciones esenciales:

1. **Protección física.** Los epitelios protegen la superficie expuesta interna de la abrasión, deshidratación y destrucción por productos biológicos o sustancias químicas.
2. **Permeabilidad.** Cualquier sustancia que ingrese o salga del cuerpo debe atravesar un epitelio, por lo que este regula la permeabilidad. Algunos epitelios son relativamente impermeables en tanto otros son atravesados por compuestos de diversas dimensiones con facilidad. En respuesta a los estímulos, la barrera epitelial se puede modificar y regular. Las hormonas modifican el transporte de iones y nutrimentos a través de las células epiteliales. El estrés físico puede también alterar la estructura y las propiedades de estos tejidos. Un ejemplo es la formación de callos en las manos después de labores manuales repetidas.
3. **Sensibilidad.** La mayoría de los epitelios es sensible a la estimulación, porque cuenta con un gran aporte de nervios sensoriales.
4. **Secreciones especializadas.** Las células epiteliales que producen secreciones se denominan glandulares y algunas de ellas están dispersas

entre las de otros tipos en un epitelio. La mayoría o todas las células epiteliales en un epitelio glandular producen secreciones que se descargan a la superficie o se liberan hacia el líquido intersticial y la sangre circundantes.

El tejido epitelial se puede dividir en grupos de acuerdo con su forma y número de capas al microscopio (**CUADRO 6-9**). Se clasifica por su forma como escamoso (plano, delgado y que semeja escamas), cuboidal (cúbico), columnar (más alto que ancho) o transicio-

CUADRO 6-9 Tipos de tejido epitelial

Tipo	Descripción	Función	Localización
Escamoso o plano simple	Una sola capa de células planas delgadas.	Permite la difusión de oxígeno y dióxido de carbono entre el aire alveolar y la sangre.	Alvéolos pulmonares
		Absorción por difusión, filtración y osmosis	Reviste las paredes de capilares y vasos linfáticos
		Filtrado de agua y electrólitos	Riñones
Cuboidal simple	Capa única de células con dimensiones semejantes de ancho y altura (con forma de cubo).	Absorción de agua y electrolitos	Reviste los túbulos renales
		Secreción de enzimas y hormonas	Reviste la superficie ovárica y los conductos de algunas glándulas (tiroides, páncreas, salivales)
Columnar simple	Capa única de células más altas que anchas; algunas contienen cilios.	Protección; secreción de enzimas digestivas; absorción de nutrimentos	Reviste el estómago y el intestino
		Desplaza partículas de polvo y otro material extraño fuera de los pulmones mediante cilios	Reviste porciones del aparato respiratorio
Columnar seudoestratificado	Capa única de células de alturas diferentes, algunas que no alcanzan el borde libre.	Protección; secreción de moco	Reviste a la tráquea y a la mayoría de las vías respiratorias altas; reviste a la uretra masculina
		Desplaza el óvulo hacia el útero	Revestimiento de las trompas de Falopio
Escamoso estratificado	Capas múltiples de células.	Protección	Capa externa de la piel; superficie de revestimiento de boca, esófago, vagina y ano.
Cuboidal estratificado	Por lo general, dos capas de células.	Protección	Revestimiento de los conductos mamarios más grandes, los conductos de glándulas sudoríparas y salivales.
Columnar estratificado	Múltiples capas celulares.	Protección; secreción.	Parte de la uretra masculina, porciones de la faringe y los conductos grandes de algunas glándulas.
Transicional	Las células parecen simples cuando están distendidas y estratificadas cuando no lo están.	Protección; se estira y cambian de aspecto.	Revestimiento de la vejiga, los uréteres y parte de la uretra.

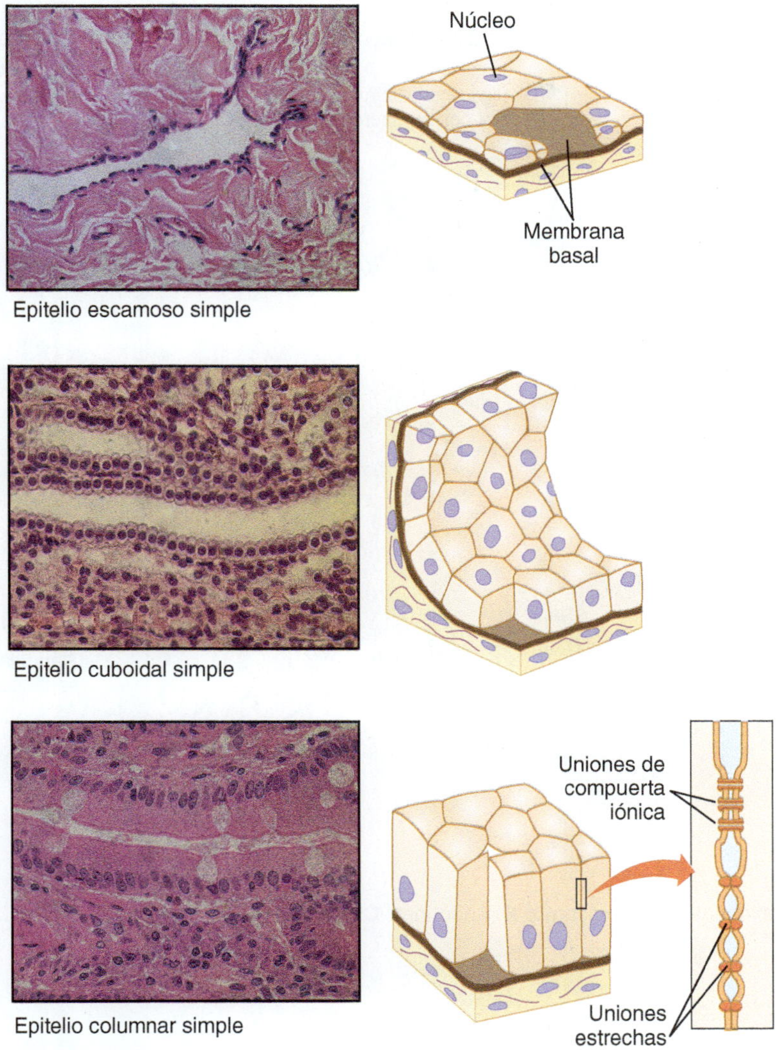

FIGURA 6-13 Formas de algunos tipos de células epiteliales.

Micrografías, © Donna Beer Stolz, PhD, Center for Biologic Imaging, University of Pittsburgh Medical School; **ilustraciones,** © Jones & Bartlett Learning.

nal (**FIGURA 6-13**). Las células transicionales que suelen encontrarse en el **aparato urinario** pueden estirarse y cambiar su aspecto para parecer como cualquiera de dos o tres tipos. El tejido epitelial también puede clasificarse por el número de capas. El *epitelio simple* está formado por una sola capa de células; el *epitelio estratificado,* por dos o más, y el *seudoestratificado* parece tener múltiples capas, pero no es así. Ocurre una impresión de seudoestratificación ("estratificación falsa") porque las células tienen forma irregular y sus núcleos se aparecen a diferentes niveles en el tejido, lo que simula que pertenecen a múltiples capas.

El tejido epitelial a veces se subdivide en membranoso y glandular. El primero cubre al cuerpo; reviste las cavidades pleural, pericárdica y peritoneal y los aparatos respiratorio, digestivo y genitourinario, así como los vasos sanguíneos y linfáticos. El epitelio glandular consta de células especializadas que producen y secretan sustancias hacia los conductos o líquidos corporales. Suelen encontrarse en **glándulas exocrinas** (que tienen conductos que se abren a la superficie del tracto digestivo o hacia su interior), o en **glándulas endocrinas** (sin conductos y que vierten sus secreciones a los líquidos tisulares o la sangre). Son tres los tipos de glándulas exocrinas: merocrinas, apocrinas y holocrinas (**FIGURA 6-14**). Las glándulas merocrinas liberan líquidos por exocitosis. Las apocrinas pierden parte de sus cuerpos celulares durante la secreción y las holocrinas liberan células completas, que se desintegran para liberar secreciones.

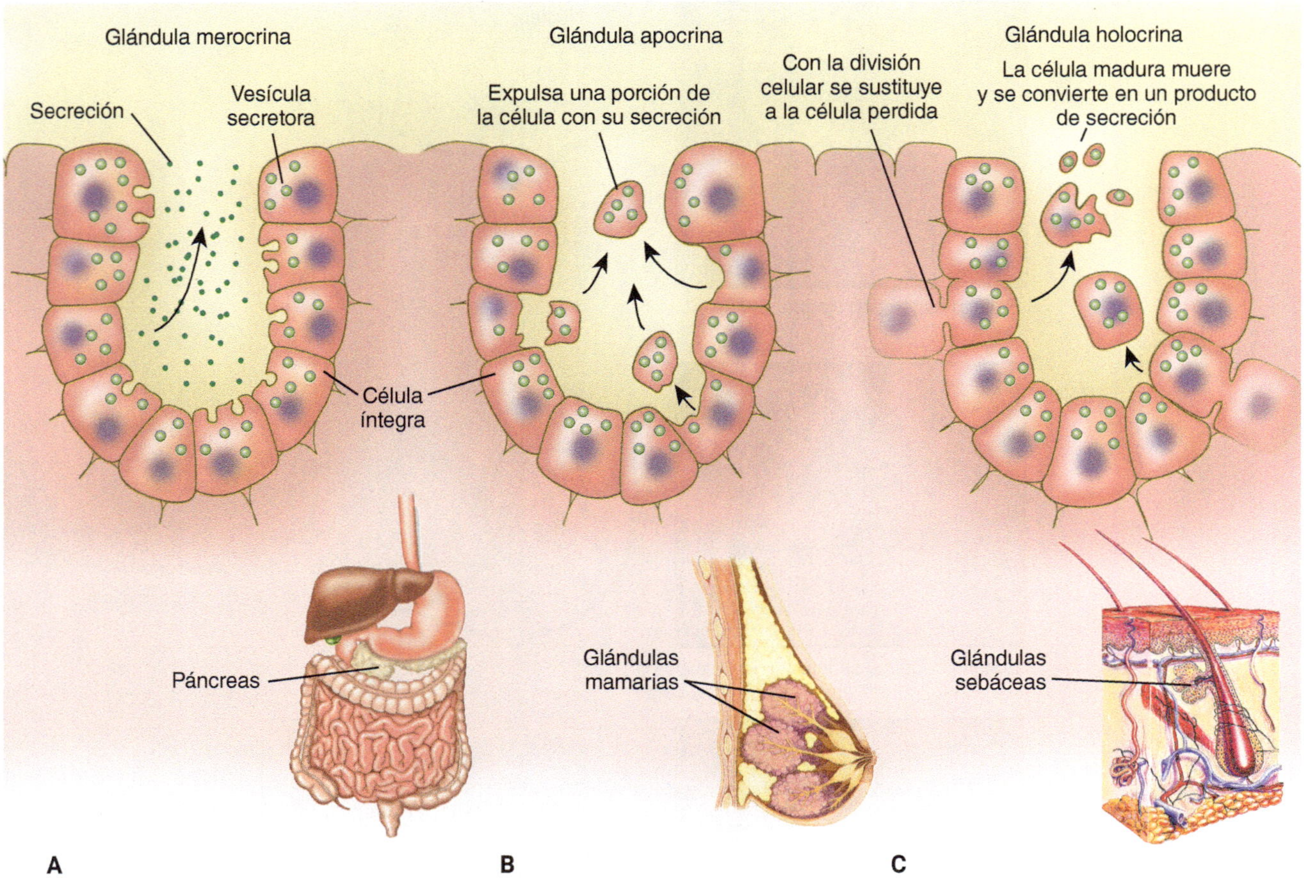

FIGURA 6-14 Glándulas exocrinas. **A.** Merocrinas. **B.** Apocrinas. **C.** Holocrinas.

Tejido conectivo

El tejido conectivo es el de tipo más abundante de los corporales y el de más amplia distribución. Se une a las estructuras óseas, provee respaldo y protección, crea estructuras, llena espacios corporales, almacena grasa, produce eritrocitos, transporta líquidos y materiales disueltos, repara tejidos dañados y protege al cuerpo de las infecciones.

A diferencia de las células del tejido epitelial que se conjuntan estrechamente, las del tejido conectivo están separadas por la matriz, sustancia intercelular que sirve como cemento que le da sus características básicas (conexión de tejidos). Si bien las células constituyen la mayoría de los tejidos de tipo epitelial, la matriz suele hacerlo en el tejido conectivo.

La mayoría de las células del tejido conectivo se divide, cuenta con un buen riego sanguíneo y requiere grandes cantidades de nutrimentos, e incluye a las de hueso, cartílago y grasa. Los tejidos conectivos contienen diferentes tipos de células, incluidas aquellas fijas o con desplazamiento libre. El tipo más frecuente de células fijas es el fibroblasto, de forma estelar, que produce fibras a través de la secreción de proteínas hacia la matriz celular. En el **CUADRO 6-10** se resumen las principales fibras y células del tejido conectivo.

Los fibroblastos producen tres tipos de fibras de tejido conectivo:

1. **Colágenas.** Esenciales para partes corporales que sostienen estructuras unidas (p. ej., ligamentos que unen huesos, y tendones que conectan a los músculos con huesos). Las fibras de colágeno también se llaman de tejido conectivo denso o blancas.
2. **Elásticas.** Frecuentes en partes corporales que a menudo se estiran, como las cuerdas vocales, constituidas por una proteína llamada elastina, y también se denominan fibras amarillas.
3. **Reticulares.** Forman redes de sostén delgadas en el bazo y otros tejidos.

Otros tipos de células que se encuentran en el tejido conectivo incluyen a las cebadas, los macrófagos, adipocitos y melanocitos. Las **células cebadas**

CUADRO 6-10 Células y fibras del tejido conectivo

Tipos de células	**Acción**
Fibroblastos	Producen fibras
Macrófagos	Engullen los microorganismos no deseados y los destruyen
Células cebadas	Secretan histaminas y heparinas
Tipos de fibras tisulares	**Acción**
Colágenas	Conjuntan estructuras que tensan con gran fuerza
Elásticas	Facilidad de estiramiento
Reticulares	Forman redes de sostén delicadas

se distribuyen en el tejido conectivo, por lo general, cerca de vasos sanguíneos, y secretan tanto heparina (para prevenir la coagulación sanguínea), como histamina (para las respuestas inflamatoria y alérgica). Los **macrófagos** se encargan de la fagocitosis. Los adipocitos (células grasas) almacenan grasa corporal. Los melanocitos son células especializadas en lo profundo del epitelio, que se encargan de producir el pigmento **melanina**, que da color a la piel.

Clasificaciones del tejido conectivo

Los tejidos conectivos se clasifican con base en sus propiedades físicas (**FIGURA 6-15**). Las tres categorías generales de tejido conectivo son, el propiamente conectivo, los de soporte y los fluidos.

1. El tejido conectivo propiamente dicho incluye aquellos con muchos tipos de células y fibras extracelulares en una sustancia fundamental a

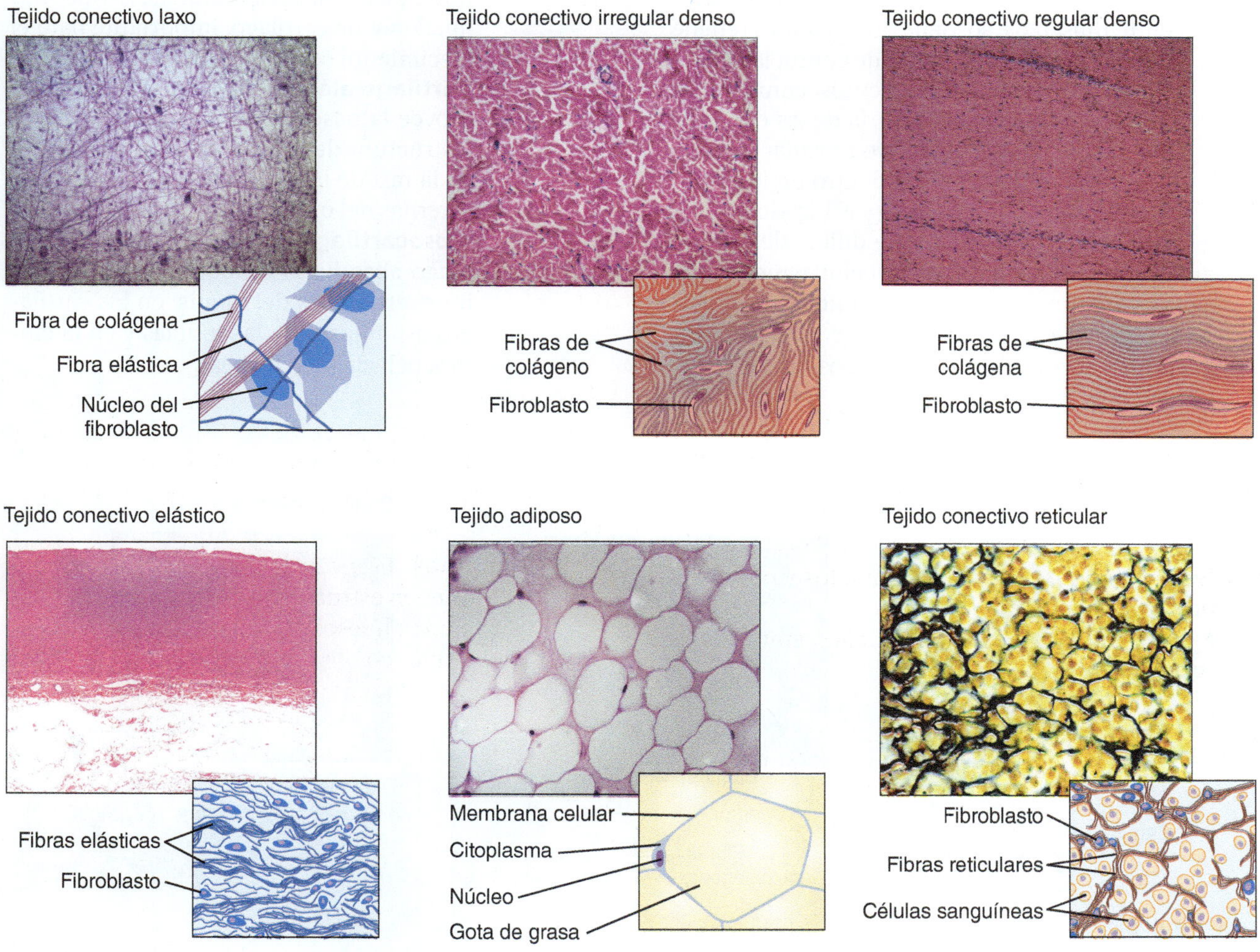

FIGURA 6-15 Tipos de tejidos conectivos típicos.

manera de jarabe, que da resistencia contra la compresión a la piel. Estos tejidos se subdividen en tejido conectivo denso y tejido conectivo laxo.

- El tejido conectivo denso está constituido por haces de fibras colágenas fuertes, blancas, en hileras paralelas. Los tendones están constituidos por este tipo de tejidos; son relativamente fuertes e inelásticos. Este tipo de tejido también se encuentra en los globos oculares y en las capas profundas de la piel, de reparación muy lenta por su mal riego sanguíneo.
- El tejido conectivo laxo incluye al adiposo, el areolar y el conjuntivo. El tejido adiposo yace bajo la piel, entre los músculos, alrededor de los riñones, detrás de los ojos, en ciertas membranas del abdomen, sobre la superficie del corazón y alrededor de algunas articulaciones. Actúa como amortiguador para estas partes corporales. Este tejido también es importante para almacenar energía en moléculas grasas (triglicéridos). El **tejido areolar** une la piel a los órganos subyacentes, llena los espacios entre músculos, sostiene otros tejidos, retiene líquidos corporales, defiende contra las infecciones y almacena nutrimentos, como grasa. Se encuentra bajo la mayoría de las capas de epitelio. El tejido conjuntivo reticular ayuda a crear una red estructural dentro de los órganos internos, como el bazo y el hígado.

2. El tejido conectivo de soporte difiere del propio porque tiene una población celular menos diversa y una matriz con fibras mucho más densamente empaquetadas, protege a los tejidos blandos y forma algo o todo el peso del cuerpo. Los dos tipos de tejido de soporte son cartílago y hueso.
   - El cartílago es un tejido conectivo sólido, pero flexible, que protege al cuerpo de la tensión y compresión excesivas, constituido por células llamadas condrocitos, que se distribuyen en una matriz algo rígida. La constitución exacta del cartílago varía dependiendo de su localización y función en el cuerpo. Es más fuerte que el tejido conectivo denso, pero más blando que el hueso. También carece de fibras nerviosas. Una cobertura llamada pericondrio provee los nutrimentos necesarios por difusión al cartílago. Debido a que tiene un riego sanguíneo limitado, el cartílago cicatriza muy lentamente. Hay tres tipos principales de cartílago (**FIGURA 6-16**):
     - **Cartílago hialino.** Es liso y firme y se encuentra en los extremos de los huesos de muchas articulaciones, en la porción blanda de la nariz y en los anillos de soporte de las vías respiratorias. El tipo más frecuente de cartílago, importante para el crecimiento óseo.
     - **Cartílago elástico.** Este cartílago flexible provee la base estructural de la **epiglotis** (estructura delgada a manera de colgajo en la raíz de la lengua) y las pinas (partes externas del oído).
     - **Fibrocartílago.** Esta forma rígida de cartílago absorbe los choques en los discos intervertebrales del raquis, en los cartílagos esponjosos de las rodillas y en la cintura pélvica (pelvis ósea).

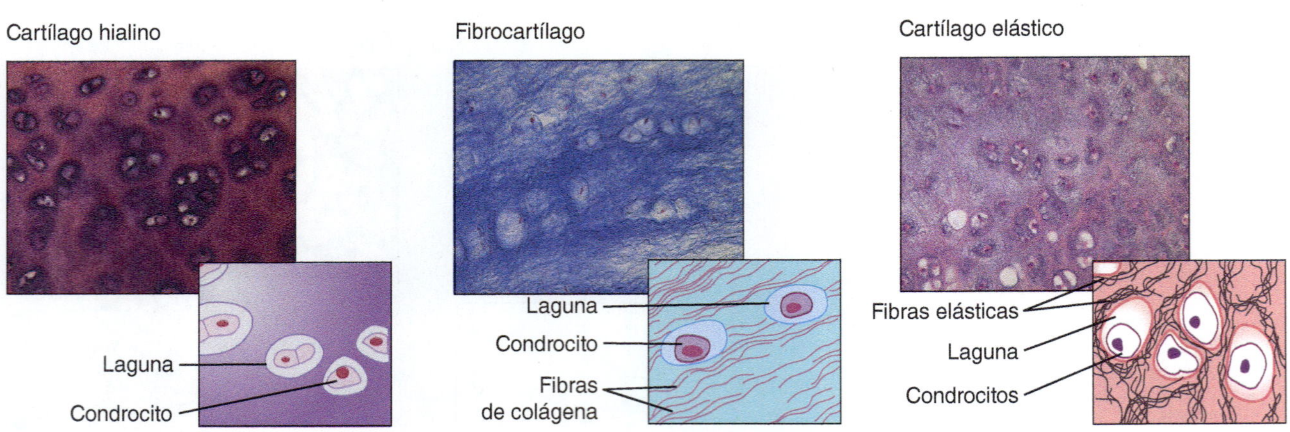

FIGURA 6-16 Tipos de cartílago.

- El hueso es el tipo de tejido conectivo de máxima rigidez y establece la estructura corporal. Consta de una matriz de tejido conectivo, vasos sanguíneos y minerales (en particular calcio y fósforo). Los huesos se clasifican de acuerdo con su forma. El tejido óseo también se clasifica como esponjoso (poroso) o compacto (sólido). La **médula ósea** es el tejido blando que llena el interior de los huesos, y es donde ocurre la producción de eritrocitos, plaquetas y casi todos los leucocitos.

3. La sangre se clasifica como tejido conectivo porque su matriz (eritrocitos, leucocitos y plaquetas entre las células) es líquida (sobre todo agua), lo que permite el transporte de nutrimentos, oxígeno y productos de desecho. La linfa se forma cuando el líquido intersticial ingresa a los vasos linfáticos, que lo retornan al sistema cardiovascular. A diferencia de otros tejidos conectivos, la sangre y la linfa no conectan estructuras o proveen sostén mecánico.

Tejido muscular

El tejido muscular es contráctil, fundamento del movimiento corporal, especializado para contraerse fuertemente (acortarse) y se clasifica por su localización anatómica (esquelético, liso y cardíaco) y función, **CUADRO 6-11**.

1. **Tejido muscular esquelético.** También llamado tejido muscular voluntario, porque su función suele estar bajo regulación consciente. Está conectado con la estructura esquelética del cuerpo mediante tendones y, a veces, se le llama estriado, porque contiene células largas a manera de fibras o marcas oscuras y claras llamadas estrías, visibles al microscopio, **FIGURA 6-17**. Tienen un aspecto resultante de la alternancia de bandas oscuras gruesas de miosina y delgadas claras de actina. Este tejido da movimiento a cabeza, tronco

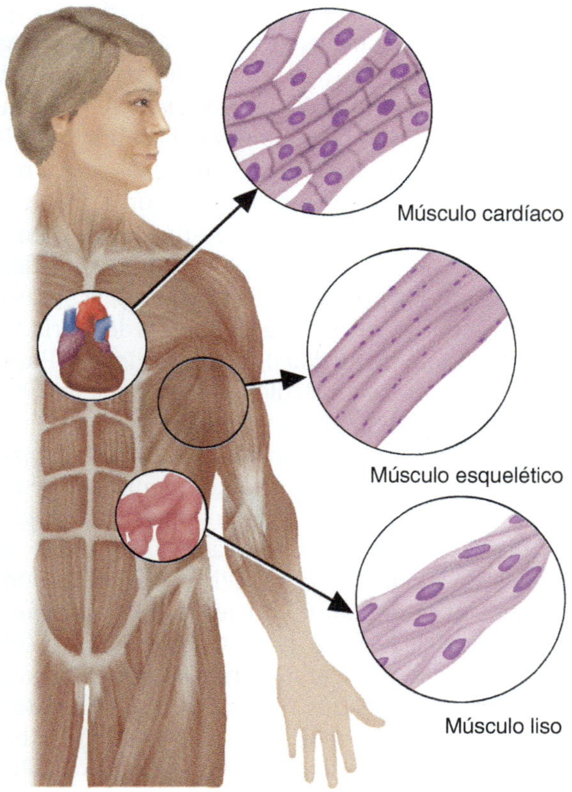

FIGURA 6-17 Los tres tipos de músculo son cardíaco, esquelético y liso.

CUADRO 6-11 Tipos de músculo

Tipo	Control	Estrías	Localización	Propósito
Esquelético (voluntario)	Voluntario	Sí	Adherido al hueso	Producir movimiento
Liso (involuntario, no estriado)	Involuntario	No	En las paredes de las estructuras internas huecas y los vasos sanguíneos	Diversos: algunas funciones orgánicas, la contracción pupilar, cambios de diámetro de los vasos sanguíneos, función de los conductos glandulares, movimiento de los pelos
Cardíaco (miocardio)	Involuntario	Sí	Corazón	Bombear sangre

y extremidades, al permitir todos los desplazamientos voluntarios en esas regiones corporales. La lesión del músculo esquelético causa hemorragia considerable por su abundante riego sanguíneo.

2. **Tejido muscular liso.** También llamado involuntario, no estriado, está constituido por células fusiformes y se encuentra en las paredes de órganos internos huecos (p. ej., intestinos, estómago, vasos sanguíneos, **útero**). En la mayor parte de los casos, el músculo liso no puede regularse en forma consciente. Sus principales funciones incluyen constreñir la luz de los vasos sanguíneos en respuesta a las necesidades corporales, ayudar a la fragmentación y digestión de los alimentos, movilizar líquidos por el cuerpo y ayudar a eliminar los productos de desecho. Las fibras de músculo liso son más cortas que las del estriado, y tienen solo un núcleo por fibra fusiforme. Puesto que las células musculares lisas se pueden dividir, se regeneran tras una lesión.
3. **Tejido muscular cardíaco.** También llamado **miocardio**, es la capa media contráctil gruesa de la pared cardíaca. Este tejido es similar al esquelético porque es estriado, pero tiene una estructura diferente. Las células cardíacas por lo general presentan un núcleo, pero en ocasiones tienen dos. Además, la conexión entre las células es diferente: forman uniones estrechas llamadas discos intercalados. El músculo cardíaco también difiere del esquelético porque no está bajo regulación consciente, es por completo involuntario; depende de células marcapasos o nodos de tejido en el sistema de conducción del corazón para estimular la contracción.

Perlas de sabiduría

Los músculos están provistos de una rica cantidad de vasos sanguíneos y nervios. La pérdida de la irrigación o inervación apropiadas (p. ej., nervios de un órgano o parte corporal) da como resultado el desgaste del músculo o atrofia. En los pacientes con lesiones nerviosas permanentes o mala circulación distal, a menudo se observa atrofia muscular, que puede ser un indicio de un proceso patológico subyacente.

Tejido nervioso

El tejido nervioso del cuerpo puede conducir impulsos eléctricos, que permiten la comunicación entre sus estructuras y la regulación de las funciones corporales. El tejido nervioso contiene células de dos tipos básicos: (1) neuronas y (2) de sostén diversas, colectivamente llamadas de neuroglia o gliales. Se encuentran tejidos nerviosos en el encéfalo, los nerviosos periféricos y la médula espinal, cuyas células básicas son las neuronas, que constituyen la estructura básica del tejido neural. Cuando están interconectadas, las neuronas actúan como conductos para el envío de señales hacia y desde otras neuronas, músculos y glándulas, además de recibir información sensorial del mundo externo.

Las células de neuroglia son de sostén del tejido nervioso, cruciales para su funcionamiento. Las funciones de las células de neuroglia incluyen nutrición, protección y aislamiento. También fagocitan otras células y ayudan a la comunicación intercelular.

Tipos de membranas

Las membranas forman una barrera o interfaz. Las membranas epiteliales son estructuras delgadas formadas por epitelio y el tejido conectivo subyacente; cubren superficies corporales y revisten las cavidades. El cuerpo contiene cuatro tipos de membranas, **CUADRO 6-12**:

1. **Membranas serosas.** Revisten las cavidades óseas que carecen de abertura al exterior, como las cavidades torácica, abdominal y pélvica; constan de dos capas. La parietal se adhiere a la pared de la cavidad, y la visceral, al órgano. Las membranas serosas secretan un fluido parecido al suero, que lubrica las superficies de las membranas.
2. **Membranas mucosas.** Revisten las cavidades corporales que se abren al exterior, incluidas nariz y boca, así como los conductos digestivos, respiratorios, urinarios y reproductivos. Las membranas mucosas contienen células caliciformes que secretan moco.
3. **Membranas cutáneas.** La piel que cubre la superficie corporal.
4. **Membranas sinoviales.** Forman el revestimiento incompleto dentro de las cavidades de las **articulaciones sinoviales**. Están por completo formadas por tejidos conectivos.

Homeostasia

Como se señaló antes, las respuestas adaptativas a diversos estímulos permiten a las células y los tejidos responder y funcionar dentro de sus respectivos ambientes, en un esfuerzo constante por conservar un grado de estabilidad o equilibrio, que se conoce como homeostasia (que viene de las palabras griegas

CUADRO 6-12 Membranas del cuerpo

Tipo de membrana	Nombre	Localización
Cutánea	Piel	Todas las superficies externas del cuerpo
	Periostio	Rodea al hueso maduro
	Pericondrio	Rodea al hueso en desarrollo
Mucosa	Bucal y nasal	Blanda, produce moco y reviste la nariz y la boca
Serosa	Pleura visceral	Revestimiento interno de los pulmones
	Pleura parietal	Recubrimiento que separa la pleura visceral del interior de la pared torácica
	Pericardio	Rodea el corazón
	Peritoneo	Rodea a los órganos abdominales
	Meninges	Coberturas entre el encéfalo y el cráneo
Sinovial	Cápsula articular	Rodea al líquido contenido en la articulación de la rodilla

que significan "igual" y "constante"); también se le denomina un estado estable dinámico. El recambio fisiológico de las células se refiere al proceso por el que las células viejas se eliminan y son sustituidas por nuevas. Este proceso ocurre por apoptosis, que es la muerte celular normal; genéticamente programada como parte del desarrollo, la organogénesis (formación de órganos y aparatos y sistemas), la función inmunitaria y el crecimiento tisular normales. Tiene participación fisiológica en el envejecimiento, el desarrollo temprano, la menstruación, el tejido mamario durante la lactancia, la involución del timo y el recambio de eritrocitos. Un recambio apropiado de células es componente de la homeostasia; por ejemplo, permite sustituir a las células dañadas, de modo que pueda continuar la función apropiada del tejido.

La homeostasia en el cuerpo es posible porque los sistemas regulatorios normales son contrarrestados hacia el equilibrio por sistemas reguladores opuestos. En otras palabras, para cada célula, tejido u órgano que realiza una función, al menos uno de los componentes realiza la función contraria. Otros mecanismos homeostáticos incluyen la regulación de la temperatura corporal interna a pesar de fluctuaciones en la temperatura ambiental, la regulación del pH y el equilibrio acidobásico, así como el equilibrio del agua o la hidratación en las células y todo el organismo.

Los sistemas reguladores se comunican dentro del cuerpo, sobre todo en el nivel celular. Recuerde que las células se comunican por vía electroquímica a través de señales en las que liberan moléculas (p. ej., hormonas) que se unen a receptores proteínicos en su superficie. Esta señalización desencadena reacciones químicas en las células receptoras, que inician una acción biológica. Cuando concluye dicha acción, se alerta al sistema opuesto para descontinuar la actividad a través de un proceso llamado inhibición por retroalimentación o **retroalimentación negativa**, **FIGURA 6-18**.

El mecanismo de termostato en una casa es un buen ejemplo del de retroalimentación. A mitad del invierno, ocurre pérdida constante de calor a través de las corrientes de aire en ventanas, puertas y zonas mal aisladas, como el techo o las paredes. El termostato detecta disminuciones de temperatura y envía señales al calentador para producir calor y aumentar la temperatura de la casa. Después de que la temperatura llega a cierto punto, el termostato da una retroalimentación negativa al calentador, lo que causa que se apague para prevenir el sobrecalentamiento. Este proceso de retroalimentación mantiene la temperatura de la casa dentro de un rango seleccionado, **FIGURA 6-19**. De manera similar, el cuerpo genera de manera constante calor a través de procesos celulares. Cinco mecanismos principales le ayudan a disminuir la temperatura excesiva o eliminar el calor: (1) convección, (2) conducción, (3) radiación, (4) evaporación, y (5) respiración. En resumen, el termostato del cuerpo equilibra la generación de calor o su eliminación.

El cuerpo humano también mantiene la homeostasia equilibrando lo que entra con lo que sale. Por ejemplo, capta las sustancias químicas y electrólitos, los alimentos y el agua, utiliza los nutrimentos, proteínas, azúcares y oxígeno de estos ingresos, y después, elimina las sustancias químicas innecesarias y productos de desecho por la respiración (dióxido de carbono), el sudor (exceso de líquidos), la micción y la defecación (heces). La **FIGURA 6-20** ilustra este equilibrio normal.

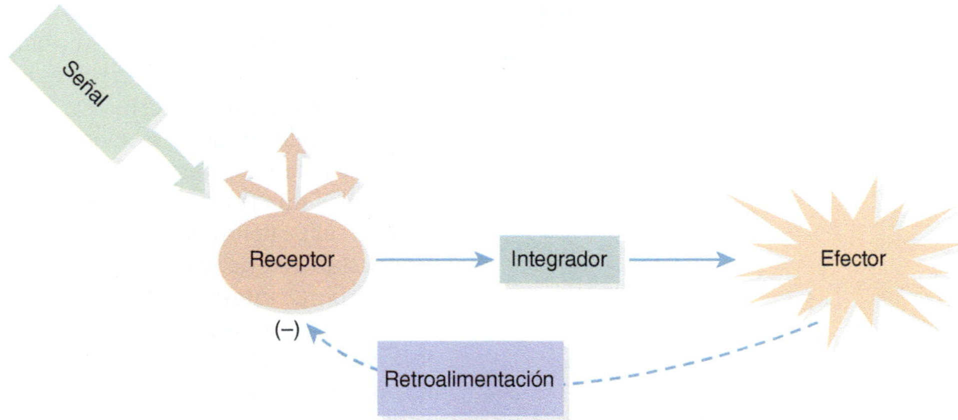

FIGURA 6-18 La mayor parte de la comunicación celular (señalización) incluye un componente de retroalimentación negativa, donde el producto de una reacción regresa información acerca de su propia función, y así detiene la producción.

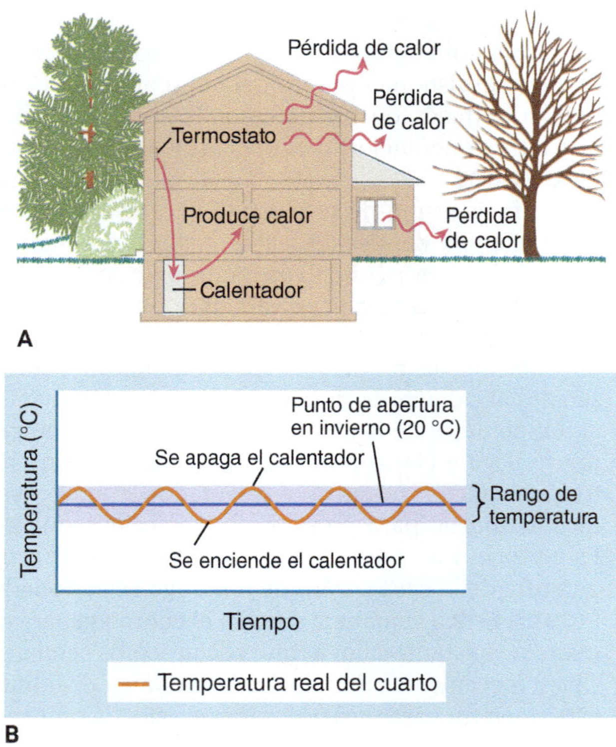

FIGURA 6-19 Homeostasia y el hogar. **A.** El calor en una casa se mantiene mediante un calentador, que compensa la pérdida de calor. El termostato vigila la temperatura interna y activa el calentador o lo apaga, en respuesta a los cambios de temperatura. **B.** Una gráfica de temperatura hipotética que muestra su fluctuación cerca del punto de ajuste.

Cuando las señales celulares normales se interrumpen, se presenta la enfermedad. Los mecanismos contrarregulatorios del cuerpo se tornan ineficaces y sus sistemas reguladores empiezan a funcionar de manera autónoma. El sistema deja de proveer retroalimentación negativa crítica, pero en su lugar aporta una retroalimentación positiva sin oposición.

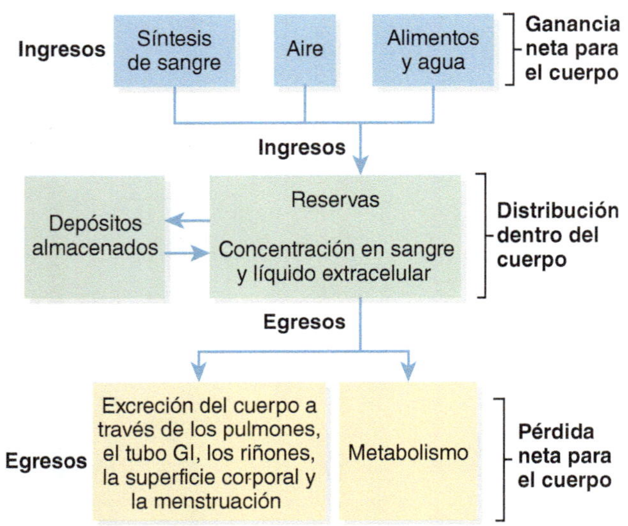

FIGURA 6-20 Vista generalizada del sistema de la homeostasia. Los ingresos y egresos se equilibran para mantener parámetros químicos y físicos constantes.

Órganos, aparatos y sistemas corporales

Recuerde que un órgano está formado por al menos dos tipos de tejidos organizados para realizar una tarea más compleja de la que podría uno. Un aparato o sistema incluye al menos dos tipos de órganos que se organizar para realizar una tarea más compleja que la puede uno. Los 12 principales aparatos y sistemas del cuerpo son tegumentario, esquelético, muscular, nervioso, endocrino, circulatorio, linfático, inmunitario, respiratorio, digestivo, urinario y reproductor, **FIGURA 6-21**.

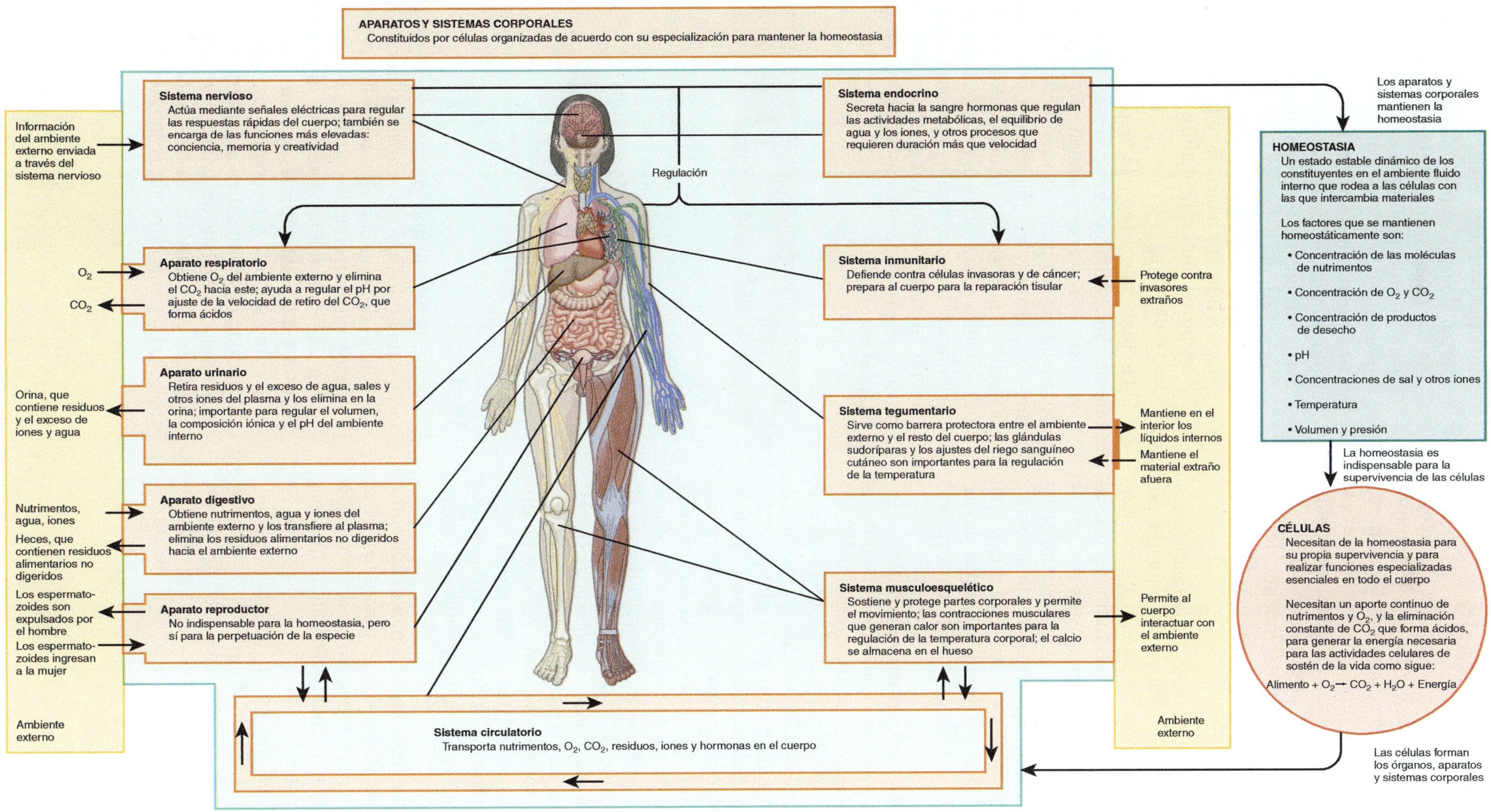

FIGURA 6-21 Aparatos y sistemas corporales.

El sistema tegumentario

El **sistema tegumentario** es el más grande del cuerpo humano y sirve como interfaz entre este y el mundo externo. Consta de la piel (tegumento) y las estructuras accesorias, como pelos, uñas, **glándulas sebáceas** (oleosas), y **glándulas sudoríparas** (que forman sudor, o producen olor). El sistema tegumentario tiene una participación crucial en el mantenimiento del ambiente interno en un estado estable (homeostasia) al realizar las siguientes funciones:

- **Protección.** La piel protege a los tejidos subyacentes de lesiones, incluyendo aquellas por temperaturas extremas, radiación ultravioleta, fuerzas mecánicas, sustancias químicas tóxicas y microorganismos invasores. Estos últimos se encuentran en todos lados y de manera sistemática sobre la superficie cutánea; sin embargo, nunca penetran la piel, a menos que esta pierda su continuidad por una lesión; así, la piel provee una protección constante contra los invasores externos.
- **Regulación de temperatura.** Los vasos sanguíneos en la piel se constriñen cuando el cuerpo se encuentra en un ambiente frío, y se dilatan cuando está en uno caliente. En el primero, la constricción de los vasos sanguíneos desvía la sangre lejos de la piel para disminuir la cantidad de calor irradiado desde la superficie corporal. Cuando el ambiente externo es caliente, los vasos en la piel se dilatan, esta presenta rubor o enrojece y el calor se irradia desde la superficie corporal. Además, en un ambiente caliente, se secreta sudor hacia la superficie cutánea, desde las glándulas correspondientes. Su evaporación requiere energía, que en forma de calor se toma del cuerpo durante el proceso, lo que hace que la temperatura corporal disminuya. El sudor solo no disminuye la temperatura corporal; debe también ocurrir su evaporación.
- **Regulación de líquidos.** La piel actúa como sello hermético para prevenir la pérdida excesiva de calor del cuerpo y el secado de los tejidos, lo que así ayuda a mantener la estabilidad química del ambiente interno.
- **Sensibilidad.** La piel es un órgano sensorial, que mantiene al cerebro informado acerca del ambiente externo, lo que hace a través de un rico aporte de **nervios sensitivos** que se originan en la piel, adaptados para percibir y transmitir información acerca de calor, frío, presión externa, dolor, y la posición del cuerpo en el espacio. La piel, por lo tanto, detecta cualquier cambio en el ambiente y también reacciona a la presión, el dolor y los estímulos placenteros.
- **Respuesta inflamatoria.** El tegumento responde a las lesiones y heridas con inflamación, que causan eritema, aumento de la temperatura local y edema doloroso. Los vasos sanguíneos de la zona lesionada se dilatan y permiten que escapen líquidos hacia los tejidos dañados, lo que les provee más nutrimentos y oxígeno y ayuda a su curación.

La piel cubre toda la superficie externa del cuerpo. Sin embargo, los diversos orificios, incluidos boca, nariz, ano y vagina, no están revestidos por piel, sino por membranas mucosas, similares a la piel porque proveen una barrera protectora contra la invasión bacteriana y de la que difieren porque secretan moco, una sustancia pegajosa que las lubrica. Por lo tanto, las membranas mucosas son húmedas, en tanto la piel es seca. Por ejemplo, una membrana mucosa reviste todo el tubo digestivo, desde la boca hasta el ano.

> **Perlas de sabiduría**
>
> Si la piel sufre daño considerable, puede dejar vulnerable al cuerpo ante la invasión bacteriana, la inestabilidad de la temperatura y desequilibrios importantes de líquidos. Esto es precisamente lo que pasa cuando una lesión produce pérdida de continuidad de la piel.

Piel

La piel es el órgano más grande del sistema tegumentario, constituida por dos capas: epidermis y dermis. Las células de la epidermis están selladas para formar una cubierta protectora hermética para el cuerpo.

La capa de tejido conectivo yace bajo la piel, **FIGURA 6-22**, y está compuesta sobre todo de grasa, que sirve como aislante y reservorio energético corporal. La cantidad de tejido subcutáneo varía mucho de una persona a otra. Debajo del tejido subcutáneo yacen los músculos y el esqueleto. La capa subcutánea ayuda a anclar la piel a las estructuras subyacentes. Conforme

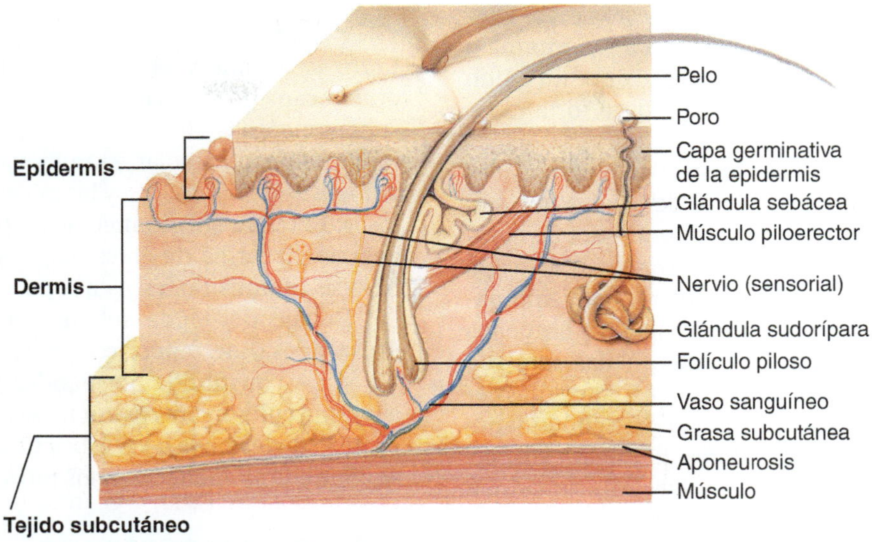

FIGURA 6-22 La piel tiene dos capas principales: epidermis y dermis. Bajo la piel se encuentra una capa de tejido subcutáneo.

una persona envejece, la pérdida de tejido subcutáneo causa que la piel tenga un soporte limitado, proceso por el que aparecen las arrugas.

Epidermis

La epidermis, la capa más externa de la piel, varía en grosor en diferentes regiones corporales. En las plantas de los pies, la espalda y el cuero cabelludo es bastante gruesa. Por el contrario, solo tiene dos o tres células de grosor en otras regiones del cuerpo.

La epidermis está formada por varias capas de células, que se pueden separar en dos regiones. La más externa o **estrato córneo**, consta de células muertas en las que el citoplasma fue sustituido por queratina, una sustancia dura, hermética que provee mayor protección a los tejidos subyacentes contra la luz, el calor, los microorganismos, algunas sustancias químicas y los traumatismos menores. Puesto que las células del estrato córneo están muertas, constantemente se descaman y son sustituidas por nuevas, que ascienden a través de las capas de la epidermis.

La capa germinativa más interna de la epidermis, conocida como estrato germinativo o basal, es la única localización de la epidermis en la que las células pueden presentar mitosis. Las capas nuevas producidas en esta capa pasan a través de las de la epidermis hasta que, en un momento dado, son queratinizadas, se vuelven parte del estrato córneo y se descaman. La capacidad de reproducir células cutáneas permite a la epidermis repararse si se lesiona, lo que da protección adicional contra las lesiones e infecciones.

La capa germinativa también contiene melanocitos, productores de melanina. El color oscuro de la piel de una persona es directamente proporcional a la cantidad de melanina presente.

Dermis

La dermis yace bajo la epidermis, capa a la que está fusionada por la unión dermoepidérmica. Una causa de las ampollas es la lesión de esta unión. La capa dérmica es mucho más gruesa que la epidermis, consta sobre todo de tejido conectivo, que contiene fibras de colágeno y elastina, que enlazan las células. Las fibras de colágena son duras y dan resiliencia a la piel. Las fibras elásticas dan a la piel su capacidad de distensión y (por lo general) de retorno a su contorno normal al cesar la tensión.

La dermis se subdivide en dos capas: la papilar y la reticular. La vasculatura de la dermis papilar tiene dos funciones: proveer nutrimentos a la epidermis, que no tiene un riego sanguíneo propio, y ayudar a la **termorregulación** (el proceso de mantener la homeostasia). La dilatación de estos vasos aumenta el riego sanguíneo de la piel y así permite que se disipe el calor. Por el contrario, la constricción de vasos sanguíneos causa retención de calor. La cantidad y la presencia (o ausencia) de oxígeno en estos vasos sanguíneos causa variaciones del color, como eritema o cianosis. La capa reticular está formada por un tejido conectivo denso irregular, que le provee fortaleza y elasticidad.

Dentro de la dermis también se encuentran macrófagos y **linfocitos**, ambos tipos de células que son parte del proceso inflamatorio y se encargan de combatir los microorganismos que atraviesan la capa epidérmica. Después de que un microorganismo patógeno ingresa a la dermis, los macrófagos y linfocitos lo destruyen y envían señales a otras células para que acudan a la zona. La lesión física activa a las células cebadas para liberar gránulos hacia el tejido circundante (descargar) y producir mediadores químicos específicos. El resultado es un aumento del riego sanguíneo hacia la zona afectada, que se manifiesta por eritema y aumento de calor local.

La dermis contiene las siguientes estructuras especializadas:

- **Terminaciones nerviosas.** Median la percepción de tacto, temperatura, presión y dolor.
- **Vasos sanguíneos.** Transportan oxígeno y nutrimentos a la piel y retiran el dióxido de carbono y los productos metabólicos residuales. Los vasos sanguíneos cutáneos también tienen participación crucial en la regulación de la temperatura corporal al modificar el volumen de sangre que fluye desde la capa de mayor temperatura del cuerpo hacia su superficie más fría.
- **Glándulas sudoríparas.** Producen y descargan el sudor a través de conductos que llegan hasta la superficie de la piel.
- **Folículos pilosos.** Estas pequeñas estructuras tubulares producen el pelo y circundan su raíz. Cada folículo contiene un solo pelo y aunado se encuentra un pequeño músculo que al contraerse hace que asuma una posición más vertical. Los pelos en cada parte del cuerpo tienen periodos definidos de crecimiento, después de lo cual se descaman y sustituyen.
- **Glándulas sebáceas.** Localizadas en el cuello de cada folículo piloso, cuentan con un mecanismo secretor específico especializado que produce una sustancia oleosa (sebo). Las secreciones de las glándulas sebáceas se vierten en los folículos pilosos y desde ahí alcanzan la superficie de la piel.

Aponeurosis

Entre la dermis y el músculo subyacente hay una gruesa capa de tejido conectivo conocida como tejido subcutáneo, o **aponeurosis** superficial, constituida por tejido adiposo y areolar, y también contiene vasos sanguíneos, **vasos linfáticos** y las raíces de los folículos pilosos. El tejido subcutáneo aísla, protege y almacena energía en forma de grasa. Las inyecciones subcutáneas se administran en esta capa.

Debajo del tejido subcutáneo hay una capa fibrosa densa, de tejido, conocida como **aponeurosis profunda**, constituida por bandas rígidas que rodean a los músculos y otras estructuras internas. Respalda y protege de lesiones a las estructuras subyacentes y es aquí donde se encuentran los músculos y huesos.

Estructuras accesorias

Las estructuras accesorias del sistema tegumentario incluyen pelo, uñas, y glándulas sebáceas y sudoríparas.

Pelo

La principal función del pelo es la protección de lesiones físicas, del sol, y de la entrada de polvo y otras partículas a los ojos y la nariz. El pelo pasa por etapas de crecimiento y reposo, y es nutrido por los vasos sanguíneos que proveen nutrimentos y oxígeno a la piel.

El crecimiento del pelo ocurre en un folículo piloso, dentro del cual hay un pequeño grupo de células ocultas, conocido como papila pilosa, donde se inicia. Con el paso del tiempo, las células ascienden para queratinizarse y formar el tallo del pelo. Cada folículo es rodeado por un músculo liso que causa la piel de gallina, el erector del pelo (por tracción ascendente del pelo y descendente de la piel, en respuesta al frío, temor o la excitación).

Perlas de sabiduría

Valore las uñas del paciente en cuanto a su color, forma, inserción y la presencia de surcos, para obtener información valiosa durante la exploración física.

Uñas

Las uñas, constituidas por una placa ungular arriba de la superficie cutánea llamada lecho ungular protegen los extremos de los dedos y artejos. La parte de esta placa que crece más activamente está cubierta por una lúnula, blanca, con forma de luna en cuarto creciente, donde las células epiteliales se dividen y queratinizan. Las células de las uñas avanzan hacia adelante sobre el lecho ungular, lo que causa que continuamente crezcan hacia afuera. La uña del dedo medio crece más rápido, en tanto en el pulgar el proceso es más lento.

Glándulas

Dos tipos de glándulas se localizan bajo la piel: sebáceas y sudoríparas. Como se mencionó antes, las glándulas sebáceas se encuentran en la dermis y secretan aceite (sebo) en el cuerpo del folículo piloso y la piel, que previene el secado excesivo de esta y el pelo, la pérdida de agua, y conserva la piel plegable. También la protege de algunas formas de bacterias.

Los dos tipos de glándulas sudoríparas son merocrinas y apocrinas. Las primeras (ecrinas) son predominantes y están presentes al nacer, se abren directamente en la superficie cutánea y se encuentran en la frente, el cuello, el dorso y el labio superior, si bien en las palmas de las manos y en las plantas de los pies su número es máximo. Cuando la temperatura corporal aumenta, estas glándulas producen sudor, constituido por agua y sales. La evaporación de esa agua de superficie de la piel es uno de los principales mecanismos para eliminar el calor excesivo del cuerpo. Las glándulas apocrinas se abren en los folículos pilosos, incluso dentro y alrededor de los genitales, las axilas y el ano, secretan una sustancia orgánica (que carece de olor, hasta ser objeto de la acción de bacterias de la superficie) dentro de los folículos pilosos.

Perlas de sabiduría

La piel se ve afectada por el proceso de crecimiento y la exposición ambiental. Con la edad, ocurre pérdida de la elasticidad cutánea. Además, las glándulas sebáceas producen menos aceite, las capas de epidermis y tejido subcutáneo se vuelven más delgadas y las células de la piel son sustituidas a una velocidad más lenta. La exposición a la luz ultravioleta puede producir cambios de pigmento, pérdida de elasticidad, engrosamiento y cáncer de la piel.

Tanto las glándulas mamarias como las ceruminosas son sudoríparas modificadas. Las glándulas mamarias, secretan leche y las ceruminosas, que se localizan en el conducto auditivo externo, cerumen (cera auditiva), una sustancia aceitosa, pegajosa que atrapa al material extraño.

El sistema esquelético

El esqueleto es la estructura integrada que forman 206 huesos del cuerpo. El sistema esquelético tiene las siguientes funciones:

1. **Soporte.** El sistema esquelético provee una estructura rígida y soporta el peso del cuerpo.
2. **Apalancamiento.** Muchos músculos del cuerpo se unen al sistema esquelético en diversas localizaciones, lo que provee el movimiento por apalancamiento en dichos sitios.
3. **Protección.** El sistema esquelético protege a las estructuras internas del cuerpo.
4. **Almacenamiento.** La matriz que da al hueso su fortaleza está constituida por fosfato de calcio, combinación de minerales que acopia en una forma utilizable. Además, el hueso sirve como sitio de almacenamiento de la médula ósea amarilla que es inactiva y almacena lípidos.
5. **Mantenimiento de los niveles de calcio.** El calcio es el principal elemento constitutivo de diversas células óseas que lo usan para crear una estructura dura y resiliente. Los huesos actúan como reservorio del que se puede retirar y depositar calcio. Cuando la concentración de calcio en la sangre y los líquidos tisulares decrece mucho, la **hormona paratiroidea (PTH)** estimula su salida de los huesos. Cuando la concentración de calcio es muy alta, la glándula tiroides secreta la hormona calcitonina, que inhibe el retiro de calcio del hueso.
6. **Producción de células sanguíneas.** Las cavidades del interior de los huesos contienen médula roja, la sustancia que se encarga de formar eritrocitos, leucocitos y plaquetas. La localización de la médula roja varía con la edad. Sin embargo, después de los 4 años, la producción de esas células se limita a las costillas, el esternón (hueso del pecho), la **pelvis**, el cráneo, la columna vertebral, y los extremos proximales de húmero y fémur (hueso del muslo). La producción de células sanguíneas en la médula ósea se conoce como *hematopoyesis* (que se describe más adelante en este capítulo).

El esqueleto consta de dos porciones distintas: **axial** y **apendicular**. La axial está constituida por los huesos de la parte central o eje del cuerpo; sus divisiones incluyen al cráneo, la caja torácica y la columna vertebral (raquis). La cabeza está constituida por el **cráneo** (porción cupuliforme detrás y arriba de la cara), su base, la cara y el oído interno. La columna vertebral está constituida por 33 huesos irregulares que se conocen como vértebras raquídeas. En ubicación anterior, el tórax (cavidad torácica) está constituido por el esternón y 12 pares de costillas. El esqueleto apendicular está formado por la cintura escapular, la cintura pélvica y los huesos de las extremidades superiores e inferiores.

Los huesos constituyen la estructura primaria del sistema esquelético. El cartílago, los tendones y ligamentos son tejidos conectivos esenciales, que actúan junto con los huesos para proveer la estructura de soporte del esqueleto.

El cartílago, que cubre los extremos de los huesos donde forman articulaciones, se conoce como cartílago articular, porción de tejido conectivo que provee acojinamiento y el movimiento suave de los huesos entre sí.

Los tendones son cordones o bandas fuertes especializados de tejido conectivo blanco, denso, que conecta los músculos a los huesos. Los ligamentos son bandas blancas fuertes de tejido que conectan a los huesos entre sí. Los tendones y ligamentos están constituidos por fibras de colágena densamente empaquetadas. Ocurre un esguince cuando los extremos óseos se dislocan de manera parcial o temporal y los ligamentos de sostén se estiran de manera parcial o se desgarran.

Perlas de sabiduría

Las fibras colágenas en el hueso le dan fortaleza flexible, de manera muy parecida al reforzamiento por las varillas incluidas en una estructura de concreto. Los componentes minerales del hueso le proveen fortaleza para soporte de peso, de manera muy parecida a la que el concreto lo hace en una estructura. El hueso sin la cantidad necesaria de mineral es flexible y, sin suficiente colágena, es en extremo quebradizo.

Cuando un músculo se contrae, el tendón jala al hueso con movimiento resultante de la articulación, el punto donde dos o más huesos se unen, y permite que se presente el movimiento. Una tensión o tracción muscular, se presenta cuando se estira o desgarra un músculo, lo que origina dolor, edema y equimosis de los tejidos blandos circundantes. No hay daño de ligamentos o articulaciones en un estiramiento. Los esguinces y estiramientos se gradúan con base en su gravedad y los datos obtenidos durante la exploración física.

Características y composición de los huesos

Los huesos se clasifican con base en su forma. Se encuentran *huesos largos* en las extremidades; su longitud predomina sobre su amplitud. Tienen un cuerpo (llamado diáfisis) y dos extremos, que permiten el movimiento en las articulaciones. Los huesos tienen puntos de inserción para los músculos, lo que forma la base mecánica del movimiento. Son buenos ejemplos de huesos largos, el húmero, el cúbito, el radio, el fémur, la tibia y el peroné. Incluso algunos huesos se pueden considerar "cortos" cuando en realidad se clasifican como largos por su forma y función; son ejemplos las falanges (que forman los dedos de artejos), los **metacarpianos** (que forman la porción ósea de la mano), y los metatarsianos (que forman los arcos de los pies).

Los *huesos cortos* son casi tan anchos como largos y se encuentran solo en las muñecas y los pies. Ayudan a los movimientos finos en varios planos anatómicos, son compactos y fuertes.

Los *huesos planos* son delgados, anchos y suelen proteger y rodear a órganos vitales, a menudo curvos, para ayudar a formar las paredes de las cavidades. El esternón, las costillas, las escápulas y ciertos huesos del cráneo son ejemplos de huesos planos.

Los *huesos irregulares* tienen formas y funciones únicos, diseñados para realizar funciones específicas. Estos huesos incluyen a la mandíbula (maxilar inferior), muchos faciales, y los que forman las vértebras en el raquis y la pelvis. Los huesos sesamoideos que, en general, se consideran de un tipo irregular, a veces se agrupan en una categoría separada. Aquellos, como la rótula, se desarrollan en ciertos tendones para protegerlos del desgaste excesivo cuando atraviesan articulaciones mayores. Los huesos sesamoideos reciben ese nombre porque simulan el tamaño y forma de la semilla de sésamo.

Poblaciones especiales

Las fracturas son frecuentes en los adultos mayores, por su disminución de la densidad mineral ósea, con debilidad resultante de los huesos.

Arquitectura típica de un hueso largo

Todos los tipos de huesos comparten características comunes, a pesar de sus diferencias de forma. Se usan como ejemplo los huesos largos para esta descripción, constituidos por dos capas: de hueso compacto (sólido o cortical) y esponjoso (también llamado poroso o trabecular), **FIGURA 6-23**. El hueso compacto es predominantemente sólido, con pocos espacios, y contiene uno central, llamado cavidad o conducto medular. El hueso esponjoso consta de una red de cilindros óseos parecida al encaje, llamada trabécula, orientados con relación a las líneas de tensión para aumentar la capacidad de soporte de peso de los huesos largos.

Perlas de sabiduría

En los adultos la mayor parte de la médula ósea se encuentra en los huesos largos de las extremidades, contiene tejido adiposo y se conoce como médula amarilla. Los huesos del esqueleto axial y las cinturas escapular y pélvica contienen médula roja, donde se fabrica la mayor parte de los eritrocitos.

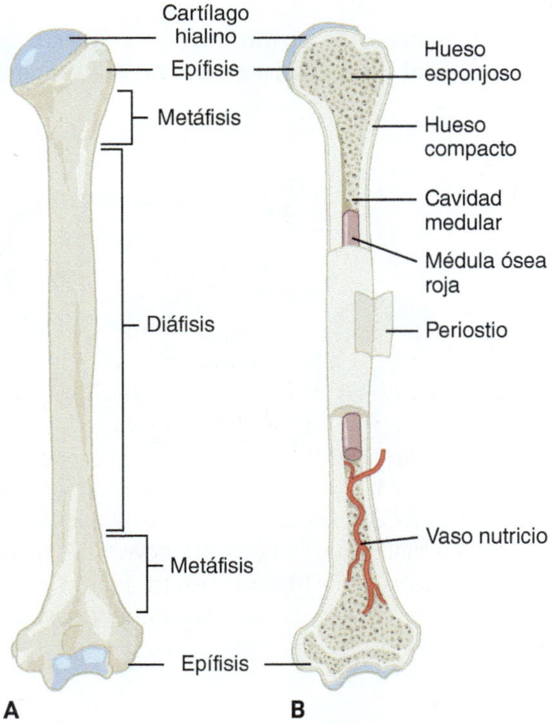

FIGURA 6-23 Los componentes de un hueso largo. **A.** Ilustración del húmero. Nótese su cuerpo largo y extremos dilatados. **B.** Corte longitudinal del húmero que muestra hueso compacto, esponjoso y médula ósea.

El hueso largo se divide en regiones: diáfisis, epífisis y metáfisis. La **diáfisis**, o cuerpo de un hueso largo, está constituida por tejido óseo compacto. Aunque los huesos largos se ven sólidos, la diáfisis en realidad es un tubo hueco que sirve para aligerarlos, en tanto mantiene la fortaleza. La zona hueca dentro de la diáfisis corresponde al conducto medular, revestida por una membrana delgada conocida como endostio, que contiene células especializadas importantes para la formación y reparación óseas. El conducto medular contiene vasos sanguíneos y médula ósea amarilla.

En cada extremo de la diáfisis se encuentran las epífisis, zonas de hueso esponjoso, constituidas por varias placas delgadas con espacios interpuestos, que contienen médula ósea roja y también sirven para aligerar al hueso.

Entre la diáfisis y la epífisis se encuentra la metáfisis, que las une. Cuando los huesos están estirándose durante la infancia y la adolescencia, esta región contiene la fisis, también llamada **placa epifisaria** o de crecimiento, constituida por cartílago que es sustituido por hueso conforme crece. Después de que una persona alcanza la edad adulta, la placa de crecimiento se cierra y el hueso adulto maduro concluye su desarrollo.

La cobertura del extremo de las epífisis es una capa delgada y pulida de cartílago llamada cartílago articular. Los términos *articulado* o *articulación*, se refieren al lugar donde se juntan las estructuras óseas. El cartílago articular absorbe los choques y disminuye la fricción entre los huesos, lo que les permite moverse de manera suave y eficaz.

El periostio es una doble capa de tejido conectivo que recubre la cara externa de todo el hueso, excepto en aquellas zonas de cartílago articular; contiene un rico aporte de vasos sanguíneos, linfáticos, nervios, células óseas y fibras elásticas. Ocurre dolor cuando el periostio pierde su continuidad (como en una fractura). Una red amplia de conductos de Havers y Volkmann provee nutrientes y retira los productos residuales del hueso. Los vasos sanguíneos y linfáticos, así como los nervios que se originan en el periostio, entran al hueso compacto por los conductos de Volkmann horizontales. A continuación, se unen con los conductos de Havers, que transcurren a lo largo del hueso, y proveen sangre y nervios a toda la estructura. Un hueso desprovisto de su periostio finalmente fenece, como lo hace el músculo cardíaco cuando las arterias que lo riegan se bloquean.

Formación y crecimiento óseos

El hueso (tejido óseo) es un tipo de tejido conectivo constituido por células y matriz óseas, donde se encuentran tres tipos principales de células. Los **osteoblastos**, que forman hueso y mantienen la fortaleza del ya presente. Los **osteoclastos**, que fragmentan y reabsorben el hueso. Los **osteocitos** son osteoblastos maduros que se encuentran en lagunas (pequeñas cavidades o cámaras) dentro de la matriz ósea. Los osteocitos, que se mantienen juntos mediante extensiones largas del citoplasma a manera de cuerdas, desplazan nutrimentos y desechos a través de la matriz ósea. Los osteoclastos producen enzimas que disuelven los minerales óseos con liberación de calcio y fosfato a la corriente sanguínea.

Los huesos empiezan a formarse dentro del útero en las primeras 6 semanas que siguen a la fecundación. La osificación intramembranosa se presenta entre capas de tejido conectivo que tienen aspecto de hojas. Son ejemplos de huesos intramembranosos, los planos y anchos del cráneo, que surgen cuando se forman tejidos conectivos no especializados en los sitios donde se desarrollarán los futuros huesos. Entonces se producen los osteoblastos, que depositan matriz ósea alrededor. Cuando la matriz extracelular es rodeada por los osteoblastos, estos reciben el nombre de osteocitos. Los tejidos membranosos circundantes empiezan a formar el periostio, o membrana que recubre la superficie de todos los huesos. Dentro del periostio, los osteoblastos forman una capa de hueso compacto sobre el nuevo hueso esponjoso.

Los huesos endocondrales se inician como masas cartilaginosas que en un momento dado son sustituidas por tejido óseo. Estos huesos se desarrollan a partir del cartílago hialino, con forma similar a la de los huesos a que darán origen. Crecen rápido al principio, y después, empiezan a cambiar de aspecto. Cuando el hueso esponjoso empieza a sustituir al cartílago original, se crea un centro primario de osificación con desarrollo de tejido óseo hacia afuera de los extremos de la estructura. En un momento dado, aparecen en las epífisis centros de osificación secundarios, que forman más hueso esponjoso.

Durante las primeras 6 semanas del desarrollo fetal, el esqueleto es cartilaginoso. Los huesos aumentan mucho de tamaño, y también después, durante la infancia, **FIGURA 6-24**. El crecimiento óseo continúa en la adolescencia. El proceso de sustitución de otros tejidos con hueso, que implica el depósito de sales de calcio, se denomina **osificación**.

La osteogénesis es la formación de hueso. Los huesos largos al inicio constan de cartílago hialino,

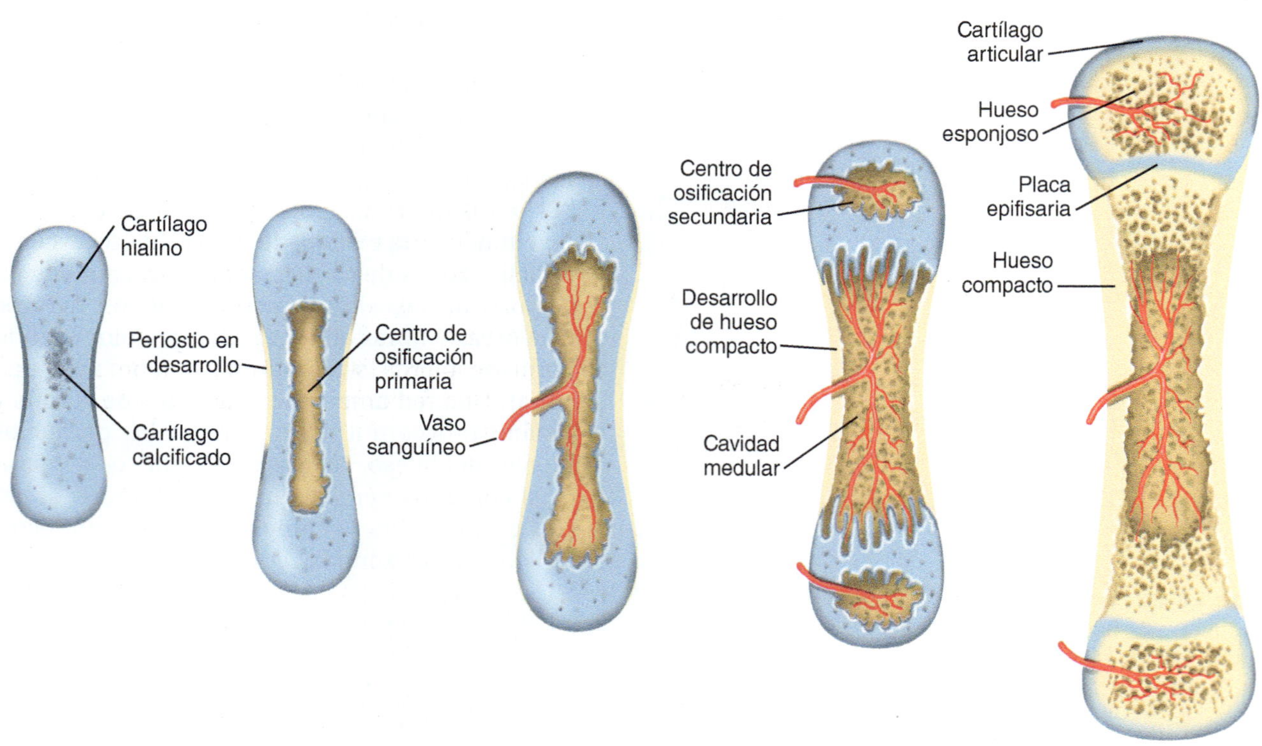

FIGURA 6-24 Principales etapas del desarrollo de un hueso endocondral.

Datos de: Shier DN, Butler JL, Lewis R. *Hole's Essentials of Human Anatomy & Physiology*. 10th ed. New York, NY: McGraw-Hill Higher Education; 2009.

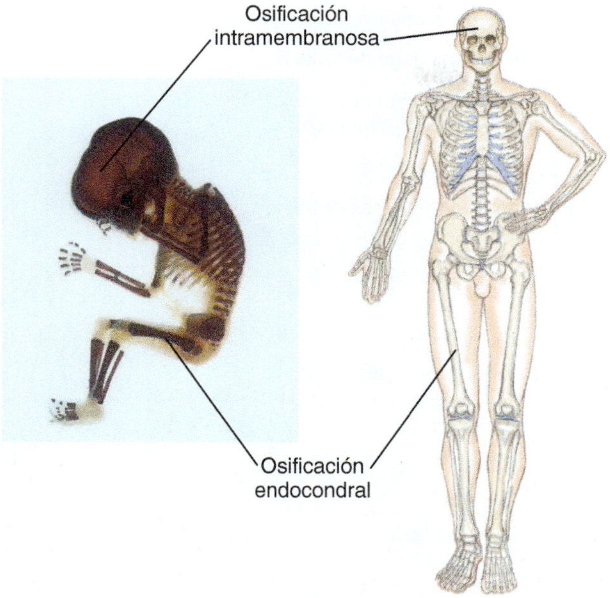

FIGURA 6-25 La osificación intramembranosa da lugar al desarrollo de los huesos planos. La osificación endocondral produce huesos largos.

que después es sustituido por tejido óseo que se hace compacto. Este proceso se inicia en la diáfisis y termina en las epífisis de cada hueso largo. La mayoría de los huesos del cuerpo se desarrolla por este proceso, denominado de osificación endocondral.

En contraste, los huesos planos se desarrollan a partir de membranas de tejido conectivo que son sustituidas por hueso esponjoso, y después, por hueso compacto, la llamada osificación intramembranosa. En los lactantes, las **fontanelas** (también llamadas molleras) son hojas de tejido conectivo fuertes entre los huesos planos del cráneo; se reblandecen y expanden durante el parto y son sustituidas de manera gradual por los huesos del cráneo cuando se fusionan, **FIGURA 6-25**.

Ocurre crecimiento óseo similar al longitudinal en la placa epifisaria, una delgada capa de cartílago que yace entre epífisis y metáfisis, hasta que se cierra. El crecimiento de los huesos largos depende de una buena nutrición y de la actividad de varias hormonas, que incluyen la del crecimiento humano. Otras involucradas en el crecimiento de huesos largos incluyen a las tiroideas, los **estrógenos**, y la **testosterona**, **CUADRO 6-13**. Después de que se cierra la placa epifisaria, los huesos largos ya no pueden crecer, **FIGURA 6-26.** La longitud del hueso se equilibra por el aumento de su anchura. La actividad de osteoblastos y osteoclastos es equilibrada en el cuerpo, de modo que los huesos crecen de manera uniforme.

CUADRO 6-13 Hormonas involucradas en el crecimiento óseo y su mantenimiento

- Hormona de crecimiento humana
- Tiroxina
- Insulina
- Hormona paratiroidea
- Calcitonina
- Estrógenos
- Testosterona

El desarrollo, el crecimiento y la reparación de los huesos tienen influencia de la herencia, la nutrición, las hormonas y el ejercicio. Se requiere vitamina D para la absorción de calcio en el intestino delgado. Sin ella, no se absorbe bien el calcio, lo que lleva al reblandecimiento de los huesos y potencialmente causa deformidad. La hormona de crecimiento de la **hipófisis** (una glándula endocrina encargada de modificar de manera directa o indirecta todas las funciones corporales) estimula la división celular en las placas epifisarias, donde las hormonas sexuales estimulan la osificación. El ejercicio tensa a los huesos, lo que los estimula para hacerse más gruesos y fuertes.

Articulaciones

Recuerde que siempre que los huesos largos entren en contacto, se forma una articulación, constituida por sus extremos y los tejidos conectivos y de soporte circundantes. Las articulaciones, por lo general, permiten el movimiento de las extremidades, lo que los huesos rígidos no. Otra función esencial de las articulaciones es la **propiocepción**, percepción del movimiento y la posición de una parte corporal. La mayoría de las articulaciones del cuerpo se nombra por la combinación de los dos huesos que las forman. Por ejemplo, la esternoclavicular es aquella entre el esternón y la clavícula.

Tipos de articulaciones

Los anatomistas clasifican a las articulaciones de acuerdo con su estructura, que está determinada por el tipo de tejido blando que conecta a sus huesos (p. ej., fibroso, cartilaginoso, sinovial), **CUADRO 6-14**, **FIGURA 6-27**.

Los fisiólogos clasifican a las articulaciones de acuerdo con su función (el tipo y grado de movimiento que permiten). Desde el punto de vista funcional, las articulaciones entran en tres categorías: sinartrosis,

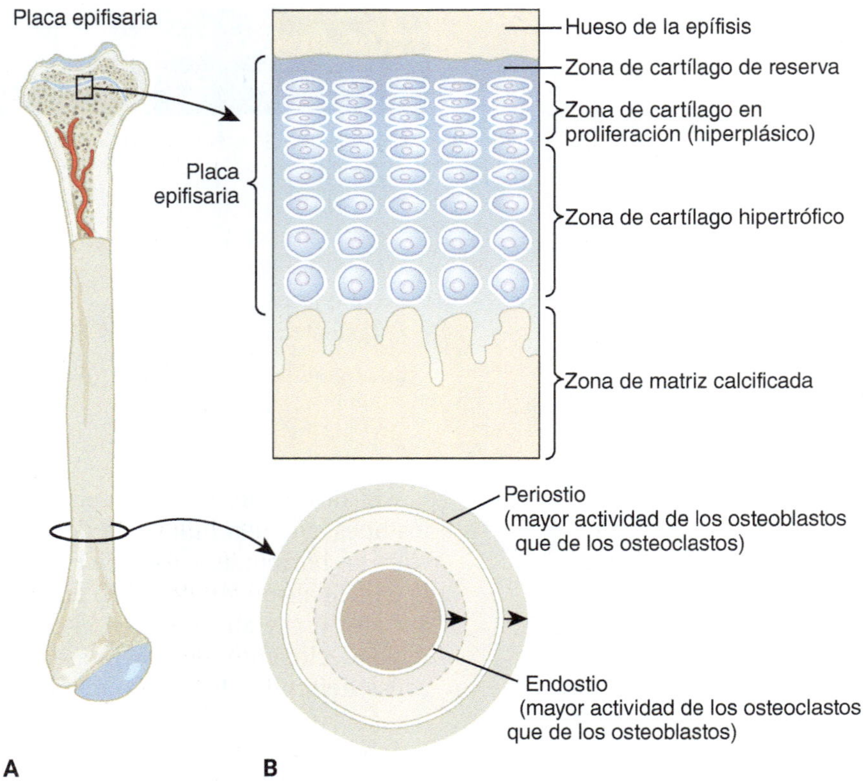

FIGURA 6-26 A. El crecimiento longitudinal se presenta en la placa epifisaria hasta que los individuos alcanzan la madurez esquelética (por lo general, cerca de los 14 años en las niñas y los 17 en los niños) y la placa epifisaria se cierra, dando origen a la línea epifisaria. **B.** El crecimiento del diámetro de un hueso implica velocidades de actividad de osteoclastos y osteoblastos modificadas en el periostio y endostio.

CUADRO 6-14 Clasificación estructural y funcional de las articulaciones

Nombre estructural	Nombre funcional	Tipo	Descripción	Ejemplo
Articulaciones fibrosas	Sinartrosis (no hay movimiento)	Gonfosis	Conexión fibrosa de huesos, con forma de estaca en agujero	Entre dientes y mandíbula; entre dientes y maxilar
		Sutura	Conexiones fibrosas y proyecciones entrelazadas	Entre los huesos del cráneo
		Sindesmosis	Huesos unidos por una membrana fuerte o por ligamentos interóseos	Entre las partes distales de tibia y peroné; entre radio y cúbito
Articulaciones cartilaginosas	Anfiartrosis (con poco movimiento)	Sínfisis	Conexiones a través de un cojinete de fibrocartílago	Sínfisis del pubis de la pelvis; articulaciones formadas por los discos intervertebrales
		Sincondrosis	Huesos unidos por cartílago hialino	Entre las costillas y los cartílagos costales de la caja torácica
Articulaciones sinoviales	Diartrosis (libremente móviles)	(No hay subcategorías)	Articulación compleja de una cavidad articular con líquido sinovial	Numerosas (muñeca, codo, hombro, cadera, tobillo); se subdividen de acuerdo con el rango de movimiento

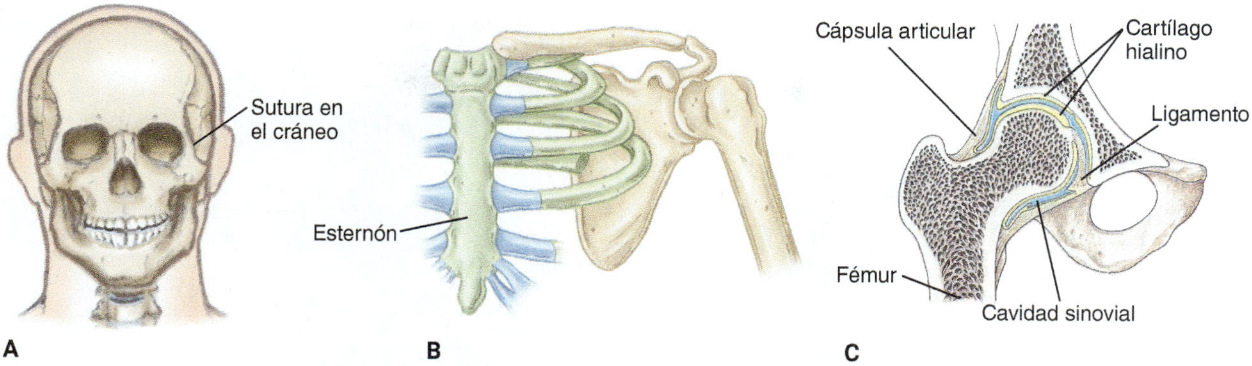

FIGURA 6-27 Tipos de articulaciones. **A.** Fibrosa. **B.** Cartilaginosa. **C.** Sinovial.

anfiartrosis y diartrosis. Las sinartrosis están separadas por una delgada capa de tejido conectivo fibroso y son inmóviles, incluyen articulaciones como gonfosis, suturas y sindesmosis. Las articulaciones temporales que se forman en las placas de crecimiento de los huesos largos de los niños son ejemplos de sincondrosis. Las anfiartrosis están conectadas por un disco cartilaginoso, un cartílago hialino, y un cojinete de fibrocartílago, y son ligeramente movibles e incluyen aquellas como la sínfisis y las sincondrosis. Las diartrosis son libremente móviles e incluyen a las articulaciones sinoviales.

Las 230 articulaciones del cuerpo humano se resumen como sigue:

- **Articulaciones fibrosas.** Entre huesos en estrecho contacto, las articulaciones fibrosas presentan tejido conectivo denso delgado que las une. Un ejemplo de una articulación fibrosa es la sutura entre los huesos del cráneo. No hay movimiento real en la mayoría de las articulaciones fibrosas, lo que las incluye dentro de la clasificación de sinartrosis. Las de movimiento limitado (anfiartrosis) incluyen a aquella entre la porción distal de la tibia y el peroné.
- **Articulaciones cartilaginosas.** También llamadas anfiartrosis, permiten un movimiento mínimo entre los huesos. El tejido blando que las une es cartílago hialino (sincondrosis) o fibrocartílago (sínfisis). La sínfisis del pubis y las articulaciones que conectan las costillas con el esternón son ejemplos de este tipo.
- **Articulaciones sinoviales.** Son las diartrosis con máxima movilidad y complejidad del cuerpo. El cartílago articular cubre cada extremo de los huesos en oposición, lo que disminuye la fricción creada por su movimiento y absorbe vibraciones y golpes. Los huesos de una articulación sinovial se conectan mediante una **cápsula articular**, que rodea a su cavidad. La cápsula de la articulación es una extensión del periostio y la aísla de los tejidos circundantes, **FIGURA 6-28**, **FIGURA 6-29**. La cápsula articular está formada por una capa externa de tejido conectivo fibroso y una interna de membrana sinovial. La membrana sinovial secreta hacia la cavidad de la articulación líquido que lubrica y nutre sus caras internas. Puesto que el cartílago es avascular, la membrana sinovial también retira productos de desecho, microorganismos y detritos. Los huesos que forman la articulación se mantienen en su lugar mediante ligamentos fuertes, que les dan soporte. Puesto que los ligamentos son flexibles, permiten el movimiento; al mismo tiempo, son suficientemente fuertes para resistir una dislocación. Aunque los ligamentos de la articulación sinovial suelen localizarse fuera de la cápsula, a veces se encuentran dentro. Los ligamentos cruzados de la rodilla son ejemplo de aquellos que se encuentran en el interior de la cápsula articular. Los ligamentos que se encuentran fuera de la cápsula articular pueden ser por completo independientes de esta o adherirse a su capa externa. Son ejemplos de articulaciones sinoviales de esfera y cuenco, bisagra, pivote, condiloidea, en silla de montar y deslizables, **FIGURA 6-30**, **CUADRO 6-15**. Algunas articulaciones sinoviales

Perlas de sabiduría

Una articulación que está prácticamente rodeada por ligamentos gruesos y fuertes tiene poco movimiento. Una como la del hombro, con pocos ligamentos, tiene libertad de movimiento en casi cualquier dirección y, como resultado, es más susceptible a una dislocación.

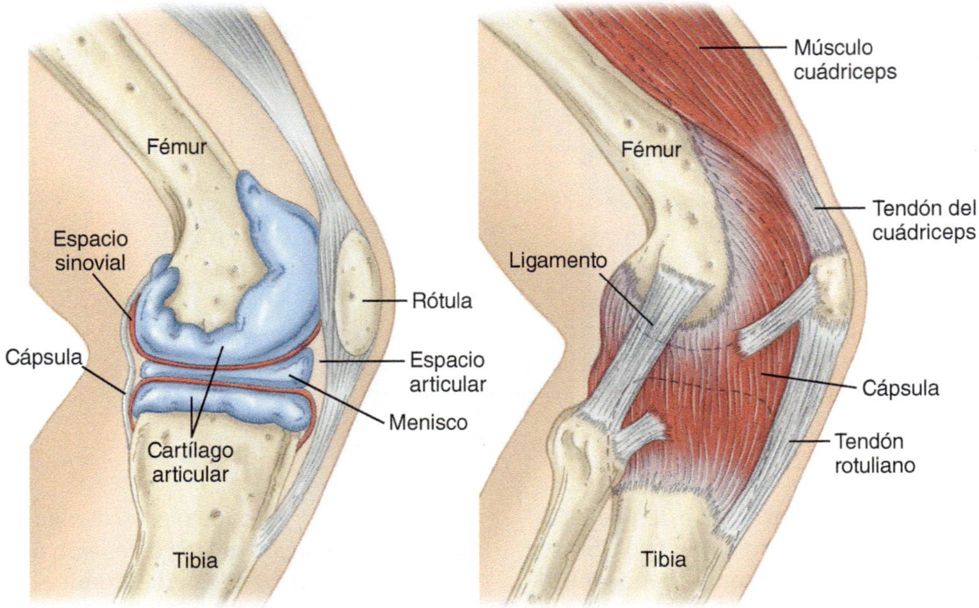

FIGURA 6-28 Una articulación sinovial consta de los extremos óseos, una cápsula articular fibrosa, la membrana sinovial y ligamentos. El grado hasta el que se puede mover una articulación sinovial es determinado por la forma en que los ligamentos sujetan los extremos de los huesos mismos y su configuración.

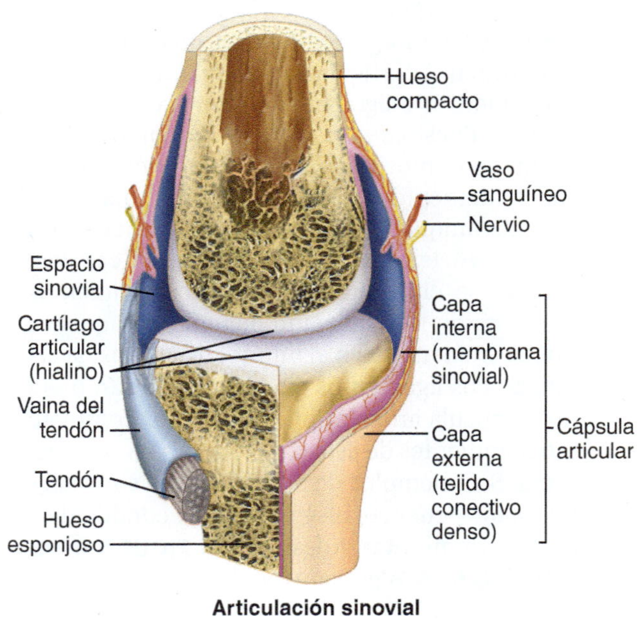

FIGURA 6-29 Una articulación sinovial.

tienen grandes cojinetes de fibrocartílago que absorben golpes, los llamados meniscos. También pueden tener sacos llenos de líquido, llamados bolsas, por lo general localizados entre los tendones y las prominencias óseas subyacentes, como en la rodilla o el codo.

Bolsa o bursa

Una **bolsa** es un pequeño saco o cavidad a manera de cojinete lleno de una cantidad pequeña de fluido, que ayuda a disminuir el grado de fricción entre un tendón y un hueso o un tendón y un ligamento. Una bolsa suele localizarse cerca de la articulación. Son ejemplos la bolsa del olecranon del codo y la prerrotuliana de la rodilla. Bursitis es la inflamación de una bolsa.

Esqueleto axial

El esqueleto axial está compuesto por el cráneo, la caja torácica y la columna vertebral. El cerebro yace dentro del cráneo. El corazón, los pulmones y los grandes vasos se encuentran dentro del tórax (cavidad torácica), que es parte del tronco. Gran parte del hígado y el bazo está protegida por las costillas inferiores. La médula espinal se encuentra dentro de un conducto óseo raquídeo que la protege, formado por vértebras. Conecta el encéfalo con el músculo esquelético, la piel y otras estructuras mediante los nervios raquídeos. Treinta y un pares de **nervios raquídeos** se proyectan desde la médula espinal y se comunican con estructuras principalmente localizadas en el cuello, el tronco y las extremidades.[6]

Cráneo

En la parte más alta del esqueleto axial se encuentra el cráneo, constituido por 28 huesos organizados en

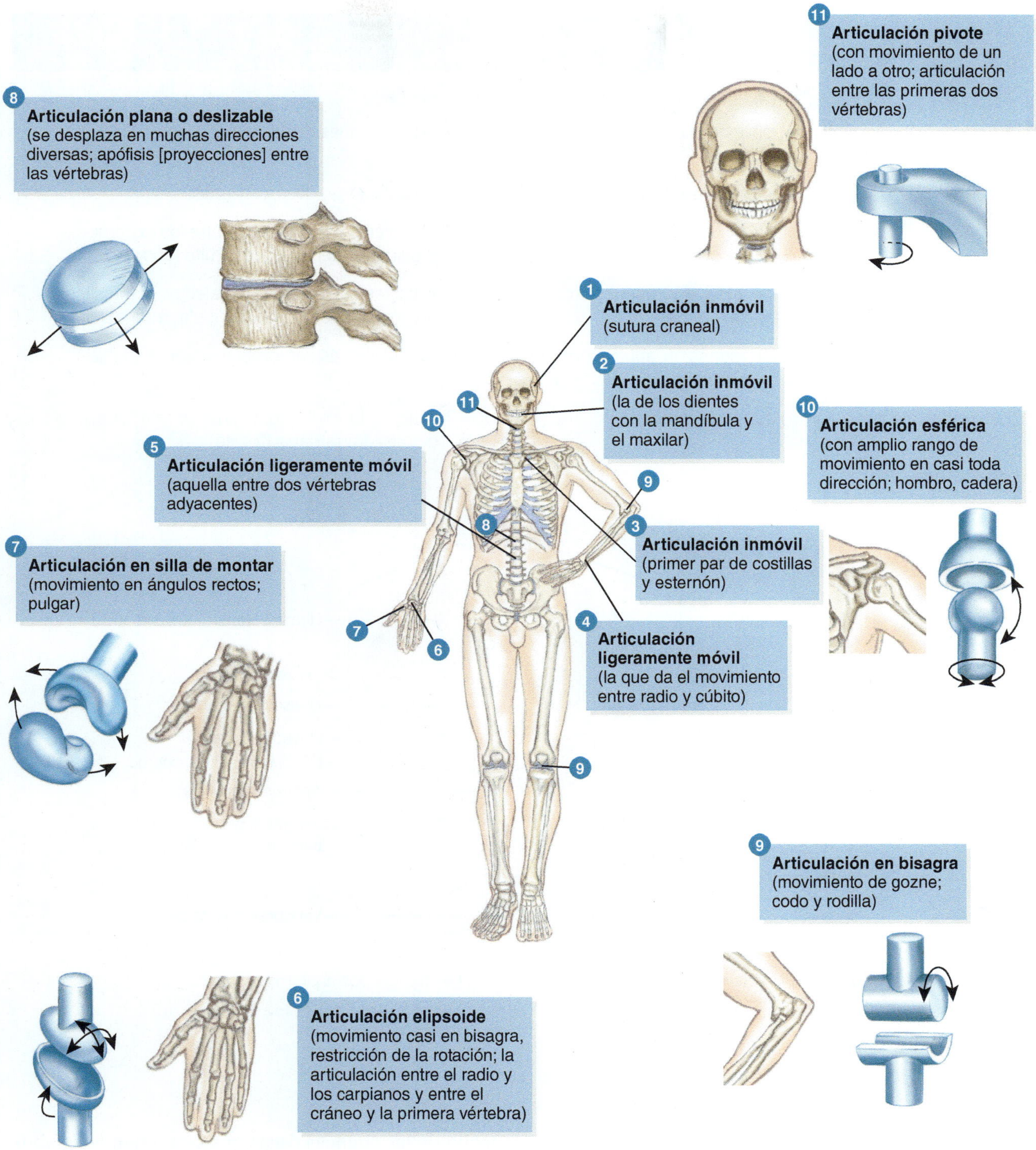

FIGURA 6-30 Tipos de articulaciones en el cuerpo.

tres grupos anatómicos: los huesecillos auditivos, el cráneo y la cara, **FIGURA 6-31**. Los seis huesecillos auditivos (tres a cada lado de la cabeza) participan en la audición y se localizan profundamente en cavidades del hueso temporal. Los 22 huesos restantes forman el cráneo y la cara.

Huesecillos auditivos

En el oído medio se encuentran los tres pequeños huesecillos auditivos, encargados de convertir las ondas sonoras que recibe el tímpano en ondas de presión que se transmiten al **caracol**, una estructura ósea que simula la concha de un pequeño caracol. Estos

CUADRO 6-15 Tipos de articulaciones sinoviales

Tipo	Movimiento	Ejemplo
Esférica	Flexión, extensión, abducción, aducción y rotación	Articulaciones de hombro y cadera
En bisagra	Flexión, extensión, pronación, supinación	Articulaciones de codo y rodilla
De pivote	Rotación	Articulación atlantoaxial; entre los extremos proximales del radio y el cúbito (codo)
Condiloidea (elipsoide)	Flexión, extensión, abducción, aducción; sin rotación	Articulaciones metacarpofalángicas (nudillos); articulación temporomandibular (mandíbula)
En silla de montar	Flexión, extensión, abducción, aducción; rotación limitada	Articulaciones carpometacarpianas (pulgar)
Deslizable (plana)	Se desliza sin rotación	Articulaciones intercarpianas (muñeca); articulaciones intertarsales (tobillo)

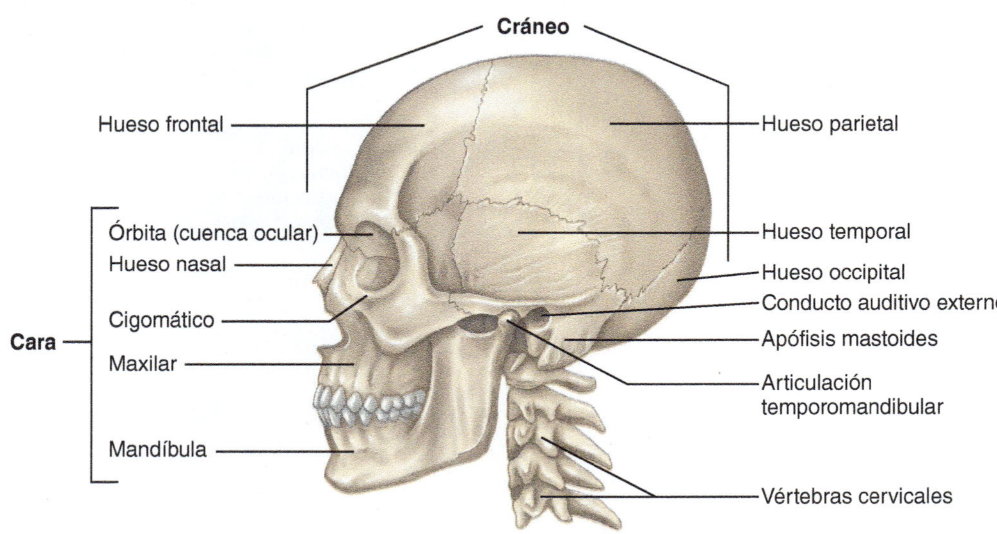

FIGURA 6-31 El cráneo consta de 28 huesos organizados en tres grupos anatómicos: los huesecillos auditivos (que no se muestran aquí), el cráneo y la cara.

huesecillos se denominan martillo, yunque y estribo, con base en sus formas.

Cráneo

El techo cupuliforme del cráneo, la **bóveda craneana**, rodea y protege a la porción superior del cerebro. La forman ocho huesos juntos: dos parietales, dos temporales, y frontal, occipital, esfenoides y etmoides, **FIGURA 6-32**. El hueso frontal forma la frente y el techo de las cuencas óseas que contienen los globos oculares. Los huesos parietal y temporal se consideran pares, porque hay uno a cada lado del cráneo. Los parietales forman el techo y la parte alta de los costados del cráneo. Los temporales forman las partes bajas laterales y la base del cráneo. En la base del hueso temporal hay una sección ósea cónica que se conoce como apófisis mastoides, importante como sitio para la inserción de varios músculos. El hueso occipital forma la parte posterior y la base del cráneo, así como

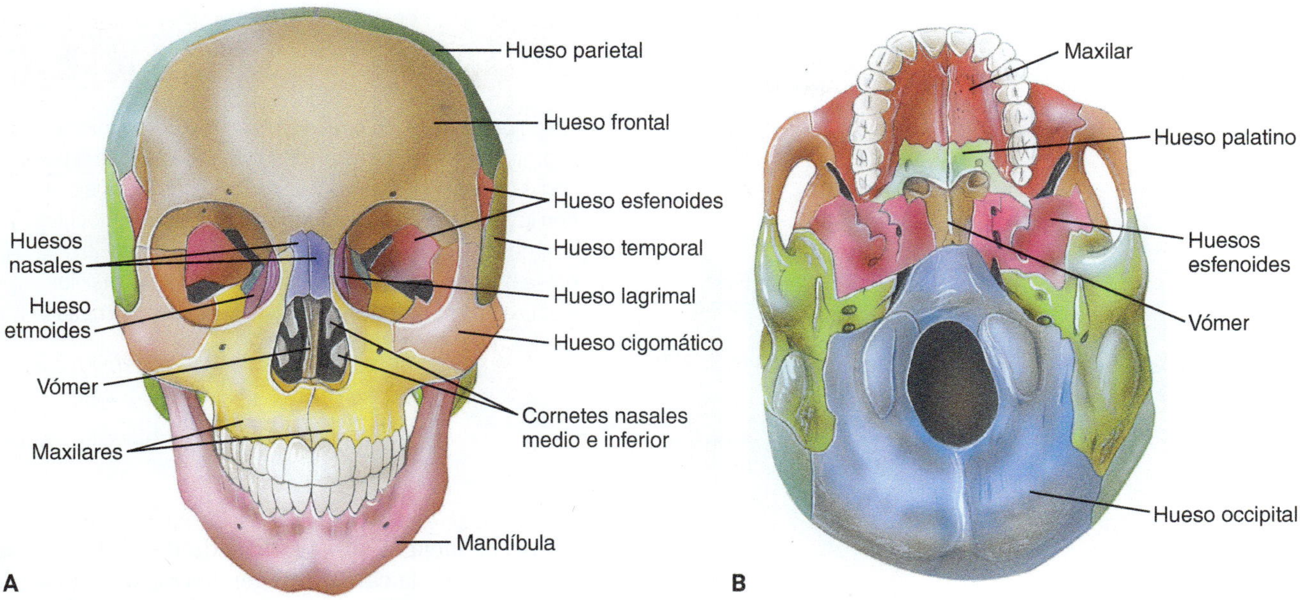

FIGURA 6-32 El cráneo y sus componentes. **A.** Vista anterior. **B.** Vista inferior.

articulaciones con los huesos parietal y temporal. El *foramen magno* es la abertura del hueso occipital en la base del cráneo a través de la cual pasa la médula espinal. El hueso esfenoides tiene forma de mariposa y se une con el frontal, el occipital y el etmoides para formar parte de la base del cráneo. El delgado hueso etmoides contiene muchos pequeños orificios. Forma parte de las **órbitas** (depresiones cuneiformes que incluyen y protegen a los ojos y soportan la cavidad nasal (la cámara dentro de la nariz que yace entre el piso del cráneo y el techo de la boca).

Los huesos del cráneo están unidos por articulaciones especiales conocidas como **suturas**, **FIGURA 6-33**. El par de huesos parietales se une en la sutura sagital; colindan con el hueso frontal en la sutura coronal. El occipital se une con los huesos parietales en la sutura lambdoidea. Como se describió antes, tejidos fibrosos preceden a las suturas en los lactantes, en las llamadas fontanelas. El tejido que se percibe a través de las fontanelas corresponde a capas del cráneo y de membranas gruesas que cubren al cerebro. Bajo condiciones normales el cerebro no puede percibirse a través de las fontanelas. Para el momento en que un nene alcanza los 18 meses de vida, las suturas deberían estar ya solidificadas y las fontanelas cerradas.

Visto desde abajo, el piso del interior del cráneo se divide en tres compartimientos: las fosas anterior, media y posterior, **FIGURA 6-34**. La apófisis cresta de gallo, un puente óseo en el centro de la fosa anterior es punto de inserción de las meninges, membranas que

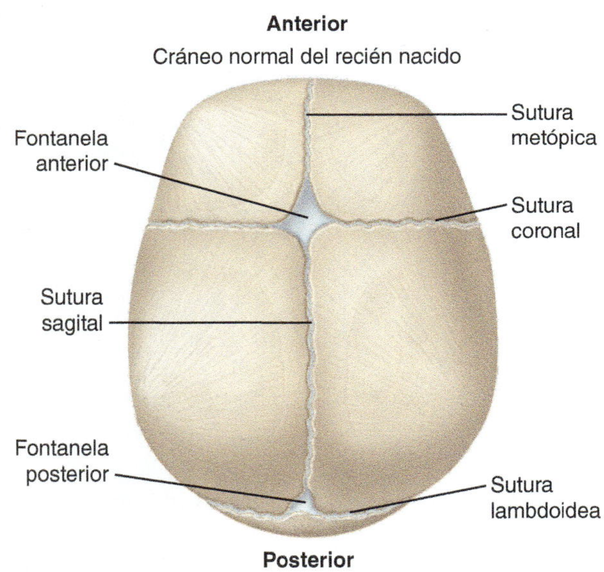

FIGURA 6-33 Sutura de cráneo de un recién nacido.

rodean al encéfalo. A cada lado de la cresta de gallo se encuentra la **lámina cribiforme** del hueso etmoides, horizontal, con numerosas aberturas (forámenes) que permiten el paso de los nervios olfatorios provenientes de la cavidad nasal.

Cuando se retira la mandíbula, la base del cráneo parece en extremo compleja, con numerosos agujeros

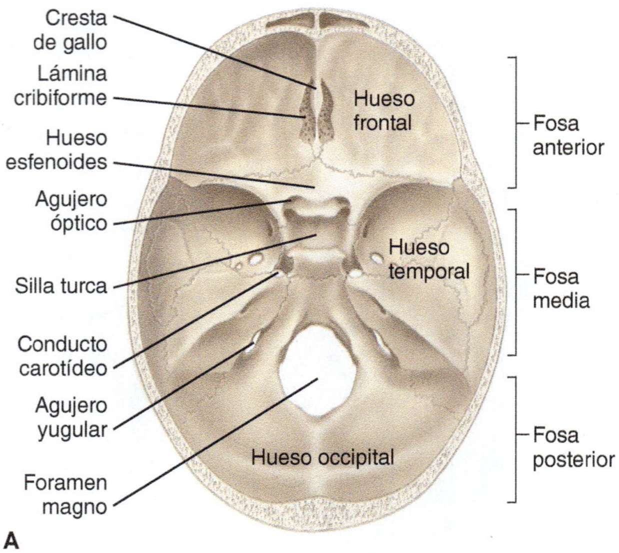

A

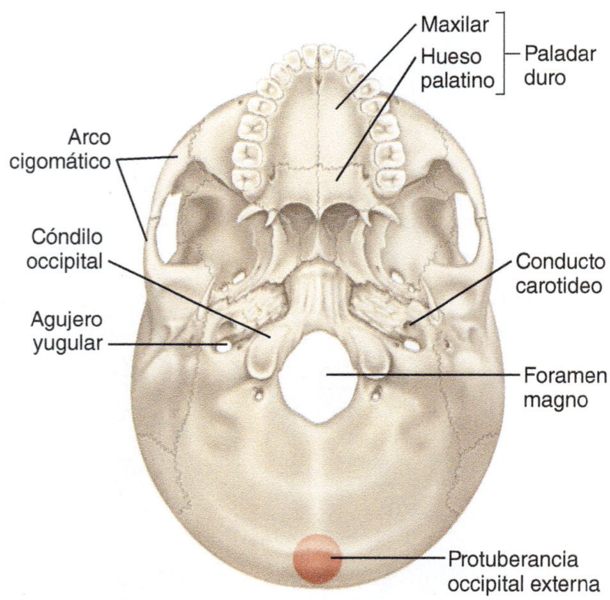

B

FIGURA 6-34 A. El piso del cráneo y su anatomía.
B. La base del cráneo vista desde abajo.

visibles (véase figura 6-34B). Los cóndilos occipitales, que son punto de articulación (conexión) entre el cráneo y la columna vertebral, se encuentran a cada lado del foramen magno. Porciones de los huesos maxilar y palatino, de forma irregular en la parte posterior de la cavidad nasal, forman el **paladar duro**, parte ósea anterior del **paladar** (techo de la boca). El arco cigomático es el hueso que se extiende a lo largo de la parte delantera del cráneo debajo de la órbita.

Perlas de sabiduría

Un golpe sobre el ojo puede causar fractura del piso de la órbita, llamada fractura por aplastamiento. Las órbitas son en extremo delgadas y se rompen con facilidad con la transmisión de las fuerzas desde el globo ocular mismo originadas hacia los huesos. La sangre y la grasa pueden entonces escapar hacia el seno maxilar, localizado debajo. Los **senos** son cavidades formadas por los huesos del cráneo.

Cara

Los huesos faciales son 14 individuales, que forman la estructura de la cara, protegen los ojos, la nariz y la lengua y proveen inserción a los músculos de la masticación. Son relativamente delgados, pero protegen el ingreso al aparato digestivo y el sistema respiratorio. Los 14 huesos faciales incluyen dos maxilares, una mandíbula (el único hueso de movimiento libre en el cráneo), los dos cigomáticos, los dos palatinos, los dos nasales, los dos lagrimales, un vómer y los dos cornetes nasales inferiores. Tanto los huesos frontales como el etmoidal contribuyen a la bóveda craneal y la cara.

La porción facial del cráneo contiene dos órbitas, que además de los globos oculares y los músculos que los mueven, incluyen vasos sanguíneos, nervios y grasa. Los huesos frontal, esfenoides, cigomático, maxilar, lacrimal, etmoides y palatino forman porciones de las órbitas.

Los huesos maxilares superiores derecho e izquierdo se localizan entre las órbitas y la arcada dentaria superior y ayudan a formar las siguientes partes de la cara: su porción superior, la región infratemporal, el piso de la órbita, la pared lateral y el piso de la cavidad nasal, y el techo de la cavidad bucal. En la afección conocida como paladar hendido, los maxilares no se unen antes del nacimiento. La mandíbula consta de un cuerpo anterior y una rama posterior, que se unen en la parte dorsal para formar el ángulo del único hueso facial con capacidad de movimiento que se une al cráneo en la región del hueso temporal al formar la articulación temporomandibular, a cada lado del cráneo. Los cigomáticos (huesos de los pómulos) forman la pared anterior de la región infratemporal y la lateral de la órbita. Se unen a la cara lateral del cráneo para formar el arco cigomático, que les da forma a las mejillas.

Los huesos palatinos ayudan a formar la pared lateral y el piso de la cavidad nasal, la cavidad bucal (tercio posterior del paladar duro) y una pequeña porción de la pared posterior de la órbita. Los huesos nasales forman parte del puente óseo de la nariz en su parte externa, la pared lateral de la cavidad nasal y una pequeña porción del tabique nasal óseo. Los huesos lagrimales constituyen la pared medial de las órbitas y la lateral de la cavidad nasal. El vómer es un hueso delgado y plano que forma una gran parte del tabique nasal óseo. Los cornetes nasales inferiores ayudan a formar la pared lateral de la cavidad nasal y parte del seno maxilar. La porción externa de la nariz es, en su mayor parte, de cartílago.

Los **senos paranasales** son espacios huecos llenos de aire que ayudan a disminuir el peso del cráneo y dar resonancia a la voz. Se localizan alrededor de la cavidad nasal, hacia la que drenan, **FIGURA 6-35**. Hay cuatro pares de senos paranasales: los etmoidales y los frontales, de los huesos correspondientes, los maxilares, entre el derecho y el izquierdo (los más grandes), y los esfenoidales, dentro del cuerpo de esfenoides. Los senos paranasales están revestidos con epitelio y los cilios en este se desplazan con un patrón sincronizado hacia la porción anterior de la cavidad nasal. Pequeñas células caliciformes en el epitelio secretan hacia los cilios una sustancia mucosa espesa, que atrapa contaminantes a su ingreso a la cavidad nasal. A continuación, los cilios desplazan el moco hacia el frente de la cavidad nasal, de donde se retira al sonarse la nariz, o se dirige hacia abajo a la faringe, donde puede ingresar al aparato digestivo. Durante el sueño este moco puede tener un flujo retrógrado (goteo posnasal).

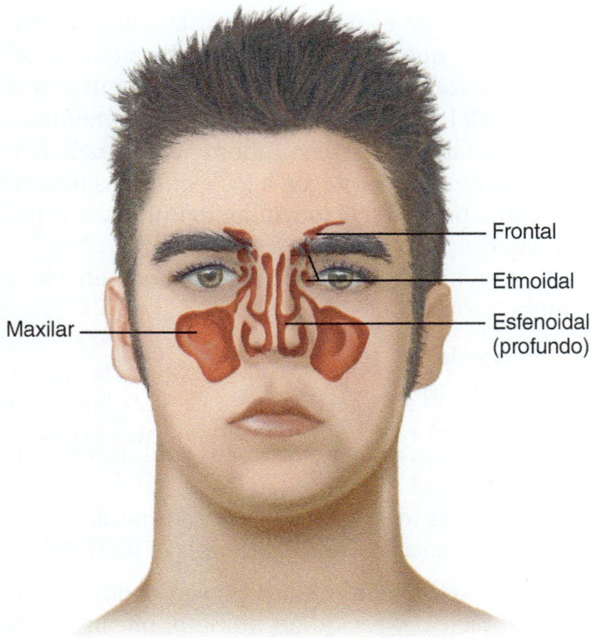

FIGURA 6-35 Los senos paranasales.

Perlas de sabiduría

La sinusitis es una inflamación relativamente frecuente de los senos paranasales y puede variar en gravedad, desde una simple infección de vías respiratorias altas con cefalea y drenaje nasal hasta una infección cerebral que potencialmente pone en riesgo la vida dependiendo de su extensión y de qué senos se afecten.

El **hueso hioides** tiene forma de herradura y "flota" bajo la mandíbula, con su extremo abierto dirigido hacia atrás. Cada hueso del cuerpo se articula con al menos otro, excepto el hioides. Si bien no es parte del cráneo, está unido a este por músculos y ligamentos. Ancla la lengua y es un punto de inserción de muchos músculos importantes del cuello y la lengua. Si se daña el hioides por un golpe en la cara anterior del cuello, el paciente puede presentar una voz ronca y de bajo volumen por edema de la vía aérea.

Los nervios que proveen la sensibilidad y capacidad motora faciales se describen más adelante en este capítulo.

Cuello

El cuello contiene muchas estructuras importantes. Es sostenido por la columna vertebral cervical constituida por las primeras siete vértebras. La médula espinal emerge en el foramen magno y yace dentro del conducto raquídeo formado por las vértebras. La parte alta del esófago (que ayuda a dirigir los alimentos de la boca al estómago) y la tráquea yacen en la parte media del cuello. Las arterias carótidas se encuentran a cada lado de la tráquea junto con las venas yugulares y varios nervios.

Pueden palparse y visualizarse varios puntos de referencia útiles en el cuello, **FIGURA 6-36**. El más notorio es la prominencia firme en el centro de su cara anterior, comúnmente conocida como manzana de Adán. En específico, esta prominencia con forma

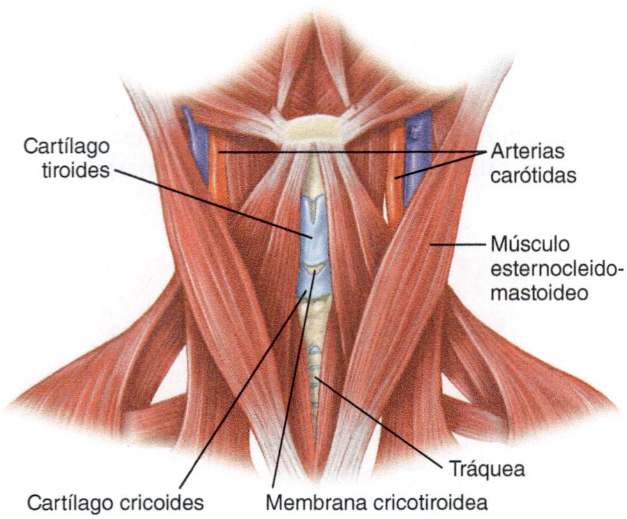

FIGURA 6-36 Las principales estructuras del cuello incluyen a la tráquea, junto con muchos vasos sanguíneos, músculos y nervios.

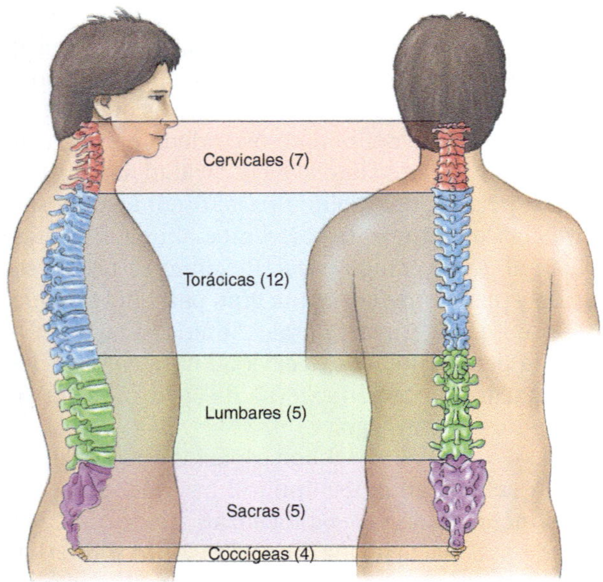

FIGURA 6-37 La columna vertebral consta de 33 huesos y se pueden organizar en cinco secciones. Cada vértebra es numerada e identificada por una letra que corresponde a la sección de la columna vertebral donde se localiza (p. ej., la quinta vertebra torácica se conoce como T5).

de escudo se encuentra en la parte alta del **cartílago tiroides** y es más notoria en los hombres que en las mujeres. Su porción inferior corresponde al cartílago cricoides, un borde inferior firme de cartílago por debajo del **cartílago tiroides**, que a veces es más difícil de palpar. La **membrana cricotiroidea** es una depresión blanda constituida por una hoja delgada de tejido conectivo (aponeurosis) que une los cartílagos tiroides y cricoides en la línea media del cuello y que, en este punto está cubierta solo por piel.

Por debajo de la **laringe** (caja de la voz) se palpan varias crestas firmes adicionales en la línea media anterior, que corresponden a los anillos cartilaginosos de la tráquea, que une a la laringe con las principales vías aéreas y los pulmones (los bronquios). La glándula tiroides yace a cada lado de la parte inferior de la laringe y en la porción alta de la tráquea. A menos que esté crecida, no suele palparse.

Las pulsaciones de las arterias carótidas son fáciles de palpar en el surco casi 1 cm por fuera de la laringe. Ubicadas de manera inmediata adyacente a estas arterias, pero no palpables, se encuentran las venas yugulares internas y varios nervios importantes. Los músculos esternocleidomastoideos, que permiten el movimiento de la cabeza, se encuentran por fuera de estos vasos y nervios, y se originan en la apófisis mastoides del cráneo para insertarse en el borde medial de cada clavícula y el esternón en la base del cuello.

Columna vertebral

La médula espinal está rodeada por la columna vertebral (raquis) que consta de 33 vértebras que se articulan para formarla y es el principal componente estructural del esqueleto axial. Ambos, ligamentos y músculos, estabilizan a sus componentes esqueléticos y juntos sostienen y protegen a los elementos nerviosos, en tanto permiten el movimiento fluido y una posición erecta.

Las vértebras se encuentran divididas en cinco regiones:

- 7 cervicales
- 12 torácicas
- 5 lumbares
- 5 sacras (que se fusionan en los adultos para formar el sacro)
- 4 coccígeas (que se fusionan en los adultos para formar el cóccix o hueso de la cola), **FIGURA 6-37**

Cada vértebra se identifica por su región (p. ej., cervical, torácica) y recibe un número, por lo que la primera es la cervical 1 o C1. Con ese inicio y en dirección inferior cada vértebra es progresivamente mayor

Perlas de sabiduría

En los pacientes se pueden identificar diversos tipos de curvaturas raquídeas. Una lordosis es la exageración de la curvatura lumbar que crea un aspecto de inclinación hacia atrás. La cifosis es una exageración de la curvatura torácica, que da el aspecto de joroba; y la escoliosis es una curvatura lateral anormal de la columna. Como paramédico, usted debe conocer estas afecciones, porque pueden alterar la ventilación, la inmovilización y otros aspectos del estado o la atención del paciente.

que la previa, porque debe soportar más peso que aquella. La quinta vértebra lumbar es la más grande, después de la cual las vértebras sacras y coccígeas se tornan cada vez más pequeñas, hasta que llegan a la más distal y pequeña, la de la cola. La columna vertebral tiene cuatro curvas para añadirle fortaleza, ayudar al equilibrio y prevenir las lesiones: dos posteriores (cervical y lumbar) y dos anteriores (torácica y sacra).

Las cinco secciones de la columna vertebral de arriba abajo son las siguientes:

- **Columna cervical.** Las primeras siete vertebral (C1 y C7) en el cuello forman la columna cervical. El cráneo yace sobre la primera vértebra cervical y se articula con ella. La primera y la segunda vértebras cervicales, llamadas respectivamente **atlas** y **axis**, son muy especializadas, dan soporte a la cabeza y permiten que se articule con la columna vertebral, **FIGURA 6-38**.

  El atlas se articula con los cóndilos occipitales en la base del cráneo y forma la articulación atlantooccipital, que permite que la cabeza se incline y rote de izquierda a derecha. La vértebra axis presenta una proyección ascendente llamada apófisis odontoides, en la que se apoya el atlas que actúa como punto pivote y permite la rotación cefálica.
- **Columna torácica.** Las siguientes 12 vértebras constituyen la columna torácica. A cada vértebra torácica se une un par de costillas. Además de los músculos y ligamentos de sostén de la columna vertebral, la porción torácica se estabiliza aún más por las inserciones de las costillas. Sus apófisis espinosas son ligeramente mayores; proyecciones óseas que sirven como punto de inserción de los músculos que mantienen erecta la parte posterior del cuerpo y ayudan con el movimiento de la cavidad torácica durante la respiración.

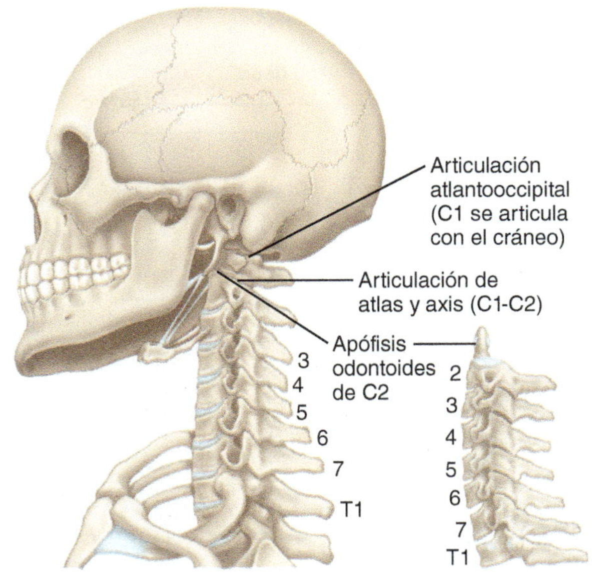

FIGURA 6-38 Las vértebras cervicales.

- **Columna lumbar.** Esta columna incluye los cinco huesos más grandes de la columna vertebral y es integral para soportar una gran porción del peso corporal superior. Esta región de la columna es en especial susceptible a las lesiones y su función de soporte de peso.
- **Sacro.** Las cinco vértebras sacras se fusionan para formar un hueso, el sacro, que se vincula con los ilíacos mediante ligamentos fuertes en las **articulaciones sacroilíacas** para formar la pelvis.
- **Cóccix.** Las últimas cuatro vértebras que también están fusionadas y constituyen el cóccix.

Con excepción de C1, cada vértebra tiene un cuerpo que consta de una porción interna anterior gruesa y redonda, que es el componente de soporte de peso de la columna vertebral y además le da estabilidad, **FIGURA 6-39**. El lado posterior de cada vértebra es el arco vertebral (también llamado arco óseo, posterior o dorsal), e incluye una apófisis espinosa y una placa ósea delgada llamada lámina entre cada apófisis transversa y espinosa. Cuando se palpa la línea media de la columna vertebral se perciben las apófisis espinosas; motivo por el que también se le llama espina dorsal. El arco vertebral sirve como punto de conexión de músculos y ligamentos, permite el movimiento al actuar como palanca para los músculos y es el sitio de articulación de entrelazado de múltiples vértebras. Las vértebras torácicas también se articulan con las costillas en su arco, que junto con el cuerpo forma un espacio llamado agujero vertebral. Cuando todas las vértebras están alineadas, este espacio crea

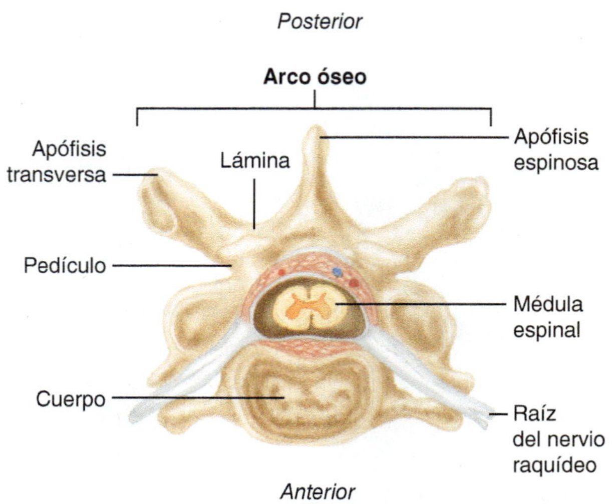

FIGURA 6-39 Representación general de la vértebra humana, que en diferentes secciones de la columna varía en forma. El espacio a través del cual pasa la médula espinal es el conducto raquídeo y aquel a través del que pasan las raíces nerviosas es un agujero raquídeo.

un conducto grande que recorre toda la longitud de la columna vertebral. La médula espinal, las raíces nerviosas raquídeas, las meninges y muchos vasos se alojan dentro de este conducto y son protegidos por las vértebras y los discos intervertebrales.

Perlas de sabiduría

Conforme el cuerpo envejece, ocurre pérdida de su contenido de agua en los discos intervertebrales, lo que los hace más delgados, proceso que causa la disminución de talla vinculada con el envejecimiento. El estrés sobre la columna vertebral puede causar que un disco se hernie hacia el conducto raquídeo, con una lesión resultante de la médula espinal o de una raíz nerviosa. Los nervios también se pueden lesionar en el ámbito periférico (cualquier sitio fuera de la médula espinal), afección conocida como lesión de nervio periférico.

El pedículo es una proyección ósea gruesa corta que une el cuerpo vertebral con la apófisis transversa. Cada pedículo se une con una lámina. La carilla articular es una estructura ósea que se proyecta hacia afuera desde las vértebras. Las apófisis espinosas transversas se proyectan desde la unión de cada pedículo y lámina a ambos lados de la vértebra, se proyectan a los lados y atrás, y son puntos de inserción de músculos y ligamentos. Las apófisis espinosas posteriores se forman por la fusión de las láminas posteriores y sirven como sitios de inserción para músculos y ligamentos.

Un cojinete cartilaginoso llamado disco intervertebral yace entre casi todas las vértebras; provee acojinamiento y espacio para la flexibilidad. No hay disco entre el occipucio y C1 o entre C1 y C2.[7] El espacio creado por estos discos permite a los nervios raquídeos salir de la médula espinal y regular la periferia del cuerpo.

Los ligamentos y los discos intervertebrales permiten algún movimiento del tronco hacia adelante (flexión) y atrás (extensión), así como la rotación y el desplazamiento lateral. Sin embargo, también limitan el movimiento de las vértebras de modo que no se lesione la médula espinal. Una lesión de la columna vertebral puede dañar parte de la médula espinal y sus nervios, que quizás no estén protegidos por las vértebras. Como paramédico usted debe tener precaución extrema al atender a un paciente con sospecha de lesión raquídea para prevenir el daño secundario a tales estructuras.

Tórax

El tórax (pecho) consta de una caja ósea que cubre algunos de los órganos más vitales del cuerpo humano. Las dimensiones del tórax se definen en la parte posterior por las vértebras torácicas y las costillas, en la inferior por el **diafragma** (un músculo esquelético especializado), por delante y a los lados por las costillas y en la parte superior por la entrada torácica, **FIGURA 6-40**.

Perlas de sabiduría

Las dimensiones del tórax son de gran importancia en la valoración física del paciente. Si bien la cavidad torácica se extiende por detrás hasta la costilla 12, el diafragma se une a las seis costillas inferiores de la cara anterior de la caja torácica. Con el movimiento del diafragma durante la respiración, el tamaño y las dimensiones de la cavidad torácica varían, lo que pudiese a su vez afectar a sus órganos y cavidad (de tórax o abdomen) en los pacientes con una lesión contusa o penetrante.

Las estructuras óseas del tórax incluyen a esternón, clavícula, escápula, vértebras torácicas y 12 pares de costillas. El esternón es un hueso con forma de daga en la línea media del tórax, constituido por el manubrio superior (mango), el cuerpo central (hoja) y la apófisis xifoides inferior (punta roma), **FIGURA 6-41**.

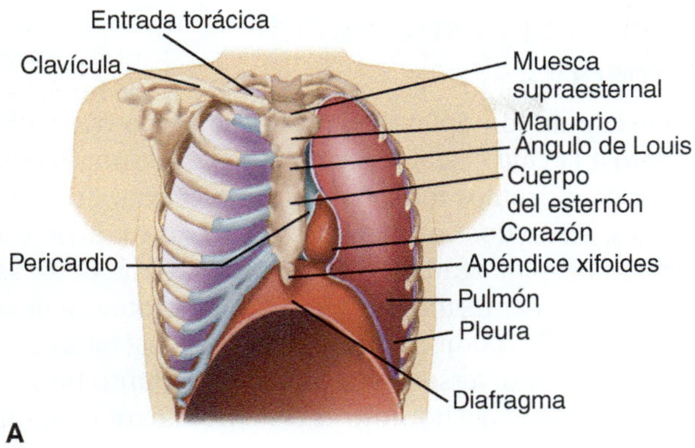

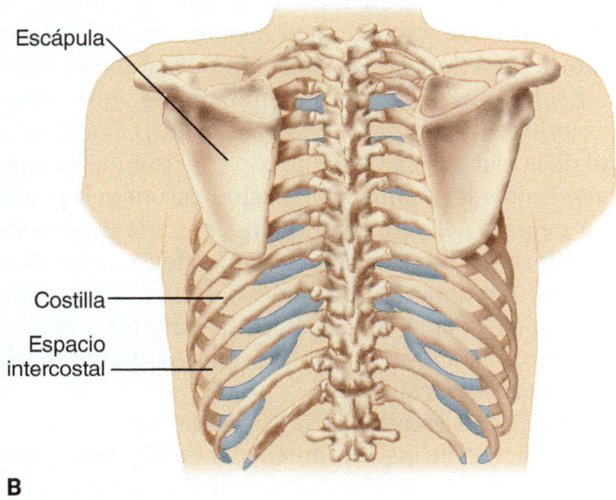

FIGURA 6-40 El tórax. **A.** Cara anterior. **B.** Vista posterior.

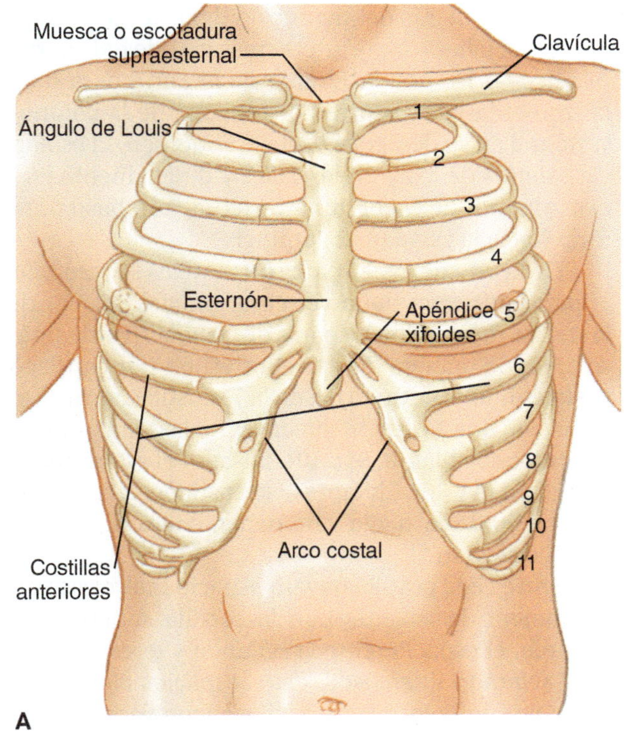

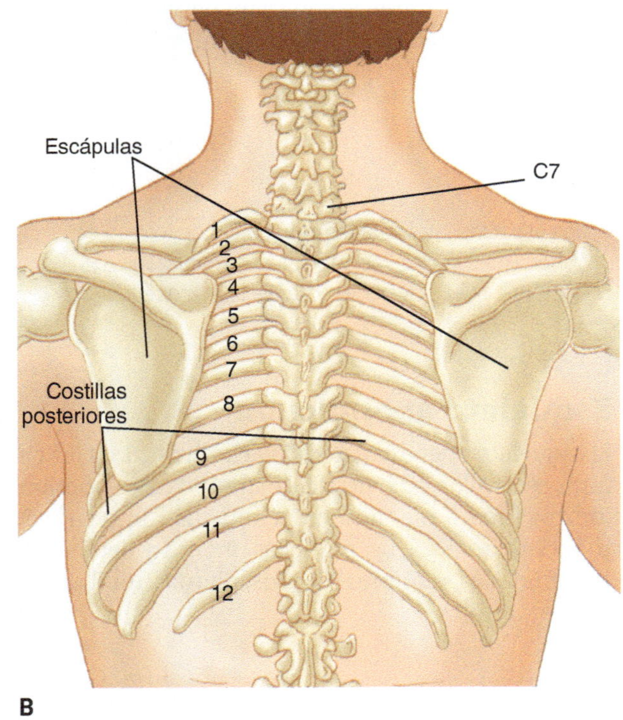

FIGURA 6-41 La caja costal. **A.** Vista anterior. **B.** Vista posterior.

El espacio superior del manubrio es la **muesca supraesternal** (también conocida como muesca yugular) y la unión del manubrio con el cuerpo, el **ángulo de Louis** (también llamado ángulo esternal o unión manubrio esternal).

La región central del tórax es el **mediastino**, que contiene al corazón, los vasos sanguíneos, parte del esófago, conductos linfáticos, tráquea, bronquios principales y los nervios pares, vago y frénico. Por delante, los pulmones se extienden desde la superficie del diafragma hasta el apéndice xifoides. En la parte posterior, se extienden un poco más hacia abajo, hasta la superficie del diafragma a nivel de la 12ª vértebra torácica.

El corazón yace justo detrás del esternón (retroesternal). Se extiende desde la segunda a la sexta costillas por delante y de la quinta a la octava vertebras torácicas por detrás. El borde inferior del corazón se extiende hacia el hemitórax izquierdo y cuando es afectado por una enfermedad puede ser más grande o pequeño de lo normal. Los principales vasos sanguíneos que transcurren hacia y desde el corazón también están en la cavidad torácica. A la derecha de la columna vertebral, las venas cavas superior e interior conducen sangre al corazón.

Apenas detrás del manubrio del esternón surgen del corazón la **aorta** (la arteria más grande del cuerpo) y la **arteria pulmonar**. El arco de la aorta pasa hacia la izquierda y transcurre por ese lado de la columna vertebral en su descenso hasta el abdomen. El esófago yace detrás de los grandes vasos y directamente en la cara anterior de la columna vertebral a su paso por el tórax hacia la cavidad abdominal.

Cada uno de los 12 pares de costillas se inserta en la parte posterior de la vértebra torácica 12. Por delante, los primeros siete pares de costillas (verdaderas) se unen de manera directa al esternón por cartílagos costales que continúan desde la 7ª costilla hacia abajo y proveen una conexión directa entre las caras anteriores de las costillas 8ª, 9ª y 10ª (falsas) y el esternón. Las costillas 11ª y 12ª (flotantes) se sostienen en su lugar por medio de cartílago y no tienen conexión anterior con el esternón.

Entre cada costilla hay un espacio intercostal que se numera de acuerdo con la costilla superior; por ejemplo, el espacio entre la segunda y tercer costillas es el segundo intercostal. Estos espacios alojan a los músculos intercostales y el haz neurovascular, que consta de una arteria, la vena y un nervio, y transcurre por el borde inferior de cada costilla.

Perlas de sabiduría

Los espacios intercostales son puntos de referencia importantes cuando se informa de la localización anatómica de las lesiones y se realizan procedimientos.

Esqueleto apendicular

El esqueleto apendicular incluye los huesos de las cinturas escapular y pélvica, las extremidades superiores (brazos [más a menudo mencionados como su parte superior], antebrazos, muñecas, manos y dedos) y las extremidades inferiores (muslos, piernas, tobillos, empeines y artejos).

Perlas de sabiduría

La clavícula es uno de los huesos corporales que con mayor frecuencia presenta una fractura, en tanto la escápula es en extremo difícil de que la sufra.

Hombros y extremidad superior

La escápula (omóplato) es un hueso plano triangular sujeto a la caja costal en su cara posterior por los poderosos músculos torácicos que la protegen de las lesiones. Tiene dos componentes posteriores, divididos por una cresta aguda (o espina); el extremo de la espina escapular forma el **acromion**, que protege a la articulación del hombro, provee sitios de inserción para la clavícula y diversos músculos. Un conjunto muscular importante del hombro es el manguito rotador, que aquí se origina.

La clavícula es un hueso delgado con forma de ese (S), unido por ligamentos al extremo medial del manubrio del esternón. Actúa como puntal para mantener el hombro apoyado; sin embargo, es vulnerable a las lesiones por su esbeltez y exposición. La parte lateral de la clavícula se articula con el acromion escapular y juntos forman la articulación acromioclavicular. Por delante del acromion se encuentra la proyección digitiforme llamada apófisis coracoides, que también provee una zona de inserción muscular. Entre estas dos apófisis hay una porción de la escápula a manera de plato, conocida como fosa glenoidea, donde se articula la cabeza del húmero.

Juntas, la escápula y la clavícula, forman la cintura torácica (de los hombros), que sirve como punto de unión de las extremidades superiores al esqueleto axial, **FIGURA 6.42**. La extremidad superior se une a la cintura torácica en la articulación glenohumeral (hombro), que es de tipo esferoide.

La porción proximal del húmero, que es el segundo hueso más largo en el cuerpo humano, tiene una cabeza que se articula con la escápula, **FIGURA 6-43**. En su porción proximal presenta dos extensiones pequeñas a cada lado (tubérculos), que sirven para inserciones musculares en la articulación del hombro. El extremo distal de húmero se articula con los extremos proximales del radio y el cúbito (huesos del antebrazo) para formar la articulación de bisagra del codo. Varios ligamentos conectan al húmero, el radio y el cúbito en la articulación del codo, y la bolsa sinovial llena de líquido amortigua y protege la parte posterior de la articulación.

El antebrazo se extiende del codo a la muñeca y el radio yace en su lado pulgar. La porción proximal del radio corresponde a su cabeza y la distal contiene una protuberancia ósea pequeña, la apófisis estiloides, en la que se insertan algunos ligamentos de la muñeca. El cúbito es estrecho en su parte distal y se encuentra del lado del meñique en el antebrazo. Sirve como

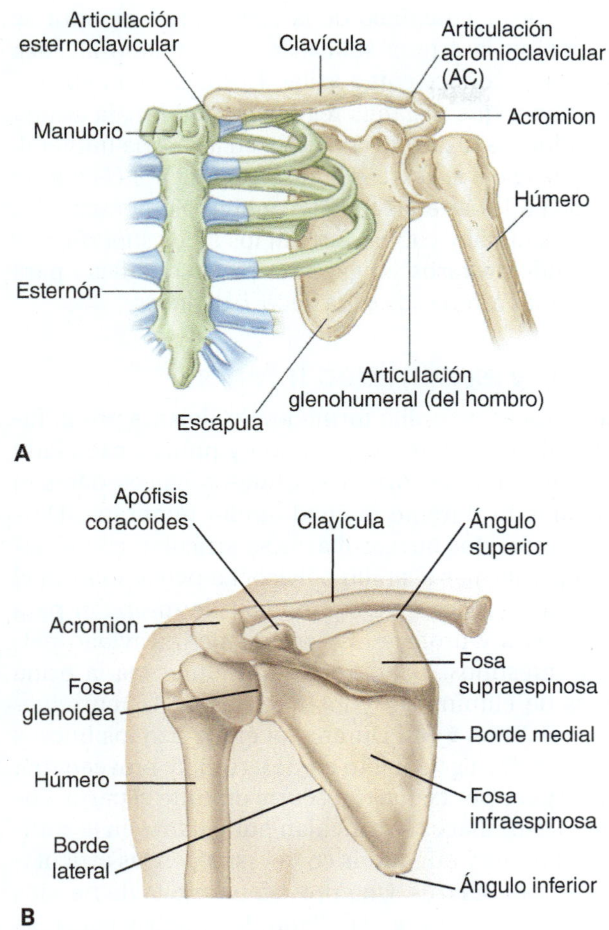

FIGURA 6-42 La cintura escapular (de los hombros). **A.** Vista anterior, que incluye a la clavícula. **B.** Vista posterior, que incluye a la escápula.

pivote alrededor del cual gira el radio en la muñeca para voltear la palma de la mano hacia arriba (supinación) y abajo (pronación). El extremo proximal del cúbito presenta una apófisis roma grande (olécranon), que forma la punta del codo. A los lados de su extremo proximal el radio se articula con el húmero por fuera de esa apófisis. El extremo distal del radio se articula con los **huesos del carpo**, de forma irregular, en la muñeca. El extremo distal del cúbito se articula directamente con el radio.

Los huesos del carpo se disponen en dos hileras en la muñeca, **FIGURA 6-44**: la proximal incluye al radio, el cúbito, el escafoides (navicular), el semilunar y el piramidal, en tanto que la distal al trapecio, el trapezoide, y los huesos grande y ganchoso. El pisiforme es un hueso sesamoideo localizado apenas en ubicación palmar respecto del piramidal, y aunque

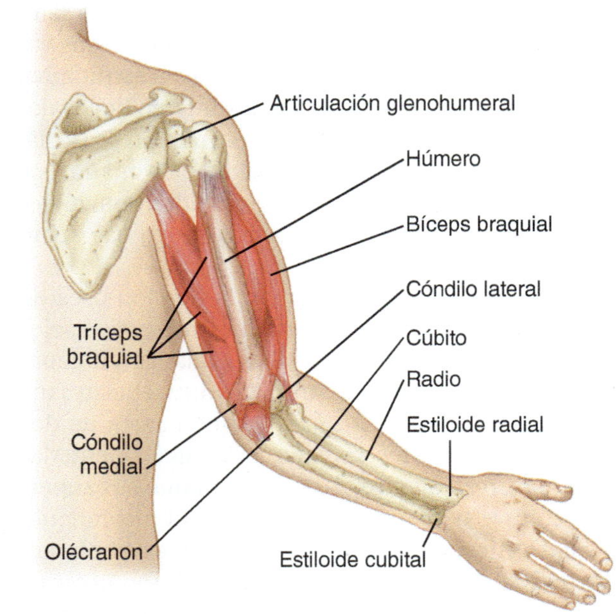

FIGURA 6-43 El brazo incluye al húmero; el antebrazo, al radio y el cúbito.

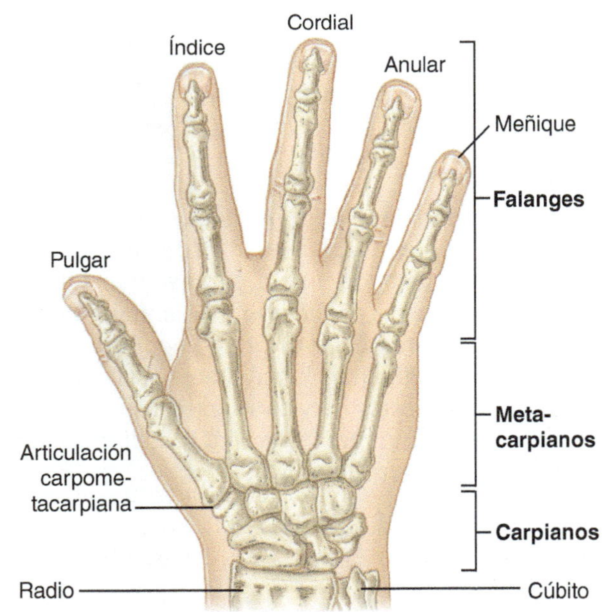

FIGURA 6-44 Los principales huesos de la muñeca y la mano incluyen al carpo, metacarpo y las falanges.

enlistado en la hilera proximal, no participa en su movimiento. El conducto del carpo está formado por el espacio limitado por el trapecio y el hueso ganchoso en la parte dorsal y el retináculo flexor, una vaina de tejido conectivo fuerte que forma su piso, en el lado palmar. Los tendones, nervios y vasos sanguíneos yacen dentro del conducto del carpo, cuyas estructuras internas incluyen al tendón del flexor largo de los dedos y el nervio mediano, que provee función sensorial y motora a la mitad radial de la palma de la mano. Los huesos del carpo, en especial el escafoides, son vulnerables a las fracturas cuando una persona cae sobre una mano muy extendida.

Cinco metacarpianos forman la porción ósea de la mano. Las falanges en los dedos forman articulaciones de bisagra. Cada dedo tiene tres falanges, excepto el pulgar, con solo dos. La articulación metacarpiana del pulgar es en **silla de montar**, que consta de dos superficies articulares a manera de silla, orientadas en ángulos rectos entre sí, de manera que sus superficies complementarias se conjunten. El movimiento de estas articulaciones puede ocurrir en dos planos. La artritis suele afectar a la articulación carpometacarpiana, con el resultado de rigidez y deformidad.

Perlas de sabiduría

He aquí un consejo práctico para ayudar a recordar qué huesos son los del carpo (de la mano) y cuáles del tarso (del pie): "Empujo mi CARro (PO) con las manos y avanzo empujando un TARro (so) con mis pies".

La inervación de las extremidades superiores proviene del plexo braquial. Los **plexos** son zonas donde los nervios raquídeos se juntan y transmiten sus impulsos hacia regiones del cuerpo mediante un nervio común. El plexo braquial está formado por una red de nervios que se originan de la médula espinal entre C5 y T1. Las fibras de estos nervios se entrelazan para formar cinco nervios diferentes: axilar, radial, musculocutáneo, cubital y mediano.

Perlas de sabiduría

Preste atención al deletreo de la terminología médica para evitar malentendidos. Aunque *ilion* e *íleon* se pronuncian de forma parecida, se refieren a dos partes diferentes del cuerpo.

- El *ilion* es una de las prominencias óseas de la pelvis.
- El *íleon* corresponde a las tres quintas partes distales del intestino delgado.

El riego sanguíneo de la extremidad superior se origina en la arteria subclavia, que cuando alcanza la axila se conoce como axilar. Después de emitir varias ramas que riegan la región del hombro, la arteria abandona la axila y se convierte en la arteria humeral. Después de que la arteria humeral pasa por el codo se divide en las arterias radial y cubital. En la mano, las arterias radial y cubital forman los arcos superficial y profundo de vasos sanguíneos que se ramifican para formar las arterias de cada dedo, o digitales.

Pelvis y extremidad inferior

La pelvis es un anillo formado por delante por la fusión de los huesos ilion, isquion y pubis a cada lado del cuerpo, para formar los huesos ilíacos derecho e izquierdo durante la edad adulta temprana. Después, estos dos huesos ilíacos se articulan con el sacro para formar el anillo pélvico. La pelvis soporta el peso del tronco, sirve como lugar de inserción para los muslos y protege los órganos de la cavidad pélvica, intestinos, **vejiga** (donde se almacena la orina antes de eliminarse) y los internos de la reproducción, **FIGURA 6-45**. Durante el embarazo los huesos pélvicos protegen al feto en desarrollo y proveen una vía de paso por la que transcurre durante el parto. Los dos huesos ilíacos se articulan por delante en la sínfisis del pubis y por detrás con el sacro, en las articulaciones sacroilíacas. Una provisión amplia de nervios y vasos transcurre a cada lado de la pelvis hacia las extremidades inferiores.

Perlas de sabiduría

El cuello del fémur es un sitio frecuente de las fracturas de cadera, en especial en los adultos mayores.

La extremidad inferior está formada por el muslo, la rodilla, la pierna, el tobillo, el pie y los artejos, **FIGURA 6-46**. El fémur es el hueso más largo y uno de los más fuertes del cuerpo. En ubicación proximal participa en la articulación esferoide de la pelvis, y en la distal, en la de bisagra de la rodilla. La cabeza femoral es la parte esférica que se acopla al **acetábulo**, una estructura en forma de copa constituida por los huesos coxales; se conecta con el cuerpo, o porción tubular larga del fémur, mediante el cuello y la región

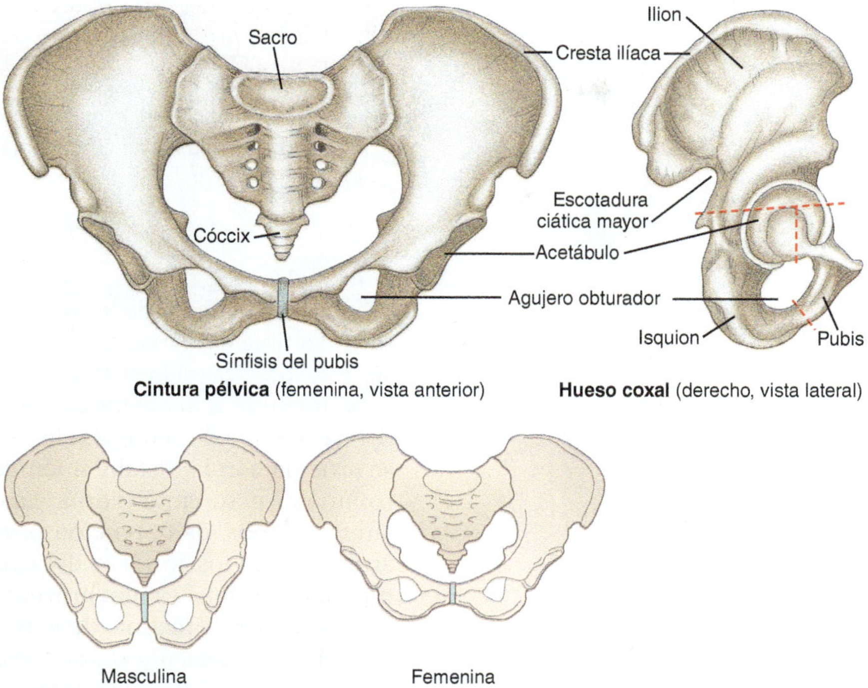

FIGURA 6-45 La cintura pélvica.

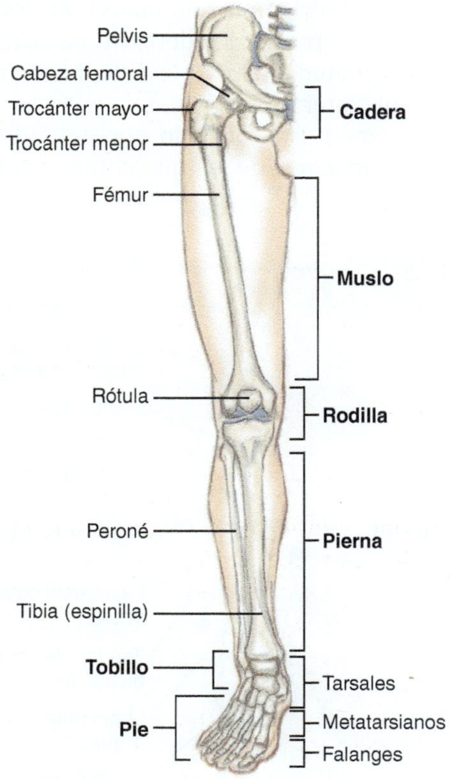

FIGURA 6-46 Las principales partes de la extremidad pélvica: el fémur, su cabeza, los trocánteres mayor y menor, la rodilla, la tibia y el peroné.

intertrocantérica. La porción proximal del fémur tiene dos puntos de inserción muscular separados: los trocánteres menor y mayor, **FIGURA 6-47**. El trocánter mayor surge por fuera de la unión del cuello y el cuerpo del hueso y en la clínica se considera como parte de la cadera. Varios ligamentos y tendones musculares proveen integridad a la articulación de la cadera. La cápsula articular es sostenida por ligamentos fuertes que soportan gran parte del peso del cuerpo.

En el extremo distal del fémur los cóndilos lateral y medial se articulan con la porción proximal de la tibia en la rodilla, **FIGURA 6-48**, y son sitios importantes de inserción de músculos y ligamentos. La rótula está dentro del tendón anterior mayor de los músculos del muslo y se articula con el fémur. La articulación de la rodilla suele clasificarse como de bisagra y es inusual porque contiene ligamentos en su interior. Gruesos discos articulares en forma de semiluna (meniscos) cubren los márgenes de la tibia para acojinar la superficie articular. El ligamento cruzado anterior, que se extiende entre la tibia y el fémur, impide el movimiento anterior anormal (hiperextensión) de la tibia. El ligamento cruzado posterior impide el desplazamiento posterior de la tibia. Varios tendones, así como ligamentos colaterales, dan mayor fortaleza a la articulación de la rodilla que está rodeada por varias bolsas de líquido sinovial.

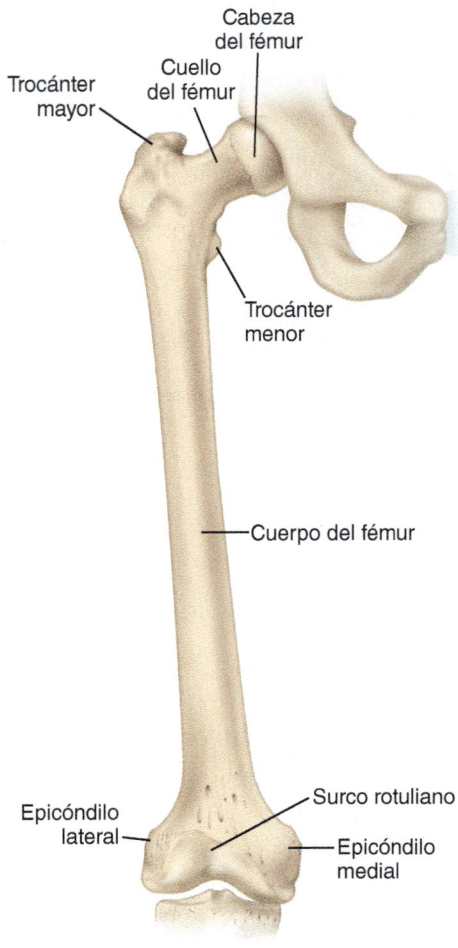

FIGURA 6-47 El fémur.

Perlas de sabiduría

La tuberosidad tibial es un punto de referencia importante para la identificación antes de insertar una aguja intraósea (IO) en la tibia.

Los dos huesos de la pierna son la tibia y el peroné. La tibia es la más gruesa y larga de los dos huesos y se localiza en la cara anteromedial de la pierna. Es vulnerable a los golpes directos y puede tocarse apenas debajo de la piel. En la parte proximal la tibia se articula con la distal del fémur y es el hueso que soporta el peso en la pierna. Los cóndilos medial y lateral, planos, de la porción proximal de la tibia se articulan con los cóndilos del fémur en la rodilla. La tuberosidad tibial es una proyección de la cara anterior de la parte proximal de la tibia que sirve para la inserción del músculo cuádriceps. En su porción distal la tibia forma el maléolo medial, que corresponde al lado interno de la articulación del tobillo. El peroné es un hueso largo y delgado mucho más pequeño que la tibia, que no soporta peso alguno y no se articula directamente con el fémur, sino más bien con la tibia en la cabeza. Una protrusión del extremo distal del peroné forma la pared lateral de la articulación del tobillo, el maléolo lateral.

El pie (tarso) está formado por siete huesos denominados tarsianos, de los que el más grande es el

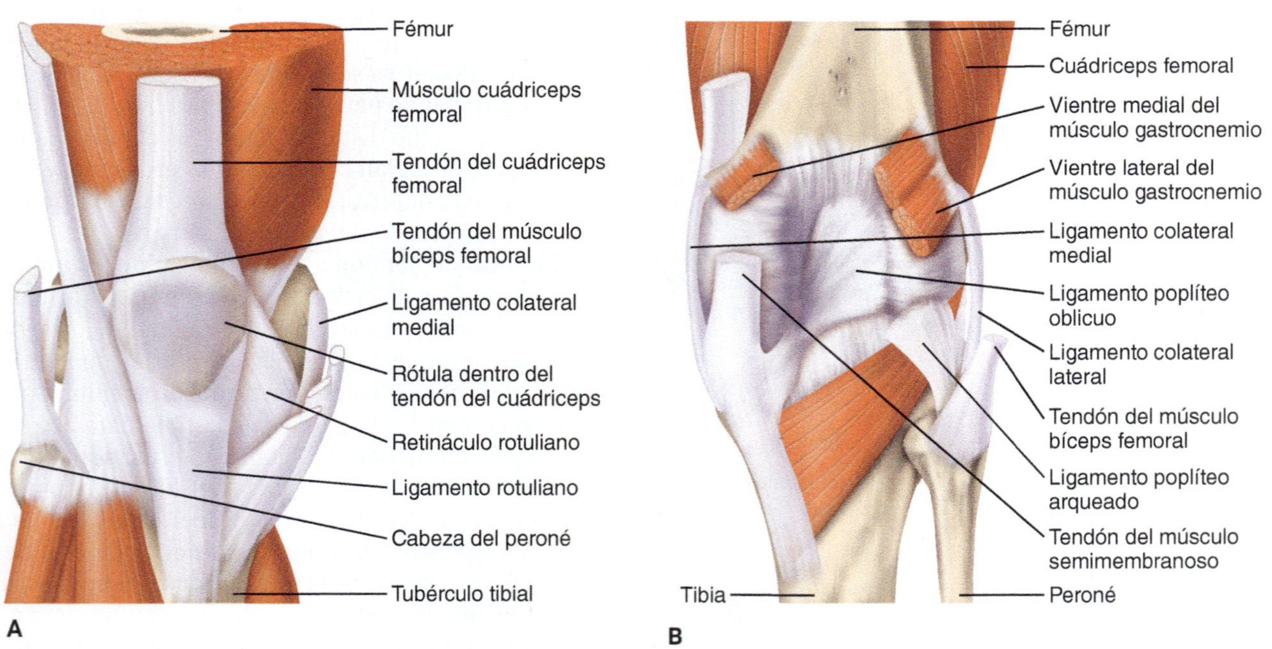

FIGURA 6-48 La rodilla. **A.** Vista anterior. **B.** Vista posterior.

calcáneo (hueso del talón). El astrágalo se articula con la tibia y el peroné para formar el tobillo, **FIGURA 6-49**. Los huesos del tobillo se disponen de manera tal que el astrágalo forma una bisagra con las porciones bajas de la tibia y el peroné.

El calcáneo está debajo y por fuera del astrágalo, lo que le provee soporte adicional. El primero vulnerable a la lesión cuando una persona cae desde una altura y aterriza sobre los pies. Una cápsula fibrosa rodea la articulación del tobillo; sus porciones medial y lateral se engruesan para formar ligamentos. Los movimientos del tobillo y la parte posterior del pie incluyen dorsiflexión y flexión plantar, así como inversión y eversión limitadas.

Los metatarsianos y las falanges del pie se disponen de manera muy parecida a los huesos de la mano. Los artejos tienen tres falanges cada uno, excepto el gordo, que tiene dos. La bola del pie es la unión entre los metatarsianos y las falanges.

La inervación de las extremidades inferiores es provista por plexos lumbar y lumbosacro que se forman por los nervios raquídeos de L1 a S4. La red de nervios dentro de estos dos plexos lleva la formación de múltiples nervios diferentes que incluyen al ciático, que se ramifica en la fosa poplítea para formar el peroneo y el tibial, y el nervio femoral.

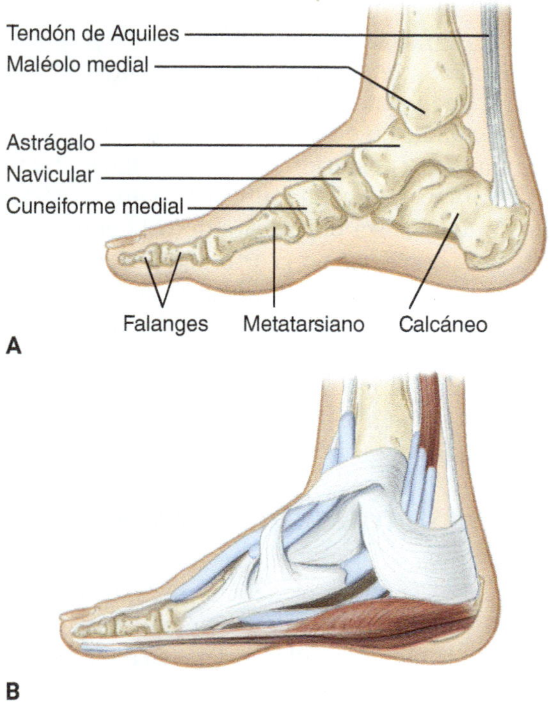

FIGURA 6-49 A. Los puntos de referencia superficiales del pie: astrágalo, calcáneo y falanges. **B.** Tejidos blandos del tobillo.

USTED es el Paramédico

PARTE 2

El conductor de la motocicleta se encuentra decúbito prono sobre el pavimento cerca de la puerta frontal de la camioneta abierta. No tiene respuesta. Usted le realiza restricción del movimiento cervical de la columna en forma manual y con ayuda lo gira en bloque. De inmediato nota que el paciente se encuentra pálido y sudoroso. Sus dientes frontales superiores se fracturaron y tiene un gran edema palpebral que ocluye sus ojos. Usted nota que tiene un pulso rápido y está respirando a gran velocidad y con poca profundidad. Presenta una gran abrasión en la mitad de su hemitórax izquierdo debajo de la clavícula, y también una deformidad y una gran laceración en la pierna derecha, justo arriba del hueso interno del tobillo.

Tiempo de registro: 3 minutos	
Aspecto	Se encontró en decúbito prono sobre el pavimiento. Hemorragia mínima de la laceración de la pierna derecha
Nivel de conciencia	Sin respuesta a los estímulos
Vía aérea	Permeable; sangre fresca en la boca
Respiración	24 ventilaciones/min poco profundos
Circulación	118 latidos/min

3. Dada la fractura de los dientes superiores y el edema facial, ¿qué estructuras óseas se pudiesen haber lesionado?
4. ¿Cuál es la mejor forma de describir la localización de la lesión en el hemitórax izquierdo?
5. ¿Cuál es la mejor forma de describir la localización de la deformidad y la lesión en la pierna derecha?

El riego sanguíneo de la extremidad inferior se origina en la arteria ilíaca externa, que cuando alcanza la pierna se convierte en la femoral y esta cuando llega a la rodilla gira hacia atrás y afuera y se conoce como la arteria poplítea, que a su vez se divide en las arterias tibiales anterior y posterior. La anterior transcurre por la cara anterior y lateral de la tibia hasta que alcanza el tobillo, donde avanza por la cara dorsal del pie hacia el hallux y se convierte en la arteria dorsal del pie. La arteria tibial posterior transcurre por la cara posterior de la tibia hasta que alcanza al tobillo, donde sigue una vía apenas detrás del maléolo medial hasta que llega a la cara plantar del pie. Dentro del pie se forman arcos arteriales que riegan las diversas estructuras y emiten ramas para formar las arterias de los artejos.

El sistema musculoesquelético

El término **musculoesquelético** se refiere a los huesos y los músculos voluntarios del cuerpo. Los músculos son una forma de tejido que permite el movimiento corporal. El sistema musculoesquelético contiene más de 600 músculos y sus funciones importantes son el movimiento y el mantenimiento de la postura, la estabilidad de las articulaciones y la producción de calor.

> **Perlas de sabiduría**
>
> Cerca de 40 a 50% del peso corporal normal corresponde al músculo esquelético, porque tiene un alto contenido de agua. Además, debido a que presenta una tasa metabólica elevada y una gran demanda de energía y oxígeno cuenta con un riego sanguíneo muy rico que causa pérdida de sangre de manera abundante cuando se lesiona.

El músculo esquelético, así llamado porque se inserta en el esqueleto, forma la principal masa muscular del cuerpo. Como se mencionó antes, otros tipos de músculos fuera del sistema musculoesquelético incluyen al liso y el cardíaco. El músculo esquelético también se llama voluntario porque está bajo dominio directo del encéfalo y se puede estimular para contraerse o relajarse a libre albedrío. Los movimientos del cuerpo como sacudirse o caminar son resultado de la contracción o relajación de los músculos esqueléticos. Por lo general, un movimiento específico es resultado de que se contraen y relajan de manera simultánea varios músculos.

El músculo esquelético incluye a todos los músculos adheridos al esqueleto y que forman el volumen de tejidos de las extremidades. También se encuentra a lo largo de la columna vertebral y en los glúteos. Al mantener un estado de contracción parcial, este tipo de músculo permite que el cuerpo mantenga su postura y que se siente o se ponga de pie. Los músculos esqueléticos varían mucho en tamaño o forma, desde delgadas bandas hasta los grandes músculos del muslo y el dorso. También se incluye a los de la lengua, el **paladar blando**, el cuero cabelludo, la faringe, la porción superior del esófago y el ojo.

Las células del músculo esquelético posen las siguientes propiedades, que tienen relación con sus funciones:

- **Excitabilidad**. La capacidad de recibir estímulos y responder
- **Contractilidad**. La capacidad de acortarse (contraerse)
- **Extensibilidad.** La capacidad de estirarse (extenderse)
- **Elasticidad.** La capacidad de rebote, esto es de retorno a la forma y longitud originales después de la contracción

Componentes del tejido conectivo

Un músculo esquelético se considera como órgano del sistema muscular cuyas funciones son contraerse y crear una fuerza de tracción. Está formado por cientos de células que se unen para formar fibras musculares rodeadas por una vaina delgada de tejido conectivo llamado endomisio, que es donde tienen lugar los intercambios metabólicos entre las fibras y los capilares.[8] Las fibras musculares se disponen en haces llamados fascículos, que proveen un conducto para el paso de vasos sanguíneos y nervios. Cada fascículo está cubierto por una capa de tejido conectivo llamado perimisio, que lo mantiene unido con otros. Todo el músculo esquelético está cubierto por un tejido conectivo fuerte denominado epimisio. Epimisio, perimisio y endomisio se continúan entre sí. Recuerde que los músculos están separados por una aponeurosis profunda, localizada fuera del epimisio, que se une con los tejidos del tendón. Las múltiples capas de tejido conectivo que encierran y separan a los músculos esqueléticos les dan una gran capacidad de movimiento independiente.

Inserciones musculares

Los músculos esqueléticos forman uniones con otras estructuras, ya sea en forma directa o indirecta. Por ejemplo, se forma una inserción directa cuando las

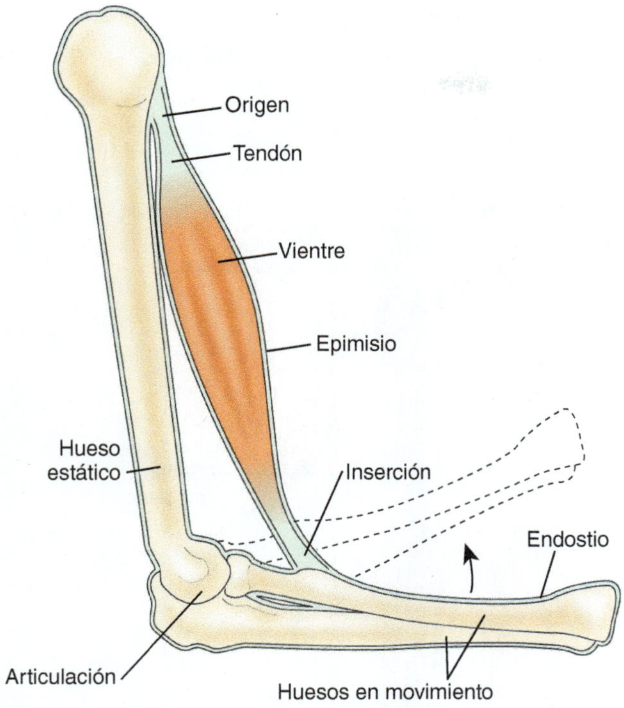

FIGURA 6-50 Las partes de un músculo. El origen real del músculo de la ilustración se encuentra en la escápula. Se muestra el origen del húmero con fines de claridad.

extensiones de epimisio se fusionan con el periostio de un hueso. Cuando las extensiones del epimisio forman tendones, se hace una inserción indirecta. Los tendones atraviesan articulaciones para crear una fuerza de tracción entre dos huesos cuando se contrae el músculo.

Un extremo de un músculo esquelético —**el origen**— por lo general se encuentra fijado a una parte relativamente inmóvil de una articulación con movimiento, **FIGURA 6-50**. El otro extremo —de **inserción**— se conecta con una parte móvil del otro lado de la articulación. Al ocurrir la contracción, se lleva la inserción hacia el origen. Puede haber más de un origen o inserción, como en el músculo bíceps braquial, que cuando se contrae lleva su inserción hacia el origen y que causa que el antebrazo se flexione en el codo. La cabeza de un músculo es la parte más cercana a su origen.

Función muscular

Los músculos esqueléticos suelen actuar en grupo, con estimulación de los deseados para la función pretendida por el sistema nervioso. Un músculo que se contrae para proveer la mayor parte del movimiento deseado se conoce como agonista o motor primario. Otros músculos, conocidos como sinérgicos, actúan junto con un agonista para hacer más eficaz la acción. Por ejemplo, cuando usted dobla el codo, el músculo agonista es el bíceps braquial, en tanto el braquial actúa como sinérgico.

Otros músculos actúan como antagonistas de los motores primarios y causan un desplazamiento en dirección opuesta. En el ejemplo precedente el tríceps sería un antagonista del bíceps. El movimiento corporal suave depende de la relajación de antagonistas mientras se contraen los agonistas. Los músculos pueden funcionar juntos o en oposición a otros para regular diversos movimientos. En la **FIGURA 6-51** y el **CUADRO 6-16** se identifican los principales músculos, sus localizaciones y sus funciones.

Fibras musculares

Una fibra de músculo esquelético es una sola célula que se contrae en respuesta a la estimulación y se relaja cuando esta cesa. Se trata de cilindros delgados elongados con extremos redondeados. La membrana de una célula muscular se denomina sarcolema y su citoplasma, sarcoplasma. El retículo sarcoplásmico, un tipo especial de retículo endoplásmico liso que se encuentra en las fibras de los músculos liso y estriado, almacena y libera iones de calcio. Cada fibra muscular está formada por miofibrillas largas cilíndricas a manera de bandas que se disponen en forma paralela. Las miofibrillas, a su vez, están constituidas por unidades contráctiles llamadas sarcómeros. Por ello, los músculos se consideran colecciones de sarcómeros.

Los sarcómeros están formados por miofilamentos y estos, a su vez, por bandas de proteínas contráctiles de las que hay cuatro tipos: **actina**, **miosina**, **troponina** y **tropomiosina**. Las moléculas de miosina constan de dos bandas con puentes cruzados de forma esférica que se proyectan hacia el exterior. Un filamento de miosina está formado por grupos de muchas moléculas de miosina.

Las moléculas de actina tienen forma globular y un sitio de unión que se adosa a los puentes cruzados de miosina. Los grupos de muchas moléculas de actina giran en bandas dobles (hélices) para formar un filamento de actina, que incluye troponina y tropomiosina. Cuando el músculo está en reposo, los sitios de unión de las moléculas de actina están cubiertos por moléculas de tropomiosina, que se mantienen en su lugar por las de troponina. Una proteína no contráctil llamada **titina** (conectina) se encuentra en los sarcómeros de los músculos cardíaco y esquelético, y es esencial para la alineación de los filamentos gruesos de miosina en el sarcómero. La *distrofina*, otra proteína no contráctil, sostiene a los filamentos delgados

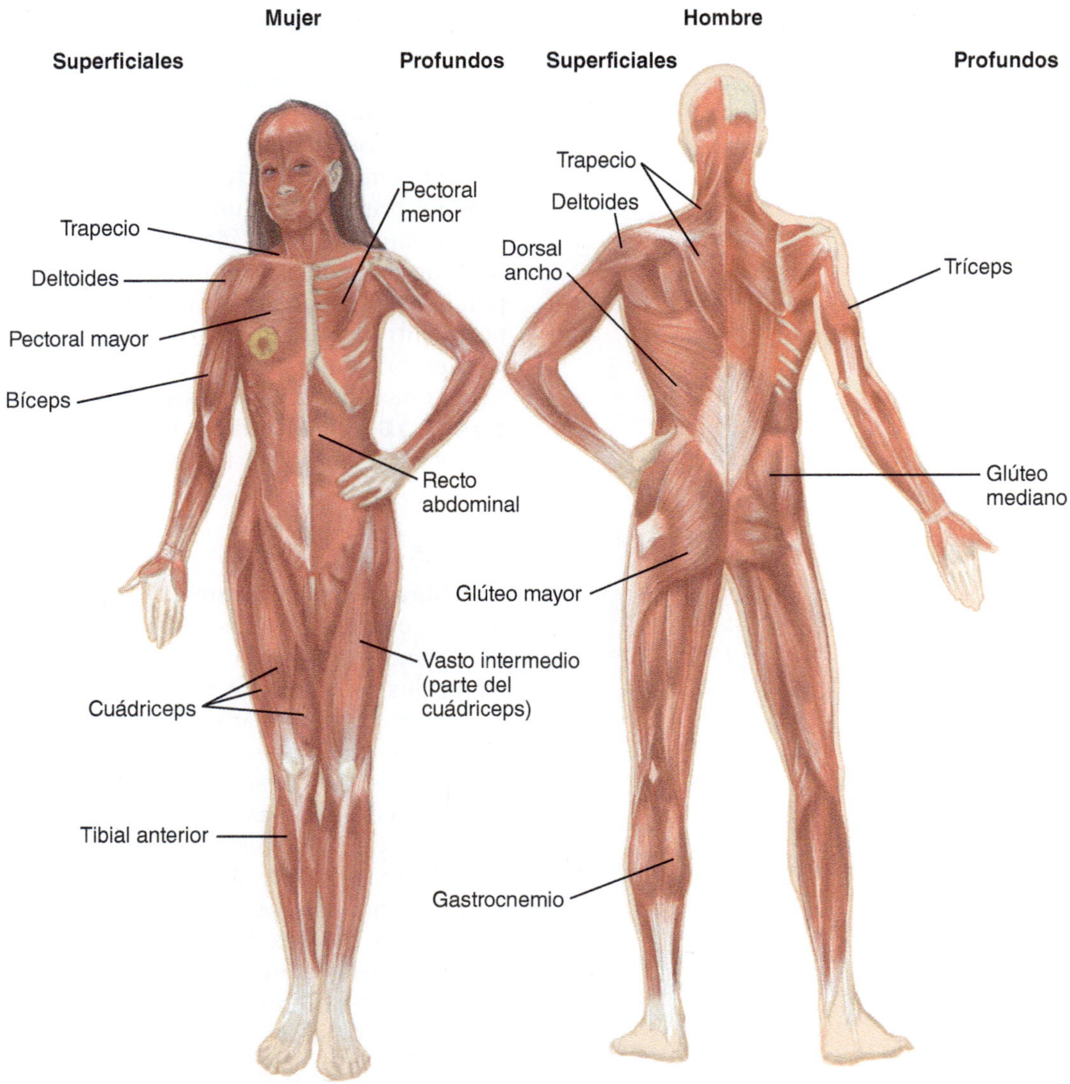

FIGURA 6-51 Los principales grupos musculares.

CUADRO 6-16 Localización y función de los principales músculos

Nombre del músculo	Origen	Función
Bíceps	Anterior, en el húmero	Flexiona el codo
Tríceps	Posterior, en el húmero	Extiende el codo
Pectoral mayor	Anterior, en el tórax	Flexiona y rota el brazo
Dorsal ancho	Posterior, en el tórax	Extiende y rota el brazo
Recto abdominal	En la parte anterior del abdomen	Flexiona y rota la columna vertebral
Tibial anterior	En la parte anterior de la tibia	Dirige los artejos hacia la cabeza
Gastrocnemio	En la parte posterior de la tibia	Dirige los artejos lejos de la cabeza
Cuádriceps (cuatro músculos separados)	En la parte anterior del fémur	Extiende la rodilla
Bíceps femoral	En la parte posterior del fémur	Flexiona la rodilla
Glúteos (tres músculos separados)	En la parte posterior de la pelvis	Extienden y rotan la extremidad inferior

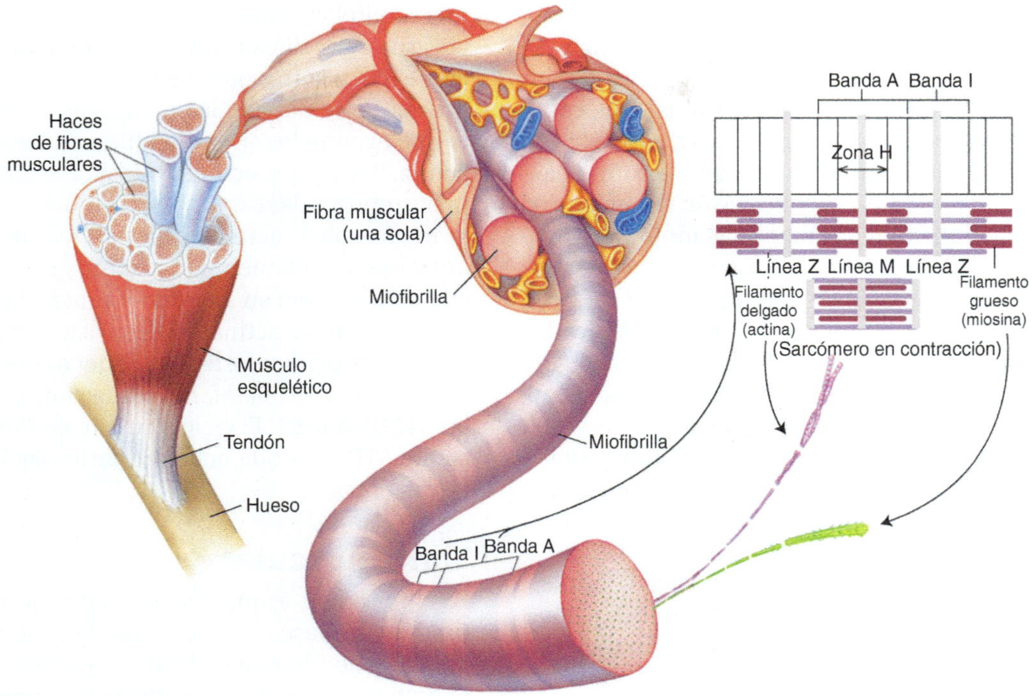

FIGURA 6-52 Detalles de la maquinaria contráctil de una célula muscular.

de actina en el sarcolema y contribuye a la fortaleza de la fibra muscular. Se estableció que la deficiencia de distrofina es una causa de distrofia muscular, constituida por un grupo de afecciones de transmisión genética que causan debilidad progresiva y pérdida de la masa muscular.

La superposición de filamentos gruesos y delgados crea estriaciones en los músculos esquelético y cardíaco, que son el motivo de su denominación de músculos estriados, en un patrón que tiene dos partes principales. Las bandas ligeras (bandas I) constituidas por filamentos delgados de actina unidos a líneas Z. Las bandas oscuras (A) constan de filamentos gruesos de miosina que se superponen a los delgados de actina. Una región central (zona H) está compuesta por filamentos gruesos, con una porción engrosada (línea M) constituida por proteínas que los sostienen en su lugar. Los sarcómeros se extienden de una línea Z a otra, como se muestra en la **FIGURA 6-52**.

Dentro del sarcoplasma de una fibra muscular hay una red de conductos que rodea a cada miofibrilla y que forma el retículo sarcoplásmico. Otros conductos membranosos, los llamados túbulos transversos (túbulos T) se extienden al interior y pasan a través de la fibra para abrirse fuera y contienen líquido extracelular (LEC). Cada túbulo está entre estructuras de mayor volumen que se llaman cisternas, cerca del punto donde se superponen los filamentos de actina y miosina. Juntos, el retículo sarcoplásmico y los túbulos T, activan la contracción muscular cuando son estimulados.

Para comprender cómo se mueven los músculos, usted debe saber cómo se estimulan, lo que se describe con detalle más adelante en este capítulo.

Contracción muscular

Un **nervio motor** está constituido por muchas células nerviosas llamadas **neuronas motoras**. Una unidad motora es un grupo de fibras musculares inervada por una neurona motora, que cuando es estimulada se contrae como un todo. Ocurre una contracción constante en el músculo porque hay axones de neuronas

Perlas de sabiduría

La miastenia grave es una afección en la que el sistema inmunitario ataca a los receptores de acetilcolina en la placa motora terminal, con el resultado de una debilidad o insuficiencia muscular. Una crisis de miastenia es un cuadro clínico de este proceso patológico que pone en riesgo la vida en la que la debilidad de los músculos respiratorios puede llevar a la insuficiencia o el paro respiratorio.

motoras en toda su parte carnosa (vientre). El impulso que estimula la contracción muscular ingresa a las fibras en la **unión neuromuscular**. Ahí las fibras de la unidad motora crean la placa terminal, que contiene receptores para el neurotransmisor, **acetilcolina (ACh)**, que estimula al músculo para que se contraiga.

El estímulo que causa la contracción del músculo esquelético se transmite por neuronas motoras como impulso nervioso, de un tipo de los que se conocen como **potenciales de acción** y se transmiten de una célula a otra del sistema nervioso y causan que cada una sucesivamente en la serie descargue. La **despolarización** es el proceso por el que las células se activan en respuesta a los potenciales de acción.

Cuando la célula está en reposo, se transportan activamente iones a su interior y exterior, para crear un gradiente electroquímico en la membrana celular que da como resultado un estado **polarizado**. Cuando la secreción de un neurotransmisor activa a la célula, las proteínas en su pared se abren con rapidez y permiten el ingreso rápido de iones que equiparan las cargas a ambos lados de la membrana. Cuando las cargas son equivalentes, la célula ya se despolarizó y los conductos proteínicos se cierran. A continuación, se inicia el proceso de **repolarización**, que de nuevo crea el gradiente electroquímico, de manera que la célula pueda descargar otra vez.

Perlas de sabiduría

La contracción muscular requiere energía, que se deriva del metabolismo de la glucosa y da como resultado la producción de ácido láctico (lactato), que a su vez se convierte en dióxido de carbono y agua por un proceso que requiere oxígeno. Por ese motivo, la actividad muscular vigorosa a menudo es seguida por una mayor frecuencia ventilatoria, que aumenta tanto el aporte de oxígeno como el retiro del dióxido de carbono de los tejidos.

La acetilcolina se sintetiza en el citoplasma de las neuronas motoras y se secreta hacia las hendiduras sinápticas entre los axones de neuronas motoras y las placas terminales motoras. Se difunde con rapidez, se une a receptores de proteínas específicos en la membrana de las fibras musculares y aumenta la permeabilidad al sodio. Estas partículas cargadas emiten un impulso muscular que tiene muchas direcciones sobre las membranas de la fibra muscular y, en un momento dado, alcanza el retículo sarcoplásmico.

El retículo sarcoplásmico tiene una alta concentración de iones de calcio y responde al impulso aumentando la permeabilidad de las membranas de las cisternas, con difusión de calcio al sarcoplasma. El calcio se une a la troponina en los filamentos delgados y causa que se desvíen las moléculas de tropomiosina, lo que expone los sitios de unión en las moléculas de actina. Puesto que actina y miosina se atraen químicamente entre sí, las cabezas de las moléculas de miosina se unen a las de actina expuestas, lo que crea puentes cruzados. Los filamentos de actina y miosina jalan una a la otra, acortan su longitud y causan la contracción. Debido a que la actina "se desplaza" sobre la miosina durante este proceso, esta se conoce como la **teoría de deslizamiento de filamentos** de la contracción muscular, **FIGURA 6-53**. El ciclo se repite en tanto haya suficiente ATP para que ocurra la estimulación muscular por su energía.

Tono muscular

Los músculos esqueléticos producen movimientos únicos con base en a qué tipo de articulación estén unidos y donde se localicen sus puntos de inserción. El tono muscular es una cantidad de tensión presente en un músculo en cualquier momento dado, resultado de un estado constante de contracciones parciales en el cuerpo. Mientras algunas unidades motoras se contraen, otras se relajan. El tono muscular en los músculos esqueléticos ayuda a mantener el equilibrio y la posición del cuerpo. En el mantenimiento de la postura, el tono muscular permite que la cabeza permanezca erecta y el dorso recto.

Perlas de sabiduría

En el músculo liso, el tono mantiene las dimensiones de los vasos sanguíneos y ayuda a la digestión.

Relajación muscular

La relajación muscular es causada por la descomposición de la acetilcolina por la enzima **acetilcolinesterasa**, proceso que impide que un impulso nervioso aislado estimule de manera continua a una fibra muscular. Cuando cesa el estímulo, se transportan iones de calcio de regreso al retículo sarcoplásmico. Sin calcio, los enlaces de actina y miosina se rompen y el músculo se relaja.

Fuentes de energía

La contracción muscular requiere ATP y continúa en tanto se secrete acetilcolina. Las fibras musculares tie-

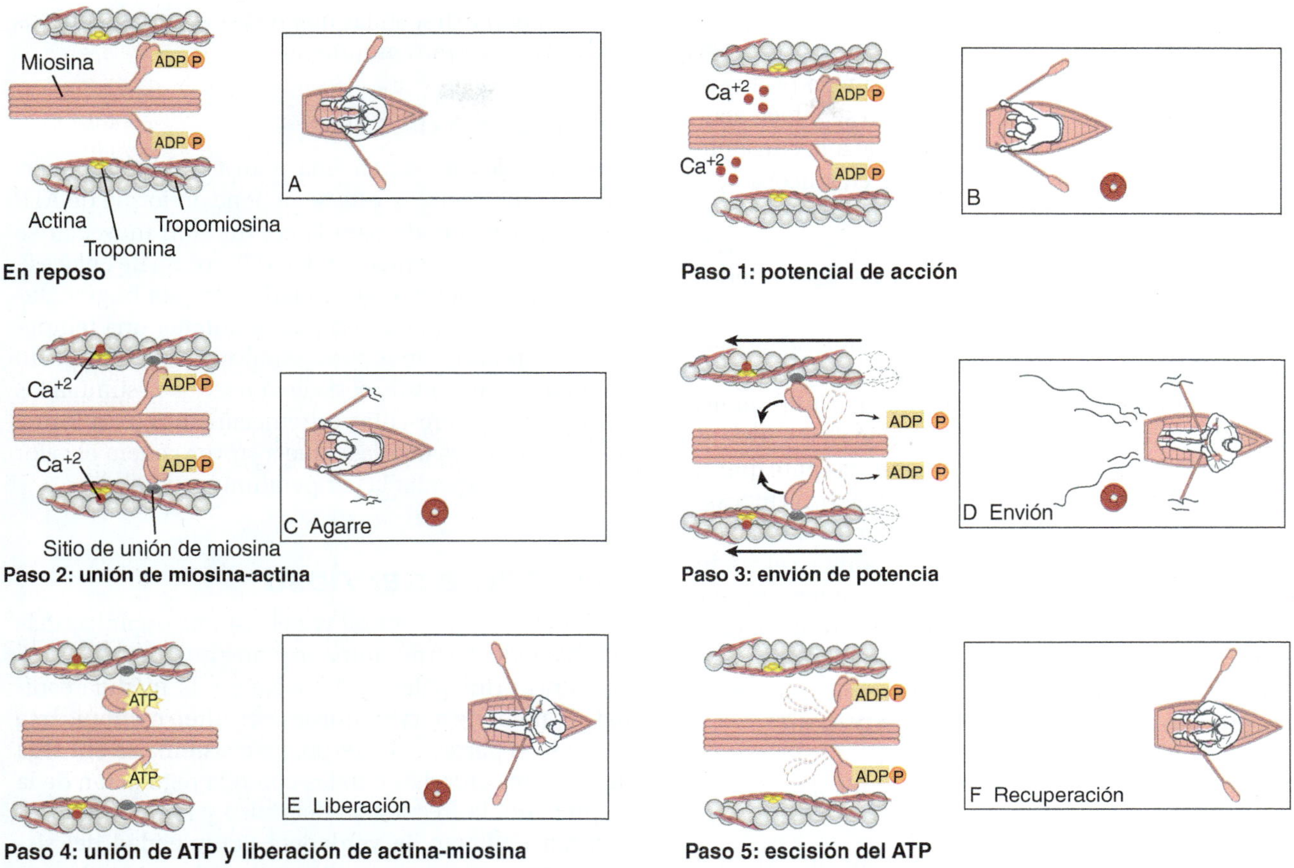

FIGURA 6-53 La teoría del filamento deslizable describe cómo se contraen las fibras musculares.

Abreviaturas: ADP, difosfato de adenosina; ATP, trifosfato de adenosina.

nen apenas suficiente ATP para una contracción a corto plazo. El ATP debe regenerarse cuando las fibras están activas, utilizando las moléculas de ATP existentes en las células; se regenera a partir del difosfato de adenosina (ADP) y fosfato. El fosfato de creatina es un compuesto orgánico en el tejido muscular que puede almacenar y proveer energía para la contracción en forma de enlaces de fosfato de alta energía. Este fosfato es entre cuatro y seis veces más abundante en las fibras musculares que el ATP; sin embargo, no provee energía de manera directa. En su lugar, almacena el exceso de energía de las mitocondrias en sus enlaces fosfato.

Perlas de sabiduría

Los músculos esqueléticos son notoriamente modificados por la cantidad de entrenamiento y trabajo al que se someten. Aquellos que no se usan tienden a atrofiarse (encogerse o consumirse), en tanto el entrenamiento físico promueve su hipertrofia (aumento de volumen).

Cuando se fragmenta el ATP, la energía del fosfato de creatina se transfiere a las moléculas de ADP para convertirlas otra vez en ATP. Las reservas de fosfato de creatina se consumen con rapidez cuando los músculos están activos; por lo tanto, utilizan la glucosa en la respiración celular como fuente de energía para sintetizar ATP.

Uso y deuda de oxígeno

Se requiere oxígeno para el proceso aeróbico de la respiración celular. Los eritrocitos transportan el oxígeno unido a moléculas de hemoglobina. La **hemoglobina** es el pigmento que da color rojo a la sangre y una de sus moléculas se une de manera reversible con cuatro de oxígeno. La **mioglobina** es un pigmento sintetizado en los músculos que les da su aspecto pardo rojizo; puede también combinarse con el oxígeno y almacenarlo temporalmente para disminuir los requerimientos de riego sanguíneo continuo durante la contracción muscular.

Cuando se utilizan músculos esqueléticos durante 1 minuto o más, se requiere de la respiración anaeróbica para obtener energía. En un tipo de respiración anaeróbica, la glucosa se fragmenta por glucólisis hasta ácido pirúvico, que reacciona y da origen al ácido láctico. Recuerde que este último se puede acumular en los músculos, pero se difunde a la corriente sanguínea y, en el hígado, se convierte en glucosa.

Cuando una persona realiza ejercicio extenuante, usa principalmente oxígeno para la síntesis de ATP. Conforme la cantidad de ácido láctico en el cuerpo aumenta, se presenta una deuda de oxígeno, que es equivalente a la cantidad del gas que requieren las células hepáticas para convertir el ácido láctico en glucosa, así como la necesaria por las células musculares para restablecer las concentraciones de ATP y fosfato de creatina. Pueden requerirse varias horas para que el cuerpo convierta el ácido láctico de nuevo en glucosa.

Los músculos pueden experimentar un cambio en su actividad metabólica conforme se modifica el grado de ejercicio de una persona. Por ejemplo, mientras más ejercicio haga, aumenta la capacidad de sus músculos de realizar la glucólisis. El ejercicio aeróbico aumenta la capacidad de los músculos para la respiración aeróbica, proceso que se resume en el **CUADRO 6-17**.

Fatiga muscular

El ejercicio prolongado puede causar que un músculo pierda la capacidad de contracción, circunstancia denominada fatiga, que puede también presentarse por la interrupción del riego sanguíneo o, en ocasiones, por falta de acetilcolina en los axones de las neuronas motoras. La acumulación de ácido láctico es la causa usual de fatiga muscular. Conforme disminuye la cifra de pH, las fibras musculares no pueden responder a la estimulación. Cuando un músculo se fatiga y presenta calambres, experimenta una contracción involuntaria sostenida. Aunque no comprendidos del todo, los espasmos musculares parecen ser producto de cambios en el líquido extracelular que rodea las fibras musculares y las neuronas motoras.

Producción de calor

Los músculos necesitan una gran cantidad de energía para contraerse, y esta se obtiene en forma de ATP. La energía requerida para la contracción muscular se libera por la fragmentación del ATP (rotura de enlaces). Uno de los productos secundarios de esta fragmentación es el calor, que se usa para mantener una temperatura corporal normal, pues cuando desciende respecto de un punto de ajuste, el sistema nervioso estimula los músculos para presentar estremecimiento (una forma de contracciones rápidas), que a su vez genera el calor usado para aumentar la temperatura corporal.

El sistema nervioso

El **sistema nervioso** es tal vez el sistema orgánico más complejo del cuerpo humano, constituido por dos estructuras principales —el encéfalo y la médula espinal— y miles de nervios que les permiten comunicarse a todas las partes del cuerpo. Este sistema se encarga de funciones fundamentales como la regulación de la respiración, la frecuencia del pulso y la presión arterial. Sin embargo, la verdadera complejidad del sistema nervioso se hace evidente cuando se consideran las funciones de alto nivel, como leer un libro, disfrutar la música, hablar con un amigo y ver televisión. Todas esas actividades requieren que el cerebro utilice memoria, pensamiento, inteligencia y comprensión.

Las principales funciones del sistema nervioso incluyen las siguientes:

- Vigilancia de los ambientes interno y externo
- Integración de la información sensorial
- Coordinación de las respuestas voluntarias e involuntarias

CUADRO 6-17 Cambios en el metabolismo muscular

Tipo de ejercicio	Vía necesaria	Producción de ATP	Resultado
De intensidad leve a moderada: el riego sanguíneo provee suficiente oxígeno para cubrir las necesidades de la célula	Glucólisis, que lleva a la formación de ácido pirúvico y la respiración aeróbica	Para el músculo esquelético, 36 moléculas de ATP por una de glucosa	Exhalación de dióxido de carbono
De alta intensidad: el aporte de oxígeno no es suficiente para cubrir las necesidades de la célula	Glucólisis, que lleva a la formación de ácido láctico	Dos moléculas de ATP por una de glucosa	Acumulación de ácido láctico

Abreviatura: ATP, trifosfato de adenosina.

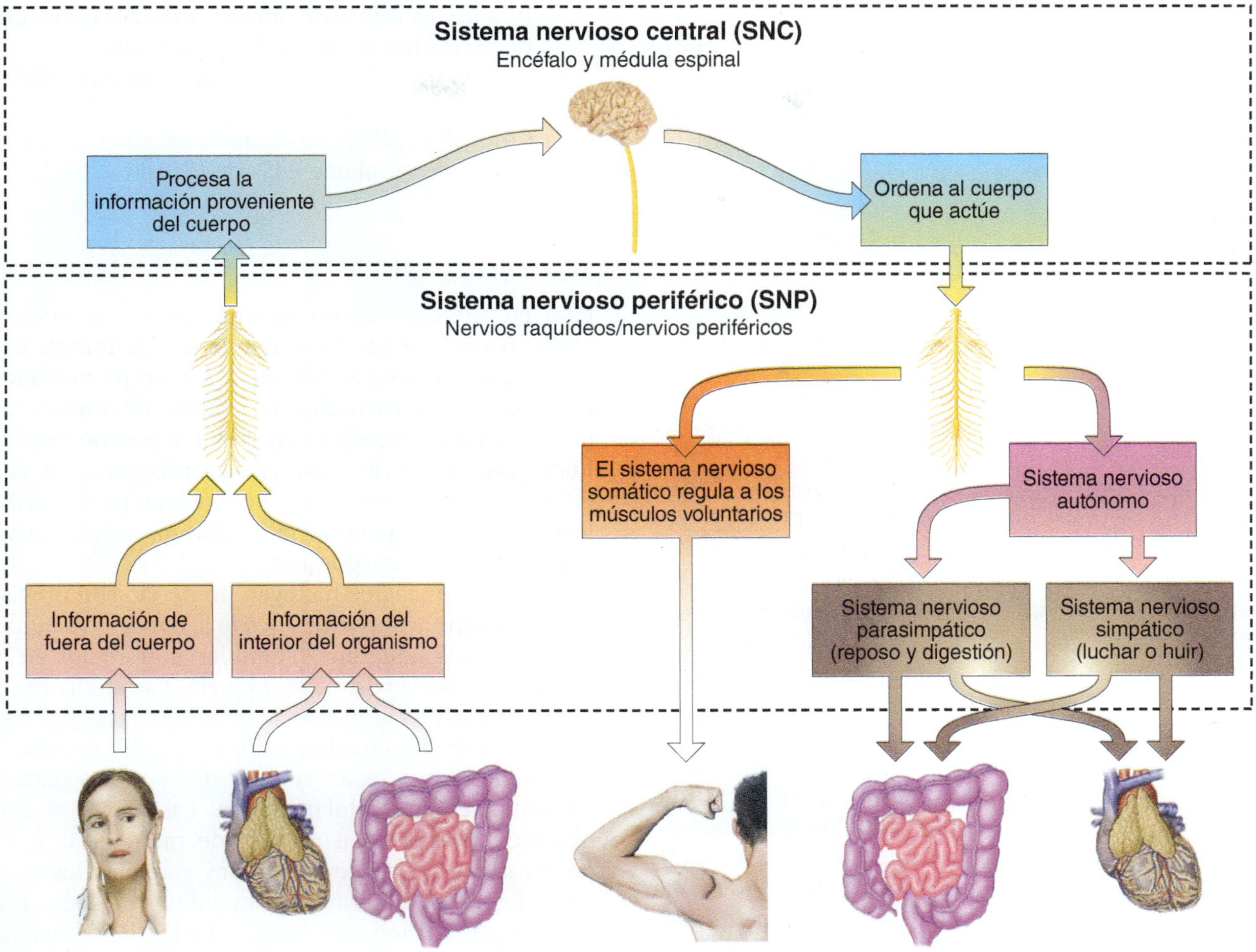

FIGURA 6-54 Organización del sistema nervioso. El encéfalo y la médula espinal actúan juntos para procesar la información en forma de señales generadas en respuesta a estímulos del interior y el exterior del cuerpo. El sistema nervioso periférico ordena al cuerpo que actúe y el sistema nervioso autónomo supervisa las respuestas involuntarias.

Las principales estructuras del sistema nervioso se dividen en dos categorías: el **sistema nervioso central (SNC)** y el **sistema nervioso periférico (SNP)**. El primero se encarga del pensamiento, la percepción, los sentimientos y las funciones autonómicas del cuerpo. El SNP consta del sistema nervioso somático y el autónomo. El **sistema nervioso somático** regula las actividades sobre las que la persona tiene dominio, como caminar, hablar y escribir. El **sistema nervioso autónomo (SNA)** regula las múltiples funciones corporales que se presentan sin dominio voluntario, por ejemplo, digestión, dilatación y constricción de vasos sanguíneos, sudor, la respuesta de luchar o huir y todas las otras acciones involuntarias necesarias para las funciones corporales esenciales. Por lo tanto, el sistema nervioso en conjunto se puede dividir anatómicamente en SNC y SNP, y desde el punto de vista funcional, en sus componentes somático (voluntario) y autónomo (involuntario), **FIGURA 6-54**.

Neuronas y transmisión de impulsos

El sistema nervioso está constituido por un tejido especializado que conduce impulsos eléctricos entre el encéfalo y el resto del cuerpo. Recuerde que el tejido neural contiene dos tipos básicos de células: de neuroglía y neuronas.

Células de neuroglía

Las células de **neuroglía** son de sostén y forman casi la mitad de la masa del encéfalo.[9] Realizan las siguientes funciones básicas: (1) proveen un esqueleto de

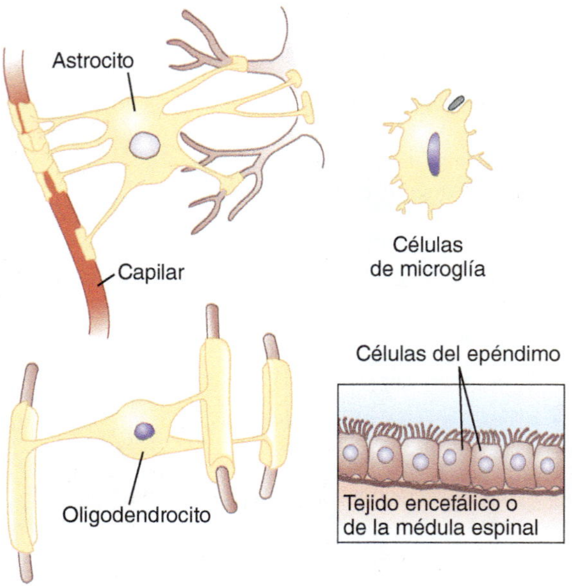

FIGURA 6-55 Ejemplos de células de neuroglía del sistema nervioso central.

soporte para el tejido neural; (2) aíslan y protegen las membranas celulares de las neuronas; (3) regulan la composición de líquido intersticial; (4) defienden al tejido neural de microorganismos patógenos, y (5) ayudan a reparar lesiones. Las células de neuroglía se pueden dividir, en tanto la mayoría de las neuronas, no. Los siguientes son los tipos de células de neuroglía, **FIGURA 6-55**.

- **Astrocitos.** Se encuentran en el SNC, y son el tipo más numeroso de las células de neuroglía. Se unen a las neuronas y los capilares sanguíneos del encéfalo y proveen nutrición a las primeras por captación de glucosa de la sangre, su conversión de ácido láctico y su paso a aquellas neuronas con las que se conectan.[10] Los astrocitos forman vainas rígidas alrededor de los capilares encefálicos y participan en el reciclado de algunos neurotransmisores después de su liberación.
- **Células del epéndimo.** Se encuentran en el SNC, revisten cavidades llenas de líquido, como el sistema ventricular del encéfalo. Algunas células ependimarias secretan LCR; otras presentan cilios que sirven para que circule líquido dentro de las cavidades que revisten.
- **Células de microglía.** Se encuentran en el SNC, fagocitan bacterias y detritos celulares.
- **Oligodendrocitos.** Se encuentran en el SNC, ayudan a mantener las fibras nerviosas juntas y forman las vainas de mielina aislantes alrededor de los axones en el encéfalo y la médula espinal.
- **Células de Schwann.** Se encuentran en el SNP y fabrican mielina.
- **Células satélite.** Se encuentran en el SNP, con funciones similares a las de los astrocitos en el SNC.[9]

Neuronas

Para comprender cómo se mueven los músculos, primero debe entenderse cómo se estimulan. Las neuronas, que son células nerviosas, constituyen los elementos fundamentales del sistema nervioso y están presentes en todo el cuerpo. Grupos de células nerviosas forman fibras nerviosas al conjuntarse. Los grupos de fibras nerviosas se conjuntan para constituir un nervio, que conecta al sistema nervioso con partes u órganos corporales.

Las neuronas que incluyen un nervio son provistas de oxígeno y nutrientes desde la corriente sanguínea por vasos sanguíneos, también contenidos en el nervio. Los nervios son, en esencia, carreteras de la información. Los impulsos transcurren hacia y desde el encéfalo hacia la médula espinal a través de ellas.

Las neuronas están compuestas por tres partes: dendritas, cuerpo celular y axón. Las **dendritas** son proyecciones cortas, a manera de ramas, que conducen impulsos desde las células cercanas hacia el cuerpo neuronal. Las funciones celulares esenciales, como la producción de energía y el retiro de desechos, se realizan en el núcleo del cuerpo celular. Después de conducirse a través del cuerpo de la célula, el impulso abandona la neurona a través del **axón**, otra proyección que envía la señal desde el cuerpo neuronal a los tejidos diana u otras neuronas, **FIGURA 6-56**. Las neuronas pueden contener decenas de dendritas, pero, por lo general, solo un axón, largo y muy ramificado, que les permiten enlazarse con muchas otras células.

El axón puede o no estar envuelto en mielina, una mezcla de proteínas y lípidos que se fabrica en los oligodendrocitos del SNC y las células de Schwann del SNP. La mielina es blanca, aspecto que le lleva al término de **materia blanca**. Los axones mielinizados forman la materia blanca en el encéfalo, el **tronco encefálico** (que une al encéfalo y la médula espinal), y la médula espinal. La mielina permite que la célula transmita sus señales de manera consistente sin "cortocircuitos" o pérdida de electricidad hacia los fluidos y tejidos circundantes, y también aumenta la velocidad de conducción. Los espacios entre las regiones mielinizadas se denominan nódulos de Ranvier, **FIGURA 6-57**, que aceleran la transmisión del

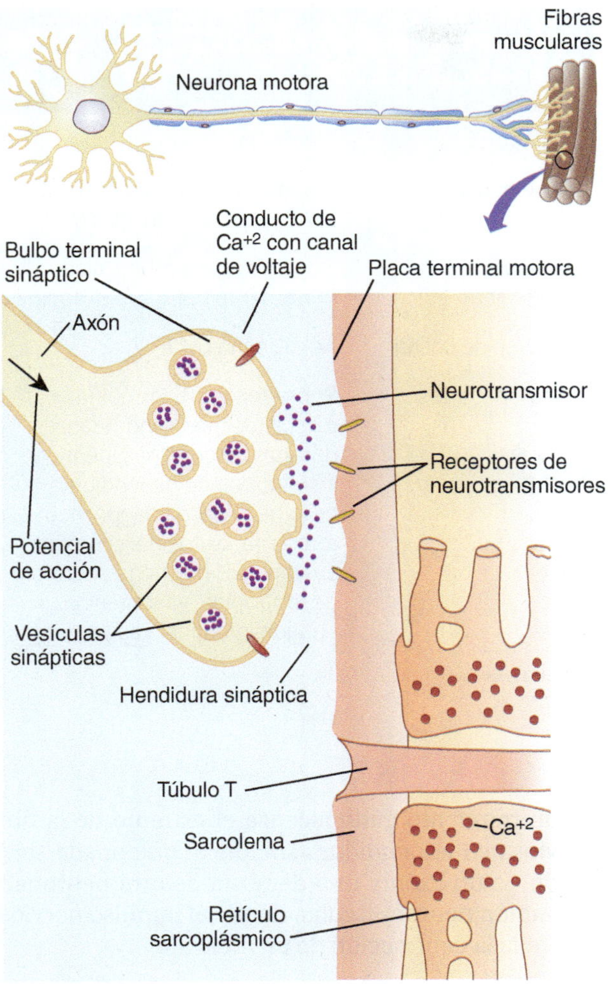

FIGURA 6-56 Una sinapsis o unión neuroefectora.

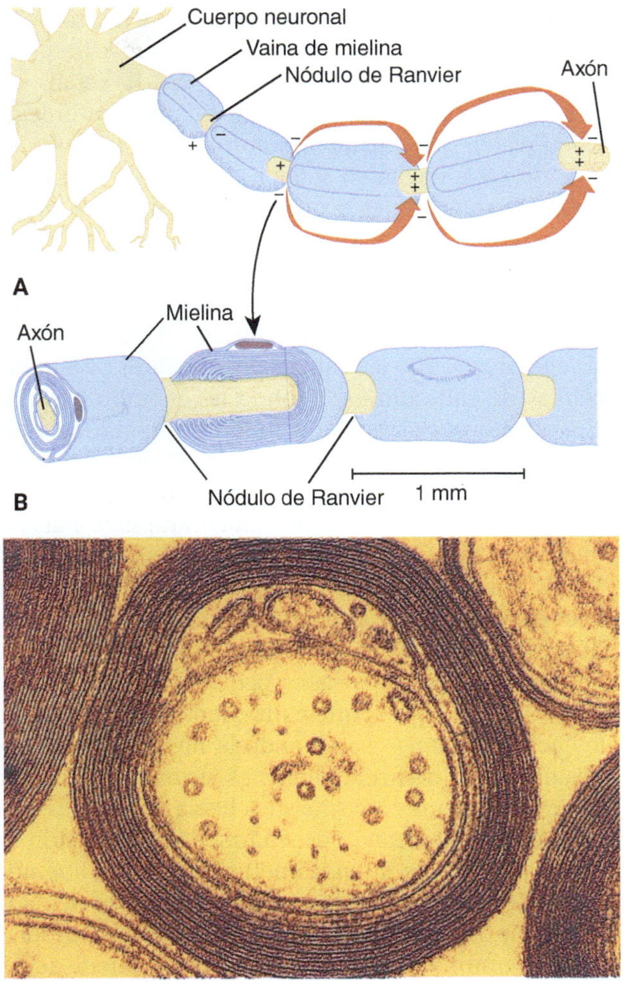

FIGURA 6-57 Un nervio mielinizado. **A.** La vaina de mielina permite que los impulsos salten de un nódulo a otro, lo que acelera mucho la velocidad de transmisión. **B.** Nódulo de Ranvier. **C.** Una micrografía electrónica de transmisión muestra un corte transversal de un axón con vaina de mielina.

impulso a través del axón, porque no puede viajar a través de la mielina aislante, sino más bien saltar de un nodo a otro en su trayecto (conducción saltatoria). Los axones sin vainas de mielina se denominan materia gris y, por tal carencia, sus impulsos viajan más lentamente por ellos que en la materia blanca. El axón terminal es la porción donde se fabrican los neurotransmisores.

Las células nerviosas se clasifican por la dirección en la que transmiten impulsos. Los nervios aferentes (sensoriales) conducen impulsos desde los receptores sensoriales en los órganos internos y la piel hacia el encéfalo y la médula espinal. Los nervios eferentes (motores) transportan impulsos del SNC a los órganos, músculos y glándulas. Las interneuronas transmiten impulsos desde neuronas sensoriales hasta las motoras.

Sinapsis y transmisión sináptica

Las dendritas y los axones de células nerviosas adyacentes no están en contacto físico entre sí, sino más bien separados por un pequeño espacio llamado **sinapsis**, que permite un grado mucho mayor de regulación fina que si cada célula estuviera en contacto directo con la siguiente. Una sinapsis consta de tres partes principales: la primera es la membrana plasmática presináptica (o terminal), que es aquella del lado de traspaso de la señal. La segunda parte es la **hendidura sináptica** (compuerta sináptica), que es un espacio pequeño lleno de líquido (véase figura 6-56). La tercera es la membrana plasmática postsináptica, que es aquella en el lado de recepción de la señal.

Se distinguen dos tipos de sinapsis: química y eléctrica. La mayoría de las neuronas usa **neurotransmisores** para enviar su señal a través de la sinapsis a otras neuronas. Puesto que puede haber una sinapsis entre una neurona y un músculo o una glándula, también se usan neurotransmisores para el paso de una señal nerviosa a través de una sinapsis hacia las células de un músculo o una glándula. Ocurren sinapsis eléctricas entre las células del miocardio y algunas células de músculo liso, donde las membranas presináptica o postsináptica se unen por conductos denominados uniones de compuerta. Puesto que estas uniones pueden transmitir una corriente eléctrica, los impulsos nerviosos se dispersan con rapidez a las células vecinas.

Al final del axón de la neurona presináptica (que hace pasar la señal) hay pequeños bultos denominados botones sinápticos o terminales sinápticas y, dentro de cada uno, muchos sacos pequeños denominados **vesículas sinápticas**, que contienen las moléculas de los neurotransmisores. Cuando la neurona presináptica libera sus neurotransmisores, estos se difunden a través de la hendidura sináptica hacia los sitios receptores en la membrana postsináptica (de recepción de señal) a la que se unen. El neurotransmisor liberado puede ser excitatorio (que inicia un impulso del lado postsináptico) o inhibitorio (que detiene el impulso en ese punto). Como paramédico, usted puede administrar diversos medicamentos para aumentar, ralentizar o incluso detener estas neurotransmisiones.

El siguiente proceso detalla cómo ocurre la transmisión de los impulsos nerviosos. Cuando la célula se encuentra en su potencial de reposo, se dispone de concentraciones más altas de sodio extracelular y potasio intracelular. La célula también contiene el ion cloruro, de carga negativa, cuya presencia da como resultado una carga relativamente negativa dentro de la célula, en comparación con la externa. Como en las células musculares, ocurre la despolarización de las neuronas por abertura de los conductos de sodio e ingreso del ion a la célula, que crea una carga positiva, y da lugar a un potencial de acción. Una onda de despolarización recorre la fibra nerviosa conforme cada célula se despolariza cuando es estimulada por la neurona precedente. Ocurre la repolarización conforme el potasio abandona a la célula en un intento por restablecer la carga negativa en su interior. La repolarización concluye cuando la bomba de sodio-potasio restablece el equilibrio original de sodio y potasio dentro de la célula. Conforme la onda de despolarización continúa, en un momento dado alcanza el extremo de la fibra nerviosa en la hendidura sináptica, que puede ser la unión de un axón y una dendrita de otra neurona, o una unión neuromuscular, donde el impulso nervioso estimula la contracción de un músculo.

CUADRO 6-18 Ejemplos de neurotransmisores

Categoría	Ejemplos
Aminoácidos	Ácido gamma-aminobutírico (GABA), glutamato, glicina
Aminas biogénicas	Dopamina, epinefrina, histamina, norepinefrina, serotonina
Ésteres de colina	Acetilcolina (ACh)
Neuropéptidos	Suprarrenocorticotropina, colecistocinina, dinorfinas, endorfinas, encefalinas, péptido insulinotrópico dependiente de la glucosa, glucagón, neurotensina, oxitocina, secretina, sustancia P, hormona secretora de tirotropina, vasopresina, péptido intestinal vasoactivo

Neurotransmisores

Hay muchos neurotransmisores en el encéfalo y en todo el cuerpo. Estas sustancias se agrupan en las siguientes categorías: aminoácidos, aminas biógenas, ésteres de colina, y neuropéptidos, **CUADRO 6-18**.

Los neurotransmisores del sistema nervioso somático incluyen acetilcolina; los del SNA, acetilcolina y **norepinefrina**, y los del SNC, dopamina, serotonina, y ácido gamma-aminobutírico, entre otros. Después de que se libera el neurotransmisor de la terminal presináptica (de paso de señal), se une con sitios receptores en la membrana postsináptica (receptora de señal), lo que desencadena un impulso que se propaga de la forma antes descrita. Los neurotransmisores son desactivados rápido por sustancias como la acetilcolinesterasa (que fragmenta a la acetilcolina) y la monoaminooxidasa (que fragmenta sustancias con un grupo amino, como la norepinefrina). Después de fragmentarse, esas sustancias se reabsorben por vesículas de la terminal presináptica, donde se vuelven a constituir los neurotransmisores.

Sistema nervioso central

Como se mencionó antes, el SNC consta del encéfalo y la médula espinal. Esta parte del sistema nervioso se encarga de la integración y coordinación de la información sensorial y las respuestas motoras.

Protección

Puesto que las estructuras del SNC pueden dañarse fácilmente con resultados potenciales devastadores, el cuerpo cuenta con cuatro mecanismos de protección: hueso, meninges, LCR y la barrera hematoencefálica. El encéfalo cuenta con una capa de protección adicional, llamada bóveda craneana.

Bóveda craneana

La bóveda craneana consta de las siguientes capas, en orden descendente:

- Piel, con cabello.
- Tejido subcutáneo, que contiene las principales venas del cuero cabelludo, que sangran profusamente cuando son laceradas.
- Aponeurosis epicraneal, una expansión tendinosa que conecta los músculos frontal y occipital del cráneo.
- Tejido conectivo laxo (alveolar), que fácilmente se separa de la capa inferior en las llamadas lesiones de arrancamiento del cuero cabelludo. Lo laxo de la capa alveolar también provee espacio para que la sangre se acumule entre este y los huesos después de un traumatismo contuso del cráneo.
- Periostio, la densa membrana fibrosa que cubre la superficie de los huesos.

Hueso

El hueso provee una protección física para el SNC. El cráneo protege al encéfalo de las lesiones mecánicas y la columna vertebral protege a la médula espinal.

Meninges

Las **meninges** forman una cobertura sobre el encéfalo y la médula espinal. Están constituidas por tres capas diferentes de tejido conectivo: la **duramadre**, la aracnoides y la **piamadre**, **FIGURA 6-58**. En el uso común, el término *madre* a menudo se pasa por alto, de manera que hace referencia a las tres capas simplemente como dura, aracnoides y pia.

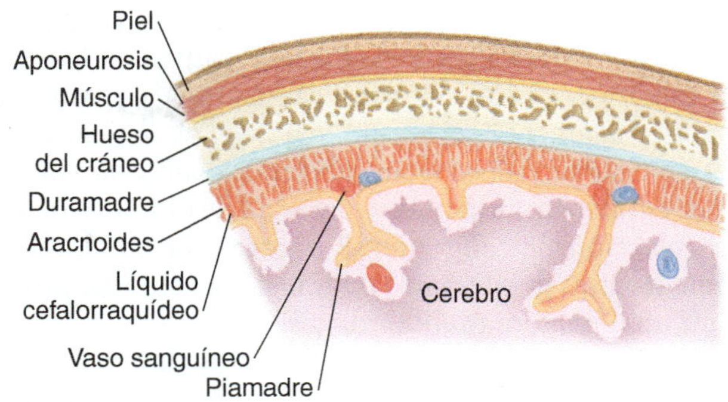

FIGURA 6-58 Las meninges.

> **Perlas de sabiduría**
>
> Una recomendación breve para ayudar a recordar los nombres de las meninges es pensar en ellas como un PADrón del interior hacia afuera, como sigue:
>
> **P** Piamadre (la más interna)
> **A** Aracnoides (la media)
> **D** Duramadre (la externa)

La duramadre es la más gruesa, externa y resistente de las tres capas (*duramadre* significa "madre dura" en latín). Tiene dos capas: una parietal (externa) y una visceral (interna; del griego *víscera*, que significa "intestino"). La capa parietal se adhiere fuertemente a la bóveda craneana y sirve como periostio para su superficie interna, en tanto la visceral yace sobre el SNC. En algunas regiones del SNC, las capas parietal y visceral de la duramadre se fusionan.

La duramadre tiene dos proyecciones. La hoz del cerebro es una proyección vertical que separa los dos hemisferios del órgano. La tienda del cerebelo o **tentorio** es una proyección horizontal de la duramadre que separa al cerebelo del cerebro. Los lóbulos temporales se encuentran sobre una abertura del tentorio (muesca o incisura tentorial), que permite el paso del mesencéfalo y el nervio motor ocular común. Estas estructuras tienen una participación importante en el aumento de la presión intracraneal (PIC) y la herniación encefálica.

Por arriba de la duramadre hay un espacio potencial conocido como espacio epidural. Las arterias meníngeas transcurren por la capa perióstica de la duramadre. Si uno de esos vasos se lesiona, como con una herida en el cráneo, se presenta hemorragia entre la duramadre y el cráneo, que da origen a un espacio epidural potencial y causa un hematoma epidural.

La aracnoides, la segunda capa meníngea, es semitransparente, delgada, delicada, y a manera de red (la palabra griega *aracne* significa "telaraña"). La duramadre y la aracnoides terminan a nivel de la segunda vértebra sacra.[11] El espacio subdural, localizado entre ellas, contiene una pequeña cantidad de fluido seroso. La colección de sangre en el espacio subdural, que suele resultar del desgarro de una vena cerebral, produce un hematoma subdural.

La capa meníngea más interna, la piamadre ("madre suave", en latín), es delicada y se adhiere estrechamente al SNC. La piamadre, que se une al encéfalo, contiene una red de pequeños vasos sanguíneos; la que rodea a la médula espinal es menos vascular. El **espacio subaracnoideo**, localizado entre la aracnoides y la piamadre, contiene una vasta red de arterias cerebrales y venas que transcurren por este y que se mantienen en contacto con la piamadre a través de hojas y bandas de tejido conectivo antes de penetrar al encéfalo.[12]

Líquido cefalorraquídeo

El encéfalo presenta cuatro cavidades huecas llenas de líquido llamadas ventrículos. Cada hemisferio cerebral cuenta con un ventrículo lateral, que se comunica con el tercer ventrículo, ubicado en el diencéfalo, y este a su vez, con el cuarto, de la protuberancia y el bulbo raquídeo en el tronco encefálico.

Cada ventrículo aloja una estructura esponjosa especializada llamada **plexo coroideo**. El líquido cefalorraquídeo se secreta por los plexos coroideos, que también se denominan riñones del encéfalo, porque estabilizan la composición del LCR, como el riñón lo hace con la del plasma sanguíneo.[13] Los ventrículos cerebrales están enlazados mediante pequeñas aberturas que permiten al LCR fluir fácilmente entre ellos, circular a través de los primeros tres y después abandonar el cuarto mediante tres para pasar a través de los espacios subaracnoideos del encéfalo y la médula espinal donde, en un momento dado, ingresa al sistema venoso. Las meninges flotan en LCR.

El volumen total de líquido cefalorraquídeo en los adultos es de casi 155 ml; 30 ml dentro de los ventrículos y casi 125 ml en el espacio subaracnoideo.[14] El LCR se produce y reabsorbe de manera constante, con una cantidad de restitución total cada 6 a 8 horas.[15] El LCR debe producirse y resorberse a la misma velocidad para mantener una presión relativamente constante dentro del cráneo. El exceso de líquido cefalorraquídeo se elimina a través de los senos venosos, localizados en los pliegues de duramadre del cráneo.

Perlas de sabiduría

En tanto las cualidades protectoras de la barrera hematoencefálica, en general, son de beneficio, pueden constituir un problema cuando se requiere la administración de medicamentos con fines terapéuticos para tratar afecciones como la enfermedad de Alzheimer, la esclerosis múltiple, las infecciones y las neoplasias del SNC. En ocasiones se administran medicamentos directamente al espacio subaracnoideo (inyección intratecal) para aumentar el ingreso del fármaco al encéfalo, evitando la barrera hematoencefálica. El desarrollo de técnicas para abrir la barrera hematoencefálica y los productos terapéuticos con mejor capacidad para su penetración son temas de investigación constante.

Perlas de sabiduría

Debido a que el encéfalo, el líquido cefalorraquídeo, y la sangre están incluidos en el cráneo óseo y la relativamente inelástica duramadre, un aumento de tamaño (volumen) del primero o de la cantidad de líquido cefalorraquídeo o sangre puede llevar a un incremento notorio de la presión dentro del sistema (esto es, la PIC), a menos que ocurra un decremento correspondiente en el volumen de uno de los otros componentes. El aumento de la PIC puede alterar la **perfusión** (circulación de sangre dentro de un órgano o tejido) y la función del encéfalo. Las múltiples posibles causas de aumento de la PIC incluyen hemorragia intracerebral, presencia de líquido alrededor del cerebro, edema cerebral secundario a una lesión, aumento de la presión por la presencia de una neoplasia, aumento de la producción de LCR, y obstrucción del flujo o la absorción del LCR.

Debido a que el encéfalo y la médula espinal esencialmente flotan en el líquido cefalorraquídeo, una de las funciones principales de este líquido es absorber las fuerzas externas que pudieran de otra manera transmitirse al SNC y dañarlo. El líquido cefalorraquídeo también participa en el aporte de nutrientes, la eliminación de productos de desecho y el mantenimiento de un ambiente iónico constante.

Barrera hematoencefálica

El encéfalo requiere un ambiente químico estable para su funcionamiento óptimo. Las células endoteliales que revisten los capilares en muchas partes del cuerpo tienen aberturas entre ellas que permiten el paso de sustancias por difusión. En contraste, las células endoteliales de las paredes de los capilares que llegan al encéfalo forman uniones estrechas. Las extensiones de los astrocitos (un tipo de las células de neuroglía) se enrollan sobre estos capilares para proveerles protección adicional. Esta combinación de uniones estrechas y extensiones astrocíticas forma la **barrera hematoencefálica** entre la sangre dentro de los capilares del encéfalo y el LCR en sus tejidos. Las sustancias pueden pasar a través de la barrera solo por difusión o transporte activo, más que entre células. Las sustancias hidrosolubles, como agua, glucosa y aminoácidos esenciales, pasan con facilidad. De manera similar, la mayoría de las moléculas liposolubles (p. ej., alcohol) y los gases (p. ej., oxígeno, dióxido de carbono y anestésicos volátiles), se pueden difundir fácilmente a través de la barrera. Por el contrario, en general no se permite que las sustancias que pueden dañar la función del SNC, como bacterias, virus y muchos fármacos, crucen la barrera hematoencefálica. Sin embargo, esta se puede ver comprometida por enfermedades como la encefalitis, la esclerosis múltiple, los accidentes vasculares cerebrales o los tumores.

Encéfalo

El **encéfalo** es el principal órgano del sistema nervioso. Al nacer, contiene, por lo general, 100 mil millones de neuronas, cifra que declina conforme avanza la edad. Cada neurona puede participar en miles o decenas de miles de sinapsis. El encéfalo ocupa 80% de la bóveda craneana y es el centro de regulación de casi todas las funciones corporales. El contenido intracraneal restante incluye sangre (12%) y LCR (8%).

El encéfalo constituye solo 2% del peso corporal total y, sin embargo, es el órgano sensitivo con máxima actividad metabólica y perfusión en el cuerpo. El encéfalo debe recibir un aporte constante de oxígeno y nutrientes, como la glucosa, para funcionar de manera apropiada. Recibe casi 15% del *gasto cardíaco* (GC), definido como la cantidad de sangre bombeada por los ventrículos en 1 minuto. También metaboliza 25% de la glucosa corporal (casi 60 mg/min) y consume 20% del oxígeno corporal total (45 a 50 L/min). Debido a que el encéfalo no tiene medios eficaces para almacenar oxígeno o glucosa, es sensible a los decrementos de glucosa, oxígeno y riego sanguíneo. Como resultado, modifica de manera continua la fisiología, según se requiera, para garantizar un aporte fácil de oxígeno y glucosa. Si el flujo sanguíneo del encéfalo se altera, el paciente puede experimentar cambios del estado mental y los signos vitales.

El encéfalo consta de cuatro regiones principales: cerebro, diencéfalo, tronco encefálico y cerebelo,

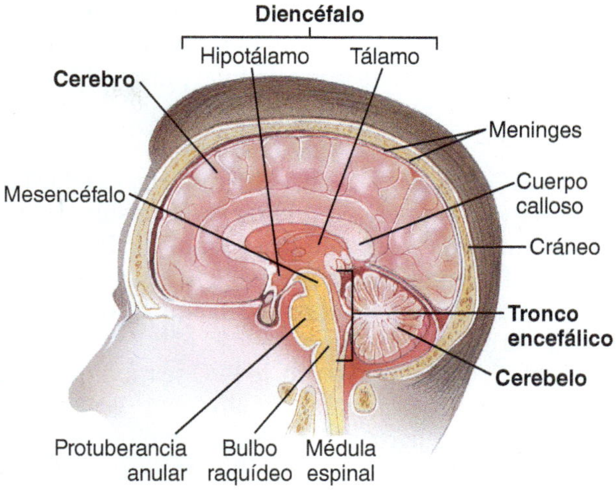

FIGURA 6-59 Las principales estructuras y puntos de referencia del encéfalo.

FIGURA 6-59. El encéfalo y gran parte de la médula espinal reciben su riego sanguíneo arterial por las arterias carótidas internas y las vertebrales, estas últimas que se unen en la arteria basilar. Ramas de las arterias carótidas internas y la basilar forman un círculo en la base del encéfalo llamado polígono de Willis. Las arterias carótidas internas proveen casi 80% del riego sanguíneo del encéfalo, la mayor parte hacia el cerebro y otra al diencéfalo. El sistema vertebral aporta el restante 20% al tronco encefálico y el cerebelo, así como partes del diencéfalo, la médula espinal, y los lóbulos occipital y temporal.

El drenaje venoso del encéfalo se hace a través de una serie de venas superficiales y profundas que no contienen válvulas y se vacían en senos venosos localizados en los pliegues de duramadre, o en la red de venas que rodea a la base del encéfalo. Estas venas se vacían, a su vez, en las yugulares internas de la base del cráneo y, finalmente, alcanzan la circulación general.

Flujo sanguíneo encefálico

El riego sanguíneo por el encéfalo (riego sanguíneo encefálico) depende de la presión de perfusión. La **presión de perfusión cerebral (PPC)** es aquella correspondiente a la sangre que llena las arterias y se calcula como diferencia entre la presión arterial media (PAM) y la PIC:

$$\text{PPC} = \text{PAM} - \text{PIC}$$

La **presión del pulso** es la diferencia entre la presión arterial sistólica y la diastólica. La PAM es índice de cómo se está proveyendo al encéfalo de nutrientes, como oxígeno y glucosa. Puede calcularse de manera muy aproximada sumando la presión arterial diastólica (PAD) más 33% de la presión del pulso (PP):

$$PAM = PAD + 1/3\ PP$$

La PIC normal es entre 5 y 15 mm Hg, y la PAM de entre 85 y 95 mm Hg, lo que da como resultado una PPC normal en el rango de 70 a 90 mm Hg. El encéfalo recibe suficiente riego sanguíneo con estas presiones, y presenta cifras adecuadas de oxígeno y glucosa para cubrir sus necesidades metabólicas. El flujo sanguíneo cerebral (FSC) y, por lo tanto, la PPC se modifican por el diámetro de los vasos sanguíneos.

La autorregulación es el mecanismo por el que el encéfalo uniforma el diámetro de los vasos que contiene (y por lo tanto el FSC) en respuesta a un amplio rango de mediciones de PAM. Ocurre un FSC adecuado cuando la PPC está entre 60 y 160 mm Hg, pues cuando menor de 60 mm Hg causa una insuficiente perfusión del encéfalo, en tanto la de más de 160 mm Hg origina una encefalopatía hipertensiva. El aumento de la PIC altera la autorregulación por disminución de la PPC con base en la fórmula matemática antes provista. Conforme decrece la PPC, los vasos sanguíneos del encéfalo se dilatan y aumentan el volumen sanguíneo en su interior. Como resultado, la PIC aumenta, lo que disminuye todavía más la PPC y lleva a una mayor vasodilatación cerebral, y así sucesivamente.

Las respuestas corporales para contrarrestar una PIC creciente se describen como la doctrina Monro-Kellie. Recuérdese que la bóveda craneana es una caja rígida no distensible que llenan el encéfalo, el LCR y la sangre encefálica. En respuesta a una masa intracraneal en expansión, el cuerpo intenta regular la PIC por expulsión de LCR y sangre venosa fuera de la bóveda craneana, lo que le crea mayor espacio. El mantener la PIC dentro de límites normales durante las etapas tempranas de una tumoración en expansión causa signos y síntomas sutiles que pueden fácilmente pasarse por alto, a menos que el paramédico tenga un elevado índice de sospecha. Como con todos los mecanismos compensadores, hay un límite para la eficacia de los esfuerzos del encéfalo para mitigar el aumento de la PIC. En el momento en que ya no se puede expulsar más LCR o sangre venosa, la PIC aumentará de manera exponencial.

Después de que la PIC empieza a aumentar, el cuerpo intenta mantener la PPC con el aumento de la PAM, proceso evidenciado no solo por el incremento de la presión arterial (tanto sistólica como diastólica), sino también por una amplificación de la presión del pulso.

Otros factores pueden también interferir con la PPC. Por ejemplo, demasiado dióxido de carbono en la sangre causa vasodilatación encefálica, con el resultado de un incremento del riego sanguíneo que lleva a un aumento de la PIC, y así sucesivamente. La hipotensión causa disminución de la PAM, que causa decremento de la PPC. Como se señaló antes, cuando la PAM desciende hasta 60 mm Hg o menos, el FSC empieza a disminuir, decremento que lleva a la vasodilatación cerebral, y el ciclo se autorrepite.

Cuando ocurren edema o hemorragia en el encéfalo, este envía señales de petición de más oxígeno, proceso que desencadena un círculo vicioso: mientras más sangre ingrese al encéfalo, más oxígeno requerirá, con el resultado de aumento del edema. Si la PIC alcanza cifras muy altas, el tejido encefálico no tiene a donde ir, excepto pasar a través de la incisura tentoria, el agujero magno o ambos.

Cerebro

El **cerebro** es la porción más grande del encéfalo, que constituye casi 75% de su volumen. Su superficie está constituida por una capa delgada de materia gris plegada, conocida como **corteza cerebral**. La materia blanca yace apenas debajo de la gris y constituye el mayor volumen del cerebro. En la materia blanca se encuentran dispersas zonas adicionales de materia gris llamadas **ganglios** o núcleos **basales**, con conexiones a otras zonas del SNC, incluida la corteza cerebral, el cerebelo y el tálamo. Los ganglios basales participan en la regulación del tono motor del cuerpo, los movimientos automáticos (p. ej., deglución de saliva, parpadeo) y las secuencias de movimiento corporal específicas relacionadas con la actividad del músculo esquelético (p. ej., extremidades superiores que se desplazan de manera alterna con las inferiores durante el acto de caminar). Los ganglios basales pueden también participar en el pensamiento y el aprendizaje.

La corteza cerebral se pliega sobre sí misma y forma puentes llamados circunvoluciones, que hacen máxima su superficie, separados por los llamados surcos, cuando son poco profundos, o fisuras si muy profundos. Aunque el cerebro está dividido parcialmente en hemisferios derecho e izquierdo por la cisura longitudinal, una gran banda de materia blanca denominada **cuerpo calloso** provee una vía de comunicación entre ambas.

Cada hemisferio cerebral se puede subdividir en cinco lóbulos: ínsula, frontal, temporal, parietal y occipital. Cuatro de ellos tienen el mismo nombre que el hueso craneal que los cubre (p. ej., frontal, parietal, occipital y temporal), **FIGURA 6-60**. La ínsula, también llamada lóbulo central o isla de Reil, está cubierta por partes de los lóbulos frontal, parietal y temporal en la fisura lateral, **CUADRO 6-19**.

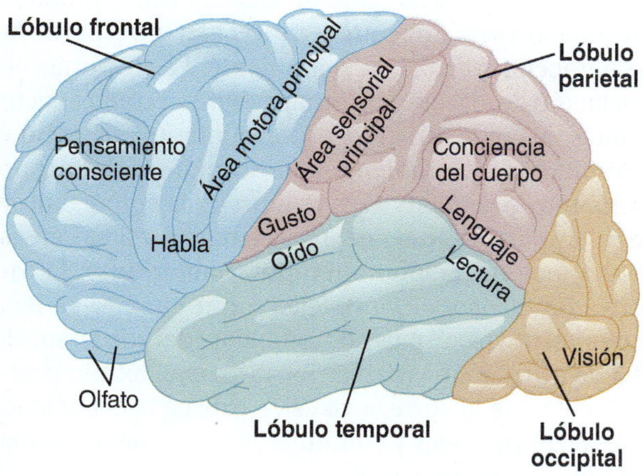

FIGURA 6-60 La corteza cerebral. Se muestran cuatro de los lóbulos cerebrales y sus principales funciones. El quinto, la ínsula, está oculto.

El lóbulo frontal se extiende desde el prosencéfalo hasta casi la mitad de la trayectoria hacia el rombencéfalo, región que regula muchas funciones importantes, que incluyen el habla, el pensamiento abstracto y la personalidad. El lóbulo temporal yace detrás y debajo del frontal, donde se reciben los impulsos desde los oídos, y después, se procesan. Una porción del lóbulo temporal, la zona de Wernicke, es el centro cerebral encargado de comprender el habla. El lóbulo parietal yace directamente por arriba del temporal, región donde también se regulan funciones relacionadas con el habla. Además, el sentido de la posición corporal (propiocepción) es regulado en el lóbulo parietal. Cuando usted levanta su brazo por arriba de la cabeza, conoce su localización por la actividad del lóbulo parietal. La porción más posterior del cerebro es el lóbulo occipital, cuya función principal es procesar la información del nervio óptico y formar el sentido de la vista (descrito más adelante en este capítulo).

Las tres distintas áreas de la corteza cerebral son la motora, la sensorial y la de asociación. La primera se localiza en los lóbulos frontales (excepto por su porción anterior) y se puede dividir en dos partes. Apenas enfrente de la división del lóbulo frontal y el parietal se encuentra una pequeña banda conocida como cen-

CUADRO 6-19 Funciones de los lóbulos cerebrales

Lóbulo cerebral	Función
Frontal	Las funciones cognitivas (p. ej., la capacidad de formar conceptos, planes, resolver problemas, razonar, juzgar); la función motora voluntaria; el lenguaje expresivo (verbal y escrito); el almacenamiento de memoria a largo plazo; la conducta sexual, y las emociones (p. ej., agresión, motivación, impulso, regulación y talante)
Ínsula	Procesa la información de los receptores en la piel y los órganos internos, que incluye la percepción de temperatura, prurito, dolor, gusto, hambre, sed y la conciencia de la posición del cuerpo en el espacio, ayuda a la función motora, la regulación de la homeostasia y las emociones sociales (p. ej., ansia y disgusto, orgullo y humillación, gratitud y resentimiento, autoconfianza y pena, confianza y desconfianza, sinceridad y decepción, pena y expiación)
Occipital	Procesa y percibe la información visual, se encarga de la visión de color, la percepción espacial, el reconocimiento del movimiento, y el vínculo de imágenes provenientes de los ojos con las experiencias, imágenes y el conocimiento almacenado en la memoria
Parietal	Procesa la información de los receptores sensoriales en la piel y las articulaciones, que incluye la percepción de dolor, temperatura y vibración; procesa e integra la información relacionada con la vista, el sonido y el gusto; determina las formas, los tamaños y distancias; discrimina entre derecho e izquierdo; se encarga de la capacidad de hacer cálculos matemáticos y reconoce y manipula los números, así como la aptitud para procesar el lenguaje y comprender el discurso
Temporal	Procesa la información visual de orden elevado (p. ej., reconocimiento facial); la comprensión del discurso; la formación de la memoria y el recuerdo, los procesos, percibe, e integra recuerdos y sensaciones de gusto, olfato, sonido, vista y tacto

tro motor principal (banda motora), que provee impulsos para la regulación precisa de los músculos voluntarios. Los impulsos desde la banda motora se conducen en descenso hasta la médula espinal hacia los músculos del cuerpo. Porciones específicas de la banda motora se encargan de ciertas áreas del cuerpo. Apenas delante de esta banda se encuentra el área premotora, encargada de la coordinación muscular. Como ejemplo de cómo las áreas motora y premotora funcionan juntas, imagínese la decisión de cambiar la página de un libro. Después de que la toma, el área premotora determina qué músculos deben usarse y transmite la información a la banda motora, que entonces envía impulsos mediante la médula espinal hasta músculos específicos en su brazo y mano, lo que le permite cambiar la página.

La región de Broca, localizada en la parte inferior izquierda del lóbulo frontal, apenas delante de la corteza motora, se encarga de las acciones musculares vinculadas con el habla. Los pacientes con daño en esta región pueden presentar afasia de expresión, comprenden lo que escuchan y saben que desean decir, pero tienen dificultad para emitir el lenguaje. Pueden hablar lentamente, con pausas largas entre las palabras, usar vocablos incorrectos o imprecisos, o decir algo que no parece una oración.

Perlas de sabiduría

El daño del área de Wernicke puede causar afasia de recepción y los pacientes afectados, por lo general, hablan de manera normal, pero con dificultad para comprender las palabras escritas y expresadas en forma oral. Como resultado, a menudo utilizan palabras sin sentido al hablar y tal vez no reconozcan que las que expresan no son apropiadas para la situación.

La región sensorial primaria es una banda que yace justo detrás de la motora. Sin embargo, en toda la corteza cerebral también se distribuyen áreas sensoriales, que reciben estímulos del cuerpo e interpretan su significado o qué acciones se necesitan como respuesta. Por ejemplo, la región sensorial primaria recibe estímulos de la piel. Otras áreas sensoriales contenidas en la corteza visual del lóbulo occipital interpretan los estímulos visuales.

El área de Wernicke está localizada en la unión de los lóbulos temporal y parietal. Es la región sensorial para el reconocimiento del discurso, permite su comprensión y extensión. Las regiones de Broca y de Wernicke están conectadas físicamente y actúan juntas para permitir la comunicación verbal.

Las regiones de asociación de la corteza cerebral se localizan en la parte anterior del lóbulo frontal, así como en las laterales de los lóbulos temporal, occipital y parietal. Están encargadas de analizar e interpretar la información sensorial que recibe el cerebro y permitir la interacción eficaz con el ambiente. Las regiones de asociación de los lóbulos frontales actúan con respecto al juicio, la concentración, el pensamiento abstracto y la resolución de problemas. Se usan áreas dentro de los lóbulos parietales para comprender el lenguaje y elegir las palabras para expresar emociones. Las áreas de asociación del lóbulo temporal interpretan la información sensorial compleja, como cuando se lee, la memoria visual y la comprensión del discurso. El área de asociación visual se localiza en el lóbulo occipital, cerca de la corteza visual, y provee la capacidad de analizar patrones y combinar la información visual con otra de tipo sensorial.

Perlas de sabiduría

Una de las principales actividades del diencéfalo es filtrar la información innecesaria antes de que llegue a la corteza cerebral. Por ejemplo, le evita pensar acerca de cambiar su posición sobre una silla cuando se torna incómoda. En su lugar, las señales de presión o dolor enviadas a través de los nervios periféricos inicialmente se detienen en el diencéfalo, que emite una orden para que usted cambie de posición ligeramente sin estar consciente de que lo hace.

Diencéfalo

El **diencéfalo** se localiza en la parte alta del tronco encefálico y entre los hemisferios cerebrales (**FIGURA 6-61**); está constituido por varias estructuras: epitálamo, tálamo, hipotálamo y subtálamo.

El epitálamo es la porción más alta del diencéfalo, contiene la **glándula pineal**, que sintetiza melatonina, una hormona vinculada con el ciclo de sueño y despertar del cuerpo. El **tálamo** es el tablero sensorial de cambios, que recibe y retransmite la información sensorial (excepto la del olfato) en dirección de la corteza sensorial para su procesamiento. Se localiza profundamente en el interior del diencéfalo, del que constituye 80%.[9] El **hipotálamo** está localizado debajo del

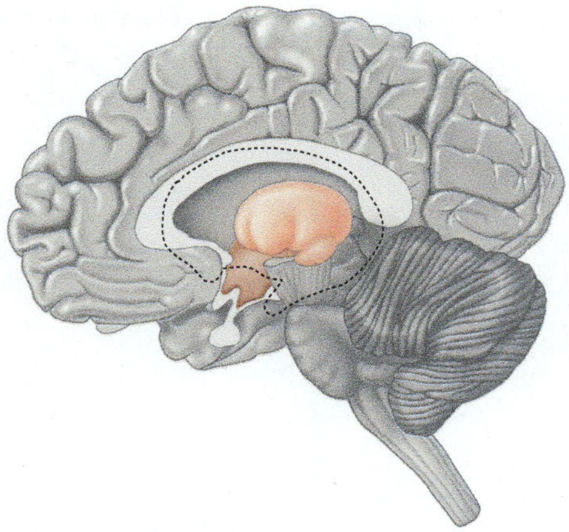

FIGURA 6-61 El diencéfalo.

tálamo y tiene participación clave en las emociones y la sexualidad corporal a través del sistema límbico. El hipotálamo también contiene centros de regulación de la temperatura corporal, regula a la hipófisis y es el sitio de integración de los sistemas nervioso y endocrino, **CUADRO 6-20**. El subtálamo regula las funciones motoras y su lesión se caracteriza por movimientos involuntarios pero violentos de las extremidades en un lado del cuerpo.

CUADRO 6-20 Funciones del hipotálamo

Función/ regulación	Descripción
Autonómica	Regula funciones corporales involuntarias, que incluyen la actividad del miocardio, los músculos lisos y las glándulas.
Comida y bebida	Promueve e inhibe la ingestión de alimentos a través de los centros del hambre y la saciedad; estimula la ingestión de líquidos mediante la sed.
Emocional	Regula las enfermedades psicosomáticas, las afecciones relacionadas con el estrés, el temor y la ira; ejerce influencia emocional sobre las funciones corporales.
Endocrina	Regula las secreciones de la hipófisis y modifica el desarrollo y las funciones metabólicas y sexuales.
Muscular	Estimula el estremecimiento en algunos músculos; regula aquellos encargados de la deglución.
De sueño	Regula las respuestas al ciclo de sueño-despertar en coordinación con otras áreas cerebrales.
Temperatura	Regula la temperatura a través del sudor para promover la pérdida de calor y por estremecimiento para promover su generación.

Temperatura corporal. Por tradición, la temperatura es uno de los factores determinados más frecuentemente cuando se valora el cuerpo humano. El calor es un producto secundario de muchos procesos celulares y químicos, por lo que su presencia en el cuerpo es uno de los signos vitales más básicos. Muchas células y enzimas requieren que la temperatura corporal se regule de manera estricta para permitir que funcionen ciertos procesos. Como se mencionó antes, el proceso de mantener la homeostasia de la temperatura se conoce como termorregulación.

La temperatura promedio del cuerpo se mantiene a través del equilibrio de sus ganancias y pérdidas. El músculo esquelético genera calor con cada contracción. El proceso de digestión de alimentos, con sus innumerables reacciones de descomposición, también genera calor. (La **caloría** es una medida del calor que se puede producir a partir de una cantidad determinada de alimento, más bien que de su valor nutricional. El término técnico que se usa para esta unidad de calor es la **kilocaloría**). Estos procesos son regulados en parte por la secreción de tiroxina, la cual tiene muchas funciones, incluida la regulación de la temperatura corporal; pueden ser influenciados por la activación del sistema nervioso simpático.

El cuerpo también cuenta con medios para liberar calor, el más simple es aquel que se puede notar cuando una persona hace ejercicio en una atmósfera caliente: el pulso se acelera, circula más sangre a la periferia, donde puede eliminar calor a través de la piel; la piel misma empieza a sudar, lo que amplifica la pérdida de calor por evaporación, y las respiraciones se aceleran, lo que intercambia aire caliente por uno más fresco con cada una. La inhibición de la digestión y otros mecanismos de generación de calor contribuye también a su pérdida neta.

La temperatura corporal promedio aceptada es de 37 °C. Sin embargo, la realidad es que una temperatura corporal "normal" puede tener un amplio rango, de 36.1 a 37.2 °C. La temperatura corporal en una

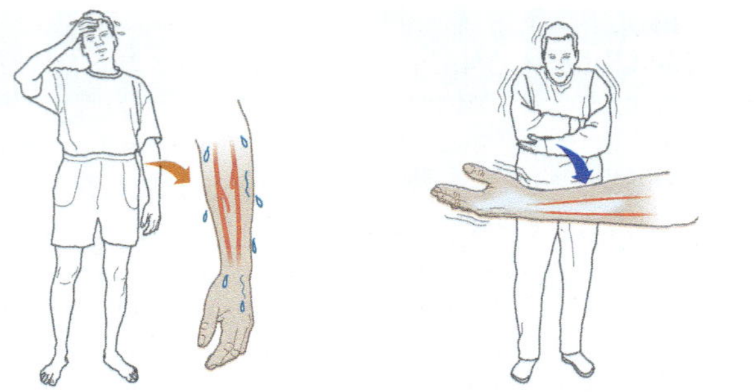

FIGURA 6-62 El hipotálamo percibe un aumento o un descenso de la temperatura corporal central y presenta respuestas para regularlo.

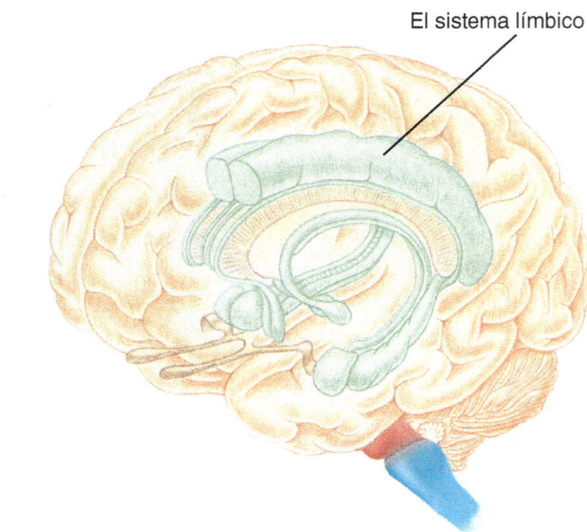

FIGURA 6-63 El sistema límbico.

persona suele ser menor por la mañana y aumentar con el transcurso del día. Es más, puede variar ligeramente de una persona a otra, así como con base en otras condiciones, sin causar efecto adverso alguno en el cuerpo; por lo tanto, estas variaciones no se consideran necesariamente anormales o patológicas. La regulación de la temperatura corporal se inicia en el hipotálamo, que actúa de manera similar a un termostato, al activar los mecanismos de aumento o disminución de la temperatura corporal, **FIGURA 6-62**.

En muchos procesos patológicos, el hipotálamo recibe estímulos para elevar la temperatura corporal. Hay fiebre cuando la temperatura corporal se encuentra más de 0.6 °C por arriba de la "normal" en el paciente. Si bien la utilidad de la fiebre es tema de controversia, se sabe que aumenta el metabolismo y la actividad de los fagocitos, que pudiesen ayudar a la destrucción y eliminación de microorganismos infecciosos. En la mayoría de los pacientes, una fiebre de solo unos cuantos grados por arriba de lo normal, en general, no es lesiva, aunque provoca malestares corporales característicos y fatiga, que la hacen tan incómoda. Este hecho, combinado con la teoría de que la fiebre en realidad pudiese ser benéfica para el proceso de curación, hace controvertido el tratamiento cuando esta es leve. Sin embargo, las fiebres moderadas que persisten durante periodos significativos pueden causar o exacerbar otros síntomas y efectos de una enfermedad, como la deshidratación. Las fiebres altas pueden producir convulsiones en los niños y, cuando persisten, tienen el potencial de causar daño a largo plazo del SNC tanto en ellos como en los adultos, motivo por el cual cuando son de moderadas a elevadas suelen tratarse con antipiréticos, como el paracetamol o el ibuprofeno, o aquellas peligrosamente altas a veces se tratan con otras medidas activas de enfriamiento.

Sistema límbico. Este sistema es llamado cerebro emocional, o el que siente y reacciona. Incluye varias estructuras debajo de la corteza cerebral, con conexiones a otras partes que incluyen el tálamo, el hipotálamo y los lóbulos frontal y temporal, **FIGURA 6-63**.

El sistema límbico participa en la generación, integración y regulación de las emociones, y las conecta con respuestas conductuales (p. ej., enfado, ira, temor, sorpresa, tristeza, ansiedad, tensión).[16] Además, este sistema es importante para la motivación, el aprendizaje y la transición de información de la memoria corta a la larga. El sistema límbico también tiene estrecho vínculo con las funciones necesarias para la autoconservación, en particular en respuesta a los estímulos emocionales.

Tronco encefálico

Recuerde que el tronco encefálico conecta al cerebro con la médula espinal. Su nombre refleja que el cerebro parece asentado sobre esta porción del SNC de manera muy similar a la que una planta lo hace sobre su tallo. El tronco encefálico yace profundamente dentro del cráneo y es la parte mejor protegida del SNC, encargada de muchas de las funciones esenciales que el cuerpo requiere para sobrevivir (vegetativas).

Inteligencia en la calle

Los paramédicos aprenderán, a veces de la forma difícil, que no todo paciente que grita obscenidades en su contra en realidad está loco, en especial si pudo haber sufrido un golpe en la porción frontal del cráneo.

El sistema límbico genera de manera constante impulsos emocionales (emociones gruesas), que se filtran en las porciones anteriores del lóbulo frontal (conciencia o juicio). La inhibición del lóbulo frontal puede detener este proceso de filtrado y permitir que tales emociones burdas se expresen. Estos brotes emotivos pueden presentarse en muchas formas, que incluyen la agresión verbal o física, la selección de cierto lenguaje o conducta que el individuo normalmente no mostraría.

En casos de lesión cefálica, proteja al paciente y a usted mismo y trate de comprender cuál podría ser el origen de tales emociones.

El tronco encefálico es penetrado por un grupo de neuronas especializadas que colectivamente reciben el nombre de **sistema reticular activador (SRA)** o formación reticular. Más una red que una estructura, el SRA es una mezcla de materia gris y blanca que se extiende desde la médula espinal hasta el diencéfalo. Los axones sensoriales de muchas fuentes diferentes, en particular los nervios craneales, envían impulsos al SRA. Los **nervios craneales** son 12 pares periféricos que se vinculan con el cerebro e inervan estructuras principalmente dentro de la cabeza.

El SRA filtra y después envía impulsos que estimulan al cerebro y mantienen en alerta al cuerpo. La conciencia se mantiene por la interacción del SRA con la corteza cerebral, cuya disrupción, o pérdida de conexión, da como resultado su alteración.

Las divisiones del tronco encefálico son mesencéfalo, protuberancia anular y bulbo raquídeo (véase figura 6-59). El **cerebro medio** (mesencéfalo) es la porción más alta del tronco encefálico. Contiene centros para los reflejos pupilares y movimientos oculares. El cerebro medio también participa en la coordinación de la actividad motora y el tono muscular, y sirve como relevo para los impulsos desde la corteza cerebral hasta la protuberancia anular y la médula espinal.

La **protuberancia anular** es la porción media del tronco encefálico y sirve como relevo de ambas fibras aferentes (ascendentes) y eferentes (descendentes). Participa en los ciclos de sueño y despertar del cuerpo y contiene centros respiratorios, que junto con el bulbo raquídeo regulan los movimientos vinculados.

El **bulbo raquídeo** es la parte inferior del tronco encefálico, que se continúa con la médula espinal en el agujero magno. Contiene tres centros vitales cruciales para la supervivencia: el cardíaco, el vasomotor y el respiratorio. El centro cardíaco se encarga de modificar la frecuencia cardíaca (FC: número de contracciones cardíacas por minuto —en otras palabras, la frecuencia del pulso—) y la fortaleza de las contracciones cardíacas para cubrir las demandas corporales. El centro vasomotor (músculo vascular) regula el diámetro de los vasos sanguíneos y, con ello, la presión arterial. El centro de la respiración funciona junto con la protuberancia anular para regular el ritmo de respiración. El bulbo raquídeo también contiene centros encargados de la tos, los estornudos, el vómito, la deglución y el hipo.

Las fibras nerviosas ascendentes y descendentes que conectan al cerebro y la médula espinal pasan a través del bulbo raquídeo. Casi 75% de las fibras descendentes (motoras) abandona la corteza cerebral, desciende por la protuberancia, cambia de lado en el bulbo raquídeo (p. ej., las fibras derechas cambian al lado izquierdo y viceversa) y se extiende en descenso a la médula espinal. Como resultado, el área motora del hemisferio cerebral izquierdo regula el movimiento del lado derecho del cuerpo y viceversa. Casi 25% de las fibras motoras descendentes abandona la corteza cerebral y desciende a través de la protuberancia anular, pero no cruza en el bulbo, movimiento que se denomina decusación, y continúa descendiendo del mismo lado de la médula espinal del que provino y conectando las neuronas motoras en ella.

Perlas de sabiduría

En el tronco encefálico, la mayoría de los nervios cruza de un lado a otro. Los nervios motores y sensoriales del lado izquierdo del cerebro, por ejemplo, inervan el lado derecho del cuerpo. Este es el motivo por el que una persona que sufre un accidente cerebrovascular o un traumatismo en un hemisferio presenta déficits neurológicos en el lado opuesto del cuerpo. Debido a que los nervios craneales no se cruzan, su función se afectará en el mismo lado de la cara donde ocurrió la lesión o el accidente vascular cerebral.

Cerebelo

El **cerebelo** es la segunda parte más grande del encéfalo humano y similar en tamaño y forma a dos grandes nueces (véase figura 6-59). Se localiza debajo del lóbulo occipital del cerebro y participa en la coordinación muscular fina (pequeños grupos) o gruesa (grupos mayores). El cerebelo se encarga de interpretar el movimiento y corregir cualquiera que interfiera con la coordinación y la posición corporales. Para lograrlo, depende de la información que recibe de la corteza sensorial y motora. El cerebelo determina la dirección, fuerza y duración del movimiento, y envía esa información de regreso a la corteza motora. Los temblores de sacudida de los pacientes con enfermedad de Parkinson son un ejemplo de disfunción cerebelosa.

Médula espinal

Recuerde que la médula espinal es la parte del SNC que conecta al encéfalo con los músculos esqueléticos, la piel y otras estructuras, mediante los nervios raquídeos. La médula espinal abandona el cráneo a través del agujero magno y se extiende por la columna vertebral, **FIGURA 6-64**. Está incluida en el conducto vertebral, que también contiene vasos sanguíneos, un cojinete de tejido adiposo, meninges y LCR. Las vértebras y sus ligamentos vinculados proveen protección adicional a la médula espinal. En la mayoría de los adultos, la médula espinal termina en L2; sin embargo, en algunos puede hacerlo en un sitio tan alto como el disco entre las vértebras T11 y T12, o tan bajo como L3. El extremo distal de la médula espinal se conoce como cono medular, después del cual un grupo de nervios raquídeos continúa transcurriendo por el resto de la columna vertebral y se conoce como cauda equina (cola de caballo), una colección de raíces nerviosas que se encuentra apenas debajo del nivel del cono medular y no es parte de la médula espinal o inclusive del SNC.

La médula espinal tiene muchas bandas largas, a manera de cordones que transcurren en su longitud. Dos surcos, la cisura media anterior y el surco medio posterior, dividen de manera incompleta a la médula espinal en mitades simétricas, cada una subdividida en tres columnas longitudinales (anterior, lateral y posterior) que recorren toda su longitud. Dentro de cada columna hay haces de fibras nerviosas (tractos) con funciones similares, que son ascendentes o descendentes, y cada uno transporta señales específicas. Las vías ascendentes transmiten impulsos y percepciones del cuerpo al cerebro, en tanto las descendentes, impulsos motores en sentido opuesto.

La médula espinal contiene un conducto central que se extiende en toda la longitud y a través del cual fluye LCR, **FIGURA 6-65**. Este conducto es rodeado por materias gris y blanca. La primera, que se encarga principalmente de la función motora, es rica en cuerpos neuronales que forman columnas longitudinales (astas) a lo largo de la médula. Cuando se corta la médula de manera transversal, estas columnas muestran

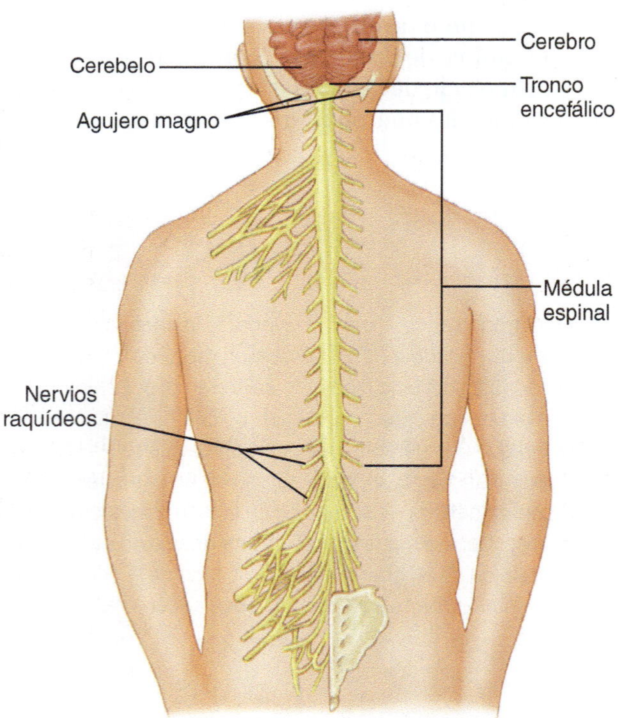

FIGURA 6-64 La médula espinal abandona el cráneo por el agujero magno y se extiende hasta el nivel de la segunda vértebra lumbar en la mayoría de los adultos.

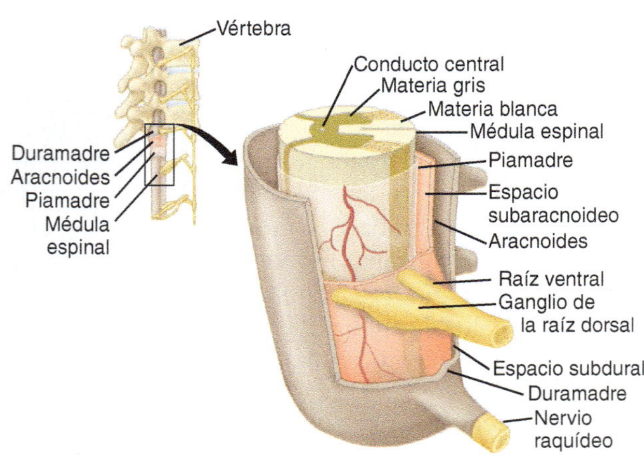

FIGURA 6-65 Componentes de la médula espinal. Las meninges rodean al encéfalo y la médula espinal.

una forma característica de H o mariposa en las regiones centrales. Las porciones ventrales de dicha letra H son las *astas anteriores*, y las dorsales, las *astas posteriores*, y hay *astas laterales* (se encuentran solo en la región torácica y en las dos o tres raíces nerviosas lumbares más altas) que se localizan entre las anteriores y las posteriores.

La materia blanca de la médula espinal es rica en axones y está dividida por la materia gris en tres columnas longitudinales a cada lado, que se conocen como cordones o funículos (*funiculus*, en latín significa "cordón") o columnas blancas anterior, lateral y posterior. La materia blanca lateral y posterior retorna señales sensoriales del cuerpo al cerebro, en tanto la anterior, como la materia gris, transporta señales motoras hacia el cuerpo. Los funículos contienen tractos ascendentes y descendentes que a menudo se nombran de acuerdo con sus puntos de origen y terminación. Los tractos ascendentes de la médula espinal y sus funciones se describen como sigue:

- **Fascículos gracilis y cuneiforme.** Los funículos posteriores, también conocidos como *sistema de lemniscos mediales de la columna posterior*, contienen los fascículos gracilis y cuneiforme, que conducen sensaciones necesarias para la discriminación, como el tacto ligero, la presión profunda, la vibración, la propiocepción y el reconocimiento de objetos por el tacto (estereognosia). Estas vías transcurren del mismo lado de la médula espinal que los impulsos que reciben y no se cruzan al lado opuesto hasta que alcanzan el bulbo raquídeo. Aunque este proceso produce impulsos sensoriales cerebrales derechos de la parte izquierda del cuerpo y los impulsos sensoriales cerebrales izquierdos de la parte derecha del cuerpo, en el contexto de una lesión, los déficits físicos pueden ser homolaterales (en el mismo lado de la lesión).
- **Tractos espinotalámicos.** Los tractos espinotalámico anterior y lateral yacen dentro de los funículos anterior y lateral, respectivamente. Si bien estos dos tractos representan un sistema más rudimentario que los funículos posteriores, transmiten ciertas sensaciones. El haz espinotalámico anterior transmite el tacto burdo y la presión, en tanto el espinotalámico lateral transmite las sensaciones de dolor y temperatura. Estas vías transcurren en el lado opuesto del cuerpo con relación a los impulsos que reciben, lo que da como resultado que los impulsos sensoriales del cerebro derecho provienen del cuerpo izquierdo y viceversa. Además, si ocurre una lesión de uno de estos haces, los déficits físicos serán contralaterales (en el lado opuesto a la lesión).
- **Tractos espinocerebelosos.** Se encuentran cerca de los funículos laterales e incluyen uno posterior y uno anterior. Las fibras del tracto espinocerebeloso posterior no cruzan y son más numerosas que las del anterior. El tracto espinocerebeloso posterior transmite sensaciones vinculadas con la función motora, el equilibrio, la propiocepción, el tono muscular y el movimiento de las extremidades. Las fibras del tracto espinocerebeloso anterior en su mayor parte cruzan (aunque algunas se mantienen sin hacerlo) y reciben menos información que las del tracto posterior. El tracto anterior es estimulado por señales motoras que arriban desde el cerebro a través de los tractos corticoespinales y los generadores del patrón motor interno en la médula espinal misma. La principal función del tracto anterior es proveer retroalimentación al cerebro de que arribaron señales motoras a las astas anteriores de materia gris. En el contexto de la lesión de uno de los tractos espinocerebelosos, los déficits físicos serán ipsilaterales.

Los tractos descendentes de la médula espinal se originan en el cerebro y conducen impulsos hacia diversos grupos musculares por inhibición o excitación de la actividad raquídea.[17] La neurona motora que se origina en la corteza motora del cerebro y desciende a través de un tracto de la materia blanca se denomina neurona motora superior. Las neuronas motoras superiores pueden alterar el movimiento solo a través de las neuronas motoras inferiores, que se originan en la médula espinal, se extienden hacia el SNP y transmiten impulsos directamente a los músculos para efectuar movimientos. Las neuronas motoras superiores se inician y terminan dentro del SNC; en contraste, se encuentran neuronas motoras inferiores en ambos, SNC y SNP. Debido a que las neuronas motoras inferiores y sus fibras (axones) constituyen la única conexión entre la médula espinal y los músculos esqueléticos, se consideran la vía final común hacia estos. Este principio de la vía final común es importante para comprender las diferencias entre las enfermedades y lesiones de neuronas motoras superior e inferior, así como entre sus manifestaciones físicas y pronóstico. Por ejemplo, cuando las neuronas motoras superiores se lesionan, el daño inicial es de parálisis flácida (suelta) con pérdida de los reflejos tendinosos, seguida por una recuperación parcial (que suele incluir espasticidad, con reflejos bruscos anormales [hiperreflexia]) durante un periodo prolongado.[17] En contraste, cuando las neuronas motoras inferiores que inervan a un músculo se destruyen o se interrumpen sus axones, la lesión produce parálisis o debilidad de este.

Las funciones de los tractos descendentes de la médula espinal se describen como sigue:

- **Tractos corticoespinales.** También llamados tractos piramidales, se originan en la corteza cerebral (con la mayoría surgiendo del área del lóbulo frontal del cerebro) y descienden por los funículos anterior y lateral hacia la médula espinal. La mayor parte de las fibras del tracto corticoespinal cruzan hacia el lado del cuerpo donde transmiten impulsos a nivel del bulbo raquídeo y forma el tracto corticoespinal lateral. Aquellas fibras que no cruzan en el bulbo raquídeo continúan descendiendo del mismo lado de la médula espinal que el del cerebro donde se originaron y forman el tracto corticoespinal anterior. Sin embargo, las fibras de este último también cruzan al lado contrario a su origen en el cerebro. Este proceso, en general, ocurre en el cuello o en la región torácica superior. Ambos tractos transmiten impulsos motores de la corteza a los nervios raquídeos, donde se distribuyen hacia los músculos voluntarios. La mayoría de las fibras del tracto corticoespinal termina en interneuronas cerca de la materia gris de la médula espinal. Sin embargo, aquellas fibras encargadas de la función motora fina de los dedos y manos terminan directamente en las astas anteriores de la materia gris, lo que le permite el control motor fino. Cuando se lesionan estos tractos, los datos de exploración física, como la pérdida de regulación motora, se presentan en el mismo lado de la lesión.
- **Tractos extrapiramidales.** Aunque los tractos corticoespinales son los principales encargados del movimiento voluntario, hay tractos adicionales que participan en la actividad motora. A menudo llamados *sistema extrapiramidal*, los tractos extrapiramidales no están bien definidos y yacen fuera del sistema piramidal. Se encargan de algún grado de movimiento y postura que no está bajo regulación por el sistema piramidal, así como del control de las glándulas sudoríparas.
- **Tractos reticuloespinales.** El tracto reticuloespinal lateral se localiza en los funículos laterales. La mayoría de estas fibras cursa a nivel del bulbo raquídeo, pero unas cuantas no. La vía reticuloespinal medial se encuentra contenida en los funículos anteriores, y sus fibras no cruzan al lado opuesto del cuerpo después de abandonar el encéfalo. Estos tractos transmiten al cuerpo impulsos que regulan el tono muscular y la actividad de las glándulas sudoríparas.
- **Tractos rubroespinales.** Al abandonar el encéfalo, estos tractos de inmediato cruzan al lado opuesto del cuerpo y transcurren en descenso por los funículos laterales. Su principal función es transmitir desde el cerebro impulsos que regulan la coordinación muscular y la postura.

En el **CUADRO 6-21** se resumen los tractos espinales importantes.

Perlas de sabiduría

La compresión de un nervio raquídeo a su paso por el agujero intervertebral puede causar síntomas, como hormigueo, entumecimiento, debilidad muscular, disminución de los reflejos, y dolor que se irradia. Esta afección a menudo se conoce como radiculopatía o, genéricamente, ciática.

Sistema nervioso periférico

Para responder eficazmente a su ambiente circundante, el SNC necesita recibir impulsos desde estructuras externas y un medio para enviar su respuesta al músculo liso, el miocardio, el músculo esquelético y las glándulas corporales. Este proceso se logra a través del SNP, el cual es responsable de la comunicación entre el SNC y el resto del cuerpo.

Como ya se discutió antes, el SNP se divide funcionalmente en dos porciones: somática y visceral. La división somática participa principalmente en la percepción y la respuesta a la información del ambiente externo. La piel, las articulaciones, los tendones y el músculo esquelético son inervados por fibras nerviosas somáticas (tanto sensoriales como motoras). En contraste, el ambiente interno del cuerpo se vigila y regula por la división visceral (autonómica) del SNP. Las fibras viscerales transportan información aferente desde los órganos del cuerpo al SNC y proveen la regulación eferente del músculo liso, el miocardio y las glándulas.[6]

Nervios raquídeos

Un nervio raquídeo emerge de o ingresa a la cara lateral de la médula espinal a través de dos raíces: una posterior (dorsal) y una anterior (ventral). La raíz nerviosa es sensorial o motora. La raíz posterior contiene fibras nerviosas aferentes que conducen información sensorial a la médula espinal. Los cuerpos celulares

CUADRO 6-21 Principales tractos raquídeos

Nombre	Función	Comentarios
Tractos ascendentes (transmiten impulsos y sensaciones del cuerpo al cerebro)		
Espinotalámico anterior	Conduce las sensaciones de tacto y presión ligeros, cosquilleo y prurito en el lado opuesto	En el contexto de una lesión, los déficits físicos serán contralaterales.
Gracilis y cuneiforme	Propiocepción, vibración, tacto ligero, presión profunda, discriminación entre dos puntos y estereognosia	En el contexto de una lesión, los déficits físicos serán ipsilaterales. El tracto cuneiforme transmite impulsos de la parte superior del cuerpo; el gracilis, los de la parte inferior.
Espinotalámico lateral	Conduce las sensaciones de dolor y temperatura en el lado opuesto	En el contexto de una lesión, los déficits físicos serán contralaterales.
Espinocerebeloso	Transmite al cerebelo sensaciones vinculadas con la función motora, el equilibrio, la propiocepción, el tono muscular y el movimiento de las extremidades	En el contexto de una lesión, los déficits físicos serán ipsilaterales.
Tractos descendentes (transmiten impulsos motores del cerebro al cuerpo)		
Corticoespinal anterior (piramidal)	Órdenes motoras voluntarias en el mismo lado del cuerpo	En el contexto de una lesión, los déficits físicos serán ipsilaterales.
Corticoespinal lateral (piramidal cruzado)	Órdenes motoras voluntarias en el lado opuesto del cuerpo	En el contexto de una lesión, los déficits físicos serán contralaterales.
Reticuloespinal (extrapiramidal)	Mantiene la postura durante el movimiento	En el contexto de una lesión, los déficits físicos serán ipsilaterales.
Rubroespinal (extrapiramidal)	Coordinación muscular y postura	En el contexto de una lesión, los déficits físicos serán contralaterales.

de las neuronas periféricas a menudo se agrupan en conjuntos llamados *ganglios*. La raíz anterior contiene nervios eferentes que conducen impulsos motores al cuerpo.

Los nervios raquídeos se nombran de acuerdo con la vértebra a cuyo nivel salen o ingresan al raquis: cervicales (8), torácicos (12), lumbares (5), sacros (5) y coccígeos (1). Los primeros siete nervios raquídeos cervicales emergen o ingresan arriba de la vértebra cervical respectiva. El octavo nervio cervical lo hace entre C7 y T1 (p. ej., debajo de C7). Todos los nervios raquídeos por debajo del octavo cervical emergen o ingresan debajo de su vértebra respectiva.

Las ocho raíces cervicales realizan diferentes funciones en el cuero cabelludo, el cuello, los hombros y los brazos. Las 12 raíces nerviosas torácicas tienen funciones diversas: las superiores inervan a los músculos del tórax, que ayudan a la respiración y la tos, en tanto los inferiores proveen regulación de los músculos abdominales y contienen nervios del sistema nervioso simpático. Las cinco raíces nerviosas lumbares inervan a los músculos flexores de la cadera y las extremidades inferiores, a las que proveen sensibilidad. Los cinco nervios sacros inervan el intestino y regulan la vejiga, la función sexual y la sensibilidad de la cara posterior de las extremidades inferiores y el recto (el extremo distal del colon). El cóccix tiene una sola raíz nerviosa.

Plexos

Recuerde que los nervios raquídeos se combinan en cinco regiones del cuerpo para formar redes (plexos) donde las raíces nerviosas se conjuntan y transmiten sus impulsos a diversas regiones del cuerpo a través de un nervio común. Este principio permite que varios nervios raquídeos regulen una región del cuerpo. En esencia, un plexo en el cuerpo actúa como una caja de conexiones eléctricas, que distribuye cables a los diferentes segmentos de una casa.

Los cinco principales plexos en el cuerpo son: cervical, braquial, lumbar, sacro y coccígeo, **FIGURA 6-66**. El plexo cervical inerva al cuello, el dorso de la cabeza, la parte alta de los hombros y el diafragma. El plexo braquial inerva la porción inferior de los hombros, los brazos y las manos. El plexo lumbar inerva a los músculos y la piel de la parte inferior del tronco y las extremidades inferiores. El plexo sacro inerva los glúteos, los músculos posteriores del muslo y los de piernas y pies. El plexo coccígeo inerva al periné. El daño en esas regiones puede causar alteraciones neurológicas amplias, como dolor, debilidad y pérdida de la sensibilidad, porque se afectan muchos nervios.

Perlas de sabiduría

Los plexos lumbar y sacro a menudo se consideran juntos como plexo lumbosacro, por la superposición de sus fibras nerviosas.

Dermatomas

Un miotoma es un área de músculo esquelético inervada por un solo nervio raquídeo. Los nervios raquídeos sensoriales transmiten información sensitiva desde una región específica de la piel en la superficie del cuer-

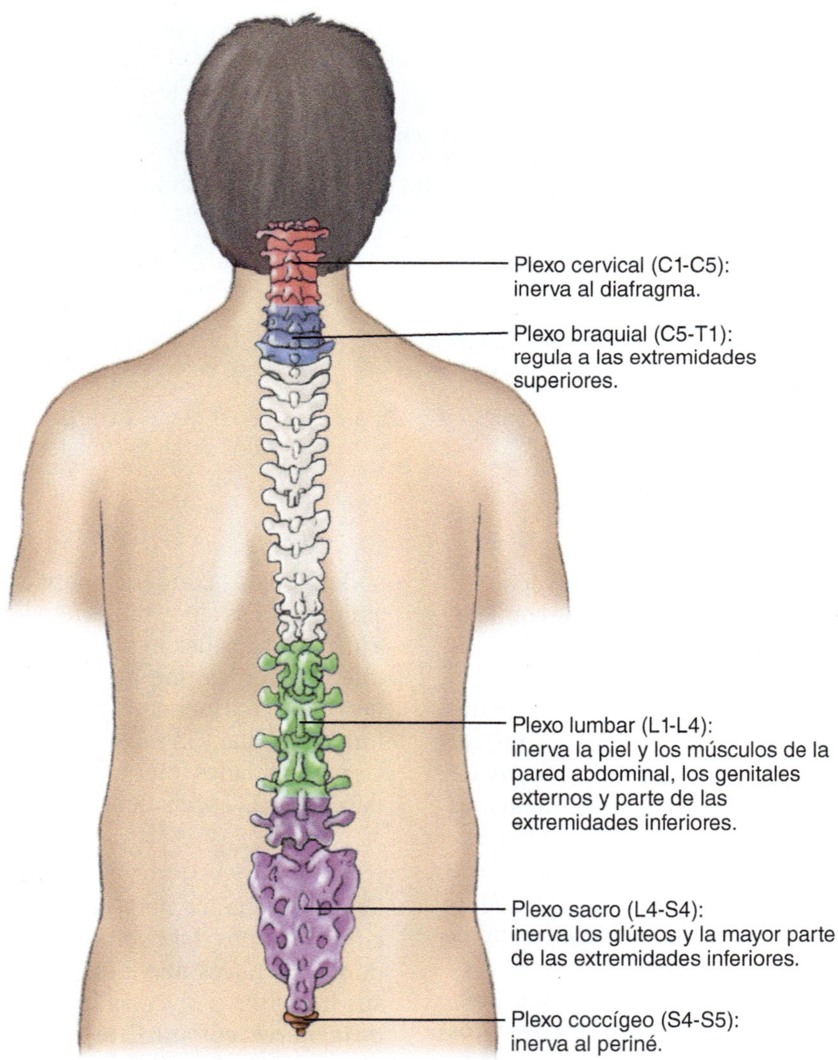

FIGURA 6-66 Las raíces nerviosas que se originan de grupos de vértebras a lo largo de la columna convergen en plexos, lo que les permite funcionar como grupo.

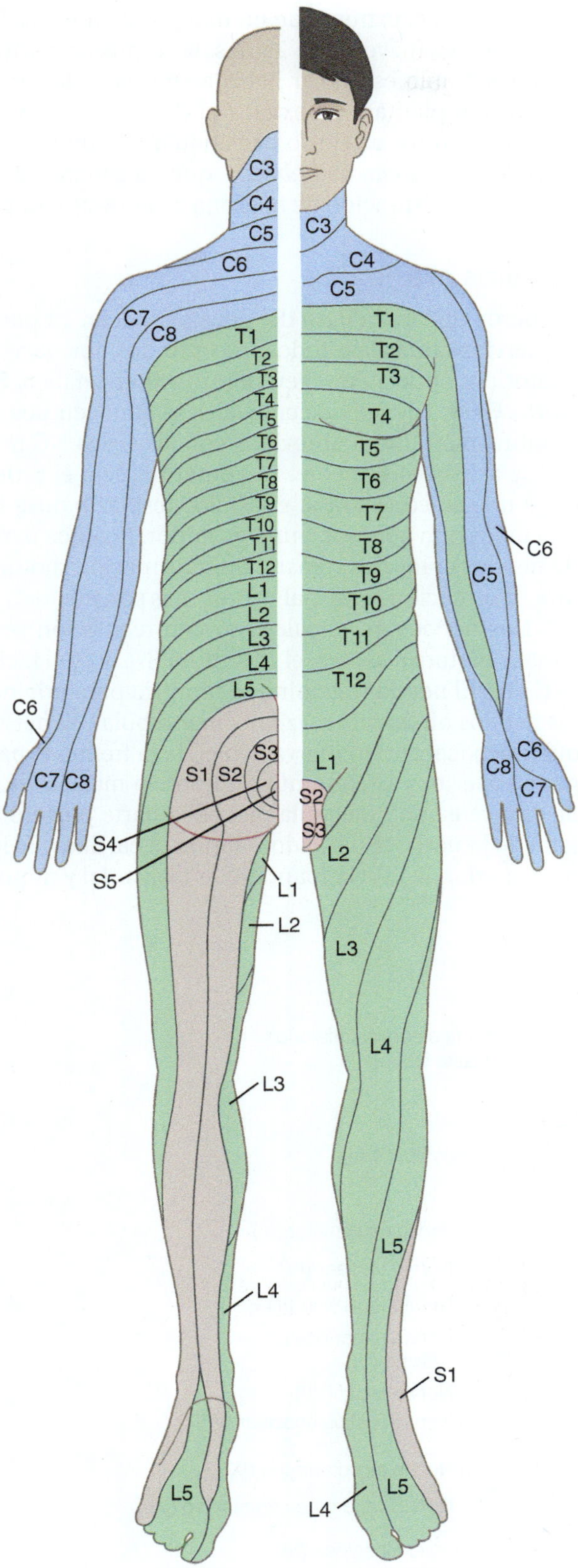

FIGURA 6-67 Mapa de dermatomas que muestran la asociación entre los nervios raquídeos y las zonas cutáneas del cuerpo.

po. Estas zonas, conocidas como **dermatomas**, corresponden a nervios raquídeos específicos en diversos niveles, **FIGURA 6-67**. Usted debe familiarizarse con los dermatomas del cuerpo para comprender mejor los cuadros clínicos de un paciente cuando se lesiona la médula espinal. Tenga en mente que tal vez haya variaciones anatómicas, recuerde que los dermatomas se superponen y reconozca que la relación entre estos y los niveles vertebrales es una aproximación, porque la longitud de la médula espinal puede variar entre los pacientes.[18]

Las lesiones de la médula espinal, por lo general, no causan pérdida de la función de una parte específica del cuerpo (p. ej., entumecimiento y punzadas de la rodilla para abajo); más bien, se manifiesta alguna alteración de las destrezas motoras y sensoriales en el territorio de dermatomas específicos. Una lesión puede aislarse a un dermatoma o empezar en él y continuar en dirección distal. Las lesiones nerviosas se manifiestan como alteración motora, sensorial o de ambos tipos. Las lesiones musculoesqueléticas a menudo llevan a una alteración de un haz neurovascular, que se manifiesta con una pérdida de la circulación, así como de la función motora y sensorial distal al sitio lesionado.

Reflejos

La médula espinal contiene los principales centros de reflejos del cuerpo. Un **arco reflejo** es un mensaje sensorial que llega a la médula espinal y por interacción con un nervio motor produce una acción; la acción reflejo ocurre sin que dicho mensaje haya tenido que alcanzar el cerebro para producirla de manera voluntaria.[19] Los componentes de un arco reflejo, en general, incluyen un receptor sensorial, una neurona aferente, una o más interneuronas, una neurona eferente y un órgano efector (p. ej., músculo esquelético, glándula).

Un ejemplo de un reflejo simple es el rotuliano (reflejo instintivo). Cuando se distiende el tendón, como ante el colapso de una rodilla al caminar, el reflejo es de su enderezamiento para evitar una caída. En este proceso se requiere participación del encéfalo, por lo que la caída quizá se presente antes de que pudiese ocurrir el pensamiento consciente de enderezar la rodilla. En este ejemplo, mientras el tendón se estira, los impulsos sensoriales transcurren por axones aferentes hasta el ganglio de la raíz posterior y, a continuación, se transmiten a través de una interneurona que determina la respuesta motora al impulso sensorial. Desde ese punto, los impulsos transcurren por axones eferentes hacia los músculos esqueléticos.

Un reflejo flexor (de retiro del músculo por flexión) implica a muchas interneuronas. Se inicia por receptores en la piel, en respuesta a un estímulo táctil, doloroso o nocivo. Por ejemplo, después de tocar por accidente algo caliente o cortante, usted de inmediato flexiona los músculos de la extremidad afectada, retirando así la mano de la región. El término *reflejo de retiro* puede ser más apropiado, porque a veces se usan los músculos extensores en esta respuesta. Por ejemplo, debido a que la flexión dirigiría el muslo hacia un estímulo doloroso que se aplicó en su cara anterior, en la respuesta de retiro apropiada se usan los músculos extensores de la extremidad afectada.

El golpeo de la piel con un objeto firme desencadena un reflejo superficial (cutáneo) que causa que el músculo se contraiga. El reflejo plantar es un ejemplo de uno superficial, que se usa para detectar la disfunción del tracto corticoespinal. Se valora al recorrer la cara lateral de la planta del pie y el talón hacia adelante con un objeto firme, como el pulgar enguantado del médico o el extremo de un martillo de reflejos. En los pacientes mayores de 2 años, la respuesta normal a este estímulo es doblar hacia abajo todos los artejos (flexión plantar). La extensión del dedo gordo sin separar los otros artejos o haciéndolo se llama *reflejo de Babinski* o *signo de Babinski*, que en general es un índice de la disfunción de neurona motora superior.

Perlas de sabiduría

La valoración de los reflejos puede proveer al médico información útil acerca de la integridad de los nervios periféricos y las regiones específicas de la médula espinal, así como de la presencia o ausencia de disfunción de neurona motora superior, como en una lesión raquídea o encefálica.

Nervios craneales

Recuerde que de la base del encéfalo nacen 12 pares de nervios craneales. Todos, excepto dos, los nervios olfatorio y óptico, emergen del tronco encefálico, **FIGURA 6-68**. Los nervios craneales se conocen por su nombre, o en forma abreviada con las siglas NC más I, II, y así sucesivamente. El número refleja el orden en el que se conectan al encéfalo, desplazándose de una ubicación anterior a una posterior. Algunos pares de nervios craneales transmiten información motora, otra información sensorial y otros más son mixtos.

Dos nervios principales proveen regulación sensorial y motora a la cara: el trigémino (NC V) y el facial (NC VII). El nervio trigémino se ramifica para originar los nervios oftálmico, maxilar y mandibular. El nervio oftálmico (sensorial) inerva la piel de la frente, el párpado superior y la conjuntiva. El nervio maxilar (otro de tipo sensorial) inerva la piel de la parte posterolateral de la nariz, el párpado inferior, el carrillo y el labio superior. El nervio mandibular (sensorial y motor)

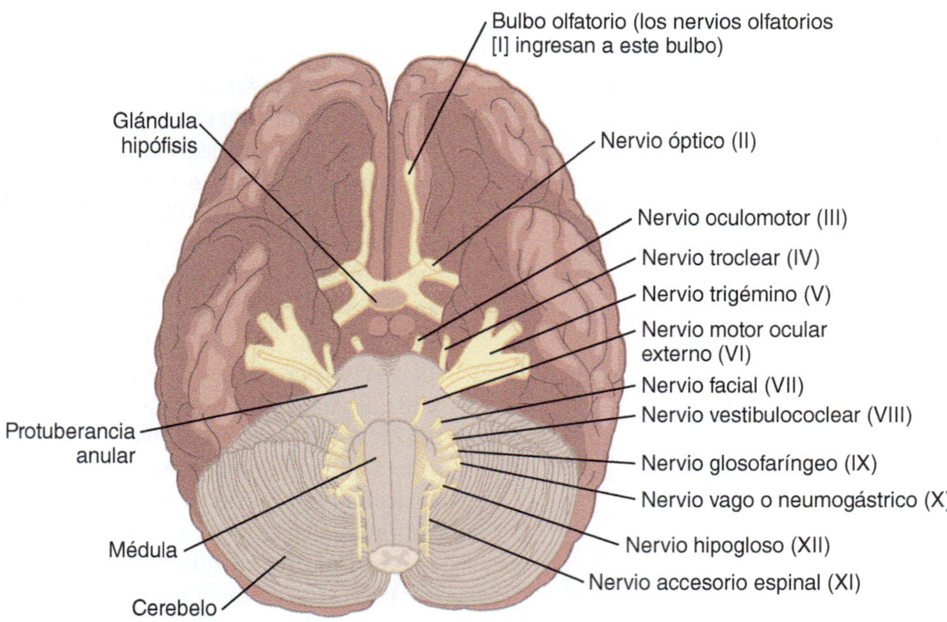

FIGURA 6-68 Los 12 nervios craneales.

CUADRO 6-22 Nervios craneales

Número	Nombre	Tipo	Función
I	Olfatorio	Sensorial	Recepción e interpretación del olfato
II	Óptico	Sensorial	Sentido de la vista
III	Oculomotor	Motor	Movimiento ocular; elevación de los párpados superiores; regulación del tamaño de la pupila
IV	Troclear	Motor	Movimiento del globo ocular en dirección descendente e interna
V	Trigémino	Mixto	Movimientos de masticación y cierre de la mandíbula; reflejo corneal; sensaciones (tacto, dolor) en la cara, la córnea, el cuero cabelludo y los dientes
VI	Motor ocular externo	Motor	Movimiento del globo ocular en dirección lateral
VII	Facial	Mixto	Expresiones faciales, secreción de saliva y lágrimas; parpadeo; sentido del gusto en los dos tercios anteriores de la lengua (dulce, salado)
VIII	Vestibulococlear	Sensorial	Audición y equilibrio
IX	Glosofaríngeo	Mixto	Movimientos de la deglución; secreción de saliva; percepción de sabor en el tercio posterior de la lengua (amargo, agrio); impide la aspiración como parte del reflejo faríngeo
X	Vago o neumogástrico	Mixto	Deglución; parte del reflejo faríngeo; sensación retroauricular; inervación de faringe y epiglotis; inervación parasimpática de los órganos del tórax y abdomen
XI	Accesorio espinal	Motor	Movimiento de hombros; giro de la cabeza
XII	Hipogloso	Motor	Movimiento de los músculos de la lengua para hablar y deglutir

inerva los músculos de la masticación y la piel del labio inferior, el mentón, la región temporal y parte del oído externo. El nervio facial inerva a los músculos de la expresión de la cara.

El riego sanguíneo de la cara es provisto sobre todo por la arteria carótida externa, con sus ramas temporal, mandibular y maxilar. Debido a que la cara está muy vascularizada, tiende a sangrar en abundancia cuando es lesionada.

En el **CUADRO 6-22** se presenta un resumen de los nervios craneales.

Sistema nervioso autónomo

El sistema nervioso autónomo (SNA) es la parte del sistema nervioso periférico (SNP) sin regulación voluntaria. Sus dos principales ramas son las divisiones simpática y parasimpática, y la mayoría de las estructuras que inerva contiene fibras de ambas. En contraste, casi todos los vasos sanguíneos, el hígado y los músculos piloerectores son ejemplos de estructuras inervadas exclusivamente por la división simpática.[20]

Recuerde que en una unión neuromuscular el tejido diana (efector), una fibra de músculo esquelético recibe inervación por una sola neurona motora, **FIGURA 6-69**. Los axones de las neuronas motoras transcurren directamente hacia músculos esqueléticos. Los receptores de acetilcolina se localizan en la placa motora terminal. En contraste, las vías autonómicas que inervan órganos, vasos o glándulas, requieren de dos neuronas: una preganglionar (o presináptica) y una posganglionar (posináptica), **FIGURA 6-70**. En el **CUADRO 6-23** se comparan el sistema nervioso somático y el SNA.

El cuerpo celular de las neuronas preganglionares (de traspaso de señales) se localiza dentro de una raíz de la médula espinal o de algunos nervios craneales que surgen del tronco encefálico. Los axones de las neuronas preganglionares abandonan el SNC y pasan a la periferia para hacer sinapsis con ganglios autonómicos, que actúan como centros de relevo. Por lo tanto, el SNC y el SNP se conectan en los ganglios autonómicos. Los axones de las neuronas posganglionares (receptoras de señales) transcurren desde los

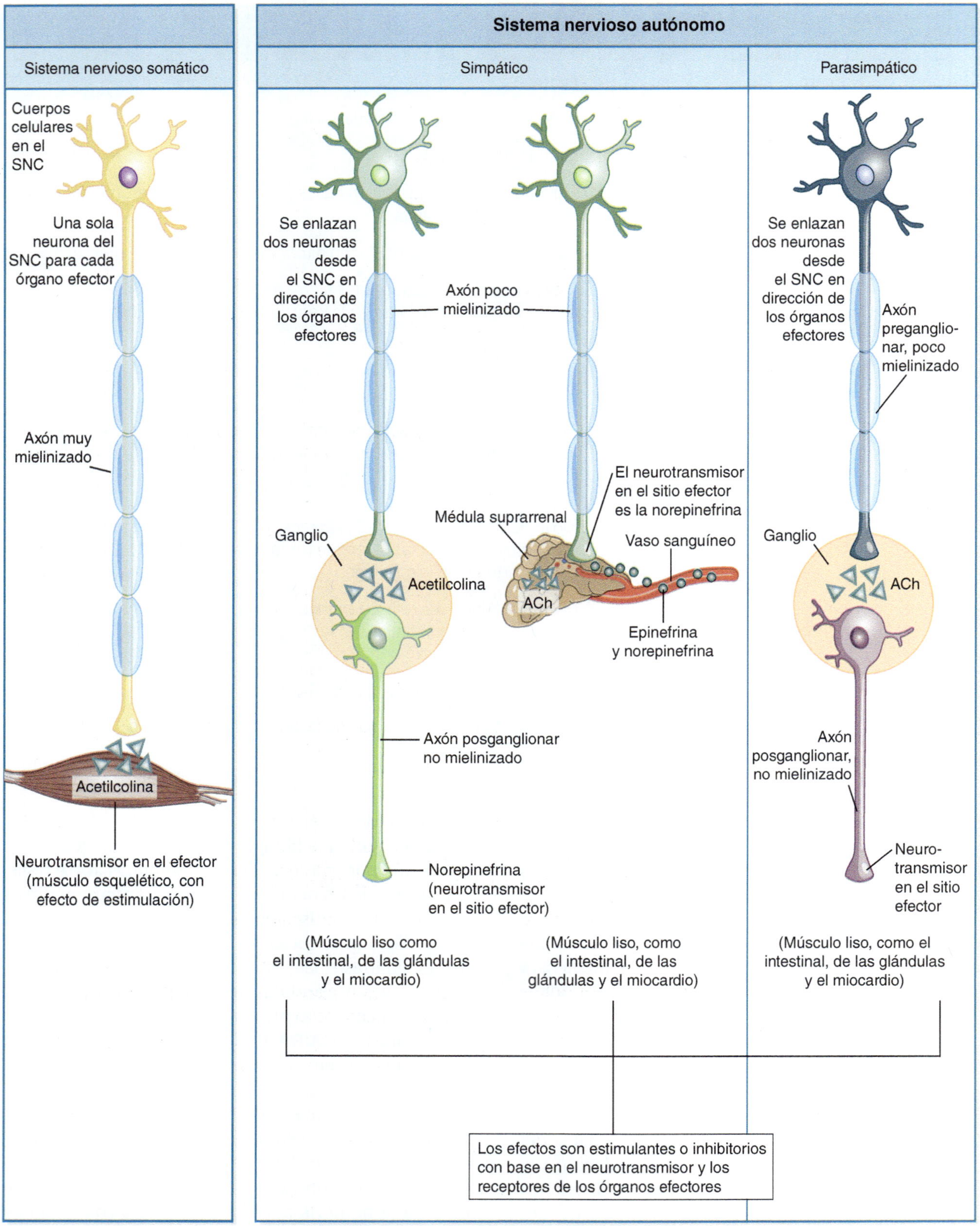

FIGURA 6-69 Neuronas y neurotransmisores de los sistemas nerviosos somático y autónomo.

Abreviaturas: ACh, acetilcolina; SNC, sistema nervioso central.

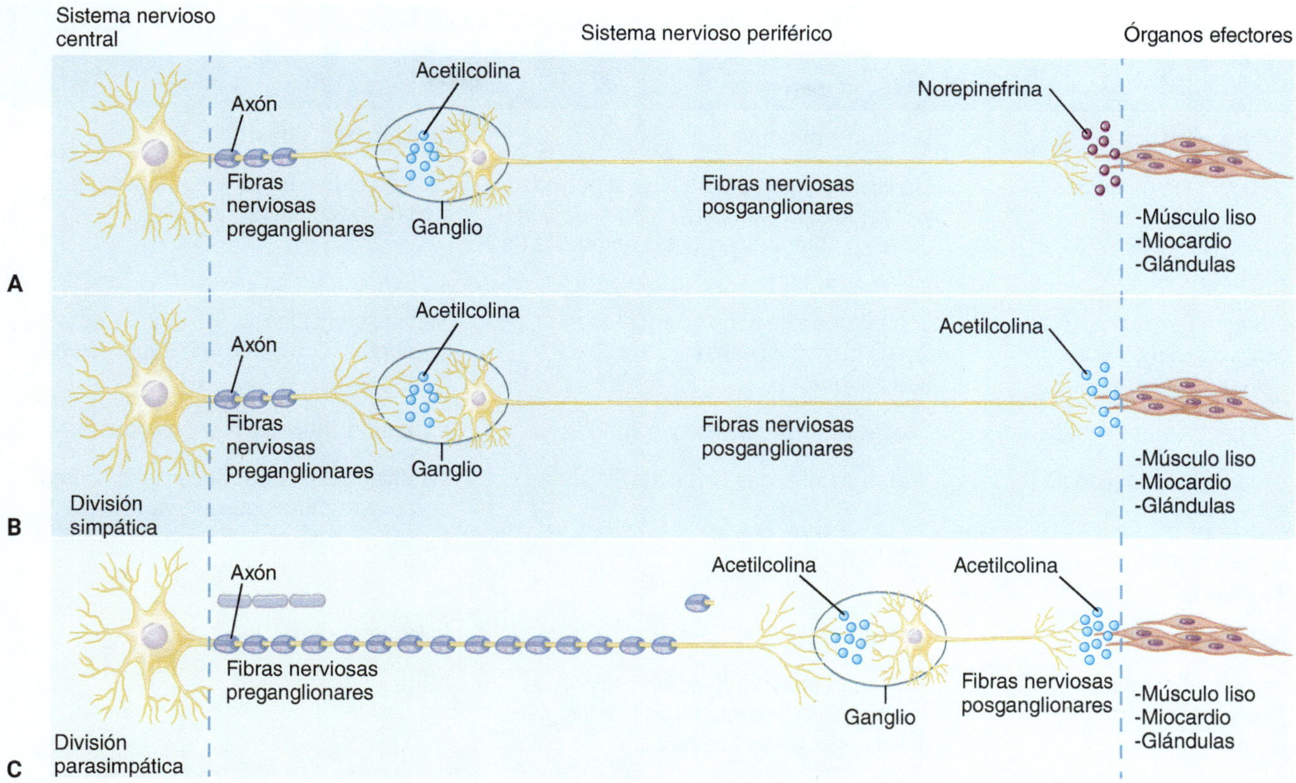

FIGURA 6-70 Todas las fibras preganglionares secretan acetilcolina. **A.** Las fibras simpáticas preganglionares son cortas. Las fibras simpáticas posganglionares son relativamente largas; la mayoría son adrenérgicas porque secretan norepinefrina y estimulan receptores α o β en las células efectoras. **B.** Las fibras simpáticas posganglionares que inervan glándulas sudoríparas son colinérgicas porque secretan acetilcolina (ACh) y estimulan a los receptores muscarínicos en las células efectoras. **C.** Las fibras parasimpáticas preganglionares son relativamente largas en tanto las posganglionares son cortas, y todas son colinérgicas. Las fibras posganglionares estimulan a los receptores muscarínicos en las células efectoras.

CUADRO 6-23 Sistema nervioso somático en comparación con el sistema nervioso autónomo

Característica	Sistema nervioso somático	Sistema nervioso autónomo
Regulación	Por lo general, voluntaria	Por lo general, involuntaria
Órgano diana (efector)	Músculo esquelético	Músculo liso, miocardio, glándulas
Vía	Solo una neurona motora y una fibra de músculo esquelético	Dos neuronas: una preganglionar y una posganglionar
Localización de los cuerpos celulares	El cuerpo celular de la neurona motora se localiza en el SNC	El cuerpo celular de la neurona preganglionar se localiza en el SNC
Localización de la sinapsis	El axón hace sinapsis con el músculo esquelético	Los axones preganglionares hacen sinapsis con las neuronas posganglionares en los ganglios autónomos y estas últimas con los órganos efectores
Neurotransmisor	ACh	Preganglionar: ACh; posganglionar: ACh o norepinefrina
Efecto en las células diana	De excitación	De excitación o inhibición

Abreviaturas: ACh, acetilcolina, SNC, sistema nervioso central.

CUADRO 6-24 Sistema nervioso autónomo: comparación de las divisiones simpática y parasimpática

Características	División simpática	División parasimpática
Funciones generales	Movilizar al cuerpo para alguna actividad y, cuando está expuesto a una situación de estrés, prepararlo para la respuesta de luchar o huir	Conservar la energía y mantener la función de los órganos
Origen de los cuerpos de las neuronas preganglionares	Segmentos torácicos y lumbares altos de la médula espinal (T1, L2 o L3): toracolumbar	Nervios craneales, III, VII, IX y X, segmentos sacros S2 a S4 de la médula espinal; craneosacra
Órganos efectores (diana)	Miocardio, músculo liso y glándulas	Miocardio, músculo liso y glándulas
Fibras preganglionares	Cortas, localizadas cerca del SNC	Relativamente largas, localizadas cerca de las estructuras que inervan
Neurotransmisor preganglionar	ACh	ACh
Fibras posganglionares	Largas	Relativamente cortas
Neurotransmisor posganglionar	Principalmente norepinefrina; las neuronas posganglionares dirigidas a las glándulas sudoríparas liberan ACh.	ACh
Efectos de la estimulación	Efectos a menudo amplios; puede influir en muchos órganos	Efectos locales; se pueden limitar a un órgano

Abreviaturas: ACh, Acetilcolina; SNC, sistema nervioso central.

ganglios autonómicos hasta la estructura deseada a la que proveen inervación. Por lo general, la división simpática tiene un número mayor de neuronas posganglionares en relación con cada fibra preganglionar que la división parasimpática.

Para la que se presente actividad fisiológica en el órgano diana, las neuronas preganglionares primero deben enviar un impulso a los ganglios, y después, enviarse desde estos hasta las neuronas posganglionares. Recuerde que estas neuronas no tienen conexión física; por el contrario, se encuentran en la hendidura sináptica. Todo impulso nervioso que se conduce por el nervio genera un potencial de acción y la descarga química de un neurotransmisor. Cuando las neuronas preganglionares liberan neurotransmisores, se difunden a través de la hendidura sináptica e interactúan con sitios receptores específicos en las dendritas y el cuerpo celular de las neuronas posganglionares o en las células del órgano diana (efector). Este proceso causa otro impulso nervioso o una acción fisiológica en dicho órgano.

Los nervios suelen clasificarse por los transmisores químicos que contienen; aquellos con norepinefrina son **noradrenérgicos**, en tanto los que contienen ACh son **colinérgicos**. El término *colinérgico* se refiere a otras estructuras o funciones relacionadas con ACh. Por ejemplo, los receptores colinérgicos en las membranas celulares son proteínas que reaccionan con la ACh y causan respuestas características (p. ej., los músculos se contraen, las glándulas secretan).[20] De manera similar, el término *adrenérgico* se refiere a estructuras o funciones relacionadas con la norepinefrina o epinefrina (adrenalina). En el **CUADRO 6-24** se resumen las características de las divisiones simpática y parasimpática del SNA.

División simpática

La división simpática del SNA moviliza al cuerpo para alguna actividad, **FIGURA 6-71**. En particular, cuando está expuesta a una situación de estrés, la división simpática inicia la respuesta corporal de luchar o huir, caracterizada por la desviación de sangre de la piel y el tubo digestivo hacia encéfalo, corazón y músculo esquelético; una mayor actividad y alerta mentales; aumento de la concentración de glucosa en sangre; aumento de la frecuencia cardíaca y la presión arterial; dilatación del árbol bronquial; sudor cutáneo; dilatación pupilar, y tanto digestión como micción más lentos.

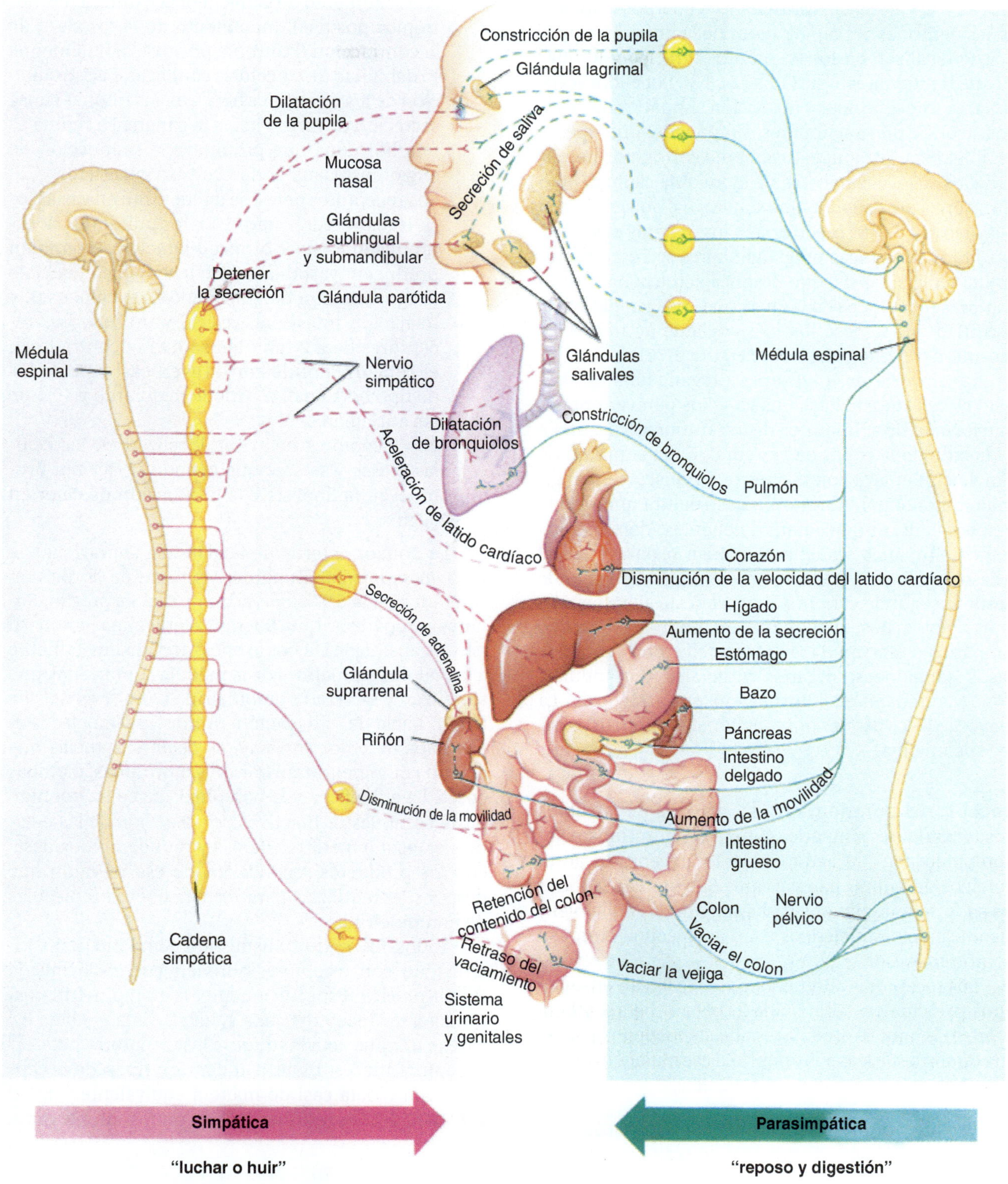

FIGURA 6-71 Comparación de las divisiones del sistema nervioso autónomo.

Fibras nerviosas simpáticas. Los cuerpos celulares de las neuronas preganglionares de la división simpática se localizan en los segmentos torácico y lumbar alto de la médula espinal (T1 a L2 o L3). Por ello, a veces se llama toracolumbar a la división simpática del SNA. Los axones preganglionares simpáticos, que suelen ser mielinizados, son relativamente cortos, porque sus ganglios se localizan cerca de la médula espinal, pero sus axones posganglionares son largos, porque deben dirigirse a la periferia e inervar a los órganos efectores. Las fibras simpáticas preganglionares secretan acetilcolina en la sinapsis, que después actúa sobre los receptores nicotínicos en las neuronas posganglionares, actividad que se describe más adelante junto con los receptores colinérgicos (véase Figura 6-70).

La mayoría de los axones preganglionares simpáticos se extiende hasta los ganglios paravertebrales que forman dos conjuntos de los autonómicos, uno a cada lado de la columna vertebral. Cada conjunto de ganglios se enlaza con axones que transcurren longitudinalmente para formar una estructura que simula una escalera o una cadena de cuentas, denominada tronco simpático, cadena simpática o paravertebral (véase Figura 6-71). El tronco simpático se extiende desde la segunda vértebra cervical hasta el cóccix. Las largas fibras posganglionares abandonan al tronco simpático e inervan a los órganos efectores (corazón, vasos sanguíneos, órganos viscerales y glándulas) donde retransmiten información en la sinapsis. La mayoría de los axones posganglionares simpáticos carece de mielina.

Receptores adrenérgicos. La mayoría de las fibras posganglionares simpáticas libera el neurotransmisor norepinefrina, que actúa sobre los receptores adrenérgicos. Las fibras ganglionares que inervan glándulas sudoríparas, algunos vasos sanguíneos en la piel y los músculos esqueléticos usan acetilcolina como su neurotransmisor.

Los receptores adrenérgicos se clasifican en cinco tipos principales: alfa 1, alfa 2, beta 1, beta 2 y beta 3. Además, ambos receptores alfa se pueden clasificar en conjuntos de tres subtipos.[21] La estimulación de sus receptores tiene los siguientes efectos:

- Los receptores alfa 1 principalmente causan vasoconstricción (disminución de calibre de los vasos sanguíneos).
- Los receptores alfa 2 suelen producir contracción del músculo liso, inhibición de la secreción de insulina, inducción de la secreción de glucagón y supresión de una mayor secreción de norepinefrina.
- Los receptores beta 1 se encuentran en el corazón y los riñones. La estimulación en esos sitios causa aumento de la frecuencia cardíaca (cronotrópica positiva), incremento de la fortaleza de la contracción (inotropía positiva) y, finalmente, irritabilidad de las células cardíacas. La estimulación de los receptores beta 1 en los riñones causa secreción de **renina** hacia la sangre. La renina es una hormona que promueve la producción de angiotensina, un poderoso vasoconstrictor.
- Los receptores beta 2 se encuentran en varias localizaciones del cuerpo. En los pulmones su estimulación causa broncodilatación, y también producen vasodilatación leve; **glucogenólisis** (fragmentación de glucógeno hasta glucosa), y relajación intestinal, vesical y uterina. Los receptores beta 2 también se han encontrado en el corazón, donde constituyen casi 20% de los de tipo beta en el ventrículo izquierdo y 40% de los auriculares.[22]
- Los receptores beta 3 se localizan en las células grasas y se cree que cuando se activan promueven la lipólisis y la producción de calor en la grasa.

La porción interna de la glándula suprarrenal, la *médula suprarrenal*, también es parte de la división simpática de la SNA, inervada por axones preganglionares simpáticos que liberan acetilcolina como su neurotransmisor. Dichos axones inervan directamente a las células cromafines de la médula suprarrenal, que sintetizan y secretan norepinefrina (20%) y **epinefrina** (80%) hacia la circulación. Ambas sustancias son ejemplos de **catecolaminas**, es decir, sustancias que actúan como neurotransmisores, hormonas, o ambas cosas. La epinefrina y la norepinefrina se fragmentan hasta compuestos inactivos por la acción de las enzimas catecol o metiltransferasa y monoaminooxidasa, con los productos secundarios de esa reacción que después se reutilizan para formar nuevas moléculas de norepinefrina.

Todos los neurotransmisores simpáticos no interactúan con receptores adrenérgicos en la misma forma precisa. Específicamente, la norepinefrina estimula a los receptores alfa 1, alfa 2, beta 1 y beta 3[21] y tiene mínima actividad sobre los receptores beta 2.[20] La epinefrina estimula a todos los tipos de receptores alfa y beta casi de manera equivalente.[21] En el **CUADRO 6-25** se resumen los receptores adrenérgicos.

División parasimpática

La división parasimpática del SNA se encarga de conservar la energía y mantener la función de los órganos mientras contrarresta la actividad de la división simpática (véase Figura 6-71). La división parasimpática origina la respuesta "de reposo y digestión" del SNA, que regula las funciones digestivas, el crecimiento, la curación de lesiones y el retiro de sustancias tóxicas.

CUADRO 6-25 Receptores adrenérgicos

Tipo de receptor	Localización	Efecto de estimulación
Alfa 1	Esfínteres vesicales	Constricción
	Ojo	Contracción del músculo radial del iris que causa aumento de las dimensiones pupilares
	Esfínteres del tugo digestivo	Constricción
	Órganos reproductores masculinos	Eyaculación
	Arterias pequeñas y arteriolas periféricas	Constricción
	Músculo liso y aparato GI	Inhibe el movimiento
	Esfínter uretral	Contracción
	Músculo liso vascular	Constricción
Alfa 2	Enzimas pancreáticas e insulina	Inhibe la secreción
	Terminales nerviosas presinápticas en el SNP	Inhibe la secreción de norepinefrina
	Músculo liso del aparato GI	Inhibe la movilidad
Beta 1	Tejido adiposo	Lipólisis
	Corazón	Aumenta la frecuencia y fuerza de la contracción
	Riñones	Secreción de renina
Beta 2	Arteriolas del corazón, pulmones, músculo esquelético	Dilatación
	Bronquios	Dilatación
	Músculo ciliar del ojo	Relajación
	Hígado	Aumento de la glucogenólisis y gluconeogénesis
	Páncreas	Aumento de la secreción de glucagón
	Útero	Relajación
Beta 3	Tejido adiposo; tejido adiposo pardo	Promueve la lipólisis (en el tejido adiposo) y la producción de calor (en el tejido adiposo pardo)

Abreviatura: GI, gastrointestinal; SNP, sistema nervioso periférico

Fibras nerviosas parasimpáticas. Los cuerpos celulares de las neuronas preganglionares de la división parasimpática se localizan en los núcleos de los nervios craneales, III, VII, IX y X, y los segmentos sacros S2 a S4 de la médula espinal, por lo que también se llama a esta división, craneosacra del SNA. Los nervios craneales III (oculomotor), VII (facial), IX (glosofaríngeo) y X (vago) inervan estructuras de la cabeza y el cuello, así como en las cavidades torácica y abdominal. Piense en los dos nervios vagos como las supercarreteras de la función parasimpática; contribuyen con 90% de todas las fibras preganglionares parasimpáticas del cuerpo.[9] Los nervios vagos inervan el corazón, el árbol traqueobronquial, el hígado, el bazo, el riñón y todo el aparato GI, excepto por la porción distal del colón.[20] La división sacra del sistema parasimpático forma el nervio pélvico, que inerva una porción del tracto gastrointestinal y los órganos pélvicos, incluida la vejiga y los de la reproducción. Un pequeño número de vasos sanguíneos también tiene inervación parasimpática.

Las fibras preganglionares parasimpáticas se unen a los ganglios autonómicos cerca del órgano que inervarán. Las fibras posganglionares cortas abandonan al ganglio autonómico e inervan al órgano diana. Las fibras preganglionares parasimpáticas secretan acetilcolina, que después estimula a los receptores nicotínicos en las neuronas posganglionares (véase figura 6-70). Las fibras preganglionares parasimpáticas secretan acetilcolina, que a continuación actúan sobre los receptores muscarínicos.

Receptores colinérgicos. En la división parasimpática del SNA se encuentran dos tipos principales de receptores colinérgicos, nicotínicos y muscarínicos, que recibieron su nombre cuando los científicos observaron su capacidad de respuesta a la nicotina (que, por lo general, se encuentra en los cigarrillos) y la muscarina (presente en algunos hongos). Los receptores nicotínicos se encuentran en el músculo esquelético, las células de la médula suprarrenal y los cuerpos celulares de todas las neuronas posganglionares de las divisiones parasimpática y simpática del SNA.

Se han identificado cinco subtipos de receptores muscarínicos (de M_1 a M_5). Los receptores M_1, por lo general, se localizan en los ganglios autonómicos, los M_2 en el corazón y los M_3 en muchas glándulas y músculos lisos. Si bien la ubicación de los receptores M_4 y M_5 está menos definida, se sabe que los cinco tipos de estos receptores se encuentran en el SNC.[21] Algunos receptores muscarínicos se ubican en las neuronas preganglionares simpáticas e inhiben la secreción de norepinefrina. Otros se sitúan en neuronas preganglionares parasimpáticas, y cuando son estimulados inhiben cualquier secreción adicional de acetilcolina.

Algunos de los efectos de los receptores muscarínicos se facilitan por sistemas específicos de segundos mensajeros. Un segundo mensajero (bioquímico) es una molécula que transmite señales de un receptor en la superficie de una célula hacia moléculas diana en el núcleo de las células o su líquido interno, donde ocurre una actividad fisiológica. Los segundos mensajeros pueden amplificar mucho la intensidad de la señal recibida del receptor.

Cuando la acetilcolina se une a los receptores nicotínicos se presenta una respuesta excitatoria. Si se une a receptores muscarínicos, el resultado puede ser de excitación o inhibición, dependiendo de los órganos diana en los que se encuentren. Por interacción con estos receptores, la acetilcolina causa una respuesta fisiológica. Una vez unida a su receptor debe fragmentarse para preparar el camino para una nueva molécula de acetilcolina. Como se señaló antes, la acetilcolinesterasa es la enzima que fragmenta a la acetilcolina en moléculas más pequeñas y los productos de esta reacción se reciclan para formar nuevas moléculas de acetilcolina.

División intestinal

La tercera división del SNA, en **sistema nervioso intestinal (SNI)**, está incluida en el revestimiento del tracto digestivo. Contiene millones de neuronas distribuidas en muchos miles de pequeños ganglios, la mayoría ubicada en los plexos mientéricos y submucosos, que corresponden a redes de ganglios interconectadas. Las conexiones entre el SNI y el SNC se hacen a través de los nervios vago y pélvico, y las vías simpáticas.[23] Debido a que el SNI incluye neuronas eferentes, aferentes e interneuronas, la función gastrointestinal coordinada y con un propósito determinado continúa de manera independiente, incluso después de que se lesionan sus conexiones con el SNC. El SNI secreta muchos neurotransmisores diferentes, incluidos óxido nítrico, acetilcolina, norepinefrina, serotonina, ATP y varios péptidos.

El plexo mientérico recibe sus mensajes del nervio vago, y se extiende desde la parte alta del esófago hasta el esfínter anal interno.[23] Este plexo regula el tono e intensidad de las contracciones musculares de la pared intestinal. El plexo submucoso es el principal encargado de la absorción, la secreción y el riego sanguíneo de la mucosa.

Función sensorial

La sensación es la percepción de un estado o condición corporal resultante de la estimulación de receptores sensoriales que responden a estímulos específicos, internos o externos. A través del proceso de las sensaciones el SNP puede colectar y transmitir información acerca del cuerpo y el ambiente externo. Estos mensajes se generan y transmiten por miles de **receptores sensoriales**, que vigilan los fenómenos dentro y fuera del cuerpo. Aunque los receptores pueden responder a más de un tipo de sensación, a menudo se especializan en una específica o unas cuantas relacionadas.

Los receptores sensoriales convierten la energía de un estímulo en potenciales de acción, que después se transmiten por una fibra nerviosa aferente hacia el SNC. Una vez que estos potenciales de acción alcanzan el SNC se envían al centro específico encargado de interpretarlos, donde se procesa el mensaje y se hace consciente a través de la **percepción**. La percepción es una respuesta automática que se genera por reflejos y otros mecanismos, o de lo contrario se descarta el mensaje como sin importancia. La intensidad del estímulo es determinada por cuántas terminales nerviosas se activen, qué tan frecuentemente se creen y propaguen potenciales de acción y cómo se reciban muchos mensajes por el SNC. Sin embargo, a través de la **adaptación**, el SNC puede disminuir de manera temporal o permanente la sensibilidad ante un estímulo particular. Por ejemplo, cuando se ingresa a un restaurante muy concurrido, el ruido por el personal de meseros afanosos y decenas de conversaciones, aunado a la música de fondo, puede inicialmente sorprenderle como si fuese muy alto y quizá llegue a su conciencia, de manera que pudiere incluso mencionárselo al resto de sus amigos. Sin embargo, durante los siguientes minutos, la corteza cerebral se ajusta a ese nivel de ruido, y después este ya no puede ingresar a sus pensamientos de nuevo, hasta que sale del restaurante a un ambiente mucho más tranquilo.

La percepción de un estímulo está presente incluso después de que este se ha retirado, lo que se denomina **posimagen**. Las manchas de luz que percibe después de voltear hacia el sol o del destello de una cámara fotográfica son ejemplos de posimágenes.

Sentidos generales

Los **sentidos generales** de dolor, temperatura, tacto, presión y posición constituyen los medios por los que el cuerpo busca información de su ambiente. Los receptores sensoriales de los sentidos generales están ampliamente distribuidos en muchos tejidos de la cabeza y el cuerpo. Los sentidos generales somáticos son aquellos que aportan información sensorial en cuanto al cuerpo y su ambiente. Los sentidos generales viscerales aportan información acerca de los órganos internos del cuerpo.

Dolor y temperatura

Los receptores del dolor, o nociceptores, tienen terminales nerviosas sensibles a los estímulos mecánicos, térmicos, eléctricos o químicos, que pudiesen dañar al cuerpo. Los receptores de la temperatura o termorreceptores son terminaciones nerviosas que responden al calor. Los sentidos de dolor y temperatura tienen relación porque sus receptores se superponen, transcurren por los mismos tipos de fibras en el SNP y utilizan las mismas vías en el SNC.[14]

El **dolor visceral** es profundo, causado por la activación de nociceptores en zonas internas del cuerpo presentes dentro de una cavidad, como tórax, abdomen o pelvis. Las fibras nerviosas sensoriales viscerales transcurren junto con nervios autonómicos para comunicarse con el SNC. El dolor visceral tiene mala localización y, en general, se describe como cólico, ardor o retortijón. Suele acompañarse de sudor, inquietud, náusea, vómito y palidez. El paciente puede realizar movimientos para aliviarlo.

El **dolor somático** es causado por la activación de receptores del dolor en los tejidos superficiales del cuerpo, como piel, huesos, músculos y articulaciones. En comparación con el dolor visceral, el somático, en general, es más intenso y de localización más precisa. El malestar que acompaña a la apendicitis aguda es un ejemplo de dolor visceral y somático relacionado con el sistema gastrointestinal. En la apendicitis aguda temprana el paciente suele informar de un dolor abdominal vago en la región que rodea al ombligo (dolor visceral). Conforme la inflamación se extiende, puede localizar el dolor en el cuadrante inferior derecho del abdomen (dolor somático).

El **dolor referido** es aquel que se percibe como presente en una parte del cuerpo diferente a la de su fuente real y suele ocurrir en las afecciones gastrointestinales. Por ejemplo, el dolor de una enfermedad de la vesicular biliar a menudo se describe como en el hombro derecho o acompañado por este. De manera similar, cuando el miocardio carece de oxígeno suficiente para cubrir las demandas corporales, el dolor suele percibirse en la pared torácica, el brazo y la mandíbula izquierdos.

El **dolor fantasma** puede presentarse de manera secundaria al daño de un nervio periférico. Este tipo de dolor ocurre después de la amputación de alguna extremidad en algunos pacientes que, por ejemplo, pudiesen referir calambres, opresión, punzadas o ardor en el pie de una extremidad que ya no está presente.

Los quimiorreceptores periféricos y centrales están integrados con el SNC, lo que permite equilibrar la pérdida y producción de calor mientras se mantiene la temperatura central del cuerpo dentro de límites relativamente normales.[24] Los quimiorreceptores periféricos presentes en la superficie del cuerpo retransmiten información hacia el hipotálamo acerca de la temperatura ambiente y son numerosos en la cara, los labios y los dedos, y menos presentes en la superficie del tronco. Los extremos de temperatura estimulan a los receptores del dolor. La información de los termorreceptores en la piel también transcurre hacia la corteza cerebral, lo que permite la percepción consciente de la temperatura ambiental. Los quimiorreceptores centrales presentes en el encéfalo y la médula espinal son supervisados por el hipotálamo, que ajusta la velocidad de producción de calor del cuerpo y su disipación, según se requiera, como durante el ejercicio.[24]

Tacto y presión

Los mecanorreceptores (que perciben la distensión) alertan de cambios en las propiedades físicas. Entre ellos se encuentran los receptores táctiles, los propiorreceptores, encargados de determinar la posición en el espacio y los **barorreceptores**, que miden los cambios en la presión. Los receptores táctiles son mecanorreceptores localizados en la piel, algunos sensibles al tacto leve, en tanto otros son estimulados por una presión intensa.

Los barorreceptores tienen una participación vital en muchas funciones autonómicas. Los más importantes de ellos pueden estar midiendo el llamado estiramiento producido en los grandes vasos sanguíneos. El SNA usa esta información para regular diversas funciones vasculares, como la de mantener un gasto cardíaco suficiente. De manera similar, los **quimiorreceptores** miden el contenido de diversas sustancias en el cuerpo o la corriente sanguínea. Por ejemplo, al enviar mensajes acerca de la cantidad de dióxido de carbono presente en el cuerpo, el SNA puede regular la frecuencia y profundidad de la respiración para asegurar sus concentraciones apropiadas.

Propiocepción

Los propriorreceptores se encuentran en las cápsulas articulares, los músculos esqueléticos y los tendones.[14] Proveen información acerca de la posición de las extremidades, el estiramiento muscular y el movimiento, que se utilizan en el cerebelo para coordinar las funciones motoras y en la corteza cerebral para la percepción consciente de la posición de las partes corporales.

Sentidos especiales

Los sentidos especiales, que forman la primera línea de protección del cuerpo contra riesgos ambientales, se integran con el SNC mediante los nervios craneales. Los receptores sensoriales de los sentidos especiales del gusto, tacto, vista, audición y equilibrio se localizan en una región particular.

Olfacción

El sentido del olfato (formalmente llamado olfacción, acción de oler) es regulado por el primer nervio craneal (NCI) y por fibras nerviosas que yacen en la parte superior de la cavidad nasal. Las células quimiorreceptoras del olfato son neuronas que permiten que las personas perciban aromas, con un extremo que presenta dendritas, que identifican estímulos químicos, y el otro que cuenta con un axón que se proyecta directamente hacia el cerebro. Las dendritas de las neuronas olfatorias se extienden desde el bulbo olfatorio (desde el cerebro) hasta la parte alta de la cavidad nasal, **FIGURA 6-72**.

Las células olfatorias responden a las sustancias químicas disueltas en el moco que las cubre y, en un

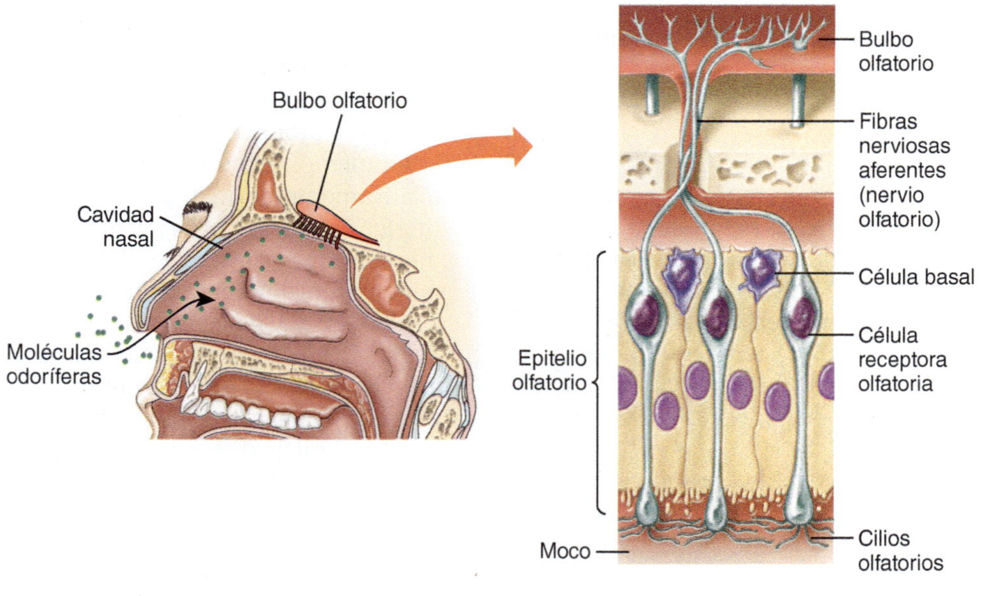

FIGURA 6-72 Localización y estructura de las células olfatorias.

momento dado, alcanzan un umbral, a menudo resultante del olfateo para introducir un mayor flujo de aire y, por lo tanto, más de la sustancia por percibir. En ese punto las sustancias químicas se unen a las proteínas en los receptores olfatorios y causan un cambio de la permeabilidad de la membrana, que a su vez produce un potencial de acción. Los impulsos resultantes transcurren a través de los nervios olfatorios hacia los centros de la olfacción en el cerebro, que los interpreta como olores.

Perlas de sabiduría

A diferencia de las señales de otros sentidos, las olfatorias se transmiten directamente a la corteza cerebral sin filtrado previo por el tálamo, proceso que crea una conexión estrecha con los centros emocionales en el cerebro y es el motivo por el que usted puede a menudo recordar un sentimiento o un estado de ánimo vinculado con un olor, incluso antes de que recuerde donde lo detectó.

El sentido del olfato también es importante para ayudarle a descifrar las señales del gusto enviadas por los corpúsculos correspondientes. Tal vez haya notado que cuando la percepción del olor disminuye, como cuando presenta un resfriado, los alimentos que normalmente tienen un sabor suave pudieran perderlo, y otros requieren un estímulo del gusto mucho más fuerte para desencadenar una respuesta.

Gusto

Los sentidos del olfato y el gusto actúan juntos para permitirle distinguir entre alimentos. Los receptores del gusto no son neuronas, sino células epiteliales modificadas que hacen sinapsis con los axones de las neuronas sensoriales que se comunican con el SNC.[25] Los receptores gustativos responden a cuatro principales sensaciones de sabor: dulce, salado, agrio y amargo. A menudo se incluye una sensación adicional, umami, en las dietas no occidentales. El gusto se percibe en las papilas gustativas localizadas en pequeñas elevaciones denominadas papilas, **FIGURA 6-73**. Una papila gustativa contiene de 50 a 150 quimiorreceptores.[25] La mayoría de las personas cuenta con 2 000 a 5 000 papilas gustativas, aunque su número puede variar de 500 a 20 000.[25]

El nervio facial (NC VII) inerva a las papilas gustativas en los dos tercios anteriores de la lengua, en tanto el glosofaríngeo (NC IX) lo hace en el tercio posterior, y el vago (NC X) inerva unas cuantas papilas gustativas en la laringe y la parte alta del esófago.[14] Las sustancias químicas disueltas en los alimentos o bebidas introducidos a la boca se combinan con receptores específicos y causan un potencial de acción que se transmite hacia el tálamo para su posterior procesamiento.

Vista

El sentido de la vista es regulado por el segundo nervio craneal (NC II). Se facilita por los ojos, las estructuras accesorias, el nervio óptico y las vías que conducen los impulsos hacia el cerebro. Recuerde que cada globo

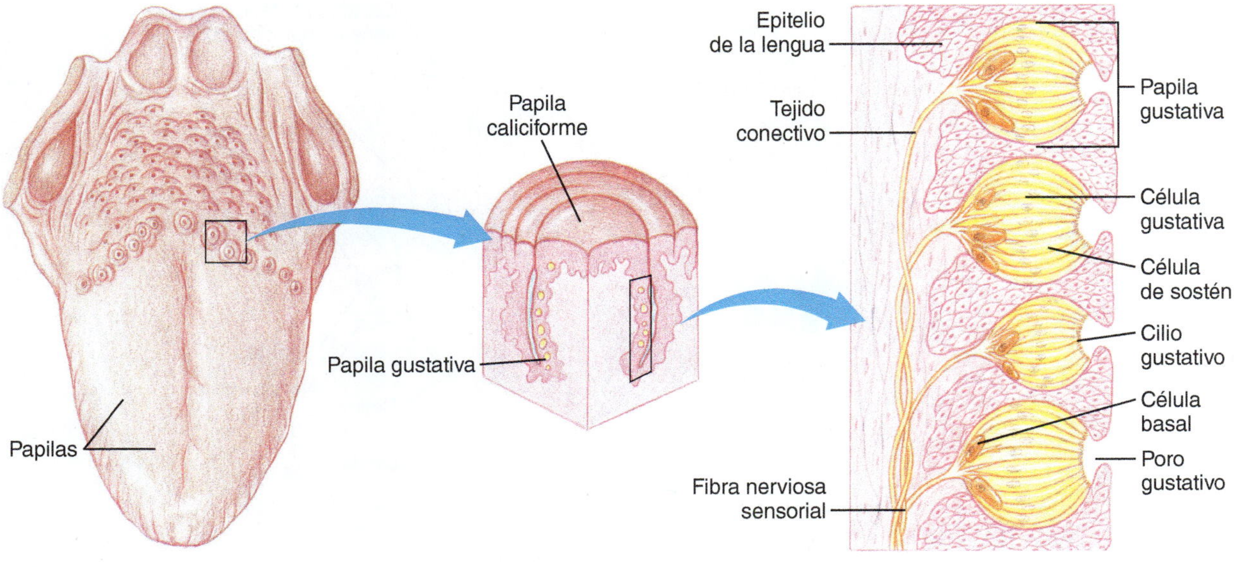

FIGURA 6-73 Las papilas gustativas de la lengua.

ocular está incluido en una pequeña cavidad frontal del cráneo llamada órbita. El ojo tiene dos componentes principales: una parte óptica para recoger y enfocar la luz y formar una imagen, y una parte neural (retina) para convertir la imagen óptica en un código neural.[25] El ojo distingue dos aspectos de la luz: brillantez (luminosidad) y longitud de onda (color).

El ojo. El ojo o globo ocular es la fuente de información que el cerebro procesa para obtener imágenes, **FIGURA 6-74**. Es redondo de manera imperfecta y llena el espacio de la órbita junto con los músculos internos y una capa de grasa orbitaria que le provee acojinamiento y soporte. El cristalino, los ligamentos suspensorios y el cuerpo ciliar forman una parte que divide el interior del globo ocular en una cavidad anterior y una posterior. La posterior, localizada entre el cristalino y la retina está llena de **humor vítreo**, un gel fluido que ayuda a mantener la forma del globo sin distorsionar la luz, y también a mantener la retina en su lugar, adosada a la pared del ojo.

El iris divide la cavidad anterior del ojo en dos cámaras, anterior y posterior. La primera es la porción del globo entre el iris y la córnea; la posterior es aquella entre el iris y el cristalino.[9] Ambas cámaras de la cavidad anterior están llenas de **humor acuoso**, un fluido transparente parecido al agua, que mantiene la presión intraocular, provee nutrimentos a la cara anterior del ojo y ayuda a desviar la luz.[26] El humor acuoso se forma y se reabsorbe de manera continua, por lo que, si se presenta una pérdida por una herida penetrante del ojo, se rellena gradualmente. El humor acuoso circula a través de la pupila y drena hacia el sistema venoso por el conducto de Schlemm, una vena de pared delgada que se extiende alrededor del ojo. El **glaucoma** es una causa frecuente de ceguera resultante del bloqueo de la salida del humor acuoso, que lleva a un aumento de la presión intraocular. Un incremento persistente en la presión intraocular puede destruir de manera permanente las fibras del nervio óptico.

El globo es regulado y dirigido dentro de la órbita por seis **músculos extrínsecos**, insertados en su exterior. Los nervios oculomotores (NC III), troclear (NC IV) y motor ocular externo (NC VI) proveen la inervación motora a estos seis músculos. El NC III también inerva al músculo del párpado superior y tanto al esfínter pupilar como al músculo ciliar del ojo.

Conforme la luz ingresa al globo ocular, penetra una serie de estructuras transparentes que crean un **sistema de refracción** encargado de miniaturizar y enfocar la imagen hacia terminaciones nerviosas especializadas, proceso que se logra por redirección o refracción de la luz a su paso por medios de diferentes densidades. Una demostración clásica de este concepto es como cuando usted intenta recuperar un objeto de un agua poco profunda, por ejemplo, al recogerlo del océano en la playa. Debido a que la luz se refracta, el poner su mano exactamente donde ve el

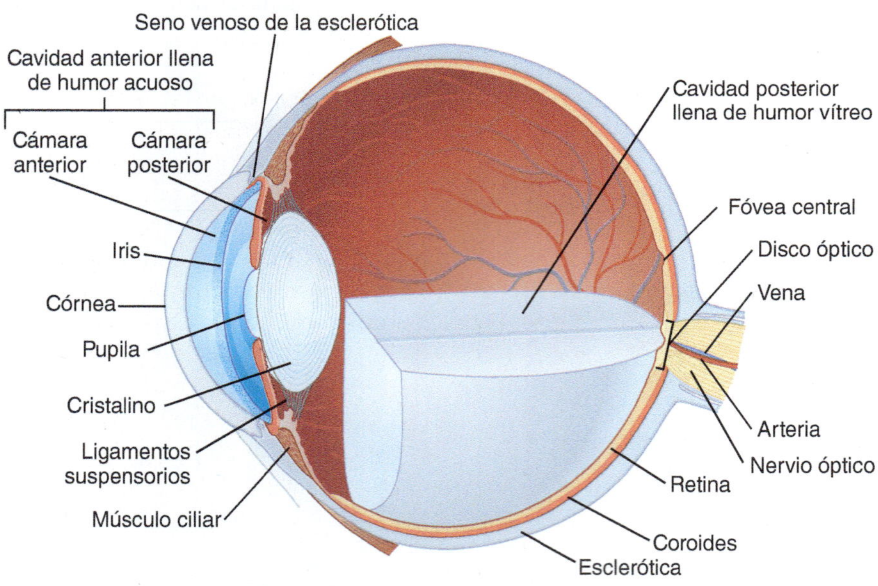

FIGURA 6-74 El ojo.

objeto concluirá con un intento fallido de sujetarlo. La dirección de la luz cambia conforme pasa del agua al aire, lo que da una percepción errónea de la posición real del objeto en el espacio.

El **cristalino** es un disco elástico biconvexo suspendido por ligamentos que se unen a los músculos ciliares cuya contracción y relajación cambia su forma (ya sea que lo haga más redondeado o plano), lo que afecta cómo los rayos de luz que ingresan al ojo se refractan o desvían. Al alterar la forma y el grosor del cristalino, el ojo puede enfocar una imagen. La **acomodación** se refiere a la capacidad del cristalino de cambiar su forma para enfocarse en un objeto cercano. Cuando los rayos de luz que ingresan al ojo no se refractan en el ángulo correcto no se centran en la retina, con el resultado de defectos visuales como la hipermetropía o la miopía. Ocurre **hipermetropía** cuando los rayos de luz se enfocan detrás de la retina porque la distancia entre esta y el cristalino es muy corta. Ocurre **miopía** cuando los rayos de luz convergen y se enfocan frente a la retina debido a que el globo ocular está muy elongado. En el **astigmatismo**, las irregularidades en la forma del cristalino crean defectos visuales, porque partes de la imagen están fuera de foco cuando las otras se encuentran enfocadas. Se usan lentes por prescripción o de contacto para tratar los errores de refracción. La dificultad creciente para el enfoque que ocurre con el envejecimiento se denomina **presbicia**, aunque hay controversia aun respecto de su mecanismo real. Si bien el cristalino por lo regular es transparente, quizás presente **cataratas**, que pueden causar grados variables de obstrucción, que van desde una cobertura de película ligera del cristalino hasta la obstrucción completa del paso de la luz.

Las paredes del globo ocular están constituidas por tres capas de tejido conectivo —la fibrosa, la vascular y la nerviosa, denominadas túnicas— con el cristalino suspendido en su interior. La capa más externa, la túnica fibrosa, se continúa con la duramadre y consta de esclerótica y córnea. La **esclerótica** es la firme capa externa blanca, opaca, del ojo, avascular y que ayuda a mantener la forma del órgano. La esclerótica se continúa en la parte posterior como la vaina del nervio óptico. También sirve para la inserción de los músculos extrínsecos encargados de la movilidad ocular. La **córnea** es una estructura avascular transparente que permite el paso de la luz al interior del ojo, sensible al dolor y nutrida por el humor acuoso.

La capa media, la túnica vascular, tiene ese correcto nombre porque posee vasos sanguíneos que riegan los tejidos oculares, así como vasos linfáticos y los músculos intrínsecos del ojo. Constituida por iris, cuerpo ciliar y coroides, es la principal vía a través de la cual transcurren vasos sanguíneos y nervios (diferentes al nervio óptico) dentro de la pared ocular. El iris es la porción colorida (pigmentada) del ojo, consta de un anillo de músculo liso que rodea a la pupila y regula la cantidad de luz que ingresa al ojo. La pupila no es una estructura en sí; por el contrario, sus límites corresponden simplemente el espacio vacío que deja el cambio de tamaño del iris. La luz ingresa a través de la pupila, y el iris controla el tamaño (diámetro) de la pupila. El **cuerpo ciliar** da sostén a los músculos ciliares, que regulan la curvatura del cristalino a través de un anillo de fibras conocido como ligamento suspensor. Las fibras parasimpáticas de NC III inervan a los músculos ciliares. La **coroides** es una membrana vascular delgada de capilares venosos y arteriales que cubre los dos tercios posteriores del globo ocular, soporta las capas externas de la retina y contiene un pigmento que absorbe la luz difusa.

La capa más interna del globo ocular, la túnica nerviosa, contiene la **retina**, que consta de una zona externa pigmentada y una interna sensorial, que responde a la luz, la cual pasa a través de las estructuras oculares en el siguiente orden: córnea, humor acuoso, cristalino, humor vítreo y a continuación toda la retina.[9] Esta última recibe los impulsos luminosos y los convierte en señales nerviosas que se conducen hacia el encéfalo a través del nervio óptico. Este nervio transmite la imagen al encéfalo, donde se convierte en representaciones pictóricas conscientes en la corteza visual. La retina es parte del SNC, recibe oxígeno y nutrimentos de los plexos coroideos y los vasos sanguíneos retinianos. Es digno de mención que la retina es el único lugar donde se puede visualizar el sistema circulatorio encefálico de manera directa con un oftalmoscopio.[27]

La parte sensorial de la retina contiene células fotorreceptoras (bastones y conos), que convierten la energía de la luz en señales eléctricas. Las células fotorreceptoras regadas por capilares de la coroides relevan impulsos en dirección del nervio óptico. Los **conos** se usan para la visión diurna y de color, y los **bastones** para la visión nocturna. Cada uno de los tres tipos de conos es sensible a un color diferente: rojo, verde o azul. Conos y bastones transmiten información a través de células intermediarias, que hacen sinapsis con las células ganglionares, cuyos axones forman el nervio óptico. El punto en donde estos nervios penetran a la parte posterior del globo ocular, para formar la base del nervio óptico, es una estructura conocida como disco óptico, el cual no contiene conos o bastones, por lo que crea un punto ciego en el campo visual de cada ojo. Conforme las señales relacionadas con imágenes transcurren por el nervio óptico en dirección al

SNC, pasan a través del **quiasma óptico**, donde casi la mitad de las fibras nerviosas de cada ojo cruza al lado opuesto del cerebro.

Perlas de sabiduría

La ausencia de uno o más de los pigmentos sensibles al color en los conos de la retina causa ceguera del color o discromatopsia. Por ejemplo, un individuo cuyos conos carecen de pigmento rojo no pueden distinguir entre rojo y verde (la forma más frecuente de discromatopsia). A veces se cuenta con todos los pigmentos de los conos, pero un tipo de estas células funciona de manera anormal y detecta un color diferente del normal.

Los centros de la visión a cada lado del cerebro interpretan la información por separado, pero después combinan las señales para crear una sola que el cerebro "percibe". La combinación de dos imágenes en una se conoce como **visión binocular**, que brinda la percepción de profundidad cuando ambos ojos se pueden enfocar en el mismo objetivo. Sin embargo, en el **estrabismo**, hay una pérdida de la percepción de profundidad y la superposición de imágenes o su duplicación, porque los ojos no pueden coordinar su movimiento y quizá se crucen o se separen. También es posible la condición opuesta. En la *ambliopía* ("ojo perezoso"), los ojos pueden orientarse correctamente, pero uno no envía señales adecuadas a los centros de la visión, lo que también causa una pérdida de percepción de la profundidad e imágenes de mala calidad.

La fóvea central se localiza en el centro de la retina, dentro del eje visual, que es una línea que pasa desde el centro del campo visual a través del centro del cristalino. La fóvea tiene una concentración más alta de conos que cualquier otra región de la retina y es el punto de la visión más nítida (p. ej., la agudeza visual y la visión aguda de color más precisas). La **mácula** es la región que rodea a la fóvea, relativamente carente de vasos sanguíneos y con una alta concentración de conos. Muchas células fotorreceptoras en la mácula contienen pigmento amarillo.

Hay dos tipos de visión: central y periférica. La primera ayuda a visualizar objetos directamente al frente del individuo y se procesa por la mácula. El resto de la retina procesa la visión periférica, que permite la visualización de objetos a los lados, mientras se ve hacia el frente.

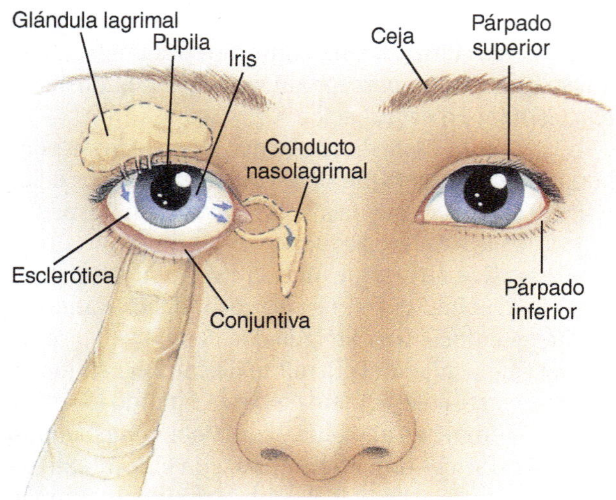

FIGURA 6-75 Las estructuras accesorias del ojo incluyen las cejas, los párpados, las conjuntivas y las glándulas lagrimales.

Estructuras accesorias. Protegen al ojo, lo lubrican, lo movilizan y ayudan a su función; incluyen cejas, párpados, **conjuntivas** y **glándulas lagrimales**, **FIGURA 6-75**.

Las cejas protegen a los ojos al proveerles sombra y evitar que ingresen al ojo desde arriba materiales extraños (p. ej., sudor, polvo). Los párpados protegen a los ojos de los objetos extraños. El parpadeo lubrica los ojos por dispersión de las lágrimas sobre su superficie. El canto medial es el sitio de unión de los párpados superior e inferior cerca de la nariz; el canto lateral es el sitio de unión de los párpados superior e inferior lejos de la nariz; las pestañas ayudan a prevenir que pequeñas partículas caigan al interior del ojo cuando está abierto.

Las conjuntivas forman una capa de membranas mucosas blandas que revisten el interior del globo ocular, lo acojinan y permiten su movimiento suave. La **conjuntivitis** es una afección de la conjuntiva, una infección ocular frecuente (ojo rosa) de tipo bacteriano que produce inflamación y dolor.

La glándula lagrimal es una de un par que se sitúa arriba del globo ocular, lateral respecto de este y que sintetiza el líquido lagrimal (lágrimas), una secreción acuosa, ligeramente alcalina, que incluye sal y humedece la conjuntiva. El líquido lagrimal también contiene enzimas que ayudan a proteger el ojo de materiales proteínicos (p. ej., bacterias). El parpadeo, voluntario o no, hace uso de las lágrimas para barrer detritos, bacterias u otros materiales de la superficie del ojo. El exceso de fluido se colecta en el canto medial del ojo y drena hacia la cavidad nasal a través del conducto nasolagrimal, una estructura superficial en la cara lateral externa de la nariz. Las laceraciones superficiales de esta región pueden alterar estos conductos, lo que quizás dé como resultado complicaciones de toda la vida con el drenaje de las lágrimas.

Audición y equilibrio

Los órganos de la audición se dividen en tres porciones: los oídos externo, medio e interno, **FIGURA 6-76**. Los oídos externo y medio participan únicamente en la audición. El oído interno funciona tanto para la audición como para el equilibrio, lo que ocurre a través del nervio craneal vestibulococlear (NC VIII), que nace del tronco encefálico e inerva al oído interno ubicado dentro del hueso temporal. Ahí, este nervio se divide en una porción coclear que va hacia el caracol, donde transporta información acerca del sonido, y la vestibular, que se dirige hacia los conductos semicirculares, donde conduce impulsos relacionados con el equilibrio, la posición y el movimiento de la cabeza.

El oído externo incluye a la oreja (**pabellón auricular**) y el conducto auditivo externo (con su meato). Recuérdese que la oreja es una formación cartilaginosa cubierta por piel y que protege al oído. El conducto externo está revestido por pelo y glándulas ceruminosas que producen la cera auditiva (cerumen). El oído externo conduce el sonido hacia la membrana timpánica o tímpano, que separa al conducto auditivo del oído medio. La vibración del tímpano finalmente causa el movimiento de fluidos en el oído interno.

El oído medio es una cámara llena de aire dentro del hueso temporal. Como se describió antes, contiene a los huesecillos auditivos. El martillo, el yunque y el estribo se articulan entre sí para transmitir ondas sónicas hacia la cóclea o caracol. La **trompa de Eustaquio** une la cavidad del oído medio con la nasofaringe, normalmente cerrada, pero que se abre durante la deglución o el bostezo, lo que así permite que ingrese aire al oído medio, proceso que permite equilibrar la presión en ambos lados del tímpano. El oído medio y el estribo están unidos a otra membrana, la **ventana oval**, que separa al oído medio de la entrada al caracol. El sonido se amplifica en el oído medio y se transmite a través de esta membrana hacia las delicadas estructuras del oído interno llenas de fluido, cuyo movimiento dentro de este espacio cerrado se hace posible por la ventana redonda, que lo permite en cantidades diminutas conforme se flexiona el conducto.

El oído interno lleno de fluido contiene a los órganos sensoriales de la audición y el equilibrio, constituido por un grupo de conductos llamado laberinto. Una serie de sacos y conductos constituye

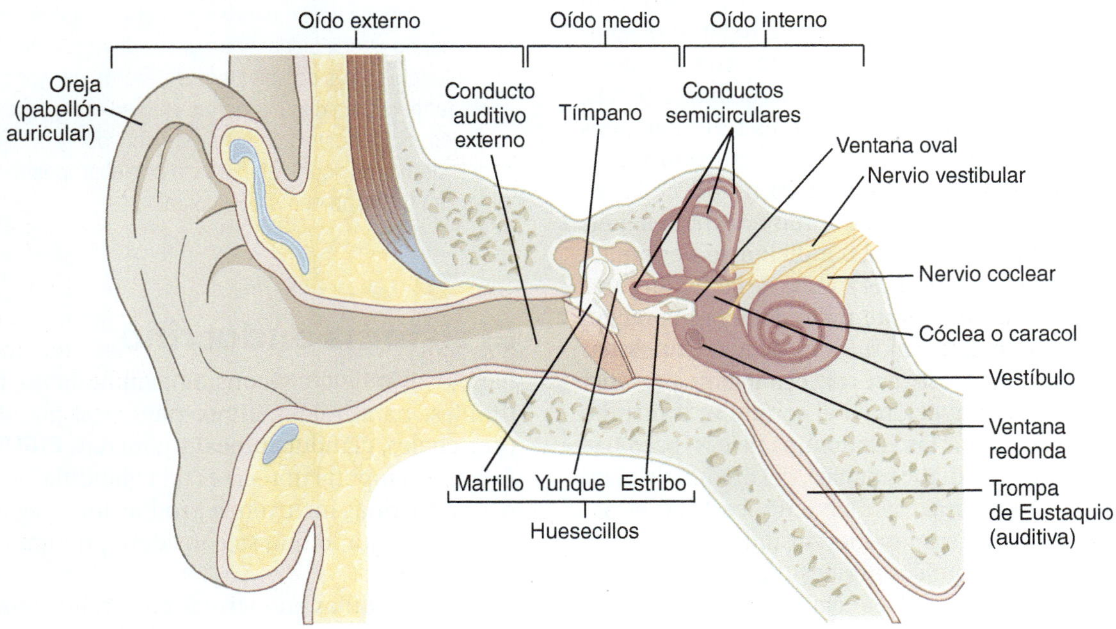

FIGURA 6-76 El oído.

el laberinto membranoso, que contiene un fluido espeso, llamado **endolinfa**, similar al líquido intracelular. Las células auditivas y vestibulares receptoras (ciliadas) se localizan en las paredes de este laberinto y algunas de ellas responden al sonido, en tanto otras, al movimiento de la cabeza, y otras más a su posición. El laberinto membranoso está suspendido dentro del **laberinto óseo**, una cavidad en el hueso temporal. Los laberintos óseo y membranoso están separados por un fluido llamado **perilinfa**, similar al líquido cefalorraquídeo.

Las ondas sónicas se conducen a través del oído interno por la endolinfa y la perilinfa. El laberinto óseo está separado en tres regiones: vestíbulo, cóclea y conductos semicirculares. El primero que es el espacio o cavidad que sirve como entrada al oído interno, conduce directamente al caracol. Los conductos semicirculares, tres asas llenas de fluido, participan en el equilibrio. El ventrículo y el sáculo son dos expansiones membranosas localizadas dentro del vestíbulo. La cóclea o caracol contiene al órgano de la audición, el **órgano de Corti**, que contiene muchas células ciliadas. El daño permanente del caracol puede ocurrir por exposición a ruidos de alta intensidad, como los producidos por los trenes del servicio metropolitano, motores de aviones de retropropulsión, sierras de cadena y sirenas de ambulancia.

El pabellón auricular está diseñado para colectar las ondas sónicas dirigidas hacia el tímpano. Cuando dichas ondas hacen que el tímpano vibre, se transmite el movimiento al oído medio y causa la oscilación de los huesecillos, lo que a su vez da lugar al desplazamiento de los fluidos en el oído interno. El movimiento de estos fluidos estimula a las células ciliadas, que entonces hacen lo propio con las terminaciones nerviosas de NC VIII, y así relevan esta información hacia el encéfalo para su interpretación.

Cualquier afección que dé como resultado la pérdida parcial o completa de la audición se denomina sordera, de muchas causas. Si alguna de las estructuras que por lo regular transmite o conduce la liberación sónica del oído externo al interno deja de funcionar de manera apropiada, se dice que el paciente presenta una sordera de conducción. Si el sonido se transmite de forma correcta por las estructuras físicas, pero hay alguna disfunción o malformación del órgano de Corti o las células receptoras, se dice entonces que el paciente presenta una sordera nerviosa. En el caso menos frecuente, los impulsos nerviosos pueden alcanzar los centros auditivos del encéfalo apropiadamente, pero este quizá presente una capacidad dañada para su interpretación y se dice que los pacientes con el trastorno presentan una sordera central.

El oído interno también es asiento del sistema vestibular, que consta de un par de sacos llenos de fluido, conocidos como **otolitos**, y tres pasajes en forma de asa adicionales llenos de fluido, que se conocen como conductos semicirculares. Estas formaciones no afectan la audición, el SNC las utiliza para colectar información acerca del movimiento y la orientación corporales en el espacio. Los conductos semicirculares hacen uso del movimiento de los fluidos para percibir el desplazamiento rotativo en cada uno de tres planos. El sáculo obtiene información de su masa de fluido para capturar movimientos lineales, en tanto el utrículo vigila el grado de inclinación de la cabeza. Mediante el procesamiento de todas estas sensaciones de forma simultánea, el sistema vestibular le mantiene en posición erecta y con conocimiento de su ubicación en el espacio (propiocepción).

Perlas de sabiduría

El sistema nervioso es como uno telefónico, que comunica a través de una compleja estructura de cables duros y funciona bien para el manejo de crisis y en situaciones que requieren reparaciones o correcciones rápidas. Sin embargo, cuando se requiere un tratamiento a largo plazo el sistema endocrino empieza a funcionar. El cableado del sistema nervioso alcanza solo a un porcentaje del cuerpo, en tanto el sistema endocrino y sus hormonas llegan a todas las células. Así, el sistema endocrino puede alcanzar un grado de regulación celular que no es posible para el sistema nervioso, no obstante que es relativamente lento en comparación con el ejercido por este. Los sistemas nervioso y endocrino del cuerpo funcionan en paralelo con el propósito común de mantener la homeostasia.

El sistema endocrino

El **sistema endocrino** consta de hipotálamo, hipófisis, tiroides, paratiroides, timo, páncreas, glándulas suprarrenales, glándula pineal y gónadas, **FIGURA 6-77**. Aunque el hipotálamo no es una glándula, sus funciones endocrinas incluyen la producción y secreción de hormonas, por lo que se considera un órgano neuroendocrino.[9]

Las glándulas endocrinas envían hormonas a través del cuerpo para mantener la homeostasia y mediante ellas regula muchas funciones metabólicas. Algunas hormonas pueden afectar tejidos en solo un

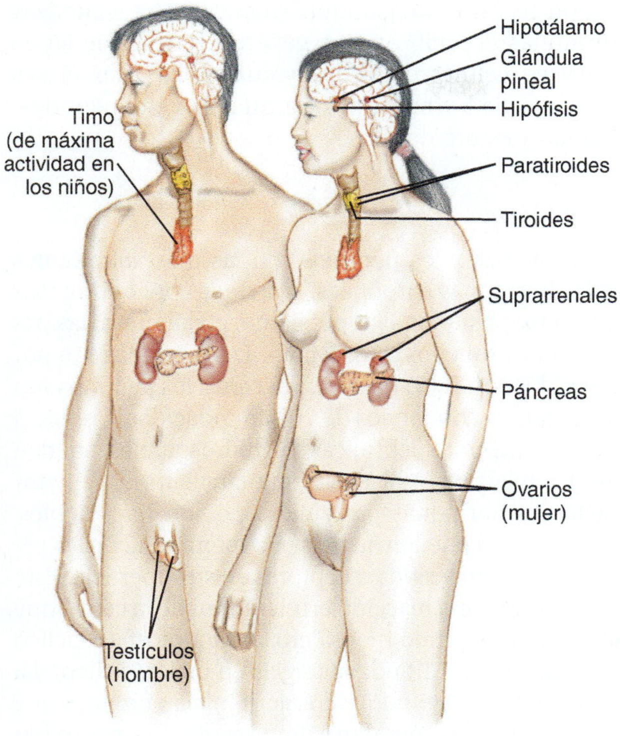

FIGURA 6-77 El sistema endocrino utiliza varias glándulas para enviar mensajes químicos a órganos, aparatos y sistemas del cuerpo.

sistema corporal; otras tienen tejidos diana en muchos aparatos y sistemas del cuerpo.

Las glándulas endocrinas secretan hormonas directamente al líquido intersticial y, después, al sistema circulatorio sin el uso de conductos. Estas hormonas después se distribuyen a todo el cuerpo, donde modifican la actividad de las células. Las glándulas exocrinas contienen conductos y secretan sus conductos químicos a través de ellos directamente al sitio donde se van a utilizar. Por ejemplo, las glándulas lagrimales producen secreciones que se depositan directamente sobre el ojo por los conductos lagrimales, al que bañan con nutrimentos y protegen. Algunas células y tejidos fuera del sistema endocrino también producen hormonas y se describen más adelante en este capítulo.

Comunicación intercelular

El cuerpo humano es un organismo complejo constituido por múltiples sistemas interconectados, que para funcionar eficazmente deben ser regulados y coordinados hasta el ámbito celular. Las células de un órgano, aparato o sistema corporal deben interactuar para lograr este grado de coordinación. Los medios por los que se comunican las células se denominan señales de comunicación intercelular o celulares.

El cuerpo utiliza muchos mensajeros químicos diferentes (moléculas señal) para relevar la información hacia células vecinas o distantes y mantener la homeostasia. Son ejemplos de mensajeros químicos los neurotransmisores, las hormonas, los iones, los factores de crecimiento y algunos productos del metabolismo celular. La mayoría de los mensajeros químicos actúa sobre receptores específicos en células diana que, una vez activadas, desencadenan una serie de sucesos secundarios que median su respuesta al estímulo.[28]

En unas cuantas situaciones especiales, las células con funciones similares pueden comunicarse en forma directa o dependiente del contacto. Para que ocurra esta comunicación, las células deben tener un contacto físico amplio. Algunas poseen uniones de compuerta, que permiten a las células adyacentes conectarse con ellas. Recuérdese que dichas uniones actúan como conexiones eléctricas y permiten el intercambio de nutrimentos, metabolitos, iones y pequeñas moléculas.

Usted aprendió que el sistema nervioso depende de los neurotransmisores para la comunicación de las neuronas, una forma de comunicación intercelular llamada comunicación o transmisión sináptica. Después de su secreción hacia la sinapsis entre neuronas, los neurotransmisores rápidamente activan a los receptores de la siguiente neurona, y del mismo modo son fragmentados y se reabsorben para uso futuro. Debido a que el sistema nervioso está localizado en todo el cuerpo, esta forma de comunicación intercelular puede transmitir mensajes por largas distancias en breve.

En la comunicación endocrina, las glándulas o células especializadas secretan una hormona hacia la sangre, que circula así a través del cuerpo y esto le permite influir en tejidos distantes del sitio de su fabricación. Diferentes órganos, aparatos y sistemas corporales contienen células diana con receptores que se activan por hormonas específicas que flotan en la corriente sanguínea. Después de que se activan estas células muestran respuestas programadas que regulan funciones corporales indispensables. La mayoría de las hormonas cuenta con otras que las antagonizan, cuya función es equilibrar o amortiguarse entre sí. Por ejemplo, considérese dos hormonas en competencia, insulina y glucagón. A través de mecanismos complejos, la insulina actúa para disminuir la glucemia, en tanto el glucagón lo hace para aumentarla. De esta forma, el cuerpo tiene mayor capacidad para alcanzar la homeostasia.

Otra forma de comunicación intercelular se conoce como comunicación paracrina. Las hormonas paracrinas son mensajeros químicos que se liberan a la circulación por un tipo de célula y actúan en una célula vecina de tipo diferente. Suelen ser captadas por las células diana o rápidamente fragmentadas por enzimas. La secreción de acetilcolina en la unión neuromuscular es un ejemplo de señal paracrina.[28] A diferencia de las hormonas paracrinas, las autocrinas son mensajeros químicos que se liberan a la circulación y afectan la función de las mismas células que las produjeron u otras del mismo tipo. Las citocinas son péptidos que se secretan hacia el LEC y pueden funcionar como hormonas autocrinas, paracrinas o endocrinas.

Hormonas

Las hormonas son sintetizadas en las glándulas endocrinas del cuerpo y se liberan directamente al sistema circulatorio en lugar de hacerlo hacia conductos. Desde ahí transcurren hasta células diana específicas, que cuentan con receptores que realizan un complejo conjunto de instrucciones y acciones cuando son expuestos a la hormona específica para la que se diseñaron. Estas células diana pueden encontrarse en cualquier parte del cuerpo. Los efectos de las hormonas en una célula individual son más graduables y de mayor duración que los relacionados con el sistema nervioso. Cada célula diana presenta sitios receptores específicos en la membrana o en su interior, a los que la hormona específica puede adosarse, y unirse. Tales receptores tienen dos funciones principales: (1) reconocer y unir sus hormonas particulares e (2) iniciar una señal apropiada. Después de que la hormona se une al sitio receptor de la célula, se transmite el mensaje para modificar su función.

Muchas células contienen múltiples receptores y actúan como dianas de varias hormonas, o de moléculas introducidas al cuerpo con fines terapéuticos. Los *agonistas* son moléculas que se unen al receptor de una célula y desencadenan una respuesta; producen algún tipo de acción o efecto biológico. Los **antagonistas** son moléculas que se unen a un receptor de la célula y bloquean la acción del agonista, y así evitan una respuesta biológica. Las hormonas antagonistas se usan ampliamente como fármacos.

Química de las hormonas

El sistema endocrino está constituido por varias glándulas dispersas en todo el cuerpo que no tienen conexión física. Cada glándula se encarga de sintetizar hormonas específicas que generan respuestas especiales en células diana individuales. Las tres clases generales de hormonas son proteínas y polipéptidos, aminas, y esteroides.

Proteínas y polipéptidos

Las proteínas y los péptidos son las más abundantes de las hormonas corporales, secretadas por la hipófisis anterior y posterior, el hipotálamo, el páncreas, las paratiroides y muchos otros tejidos. Las proteínas son polipéptidos con 100 o más aminoácidos; los péptidos son polipéptidos con menos de 100 aminoácidos. Debido a que las hormonas peptídicas son hidrosolubles, pueden con facilidad ingresar al sistema circulatorio. En contraste, las hormonas proteínicas no son liposolubles, por lo que no pueden atravesar la membrana de las células y se unen a sitios receptores en su superficie. Este proceso crea una reacción en el interior de la célula que activa a un segundo mensajero, el monofosfato cíclico de adenosina (AMP, por sus siglas en inglés, cíclico). La activación del segundo mensajero inicia entonces una serie de sucesos que dan como resultado un cambio celular. Por ejemplo, esta serie de sucesos puede llevar a cambios en la permeabilidad de la membrana o la forma de la célula, o un aumento o decremento de su producción.

Insulina y epinefrina son ejemplos de hormonas proteínicas, que a menudo se administran como medicamentos. La insulina se une con la membrana celular y causa un aumento de la absorción de glucosa. La epinefrina se une con receptores α y β, para causar vasoconstricción, broncodilatación, aumento de la FC y otros efectos específicos de estos receptores.

Hormonas amínicas

Las hormonas amínicas son derivados del aminoácido tirosina, secretadas por la médula suprarrenal y la glándula tiroides. Son ejemplos de hormonas amínicas: dopamina, epinefrina y norepinefrina. La serotonina es una hormona amínica fabricada a partir de triptófano por células endocrinas localizadas en la mucosa intestinal.

Hormonas esteroides

Las hormonas esteroides, derivadas del colesterol, son secreciones de la corteza suprarrenal, los ovarios y los testículos (también llamados gónadas). Son ejemplos de hormonas esteroides: aldosterona, cortisol, progesterona y testosterona. Puesto que las hormonas esteroides son liposolubles, pueden fácilmente atravesar la membrana celular y actuar en receptores del interior de la célula, donde se combinan con una proteína receptora para formar un complejo esteroide-proteína, que ingresa al núcleo, donde estimula a la célula para crear proteínas que se utilizan como enzimas.

Regulación de las hormonas

Las hormonas actúan dentro de sistemas de retroalimentación (positiva o negativa) para mantener un óptimo ambiente operativo interno en el cuerpo. La secreción de hormonas es regulada por una variedad de factores químicos, hormonales y neurales. La regulación endocrina, a través de la retroalimentación negativa, es el método de máxima importancia por el que se mantiene la secreción hormonal dentro de un rango fisiológico.

Un ejemplo de este mecanismo de retroalimentación negativa es la secreción de epinefrina por la médula suprarrenal en respuesta al estrés. Cuando este estimula la regulación neural del cuerpo mediante el sistema nervioso simpático, la médula suprarrenal libera epinefrina hacia la corriente sanguínea para ayudarle a responder al estímulo. Cuando se elimina el factor de estrés, la estimulación del sistema nervioso disminuye y se secreta menos epinefrina.

En los mecanismos de retroalimentación positiva, un efecto lleva a otro o lo causa. Los mecanismos de retroalimentación normales en el cuerpo incluyen la cascada de la coagulación y el parto. Sin embargo, pueden también presentarse estos mecanismos en situaciones lesivas. En el estado de shock descompensado, la falta de perfusión de los tejidos lleva al fracaso de los centros cardíaco y vasomotor, lo que conduce a una frecuencia cardíaca y vasoconstricción menores, y a continuación causa mayor decremento de la perfusión con capacidad disminuida del cuerpo para combatir dicho estado y así, se crea un círculo vicioso.

Prostaglandinas

Recuerde que las prostaglandinas (PG) son derivados de un ácido graso esencial. Si bien no son hormonas, se mencionan aquí porque tienen efectos similares. Las PG en ocasiones se denominan hormonas tisulares, porque sus efectos suelen ser localizados o cercanos a la célula donde se producen. Hay al menos 16 PG diferentes y sus efectos son de breve duración.

Son ejemplos de los cambios causados por PG las modificaciones de la permeabilidad capilar, el tono del músculo liso, la agregación plaquetaria (aglutinación), las funciones endocrinas y exocrinas, y el proceso inflamatorio (incluido el desarrollo de fiebre y dolor). Varias PG producidas en los riñones causan vasodilatación de las arteriolas. En el músculo liso uterino, las PG aumentan la concentración intracelular de calcio y la contractilidad. Aunque algunas funciones de las PG son de beneficio para el cuerpo, también se ha señalado su síntesis en los mecanismos subyacentes a las enfermedades cardiovasculares, el cáncer y los padecimientos inflamatorios.[28] Los fármacos antiinflamatorios no esteroides (p. ej., ácido acetilsalicílico, ibuprofeno) inhiben la síntesis de PG.

Los leucotrienos y los tromboxanos son ejemplos de compuestos de ácidos grasos que son hormonas tisulares similares a las PG, de efectos localizados pero potentes. Los leucotrienos tienen participación importante en la respuesta inflamatoria del cuerpo. El tromboxano A_2 es un compuesto de semivida breve que puede causar agregación plaquetaria y la constricción de pequeños vasos sanguíneos.[28]

Hipotálamo

El cuerpo humano se autorregula por comunicación en el ámbito celular a través de los sistemas nervioso y endocrino que el hipotálamo enlaza. Recuerde que el hipotálamo está localizado profundamente en el encéfalo, una estructura que contiene células que actúan como neuronas y glandulares. La función de neurona de estas células recibe un estímulo del SNA, que incluye la retroalimentación del sistema de autovigilancia del cuerpo.

La información procesada por el hipotálamo incluye aquella sobre presión arterial, frecuencia cardíaca, temperatura corporal y glucemia. Algunas de las neuronas hipotalámicas transmiten esta información al SNC, otras conducen impulsos a la hipófisis posterior, y otras más, producen y secretan hormonas que hacen diana en tejidos de los lóbulos anterior y posterior de la hipófisis. Estas hormonas (conocidas como regulatorias) dirigen a la hipófisis para aumentar o disminuir su producción de las hormonas que coordinan a los sistemas corporales, **CUADRO 6-26**.

Las hormonas que son secretadas por las neuronas hacia la circulación e influyen en la función de células diana en otro lugar del cuerpo se llaman neuroendocrinas. El hipotálamo contiene células neuroendocrinas cuyos axones terminan en la hipófisis posterior.

CUADRO 6-26 Hormonas del hipotálamo

Hipófisis anterior	Sitio diana	Efecto
Liberadora de corticotropina (CRH)	Hipófisis anterior	Estimula la secreción de hormona adrenocorticotrópica
Liberadora de la hormona de crecimiento (GHRH)	Hipófisis anterior	Estimula la liberación de hormona de crecimiento
Inhibidora de la hormona de crecimiento (GHIH)	Hipófisis anterior	Inhibe la secreción de hormona de crecimiento
Liberadora de gonadotropinas (GnRH)	Hipófisis anterior	Estimula la secreción de hormona luteinizante y estimulante del folículo
Inhibidora de prolactina (PIH)	Hipófisis anterior	Inhibe la secreción de prolactina
Liberadora de prolactina (PRH)	Hipófisis anterior	Estimula la secreción de prolactina
Liberadora de tirotropina (TRH)	Hipófisis anterior	Estimula la secreción de hormona estimulante del tiroides

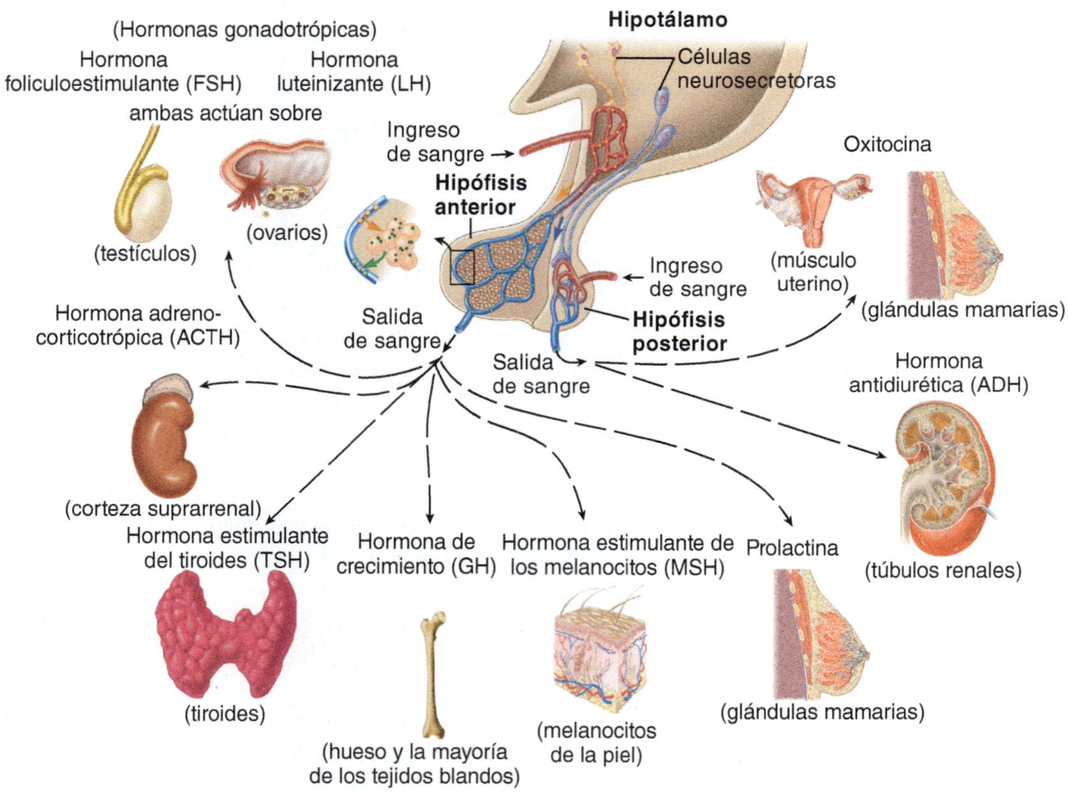

FIGURA 6-78 La hipófisis secreta hormonas desde sus lóbulos anterior y posterior.

Hipófisis (pituitaria)

A menudo llamada glándula maestra, porque sus secreciones regulan las de otras glándulas endocrinas del cuerpo. Pequeña, de dimensión semejante a una uva, se encuentra justo debajo del hipotálamo en una concavidad del hueso esfenoides. Yace apenas arriba del techo de la boca y se conecta con el hipotálamo por una pieza delgada de tejido llamada tallo hipofisario. La hipófisis se divide en lóbulos anterior y posterior, **FIGURA 6-78**.

El lóbulo anterior es regulado por hormonas que produce el hipotálamo y debido a que este no tiene conexión física, las hormonas se liberan a la circulación y se absorben en el lóbulo anterior por pequeños vasos sanguíneos denominados venas porta hipotálamo-hipofisarias. Cuando se estimula su lóbulo anterior por el hipotálamo, las células endocrinas dentro de esta estructura producen varias hormonas. Algunas de las hormonas que secreta el lóbulo anterior de la hipófisis no afectan directamente órganos, sistemas o aparatos corporales, sino que estimulan a otras glándulas para liberar hormonas que regulan las funciones corporales. En el **CUADRO 6-27** se muestran las hormonas secretadas por el lóbulo anterior de la hipófisis. Su secreción se detiene (inhibe) cuando el hipotálamo libera la hormona inhibidora correspondiente.

El lóbulo posterior de la hipófisis contiene los extremos distales de algunas neuronas hipotalámicas. Estas producen hormonas, pero no las liberan directamente a la corriente sanguínea. En su lugar, los axones originados en el hipotálamo se extienden en forma directa al interior del lóbulo posterior de la hipófisis, donde se almacenan las vesículas secretoras, para después verterse hacia la corriente sanguínea cuando son estimuladas por impulsos nerviosos hipotalámicos. Las hormonas secretadas en el lóbulo posterior incluyen ADH y oxitocina. La primera, también llamada arginina vasopresina, aumenta la resorción de agua hacia la corriente sanguínea. En ausencia de ADH, un individuo puede desarrollar diabetes insípida, en la que los riñones expulsan cantidades copiosas de agua porque no se les ordena retenerla. La arginina vasopresina también actúa como vasoconstrictor periférico. La oxitocina estimula la secreción de leche y las contracciones de músculo liso de la pared uterina, que aceleran el nacimiento del feto.

Tiroides

La **glándula tiroides** es grande y se ubica en la base del cuello, modifica casi a todo órgano corporal, incluidos los sistemas nervioso, cardiovascular y digestivo, los órganos de la reproducción, la piel, el pelo y las uñas. Su funcionamiento apropiado es crítico para el metabolismo normal.

La tiroides consta de dos lóbulos conectados por una banda estrecha de tejido, y está cubierta por una cápsula de tejido conectivo con porciones secretoras denominadas folículos, llenos de una sustancia líquida llamada coloide transparente, que almacena

CUADRO 6-27 Hormonas de la hipófisis

Hormona	Sitio diana	Efecto
Hipófisis anterior		
Suprarrecorticotrópica (ACTH)	Corteza suprarrenal	Estimula la secreción de hormonas esteroides por la corteza suprarrenal
Foliculoestimulante (FSH)	Ovarios o testículos	Estimula el desarrollo del óvulo o el espermatozoide
De crecimiento (GH)	Todas las células, pero en especial las del crecimiento	Estimula el crecimiento y la replicación celulares, en especial en músculos esqueléticos y cartílagos
Luteinizante (LH)	Ovarios o testículos	Estimula la secreción de hormonas por los ovarios o testículos
Prolactina	Mamas	Estimula la producción y secreción de leche
Estimulante del tiroides (TSH)	Tiroides	Estimula la secreción de hormonas tiroideas
Hipófisis posterior		
Antidiurética (ADH)	Riñones	Estimula una mayor resorción de agua hacia la corriente sanguínea
Oxitocina	Útero y mamas femeninas	Estimula las contracciones uterinas y la secreción de leche

CUADRO 6-28 Hormonas de la glándula tiroides

Hormona	Sitio diana	Efecto
Calcitonina	Hueso	Actúa en conjunción con la hormona paratiroidea para mantener la homeostasia del calcio; aumenta el almacenamiento de calcio en el hueso, lo que así disminuye los niveles de calcio en la sangre
Triyodotironina (T_3)	Todas las células	Estimula el metabolismo celular
Tiroxina (T_4)	Todas las células	Estimula el metabolismo celular

CUADRO 6-29 Hormona de las glándulas paratiroides

Hormona	Sitio diana	Efecto
Paratiroidea (PTH)	Huesos, intestino, riñones	Estimula la liberación de calcio de los huesos, su captación del tubo digestivo y su resorción en los riñones, lo que lleva a un incremento neto de los niveles de calcio en la sangre

las hormonas producidas por ellos. Las dos principales hormonas de la tiroides, triyodotironina (T_3) y tiroxina (también conocida como tetrayodotironina o T_4), se producen en los folículos tiroideos, **CUADRO 6-28**. De las dos hormonas tiroideas, la T_3 es la más potente, aunque está presente en la circulación en cantidades mucho menores que la T_4.

La hormona estimulante de la tiroides (TSH), que es secretada por la hipófisis, causa que la tiroides libere T_3 y T_4. Colectivamente, las hormonas tiroideas regulan el metabolismo de los carbohidratos, los lípidos y las proteínas, lo que determina la **tasa metabólica basal** del cuerpo (por la que se consumen los nutrimentos). El aumento de la tasa metabólica corporal incrementa el consumo de oxígeno y la producción de calor. Se requieren hormonas tiroideas para el crecimiento, el desarrollo y la maduración del sistema nervioso.

Debido a que el yodo es indispensable para formar cantidades normales de hormonas tiroideas, los folículos utilizan el yodo absorbido a través del tubo digestivo. Sin una ingestión alimentaria apropiada no se puede producir tiroxina y disminuye el crecimiento físico y desarrollo mental de la persona.

La tiroides también secreta calcitonina, si bien es producto de las células extrafoliculares, más que de los folículos. La calcitonina, en conjunción con PTH, regula la concentración de calcio en los líquidos corporales y es secretada directamente a la corriente sanguínea cuando la tiroides detecta cifras altas de calcio en el líquido extracelular. La calcitonina se dirige a los huesos, donde estimula a sus células formadoras para absorber el exceso de calcio. También estimula a los riñones para absorberlo, y excretarlo cuando excesivo.

Glándulas paratiroides

Las **glándulas paratiroides** están embebidas en la porción posterior de cada lóbulo tiroideo. Producen y secretan PTH, con lo que se mantiene una concentración normal de calcio en la sangre y una función neuromuscular normal, **CUADRO 6-29**. Los efectos de la PTH son opuestos a los de la calcitonina. Se secreta hormona paratiroidea cuando la concentración de calcio en la sangre es baja. Estimula a las células que disuelven el hueso para fragmentarlo y liberar calcio a la corriente sanguínea. En los riñones, la PTH disminuye la cantidad de calcio que se elimina en la orina.

Timo

El **timo** está localizado en el mediastino, apenas detrás del esternón. Es una glándula blanda, constituida por dos lóbulos con una cápsula de tejido conectivo. El timo ayuda al sistema inmunitario a identificar y destruir intrusos extraños. Durante la lactancia y la niñez temprana, el timo de un individuo es grande, pero disminuye de dimensiones conforme llega la edad adulta.

El timo, que a menudo se vincula con el sistema linfático, secreta varias hormonas que en conjunto se denominan timosina, **CUADRO 6-30**. La timosina promueve la maduración de los **linfocitos T** (células T), los principales leucocitos encargados de la inmunidad. Por **inmunidad** se hace referencia a la capacidad del cuerpo de protegerse de sufrir enfermedades.

Páncreas

El **páncreas** está localizado parcialmente en el espacio retroperitoneal, detrás del estómago (véase figura 6-77); es un órgano delgado con ambas funciones, endocrina y exocrina, **CUADRO 6-31**. Cerca de 99% del volumen pancreático consta de conjuntos de células exocrinas llamados acinos pancreáticos, que se conectan con conductos que depositan directamente en el tubo digestivo un fluido alcalino rico en enzimas que se requiere para la digestión de lípidos, carbohidratos y proteínas. El resto del páncreas está constituido por grupos de células endocrinas que forman los llamados **islotes de Langerhans**, grupos de células que actúan como "un órgano dentro de un órgano". Se encuentran cuatro tipos de células en los islotes de Langerhans: (1) las α, que producen glucagón; (2) las β, que producen insulina; (3) las δ, que producen somatostatina, y (4) las F, que producen el polipéptido pancreático. La somatostatina es idéntica a la hormona inhibidora de la hormona de crecimiento que produce el hipotálamo; también disminuye la movilidad, la absorción y la secreción del aparato digestivo.

La insulina y el glucagón actúan oponiéndose entre sí y tienen participación importante en el mantenimiento de un equilibrio apropiado de la glucemia. Recuerde que estas dos hormonas forman un sistema de retroalimentación negativa: cuando la concentración de una aumenta, la de la otra declina.

Conforme los niveles de glucosa aumentan en el cuerpo, la estimulación parasimpática causa secreción de insulina hacia la corriente sanguínea. Esta secreción promueve el paso de la glucosa de la corriente sanguínea al interior de las células. (Las células del encéfalo, sin embargo, no dependen de la insulina para ayudar al transporte de glucosa de la corriente sanguínea a su interior). La insulina también impulsa al hígado para convertir la glucosa circulante en glucógeno. Todas estas acciones disminuyen el nivel de glucosa en la sangre. Además, la insulina aumenta la absorción de aminoácidos, la síntesis de proteínas y de triglicéridos, e inhibe la secreción de glucagón.

CUADRO 6-30 Hormonas del timo

Hormona	Sitio diana	Efecto
Timosina	Leucocitos	Promueve el desarrollo y la maduración de los linfocitos (leucocitos involucrados en la inmunidad).

CUADRO 6-31 Hormonas del páncreas

Hormona	Sitio diana	Efecto
Glucagón	Todas las células, pero principalmente las de hígado, músculo y grasa	Se secreta cuando la glucosa sanguínea está baja (hipoglucemia); aumenta la conversión de glucógeno en glucosa (glucogenólisis).
Insulina	Todas las células, pero principalmente las de hígado, músculo y grasa	Se secreta cuando la glucosa sanguínea está alta (hiperglucemia); aumenta la conversión de glucosa en glucógeno, y ayuda a la glucosa a atravesar la membrana celular.
Polipéptido pancreático	Vesícula biliar; páncreas exocrino	Inhibe la contracción de la vesícula biliar y regula algunas enzimas pancreáticas.
Somatostatina (idéntica a la hormona inhibidora de la hormona de crecimiento)	Células α y β pancreáticas	Se secreta ante cifras altas de insulina y glucagón; disminuye la secreción de insulina y glucógeno; hace más lenta la absorción de los nutrientes.

Por el contrario, cuando el nivel de la glucosa en la sangre empieza a disminuir, la estimulación simpática desencadena la secreción de glucagón hacia la corriente sanguínea, lo que inhibe la secreción de insulina. El glucagón hace que el hígado y los músculos esqueléticos conviertan el glucógeno en glucosa, proceso conocido como glucogenólisis. Además, el glucagón aumenta la fragmentación de grasas en ácidos grasos y de las proteínas corporales en aminoácidos, para su conversión en glucosa en el hígado, proceso que se denomina **gluconeogénesis**. Dependiendo de las necesidades metabólicas corporales se puede realizar el metabolismo de los ácidos grasos libres y el glicerol directamente, o convertirlos en cetonas. En pequeñas cantidades, la producción de cetonas es normal. En estados patológicos como la cetoacidosis diabética, el aumento de la concentración de glucagón en plasma y su actividad sin oposición llevan a la producción excesiva de cetonas, que potencialmente pudiesen dañar al paciente.

El cuerpo utiliza el glucógeno para obtener energía cuando el nivel de glucosa en la sangre tal vez no esté alto. Las células del músculo esquelético también lo almacenan en una cantidad menor que no está fácilmente disponible para uso sistémico.

La somatostatina inhibe la producción de ambas, insulina y glucagón, y por inhibición de su secreción puede evitar cambios muy amplios en los niveles de glucosa en la sangre, ya que la insulina y el glucagón ejercen sus efectos opuestos.

Glándulas suprarrenales

Las **glándulas suprarrenales** están localizadas a cada lado del cuerpo sobre la cara superior de los riñones. Cada una es de forma piramidal, de color amarillo, compuesta por dos capas distintivas. La corteza externa rodea a la médula, interna, **FIGURA 6-79**. La **corteza suprarrenal** está constituida por tejido endocrino. Sin embargo, a semejanza del hipotálamo, la médula suprarrenal contiene células que funcionan como neuronas y como endocrinas. La corteza y la médula fabrican y secretan diferentes hormonas.

La médula suprarrenal interactúa estrechamente con la división simpática del SNA. Cuando son estimuladas por neuronas simpáticas, las células medulares liberan epinefrina y norepinefrina. En lugar de secretarse cerca de un órgano y actuar como neurotransmisores, estas catecolaminas se liberan a la corriente sanguínea y actúan como hormonas, que producen un aumento de la actividad cardíaca, vasoconstricción y glucogenólisis, todas componentes clave de la respuesta corporal de luchar o huir.

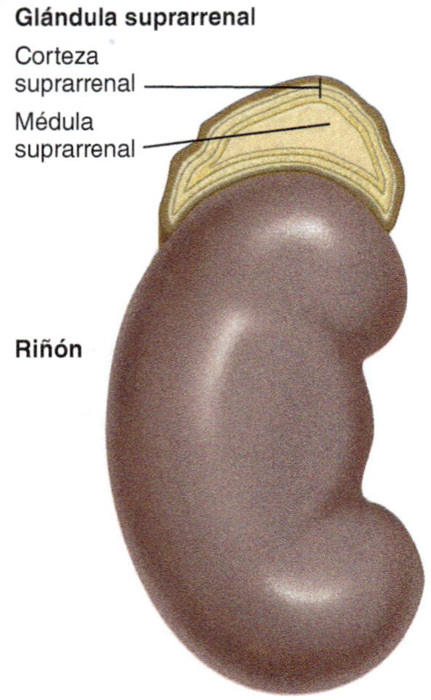

FIGURA 6-79 Las glándulas suprarrenales se alojan en la parte alta del riñón y constan de corteza y médula.

La corteza suprarrenal está constituida por tres zonas (capas) de células secretoras, cada una de la cuales libera diferentes hormonas esteroides conocidas como **corticoesteroides** (esteroides suprarrenocorticales), que se sintetizan a partir del colesterol, y son indispensables para la vida. Las células de la capa más interna secretan pequeñas cantidades de glucocorticoides y gonadocorticoides (hormonas sexuales). La zona media constituye la mayor parte de la corteza suprarrenal y secreta glucocorticoides. Las células de la zona más externa secretan mineralocorticoides, importantes para regular las sales minerales (electrólitos) en el líquido extracelular, en particular sodio y potasio. Colectivamente, estos corticoesteroides ayudan en la regulación de los niveles de glucosa en la sangre, promueven el uso periférico de lípidos, estimulan al riñón para reabsorber sodio y ejercen efectos antiinflamatorios.

Durante periodos de estrés, el hipotálamo secreta una hormona que estimula a la hipófisis anterior para secretar la **hormona suprarrenocorticotropina (ACTH)**, cuya diana es la corteza suprarrenal y la hace secretar cortisol, un glucocorticoide. El **cortisol** influye en el metabolismo de proteínas y grasas, inhibe la síntesis de proteínas, promueve la secreción de ácidos grasos y estimula al hígado para sintetizar glucosa a partir de sustancias diferentes a los carbohidratos. El

CUADRO 6-32 Hormonas de la glándula suprarrenal

Hormona	Sitio diana	Efecto
De la corteza		
Cortisol (glucocorticoide)	La mayoría de las células	Estimula la liberación de aminoácidos desde los músculos esqueléticos, de lípidos del tejido adiposo, y de glucosa y glucógeno del hígado (simula los efectos del glucagón); tiene efecto antiinflamatorio.
Aldosterona (mineralocorticoide)	Riñones, sangre	Aumenta la absorción renal de sodio y agua (más intensa en presencia de hormona antidiurética) e incrementa la pérdida urinaria de potasio; aumento neto del volumen sanguíneo.
Estrógenos	La mayoría de las células	Estimulan el desarrollo de las características sexuales secundarias.
Progesterona	Útero	Estimula los cambios uterinos en preparación para la gestación.
Testosterona	La mayoría de las células	Estimula el desarrollo de las características sexuales secundarias.
Médula		
Epinefrina	Músculo, hígado, sistema cardiovascular	Estimula la actividad cardíaca, aumenta la vasoconstricción; estimula la glucogenólisis; aumenta los niveles de glucosa en la sangre.
Norepinefrina	Músculo, hígado, sistema cardiovascular	Estimula la vasoconstricción.

cortisol ayuda a equilibrar los niveles de glucosa en la sangre y es regulado por retroalimentación negativa; el estrés tiene participación importante en el desencadenamiento de la secreción de cortisol, que también ayuda a regular la respuesta inmunitaria al disminuir la respuesta de histamina, lo que da lugar a un menor edema, así como a la protección de los tejidos sanos de la activación innecesaria de los lisosomas.

Si el cuerpo experimenta un descenso de presión arterial o volumen, una disminución del sodio, o un incremento del potasio, se estimula la corteza suprarrenal para secretar **aldosterona**, un mineralocorticoide que ayuda a los riñones a equilibrar sodio y potasio y estimula la retención de agua por el proceso de ósmosis. Este mecanismo es un excelente ejemplo de la interacción compleja de múltiples hormonas que se presenta en muchas regiones corporales. En este caso, si el sodio sanguíneo disminuye o el potasio aumenta, la corteza suprarrenal secreta renina. La renina estimula un aumento de la angiotensina I, que entonces se convierte en angiotensina II. La presencia o aumento en los niveles de angiotensina II estimula la producción de aldosterona, así como otras funciones endocrinas que ayudan a conservar el equilibrio hídrico y mejorar la perfusión. Los estímulos de muchos aparatos y sistemas pueden también producir esta reacción. Debido a su multitud de interacciones, el sistema endocrino constantemente se ajusta para mantener la homeostasia y es muy complejo. En el **CUADRO 6-32** se resumen las hormonas que produce la glándula suprarrenal.

Gónadas

En hombres y mujeres, las principales funciones de las gónadas son promover la maduración sexual hasta la pubertad y cubrir cualquier necesidad subsiguiente de reproducción. En los hombres, las gónadas, o testículos, se localizan dentro del escroto y sus células producen hormonas masculinas que se conocen como *andrógenos*, de los que la más notoria es la testosterona, que promueve la producción de espermatozoides sanos, determina las características sexuales secundarias masculinas (p. ej., voz grave, crecimiento de pelos facial y púbico), y estimula el crecimiento. También se ha mostrado que la testosterona modifica la producción de músculo y la respuesta de conducta agresiva.

En las mujeres, las gónadas son los ovarios, localizados dentro de la cavidad pélvica a cada lado del útero. La hipófisis anterior dirige las acciones de los

CUADRO 6-33 Hormonas gonadales

Hormonas	Sitio diana	Efecto
Estrógenos	La mayoría de las células, pero sobre todo aquellas del aparato reproductor femenino	Estimulan el desarrollo de las características sexuales secundarias; participan en el embarazo; regulan el ciclo menstrual.
Progesterona	Útero	Estimula los cambios uterinos en preparación para la gestación; regula el ciclo menstrual; previene la maduración de óvulos adicionales durante la ovulación.
Testosterona	Casi todas las células, pero principalmente las del aparato reproductor masculino	Estimula el desarrollo de las características sexuales secundarias.

ovarios a través de la secreción de las hormonas foliculoestimulante (FSH) y luteinizante (LH). Los ovarios producen estrógenos, progesterona y una pequeña cantidad de testosterona. Los primeros promueven la maduración folicular (desarrollo del óvulo) antes de la ovulación, el desarrollo de las características sexuales secundarias (p. ej., aumento de volumen mamario, del útero, de los depósitos grasos en las caderas y muslos, aparición de pelo bajo los brazos y en la región del pubis), y las conductas vinculadas. La **progesterona** prepara al útero para implantación del óvulo fecundado. Durante el embarazo, asegura que la pared uterina mantenga su funcionalidad y prepara a las glándulas mamarias para su actividad. En el **CUADRO 6-33** se resumen las hormonas gonadales.

CUADRO 6-34 Hormona de la glándula pineal

Hormona	Sitio diana	Efecto
Melatonina	Tejidos específicos del sistema nervioso	Regula el ciclo de sueño-despertar

Glándula pineal

La glándula pineal está localizada en el extremo posterior del tercer ventrículo, sintetiza y secreta melatonina, **CUADRO 6-34**, una hormona que afecta los

USTED es el Paramédico

PARTE 3

En su camino al hospital, usted inicia una exploración rápida del paciente y al valorar su tórax, percibe inestabilidad y una sensación de enrejado a la palpación de la cara anterior y observa que no asciende y desciende de manera equivalente. Es en extremo difícil auscultar los ruidos respiratorios por el tráfico y los motores diésel activos.

Tiempo de registro:	5 minutos
Respiraciones	24 ventilaciones/min, poco profundas
Pulso	120 latidos/min
Piel	Pálida, húmeda y tibia
Presión arterial	106/70 mm Hg
Saturación de oxígeno (Spo_2)	De 90% en aire ambiental; ventilaciones asistidas con un dispositivo de bolsa y mascarilla
Pupilas	Pupilas iguales, redondas, reactivas a la luz (PIRRL)

6. ¿Cuál es la lesión obvia que usted encuentra en el tórax del paciente?

7. ¿Cuáles son las lesiones ocultas potenciales que debería considerar?

patrones de sueño-despertar y las funciones estacionales (patrones de conducta que se presentan en los mamíferos, como la temporada de apareamiento).

El sistema circulatorio

El **sistema circulatorio** (también llamado cardiovascular) incluye al corazón y una compleja disposición de tubos conectados que contienen arterias, arteriolas, capilares, vénulas y venas, **FIGURA 6-80**. El aparato circulatorio, por completo cerrado, incluye dos circuitos: el de circulación sistémica (que transcurre en todo el cuerpo) y el de **circulación pulmonar** (que solo transita entre corazón y pulmones). La circulación sistémica transporta sangre rica en oxígeno desde el ventrículo izquierdo hacia el cuerpo y de retorno a la aurícula derecha. Conforme la sangre pasa a través de los tejidos y órganos en la circulación sistémica, aporta oxígeno y nutrientes y absorbe desechos celulares y dióxido de carbono. Los desechos se eliminan conforme pasa la sangre por el hígado y los riñones. La circulación pulmonar transporta sangre pobre en oxígeno desde el ventrículo derecho a través de los pulmones y de retorno a la aurícula izquierda. En la circulación pulmonar, la sangre se refresca con oxígeno y libera el dióxido de carbono a su paso.

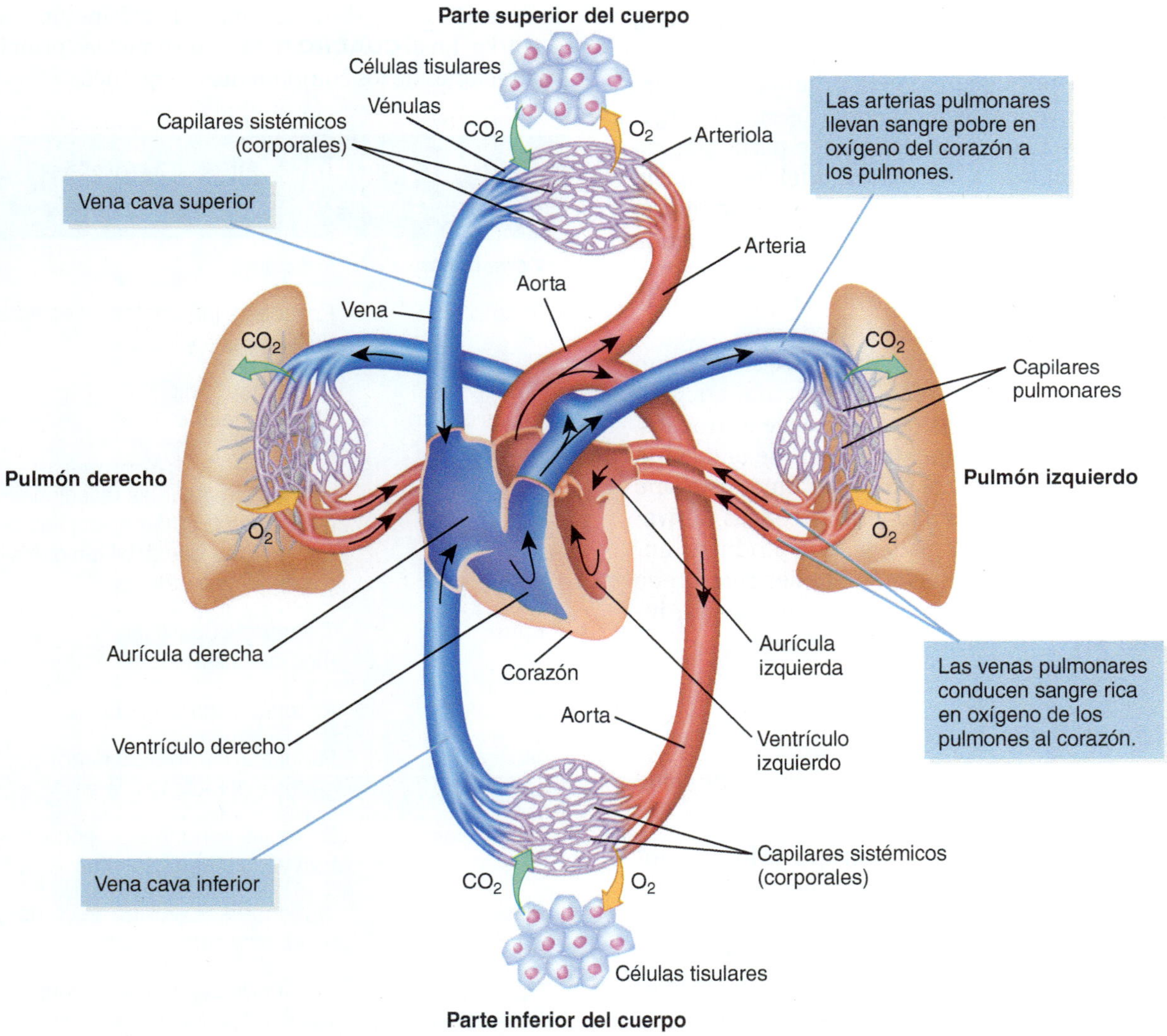

FIGURA 6-80 El aparato circulatorio incluye corazón, arterias, venas y capilares interconectores, que son los vasos sanguíneos más pequeños y enlazan vénulas y arteriolas. En el centro del sistema, y con aporte de su fuerza de impulso, se encuentra el corazón. La sangre circula por el cuerpo bajo la presión generada por las dos cámaras cardíacas.

La vasculatura, un sistema de vasos sanguíneos provee los conductos internos del cuerpo. Se encarga de transportar hacia las células nutrientes (p. ej., oxígeno, carbohidratos, proteínas y grasas), y productos de desecho (p. ej., dióxido de carbono, sustancias nitrogenadas) para su eliminación. La sangre también tiene una participación clave en la regulación de la temperatura y el equilibrio de líquidos corporales y ayuda a proteger al cuerpo de microorganismos patógenos. El corazón actúa como bomba que provee la fuerza necesaria para desplazar la sangre por el organismo.

Sangre

Como se mencionó antes, la hematopoyesis es el proceso de formación de las células sanguíneas. El **sistema hematopoyético** abarca los componentes de la sangre y los órganos involucrados en su desarrollo y producción. El principal sitio de producción de células hematopoyéticas es la médula ósea. Los órganos hematopoyéticos secundarios que participan en este proceso incluyen a los tejidos linfoides, es decir, el timo, los ganglios linfáticos y el bazo. Este último participa filtrando y fragmentando eritrocitos, ayuda a la producción de linfocitos (un tipo de leucocitos), y tiene participación importante en la provisión de la homeostasia y el combate de las infecciones.

Dos tipos de tejido hematopoyético se encuentran en el cuerpo: mieloide y linfoide. El primero se encuentra sobre todo en la médula ósea; produce eritrocitos, leucocitos y plaquetas. El tejido linfoide se encuentra en los ganglios linfáticos, el bazo y el timo. Este tipo de tejido aloja a los linfocitos y otras células derivadas, como las **células plasmáticas**, que producen anticuerpos (inmunoglobulinas) para la destrucción de **antígenos** (proteínas reconocidas por el sistema inmunitario) o las partículas que los contienen.

Funciones de la sangre

A veces llamada "el fluido de la vida", la sangre tiene cinco funciones:

- **Respiratoria.** Transporta oxígeno de los pulmones a los tejidos y dióxido de carbono en sentido opuesto.
- **Nutricional.** Transporta nutrientes (glucosa, proteínas y grasas) del aparato digestivo a las células por todo el cuerpo.
- **Excretora.** Capta los productos de desecho del metabolismo de las células donde se producen y los dirige a los órganos excretores.
- **Regulatoria.** Transporta hormonas hacia sus órganos diana y transmite el exceso de calor interno a la superficie del cuerpo para que se disipe.
- **Defensiva.** Transporta células de defensa y anticuerpos, que protegen al cuerpo contra microorganismos extraños.

Composición sanguínea

La sangre está constituida principalmente por el plasma (55%) y elementos celulares formes (45%). El plasma es la porción líquida de la sangre donde los elementos formes están suspendidos. Contribuye con la principal porción de la sangre completa. Los elementos formes son una combinación de eritrocitos, leucocitos y plaquetas. El cuerpo humano del adulto masculino contiene casi 70 ml/kg de sangre, en tanto el femenino tiene 65 ml/kg. En el **CUADRO 6-35** se resumen las principales funciones de los componentes sanguíneos.

CUADRO 6-35 Principales funciones de los componentes sanguíneos

Componente	Función
Basófilos	Respuesta inflamatoria; secreción de histamina y heparina
Sustancias químicas dentro del plasma	Regulación del pH (amortiguadores)
Eosinófilos	Ayudan a regular las reacciones alérgicas y la inflamación; secretan enzimas que debilitan o destruyen a los parásitos
Eritrocitos	Transporte de oxígeno (hemoglobina)
Linfocitos	Respuesta inmunitaria
Monocitos	Fagocitan microorganismos patógenos y detritos celulares
Neutrófilos	Defensas inmunitarias; encuentran y fagocitan bacterias
Plasma	Transporte de dióxido de carbono, residuos y nutrimentos
Plaquetas (trombocitos)	Regulan la pérdida sanguínea de vasos rotos; inician el proceso de la coagulación

Plasma

El plasma está formado por las siguientes sustancias, **FIGURA 6-81**:

- **Agua.** Constituye 92% del plasma y llega a él desde el tracto digestivo, fluidos entre las células y como producto secundario del metabolismo.
- **Proteínas.** Constituyen 7% del plasma.
    - **Albúminas.** Constituyen la mayoría de las proteínas del plasma y actúan sobre todo para regular la presión oncótica y así también el desplazamiento de agua dentro y fuera de la circulación.
    - **Globulinas.** Anticuerpos sintetizados por el hígado que representan casi 36% de las proteínas plasmáticas. Las globulinas γ, que se producen en el tejido linfático, incluyen proteínas que actúan como anticuerpos en el sistema inmunitario.
    - **Fibrinógeno.** Es importante para la coagulación sanguínea; constituye casi 4% de las proteínas plasmáticas.
- **Gases.**
    - **Oxígeno.** Poco oxígeno está disuelto en el plasma; casi todo está unido a la hemoglobina.
    - **Dióxido de carbono.** Se transporta en el plasma como bicarbonato.
    - **Nitrógeno.** Disuelto en el plasma; el aire que usted respira es en su mayor parte nitrógeno.
- **Electrólitos.** Calcio, sodio, potasio y cloro son ejemplos de electrólitos plasmáticos.
- **Nutrientes, vitaminas y hormonas.** Se utilizan glucosa, aminoácidos, ácidos grasos y glicerol junto con sales minerales y vitaminas en las células corporales para obtener energía, producir calor, y otros componentes sanguíneos y secreciones.
- **Residuos.** El dióxido de carbono proveniente del metabolismo tisular se transporta a los pulmones para su eliminación. Los productos de desecho del metabolismo de proteínas, como urea, ácido úrico y creatinina se forman en el hígado y se transportan por vía sanguínea a los riñones para su eliminación.

Blastocitos hematopoyéticos

La hematopoyesis se inicia con un blastocito común, que puede cambiar hacia diferentes tipos de células. A través de una serie de transformaciones, la mayoría que se inicia en la médula ósea de los seres humanos maduros, se forma un tipo de blastocito específico del sistema circulatorio, conocido como hemocitoblasto, e inicia su proceso de maduración. A través de múltiples cambios y etapas, los hemocitoblastos se diferencian gradualmente hacia uno de los componentes sanguíneos descritos más ampliamente en este capítulo. Algunos se convierten en normoblastos y, en un momento

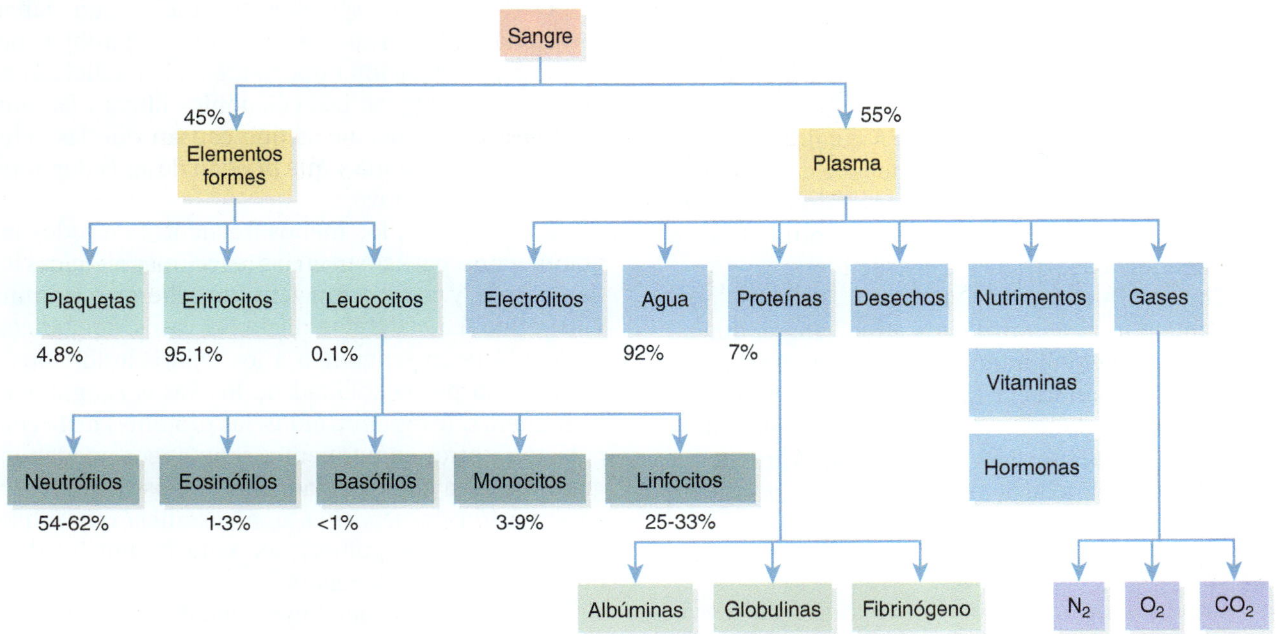

FIGURA 6-81 Composición de la sangre.

dado, maduran hacia reticulocitos, precursores de los eritrocitos. Otros hemocitoblastos siguen una vía diferente para convertirse en otros elementos formes.

Eritrocitos

Recuerde que los eritrocitos, células con forma de disco, transportan oxígeno a los tejidos. Son los más numerosos de los elementos formes de la sangre. Un ser humano promedio tiene entre 4.2 y 5.8 millones de eritrocitos por milímetro cúbico de sangre; no pueden desplazarse por sí mismos, pero el plasma los impulsa de manera pasiva en el cuerpo. Los eritrocitos contienen hemoglobina que les da su color rojo y cada molécula es capaz de unirse con cuatro moléculas de gas, con frecuencia máxima, oxígeno, que transportan hacia los órganos diana donde se difunde a los tejidos.

La *eritropoyesis* es el proceso constante por el que se forman los eritrocitos. La eritropoyetina, una hormona producida principalmente por los riñones, estimula la producción de eritrocitos por citoblastos dentro de la médula ósea. Los eritrocitos pueden requerir hasta 5 días para madurar y tienen una semivida promedio de 120 días. Aquellas células destinadas a la destrucción se descomponen en el bazo y otros tejidos ricos en macrófagos (recuerde que los macrófagos protegen al cuerpo de todas las infecciones). El cuerpo "recicla" algunos componentes de la hemoglobina de los eritrocitos descartados, como la proteína globina y el hierro. La parte de la hemoglobina que no se recicla se convierte en **bilirrubina**, un producto de desecho que presenta metabolismo adicional en el hígado. Por lo regular, un derivado químico de la bilirrubina, el urobilinógeno, se excreta en las heces y en la orina.

Las siguientes pruebas sanguíneas de laboratorio son las que se realizan con más frecuencia:

- **Recuento de eritrocitos.** Se cuantifica el número de eritrocitos en una muestra de sangre.
- **Concentración de hemoglobina.** Permite identificar la cantidad de hemoglobina que se encuentra dentro de los eritrocitos.
- **Determinación del hematocrito.** Provee el porcentaje total de eritrocitos en la sangre, que se considera equilibrado en el paciente (incluso si sus cifras son muy altas o bajas) cuando la concentración de hemoglobina corresponde a 33% del hematocrito y el recuento de eritrocitos a 33% de la cifra de hemoglobina.

Leucocitos

La estructura de los leucocitos permite su movimiento a través de las paredes capilares y al interior de los tejidos; su cifra total es en promedio de 4 500 a 10 000/mm^3 en una persona sana, pero aumenta durante las respuestas inflamatoria, inmunitaria, o ambas.

Los leucocitos provienen de citoblastos y sus diversos tipos tienen funciones diferentes, por ejemplo, fagocitosis, producción de anticuerpos, secreción de heparina e histamina y de otras quimiocinas. La semivida de los leucocitos en general va de 13 a 20 días, después de los cuales se destruyen en el sistema linfático. La mayoría de los leucocitos es móvil y abandona los vasos sanguíneos por un proceso conocido como **diapédesis** para desplazarse hacia el tejido donde más se necesita.

Los tipos específicos de leucocitos se nombran de acuerdo con su aspecto en una preparación hemática teñida. En general, los granulocitos tienen gránulos citoplásmicos grandes fácilmente observables con un microscopio de luz; los *agranulocitos* son leucocitos que carecen de estos gránulos. Los tres tipos de granulocitos son: neutrófilos, eosinófilos y basófilos, en tanto monocitos y linfocitos son dos tipos de agranulocitos.

Los **neutrófilos** normalmente constituyen el tipo más frecuente de granulocitos en la sangre. Pasan sus breves vidas (por lo general de 1 día o menos) circulando en la sangre y los tejidos. Debido a que están ampliamente dispersos en el cuerpo y tienen una muy alta especialización para encontrar y destruir bacterias, los neutrófilos constituyen la principal defensa contra una infección bacteriana y son también un componente importante de la respuesta inflamatoria.

Los **eosinófilos** secretan sustancias que dañan o eliminan a los invasores parasitarios. También tienen una participación importante en la mediación de la respuesta alérgica. Los eosinófilos liberan factores quimiotácticos, sustancias que causan que las células migren a una zona y que puedan desencadenar un broncoespasmo grave.

Los **basófilos**, los menos frecuentes de todos los granulocitos, participan en las reacciones alérgicas inflamatorias, y cuando son activados liberan histamina y heparina. La **histamina** dilata los vasos sanguíneos, acelera el riego sanguíneo a los tejidos lesionados y aumenta la permeabilidad de los vasos sanguíneos, de manera que los neutrófilos, las proteínas de la coagulación y otros componentes sanguíneos puedan ingresar con mayor velocidad a los tejidos conectivos.[29] La secreción de *heparina*, una sustancia que inhibe la coagulación sanguínea, aumenta la movilidad de otros leucocitos en la región.[29]

Los **monocitos** constituyen una de las primeras líneas de defensa en el proceso inflamatorio. En respuesta a una infección, estas células emigran fuera de los vasos sanguíneos y al interior de los tejidos, donde se diferencian en macrófagos, que actúan sobre todo como carroñeros, que fagocitan microbios y los digieren.

Los linfocitos son los más pequeños de los granulocitos y aunque la mayoría se encuentra en tejidos linfoides, muchos están también en la linfa y la sangre circulantes. Hay dos tipos principales: **linfocitos B y T**. Estos últimos, que se forman en el timo, actúan principalmente para deshacerse de bacterias y virus que ingresan al cuerpo por invasión directa. Los linfocitos B, que se forman en la médula ósea, actúan sobre todo para liberar al cuerpo de microorganismos bacterianos y víricos mediante la producción de anticuerpos.

Plaquetas

Como usted ya aprendió, las plaquetas (trombocitos) son un componente vital para la formación de coágulos o coagulación. La producción de plaquetas se regula principalmente por la trombopoyetina, una hormona proteínica que tiene relación con la eritropoyetina. Las células en el hígado y los riñones secretan trombopoyetina a una velocidad constante. Casi 66% de las plaquetas totales circula en la sangre y 33% se almacena en los vasos sanguíneos del bazo. Las plaquetas circulan en la sangre durante 7 a 10 días.

> **Perlas de sabiduría**
>
> Cualquier proceso que interfiera con la activación o la continuación de la serie de reacciones de la coagulación o hemostasia se conoce como coagulopatía. Las coagulopatías son afecciones hemáticas que pueden llevar a una hemorragia cuantiosa y prolongada.

Hemostasia normal

Después de la lesión de la pared de un vaso sanguíneo, se presenta una serie de sucesos predecibles que da como resultado la **hemostasia** (cese de la hemorragia) y la formación del coágulo sanguíneo final. El proceso de la coagulación es un conjunto complejo de sucesos que implica a plaquetas, proteínas de la coagulación en el plasma (factores de coagulación), otras proteínas y el calcio. La mayoría de los factores de coagulación se produce en el hígado, donde se requiere vitamina K para su síntesis.

La repuesta fisiológica inmediata a la hemorragia es de vasoconstricción, que interrumpe el riego sanguíneo en el sitio afectado. Localmente se liberan vasoconstrictores, como el tromboxano. Si la hemorragia muestra ser una amenaza significativa para la hemostasia, las glándulas suprarrenales secretan epinefrina (un potente vasoconstrictor) y llevan a la vasoconstricción sistémica. La respuesta secundaria a la hemorragia es la formación de un tapón de plaquetas. Recuérdese que estas son fragmentos celulares que se unen a la colágena y se activan. Hay colágena dentro de las membranas profundas de los vasos sanguíneos y un corte o una rotura exponen a las plaquetas de la circulación. Las primeras plaquetas en activarse secretan sustancias químicas que causan su agregación (aglutinación) junto con otras adicionales en el sitio de lesión. Este proceso de la coagulación involucra a casi 12 factores, que se activan cuando hay una lesión en el cuerpo. Cada uno de esos factores requiere la presencia y activación de uno precedente para funcionar.

Las plaquetas activadas expresan una proteína de superficie que estimula la **cascada de la coagulación**, conjunto de interacciones que finalmente lleva a la formación de un coágulo, **FIGURA 6-82**. Sus pasos, por lo general, se organizan en vías extrínsecas e intrínsecas, que convergen en una vía común. La vía extrínseca (vía de factores tisulares) se desencadena por el daño a los tejidos, que entonces secretan factores de coagulación, que a su vez reaccionan con otros y el calcio, con el producto final de **tromboplastina** tisular. La vía intrínseca (de activación por contacto) se activa cuando las plaquetas dañadas secretan factores de coagulación, que también reaccionan con otros y el calcio, con un producto final, la tromboplastina plaquetaria. Ambas vías funcionan en paralelo, esto es, al mismo tiempo. Las tromboplastinas tisular y plaquetaria producidas por estos procesos, en un momento dado se conjuntan en la vía común, donde convierten la **protrombina** (producto hepático) en su forma activa, la **trombina**, que, a su vez, actúa sobre el fibrinógeno, otra proteína sanguínea también de origen hepático que cuando es activada se convierte en fibrina. La **fibrina** toma la forma de fibras largas ramificadas que producen una red en la pared del vaso sanguíneo dañado, que se une al conjunto de plaquetas y forma un tapón que detiene el riego sanguíneo del tejido. El calcio actúa como unidor en este tapón, al conservar las fibras de fibrina en estrecha proximidad para formar la malla del coágulo.

Después de que se detiene la hemorragia y cicatriza el vaso lesionado, las proteínas plasmáticas

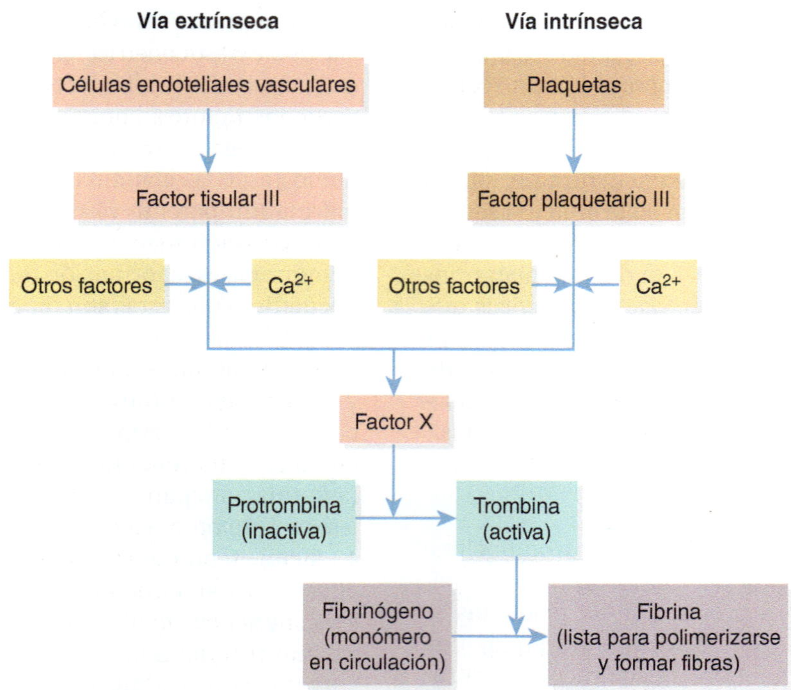

FIGURA 6-82 La cascada de la coagulación. Las vías extrínseca e intrínseca se conjuntan en la vía final común, cuyo producto terminal es la fibrina.

fragmentan las fibras de fibrina del coágulo. Durante la porción de disolución del coágulo de la coagulación, denominada fibrinólisis, la enzima plasminógeno se convierte en **plasmina**, que disuelve las fibras de fibrina del coágulo.

Grupos sanguíneos ABO y factor Rh

Los eritrocitos contienen antígenos en su superficie y en el plasma hay anticuerpos que reaccionan en su contra. Para asegurar la compatibilidad y prevenir complicaciones médicas durante una transfusión sanguínea, las personas se clasifican como con uno de cuatro tipos, con base en la presencia o ausencia de estos antígenos específicos, proceso de clasificación que se conoce como tipificación sanguínea o determinación del grupo ABO. En el **sistema ABO** los tipos de eritrocitos son O, A, B y AB, lo que indica qué antígenos se encuentran en su membrana plasmática, **CUADRO 6-36**.

La sangre tipo A contiene eritrocitos con antígenos de superficie de tipo A y plasma con anticuerpos de tipo B; la sangre de tipo B presenta antígenos de superficie de tipo B y plasma que contiene anticuerpos A. El tipo de sangre AB contiene ambos tipos de antígenos, pero su plasma no incluye anticuerpos ABO. El tipo O no contiene antígenos ABO, pero sí ambos anticuerpos plasmáticos, A y B. El tipo sanguíneo de una persona determina qué tipo de sangre puede recibir en una transfusión.

CUADRO 6-36 Grupos sanguíneos ABO

Tipo sanguíneo	Antígeno	Anticuerpos	Donador potencial
A	A	Anti-B	A, O
B	B	Anti-A	B, O
AB	A y B	Ninguno	AB, A, B, O
O	Ninguno	Anti-A y anti-B	O

El tipo sanguíneo O, que no incluye antígenos ABO, se puede administrar a cualquier persona; por lo tanto, aquella con sangre de tipo O se conoce como donadora universal. Aquella con sangre tipo AB puede recibir sangre de cualquier donador sin reacción, porque no presenta anticuerpos anti-ABO; por lo tanto, a esta persona se le conoce como receptora universal.

La sangre contiene un segundo antígeno conocido como Rh (nombre asignado porque se descubrió por primera vez en monos Macaco Rhesus). El grupo sanguíneo Rh consta de varios antígenos, de los que el D es el más prevalente. El antígeno D Rh (**factor Rh**) determina si se presentará una respuesta inmunitaria como resultado de una transfusión sanguínea. Una persona con presencia del factor Rh en la sangre se considera Rh positivo; cuando es Rh negativo, significa que no cuenta con dicho antígeno. A diferencia del caso con los antígenos ABO, el plasma humano por lo regular no contiene anticuerpos anti-Rh. En consecuencia, una persona con sangre Rh negativo debe exponerse primero a la sangre Rh positivo para desarrollar anticuerpos en contra del antígeno Rh. Lo mismo es válido para una persona con sangre Rh positivo. Se producen anticuerpos anti-Rh en las 2 semanas que siguen a la exposición y permanecen en la sangre. En la segunda ocasión que una persona se expone al antígeno Rh puede presentarse una reacción grave.

Otra situación en la que el grupo sanguíneo Rh puede constituir otro problema es el embarazo. Por ejemplo, supóngase que una madre Rh negativo se expone a la sangre Rh positivo de su nene durante la gestación, el parto, una pérdida gestacional o un aborto. Como resultado, su sistema inmunitario desarrollará anticuerpos contra los antígenos Rh, aunque, por lo general, no crean problemas durante la primera gestación. Sin embargo, en embarazos posteriores si el feto tiene sangre Rh positivo, el sistema inmunitario de la madre iniciará un ataque contra sus eritrocitos. Esta incompatibilidad se puede resolver por el tratamiento provisto en el momento del parto, pero para que eso sea posible se requieren algunas pruebas sanguíneas prenatales de la madre.

Corazón

La fuerza de impulso del sistema cardiovascular yace en el corazón, **FIGURA 6-83**, bomba poderosa que se sitúa en el tórax arriba del diafragma, detrás y ligeramente a la izquierda de la porción baja del esternón, cuya punta es el ápex y su parte alta corresponde a su base. Esta última yace cerca del segundo espacio intercostal, en tanto el ápex (inferior), en el quinto espacio intercostal, cerca o ligeramente por dentro de la línea medio clavicular. El corazón no es mucho mayor que el puño de una persona cerrado y pesa casi 270 gramos (entre 250 y 300). A pesar de sus dimensiones relativamente pequeñas, es suficientemente fuerte para hacer circular ¡de 7 000 a 9 000 L de sangre por el cuerpo cada día!

Los grandes vasos, que conducen sangre al corazón, incluyen las venas cavas superior e inferior (que

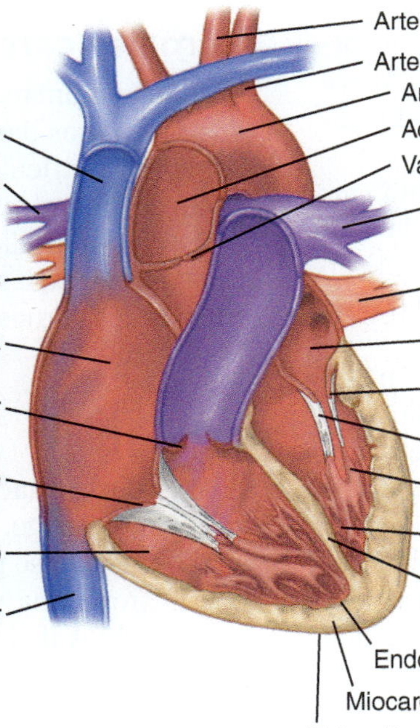

FIGURA 6-83 Anatomía del corazón.

retornan la sangre venosa de las porciones alta y baja del cuerpo hacia la aurícula derecha), y las pulmonares (vasos que retornan sangre oxigenada desde los pulmones a la aurícula izquierda). Los grandes vasos que conducen sangre lejos del corazón incluyen a la aorta (que conduce la sangre del ventrículo izquierdo al cuerpo) y las arterias pulmonares (que transportan sangre no oxigenada del ventrículo derecho a los pulmones).

Pared cardíaca

El **pericardio** (saco pericárdico) es una membrana fibrosa gruesa que rodea al corazón, al que ancla dentro del mediastino e impide su sobredistensión. Tiene una membrana fibrosa externa (parietal) y una interna (visceral). El pericardio fibroso está constituido por tejido conectivo denso, que se une a la parte central del diafragma, la posterior del esternón, la columna vertebral y los grandes vasos sanguíneos conectados al corazón. Una doble capa interna de pericardio visceral rodea también al corazón, en cuya base el pericardio visceral se repliega de retorno para formar el pericardio parietal. Entre las capas parietal y visceral se encuentra la cavidad pericárdica, que contiene un pequeño volumen de fluido seroso (casi 5 ml) que disminuye la fricción entre las membranas pericárdicas conforme el corazón se desplaza en su interior.

La pared del corazón consta de tres capas, **FIGURA 6-84**.

- El **epicardio** protege al corazón al disminuir la fricción. Esta capa corresponde a la porción visceral del pericardio sobre la superficie cardíaca y consta de tejido conectivo y algo de tejido adiposo profundo.
- El miocardio es la capa media de la pared cardíaca, entre el epicardio y el endocardio. Recuerde que el miocardio grueso está formado en su mayor parte por tejido muscular cardíaco y se encarga de la contracción y la expulsión eficaz de sangre desde el órgano. El miocardio tiene un gran aporte de capilares para cubrir las demandas de oxígeno del corazón; la mayoría de las regiones del miocardio muestra un cociente 1:1 de capilares respecto de células musculares.
- El **endocardio** abarca al epitelio y el tejido conectivo, que contienen muchas fibras elásticas y colágenas. Su superficie es lisa, de manera que la sangre fluye y las plaquetas no se alteran a su paso por el corazón. El revestimiento se continúa con el más interno de los vasos sanguíneos del cuerpo.

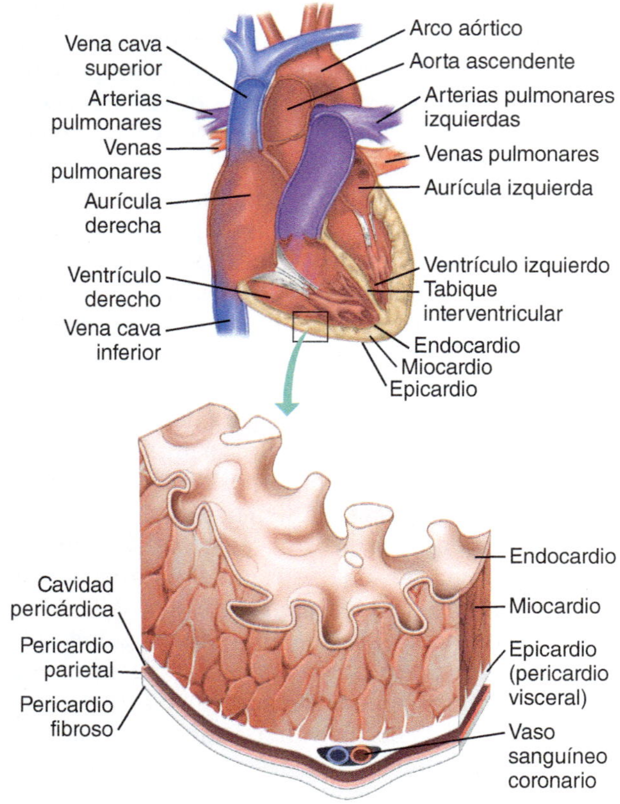

FIGURA 6-84 Las tres capas del corazón son epicardio, miocardio y endocardio.

Cámaras cardíacas

El corazón humano normal consta de cuatro cámaras: dos receptoras llamadas **aurículas** y dos de bombeo, llamadas ventrículos (véase figura 6-83). El corazón se divide en mitades derecha e izquierda por una pieza de tejido rígido llamada tabique. El tabique interauricular separa a las dos aurículas; el tabique interventricular, más grueso, separa a los ventrículos derecho e izquierdo.

Miocardio

El músculo cardíaco (miocardio) es exclusivo del corazón. Sin embargo, justamente como otros músculos, su contracción se presenta cuando el calcio interfiere con la troponina y la tropomiosina, lo que permite que las fibras de actina y miosina creen enlaces cruzados que jalan una contra la otra para contraerse (acortarse).

Recuerde que las fibras del miocardio son largas, con células que se ramifican y se conjuntan estrechamente en los discos intercalados. El arreglo de estas uniones de ajuste estrecho les da el aspecto de un sincicio; en otras palabras, semeja una red de células sin separación entre las individuales. Los discos intercalados se ajustan y forman uniones de compuerta. Al sacar ventaja de estas uniones, un impulso eléctrico se puede conducir rápidamente a través de la pared de una cámara cardíaca, característica que permite que las paredes de ambas aurículas (y de manera similar las de ambos ventrículos) se contraigan casi al mismo tiempo. El corazón consta de dos conjuntos de cámaras: auriculares y ventriculares.

Válvulas cardíacas

El corazón presenta cuatro válvulas: dos **auriculoventriculares (AV)** y dos **semilunares (SL)**, **FIGURA 6-85**. Las válvulas AV separan a las aurículas de los ventrículos. La válvula AV derecha es la **válvula tricúspide** y la izquierda, la **válvula mitral** (bicúspide), que dirigen el riego sanguíneo entre las cámaras, e impiden el flujo retrógrado (regurgitación) durante la contracción ventricular. Bandas fibrosas de tejido llamadas **cuerdas tendinosas** se unen a cada parte o cúspide de la válvula. Los **músculos papilares** se encuentran adheridos a las cuerdas tendinosas y el endocardio de los ventrículos. Durante la contracción ventricular (sístole ventricular), las válvulas AV están cerradas por el aumento de la presión en la cámara. Los músculos papilares también se contraen durante la sístole ventricular, lo que provee una presión contraria a la cúspide de las válvulas AV, que impide que "se proyecten hacia afuera" o sean forzadas para abrirse al interior de las aurículas. Durante la relajación ventricular (diástole ventricular) los músculos papilares se relajan y las válvulas AV se abren por la fuerza de la sangre que fluye de las aurículas a los ventrículos.

Las válvulas SL separan a los ventrículos y sus grandes vasos relacionados y cada una tiene tres cúspides. La válvula SL derecha, también llamada **válvula pulmonar**, separa al ventrículo derecho y el tronco de la arteria pulmonar. La válvula SL en el lado izquierdo, también conocida como **válvula aórtica**, separa al ventrículo izquierdo de la aorta. Estas válvulas no tienen respaldo tendinoso o muscular. Además, su funcionamiento depende solo de las diferencias relativas de presión entre los ventrículos y los grandes vasos que separan. Cuando el ventrículo se contrae, la presión en su interior rebasa a la presión del tronco pulmonar, lo que hace que la válvula se abra y permita el ingreso de sangre a este gran vaso. Cuando la presión en este último rebasa a la del ventrículo, la válvula se cierra.

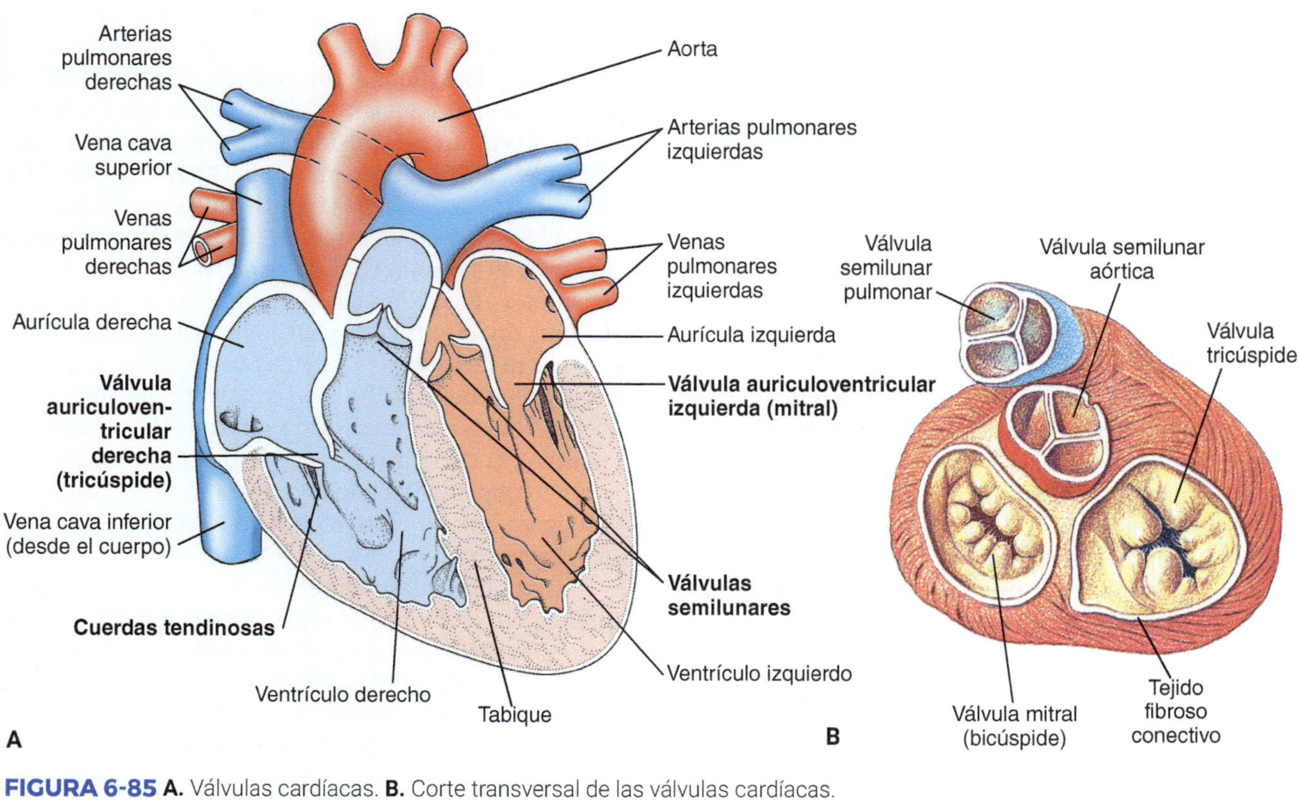

FIGURA 6-85 **A.** Válvulas cardíacas. **B.** Corte transversal de las válvulas cardíacas.

Flujo sanguíneo a través del sistema cardiovascular

El volumen sanguíneo total del cuerpo se puede dividir como sigue: circulación sistémica (85%), circulación pulmonar (casi 10%) y cámaras cardíacas (casi 5%).[30] La sangre ingresa a la aurícula derecha a través de las venas cavas superior e inferior y el seno coronario (drenaje venoso de la circulación coronaria). Casi 70 a 80% de esta sangre fluye de manera pasiva desde la aurícula derecha a través de la válvula tricúspide hacia el ventrículo derecho. El restante 20 a 30% es forzado al interior del ventrículo derecho durante la contracción auricular (patada auricular). El ventrículo derecho expulsa la sangre a través de la válvula pulmonar hacia el tronco pulmonar, que se divide en arterias pulmonares derecha a izquierda, cada una de las cuales conduce sangre a un pulmón (circulación pulmonar; véase figura 6-80).

La sangre fluye por las arterias pulmonares hacia los pulmones. Aquella baja en oxígeno pasa a través de los capilares pulmonares, donde entra en contacto directo con la membrana alveolocapilar, sitio de intercambio de oxígeno y dióxido de carbono. La sangre recién oxigenada fluye entonces hacia las **venas pulmonares**. La aurícula izquierda recibe esta sangre oxigenada desde los pulmones a través de cuatro venas pulmonares (dos del pulmón derecho y dos del izquierdo). De nuevo, de 70 a 80% de la sangre fluye de manera pasiva de la aurícula izquierda al ventrículo izquierdo a través de la válvula mitral. El restante 20 a 30% de la sangre es forzado al interior del ventrículo por el tiro auricular. Con la contracción del ventrículo izquierdo se impulsa sangre a través de la válvula aórtica hacia la aorta, y después, se distribuye por el cuerpo (circulación sistémica) a través de esta arteria y sus ramas.

Ciclo cardíaco

El **ciclo cardíaco** es un proceso repetitivo de bombeo que incluye todos los sucesos vinculados con el riego sanguíneo a través del corazón. Este ciclo incluye dos fases para cada cámara: sístole y diástole. La *sístole* es el periodo durante el cual la cámara se contrae y se expulsa sangre. Las aurículas y los ventrículos tienen una fase diastólica distinta. La **diástole** es el periodo de relajación durante el cual se permite el llenado de las cámaras. Las aurículas y los ventrículos tienen una fase diastólica diferente. El miocardio recibe un soporte fresco de sangre oxigenada de las arterias coronarias durante la diástole ventricular. El ciclo cardíaco depende de la capacidad del miocardio de contraerse y de las condiciones del sistema de conducción del corazón, cuya eficacia como bomba puede verse afectada por anomalías del músculo cardíaco, las válvulas o el sistema de conducción.

Durante el ciclo cardíaco la presión en cada cámara aumenta en la sístole y disminuye en la diástole. Las válvulas cardíacas aseguran que la sangre fluya en la dirección apropiada e impiden el flujo retrógrado. La sangre fluye de una cámara cardíaca a otra si la presión en la actual es mayor que la de la siguiente. Esta relación de presiones depende de la programación temporal cuidadosa de las contracciones. El sistema de conducción cardíaco provee el compás necesario de los sucesos entre la sístole auricular y la ventricular.

Piense en el corazón como una bomba bilateral. El lado derecho, de baja presión, se encarga de la circulación pulmonar, y el izquierdo, de presión alta, de la circulación sistémica. Es importante, no obstante, que las aurículas y los ventrículos actúen juntos. Conforme las aurículas presentan la sístole, los ventrículos se encuentran en diástole; por el contrario, cuando ambos ventrículos presentan la sístole, las aurículas están en diástole.

Ruidos cardíacos

La contracción, la relajación y el flujo de sangre del corazón crean los ruidos cardíacos, que se pueden percibir durante la auscultación con el estetoscopio. A menudo los ruidos cardíacos normales se describen como sonidos semejantes a "lub-DUB, lub-DUB, lub-DUB..."; el "lub" se considera el primer ruido cardíaco o S_1 y el "DUB", el segundo o S_2, **FIGURA 6-86**. El S_2 (DUB) a menudo es más intenso que el S_1 ("lub").

El S_1 se presenta cerca del inicio de la contracción ventricular (sístole) cuando se cierran las válvulas tricúspide y mitral, lo cual coincide con el aumento de la presión dentro del ventrículo. Cualquier retraso del cierre de estas dos válvulas se escucha como desdoblamiento del ruido y se considera anormal. El S_2 ocurre cerca del final de la contracción ventricular (sístole), cuando las venas pulmonar y aórtica se cierran, lo que pueden hacer de manera simultánea, con un ligero retraso entre ellas bajo circunstancias fisiológicas normales.

Otros dos ruidos cardíacos, S_3 y S_4, no suelen percibirse en las personas sanas, **FIGURA 6-87**. El S_3 es un ruido cardíaco suave de tono bajo que se presenta en casi 66% de la duración de la diástole ventricular. Es causado por las vibraciones de las paredes del ventrículo, resultantes de su llenado rápido durante el

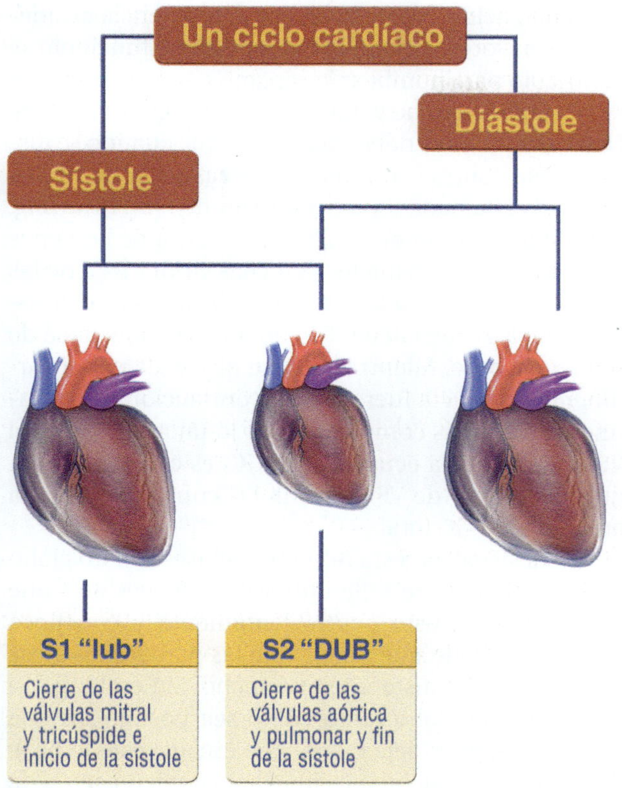

FIGURA 6-86 Los ruidos cardíacos normales, S_1 y S_2.

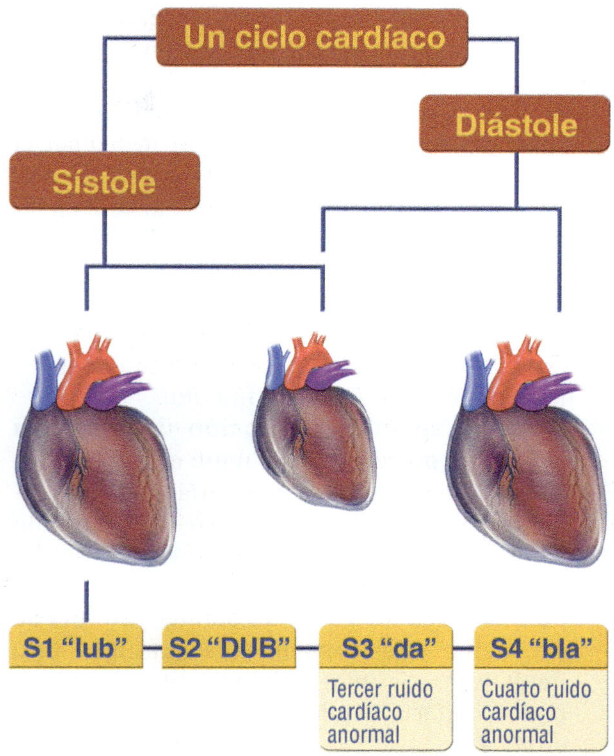

FIGURA 6-87 Los ruidos cardíacos anormales, S_3 y S_4.

inicio de la diástole. Cuando está presente, un ruido S_3 se describe en el ciclo de latidos cardíacos como similar a "lub-DUB-da", ocasionalmente en los niños y adultos jóvenes sanos. Cuando se escucha este ruido cardíaco en los adultos mayores, a menudo se vincula con presiones de llenado anormalmente aumentadas en las aurículas por una insuficiencia cardíaca moderada a grave.

El S_4 es un ruido cardíaco de tono medio que se presenta justo antes del S_1 normal. Cuando hay presencia de un ruido S_4 el ciclo de contracción cardíaco se percibe como "bla-lub-DUB" y representa una disminución de la distensibilidad (estiramiento) del ventrículo izquierdo o una mayor presión en el interior de las aurículas, y casi siempre es signo de una anomalía cardíaca.

Se pueden percibir otros ruidos, todos anormales, cuando se auscultan el corazón y los grandes vasos. Algunos son fáciles de escuchar, en tanto otros pueden requerir años de experiencia del médico para su identificación. Estos ruidos incluyen murmullos, soplos, chasquidos de expulsión y de abertura valvulares. Un **soplo** es un ruido anormal que se percibe sobre el corazón y ruido sanguíneo turbulento por las válvulas. Si bien muchos soplos son funcionales (benignos) y a menudo desaparecen, varios son característicos de las cardiopatías. Un **murmullo** es un ruido sibilante anormal que se percibe sobre un vaso sanguíneo principal e indica el riego turbulento de sangre en su interior. Un soplo a menudo indica una enfermedad aterosclerótica localizada (formación de placa en el interior de las arterias). Ambos, los chasquidos de expulsión y abertura indican una función anormal de las válvulas cardíacas. Se presentan en momentos diferentes del ciclo cardíaco, dependiendo de qué válvula se afecte. Aunque estos ruidos son significativos en la clínica, en su mayoría son transitorios y difíciles de percibir.

Gasto cardíaco

Es necesario aprender las siguientes denominaciones técnicas para comprender el funcionamiento del corazón como bomba:

- **Gasto cardíaco (GC).** La cantidad de sangre que se bombea por los ventrículos en 1 minuto. Los ventrículos derecho e izquierdo son casi iguales en sus dimensiones internas, por lo que presentan un gasto relativamente equivalente. El GC normal de un adulto promedio es de 5 a 6 L/minuto.

- **Volumen sistólico (VS).** La cantidad de sangre bombeada por cualquier ventrículo en una sola contracción (latido cardíaco). Por lo regular el VS es de entre 60 y 100 ml para un adulto sano, pero el corazón tiene una capacidad considerable y puede aumentarlo con facilidad por 50% al menos.
- **Frecuencia cardíaca (FC).** Es el número de contracciones por minuto del corazón (frecuencia del pulso). La FC normal de un adulto en reposo es de 60 a 100 latidos/minuto.
- **Fracción sistólica o fracción de eyección (FS).** Es el porcentaje de sangre que abandona el corazón cada vez que se contrae, un parámetro que suele considerarse solo del ventrículo izquierdo, porque es la principal bomba del órgano. La FS ventricular izquierda tiene un rango normal de 55 a 70% en un adulto, pero puede ser menor si el corazón presenta algún tipo de daño (p. ej., infarto del miocardio, valvulopatía cardíaca, cardiomiopatía o hipertensión crónica).

El corazón debe poder aumentar su gasto varias veces en respuesta a cambios en la demanda de oxígeno corporal. Por ejemplo, la demanda de oxígeno del corazón aumenta durante el ejercicio y disminuye durante el sueño. El GC es una función del VS y la FC, relación que matemáticamente se expresa como sigue:

$$GC = VS \times FC$$

Por ejemplo, si el VC es de 70 ml y la FC de 80 L/min, el GC correspondiente es de 70 ml por 80 L/min o 5 600 ml/min (5.6 L/min). Esta ecuación indica que el corazón puede aumentar su gasto por incremento del VS, de la frecuencia cardíaca, o de ambos. Los factores que influyen en el VS, la FC o ambos, modificarán el GC y, por lo tanto, el aporte de oxígeno (perfusión) a los tejidos.

El VS tiene influencia de la precarga, poscarga y el estado contráctil (de contracción o relajación) del miocardio. La **precarga** (volumen diastólico terminal) es la cantidad de sangre en el interior del ventrículo al final de la diástole, y refleja principalmente el retorno venoso (la cantidad de la sangre que retorna al corazón).[31] La **poscarga** es la fuerza con la que los ventrículos deben contraerse para expulsar la sangre y tiene influencia de la presión arterial, la distensibilidad arterial (capacidad de distensión y la resistencia arteriales). A mayor poscarga, más fuerte debe funcionar el ventrículo para bombear la sangre.

El corazón tiene varias formas de aumentar su VS. Una característica del miocardio es que cuando se distiende, se contrae con mayor fuerza, hasta un límite, propiedad llamada *mecanismo* o ley de *Frank Starling*. Si un mayor volumen sanguíneo retorna de las venas sistémicas a las cavidades derechas cardíacas o de las venas pulmonares a las cavidades izquierdas, el músculo que las rodea debe distenderse para ajustarse de manera acorde. Mientras más se distienda el miocardio, mayor será la fuerza de su contracción, su vaciamiento será más completo y, por lo tanto, más alto el VS. A partir de la ecuación del GC, es claro que cualquier aumento de VS con una FC constante causará aumento del GC total.

Para visualizar esta relación, piénsese en un globo de látex. Si usted lo infla un poco y después deja que escape el aire, esto ocurre lentamente y con poca fuerza, resultado que refleja que las paredes elásticas del globo no se distendieron mucho. Sin embargo, si usted infla el globo tanto como sea posible sin que estalle y después deja que el aire escape, este lo hace con rapidez y mucha más fuerza. El corazón actúa de la misma forma. Si las paredes se distienden un poco se expulsa una pequeña cantidad de sangre. Si se distienden mucho, se expulsa una grande.

Como se mencionó antes, la presión bajo la que se llena un ventrículo (precarga) tiene influencia del volumen de sangre que retorna por las venas al corazón. En situaciones de aumento de la demanda de oxígeno, el cuerpo retorna más sangre al corazón (la precarga aumenta) y el GC, en consecuencia, aumenta por el mecanismo de Frank Starling. En un corazón enfermo se usa el mismo mecanismo para logar un GC normal en reposo (lo que explica por qué algunos de esos órganos crecen).

El corazón puede también variar el grado de contracción del miocardio sin modificar la distensión, una propiedad llamada contractilidad, cuyos cambios pueden ser inducidos por medicamentos que tienen un **efecto inotrópico**, positivo o negativo (*inotrópico* significa "que modifica la contractilidad del tejido muscular"). Los ventrículos nunca son por completo vaciados de sangre en un solo latido. Sin embargo, si el corazón hace presión sobre una esfera más rígida cuando se contrae, expulsará un mayor porcentaje de la sangre ventricular, lo que así incrementa el VS y el GC total. El sistema nervioso regula la contractilidad del corazón de un latido al otro. Cuando el cuerpo requiere un GC más alto, los nervios envían señales de que debería aumentar la contractilidad del miocardio y así, el VS.

El corazón también puede aumentar su GC ante un VS constante por incremento del número de contracciones por minuto, esto es, de la FC. El aumento de la frecuencia de la contracción se conoce como **efecto cronotrópico** positivo.

El mecanismo de Frank Starling es una propiedad intrínseca del músculo cardíaco, lo que significa que no está bajo regulación del sistema nervioso. Por el contrario, la contractilidad y los cambios en la FC son regulados por el sistema nervioso.

Presión arterial

La presión arterial es aquella que la sangre ejerce sobre las paredes de las arterias a su paso. Como se mencionó antes, la sístole y la diástole son las fases del ciclo cardíaco en las que el ventrículo izquierdo se contrae y relaja, respectivamente. La expulsión pulsátil forzada de sangre del ventrículo izquierdo cardíaco hacia la aorta se transmite por las arterias como una onda de presión palpitante, que mantiene el movimiento sanguíneo en el cuerpo.

La medición de la presión arterial es un método para valorar la eficacia del GC, pues es función tanto de este como de la **resistencia vascular sistémica** (aquella dentro de los vasos sanguíneos, excepto los pulmonares, ante el flujo sanguíneo). La resistencia al flujo sanguíneo se determina por el diámetro y el tono (estado normal de tensión equilibrada de los tejidos corporales) de la musculatura vascular. Un vaso dilatado (ensanchado) ofrece menos resistencia al flujo sanguíneo, en tanto un constreñido (estenosado) ofrece mucha más.

Circulación coronaria

Como todas las células del cuerpo, las del miocardio requieren un aporte ininterrumpido de oxígeno y nutrimentos. Sin embargo, la demanda cardíaca de oxígeno es en particular incesante debido a que el corazón nunca se detiene para reposar (al menos no sin consecuencias catastróficas). Para cubrir esta demanda siempre presente, el corazón necesita un aporte confiable de sangre oxigenada a través de las arterias coronarias, **FIGURA 6-88**, ramas de la aorta que se originan en los orificios coronarios localizados justo arriba de las valvas de la válvula aórtica. Las arterias coronarias son los primeros vasos que reciben sangre después de la contracción ventricular y debido

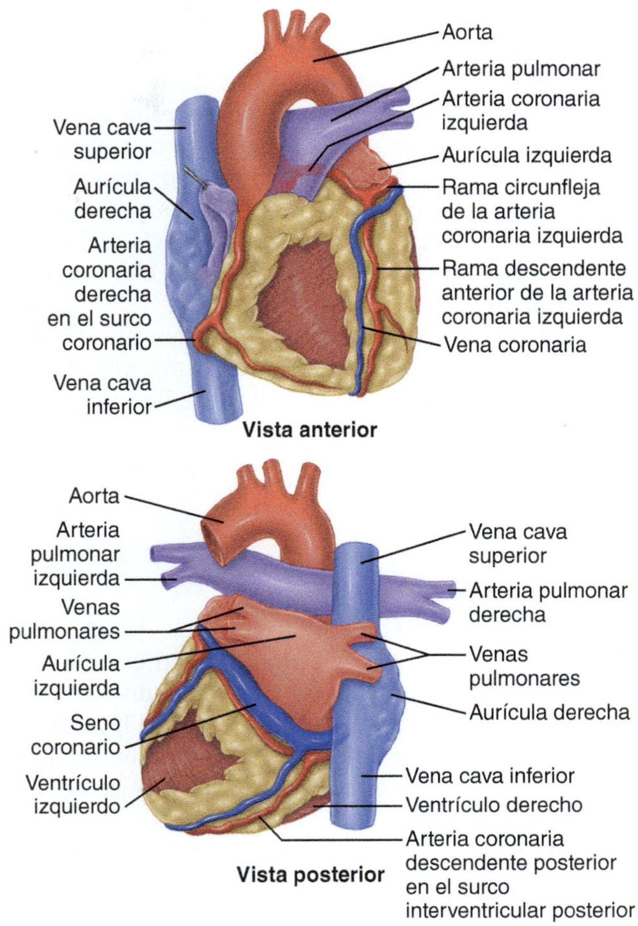

FIGURA 6-88 Las dos principales arterias coronarias y sus ramas dan riego sanguíneo al corazón.

a que están comprimidas durante la sístole ventricular, se llenan solo durante la diástole.

Las dos principales arterias coronarias son la izquierda y la derecha. La primera es la más grande, corta de los vasos sanguíneos del miocardio y rápidamente se divide en las **arterias descendente anterior** y **coronaria circunfleja**, ambas que se ramifican mucho para regar más músculo del ventrículo izquierdo del corazón junto con el tabique ventricular y parte del ventrículo derecho. La **arteria coronaria derecha** transcurre entre la aurícula y el ventrículo derechos a través del surco AV. Ramas de esta arteria proveen de sangre a la aurícula derecha y las paredes ventriculares, una porción de la parte inferior del ventrículo izquierdo y porciones del sistema de conducción.

Las numerosas conexiones (anastomosis) entre las arteriolas de las diversas arterias coronarias permiten el desarrollo de vías alternativas para el riego sanguíneo. En las etapas tempranas de las cardiopatías coronarias el diámetro interno de los vasos sanguíneos empieza a disminuir conforme se deposita placa en sus paredes. En respuesta a una menor capacidad de perfusión del miocardio se forman vasos sanguíneos adicionales, que conectan a las arteriolas que se originan de otros. El resultado de esta *circulación colateral* es un aumento de la provisión de sangre oxigenada al miocardio.

Las arterias y las venas coronarias principales atraviesan el corazón por un surco (surco coronario) que separa a las aurículas de los ventrículos. La sangre venosa se vacía en el **seno coronario**, un gran vaso en la parte posterior del surco coronario, que termina en la aurícula derecha.

Sistema de conducción

La acción mecánica de bombeo cardíaco puede ocurrir solo en respuesta a un estímulo eléctrico, impulso que causa que el corazón lata a través de un conjunto de cambios químicos complejos dentro de las células miocárdicas. Ambos, el SNC y el sistema endocrino, pueden influir en la frecuencia, fortaleza y velocidad de la contracción.

En general, las células cardíacas tienen una función mecánica (contráctil) o una eléctrica (de marcapasos). Las células del miocardio (funcionales) contienen filamentos contráctiles, que cuando se estimulan en forma eléctrica se desplazan de manera conjunta y originan su contracción. Estas células miocárdicas forman la capa muscular delgada de las paredes auriculares y la más gruesa de las paredes ventriculares (miocardio), que normalmente no generan impulsos eléctricos por sí mismas. Las células marcapasos (de conducción) del sistema eléctrico del corazón son especializadas, encargadas de la generación espontánea y conducción de los impulsos eléctricos. Las células miocárdicas responden a los impulsos recibidos desde las células marcapasos mediante su contracción.

Las células cardíacas muestran cuatro propiedades esenciales que ayudan al corazón a funcionar como una máquina eficaz: (1) automaticidad, (2) excitabilidad, (3) conductividad y (4) contractilidad. La **automaticidad** es la capacidad de las células marcapasos cardíacos de crear un impulso eléctrico sin ser estimuladas por otra fuente. Como se describió antes, la excitabilidad se refiere a la capacidad de las células del músculo cardíaco de responder a un estímulo. La conductividad permite a la célula cardíaca recibir un impulso eléctrico y pasarlo a una adjunta. La contractilidad se refiere a la capacidad de las células del miocardio de acortarse en respuesta a un impulso, lo que origina una contracción.

Marcapasos cardíacos

El sistema de conducción cardíaco consta de seis partes: el nodo seno auricular (SA), el auriculoventricular (AV), el haz de His con sus ramas, derecha e izquierda, y las fibras de Purkinje, **FIGURA 6-89**.

El **nodo sinoauricular (SA)**, una masa de tejido especializado localizado en la porción alta de la aurícula derecha es el sitio de origen normal del impulso eléctrico. Sus células pueden alcanzar un umbral por sí mismas, lo que les permite iniciar impulsos a través del miocardio que estimulan la contracción de sus fibras. Debido a que crea estos impulsos con más frecuencia que otros sitios del corazón, el nodo SA es el marcapasos natural más común. El impulso transcurre después hacia el **nodo auriculoventricular**, un grupo de células constituido por fibras delgadas que se localiza en el piso de la aurícula derecha, inmediatamente detrás de la válvula bicúspide y cerca de la abertura del seno coronario. El nodo AV retrasa el impulso, lo que permite que ocurra la sístole auricular antes de iniciarse la correspondiente ventricular.

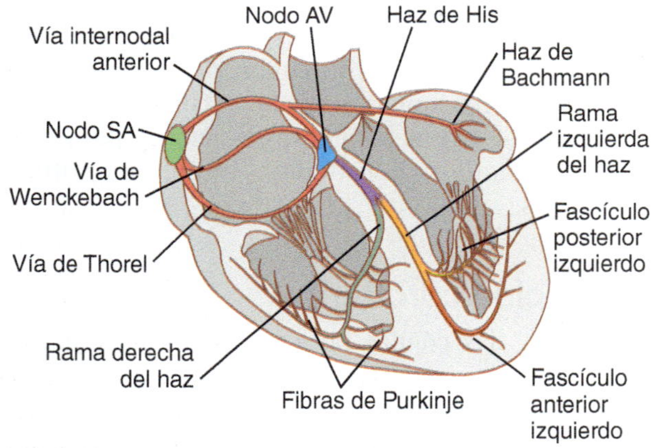

FIGURA 6-89 El sistema de conducción eléctrica del corazón. Los impulsos originados en el nodo sinoauricular (SA) se diseminan por las aurículas y las vías internodales hacia el nodo auriculoventricular (AV). Los impulsos transcurren desde el nodo AV en descenso por el haz de His con sus ramas derecha e izquierda y hacia la red de Purkinje de los ventrículos. Note que el haz de Bachmann es una vía interauricular que inicia la despolarización de la aurícula izquierda.

Reproducida de: 12-Lead ECG: The Art of Interpretation, cortesía de Tomas B. Garcia, MD.

Después de pasar por el nodo AV el impulso ingresa al **haz de His**, localizado en la porción alta del tabique ventricular, de donde avanza rápidamente por las ramas derecha e izquierda. La rama derecha inerva al ventrículo derecho. La rama izquierda dirige el impulso eléctrico hacia el tabique interventricular y al ventrículo izquierdo, cuyas paredes son más gruesas y musculares que las del derecho. Ambas ramas del haz de His se dividen en otras cada vez más pequeñas y finalmente en una red fibrosa, denominada **fibras de Purkinje**, a través de las cuales se disemina el estímulo, primero hacia el miocardio izquierdo, y después, al ventricular derecho, con el resultado de una contracción ventricular o sístole.

Regulación de la función cardíaca

La división simpática del SNA inerva al corazón a través de los nervios cardíacos. El nervio vago provee la inervación parasimpática a través de sus ramas, y redes de estas fibras simpáticas y parasimpáticas forman plexos cardíacos cerca del arco de la aorta. A partir de los plexos cardíacos, las fibras transcurren por la base del corazón sobre la superficie de los grandes vasos y se distribuyen a las diversas cámaras cardíacas.[32] Las fibras penetran después al miocardio, por lo general, a lo largo de las arterias coronarias derecha e izquierda. Si bien la mayoría de las fibras termina en el nodo SA, algunas lo hacen en el nodo AV y el miocardio auricular. Unas cuantas fibras parasimpáticas se extienden hasta los ventrículos.

La estimulación de los nervios simpáticos (de aceleración) da como resultado una mayor fuerza de contracción y un aumento de la FC, este último abrevia todas las fases del ciclo cardíaco. Cuando el tiempo de duración de la relajación ventricular se acorta, se dispone de uno menor para el llenado adecuado con sangre de los ventrículos. La estimulación de las fibras nerviosas parasimpáticas (inhibitorias) hace más lenta la frecuencia de descarga del nodo del SA, enlentece la conducción a través del nodo AV, disminuye la fortaleza de la contracción auricular y puede causar un pequeño decremento en la fuerza de la contracción ventricular.

Otros factores que influyen en la FC incluyen las concentraciones de electrólitos y hormonas, la tasa metabólica, los medicamentos, el estrés, la ansiedad, el miedo y la temperatura corporal.

Vasos sanguíneos y circulación

La vasculatura es un conjunto cerrado de conductos que distribuyen la sangre del corazón a los tejidos corporales y de retorno (véase figura 6-80). Se puede dividir en los siguientes componentes: (1) el sistema arterial, que toma sangre del corazón y la distribuye hacia los tejidos; (2) el sistema venoso, que regresa la sangre de los tejidos al corazón, y (3) la microcirculación, donde se intercambian los nutrimentos y los productos de desecho celulares entre la sangre y los tejidos.

Los vasos sanguíneos están constituidos por diferentes capas de tejido elástico y músculo liso llamadas túnicas. La capa más interna es la **túnica íntima** o endotelio, **FIGURA 6-90**. Está constituida por una sola hoja de células epiteliales y provee una casi nula resistencia al riego sanguíneo. La capa media, la **túnica media**, está formada por tejido conectivo elástico y células de músculo liso inervado por fibras del SNA, que dan sostén a las paredes vasculares y pueden modificar el diámetro del vaso. La capa más externa de los vasos sanguíneos es la **túnica adventicia**, constituida por nervios y tejido conectivo, que contiene fibras elásticas y colágena. Las fibras colágenas de la túnica adventicia ayudan a mantener abiertos los vasos sanguíneos y son el medio por el cual se unen a los tejidos corporales cercanos. Pequeños vasos sanguíneos vasculares (*vasa vasorum*) se extienden desde la túnica adventicia hasta la media y proveen la irrigación de los tejidos de la pared vascular. La abertura dentro de un vaso sanguíneo se denomina luz.

Aunque cada vaso sanguíneo puede contener solo una pequeña cantidad de sangre, el volumen de todos en el cuerpo forma un gran recipiente cuando se considera en forma total. Las dimensiones de este recipiente son dinámicas; esto es, cambian en respuesta a las condiciones presentes dentro y fuera del organismo. Por ejemplo, si el cuerpo se deshidrata de manera moderada o intensa, la cantidad del volumen sanguíneo circulante decrece. Si el volumen total del sistema circulatorio (el recipiente) se mantuviese constante durante ese escenario, el VS, la PA y el GC del paciente disminuirían de manera significativa. Los vasos sanguíneos reciben retroalimentación del SNA para prevenir este resultado indeseable. Si los barorreceptores de la circulación central detectan una disminución de la presión, los vasos sanguíneos se contraen para disminuir el tamaño del recipiente de manera proporcional. Tales ajustes son coordinados por una amplia variedad de mecanismos de retroalimentación que actúan de manera colectiva para mantener la homeostasia. En algunos casos, el SNA también cambia la distribución de la sangre por constricción de los vasos sanguíneos periféricos, en un mayor grado que los que irrigan órganos vitales.

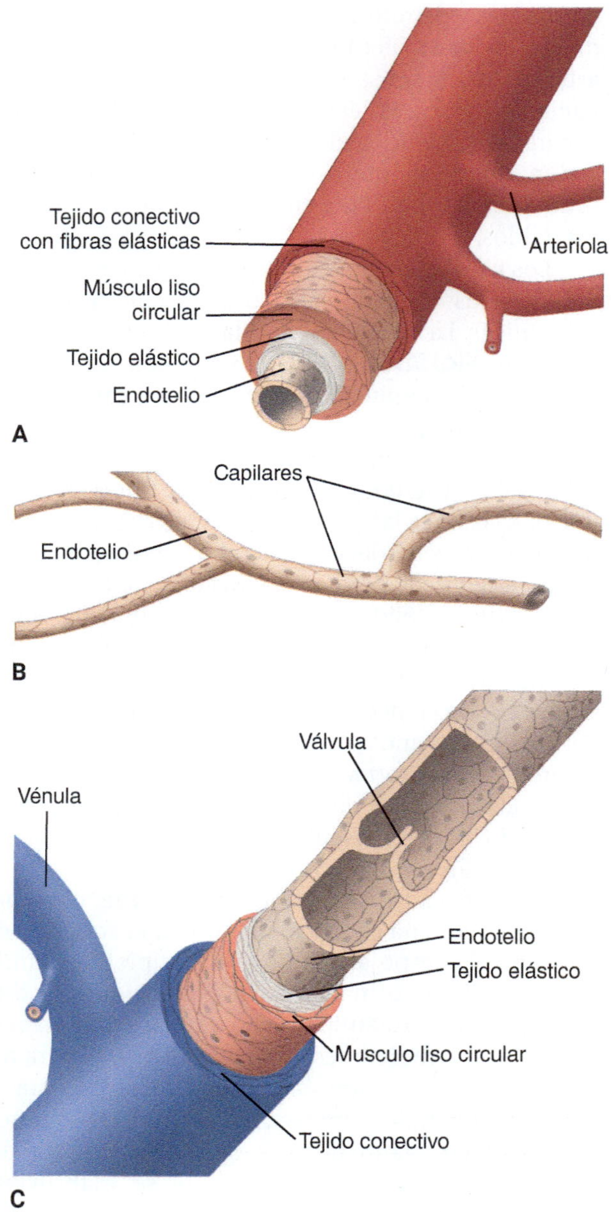

FIGURA 6-90 Las paredes de los vasos sanguíneos están constituidas por tres capas de tejidos: endotelio (túnica íntima), tejido elástico (túnica media) y tejido conectivo (túnica adventicia). **A.** Arteria. **B.** Capilar. **C.** Vena.

Este proceso es conocido como derivación, un signo del estado de shock.

Sistema arterial

Las arterias constituyen el sistema de distribución corporal, **FIGURA 6-91**. La aorta es la arteria más grande del cuerpo y sus ramas proveen sangre a todos los órganos y tejidos. Tiene tres regiones principales: (1) la aorta ascendente, (2) el arco aórtico y (3) la aorta descendente. La *aorta ascendente* se origina en la base del corazón y termina al convertirse en el arco de la aorta. Se curva en dirección posterior y a la izquierda a nivel del segundo cartílago costal y constituye el segmento llamado *arco aórtico*, que desciende hasta el nivel de la T4 vertebral y continúa como **aorta descendente**. Esta última se nombra de acuerdo con su localización dentro de las cavidades corporales. La aorta torácica es la parte de la porción descendente que se extiende desde el arco aórtico hasta el diafragma, y al atravesarlo se convierte en la aorta abdominal, cerca del nivel vertebral T12. En el **CUADRO 6-37** se muestran las principales divisiones y ramas de la aorta.

Las arterias de conducción son grandes, originadas de la aorta y sus principales ramas. Debido a que su función es transportar sangre bajo presión alta hacia los tejidos, estos vasos están equipados con más tejido elástico y menos músculo liso, lo que les permite distenderse bajo grandes presiones y rápidamente retornar a su forma original. Son ejemplo de grandes arterias la aorta y el tronco braquiocefálico, la carótida y las iliacas primitivas, y la subclavia. La elasticidad de las grandes arterias ayuda a disminuir la carga de trabajo del corazón. Si estas arterias se tornasen rígidas, más que elásticas, la presión aumentaría de manera notoria durante la sístole, lo que requeriría que los ventrículos bombearan contra una mayor poscarga y así aumentarían el trabajo cardíaco. En realidad, conforme se envía sangre a esos vasos, ellos se distienden, lo que disminuye el incremento resultante en la PA sistólica y, por lo tanto, el trabajo cardíaco.[32]

Las arterias medianas y pequeñas se llaman de distribución o musculares, irrigan órganos individuales y volúmenes más grandes de músculo liso, lo que da al cuerpo la capacidad de ajuste del flujo sanguíneo. Son ejemplos las arterias humerales, gástricas y las mesentéricas superiores.

Las más pequeñas de las arterias son las arteriolas (vasos de resistencia), cuyas paredes musculares fuertes actúan como válvulas de paso a través de las cuales se dirige sangre a los capilares.

Cabeza y cuello

El tronco arterial braquiocefálico es la primera rama que emerge del arco aórtico. Es relativamente corta y pronto se bifurca en las arterias carótida primitiva y subclavia derechas. La arteria carótida conduce

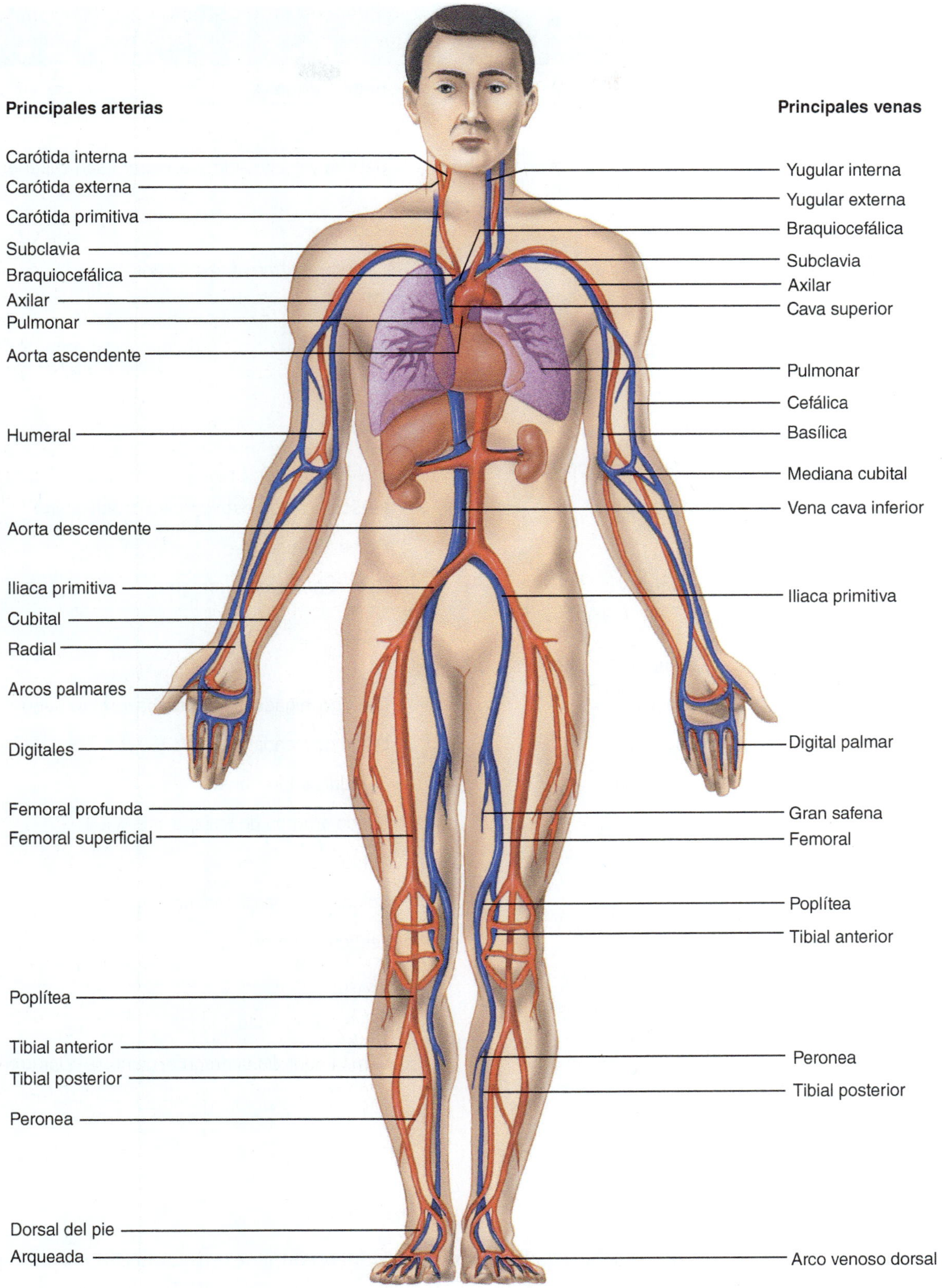

FIGURA 6-91 Las principales arterias y venas.

CUADRO 6-37 Las principales arterias

Ramas de la aorta	Arterias	Región irrigada
Ascendente	Coronarias derecha e izquierda	Miocardio
Del arco aórtico	Tronco arterial braquiocefálico (arteria innominada)	Cabeza y cuello, hombro, extremidad superior
	Carótida primitiva	Cabeza y cuello
	Subclavia	Cabeza y extremidad superior
Descendente (torácica)		
Viscerales	Irrigan los órganos contenidos en el tórax	
	Bronquial	Bronquios
	Esofágica	Esófago
Parietales	Riegan la pared de la cavidad torácica	
	Intercostal posterior	Músculos intercostales, caja costal lateral
	Subcostal	Pared torácica
	Frénica superior	Cara superior del diafragma
Descendente (abdominal)		
Viscerales	Irrigan los órganos contenidos en el abdomen	
	Tronco celiaco	Esófago, hígado, páncreas, bazo, estómago
	Mesentérica inferior	Colon descendente, recto
	Suprarrenal media	Glándula suprarrenal
	Ovárica	Ovario, trompa de Falopio, uréter
	Renal	Riñón
	Mesentérica superior	Colon, páncreas, intestino delgado
	Testicular	Testículo, uréter
Ramas parietales	Irrigan las paredes del abdomen	
	Iliaca primitiva	Pelvis, extremidad inferior
	Frénica inferior	Cara inferior del diafragma, glándula suprarrenal
	Lumbar	Músculos del dorso, vértebras lumbares
	Sacra media	Sacro

sangre a la cabeza y el cuello, en tanto la subclavia lo hace a las extremidades superiores.

Cada arteria carótida primitiva se ramifica en el ángulo de la mandíbula en las carótidas interna y externa. Este punto de división se denomina bifurcación carotídea. Una leve dilatación de esta bifurcación, el seno carotídeo, contiene estructuras importantes para la regulación de la presión arterial. Ramas de la arteria carótida externa riegan de sangre la cara, nariz y boca. Las arterias carótidas internas junto con las vertebrales (ramas de las arterias subclavias) proveen de sangre al encéfalo, **FIGURA 6-92**.

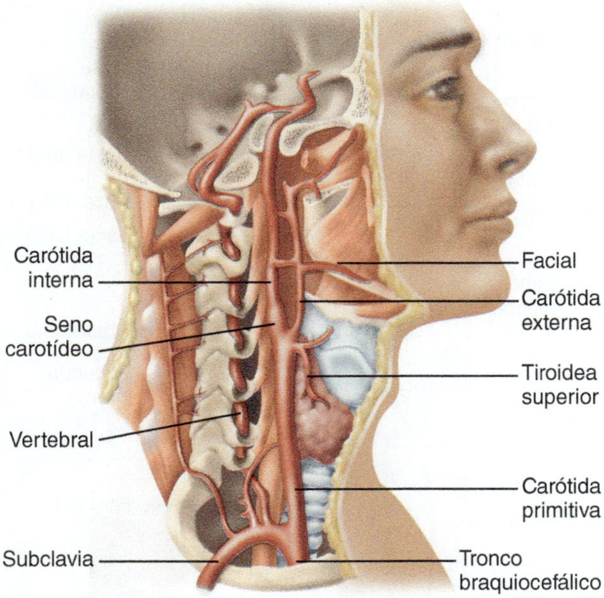

FIGURA 6-92 Arterias de la cabeza y el cuello.

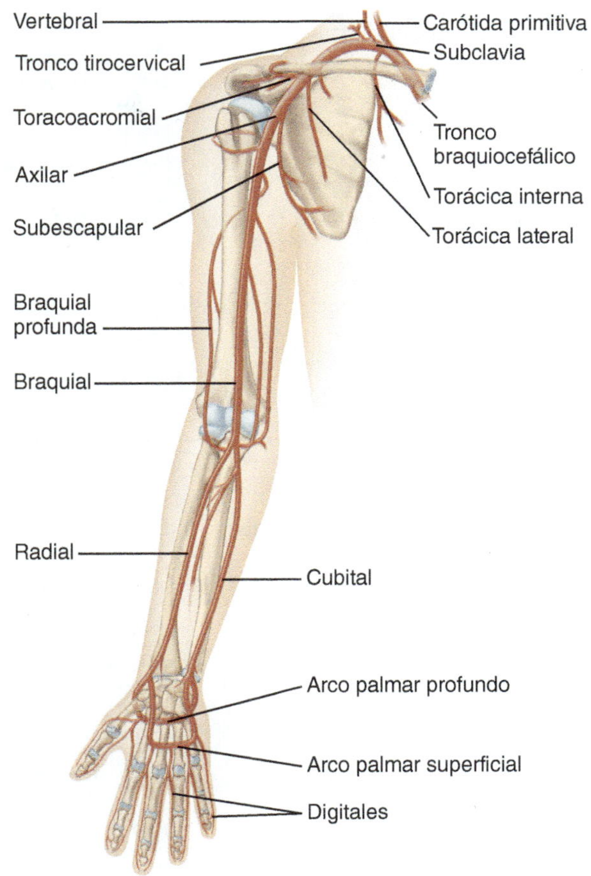

FIGURA 6-93 Arterias de la extremidad superior.

La extremidad superior

La arteria subclavia provee sangre al encéfalo, el cuello, la pared torácica anterior y el hombro. Poco después de su punto de origen, la arteria subclavia da origen a las arterias vertebrales. El sistema de la subclavia se continúa pasado el tórax, hacia la extremidad superior. Se convierte en la arteria axilar en la articulación del hombro, y después, en la humeral, bajo la cabeza del húmero, que se divide para formar las arterias cubital y radial, **FIGURA 6-93**.

Aorta torácica

Dos tipos de ramas constituyen la aorta torácica: las viscerales y las parietales. Las primeras proveen sangre a los órganos del tórax y las últimas a la pared torácica.

Las arterias intercostales transcurren a lo largo de las costillas y proveen circulación a la pared torácica, se bifurcan en intercostales anterior y posterior. Las arterias intercostales anteriores se originan como ramas del sistema subclavio; las posteriores provienen directamente de la aorta. Las ramas viscerales de la aorta torácica incluyen a las arterias bronquiales en los pulmones y las esofágicas.

Aorta abdominal

Como sus contrapartes torácicas, las ramas de la aorta abdominal se dividen en porciones viscerales y parietales. Las arterias viscerales se subdividen en arterias pares e impares: las tres principales impares son el tronco celiaco y las mesentéricas superior e inferior, **FIGURA 6-94**. El tronco celiaco provee sangre al esófago, el estómago, el duodeno, el bazo, el hígado y el páncreas, **FIGURA 6-95**. La arteria mesentérica superior y sus ramas riegan al páncreas, el intestino delgado y el colon. La arteria mesentérica inferior y sus ramas irrigan al colon descendente y el recto. Las ramas pares de la aorta abdominal visceral riegan a los riñones, las glándulas suprarrenales y las gónadas. Las ramas parietales lo hacen al diafragma y la pared abdominal.

La pelvis y la extremidad inferior

A nivel de la quinta vertebra lumbar, la aorta se bifurca en dos arterias iliacas primitivas, que se dividen después en arterias iliacas internas que irrigan a la pelvis y las iliacas externas que ingresan a la extremidad

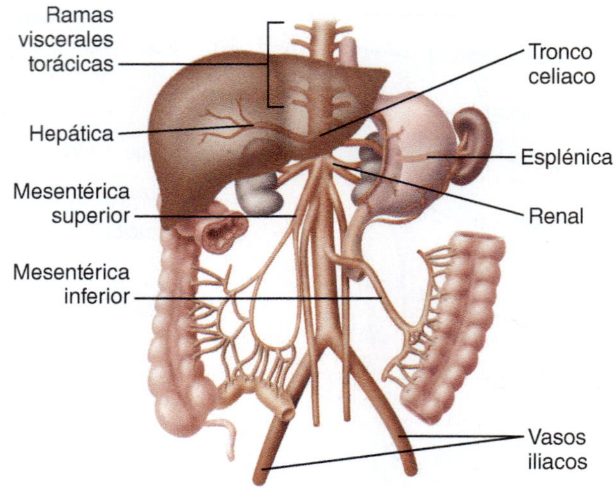

FIGURA 6-94 Ramas de la aorta abdominal.

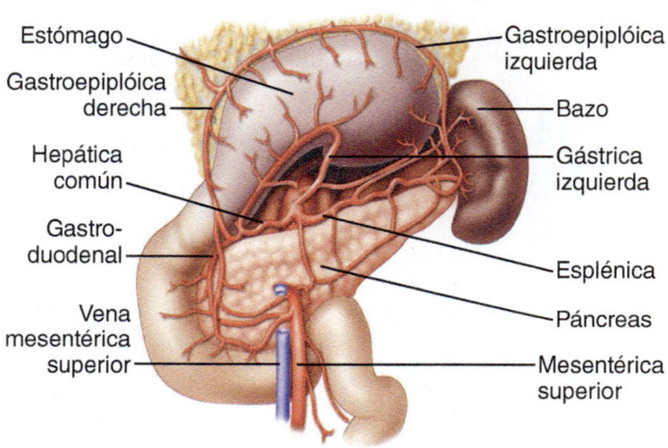

FIGURA 6-95 El tronco celiaco y los vasos mesentéricos superiores.

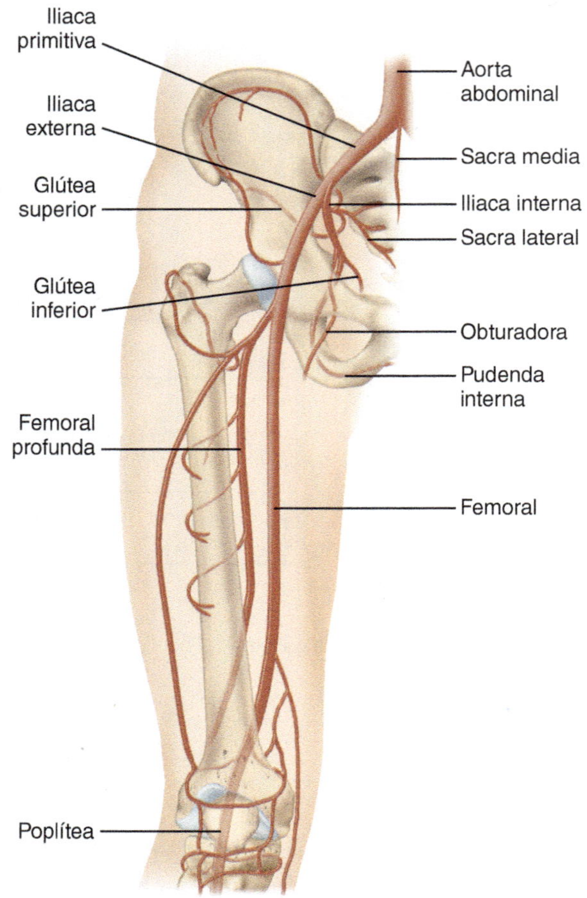

FIGURA 6-96 Arterias de la pelvis y el muslo.

inferior, **FIGURA 6-96**. La arteria iliaca interna envía ramas viscerales al recto, la vagina, el útero y el ovario. Las ramas parietales proveen sangre al sacro, los músculos glúteos de las nalgas, la región del pubis, el recto, los genitales externos y la porción proximal del muslo.

Como los vasos de la extremidad superior, los de la inferior constituyen un continuo. La arteria iliaca externa se convierte en femoral e irriga al muslo, los genitales externos, la pared abdominal anterior y la rodilla. La arteria femoral se convierte en poplítea en la parte baja del muslo. Cada arteria poplítea se ramifica después en las tibiales anterior y posterior, y la peronea. En el pie, la tibial anterior se convierte en dorsal del pie. Las arterias plantares surgen de la arteria tibial posterior y se subdividen en ramas digitales para proveer sangre a los artejos, **FIGURA 6-97**.

Sistema venoso

En esencia, el sistema venoso actúa para recolección (véase figura 6-91). Las vénulas, las más pequeñas de los vasos venosos, tienen muy poco músculo liso en su capa media y se llaman vasos de capacitancia (almacenamiento), porque pueden contener grandes cantidades de sangre. Debido a que 70% de la sangre corporal está contenida en el sistema venoso, las venas pueden ajustar el volumen sanguíneo de retorno al corazón (precarga) de manera que se puedan cubrir las necesidades del cuerpo cuando se modifica el gasto cardíaco, como en el estado de shock.[32] El riego sanguíneo venoso depende de la actividad del músculo esquelético, los movimientos respiratorios y la fuerza de gravedad. Las venas medias y grandes tienen

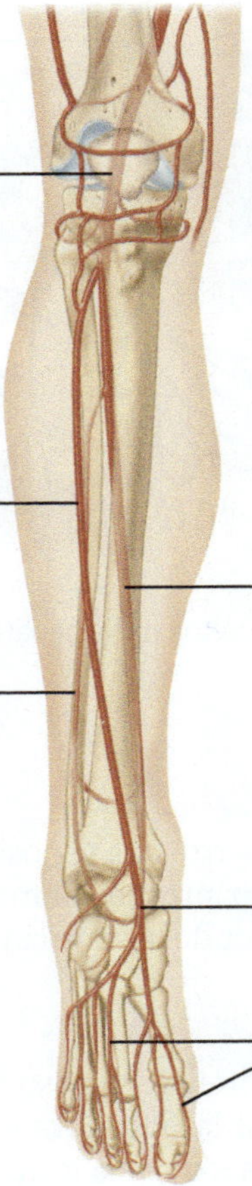

FIGURA 6-97 Las arterias de la extremidad inferior.

CUADRO 6-38 Principales venas

Venas	Regiones drenadas
Que desembocan en la vena cava superior	
Ácigos	Bronquios, esófago, mediastino, pericardio, paredes posteriores de tórax y abdomen
Tronco braquiocefálico (innominada)	Cabeza, cuello, extremidad superior
Yugular externa	Músculos y piel de la cara, el cuello y el cuero cabelludo
Yugular interna	Encéfalo, cráneo
Subclavia	Glándulas mamarias, extremidad superior
Que desembocan en la vena cava inferior	
Iliaca primitiva	Extremidades inferiores
Hepática	Hígado
Ovárica	Ovario
Renal	Riñones
Testicular	Testículos

en su interior válvulas para prevenir el flujo retrógrado de sangre. Las extremidades superiores e inferiores tienen más válvulas que otras del cuerpo, lo que previene el retorno de sangre en respuesta a la fuerza de gravedad.

Las vénulas aumentan poco a poco de grosor y se convierten en vasos de tamaño mediano. Conforme se acercan al corazón, las venas se tornan progresivamente más grandes. Las dos venas más grandes del cuerpo son las cavas superior e inferior, que desembocan en la aurícula derecha. En la circulación pulmonar, las venas pulmonares transportan sangre oxigenada de los pulmones a la aurícula izquierda. Desde la circulación sistémica las venas transportan sangre con un menor contenido de oxígeno de los tejidos corporales hasta la aurícula derecha. En el **CUADRO 6-38** se muestran las principales venas del cuerpo y las regiones que drenan.

La cabeza y el cuello

Las dos principales venas que drenan la cabeza y el cuello son las yugulares externa e interna. La vena yugular externa es más superficial y a menudo visible bajo la piel. Drena principalmente la porción posterior de la cabeza y el cuello. La vena yugular interna drena la bóveda craneana, así como la porción anterior de la cabeza, la cara y el cuello. Los espacios entre las membranas que rodean al encéfalo forman senos venosos, que son sus principales medios de drenaje y desembocan en la vena yugular interna.

Las venas yugulares externa e interna se unen con la subclavia (parte proximal de la principal vena del brazo) para formar el tronco braquiocefálico venoso que desemboca en la vena cava superior, **FIGURA 6-98**.

La extremidad superior

Las venas de la extremidad superior varían algo de una persona a otra, **FIGURA 6-99**. Las venas de las manos, muñecas y el antebrazo reciben el mismo nombre que las arterias. En la porción alta del antebrazo estas venas se combinan para formar las venas basílica y cefálica, las principales del brazo, que se combinan para formar la vena axilar, que desemboca en la subclavia.

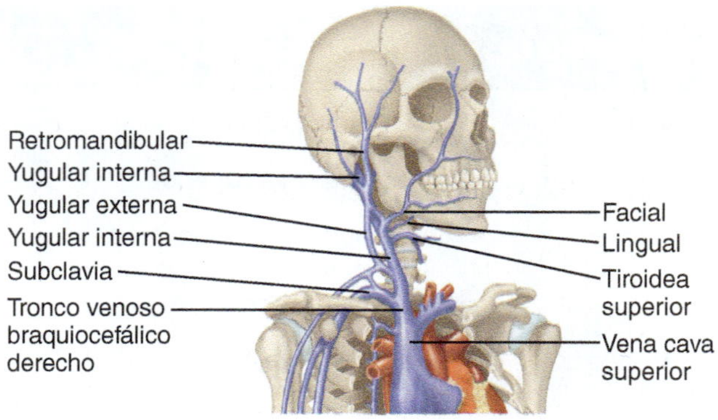

FIGURA 6-98 Las venas de la cabeza y el cuello.

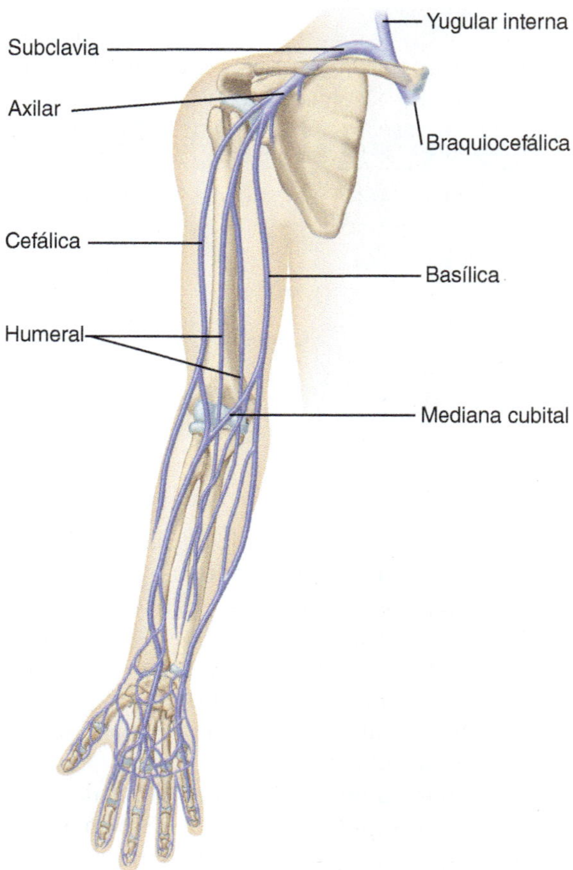

FIGURA 6-99 Las venas de la extremidad superior.

El tórax

En el tórax, el drenaje venoso comienza en las venas intercostales anteriores y posteriores, las cuales se vierten en la vena ácigos en el lado derecho del tórax y en la hemiácigos en el lado izquierdo. Estas venas,

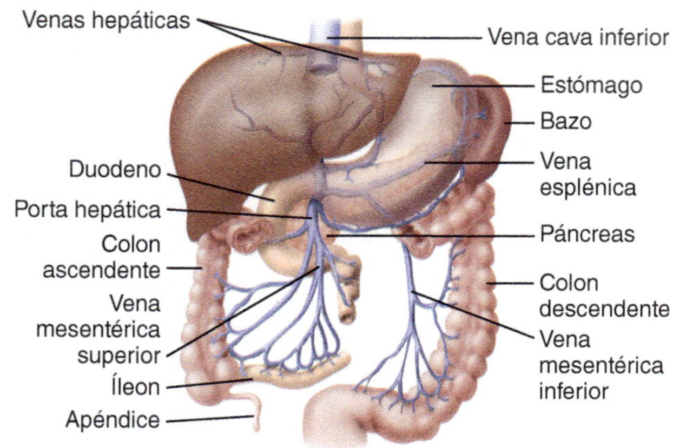

FIGURA 6-100 El sistema porta hepático.

junto con las de los troncos venosos braquiocefálicos derecho e izquierdo, proveen la mayor fuente de flujo sanguíneo al interior de la vena cava superior.

El abdomen y la pelvis

Finalmente, todo drenaje venoso de la parte inferior del cuerpo pasa por la vena cava inferior, que retorna la sangre desoxigenada hacia la aurícula derecha para su **oxigenación**, proceso de cargar moléculas de oxígeno a las de hemoglobina en la corriente sanguínea. Dentro de las cavidades abdominal y pélvica, las venas se nombran de acuerdo con las principales arterias que acompañan, y proveen al drenaje venoso de estructuras que incluyen riñón, glándulas suprarrenales, gónadas y diafragma. Las venas iliacas internas drenan la pelvis, y las iliacas externas, las extremidades inferiores. Ambos tipos de venas iliacas se combinan en la pelvis para formar las iliacas primitivas, que después se unen para formar la vena cava inferior.

Circulación porta hepática

El **sistema porta hepático** es una parte especializada de la circulación venosa que lleva sangre capilar rica en nutrimentos digestivos de los órganos de la digestión al hígado. La sangre venosa de la mayoría de los órganos abdominales retorna directamente a la vena cava inferior. Sin embargo, aquella proveniente de la vesícula biliar, los intestinos, el páncreas, el bazo y el estómago, ingresa primero al sistema porta hepático, antes de transportarse al hígado y después a la vena cava inferior, **FIGURA 6-100**. El sistema porta hepático abarca el paso de sangre que retorna del tubo digestivo a través de dos conjuntos de capilares antes de regresar al corazón, primero los capilares de los órganos abdominales, y después, los del hígado. La vena porta hepática colecta sangre de los capilares en los órganos abdominales, ingresa al hígado y termina como lecho capilar, de donde el hígado extrae los nutrimentos necesarios de la sangre y almacena otros. Las venas hepáticas drenan los lechos capilares de la vena porta hepática, la cual retorna la sangre a la vena cava inferior, que se vacía en la aurícula derecha del corazón.

La extremidad inferior

La vena más larga del cuerpo es la gran vena safena, que drena el pie, la pierna y el muslo. Se origina en las caras dorsal y medial del pie, asciende por la cara medial de la pierna y el muslo y se vacía en la vena femoral, que después desemboca en la vena iliaca externa. En ubicación lateral, la vena safena pequeña ayuda a drenar la pierna y la cara lateral del pie. Las venas del pie también drenan hacia las venas tibiales anterior y posterior que acompañan a sus arterias respectivas, para unirse en la rodilla y formar la vena poplítea. Esta asciende por el muslo y se transforma en la vena femoral, **FIGURA 6-101**.

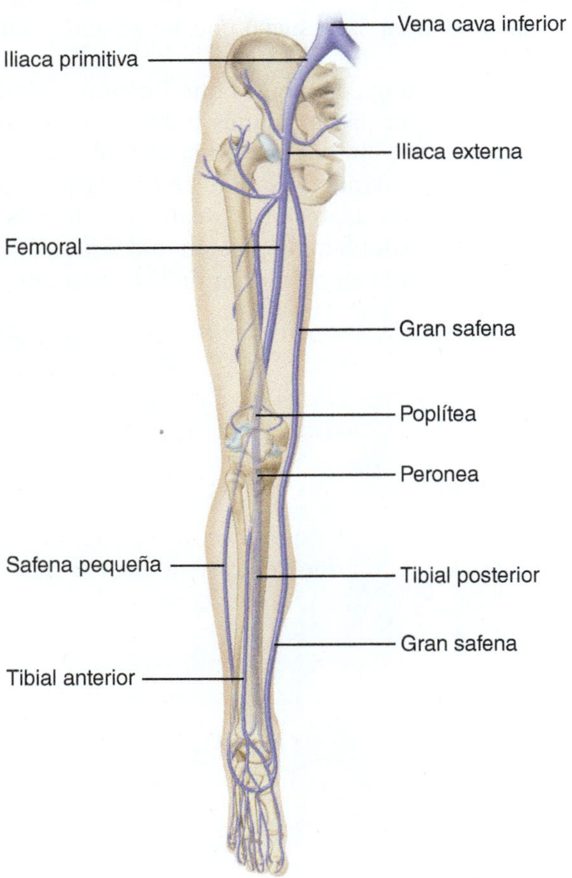

FIGURA 6-101 Las venas de la extremidad inferior.

Microcirculación

La microcirculación es la porción de la vasculatura formada por arteriolas, capilares y vénulas, **FIGURA 6-102**. En esencia, actúa como sistema de difusión y filtrado. Las funciones más importantes de la microcirculación son el transporte de nutrimentos a los tejidos y el retiro de desechos celulares.[33]

Las arteriolas son los vasos de mayor resistencia. Su revestimiento de músculo liso les permite modificar su diámetro y al dirigir y regular el flujo sanguíneo hacia los capilares. Así, las arteriolas pueden modificar el riego sanguíneo en cada tejido en respuesta a sus necesidades específicas.

Los capilares forman conexiones entre las arteriolas y vénulas de la mayoría de los tejidos corporales. Las paredes de los capilares son muy delgadas y contienen poros, que permiten el intercambio de gases, agua, nutrimentos, electrólitos, hormonas y productos de desecho entre la sangre y el líquido intersticial que baña a las células de los tejidos. No hay poros en los capilares cerebrales, donde la barrera hematoencefálica impide la entrada de muchas moléculas pequeñas.[32]

En algunos tejidos, las arteriolas se ramifican directamente hasta los capilares y regulan el riego sanguíneo por el lecho de estos (red) por constricción o dilatación. En otros tejidos, las arteriolas se ramifican en otras más pequeñas (metaarteriolas), cortas, que conectan vasos que pueden directamente vincularse

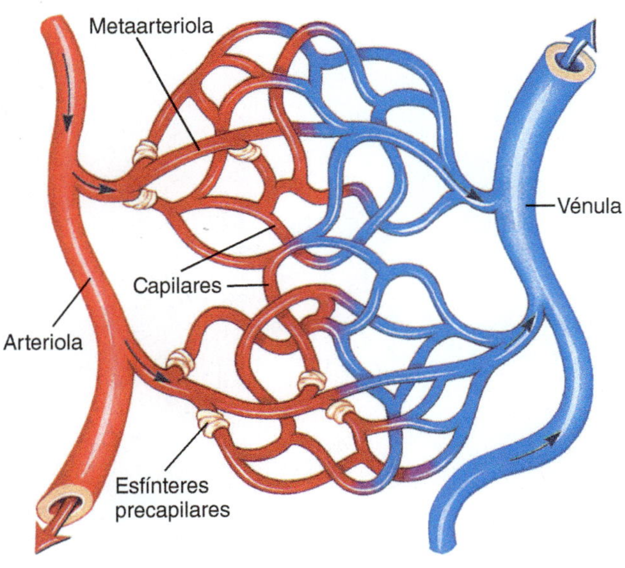

FIGURA 6-102 La microcirculación es la porción de la vasculatura constituida por arteriolas, capilares y vénulas.

con los capilares o evaden el lecho capilar y se conectan con vénulas. Los extremos proximales de las metaarteriolas están rodeados por un pequeño mango de músculo liso llamado **esfínter precapilar**. Estos esfínteres actúan como válvulas reguladoras, controlando el riego sanguíneo en el lecho capilar. Las metaarteriolas tienen un revestimiento parcial de músculo liso, lo que les permite ajustar su diámetro.

No hay metaarteriolas y esfínteres precapilares en todos los tejidos, pero en donde sí hay se encuentran en estrecho contacto con los tejidos que riegan y se encargan de sus necesidades. Por ejemplo, los esfínteres precapilares constriñen y disminuyen el riego sanguíneo o se relajan y lo aumentan en cada zona dependiendo los requerimientos locales de oxígeno del tejido y la concentración de nutrimentos, productos de desecho del metabolismo e hidrogeniones. La contracción y relajación intermitentes de las arteriolas, las metaarteriolas, los esfínteres precapilares y algunas arterias pequeñas se denominan movimiento vascular.[32]

En algunos tejidos corporales, hay una conexión directa entre arterias y venas, que se denomina anastomosis arteriovenosa, y sirve para desviar sangre lejos del lecho capilar y dirigirlo desde las arteriolas pequeñas directamente a vénulas pequeñas del tejido que requiere oxígeno y nutrimentos. Son ejemplos donde se pueden encontrar anastomosis arteriovenosas, la piel (p. ej., manos, pies, nariz, oído, labios) y las mucosas de la nariz y del intestino.

Filtración capilar

El intercambio de nutrimentos y productos de desecho entre los espacios intravascular e intracelular es crucial para la supervivencia. La mayoría de esas sustancias, incluidos oxígeno y dióxido de carbono, pasa a través de estos espacios por difusión, difusión facilitada y ósmosis. Sin embargo, otras sustancias dependen del proceso de filtrado capilar para este intercambio. El filtrado capilar depende de tres factores: (1) permeabilidad en la membrana capilar, (2) presión hidrostática arterial y (3) presión oncótica venosa.

No todos los capilares tienen la misma permeabilidad de la membrana. Por ejemplo, los hepáticos son permeables, y permiten el paso de proteínas plasmáticas (como la albúmina) con facilidad. Por el contrario, los capilares del músculo esquelético contienen pocos poros. La permeabilidad tampoco es uniforme a todo lo largo de un capilar. El lado precapilar es arterial y el poscapilar, venoso, **FIGURA 6-103**. Los extremos venosos del capilar son más permeables que los arteriales, y su permeabilidad es máxima en las vénulas, tal vez por el mayor número de poros en esas regiones.[32]

El movimiento del agua entre el plasma en el compartimiento intravascular y el **espacio intersticial** (aquel entre las células) es impulsado por diferencias de presión, que se presentan en el ámbito capilar por filtrado. Recuerde que el filtrado es el desplazamiento de fluido del **líquido intravascular**, que se encuentra bajo alta presión, al intersticial que, en general, tiene presión baja.

Las dos principales fuerzas que funcionan dentro del capilar son las presiones hidrostática y oncótica. La **presión hidrostática** es la ejercida por un líquido y ocurre cuando la sangre se desplaza a través de una arteria a presiones relativamente altas. En el sistema vascular, la presión hidrostática es la presión generada en el interior de los vasos por la

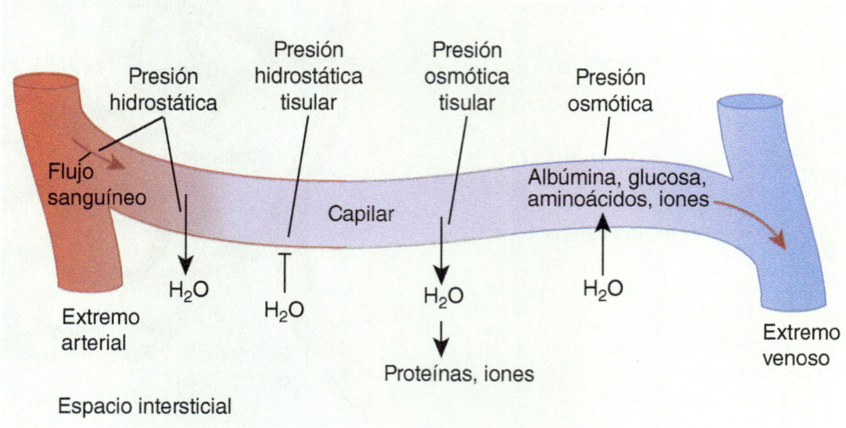

FIGURA 6-103 El movimiento del agua al interior y fuera de los capilares es resultado de cuatro fuerzas separadas.

contracción cardíaca (p. ej., PA), la gravedad y otras fuerzas. Cuando la sangre alcanza las paredes capilares, la presión del líquido impulsa en contra de ellas para forzar su salida del capilar. La fuerza opuesta es la **presión oncótica**, una forma de presión osmótica ejercida por las proteínas en el plasma sanguíneo que suelen actuar para impulsar agua hacia el aparato circulatorio. Estas proteínas tienden a hacer más espesa la sangre, lo que significa que hay más agua presente fuera del capilar que en su interior con relación al espacio intersticial. Ocurre difusión como resultado de este desequilibrio, por la que el agua busca desplazarse al interior del capilar.

Los esfínteres precapilar y poscapilar ayudan a mantener el delicado equilibrio del gradiente de presión. Este proceso denominado filtrado neto, se describe por la ley de Starling: el filtrado neto equivale a las fuerzas combinadas que lo favorecen (p. ej., presión hidrostática capilar y oncótica intersticial) menos las fuerzas combinadas que se oponen (p. ej., presión oncótica del plasma e hidrostática intersticial).

En la **FIGURA 6-104** se muestra todo el proceso del filtrado capilar. Como se ilustra, la sangre fluye en el extremo arterial del capilar. El plasma trata de ingresar al capilar desde el espacio intersticial, pero la presión hidrostática en el lado arterial del capilar es más alta, por lo que el plasma, que transporta nutrimentos, abandona al capilar e ingresa al espacio intersticial. La presión hidrostática disminuye mucho por el tiempo en que el líquido alcanza el lado venoso del capilar debido al esfuerzo de impulso de este fuera del capilar disminuye su fuerza. Este decremento en la presión es benéfico porque una presión oncótica ahora puede impulsar el líquido al interior del capilar; el plasma, que porta todos los desechos de las células, ingresa al lado venoso del capilar y así permite su salida.

El sistema linfático

El sistema linfático es parte del aparato circulatorio y tiene tres funciones principales:

- **Retiro del exceso de líquido de los tejidos del cuerpo y recuperación del necesario para mantener un equilibrio apropiado de agua.** La linfa se drena desde los tejidos y retorna al lado venoso del sistema vascular.
- **Producción y circulación de linfocitos.** Los linfocitos se producen dentro de los órganos linfoides, aportan una cantidad significativa de la función inmunitaria del cuerpo.
- **Distribución de diversos productos que no pueden ingresar directamente a la corriente sanguínea.** Incluyen nutrimentos y algunas hormonas.

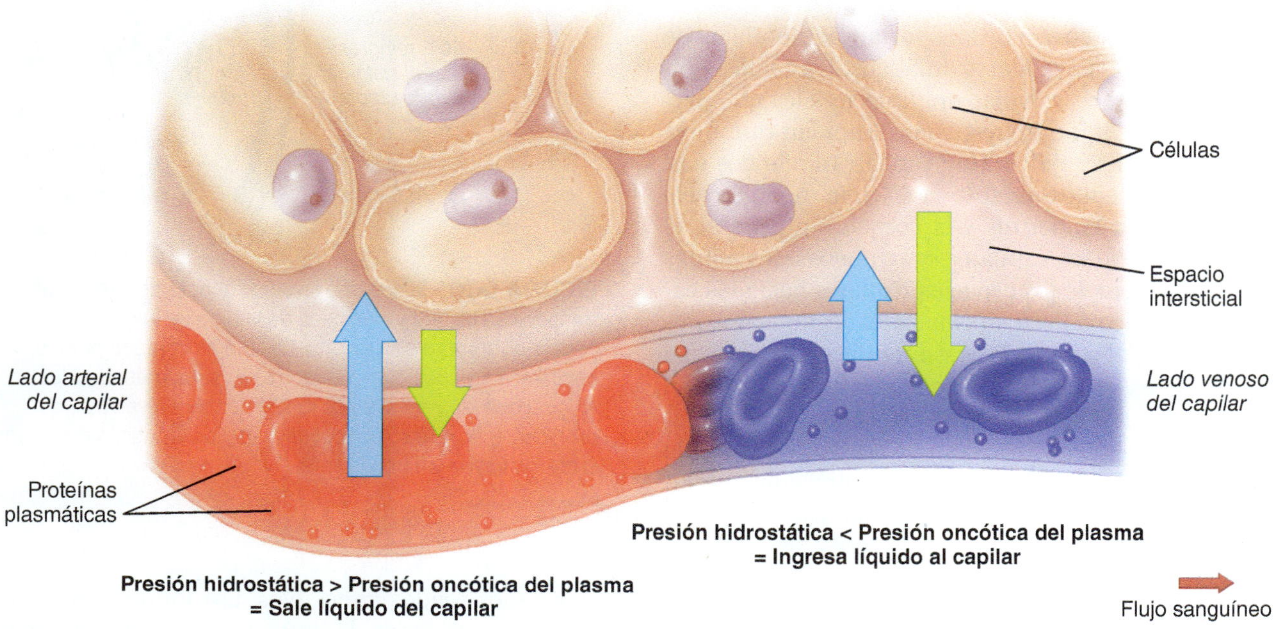

FIGURA 6-104 Movimiento de líquidos de los capilares al espacio intersticial y de retorno.

El sistema linfático transporta linfa de manera pasiva. Recuerde que la **linfa** es un fluido poco espeso similar al plasma y está constituido a partir del líquido intersticial o el líquido extracelular que baña a los tejidos corporales. Los capilares linfáticos captan la linfa y la drenan hacia vasos más grandes. La linfa circula por el cuerpo en vasos de pared delgada llamados linfáticos, que transcurren cerca de las arterias y venas principales, **FIGURA 6-105**. Como las venas, los vasos linfáticos contienen válvulas que limitan el flujo retrógrado. El material extraño como detritos o bacterias se filtra desde la linfa en los ganglios linfáticos, una serie de estructuras redondas o reniformes dispersas en el trayecto de los vasos linfáticos. Desde los ganglios linfáticos, la linfa retorna al sistema circulatorio principal a través del **conducto torácico**, uno de los dos grandes vasos linfáticos, que colecta la linfa de la parte inferior del cuerpo, el lado izquierdo de cabeza y cuello y el brazo izquierdo. La linfa regresa a la circulación central por conexión con la vena subclavia izquierda. El conducto linfático derecho colecta linfa del brazo derecho, el lado derecho de tórax, cabeza y cuello. Este conducto retorna a la linfa a la circulación central por conexión con la vena subclavia derecha. Diversas dinámicas corporales como los cambios en la presión respiratoria, las contracciones musculares y el desplazamiento de los órganos alrededor de vasos linfáticos, se combinan para desplazar la linfa a través del sistema linfático.

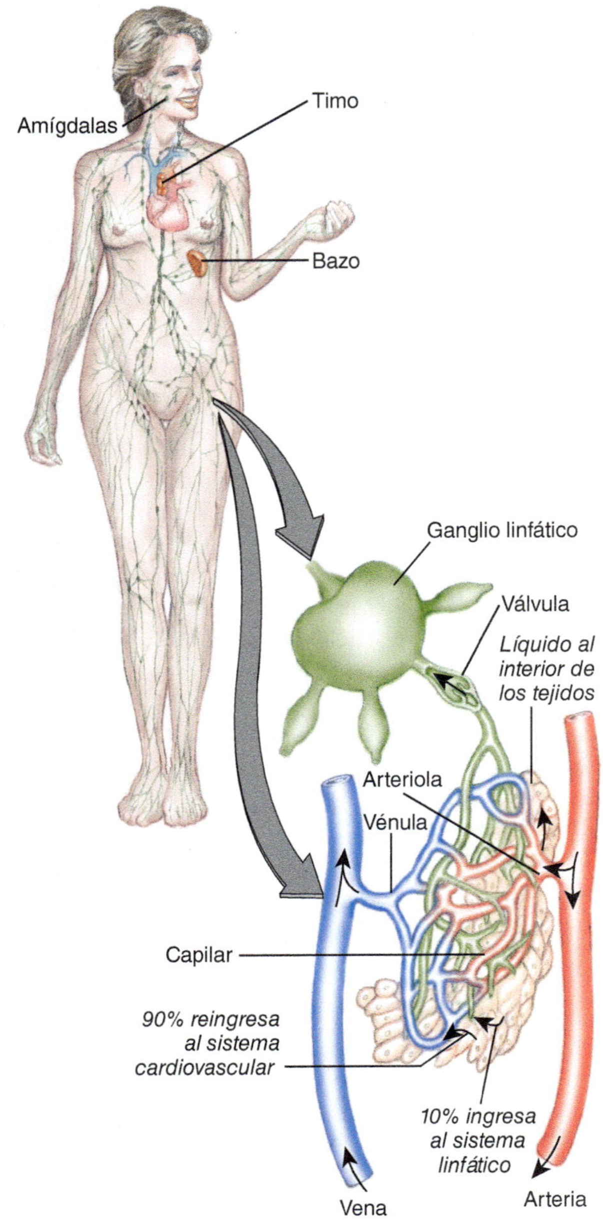

FIGURA 6-105 El sistema linfático consta de vasos que transportan la linfa y el exceso de líquido de los tejidos de retorno al aparato circulatorio. La linfa es captada por los capilares linfáticos que drenan hacia vasos más grandes. Al igual que las venas, estos vasos contienen válvulas que prohíben el flujo retrógrado. Hay ganglios linfáticos dispersos entre los vasos y filtran la linfa.

Vasos linfáticos

Los vasos linfáticos solo transportan líquido lejos de los tejidos. En los capilares linfáticos, las células epiteliales contienen válvulas unidireccionales que permiten que el fluido ingrese, pero impiden que fluya de retorno a los tejidos. Hay capilares linfáticos casi en todos los tejidos excepto el SNC, la médula ósea, el cartílago, la epidermis y la córnea. En general, el líquido fluye de los capilares sanguíneos a los tejidos y después fuera de los espacios tisulares hacia los capilares linfáticos. En los principales lechos capilares sanguíneos del cuerpo, la presión hidrostática interna permite el escape normal y continuo de 3 a 4 ml/min de fluido hacia los espacios intersticiales. El vaso linfático debe absorber este exceso de líquido y retornarlo a la circulación venosa central para prevenir que los tejidos se tornen edematosos (hinchados).

Timo

El timo está localizado en el tórax, delante de la aorta y detrás de la porción superior del esternón. Se divide en lóbulos conectivos que se extienden al interior de los tejidos conectivos. Los lóbulos contienen grandes cantidades de linfocitos, incluidos timocitos inactivos principalmente, que se formaron a partir de citoblastos en la médula ósea y se alojaron en el timo.

Algunos timocitos maduran hasta linfocitos T, que abandonan al timo después de las 3 semanas y proveen inmunidad al cuerpo. La timosina, una hormona secretada por las células epiteliales del timo, causa la maduración de los linfocitos T.

Bazo

El bazo está localizado en la cavidad abdominal superior izquierda, debajo del diafragma y detrás y a un lado del estómago. Es el órgano linfático más grande del cuerpo, y simula a un gran ganglio linfático subdividido. Contiene la cantidad más grande de tejido linfático del cuerpo de un adulto y difiere de los ganglios linfáticos, porque sus senos venosos se llenan de sangre, en vez de linfa.

Se encuentran dos tipos de tejido dentro de los lóbulos del bazo. Hay pulpa blanca en todo el órgano en pequeños "islotes", constituidos por nódulos esplénicos que contienen muchos linfocitos. El resto de los lóbulos se llena con pulpa roja, que contiene muchos eritrocitos, linfocitos y macrófagos. Los capilares sanguíneos de la pulpa roja son muy permeables, por lo que los eritrocitos pueden fácilmente constreñirse a través de las paredes capilares para ingresar a los senos venosos. Si los eritrocitos más viejos se dañan durante este proceso, los macrófagos dentro de los senos esplénicos los engullen. A través de la acción de macrófagos y linfocitos, el bazo filtra la sangre de manera similar a como los ganglios linfáticos filtran la linfa.

Perlas de sabiduría

El bazo es susceptible a las lesiones durante una deceleración o compresión rápida y puede puncionarse ante las fracturas de las costillas inferiores izquierdas suprayacentes.

Sistema inmunológico

El cuerpo humano tiene múltiples mecanismos de defensa que actúan juntos para proveer inmunidad, la cual se define como la capacidad de combatir enfermedades e infecciones. Una infección puede ser causada por la presencia y multiplicación de un microorganismo que causa enfermedad (patógeno), como virus, bacterias, hongos o protozoarios.

El sistema inmunológico tiene dos componentes anatómicos: tejidos y células linfoides que se encargan de la respuesta inmunitaria. Los tejidos linfoides están distribuidos en todo el cuerpo y los dos principales son la médula ósea y el timo. La médula ósea es un tejido blando especializado que se encuentra dentro del hueso. La médula ósea roja, ampliamente distribuida en los huesos de los niños, se encuentra también en algunos huesos de adultos (en el esternón y las costillas), indispensable para la formación de células sanguíneas maduras. La médula ósea roja produce linfocitos B. Mientras tanto, los linfocitos T se originan en células precursoras de la médula ósea que abandonan para madurar en el timo.

Cúmulos de tejido linfoide, que colectivamente se denominan tejido linfoide asociado a la mucosa, se encuentra en la piel y los aparatos respiratorio, urinario, digestivo y reproductor. Los tejidos linfoides contienen células inmunitarias que interceptan a los microorganismos patógenos antes de que alcancen la circulación general. Las amígdalas son tal vez el tipo mejor conocido de tejido linfoide asociado a mucosas. En el tubo digestivo es particularmente notorio el tejido linfoide no encapsulado, llamado asociado al intestino y yace bajo el revestimiento del esófago y los intestinos.

Las glándulas salivales (órganos accesorios del aparato digestivo) y las lagrimales participan también en el sistema inmunológico pues producen un anticuerpo, la inmunoglobulina A secretora, que baña las membranas mucosas. Así, la saliva contiene anticuerpos que combaten microorganismos patógenos que ingresan por la boca y las lágrimas, aquellos que lo hacen con los patógenos que ingresan al ojo. La inmunoglobulina A secretora también se encuentra en las glándulas mamarias. Si bien las inmunoglobulinas secretorias tienen participación importante en la inmunidad, las principales del sistema inmunológico son los leucocitos, que se describieron antes en este capítulo. La inmunidad y la respuesta inmunes se describen con detalle en el capítulo 7, *Fisiopatología.*

El aparato respiratorio

Las células del cuerpo para su función deben contar con energía, la cual se produce por una serie de complicados pasos que requieren oxígeno. La principal función del **aparato respiratorio** es proveer de oxígeno del cuerpo y eliminar el dióxido de carbono. También brinda defensas inespecíficas contra enfermedades, ayuda a regular el pH y permite la vocalización. El aparato respiratorio está constituido por las siguientes partes:

- Las vías respiratorias, una serie de conductos por los que el aire se desplaza hacia las superficies de intercambio y de regreso

- La **membrana respiratoria** donde se hace el intercambio de gases (se capta oxígeno por la corriente sanguínea y se elimina el dióxido de carbono por los pulmones)
- Los pulmones, que permiten el desplazamiento mecánico del aire hacia la membrana respiratoria y desde ella
- El diafragma, los músculos de la pared torácica y los **músculos accesorios** de la respiración, que permiten los movimientos normales correspondientes y los nervios del encéfalo y la médula espinal que inervan a dichos músculos

La vía aérea se divide en superior e inferior, lo que puede distinguirse con base en su localización por arriba o debajo de la **glotis** o abertura glótica (las cuerdas vocales y la abertura entre ellas), **FIGURA 6-106**.[34] Así, la vía aérea superior incluye estructuras respiratorias en la cabeza y el cuello, en tanto la vía aérea inferior, las correspondientes en el tórax.

Vía aérea superior

Las estructuras de la vía aérea superior incluyen la nariz, la boca, la lengua, la mandíbula, la cavidad bucal, la laringe y la **faringe**. Las principales funciones de la vía aérea superior son entibiar, filtrar y humidificar el

Perlas de sabiduría

Cualquier traumatismo de la vía aérea nasal, como la colocación inapropiada o muy agresiva de dispositivos de vía aérea, puede causar una hemorragia profusa de la cavidad nasal posterior, que no se puede cohibir por compresión directa. Factores extrínsecos (como el uso de cocaína) pueden también dañar las vías nasales delicadas o el tabique nasal. Véase el capítulo 13, *Manejo de la vía aérea*, para más información.

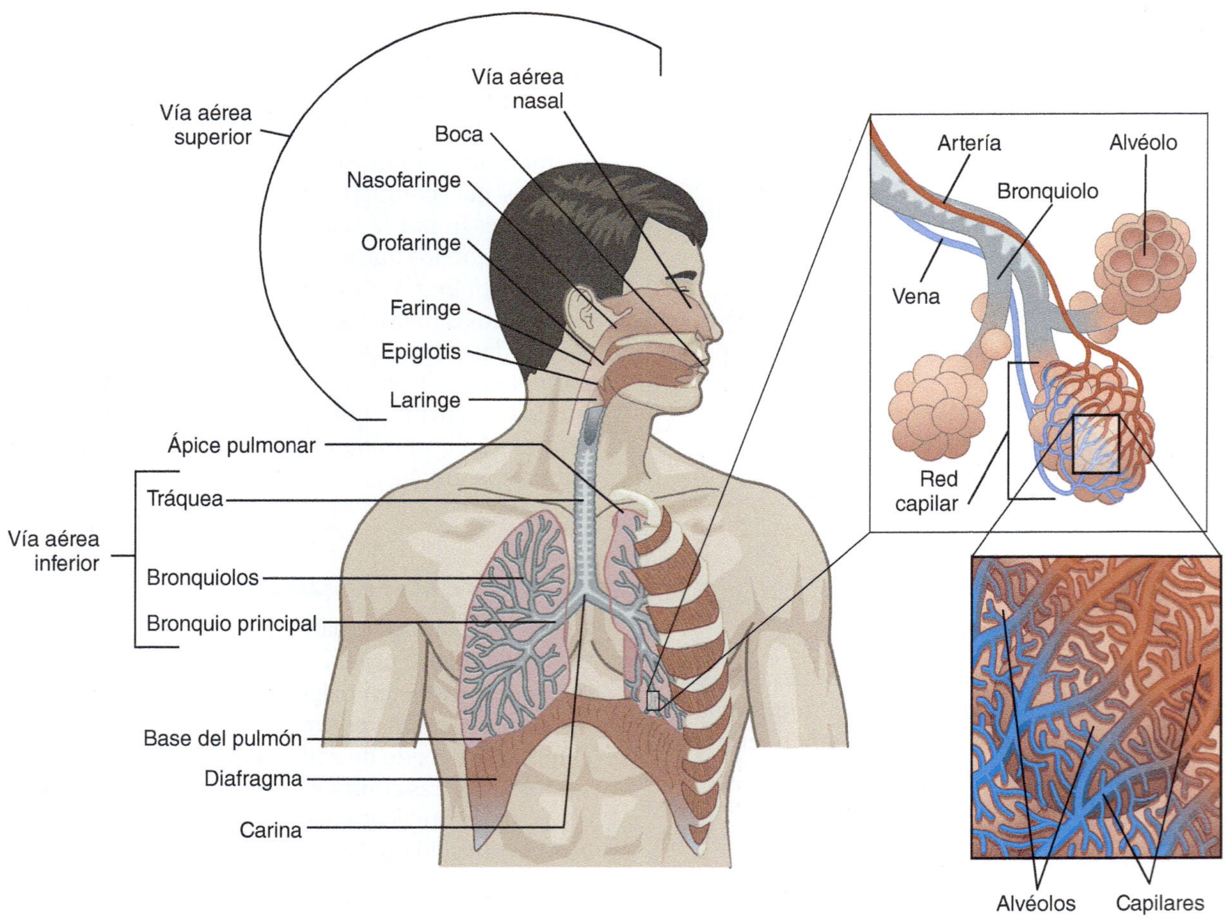

FIGURA 6-106 El aparato respiratorio consta de todas las estructuras del cuerpo que contribuyen al proceso de ventilación.

aire a su ingreso al cuerpo a través de la nariz y la boca, de manera que para el momento en que alcance la tráquea se encuentre a la temperatura corporal y por completo humidificado. La humidificación se logra conforme el aire capta humedad de los tejidos blandos de la vía aérea.

La entrada al aparato respiratorio se inicia en las cavidades nasal y bucal. La zona entre la cavidad nasal y la laringe detrás de la cavidad bucal se conoce como faringe (garganta) que se extiende desde la base del cráneo hasta el nivel de la sexta vértebra cervical, permite el paso del aire hacia la vía aérea inferior y de alimentos al esófago. Se divide en tres secciones para fines anatómicos, aunque no hay estructuras físicas que las separen.

Nasofaringe

Durante la **inhalación** (la parte muscular activa de la respiración), por lo regular ingresa aire al cuerpo a través de la nariz, hacia la **nasofaringe**, que se extiende desde el dorso de la cavidad nasal hasta el nivel del paladar blando. Recuerde que el paladar es el techo de la cavidad bucal y separa la cavidad nasal de ella. El paladar duro, que es la porción anterior, tiene el sostén óseo (principalmente por el maxilar), **FIGURA 6-107**. La porción posterior se denomina paladar blando porque consta de membrana mucosa, fibras musculares y glándulas mucosas, sin sostén óseo. El arco palatogloso, borde posterior de la cavidad bucal, es una extensión del paladar blando. La úvula, una pequeña

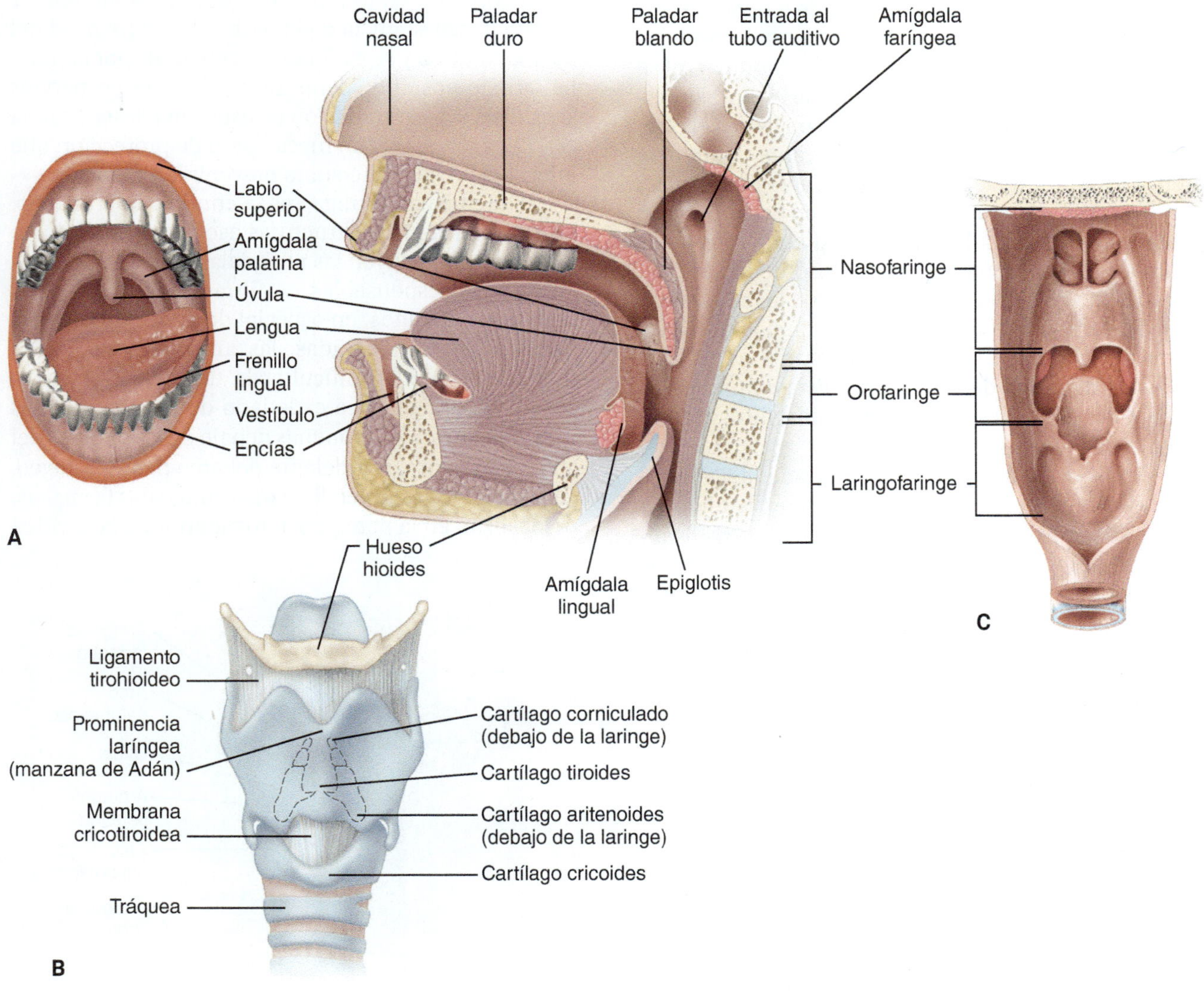

FIGURA 6-107 **A.** La cavidad bucal. **B.** La laringe. **C.** La faringe.

estructura carnosa de tejido que simula una pera de boxeo, se proyecta hacia abajo desde la parte posterior del paladar blando y se extiende hasta el arco palatogloso. Durante la deglución, los músculos elevan el paladar blando para que toque la pared posterior de la faringe, sellando la nasofaringe respecto de la orofaringe.

Toda la cavidad nasal está revestida con una membrana mucosa ciliada que evita que los contaminantes como el polvo y otras partículas pequeñas ingresen al aparato respiratorio. Durante la enfermedad el cuerpo produce moco adicional para atrapar microorganismos potencialmente infecciosos. Esta membrana mucosa es en extremo delicada y tiene un rico riego sanguíneo. Los receptores olfatorios localizados en el epitelio de la cavidad nasal se encargan de reconocer los olores.

La nasofaringe se divide en dos vías por el tabique nasal, que actúa como partición rígida y tiene un rico riego sanguíneo, constituida por los huesos etmoides y vómer y cartílago. Normalmente, el tabique nasal se encuentra en la línea media de la nariz. En algunas personas puede estar desviado hacia un lado o el otro, circunstancia que se entorna importante cuando se piensa insertar un dispositivo de vía aérea nasal. Tres plataformas óseas (cornetes) protruyen de las paredes laterales de la cavidad nasal y se extienden hasta las vías nasales, en forma paralela al piso de la cavidad. Los cornetes aumentan la superficie de la mucosa nasal y causan turbulencia del flujo de aire, lo que hace que las partículas inhaladas se adhieran a las paredes cubiertas de moco de las narinas. Esta combinación de riego sanguíneo y turbulencia entibia, filtra y humidifica el aire al inhalarse.

A lo largo de las paredes laterales de la vía aérea nasal hay numerosas aberturas que se extienden hacia los senos frontales y maxilares. Los senos disminuyen el peso del cráneo, dan resonancia a la voz de una persona e impiden el ingreso de contaminantes al aparato respiratorio. Estas cavidades también actúan como tributarias para ese líquido para fluir hacia las trompas de Eustaquio y desde ellas y los conductos lagrimales. Debido a que los senos ayudan a atrapar partículas, son una fuente frecuente de infección.

Las trompas de Eustaquio (auditivas) son conductos del oído interno que permiten el drenaje de líquido, así como el equilibrio de la presión que pueden ocurrir detrás del tímpano. Debido a que estos conductos están conectados con las vías nasales que pueden contener bacterias, las infecciones pueden migrar hacia el oído medio a través de estos, en especial en los niños en edad de caminar. El dorso de la cavidad nasal se abre hacia la orofaringe.

Perlas de sabiduría

Debido a su cercanía con estructuras encefálicas subyacentes y la naturaleza delgada de los huesos que forman los senos paranasales, las fracturas de los huesos que los abarcan pueden causar escape de LCR de la nariz (rinorraquia o rinoliquia) o los oídos (otorraquia). Puede drenar LCR desde la nasofaringe posterior hacia la faringe en algunos pacientes, lo que produce un sabor salado en la boca.

Orofaringe

La orofaringe es la porción de la faringe visible dentro de la boca (véase figura 6-107). Si bien la nasofaringe es solo una vía de paso para el aire, la orofaringe actúa como tal tanto para aire como para alimentos. La orofaringe se inicia en la parte superior a nivel del paladar blando y se extiende a la epiglotis por abajo.[34] La faringe posterior tiene un rico aporte de nervios sensitivos y la estimulación de esta zona desencadena el **reflejo nauseoso**, un mecanismo de protección que inicia la tos o el arqueo para prevenir la aspiración.

El arco palatofaringeo es la entrada de la faringe, **FIGURA 6-108**. Las estructuras asociadas en el dorso de la faringe incluyen las amígdalas. Estos tejidos linfáticos son responsables de filtrar bacterias y otros materiales extraños, en especial de la boca y la nariz. Cuando están inflamadas, las amígdalas se tornan molestas y pueden dificultar la deglución. Hay dos grupos de amígdalas a cada lado de la garganta. Las palatinas se localizan apenas debajo de las paredes del arco palatogloso, por delante del arco palatofaringeo. Las *adenoides*, también llamadas amígdalas faríngeas, se localizan en la pared posterosuperior de la cavidad

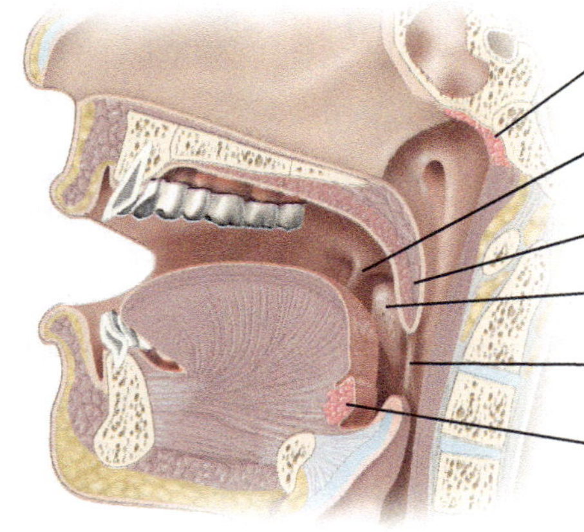

FIGURA 6-108 Las amígdalas.

bucal cerca de la abertura de las trompas de Eustaquio. Cuando están inflamadas, pueden conllevar un riesgo aumentado de infección del oído durante la niñez porque quizás impidan el drenaje a la faringe y las trompas de Eustaquio. Las amígdalas linguales se encuentran en la base de la lengua.

Dentro de la boca hay varias estructuras que tienen importancia para la vía aérea, a saber, los dientes y la lengua. Los adultos que conservaron toda su dentadura, por lo general, cuentan con 32 dientes, que proveen una estructura de sostén para la cavidad bucal y ayudan a la digestión mediante la masticación de alimentos.

Perlas de sabiduría

Los 32 dientes del adulto están incrustados en las encías de manera tal que se requiere fuerza significativa para extraerlos. Sin embargo, los traumatismos de menor intensidad pueden causar fractura o avulsión de los dientes, con obstrucción potencial de la vía aérea superior o aspiración de los fragmentos hacia los pulmones.

La lengua, una estructura muscular en el piso de la boca, es el principal órgano del gusto; también es importante para la formación del discurso y la masticación y deglución de alimentos. Se encuentra unida a la mandíbula y el hueso hioides, este último incrustado dentro de los tejidos blandos retromandibulares. Como se mencionó antes, el hioides es único en el hueso de que no se articula con otros huesos, sirve como anclaje principal de la lengua y también es punto de inserción de varios ligamentos de sostén de la tráquea y la laringe.

Perlas de sabiduría

La lengua tiende a retraerse y bloquear la parte posterior de la faringe cuando se relaja la mandíbula. De hecho, la lengua es la causa más frecuente de obstrucción anatómica de la vía aérea superior en un paciente que no responde a los estímulos.

Laringofaringe

La laringofaringe (hipofaringe) participa en la respiración y la digestión y se extiende desde la epiglotis hasta la parte más alta del esófago. Es la más corta de las tres divisiones de la faringe. La laringofaringe se abre hacia la laringe en la parte anterior y al esófago en la posterior.

Hay dos vías de paso localizadas en la base de la faringe: el esófago detrás y la tráquea al frente. Los alimentos sólidos y líquidos ingresan a la faringe y pasan al esófago, que los conduce al estómago. El aire y otros gases ingresan a la tráquea y pasan a los pulmones. La epiglotis protege la abertura de la tráquea y está unida en la parte inferior al cartílago tiroides. Su porción superior es movible, y se flexiona hacia arriba y abajo durante la deglución. La epiglotis sirve como guardián, cubriendo la abertura hacia la laringe durante la deglución para que los materiales ingeridos ingresen al esófago, y evita el ingreso de material extraño a la tráquea.

Perlas de sabiduría

La epiglotis es un punto de referencia importante cuando se hace la intubación orotraqueal, con un laringoscopio de hoja recta. Debe levantarse la epiglotis de manera que se pueda visualizar y hacer pasar un tubo endotraqueal entre las cuerdas vocales. Más que un punto de referencia anatómica que una estructura real, la vallecula (que significa "pequeño valle") es una depresión (o bolsa) entre la base de la lengua y la epiglotis. Es un punto de referencia importante cuando se intuba a un paciente con un laringoscopio de hoja curva.

Recuerde que las cuerdas vocales (bandas blancas de tejido rígido) y la abertura entre ellas se denomina colectivamente glotis o abertura glótica.[34] En reposo, las cuerdas vocales están parcialmente separadas; esto es, la glotis se encuentra semiabierta. Durante la inhalación forzada, las cuerdas vocales se abren ampliamente para proveer una resistencia mínima al flujo de aire.

Perlas de sabiduría

Cuando se estimula la vía aérea, como durante la aspiración de material extraño o un incidente de sumersión, los reflejos defensivos causan el cierre espasmódico de las cuerdas vocales (laringoespasmo), que sella la vía aérea. Este reflejo normalmente dura unos cuantos segundos. El laringoespasmo persistente puede poner en riesgo la permeabilidad de la vía aérea al impedir la ventilación (proceso mecánico de desplazamiento de aire al interior y fuera de los pulmones).

Laringe

La laringe sirve como puente que se extiende desde aproximadamente los niveles cuatro a seis cervicales; se une a la faringe con la tráquea. Señala dónde termina la vía aérea superior e inicia la inferior. Tiene tres propósitos: (1) facilitar el paso de aire; (2) actuar como esfínter para prevenir que sólidos y líquidos extraños ingresen a los pulmoness, y (3) producir la voz.

Perlas de sabiduría

Tenga en mente las otras estructuras asociadas en proximidad a la laringe. En específico, la glándula tiroides tiene forma de arco que yace a través de la tráquea apenas debajo del cartílago cricoides. Varios vasos sanguíneos, incluyendo las arterias carótidas, las venas yugulares, y otros que se ramifican a partir de esas arterias transcurren a lo largo de la tráquea, así como a través de ella.

La laringe incluye una caja externa de nueve cartílagos que protegen y dan sostén a las cuerdas vocales (véase figura 6-107). Los músculos y ligamentos unen esos cartílagos; el más grande, cartílago tiroides, forma la parte anterior de la laringe y suele identificarse a simple vista como la manzana de Adán. La abertura glótica se localiza directamente detrás del cartílago tiroides.

El borde superior de la glotis es la epiglotis, **FIGURA 6-109**. En el borde inferior de la abertura glótica se encuentran los cartílagos corniculado y cuneiforme, como protrusiones justo abajo de la glotis. Los **cartílagos aritenoides**, de forma piramidal, corresponden a la inserción posterior de las cuerdas vocales; son guías útiles para intubación endotraqueal. Los pliegues vestibulares (falsas cuerdas vocales) y las cuerdas vocales verdaderas se encuentran dentro de la laringe. Los pliegues vocales se desplazan a los lados de la laringe durante la inhalación, lo que permite al aire pasar libremente. Una persona puede producir sonido durante la exhalación (parte pasiva respiratorio) mediante la regulación de la distancia entre estos pliegues, que vibran cuando el aire es forzado a través de ellos.

Las fosas piriformes son dos sacos de tejido en los bordes laterales de la laringe. A veces se insertan de manera inadvertida dispositivos de vía aérea en estos sacos, con el resultado de un estiramiento de la piel bajo la mandíbula.

Directamente debajo del cartílago tiroides está el cartílago cricoides, que forma la porción más baja de la laringe (véase figura 6-107). Considerado el primer cartílago al inicio de la tráquea, es un anillo completo, a diferencia de los otros cartílagos en la laringe que tienen forma de C, en la cara posterior. Los espacios en estos cartílagos con forma de C permiten que el esófago, ubicado detrás de la tráquea, protruya hacia adelante conforme los alimentos se desplazan hacia el estómago.

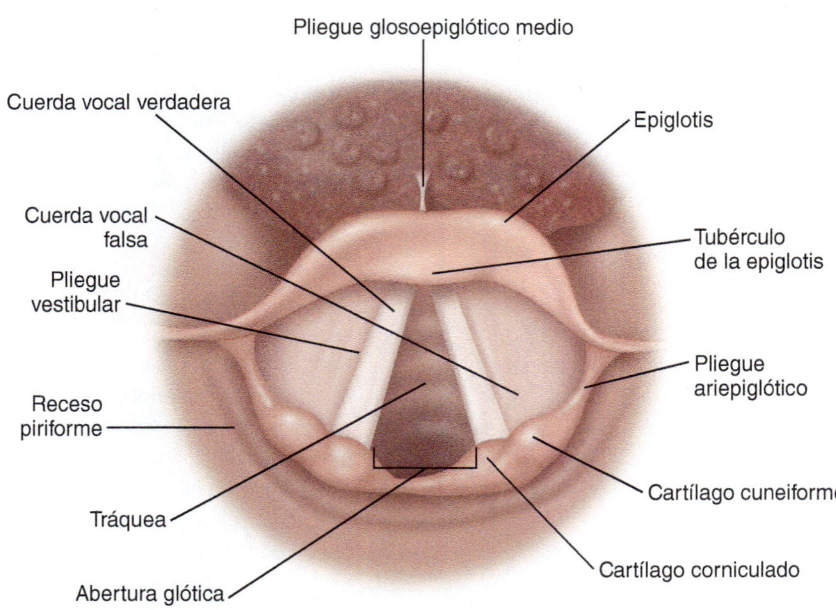

FIGURA 6-109 La glotis y estructuras circundantes.

Localizada entre los cartílagos tiroides y cricoides se encuentra la membrana cricotiroidea (véase figura 6-107), que contiene muchos vasos sanguíneos y está cubierta solo por piel y una cantidad mínima de tejido subcutáneo. Es un sitio potencial para una cricotirotomía (incisión a través de la piel y la membrana cricotiroidea para aliviar la dificultad respiratoria causada por una obstrucción de la vía aérea) si no se puede lograr su permeabilidad con un dispositivo de vía aérea avanzado.

Vía aérea inferior

Debajo de la glotis se encuentra la vía aérea inferior, cuyas estructuras incluyen la tráquea, el árbol bronquial, los **alvéolos** (pequeños sacos de tejido donde ocurre el intercambio de gases) y los pulmones. El tejido conectivo, la vía aérea pequeña y los alvéolos se conocen colectivamente como parénquima pulmonar. La vía aérea inferior forma el sitio donde ocurre el intercambio de gases. Funcionalmente, el oxígeno se difunde desde los alvéolos hacia los capilares pulmonares, en tanto el dióxido de carbono lo hace en dirección opuesta.

Tráquea

Recuerde que la tráquea es la vía aérea que conecta a la laringe con los pulmones. A nivel estructural, está compuesta por anillos cartilaginosos en forma de C que soportan sus paredes anterior y lateral. La zona entre los cartílagos traqueales consta de tejido conectivo y músculo liso, lo que permite cambiar el diámetro de la tráquea según se requiera. Estos anillos la protegen y evitan su colapso.

La tráquea yace por delante del esófago y se bifurca (ramifica) en dos bronquios principales, llamados bronquios del tallo principal (derecho e izquierdo). Al punto de bifurcación se le denomina **carina**, **FIGURA 6-110**. Un punto de referencia externo para la carina es la unión del cuerpo y el manubrio del esternón, conocida como ángulo de Louis.

La tráquea es revestida por tejido epitelial cilíndrico y células caliciformes, estas últimas que también revisten la vía aérea, producen moco que tapiza todo el revestimiento de la vía aérea de conducción. El moco cubre a los cilios, lo que forma una hoja de dos capas: gruesa en la superficie (capa de gel), y delgada y acuosa cerca de los cilios (capa de sol). La gruesa capa

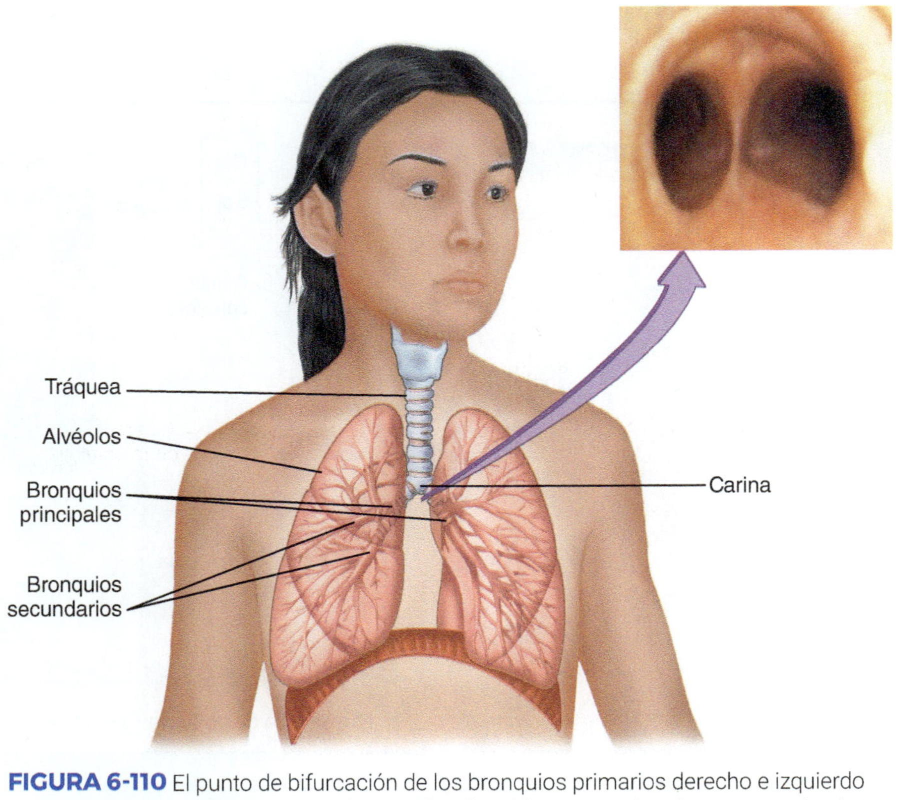

FIGURA 6-110 El punto de bifurcación de los bronquios primarios derecho e izquierdo se encuentra en la carina. En un adulto, su localización es aproximadamente en el quinto espacio intercostal.

Perlas de sabiduría

La carina es un punto de referencia anatómico importante, porque en una radiografía a menudo se documenta la punta de un tubo endotraqueal en relación con ella.

de gel flota sobre la de sol. En una persona sana, los cilios constantemente empujan esta capa de gel hacia arriba y afuera de la vía aérea, **FIGURA 6-111**. Conforme oscilan los cilios, alcanzan la capa de gel y la impulsan hacia arriba en dirección de la glotis. En el movimiento de retorno, los cilios se colapsan dentro de la capa de sol, de modo que no retornan la de gel hacia abajo. De esta manera, los cilios mueven lentamente toda la capa de gel hacia arriba, fuera del árbol traqueobronquial, donde se deglute o expectora.

Árbol bronquial

Los bronquios principales, derecho e izquierdo, se dividen en secundarios (lobulares) (uno para cada lóbulo del pulmón). A su vez, los bronquios secundarios se dividen en terciarios (segmentarios) y continúan haciéndolo en otros cada vez más pequeños, que finalmente se convierten en bronquiolos. Cada bronquio dirige el aire hacia el pulmón respectivo. El bronquio principal derecho es más corto y ancho que el izquierdo, y abandona la carina en un ángulo menos agudo. Como la tráquea, los bronquios están revestidos por células epiteliales ciliadas y caliciformes para prevenir la inhalación de partículas extrañas.

La vía aérea pulmonar de ramificación progresiva recibe números de acuerdo con su generación, donde la cero corresponde a la tráquea, la vía aérea de primera generación son los bronquios primarios derecho e izquierdo y así sucesivamente, **FIGURA 6-112**. Hay aproximadamente 23 generaciones de vía aérea presentes en el cuerpo humano.[35] Conforme la vía aérea se torna más pequeña, su número de generación aumenta y la cantidad de cilios, el número de células secretoras de moco, la presencia de glándulas submucosas y la cantidad de cartílago en sus paredes decrecen todos de manera gradual, de modo que se hacen más notorios el músculo liso y las fibras elásticas.[35] Los bronquios contienen cartílago (hasta casi la 10a. generación) en tanto los bronquiolos (que inician la generación 11) carecen de él. Puesto que los bronquiolos carecen de sostén cartilaginoso, son en especial susceptibles

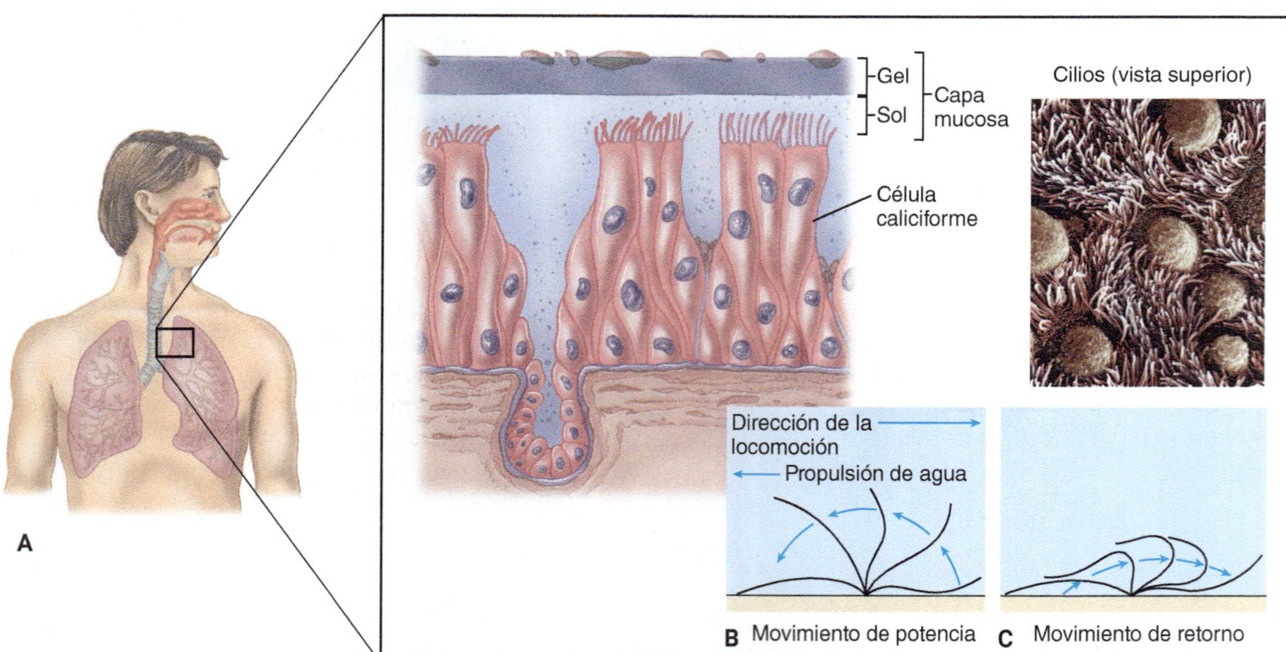

FIGURA 6-111 Los cilios revisten la vía aérea más grande del aparato respiratorio **(A)**. Su patrón regular de movimiento entre las capas de moco en capas de gel y sol ayuda a movilizar el material extraño fuera del árbol traqueobronquial **(B** y **C)**.

A y B, © Jones & Bartlett Learning; **C,** Recuadro fotográfico: © Dr. Kessel & Dr. Kardon/Tissue & Organs/Visuals Unlimited.

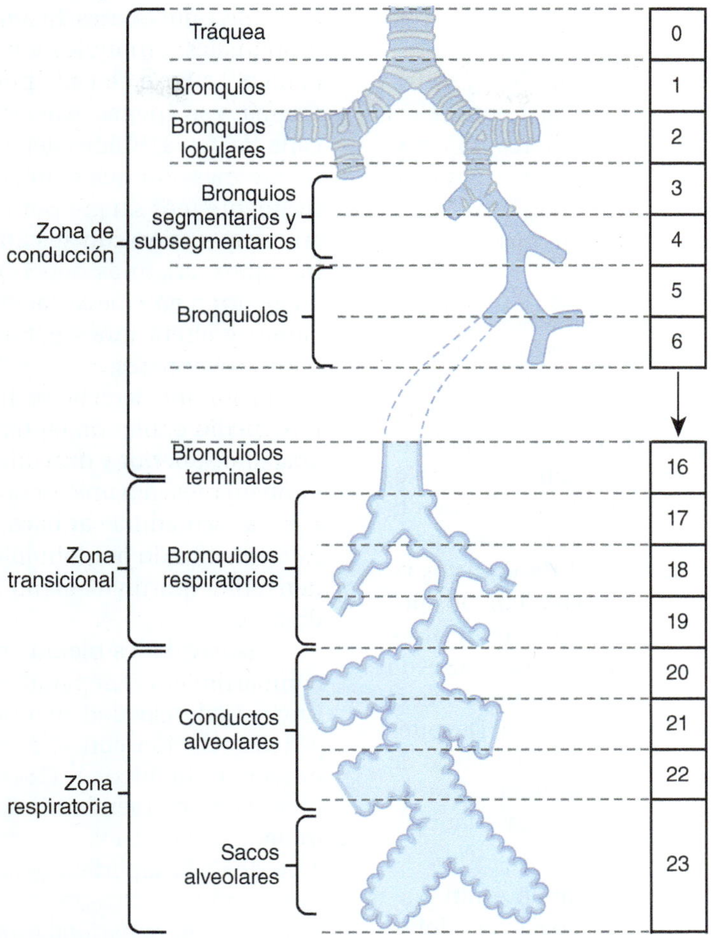

FIGURA 6-112 Las primeras 16 generaciones de la vía aérea inferior son de conducción. Las vías aéreas transicionales (de las generaciones 17 a 19) constan de bronquiolos respiratorios, que desembocan en las vías de la zona respiratoria (generaciones 20 a 23), donde se presenta el intercambio de gases.

al colapso durante la exhalación. Pueden mantener una luz abierta solo porque la presión que los rodea es más negativa que la interior, y debido a la atracción externa de los tejidos circundantes.[35] Hay bronquiolos terminales casi a nivel de la generación 16 y se distinguen porque son las vías aéreas más pequeñas sin alvéolos.[36] La vía aérea de conducción, que movilizan aire hacia esas zonas del pulmón que participan en el intercambio de los gases, se inician en la nariz y los labios y acaban en los bronquiolos terminales.[35]

Los bronquiolos respiratorios (generaciones 17 a 19) forman la vía aérea transicional (también llamadas de la zona transicional), y participan en el intercambio de gases en al menos parte de su superficie y contienen una cifra creciente de conductos alveolares (generaciones 20 a 22) que dirigen el aire al interior de los alvéolos (generación 23).[35] Las generaciones 20 a 23 forman la zona respiratoria del pulmón. Los bronquiolos respiratorios, los conductos alveolares y los alvéolos se consideran las unidades respiratorias o de intercambio de gases de los pulmones.[36]

Alvéolos

Cada conducto alveolar termina en alvéolos. Como analogía, se puede pensar de los alvéolos como pequeños globos al final de un popote o pajilla. Cada alvéolo está constituido por múltiples sacos, cuyas paredes muy delgadas constan de una zona capa de tejido epitelial y fibras elásticas, que se tornan más delgadas conforme se expanden, lo que hace posible la difusión de oxígeno y dióxido de carbono. Las fibras elásticas permiten que los alvéolos se expandan y se retraigan durante la respiración.

Una red de capilares rodea a cada alvéolo y la delgada membrana alveolocapilar que yace entre ellos consta de una sola capa unicelular. El intercambio respiratorio entre el pulmón y los vasos sanguíneos ocurre en los alvéolos.

Los alvéolos están formados por dos tipos de células:

- Células alveolares de tipo I (neumocitos) casi vacías, que permiten un mejor intercambio de gases. Carecen de componentes celulares que les permitirían reproducirse.
- Los neumocitos de tipo II pueden formar células de tipo I y también producir **surfactante**, una sustancia espesa y lisa que disminuye la tensión superficial y ayuda a mantener expandidos los alvéolos. Cada alvéolo tiene varios tipos de neumocitos II. Cuando son dañados por infecciones, tabaquismo de cigarrillos u otros traumatismos, la capacidad de reparación de los alvéolos se correlaciona directamente con el número de los de tipo II que persisten. Después de que se destruyeron, todos los neumocitos de tipo II en un alvéolo, este ya no puede formar nuevas células o surfactante y está esencialmente muerto.

Los alvéolos funcionan mejor cuando están parcialmente inflados. Recuerde la analogía del globo: inflar un globo requiere mucha presión, pero una vez parcialmente inflado, es mucho más fácil terminar el proceso. Lo mismo es válido en los alvéolos. Al disminuir la tensión superficial, el surfactante facilita su expansión. Cuando se elimina surfactante de los alvéolos, como puede ocurrir en el edema pulmonar, los incidentes de sumersión, o en el estado grave de shock, es mucho más probable que se colapsen.

Los alvéolos colapsados, llenos de líquido o pus, no participan en el intercambio de gases. En su lugar, contribuyen a una derivación en la que la sangre del lado derecho del corazón evade los alvéolos y retorna a las cavidades izquierdas en un estado no oxigenado, tal vez con hipoxemia resultante. Las infecciones relacionadas con la ventilación, perfusión, o ambas, pueden evitar la llegada del oxígeno a la corriente sanguínea.

Pulmones

Los pulmones son dos grandes estructuras pares localizadas en las cavidades pleurales, órganos que se unen al corazón por el tronco pulmonar (arterial) y las venas pulmonares. El punto de ingreso de los vasos bronquiales, bronquios y nervios en cada pulmón es el hilio. La base de cada pulmón reposa sobre el diafragma, y su ápex se extiende casi 2.5 cm por arriba de cada clavícula. El ápex del pulmón izquierdo es ligeramente más alto que el del derecho. Circula significativamente más sangre por las bases de los pulmones, en comparación con sus ápices. Puesto que los seres humanos, criaturas dependientes de la gravedad, se encuentran en bipedestación, la mayoría de las infecciones y alteraciones patológicas se presenta en las bases pulmonares.

El pulmón derecho se divide en tres lóbulos: superior, medio e inferior, en tanto el izquierdo solo tiene dos, uno superior y uno inferior. El pulmón izquierdo también presenta una escotadura, donde yace el corazón (la escotadura cardíaca). Cada lóbulo del pulmón está constituido por lobulillos separados; que se pueden retirar quirúrgicamente y dejar íntegro el resto del órgano.

Las cavidades pleurales derecha e izquierda son compartimientos separados a cada lado del mediastino.[37] Cada cavidad pleural envuelve a un pulmón y tiene relación con el árbol bronquial y los vasos, nervios y linfáticos.[37] Cada pulmón está contenido dentro de una membrana serosa de doble hoja denominada **pleura**. La **pleura visceral** está estrechamente adherida a la superficie pulmonar. En el hilio, se continúa con la **pleura parietal**, que reviste la pared del tórax. La pleura parietal está unida al interior del mediastino, la cara superior del diafragma y la inferior de la caja costal, un diseño importante para la fisiología respiratoria.

La pleura parietal contiene vasos sanguíneos que se cree producen un filtrado de plasma llamado líquido pleural.[35] La pleura visceral contiene vasos linfáticos que drenan líquido pleural desde el espacio pleural.[35] El **espacio pleural** es potencial entre las pleuras visceral y parietal, **FIGURA 6-113**. Por lo regular, este espacio contiene solo una pequeña cantidad de líquido pleural (10 ml), que separa a ambas pleuras.[35] La tensión superficial causada por el líquido entre las dos hojas pleurales hace que estas se adhieran. Como resultado, la pleura parietal se desplaza con la pared torácica y lleva con ella a la pleura visceral, lo que expande los pulmones. El líquido pleural también permite que los pulmones se desplacen con mínima fricción. Piense en las hojas pleurales y el líquido entre ellas como análogos a dos piezas de vidrio separadas por una película delgada de agua. Debido a la tensión superficial entre las membranas y el líquido, las hojas se deslizan fácilmente una sobre otra, pero pueden separarse solo con dificultad.[38]

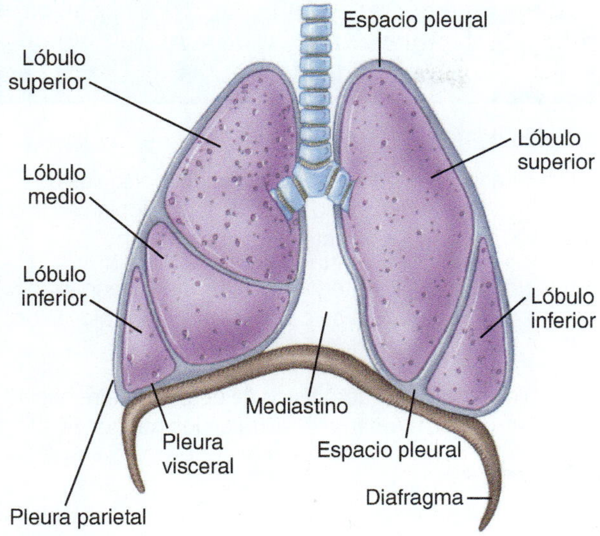

FIGURA 6-113 La pleura que reviste la pared torácica y cubre los pulmones es parte esencial del mecanismo respiratorio. El espacio pleural no es real hasta que ingresa sangre o aire a él y causa que las superficies pleurales se separen.

El líquido pleural en ocasiones se infecta y causa irritación de la superficie del pulmón con el movimiento respiratorio; afección conocida como pleuritis o pleuresía. Bajo ciertas condiciones patológicas o después de un traumatismo, el espacio pleural puede también llenarse de líquido (hidrotórax), aire (neumotórax) o sangre (hemotórax).

Como usted aprendió, los pulmones reciben sangre en dos formas. La sangre desoxigenada fluye desde el ventrículo derecho a través de las arterias pulmonares y pasa por los capilares pulmonares, se reoxigena en los alvéolos, y después, regresa al corazón a través de las venas pulmonares. Además, las arterias bronquiales se ramifican de la aorta torácica y riegan los tejidos pulmonares. La sangre desoxigenada retorna al corazón a través de las venas bronquiales. En la periferia pulmonar, la sangre venosa de los bronquios ingresa a las venas pulmonares y retorna oxigenada desde los alvéolos.

Volúmenes pulmonares

Se puede desplazar una cantidad sustancial de aire dentro del aparato respiratorio. La **FIGURA 6-114** muestra los volúmenes pulmonares usuales. Un hombre adulto tiene una capacidad pulmonar total de 6 000 ml (equivalente a 3 frascos de refresco de 2 L). Una mujer adulta tiene casi 33% menos capacidad total, porque el volumen de sus pulmones es menor.

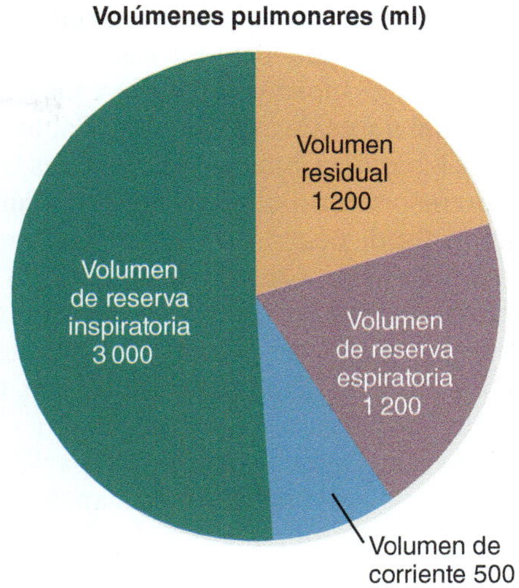

FIGURA 6-114 Volúmenes pulmonares.

Conforme usted lee este libro, su cantidad de desplazamiento de aire es de casi 500 ml (a menos que apenas haya terminado un ejercicio), parámetro que se denomina **volumen corriente**; la cantidad de aire que entra o sale de los pulmones durante una sola respiración. El **volumen de reserva inspiratorio** es la cantidad adicional de aire que se puede inhalar después de que se alcanzó el volumen corriente normal. La persona promedio puede inhalar 3 000 ml adicionales de aire, cuando es necesario, en momentos de estrés fisiológico. Por el contrario, el **volumen de reserva espiratorio** es la cantidad adicional de aire que se puede expulsar después de expeler un volumen de corriente normal. La persona promedio puede exhalar 1 200 ml adicionales de aire cuando se requiere en los momentos de estrés fisiológico. El **volumen residual** es la cantidad de aire que permanece en los pulmones después de la exhalación máxima, donde sirve para prevenir el colapso alveolar (atelectasia), al mantener los alvéolos ligeramente inflados. El volumen residual es de 1 200 ml en la persona promedio. Ocurre alguna pérdida de volumen residual cuando una persona recibe un golpe en el tórax y es "noqueado por el viento". La **capacidad vital** es la cantidad de aire que se desplaza al interior y fuera de los pulmones con la inspiración (inhalación) y espiración (exhalación) máximas.

Cuando usted asiste la respiración de un paciente, introduce y saca aire de los pulmones. Para ello, utiliza un dispositivo de bolsa y mascarilla, una bolsa grande llena de aire que cuando es comprimida, impulsa aire al exterior por un extremo. Un dispositivo típico de estos contiene de 1 000 a 1 200 ml de aire.

Note que, aunque un volumen de ventilación pulmonar en reposo de una persona sea de 500 ml, usted necesita usar un dispositivo de bolsa y mascarilla que aporte más del doble de ese volumen, debido al espacio muerto. El *espacio muerto anatómico* es la porción del aparato respiratorio que no cuenta con alvéolos y, por lo tanto, donde ocurre poco o ningún intercambio de gases entre el aire y la sangre. La boca, la tráquea, los bronquios y los bronquiolos se consideran todos parte del espacio muerto anatómico. Cuando se ventila a un paciente con cualquier dispositivo, crea más espacio muerto. El gas debe primero llenar el dispositivo antes de que pueda desplazarse al paciente.

Por lo general, el espacio muerto anatómico es de aproximadamente 2 ml por kg de peso corporal ideal. Así, una persona de 68 kg tiene casi 150 ml de espacio muerto anatómico. Si hace una inspiración promedio (volumen corriente) de 700 ml, entonces casi 550 ml participarán en el intercambio alveolar; los otros 150 ml llenan la vía aérea de conducción, y nunca se expondrán al riego sanguíneo. Si el mismo paciente fuese a utilizar un volumen de ventilación pulmonar de 500 ml, entonces solo 350 ml participarían en la ventilación, porque 150 ml estarían atrapados en los conductos.

El *espacio muerto fisiológico* es función del número de alvéolos dañados que no pueden participar en el intercambio de gases. A diferencia del espacio muerto anatómico, que es bastante constante entre los pacientes, el fisiológico varía ampliamente con base en los antecedentes médicos y la exposición a sustancias tóxicas que dañan los alvéolos, entre otros factores. El espacio muerto fisiológico equivale al espacio muerto anatómico más la cantidad de aquel ocupada por los alvéolos dañados, y puede corresponder a un volumen de hasta 1 a 2 litros.

Perlas de sabiduría

Aunque el espacio muerto fisiológico no se puede medir en el contexto prehospitalario, usted debe tener este principio en mente y aplicarlo a los antecedentes y el cuadro clínico de un individuo cuando determina la eficacia de la ventilación.

Uno de los determinantes críticos de la eficacia de la ventilación es la cantidad de aire desplazado al interior y fuera del aparato respiratorio en 1 minuto, conocida como **volumen minuto**, cuyo cálculo le permite determinar qué tan profundamente está respirando un paciente.

Volumen minuto = Frecuencia respiratoria × Volumen de ventilación pulmonar

CUADRO 6-39 Ventilación, oxigenación y respiración

Función	Definición
Oxigenación	Proceso de carga de moléculas de oxígeno a las de hemoglobina en la corriente sanguínea.
Respiración	El intercambio real de oxígeno y dióxido de carbono en los alvéolos y los tejidos del cuerpo.
Ventilación	El acto físico de desplazar aire hacia adentro y fuera de los pulmones.

Ventilación

Los aparatos respiratorio y cardiovascular actúan juntos para asegurar un aporte constante de oxígeno y nutrimentos a cada célula del cuerpo, y que se retire del dióxido de carbono y otros productos de desecho de todas las células. Si uno de estos aparatos se compromete, el aporte de oxígeno será ineficaz y puede ocurrir la muerte celular.

La **ventilación** es el proceso mecánico de movimiento de aire al interior y fuera de los pulmones. Las dos fases separadas de la ventilación son inhalación (inspiración) y exhalación (espiración), **CUADRO 6-39**. Cada combinación de inhalación y exhalación es un *ciclo respiratorio*. Es esencial para este proceso un cambio de presiones dentro de la cavidad torácica que permita el flujo pasivo de aire al interior y fuera de los pulmones.

Los pulmones no contienen tejido muscular, por lo que no pueden movilizarse por sí solos. En consecuencia, necesitan la ayuda de otras estructuras para poder expandirse y contraerse durante la inhalación; esto es, su capacidad de funcionar apropiadamente depende del movimiento del tórax y las estructuras de soporte, que incluyen a este, a la caja torácica, el diafragma, los músculos intercostales y los accesorios. Los nervios intercostales inervan a los músculos de la pared torácica.

Recuerde que el diafragma está conectado con el esternón en la parte anterior, a las costillas a los lados, y a las vértebras en la parte posterior. El diafragma es inervado por los nervios frénicos, que surgen de la tercera a quinta raíces nerviosas cervicales (de ahí la frase, "C3 a C5 mantienen al diafragma vivo"). El diafragma actúa tanto como músculo voluntario (esquelético) como involuntario (liso). Actúa como voluntario cuando usted hace una inspiración profunda, tose o retiene la ventilación. Sin embargo, a diferencia de otros músculos esqueléticos o voluntarios, el diafragma también realiza una función automática, por lo que la ventilación continúa durante el sueño y en todo otro momento. Aunque usted pueda detener su respiración o temporalmente hacerla más rápida o más lenta, no puede continuar tales variaciones de manera indefinida. Cuando la concentración de dióxido de carbono aumenta en la sangre, la regulación autonómica en la respiración se reinicia bajo control del tronco encefálico. Por lo tanto, aunque el diafragma parece como músculo voluntario esquelético y está adherido al esqueleto, se comporta en su mayor parte como un músculo involuntario.

Perlas de sabiduría

El proceso de respiración suele ser fácil y requiere poco esfuerzo muscular. Ahora imagine la respiración a través de un popote o pajilla, cuando súbitamente su diámetro disminuye. A menor diámetro del popote, más esfuerzo tendrá que ejercer para desplazar el aire. Conforme aumenta la resistencia en la vía aérea, usted empieza a usar más grupos musculares, a saber, abdominales y pectorales, para ayudar al diafragma a desplazar el aire.

La inhalación obedece a la **ley de Boyle**, que expresa que la presión de un gas es inversamente proporcional a su presión. La presión del aire fuera del cuerpo —atmosférica— por lo regular es mayor que aquella dentro del tórax. Durante la inhalación, se contraen el diafragma y los músculos intercostales externos de las costillas. Cuando el diafragma se contrae, se desplaza ligeramente hacia abajo, lo que amplía la caja toráxica de arriba abajo. Cuando los músculos intercostales externos se contraen, desplazan a las costillas hacia arriba y afuera, acciones que se combinan para aumentar el volumen de la cavidad torácica en todas sus dimensiones. La presión dentro del tórax decrece después, y se torna menor que la atmosférica, lo que crea un vacío leve, que impulsa el aire a través de la tráquea y causa que los pulmones se desinflen, un proceso denominado **ventilación a presión negativa**. Los alvéolos se inflan, permiten que los gases, como el oxígeno y el dióxido de carbono, pasen de una zona de mayor presión a una de menor presión (difusión) hasta que se equiparen. De esta manera, el oxígeno se desplaza de los alvéolos hacia los capilares pulmonares, en tanto el dióxido de carbono lo hace hacia los alvéolos para su retiro del cuerpo. Las acciones combinadas de estos músculos amplían el tórax en todas sus dimensiones. Ocurre la máxima inhalación cuando el diafragma y los músculos intercostales se contraen y los pulmones se llenan de aire. Cuando la presión del aire dentro del tórax equivale a la presión externa, el aire deja de desplazarse y la inhalación se detiene. El diafragma y los músculos inspiratorios se relajan, y permiten la retracción del tórax. Conforme estos músculos se relajan, todas las dimensiones torácicas disminuyen, y las costillas y los músculos asumen su posición de reposo normal. Cuando el volumen de la cavidad torácica disminuye, el aire en el interior de los pulmones se comprime hacia un espacio más pequeño, de manera que ahí la presión es mayor que la atmosférica. La *presión intrapulmonar* (dentro de los pulmones y la vía aérea) aumenta y se impulsa aire hacia afuera a través de la tráquea.

Perlas de sabiduría

La respiración normal implica una presión intratorácica negativa y la aspiración de aire hacia los pulmones (ventilación a presión negativa). No se puede crear una presión intratorácica negativa cuando el paciente presenta un tórax con movimiento ineficaz (como aquel con disminución del volumen corriente) o ningún movimiento torácico (como en la apnea). Cuando esto ocurre, la única forma de desplazar aire a los pulmones es por una ventilación a presión positiva, el forzar aire al interior de los pulmones. Se puede crear presión positiva con un dispositivo de bolsa y mascarilla, una mascarilla facial con bolsa o un dispositivo de ventilación mecánica.

La **exhalación** por lo regular es un proceso pasivo, lo que significa que no suele requerir esfuerzo muscular. Si se necesita una exhalación más forzada, entonces se contraen los músculos intercostales internos posteriores, se arrastran las costillas y el esternón hacia abajo y adentro para aumentar más presión dentro de los pulmones. La exhalación termina cuando la *presión intrapleural* (aquella entre las pleuras pulmonares) es equivalente a la atmosférica, en cuyo punto el aire deja de fluir de los pulmones al exterior. En el punto de equilibrio, todas las presiones del aparato respiratorio son exactamente equivalentes a la atmosférica, excepto la intrapleural, que se mantiene apenas un poco negativa conforme la pleura visceral se impulsa hacia el interior, por la tendencia de los pulmones a colapsarse, y la parietal se impulsa hacia afuera por su adhesión a la pared torácica.

Puede ayudarle a comprender el proceso de la ventilación si piensa de la caja torácica como una campana de vidrio en la cual se suspenden globos,

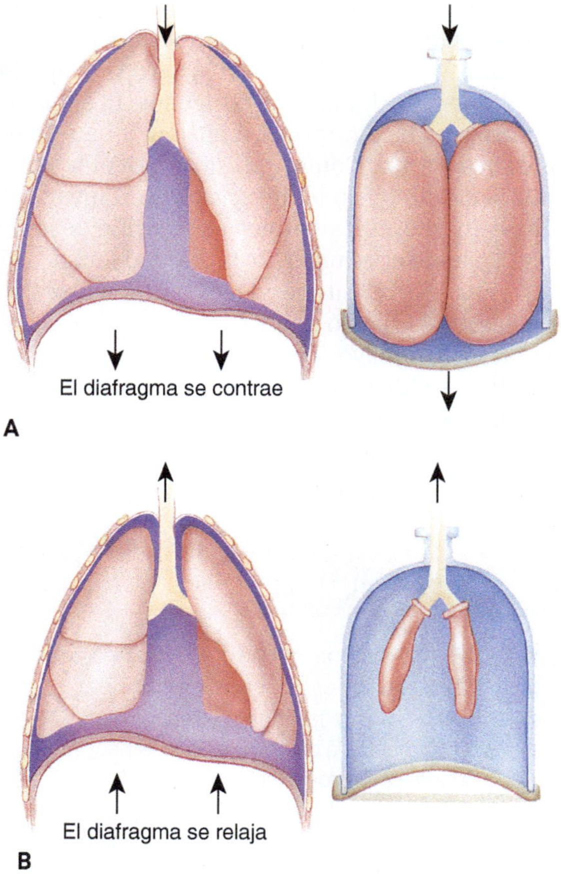

FIGURA 6-115 El mecanismo de la ventilación se puede ilustrar en una campana de vidrio. **A.** Inhalación y expansión del tórax, anatómica (izquierda) y en la campana (derecha). **B.** Exhalación y contracción del tórax, anatómica (izquierda) y en la campana (derecha).

FIGURA 6-115. En este ejemplo los globos corresponden a los pulmones y la base del frasco es el diafragma que se desplaza ligeramente arriba y abajo con cada ventilación. Las costillas correspondientes a los lados de la campana mantienen la forma del tórax. La única abertura de la campana es un pequeño tubo en la parte alta, similar a la tráquea. Durante la inhalación el fondo de la campana desciende ligeramente, lo que causa un decremento de la presión en su interior y crea un vacío leve. Como resultado, los globos se llenan de aire.

Los músculos accesorios por lo general no tienen actividad durante la respiración tranquila, **CUADRO 6-40**. Cuando deben movilizarse mayores cantidades de aire, como durante el ejercicio o una enfermedad, estos músculos (algunos de los cuales son inervados por los nervios craneales) se pueden reclutar para causar cambios más notorios de la presión. Los músculos intercostales se unen a cada costilla por arriba y permiten la tracción hacia afuera, lo que expande la cavidad torácica y hace ingresar más aire. Los músculos accesorios del cuello y el dorso, y de otros lugares como la cintura escapular, pueden también ayudar a ensanchar el tórax.

CUADRO 6-40 Músculos de la respiración

Fase de ventilación	Participación	Músculos
Inhalación	Principal	Diafragma Intercostales externos
	Accesoria	Dorsal ancho (espalda baja) Pectoral mayor (cara anterior del tórax) Escaleno (cuello) Serrato anterior (cara anterior del tórax) Esternocleidomastoideo (cuello) Trapecio (espalda alta)
Exhalación	Principal	Oblicuo externo (abdomen) Intercostales internos (tórax) Oblicuos internos (abdomen) Recto anterior (abdomen)
	Accesoria	Dorsal ancho (espalda baja)

Perlas de sabiduría

La ventilación y la respiración son procesos diferentes, aunque ambos términos se usan como sinónimos. La *ventilación*, movimiento mecánico de aire al interior y fuera de los pulmones, con frecuencia se nombra erróneamente como *respiración*, que es el intercambio de gases durante el metabolismo celular. De manera similar, la valoración de la frecuencia respiratoria de un paciente es una de su frecuencia ventilatoria, o el número de veces que inhala y exhala aire por minuto.[39]

Oxigenación

Recuerde que la oxigenación es el proceso de carga de moléculas de oxígeno a las de hemoglobina en la corriente sanguínea. Se requiere una oxigenación adecuada para la respiración interna, pero no garantiza que ocurra. La oxigenación requiere que el aire usado para la ventilación contenga un porcentaje adecuado de oxígeno. Si bien la oxigenación no puede ocurrir sin ventilación, esta sí es posible sin oxigenación. Ocurre ventilación sin oxigenación en lugares donde la concentración de oxígeno en el aire se consumió, como en las minas y en los espacios confinados. La oxigenación puede también impedirse cuando otros gases, por ejemplo, el monóxido de carbono, impiden la unión del oxígeno a la hemoglobina.

La ventilación sin oxigenación adecuada también ocurre en quienes escalan, por una ascenso muy rápido hasta una altitud con una presión atmosférica inadecuada. A una gran altitud, el porcentaje de oxígeno en el aire se mantiene igual (casi 21%), pero la presión atmosférica dificulta su ingreso al cuerpo en suficiente cantidad.

La **fracción inspirada de oxígeno (Fio_2)** es el porcentaje de oxígeno en el aire inhalado. La Fio_2 aumenta cuando se administra oxígeno complementario a un paciente y suele documentarse con un número decimal. Por ejemplo, una persona que respira aire ambiental que contiene casi 21% de oxígeno se documentaría como con una Fio_2 de 0.21.

Curva de disociación de la oxihemoglobina

La hemoglobina es una molécula que contiene hierro, con gran afinidad por las moléculas de oxígeno. La **oxihemoglobina** es la hemoglobina con moléculas de oxígeno unidas. Casi 95% de las proteínas en un eritrocito corresponden a la hemoglobina. Recuerde que una molécula de hemoglobina se une de manera reversible con cuatro de oxígeno. La saturación de oxígeno (expresada como Spo_2 si se mide por oximetría de pulso y Sao_2 si se cuantifica en gases sanguíneos arteriales) es proporcional a la cantidad de oxígeno disuelto en el plasma, constituyente sanguíneo (Pao_2). La relación entre Pao_2 y Sao_2/Spo_2 se representa en la curva de disociación de la hemoglobina, **FIGURA 6-116**. Bajo condiciones normales (Pao_2 = 105 mm Hg), la razón Spo_2/Sao_2 es de casi 98%.

Si bien a menudo se usa el término *desoxigenada* para referirse a la sangre venosa que retorna al corazón durante la circulación, esta no carece por completo de oxígeno. Persiste algo de oxígeno unido a la hemoglobina porque la capacidad del aparato respiratorio de proveerlo al resto del cuerpo rebasa a la demanda en condiciones normales de reposo. Cuando el metabolismo aumenta, sin embargo, la demanda de oxígeno también lo hace y la sangre venosa contiene menos oxígeno. Conforme circula la sangre en el

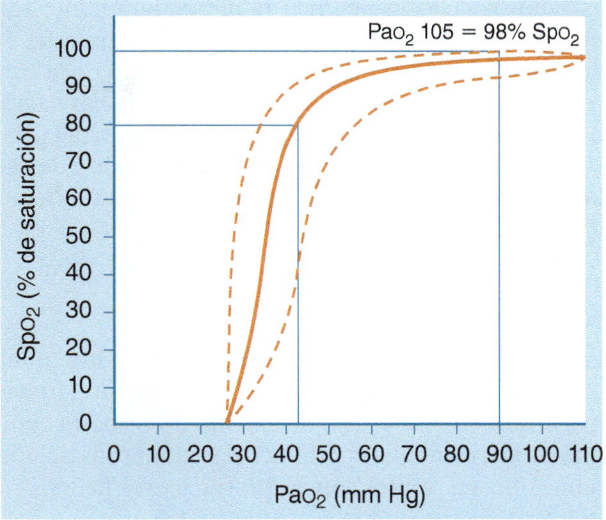

FIGURA 6-116 La curva de disociación de la oxihemoglobina. Los desplazamientos están representados por las líneas discontinuas.

ámbito tisular, la Pao_2 empieza a descender, punto en el que la hemoglobina libera sus moléculas de oxígeno para ponerlas a disposición para la respiración celular.

En respuesta a los cambios del metabolismo, la hemoglobina cambia en cuanto a la fortaleza con que une al oxígeno. Se liberan más moléculas de oxígeno conforme aumenta la acidez de la sangre (cuando el pH decrece). Este cambio produce un desvío de posición en la curva de disociación de la hemoglobina. Varias otras condiciones pueden también desviar toda la curva a la izquierda o derecha. Una desviación de la curva de disociación de la hemoglobina a la derecha causa que

Perlas de sabiduría

El espacio muerto fisiológico es un ejemplo del *desequilibrio de ventilación/perfusión*, situación que ocurre cuando un área del pulmón es ventilada pero no perfundida, o perfundida pero no ventilada. En el caso de la ventilación sin perfusión, el oxígeno se encuentra en los alvéolos, pero no hay sangre que pueda captarlo. En el caso de perfusión sin ventilación, hay riego sanguíneo en los alvéolos, pero no se dispone de oxígeno ahí para que se absorba. Con ambos tipos de desequilibrio de ventilación/perfusión (carencia de oxígeno o de flujo sanguíneo), el resultado es una *desviación de derecha a izquierda*. En esencia, la sangre no oxigenada de la aurícula derecha está regresando a la aurícula izquierda en un estado no oxigenado.

esta libere su oxígeno más rápido y temprano; una desviación a la izquierda tiene el efecto opuesto. La acidosis (disminución del pH) y el aumento de la concentración de dióxido de carbono causan la desviación de la curva a la derecha; la alcalosis (aumento del pH) y la disminución de la concentración de dióxido de carbono la desvían a la izquierda, de modo que la hemoglobina retiene más oxígeno.

Respiración

La **respiración** es el intercambio de gases entre un organismo vivo y su ambiente. En el ser humano provee oxígeno al cuerpo y retira el dióxido de carbono como uno de sus principales productos secundarios del metabolismo. La respiración es interna o externa.

Respiración externa

La respiración externa (pulmonar) es un intercambio de gases entre los alvéolos de los pulmones y los eritrocitos que transcurren por sus capilares, **FIGURA 6-117**. El aire fresco que se inspira a los pulmones contiene casi 21% de oxígeno, 78% de nitrógeno y pequeñas cantidades de otros gases. Conforme el aire alcanza los alvéolos, se pone en contacto con el surfactante, que disminuye la tensión superficial en ellos y los mantiene expandidos, fenómeno que facilita el intercambio de oxígeno y dióxido de carbono.

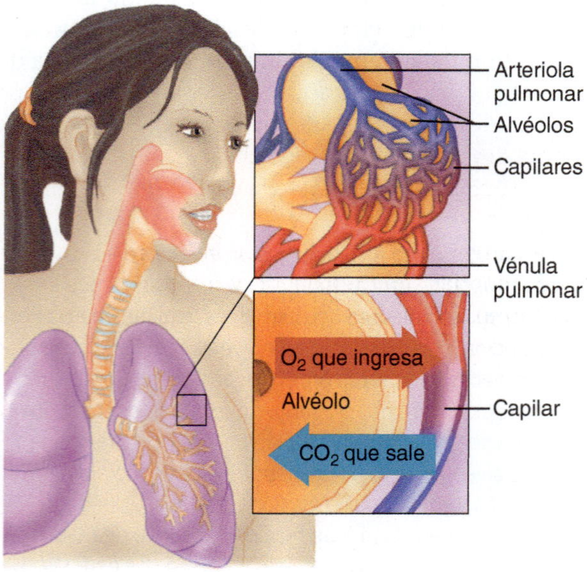

FIGURA 6-117 Respiración externa (pulmonar).

Perlas de sabiduría

Si bien se requiere una ventilación adecuada para que ocurra la respiración externa, esto no la garantiza.

Después de que el oxígeno atraviesa la membrana alveolar se une a la hemoglobina, cuyas moléculas con baja concentración de oxígeno se bombean desde el lado derecho del corazón hacia los capilares de la circulación pulmonar. Los capilares que rodean a los alvéolos contienen concentraciones altas de oxígeno (del aire inspirado). La molécula de hemoglobina capta oxígeno fresco conforme atraviesa la membrana alveolar y lo transporta de regreso a las cavidades cardíacas izquierdas, de donde se bombea hacia el resto del cuerpo. Bajo condiciones normales, de 96 a 100% de los receptores de hemoglobina contienen oxígeno.

Respiración interna

Una vez en la corriente sanguínea, se intercambian gases entre las células sanguíneas y los tejidos a través de la respiración interna (celular), **FIGURA 6-118**. Sin un sistema cardiovascular intacto, no puede ocurrir la respiración interna.

Recuerde que en presencia de oxígeno las mitocondrias de las células convierten la glucosa en energía por el metabolismo aeróbico (respiración aeróbica). Se produce energía en forma de ATP en el ciclo de Krebs y la fosforilación oxidativa, procesos por los

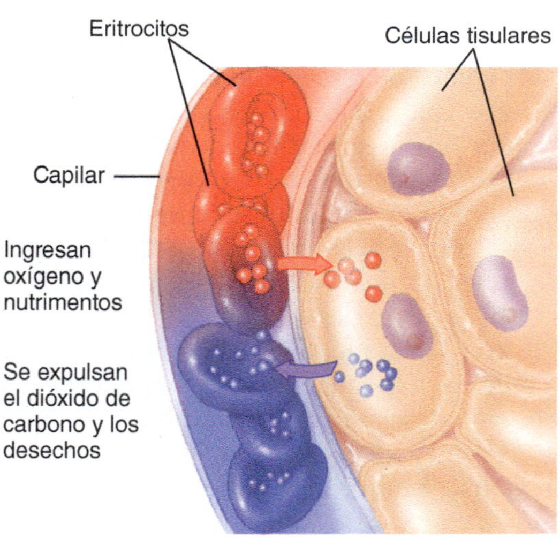

FIGURA 6-118 Respiración interna (celular).

que la energía liberada (por oxidación de metabolitos) se utiliza para sintetizarlo. Juntos, estos procesos químicos aportan casi 40 moléculas de ATP rico en energía por cada molécula de glucosa que se metaboliza. Sin una cantidad adecuada de oxígeno, las células no pueden convertir por completo la glucosa en energía y se acumulan ácido láctico y otros productos tóxicos en su interior, proceso que se denomina metabolismo anaeróbico (respiración anaeróbica) y no puede cubrir sus demandas metabólicas. Otro proceso intracelular, la glucólisis, también contribuye a la producción de ATP y no requiere oxígeno; produce menos ATP, pero también productos de desecho y sustancias tóxicas ácidas. Si no se corrige el metabolismo anaeróbico, las células, en un momento dado, mueren. Debe haber una perfusión y ventilación adecuadas para respaldar una producción suficiente de ATP y, por lo tanto, la respiración interna aeróbica. Si bien se requieren perfusión y ventilación para la respiración interna, no la garantizan.

Cuando las mitocondrias dentro de cada célula utilizan oxígeno para obtener la energía de la glucosa, el dióxido de carbono, principal producto de desecho se acumula en su interior, y después, se transporta por el aparato circulatorio y retorna a los pulmones para su exhalación.

En ausencia de oxígeno, el metabolismo anaeróbico crea una serie de sucesos que en un momento dado causan la muerte celular. Inicialmente las células presentan hipoxia; después, conforme se consume la reserva de glucosa, se acumula ácido láctico, que es el producto secundario de la glucólisis. El ambiente cada vez más ácido destruye las proteínas celulares y causa la muerte celular.

Participación de la difusión

El proceso de transporte de oxígeno del aire a los capilares dentro de los alvéolos involucra a la difusión, para cuya comprensión es útil revisar varios conceptos.

Presión parcial es un término usado para describir la cantidad de gas en el aire o disuelto en un líquido como la sangre. Obedece a la **ley de Henry**, que establece que la cantidad de un gas en una solución varía directamente con la presión parcial que ejerce en ella. En otras palabras, conforme la presión de un gas sobre un líquido disminuye, su cantidad disuelta también. Conforme se aplica más presión sobre el líquido, más gas se puede disolver en él. En términos prácticos, la ley de Henry indica que las moléculas de un gas se pueden disolver en un líquido y permanecer ahí, en tanto este se encuentre bajo presión en un recipiente cerrado (p. ej., sistema cardiovascular). La presión parcial se mide en milímetros de mercurio (mm Hg); 1 mm Hg equivale a 1 torr (símbolo: Torr). Note que la presión parcial de un gas no es lo mismo que su concentración.

Cuando hay múltiples gases presentes, cada uno ejerce una presión, y si están contenidos en el mismo recipiente, se pueden medir sus presiones parciales. Hay cuatro gases principales en la atmósfera terrestre: nitrógeno, oxígeno, vapor de agua y dióxido de carbono. La presión total promedio ejercida por estos gases es suficiente para elevar una columna de mercurio (Hg) 760 mm, por lo que la presión atmosférica es de 760 Torr total a nivel del mar.

El gas inspirado es una combinación de 78.5% de nitrógeno, 21% de oxígeno, 0.04% de dióxido de carbono y una cantidad nominal de otros gases, que ejerce una presión de 760 mm Hg a nivel del mar. Cada gas representa una porción de la combinación en el aire, por lo que ejerce una presión parcial. La suma de las presiones parciales es equivalente a la presión total de la mezcla. Debido a que los gases son liposolubles, atraviesan libremente la membrana celular y se desplazan por difusión. Las presiones parciales de la mezcla en el aire se encargan de su difusión a través de las membranas celulares. En el pulmón sano, la presión parcial normal de oxígeno (Pao_2) en la sangre arterial es de 80 a 100 Torr, y la correspondiente de dióxido de carbono ($Paco_2$) es de 35 a 45 Torr.

En la sangre venosa que retorna a los pulmones, el dióxido de carbono ejerce una presión parcial alta y el oxígeno una baja, en contraste con la alta presión parcial del oxígeno y la baja presión de dióxido de carbono en la sangre arterial pulmonar. Como resultado, el dióxido de carbono se difunde fuera de la sangre venosa hacia los pulmones, **FIGURA 6-119**. El oxígeno pasa por difusión desde de los alvéolos al interior de la sangre arterial, donde casi el 97% se combina con las moléculas de hemoglobina del eritrocito para su transporte.

La sangre arterial que llega a los tejidos tiene una presión parcial alta de oxígeno y una baja de dióxido de carbono. Cuando esta sangre alcanza los capilares, el oxígeno se difunde hacia el líquido intersticial (y en un momento dado al líquido intracelular), en tanto el dióxido de carbono se difunde fuera del líquido intersticial y hacia la sangre venosa.

A diferencia del oxígeno, que es transportado por la hemoglobina, el dióxido de carbono se transporta por tres métodos en la sangre venosa: disuelto, unido a la hemoglobina o en forma de iones bicarbonato, los cuales se crean cuando el dióxido de carbono se

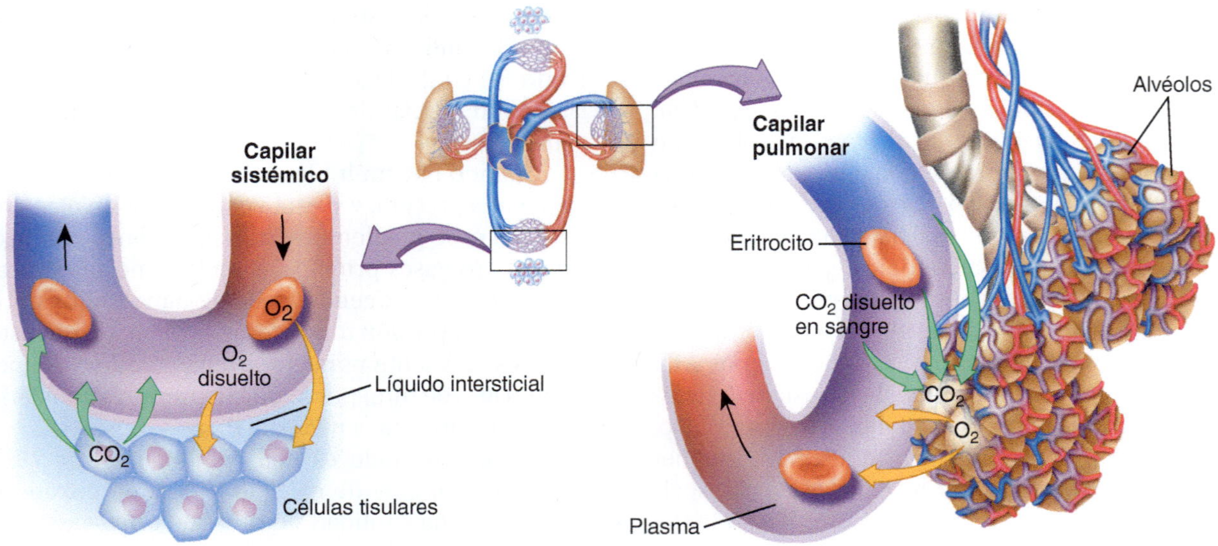

FIGURA 6-119 En los capilares pulmonares el oxígeno pasa de la sangre a las células de los tejidos, y el dióxido de carbono y los productos de desecho, de las células de los tejidos a la sangre. Ocurre difusión cuando las moléculas pasan de una zona de mayor concentración a una donde esta es menor.

combina con el agua. El dióxido de carbono aunado a la hemoglobina se mezcla con los grupos amino, en tanto el oxígeno lo hace con los de hierro. Dados sus diferentes puntos de unión, las dos moléculas pueden ser transportadas al mismo tiempo y no necesitan competir por sitios de unión en la hemoglobina.

Regulación de la respiración

La necesidad de oxígeno corporal es dinámica, en constante cambio. El aparato respiratorio debe ser capaz de ajustarse a los cambios perpetuos en las demandas de oxígeno por la modificación de la frecuencia y profundidad de la ventilación, regulada principalmente por el pH del líquido cefalorraquídeo, que tiene relación directa con la cantidad de dióxido de carbono disuelta en el plasma sanguíneo ($Paco_2$). La regulación de la ventilación implica a una serie compleja de receptores y asas de retroalimentación que perciben las concentraciones de gases en los líquidos corporales y envían mensajes a los centros respiratorios encefálicos para ajustar la frecuencia y profundidad de la ventilación de manera acorde.

Control neural de la ventilación

La respiración es en gran parte un mecanismo involuntario, si bien se puede modificar a conciencia durante un periodo breve. La respiración involuntaria es regulada por los centros respiratorios en el tronco encefálico (bulbo raquídeo y protuberancia anular), que relevan los impulsos a través de nervios hacia los músculos de la inspiración y exhalación y causan que se contraigan y relajen. Se necesita la respiración voluntaria para actividades como hablar, cantar, detener la respiración propia, reír e inflar un globo. En la respiración voluntaria, su regulación se inicia en la corteza motora del cerebro. Los impulsos descienden por los tractos corticoespinales hasta los centros de integración en la médula espinal, evadiendo así al tronco encefálico.[34]

El sistema de regulación de la respiración involuntaria tiene tres componentes:

- **Centro de mando.** Consta de tres pares de centros respiratorios en la formación reticular del bulbo raquídeo y la protuberancia anular; hay uno de cada uno en los lados, derecho e izquierdo, del tronco encefálico.[34] Estos centros son: **grupo respiratorio ventral (GRV)** y **respiratorio dorsal (GRD)** del bulbo raquídeo, así como el **grupo respiratorio pontino (GRP)** localizado en la protuberancia anular (antes llamado centro neumotáxico), **FIGURA 6-120**.
- **Efectores.** Los efectores son los músculos respiratorios, cuya actividad es regida por los centros respiratorios, que dan lugar a la contracción y relajación musculares.
- **Sensores.** Los sensores incluyen quimiorreceptores centrales en el bulbo raquídeo (que res-

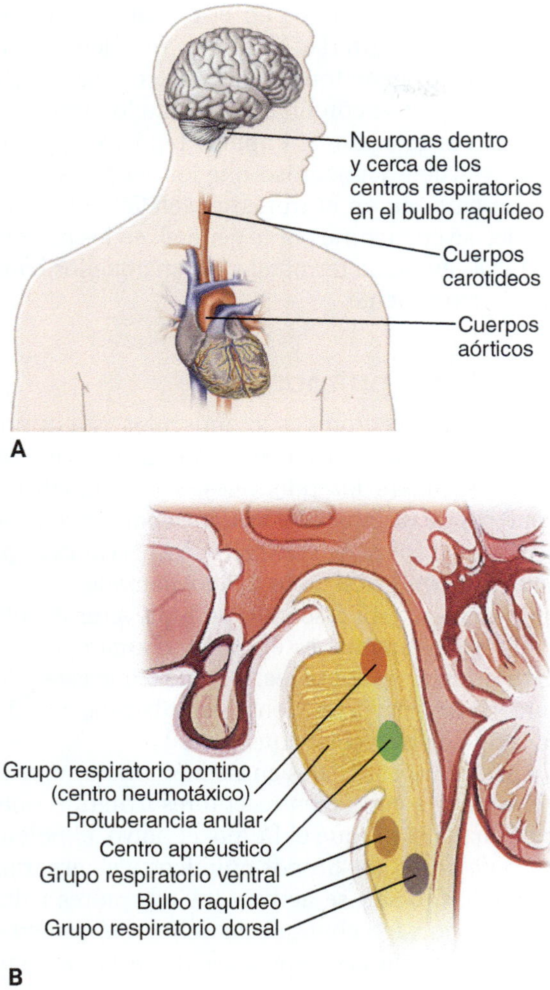

FIGURA 6-120 Estructuras importantes para la regulación de la ventilación. **A.** Localizaciones de los quimiorreceptores. **B.** Centros respiratorios.

ponden a los cambios en Pco_2 y pH); quimiorreceptores periféricos en los cuerpos carotídeos y aórticos (que responden ante cambios de Po_2, Pco_2 y pH); mecanorreceptores (localizados en la pared del tórax y los pulmones, receptores de distensión pulmonar y termorreceptores cutáneos); los propioceptores en los músculos, tendones y articulaciones,[40] y los receptores irritativos en la tráquea y la vía aérea grande.

El grupo respiratorio ventral es una red de neuronas motoras inspiratorias y exhalatorias cuyos núcleos se localizan en la porción central del bulbo raquídeo. El ritmo de la respiración normal tranquila es resultado de la alternancia de patrones de estimulación e inhibición de las neuronas motoras que inervan al diafragma (los nervios frénicos) y los músculos intercostales externos (nervios intercostales). Durante la inhalación, las neuronas inspiratorias del grupo respiratorio ventral envían impulsos a través de sus nervios motores, con la contracción resultante del diafragma y los músculos intercostales externos, aumento de volumen de la caja torácica y el ingreso de aire. Conforme declina la actividad de las neuronas inspiratorias, las exhalatorias empiezan a presentar descargas. Se envían señales a los músculos intercostales internos y abdominales, los músculos inspiratorios se relajan, los pulmones se retraen y se exhala aire. Conforme la actividad de las neuronas exhalatorias disminuye, las inspiratorias reinician sus descargas y el ciclo se repite.

El grupo respiratorio dorsal, también localizado en el bulbo raquídeo, actúa como centro de integración. Recibe impulsos de varias fuentes, incluidos el grupo respiratorio pontino, los nervios glosofaríngeo (NC IX) y vago (NC X),[41] los quimiorreceptores centrales en el bulbo raquídeo y los periféricos.[34] El grupo respiratorio dorsal envía señales al grupo respiratorio ventral para modificar el ritmo y la profundidad de la ventilación, con el propósito de restablecer la hemostasia.

El grupo respiratorio pontino recibe impulsos de la corteza cerebral, el hipotálamo y del sistema límbico y traslada la información tanto al grupo respiratorio ventral como al grupo respiratorio dorsal.[34] Si bien los centros respiratorios del bulbo raquídeo pueden generar un ritmo básico de la actividad, el grupo respiratorio pontino influye y modifica la frecuencia y profundidad ventilatorias establecidas por los centros bulbares.[40] Por ejemplo, se cree que el grupo respiratorio pontino suaviza la transición entre cada fase del ciclo ventilatorio y la modifica haciendo cada ventilación más corta y menos profunda o más larga y más profunda, dependiendo de las necesidades corporales. Se cree que el **centro apnéustico** de la protuberancia anular actúa junto con el grupo respiratorio pontino para regular la longitud y profundidad de la inspiración.[42]

Regulación química de la ventilación

El propósito del aparato respiratorio es mantener las concentraciones de oxígeno y dióxido de carbono en sangre y el equilibrio acidobásico dentro de límites estrechos. El cuerpo cuenta con varios receptores que vigilan variables y proveen retroalimentación a los centros respiratorios, lo que les hace ajustar la frecuencia y profundidad de la respiración con base en las necesidades corporales. Estos quimiorreceptores tienen efectos importantes sobre la frecuencia y profundidad ventilatorias.

Los quimiorreceptores que vigilan de manera constante la composición química de los líquidos corporales se localizan en todo el cuerpo y proveen la retroalimentación respecto de muchos procesos metabólicos. Tanto los quimiorreceptores centrales como los periféricos modifican la función respiratoria (véase figura 6-120).

Los quimiorreceptores centrales, localizados en el bulbo raquídeo, responden a los cambios en el dióxido de carbono y el pH del LCR. Cualquier cambio observado en la Pco_2 de la sangre arterial se refleja con rapidez en la cifra de pH del LCR, cuya acidez es una medida indirecta de la cantidad de dióxido de carbono presente en la sangre arterial, porque se difunde rápidamente a través de la barrera hematoencefálica y se combina con el agua para formar ácido carbónico. Cuando el ácido carbónico se disocia, el pH desciende conforme aumenta la concentración de hidrogeniones. Un aumento en la acidez del líquido cefalorraquídeo activa a los quimiorreceptores centrales para aumentar la frecuencia y profundidad respiratorias, con el fin de eliminar el exceso de dióxido de carbono que se estaba acumulando en el cuerpo. Por el contrario, cuando la cifra de pH del líquido cefalorraquídeo se hace más alcalina, con cifras bajas de Pco_2 en la sangre, la frecuencia ventilatoria disminuye.

Los quimiorreceptores periféricos en los cuerpos carotídeo y aórtico responden a los cambios en Po_2, Pco_2 y pH, pues perciben cambios muy pequeños en la concentración de dióxido de carbono y envían señales al centro respiratorio a través de los nervios craneales. Los cuerpos carotídeos envían señales al tronco encefálico a través del nervio glosofaríngeo (NC IX), en tanto los quimiorreceptores del arco aórtico se comunican a través del nervio vago (NC X).

Cuando las concentraciones séricas de dióxido de carbono o hidrógeno aumentan por una afección médica o una lesión traumática que involucra al aparato respiratorio, los quimiorreceptores estimulan a los centros de regulación respiratoria en el bulbo raquídeo para aumentar la frecuencia ventilatoria con el propósito de retirar más dióxido de carbono o ácido del cuerpo.

Impulso hipóxico

Los pacientes con enfermedad pulmonar obstructiva crónica (EPOC), como el enfisema y la bronquitis crónica, tienen dificultad para eliminar el dióxido de carbono por exhalación; en consecuencia, siempre muestran cifras más altas de dióxido de carbono en la sangre, lo que potencialmente modifica su impulso respiratorio primario que se basa en el aumento de la concentración arterial de dióxido de carbono y el pH del líquido cefalorraquídeo. La teoría es que los centros respiratorios en el encéfalo gradualmente se ajustan a las cifras altas de dióxido de carbono. En los pacientes con EPOC en etapa terminal, el cuerpo utiliza un sistema de respaldo para regular la respiración. La teoría vigente es que esta regulación secundaria, denominada **impulso hipóxico**, estimula la respiración cuando la concentración de oxígeno arterial decrece. Sin embargo, los nervios en el cerebro, las paredes de la aorta y las arterias carótidas, que actúan como sensores de oxígeno (quimiorreceptores), se ven fácilmente satisfechos con una concentración mínima de oxígeno. Por lo tanto, el impulso hipóxico es mucho menos sensible y poderoso que los sensores de dióxido de carbono en el tronco encefálico. El impulso hipóxico se encuentra, por lo general, en los pacientes con EPOC en etapa terminal y no en aquellos con un diagnóstico reciente.

Receptores pulmonares

Hay mecanorreceptores en los músculos lisos de bronquios y bronquiolos, así como en la pleura visceral.[34] Cuando se inflan los pulmones, se estimulan estos receptores de distensión y envían señales nerviosas a los centros respiratorios a través del nervio vago para inhibir la inspiración. Este reflejo, llamado **reflejo de Hering-Breuer**, está diseñado para prevenir el sobreinflado de los pulmones en una persona consciente con respiración espontánea. Debido a que este reflejo también aumenta la frecuencia ventilatoria, mantiene una ventilación alveolar constante.[41]

Las células epiteliales en las membranas mucosas de la vía aérea contienen receptores irritantes que se denominan así porque el humo, el polvo, el polen, el exceso de moco, los humos químicos y el aire frío, lo estimulan. Cuando se activan los receptores irritantes, el nervio vago conduce las señales al tronco encefálico, que entonces envía señales a los músculos respiratorios y bronquiales, y desencadena reflejos de protección, como la tos, la broncoconstricción o la respiración poco profunda.[34]

Sistemas amortiguadores

Recuerde que un amortiguador es una sustancia que puede absorber o donar iones de hidrógeno, lo primero cuando hay un exceso y lo segundo cuando se encuentran en poca concentración. De esta manera, los **sistemas amortiguadores** actúan como defensas rápidas contra los cambios acidobásicos y proveen la protección casi inmediata en contra de aquellos de la concentración de hidrogeniones en el líquido extracelular. Se presentan problemas cuando la cantidad de ácido en la circulación es demasiada para que el sistema amortiguador la ajuste. Para fijar este concepto, imagine el sistema amortiguador como una cubeta que contiene el ácido presente en el cuerpo, **FIGURA 6-121**. Como una cubeta, el sistema amortiguador puede contener solo una cierta cantidad antes de que se derrame.

Tres sistemas amortiguadores principales ayudan al cuerpo a mantener el pH dentro de un rango

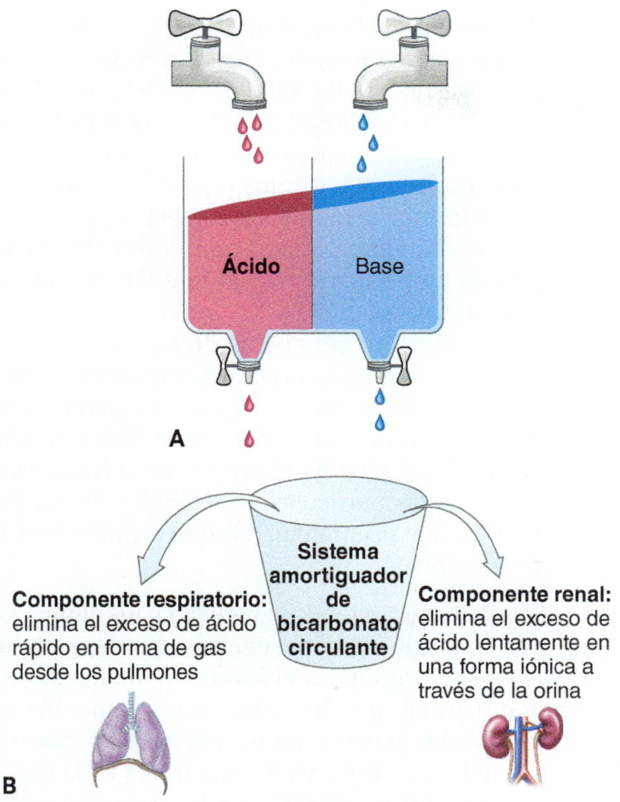

FIGURA 6-121 Sistemas amortiguadores. **A.** Conforme fluctúan las concentraciones de ácidos o bases el cuerpo debe actuar para asegurar mantener el equilibrio acidobásico. **B.** El componente respiratorio y el renal son dos sistemas para eliminar el exceso de ácido.

óptimo: (1) el bicarbonato circulante, (2) el aparato respiratorio y (3) el sistema renal. El medio más rápido del cuerpo para restablecer el equilibrio acidobásico es el llamado amortiguador, el contenido de bicarbonato de líquido intracelular y extracelular. Cuando se acumula un exceso de ácido, se elimina a través del aparato respiratorio al expulsar dióxido de carbono a través de los pulmones. Por el contrario, el ralentizar la frecuencia respiratoria promueve la retención de dióxido de carbono. El sistema renal regula el pH por filtrado al exterior de hidrogeniones y retención de bicarbonato, o viceversa, cuando es necesario.

Componente amortiguador bicarbonato circulante. Durante el metabolismo celular se producen grandes cantidades de dióxido de carbono como desecho. La mayor parte se almacena en líquido intracelular y extracelular en forma de bicarbonato, el sistema de amortiguación más importante del cuerpo, que es como una cubeta que sostiene y neutraliza el exceso de ácido.

En el sistema amortiguador de bicarbonato, el exceso de ácido (H^+) se combina con el bicarbonato (HCO_3^-) para formar ácido carbónico ($H_2CO_3^-$), compuesto que con rapidez se disocia en agua y dióxido de carbono, que entonces se exhala. Puesto que el ácido se elimina en forma de agua y dióxido de carbono, el pH total no cambia de manera significativa. Ocurre un proceso similar con la producción metabólica de base (bicarbonato).

El ácido carbónico es un ácido débil que puede captar un hidrogenión adicional para constituir nuevamente el ion bicarbonato. El hidrogenión adicional de esta reacción se convierte entonces durante el metabolismo en compuestos fáciles de expulsar del cuerpo, y así se elimina el exceso de ácido.

Componente amortiguador respiratorio. Además del componente circulante del amortiguador bicarbonato, la forma más rápida en que el cuerpo puede eliminar el exceso de hidrogeniones es la de formar agua y dióxido de carbono, que se puede expulsar como gas desde los pulmones.

Se origina el ácido carbónico cuando el dióxido de carbono se combina con el agua circulante. Los quimiorreceptores en el encéfalo perciben una cifra creciente de ácido carbónico y envían mensajes a los centros respiratorios para aumentar la frecuencia ventilatoria y disminuir la cantidad de dióxido de carbono circulante. Aunque el amortiguador respiratorio reacciona en minutos, su respuesta es mucho más lenta que la del componente amortiguador bicarbonato circulante.

Puede ocurrir acidosis por una función ventilatoria anormal, que incluye una frecuencia respiratoria demasiado rápida o lenta, ventilación laboriosa o poco profunda (con un volumen de corriente disminuido). En el otro extremo del espectro acidobásico puede ocurrir alcalosis si la frecuencia ventilatoria es muy alta o el volumen muy grande.

Componente amortiguador renal. Los riñones vigilan la concentración de hidrógeno y bicarbonato en los túbulos de las nefronas como parte de su esfuerzo por mantener el pH. Sin embargo, el componente amortiguador renal responde más lentamente a una concentración creciente de ácido que los componentes amortiguadores bicarbonato y respiratorio. Además, pudiesen requerirse horas o incluso días para que el sistema amortiguador renal restablezca el pH corporal normal.

Cuando la sangre tiene concentraciones altas de ácido carbónico, los riñones responden con la excreción de más iones hidrógeno y la fragmentación del ácido carbónico hasta dióxido de carbono y agua. En la célula tubular, el dióxido de carbono se reabsorbe;

se forma un nuevo ion bicarbonato y se difunde a través de capilares peritubulares hacia la sangre. El bicarbonato reabsorbido es neutralizado por los iones de sodio que se reabsorbieron en intercambio por los hidrogeniones excretados en la orina. Cuando la sangre contiene cifras bajas de ácido carbónico, los riñones excretan menos hidrogeniones y más bicarbonato.

Regulación de la ventilación por otros factores

Otros múltiples factores influyen en la regulación de la frecuencia ventilatoria. Aquellos, como la elevación de la temperatura corporal, los estimulantes del SNC, el dolor, la emoción, la hipoxia y la acidosis, la aumentan. El sueño, los estados metabólicos de carencia y los depresores del SNC, incluido el alcohol, disminuyen la frecuencia ventilatoria.

El aparato digestivo

El aparato digestivo tiene dos divisiones principales: (1) el conducto alimentario y (2) los órganos accesorios de la digestión. El conducto alimentario, que consta de una serie de tubos musculares, se especializa para el procesamiento secuencial de los alimentos en toda su longitud.[43] Colectivamente, estos tubos están diseñados para movilizar alimentos sólidos y líquidos desde su ingreso al cuerpo (por lo general, por la boca) hasta su eliminación del cuerpo a través del ano. El aparato digestivo es la porción del conducto alimentario que consta de estómago e intestino, y órganos digestivos accesorios, que producen y secretan hormonas y jugos esenciales para el proceso de la digestión.

El aparato digestivo se encarga de seis procesos:

1. **Ingestión.** El de llevar material al tubo digestivo a través de la boca.
2. **Procesamiento mecánico.** Los materiales se muelen y dividen en fragmentos más pequeños, lo que los hace de más fácil desplazamiento por el tubo digestivo. Las enzimas empiezan a atacar las partículas durante la masticación, en tanto dientes y lengua se usan para desgarrar y moler los alimentos. Se provee un procesamiento mecánico adicional por los movimientos de mezcla del estómago e intestinos.
3. **Digestión.** La fragmentación química del material alimentario crea estructuras más pequeñas, que se pueden absorber hacia la circulación. Las moléculas simples (p. ej., glucosa) se absorben íntegras, en tanto las más complejas (p. ej., polisacáridos, proteínas, triglicéridos) deben primero fragmentarse antes de poder absorberse.
4. **Secreción.** La liberación de agua, ácidos, enzimas y amortiguadores ayuda a la fragmentación y la digestión de los alimentos en el tubo digestivo. Estas secreciones provienen tanto de los órganos digestivos como de los accesorios.
5. **Absorción.** Los sustratos orgánicos (moléculas sobre las que actúan las enzimas), los electrólitos, las vitaminas y el agua transcurren por el epitelio del tubo digestivo y al interior del líquido intersticial.
6. **Excreción.** Los productos de desecho se retiran de los líquidos corporales a través de secreciones del tubo digestivo y órganos glandulares. Después de mezclarse con los residuos que no se pueden digerir, estos productos se convierten en *heces*, las partículas no digeridas de los alimentos que se eliminan durante el proceso de la defecación.

Diferentes secreciones se agregan a los alimentos en sucesión, principalmente enzimas, por las glándulas salivales, el estómago, el hígado, el páncreas y el intestino delgado, para convertir a los alimentos en azúcares, ácidos grasos y aminoácidos. Estos productos de la digestión se transportan a través de la pared del intestino y por la vena porta hacia el hígado. En este último los productos se procesan adicionalmente y se almacenan o transportan al corazón a través de venas que drenan el hígado. El corazón entonces bombea la sangre con estos nutrimentos a través de las arterias hacia los capilares, donde pasan a través de sus paredes para nutrir a las células corporales individuales.

El conducto alimentario se extiende de la boca al ano, e incluye boca, faringe, esófago, estómago, intestinos y recto. Las paredes del conducto alimentario tienen cuatro capas, especializadas en ciertas regiones para funciones particulares, **FIGURA 6-122**:

- **Mucosa (membrana mucosa).** Epitelio superficial, el conectivo subyacente y una pequeña cantidad de músculo liso, plegado en algunas regiones, con proyecciones que se extienden hacia la luz intestinal y aumentan su superficie de absorción. La mucosa lleva a cabo la secreción y absorción.
- **Submucosa.** Tejido conectivo laxo con glándulas, vasos sanguíneos, vasos linfáticos y nervios. Nutre a los tejidos circundantes y transporta los materiales absorbidos.
- **Capa muscular.** Produce movimientos del tubo, constituida por dos cubiertas de músculo liso: las fibras circulares de la cubierta interna rodean al tubo, causan su contracción, y las longitudinales lo hacen en toda su longitud y originan su acortamiento.

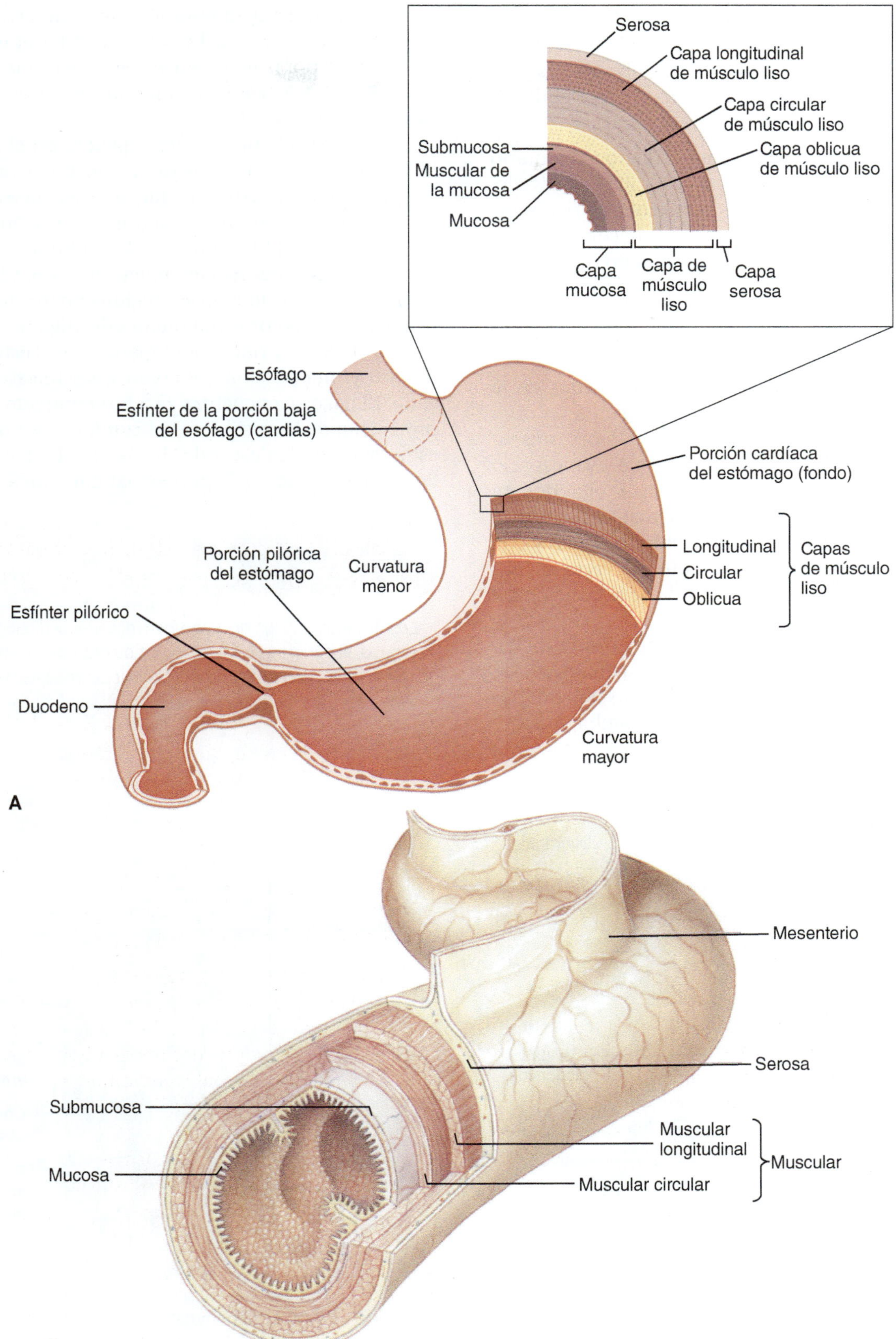

FIGURA 6-122 Las capas del conducto alimentario. **A.** Capas del estómago. **B.** Capas de los intestinos.

- **Serosa (capa serosa).** Constituida por peritoneo visceral en el exterior y el tejido conectivo subyacente. Protege los tejidos subyacentes y secreta fluido seroso para que los órganos abdominales se deslicen libremente entre sí.

Los órganos accesorios del conducto alimentario incluyen dientes, lengua, glándulas salivales, hígado, vesícula biliar y páncreas. Las secreciones de estos órganos accesorios se vacían a través de conductos en el tubo digestivo. Los órganos del aparato digestivo se encuentran dentro del abdomen.

Abdomen

El abdomen contiene los principales órganos de la digestión y excreción. El diafragma separa a las cavidades torácica y abdominal. Gruesas paredes musculares abdominales crean los límites de este espacio por delante y atrás. En la parte inferior el abdomen se separa de la pelvis por un plano imaginario, que se extiende desde la sínfisis del pubis hasta el sacro, **FIGURA 6-123**. Algunos órganos pueden yacer en ambos, abdomen y pelvis, dependiendo de la posición del paciente.

El método más simple y frecuente de descripción de las porciones del abdomen es por cuadrantes, esto es, cuatro zonas formadas por dos líneas imaginarias que se intersecan en ángulo recto en el ombligo. Sobre la pared abdominal anterior los cuadrantes formados así son el superior derecho (CSD), el inferior derecho (CID), el inferior izquierdo (CII) y el superior izquierdo (CSI), **FIGURA 6-124**. La región que rodea al ombligo es la periumbilical.

En el CSD los principales órganos son el hígado, la vesícula y una porción del colon y del intestino delgado. La mayor parte del hígado yace en este cuadrante, casi por completo bajo la protección de las costillas 8 a 12. El hígado llena la profundidad anteroposterior del abdomen completa en el CSD. En consecuencia, las lesiones en esa región con frecuencia se vinculan con las correspondientes del hígado.

En el CSI los principales órganos son el estómago, el bazo y una porción del colon y del intestino delgado. El bazo se encuentra casi por completo bajo la protección de la parrilla costal izquierda, en tanto, el estómago puede descender hacia el CII cuando está lleno. El bazo yace en la porción lateral y posterior del

Perlas de sabiduría

Los órganos sólidos del abdomen incluyen al hígado, el bazo, el páncreas y los riñones. Los órganos huecos, incluyen al estómago, la vesícula biliar, la vejiga y los intestinos delgado y grueso.

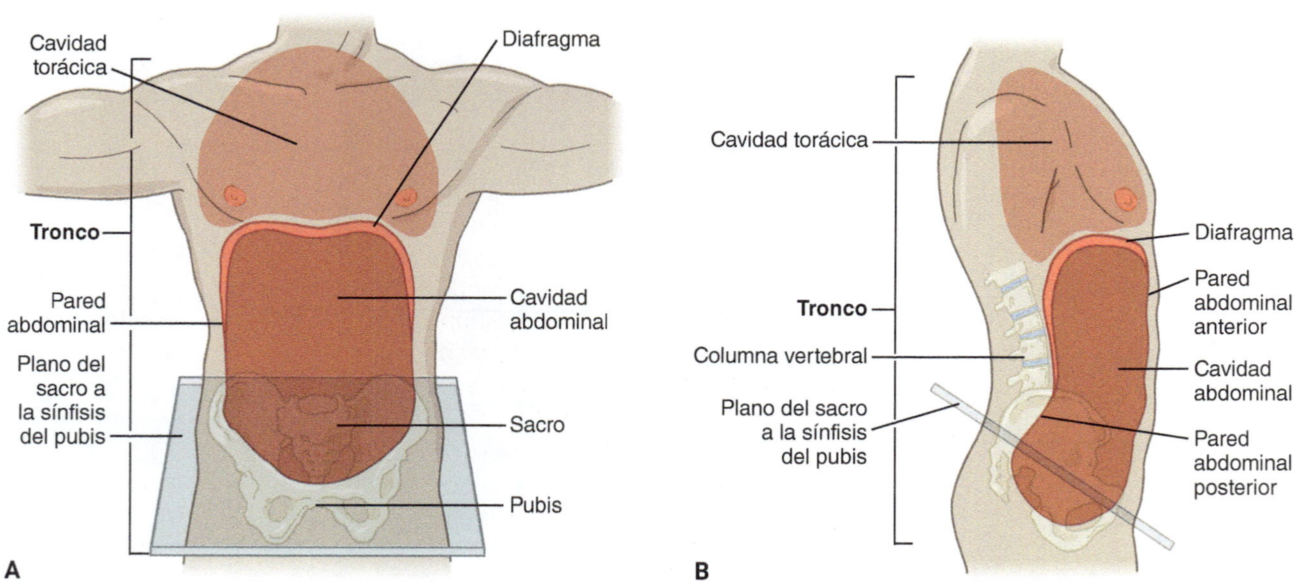

FIGURA 6-123 Los límites del abdomen son las paredes anterior y posterior de la cavidad abdominal, el diafragma y un plano imaginario de la sínfisis del pubis al sacro. **A.** Vista anterior. **B.** Vista lateral.

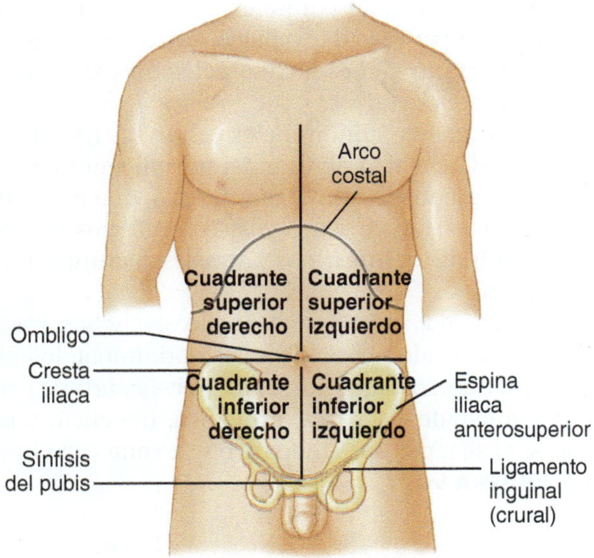

FIGURA 6-124 Los cuatro cuadrantes abdominales.

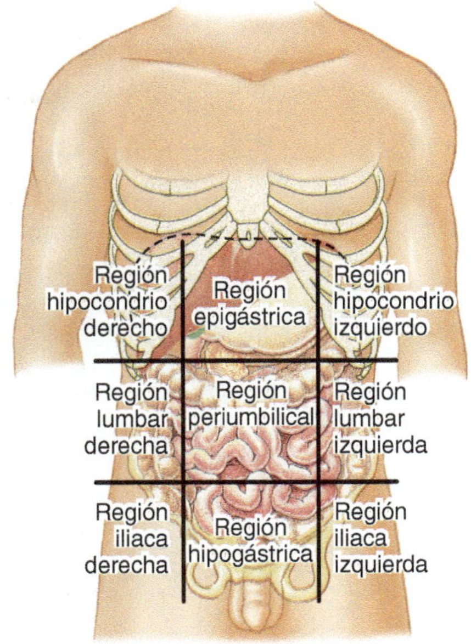

FIGURA 6-125 Las nueve regiones del abdomen.

CII bajo el diafragma y de inmediato enfrente de las costillas 9 a 11. Es lesionado con frecuencia, en especial, cuando estas costillas se fracturan.

El CID contiene dos porciones del intestino grueso: el ciego, la primera porción desemboca en el intestino delgado (íleon) y el colon ascendente. El *apéndice* es una pequeña estructura tubular (de 8 a 10 cm de longitud) que en realidad es una pequeña bolsa unida al borde inferior del ciego. Se cree que contiene bacterias intestinales no patógenas (es decir, "buenas") que pueden migrar hacia el colon y restablecer el equilibrio microbiano, cuando se pierde dentro del colon por el uso de antibióticos, infección o diarrea. El apéndice puede fácilmente obstruirse, con inflamación resultante e infección. Las porciones de colon descendente y sigmoides yacen en el CII.

Varios órganos se ubican en más de un cuadrante. El intestino delgado, por ejemplo, ocupa la parte central de abdomen alrededor del ombligo y hay partes de este en los cuatro cuadrantes. El páncreas yace apenas detrás de la cavidad abdominal en la pared posterior del abdomen, en ambos cuadrantes superiores. El intestino grueso también atraviesa el abdomen, con inicio en el CID y terminación en el CII, a su paso por los cuatro cuadrantes. La vejiga se localiza apenas detrás de la sínfisis del pubis en la línea media del abdomen, por lo que se encuentra en ambos cuadrantes inferiores, así como en la pelvis. Menos a menudo, el abdomen y la pelvis se pueden dividir en nueve secciones para ayudar a describir la localización de los órganos, el dolor, las incisiones o cicatrices, **FIGURA 6-125**.

La mayoría de las estructuras intraabdominales está cubierta por una hoja grande húmeda y continua de membrana serosa llamada **peritoneo**, constituido por dos partes: parietal, que reviste las paredes de la cavidad abdominal, y visceral, que cubre los órganos dentro de la cavidad abdominal. El espacio potencial entre estas dos capas se conoce como cavidad peritoneal. Los órganos en la cavidad abdominopélvica están localizados a cada lado del peritoneo (intraperitoneales) o detrás de él (retroperitoneales), **FIGURA 6-126**. La parte superior de la cavidad peritoneal, también conocida como componente toracoabdominal del abdomen, es cubierta por la porción baja del tórax, donde se localizan el diafragma, el hígado, el bazo, el estómago, la vesícula biliar y el colon transverso. La parte baja de la cavidad peritoneal contiene al intestino delgado, el colon sigmoides, parte del colon ascendente y el descendente, y en las mujeres, los órganos internos de la reproducción. El espacio retroperitoneal contiene a la aorta abdominal, la vena cava inferior, el páncreas, los riñones, las glándulas suprarrenales, los **uréteres** (tubos que transportan orina de los riñones a la vejiga), la mayor parte del duodeno, y las caras posteriores del colon descendente y el ascendente, así como los componentes retroperitoneales de la cavidad pélvica. En la pelvis

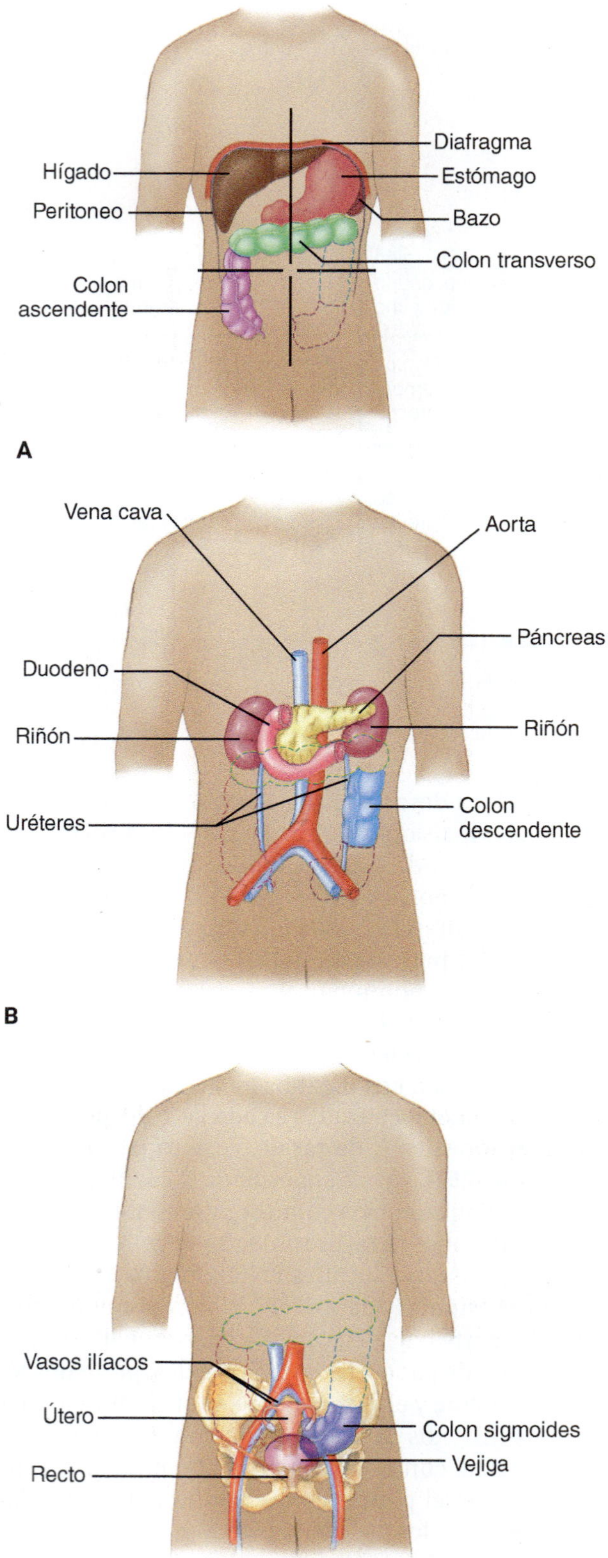

FIGURA 6-126 Diferentes órganos del abdomen que están contenidos en el peritoneo **(A)**, el espacio retroperitoneal **(B)**, y la pelvis **(C)**.

se alojan el recto, los uréteres, la vejiga, los vasos iliacos, el plexo vascular pélvico, estructuras vasculares importantes, el esqueleto pélvico y los órganos reproductores.

Los órganos abdominales están suspendidos dentro de la cavidad abdominal por pliegues de peritoneo que constituyen el mesenterio, que contiene los nervios, arterias, venas y vasos linfáticos correspondientes de los intestinos y otras estructuras intraabdominales.

Por último, el abdomen incluye muchos vasos sanguíneos vitales, como la aorta abdominal, los vasos mesentéricos superior e inferior, las arterias renales, gonadales, gástrica, esplénica, hepática, y las iliacas, el sistema porta hepático y la vena cava inferior, **FIGURA 6-127**.

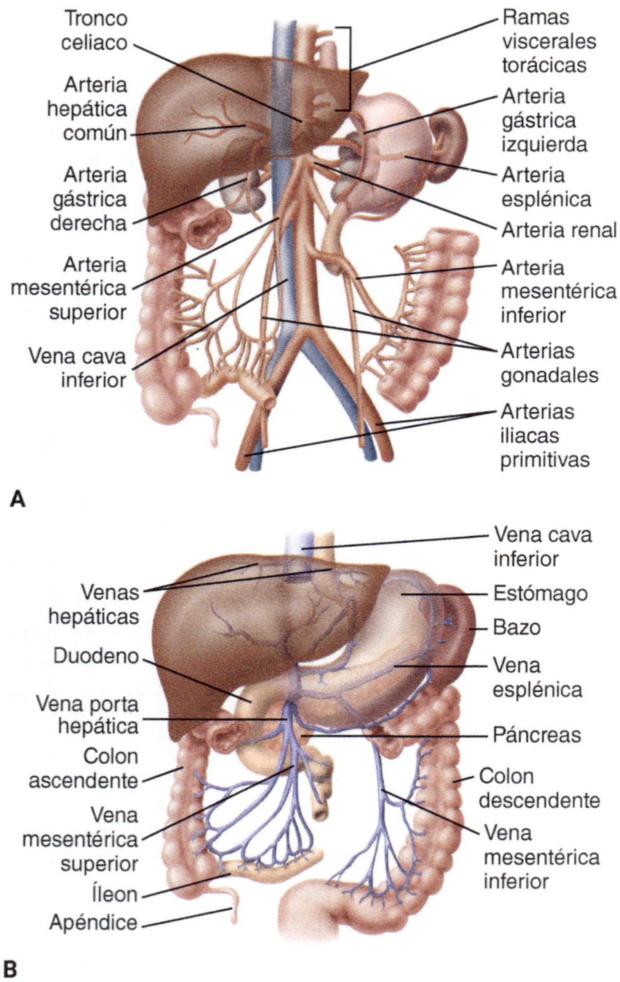

FIGURA 6-127 **A.** Arterias del abdomen. **B.** Venas del abdomen.

Cavidad bucal

La primera porción del aparato digestivo es la cavidad bucal (boca) constituida por labios, carrillos, encías, dientes y lengua. Una membrana mucosa la reviste. Los paladares blando y duro forman el techo de la boca. El paladar duro es una placa ósea que yace por delante, en tanto el paladar blando es un pliegue de membrana mucosa y músculo que se extiende hacia atrás desde el paladar duro hasta la garganta. El paladar blando está diseñado para retener el alimento que se está masticando dentro de la boca y ayudar a iniciar la deglución. Los carrillos forman las paredes laterales de la cavidad bucal. El piso de la cavidad bucal está formado principalmente de tejidos blandos, como la lengua.

La digestión se inicia en la boca con la masticación (trituración) de los alimentos. Los nervios hipogloso (NC XII), glosofaríngeo (NC IX), trigémino (NC V) y facial (NC VII) inervan la boca y sus estructuras. El nervio hipogloso provee función motora a los músculos de la lengua. El nervio glosofaríngeo aporta la sensibilidad del gusto a las porciones posteriores de la lengua y dirige fibras parasimpáticas hacia las glándulas salivales a cada lado de la cara. La rama mandibular del nervio trigémino da inervación motora a los músculos de la masticación. Además de proveer actividad motora a todos los músculos de la expresión facial, el nervio facial brinda el sentido del gusto a los dos tercios anteriores de la lengua y las sensaciones cutáneas de la lengua y el paladar.

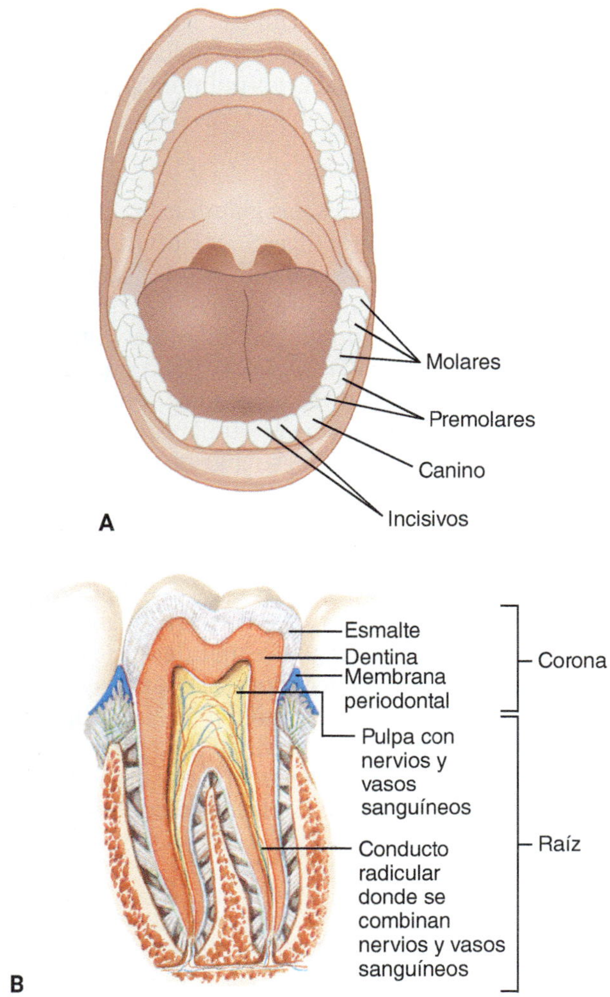

FIGURA 6-128 Dientes de la boca del adulto. **A.** Se usan los incisivos para cortar y los caninos para desgarrar, los premolares y molares para moler y triturar los alimentos. **B.** Cada diente contiene nervios y vasos sanguíneos.

Dientes

Recuerde que el adulto normal tiene 32 dientes permanentes. Ocurre la pérdida de la dentadura primaria decidual durante la infancia, y la reemplazan los dientes permanentes. Los del adulto están distribuidos en los arcos maxilar y mandibular. Los dientes del arco a cada lado son imágenes en espejo propias y forman cuatro cuadrantes: derecho superior, izquierdo superior, derecho inferior e izquierdo inferior. Cada cuadrante contiene un incisivo central y uno lateral, un canino, dos premolares y tres molares, **FIGURA 6-128**. Los terceros molares (muelas del juicio) no aparecen hasta ya avanzada la adolescencia.

La porción más alta de los dientes, externa a la encía, es la corona, que contiene una o más crestas. Debajo de la corona se encuentran el cuello y la(s) raíz(ces). La cavidad pulpar ocupa el centro del diente, contiene vasos sanguíneos, nervios y un tejido especializado denominado pulpa. La dentina y el esmalte rodean a la cavidad pulpar y protegen de daños al diente. La primera, que forma la masa principal del diente, es mucho más densa y fuerte que el hueso. Las cavidades óseas para los dientes en la mandíbula y el maxilar se denominan alvéolos. Los puentes entre los dientes, conocidos como bordes alveolares, están cubiertos por las encías, que constan de tejido conectivo engrosado y epitelio. Los dientes se adhieren al hueso alveolar por una membrana periodontal.

Los dientes frontales se usan principalmente para desgarrar o cortar los alimentos. Mientras se mastica, el alimento es llevado hacia la parte posterior de la boca donde las superficies planas de los molares lo muelen y trituran hasta una consistencia más fácil de deglutir. Esta actividad mecánica facilita el paso del alimento por el esófago durante la deglución y ayuda a prevenir su aspiración hacia los pulmones.

Glándulas salivales

Como se mencionó antes, las glándulas salivales son órganos accesorios de la digestión. Durante la masticación los alimentos se mezclan con las secreciones de las glándulas salivales, de las que hay dos bajo la lengua, una a cada lado de la mandíbula y una dentro de cada carrillo, **FIGURA 6-129**. Cada una de ellas está formada por dos tipos de células: serosas y mucosas. Las primeras producen amilasa, una enzima salival que empieza el proceso digestivo del material alimentario de tipo almidón. Las células de las mucosas producen moco, que se une y lubrica a los materiales que se colocan dentro de la boca, como los alimentos.

La cavidad bucal se abre en la parte posterior hacia la faringe. La orofaringe se extiende verticalmente desde el dorso de la boca hasta el esófago y la tráquea. Un movimiento automático de la faringe durante la deglución eleva la laringe para permitir que la epiglotis la cierre encima, de modo que se desplacen los líquidos y sólidos hacia el esófago y se alejen de la tráquea.

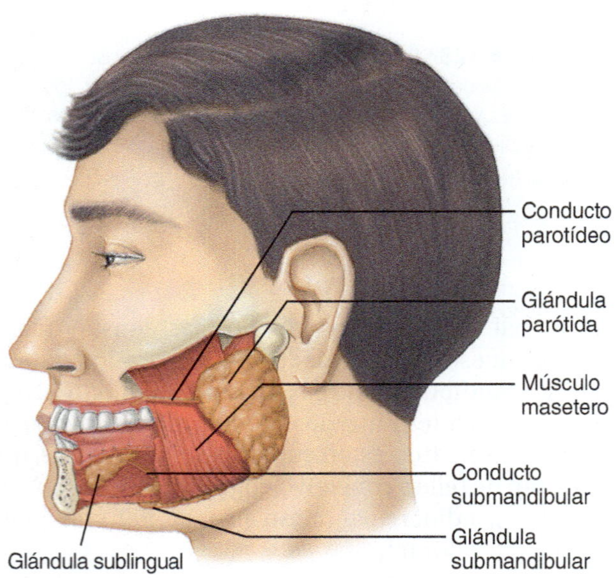

FIGURA 6-129 Las glándulas y los músculos de la boca.

Esófago

Con inicio desde la faringe, el esófago avanza distalmente por la cavidad torácica, atraviesa el diafragma y termina en el estómago. El diafragma es un tubo hueco de casi 25 cm de longitud rodeado por músculo liso. Si bien ayuda a transportar los alimentos de la boca al estómago, no puede absorber nutrientes. Por lo general, se mantiene colapsado sobre sí mismo, como una manguera sin agua. En esta posición desinflada, permite que el aire fluya fácilmente hacia los pulmones, más que al estómago. Sin embargo, el esófago se dilata cuando pasan por su interior alimentos sólidos o líquidos.

El esófago yace detrás de la tráquea. Se inicia a la derecha de la aorta, y después, pasa por delante de ella al atravesar en dirección inferior para terminar en el estómago. Entrelazadas alrededor del esófago hay venas que drenan hacia otra serie más compleja de ellas que finalmente convergen para formar la vena porta. Esta última transporta sangre venosa del tubo digestivo directamente al hígado, para el procesamiento de los nutrientes que se absorbieron durante la digestión.

El esófago impulsa el material hacia el estómago por una serie de contracciones ondulatorias llamadas **peristaltismo**, que no se limita a este órgano, sino que se encarga del movimiento en el tubo digestivo.

Estómago

El estómago es un órgano hueco intraperitoneal que yace justo debajo del diafragma en el CSI del abdomen. Está parcialmente cubierto por el lóbulo izquierdo del hígado y en gran parte protegido por las costillas izquierdas más bajas. El estómago es cóncavo (curvatura menor) en el lado derecho y convexo (curvatura mayor) en el izquierdo. El ingreso al estómago está rodeado por el esfínter cardias que regula los movimientos del material a su interior. Cuando está vacío, el estómago es relativamente pequeño, pero se puede distender hasta varias veces su tamaño normal para alojar alimentos. Su principal función es recibir alimentos en grandes cantidades de manera intermitente, almacenarlos y tomar las provisiones para su desplazamiento hacia el intestino delgado en pequeñas cantidades.

El fondo gástrico (su parte más alta) se puede adaptar a diversas cantidades de alimento y es también ahí en donde suben las burbujas de gas, en particular después de una comida. El cuerpo del estómago es su parte más grande y sirve sobre todo para

Perlas de sabiduría

El duodeno es la última sección del tubo digestivo alto. El yeyuno es la primera parte del tubo digestivo bajo.

almacenar los alimentos sólidos y líquidos ingeridos. La parte anterior, conocida como antro, es algo cónica. Su extremo estrecho se conecta con el conducto pilórico, que desemboca en el duodeno.

La pared del estómago está constituida por tres capas (véase figura 6-122). La externa de músculo longitudinal se continúa con el músculo longitudinal del esófago. La media o circular es la más fuerte de las tres y cubre por completo al órgano. Este músculo circular se torna mucho más grueso donde se forma el esfínter pilórico. La capa interna u oblicua es la más fuerte en la región del fondo y se torna progresivamente más débil en dirección del píloro (un musculo circunferencial al final del estómago que actúa como válvula).

El estómago es provisto de sangre a través del tronco celiaco, que nace de la porción abdominal de la aorta. La sangre retorna del estómago al sistema venoso a través de la vena porta, que la dirige al hígado. La inervación es provista por las divisiones simpática (plexo celiaco o solar) y parasimpática (nervio vago o NC X) del SNA.

El estómago contiene ácido, que ayuda al proceso de la digestión. El jugo gástrico secretado en el estómago consta de una mezcla de agua, ácido clorhídrico (suficientemente fuerte para disolver el metal, con un pH de 1.5 a 3), sustancias orgánicas (moco, pepsina y proteína) y electrólitos (potasio, sodio, bicarbonato, sulfato y fosfato). Conforme ingresa el alimento al estómago, este secreta ácido clorhídrico, que ayuda a fragmentar los alimentos, y se contrae para ayudar a mezclar el ácido con los alimentos en una forma más homogénea hasta alcanzar una consistencia relativamente suave, sustancia resultante que se denomina quimo. El estómago expulsa el quimo a través del esfínter pilórico en dirección del duodeno, la primera parte del intestino delgado.

Intestino delgado

El intestino delgado es el principal órgano hueco del abdomen. Las células que lo revisten producen enzimas y moco para ayudar a la digestión. Las enzimas pancreáticas y el intestino delgado llevan a cabo el proceso final de la digestión. Más de 90% de sus productos (aminoácidos, ácidos grasos y azúcares simples) junto con el agua, las vitaminas y minerales se absorbe a través de la pared del extremo inferior del intestino delgado hacia las venas para transportarse al hígado.

El intestino delgado está formado por el duodeno, el yeyuno e íleon. El primero, de 23 a 28 cm de longitud, es la parte del intestino delgado que recibe los alimentos del estómago y forma una curva en C alrededor de la cabeza del páncreas. El bulbo duodenal es la parte más ancha del intestino delgado. Conforme pasa contenido a través del estómago, se desplaza a través del píloro, que actúa como válvula entre este y el duodeno. El duodeno conecta al páncreas, el hígado y la vesícula biliar con el resto del tubo digestivo, **FIGURA 6-130**.

El yeyuno, un sitio importante de absorción de nutrimentos y el íleon, juntos miden más de 6 metros en promedio y constituyen el resto del intestino delgado. El íleon, una zona de disminución de la absorción de nutrimentos, es donde se prepara el quimo para ingresar al intestino grueso.

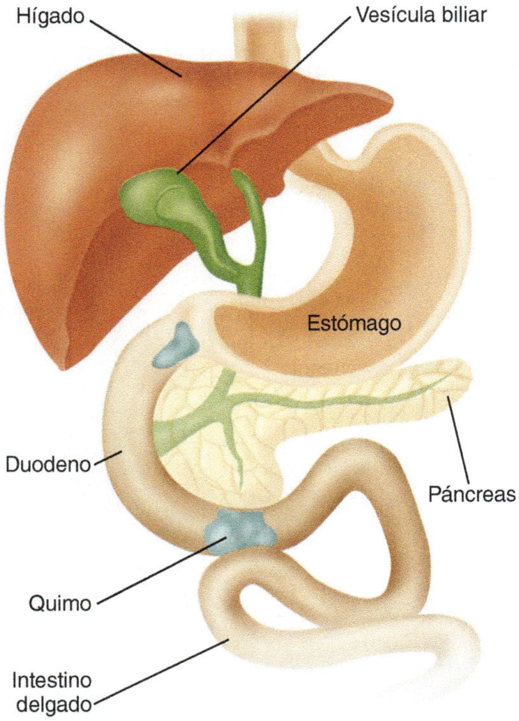

FIGURA 6-130 El duodeno conecta al páncreas, el hígado y la vesícula biliar al aparato digestivo.

En el intestino delgado se absorben las vitaminas hidro e liposolubles, por difusión hacia la corriente sanguínea. El intestino delgado también produce enzimas que actúan junto con las pancreáticas para convertir al quimo en sustancias que se pueden absorber directamente a la corriente sanguínea por los capilares de su superficie. La sangre enriquecida con estas moléculas energéticas abandona la circulación intestinal y fluye hacia el hígado, donde se lleva a cabo el metabolismo de grasas y proteínas. La sangre después abandona el hígado e ingresa a los vasos subclavios.

Intestino grueso

El intestino grueso, de casi 2 metros de longitud, rodea al intestino delgado por el borde externo del abdomen. Su principal función es concluir la absorción de agua, aunque la mayoría ya se ha retirado en el intestino delgado, una función osmótica que ayuda a solidificar las heces. La flora intestinal (bacterias normales) sintetiza algunas vitaminas, como ácido fólico, vitamina K, riboflavina y ácido nicotínico. La celulosa, indigerible para los seres humanos, se desplaza por el intestino delgado con poco cambio y provee volumen al contenido del intestino grueso.

El primer segmento del intestino grueso es el ciego, y su estructura accesoria, el apéndice, **FIGURA 6-131**.

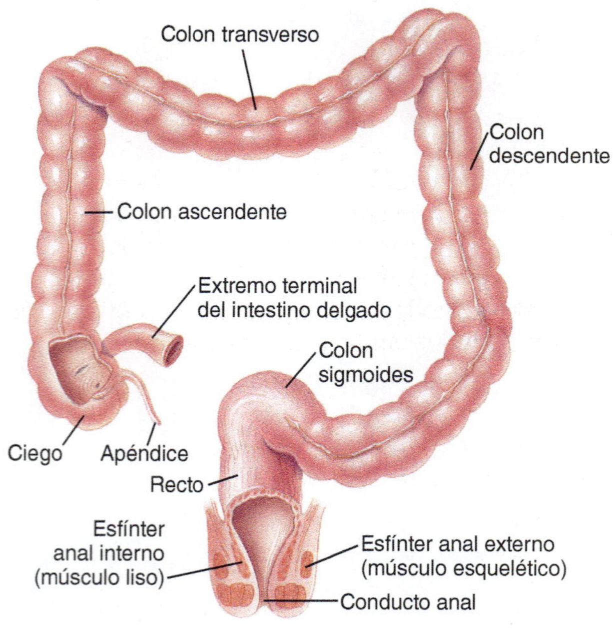

FIGURA 6-131 El intestino grueso.

La válvula ileocecal junta al íleon con el ciego. El apéndice se abre hacia el ciego en el CID del abdomen. El colon ascendente procede hacia la parte superior desde el ciego y se continúa como colon transverso, que transcurre de derecha a izquierda. Ocurre un giro de 90° y se inicia el colon descendente. El colon sigmoides hace después un giro con forma de S. Las heces transcurren por el colon descendente, y a continuación hacia el sigmoides, para después recorrer el recto, que se une al conducto anal, para ser expulsadas del cuerpo a través del ano, que contiene dos **esfínteres**, interno y externo. El esfínter anal interno (bajo regulación autonómica) tiene receptores de distensión que originan la sensación de la necesidad de defecar. El esfínter anal externo (bajo regulación voluntaria) permite una defecación pausada.

Se presentan ondas peristálticas en el intestino grueso solo dos a tres veces por día. Durante ese proceso, sus paredes se contraen vigorosamente (movimientos masivos) para forzar su contenido hacia el recto. Estos movimientos, por lo general, son posteriores a una comida, pero las irritaciones de la mucosa intestinal también pueden causarlos.

En el **CUADRO 6-41** se resumen los órganos y las funciones del aparato digestivo.

Órganos accesorios

El hígado, la vesícula biliar y el páncreas se consideran parte del aparato digestivo, porque participan en la digestión de los alimentos y la eliminación de desechos.

Hígado

Como se señaló antes, el hígado ocupa la mayor parte de la región inmediatamente debajo del diafragma en el CSD y se extiende hasta el CSI del abdomen, un órgano complejo con muchas funciones. Se encarga del mantenimiento de la glucemia. Desintoxica la sangre al retirar fármacos y otras sustancias tóxicas, como el amoniaco, al que convierte en urea para su excreción en la orina. El hígado también se encarga de fabricar las proteínas plasmáticas (albúmina, fibrinógeno y globulinas) y los factores de la coagulación que permiten al cuerpo sellar los vasos sanguíneos dañados para prevenir las hemorragias. Finalmente participa en la regulación de las grasas. Cuando los eritrocitos viejos se fragmentan hasta obtener bilis, necesaria para descomponer las grasas ingeridas. El hígado también produce colesterol y proteínas que transportan las grasas por el cuerpo, para finalmente vaciarlas en el intestino delgado.

CUADRO 6-41 Funciones de los órganos digestivos

Órgano/estructura	Función
Boca	Fragmenta mecánicamente los alimentos; inicia su descomposición química con la saliva.
Esófago	Desplaza los alimentos de la boca al estómago. Provee una estructura muscular y vascular.
Estómago	Realiza la fragmentación mecánica y química de los alimentos (ingreso de alimentos, salida de quimo).
Intestino delgado	Principal sitio de fragmentación química de los alimentos; también de la absorción de agua, grasa, proteínas, carbohidratos y vitaminas.
Intestino grueso	Absorción de agua; formación de las heces; digestión bacteriana de los alimentos.
Recto/ano	Regulan la expulsión de las heces.
Órganos accesorios	
Hígado	Produce bilis, ayuda con el metabolismo de los carbohidratos, proteínas, y la grasa; almacena y fabrica vitaminas; se encarga de la desintoxicación de la sangre y la eliminación de desechos.
Vesícula biliar	Ayuda a almacenar la bilis.
Páncreas	Exocrino: produce enzimas para la fragmentación de proteínas, carbohidratos y grasa dentro del duodeno. Endocrino: produce insulina, glucagón y somatostatina.

El hígado es un órgano muy vascularizado, a través del cual circula 100% de la sangre corporal. Su aporte vascular tiene dos vertientes, la arteria hepática y la vena porta. El hígado recibe su sangre y aporte de nutrimentos del sistema circulatorio por la arteria hepática. La vena porta está constituida por un grupo de vasos que se originan en el aparato digestivo y aseguran que todos los nutrimentos absorbidos se desintoxiquen primero en el hígado, antes de pasar a la circulación venosa general (el conocido efecto de primer paso).

Vesícula biliar

El hígado está conectado con el intestino por los conductos biliares. La vesícula biliar es una evaginación en forma de saco de los conductos biliares y sirve como órgano de reservorio y concentración de la bilis producida en el hígado. Juntos, los conductos y la vesícula, forman el sistema biliar. La vesícula biliar está conectada con el conducto biliar común a través del cístico. La bilis se expulsa a través del conducto biliar común hacia el duodeno. La presencia de alimentos en el duodeno desencadena una contracción de la vesícula biliar que la vacía. El esfínter de Oddi, que se encuentra en el extremo terminal del conducto biliar común, regula el movimiento de la bilis hacia el duodeno. El hígado se conecta con el conducto biliar común a través del conducto hepático.

Páncreas

Recuerde que el páncreas realiza funciones tanto endocrinas como exocrinas. Las funciones endocrinas incluyen síntesis de glucagón, insulina y somatostatina. El glucagón y la insulina son críticas para mantener los niveles de glucosa en la sangre. Las funciones exocrinas abarcan la producción de jugos digestivos (amilasa, tripsina, quimotripsina y carboxipeptidasa pancreáticas), que ayudan a la digestión de carbohidratos, grasas, proteínas y ácidos nucleicos. La amilasa pancreática, por ejemplo, continúa la digestión del material glúcido, que se inició en la boca. Por el conducto pancreático se expulsan estas sustancias en su unión con el duodeno, que se localiza a continuación de la abertura del conducto biliar común.

Digestión y absorción de nutrimentos

A través de esta descripción de la anatomía y fisiología humanas se hizo énfasis en que numerosos procesos químicos y biológicos ocurren de manera continua en tanto el organismo esté vivo, y algunos continúan incluso después de la muerte. El *metabolismo* es la suma de todas estas reacciones. Las personas legas utilizan este término para referirse a la velocidad con la que el organismo procesa los alimentos. Por ejemplo, alguien con el llamado metabolismo alto, utiliza más calorías en reposo que alguien con un metabolismo bajo. Estos términos son simplistas, pero en esencia válidos, porque una gran parte del metabolismo en reposo del cuerpo se dedica a la ingestión, el procesamiento y el uso de los nutrimentos, las sustancias que sirven como combustibles para "el motor" de cada célula individual. Recuerde que la denominación correcta para la velocidad a la que se consumen los nutrimentos en el cuerpo es la de tasa metabólica basal.

El cuerpo obtiene nutrimentos por una variedad de procesos, pero los más conocidos son los de inhalación (oxígeno) e ingestión (alimentos). Los diversos aparatos y sistemas del cuerpo fragmentan estas sustancias hasta formas utilizables. Como se describió antes, los nutrimentos incluyen carbohidratos, lípidos, proteínas, vitaminas, minerales y agua. Los macronutrimentos son aquellos que se requieren en grandes cantidades (carbohidratos, lípidos y proteínas); proveen energía y tienen otras funciones específicas. Los micronutrientes son los requeridos en cantidades mucho menores (vitaminas y minerales); no proveen energía de manera directa, pero facilitan las reacciones bioquímicas para su extracción de los macronutrimentos. Los nutrimentos esenciales son aquellos que las células humanas no pueden sintetizar (como ciertos aminoácidos).

Una caloría es la cantidad de calor necesaria para elevar la temperatura de un gramo de agua por 1 °C. Como se mencionó antes, se utiliza la kilocaloría para medir la energía de los alimentos y, por lo general, se hace referencia a esta como caloría en el contexto nutricional. La oxidación celular causa las siguientes liberaciones de calorías:

- 1 gramo de carbohidratos produce casi 4 calorías
- 1 gramo de proteínas aporta casi 4 calorías
- 1 gramo de grasa brinda casi 9 calorías

En la digestión se fragmentan los nutrientes, de manera que se puedan absorber y transportar por la corriente sanguínea. Si su cantidad es más abundante que la que necesita el cuerpo, algunos se pueden almacenar (p. ej., los lípidos se acopian como tejido graso). De esta manera, el cuerpo puede prepararse para momentos en que no hay plenitud de nutrientes y utilizar los de reserva. En otros casos, sin embargo, no se puede almacenar el exceso y simplemente se excreta a través de la eliminación de residuos. Cuando la cantidad de nutrientes y energía consumidos por el cuerpo rebasan a la cantidad disponible en los alimentos, se pueden metabolizar estructuras corporales para conservar la vida.

Las comidas usuales contienen carbohidratos, lípidos, proteínas, agua, electrólitos y vitaminas. El aparato digestivo se encarga de cada uno de estos componentes en forma diversa. La digestión implica fragmentar grandes moléculas orgánicas antes de que pueda ocurrir su absorción. El agua, los electrólitos y las vitaminas se pueden absorber sin un desdoblamiento preliminar, pero tal vez requieran mecanismos de transporte especiales.

La energía de los carbohidratos se usa principalmente para los procesos celulares. La digestión fragmenta carbohidratos en monosacáridos (que incluyen

USTED es el Paramédico

PARTE 4

La exploración física que realiza al paciente revela rigidez en ambos cuadrantes abdominales inferiores. Cuando usted comprime la pelvis percibe inestabilidad y rechinamiento. El paciente se mantiene sin respuesta durante su evaluación.

Tiempo de registro:	10 minutos
Respiración	24 ventilaciones/min, poco profundas
Pulso	118 latidos/min
Piel	Pálida, húmeda y tibia
Presión arterial	102/66 mm Hg
Saturación de oxígeno (Spo_2)	97% (asistida con dispositivo de bolsa-mascarilla)
Pupilas	PIRRL

8. ¿Qué estructuras están localizadas en los cuadrantes abdominales inferiores?

9. ¿Qué pudiese indicar la inestabilidad de la pelvis?

fructosa, galactosa y glucosa) para su fácil absorción. Las enzimas hepáticas convierten la fructuosa y la galactosa en glucosa, que es la forma de carbohidrato que con máxima frecuencia se oxida para utilizarse como combustible celular.

Aunque muchas células obtienen su energía por la oxidación de ácidos grasos, las neuronas requieren un aporte continuo de glucosa para sobrevivir. De hecho, el sistema nervioso puede alterarse gravemente por su falta. Cuando no se consumen suficientes carbohidratos, el hígado puede convertir los aminoácidos (de las proteínas) en glucosa.

Algo del exceso de glucosa se convierte en glucógeno, que se almacena en el hígado y los músculos. La glucosa puede movilizarse con rapidez desde el glucógeno, pero solo se puede almacenar una cierta cantidad. El exceso de glucosa, por lo general, se convierte en grasa y se almacena en el tejido adiposo. Para fines energéticos el cuerpo metaboliza primero la glucosa y después el glucógeno convertido en glucosa, para finalmente hacerlo con las grasas y proteínas. Las proteínas proveen aminoácidos esenciales, así como nitrógeno y otros elementos.

El aparato urinario

El aparato urinario regula la eliminación de ciertos materiales de desecho filtrados desde la sangre por los riñones, que son órganos sólidos, en tanto los uréteres, la vejiga y la **uretra** (por la que se expulsa la orina) son huecos, **FIGURA 6-132**. Las principales funciones del aparato urinario en el cuerpo son (1) regular el equilibrio de líquidos; (2) filtrar y eliminar residuos, y (3) regular el equilibrio del pH.

Riñones

El cuerpo tiene dos riñones con forma de frijol, que se localizan a cada lado de la columna vertebral entre la 12ª vértebra torácica y la 3ª vértebra lumbar. El riñón derecho está ubicado más abajo que el izquierdo para dar espacio al hígado. Ambos riñones se localizan entre los músculos de la espalda y el peritoneo, dentro del espacio retroperitoneal, detrás y fuera de la cavidad peritoneal.

Los riñones ayudan a mantener la homeostasia por regulación de la composición del líquido extracelular, el pH y el volumen, proceso que se logra por el retiro de residuos metabólicos de la sangre y su dilución con agua y electrólitos. Esto da como resultado la formación de orina que los riñones excretan. Las otras funciones vitales de los riñones incluyen las siguientes:

- **Regulación de agua y electrólitos.** La excreción de agua y electrólitos debe equipararse con su ingestión para lograr la hemostasia. Los riñones modifican sus tasas de filtración y excreción para semejar la cuantía de la ingestión de agua y electrólitos por el cuerpo.
- **Regulación del equilibrio acidobásico.** El sistema renal actúa como un mecanismo de compensación para mantener el equilibrio acidobásico. Este sistema es el método más lento para regresar el pH a un rango normal; a veces le toma días el completar la tarea. Los riñones regulan el pH por eliminación de los hidrogeniones y resorción del bicarbonato en los túbulos de las **nefronas** (unidades productoras de orina). Si el cuerpo tiene demasiada acidez, aumentan la cantidad de hidrogeniones eliminados en la orina y la recuperación de bicarbonato. Si no hay suficientes hidrogeniones (alcalosis) los riñones los retienen y eliminan bicarbonato. El sistema renal puede también eliminar hidrógeno en presencia de amoniaco (NH_3), que combina con un hidrogenión para producir el ion amonio (NH_4^+). Esta sustancia se excreta con facilidad en la orina, disminuyendo así la acidez corporal.
- **Excreción de productos de desecho y sustancias químicas extrañas.** Los riñones constituyen el principal medio de eliminación de productos de desecho generados por el metabolismo, que incluyen, urea, creatinina, ácido úrico y bilirrubina (por la fragmentación de la hemoglobina). También eliminan otras sustancias químicas extrañas ingeridas o producidas por el cuerpo, como las toxinas, los aditivos de alimentos y los medicamentos.
- **Secreción de hormonas.** La eritropoyetina (EPO) y el calcitriol son hormonas que secretan los riñones. La primera actúa sobre la médula ósea para incrementar la producción de eritrocitos. El calcitriol, forma activa de la vitamina D, promueve la absorción del calcio de los alimentos y lo desplaza de los huesos a la sangre. La renina es una hormona formada en el riñón que inicia la síntesis de angiotensina II en un momento dado, como se describe en la siguiente sección.
- **Regulación de la presión arterial.** Los riñones regulan principalmente la presión arterial mediante la excreción de grandes cantidades de sodio y agua. Sin embargo, en un periodo breve pueden ejercer el mando sobre la presión arterial a través del mecanismo de renina-

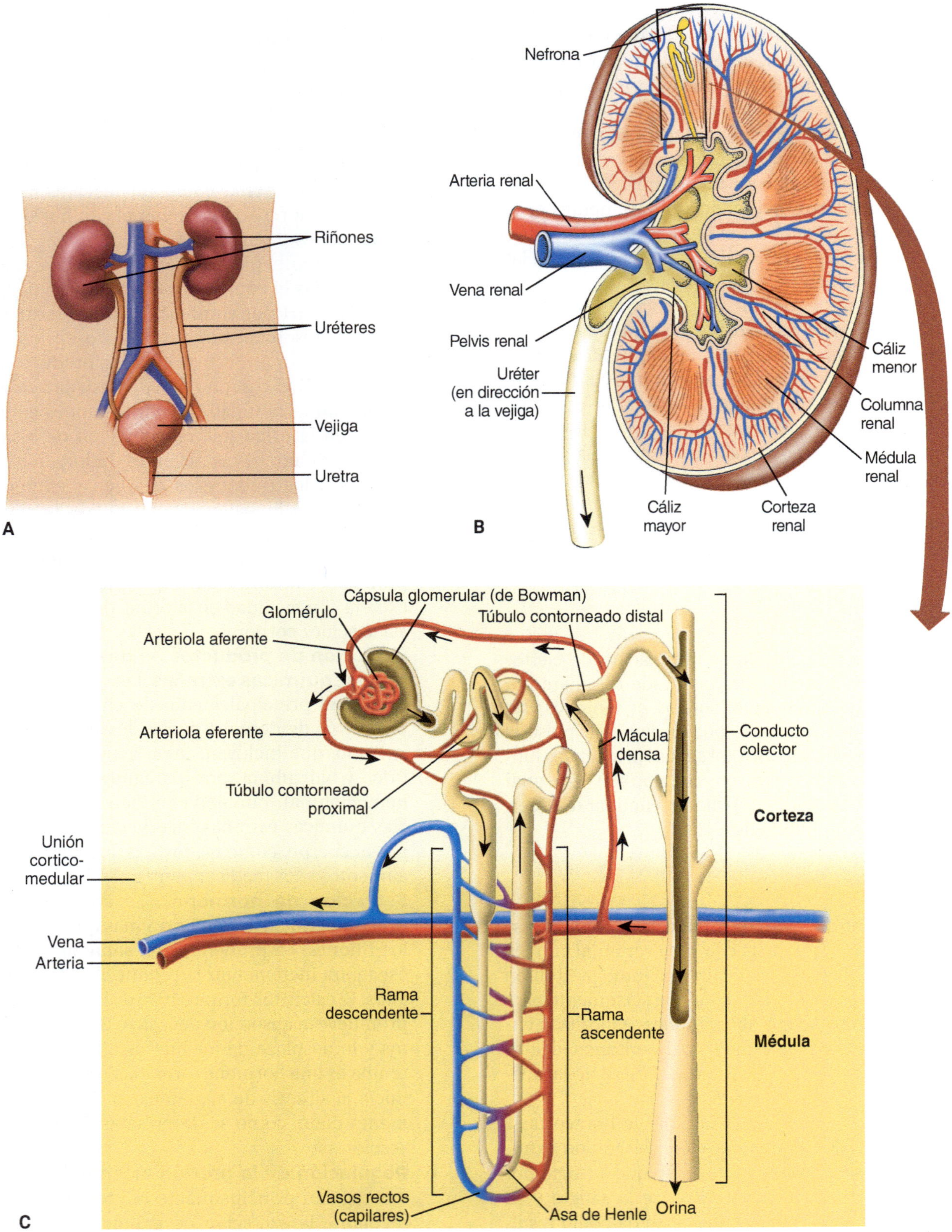

FIGURA 6-132 El aparato urinario. **A.** Vista anterior que muestra la relación de riñones, uréteres, vejiga y uretra. **B.** Corte transversal del riñón humano que muestra sus estructuras y riego sanguíneo. **C.** Riego sanguíneo de una nefrona.

angiotensina-aldosterona, que implica la secreción de renina que lleva a la formación de angiotensina II, un poderoso vasoconstrictor. Este es un concepto importante, en especial si se considera a un paciente en estado de shock, cuando los riñones responden con la producción de renina, que se combina con el angiotensinógeno para producir la angiotensina I. En los pulmones, la enzima convertidora de angiotensina transforma la angiotensina I en la II, que constriñe las arterias periféricas como mecanismo compensador para mantener la presión arterial del paciente. Además, la angiotensina II estimula la producción de aldosterona, producto de las glándulas suprarrenales, que ejerce un efecto de aumento de la reabsorción de sodio en los riñones y lo dirige hacia el sistema circulatorio. Conforme se reabsorbe el sodio, al igual que el agua, se mantiene el volumen de líquido circulante. La ADH es producto del hipotálamo y se libera por la hipófisis posterior. Su aumento produce una menor pérdida de agua, en tanto su decremento la incrementa.

- **Producción nueva de glucosa.** Durante el ayuno prolongado los riñones producen glucosa nueva a partir de aminoácidos y otras sustancias químicas, gluconeogénesis comparable a la realizada por el hígado cuando el individuo ha permanecido sin alimentos durante un tiempo prolongado.

Una cápsula fibrosa rodea al riñón y lo protege de las infecciones. Alrededor de dicha cápsula se encuentra una masa de tejido adiposo que acojina al órgano y lo mantiene en su lugar dentro del abdomen. Una capa de tejido conectivo fibroso denso, llamada aponeurosis renal, ancla el riñón a la pared abdominal.

La anatomía interna de cada riñón se puede dividir en tres regiones distintas: (1) la corteza renal, (2) la médula renal y (3) la pelvis renal (véase figura 6-132). La capa externa de color más claro del riñón, la más cercada a la cápsula fibrosa, es la **corteza renal**. La **médula renal,** capa intermedia, forma zonas cónicas llamadas pirámides renales (haces paralelos de túbulos colectores de orina). Las columnas renales, extensiones de la corteza al interior, separan dichas pirámides, que se reúnen en la **pelvis renal** que colecta la orina y forma la porción alta del uréter. Los bordes de la pelvis renal, llamados calices, colectan la orina. Los calices mayores y menores se ramifican desde la pelvis renal y se conectan con las pirámides para recibir la orina que drena desde los túbulos colectores. Se ha dicho que esta disposición simula varias hebras de espagueti crudo (los túbulos colectores) alojadas en un dedal (la papila o punta de la pelvis renal). La orina colectada fluye a través de la pelvis renal al interior del uréter en su camino a la vejiga.

Aproximadamente 25% del gasto cardíaco sistémico fluye por los riñones cada minuto. La sangre expulsada del corazón pasa de la aorta abdominal al riñón a través de la arteria renal. Cada riñón presenta una indentación medial (conocida como hilio) a través de la cual ingresan y salen la arteria y la vena, los vasos linfáticos y los nervios renales. Después de ingresar al riñón en el hilio, la arteria renal se ramifica varias veces hasta llegar a la arteriola aferente, que rápido se ramifica en un penacho de capilares denominado glomérulo, el principal filtro renal. A partir del glomérulo, la sangre ingresa a la arteriola eferente, que se ramifica en capilares peritubulares, donde ocurre la reabsorción tubular. Este conjunto secundario de capilares es exclusivo del riñón; ningún otro órgano corporal tiene dos lechos capilares distintos. Los capilares después se unen, forman vénulas y venas progresivamente crecientes hasta que se forma la vena renal, que abandona el hilio y conduce la sangre limpia hacia la vena cava inferior.

Nefronas

Las nefronas (ubicadas en la corteza) filtran la sangre, colectan el agua excretada y los productos de desecho y reabsorben agua, nutrimentos y electrólitos. Cada riñón normal del adulto contiene más de un millón de nefronas. El riego sanguíneo renal es provisto por las arterias renales, que se dividen en arteriolas y capilares.

La nefrona contiene un glomérulo; la cápsula (de Bowman) que lo rodea; el túbulo contorneado proximal (TCP); el asa de Henle, y el túbulo contorneado distal (TCD), que se conecta con los túbulos colectores del riñón. El glomérulo y su cápsula constituyen el **corpúsculo renal**. La sangre ingresa al glomérulo por una arteriola aferente y lo abandona por una eferente. Los poros en la pared de los capilares del glomérulo permiten filtrar la sangre. El agua y los residuos que se filtran (filtrado) fluyen de la cápsula del glomérulo hacia los **túbulos renales**.

La cápsula del glomérulo es una cúpula de dos capas, donde la interna rodea e infiltra a los capilares del glomérulo. Células especiales en la membrana interna, llamados podocitos, se enrollan alrededor de

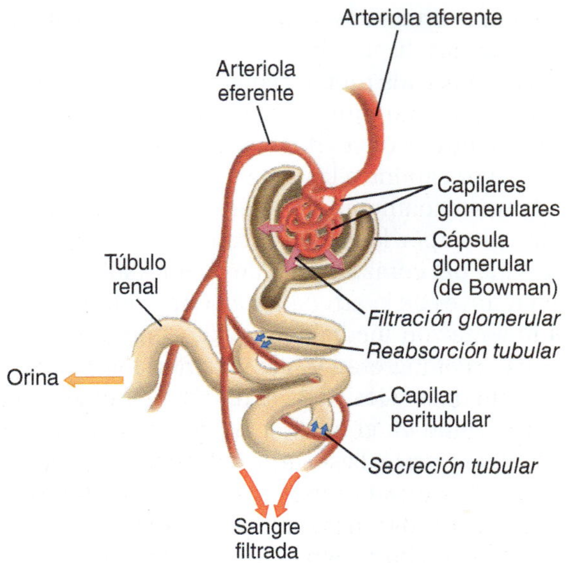

FIGURA 6-133 Glomérulo renal. La nefrona lleva a cabo tres procesos de filtración sanguínea: filtración glomerular, reabsorción y secreción tubulares.

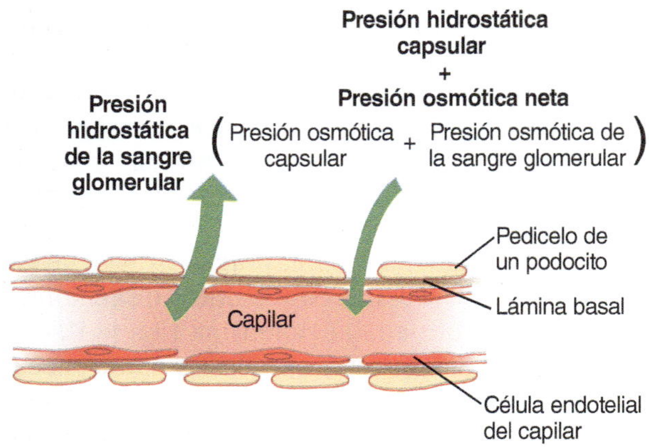

FIGURA 6-134 La presencia de una arteriola eferente da lugar a una elevada presión hidrostática glomerular (sanguínea), que rebasa la suma de las presiones que se oponen al movimiento del fluido por la membrana de filtrado glomerular. El filtrado es resultado del equilibrio de estas presiones.

los capilares del glomérulo y forman hendiduras de filtración a través de las cuales el filtrado atraviesa la membrana e ingresa a la cápsula. De esta manera la membrana de filtrado evita que grandes moléculas, como las proteínas, ingresen a la cápsula del glomérulo, **FIGURA 6-133**.

Imagine regar su jardín con una manguera de extremo abierto. Si coloca sus dedos sobre la mitad de la abertura, pasa la misma cantidad de agua a través de la mitad del espacio y, como resultado, la presión aumenta y puede dispersarse más lejos. Ocurre el mismo efecto en el glomérulo. Conforme la sangre transcurre de una arteriola aferente relativamente grande hacia los capilares, más pequeños, del glomérulo, la presión aumenta. Este efecto, junto con el menor diámetro de la arteriola eferente, causa que la presión en su interior aumente lo suficiente para forzar el filtrado de la sangre hacia la cápsula, **FIGURA 6-134**.

La cantidad de filtrado producida, llamada tasa de filtración glomerular se mantiene a una velocidad relativamente constante de 125 ml/min en los adultos sanos. Al inicio, el filtrado contiene todo lo que puede pasar a través de la membrana de filtrado: sales, minerales, glucosa, agua y residuos metabólicos. Conforme el filtrado pasa a través del resto de la nefrona, la **reabsorción tubular** y la **secreción tubular** lo convierten en orina, **FIGURA 6-135**. Conforme el fluido

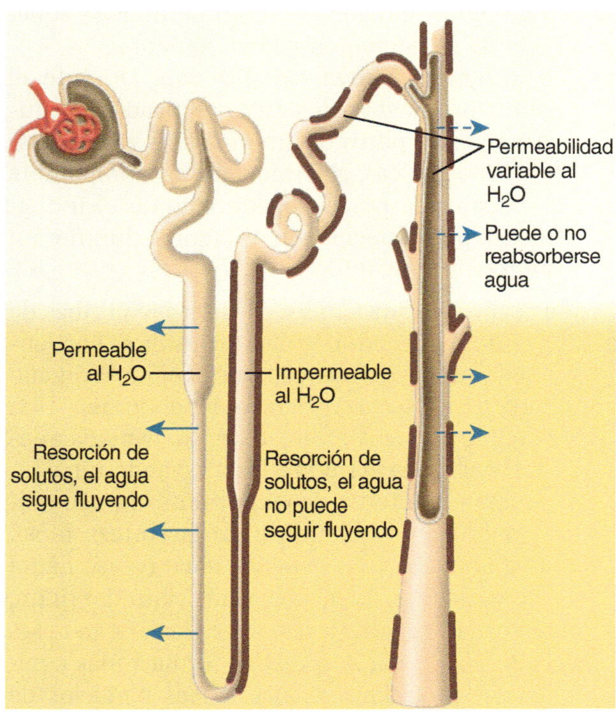

FIGURA 6-135 Una sola nefrona y la reabsorción tubular del agua.

pasa a través del TCP, las células que lo revisten retiran del filtrado todos los nutrimentos orgánicos y las proteínas plasmáticas, así como algunos iones. Estos compuestos son depositados en el líquido intersticial que rodea al TCP. Al acumularse estos solutos, su concentración en el líquido circundante se hace más alta que en el filtrado, por lo que el agua se desplazará fuera de este por ósmosis. Los fluidos y nutrientes en el líquido intersticial, a su vez, pasan al interior de los capilares que rodean al TCP, proceso que reestablece el equilibrio homeostático en la sangre y disminuye el volumen de filtrado tubular.

Ocurre una reabsorción adicional de agua y electrólitos en el asa de Henle, que tiene dos secciones: la rama descendente, que se extiende hacia la médula, y ascendente, que lo hace hacia la corteza. Las células en la rama descendente son permeables al agua, pero impermeables a los iones de sodio y cloruro; las células en la rama ascendente son permeables al sodio y al cloruro, pero impermeables al agua. Como consecuencia, cuando los iones de sodio y cloruro salen de la rama ascendente, aumentan la concentración de solutos del líquido que rodea a la rama descendente. El agua se desplaza por ósmosis de la rama descendente al tejido circundante y, en un momento dado, a los vasos rectos, una serie de capilares que circundan al asa del Henle. Este proceso multiplicador contracorriente permite al cuerpo producir orina concentrada o diluida, dependiendo de sus necesidades.

Después de abandonar al asa de Henle, el fluido entra al TCD, punto en el que ya se reabsorbieron casi 80% del agua y 85% de los solutos originalmente forzados fuera del glomérulo. Conforme la orina pasa por el TCD y los conductos colectores a los que está unido (ambos impermeables a los solutos), su composición presenta los ajustes finales. Se secretan activamente o se reabsorben iones y el cuerpo modifica la permeabilidad al agua del TCD y los conductos colectores, según sea necesario, dependiendo de las necesidades homeostáticas. Estos ajustes de la composición final de la orina facilitan el retiro de residuos metabólicos, en tanto mantienen el equilibrio corporal de líquidos y electrólitos.

Se forma una estructura llamada aparato yuxtaglomerular en el sitio donde la arteriola eferente entra en contacto con el TCD. Las células sensibles a la presión en la arteriola eferente (células yuxtaglomerulares) vigilan la presión arterial y aquellas del TCD (de la mácula densa) son sensibles a los cambios químicos y están al tanto de la concentración del filtrado. Cuando son estimuladas por los cambios en la presión arterial o el contenido del filtrado, las células yuxtaglomerulares liberan renina, que como se señaló antes, estimula el aumento de la angiotensina I que después se convierte en angiotensina II, cuya cifra aumentada, a su vez, estimula la producción de aldosterona.

Los ajustes finales de la composición de la orina en el TCD y el conducto colector se regulan principalmente mediante dos hormonas: ADH y aldosterona. Las neuronas en el hipotálamo vigilan la concentración de solutos en la sangre, que cuando aumentan (p. ej., por sudor o disminución de la ingestión de líquidos), se libera ADH a la corriente sanguínea. Esta hormona se dirige al TCD y los túbulos colectores, donde aumenta la permeabilidad de estas estructuras al agua. A continuación, el agua abandona el TCD y los conductos colectores y reingresa a la corriente sanguínea. Conforme la concentración de solutos regresa a lo normal, se detiene la secreción de ADH.

La aldosterona aumenta la velocidad de reabsorción activa de los iones sodio y cloruro hacia la sangre; se presenta un incremento correspondiente en la velocidad de reabsorción de agua. Esta hormona también disminuye la reabsorción de iones de potasio, con la resultante eliminación de su exceso en la orina.

Otras hormonas también influyen en la retención y secreción de varias sustancias. Por ejemplo, la PTH causa un decremento en la cantidad de calcio que se excreta en la orina. En **péptido natriurético atrial** es una hormona producida en las aurículas cuando se distienden por el aumento del volumen sanguíneo. Esta hormona inhibe la absorción de agua y sodio en los túbulos renales y así aumenta la eliminación de agua.

La urea es un producto final del catabolismo de los aminoácidos y su concentración plasmática refleja la de las proteínas en los alimentos. La urea se filtra hacia el túbulo renal. Casi 80% de la urea se reabsorbe, en tanto el resto se excreta en la orina. El ácido úrico es producto del metabolismo de ciertas bases orgánicas en los ácidos nucleicos. Por transporte activo se reabsorbe la mayor parte del ácido úrico presente en el filtrado glomerular.

La composición de la orina refleja el volumen de agua y la cantidad de solutos que los riñones deben eliminar o conservar para mantener la homeostasia. La orina contiene casi 95% de agua y suele incluir urea y ácido úrico; es ligeramente más pesada que el agua, con una densidad de 1.003 a 1.035. Su pH, por lo general, es cercano a la neutralidad, pero puede variar ampliamente dependiendo muchos factores, de los que no es el último lo que el paciente ingirió. La orina puede ser de transparente a un color paja, pero un tono más oscuro indica una mayor cantidad de solutos por deshidratación o alguna otra alteración. Este líquido también puede contener trazas de aminoácidos y electrólitos.

La producción de orina varía entre 0.6 y 2.5 L diarios. Se considera normal la producción de 50 a 60 ml/h de orina, en tanto una menor de 30 ml/h (o de casi 0.5 ml/kg/h) sugiere insuficiencia renal.

Uréteres

Después de que la orina ingresa a los túbulos colectores (las pirámides renales de la médula) pasa a través del cáliz menor hacia uno mayor, y de ahí, a la pelvis renal. Desde ahí, la orina se drena de cada riñón a través de tubos musculares de pared delgada llamados uréteres, de casi 30 cm de longitud. La orina se desplaza fuera del riñón por contracción peristáltica, que se inicia en el interior del órgano y los calices menores y mayores, y continúa en la pelvis renal e impulsa la orina a través de los uréteres hacia la vejiga.

Vejiga

La vejiga es un saco muscular hueco rodeado por músculo liso. Este órgano es responsable de almacenar la orina antes de eliminarla del cuerpo. La mayor parte de la vejiga yace en la cavidad abdominal anterior, pero su cúpula está en la posterior (retroperitoneo), junto con los uréteres y los riñones. Cuando está vacía, la vejiga se colapsa y sus paredes musculares se pliegan sobre sí mismas. En contraste, conforme se acumula orina, la vejiga se expande y adquiere forma de pera. La distensión de las paredes vesicales finalmente origina impulsos nerviosos para producir el reflejo miccional. Este reflejo raquídeo causa contracción del músculo liso, el cual a su vez origina la sensación de urgencia de orinar conforme se ejerce presión sobre el esfínter urinario interno. Por lo general, el encéfalo regula esta urgencia, lo que mantiene contraído el esfínter urinario externo hasta que las condiciones sean favorables para la micción. En este punto, la inhibición del esfínter urinario externo disminuye y la orina pasa de la vejiga a la uretra.

Uretra

La vejiga y la uretra constituyen las vías urinarias bajas. El inicio de la uretra se ubica en la cara inferior de la vejiga. En los hombres, la uretra pasa desde la base anterior de la vejiga a través del pene. En las mujeres se abre enfrente de la vagina. La uretra femenina (5 cm) es más corta que la masculina (20 cm), **FIGURA 6-136**.

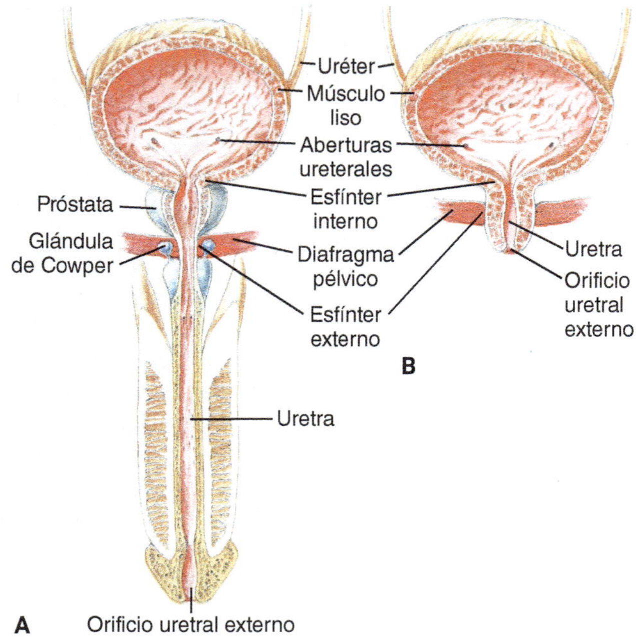

FIGURA 6-136 Comparación de la uretra en hombres **(A)** y mujeres **(B)**.

La uretra masculina se divide en tres regiones:

- **Prostática.** Se inicia en la vejiga y se extiende hasta la próstata.
- **Membranosa.** Se extiende desde la próstata a través de la pared abdominal y hacia el pene.
- **Esponjosa (peniana).** Pasa por el pene hasta el orificio uretral externo.

Equilibrio de líquidos

Ciertos mecanismos corporales mantienen el equilibrio entre lo que se ingiere y lo que se excreta, incluidos los fluidos. Por ejemplo, cuando el volumen de fluidos desciende, la hipófisis secreta ADH, **FIGURA 6-137**. El ADH causa que los túbulos renales reabsorban más agua hacia la sangre y excreten menos orina, lo que permite aumentar el volumen de los líquidos corporales. La sed también regula la ingestión de líquidos, una sensación que se presenta cuando los líquidos

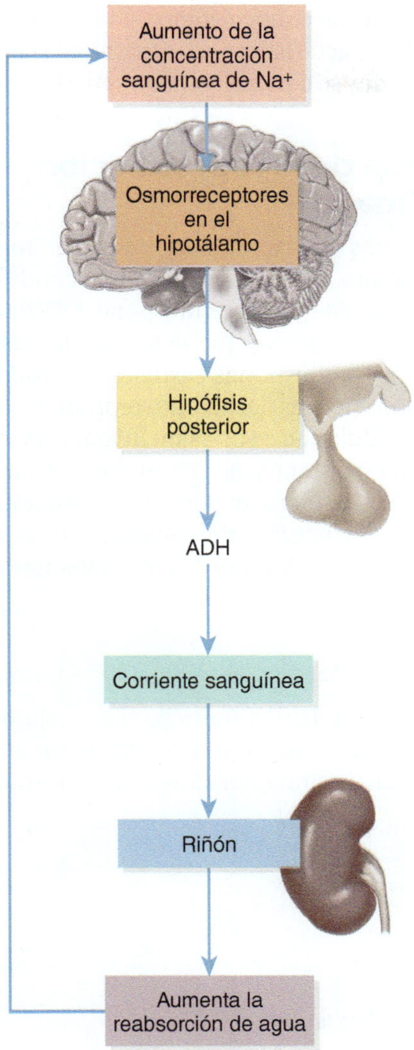

FIGURA 6-137 Papel de la hormona antidiurética (ADH) en la regulación de los niveles de líquidos.

corporales disminuyen, lo que estimula a una persona para ingerir más. Por el contrario, cuando ingresan demasiados líquidos al cuerpo, la sed disminuye, los riñones se activan y se excreta más orina, lo que elimina el exceso de líquidos.

Es indispensable para la vida mantener el apropiado equilibrio de líquidos y electrólitos en el cuerpo de una persona, que puede presentar disminución de líquidos y electrólitos por varios motivos, incluidas las quemaduras graves y la deshidratación. Cuando es necesario, el cuerpo puede mantener el equilibrio de líquidos desviando agua de un compartimiento a otro, en respuesta a fuerzas osmóticas, así como estímulos

CUADRO 6-42 Principales mecanismos para la hemostasia de los líquidos

- Hormona antidiurética (ADH)
- Sed
- Riñones
- Desviaciones de agua

hormonales, como el de la ADH. Mediante la movilización de cantidades no equivalentes de electrólitos al interior y fuera de las células, también es posible para el cuerpo equilibrar otras propiedades del LIC. Para un paciente cuyos líquidos y electrólitos se consumieron, el restablecimiento rápido del equilibrio de líquidos puede significar la diferencia entre la vida y la muerte, **CUADRO 6-42**.

El aparato reproductor

El **aparato reproductor** se encarga de los procesos por los que se perpetúa la especie. Los aparatos reproductores del hombre y de la mujer contienen órganos y glándulas que crean células sexuales y las transportan a zonas donde puede ocurrir la fecundación. Si bien ambos son funcionalmente muy diferentes, el primer paso en la reproducción es originar células sexuales (también llamadas gametos), esto es, especialmente creadas para combinarse con las células de un compañero y crear un nuevo organismo. Los gametos masculinos se denominan espermatozoides y los femeninos, ovocitos u óvulos.

Se describe a los gametos como **células haploides**, porque portan instrucciones genéticas en 23 cromosomas individuales. Cuando las células sexuales de un hombre y una mujer se unen durante la fecundación, los cromosomas de cada uno se unen con el correspondiente, los denominados **cromosomas homólogos**, para formar 23 pares y constituir un total de 46 cromosomas. La primera célula fecundada de la que se derivan todas las demás células corporales se conoce como cigoto, y junto con todas las otras células además de los gametos se describen como **células diploides**, porque portan dos pares de 23 cromosomas, uno proveniente del padre y uno de la madre. De ellos, 22 son **autosomas**, con un homólogo correspondiente en hombre y mujer. El par 23 está formado por **cromosomas sexuales**, uno X que ambos, hombre y mujer, portan, más una segunda copia de X y Y. Si el par 23 en el cigoto corresponde a XX, el descendiente será biológicamente femenino; si es XY, masculino.

Es crucial comprender qué tan críticos son estos cromosomas y qué tan lejos pueden llegar sus efectos en un organismo en desarrollo. Ellos contienen la secuencia completa de la información genética que el organismo tendrá durante su vida entera (a menos que se haga algún cambio artificial). Esa información genética contiene las instrucciones para sintetizar toda estructura y realizar todo proceso en el cuerpo. Los cromosomas también contienen secuencias que determinan e influyen en diversas características, como el color de la piel y del pelo, la composición corporal, la talla y la predisposición a ciertas enfermedades, rasgos que se determinan a través de la acción de **alelos** dominantes y recesivos del mismo gen. Por ejemplo, el alelo que contiene instrucciones para el color rojo del cabello es recesivo. Si se aparea con un alelo de otro padre que es dominante, entonces se dice que la célula es heterocigota y el color del cabello se dictará por el alelo dominante (aquel del cabello rojo será anulado por el dominante). Si se aparea con otro alelo "de cabello rojo", entonces se dice que la célula es homocigota y el cabello del nuevo organismo será rojo. El arreglo de los genes y sus características de una persona se conoce como **genotipo**, en tanto el conjunto de características resultantes de la expresión de dichos genes se conoce como **fenotipo**.

Anatomía de la reproducción masculina

Las estructuras del aparato reproductor masculino incluyen escroto, testículos, epidídimo, conductos deferentes y eyaculadores, uretra y pene, **FIGURA 6-138**. Los dos testículos, en los que se forman las células espermáticas y las hormonas sexuales masculinas, son los órganos esenciales del aparato reproductor masculino. Sus glándulas accesorias incluyen a las vesículas seminales, la próstata y las glándulas bulbouretrales (de Cowper). El escroto, el pene y los cordones espermáticos son estructuras de soporte. En los varones la uretra es compartida por los aparatos reproductor y urinario.

Escroto

El **escroto** consta de una bolsa de piel y tejido subcutáneo que se extiende por debajo del abdomen detrás del pene. Una división interna separa el escroto en dos

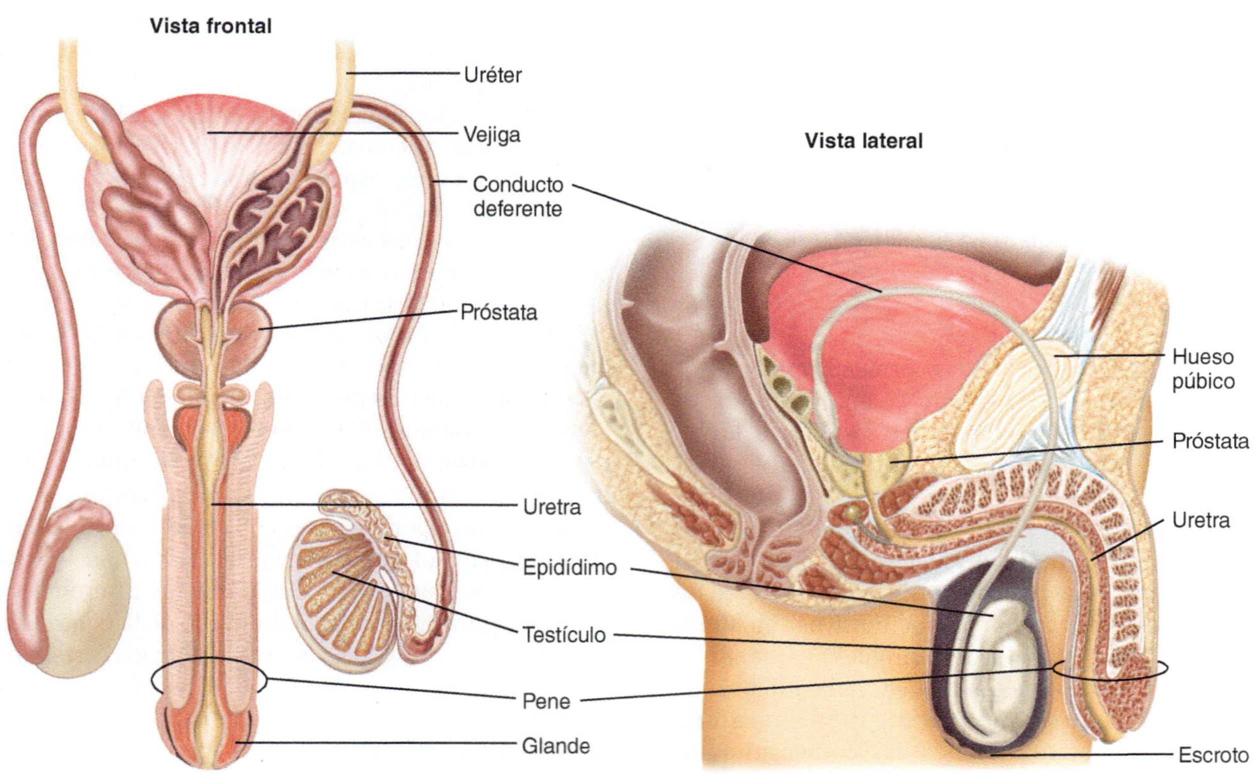

FIGURA 6-138 El aparato reproductor masculino.

compartimientos, cada uno de los cuales incluye a un testículo y que los protege de la posible infección de uno por el otro. En general, el testículo izquierdo está suspendido más abajo que el derecho, de manera que los dos no se compriman uno contra el otro entre los muslos.[44] Cada testículo también está incluido en una membrana serosa, de modo que se desplace con suavidad dentro del escroto.

Los músculos cremáster y dartos del escroto reaccionan ante los cambios de temperatura. Cuando hay frío ambiental, el escroto se contrae y arruga, lo que acerca a los testículos a la cavidad pélvica para que absorban calor. Cuando el clima está más caliente, el escroto se relaja y cuelga laxamente para asegurar que los testículos se encuentren de 1.7 a 2.2 °C más frescos que la temperatura corporal, lo que les provee un mejor ambiente para la producción y supervivencia de las células espermáticas.

Testículos

Se consideran parte del sistema endocrino ya que producen testosterona, así como del aparato reproductor masculino porque originan a los espermatozoides. Entre los dos meses previos al nacimiento y poco después, los testículos de forma oval suelen descender de la pelvis al escroto, lo que ocurre a través del conducto inguinal, una abertura de la pared abdominal.

Una arteria testicular, que surge de la aorta abdominal justo debajo de la arteria renal, suministra sangre a cada testículo. Los testículos son atendidos por las divisiones simpática y parasimpática del SNA. En los testículos, el conducto deferente, la arteria y la vena testiculares, los vasos linfáticos y las fibras nerviosas componen el cordón espermático, que pasa a través del canal inguinal.

Una cápsula fibrosa blanca y rígida rodea a cada testículo. Este tejido se extiende al interior y forma su división en 250 a 300 lóbulos, cada uno de los cuales contiene hasta cuatro túbulos seminíferos muy ensortijados. Esos cuatro túbulos se unen para formar uno solo recto, que lleva a una red tubular conocida como red testicular. Los conductillos eferentes conectan a la red testicular con el epidídimo. En los túbulos seminíferos se producen los espermatozoides.

Entre los túbulos seminíferos se encuentran las células intersticiales, que secretan testosterona, cuyo efecto es de aumento de volumen de los testículos y de los órganos accesorios de la reproducción, y de desencadenar el desarrollo de las características sexuales masculinas durante la pubertad, que incluyen las siguientes:

- Aumento del pelo corporal en la cara, el tórax, las axilas y el pubis
- Disminución del crecimiento del pelo en el cuero cabelludo (varía en forma individual)
- Crecimiento de la laringe y engrosamiento de las cuerdas vocales, que da un tono grave a la voz
- Engrosamiento de la piel
- Aumento del crecimiento muscular, ensanchamiento de los hombros y disminución de la cintura
- Engrosamiento y fortalecimiento de los huesos

La testosterona también aumenta el metabolismo celular y la producción de eritrocitos. Mientras más testosterona reciban las células intersticiales, mayor será la velocidad a la que se desarrollen las características sexuales secundarias masculinas. Un periodo en la vida del hombre, conocido como climaterio masculino, marca un decremento de la concentración de testosterona y una declinación de la función sexual.

Espermatogénesis

En la pubertad la concentración de testosterona aumenta y se inicia la producción de espermatozoides. Cada célula espermática madura semeja a un pequeño renacuajo, con una cabeza aplanada, un cuerpo cilíndrico y una cola larga, **FIGURA 6-139**.

La **espermatogénesis** es el proceso por el que se forman las células espermáticas. En el embrión masculino las células espermatogénicas (también llamadas espermatogonias) son indiferenciadas y contienen 46 cromosomas. Durante el desarrollo embrionario,

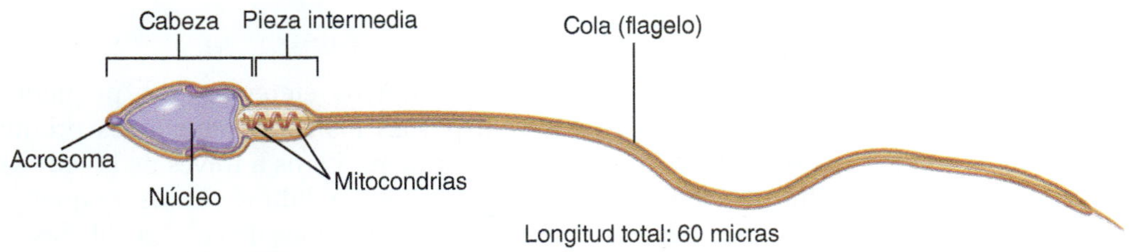

FIGURA 6-139 El espermatozoide maduro.

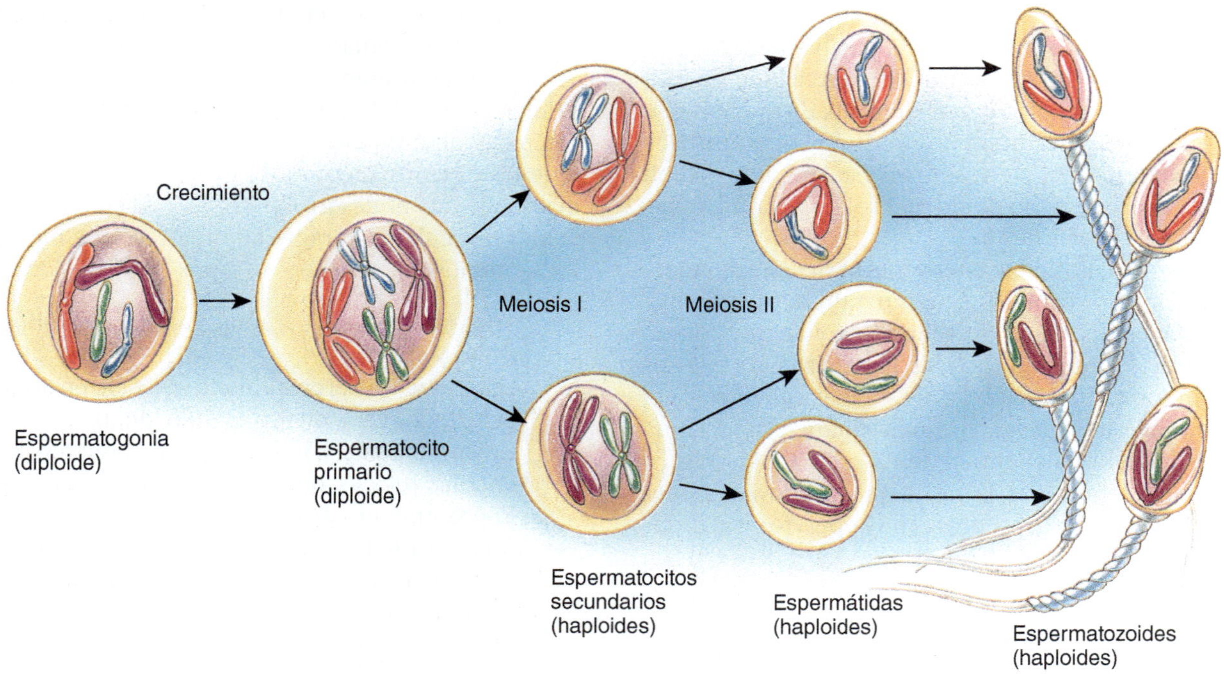

FIGURA 6-140 La meiosis.

las espermatogonias presentan mitosis, lo que crea dos células hijas. Una de ellas es una espermatogonia nueva, "de tipo A", que mantiene la provisión de células indiferenciadas; la otra es una espermatogonia "de tipo B", que crece para convertirse en espermatocito primario.

Durante la pubertad, los espermatocitos primarios se reproducen por meiosis, un tipo de división celular que incluye una primera y una segunda fase, un proceso que difiere en forma importante de la mitosis, aquel por el que la mayoría de las células corporales se divide. La meiosis I (primera división) incluye la separación de los pares de cromosomas homólogos, lo que significa que se aparean gen por gen. Esto no significa que los genes sean idénticos; de hecho, pueden variar debido a factores hereditarios. Cada cromosoma homólogo se replica antes de que ocurra la meiosis I, de manera que consta de dos hebras completas de ADN (cromátides), unidas en zonas llamadas centrómeros, y que portan toda la información genética asociada con ese cromosoma específico. Cada una de las cuatro células hijas obtenidas tiene la mitad de los cromosomas que una célula corporal diploide típica.

En la meiosis II, las cromátidas en un miembro de cada par homólogo se separan, lo que produce otras células haploides (con un juego de cromosomas), en las que ya no están presentes en la forma replicada. En esencia, la meiosis II hace que cada una de las cromátidas se convierta en un cromosoma independiente. Cada espermatocito primario se divide en dos secundarios y estos de nuevo se escinden para formar dos espermátidas, que maduran. Así, por cada espermatocito primario que entra a la meiosis se forman cuatro espermatozoides, con 23 cromosomas cada uno en sus núcleos, **FIGURA 6-140**. En la fase final de la espermatogénesis, llamada espermiogénesis, cada espermátida madura hasta constituir una sola célula o *espermatozoide*.[45]

Conductos espermáticos

Las células espermáticas deben pasar primero por una serie de conductos antes de que alcancen el exterior del cuerpo. Los espermatozoides transcurren desde los túbulos seminíferos hasta la red testicular, los conductillos eferentes, el epidídimo, el conducto deferente y los conductos eyaculadores, la uretra y, finalmente, el exterior del cuerpo.[46]

Conductos eferentes

Los conductos eferentes son pequeños tubos que transportan los espermatozoides producidos en los túbulos seminíferos a través de la red testicular hasta alcanzar el epidídimo. Estos pequeños conductos cuentan con grupos de células ciliadas que ayudan al desplazamiento de los espermatozoides en su interior.

Epidídimo

Las células espermáticas maduran en el epidídimo, un tubo muy ensortijado conectado con el borde posterior del testículo. Cada epidídimo yace en la parte alta y desciende detrás del testículo, para después ascender y convertirse en el conducto deferente. El epidídimo se puede palpar a través de la piel del escroto.

El epidídimo almacena y protege a los espermatozoides y ayuda a su maduración. Las células espermáticas inmaduras son inmóviles cuando alcanzan el epidídimo, por lo que requieren contracciones peristálticas rítmicas para desplazase por el conducto conforme maduran. Se requieren casi 20 días para que el espermatozoide transcurra desde la cabeza y el cuerpo del epidídimo hasta su cola. Al alcanzar esta última, el espermatozoide se almacena y permanece viable durante 40 a 60 días.[46] Una vez maduras, las células espermáticas pueden desplazarse de manera independiente para fecundar ovocitos, pero, por lo general, no "nadan" hasta después de la eyaculación. Los espermatozoides que no se eyaculan se desintegran y son captados por los vasos sanguíneos del epidídimo para su reabsorción.

Conductos deferente y eyaculador

En la cola de cada epidídimo, un conducto espermático gira 180° y se convierte en conducto deferente. El par de estos tubos musculares asciende por el borde medial de los testículos a través del cordón espermático y el conducto inguinal y hacia la cavidad pélvica y termina detrás de la vejiga. Cada uno se une apenas fuera de la próstata con el conducto de una vesícula seminal, lo que forma el corto conducto eyaculador, que pasa por la próstata y se vacía en la uretra.

Glándulas accesorias masculinas

Las vesículas seminales son un par de estructuras arciformes que se unen al conducto deferente cerca de la base de la vejiga. Contienen un revestimiento de tejido glandular que contribuye con casi 60% del volumen del semen (el fluido que la uretra masculina conduce al exterior del cuerpo durante la eyaculación). Las vesículas seminales secretan un líquido espeso amarillo que contiene fructosa y otros carbohidratos, que proveen energía a las células espermáticas, una proteína que ayuda al semen a adherirse a las paredes vaginales y PG, que estimulan las contracciones musculares dentro de los órganos reproductores femeninos. Tales contracciones ayudan al desplazamiento de los espermatozoides en dirección del oocito. Las secreciones de las vesículas seminales se vierten al conducto eyaculador durante la emisión (cuando se presentan contracciones peristálticas en los conductos deferentes, las vesículas seminales y la próstata). La división simpática del SNA regula esas contracciones.

La próstata rodea a la porción proximal de la uretra, ligeramente debajo de la vejiga; está constituida por tejido glandular que produce un líquido blanco diluido que aumenta la movilidad de los espermatozoides, y una porción muscular que se contrae durante la eyaculación para prevenir el flujo de orina. El líquido prostático es alcalino, lo que ayuda a proteger a los espermatozoides del ambiente ácido de la vagina.[46]

Las glándulas bulbouretrales yacen debajo de la próstata y son rodeadas por las fibras del músculo esfínter uretral externo. Un conducto corto conecta esta glándula con la porción peniana de la uretra. Durante la estimulación sexual se secreta un líquido alcalino mucoide que contrarresta el ácido presente en la uretra masculina y la vagina femenina. Dicho fluido también lubrica el extremo del pene en preparación para el coito.

El semen está formado por liquido prostático (casi 30%), líquido de las vesículas seminales (60%) y espermatozoides (10%),[44] con un pH alcalino de entre 7.2 y 8.0, e incluye PG y nutrientes.[45] Entre 2 y 5 ml de semen se liberan de una vez, conteniendo entre 20 y 150 millones de espermatozoides por mililitro.[45] Las células espermáticas empiezan a nadar conforme se mezclan con las secreciones de las glándulas accesorias y adquieren la capacidad de fecundar a un oocito una vez dentro del aparato reproductor femenino.

Pene

El **pene** tiene forma cilíndrica y conduce orina y semen a través de la uretra. Cuando está erecto, se endurece y crece, lo que permite su inserción en la vagina durante el coito. Se divide en tres regiones: raíz, cuerpo y glande. La raíz del pene es la porción fija que se une a la pared corporal. El cuerpo del pene es la porción tubular movible del órgano y contiene tres columnas de tejido eréctil, **FIGURA 6-141**. Cada columna está rodeada por tejido conectivo denso en una cápsula. El pene es envuelto por una capa de tejido conectivo, una delgada capa de tejido subcutáneo y la piel.

El glande es el extremo distal expandido del pene que rodea al orificio uretral externo, estructura que cubre los extremos de los cuerpos cavernosos y se abre ahí. La piel en esta región es delgada y carece de pelo, con receptores sensoriales para la estimulación sexual. Los niños nacen con un pliegue laxo de piel llamado prepucio que se extiende hasta cubrir al glande como una vaina y a menudo se extirpa poco después

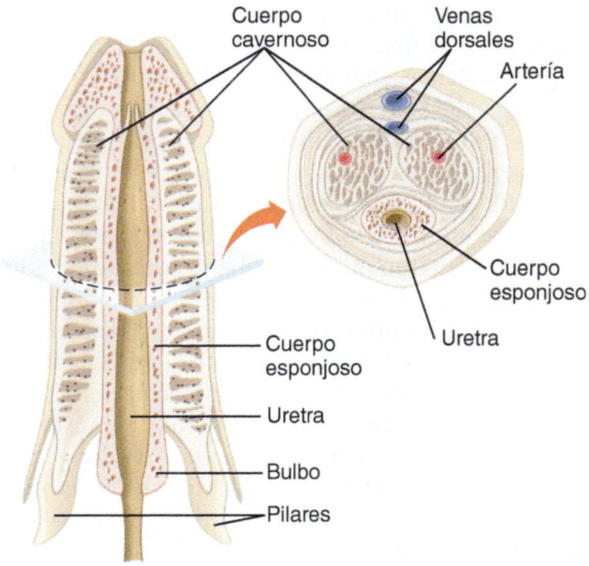

FIGURA 6-141 El pene.

del nacimiento mediante un procedimiento quirúrgico llamado circuncisión.

Cuando hay estimulación sexual, las fibras de los nervios parasimpáticos desencadenan la secreción local de óxido nítrico, que causa relajación del músculo liso en las paredes de los vasos sanguíneos del pene y dilatación de las arteriolas locales que llevan a su interior. Conforme el tejido eréctil se expande con sangre, el pene aumenta de volumen y se elonga para producir una erección.

La liberación fisiológica y emocional conocida como orgasmo es la culminación de la estimulación sexual, que en el hombre se acompaña de la emisión y eyaculación. Durante la primera, las células espermáticas de los testículos junto con la secreción de la próstata y las vesículas seminales, se movilizan al interior de la uretra con el resultado de impulsos nerviosos simpáticos que estimulan contracciones peristálticas en los conductos testiculares, epidídimos, conductos deferentes y eyaculadores. Otros impulsos simpáticos causan simultáneamente contracciones rítmicas de las vesículas seminales y la próstata. La uretra se llena con semen conforme los impulsos sensoriales pasan hacia la porción sacra de la médula espinal. Se transmiten entonces impulsos motores somáticos a ciertos músculos esqueléticos que causan contracciones rítmicas de las columnas eréctiles del pene. Este proceso aumenta la presión dentro de los tejidos eréctiles y ayuda a forzar al semen a través de la uretra y finalmente al exterior del cuerpo (eyaculación).

Se expulsa fluido de las glándulas bulbouretrales primero durante la emisión y la eyaculación, seguido por el de la próstata, la expulsión de espermatozoides y, finalmente, el líquido de las vesículas seminales. Después de la eyaculación las arterias del tejido eréctil se constriñen de inmediato. Los músculos lisos de los espacios vasculares se contraen de manera parcial y las venas del pene alejan cualquier exceso de sangre, con retorno gradual a su estado flácido.

En el **CUADRO 6-43** se resumen las funciones de las estructuras reproductivas masculinas.

CUADRO 6-43 Estructuras masculinas reproductivas

Estructura	Función
Escroto	Regula la temperatura de los testículos al rodearlos y protegerlos.
Testículos	Sus células intersticiales sintetizan y secretan hormonas sexuales; los túbulos seminíferos producen células espermáticas.
Epidídimos	Almacenan y protegen a los espermatozoides y ayudan a su maduración.
Conductos deferentes	Transfieren las células espermáticas al conducto eyaculador.
Vesículas seminales	Secretan un fluido que contiene carbohidratos que proveen energía para las células espermáticas, una proteína que ayuda al semen a adherirse a las paredes vaginales y prostaglandinas, que estimulan las contracciones musculares dentro de los órganos reproductores femeninos.
Próstata	Secreta un líquido alcalino que ayuda a proteger a los espermatozoides del ambiente ácido de la vagina.
Glándulas bulbouretrales	Secretan un fluido hacia la uretra peniana que contrarresta al ácido presente en ella y en la vagina femenina.
Pene	Órgano de la copulación que rodea a la uretra e introduce semen a la vagina femenina, también es parte del aparato urinario.

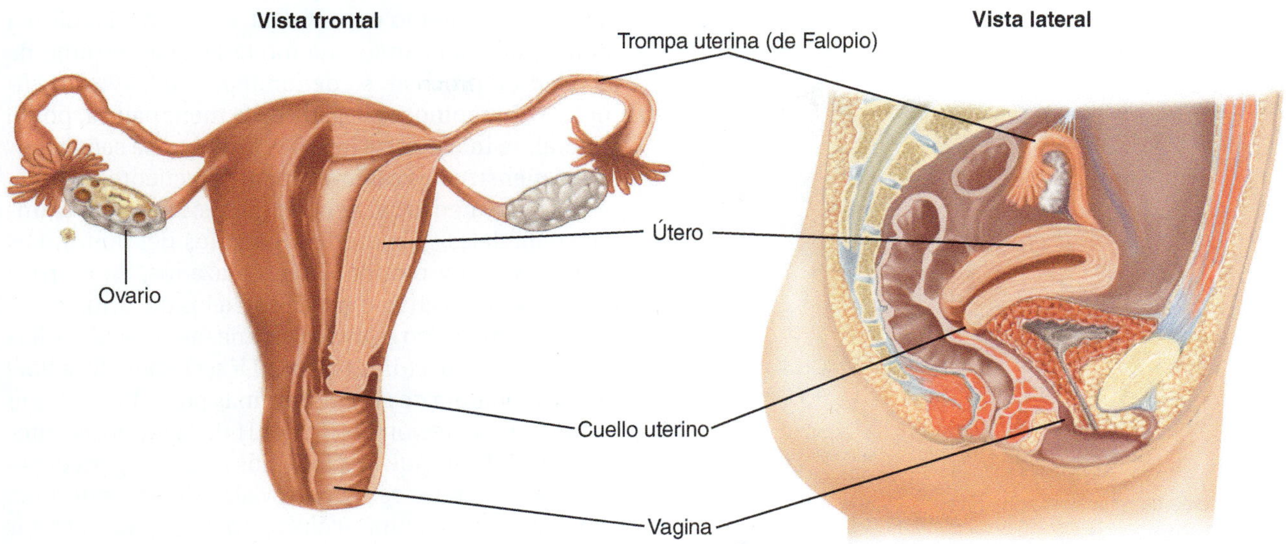

FIGURA 6-142 El aparato reproductor femenino.

Anatomía de la reproducción femenina

Los órganos de la reproducción femenina constan de dos ovarios, dos trompas uterinas (de Falopio), el **útero** (matriz), el **cuello uterino**, la vagina (conducto del parto), las glándulas mamarias y los genitales externos, **FIGURA 6-142**. Los ovarios se consideran los órganos esenciales del aparato reproductor femenino, porque producen los gametos. Las trompas uterinas, el útero, la vagina, las glándulas mamarias y los genitales externos se consideran órganos accesorios.

Ovarios

Los ovarios son estructuras sólidas casi del tamaño y forma de una almendra sin cáscara. Se ubican en la pared lateral de la cavidad pélvica en depresiones pocos profundas de cada lado del útero y realizan tres funciones principales: (1) producción de gametos femeninos inmaduros (oocitos), (2) secreción de hormonas sexuales femeninas (que incluyen estrógenos y progestágenos) y (3) secreción de inhibina.

Los ovarios están suspendidos en la cavidad pélvica por ligamentos. Reciben su riego sanguíneo de la arteria ovárica, que transcurre a lo largo del ligamento ovárico, y la rama ovárica de la arteria uterina. Cada ovario tiene una corteza externa y una porción interna llamada médula. Dentro de la corteza hay pequeños folículos, cada uno de los cuales contiene un oocito, la célula germinativa femenina. Cada mes durante el ciclo menstrual casi 20 de esos folículos empiezan el proceso de maduración, pero solo uno finalmente la alcanza y libera un óvulo. Los folículos restantes se eliminan y se reabsorben por el cuerpo.

Oogénesis

Durante el desarrollo fetal, las células germinativas diploides (con 46 cromosomas) en los ovarios se diferencian en oogonias, esto es, células con el potencial de desarrollarse hasta óvulos. Aunque muchas oogonias mueren, las que sobreviven ingresan a una fase de crecimiento, aumentan de volumen y se tornan en oocitos primarios, que inician la meiosis tempranamente en su desarrollo en el feto, pero después el proceso se detiene y no se reinicia hasta la pubertad.

La **oogénesis** es el proceso de la formación de oocitos que se inicia en la pubertad bajo la influencia de la FSH. Algunos oocitos primarios continúan la meiosis durante ese periodo y cada uno origina dos células hijas: un oocito secundario y el primer corpúsculo polar, **FIGURA 6-143**. El oocito secundario es grande y contiene 23 cromosomas, citoplasma y organelos. El primer corpúsculo polar es pequeño; contiene 23 cromosomas, pero carece de citoplasma y organelos. El oocito secundario grande puede ser fecundado por un espermatozoide. Debido a que el primer corpúsculo polar no es un oocito funcional, degenera y muere. Si se presenta la fecundación del oocito secundario, se divide de manera desigual y produce un segundo corpúsculo polar pequeño y un gran oocito fecundado (cigoto). Si no ocurre fecundación, el oocito secundario se deteriora y se expulsa del útero junto con su segundo corpúsculo polar durante la menstruación.

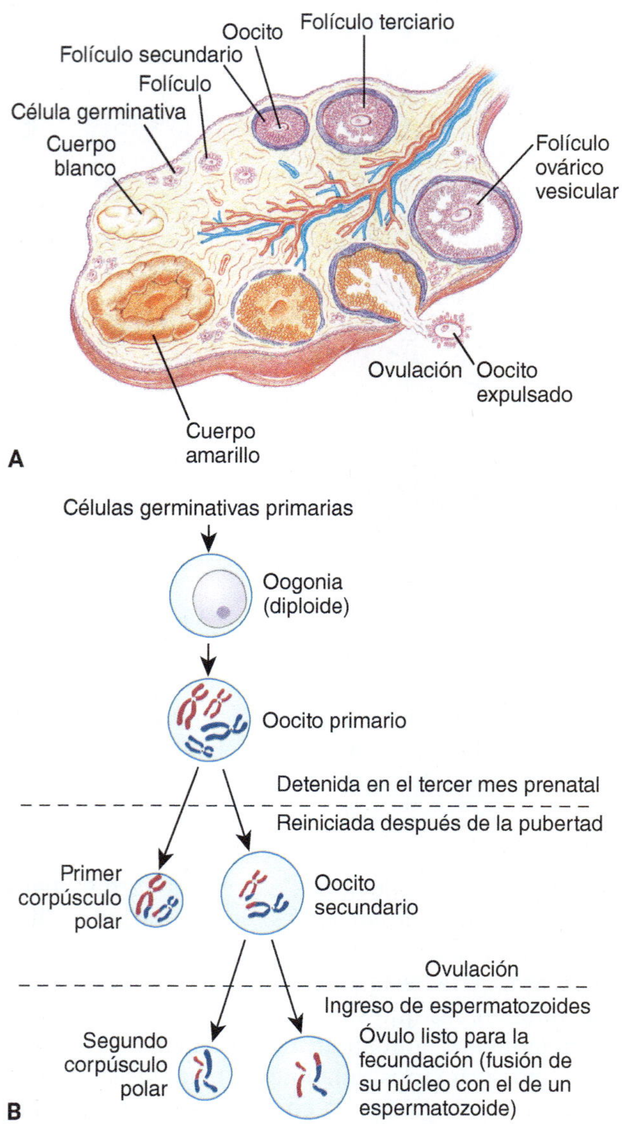

FIGURA 6-143 Desarrollo del folículo ovárico y oogénesis. **A.** Secreción por el ovario. **B.** Diferenciación del oocito.

El ciclo menstrual

También llamado periodo o ciclo menstrual; la **menstruación** es la descarga cíclica y periódica por vía vaginal de 25 a 60 ml de sangre, células epiteliales, moco y tejidos. La duración del ciclo difiere de una mujer a otra con variación de un promedio de 24 a 35 días. El inicio de la primera menstruación, cuando una niña alcanza la edad de procrear, se denomina **menarquia**. Dependiendo de la genética, los factores socioeconómicos y la salud individual, este suceso puede presentarse en cualquier momento entre los 11 y 14 años. La última menstruación, cuando una mujer llega al término de su edad de procrear, se denomina **menopausia** o climaterio femenino. La llegada de la menopausia, por lo general, se inicia entre los 40 y 50 años y se señala por ciclos menstruales cada vez menos frecuentes.

El ciclo menstrual tiene dos fases: la ovárica (cambios gonadales) y la uterina (cambios del útero). Los ciclos ovárico y uterino están enlazados, de manera que los sucesos en uno modifican a los del otro.

El ciclo ovárico se divide en una fase folicular (días 1 a 13) y una lútea (días 14 a 28). La secreción de la hormona liberadora de gonadotropinas por el hipotálamo estimula la secreción de FSH y LH de la hipófisis anterior. La FSH estimula los folículos ováricos para desarrollarse y secretar estrógenos y algo de progesterona. La LH estimula algunas células ováricas para secretar hormonas, como la testosterona, que después se utiliza para producir estrógenos. Conforme progresa la fase folicular del ciclo menstrual las cifras máximas de estrógenos y LH causan que el folículo ovárico maduro se rompa y libere al oocito, un proceso llamado **ovulación**. Se utiliza el termino *óvulo* para describir al oocito después que ocurrió la ovulación.

La fase lútea del ciclo ovárico abarca los días 14 a 28, periodo desde cuando el oocito es liberado del ovario (ovulación) hasta el primer día de la menstruación. La LH continúa secretándose durante el ciclo ovárico y el embarazo subsiguiente, si ocurre. Después de que se liberó el óvulo, lo que queda del folículo se torna en cuerpo amarillo, que a su vez secreta estrógenos, progesterona e inhibina. Las tres hormonas inhiben la secreción de FSH de la hipófisis anterior y así impiden el mayor desarrollo de los folículos. Si se fecunda el óvulo, entonces el cuerpo amarillo continúa secretando hormonas para sostener al embarazo durante 90 días. Si no se presenta la fecundación, el cuerpo lúteo gradualmente se encoje, se torna blanco, deja de secretar hormonas y se reabsorbe por los tejidos ováricos.

El ciclo uterino se divide en las fases proliferativa (días 5 a 14) y secretora (días 15 a 28). La primera abarca desde el momento que sigue a la menstruación y hasta la siguiente ovulación. Durante esta fase, en respuesta a los estrógenos liberado por el folículo, el revestimiento uterino (endometrio) aumenta de grosor en preparación para recibir al oocito fecundado. La fase secretora se extiende desde el momento que sigue a la ovulación y el revestimiento uterino continúa engrosándose hasta la siguiente menstruación. Pasada la ovulación, el cuerpo amarillo secreta principalmente progesterona, que estimula a las glándulas del revestimiento uterino para secretar glucógeno, una fuente

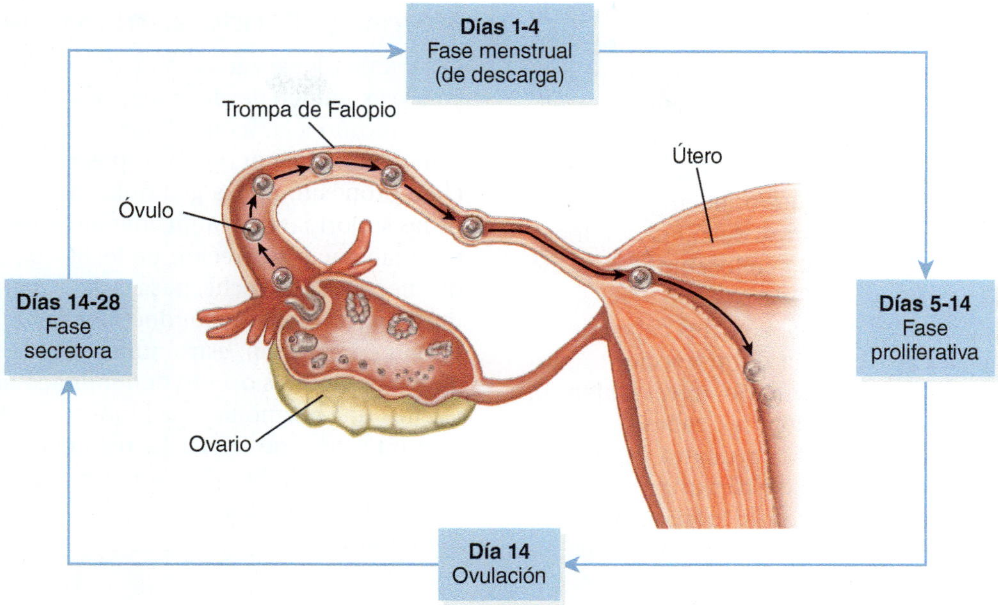

FIGURA 6-144 El ciclo menstrual con base en un promedio de 28 días de duración. La longitud del ciclo y el número de días de cada fase varían de una mujer a otra, pero, en general, entran en un rango de 24 a 35 días.

de nutrición para el óvulo fecundado. Si no ocurre la fecundación, las cifras de estrógenos y progesterona disminuyen y el revestimiento grueso del útero se descama del cuerpo femenino. En un ciclo de 28 días, la fase menstrual (de descarga) dura casi 5 días **FIGURA 6-144**.

El cuerpo femenino presenta muchos cambios importantes durante el embarazo, que incluyen el desarrollo de la placenta, el cordón umbilical y, por supuesto, el feto. Dichos cambios, así como la circulación y la respiración fetales, las etapas del trabajo de parto y los cambios fisiológicos del neonato se describen en el capítulo 38, *Obstetricia*, y en el 39, *Cuidados neonatales*.

Trompas uterinas

Las trompas uterinas (de Falopio u oviductos) se abren cerca de los ovarios y cada una mide casi 10 cm de longitud. Transcurren en dirección medial al útero, penetran su pared y se abren en el interior de su cavidad. Por lo regular, una trompa se vincula con cada ovario. Cuando se libera el oocito, se desplaza a través de la trompa de Falopio hacia el útero. Su fecundación por un espermatozoide suele presentarse cuando está dentro de la trompa de Falopio. El oocito fecundado a continuación sigue en dirección del útero, donde se desarrolla hasta un embrión (la etapa temprana previa a la fetal) y se implanta en la pared uterina.

Cada trompa uterina se extiende a los lados desde el útero y termina apenas cerca de un ovario. El extremo proximal de cada trompa de Falopio es muy grueso y estrecho y se conecta con el útero. Cada trompa está constituida por tres capas de tejido: la externa, una membrana serosa que la protege; la media, de músculo liso que se contrae para ayudar a desplazar al óvulo en dirección del útero, y la más interna, que contiene células secretoras y cilios que también desplazan al óvulo a todo lo largo y pueden participar en la provisión de su nutrición.

Cuando un ovario libera un óvulo, el movimiento ciliar en esta capa lo barre hacia la cavidad uterina. Las contracciones de músculo liso y la mucosa interna desplazan al óvulo a través de la trompa en dirección del útero. Si el óvulo encuentra un espermatozoide en el camino, entonces puede ser fecundado. La fecundación ocurre en cualquier momento dentro de un espacio de casi 24 horas siguientes a la ovulación.

Útero

El útero (matriz) es el órgano donde crece el embrión y cuyas contracciones durante el trabajo de parto finalmente ayudan a expulsar al feto, la placenta y las membranas por el conducto del parto. Un órgano hueco y muscular, el útero tiene forma de una pera invertida, está localizado en la cavidad pélvica anterior y yace entre la vejiga y el recto. La parte alta cupuliforme del útero es el fondo. Debajo empieza a aplanarse y hacerse más estrecho, y constituye al cuerpo. La porción más estrecha del útero (el cuello) se abre en la vagina. El interior del cuerpo del útero se conoce como cavidad uterina y el del cuello, como **conducto cervicouterino**.

La pared uterina es gruesa, con tres capas de tejidos: perimetrio (capa externa de protección), miometrio (capa media) y endometrio (revestimiento). El miometrio está formado por tres capas de fibras musculares, cuyas contracciones ayudan a expulsar al feto durante el parto. El endometrio es una membrana mucosa constituida por dos capas; la más interna se descama durante la menstruación. Conforme el folículo empieza a desarrollarse y secretar estrógenos, el endometrio se estimula para aumentar su grosor en preparación para la recepción y el futuro desarrollo del óvulo fecundado.

Vagina

La vagina es una estructura muscular distensible revestida por membranas mucosas y se extiende desde el cuello del útero hasta el exterior del cuerpo. Tiene las siguientes funciones fisiológicas: (1) sirve como vía de paso para la eliminación de los fluidos menstruales, (2) recibe al pene durante el coito, (3) retiene los espermatozoides antes de su paso al interior del útero (4) sirve como vía de paso para el nacimiento.

El interior de la vagina es ácido, por la fragmentación del glucógeno (que se encuentra en grandes cantidades en la mucosa vaginal), lo que crea un ambiente de pH bajo que inhibe la proliferación bacteriana. Esta acidez si bien es benéfica para el cuerpo femenino, es lesiva para los espermatozoides. El semen, no obstante, es de naturaleza alcalina y tiene propiedades antibacterianas, además de neutralizar la acidez de la vagina, lo que permite a los espermatozoides sobrevivir y fecundar al óvulo.

Apenas dentro de la parte baja de la vagina hay dos pequeñas aberturas que llevan a las glándulas de Bartholin, que secretan moco que actúa como lubricante durante el coito. Antes del primer coito el orificio vaginal está protegido por el himen, una membrana formada por tejido conectivo y epitelio, que constituye un borde alrededor del orificio vaginal y lo cubre parcialmente. Presenta una abertura central que permite el paso de las secreciones uterinas y vaginales al exterior.

Mamas y glándulas mamarias

Las mamas, localizadas sobre el músculo pectoral mayor, se extienden desde la segunda a la sexta costillas y del esternón a las axilas. Cada mama está constituida principalmente por tejido adiposo y colágena. El principal propósito de las glándulas mamarias, una serie de las sudoríparas modificadas alojadas en las mamas es la lactancia (secreción de leche) para la nutrición del neonato. La leche pasa a la superficie de cada mama a través de los conductos galactóforos, que terminan en el pezón, estructura rodeada por una zona de pigmento más oscuro denominada aréola. La prolactina, una hormona de la hipófisis anterior, estimula la producción de leche. La oxitocina, una hormona secretada por la hipófisis anterior, estimula la expulsión de la leche hacia los conductos de las glándulas mamarias.

Genitales externos

Los genitales externos femeninos, en conjunto llamados vulva o pudendo, son las estructuras observadas desde el exterior del cuerpo, **FIGURA 6-145**. El punto de referencia anatómico, conocido como monte de Venus, es un cojinete redondeado de tejido adiposo que cubre la sínfisis del pubis, localizado por delante de las aberturas uretral y vaginal. En la pubertad temprana aparecen aquí normalmente vellos gruesos y oscuros, que se hacen más escasos ya avanzada la vida con el advenimiento de la menopausia. Los **labios mayores** y los **labios menores** rodean y protegen la abertura vaginal, así como la correspondiente, más anterior, de la uretra. Los labios mayores están cubiertos por los vellos púbicos, en tanto los menores,

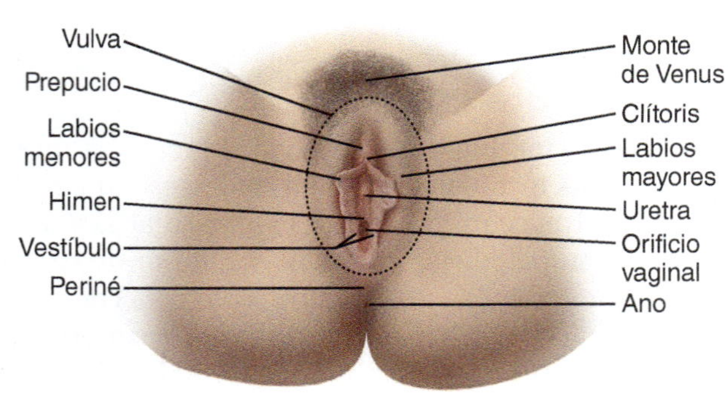

FIGURA 6-145 Los genitales externos femeninos.

no. La zona entre la abertura vaginal y el ano se denomina periné. El clítoris está localizado en la unión anterior de los labios menores, apenas detrás de una capa de piel llamada prepucio. Una masa pequeña cilíndrica de tejido eréctil y nervios, el clítoris, es similar al glande masculino.

Entre los labios menores hay una hendidura conocida como **vestíbulo**, en cuyo interior se encuentran las aberturas uretral (orificio) y vaginal, y el himen. Hay una glándula vestibular a cada lado de la abertura vaginal. La uretra, que conduce a la vejiga, permite el paso de la orina. La longitud de la uretra en las mujeres tiene un promedio de 5 centímetros, cuya brevedad es motivo por el que las mujeres sean más susceptibles a las infecciones de vías urinarias y vesicales que los hombres.

Los tejidos eréctiles del clítoris y la entrada vaginal responden a la estimulación sexual. Impulsos nerviosos parasimpáticos liberan óxido nítrico para dilatar los tejidos eréctiles, aumentar el riego sanguíneo y el volumen de los tejidos. Además, la vagina se expande y elonga. Si la estimulación sexual es suficientemente intensa, los impulsos parasimpáticos causan que las glándulas vestibulares secreten moco hacia el vestíbulo, lo que humidifica y lubrica a los tejidos circundantes y la porción baja de la vagina, y facilita la inserción del pene. El clítoris responde a la estimulación local, que cuando es suficiente culmina en un orgasmo. Apenas antes, el tercio exterior de la vagina se ingurgita con sangre, lo que aumenta la fricción con el pene y facilita el orgasmo, que inicia reflejos dirigidos por las secciones sacra y lumbar de la médula espinal. Los músculos del periné y las paredes del útero y las trompas se contraen de manera rítmica, fenómeno que ayuda a transportar el semen a través del aparato reproductor femenino hacia las trompas uterinas, en ubicación alta.

En el **CUADRO 6-44** se resumen las funciones de las estructuras reproductivas femeninas.

CUADRO 6-44 Estructuras femeninas reproductivas

Estructura	Función
Ovario(s)	Órgano(s) de la reproducción femenina que produce(n) oocitos y hormonas sexuales.
Trompas de Falopio (uterinas)	Transportan a los oocitos secundarios en dirección del útero; ahí ocurre la fecundación y el embrión en desarrollo que se dirige al útero.
Útero	El órgano muscular del aparato reproductor femenino, donde se presentan la implantación, la formación de la placenta y el desarrollo del feto.
Vagina	Transporta las secreciones uterinas al exterior del cuerpo, recibe al pene erecto durante el coito; el feto totalmente desarrollado pasa a través de ella durante el parto normal.
Labios mayores	Protegen y rodean a los órganos externos de la reproducción.
Labios menores	Protegen las aberturas de la vagina y la uretra.
Clítoris	Da sensaciones placenteras durante la estimulación sexual.
Vestíbulo	Contiene las aberturas vaginal y uretral.
Glándulas vestibulares	Humedecen y lubrican al vestíbulo con una secreción.

USTED es el Paramédico RESUMEN

1. ¿Qué regiones anatómicas del cuerpo del motociclista se pueden lesionar como resultado de esta colisión?

Las posibles zonas de lesiones incluyen la cara, el cráneo, el encéfalo, la cavidad torácica, la pelvis, las extremidades y la columna vertebral.

2. ¿Qué estructuras anatómicas del cuerpo del motociclista pudiesen tener lesiones que ponen en riesgo la vida en este escenario?

Las zonas del cuerpo que pudiesen presentar lesiones que ponen en riesgo la vida incluyen encéfalo, vía aérea, pelvis, fémur y mediastino.

3. Dada la fractura de los dientes superiores y el edema facial, ¿qué estructuras óseas se pudiesen haber lesionado?

Las estructuras óseas que se pueden haber lesionado incluyen el maxilar (superior) y los huesos cigomáticos (de los carrillos).

4. ¿Cuál es la mejor forma de describir la localización de la lesión en el hemitórax izquierdo?

El paciente tiene una lesión alta del tórax, en la línea medioclavicular izquierda.

USTED es el Paramédico RESUMEN continuación

5. ¿Cuál es la mejor forma de describir la localización de la deformidad y lesión en la pierna derecha?

El paciente presenta una deformidad y laceración apenas proximal al maléolo medial derecho.

6. ¿Cuál es la lesión obvia que usted encuentra en el tórax del paciente?

Tiene una lesión anterior de las costillas izquierdas.

7. ¿Cuáles son las lesiones ocultas potenciales que debería considerar?

Puesto que hay una obvia lesión del tórax del paciente, también deben sospecharse lesiones internas de las estructuras subyacentes, como el corazón y los grandes vasos, así como de los órganos abdominales. Además, los datos de una elevación y un descenso no equivalentes del tórax, así como una sensación de rejilla indican que el paciente presenta una lesión sustancial.

8. ¿Qué estructuras están localizadas en los cuadrantes abdominales inferiores?

Los intestinos grueso y delgado, la vejiga y (en las mujeres) los ovarios y el útero tienen esa localización.

9. ¿Qué pudiese indicar la inestabilidad de la pelvis?

Este signo sugiere una fractura pélvica y el potencial de una hemorragia interna significativa. El conocimiento de la anatomía, fisiología y los signos/síntomas de una lesión interna serán clave para tratar a este paciente.

Reporte de atención del paciente prehospitalario (RAPP)

Fecha: 04-02-22	**Núm. de incidente:** 245	**Naturaleza de la llamada:** CVM	**Localización:** N/B I-95 @ county line

Despacho: 14:30	**En camino:** 14:30	**En el escenario:** 14:40	**Transporte:** 14:50	**En el hospital:** 15:07	**En servicio:** 15:15

Información del paciente

Edad: 22 **Sexo:** M **Peso:** 91 kg	**Alergias:** desconocidas **Medicamentos:** se desconocen **Antecedentes médicos:** se desconocen **Principal manifestación:** sin respuesta por CVM

Signos vitales

Hora: 14:43	**PA:** aún no se obtiene	**Pulso:** 118	**Ventilaciones:** 24	**Spo_2:** aún no se obtiene
Hora: 14:45	**PA:** 106/70	**Pulso:** 120	**Ventilaciones:** 24	**Spo_2:** 90% (en aire ambiente)
Hora: 14:53	**PA:** 102/66	**Pulso:** 118	**Ventilaciones:** 24	**Spo_2:** 97% (asistida con dispositivo de bolsa y mascarilla)

Tratamiento de EMS (circule lo aplicable)

Oxígeno @ 15 L/min (circular uno): **NC NRM dispositivo de bolsa y mascarilla** (circulado)	**Ventilación asistida** (circulado)	**Dispositivo de la vía aérea**	**RCP**

Desfibrilación	**Detención de la hemorragia**	**Vendaje:**	**Ferulización:**	**Otros:**

Narración

Se despachó a la tripulación para la atención ante una colisión de camioneta contra motocicleta. Mientras viajaba a velocidades de autopista, una motocicleta golpeó el parachoques frontal de una camioneta de carga estacionaria, lo que la impulsó 3 m hacia atrás. El motociclista fue expulsado del vehículo y chocó con el parabrisas de la camioneta para después rodar al piso. Al arribar se encuentra un paciente sin respuesta, en decúbito prono sobre el pavimento. Se estabiliza manualmente su columna vertebral de inmediato y se rueda hacia la posición supina. Se inmoviliza al paciente por protocolo. La exploración física reveló pérdida de los dientes frontales superiores con sangre seca presente, edema bilateral de los tejidos orbitarios y una abrasión de la parte superior del tórax en la línea medioclavicular. Se percibió inestabilidad y enrejado de la cara anterior del tórax a la palpación. Hay elevación y descenso no equivalentes del tórax. Rigidez bilateral de los cuadrantes abdominales inferiores. La palpación de la pelvis reveló inestabilidad y rechinido, deformidad y laceración presentes apenas proximales al maléolo medial derecho. El paciente se mantiene sin respuesta. Los signos vitales se señalaron antes. Ventilación asistida con un dispositivo de bolsa y mascarilla. La condición del paciente se mantuvo sin cambios durante el transporte a un centro de traumatología regional. Se informó al arribo al Dr. Warren.

Fin del reporte

Kit de preparación

Resumen rápido

- Para atender a sus pacientes apropiadamente, usted debe tener una comprensión amplia de la anatomía y fisiología humanas, así como de la homeostasia, de manera que pueda evaluar su condición y comunicarse con el personal hospitalario y otros proveedores de atención sanitaria.
- Para lograr las funciones necesarias para la vida, el cuerpo se organiza por niveles, del menos al más complejo, que son los siguientes: químico, celular, tisular, orgánico, de aparato o sistema, o del organismo completo.
- Si usted comprende lo básico de la química, mejorará su conocimiento de la anatomía y fisiología. Los cambios químicos dentro de las células influyen en las funciones corporales y el estado de las estructuras.
- Las sustancias químicas pueden dividirse fundamentalmente en dos grupos principales: orgánicas e inorgánicas. Las primeras incluyen carbohidratos, lípidos, proteínas y ácidos nucleicos, y las últimas, oxígeno, dióxido de carbono, sales y agua.
- Las enzimas a menudo participan en las reacciones químicas que ocurren en el cuerpo y modifican la naturaleza de una sustancia, con el propósito de mantener la homeostasia.
- A través de las funciones corporales, las células individuales reciben nutrimentos y los utilizan en diversos procesos. Como resultado del metabolismo celular, los organismos crecen, mantienen las funciones corporales, liberan o almacenan energía, producen o eliminan residuos, digieren nutrimentos, o destruyen sustancias tóxicas.
- Las funciones corporales también requieren a menudo electrólitos, iones importantes que incluyen sodio, potasio, calcio, magnesio, bicarbonato, cloruro y fósforo.
- Otro concepto importante relacionado con la homeostasia es el del equilibrio acidobásico. Las fluctuaciones anormales de la cifra de pH pueden causar daño a las células, los tejidos y las proteínas. El sistema amortiguador del cuerpo ayuda a neutralizar el exceso de ácidos o bases.
- Las células son fundamento del cuerpo humano. Aquellas con una tarea común crecen en estrecha cercanía y forman tejidos. Los grupos de tejidos que realizan tareas interrelacionadas crean órganos.
- El ciclo vital de una célula es regulado por estímulos de hormonas o factores de crecimiento e incluyen etapas que se conocen como interfase, mitosis o fraccionamiento, división del citoplasma y diferenciación. La división y proliferación celulares que se presentan a una velocidad mayor que la muerte conducen al cáncer. Los tumores pueden ser benignos o malignos.
- La respiración celular es un proceso de liberación de energía a partir de compuestos orgánicos y procede por tres etapas: glucólisis, el ciclo de Krebs y la cadena de transporte de electrones. El resultado final es la formación de moléculas de trifosfato de adenosina, que almacenan la energía.
- Los mecanismos de transporte que determinan cómo entran y salen los materiales de las células, contribuyen al mantenimiento de la cantidad y distribución de líquidos. Varios mecanismos, como la difusión, el filtrado, la ósmosis, la difusión facilitada, el transporte activo, la endocitosis y exocitosis, permiten el paso de materiales a través de la pared celular.
- El cuerpo humano está formado principalmente por cuatro tipos de tejidos: epitelial, conectivo, muscular y nervioso. Los tejidos son resultado de la diferenciación, proceso por el que las células se especializan para un propósito específico.
- Las membranas forman una barrera o interfaz. Los cuatro tipos de membranas son serosas, mucosas, cutáneas y sinoviales.
- La homeostasia es el proceso adaptativo por el que las células y los tejidos responden para conservar el equilibrio corporal. Las señales celulares, formas electroquímicas de comunicación, desencadenan las reacciones químicas necesarias para mantener la homeostasia. Se presenta la retroalimentación para detener la reacción una vez que ya no se requiere.
- Los órganos, aparatos y sistemas incluyen al tegumentario, esquelético, muscular, nervioso,

Kit de preparación continuación

endocrino, circulatorio, linfático, inmunitario, respiratorio, digestivo, urinario y genital.

- El sistema tegumentario, que sirve como interfaz entre el cuerpo y el mundo exterior, incluye a la piel, el pelo, las uñas, las glándulas sebáceas y sudoríparas. Sus funciones son de protección, regulación de la temperatura y los líquidos, sensación, y respuesta inflamatoria.
- La piel se divide en dos partes: la epidermis superficial, constituida por varias capas de células (que incluyen a la germinativa y el estrato córneo), y la dermis, más profunda, que contiene estructuras cutáneas especializadas, como glándulas sudoríparas y sebáceas (oleosas), uñas, folículos pilosos, vasos sanguíneos y terminaciones nerviosas especializadas.
- El tejido subcutáneo se encuentra debajo de la piel, constituido en gran parte por grasa. Sirve como aislante para el cuerpo y como reservorio de la energía, y también ayuda a anclar la piel a las estructuras subyacentes.
- El esqueleto da al cuerpo su forma humana, reconocible a través de un conjunto de huesos, ligamentos, tendones y cartílagos. Son funciones del sistema esquelético el sostén y apalancamiento, la protección, el almacenamiento, el mantenimiento de la concentración de calcio y la producción de células sanguíneas.
- Los huesos se clasifican de acuerdo con su forma, en largos, cortos, planos e irregulares. Aumentan mucho de tamaño conforme se desarrolla el feto y durante la adolescencia.
- Una articulación es donde dos huesos entran en contacto. Las articulaciones se clasifican como inmóviles (sinartrosis), ligeramente móviles (anfiartrosis) o libremente móviles (diartrosis). La mayoría de las articulaciones permiten el movimiento (rodilla, cadera, codo) y algunos huesos se fusionan para formar una estructura sólida, inmóvil (cráneo). Las 230 articulaciones del cuerpo humano se clasifican como fibrosas, cartilaginosas o sinoviales.
- El esqueleto axial forma la base del cuerpo sobre la que penden las extremidades superiores e inferiores. El esqueleto apendicular consta de dichas extremidades, sus puntos de conexión y la pelvis.
- Las cinco secciones de la columna vertebral son cervical, torácica, lumbar, sacra y coccígea.
- La contracción y relajación del sistema musculoesquelético dan al cuerpo su capacidad de desplazarse. El músculo esquelético, así llamado porque se une a los huesos del esqueleto, forma la principal masa carnosa del cuerpo. También es conocido como músculo voluntario, porque actúa de acuerdo con el deseo del paciente.
- El sistema nervioso es tal vez el de tipo orgánico más complejo en el cuerpo humano. Consta de encéfalo, médula espinal y nervios.
- El sistema nervioso se encarga de funciones fundamentales, como regular la ventilación, FC y PA. También muestra actividades de nivel elevado, como la memoria, la comprensión y el pensamiento.
- El sistema nervioso se divide en central (SNC) y periférico (SNP). El SNC incluye al encéfalo y la médula espinal. El sistema nervioso somático es parte del SNP y regula actividades sobre las que hay mando voluntario, como caminar, hablar y escribir. El sistema nervioso autónomo (SNA) es la parte del SNP que regula muchas funciones corporales sin dominio voluntario, como la digestión, la dilatación y la constricción de los vasos sanguíneos, y la sudoración.
- El SNA se divide en dos regiones. La del sistema nervioso simpático se encarga de la respuesta de luchar o huir, y la del parasimpático de conservar la energía y mantener la función de los órganos, que incluye digestión, crecimiento, cicatrización y la eliminación de sustancias tóxicas.
- El sistema endocrino está formado por diversas glándulas localizadas en todo el cuerpo. Las principales son la hipófisis, la tiroides, las paratiroides, las suprarrenales, el páncreas, el timo y las de la reproducción.
- El hipotálamo actúa como centro de comunicación entre los sistemas nervioso y endocrino.
- Las glándulas endocrinas ayudan a regular el metabolismo, las reacciones químicas, transportar sustancias, regular los equilibrios del agua y los electrólitos, y auxiliar en la reproducción, el crecimiento y desarrollo.

Kit de preparación continuación

- El sistema circulatorio es un complejo arreglo de tubos conectados que incluyen arterias, arteriolas, capilares, vénulas y venas.
- La sangre consta de plasma y elementos formes, o las células en él suspendidas, que incluyen eritrocitos, leucocitos y plaquetas (trombocitos).
- La sangre tiene muchas funciones, que incluyen el combatir infecciones, transportar oxígeno y dióxido de carbono, regular el pH, transportar residuos y nutrimentos, y la coagulación.
- El músculo cardíaco tiene la propiedad de automaticidad; puede generar y conducir electricidad sin influencia del encéfalo.
- El ciclo cardíaco se inicia con la contracción del miocardio y concluye al principiar la siguiente. La contracción cardíaca causa cambios de presión dentro de sus cámaras, con desplazamiento resultante de la sangre de zonas de presión alta a las de baja.
- La presión dentro de la aorta contra la que el ventrículo izquierdo debe bombear sangre, se denomina poscarga. A mayor poscarga es más difícil para el ventrículo impulsar la sangre hacia la aorta, lo que disminuye el volumen sistólico (cantidad de sangre que expulsa por cada contracción).
- El gasto cardíaco es la cantidad de sangre que se bombea por el sistema circulatorio en 1 minuto; se expresa en litros por minuto (L/min). Equivale a la frecuencia cardíaca multiplicada por el volumen sistólico.
- El aumento del retorno venoso del corazón distiende los ventrículos, con una mayor contractilidad cardíaca resultante, relación que se conoce como el mecanismo de Frank-Starling.
- El sistema linfático ayuda a mantener el equilibrio de líquidos en el cuerpo, combatir las infecciones por la producción y circulación de linfocitos, y la distribución de diversos productos que no pueden ingresar directamente a la corriente sanguínea (p. ej., nutrimentos y algunas hormonas). El bazo es el órgano linfático más grande del cuerpo.
- El sistema inmunitario está constituido por tejidos linfoides y células involucradas en su respuesta. Los mecanismos de defensa corporales actúan juntos para resistir enfermedades e infecciones.
- El aparato respiratorio consta de todas las estructuras del cuerpo que contribuyen al proceso de la respiración. Incluye nariz, boca, garganta, laringe, tráquea, bronquios y bronquiolos y también pulmones, diafragma, los músculos de la pared torácica y los accesorios de la respiración.
- La función primaria del aparato respiratorio es conducir la ventilación. El oxígeno es indispensable para el funcionamiento corporal. El intercambio de gases, de oxígeno a la sangre y dióxido de carbono en sentido opuesto, se presenta en los alvéolos de los pulmones por difusión.
- El centro respiratorio en el tronco encefálico regula la respiración. Los nervios en esta zona perciben la concentración de dióxido de carbono en la sangre y el líquido cefalorraquídeo. El encéfalo ajusta la respiración, según se requiera, cuando la concentración de dióxido de carbono u oxígeno en la sangre arterial es muy alta o baja.
- El aumento de la concentración de dióxido de carbono en la sangre ($Paco_2$) causa disminución del pH en el centro respiratorio, lo que desencadena un aumento en la ventilación. Los decrementos en la $Paco_2$ causan aumento del pH en el centro respiratorio y disminución de la frecuencia ventilatoria.
- El impulso hipóxico es un sistema de respaldo que el cuerpo usa para regular la respiración. Las zonas del encéfalo, las paredes de la aorta y las arterias carótidas actúan como sensores del oxígeno y estimulan la ventilación si decrece.
- Las funciones del aparato digestivo constan de una serie de pasos que incluyen ingestión, procesamiento mecánico, digestión, secreción, absorción y excreción.
- El tracto digestivo se extiende de la boca al ano, e incluye boca, faringe, esófago, estómago, intestino delgado, intestino grueso, recto y ano. Sus órganos accesorios son dientes, lengua, glándulas salivales, hígado, vesícula biliar y páncreas.
- Las principales funciones del aparato urinario son regular el equilibrio de líquidos en el cuerpo, filtrar y eliminar residuos, y regir el equilibrio del pH.

Kit de preparación continuación

- En el sistema urinario, los riñones son órganos sólidos; los uréteres, la vejiga y la uretra son huecos.
- Los riñones eliminan residuos tóxicos de la sangre y regulan el equilibrio del agua y las sales.
- Los aparatos de la reproducción masculino y femenino contienen órganos y glándulas que crean células sexuales (gametos) y las transportan a regiones donde puede ocurrir la fecundación.
- Los cromosomas contienen toda la secuencia de información genética del organismo para toda la vida, con las instrucciones para cada estructura y proceso corporales. Los genes también contienen secuencias que determinan diversas características o influyen en ellas, como el color del pelo y de la piel, la composición corporal, la talla y la predisposición a ciertas enfermedades.
- Los principales órganos sexuales masculinos (gónadas) constan de dos testículos, donde se forman los espermatozoides y las hormonas sexuales correspondientes. Los testículos se consideran parte tanto del sistema endocrino como del reproductor, porque sintetizan la testosterona (una hormona) y producen espermatozoides.
- La testosterona aumenta el volumen de los testículos y los órganos reproductores accesorios, y promueve el desarrollo de las características sexuales secundarias durante la pubertad, que incluyen una mayor cantidad de pelo corporal, el crecimiento de la laringe y el aumento del grosor de las cuerdas vocales, que hacen más grave el tono de la voz; el incremento del grosor de la piel y del crecimiento muscular; así como el engrosamiento y fortalecimiento de los huesos.
- Los órganos reproductores femeninos producen y mantienen a los oocitos (óvulos), que son las células sexuales femeninas.
- Los principales órganos sexuales femeninos (gónadas) son los dos ovarios, que producen las células y hormonas correspondientes.
- En las mujeres no embarazadas, los ovarios son la principal fuente de estrógenos y los secretan en cantidades crecientes al empezar la pubertad. Estas hormonas estimulan el crecimiento y desarrollo de los órganos sexuales accesorios y mantienen las características sexuales secundarias femeninas, incluido el desarrollo de las mamas y sus sistemas correspondientes.
- El ciclo reproductor femenino implica cambios regulares recurrentes en el revestimiento del útero, así como la pérdida sanguínea casi mensual (menstruación).

Vocabulario esencial

Acetábulo Receptáculo formado por el hueso iliaco o coxal (cadera) donde se acopla estrechamente la cabeza femoral esférica.

Acetilcolina (ACh) Neurotransmisor liberado en las sinapsis dentro del sistema nervioso autónomo y por neuronas motoras para estimular la contracción del músculo esquelético.

Acetilcolinesterasa Enzima que se encuentra en el sistema nervioso central, los eritrocitos y las placas motoras terminales del músculo esquelético, y causa la descomposición de la acetilcolina.

Ácido desoxirribonucleico (ADN) Estructura química especializada dentro de la célula que porta el material genético para la reproducción.

Ácido láctico Producto metabólico terminal de la fragmentación de glucosa que se acumula cuando el metabolismo procede en ausencia de oxígeno.

Ácidos Moléculas que pueden liberar iones hidrógeno y, por lo tanto, aumentar su concentración de en una solución acuosa.

Ácidos nucleicos Grandes moléculas orgánicas o macromoléculas que transportan la información genética o forman estructuras dentro de las células; incluyen a los ácidos desoxirribonucleico y ribonucleico.

Acidosis Afección patológica resultante de la acumulación de ácidos en el cuerpo (pH sanguíneo menor de 7.35).

Kit de preparación continuación

Acomodación Capacidad del cristalino ocular de cambiar su forma para enfocar un objeto cercano.

Acromion Punta del hombro, sitio de inserción de la clavícula y varios músculos.

Actina Proteína contráctil que se encuentra en los filamentos delgados de las células del músculo esquelético.

Adaptación Disminución temporal o permanente de la sensibilidad ante un estímulo particular.

Adrenérgico Con las características de la división simpática del sistema nervioso autónomo.

Agua corporal total (ACT) Cantidad total del líquido en el cuerpo humano; contribuye con casi 60% del peso de un adulto masculino sano; se divide en diversos compartimientos.

Albúmina Las más pequeñas de las proteínas plasmáticas; constituyen casi 60% del plasma y se encargan de presión oncótica en la vasculatura, lo que así regula el desplazamiento de agua hacia y desde la circulación.

Alcalosis Afección patológica resultante de la acumulación de bases en el cuerpo (pH mayor de 7.45).

Aldosterona Hormona encargada de la resorción de sodio y agua de los túbulos renales.

Alelos Formas variantes de un gen, que pueden ser idénticas o ligeramente diferentes en una secuencia del ácido desoxirribonucleico.

Alvéolos Sacos aéreos pulmonares en los cuales ocurre el intercambio de oxígeno y dióxido de carbono; también los receptáculos óseos de los dientes ubicados en la mandíbula y el maxilar.

Anabolismo Estructuración de sustancias más grandes al conjuntar las pequeñas, como las proteínas a partir de aminoácidos.

Anatomía Estudio de la estructura de un organismo y sus partes.

Ángulo de Louis Prominencia del esternón que indica el punto donde se le une la segunda costilla; también llamado ángulo esternal o unión manubrio esternal.

Antagonistas Moléculas que bloquean la capacidad de una sustancia química determinada de unirse a su receptor, lo que impide una respuesta biológica.

Antígenos Proteínas, polisacáridos, glucoproteínas, o glucolípidos que, por lo general, se encuentran en las superficies de los eritrocitos y estimulan una respuesta del sistema inmunológico con la formación de anticuerpos; las células aprenden a reconocer los antígenos como "propios" o "extraños" (no propios).

Aorta La principal arteria que emerge de la porción izquierda del corazón y conduce sangre fresca oxigenada al cuerpo; la más grande del cuerpo.

Aorta descendente La porción de la aorta que se extiende por el tórax y el abdomen hacia la pelvis.

Aparato circulatorio Complejo arreglo de tubos conectados que incluyen arterias, arteriolas, capilares, vénulas y venas, que conducen sangre, oxígeno, nutrimentos, dióxido de carbono y residuos celulares por el cuerpo.

Aparato reproductor Sistema en hombres y mujeres que regula los procesos reproductivos a través de órganos y glándulas que crean células sexuales y las transportan a zonas donde puede ocurrir la fecundación.

Aponeurosis Hoja o banda de tejido conectivo fibroso fuerte que cubre, sostiene y separa los músculos, y que también cubre a arterias, venas, tendones y ligamentos.

Aponeurosis profunda Densa capa de tejido fibroso bajo el tejido subcutáneo, constituida por bandas rígidas de tejido que rodean a los músculos y otras estructuras internas.

Arco reflejo Mensaje sensorial que alcanza la médula espinal y llega a un nervio motor para causar una acción, que ocurre sin primero mandar un mensaje hasta el encéfalo para dar lugar a la actividad de manera voluntaria.

Arteria coronaria circunfleja Una de las dos ramas de la arteria coronaria principal izquierda.

Arteria coronaria derecha Vaso sanguíneo que provee sangre oxigenada a las cavidades derechas del corazón.

Kit de preparación continuación

Arteria coronaria descendente anterior izquierda Una de dos ramas de la arteria coronaria principal izquierda, que provee sangre al ventrículo izquierdo y otras zonas del corazón.

Arteria pulmonar Una de las dos que conduce sangre desoxigenada del ventrículo derecho a los pulmones.

Articulación en silla de montar Dos superficies en forma de silla de montar orientadas en ángulo recto entre sí, de modo que las superficies complementarias se articulen; un ejemplo es el del pulgar.

Articulaciones cartilaginosas Articulaciones que se conectan por cartílago hialino, o fibrocartílago, como las que separan a las vértebras.

Articulaciones fibrosas Articulaciones que yacen entre los huesos que entran en contacto estrecho con otros y están unidos por un tejido conectivo denso delgado.

Articulaciones sacroiliacas Puntos de unión de ilion y sacro.

Articulaciones sinoviales Articulaciones complejas que permiten el movimiento libre de los huesos que las forman y se lubrican con líquido sinovial.

Astigmatismo Afección donde partes de la imagen están fuera de foco y otras enfocadas; causada por irregularidades en la forma del cristalino ocular.

Atlas Primera vértebra cervical (C1), que da apoyo a la cabeza.

Aurículas Las dos cámaras superiores del corazón.

Automaticidad Capacidad de las células marcapasos cardíacas para iniciar un impulso eléctrico espontáneo sin el estímulo de otra fuente (como un nervio).

Autosomas Cromosomas que no portan genes determinantes del sexo.

Axón Extensión larga y esbelta de una neurona (célula nerviosa) que conduce impulsos eléctricos lejos de su cuerpo (soma) hacia células adyacentes.

Barorreceptores Terminaciones nerviosas estimuladas por cambios de la presión que incluyen el aumento de la presión arterial; se localizan en el arco aórtico y los senos carotídeos.

Barrera hematoencefálica Capa de células estrechamente adheridas que protege al encéfalo y la médula espinal de la exposición a medicamentos, sustancias tóxicas y partículas infecciosas.

Basófilos Leucocitos que contienen gránulos de histamina y otras sustancias, que se liberan durante las respuestas inflamatoria y alérgica.

Bilirrubina Producto de desecho de la destrucción de eritrocitos que presenta metabolismo adicional en el hígado.

Bolsa Pequeño saco, similar a un cojinete o una cavidad llena con una pequeña cantidad de líquido sinovial que ayuda a disminuir el grado de fricción entre un tendón y un hueso, o entre un tendón y un ligamento, por lo general localizada cerca de una articulación.

Bomba de sodio-potasio Mecanismo por el que la célula ingresa dos iones de potasio y libera tres de sodio.

Bóveda craneana Huesos que rodean y protegen al encéfalo, incluidos parietal, temporal, frontal, occipital, esfenoides y etmoides; techo de la cabeza (cráneo).

Bulbo raquídeo Parte inferior del tronco encefálico que se continúa por debajo con la médula espinal; sirve para la conducción de las vías nerviosas ascendentes y descendentes; se encarga de mantener las funciones básicas vitales, como la frecuencia cardíaca y la respiración.

Calcáneo Hueso del talón; el más grande de los que constituyen el tarso.

Caloría Cantidad de calor necesaria para elevar la temperatura de 1 g de agua por 1 °C; cantidad de energía que se puede obtener de los nutrimentos incluidos en los alimentos; también llamada kilocaloría.

Capacidad vital Cantidad de aire que se desplaza dentro y fuera de los pulmones con la inspiración y exhalación máximas.

Cápsula articular Envoltura sacciforme que abarca la cavidad de una articulación sinovial.

Kit de preparación continuación

Carbohidratos Sustancias (que incluyen azúcares y almidones) que proveen gran parte de la energía requerida por las células corporales y ayudan a constituir estructuras celulares.

Carina Punto de bifurcación de la tráquea en los bronquios primarios derecho e izquierdo (tronco primario).

Cartílago cricoides Puente firme de cartílago que forma la parte inferior de la laringe; el primer anillo de la tráquea y la única estructura de vía aérea alta que forma un anillo completo; también llamada anillo cricoideo.

Cartílago tiroides Prominencia firme de cartílago que forma la parte alta de la laringe; la manzana de Adán.

Cartílagos aritenoides Seis pares de cartílagos apilados uno sobre otro en la faringe.

Cascada de coagulación Conjunto de interacciones de estructuras y sustancias que llevan a la formación de un coágulo de fibrina.

Catabolismo Fragmentación de moléculas más grandes en pequeñas.

Cataratas Opacificación de los cristalinos oculares o sus membranas transparentes circundantes.

Catecolaminas Sustancias amínicas, como dopamina, epinefrina y norepinefrina, que actúan como neurotransmisores, hormonas o ambos.

Células cebadas Células localizadas en tejidos conectivos a las que atacan los anticuerpos formados en respuesta a los antígenos, que estallan y liberan mediadores químicos en respuesta a una reacción antígeno-anticuerpo.

Células de Schwann Células de neuroglía en el sistema nervioso periférico que forman una vaina de mielina alrededor de los axones.

Células diploides Células que portan un par de cada uno de los 23 cromosomas, uno del padre y uno de la madre.

Células haploides Células que transportan instrucciones genéticas a través de 23 cromosomas individuales.

Células plasmáticas Células que producen anticuerpos (inmunoglobulinas) para destruir antígenos o partículas que los contienen; se forman a partir de linfocitos B que se dividen y diferencian.

Centro apnéustico Porción de la protuberancia anular que se cree actúa conforme al grupo respiratorio pontino para regular la longitud y profundidad de la inspiración.

Cerebelo Región del encéfalo involucrada en la coordinación muscular fina y gruesa; encargado de la interpretación del movimiento real y la corrección de cualquiera que interfiera con la coordinación y posición del cuerpo.

Cerebro La parte más grande del encéfalo; constituido por varios lóbulos que regulan el movimiento, la audición, el equilibrio, el habla, la percepción visual, las emociones y la personalidad; se divide en hemisferios derecho e izquierdo; también llamado materia gris.

Ciclo cardíaco Proceso de bombeo repetitivo iniciado con la contracción del músculo cardíaco y que termina apenas antes del principio de la siguiente; cada ciclo consta de contracción (sístole) y relajación (diástole) ventriculares.

Ciclo del ácido cítrico Secuencia de reacciones enzimáticas que involucra el metabolismo de las cadenas de carbono de glucosa, ácidos grasos y aminoácidos, para producir dióxido de carbono, agua y enlaces de fosfato de alta energía; también conocido como ciclo de Krebs o de los ácidos tricarboxílicos.

Circulación pulmonar Flujo de sangre desde el ventrículo derecho por las arterias pulmonares y todas sus ramas y capilares en los pulmones, y de retorno a la aurícula izquierda por las vénulas y venas pulmonares; también llamada circulación menor.

Citoblastos Células que conservan la capacidad de dividirse en forma repetida sin especializarse, lo que permite su proliferación y renovación continuas.

Citoplasma Material parecido a un gel que llena una célula y donde están suspendidos sus organelos; constituye la mayor parte del volumen celular.

Cóclea Porción del oído interno con receptores auditivos, o caracol.

Kit de preparación continuación

Colinérgico(a) Con las características de la división parasimpática del sistema nervioso autónomo; también se refiere a otras estructuras o funciones relacionadas con la acetilcolina.

Compuesto Sustancia que puede fragmentarse en los dos o más elementos que contiene.

Conductividad Propiedad que permite a una célula cardíaca recibir un impulso eléctrico y pasarlo a una célula vecina.

Conducto cervicouterino Interior del cuello uterino.

Conducto torácico Uno de los dos grandes vasos linfáticos; desemboca en la vena cava superior.

Conjuntivas Las cubiertas membranosas de la cara anterior del ojo y que también revisten los párpados.

Conjuntivitis Inflamación de la conjuntiva.

Conos Uno de los dos tipos de fotorreceptores en la retina sensibles a la luz, pero que no discriminan colores; producen una imagen que es algo menos enfocada y esencialmente en blanco y negro.

Contractilidad Capacidad de las células del miocardio de acortarse en respuesta a un impulso, que da lugar una contracción.

Córnea Capa transparente de tejido frente a la pupila y el iris oculares.

Coroides Capa media vascular, pigmentada, de la pared ocular.

Corpúsculo renal Componente inicial de filtración sanguínea de la nefrona.

Corteza cerebral Cobertura externa de materia gris en los hemisferios cerebrales; regula el movimiento esquelético voluntario y tiene participación importante en el grado de alerta del individuo.

Corteza renal Porción externa de cada riñón; forma columnas y tiene túbulos delgados vinculados con las nefronas.

Corteza suprarrenal Capa externa de la glándula suprarrenal; produce hormonas importantes para regular el equilibrio del agua y las sales del cuerpo.

Corticoesteroides Cualquiera de los diversos esteroides que secreta la glándula suprarrenal.

Cortisol Glucocorticoide liberado por la porción media de la corteza suprarrenal que influye en el metabolismo de proteínas y grasas y estimula la síntesis de glucosa a partir de productos diferentes a los carbohidratos.

Cráneo Zona de la cabeza por arriba de los oídos y ojos; la parte del cráneo que aloja al encéfalo.

Cristalino Disco transparente dentro del ojo; refracta la luz para enfocar las imágenes en la retina.

Cromosoma homólogo Cromosoma del mismo número de par del otro progenitor.

Cromosomas Estructuras formadas a partir de fibras condensadas y proteínas, de ácido desoxirribonucleico, filiformes y que se encuentran en el núcleo de las células.

Cromosomas sexuales Cromosomas que determinan el sexo, X y Y.

Cuello uterino Tercio inferior o cérvix del útero.

Cuerdas tendinosas Bandas delgadas de tejido fibroso que se unen a las válvulas auriculoventriculares en el corazón y evitan su inversión.

Cuerpo calloso Puente profundo de fibras nerviosas que conecta los hemisferios cerebrales.

Cuerpo ciliar Estructura asociada con la capa coroidea del ojo que secreta el humor acuoso y contiene al músculo ciliar.

Dendritas Ramificaciones de las células nerviosas que reciben impulsos o información sensorial de las células cercanas y los conducen hacia el cuerpo neuronal.

Dermatomas Zonas de la piel provistas de nervios raquídeos sensoriales específicos.

Despolarización En respuesta a un potencial de acción, el movimiento rápido de electrólitos a través de la membrana celular, que cambia la carga eléctrica total de la célula. Esta desviación rápida de electrólitos y cargas constituye el principal catalizador de las contracciones musculares y las transmisiones neurológicas.

Diáfisis Cuerpo de un hueso largo.

Kit de preparación continuación

Diafragma Gran músculo esquelético que tiene participación importante en la respiración y separa a la cavidad torácica de la abdominal.

Diapédesis Proceso por el que los leucocitos se desplazan a través de la pared de un capilar y salen hacia los tejidos donde se necesitan más.

Diástole Fase del ciclo cardíaco en la que las aurículas y los ventrículos se relajan entre las contracciones e ingresa sangre a su interior.

Diencéfalo Porción del encéfalo entre el tronco encefálico y el cerebro; contiene al epitálamo, el tálamo, el hipotálamo y el subtálamo.

Diferenciación Proceso de especialización de una célula.

Difusión Proceso de las partículas que se desplazan de una zona de mayor concentración a una de menor concentración, de acuerdo con un gradiente, hasta que se alcanza el equilibrio.

Digestión Fragmentación química del material alimentario en pequeñas porciones que se pueden absorber hacia el aparato circulatorio.

Dolor fantasma Sensación de dolor en una parte del cuerpo que ya no está presente.

Dolor referido Dolor que se percibe como si se hubiese originado en una parte corporal diferente a la del sitio estimulado.

Dolor somático Dolor causado por la activación de receptores del dolor en los tejidos superficiales del cuerpo, como la piel, los huesos, los músculos y las articulaciones; en comparación con el dolor visceral, en general, es más intenso y de localización más precisa.

Dolor visceral Dolor profundo, causado por la activación de receptores de dolor en las zonas internas del cuerpo que se incluyen dentro de una cavidad, como el tórax, el abdomen o la pelvis.

Duramadre La más externa de las tres meninges que envuelven al encéfalo y la médula espinal; es la más dura.

Efecto cronotrópico Efecto relacionado con la velocidad de contracción del corazón.

Efecto inotrópico Efecto sobre la contractilidad del tejido muscular, en especial el cardíaco.

Eje Línea imaginaria que une los electrodos positivo y negativo de una derivación; también la segunda vértebra cervical.

Electrólitos Sustancias de tipo sal o ácido que se tornan en conductores iónicos cuando están disueltas en un solvente (como el agua); sustancias químicas disueltas en la sangre.

Encéfalo Parte del sistema nervioso central localizada dentro del cráneo; contiene miles de millones de neuronas con una variedad de funciones, que incluyen la conciencia, la percepción, el control de las reacciones al ambiente, las respuestas emocionales y el juicio.

Endocardio Delgada membrana que reviste el interior del corazón.

Endolinfa Fluido que contiene los receptores nerviosos y reside dentro del laberinto membranoso. Las ondas sónicas convertidas en ondas de presión se transmiten a través de este fluido hacia los nervios auditivos.

Enlace iónico Enlace químico en el que se atraen iones con carga opuesta.

Enzimas Sustancias diseñadas para acelerar la velocidad de reacciones bioquímicas específicas.

Eosinófilos Leucocitos que pueden tener participación después de una infección en diversas zonas del cuerpo.

Epicardio Hoja de pericardio seroso que yace estrechamente unida al corazón; también llamada pericardio visceral.

Epiglotis Estructura delgada a manera de alerón, que permite al aire pasar a la tráquea, pero impide que los alimentos y líquidos lo hagan.

Epinefrina Hormona producida por la médula suprarrenal que tiene participación vital en la función de la división simpática del sistema nervioso autónomo; media la respuesta de luchar o huir; también llamada adrenalina.

Kit de preparación continuación

Equilibrio de líquidos Proceso de mantener la homeostasia mediante una ingestión (agua ingerida) y excreción (agua expulsada del cuerpo) equivalentes.

Esclerótica Capa fibrosa, blanca, externa, del globo ocular.

Escroto Bolsa de piel y tejido subcutáneo que cuelga de la región abdominal inferior, detrás del pene.

Esfínter precapilar Músculo liso localizado en la entrada de un capilar: responsable de la respuesta a las necesidades tisulares locales.

Esfínteres Músculos dispuestos en círculo que pueden disminuir el diámetro de los conductos. Se encuentran ejemplos en el recto, la vejiga y los vasos sanguíneos.

Espacio intersticial Espacio entre las células.

Espacio pleural Espacio potencial entre las pleuras parietal y visceral.

Espacio subaracnoideo Espacio localizado entre la piamadre y la membrana aracnoides.

Espermatogénesis Proceso por el que se forman los espermatozoides.

Esqueleto apendicular Porción del sistema esquelético constituida por las extremidades superiores, la cintura escapular, la cintura pélvica y las extremidades inferiores.

Esqueleto axial Porción de la osamenta constituida por cráneo, caja torácica y columna vertebral.

Estrabismo Pérdida de la percepción de profundidad con superposición o imágenes dobles.

Estrato córneo La capa más externa o inanimada de la piel.

Estrógenos Hormonas liberadas por los ovarios que estimulan al revestimiento uterino durante el ciclo menstrual.

Excitabilidad Capacidad de las células de músculo cardíaco de responder a un estímulo eléctrico, químico o mecánico.

Exhalación Parte pasiva del proceso de respiración, en la que el diafragma y los músculos intercostales se relajan, lo que fuerza al aire fuera de los pulmones.

Factor Rh Antígeno que se encuentra en los eritrocitos de la mayoría de las personas; cuando una mujer sin esta proteína se embaraza de un hombre que sí la presenta, puede crear anticuerpos que atacarán a los productos de embarazos futuros.

Fagocitosis Forma de endocitosis en la que una célula rodea a una partícula extraña y la engulle.

Faringe Zona entre la cavidad nasal y la laringe, localizada detrás de la cavidad bucal; la garganta.

Fenotipo Aspecto, condición de salud u otras características vinculadas con un genotipo particular.

Fibras de Purkinje Sistema de fibras en los ventrículos que conduce el impulso excitatorio de las ramas del haz de His al miocardio.

Fibrina Proteína insoluble blanca formada por la acción de la trombina sobre el fibrinógeno durante el proceso de la coagulación sanguínea; forma la matriz de un coágulo sanguíneo.

Fibrinógeno Proteína plasmática importante para la coagulación sanguínea.

Filtración Movimiento de un fluido del líquido intravascular bajo alta presión hacia el fluido intersticial, que en general se encuentra a presión baja.

Fisiología Estudio de los procesos y funciones del organismo vivo.

Fontanelas Puntos blandos del cráneo de un neonato y un lactante donde las suturas del cráneo aún no se han sellado.

Fosfolípidos Moléculas de lípidos que constituyen la membrana celular.

Fracción de oxígeno inspirada (FIO_2) Porcentaje de oxígeno en el aire inhalado.

Ganglios basales Estructuras localizadas profundamente en el cerebro, el diencéfalo y el mesencéfalo, con una participación importante en la coordinación de los movimientos y la postura.

Ganglios linfáticos Estructuras redondeadas o reniformes dispersas en el trayecto de los vasos linfáticos, que filtran la linfa y sirven como fuente de linfocitos.

Kit de preparación continuación

Genotipo La disposición de los genes de una persona y sus características se basa en la combinación de alelos, de un gen o muchos.

Glándula hipófisis Glándula endocrina encargada de modificar directa o indirectamente todas las funciones corporales; también llamada pituitaria.

Glándula pineal Glándula del encéfalo que sintetiza y secreta melatonina, una hormona que modifica los patrones de sueño y despertar.

Glándula tiroides Una glándula endocrina grande localizada en la base del cuello; produce y secreta hormonas que influyen en el crecimiento, el desarrollo y el metabolismo.

Glándulas endocrinas Glándulas sin conducto, que secretan directamente hacia un líquido tisular o la sangre.

Glándulas exocrinas Glándulas que secretan sustancias químicas hacia conductos que se abren sobre una superficie para su eliminación.

Glándulas lagrimales Glándulas que producen líquido para mantener húmedo el ojo.

Glándulas paratiroides Cuatro glándulas embebidas en la porción posterior de cada lóbulo tiroideo; producen y secretan hormona paratiroidea.

Glándulas sebáceas Glándulas que producen una sustancia oleosa llamada sebo, que se descarga a lo largo de los cuerpos de los pelos.

Glándulas sudoríparas Glándulas que secretan sudor, localizadas en la dermis cutánea.

Glándulas suprarrenales Glándulas endocrinas pares localizadas en la parte alta de los riñones; secretan epinefrina y norepinefrina cuando son estimuladas por el sistema nervioso simpático; cada una consta de médula y corteza.

Glaucoma Enfermedad ocular causada por aumento de la presión del ojo; cuando es suficientemente grave puede dañar al nervio óptico y potencialmente causar la pérdida permanente de la visión.

Globulinas Anticuerpos formados por el hígado o los tejidos linfáticos que representan casi 36% de las proteínas plasmáticas.

Glotis Formada por las cuerdas vocales verdaderas y su abertura.

Glucógeno Polímero largo que se forma a partir de la glucosa en el hígado (almidón animal).

Glucogenólisis Fragmentación de glucógeno a glucosa.

Glucólisis Proceso por el que la glucosa y otros azúcares se fragmentan para obtener ácido láctico (glucólisis anaeróbica) o ácido pirúvico (glucólisis aeróbica), y obtiene energía en forma de trifosfato de adenosina.

Gluconeogénesis Proceso que estimula al hígado y los riñones para producir glucosa a partir de moléculas diferentes a los carbohidratos.

Grupo respiratorio dorsal (GRD) Porción del bulbo raquídeo que actúa como centro de integración respiratoria; recibe impulsos de varias fuentes que incluyen al grupo respiratorio pontino, los nervios glosofaríngeo y vago, quimiorreceptores centrales en el bulbo raquídeo y quimiorreceptores periféricos.

Grupo respiratorio pontino (GRP) Porción de la protuberancia anular que envía información a los grupos ventilatorios ventral y dorsal; se cree que aligera la transición entre cada fase del ciclo respiratorio y modifica la respiración al acortar cada movimiento y hacerlo más o menos profundo, dependiendo de las necesidades corporales.

Grupo respiratorio ventral (GRV) Una zona del bulbo raquídeo que puede causar inspiración o espiración, dependiendo de qué neuronas motoras se estimulen.

Haz de His Porción del sistema de conducción cardíaco localizada en la parte superior del tabique interventricular que dirige un impulso eléctrico desde la unión auriculoventricular hacia sus ramas derecha e izquierda.

Hematocrito Medida del porcentaje relativo de células sanguíneas (sobre todo eritrocitos) en un volumen determinado de sangre completa.

Hemoglobina Pigmento que contiene hierro y se encuentra en los eritrocitos, transporta oxígeno hacia

Kit de preparación continuación

las células de los pulmones y dióxido de carbono desde ellas al exterior.

Hemostasia Detención de la hemorragia; implica los pasos de espasmo vascular, formación del tapón plaquetario y coagulación sanguínea.

Hendidura sináptica Espacio entre las neuronas; también llamada compuerta sináptica.

Hipermetropía Vista de lejos; capacidad de observar objetos distantes, combinada con la dificultad de enfocar los cercanos.

Hipertónica Solución cuya concentración de solutos es más alta en comparación con otra.

Hipotálamo Zona del diencéfalo que constituye el principal enlace entre el sistema endocrino y el nervioso; encargada de regular muchas funciones corporales, que incluyen la frecuencia cardíaca, la digestión, el desarrollo sexual, la temperatura, las emociones, el hambre, la sed y el ciclo de sueño.

Hipotónica Solución cuya concentración de solutos es menor en comparación con otra.

Histamina Sustancia que se encuentra en grandes cantidades en los basófilos y aumenta la inflamación de los tejidos.

Homeostasia Tendencia a la constancia o estabilidad del ambiente interno del cuerpo; proceso que equilibra la demanda y la satisfacción de las necesidades corporales.

Hormona paratiroidea (PTH) Hormona producida y secretada por las glándulas paratiroides; mantiene niveles normales de calcio en sangre y respalda la función neuromuscular normal.

Hormona suprarrenocorticotrópica (ACTH) Hormona cuya diana es la corteza suprarrenal donde causa la secreción de cortisol (un glucocorticoide).

Hormonas Sustancias que se producen en un tejido u órgano y se liberan a la sangre para conducirse a otros órganos (diana), donde actúan para causar una respuesta específica.

Hueso hioides Hueso pequeño, con forma de herradura al que se unen la mandíbula, la lengua, la epiglotis y el cartílago tiroides.

Huesos del carpo Los ocho pequeños huesos de la muñeca.

Humor acuoso Fluido semejante al agua que llena la cavidad anterior del ojo; su cantidad determina la presión intraocular, que es crítica para la vista.

Humor vítreo Líquido similar a la jalea que llena la cavidad posterior del ojo y ayuda al globo ocular a mantener su forma sin distorsionar la luz.

Imagen posterior Percepción de que aún está presente un estímulo después de que se retiró.

Impulso hipóxico Situación en la que el estímulo de una persona para respirar proviene de un decremento de la Pao_2 más bien que de uno normal, el de aumento de la $Paco_2$.

Inhalación Proceso activo de introducir aire a los pulmones; también llamada inspiración; también una vía de administración de medicamentos.

Inmunidad Capacidad del cuerpo de protegerse de las enfermedades.

Inserción Parte móvil del cuerpo a la que se sujeta un músculo esquelético en una articulación móvil; su acción se opone a la del origen.

Iones Átomos con carga positiva o negativa, por la cesión o captación de un electrón.

Islotes de Langerhans Grupos de células localizadas en el páncreas que producen insulina, glucagón, somatostatina y el polipéptido pancreático.

Kilocaloría Cantidad de energía que se puede obtener de los nutrimentos presentes en los alimentos; por lo general, referida simplemente como caloría en el contexto nutricional.

Laberinto óseo Conjunto de huecos en el peñasco del temporal que provee protección del daño y la estimulación extraña a las estructuras del oído interno.

Labios mayores Dos pliegues de piel prominentes, redondeados, por fuera de los labios menores de los genitales externos femeninos.

Labios menores Par de pliegues cutáneos en los genitales externos femeninos que bordean al vestíbulo.

Kit de preparación continuación

Lámina cribiforme Placa horizontal ósea perforada por numerosas aberturas para el paso de los filamentos del nervio olfatorio desde la cavidad nasal.

Laringe Estructura completa formada por epiglotis, cartílagos tiroides, cricoides, aritenoides, corniculados y cuneiformes; también llamada caja vocal.

Ley de Boyle Ley de los gases que enuncia que conforme aumenta la presión, el volumen disminuye; a temperatura constante, el volumen de un gas es inversamente proporcional a su presión (si se duplica la presión de un gas, entonces baja a la mitad su volumen); se representa como $PV = k$, donde P = presión, V = volumen, y k = una constante.

Ley de Henry Ley de los gases que establece que la cantidad de gas en una solución varía directamente con la presión parcial que ejerce ahí.

Linfa Líquido poco espeso formado por el líquido intersticial, que fluye a través de los vasos linfáticos y ganglios; ayuda a la respuesta inmunitaria y el retiro de detritos.

Linfocitos Leucocitos con importante participación en la inmunidad.

Linfocitos B Linfocitos presentes en la sangre y abundantes en los ganglios linfáticos, la médula ósea, el revestimiento intestinal y el bazo; también llamados células B.

Linfocitos T Linfocitos que interactúan directamente con los antígenos, que producen la respuesta inmunitaria celular; también estimulan a los linfocitos B para producir anticuerpos.

Lípidos Grasas o sustancias similares (colesterol y fosfolípidos) y aceites, que aportan energía para los procesos corporales y participan en la formación de ciertas estructuras.

Líquido cefalorraquídeo (LCR) Fluido producido en los ventrículos cerebrales que fluye hacia el espacio subaracnoideo y baña a las meninges.

Líquido extracelular (LEC) Fluido del exterior de la célula que contiene la mayor parte del aporte corporal de sodio; constituye 15 a 20% del peso corporal.

Líquido intercelular (LIC) Líquido dentro de las células en el que se contiene el aporte más grande de potasio del cuerpo; contribuye con 40 a 45% del peso corporal.

Líquido intersticial Líquido localizado fuera de los vasos sanguíneos en los espacios entre las células corporales.

Líquido intravascular Líquido fuera de las células, pero dentro del sistema circulatorio; en su mayor parte consta de plasma, el componente fluido de la sangre.

Líquido sinovial Líquido secretado por las membranas sinoviales que lubrica las articulaciones sinoviales.

Líquido transcelular Líquido clasificado como extracelular, pero que se forma a partir de las actividades de transporte de las células; son ejemplos el líquido cefalorraquídeo, la orina, el humor acuoso y el líquido sinovial.

Macrófagos Células grandes, por lo general derivadas de los monocitos, especializadas para la fagocitosis; eliminan microorganismos patógenos, absorben materiales extraños y ralentizan las infecciones y a los agentes que las producen.

Mácula Depresión amarilla en la retina donde surge la visión aguda; también conocida como mácula lútea.

Materia blanca Haces de nervios mielinizados.

Mediastino Espacio entre los pulmones en el centro del tórax, que contiene al corazón, los grandes vasos, parte del esófago, los conductos linfáticos, la tráquea, los bronquios primarios y los nervios pares, vago y frénico.

Médula ósea Tejido blando que llena el interior de los huesos y es sitio de producción de eritrocitos, plaquetas y la mayoría de los leucocitos.

Médula renal Porción interna de cada riñón; constituida por pirámides renales cónicas y que contiene estrías.

Meiosis Tipo de división celular que ocurre en la producción de óvulos y espermatozoides.

Melanina Pigmento que da color a la piel.

Membrana celular Pared de la célula; una capa con permeabilidad selectiva que rodea a su contenido y

Kit de preparación continuación

regula el movimiento de sustancias hacia adentro y afuera; también llamada membrana citoplásmica o plasmática.

Membrana cricotiroidea Delgada hoja de aponeurosis localizada entre los cartílagos tiroides y cricoides, relativamente avascular y que contiene pocos nervios; sitio de acceso de urgencia a la vía aérea.

Membrana mucosa Revestimiento de las cavidades corporales y las vías que comunican directa o indirectamente con el ambiente externo.

Membrana respiratoria Sitio donde ocurre el intercambio de gases; en este punto de contacto, el oxígeno es captado por la corriente sanguínea y el dióxido de carbono se elimina a través de los pulmones.

Membrana sinovial Revestimiento de una articulación que secreta líquido sinovial hacia su espacio.

Menarquia Primer ciclo menstrual; inicio de las menstruaciones.

Meninges Conjunto de tres membranas rígidas —duramadre, aracnoides y piamadre— que rodean a todo el encéfalo y la médula espinal.

Menopausia Periodo durante el cual cesa el ciclo reproductivo de una mujer; también llamado climaterio femenino.

Menstruación Descamación cíclica del revestimiento endometrial.

Mesencéfalo Porción más superior del tronco encefálico; actúa junto con la protuberancia para dirigir la información desde sitios altos en el encéfalo hacia la médula espinal y viceversa.

Metabolismo aeróbico Metabolismo que solo procede en presencia de oxígeno.

Metabolismo anaeróbico Metabolismo que ocurre en ausencia de oxígeno.

Metacarpianos Los cinco huesos que forman la palma y el dorso de la mano.

Mineral Elemento inorgánico esencial para el metabolismo humano.

Miocardio Capa media más gruesa del corazón; contiene fibras de músculo cardíaco que causan la contracción del órgano, así como el sistema de conducción y riego sanguíneo.

Mioglobina Pigmento sintetizado en los músculos que da a los esqueléticos su color pardo rojizo.

Miopía Visión cercana; capacidad de ver objetos cercanos combinada con la dificultad de ver los alejados.

Miosina Proteína contráctil que se encuentra en los filamentos gruesos de las células de músculo esquelético.

Mitosis División de los cromosomas en un núcleo celular.

Moco Secreción opaca y pegajosa de las membranas mucosas que lubrica las aberturas corporales.

Monocitos Leucocitos que maduran en la sangre y después se dirigen a los tejidos, donde se diferencian en macrófagos; funcionan principalmente como barredores para los tejidos.

Monosacáridos Las moléculas más simples de los carbohidratos.

Muesca supraesternal Indentación formada por el borde superior del manubrio y las clavículas, que a menudo se usa como punto de referencia para procedimientos como el acceso a la vena subclavia; también conocida como escotadura yugular.

Musculoesquelético Huesos y músculos voluntarios del cuerpo.

Músculos accesorios Músculos que por lo regular no se usan durante la respiración tranquila; son ejemplos los esternocleidomastoideos del cuello, los pectorales mayores del tórax y los abdominales.

Músculos extrínsecos En el ojo, los seis que se unen a la cara externa del globo ocular y son regulados por los nervios craneales.

Músculos papilares Músculos unidos a las cuerdas tendinosas de las válvulas auriculoventriculares cardíacas y el músculo ventricular del corazón.

Nasofaringe Parte de la faringe que yace por arriba del nivel del paladar.

Nefronas Unidades funcionales (que producen orina) de los riñones.

Kit de preparación continuación

Neoplasia Masa de tejido producida por la proliferación anormal de células que puede ser maligna (cancerosa) o benigna.

Nervio motor Nervio que transporta información del sistema nervioso central a los músculos del cuerpo.

Nervios craneales Los 12 pares de nervios que surgen de la base del encéfalo.

Nervios raquídeos Los 31 pares que se originan de la médula espinal y salen de ella a cada lado entre las vértebras; cada uno tiene una raíz sensorial y una motora, y se encarga de enviar y recibir mensajes sensoriales y motores hacia y desde el sistema nervioso central, desde una porción del cuerpo.

Nervios sensoriales Nervios que transportan señales sensitivas de tacto, gusto, calor, frío, dolor y otras modalidades, del cuerpo hacia el sistema nervioso central.

Neuroglía Conjunto de células de soporte que proveen un esqueleto de sostén para los tejidos neurales, aíslan y protegen a las membranas celulares de las neuronas, regulan la composición de líquido intersticial, defienden a los tejidos neurales de microorganismos patógenos y ayudan a la reparación de las lesiones.

Neuronas Células nerviosas básicas del sistema nervioso que contienen un núcleo dentro del soma o cuerpo y una o más extensiones; los conjuntos de estas células forman los tejidos nerviosos.

Neuronas motoras Células nerviosas que transmiten instrucciones del sistema nervioso central a los órganos terminales; también conocidas como neuronas eferentes.

Neurotransmisores Sustancias químicas liberadas desde un nervio que atraviesan la hendidura sináptica para alcanzar a un receptor.

Neutrófilos Uno de los tres tipos de granulocitos; estas células tienen núcleos multilobulados que simulan una cadena de pelotas de béisbol que se mantienen juntas por una banda delgada; destruyen bacterias, complejos antígeno-anticuerpo y materiales extraños.

Nodo auriculoventricular (AV) Grupo de células que conduce un impulso eléctrico por el corazón; localizado en el piso de la aurícula derecha, justo detrás de la válvula tricúspide y cerca de la abertura del seno coronario.

Nodo sinoauricular (SA) Sitio normal de origen de los impulsos eléctricos cardíacos; localizado en la parte alta de la aurícula derecha, es el marcapasos natural del corazón.

Norepinefrina Catecolamina natural que actúa como neurotransmisor y hormona suprarrenal; se sintetiza por la médula suprarrenal, los nervios simpáticos periféricos y el sistema nervioso central, y produce vasoconstricción por sus propiedades α-estimulantes. También disponible como fármaco, que a veces se usa para el tratamiento de la hipotensión grave.

Núcleo En el contexto de una célula, un organelo que contiene la información genética y regula su función y estructura. En el contexto de un átomo, su porción central, que contiene protones y neutrones.

Nutrimentos Sustancias que constituyen recursos para el crecimiento, como carbohidratos, lípidos, proteínas, vitaminas, minerales y agua.

Oligosacáridos Azúcares simples compuestos por dos a 10 monosacáridos.

Oocitos Células sexuales femeninas inmaduras producidas en el ovario, que pueden desarrollarse por meiosis hasta constituir óvulos.

Oogénesis Proceso de formación de óvulos que se inicia en la pubertad.

Órbitas Cavidades oculares en el cráneo.

Órgano de Corti Órgano receptor primario del sonido; formado por miles de cilios individuales, cada uno con su propio nervio asociado.

Orgánulos Estructuras dentro de las células que tienen funciones especializadas.

Origen Una parte relativamente inmóvil del cuerpo donde se sujeta un músculo esquelético en una articulación móvil; su acción se opone a la de una inserción.

Kit de preparación continuación

Orofaringe Estructura tubular que se extiende en sentido vertical del dorso de la boca al esófago y la tráquea.

Osificación Formación de hueso por los osteoblastos.

Ósmosis Desplazamiento de un solvente, como el agua, de una zona con concentración baja de solutos a una de alta concentración, a través de una membrana selectivamente permeable, para equilibrar las concentraciones de solutos en ambos lados de la membrana.

Osteoblastos Células involucradas en la formación de tejidos óseos.

Osteocitos Células óseas maduras.

Osteoclastos Macrófagos de la superficie de un hueso que disuelven su matriz y retornan minerales al líquido extracelular.

Otolitos Par de sacos llenos de líquido dentro del oído interno que usa el sistema nervioso central para colectar información acerca del movimiento y la orientación en el espacio.

Ovarios Glándulas femeninas que producen hormonas sexuales y óvulos.

Ovulación Liberación de un óvulo a la mitad del ciclo menstrual.

Oxigenación Proceso de carga de moléculas de oxígeno a las de hemoglobina en la corriente sanguínea.

Oxihemoglobina Hemoglobina a la que se unen moléculas de oxígeno.

Pabellón auricular Oído externo; formación cartilaginosa que protege al oído y colecta los sonidos que dirige por el conducto auditivo, mientras permite alguna percepción de la dirección de donde provienen; también llamado oreja.

Paladar Techo de la cavidad nasal que la separa de la cavidad bucal.

Paladar blando Porción posterior del paladar, constituida por membrana mucosa, fibras musculares y glándulas mucosas; recibe este nombre porque no tiene soporte óseo.

Paladar duro Porción anterior del paladar con soporte óseo (principalmente el maxilar).

Páncreas Órgano con funciones tanto endocrinas como exocrinas; la mayor fuente de enzimas digestivas y que produce la hormona insulina.

Pelvis Sitio de unión al cuerpo de las extremidades inferiores, constituida por el sacro y los dos huesos iliacos.

Pelvis renal Zona cónica de colección que conecta el uréter y el riñón.

Pene Órgano sexual masculino, cilíndrico; conduce orina y semen a través de la uretra.

Péptido natriurético auricular Hormona producida por las aurículas cuando se distienden por un aumento del volumen sanguíneo; inhibe la absorción de agua y sodio en los túbulos renales, lo que así aumenta la eliminación de agua.

Péptidos Moléculas proteínicas constituidas por aminoácidos unidos por enlaces peptídicos.

Percepción Darse cuenta o comprender algo por medio de los sentidos.

Perfusión Circulación de sangre oxigenada dentro de un órgano o tejido en cantidades adecuadas para cubrir las necesidades actuales de las células.

Pericardio En el corazón, una membrana delgada de doble hoja constituida por una fibrosa y una serosa.

Perilinfa Líquido dentro del laberinto óseo que rodea y protege al laberinto membranoso y permite transmitir las ondas de presión causadas por el sonido.

Peristaltismo Contracción ondulatoria del músculo liso por la que los uréteres u otros órganos tubulares impulsan su contenido por toda su longitud.

Peritoneo Membrana serosa de doble hoja que reviste la cavidad abdominal y cubre los órganos localizados en la cavidad abdominopélvica.

pH Medida de la acidez o alcalinidad de una solución.

Piamadre La más interna de las tres meninges que rodean al encéfalo y la médula espinal, sobre los que yace directamente.

Kit de preparación continuación

Pinocitosis Forma de endocitosis en la que la membrana celular se invagina y así la célula ingiere gotas de líquido extracelular.

Placa epifisaria Disco de crecimiento de un hueso largo; un sitio importante de desarrollo óseo durante la niñez; también llamada fisis.

Plaquetas Elementos formes de la sangre que actúan en la coagulación sanguínea; también llamadas trombocitos.

Plasma Líquido acuoso amarillo que transporta células sanguíneas y nutrimentos, así como materiales de desecho hacia los órganos de excreción.

Plasmina Enzima natural que disuelve las fibras de fibrina en los coágulos sanguíneos; por lo general, presente en el cuerpo en una forma inactiva, el plasminógeno.

Pleura parietal Revestimiento de la cavidad pleural, unido estrechamente al interior de la caja torácica.

Pleura visceral Revestimiento de la cavidad pleural que se adhiere estrechamente a la superficie del pulmón.

Pleuras Membranas serosas que cubren los pulmones y revisten la cavidad torácica.

Plexo coroideo Grupo de células especializadas en los ventrículos cerebrales; filtra la sangre a través de los capilares para crear el líquido cefalorraquídeo.

Plexos Conjuntos de raíces nerviosas que permiten a que los nervios periféricos se reúnan y actúen como grupo.

Polarización Condición en la que el transporte activo de los iones al interior y fuera de las células en reposo crea un gradiente electroquímico a través de la membrana celular.

Polipéptido Péptido formado por muchos aminoácidos unidos en una cadena. Cuando tiene más de 100 moléculas se considera una proteína.

Polisacáridos Carbohidratos complejos que contienen muchas unidades de azúcar simple fusionadas, como el almidón vegetal. Algunas, como la celulosa, no pueden fragmentarse para la nutrición del ser humano, pero tienen participación importante en la digestión.

Poscarga Presión dentro de la aorta contra la que debe bombear sangre el ventrículo izquierdo.

Potenciales de acción Secuencias de cambios en el potencial de membrana que se presentan cuando se estimula una célula excitable (neurona o muscular).

Precarga Volumen de sangre presente en el ventrículo al final de la diástole; principalmente reflejo del retorno venoso (la sangre que regresa al corazón).

Presbicia Mayor dificultad de enfoque de los objetos; ocurre con el envejecimiento.

Presión de perfusión cerebral (PPC) Presión dentro de las arterias cerebrales, índice del riego sanguíneo del encéfalo; se calcula restando la presión intracraneal de la presión arterial media.

Presión del pulso Diferencia entre las presiones sistólica y diastólica arteriales.

Presión hidrostática Presión del agua contra las paredes de un recipiente.

Presión oncótica Presión del agua para desplazarse, por lo general, al interior de los capilares, como resultado de la presencia de las proteínas plasmáticas.

Presión osmótica Presión ejercida por la concentración de solutos en un espacio dado, para detener el flujo de solvente a través de una membrana semipermeable.

Presión parcial Presión que ejerce un gas individual en una mezcla.

Progesterona Hormona femenina liberada de los ovarios que promueve cambios en el útero durante el ciclo reproductivo, modifica las glándulas mamarias y ayuda a regular la secreción de gonadotropinas.

Propiocepción Conocimiento del movimiento y la posición de una parte corporal.

Prostaglandinas Lípidos formados a partir del ácido araquidónico que suelen actuar más localmente que las hormonas, son muy potentes, estimulan las secreciones hormonales y ayudan a regular la presión arterial.

Proteínas Péptidos grandes creados a partir de aminoácidos que incluyen enzimas, proteínas

Kit de preparación continuación

plasmáticas, componentes musculares (actina y miosina), hormonas y anticuerpos.

Protrombina Proteína sintetizada en el hígado y que se libera hacia la sangre; se convierte en trombina en el proceso de la coagulación sanguínea.

Protuberancia anular Zona del tronco encefálico que contiene los centros del sueño y la respiración del cuerpo, y que, junto con el bulbo raquídeo, regulan la respiración.

Quiasma óptico Localización donde casi la mitad de las fibras nerviosas de cada ojo se cruza al lado opuesto del cerebro.

Quimiorreceptores Órganos sensitivos que vigilan la concentración de oxígeno y dióxido de carbono, así como el pH del líquido cefalorraquídeo y la sangre; proveen retroalimentación a los centros respiratorios para modificar la secuencia y profundidad de la respiración con base en las necesidades corporales en un momento dado.

Reabsorción tubular Proceso que desplaza sustancias del líquido tubular a la sangre, dentro del capilar peritubular.

Receptores sensoriales Estructuras localizadas en la dermis que inician los impulsos nerviosos que alcanzan la percepción consciente del individuo.

Reflejo de Hering-Breuer Mecanismo de protección que termina la inhalación, y así previene la sobreexpansión de los pulmones.

Reflejo nauseoso Respuesta neural normal que se despierta por el tacto del paladar blando o la parte posterior de la faringe; lleva a una elevación simétrica del paladar, la retracción de la lengua y la contracción de los músculos faríngeos.

Renina Hormona producida por las células del aparato yuxtaglomerular cuando la presión arterial es baja.

Repolarización Proceso por el que los iones pasan a través de la membrana de la célula para regresarla a un estado polarizado.

Resistencia vascular sistémica Resistencia que la sangre debe superar para poder desplazarse dentro de los vasos sanguíneos, relacionada con el grado de su dilatación o constricción.

Respiración Intercambio de gases entre un organismo vivo y su ambiente.

Respiración celular Proceso bioquímico que da como resultado la producción de energía en forma de trifosfato de adenosina.

Retina Parte interna del globo ocular, que incluye a los receptores visuales.

Retroalimentación negativa Concepto de que una vez que se logró el efecto deseado de un proceso, se inhibe su continuación hasta que se vuelva a requerir; también llamada inhibición por retroalimentación.

Secreción tubular Proceso que desplaza sustancias de la sangre en los capilares peritubulares hacia el túbulo renal.

Semipermeable Propiedad de la membrana celular que describe su capacidad de permitir que ciertos elementos pasen mientras impide el paso de otros.

Seno coronario Drenaje venoso de la circulación coronaria hacia la aurícula derecha.

Senos Cavidades formadas por los huesos del cráneo que atrapan a los contaminantes antes de su ingreso al tracto respiratorio y actúan como tributarias de líquido hacia y desde las trompas de Eustaquio y los conductos lagrimales.

Senos paranasales Secciones huecas de hueso al frente de la cabeza, revestidas por membrana mucosa, que drenan hacia la cavidad nasal; los senos frontal, etmoideo, esfenoideo y maxilar.

Sentidos generales Sensaciones reguladas por receptores dispersos en muchos tejidos diferentes del cuerpo.

Sinapsis Conexión funcional donde las neuronas se comunican con otras células.

Sistema ABO Sistema de clasificación sanguínea de uso más común; se basa en los antígenos presentes o ausentes.

Sistema de refracción Serie de estructuras transparentes dentro del ojo que redirige la luz a su paso por medios de diferentes densidades.

Sistema endocrino Complejo sistema de mensajes y regulación que integra muchas funciones corporales, que incluyen la secreción de hormonas.

Kit de preparación continuación

Sistema hematopoyético Componentes sanguíneos y los órganos involucrados en su desarrollo y producción.

Sistema linfático Red de capilares, vasos, conductos, ganglios y órganos que ayuda a mantener el ambiente líquido corporal por la producción de linfa y su transporte en el cuerpo.

Sistema nervioso Sistema que regula casi todas las actividades del cuerpo, tanto voluntarias como involuntarias.

Sistema nervioso autónomo (SNA) Subdivisión del sistema nervioso que regula principalmente las funciones corporales involuntarias; constituido por los sistemas nerviosos simpático y parasimpático.

Sistema nervioso central (SNC) El encéfalo y la médula espinal.

Sistema nervioso intestinal (SNI) Subdivisión del sistema nervioso autónomo que regula al aparato digestivo.

Sistema nervioso periférico (SNP) Porción del sistema nervioso que consta de 31 pares de nervios raquídeos y 12 de nervios craneales, encargados de la comunicación entre el sistema nervioso central y el resto del cuerpo. Incluyen nervios sensoriales, motores y de conexión.

Sistema nervioso somático Parte del sistema nervioso que regula las actividades sobre las que hay regulación voluntaria.

Sistema porta hepático Parte especializada del sistema venoso que conduce sangre del tubo digestivo al hígado y, después, hacia la vena cava inferior.

Sistema respiratorio Todas las estructuras del cuerpo que contribuyen al proceso de la respiración, constituida por vía aérea alta y baja y sus partes componentes.

Sistema reticular activador (SRA) Grupo de neuronas especializadas en el tronco encefálico; involucradas en los ciclos de sueño y despertar, que mantiene el estado de vigilia.

Sistema tegumentario El más grande sistema orgánico del cuerpo, constituido por la piel y las estructuras accesorias (p. ej., pelo, uñas, glándulas sudoríparas y pilosas).

Sistema urinario Órganos que regulan la descarga de ciertos materiales de desecho filtrados desde la sangre que se excretan como orina.

Sistemas amortiguadores Defensas de acción rápida contra los cambios acidobásicos, que proveen protección casi inmediata contra las variaciones en la concentración de hidrogeniones del líquido extracelular.

Solución Mezcla de un solvente y un soluto.

Solución isotónica Solución que contiene una concentración equivalente de solutos y agua a cada lado de una membrana semipermeable. En este caso, el agua no pasa a través de la membrana, y no hay modificación de la forma de las células.

Soluto Conjunto de las partículas disueltas en un solvente.

Solvente Líquido que disuelve a un soluto, o sustancia en la que el soluto se disuelve o mezcla.

Soplo (1) Ruido cardíaco anormal que se escucha como "silbido" y señala el riego sanguíneo turbulento dentro del corazón. (2) Sonido anormal sibilante que indica la turbulencia dentro de un vaso sanguíneo estrecho, por lo general se ausculta en las arterias carótidas.

Surfactante Sustancia proteínica líquida que cubre los alvéolos en los pulmones, disminuye su tensión superficial y los mantiene expandidos; su concentración baja en un lactante prematuro contribuye al síndrome de dificultad respiratoria.

Suturas Costuras que ocurren solo entre los huesos del cráneo; constituyen un tipo de articulación fibrosa.

Tálamo Estructura del diencéfalo que actúa como tablero sensorial del cerebro, a través del cual casi todas señales transcurren en su camino hacia o desde este.

Tasa metabólica basal Velocidad a la que se consumen los nutrimentos en el cuerpo.

Tejido areolar Tipo de tejido conectivo laxo que une a la piel con los órganos subyacentes y llena los espacios entre los músculos.

Tejido muscular Tejido contráctil constituido por filamentos de actina y miosina, que se deslizan uno sobre otro, acortando las células.

Kit de preparación continuación

Tejido muscular esquelético Tejido muscular voluntario unido a los huesos y constituido por células largas, a manera de cintas, con estrías claras y oscuras.

Tejidos Grupos de células que comparten una estructura y función similares.

Tejidos conectivos Aquellos que unen, dan sostén, protegen, estructuran y llenan estructuras corporales; también almacenan grasa, producen células sanguíneas, reparan tejidos y protegen contra las infecciones.

Tejidos epiteliales Tejidos corporales que cubren órganos, forman el revestimiento de las cavidades y de los órganos huecos.

Tejidos nerviosos Tejidos compuestos por neuronas y neuroglía.

Tentorio Proyección horizontal de la duramadre que separa al cerebelo del cerebro.

Teoría del filamento deslizable Explicación de la acción de la contracción muscular que se centra en cómo los sarcómeros se acortan, con filamentos gruesos y delgados que se deslizan pasando uno sobre el otro hacia el centro desde ambos extremos.

Termorregulación Proceso por el que el cuerpo mantiene la temperatura por una combinación de ganancia por procesos metabólicos y movimiento muscular, y pérdida por respiración, evaporación, conducción, convección y sudoración.

Testosterona La hormona sexual masculina (andrógeno) más importante.

Timo Órgano linfático localizado en el tórax, importante para la inmunidad temprana; disminuye de volumen con la edad y, en un momento dado, es sustituido por otros tipos de tejido.

Titina Proteína no contráctil que se encuentra en las sarcómeras en los músculos cardíaco y esquelético.

Transporte activo Método utilizado para desplazar compuestos a través de la membrana celular para crear o mantener un desequilibrio de cargas, por lo general en contra de un gradiente de concentración y que requiere el gasto de energía.

Trifosfato de adenosina (ATP) Nucleótido que se forma por el metabolismo de nutrimentos en la célula; involucrado en el metabolismo energético; se usa para almacenar energía.

Trombina Enzima que causa la conversión de fibrinógeno a fibrina, que se une a un tapón plaquetario y forma el coágulo maduro final.

Tromboplastina Sustancia química que estimula la coagulación sanguínea.

Trompa de Eustaquio Rama del conducto auditivo interno que conecta al oído medio con orofaringe.

Tronco encefálico Zona del encéfalo entre la médula espinal y el cerebro que contiene al mesencéfalo, la protuberancia anular y el bulbo raquídeo; regula las funciones necesarias para la vida, como la respiración.

Tropomiosina Proteína de unión a la actina que regula la contracción muscular y otras funciones mecánicas relacionadas con esta en el cuerpo.

Troponina Proteína reguladora de los filamentos de actina del músculo esquelético y cardíaco que se une a la tropomiosina.

Túbulos renales Porciones de la nefrona que contienen líquido tubular que fue filtrado por el glomérulo.

Túnica adventicia Capa externa de tejido de una pared vascular, constituida por tejido conectivo elástico y fibroso.

Túnica íntima Revestimiento liso y delgado de un vaso sanguíneo.

Túnica media Capa media, más gruesa, de una pared vascular, constituida por tejido elástico y células de músculo liso que permiten la expansión del vaso o su contracción en respuesta a cambios en la presión arterial y las demandas de los tejidos.

Unión neuromuscular Conexión entre una neurona motora y una fibra muscular.

Uréteres Pequeños tubos huecos, que conducen orina de los riñones a la vejiga.

Uretra Conducto que conduce la orina de la vejiga al exterior del cuerpo.

Kit de preparación continuación

Útero Órgano muscular, con forma de pera invertida, que yace entre la vejiga urinaria y el recto.

Válvula aórtica Válvula semilunar que regula el riego sanguíneo del ventrículo izquierdo hacia la aorta.

Válvula mitral Válvula auriculoventricular cardíaca, que separa la aurícula del ventrículo izquierdo.

Válvula pulmonar Válvula semilunar que regula el flujo de sangre entre el ventrículo derecho y la arteria pulmonar; también llamada válvula semilunar pulmonar.

Válvula tricúspide Válvula auriculoventricular que separa la aurícula del ventrículo derecho.

Válvulas auriculoventriculares (AV) Válvulas mitral y tricúspide, a través de las cuales fluye la sangre en su trayecto de las aurículas a los ventrículos.

Válvulas semilunares (SL) Válvulas aórtica y pulmonar, que tienen forma de medialuna y separan al corazón de la aorta y las arterias pulmonares.

Vasos linfáticos Unidireccionales, de pared delgada, a través de los cuales circula la linfa en el cuerpo; transcurren cerca de las principales venas.

Vejiga Saco detrás de la sínfisis del pubis formado por músculo liso que colecta y almacena la orina.

Venas pulmonares Las cuatro que retornan sangre oxigenada de los pulmones a la aurícula izquierda del corazón.

Ventana oval Abertura entre el estribo y el oído interno.

Ventilación Proceso mecánico de desplazar aire dentro y fuera de los pulmones en dos fases separadas: inhalación (inspiración) y exhalación (espiración).

Ventilación a presión negativa Ingreso de aire a los pulmones, flujo de aire de una región de mayor presión (fuera del cuerpo) a una de menor presión (de los pulmones), ocurre durante la respiración normal.

Vesículas sinápticas Pequeños sacos que contienen neurotransmisores.

Vestíbulo Estructura a la que se abre la vagina en la parte posterior, y en la que también se abre la uretra femenina en la línea media; además, la parte central del laberinto auditivo detrás de la cóclea y frente a los conductos semicirculares.

Visión binocular Combinación de dos imágenes en una.

Vitaminas Compuestos orgánicos requeridos para el metabolismo normal.

Volumen corriente La cantidad de aire que se desplaza al interior y fuera de los pulmones en una respiración relajada; de aproximadamente 500 ml en un adulto.

Volumen de reserva inspiratoria Cantidad adicional de aire que se puede inhalar después de que se alcanzó el volumen de ventilación pulmonar normal.

Volumen espiratorio de reserva Cantidad de aire que se puede exhalar después de una exhalación normal; el volumen es de casi 1 200 ml en promedio.

Volumen minuto Cantidad de aire que se desplaza dentro y fuera de los pulmones por minuto menos el espacio muerto; también llamado ventilación minuto.

Volumen residual Cantidad de aire restante en los pulmones y la vía aérea que no puede expulsarse después de una exhalación forzada máxima.

Volumen sistólico (VS) Volumen de sangre que se impulsa con cada contracción ventricular.

Referencias

1. Online Entymology Dictionary. © 2001-2006 Douglas Harper. https://www.etymonline.com/word/organism#etymonline_v_7141. Consultado el 16 de abril de 2021.
2. Moini J. Cells. En: *Anatomy and Physiology for Health Professionals*. 2nd ed. Burlington, MA: Jones & Bartlett Learning; 2016:45-66.
3. Patton KT, Thibodeau GA. Cell structure. En: *Anatomy & Physiology*. 10th ed. St. Louis, MO: Elsevier; 2019:75-97.
4. Hall JE, Hall ME. Functional organization of the human body and control of the "internal environment." En: JE Hall, ed. *Guyton and Hall Textbook of Medical Physiology*. 14th ed. Philadelphia, PA: Elsevier; 2021:3-10.

Kit de preparación continuación

5. Aronson PS, Boron WF, Boulaep EL. Transport of solutes and water. En: Boron WF, Boulpaep EL, eds. *Medical Physiology: A Cellular and Molecular Approach*. 3rd ed. Philadelphia, PA: Elsevier; 2017:102-140.
6. Darby SA. General anatomy of the spinal cord. En: Cramer GD, Darby SA, eds. *Clinical Anatomy of the Spine, Spinal Cord, and ANS*. 3rd ed. St. Louis, MO: Mosby; 2014;65-97.
7. Cramer GD. General characteristics of the spine. En: CramerGD, DarbySA, eds. *Clinical Anatomy of the Spine, Spinal Cord, and ANS*. 3rd ed. St. Louis, MO: Mosby; 2014;15-64.
8. Hunter SK, Senefeld JW, Neumann DA. Muscle: The primary stabilizer and mover of the skeletal system. En: *Kinesiology of the Musculoskeletal System: Foundations for Rehabilitation*. 3rd ed. St. Louis, MO: Elsevier; 2017:48-76.
9. Moini J. Control and coordination. En: *Anatomy and Physiology for Health Professionals*. 2nd ed. Burlington, MA: Jones & Bartlett Learning; 2016:223-346.
10. Patton KT, Thibodeau GA. Nervous system cells. En: *Anthony's Textbook of Anatomy & Physiology*. 21st ed. St. Louis, MO: Elsevier; 2019:389-407.
11. Jenkins DB. The back. En: *Hollinshead's Functional Anatomy of the Limbs and Back*. 9th ed. St. Louis, MO: Saunders; 2009:204-237.
12. Vanderah TW, Gould DJ. Meningeal coverings of the brain and spinal cord. En: *Nolte's The Human Brain: An Introduction to Its Functional Anatomy*. 7th ed. Philadelphia, PA: Elsevier; 2016:84-102.
13. Ransom BR. The neuronal microenvironment. En: Boron WF, Boulpaep EL, eds. *Medical Physiology: A Cellular and Molecular Approach*. 3rd ed. Philadelphia, PA: Elsevier; 2017:275-294.
14. Rubinson K, Lang EJ. The nervous system. En: Koeppen BM, Stanton BA, eds. *Berne & Levy Physiology*. 7th ed. Philadelphia, PA: Elsevier; 2018:51-240.
15. Privitera MD, Zakaria T, Khatri R. Nervous system. En: Kaplan LA, Pesce AJ, eds. *Clinical Chemistry: Theory, Analysis, Correlation*. 5th ed. New York, NY: Mosby; 2009:904-928.
16. Braun K. The prefrontal-limbic system: development, neuroanatomy, function, and implications for socioemotional development. *Clin Perinatol*. 2011;38(4):685-702
17. Ball JW, Dains JE, Flynn JA, et al. Neurologic system. En: Ball JW, Dains JE, Flynn JA, etal, eds. *Seidel's Guide to Physical Examination: An Interprofessional Approach*. 9th ed. St. Louis, MO: Elsevier; 2019:567-606.
18. Darby SA, Frysztak RJ. Neuroanatomy of the spinal cord. En: Cramer GD, Darby SA, eds. *Clinical Anatomy of the Spine, Spinal Cord, and ANS*. 3rd ed. St. Louis, MO: Mosby; 2014;341-412.
19. Brand RW, Isselhard DE. Nervous system. En: Brand RW, Isselhard DE, eds. *Anatomy of Orofacial Structures: A Comprehensive Approach*. 8th ed. St. Louis, MO: Elsevier; 2018:356-367.
20. Glick DB. The autonomic nervous system. En: MillerRD, Cohen NH, Eriksson LI, et al, eds. *Miller's Anesthesia*. 8th ed. Philadelphia, PA: Saunders; 2015:346-386.
21. Wecker L, Theobald RJ, Jr. Introduction to the autonomic nervous system. En: Wecker L, Taylor DA, Theobald RJ Jr, eds. *Brody's Human Pharmacology: Mechanism-Based Therapeutics*. 6th ed. Philadelphia, PA: Mosby; 2019:54-63.
22. Bers DM, Borlaug BA, Hasenfuss G. Mechanisms of cardiac contraction and relaxation. En: Zipes DP, Libby P, Bonow RO, et al, eds. *Braunwald's Heart Disease: A Textbook of Cardiovascular Medicine*. 11th ed. Philadelphia, PA: Elsevier; 2019:418-440.
23. Furness JB, Callaghan BP, Rivera LR, Cho HJ. The enteric nervous system and gastrointestinal innervation: integrated local and central control. *Adv Exp Med Biol*. 2014;817:39-71.
24. Morrison SF. Regulation of body temperature. En: Boron WF, Boulpaep EL, eds. *Medical Physiology: A Cellular and Molecular Approach*. 3rd ed. Philadelphia, PA: Elsevier; 2017:1193-1203.
25. Connors BW. Sensory transduction. En: Boron WF, Boulpaep EL, eds. *Medical Physiology: A Cellular and Molecular Approach*. 3rd ed. Philadelphia, PA: Elsevier; 2017:353-389.
26. Rizzo DC. The nervous system: The brain, cranial nerves, autonomic nervous system, and the special senses. En: *Fundamentals of Anatomy and Physiology*. 4th ed. Boston, MA: Cengage Learning; 2016:250-277.
27. Page CP, Curtis MJ, Walker MJ, Hoffman BB. Drugs and the eye. En: *Integrated Pharmacology*. 3rd ed. Philadelphia, PA: Mosby; 2006:545-562.
28. Cantley L. Signal transduction. En: Boron WF, Boulpaep EL, eds. *Medical Physiology: A Cellular and Molecular Approach*. 3rd ed. Philadelphia, PA: Elsevier; 2017:47-72.
29. Saladin KS. The circulatory system: blood. En: *Anatomy & Physiology: The Unity of Form and Function*. 7th ed. New York, NY: McGraw-Hill Education; 2015:672-707.
30. Boulpaep EL. Arteries and veins. En: BoronWF, Boulpaep EL, eds. *Medical Physiology: A Cellular and Molecular Approach*. 3rd ed. Philadelphia, PA: Elsevier; 2017:447-460.
31. Lohr NL, Benjamin IJ. Structure and function of the normal heart and blood vessels. En: Benjamin IJ, Griggs RC, Wing EJ, Fitz JG, eds. *Andreoli and Carpenter's Cecil Essentials of Medicine*. 9th ed. Philadelphia, PA: Saunders; 2016:16-21.
32. Pappano AJ. The cardiovascular system. En: Koeppen BM, Stanton BA, eds. *Berne & Levy Physiology*. 7th ed. Philadelphia, PA: Elsevier; 2018:300-432.
33. Hall JE, Hall ME. The microcirculation and lymphatic system. En: Hall JE, ed. *Guyton and Hall Textbook of*

Kit de preparación continuación

Medical Physiology. 14th ed. Philadelphia, PA: Elsevier; 2021:193-201.

34. Saladin KS. The respiratory system. En: *Anatomy & Physiology: The Unity of Form and Function*. 7th ed. New York, NY: McGraw-Hill Education; 2015:848-888.
35. Boron WF. Organization of the respiratory system. En: Boron WF, Boulpaep EL, eds. *Medical Physiology: A Cellular and Molecular Approach*. 3rd ed. Philadelphia, PA: Elsevier; 2017:590-605.
36. Cloutier MM, Thrall RS. The respiratory system. En: Koeppen BM, Stanton BA, eds. *Berne & Levy Physiology*. 7th ed. Philadelphia, PA: Elsevier; 2018:433-510.
37. Drake RL, Vogl AW, Mitchel AW. Thorax. En: *Gray's Basic Anatomy*. Philadelphia, PA: Churchill Livingstone; 2012:57-132.
38. Waugh A, Grant A. The respiratory system. En: *Ross and Wilson Anatomy and Physiology in Health and Illness*. 12th ed. Edinburgh, UK: Churchill Livingstone; 2014:242-273.
39. Brashers VL. Structure and function of the pulmonary system. En: McCance KL, Huether SE, Brashers VL, Rote NS, eds. *Pathophysiology: The Biologic Basis for Disease in Adults and Children* 8th ed. St. Louis, MO: Elsevier; 2019:1143-1162.
40. Spyer KM, Gourine AV. Chemosensory pathways in the brainstem controlling cardiorespiratory activity. *Philos Trans R Soc Lond B Biol Sci*. 2009;364(1529):2603-2610.
41. Boron WF. Mechanics of ventilation. En: Boron WF, Boulpaep EL, eds. *Medical Physiology: A Cellular and Molecular Approach*. 3rd ed. Philadelphia, PA: Elsevier; 2017:606-627.
42. Corne S, Bshouty Z. Basic principles of control of breathing. *Respir Care Clin North Am*. 2005;11(2):147-172.
43. Binder HJ. Organization of the gastrointestinal system. En: Boron WF, Boulpaep EL, eds. *Medical Physiology: A Cellular and Molecular Approach*. 3rd ed. Philadelphia, PA: Elsevier; 2017:852-862.
44. Saladin KS. The male reproductive system. En: *Anatomy & Physiology: The Unity of Form and Function*. 7th ed. New York, NY: McGraw-Hill Education; 2015:1028-1057.
45. Moini J. Reproductive system. En: *Anatomy and Physiology for Health Professionals*. 2nd ed. Burlington, MA: Jones & Bartlett Learning; 2016:553-584.
46. Roiger D, Bullock NJ. The male reproductive system. En: *Anatomy, Physiology, & Disease: Foundations for the Health Professions*. New York, NY: McGraw-Hill Education; 2014:592-621.

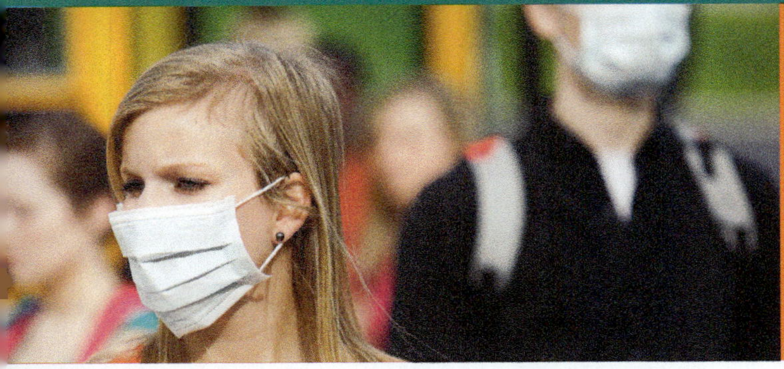

Capítulo 7

Fisiopatología

COMPETENCIAS DEL ESTÁNDAR NACIONAL DE EDUCACIÓN EN SEM

Fisiopatología

Integra un amplio conocimiento de la fisiopatología de los principales sistemas humanos.

OBJETIVOS COGNITIVOS

1. Definir fisiopatología, incluido su papel en el diagnóstico y tratamiento de las enfermedades. (p. 416)
2. Comparar atrofia, hipertrofia, hiperplasia, displasia y metaplasia como medios de adaptación celular. (p. 416)
3. Enumerar los factores que pueden afectar o alterar la homeostasis. (pp. 417-418)
4. Explicar las causas, las manifestaciones clínicas, la evaluación y el tratamiento del edema. (pp. 418-419)
5. Discutir los tipos de déficit de líquidos y las posibles complicaciones resultantes. (p. 419)
6. Explicar las consecuencias fisiopatológicas de los desequilibrios electrolíticos en sodio, potasio, calcio, fosfato y magnesio. (pp. 419-422)
7. Comparar la acidosis respiratoria, la alcalosis respiratoria, la acidosis metabólica y la alcalosis metabólica. (pp. 423-426)
8. Describir cómo se produce la lesión celular en pacientes con hipoxia, exposiciones químicas, infecciones (sepsis), exposiciones inmunológicas (reacciones de hipersensibilidad), afecciones inflamatorias, trastornos genéticos, desequilibrios nutricionales, daños físicos (lesiones mecánicas) y otras exposiciones nocivas, como calor y frío extremos. (pp. 426-431)
9. Explicar el concepto de apoptosis. (p. 431)
10. Definir perfusión, incluidas las consecuencias fisiológicas de la hipoperfusión. (pp. 432-433)
11. Analizar los mecanismos por los cuales el organismo compensa la hipoperfusión. (pp. 432-433)
12. Analizar las causas del shock central y periférico, incluidos el shock cardiogénico, obstructivo, hipovolémico y distributivo. (pp. 433-436)
13. Explicar cómo tratar a un paciente en shock. (pp. 436-437)
14. Describir el síndrome de disfunción multiorgánica. (pp. 437-438)
15. Examinar los tres mecanismos de defensa del organismo frente a los patógenos: las barreras anatómicas, la respuesta inmunológica y la respuesta inflamatoria. (pp. 438-451)
16. Explicar cómo los sistemas de proteínas plasmáticas —el sistema del complemento, el sistema de coagulación y el sistema calicreína-cinina— modulan la respuesta inflamatoria. (pp. 447-448)
17. Comparar la cicatrización por primera intención con la cicatrización por segunda intención. (pp. 449-451)
18. Describir cada uno de los cuatro tipos de reacciones de hipersensibilidad y los mecanismos de lesión inmunológica. (pp. 452-454)
19. Enumerar diversas reacciones autoinmunes. (pp. 454-455)

20. Comparar las inmunodeficiencias hereditarias y adquiridas. (pp. 455-457)
21. Analizar los factores de riesgo controlables e incontrolables que se entrecruzan para causar enfermedades. (pp. 457-458)
22. Resumir cómo se utilizan los datos de incidencia, prevalencia, morbilidad y mortalidad para analizar el riesgo de enfermedad. (p. 458)
23. Reconocer los patrones de herencia autosómica dominante y autosómica recesiva. (pp. 458-460)
24. Analizar los factores de riesgo del cáncer y las enfermedades cardiovasculares. (pp. 461-465)
25. Describir cómo se producen los trastornos hematológicos. (pp. 462-463)
26. Nombrar trastornos renales, gastrointestinales y neuromusculares comunes. (pp. 465-468)
27. Enumerar las fases del síndrome general de adaptación y analizar la relación entre estrés y enfermedad. (pp. 469-472)

OBJETIVOS DE DESTREZA

No hay objetivos de competencias para este capítulo.

Introducción

El cuerpo humano está formado por células, tejidos y órganos que funcionan colectivamente en un microentorno en constante cambio. El estudio del origen, crecimiento, estructura, comportamiento y reproducción de los organismos vivos se conoce como *biología*. La **fisiopatología** es el estudio del funcionamiento alterado del organismo, en presencia de una enfermedad. Este término deriva de las palabras griegas *pathos*, "sufrimiento", y *physis*, "forma". Cuando la estructura y la función de las células, los tejidos y los órganos se deterioran en respuesta a factores estresantes y el organismo ya no puede mantener la homeostasis, se produce la enfermedad. Determinar el origen del proceso de una enfermedad con frecuencia ayuda a los paramédicos a elegir el mejor enfoque para la evaluación del paciente y el tratamiento inicial.

Para comprender los procesos patológicos, se debe entender las formas en que la enfermedad altera la estructura y función de las células. Este capítulo se inicia con el repaso de los cambios que afectan a las células, alteran la capacidad del organismo para mantener la homeostasis y conducen a la enfermedad. A continuación, se analiza la forma en que la inflamación y el shock influyen en el desarrollo de la enfermedad. De igual modo, se estudia la función de la inmunidad y los mecanismos de defensa en la protección del cuerpo humano frente a las enfermedades. Al final, se presenta un análisis sobre los efectos de la genética y el estrés en el desarrollo de enfermedades.

Adaptaciones en células y tejidos

Cuando se exponen a condiciones adversas, las células se someten a un proceso de adaptación para protegerse de las lesiones. En algunas situaciones, las células cambian de manera permanente; en otras, el cambio en la estructura o función de las células solo es temporal.

La **atrofia** es una disminución del tamaño celular debido a la pérdida de componentes subcelulares, lo que a su vez provoca una disminución en el tamaño del tejido y del órgano. El número real de células no cambia. La disminución del tamaño representa un intento por hacer frente a un nuevo estado estacionario en un contexto de condiciones poco favorables o de falta de uso. Por ejemplo, la masa muscular de una extremidad inmovilizada y enyesada se reduce como consecuencia de la atrofia por falta de uso.

La **hipertrofia** es un aumento del tamaño de las células debido a la síntesis de más componentes subcelulares, lo que a su vez provoca un aumento del tamaño de los tejidos y órganos. Por ejemplo, el ventrículo izquierdo del corazón puede hipertrofiarse debido a soportar altas resistencias vasculares periféricas, que se generan en un paciente por el aumento crónico de la presión arterial.

La **hiperplasia** es un incremento en el número real de células de un órgano o tejido, que suele dar lugar a un aumento del tamaño del órgano o tejido. Por ejemplo, un callo representa una hiperplasia de la capa queratinizada de la epidermis del pie en respuesta a un aumento de la fricción o a un traumatismo.

La **displasia** es una alteración del tamaño, la forma y la organización de las células. Es más frecuente en las células epiteliales con cambios irregulares y atípicos en respuesta a una irritación o inflamación crónica. Por ejemplo, el desarrollo de displasia cervicouterina en las mujeres está estrechamente relacionado con la exposición a determinados virus del papiloma humano.

Metaplasia se refiere a la adaptación celular reversible en la que un tipo de célula adulta es sustituido por otro tipo de célula adulta. Por ejemplo, en la metaplasia escamosa, el epitelio metaplásico sustituye el epitelio ciliado de la vía aérea de los fumadores.

Alteraciones en el equilibrio de líquidos

El cuerpo humano está compuesto principalmente de agua, por lo que todas las reacciones bioquímicas que ocurren en el organismo se producen en un medio acuoso. Teniendo esto en cuenta, podemos entender que los cambios en el equilibrio de líquidos y electrolitos que alteran la homeostasis pueden causar o exacerbar diversos procesos patológicos, e inclusive representar una emergencia médica.

La homeostasis puede alterarse de varias formas, por ejemplo, mediante una entrada o salida excesiva de líquidos. La sudoración profusa puede causar deshidratación, mientras que la ingesta excesiva de sal puede contribuir a la hipertensión.[1] No beber suficiente agua también puede alterar la homeostasis. De hecho, una persona privada de agua durante 3 o más días puede morir.

El grado de desequilibrio de líquidos necesario para comprometer la homeostasis y provocar una enfermedad depende del tamaño del paciente, de su edad y de cualquier condición médica subyacente. En adultos sanos, la pérdida de más de 30% del líquido corporal total suele producir síntomas. En comparación, los síntomas en un niño pequeño pueden aparecer con

Poblaciones especiales

El volumen total de agua en el cuerpo como porcentaje del peso corporal —también denominado simplemente agua corporal total— varía con la edad y la composición corporal a lo largo de la vida. Al nacer, un neonato sano a término tiene aproximadamente 80% de agua corporal total; sin embargo, este porcentaje disminuye con la edad (**FIGURA 7-1**). Después de varias semanas, el agua corporal total de un lactante desciende hasta casi 70 %.[2] En la infancia, el agua corporal total como porcentaje del peso corporal disminuye hasta 60%. Los adultos tienen entre 50 y 60% de agua corporal total, pero el agua puede constituir solo 45% del peso corporal en los adultos mayores. Por consiguiente, la deshidratación puede ser un problema grave en los adultos mayores, y también es preocupante en la población pediátrica. A pesar de tener un contenido total de agua corporal superior al de los adultos, los lactantes corren un mayor riesgo de deshidratación debido a su mayor tasa de pérdida de líquidos durante las enfermedades y las condiciones patológicas.

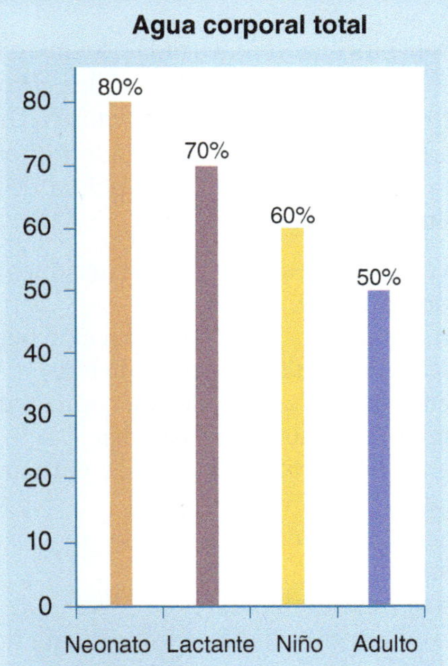

FIGURA 7-1 Volumen promedio total de agua en el cuerpo, por edad.

USTED es el Paramédico

PARTE 1

Usted y su compañero son enviados a una vivienda unifamiliar para atender a un hombre de 72 años con dificultad para respirar. A su llegada, una vecina les recibe en la puerta. Les dice que el residente de la casa —su paciente— vive solo, que ha sufrido varios infartos y que no se encuentra bien. Al acercarse a él, evalúa su entorno. Observa una gran cantidad de pañuelos faciales usados sobre la mesa lateral, junto con una serie de frascos de medicamentos recetados. El paciente está sentado en una silla. Lleva una cánula nasal conectada a una unidad de oxígeno doméstica. Apenas puede pronunciar unas cuantas palabras. Dice que no puede respirar y usted observa que presenta palidez: un aspecto pálido poco saludable.

1. ¿Cuál es su impresión general del paciente?
2. ¿Qué le dice el entorno acerca del paciente?

una pérdida de solo entre 10 y 15% del líquido corporal total. En estos casos, la terapia con fluidos es un paso fundamental en la reanimación.

Perlas de sabiduría

Una solución hipertónica tiene una presión osmótica relativamente más alta (es decir, contiene más solutos) que el líquido intersticial o el líquido que se encuentra dentro y alrededor del cerebro. La administración de una solución hipertónica como el manitol, el bicarbonato sódico o la solución salina hipertónica puede hacer que el exceso de líquido drene de los tejidos a la sangre y disminuya la inflamación del cerebro.

Edema

El **edema** es la hinchazón provocada por un exceso de líquido que queda atrapado en los tejidos corporales (**FIGURA 7-2**); puede tener diversas causas. Una posible causa es el aumento de la presión hidrostática capilar, que se puede asociar a cualquiera de las siguientes condiciones:

- Dilatación arteriolar (p. ej., por reacciones alérgicas o inflamación)
- Obstrucción venosa (p. ej., obstrucción hepática, insuficiencia cardíaca o tromboflebitis)
- Aumento del volumen vascular, como ocurre en pacientes con insuficiencia cardíaca
- Aumento del nivel de hormonas corticosuprarrenales
- Retención premenstrual de sodio
- Embarazo
- Estrés térmico ambiental
- Efectos de la gravedad por estar de pie durante mucho tiempo

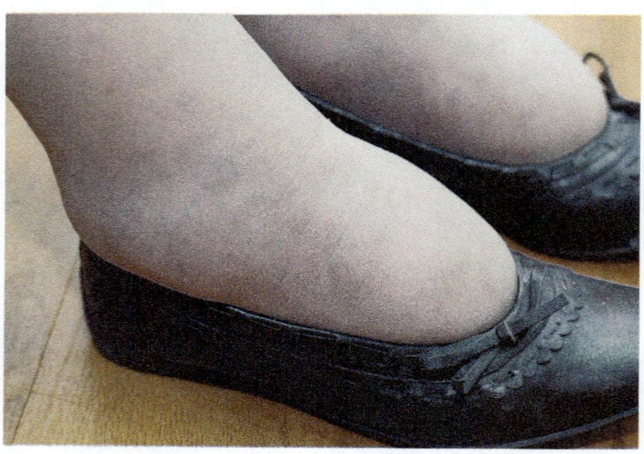

FIGURA 7-2 El edema es una cantidad excesiva de líquido en el espacio intersticial.

La disminución de la presión osmótica coloidal en los capilares, otra posible causa de edema puede estar asociada a diversos procesos como:

- Disminución de la producción de proteínas en plasma, como ocurre en la inanición y en pacientes con enfermedad hepática o deficiencia proteica grave
- Aumento de la pérdida de proteínas en plasma atribuible a enfermedades renales con pérdida de proteínas, quemaduras extensas u otras causas

La obstrucción de los vasos linfáticos también puede causar edema. Dicha obstrucción se puede asociar a infección, enfermedad linfática o extirpación de estructuras linfáticas (p. ej., la extirpación de ganglios linfáticos durante una mastectomía puede causar edema en las extremidades superiores). Cuando los vasos linfáticos se obstruyen, la cantidad de líquido que sale por el extremo arterial de los capilares no es igual a la cantidad de líquido que regresa al lado venoso. En consecuencia, sale más líquido por el lado arterial, donde la fuerza promedio que favorece el movimiento hacia el exterior es ligeramente superior. El sistema linfático recoge este líquido adicional.

Así pues, un edema grave se puede deber a una obstrucción linfática prolongada. El edema periférico (en tobillos y pies) es el más frecuente. Si una persona no puede levantarse de la cama durante un periodo prolongado, puede producirse un edema en la zona sacra (edema sacro). Otro tipo de edema es la *ascitis*, que es la acumulación anormal de líquido en la cavidad peritoneal.

Las manifestaciones clínicas del edema pueden ser leves o generalizadas. Los pacientes con enfermedades cardíacas pueden presentar edema pulmonar, o se puede producir un edema después de una inmersión, una sobredosis de narcóticos o un edema pulmonar de gran altitud (EPGA). Los pacientes con edema pulmonar agudo tienen una cantidad excesiva de líquido en los pulmones. Este exceso de líquido dificulta la difusión de oxígeno en los capilares pulmonares, dejando al paciente hipóxico y con una grave dificultad respiratoria.

Como paramédico, debe realizar una evaluación física exhaustiva que incluya la auscultación de los ruidos respiratorios, la evaluación del edema pedio y sacro y la distensión venosa yugular, la electrocardiografía (EKG) y la obtención de los signos vitales. Es fundamental determinar el historial médico del paciente, así como sus medicamentos actuales y anteriores, y realizar un examen exhaustivo. Con frecuencia, el tratamiento viene dictado por la queja principal del paciente y el problema que presenta. El tratamiento definitivo del edema depende de la enfermedad subyacente que lo haya causado. Las posibles intervenciones pueden incluir presión respiratoria positiva continua (CPAP), oxígeno suplementario, terapia posicional, nitratos y diuréticos.

Perlas de sabiduría

Cuando uno se come una bolsa de papas fritas, ingiere una gran cantidad de sal. De forma aguda, el cuerpo responde reteniendo agua; en consecuencia, la producción de orina disminuye temporalmente. En las personas sanas, los riñones y otros mecanismos reguladores devuelven los niveles de sodio y agua al equilibrio homeostático normal.

Déficit de líquidos isotónicos

Un déficit de líquidos isotónicos es una disminución del líquido extracelular con pérdidas proporcionales de sodio y agua (disminución del sodio corporal total); es la forma más común de pérdida de líquidos. Las causas más frecuentes de estos déficits son los vómitos, la diarrea, la pérdida de plasma o sangre total (p. ej., quemaduras, hemorragia), el uso de diuréticos de asa, la fiebre, la disminución de la ingesta oral de líquidos y la sudoración excesiva. La sudoración excesiva o la combinación de un mayor esfuerzo físico con otras comorbilidades pueden complicar la pérdida de líquidos y causar problemas adicionales. Por el contrario, un exceso de líquido isotónico es un incremento proporcional de sodio y agua en el líquido extracelular (aumento del sodio corporal total); las causas comunes de este desequilibrio incluyen insuficiencia cardíaca, cirrosis, insuficiencia renal, esteroides e ingesta excesiva de sodio. El concepto de tonicidad se trata con más detalle en el capítulo 6, *Anatomía y fisiología.*

Las manifestaciones de estas condiciones dependen del nivel sérico (en sangre) de sodio. Cuando el organismo se deshidrata, suele producirse hipotensión ortostática y disminución de la diuresis (**oliguria**). Cuando el nivel de sodio es muy alto (> 160 mEq/L), el paciente tiene riesgo de delirio y coma.

Desequilibrios electrolíticos

Sodio

El sodio, un elemento fundamental para el cuerpo humano, se encuentra principalmente en la sangre y en el líquido fuera de las células. Regula el equilibrio de líquidos, el volumen total de líquidos y la PA al controlar el movimiento del agua a través de las membranas celulares. De igual modo, facilita la contracción muscular y la transmisión del impulso nervioso. Un análisis de sangre puede determinar el nivel sérico de sodio (Na^+); el intervalo normal es de 136 a 142 mEq/L.[3]

Un *déficit hipertónico de líquidos* se produce cuando el organismo pierde agua sin una pérdida proporcional de sodio; en otras palabras, se presenta una pérdida relativa de agua. Este estado, denominado **hipernatremia**, se define clínicamente como un nivel sérico de sodio de un mínimo de 143 mEq/L. Un déficit de líquidos con hipernatremia puede ser el resultado de una cetoacidosis diabética, una diabetes insípida, una ingesta elevada de proteínas o una diarrea grave. El exceso de líquidos con hipernatremia puede ser consecuencia de la administración de soluciones hipertónicas de sodio. Los signos y síntomas de la hipernatremia incluyen sed, irritabilidad, inquietud, debilidad, edema y elevación de la PA.

Un *déficit hipotónico de líquidos* se presenta cuando el organismo pierde sodio sin una pérdida proporcional de agua, lo que da lugar a un exceso relativo de agua. Este déficit provoca **hiponatremia**, que se caracteriza por un nivel máximo de sodio sérico de 135 mEq/L. Un déficit de líquidos con hiponatremia puede ser consecuencia de vómitos, diarrea, sudoración prolongada o uso de diuréticos tiazídicos. El exceso de líquidos con hiponatremia puede ser consecuencia de insuficiencia cardíaca, cirrosis o insuficiencia renal, y un volumen normal de líquidos con hiponatremia se puede deber al síndrome de secreción inapropiada de hormona antidiurética (SIADH, por sus siglas en inglés). Los signos y síntomas de la hiponatremia incluyen fatiga, pérdida de apetito, náuseas, calambres musculares, debilidad, molestias o calambres abdominales, dolor de cabeza, confusión, convulsiones y disminución de la PA.

Los hallazgos clínicos por lo regular dependen no solo del nivel absoluto de sodio, sino también del momento en que se produce la anomalía. Las personas que se vuelven hiponatrémicas a lo largo de varios días tienden a presentar menos síntomas que las personas en quienes la anomalía se desarrolla de forma aguda. Para más información sobre la hiponatremia, véase el capítulo 35, *Emergencias ambientales.*

Potasio

El potasio (K^+), el principal catión intracelular, es primordial para muchas funciones celulares, como el control neuromuscular, la regulación de los músculos esqueléticos, lisos y cardíacos, la regulación del equilibrio ácido-base, la facilitación de las reacciones enzimáticas intracelulares y el mantenimiento de la osmolaridad intracelular. El nivel sérico normal de potasio oscila entre 3.5 y 5.0 mEq/L.[3]

La **hipopotasemia** es una disminución del nivel sérico de potasio. Las causas comunes de este desequilibrio electrolítico son las siguientes:

- Disminución de la ingesta y absorción de potasio en la dieta
- Disminución en el desplazamiento de potasio en las células como resultado de la administración de insulina, alcalosis o estimulación beta-adrenérgica, como con la epinefrina
- Pérdida renal de potasio, por ejemplo, con el aumento de la actividad de la aldosterona o el uso de diuréticos
- Pérdida de potasio extrarrenal, por ejemplo, con vómitos, diarrea o uso de laxantes

La fatiga, la debilidad muscular y los calambres son los síntomas más frecuentes de la hipopotasemia leve a moderada. Si el nivel de potasio desciende por debajo de 2.5 mEq/L, el paciente puede experimentar parálisis ascendente que empieza en las piernas y se desplaza a los brazos, hiporreflexia y contracción muscular sostenida (tetania). La hipopotasemia aguda se puede tratar con suplementos intravenosos de potasio en el hospital.

La **hiperpotasemia** es un nivel elevado de potasio sérico. Las causas comunes de esta condición son las siguientes:

- Disminución de la excreción (por insuficiencia renal o por medicamentos que inhiben la excreción de potasio [espironolactona, inhibidores de la enzima convertidora de angiotensina, antiinflamatorios no esteroideos])
- Desplazamientos de potasio desde el interior de la célula (como ocurre en quemaduras, lesiones por aplastamiento, acidez metabólica y deficiencia de insulina)
- Ingesta excesiva de potasio en la dieta

Un nivel elevado de potasio interfiere con la función neuromuscular normal, provocando fatiga, náuseas, debilidad muscular, sensaciones anormales (parestesias) y, en raras ocasiones, parálisis ascendente. Los cambios en el EKG y las arritmias cardíacas suelen preceder a estos signos.

Perlas de sabiduría

Aunque los cambios en el EKG pueden aumentar su índice de sospecha de una patología determinada, es imposible diagnosticar un desequilibrio electrolítico basándose exclusivamente en los hallazgos de un monitor cardíaco.

Calcio

El calcio es fundamental para la contracción muscular, la coagulación de la sangre, la transmisión de los impulsos nerviosos y la secreción de muchas hormonas y componentes químicos. Casi todo (98%) el calcio (Ca^{+2}) del cuerpo se encuentra en los huesos y los dientes. Este elemento proporciona fuerza y estabilidad al colágeno y a la sustancia base que forman la matriz del sistema óseo. El calcio entra en el organismo a través del tracto gastrointestinal (GI). Su absorción desde el intestino se ve favorecida por la vitamina D (**FIGURA 7-3**), que se produce en gran medida a través del cuerpo en un complejo proceso que se inicia con la exposición de la piel a la luz solar. A continuación, el calcio se almacena en el tejido óseo y, finalmente, es excretado por el riñón. El nivel normal de calcio sérico oscila entre 8.2 y 10.2 mg/dl.[3]

La **hipocalcemia**, una disminución del nivel de calcio sérico, puede presentarse a causa de las siguientes condiciones:

- Disminución de la ingesta o absorción de calcio (como en la malabsorción y el déficit de vitamina D)
- Aumento de la pérdida de calcio (como en el alcoholismo y el tratamiento con diuréticos)
- Enfermedad endocrina (p. ej., hipoparatiroidismo)
- Sepsis

Los signos y síntomas de la hipocalcemia se derivan de una mayor excitación de los sistemas neuromuscular y cardiovascular. Los espasmos del músculo esquelético pueden causar calambres o contracción muscular sostenida (tetania). Los laringoespasmos con estridor pueden obstruir la vía aérea. Se pueden presentar convulsiones, así como parestesias que afectan a los labios y las extremidades. Pueden observarse arritmias cardíacas en el EKG.

La **hipercalcemia** es un incremento en el nivel de calcio sérico. A continuación, se enumeran algunas causas de este desequilibrio:

- Aumento de la ingesta o absorción de calcio (como ocurre con la ingestión excesiva de antiácidos)
- Trastornos endocrinos (p. ej., hiperparatiroidismo primario, insuficiencia suprarrenal)
- Neoplasias (cáncer)
- Causas diversas (p. ej., uso de diuréticos, sarcoidosis)

Los signos y síntomas asociados a la hipercalcemia a veces son imprecisos y pueden incluir fatiga, debilidad, náuseas, estreñimiento y micción frecuente (**poliuria**). En casos graves, los pacientes pueden presentar estupor, coma o insuficiencia renal. El

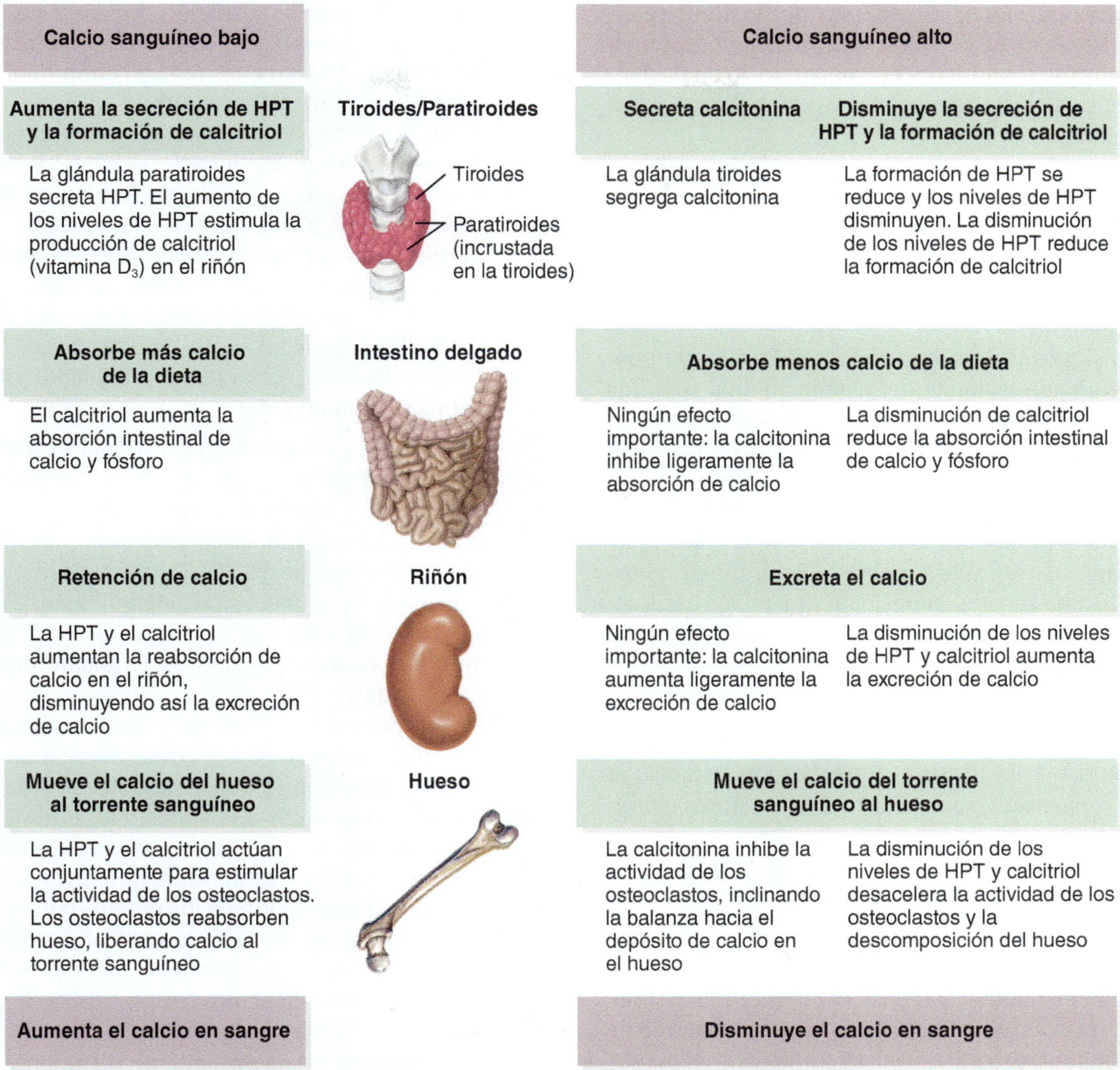

FIGURA 7-3 Regulación del nivel de calcio en sangre. La calcitonina inhibe la reabsorción de Ca^{+2} del hueso, ayudando así a reducir el nivel de Ca^{+2} en la sangre. En un paciente con una elevación o deficiencia prolongada de calcio, la acción de la hormona paratiroidea (HPT) es el mecanismo hormonal más potente para mantener un nivel normal de calcio en sangre.

tratamiento de hipercalcemia se centra en abordar la causa subyacente.

Fosfato

El fosfato (PO_4^{-3}), que es principalmente un anión intracelular, es fundamental para la formación de huesos y dientes, el metabolismo energético celular, la regulación del pH sanguíneo y urinario, y las funciones musculares y nerviosas. Los niveles de fosfato están regulados por los mismos mecanismos que regulan el calcio.

La **hipofosfatemia** es una disminución del nivel de fosfato sérico. Sus causas incluyen las siguientes condiciones:

- Disminución del suministro o de la absorción, como puede ocurrir en la inanición, la malabsorción o el bloqueo de la absorción (p. ej., con el uso de antiácidos que contienen aluminio)
- La pérdida excesiva de fosfato en pacientes con hiperparatiroidismo, hipertiroidismo o alcoholismo

- Desplazamiento intracelular del fósforo (p. ej., después de administrar glucosa, esteroides anabolizantes o anticonceptivos orales, o en pacientes con alcalosis respiratoria o intoxicación por salicilatos)
- Anomalías electrolíticas (p. ej., hipercalcemia e hipomagnesemia)
- Pérdida anormal de nutrientes seguida de una reposición inadecuada, como puede ocurrir en pacientes con cetoacidosis diabética o alcoholismo crónico

Los signos y síntomas de la hipofosfatemia pueden incluir alteraciones del estado mental, pérdida de apetito, arritmias, hipotensión y debilidad muscular. La hipofosfatemia aguda y grave puede provocar temblores, parestesias, convulsiones, coma, trastornos sanguíneos agudos y mayor susceptibilidad a las infecciones. También puede producirse la ruptura de fibras musculares (rabdomiólisis). El tratamiento hospitalario consiste en la reposición oral en los casos leves a moderados y la reposición intravenosa de fosfato en los casos graves.

La **hiperfosfatemia**, un aumento del nivel sérico de fosfato, tiene muchas causas posibles:

- Carga masiva de fosfato en el líquido extracelular
  - Uso excesivo de vitamina D, laxantes o enemas que contengan fosfato
  - Suplementos intravenosos de fosfato
  - Quimioterapia
  - Acidosis metabólica
- Disminución de la excreción en la orina (como en la insuficiencia renal y el hipoparatiroidismo, y con la administración excesiva de hormona de crecimiento [que provoca acromegalia])

Los signos y síntomas de la hiperfosfatemia varían en gran medida, pero pueden incluir temblor, parestesia, hiperreflexia (reflejos hiperactivos), confusión, convulsiones, debilidad muscular, disminución del estado mental, coma, hipotensión, insuficiencia cardíaca o un intervalo QT prolongado.[4-6] El intervalo normal para el fosfato sérico es de 2.3 a 4.7 mg/dl.[3]

Magnesio

El magnesio (Mg^{+2}) es el segundo catión intracelular más abundante, después del potasio. Desempeña un papel vital en la contracción muscular. Alrededor de 50% del magnesio corporal se almacena en los huesos, 49% en otras células corporales y 1% restante en el líquido extracelular. El rango normal de magnesio sérico es de 1.3 a 2.1 mEq/L.[3]

La **hipomagnesemia**, una disminución del nivel sérico de magnesio, tiene varias causas posibles:

- Disminución de la absorción o ingesta de magnesio (como ocurre en el trastorno por consumo de alcohol, disminución del consumo dietético, malabsorción o desnutrición)
- Aumento de la pérdida renal de magnesio (relacionado con el uso de diuréticos tiazídicos, enfermedad renal crónica, aldosteronismo primario, hipercalcemia o enfermedades genéticas)
- Aumento de la pérdida gastrointestinal de magnesio (relacionado con diarrea, vómitos, celiaquía, enfermedad inflamatoria intestinal o uso de inhibidores de la bomba de protones)
- Causas diversas, como la administración de insulina y la pancreatitis

La debilidad y los calambres musculares son síntomas comunes de este desequilibrio electrolítico. Una persona con hipomagnesemia puede presentar una marcada hiperirritabilidad neuromuscular y del sistema nervioso central (SNC), con temblores, sacudidas, insomnio y cambios de personalidad. Puede aparecer hipertensión, taquicardia o arritmias ventriculares, y la confusión y la desorientación pueden ser pronunciadas.

La **hipermagnesemia** es un aumento del nivel sérico de magnesio. Suele ser consecuencia de una insuficiencia renal, en la que el organismo no tiene la capacidad de excretar el magnesio ingerido a través de los alimentos o los fármacos, especialmente antiácidos y laxantes. Los síntomas incluyen debilidad muscular, disminución de los reflejos tendinosos profundos, alteración del estado mental y arritmias cardíacas. Es posible que también haya presencia de parálisis de los músculos respiratorios y paro cardíaco.

En el **CUADRO 7-1** se presenta un resumen de los principales electrolitos del organismo.

CUADRO 7-1 Principales electrolitos

Electrolito	Símbolo	Nivel sérico normal
Sodio	Na^+	135-147 mEq/L
Cloruro	Cl^-	95-107 mEq/L
Potasio	K^+	3.5-5.2 mEq/L
Bicarbonato	HCO_3^-	19-25 mEq/L
Calcio	Ca^{+2}	8.8-10.3 mg/dL
Magnesio	Mg^{+2}	1.6-2.4 mEq/L

Datos de: Valores de laboratorio. Sitio web de Global RPH. https://globalrph.com/laboratory-values/. Actualizado el 10 de octubre de 2017. Consultado el 7 de octubre de 2021.

Alteraciones del equilibrio ácido-base

Cabe recordar que el pH representa la concentración de iones hidrógeno (H^+) en una solución. En otras palabras, es una medida de la acidez o alcalinidad de una solución. Existe una relación inversa entre el pH y la concentración de iones H^+: cuanto menor es el pH, mayor es la acidez. El concepto de pH se trata con más detalle en el capítulo 6, *Anatomía y fisiología*.

Es vital mantener el pH en el cuerpo humano dentro de un estrecho margen. Los ácidos y las bases se neutralizan mutuamente; por lo tanto, deben permanecer en equilibrio para que el cuerpo conserve la homeostasis. Muchos de los problemas con los que se encontrará como paramédico tienen que ver con el equilibrio ácido-base. Por ejemplo, un paciente hiperventilando por dolor puede tener una alcalosis resultante (pH mayor de 7.45), mientras que un paciente en cetoacidosis diabética experimentará una acidosis subyacente (pH menor de 7.35).

La **acidosis** es un incremento de los iones H^+ extracelulares; la **alcalosis** es una disminución de los iones H^+ extracelulares.

$$\downarrow \text{pH significa} \uparrow \text{concentración de } H^+ = \text{Acidosis}$$

$$\uparrow \text{pH significa} \downarrow \text{concentración de } H^+ = \text{Alcalosis}$$

Las alteraciones del equilibrio ácido-base están asociadas a alteraciones del equilibrio de potasio, en parte debido al sistema de transporte renal que mueve el H^+ y K^+ en direcciones opuestas. En la acidosis, los riñones excretan H^+ y reabsorben K^+. Por el contrario, en la alcalosis, los riñones reabsorben H^+ y excretan K^+. Además, los iones Ca^{+2} se desplazan fuera de la célula en respuesta a la entrada de iones de hidrógeno.

Tipos de desequilibrio ácido-base

Los trastornos ácido-base se asocian a cuatro presentaciones clínicas principales: acidosis respiratoria, alcalosis respiratoria, acidosis metabólica y alcalosis metabólica. Las fluctuaciones del nivel de bicarbonato en el organismo causan acidosis o alcalosis metabólica, mientras que los trastornos respiratorios causan acidosis o alcalosis respiratoria. Cuando los sistemas de amortiguación del organismo no pueden corregir inmediatamente un desequilibrio ácido-base, los mecanismos compensatorios responden para ayudar a restablecer el equilibrio normal. (Los sistemas de amortiguación se tratan en el capítulo 6, *Anatomía y fisiología*). Por ejemplo, la alcalosis respiratoria se puede presentar como respuesta compensatoria a la acidosis metabólica. Por lo tanto, el tratamiento del paciente puede implicar el manejo de más de un desequilibrio ácido-base.

Acidosis respiratoria

La siguiente ecuación demuestra cómo una disminución de la frecuencia respiratoria puede precipitar la acidosis:

$$\downarrow \text{Respiración} \rightarrow \uparrow CO_2 + H_2O \rightarrow \uparrow H_2CO_3 \rightarrow \text{Acidosis}$$

La **acidosis respiratoria** siempre se relaciona con la hipoventilación. La disminución del volumen corriente pulmonar reduce la cantidad de CO_2 que se exhala, lo que provoca hipercapnia (aumento del CO_2) y mayores niveles de ácido carbónico circulante. Debido a que la acidosis está relacionada con una respiración inadecuada, se inicia el sistema amortiguador renal como mecanismo compensatorio, conservando iones de bicarbonato y eliminando iones H^+ para equilibrar de nuevo el aumento del nivel de ácido.

Algunas causas de acidosis respiratoria son las siguientes:

- Depresión del SNC (p. ej., accidente cerebrovascular, infección, opiáceos, sedantes, alcohol, daño cerebral hipóxico)
- Enfermedad de la vía aérea superior (p. ej., aspiración, laringoespasmo, apnea obstructiva del sueño, obstrucción de la vía aérea)
- Enfermedad pulmonar (p. ej., asma, enfermedad pulmonar obstructiva crónica [EPOC], síndrome de dificultad respiratoria aguda, neumonía, edema pulmonar)
- Causas diversas (p. ej., distrofia muscular, esclerosis múltiple, síndrome de hipoventilación por obesidad, traumatismo craneoencefálico cerrado, traumatismo torácico, paro respiratorio o cardíaco)

La hipoventilación asociada a cualquiera de estos trastornos puede convertirse rápidamente en una acidosis abrumadora y potencialmente mortal, haciendo imposible que el sistema renal compense a tiempo el cambio de pH.

Los signos y síntomas de la acidosis respiratoria dependen de la velocidad de aparición y de la gravedad de la retención de CO_2. Algunos ejemplos son los siguientes:

- Vasodilatación sistémica o cerebral (o ambas)
- Dolor de cabeza, mareo, inquietud
- Piel caliente y enrojecida[7]
- Depresión del SNC
- Náuseas y vómitos

La taquipnea normalmente se presenta como mecanismo compensatorio para corregir la hipoventilación existente. Sin embargo, la **bradipnea** (frecuencia respiratoria lenta) se puede presentar si la depresión del SNC es la causa de la acidosis respiratoria, o desarrollarse a medida que el paciente se cansa, lo que sugiere una insuficiencia respiratoria inminente.

La EPOC destruye gradualmente el tejido pulmonar y dificulta el intercambio de oxígeno y dióxido de carbono, provocando incluso acidosis respiratoria (**FIGURA 7-4**). En los pacientes con este tipo de enfermedad pulmonar, hay ausencia del estímulo normal para el intercambio gaseoso. La retención de dióxido de carbono conduce a un nivel creciente de ácido carbónico. Los quimiorreceptores con el tiempo terminan por ser incapaces de detectar la presencia de ácidos metabólicos. Como resultado, el único estímulo respiratorio que queda es el impulso hipóxico, que estimula la respiración al detectar una disminución del nivel de oxígeno en la sangre.

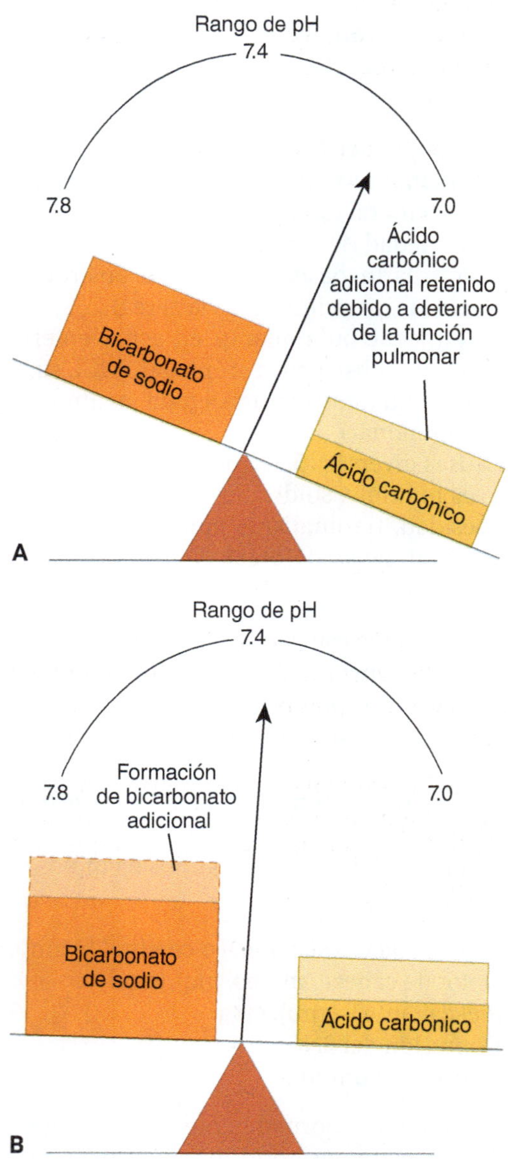

FIGURA 7-4 A. Alteración del equilibrio ácido-base en la acidosis respiratoria. **B.** Compensación por formación de bicarbonato adicional.

La lenta aparición de esta forma de acidosis respiratoria en pacientes con EPOC hace que se pueda sobrevivir a ella. El sistema renal modera lentamente la acidosis, evitando las arritmias cardíacas potencialmente mortales que con frecuencia se asocian a la acidosis aguda.

Perlas de sabiduría

Los mecanismos de compensación de los desequilibrios del pH acercan el pH a la normalidad. Mientras la compensación respiratoria (acidosis o alcalosis) se produce de forma rápida y relativamente previsible, la compensación metabólica, si es que se produce, tarda horas o días en presentarse. La compensación aguda nunca es completa. Por el contrario, la compensación crónica, como la que se produce en los pacientes con EPOC, con frecuencia regresa el pH a la normalidad.

Alcalosis respiratoria

La siguiente ecuación demuestra cómo el incremento de una frecuencia respiratoria puede producir alcalosis:

$$\uparrow \text{Frecuencia respiratoria} \rightarrow \downarrow CO_2 + H_2O \rightarrow \downarrow H_2CO_3 \rightarrow \text{Alcalosis}$$

La **alcalosis respiratoria** se asocia a condiciones que provocan hiperventilación. Con el tiempo, un incremento de la frecuencia respiratoria disminuye la cantidad de CO_2 que circula por el organismo. En la alcalosis respiratoria, el nivel de CO_2 en la sangre desciende, lo que reduce el nivel de ácido carbónico circulante. El sistema renal empieza entonces a retener iones H^+ y a eliminar iones de bicarbonato para reequilibrar el nivel de ácido agotado. Al mismo tiempo, los iones H^+ empiezan a pasar del compartimento de líquido extracelular al líquido intracelular.

La hiperventilación y la alcalosis respiratoria se pueden deber a los siguientes factores:

- Medicamentos (p. ej., intoxicación por salicilatos, cafeína)
- Estimulación del SNC (p. ej., fiebre, dolor, trastorno de ansiedad, trastorno de pánico)
- Causas pulmonares (p. ej., asma, neumonía, edema pulmonar, embolia pulmonar, neumotórax, síndrome de dificultad respiratoria aguda)
- Causas diversas (p. ej., ventilación con mascarilla, intoxicación por monóxido de carbono, insuficiencia cardíaca, insuficiencia hepática, embarazo, altitud elevada, exposición al calor, sepsis, traumatismo)

Los signos y síntomas de la alcalosis respiratoria incluyen los siguientes:

- Mareo
- **Espasmo carpo pedal**
- Parestesias de los labios, cara, extremidades
- Opresión en el pecho, palpitaciones
- Vértigo
- Visión borrosa

Acidosis metabólica

La siguiente ecuación demuestra cómo un nivel elevado de ácido carbónico puede producir **acidosis metabólica**:

$$\uparrow H_2CO_3 \rightarrow \uparrow H^+ + HCO_3^- \rightarrow \text{Acidosis}$$

Cualquier acidosis no relacionada con el sistema respiratorio se considera metabólica. Un aumento de la frecuencia respiratoria (taquipnea) representa el intento del organismo por restablecer el equilibrio ácido-base eliminando el exceso de CO_2 a través del sistema respiratorio. Por ejemplo, los pacientes con cetoacidosis diabética a menudo presentan respiraciones de Kussmaul (respiraciones profundas, muy espaciadas y con suspiros), en las que el cuerpo hiperventila en un intento por eliminar el CO_2 y corregir la acidosis. Los riñones intentan compensar la acidosis reteniendo iones de bicarbonato y eliminando iones de hidrógeno a través de la orina.

Las causas de la acidosis metabólica son las siguientes:

- **Acidosis láctica.** La **acidosis láctica** es el producto de la respiración celular anaeróbica, que se produce cuando se perfunden de manera inadecuada los tejidos y órganos, como en el shock y el paro cardíaco.
- **Cetoacidosis.** La **cetoacidosis** está asociada a la deficiencia de insulina o a la desensibilización de las células a la insulina. Cuando son incapaces de utilizar la glucosa como fuente de energía, las células empiezan a metabolizar los ácidos grasos. Los compuestos extremadamente ácidos llamados **cetonas** son los subproductos de esta vía alternativa de metabolismo. La **cetoacidosis alcohólica** puede ser el resultado de un consumo excesivo de alcohol con vómitos en combinación con una ingesta inadecuada de alimentos o de la ingestión de una cantidad excesiva de alcohol etílico.
- **Pérdidas gastrointestinales.** Debido a que la diarrea provoca una pérdida de bicarbonato del organismo, puede precipitar una acidosis metabólica, sobre todo en los niños.
- **Ingestión de algunos fármacos o toxinas.** La ingestión de grandes dosis de aspirina puede estimular los centros respiratorios del cerebro, produciendo taquipnea. Esta respiración rápida conduce a una alcalosis respiratoria, y el inicio de los mecanismos compensatorios renales conduce a una acidosis metabólica. La inhalación de tolueno o la ingesta de metanol (alcohol de madera), etilenglicol (anticongelante) o paraldehído también pueden provocar acidosis metabólica.

La presentación clínica de la acidosis metabólica depende de su gravedad. Los posibles signos y síntomas son los siguientes:

- Dolor de cabeza, somnolencia (que evoluciona a confusión y coma con el aumento de la acidosis)
- Pérdida de apetito
- Taquipnea
- Náuseas y vómitos
- Arritmias cardíacas

Alcalosis metabólica

La siguiente ecuación muestra cómo una concentración reducida de iones H^+ puede producir alcalosis:

$$\downarrow H^+ \rightarrow \downarrow H_2CO_3 \rightarrow \text{Alcalosis}$$

La **alcalosis metabólica** se produce cuando el aumento de la diuresis o la disminución del nivel de ácido gástrico provocan una pérdida excesiva de ácido. El sistema respiratorio intenta restablecer el equilibrio ácido-base disminuyendo la frecuencia respiratoria y reteniendo CO_2. Los riñones responden conservando iones hidrógeno y eliminando iones bicarbonato en la orina. La alcalosis metabólica rara vez es una condición aguda, pero es común entre los pacientes crónicamente enfermos, especialmente en aquellos que requieren succión nasogástrica.

Varios factores asociados con las pérdidas gastrointestinales superiores pueden provocar alcalosis metabólica:

- **Vómito excesivo.** Una enfermedad o un trastorno alimentario, como la anorexia nerviosa o la bulimia, pueden ser responsables de la pérdida de ácido en el tracto gastrointestinal superior. La expulsión de una gran cantidad de ácido del estómago puede desencadenar una compleja vía metabólica que conduzca a la alcalosis metabólica.
- **Ingesta excesiva de agua.** Beber grandes cantidades de agua durante el ejercicio vigoroso reduce la acidez estomacal y estimula al intestino delgado para que se prepare para recibir alimentos del estómago. La entrada de enzimas digestivas fuertemente alcalinas en el tracto gastrointestinal inferior exacerba cualquier desequilibrio ácido-base existente.

- **Aspiración nasogástrica.** La extracción de contenido directamente del tracto gastrointestinal elimina los ácidos del organismo, lo que provoca alcalosis.
- **Uso excesivo de sustancias alcalinas.** La alcalosis metabólica puede deberse a una dependencia excesiva de antiácidos o sustancias alcalinas similares. Es importante recordar esta posibilidad cuando se evalúa a un paciente que refiere haberse automedicado durante horas o días con antiácidos de venta libre. Otra causa de ingesta excesiva de bases es la administración excesiva de bicarbonato sódico durante la reanimación. La administración de grandes cantidades de bicarbonato sódico en el sistema circulatorio puede alterar drásticamente el nivel de pH sérico.

Perlas de sabiduría

La palabra palidez, tal como se utiliza en este texto, se puede aplicar a cualquier paciente cuya presentación cutánea sugiera una disminución en el flujo sanguíneo o la oxigenación. El color de piel producido por la palidez depende en gran medida del color de piel de base del paciente. Sin embargo, las membranas mucosas del interior del párpado inferior interno y la mucosa oral de todos los pacientes tendrán una coloración rosada en los pacientes sanos, independientemente del color basal de la piel; por lo tanto, un aspecto blanco o pálido de estas zonas en cualquier paciente sugiere una reducción del flujo sanguíneo o de la oxigenación.

Los signos y síntomas de la alcalosis metabólica pueden incluir aturdimiento, confusión, parestesias, temblores y calambres musculares y, posiblemente, arritmias cardíacas.

Lesión celular

Las manifestaciones de la lesión o muerte celular dependen de cuántas y qué tipos de células están dañadas. Diversos procesos pueden causar lesiones celulares:

- Hipoxia (falta de oxígeno)
- Isquemia (falta de suministro sanguíneo)
- Lesión química
- Lesión infecciosa
- Lesión inmunológica (hipersensibilidad)
- Daño físico (lesión mecánica)
- Lesión inflamatoria

Las lesiones celulares se manifiestan a nivel microscópico (estructural) y funcional. Las anomalías microscópicas comunes (p. ej., **necrosis** celular cardíaca [un proceso en el que la célula se rompe] como resultado de una hipoxemia prolongada) incluyen edema celular, rotura de las membranas celulares o nucleares y rotura de material nuclear como los cromosomas (**FIGURA 7-5**). Este tipo de daño celular a menudo distorsiona la forma de la célula y altera su función. Las alteraciones funcionales pueden incluir la utilización ineficaz del oxígeno, la acidosis intracelular, la acumulación de residuos tóxicos y la alteración de la metabolización de nutrientes.

USTED es el Paramédico

PARTE 2

Le pide a su compañera que obtenga un nivel de saturación de oxígeno basal y los signos vitales basales, incluida la capnografía en forma de onda. Mientras ella prepara el equipo, usted pregunta al paciente por sus antecedentes médicos. Con gran dificultad, responde: "Insuficiencia cardíaca".

Tiempo de registro:	1 minuto
Aspecto	Despierto, angustiado, ansioso
Nivel de conciencia	Alerta (orientado hacia la persona, el lugar y el día)
Vía aérea	Permeable
Respiración	Ritmo acelerado; uso de músculos accesorios; tos productiva
Circulación	Pulsos radiales débiles; piel húmeda, pálida y fría

3. ¿Cómo facilita la respiración el emplear músculos accesorios?
4. ¿Cómo puede ayudarle la tos productiva a identificar el origen de la dificultad respiratoria del paciente?

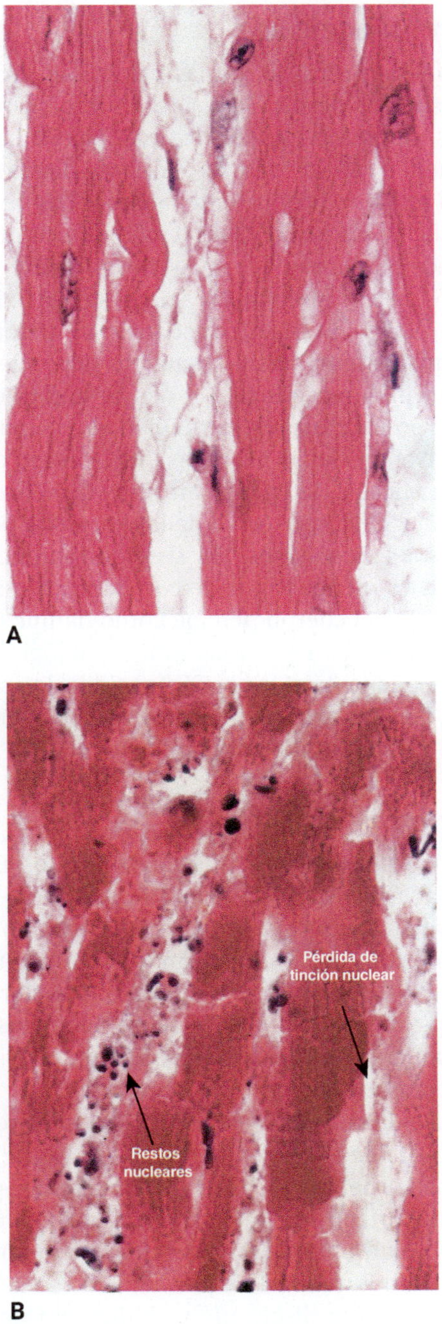

FIGURA 7-5 Comparación de fibras musculares cardíacas normales **(A)** con fibras cardíacas necróticas **(B)**. Obsérvese la fragmentación de las fibras, la pérdida de tinción nuclear y los restos nucleares fragmentados. La lesión celular causa inflamación, lo que provoca la rotura de la membrana nuclear y la descomposición del material nuclear (aumento original ×400).

De: An Introduction to Human Disease, 7ª ed. Foto cortesía de Leonard V. Crowley, MD, Century College.

Los cambios en las células individuales a menudo afectan a todo el organismo. En algunos casos, los cambios se asocian solo con anomalías sistémicas menores, como fiebre. En otras ocasiones, como cuando se produce una insuficiencia renal, sistemas orgánicos enteros se colapsan y el estado del paciente se vuelve crítico. Debido a que finalmente todos los sistemas corporales están conectados, la disfunción de uno de ellos afecta inevitablemente al funcionamiento de los demás, alterando el equilibrio homeostático del que depende el organismo para mantener la vida.

Perlas de sabiduría

Los compuestos grasos que constituyen la membrana celular son químicamente neutros (sin carga); sin embargo, los electrolitos (sodio, potasio) están disueltos en agua y, por lo tanto, tienen carga. Las moléculas cargadas deben recorrer vías especiales para atravesar la membrana celular. Estos canales de transporte (los canales iónicos) consisten en poros revestidos de proteínas con un tamaño específico para alojar una sustancia determinada (p. ej., calcio, potasio). La lidocaína y otros anestésicos locales, así como los fármacos antiarrítmicos como la amiodarona, ejercen efectos bloqueantes sobre estos canales iónicos.

Con un tratamiento adecuado, la lesión celular se puede reparar hasta cierto punto; sin embargo, cuando se produce una lesión irreversible, los tratamientos no sirven. En ese caso, la muerte celular va seguida de necrosis. La membrana celular se vuelve anormalmente permeable, permitiendo la entrada de electrolitos y fluidos. A continuación, la célula y sus orgánulos se inflaman y los lisosomas liberan enzimas que destruyen los componentes intracelulares. Estos procesos ocurren durante y después de la muerte celular.

Lesión hipóxica

La lesión hipóxica es una causa común —y con frecuencia mortal— de lesión celular. Puede deberse a la disminución de la cantidad de oxígeno en el aire o a la pérdida de la función de la hemoglobina (p. ej., intoxicación por monóxido de carbono), a la disminución del número de eritrocitos (como en el caso de las hemorragias), a enfermedades del sistema respiratorio o cardiovascular (p. ej., EPOC) o a la pérdida de citocromos (proteínas mitocondriales que convierten el oxígeno en adenosín trifosfato [ATP], un proceso que se observa en la intoxicación por cianuro).

Aunque la hipoxia tiene efectos nocivos en las células, el daño no se detiene ahí. Las células que presentan hipoxia durante más de unos segundos producen mediadores (sustancias) que pueden dañar zonas cercanas o lejanas de la zona inicial dañada en el organismo. El resultado es un ciclo de retroalimentación positiva en el que los mediadores conducen a más daño celular, lo que ocasiona más hipoxia, que conlleva a mayor producción de mediadores, y así sucesivamente.

Los primeros y más peligrosos mediadores producidos por las células en respuesta a la hipoxia son los **radicales libres**. Una molécula de radical libre carece de un electrón en su capa exterior. La presencia de este extraño electrón impar provoca inestabilidad química, ya que los radicales libres atacan aleatoriamente a las células y las membranas en un intento por recuperar el electrón perdido. El resultado es un daño tisular generalizado y potencialmente mortal.

Lesiones químicas

Diversos componentes químicos, como venenos, plomo, monóxido de carbono, etanol y agentes farmacológicos, pueden dañar y, en última instancia, destruir las células. Los venenos más comunes son el cianuro y los pesticidas. El cianuro induce la hipoxia celular bloqueando la fosforilación oxidativa en la mitocondria e impidiendo el metabolismo del oxígeno. Los pesticidas bloquean una enzima, la acetilcolinesterasa, impidiendo así la correcta transmisión de los impulsos nerviosos.

La ingestión prolongada de plomo, que puede producirse cuando los niños pequeños mastican algunos marcos de ventanas, cubiertos de pintura con plomo o durante una renovación inhalan polvo que contiene plomo (la pintura con plomo se vendió por última vez en Estados Unidos en 1978), provoca lesiones cerebrales y disfunciones neurológicas. La capacidad del plomo para sustituir al calcio (las moléculas de plomo y calcio tienen un tamaño similar) es un factor común en muchas de sus acciones tóxicas.

El monóxido de carbono se une a la hemoglobina más fácilmente que el oxígeno, impidiendo la oxigenación adecuada de los tejidos. Una exposición de bajo nivel al monóxido de carbono provoca náuseas, vómitos y dolor de cabeza. Un nivel más alto de exposición al monóxido de carbono puede ser mortal en menos de 2 horas.[7]

En dosis bajas, el etanol, tal como se encuentra en el alcohol bebible, provoca embriaguez. Dosis más altas producen depresión grave del SNC e hipoventilación, precipitando a veces el colapso cardiovascular.

Algunos agentes farmacológicos generan productos tóxicos cuando se metabolizan en el organismo, especialmente en casos de sobredosis. Por ejemplo, dosis excesivas de paracetamol (Tylenol) pueden intoxicar el hígado y, en ocasiones, ser mortales.

Lesión infecciosa

Las lesiones infecciosas de las células se producen como resultado de una invasión del organismo por bacterias, hongos, virus u otros patógenos. Las bacterias pueden causar lesiones actuando directamente sobre las células o produciendo toxinas. Los virus con frecuencia inician una respuesta inflamatoria que provoca daños celulares y síntomas en el paciente.

La **virulencia** mide la capacidad de un microorganismo para causar enfermedades. La patogenicidad de un microorganismo concreto depende de su capacidad para reproducirse y causar enfermedades en el cuerpo humano. En particular, el crecimiento y la supervivencia de las bacterias en el cuerpo dependen de la eficacia de los mecanismos de defensa del organismo y de la capacidad de las bacterias para resistir a esos mecanismos. Un sistema inmunológico deprimido es menos capaz de combatir los microorganismos que el cuerpo percibe como dañinos; entre las poblaciones con sistemas inmununológicos más débiles se encuentran los recién nacidos, los adultos mayores, las personas con diabetes y las personas con cáncer u otras enfermedades crónicas.

Bacterias

Muchas bacterias tienen una cápsula que las protege de la ingestión y destrucción por parte de los **fagocitos** (leucocitos que engullen y consumen material extraño como microorganismos y restos celulares) (**FIGURA 7-6**). Sin embargo, no todas las bacterias están encapsuladas, y algunas de ellas pueden resistirse obstinadamente a la destrucción, por lo que los fagocitos las transportan por todo el cuerpo.

Las bacterias se pueden clasificar de acuerdo con los resultados de la tinción de Gram. En la tinción de Gram, una suspensión seca y fija de bacterias, preparada en un portaobjetos microscópico, se tiñe primero con un colorante púrpura y luego con una solución de yodo. A continuación, el portaobjetos se decolora con alcohol u otro disolvente y se tiñe con un colorante rojo. Las bacterias que resisten la decoloración y retienen la tinción púrpura se denominan bacterias **grampositivas**. Por el contrario, las que se decoloran y aceptan la contratinción roja se denominan bacterias **gramnegativas**. Las bacterias grampositivas tienen paredes celulares gruesas compuestas de muchas capas de peptidoglicano (aminoácidos y glucosa); por el contrario, las paredes celulares de las bacterias gramnegativas están compuestas principalmente de lípidos. Las cualidades patógenas de las bacterias gramnegativas (entre las que se encuentra el microorganismo causante de la peste bubónica) las hacen especialmente problemáticas para el ser humano.

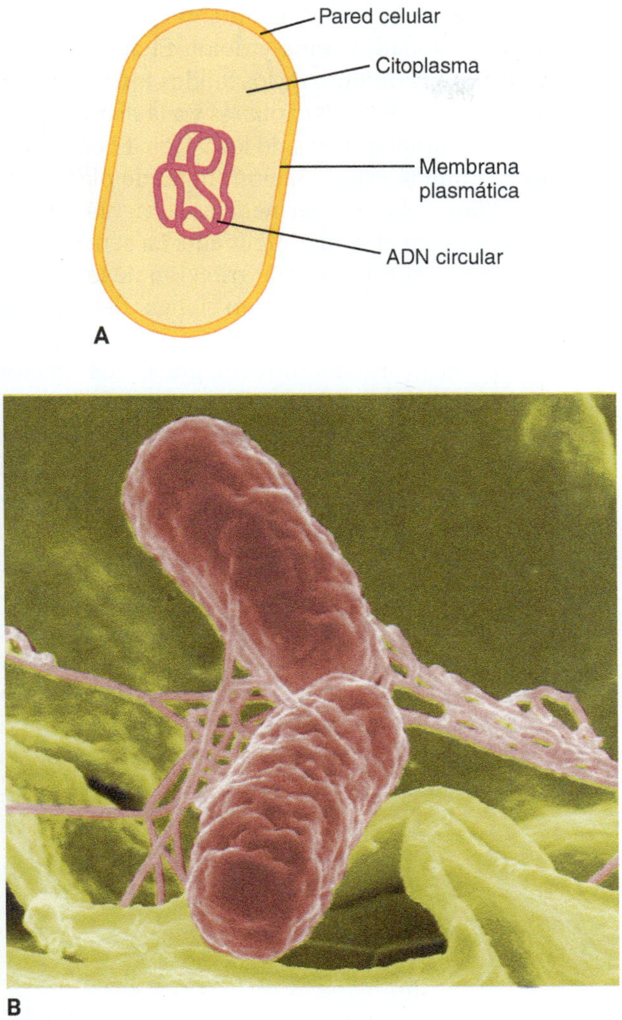

FIGURA 7-6 Estructura general de una bacteria. **A.** Las bacterias tienen muchas formas y tamaños, pero todas tienen una cadena circular de ácido desoxirribonucleico (ADN), citoplasma y una membrana plasmática. En muchas bacterias, la membrana está rodeada por una pared celular. **B.** Micrografía electrónica de la bacteria *Salmonella*. Muchas bacterias tienen una cápsula que las protege de la ingestión y destrucción por parte de los fagocitos.

A: © Jones & Bartlett Learning; B: Cortesía del Rocky Mountain Laboratory, National Institute of Allergy and Infectious Diseases, National Institutes of Health.

Las bacterias también producen exotoxinas o endotoxinas —sustancias como enzimas o toxinas— que pueden lesionar o destruir células. Por ejemplo, los estafilococos, estreptococos y el *Clostridium tetani*, segregan exotoxinas en el medio que rodea a la célula. Las exotoxinas se producen dentro de la célula y luego se liberan en los tejidos o fluidos circundantes (sangre o linfa). Las acciones de estas sustancias tóxicas varían; por ejemplo, las neurotoxinas dañan el tejido nervioso, las enterotoxinas afectan a los tejidos del tracto gastrointestinal y las citotoxinas dañan diversos tejidos del huésped. Las exotoxinas inactivas se utilizan a veces como base para las vacunas.

Las endotoxinas son lipopolisacáridos que forman parte de las paredes celulares de las bacterias gramnegativas. Las endotoxinas provocan inflamación, fiebre, escalofríos y malestar, además de afectar al tono vascular. Cuando hay presencia de grandes cantidades de endotoxinas en el organismo, el paciente puede presentar un shock séptico. Las endotoxinas permanecen activas incluso después de la destrucción de las bacterias, lo que puede ser una de las razones por las que los efectos de los antibióticos se retrasan en pacientes con este tipo de infecciones.

Cuando las células se lesionan, los leucocitos circulantes son atraídos al lugar de la lesión. Estos leucocitos liberan **pirógenos** endógenos que provocan fiebre. De hecho, la reacción más común del organismo ante la presencia de bacterias es la inflamación. Algunas bacterias pueden producir reacciones de hipersensibilidad. La presencia de bacterias en la sangre se denomina bacteriemia; la septicemia (sepsis) es una enfermedad sistémica causada por la proliferación de microorganismos (o toxinas relacionadas) en la sangre, que puede poner en peligro la vida.

Virus

Los virus son una de las causas más comunes de afecciones. Estos parásitos intracelulares se apoderan de los procesos metabólicos de la célula huésped y la utilizan para ayudarse a replicarse. Un virus consta de un núcleo de ácido nucleico de ARN o ADN. Alrededor del núcleo vírico hay una cubierta proteica conocida como cápside, que protege al virus de la fagocitosis. Algunos virus tienen una cubierta protectora adicional conocida como envoltura.

La replicación de un virus se produce dentro de la célula huésped, porque los virus no tienen orgánulos. La infección viral de una célula huésped provoca una disminución de la síntesis de macromoléculas vitales para la célula huésped. Sin embargo, a diferencia de las bacterias, los virus no producen exotoxinas ni endotoxinas. En cambio, los virus inducen patologías al alterar los procesos metabólicos normales, pero están protegidos de los antibióticos porque viven y se replican dentro de la célula huésped y se esconden eficazmente de la medicación.

Puede existir una relación simbiótica entre un virus y las células normales que permita al virus persistir sin causar una infección activa. Los virus como el de la inmunodeficiencia humana (VIH) pueden provocar una fuerte respuesta inmunológica, produciendo rápidamente una lesión letal e irreversible en las células susceptibles.

Lesión inmunológica e inflamatoria

La inflamación es una respuesta de protección que se produce en presencia de lesiones celulares, como traumatismos, infecciones e hipoxia. La infección se caracteriza por la invasión de microorganismos que causan lesiones celulares o tisulares, lo que provoca una respuesta inflamatoria. La respuesta inflamatoria puede ser desencadenada por un agente físico (calor o frío), químico (p. ej., ácido o álcali concentrado u otro producto químico cáustico) o microbiológico (p. ej., bacteria o virus). La respuesta inflamatoria se caracteriza por efectos tanto locales como sistémicos, como se muestra en la **FIGURA 7-7** y se analiza a detalle más adelante en este capítulo.

Los efectos locales consisten en la dilatación (expansión) de los vasos sanguíneos y el aumento de la permeabilidad vascular. Los leucocitos (glóbulos blancos) son atraídos al sitio de la lesión. Estas células se adhieren al endotelio de los vasos sanguíneos pequeños, ejercen fuerza para atravesar las paredes celulares y migran a la zona del daño tisular. Los signos característicos de la inflamación son calor, enrojecimiento, sensibilidad, edema y dolor. El aumento del calor y del enrojecimiento de los tejidos inflamados se debe a la dilatación de los capilares y a la disminución del flujo sanguíneo a través de los vasos. El edema se produce porque la extravasación (fuga) de plasma de los vasos dilatados y más permeables aumenta el volumen de líquido en el tejido inflamado. La sensibilidad y el dolor son secundarios a la irritación de las terminaciones nerviosas sensoriales en el lugar del proceso inflamatorio.

Si el proceso inflamatorio es grave, los efectos sistémicos se hacen evidentes. La persona se siente mal y la temperatura es elevada. La médula ósea acelera su producción de leucocitos, por lo que aumenta el número de leucocitos que circulan por el torrente sanguíneo, un proceso denominado **leucocitosis**. El hígado produce y libera una serie de proteínas de fase aguda en el torrente sanguíneo en respuesta a una lesión tisular o inflamación; estas proteínas ayudan a proteger al organismo de la lesión tisular causada por la inflamación. La más conocida de estas proteínas, la proteína C reactiva, con frecuencia se determina para controlar la actividad de enfermedades caracterizadas por la inflamación tisular.

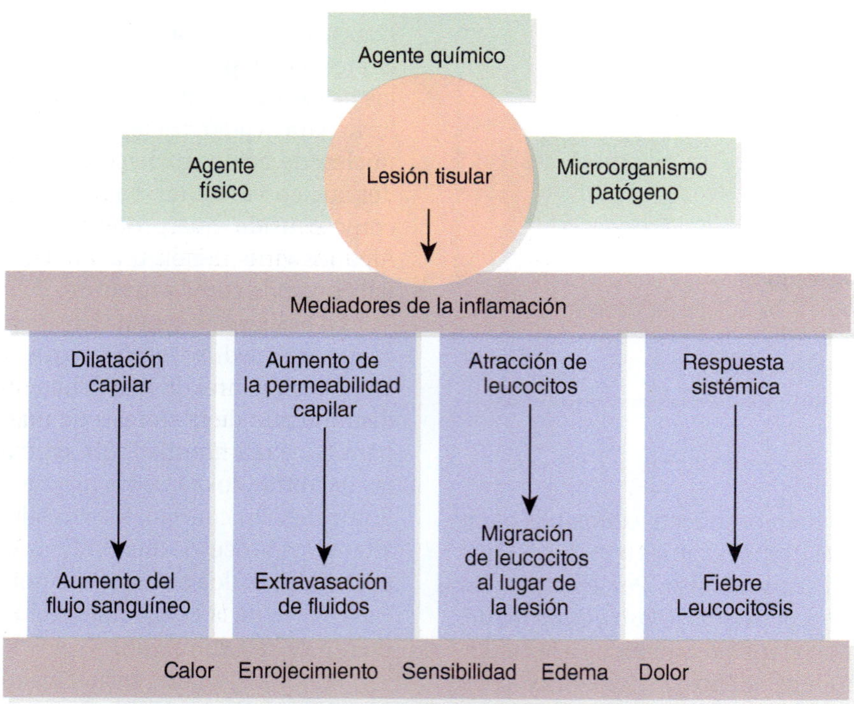

FIGURA 7-7 Efectos locales y sistémicos de la lesión tisular causada por diversos agentes.

El resultado de una inflamación depende de la magnitud del daño tisular. Si la inflamación es leve, cede pronto y los tejidos vuelven a la normalidad. Si el proceso inflamatorio es grave, el tejido se destruye en cierta medida y debe volver a recuperarse. Durante la cicatrización, se sustituyen las células dañadas y se repara la estructura del tejido lesionado, ya que el crecimiento de las células produce fibras de tejido conjuntivo y nuevos vasos sanguíneos. El tejido de cicatrización sustituye a las grandes zonas de destrucción tisular. A veces, la cicatrización después de una inflamación grave es tan severa que la función del tejido afectado se altera gravemente.

Las membranas celulares pueden lesionarse cuando entran en contacto directo con los componentes celulares y químicos del proceso inmunológico o inflamatorio, como los fagocitos (neutrófilos y macrófagos), la histamina, los anticuerpos y las linfoquinas. En tal caso, el potasio se escapa de la célula dañada y el agua fluye hacia el interior, provocando el edema de la célula. La envoltura nuclear, las membranas de los orgánulos y la membrana celular se pueden romper y provocar la muerte celular. El grado de edema y la posibilidad de rotura de la membrana dependen de la gravedad de la respuesta inmunológica e inflamatoria.

Factores genéticos perjudiciales

Entre los factores genéticos que pueden dañar las células se encuentran las alteraciones cromosómicas, el desarrollo prematuro de aterosclerosis y, en ocasiones, la obesidad. Una persona puede desarrollar un gen anormal de una de estas tres formas: por mutación del gen durante la meiosis, que afecta al feto recién formado; por herencia, o debido a otras causas más adelante en la vida. En la trisomía 21 (síndrome de Down), el niño nace con un cromosoma 21 de más. La artritis reumatoide también tiene una relación genética.

Desequilibrios nutricionales perjudiciales

Se necesita una buena nutrición para mantenerse saludable y ayudar a las células a combatir las enfermedades. Los desequilibrios nutricionales que pueden dañar a las células y al organismo en su conjunto incluyen la obesidad, la desnutrición, el exceso o la deficiencia de vitaminas y el exceso o la deficiencia de minerales. Estas condiciones pueden provocar alteraciones en el crecimiento físico, retraso mental e intelectual e incluso la muerte.

Agentes físicos nocivos o condiciones perjudiciales

Los agentes físicos, como el calor, el frío y la radiación, también pueden causar lesiones celulares (p. ej., quemaduras, congelación, enfermedad por radiación, tumores). El grado de lesión celular resultante viene determinado por la potencia del agente y la duración de la exposición.

Apoptosis

La **apoptosis** es la muerte celular normal. Es única porque está programada genéticamente en la célula como parte del desarrollo normal, la organogénesis, la función inmunológica y el crecimiento tisular. Este proceso desempeña un papel normal en el envejecimiento, el desarrollo temprano, la menstruación, el tejido mamario lactante, la involución del timo y la renovación de los eritrocitos.

Durante la apoptosis, las células presentan cambios nucleares característicos y por lo regular mueren en grupos bien definidos en lugar de hacerlo de forma aleatoria. El mecanismo molecular subyacente a la apoptosis implica la activación de genes que codifican para proteínas conocidas como caspasas (proteínas cisteína-*aspárticas*). La producción de estas proteínas conduce básicamente al suicidio celular. A diferencia de lo que ocurre con la muerte celular por procesos patológicos, las proteínas y el ADN sufren una degradación controlada que permite que sus restos sean absorbidos y reutilizados por las células vecinas. De este modo, la apoptosis permite al organismo eliminar una célula, pero reciclar muchos de sus componentes. Desde el punto de vista patológico, las zonas que han sufrido una muerte apoptótica no muestran ningún signo de inflamación. Por el contrario, cuando las células se necrosan por hipoxia o toxinas celulares se produce una respuesta inflamatoria.

La apoptosis se puede activar prematuramente debido a factores patológicos como la lesión celular. Esta estimulación prematura, que se produce en algunas formas de insuficiencia cardíaca, causa la muerte celular precoz. Otro ejemplo de apoptosis patológica es la muerte de hepatocitos (células hepáticas) en pacientes con hepatitis viral, fiebre amarilla y otras enfermedades virales. Las células moribundas forman grumos de cromatina conocidos como cuerpos de Councilman. La inhibición del curso normal de la apoptosis permite la proliferación celular destructiva, como en el cáncer y la artritis reumatoide (proliferación incontrolada del tejido sinovial). En la **FIGURA 7-8** se presenta el proceso por el que las células cancerosas se desarrollan a partir de células normales.

Muerte celular anormal

Si la lesión que conduce a la degeneración celular es de suficiente intensidad y duración, entonces la lesión celular irreversible conduce a la muerte celular. La necrosis (muerte tisular) es el resultado de los cambios morfológicos que se producen después de la muerte celular en los tejidos vivos. Se clasifica en simple o derivada.

La *necrosis simple* se refiere a las áreas de necrosis en las que se reconocen el tejido macroscópico y microscópico y algunas de las células. Esta muerte tisular puede ser a causa de una isquemia aguda, toxicidad aguda (p. ej., por metales pesados) o lesiones físicas directas (p. ej., productos químicos cáusticos y quemaduras).

La *necrosis derivada* incluye la necrosis caseosa, la gangrena seca, la necrosis grasa y la necrosis por licuefacción. La necrosis por caseificación se manifiesta por la pérdida de todas las características del tejido y las células, de modo que llegan a parecerse a un queso cuando se observan al microscopio. La gangrena seca es el resultado de la invasión y putrefacción del tejido necrótico, después de que el suministro de sangre se vea comprometido y el tejido sufra necrosis por coagulación. La necrosis grasa es el resultado de la destrucción de las células adiposas, normalmente por enzimas (p. ej., proteasas pancreáticas, lipasas). La necrosis por licuefacción es el resultado de la necrosis por coagulación seguida de la conversión de los tejidos en una forma líquida y la invasión por bacterias putrefactoras que se multiplican en un entorno húmedo y cálido; las bacterias producen enzimas líticas y gas.

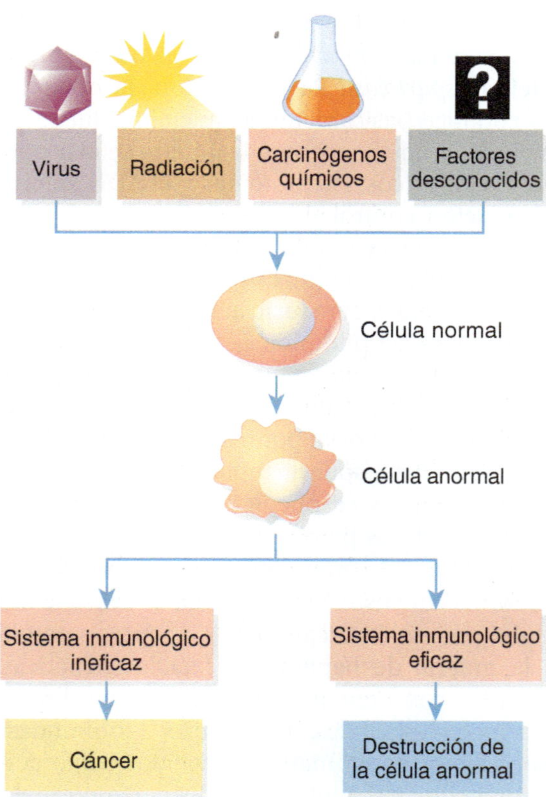

FIGURA 7-8 La aparición del cáncer. Los virus y otros factores inducen a una célula normal a convertirse en anormal. Cuando el sistema inmunológico funciona eficazmente, destruye las células anormales, por lo que no se desarrolla el cáncer. Cuando las células anormales eluden el sistema inmunológico, forman un tumor y pueden convertirse en un cáncer que se extiende.

Hipoperfusión

La **perfusión** se define como el suministro de oxígeno y nutrientes y la eliminación de desechos de las células, órganos y tejidos por parte del sistema circulatorio. Una circulación adecuada depende de un corazón que bombea, un sistema vascular intacto y una cantidad apropiada de sangre que transporta oxígeno. Una deficiencia en cualquiera de estas áreas causará problemas de perfusión. La **hipoperfusión** se produce cuando el nivel de perfusión tisular disminuye por debajo de lo normal. Es importante evaluar el nivel de perfusión de los órganos de un paciente durante los servicios de emergencia médica, especialmente para diagnosticar un shock. Véase en el capítulo 37, *Manejo y reanimación del paciente crítico*, más información sobre el shock.

El shock tiene varias causas. Cualquiera que sea la causa, la presión arterial finalmente baja. El descenso de la PA estimula los barorreceptores situados en el seno carotídeo y el arco aórtico, estimulando a su vez el centro de control cardiovascular contenido en el tronco encefálico. Este proceso aumenta la actividad simpática del corazón y los vasos para compensar la disminución de la presión. En el **CUADRO 7-2** se presentan los signos de shock compensado y descompensado (hipotensivo).

En respuesta a la hipoperfusión, el organismo libera catecolaminas (epinefrina y norepinefrina), que aumentan la fuerza de la contracción cardíaca (inotropía positiva), la frecuencia del pulso, la vasoconstricción y, en consecuencia, la resistencia vascular sistémica. Además, se activa el sistema renina-angiotensina-aldosterona (SRAA) y la hipófisis libera la hormona antidiurética. Juntas, estas acciones desencadenan la retención de sal y agua, y la vasoconstricción periférica, aumentando así la cantidad de líquido en el espacio vascular y mejorando la PA y el gasto cardíaco. Según la gravedad de la lesión, varias cantidades de líquido pasarán de los tejidos intersticiales al compartimento vascular. El bazo también libera parte de los eritrocitos que normalmente están secuestrados

CUADRO 7-2 Signos y síntomas de la hipoperfusión compensada y descompensada (shock)

Shock compensado	Shock descompensado
Agitación, ansiedad, nerviosismo	Estado mental alterado (de verbal a insensible)
Sensación inminente de muerte	Hipotensión
Pulso débil, rápido (filiforme)	Respiración dificultosa o irregular
Piel pegajosa (fría y húmeda)	Pulso periférico filiforme o ausente
Palidez con labios cianóticos	Piel cenicienta, moteada o cianótica
Respiración entrecortada	Pupilas dilatadas
Náuseas, vómitos	Disminución de la diuresis (oliguria)
Retraso del tiempo de llenado capilar en lactantes y niños	Paro cardíaco inminente
Sed	
Presión arterial normal	

allí, lo que aumenta la capacidad de transporte de oxígeno de la sangre.

El efecto global de estos mecanismos compensatorios iniciales es aumentar la precarga (retorno venoso), el volumen sistólico y la frecuencia cardíaca para garantizar un gasto cardíaco adecuado. El resultado por lo regular es un aumento del gasto cardíaco y de la demanda miocárdica de oxígeno.

Si persiste la hipoperfusión, aumentará el estrés miocárdico. A la larga, los mecanismos de compensación no pueden seguir el ritmo del aumento de la demanda de oxígeno. La función miocárdica luego empeora, manifestándose como una disminución del gasto cardíaco y de la fracción de eyección. La perfusión tisular disminuye, lo que conduce a una alteración del metabolismo celular. Con frecuencia, la PA disminuye, especialmente en pacientes con hipoperfusión progresiva. Se puede producir una fuga de líquido de los vasos sanguíneos, lo que provoca un edema sistémico y pulmonar. En este punto, también pueden aparecer otros signos de hipoperfusión, como disnea, piel cianótica, PA baja, oliguria y deterioro mental. Los esfínteres poscapilares terminan por relajarse cuando los niveles de iones hidrógeno alcanzan un determinado umbral y los microcoágulos se liberan a la circulación.

Como se ha mencionado en secciones anteriores, los capilares normalmente filtran plasma a los tejidos a través de las fuerzas de la presión hidrostática. Las células cercanas se bañan en este líquido rico en oxígeno y nutrientes. En momentos de hipotensión profunda, el flujo sanguíneo a través de la membrana capilar disminuye y este empuje hidrostático falla. Los esfínteres precapilares y poscapilares se sitúan alrededor del capilar para regular el flujo a través del mismo. Los esfínteres poscapilares se contraen cuando disminuye el flujo sanguíneo capilar, bloqueando la salida de sangre del capilar en un intento por aumentar el flujo de plasma a través de la membrana capilar. La consiguiente acumulación de sangre en los capilares produce marcas moteadas en la piel.

El shock es un estado anormal asociado a la falta de suministro adecuado de oxígeno y nutrientes al aparato metabólico de la célula, lo que provoca un deterioro del metabolismo celular y, en última instancia, una perfusión inadecuada de los órganos vitales. Una vez alcanzado cierto nivel de hipoperfusión tisular, el daño celular se produce de forma similar, independientemente del tipo de agresión inicial. La alteración del metabolismo celular impide que el organismo utilice correctamente el oxígeno y la glucosa a nivel celular. Las células vuelven al metabolismo anaeróbico, lo que provoca un incremento en la producción de ácido láctico y acidosis metabólica, una disminución de la afinidad del oxígeno por la hemoglobina, una reducción de la producción de ATP, cambios en los niveles de electrolitos celulares, edema celular y liberación de enzimas lisosomales. La alteración de la glucosa eleva el nivel de glucosa en sangre a medida que se liberan catecolaminas y cortisol. Además, se puede presentar una descomposición de las grasas (lipólisis) con formación de cetonas.

Documentación y comunicación

Los términos *shock* e *hipoperfusión* se utilizan a menudo indistintamente; sin embargo, no son sinónimos. La hipoperfusión localizada, como la debida a una oclusión arterial, no es un shock.

Tipos de shock

El shock puede producirse por una insuficiencia de la circulación central (el corazón y los grandes vasos) o de la circulación periférica (el resto de los vasos, que incluye la circulación microscópica; es decir, arteriolas, vénulas y capilares). (La anatomía del sistema circulatorio se presenta en el capítulo 6, *Anatomía y fisiología*). Con un "enfoque mecanicista", se distinguen dos tipos de shock: central y periférico. El **shock central** incluye el shock cardiogénico y el shock obstructivo; el **shock periférico** incluye el shock hipovolémico y el shock distributivo. Las siguientes secciones ofrecen una visión general de los tipos de shock. Estos temas también se tratan en el capítulo 27, *Hemorragias* y en el capítulo 37, *Manejo y reanimación del paciente crítico.*

Shock central

Shock cardiogénico

El **shock cardiogénico** se produce cuando el corazón no puede hacer circular suficiente sangre para mantener un aporte periférico de oxígeno adecuado. En la cardiopatía isquémica, esta afección se produce cuando hay una pérdida de 40% o más del miocardio funcional. La causa más frecuente de shock cardiogénico es el infarto de miocardio, como evento único o por daño acumulativo. Otras formas de disfunción cardíaca también pueden precipitar un shock cardiogénico, como una comunicación interventricular grande o arritmias hemodinámicamente significativas. Para más información sobre el shock cardiogénico, véase el capítulo 15, *Emergencias cardiovasculares.*

Shock obstructivo

El **shock obstructivo** se produce cuando el flujo sanguíneo se bloquea en el corazón o en los grandes vasos. En el **taponamiento pericárdico** (**FIGURA 7-9**), el llenado diastólico de los ventrículos derecho e izquierdo del corazón se altera debido a la presencia de cantidades significativas de líquido en el saco pericárdico que rodea al corazón. La disminución del llenado ventricular asociada al taponamiento pericárdico provoca una disminución del gasto cardíaco. La disección aórtica da lugar a un falso lumen (apertura aórtica), con pérdida del flujo sanguíneo normal (**FIGURA 7-10**). Un tumor auricular izquierdo puede obstruir el flujo entre la aurícula y el ventrículo y disminuir el gasto cardíaco. La obstrucción de la vena cava superior o inferior (síndrome de vena cava) disminuye el gasto cardíaco al reducir el retorno venoso. Un embolia pulmonar significativa (coágulo sanguíneo en la circulación pulmonar) o un neumotórax a tensión (colapso pulmonar) pueden impedir un flujo sanguíneo adecuado a los pulmones, lo que provoca un retorno venoso inadecuado al lado izquierdo del corazón.

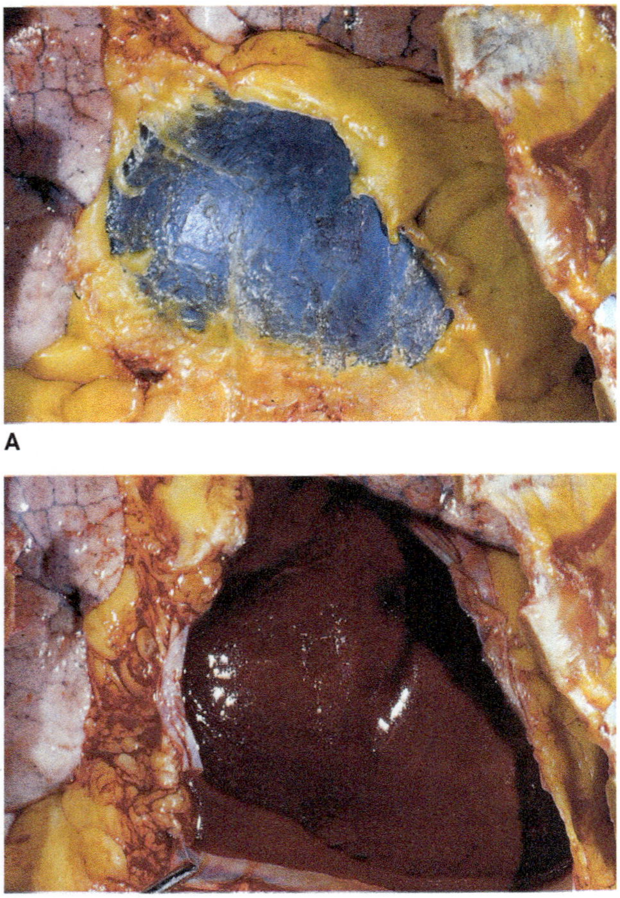

A

B

FIGURA 7-9 Taponamiento cardíaco luego de una rotura miocárdica. **A.** Saco pericárdico distendido. **B.** Saco pericárdico abierto, mostrando sangre coagulada alrededor del corazón, que comprimió el corazón e impidió el llenado del ventrículo derecho en diástole.

Cortesía de Leonard V. Crowley, MD, Century College.

> **Perlas de sabiduría**
>
> El shock neurogénico puede implicar bradicardia si la lesión se produce en la región torácica alta debido a una alteración de la vía autonómica simpática. El shock cardiogénico puede implicar bradicardia cuando la causa es un infarto de miocardio y la vía electrofisiológica está alterada.

Shock periférico

Shock hipovolémico

En el **shock hipovolémico**, el volumen de sangre circulante es insuficiente para suministrar al cuerpo el oxígeno y los nutrientes adecuados. Existen dos tipos de shock hipovolémico —exógenos y endógenos—,

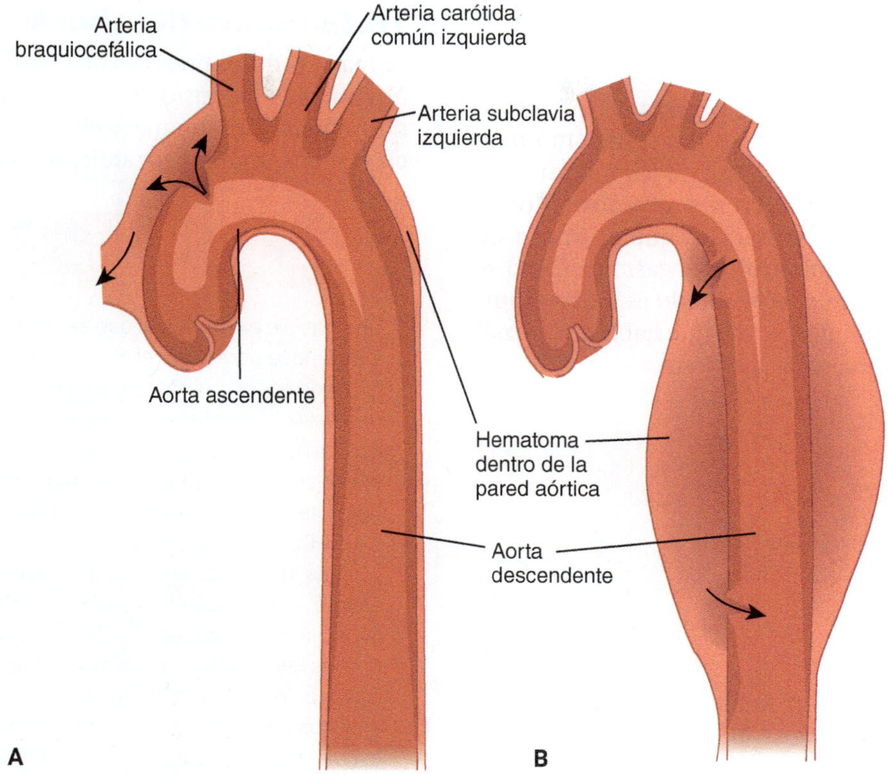

FIGURA 7-10 Sitios de disección aórtica torácica. **A.** Un desgarro en la aorta ascendente causa disección proximal y distal. **B.** Un desgarro en la aorta descendente puede causar una disección distal extensa.

dependiendo de dónde se produzca la pérdida de líquido. La causa más común del shock hipovolémico exógeno es la hemorragia externa (es decir, de una herida abierta), pero también se puede deber a la pérdida de volumen plasmático causada por la diarrea o el vómito. El shock hipovolémico endógeno se produce cuando la pérdida de líquido está contenida dentro del cuerpo.

Shock distributivo

El **shock distributivo** se produce cuando hay una dilatación generalizada de los vasos de resistencia (arteriolas pequeñas), de los vasos de capacitancia (vénulas pequeñas) o de ambos. El volumen de sangre circulante se acumula en los lechos vasculares dilatados y disminuye la perfusión tisular. Los tres tipos más comunes de shock distributivo son el shock anafiláctico, el shock séptico y el shock neurogénico.

El **shock anafiláctico** (también llamado anafilaxia) se produce cuando se libera histamina y otras proteínas vasodilatadoras después de la exposición a un **alérgeno** (cualquier sustancia que provoca una reacción de hipersensibilidad). El shock anafiláctico también va acompañado de sibilancias y **urticaria** (sarpullido). El resultado es una vasodilatación generalizada que provoca un shock distributivo y una fuga de los vasos sanguíneos. Conforme el líquido fluye de los vasos sanguíneos a los espacios intersticiales, produce hipovolemia intravascular.

Perlas de sabiduría

En la anafilaxia, el líquido intersticial puede causar una inflamación importante. En algunos casos, esta inflamación causa un edema que puede ocluir la vía aérea superior, dando lugar a una condición potencialmente mortal que se manifiesta como el sonido de estridor. Las grandes áreas recurrentes de edema subcutáneo de aparición súbita, que por lo regular desaparecer en 24 horas, se denominan angioedema. Esta condición se observa con frecuencia como resultado de una alergia a alimentos o fármacos, como los inhibidores de la enzima convertidora de angiotensina (IECA).

El **shock séptico** es el resultado de una infección generalizada, por lo regular bacteriana. Se producen interacciones complejas entre el invasor bacteriano y los sistemas de defensa del organismo. Al principio, los mecanismos de defensa del organismo pueden mantener a raya la infección. Si los mecanismos inmunológicos normales se ven superados, el organismo produce muchas sustancias que provocan dilatación vascular y disminución del gasto cardíaco. Si esta situación no se trata, el resultado es un síndrome de disfunción multiorgánica (del que hablaremos más adelante) y, con frecuencia, la muerte.

Perlas de sabiduría

Normalmente, los primeros signos de shock son inquietud y ansiedad (relacionados con la hipoxia). ¡El paciente parece asustado!

El **shock neurogénico** suele ser consecuencia de una lesión medular. Provoca la pérdida del tono normal del sistema nervioso simpático y vasodilatación (**FIGURA 7-11**). Los pacientes a menudo presentan hipotensión refractaria a los líquidos debida al grado de vasodilatación.

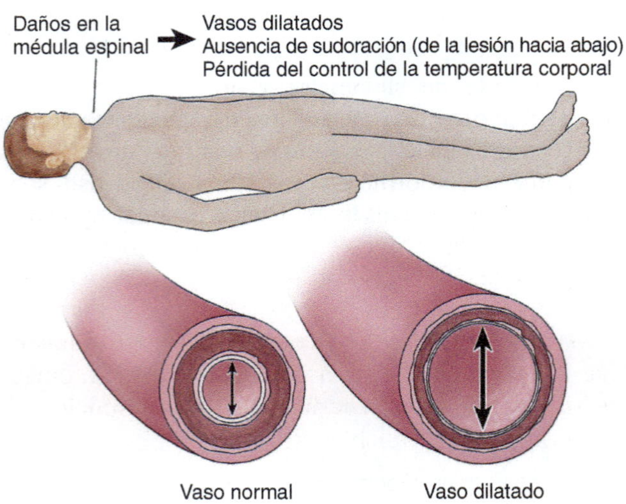

FIGURA 7-11 Los daños en la médula espinal pueden causar lesiones importantes en la parte del sistema nervioso que controla el tamaño y el tono muscular de los vasos sanguíneos. Si el músculo liso de los vasos sanguíneos no recibe impulsos para contraerse, entonces los vasos se dilatan en gran medida, aumentando el tamaño y la capacidad del sistema vascular. La sangre en el cuerpo ya no puede llenar los vasos dilatados, lo que provoca una perfusión inadecuada y un shock neurogénico.

Tratamiento del shock

La mayoría de los tipos de shock se caracterizan por una disminución del gasto cardíaco, insuficiencia circulatoria y taquicardia. Aunque es clásico que la PA baja se asocie al shock, es un signo tardío, especialmente en niños.

Perlas de sabiduría

Una posible excepción al uso estándar de la fluidoterapia intravenosa para tratar el shock es el shock hipovolémico causado por una hemorragia en curso. La hipotensión permisiva, en la que el paramédico intenta conseguir un estado mental apropiado y pulsos periféricos adecuados, puede ser más segura que intentar restablecer la normotensión, que puede agravar la hemorragia en curso. Cuando el shock hipovolémico se trata con líquidos intravenosos en lugar de transfusiones de sangre, los líquidos intravenosos administrados no tienen la misma capacidad de transporte de oxígeno que los hemoderivados. Básicamente, la reanimación con líquidos suficiente para restablecer la normotensión en estos pacientes diluye la sangre en el sistema circulatorio y disminuye la capacidad de transporte de oxígeno en la sangre.

Como siempre, siga los protocolos locales. El monitoreo de los niveles de dióxido de carbono al final de la espiración ($ETCO_2$) también beneficia el desarrollo de resultados objetivos para pacientes en shock.

Clínicamente, para determinar la presencia o ausencia de shock se tiene que evaluar la presencia y el volumen de los pulsos periféricos y valorar la perfusión y la función de los órganos finales. La fuerza de los pulsos periféricos está relacionada con el volumen sistólico del corazón y las presiones del pulso. Si la persona no está en shock, los pulsos periféricos deben ser fácilmente palpables, aunque los ambientes fríos o la obesidad pueden comprometer la presencia o la fuerza de estos pulsos. La perfusión cutánea normal se indica con extremidades, dedos de manos y pies calientes y secos que no presentan alteraciones respecto al color basal del paciente; por el contrario, un **tiempo de llenado capilar** lento, retrasado o prolongado indica shock (aunque esta técnica es más confiable en niños). El moteado, la palidez, la cianosis periférica o central y el retraso en el llenado capilar pueden indicar la presencia de shock, mientras que la alteración del estado mental indica una perfusión inadecuada del tejido cerebral.

Para comprobar el tiempo de llenado capilar, apriete brevemente la uña del pie o de la mano y observe el tiempo que tarda en recuperar el color. Un tiempo de llenado capilar normal es inferior a 2 segundos después del blanqueamiento del dedo del pie o de la mano, mientras que una persona en estado de shock puede tener un tiempo de llenado capilar de más de 2 segundos.

La medición de los niveles de $ETCO_2$ también puede ser útil para el clínico astuto. Aunque el monitoreo del $ETCO_2$ proporciona información valiosa sobre el estado respiratorio y ventilatorio del paciente, también puede interpretar la eficacia de la perfusión en el paciente basándose en los cambios de la capnografía y la capnometría. El dióxido de carbono es uno de los subproductos del metabolismo celular, por lo que un nivel de $ETCO_2$ en descenso es un indicador precoz de shock. Un nivel bajo de $ETCO_2$ combinado con otros signos y síntomas de shock, como hipotensión y alteración del estado mental, son hallazgos clínicos preocupantes.

El tratamiento del shock se dirige principalmente a la condición subyacente. Para más información sobre la prevención del shock mediante el control de las hemorragias, véase el capítulo 27, *Hemorragia.*

Síndrome de disfunción multiorgánica

El **síndrome de disfunción multiorgánica (SDMO)**, descrito por primera vez en 1975, es una condición progresiva que se presenta en algunos pacientes críticos. Se caracteriza por la falla concurrente de dos o más órganos o sistemas orgánicos que inicialmente no resultaron dañados por el trastorno o lesión aguda que causó la enfermedad actual del paciente. Para diagnosticar el SDMO, se examinan seis sistemas orgánicos: respiratorio, hepático, renal, hematológico, neurológico y cardiovascular. A cada sistema se le asigna una puntuación para determinar el riesgo global del paciente. Por ejemplo, la puntuación de la escala de coma de Glasgow se utiliza para clasificar la función del sistema neurológico del paciente. Aunque el SDMO puede iniciarse en un sistema, el proceso de la enfermedad con frecuencia progresa de forma cíclica, incluyendo múltiples sistemas orgánicos y factores de complicación a lo largo de su curso.

La tasa de mortalidad global del SDMO varía en gran medida en función de la etiología subyacente y del diagnóstico y tratamiento consiguientes. A pesar de la inevitabilidad que sugiere su nombre, esta condición con frecuencia es reversible, sobre todo en pacientes que estaban sanos antes de que se produjera la agresión fisiológica.[8] No obstante, el SDMO es una de las principales causas de muerte después de una septicemia, un traumatismo o una quemadura, con tasas de mortalidad de hasta 70% en pacientes con estas lesiones.[8]

El SDMO primario es el resultado directo de una lesión, como una contusión pulmonar por golpearse el tórax con el volante durante un accidente de tráfico. El SDMO secundario es una disfunción orgánica más lenta y progresiva.

El SDMO se produce cuando una lesión o infección (shock séptico) desencadena una respuesta inmunológica, inflamatoria y de coagulación sistémica masiva acompañada de la liberación de endotoxinas. La sobreactivación del sistema del complemento aumenta aún más la inflamación y el daño celular. El daño endotelial vascular desencadena la sobreactivación del sistema de coagulación, lo que conduce a una coagulación descontrolada en las vénulas y arteriolas. A su vez, esta coagulación provoca la formación de trombos microvasculares e isquemia tisular. Además, el SDMO activa el sistema calicreína-cinina, estimulando la liberación de bradicinina, un potente vasodilatador. La calicreína es una enzima inactiva del páncreas. Cuando se activa, puede dilatar los vasos sanguíneos, influir en la PA, modular la excreción de sal y agua por los riñones e influir en la remodelación cardíaca después de un infarto agudo de miocardio (IAM). La bradicinina aumenta la permeabilidad vascular, dilata los vasos sanguíneos, contrae el músculo liso y causa dolor cuando se inyecta en la piel. La vasodilatación conduce a la hipoperfusión tisular y también puede contribuir a la hipotensión.

El resultado neto de la activación de estos sistemas es una mala distribución del flujo sanguíneo sistémico y a los órganos. A menudo, el organismo intenta compensar este problema acelerando el metabolismo tisular. El resultado es un desequilibrio entre el suministro y la demanda de oxígeno que provoca hipoxia tisular, iniciando una cascada de efectos adversos que incluyen hipoperfusión tisular, agotamiento del suministro de combustible de las células (ATP), falla metabólica, descomposición de los lisosomas, metabolismo anaeróbico y acidosis, y deterioro de la función celular.

Por lo regular, el SDMO puede aparecer horas o días después de la reanimación. Sus signos y síntomas incluyen hipotensión, perfusión tisular insuficiente, hemorragia incontrolable (coagulopatía) y falla orgánica multisistémica. La respuesta inflamatoria puede provocar fiebre baja, taquicardia y disnea. También puede ser difícil oxigenar a los pacientes debido a la lesión pulmonar aguda y al síndrome de dificultad respiratoria aguda.

En un periodo de 14 a 21 días, los pacientes con SDMO pueden desarrollar insuficiencia renal y hepática, junto con colapso de los sistemas gastrointestinal e inmunológico. Los riñones dependen de una presión de perfusión adecuada para llevar a cabo sus tareas.

Cuando desciende la presión arterial media, los riñones dejan de funcionar. Si esto ocurre, muchos pacientes requieren diálisis continua en cama.

El hígado es un órgano complejo con una función clave en la excreción de desechos y toxinas. Asimismo, una función hepática adecuada es fundamental para la síntesis de proteínas sanguíneas y de coagulación, así como para el almacenamiento de glucógeno, hierro y vitaminas. Lamentablemente, no existen tratamientos definitivos para la insuficiencia hepática. En su lugar, el tratamiento se centra en minimizar los efectos del daño hepático.

El cerebro, las glándulas suprarrenales y el corazón también se ven afectados durante las etapas iniciales del SDMO. El nivel de conciencia se deteriora con rapidez en pacientes en estado de hipoxia, pero disminuye precipitadamente en pacientes con SDMO. La hipoxia cerebral y la isquemia posterior pueden causar déficits permanentes como resultado de una lesión cerebral anóxica.

Quizá el corazón sea el órgano más afectado en un paciente con SDMO. A medida que el corazón lucha por mantener la presión de perfusión arterial, también se vuelve hipóxico. La hipotensión no se puede controlar a pesar de la administración de líquidos y vasopresores. La taquicardia compensatoria consume aún más oxígeno y aparecen arritmias como la bradicardia, la taquicardia ventricular y la fibrilación ventricular. A menudo, el colapso cardiovascular y la muerte se producen a los pocos días o semanas de la agresión inicial.

Mecanismos de autodefensa del organismo

El **sistema inmunológico** incluye todas las estructuras y procesos relacionados con la defensa del organismo frente a sustancias extrañas y agentes patógenos. El cuerpo tiene tres líneas de defensa: las barreras anatómicas, la respuesta inflamatoria y la respuesta inmunológica.

Barreras anatómicas

Varias barreras anatómicas disminuyen las posibilidades de que sustancias extrañas invadan el organismo. La piel es el principal elemento disuasivo. Los vellos del tracto respiratorio superior (la nariz) y el revestimiento del tracto respiratorio inferior (células epiteliales recubiertas de cilios) también ayudan a repeler la materia extraña, especialmente las partículas pequeñas, y algunas bacterias. El ácido del estómago impide que muchos agentes infecciosos entren en el organismo a través del tracto gastrointestinal.

Respuesta inmunológica

La **respuesta inmunológica** es la acción de defensa del organismo ante cualquier sustancia que reconozca como extraña. Esta respuesta con frecuencia se dirige hacia microbios invasores, como bacterias o virus. También la desencadenan cuerpos extraños, como

USTED es el Paramédico

PARTE 3

Su compañera se prepara para cambiar de oxígeno de alto flujo a CPAP, evalúa los signos vitales del paciente, coloca el monitor cardíaco y establece una vía intravenosa. Usted ausculta los ruidos pulmonares y escucha poco movimiento de aire. Se oyen crepitaciones gruesas (estertores) bilaterales en todos los campos. El paciente tose y usted observa un esputo rosado y espumoso. Le pide a su compañera que evalúe los medicamentos en la mesa auxiliar mientras usted establece la vía intravenosa.

Tiempo de registro:	2 minutos
Respiraciones	22 respiraciones/min; poco profundas
Pulso	110 latidos/min
Piel	Fría, húmeda y pálida
Presión arterial	140/90 mm Hg
Saturación de oxígeno (Spo_2)	89% antes de CPAP
Pupilas	Pupilas iguales, redondas y reactivos a la luz y al acomodamiento (PIRRL)

5. Con base en lo que sabe sobre fisiología, ¿cuál es la causa del esputo rosado y espumoso?
6. ¿Cómo se explica la disminución del nivel de Spo_2?

una astilla, e incluso crecimientos celulares anormales, como los tumores. En la respuesta inmunológica solo interviene un tipo de leucocitos: los linfocitos.

El sistema inmunológico corporal no puede destruir a todos los invasores. En algunos casos, el mejor compromiso al que puede llegar el cuerpo es controlar el daño y evitar que el invasor se extienda. A menudo, el sistema inmunológico consigue prevenir enfermedades graves después de una infección. Cuando los sistemas normales se ven superados o fallan, se produce una enfermedad grave.

El cuerpo responde a diferentes tipos de desafíos inmunológicos de forma muy similar. Aunque los detalles dependen del desafío concreto, el patrón básico es el mismo: primero se inicia la respuesta innata y después se refuerza con la respuesta adquirida más específica. Estas dos vías están interconectadas.

Piense en lo que ocurre cuando las bacterias entran en el cuerpo. Si las bacterias no están encapsuladas, los macrófagos de inmediato empiezan a ingerir estos microorganismos. Si las bacterias están encapsuladas, los anticuerpos (opsoninas) deben recubrir la cápsula antes de que pueda ser ingerida por los fagocitos.

A continuación, los componentes de la pared celular activan el sistema del complemento. Algunos componentes del sistema del complemento activado, denominados **quimiotaxinas**, atraen a los leucocitos de la circulación para que ayuden a combatir la infección. La cascada del complemento termina con la formación de un conjunto de proteínas denominado **complejo de ataque de membrana**. Estas moléculas se insertan en la membrana bacteriana, debilitando esas zonas de la membrana. Posteriormente, los iones y el agua entran en la célula a través de las zonas debilitadas, lo que provoca la lisis de la bacteria (un proceso químico en el que no intervienen las células inmunológicas).

Si ya existen anticuerpos contra la bacteria en el organismo, estos ayudarán a la respuesta inmune actuando como opsoninas y neutralizando las toxinas bacterianas. Aunque con frecuencia tardan varios días, se activan las células B de memoria atraídas al lugar de la infección cuando se encuentra un antígeno reconocido. Si la infección es nueva para el organismo, es decir, si no hay anticuerpos preexistentes, se activarán las células B. Entonces se liberan linfocitos T auxiliares y citocinas, se producen anticuerpos y se forman los linfocitos B y T de memoria.

En el **CUADRO 7-3** se describen los tipos de células del sistema inmunológico.

Características de la respuesta inmunológica

Las respuestas inmunológicas natural y adquirida protegen al organismo de agentes infecciosos, como virus y bacterias, y de sustancias extrañas que han accedido al cuerpo a través de la piel o del revestimiento de los órganos internos.

La **inmunidad natural**, también llamada inmunidad nativa, es una respuesta celular y humoral (anticuerpos) inespecífica que actúa como primera línea de defensa contra los agentes patógenos. La mayor parte de la inmunidad natural está asociada a la respuesta inflamatoria inicial.

La **inmunidad adquirida** (también llamada inmunidad adaptativa) es un método altamente específico, inducible y discriminatorio por el que ejércitos de células responden a un estimulante inmunológico, de forma que el sistema inmunológico nunca dejará de reconocer el mismo estimulante cuando se encuentre posteriormente, incluso años después. Este mecanismo se activa cuando el organismo se expone a una sustancia extraña o a una enfermedad y produce anticuerpos contra el invasor. La inmunidad adquirida pasivamente es la recepción de anticuerpos preformados para combatir o prevenir la infección. Algunos ejemplos de inmunidad adquirida pasivamente incluyen el paso transplacentario de anticuerpos y el paso de anticuerpos en el calostro (la primera leche materna de la madre al bebé), que protege al bebé hasta que su sistema inmunológico se desarrolla lo suficiente como para tomar el control. La inyección de inmunoglobulina (una forma concentrada de anticuerpos obtenidos de donantes) también es una forma de inmunidad adquirida pasivamente.

La respuesta inmunológica primaria (inicial) se presenta durante la primera exposición a un **antígeno** (una sustancia extraña; un neoantígeno es un antígeno asociado a células cancerosas). Este encuentro puede no producir ningún síntoma clínico. A veces, la respuesta inicial del cuerpo es producir un anticuerpo que desencadena síntomas en exposiciones posteriores. La respuesta inmunológica secundaria (amnésica) se produce con la reexposición a la sustancia extraña. El cuerpo ya ha desarrollado una especie de memoria para esa sustancia, por lo que se produce una reacción más rápida y vigorosa cuando el cuerpo la encuentra de nuevo.

Un **anticuerpo** se une a un antígeno específico para que el complejo se adhiera a células inmunológicas especializadas que lo ingieren para destruirlo o liberan mediadores biológicos como la histamina para inducir una respuesta alérgica o inflamatoria. Las características específicas de la interacción

CUADRO 7-3 Células del sistema inmunológico

Tipo de célula	Descripción
Basófilos	Tipo de leucocito que libera histamina durante la inflamación.
Eosinófilos	Tipo de leucocito que fagocita el complejo antígeno-anticuerpo; ataca a los parásitos.
Neutrófilos	Tipo de leucocito que fagocita las bacterias.
Monocitos	Tipo de leucocito que fagocita bacterias, células muertas y restos celulares.
Linfocitos	Tipo de leucocito que participa en la protección inmunológica; ataca directamente a las células o produce anticuerpos.
Macrófagos	Leucocitos del interior de los tejidos; se producen por diferenciación de los monocitos. Sus funciones incluyen la fagocitosis y la estimulación de los linfocitos y otras células inmunológicas para que respondan a los patógenos; una de las primeras líneas de defensa en el proceso inflamatorio.
Mastocitos	Células que se encuentran en los tejidos conectivos, bajo la piel, en la mucosa gastrointestinal y en las membranas mucosas del sistema respiratorio. Las funciones se relacionan con las reacciones alérgicas, la inmunidad y la cicatrización de heridas.
Células plasmáticas	Leucocitos que se desarrollan a partir de las células B y producen grandes volúmenes de anticuerpos específicos.
Células B (linfocitos B)	Células que maduran en la médula ósea, donde se diferencian en células de memoria o células secretoras de inmunoglobulinas (anticuerpos). Las funciones incluyen la eliminación de bacterias, la neutralización de toxinas bacterianas, la prevención de la reinfección viral y la producción de una respuesta inflamatoria inmediata.
Células B auxiliares	Tipo de célula reguladora que activa las células B para que produzcan anticuerpos.
Células B de memoria	Tipo de célula B que ayuda en la respuesta rápida a exposiciones posteriores a un antígeno; estas células recuerdan el antígeno como extraño. Producen anticuerpos rápidamente.
Células T (linfocitos T)	Células que se producen en la médula ósea y maduran en el timo. Existen dos tipos principales que destruyen antígenos: las células reguladoras y las efectoras.
Células T asesinas	Tipo de célula T que destruye las células infectadas por virus liberando linfocinas que destruyen las paredes celulares; también se denominan células citotóxicas o efectoras.

antígeno-anticuerpo dependen de la sustancia extraña implicada (**FIGURA 7-12**).

Un **inmunógeno** es un antígeno capaz de generar una respuesta inmunológica. Por lo tanto, un inmunógeno es un antígeno, aunque un antígeno no es necesariamente un inmunógeno. Los antígenos y los inmunógenos se pueden clasificar de acuerdo con su tamaño. Las proteínas, los polisacáridos y los ácidos nucleicos son más grandes, mientras que los aminoácidos, los monosacáridos y los ácidos grasos son más pequeños. Un **hapteno** es una sustancia que normalmente no estimula una respuesta inmunológica, pero que puede combinarse con un antígeno y, después, iniciar por sí sola una respuesta anticuerpo específica.

Respuesta inmunológica humoral

En la **inmunidad humoral**, los linfocitos de células B producen anticuerpos denominados inmunoglobulinas, que reconocen un antígeno específico y reaccionan a él (**FIGURA 7-13**). Esto difiere de la inmunidad mediada por células (de la que hablaremos más adelante), en la que los macrófagos y las células T atacan y destruyen patógenos o sustancias extrañas.

Linfocitos B

Al igual que todas las células sanguíneas, los linfocitos B nacen en la médula ósea, donde descienden de las células madre. La teoría de la selección clonal sostiene que cada linfocito B produce anticuerpos que solo tienen un tipo de región de unión al antígeno y, por lo tanto, son específicos para un antígeno concreto, conocido como antígeno afín. Los anticuerpos se encuentran en la superficie de las células B, donde pueden reconocer la presencia de sus antígenos afines. Cuando una célula B reconoce el antígeno cognado, prolifera para producir de forma exponencial más células B idénticas;

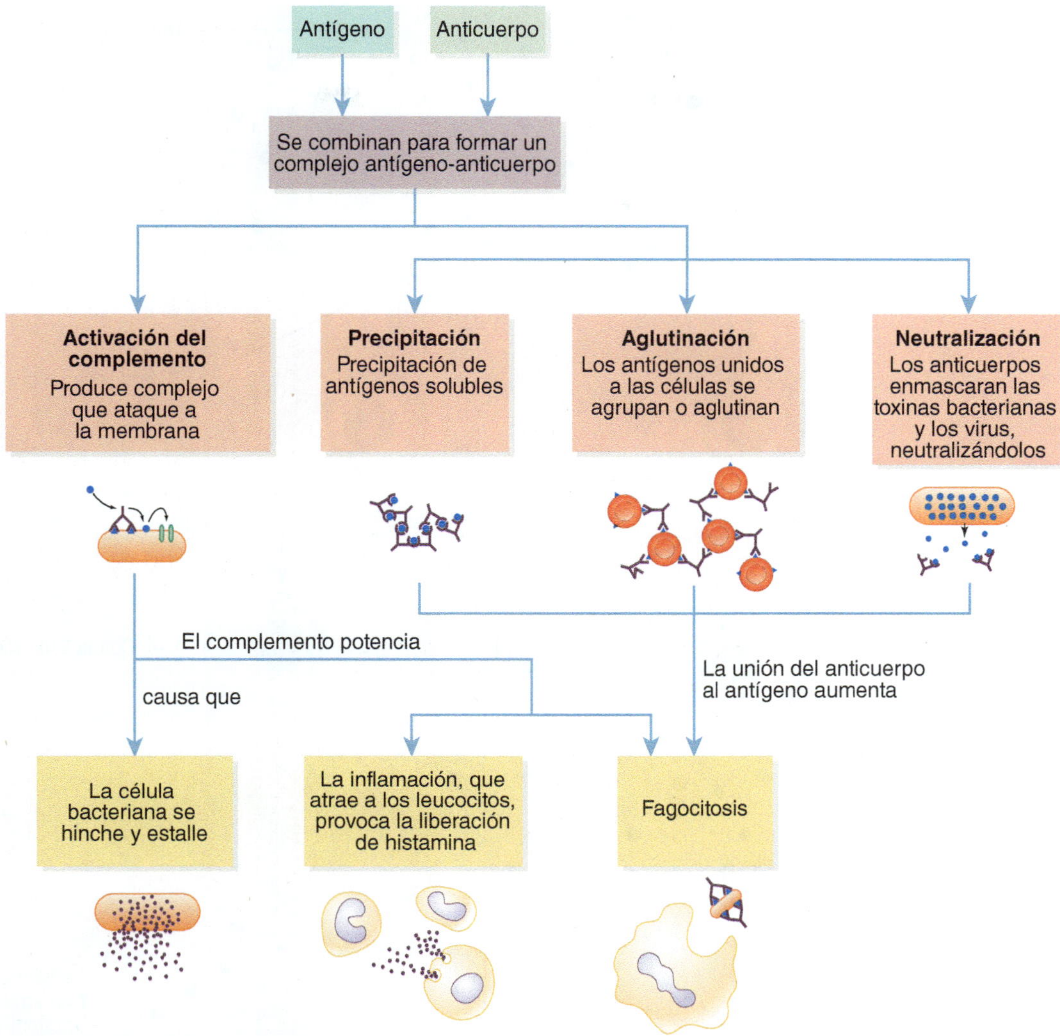

FIGURA 7-12 Cómo funcionan los anticuerpos.

cada una de las nuevas células puede fabricar anticuerpos que reconozcan el mismo antígeno.

Para que las células B produzcan anticuerpos, primero se deben activar. La forma más común en que esto ocurre es a través de las **células T auxiliares** (**FIGURA 7-14**):

1. Un macrófago rodea el antígeno a través de la fagocitosis. Digiere el antígeno, empujando las partículas desechadas a la superficie celular. Estos restos interactúan con el linfocito B y un linfocito T auxiliar.
2. El antígeno se une al linfocito B y al linfocito T auxiliar, activando a ambos.
3. El linfocito T auxiliar activado segrega una linfocina, una sustancia que estimula a los linfocitos B para que produzcan un clon. Un clon es un grupo de células idénticas formadas a partir de la misma célula progenitora. El clon comprende dos tipos de células idénticas con funciones diferentes: las células plasmáticas, que fabrican los anticuerpos, y las células de memoria, que "recuerdan" el encuentro inicial con el antígeno. Los linfocitos B producen muchos clones de este tipo, denominados anticuerpos policlonales. También es posible crear anticuerpos monoclonales. Estos anticuerpos altamente específicos se utilizan en la investigación de laboratorio y en algunas terapias contra el cáncer, pero no son especialmente relevantes en la práctica paramédica.

El cuerpo humano distingue entre sustancias extrañas y sus propias células y tejidos mediante el complejo mayor de histocompatibilidad, un grupo de genes localizados en un único cromosoma que

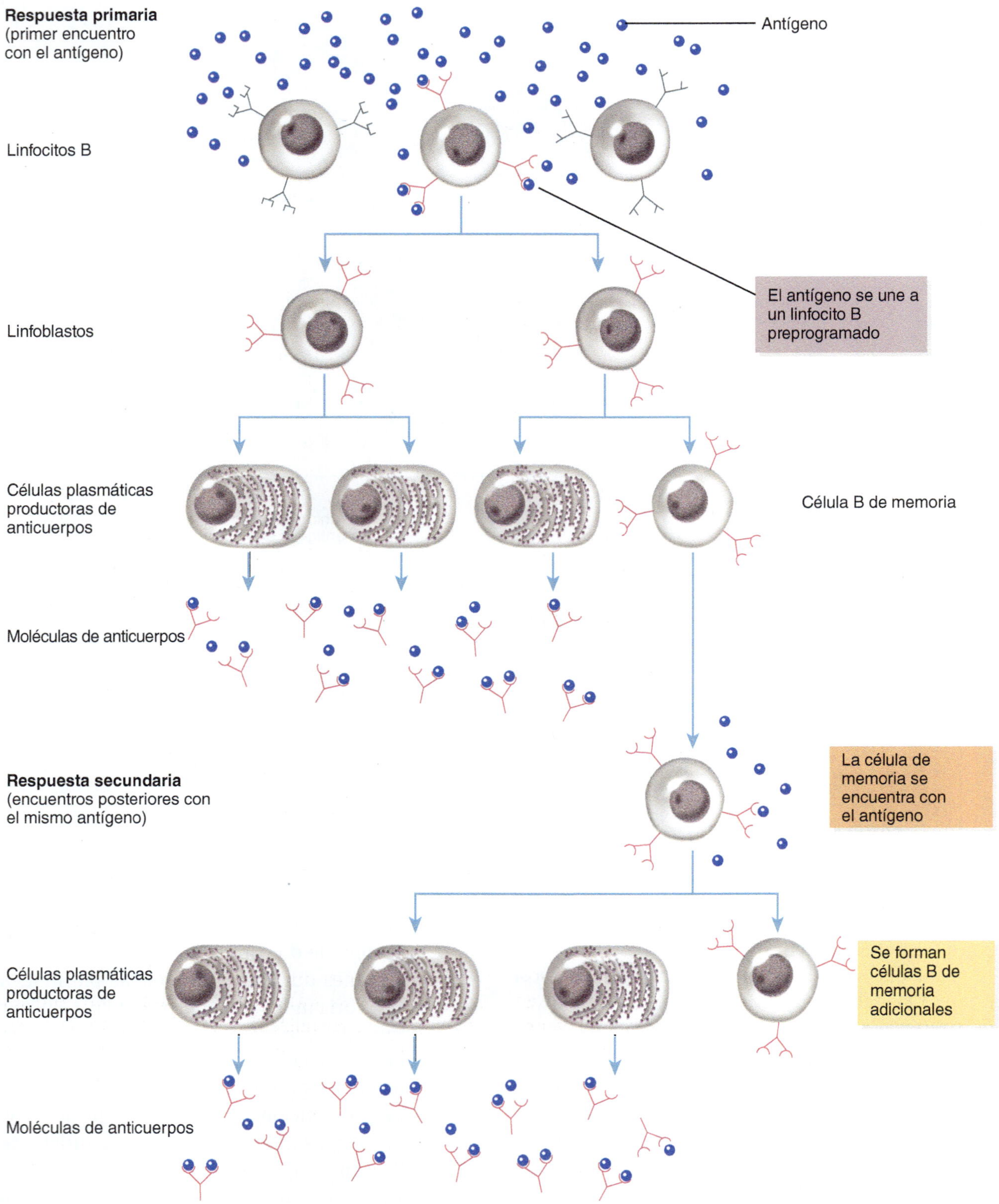

FIGURA 7-13 Activación de las células B. Las células B inmunocompetentes son estimuladas por la presencia de un antígeno, produciendo una célula intermedia, el linfoblasto. Los linfoblastos se dividen, produciendo células plasmáticas y algunas células B de memoria. Las células B de memoria responden a la invasión posterior del antígeno, produciendo una respuesta secundaria rápida.

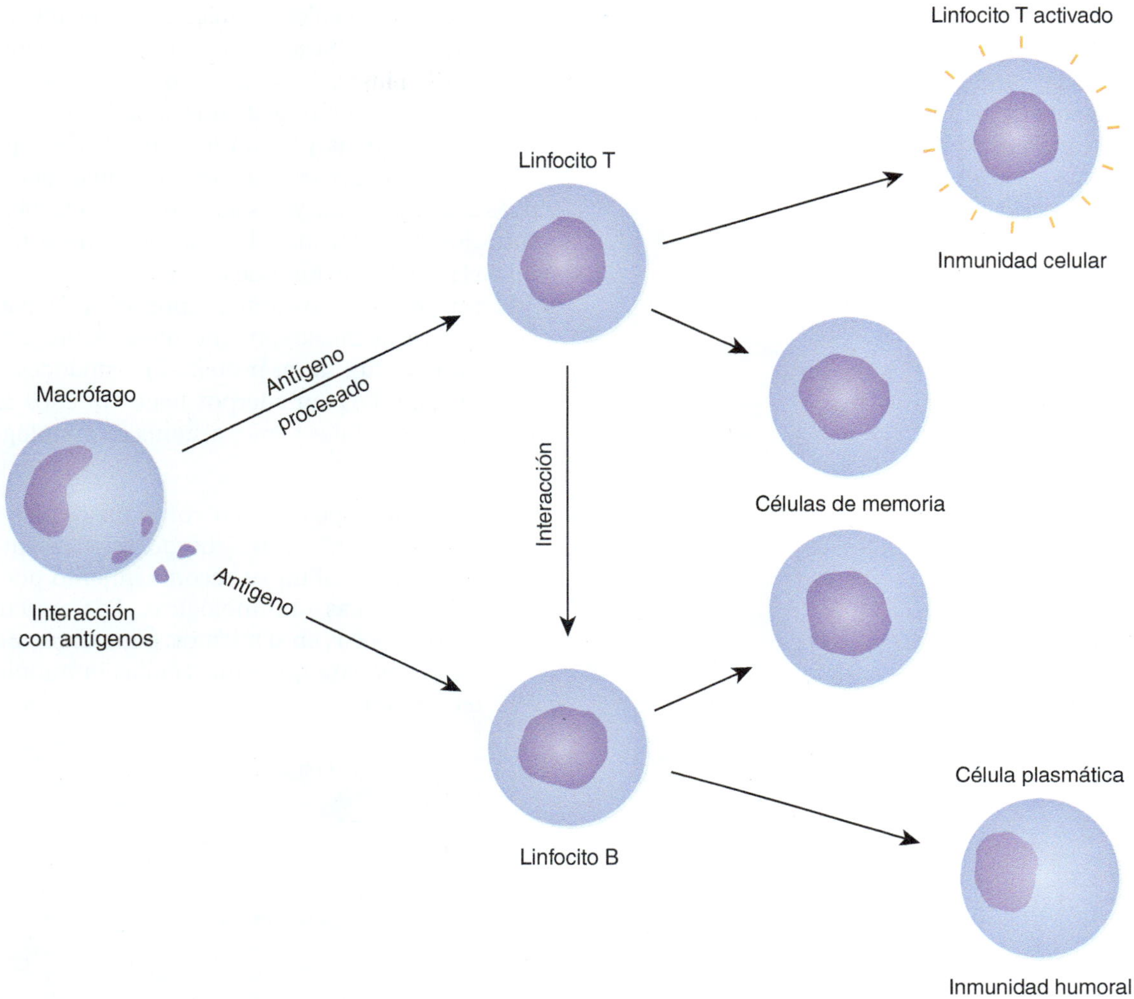

FIGURA 7-14 Interacción de la inmunidad celular y humoral. Un macrófago presenta fragmentos de antígeno procesados al linfocito T. El linfocito B procesa el antígeno intacto y muestra fragmentos del mismo antígeno en su membrana celular. El linfocito T, que ha respondido al mismo antígeno, estimula al linfocito B para que prolifere, madure en células plasmáticas y produzca anticuerpos.

permite a una persona capaz de generar una respuesta inmunológica para distinguir lo *propio* de lo *ajeno* (es decir, lo extraño). El complejo genético del antígeno leucocitario humano es el principal complejo de histocompatibilidad humana y está presente en todas las células humanas nucleadas. Codifica numerosos antígenos que son únicos de cada persona. Cuando el sistema inmunológico encuentra estos antígenos particulares, los reconoce como propios y no se produce ninguna respuesta inmunológica.

Inmunoglobulinas

Los anticuerpos secretados por las células B se denominan **inmunoglobulinas** (en este texto se utilizan indistintamente los términos *inmunoglobulinas* y *anticuerpos*, a menos que se indique lo contrario). Estas proteínas en forma de Y constan de una porción de fragmento cristalizable (Fc) y dos regiones de fragmento de unión a antígeno (Fab) que únicamente se unen a un antígeno específico. La molécula básica de anticuerpo tiene cuatro cadenas unidas en forma de Y. Cada lado de la Y es idéntico, con una cadena ligera unida a una cadena pesada (**FIGURA 7-15**). Los dos brazos, o regiones Fab, contienen sitios de unión al antígeno. El tallo, o región Fc, interactúa con otros anticuerpos o receptores de las células inmunológicas. Por ejemplo, los mastocitos están repletos de receptores de inmunoglobulina E (IgE) que se unen a los anticuerpos IgE y los transportan. Cuando un antigénico se une a uno de estos anticuerpos IgE, se estimula al mastocito para que libere gránulos de histamina. Tiene sentido, entonces, que los anticuerpos IgE estén asociados con la alergia (**FIGURA 7-16**).

Los antígenos de los anticuerpos se clasifican en tres categorías principales: isotípicos, alotípicos e idiotípicos.

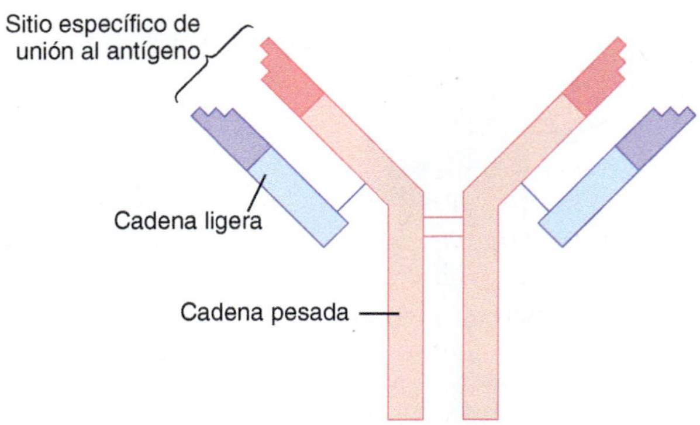

FIGURA 7-15 Estructura de una molécula de inmunoglobulina.

Un marcador antigénico isotípico se encuentra en todos los miembros de una subclase de una clase de inmunoglobulina. Un marcador antigénico alotípico se encuentra en algunos miembros de una subclase de una clase de inmunoglobulina, pero no en todos. Un determinante antigénico idiotípico es una estructura única que se crea en las cadenas ligeras y pesadas de una molécula de inmunoglobulina. Algunas de estas estructuras intervienen en la regulación inmunológica.

La mayoría de los anticuerpos se encuentran en el plasma. De hecho, los anticuerpos constituyen aproximadamente 20% de las proteínas plasmáticas de una persona sana. Los anticuerpos hacen que los antígenos sean más visibles para el sistema inmunológico de tres maneras:

- Los anticuerpos actúan como opsoninas. En la **opsonización**, un anticuerpo recubre un antígeno para facilitar su reconocimiento por parte de las células inmunológicas. Los anticuerpos no son tóxicos en sí mismos, pero etiquetan a los antígenos para que otras células inmunológicas los ataquen.

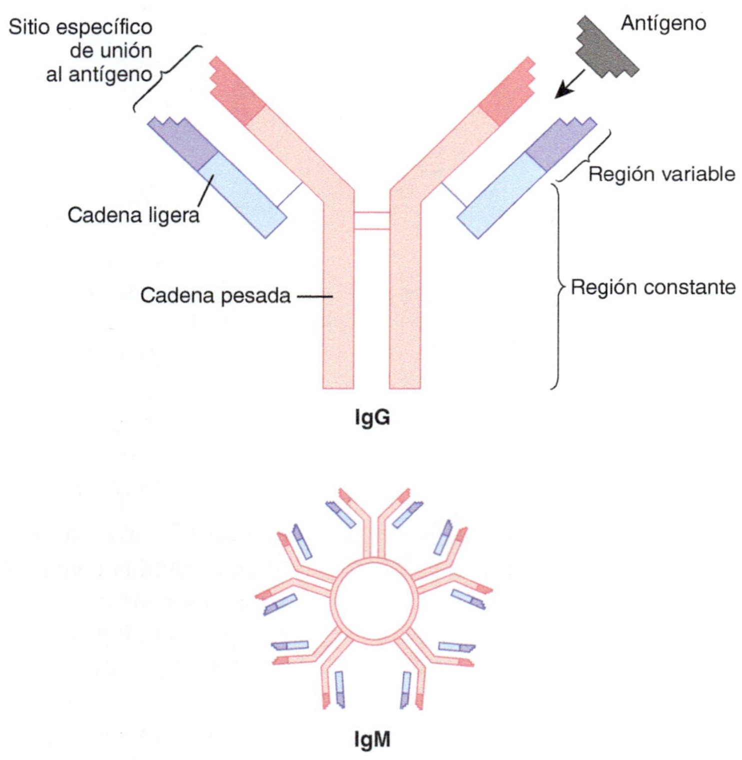

FIGURA 7-16 Estructura general de un anticuerpo. Obsérvese que la inmunoglobulina G (IgG) es un monómero; es una molécula. La inmunoglobulina M (IgM) es un pentámero; es un grupo de cinco anticuerpos y se combina eficazmente con antígenos extraños. El antígeno se ajusta exactamente en el sitio de unión al antígeno; de no ser así, no podría unirse allí. Los sitios de unión a antígenos tienen estructuras diferentes en función del antígeno al que están diseñados para unirse.

- Los anticuerpos hacen que los antígenos se agrupan (se precipitan, también conocido como aglutinar) para facilitar la fagocitosis.
- Los anticuerpos se unen a algunas toxinas producidas por bacterias y las inactivan. Los macrófagos pueden entonces ingerir y destruir las toxinas inactivadas.

Los anticuerpos se dividen en cinco clases generales de inmunoglobulinas (**CUADRO 7-4**). La inmunidad fetal es una inmunidad adquirida pasivamente que se deriva principalmente de los anticuerpos de inmunoglobulina G (IgG) e inmunoglobulina M (IgM) maternos. A medida que el óvulo fecundado crece, sus células periféricas se diferencian en un grupo de células denominado trofoblasto. El trofoblasto forma la placenta y otras estructuras que sostendrán y nutrirán al embrión. La inmunidad de la mujer embarazada pasa a través del trofoblasto. De hecho, las células sanguíneas del cordón umbilical contienen propiedades inmunológicas y se han utilizado en tratamientos médicos, razón por la cual algunas personas deciden almacenar la sangre del cordón umbilical de sus hijos. Es importante reconocer que el cordón umbilical contiene propiedades inmunológicas, ya que, al cortar el cordón umbilical, la posición del recién nacido es importante. Además, el paramédico se debe asegurar de que el recién nacido no esté demasiado alto o demasiado bajo con respecto a la madre; de lo contrario, el recién nacido podría tener una pérdida o ganancia de sangre excesiva y, por lo tanto, inmunidad. Después del parto, los anticuerpos que pasaron al feto persisten hasta que las propias células B del neonato toman el relevo. Un número considerable de anticuerpos también se transfiere a través de la leche materna, que es una de las muchas razones por las que muchos expertos favorecen la lactancia materna.

CUADRO 9-4 Clases generales de inmunoglobulinas

Clase	Descripción
IgG	La inmunoglobulina más común. Representa 75% de los anticuerpos en la sangre. Se encuentra en la linfa sinovial, el líquido peritoneal, el líquido cefalorraquídeo y la leche materna. La IgG es la única inmunoglobulina que atraviesa la placenta, lo que confiere inmunidad a los lactantes durante los primeros meses de vida.
IgA	Representa 15% de los anticuerpos en la sangre. También se encuentra en las lágrimas, la saliva, las secreciones de la vía aérea y el estómago. La IgA se combina con una proteína de la mucosa y defiende las superficies corporales contra los microorganismos invasores.
IgM	Representa entre 5 y 10% de los anticuerpos de la sangre y es el anticuerpo dominante en las incompatibilidades ABO (grupo sanguíneo). La IgM es el anticuerpo inicial que se forma en la mayoría de las infecciones.
IgE	Representa menos de 1% de los anticuerpos de la sangre y se asocia a las reacciones alérgicas. Cuando los receptores de los mastocitos se combinan con la IgE y el antígeno, los mastocitos degranulan y liberan mediadores químicos como la histamina.
IgD	Representa menos de 1% de los anticuerpos presentes en la sangre. La función fisiológica de la IgD no está clara.

Abreviatura: Ig, inmunoglobulina.

Respuesta inmunológica celular

La **inmunidad celular** se caracteriza por la formación de una población de linfocitos que pueden atacar y destruir material extraño. Es la principal defensa contra virus, hongos, parásitos y algunas bacterias. La inmunidad celular es el mecanismo por el que el cuerpo rechaza los órganos trasplantados y elimina las células anormales que a veces surgen espontáneamente en la división celular.

En la inmunidad celular, los linfocitos T reconocen antígenos y contribuyen a la respuesta inmunológica de dos formas principales: (1) al secretar citocinas que atraen a otras células o (2) al convertirse en citotóxicos y matar a las células infectadas o anormales. Existen cinco subgrupos de células :

1. **Células T asesinas.** Las células T asesinas (también llamadas células T citotóxicas) destruyen el antígeno. Ayudan a eliminar del cuerpo las células infectadas por virus y las células transformadas en cancerosas. Las células T asesinas también son responsables del rechazo de injertos de tejidos y órganos.
2. **Células T auxiliares.** Las células T auxiliares activan muchas células inmunológicas, incluidas las células B^+ y otras células T (también denominadas células T4 o $CD4^+$).
3. **Células T supresoras.** Las células T supresoras (también denominadas células T8 o $CD8^+$) suprimen la actividad de otros linfocitos para que no destruyan el tejido normal.

4. **Células T de memoria.** Las células T de memoria recuerdan la reacción para la próxima vez que la necesiten.
5. **Células productoras de linfocinas.** Secretadas por los linfocitos, estas células actúan para dañar las células; por ejemplo, las linfocinas destruyen las células que han sido infectadas por un virus.

Durante la respuesta celular, los macrófagos ingieren patógenos. Cuando un macrófago digiere un patógeno, libera pequeñas partículas de antígeno. Este antígeno se abre camino hasta la superficie del macrófago, donde es reconocido por células T específicas. Otras células T, como las células T auxiliares y las células T asesinas, se unen al antígeno y al macrófago, destruyendo al invasor.

Poblaciones especiales

La función de las células T y B suele ser deficiente en adultos mayores. La disminución de la función de los linfocitos va acompañada de una disminución de la actividad de los macrófagos. Como resultado de este cambio en el sistema inmunológico relacionado con el envejecimiento, los adultos mayores son más susceptibles a las infecciones y se recuperan más lentamente. Además, los adultos mayores tienen un mayor nivel de **autoanticuerpos** (anticuerpos dirigidos contra lo propio), lo cual explica en parte por qué son susceptibles a las enfermedades autoinmunes.

Respuesta inflamatoria

La **respuesta inflamatoria** es una respuesta de los tejidos del cuerpo a una irritación o lesión. Se caracteriza por dolor, edema, enrojecimiento y calor. Los leucocitos de diversos tipos son un componente importante de esta respuesta.

Aunque a menudo se producen de manera simultánea, la reacción inflamatoria y la respuesta inmunológica son procesos independientes. Es decir, puede haber inflamación sin que se active la respuesta inmunológica, y viceversa. La inflamación es un proceso dinámico que, una vez iniciado, desencadena una compleja cascada de acontecimientos locales y sistémicos. Las dos causas más comunes de inflamación son las infecciones (bacterianas o virales) y las lesiones.

Inflamación aguda

En la respuesta inflamatoria aguda intervienen componentes vasculares y celulares. Inicialmente, las arteriolas se contraen en un intento por limitar la pérdida de sangre, pero después se dilatan, permitiendo la entrada de sangre a mayor presión. Este proceso aumenta la presión intravascular y hace que el vaso sanguíneo se expanda; como en un globo que se infla, las paredes del vaso se vuelven más finas. La mayor presión, combinada con el aumento de la permeabilidad de la pared vascular, provoca la salida de líquido a los espacios intersticiales (edema). Cuando ha escapado suficiente líquido a la zona circundante y se ha liberado la presión intravascular, la pared vascular se contrae y el flujo es más lento, lo que provoca la acumulación de sangre en los capilares.

En las reacciones inflamatorias de los tejidos participan diversas células sanguíneas: glóbulos blancos (leucocitos), plaquetas, mastocitos y células plasmáticas (linfocitos B que crean anticuerpos). Los tipos celulares específicos incluyen neutrófilos, monocitos, linfocitos, eosinófilos, basófilos y plaquetas activadas. Los mediadores químicos, producidos principalmente por los mastocitos, son responsables de los sucesos vasculares y celulares que se producen durante la respuesta inflamatoria aguda. Entre los mediadores celulares se encuentran la histamina, los derivados del ácido araquidónico y las citocinas como las interleucinas y el factor de necrosis tumoral.

Perlas de sabiduría

Los corticoesteroides pueden disminuir la respuesta inflamatoria inicial, que es una parte necesaria de la cicatrización de heridas. Sin embargo, como inmunosupresores, los corticoesteroides también aumentan el riesgo de infección de la herida. Esta consideración es importante en pacientes con diabetes, ya que es común el desarrollo de este tipo de infecciones en esta población.

Mastocitos

Los mastocitos desempeñan una función importante en la inflamación. Durante la inflamación, los mastocitos degranulan y liberan diversas sustancias. Los principales estímulos para la degranulación de los mastocitos durante la respuesta inflamatoria son lesiones físicas (traumatismos), agentes químicos (p. ej., toxinas bacterianas) y sustancias inmunológicas (p. ej., interacción de un antígeno y un anticuerpo IgE).

Después de la degranulación, los mastocitos liberan **aminas vasoactivas**. Las más importantes de estas sustancias, la **histamina** y la **serotonina**, aumentan la permeabilidad vascular, causan vasodilatación y pueden provocar broncoconstricción, náuseas y vómito.

Debido a que la histamina es una amina vaso depresora preformada que se almacena en los mastocitos, puede liberarse rápidamente, por lo que sus acciones se observan al principio de la respuesta inflamatoria. Los mastocitos también sintetizan factores quimiotácticos que atraen neutrófilos (factor quimiotáctico neutrófilo) y eosinófilos (factor quimiotáctico eosinofílico).

Los mastocitos también sintetizan leucotrienos. Los **leucotrienos** —también conocidos como sustancias de reacción lenta de la anafilaxia— son una familia de compuestos biológicamente activos derivados del ácido araquidónico. Los leucotrienos clínicamente importantes participan en las reacciones de defensa del huésped y en las condiciones fisiopatológicas que los paramédicos ven comúnmente en el campo, como la hipersensibilidad inmediata y la inflamación. Los leucotrienos tienen potentes acciones en muchas partes del cuerpo, incluidos los sistemas cardiovascular, pulmonar, inmunológico y nervioso central, así como el tracto gastrointestinal.

Los leucotrienos son principalmente agentes endógenos de la inflamación. Contribuyen a los signos y síntomas observados en las respuestas inflamatorias agudas, incluidas las respuestas resultantes de la interacción de los alérgenos con los anticuerpos IgE de los mastocitos. Algunos leucotrienos son broncoconstrictores, estimulan la secreción de moco de la vía aérea y son muy eficaces para aumentar la permeabilidad de las vénulas poscapilares (incluidas las de la circulación bronquial), provocando así la exudación de proteínas plasmáticas (exudación del tejido) y edema. Algunos leucotrienos también pueden promover la migración de eosinófilos a la vía aérea de animales y personas con asma, y aumentar la hiperreactividad bronquial a través de una acción sobre los nervios sensoriales.

Por último, los mastocitos sintetizan **prostaglandinas**. Estas sustancias, derivadas del ácido araquidónico, forman un grupo de unos 20 lípidos compuestos por ácidos grasos modificados unidos a un anillo de cinco miembros. Las prostaglandinas se encuentran en muchos tejidos de vertebrados, donde actúan como mensajeros en la reproducción, la respuesta inflamatoria a las infecciones y la percepción del dolor. El ácido acetilsalicílico y los antiinflamatorios no esteroideos inhiben la síntesis de prostaglandinas, lo que reduce la inflamación y el dolor.

Sistemas de proteínas plasmáticas

Algunos mediadores derivados del plasma modulan el proceso inflamatorio. Denominados sistemas de proteínas plasmáticas, incluyen el sistema del complemento, el sistema de la coagulación y el sistema de la cinina. La interacción de estos sistemas es vital para una respuesta inflamatoria normal. Cada sistema consiste en una cascada de reacciones bioquímicas. A medida que se produce un compuesto, este cataliza la formación del siguiente, como si se derribara una hilera de fichas de dominó.

- **Sistema del complemento.** El **sistema del complemento** es un grupo de proteínas plasmáticas que dirigen los leucocitos a los sitios de inflamación, los activan y los destruyen directamente. El compuesto central de esta cascada del complemento, denominado componente 3 del complemento (C3), se produce a través de una de las dos vías del complemento: la vía clásica o la vía alternativa. La vía clásica se inicia cuando un complejo antígeno-anticuerpo se une a un componente del complemento 1q (C1q); la activación de esta vía depende de la presencia de anticuerpos. La vía alternativa se puede desencadenar con toxinas bacterianas y no requiere anticuerpos para su activación.

  Independientemente de la vía que se tome, los principales productos son los mismos: C3b, anafilatoxinas y el complejo de ataque de membrana. La C3b recubre las bacterias, lo que facilita que los macrófagos las envuelvan. Las anafilatoxinas (C3a, C4a y C5a) estimulan la contracción del músculo liso y aumentan la permeabilidad vascular al estimular la liberación de histamina de los mastocitos y las plaquetas. El complejo de ataque de membrana es un conjunto de proteínas del complemento (C5b, C6, C7, C8 y C9) que se unen para formar un tubo hueco, parecido a un sorbete, popote o pitillo, que puede perforar la membrana plasmática de una célula. De este modo, se forman canales transmembrana que permiten el paso de iones, agua y otras moléculas pequeñas a través de la membrana celular, lo que provoca la pérdida de osmolaridad celular y la muerte de la célula.
- **Sistema de coagulación.** El **sistema de coagulación** desempeña una función importante en la formación de coágulos sanguíneos en los vasos sanguíneos. La inflamación desencadena la cascada de la coagulación, iniciando una serie compleja de reacciones que favorecen la formación de fibrina. La **fibrina** es una proteína que se polimeriza (se une) para formar el componente fibroso de un coágulo sanguíneo. Los diversos factores de coagulación se ven contrarrestados por una serie de inhibidores, de modo que la coagulación queda restringida a un área. Simultáneamente, se activa la **cascada de fibrinólisis** para disolver la fibrina y crear productos

de división de la fibrina (es decir, fragmentos del coágulo disuelto).

- **Sistema de la cinina.** El **sistema de la cinina** conduce a la formación de la proteína vasoactiva bradicina a partir de la calicreína. La calicreína es una enzima que normalmente se encuentra en el plasma sanguíneo, la orina y los tejidos corporales en estado inactivo. Cuando se activa, puede dilatar los vasos sanguíneos, influir en la PA, modular la excreción de sal y agua por los riñones e influir en el remodelado cardíaco después de un IAM. La bradicinina aumenta la permeabilidad vascular, dilata los vasos sanguíneos, contrae el músculo liso y causa dolor cuando se inyecta en la piel.

  El sistema de la cinina entra en acción por la activación del factor Hageman (factor de coagulación XII). (En el **CUADRO 7-5** se enumeran varios factores de coagulación). Además de su función en el sistema de la cinina, el factor Hageman participa en las cascadas de coagulación, fibrinolítica y del complemento. Sus activadores incluyen los lipopolisacáridos bacterianos y la endotoxina. El factor XII activado desencadena la cascada intrínseca de la coagulación, una serie de reacciones que se inician cuando la sangre se expone al colágeno o a otras sustancias. Por ejemplo, cuando se corta un vaso sanguíneo, las células de la piel se dañan y la sangre entra en contacto con el colágeno. La cascada extrínseca de la coagulación se activa por las sustancias liberadas por las células lesionadas cuando se produce un daño tisular.

Componentes celulares de la inflamación

El objetivo de los componentes celulares de la respuesta inflamatoria aguda es que las células inflamatorias —en concreto, los **neutrófilos polimorfonucleares (PMN)**— lleguen a los lugares del tejido donde sea necesario. Este proceso consta de dos etapas principales: una fase intravascular y una fase extravascular. Durante la fase intravascular, los leucocitos se desplazan a los lados de los vasos sanguíneos y se adhieren a

CUADRO 7-5 Factores de coagulación

Factor número	Nombre	Descripción
I	Fibrinógeno	Proteína sintetizada en el hígado; convertida en fibrina en la fase 3
II	Protrombina	Proteína sintetizada en el hígado (requiere vitamina K); se convierte en trombina en la fase 2
III	Tromboplastina tisular	Liberada del tejido dañado; necesaria en la fase extrínseca 1
IV	Iones de calcio	Necesarios durante toda la secuencia de coagulación
V	Proacelerina (factor lábil)	Proteína sintetizada en el hígado; necesaria para formar el activador de protrombina en las fases intrínseca y extrínseca 1
VII	Acelerador de la conversión de la protrombina sérica (factor estable, proconvertina)	Proteína sintetizada en el hígado (requiere vitamina K); funciona en la fase extrínseca 1
VIII	Factor antihemofílico (globulina antihemofílica)	Proteína sintetizada en el hígado; necesaria para la fase intrínseca 1
IX	Componente de tromboplastina plasmática	Proteína sintetizada en el hígado (requiere vitamina K); necesaria para la fase intrínseca 1
X	Factor Stuart (factor Stuart-Prower)	Proteína sintetizada en el hígado (requiere vitamina K); necesaria para formar el activador de protrombina en las fases intrínseca y extrínseca 1
XI	Antecedente de tromboplastina plasmática	Proteína sintetizada en el hígado; necesaria para la fase intrínseca 1
XII	Factor Hageman	Proteína necesaria para la fase intrínseca 1
XIII	Factor estabilizador de la fibrina	Proteína necesaria para estabilizar los filamentos de fibrina en la fase 3

las células endoteliales. Durante la fase extravascular, los leucocitos se desplazan al lugar de la inflamación y matan a los organismos. Los acontecimientos celulares siguen esta secuencia (**FIGURA 7-17**):

1. **Marginación**. La pérdida de líquido de los vasos sanguíneos hacia el tejido inflamado o infectado hace que la sangre que permanece en los vasos aumente su viscosidad, lo que reduce la velocidad del flujo sanguíneo y produce estasis. Los PMN, que normalmente se desplazan hacia el centro del vaso, se asientan a los lados cuando el flujo sanguíneo se desacelera. A medida que se desarrolla la estasis, los leucocitos también se desplazan (marginan) hacia los lados de los vasos, donde chocan con las células endoteliales y se unen a ellas. El estrés puede provocar la demarginación de algunos leucocitos, lo que estimula a la médula ósea a producir más, aumentando a su vez el recuento de leucocitos.
2. **Activación**. Los mediadores de la inflamación desencadenan la aparición de selectinas e integrinas en las superficies de las células endoteliales y los PMN, respectivamente.
3. **Adhesión**. Los PMN se adhieren a las células endoteliales, por mediación de selectinas e integrinas.
4. **Transmigración (diapédesis)**. Cuando los PMN penetran la pared vascular y pasan al espacio intersticial.
5. **Quimiotaxis**. Los PMN se desplazan hacia el foco inflamatorio en respuesta a factores quimiotácticos liberados por bacterias o formados a partir de un complemento activado, quimiocinas o derivados del ácido araquidónico (como los leucotrienos) en respuesta a una lesión celular.

Productos celulares de la inflamación

Las **citocinas** son productos de las células que afectan a la función de otras células. Incluyen interleucinas, interferones, monocinas y linfocinas, así como otros factores. Los monocitos liberan monocinas y los linfocitos liberan linfocinas.

Las **interleucinas** incluyen la IL-1 (interleucina-1) y la IL-2 (interleucina-2), que atraen a los leucocitos a los lugares de la lesión y la invasión bacteriana. El **interferón** es una proteína producida por las células cuando los virus las invaden. Esta citocina se libera en el torrente sanguíneo o en el líquido intercelular para inducir a las células sanas a fabricar una enzima que contrarreste la infección.

Las **linfocinas** estimulan los leucocitos. El factor activador de macrófagos estimula a los macrófagos para que ayuden a envolver y destruir sustancias extrañas. El factor inhibidor de la migración mantiene a los leucocitos en el lugar de la infección o lesión hasta que pueden realizar su tarea designada.

Resolución y reparación de lesiones

La cicatrización normal de una herida implica cuatro pasos: reparación del tejido dañado, eliminación de los restos inflamatorios, restauración de los tejidos a un estado normal y regeneración de las células. La cicatrización después de una lesión o pérdida tisular causada por una inflamación depende del tipo de células que componen el órgano afectado. Las células lábiles se dividen continuamente, de modo que los órganos derivados de estas células (como la piel y la mucosa intestinal) se curen completamente. Las células estables, como las del hígado y el riñón, se sustituyen por la regeneración de las células remanentes, a las que se estimula para que entren en mitosis. Las células permanentes, como las nerviosas y los miocitos cardíacos, no se pueden sustituir, sino que se forma tejido cicatricial. Sin embargo, se está investigando el uso de células madre para sustituir las células nerviosas dañadas.

Las heridas pueden cicatrizar por primera o segunda intención. La cicatrización por primera intención se produce en heridas limpias con márgenes opuestos (como heridas quirúrgicas limpias o heridas desbridadas quirúrgicamente). En primer lugar, la sangre llena el defecto y se coagula, formando una costra, una estructura en forma de malla compuesta de fibrina y fibronectina. Si el proceso inflamatorio ha sido grave, es posible que se haya destruido tejido y se requiera reparación. Enseguida, los macrófagos eliminan los restos celulares y segregan factores de crecimiento, los cuales estimulan la angiogénesis y el crecimiento de fibroblastos, favoreciendo la formación de tejido de granulación. A continuación, el epitelio se regenera y cubre el defecto superficial. La deposición de colágeno produce la unión fibrosa. Al final de la primera semana, se recupera 10 % de la fuerza previa a la lesión. La cicatriz madura a medida que se produce la reticulación del colágeno. Al cabo de 3 meses, se recupera 80% de la resistencia a la fuerza tensora normal del tejido.

La cicatrización por segunda intención se produce en heridas grandes y abiertas. Las heridas que cicatrizan por segunda intención presentan una fase inflamatoria más pronunciada y prolongada, por lo que los neutrófilos persisten durante días. Asimismo,

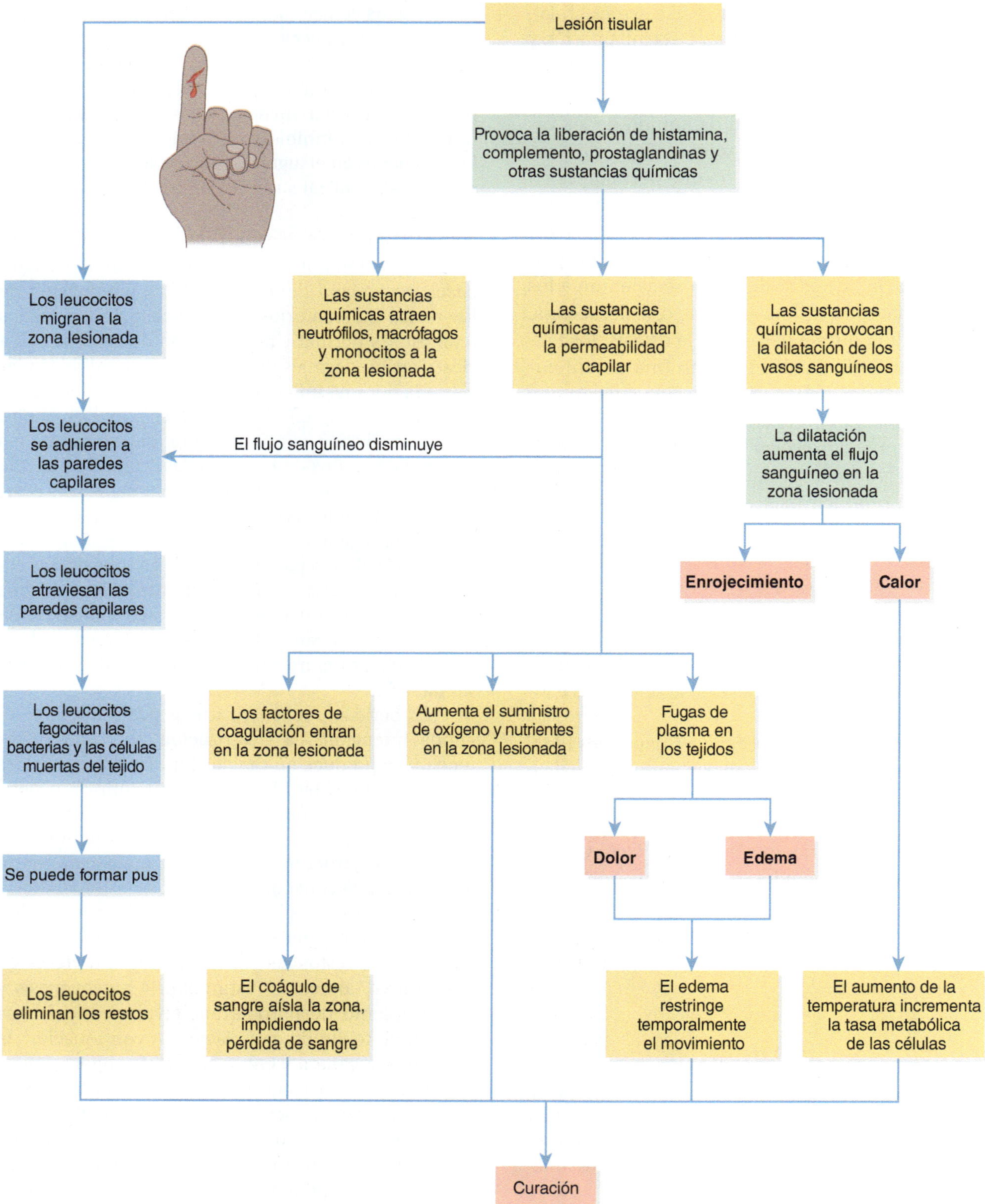

FIGURA 7-17 La respuesta inflamatoria.

hay más abundancia del tejido de granulación. La contracción de la herida está mediada por miofibroblastos, que ayudan a acercar los márgenes de la herida a medida que pasa el tiempo. Cabe observar que, si hay infección, se pueden utilizar métodos para favorecer la segunda intención, pero la herida no cicatrizará si persiste la infección.

Cicatrización disfuncional de heridas

Los factores que pueden provocar una cicatrización disfuncional pueden ser locales o sistémicos. Entre los factores locales se incluyen la infección, que desvía los esfuerzos curativos del cuerpo hacia la lucha contra la causa de la infección; un riego sanguíneo inadecuado (como en la diabetes) que produce hipoxia tisular, que hace lenta la cicatrización de la herida y puede favorecer la infección; y la presencia de cuerpos extraños en la herida, que estimulan la inflamación aguda y crónica, factores ambos que interfieren en la cicatrización de la herida.

De igual modo, varios factores sistémicos pueden influir en la cicatrización de las heridas. Se necesita colágeno para la cicatrización de las heridas, pero una ingesta nutricional inadecuada puede dar lugar a niveles insuficientes de colágeno, lo que a su vez puede conducir a una formación inadecuada de cicatrices y a la supresión del sistema inmunológico. Cualquier aspecto que interfiera con la epitelización —el proceso en el que las células epiteliales migran hacia arriba y reparan la zona herida junto con la costra formada por plaquetas que protege la herida del mundo exterior— impedirá la correcta cicatrización de la herida. La *contracción de la herida* es el proceso durante el cual el tamaño de la herida se reduce como parte de la cicatrización. Cualquier cosa que interfiera en la contracción de la herida puede impedir también la cicatrización.

Otros factores sistémicos que pueden alterar la cicatrización de las heridas son las anomalías hematológicas, ya que una cicatrización adecuada requiere un número suficiente de leucocitos. Los pacientes con reservas de leucocitos en la médula ósea disminuidas son susceptibles a las infecciones y sus heridas suelen cicatrizar más despacio. La diabetes y el síndrome de inmunodeficiencia adquirida (SIDA) afectan a las células del sistema inmunológico, que desempeñan una función directa en la cicatrización de las heridas, y aumentan la probabilidad de infección de las heridas. Los corticoesteroides suprimen la respuesta inflamatoria inicial necesaria para la correcta formación del tejido cicatricial y aumentan el riesgo de infección de la herida al desacelerar la respuesta del sistema inmunológico.

Por último, si una herida se separa —por ejemplo, por estrés—, el proceso de cicatrización es más lento. En tal caso, la cicatrización debe comenzar de nuevo, al menos en cierta medida.

Poblaciones especiales

Los neonatos y los adultos mayores con frecuencia tienen un deterioro relativo de su sistema inmunológico, lo que puede provocar que sus respuestas inflamatorias sean más lentas. En consecuencia, los signos de inflamación pueden ser más sutiles en estas poblaciones. Además, la cicatrización de las heridas con frecuencia es más lenta en estos grupos, especialmente en los pacientes de más edad. El sistema inmunológico no está plenamente desarrollado hasta que el niño tiene entre 2 y 3 años; por lo tanto, hay que ser agresivo y minucioso cuando se trata la fiebre en los niños más pequeños. Muchos expertos recomiendan el ingreso hospitalario de niños menores a 3 meses con una temperatura superior a 38 °C (100.4 °F).

Respuestas inflamatorias crónicas

Las respuestas inflamatorias crónicas normalmente se deben a una respuesta inflamatoria aguda sin éxito a un cuerpo extraño, una infección persistente o la presencia de un antígeno. Se asocian a la formación de un infiltrado (pus) que contiene monocitos y linfocitos y suelen implicar la destrucción y reparación de tejidos (o la formación de cicatrices). Los eventos vasculares son similares a los que tienen lugar en la inflamación aguda, aunque también incluyen el crecimiento de nuevos vasos sanguíneos, un proceso conocido como **angiogénesis**.

Variaciones en la inmunidad y la inflamación

Hipersensibilidad

La **hipersensibilidad** es cualquier respuesta del organismo a sustancias a las que el paciente tenga mayor sensibilidad. Es un término genérico que abarca diversas reacciones. La **alergia** es una reacción de hipersensibilidad a la presencia de un agente (alérgeno). La **autoinmunidad** es la producción de anticuerpos o células T que actúan contra los tejidos del propio cuerpo, produciendo reacciones de hipersensibilidad o enfermedades autoinmunes (como en el lupus eritematoso sistémico [LES]). La **isoinmunidad** es la formación de células T o anticuerpos dirigidos contra los antígenos de las células de otra persona (normalmente después del trasplante de un órgano o tejido). Una reacción a una transfusión sanguínea es un ejemplo de reacción isoinmune a los eritrocitos de otra persona. La destrucción de células por anticuerpos o células T puede ser una reacción autoinmune o isoinmune.

Las enfermedades neonatales transitorias son aquellas que están presentes en el momento del nacimiento pero que finalmente se resuelven. Algunos ejemplos son la hiperglucemia neonatal transitoria, la miastenia grave neonatal transitoria y la neutropenia neonatal transitoria. Las enfermedades neonatales transitorias se deben a la transmisión de inmunoglobulinas patógenas de la embarazada al feto durante el embarazo. En algunos casos, la enfermedad puede convertirse en permanente, por ejemplo, si se desarrollan inmunoglobulinas patógenas en el lactante.

Tipos de reacciones de hipersensibilidad

Una reacción de hipersensibilidad puede ser inmediata, es decir, producirse en cuestión de segundos o minutos, o retardada, la cual se desarrolla horas o días después de la exposición a un antígeno. La rapidez de la evolución de los síntomas depende del antígeno y del tipo de respuesta del cuerpo contra él. Las reacciones de hipersensibilidad normalmente se clasifican en función de la forma en que el sistema inmunológico causa la lesión. En el **CUADRO 7-6** se describen los cuatro tipos de lesiones.

Tipo I: reacciones de hipersensibilidad inmediata

Una reacción de hipersensibilidad de tipo I es una reacción aguda que se produce en respuesta a un estímulo, como una picadura de abeja, penicilina o marisco. El mecanismo implica la interacción entre el estímulo (antígeno) y un anticuerpo preformado del tipo IgE. En la primera exposición a un antígeno específico, los anticuerpos IgE específicos se unen a los mastocitos a través de la región inespecífica (Fc). En una segunda exposición al mismo antígeno, estos anticuerpos unidos son reticulados por el antígeno, lo que provoca la degranulación del mastocito y la liberación de histamina y otros mediadores (**FIGURA 7-18**). La histamina liberada retroalimenta a los mastocitos y eosinófilos, lo que provoca la liberación de más histamina y otros mediadores. La gravedad de los síntomas que se desarrollan en un paciente en particular depende del grado de liberación de mediadores.

El grado de gravedad de las reacciones de hipersensibilidad varía desde reacciones graves y potencialmente mortales, como la anafilaxia, hasta reacciones más leves, como la rinitis alérgica (edema e irritación de la mucosa nasal), asma bronquial (constricción bronquial, producción de moco e inflamación de la vía aérea), ronchas y erupciones (como una picadura de insecto que provoca vasodilatación y edema) y alergia alimentaria leve (que provoca diarrea, malestar gastrointestinal y vómito). La propensión a las reacciones de tipo I se puede diagnosticar mediante pruebas cutáneas (como la prueba del parche y la prueba del raspado) y otros procedimientos de laboratorio (p. ej., medición de los niveles de anticuerpos IgE específicos). El tratamiento se centra en evitar el antígeno, pero las inyecciones desensibilizantes pueden ayudar en casos graves.

CUADRO 7-6 Mecanismos de una lesión inmunológica

Tipo	Mecanismo	Ejemplos
I: Reacciones de hipersensibilidad inmediata	Los anticuerpos IgE se fijan a mastocitos y basófilos. El contacto posterior con un antígeno sensibilizante desencadena la liberación de mediadores y las manifestaciones clínicas	Respuesta localizada: fiebre del heno, alergia alimentaria Respuesta sistémica: picadura de abeja, penicilina, anafilaxia
II: Reacciones de hipersensibilidad citotóxica	El anticuerpo se une al antígeno celular o tisular y se activa el complemento, que daña la célula, provoca inflamación y promueve la destrucción de la célula recubierta de anticuerpo por fagocitosis	Anemia hemolítica autoinmune Reacciones a transfusiones sanguíneas Enfermedad hemolítica Rh Algunos tipos de glomerulonefritis
III: Enfermedad por inmunocomplejos	Se forman complejos antígeno-anticuerpo circulantes que activan el complemento y provocan una reacción inflamatoria	Algunos tipos de glomerulonefritis Lupus eritematoso Artritis reumatoide
IV: Hipersensibilidad retardada (mediada por células)	Sensibilización (hipersensibilidad retardada) Las células T liberan linfocinas, que atraen a los macrófagos y otras células inflamatorias	Tuberculosis Infecciones fúngicas y parasitarias Dermatitis de contacto

Abreviatura: IgE, inmunoglobulina E.

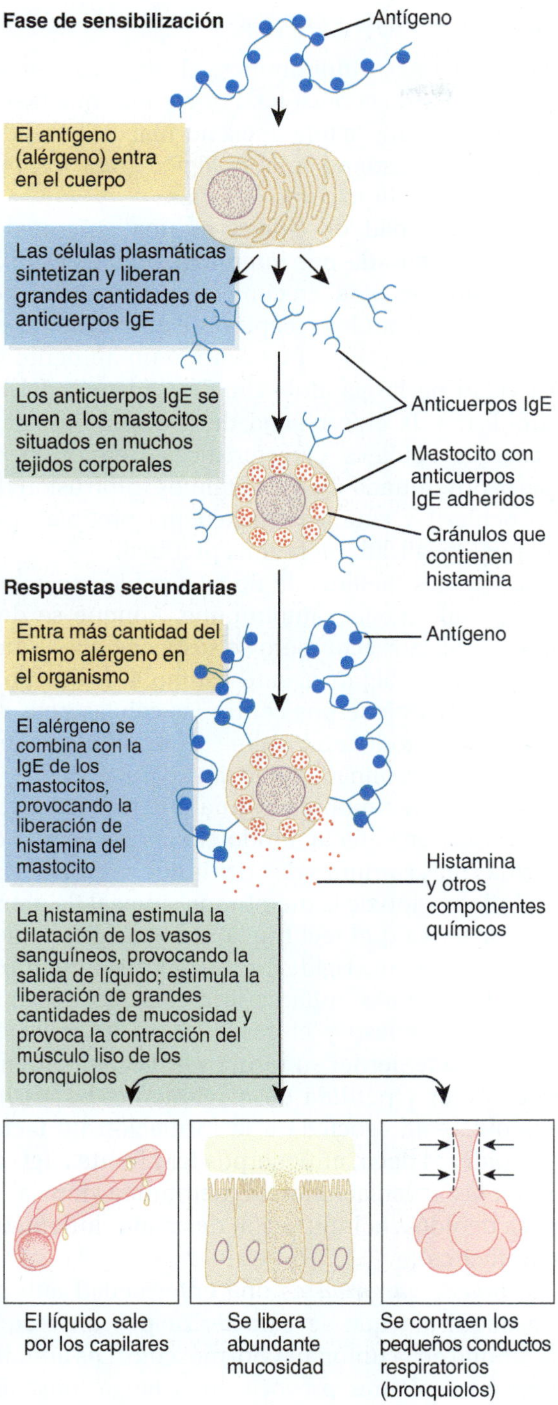

FIGURA 7-18 Reacción alérgica de tipo I. El antígeno estimula la producción masiva de inmunoglobulina E (IgE), un tipo de anticuerpo producido por las células plasmáticas, que se adhiere a los mastocitos. Se trata de una fase de sensibilización. Cuando el antígeno vuelve a entrar en el cuerpo, se une a los anticuerpos IgE de los mastocitos, desencadenando una liberación masiva de histamina y otras sustancias químicas. La histamina hace que los vasos sanguíneos se dilaten y se vuelvan permeables, y favorece el aumento de la producción de mucosidad en la vía aérea. En algunas personas, la degranulación de los mastocitos también puede provocar broncoespasmos.

Es imposible predecir la gravedad de una reacción determinada. Una persona que haya presentado una reacción grave tiene un mayor riesgo de tener otra con exposiciones posteriores a antígenos. Asuma siempre que una reacción mediada por IgE puede convertirse rápidamente en un acontecimiento potencialmente mortal. Estas reacciones se deben tratar con rapidez en campo, y la mayoría de los proveedores de atención prehospitalaria están capacitados para administrar epinefrina mediante un autoinyector de epinefrina o una inyección subcutánea.

Tipo II: hipersensibilidad citotóxica

Las reacciones de hipersensibilidad de tipo II son citotóxicas (destructoras de células) e implican clásicamente la combinación de anticuerpos IgG o IgM con antígenos de la membrana celular. Las células son lisadas (destruidas) por la fijación del complemento o por otros anticuerpos. Este proceso también destruye muchas de las células sanas del organismo. Los mastocitos no liberan histamina, y las respuestas alérgicas mediadas por IgG se producen a las pocas horas de la exposición al antígeno. Algunos ejemplos de respuestas mediadas por IgG son las reacciones a transfusiones y la enfermedad hemolítica del recién nacido.

Tipo III: lesión tisular causada por complejos inmunes

Las respuestas de hipersensibilidad de tipo III implican principalmente anticuerpos IgG que forman inmunocomplejos con el antígeno para reclutar células fagocíticas, como los neutrófilos, en un lugar donde pueden liberar citocinas inflamatorias. Debido a que los mastocitos no liberan histamina, las reacciones alérgicas mediadas por IgG se producen a las pocas horas de la exposición al antígeno. Las reacciones pueden ser sistémicas o localizadas.

La forma sistémica, denominada **enfermedad del suero**, es el resultado de una exposición única y prolongada a un antígeno, como el suero de anticuerpos de caballo. Los complejos antígeno-anticuerpo formados en el torrente sanguíneo se depositan en zonas del cuerpo, sobre todo en el riñón, con las reacciones inflamatorias resultantes (como la enfermedad del suero por penicilina). Los signos y síntomas de la enfermedad del suero pueden incluir fiebre, malestar, erupciones cutáneas, dolores articulares, linfadenopatía y esplenomegalia.

La forma localizada de una respuesta de tipo III se denomina reacción de Arthus. Las reacciones de Arthus consisten en una zona circunscrita de inflamación vascular (**vasculitis**). Un ejemplo de reacción de Arthus es el pulmón de granjero, un tipo de reacción de neumonitis por hipersensibilidad en el pulmón causada por la inhalación de polvo de heno mohoso.

Tipo IV: Hipersensibilidad retardada (mediada por células)

Las respuestas alérgicas de tipo IV, también conocidas como hipersensibilidad mediada por células, están mediadas en particular por moléculas solubles liberadas por células T específicamente activadas. Estas reacciones se clasifican en dos subtipos: hipersensibilidad retardada y citotoxicidad mediada por células.

En la hipersensibilidad retardada participan linfocitos y macrófagos. Las células T responden a un antígeno y activan los linfocitos CD4 (células T auxiliares). Estos linfocitos liberan mediadores diseñados para destruir la sustancia extraña. Un ejemplo de respuesta de hipersensibilidad retardada es la hipersensibilidad de contacto a la hiedra venenosa.

En la citotoxicidad mediada por células solo participan linfocitos T sensibilizados (linfocitos CD8 o **células T asesinas**). Estas células matan a las células diana portadoras del antígeno en lugar de activar a los linfocitos CD4 para que lo hagan. Algunos ejemplos incluyen la respuesta del cuerpo a las infecciones virales, la vigilancia inmunológica de los tumores y el mecanismo por el que se produce el rechazo de los trasplantes.

Objetivos de las reacciones de hipersensibilidad

El sistema inmunológico se dirige a diferentes moléculas, dependiendo del tipo de reacción de hipersensibilidad. En las reacciones alérgicas, el objetivo es un antígeno o alérgeno. Los alérgenos son sustancias que provocan una reacción de hipersensibilidad, como las que se mencionan en el **CUADRO 7-7**.

CUADRO 7-7 Alérgenos que pueden causar reacciones de hipersensibilidad

Tipo	Ejemplos
Inhalantes	Polen, polvo, humo, hongos, plástico, olores
Alimentos	Huevo, lácteos, trigo, chocolate, fresas
Fármacos	Ácido acetilsalicílico, antibióticos, sueros, codeína
Agentes infecciosos	Bacterias, virus, hongos, parásitos animales
Por contacto	Animales, plantas, metales, productos químicos
Agentes físicos	Luz, presión, radiación, calor y frío

Reacciones autoinmunes

En las reacciones autoinmunes, el objetivo son los propios tejidos de la persona. Por razones que no están claras, se pierde la tolerancia normal de los tejidos "propios" y el sistema inmunológico trata los tejidos del propio cuerpo como extraños.

La enfermedad de Graves es una enfermedad autoinmune causada por inmunoglobulinas estimulantes de tiroides o del crecimiento de tiroides. Estos anticuerpos activan los receptores de la hormona estimulante de la tiroides, provocando un aumento de la actividad de la glándula tiroides. Además del hipertiroidismo, la enfermedad de Graves se asocia a alteraciones oculares características (retracción de los párpados, mirada fija y exoftalmos [protrusión del globo ocular]) y cutáneas (mixedema pretibial: piel edematosa localizada en la zona pretibial).

La diabetes mellitus de tipo 1 también se considera una enfermedad autoinmune. Aunque se desconoce la causa exacta (pero se sospecha que es una infección viral), algún agente estimula al cuerpo a producir autoanticuerpos contra las células beta del páncreas que producen insulina. El resultado es una deficiencia de insulina y, por lo tanto, diabetes.

La artritis reumatoide es una enfermedad sistémica crónica que afecta a todo el cuerpo. Es una de las formas más comunes de artritis que se caracteriza por la inflamación de la membrana sinovial (la membrana conectiva que recubre la articulación), con el consiguiente dolor, rigidez, calor, enrojecimiento y edema. Las células inflamatorias liberan enzimas que dañan el hueso y el cartílago. La articulación afectada puede perder su forma y alineación, lo que provoca dolor y pérdida de movimiento. La artritis reumatoide está asociada a la formación de factor reumatoide, es decir, anticuerpos IgM frente a IgG tisular. En las articulaciones, la membrana sinovial se engrosa debido a la infiltración de células inflamatorias (linfocitos).

La *miastenia gravis* es una enfermedad autoinmune adquirida que se caracteriza por un ataque autoinmune en la unión nervio-músculo. Los autoanticuerpos circulantes provocan una fatiga muscular anormal. Por lo regular, primero afectan a las unidades motoras más pequeñas, como los músculos extraoculares, produciendo ptosis palpebral (párpado caído) y diplopía (visión doble). También puede afectar otros músculos, lo que provoca problemas como dificultad para tragar (disfagia). Por característica, la contracción repetida de los músculos afectados empeora los síntomas. Dos tercios de las personas con miastenia gravis presentan anomalías tímicas, siendo la más común hiperplasia tímica. Un número reducido de personas presenta un tumor del timo, denominado timoma.

La neutropenia se refiere a una disminución de los neutrófilos circulantes. Los neutrófilos por lo regular son las primeras células inmunológicas que llegan al lugar de una infección, donde eliminan los microorganismos patógenos para que no se propague la infección. Una vez que se agotan por completo los neutrófilos, mueren y pasan a formar parte de la secreción amarilla de la herida (pus). Cuando un paciente tiene neutropenia, un nivel insuficiente de neutrófilos disminuye la capacidad del organismo para combatir las infecciones. La neutropenia isoinmune se refiere a la condición en un neonato. Se presenta cuando una mujer embarazada produce anticuerpos contra los neutrófilos, que atraviesan la placenta y provocan neutropenia en el feto.

La púrpura trombocitopénica idiopática (PTI), también conocida como púrpura trombocitopénica inmune, es un trastorno sanguíneo en el que se forman anticuerpos contra las plaquetas de la sangre y provocan su destrucción. La trombocitopenia describe una disminución de las plaquetas sanguíneas; la púrpura produce zonas purpúricas (sarpullido con puntos color púrpura) de la piel y las mucosas (como el revestimiento bucal) en las que se producen hemorragias como consecuencia de la disminución del número de plaquetas o de la ineficacia de las plaquetas. Algunos casos de PTI se deben a ciertos tipos de medicamentos, mientras que otros se asocian a infecciones, embarazo o trastornos inmunológicos como el LES.[9] Aproximadamente la mitad de todos los casos se clasifican como idiopáticos, lo que significa que se desconoce su causa.

El sangrado es el principal síntoma de la PTI y puede incluir hematomas y pequeños puntos rojos en la piel o las mucosas. En algunos casos, pueden producirse sangrados nasales, de las encías y del tracto digestivo o urinario. En raras ocasiones, los pacientes pueden presentar hemorragias cerebrales.

El tratamiento de la PTI idiopática se basa en la gravedad de los síntomas y en el recuento de plaquetas del paciente. En algunos casos, no es necesario ningún tratamiento. En la mayoría de los casos, se prescriben fármacos que alteran el ataque del sistema inmunológico a las plaquetas, como los corticoesteroides (p. ej., prednisona) e infusiones intravenosas de inmunoglobulina. Otro tratamiento que normalmente aumenta el número de plaquetas es la extirpación del bazo, el órgano que destruye las plaquetas recubiertas de anticuerpos.

El LES es una enfermedad autoinmune crónica con muchas manifestaciones, pero cuya causa se desconoce. En el LES, el sistema inmunológico del organismo se dirige contra los tejidos del cuerpo. Aunque esta enfermedad es más frecuente en mujeres jóvenes, puede darse en cualquier género y a cualquier edad. La producción de autoanticuerpos conduce a la formación de inmunocomplejos, que pueden depositarse en los glomérulos, la piel, los pulmones, el sinovio y el mesotelio, entre otros lugares. Los síntomas incluyen artritis, erupción roja en la nariz y las mejillas, fatiga, debilidad, fiebre y fotosensibilidad. Puede aparecer glomerulonefritis (enfermedad renal), pericarditis, anemia y neuritis. Además, muchas personas con LES tienen complicaciones renales por sobreproducción o subproducción de una hormona, como se describe en el **CUADRO 7-8**.

Inmunodeficiencia

La **inmunodeficiencia** es un estado anormal en el que alguna parte del sistema inmunológico del cuerpo es inadecuada, por lo que disminuye la resistencia a las enfermedades infecciosas. Puede ser congénita o adquirida.

CUADRO 7-8 Efectos de la producción inadecuada de hormonas

Hormona	Glándula	Subproducción	Sobreproducción
Hormona del crecimiento (GH)	Hipófisis anterior	Enanismo hipofisario	Acromegalia
Hormona antidiurética (ADH)	Hipófisis posterior	Diabetes insípida	Síndrome de la hormona antidiurética inapropiada (SIADH)
Tiroxina (T_4), triyodotironina (T_3)	Tiroides	Coma mixedematoso	Enfermedad de Graves
Hormona paratiroidea (HPT)	Paratiroides	Hiperparatiroidismo	Hipotiroidismo
Cortisol	Suprarrenal	Enfermedad de Addison	Enfermedad de Cushing
Insulina	Páncreas	Diabetes mellitus	

Inmunodeficiencias congénitas

Los pacientes con inmunodeficiencia combinada grave (IDCG) tienen defectos que afectan a las células madre linfoides. En consecuencia, afecta a las células T (inmunidad celular) y las células B (inmunidad humoral). Los pacientes con IDCG corren el riesgo de infectarse con todo tipo de organismos: bacterias, micobacterias, hongos, virus, parásitos y priones. Existen dos formas de esta enfermedad, ambas hereditarias.

La agammaglobulinemia ligada al cromosoma X (ALX) es una de las formas más comunes de inmunodeficiencia primaria hereditaria y se da predominantemente en hombres. La ALX provoca una disminución en el nivel de células B maestras,[10] lo que se traduce en una menor capacidad para producir anticuerpos y, por consiguiente, en una menor capacidad para protegerse con eficacia contra bacterias y virus.[10,11]

Este proceso da como resultado un nivel notablemente disminuido de todas las inmunoglobulinas y de linfocitos B maduros; sin embargo, los linfocitos T funcionan con normalidad. Se desarrollan infecciones pirogénicas recurrentes, pero los pacientes no tienen problemas con las infecciones fúngicas y virales porque no afecta su inmunidad celular. Estas infecciones aparecen por primera vez en los lactantes afectados alrededor de los 6 meses de edad, cuando disminuye el nivel de inmunoglobulina materna.

La deficiencia aislada de IgA es probablemente la forma más común de inmunodeficiencia. Esta enfermedad resulta del bloqueo de la diferenciación terminal de los linfocitos B. La mayoría de los pacientes son asintomáticos, pero algunos pueden sufrir infecciones sinusales crónicas. Los pacientes también tienen mayor incidencia de enfermedades autoinmunes.

Inmunodeficiencias adquiridas

Cualquier deficiencia nutricional puede dificultar la función inmunológica normal y la respuesta inflamatoria. Las deficiencias nutricionales pueden deprimir la función ósea y disminuir el desarrollo de leucocitos. La falta de proteínas en la dieta, por ejemplo, disminuye la capacidad del hígado para fabricar mediadores inflamatorios y proteínas plasmáticas.

El estrés provocado por un traumatismo también puede causar inmunodeficiencia. Otros factores que contribuyen a esta condición pueden ser la hipoperfusión o el shock, la producción de mediadores, el daño a órganos vitales y la disminución de las funciones que se presenta durante los estados traumáticos.

Los medicamentos con frecuencia causan inmunodeficiencias iatrogénicas (inducidas por el tratamiento). Por ejemplo, los corticoesteroides, por vía oral o inhalada, suprimen el sistema inmunológico. Esta supresión del sistema inmunológico a menudo beneficia desde el punto de vista terapéutico. Sin embargo, en un pequeño número de pacientes, la inmunosupresión provoca otras enfermedades, como la tuberculosis. Debido a los posibles efectos adversos de los corticoesteroides, los médicos normalmente son cautelosos sobre la prescripción de este tratamiento

USTED es el Paramédico

PARTE 4

Su compañera le informa de que todos los frascos de medicamentos del paciente están caducados y vacíos. Usted pregunta al paciente sobre este asunto, y él afirma que no dispone de los medios necesarios para comprar los medicamentos. Al mirar la lista de medicamentos, encuentra uno para un diurético. Su monitor cardíaco indica una taquicardia sinusal que coincide con la frecuencia del pulso. No se observa ninguna ectopia. La forma de la onda de ETCO2 parece adecuada y la lectura es de 36 mm Hg.

Tiempo de grabación:	7 minutos
Respiraciones	24 respiraciones/min; superficial
Pulso	114 latidos/min
Piel	Frío, pálido y húmedo
Presión arterial	138/88 mm Hg
Saturación de oxígeno (Spo_2)	92% con administración de CPAP
Pupilas	PIRRL

7. ¿Por qué se prescribiría un diurético a un paciente con insuficiencia cardíaca?

8. ¿Por qué este paciente tendría una PA normal o ligeramente elevada?

durante un periodo prolongado. Además, las reacciones idiosincrásicas a los antibióticos pueden causar supresión de la médula ósea. En el cáncer, la supresión de la médula ósea con frecuencia es un efecto secundario directo de la quimioterapia, más que una verdadera reacción idiosincrásica.

Se ha demostrado que el estrés físico o mental disminuye la función de los leucocitos y linfocitos. También puede disminuir la producción de anticuerpos.

El SIDA es una enfermedad de inmunodeficiencia causada por el VIH, un retrovirus de ARN. El VIH se une a la proteína de superficie CD4 de las células T auxiliares, infecta estas células y las mata. La destrucción de las células provoca una disminución de las reacciones humorales y mediadas por células.

Tratamiento de las inmunodeficiencias

Se cuenta con terapia de sustitución para inmunodeficiencias como la inmunodeficiencia variable común. La gammaglobulina intravenosa se utiliza como terapia para muchos trastornos inmunológicos del sistema nervioso, especialmente la miastenia grave y las neuropatías inflamatorias, cuyo éxito es considerable. El trasplante de médula ósea puede restablecer la competencia inmunológica en pacientes con causas adquiridas de inmunodeficiencia, por ejemplo, después de la quimioterapia para tratar el cáncer. La transfusión es otra forma de terapia de sustitución para las inmunodeficiencias. En el futuro, la terapia génica puede ser útil para tratar causas congénitas y adquiridas de inmunodeficiencia.

Factores que causan la enfermedad

Diversos factores genéticos, ambientales, relacionados con la edad y con el género pueden causar enfermedades o contribuir a ellas. Los factores genéticos están presentes al nacer y se transmiten a través de los genes de una persona a las generaciones futuras. Los factores ambientales incluyen los microorganismos, las vulnerabilidades inmunológicas, los hábitos personales y el estilo de vida, la exposición a componentes químicos y otras toxinas, el entorno físico y el entorno psicosocial. La violencia familiar, por ejemplo, puede ser un factor clave en la depresión o el abuso de sustancias, incluso años después de que se produzca. Un estilo de vida sedentario y una dieta con alto contenido en grasas pueden contribuir a la obesidad, la diabetes, las cardiopatías, los accidentes cerebrovasculares y otras enfermedades.

Las enfermedades también pueden tener causas anatómicas. Por ejemplo, la mal rotación del colon es una condición en la que el colon no se forma correctamente, lo que provoca una obstrucción parcial. Otro ejemplo son las enfermedades degenerativas de la columna vertebral; a medida que los discos intervertebrales envejecen, pueden degenerar hasta el punto en que el paciente experimente dolor debido a la compresión de los nervios. La *estenosis aórtica* es una condición en la que la válvula aórtica está muy tensa y estrecha, lo que provoca dolor torácico por disminución de la perfusión de las arterias coronarias o insuficiencia cardíaca.

Por último, una reacción inmunológica puede provocar una enfermedad. Un ejemplo es la exposición a un agente que desencadena una respuesta inmunológica anormal contra la mielina, lo que conduce al desarrollo de esclerosis múltiple.

Factores de riesgo controlables frente a incontrolables

Algunos factores incontrolables, como la genética y la raza, influyen en el desarrollo de la enfermedad, pero se pueden controlar muchos otros factores. Por ejemplo, se pueden modificar conductas como el tabaquismo, el consumo de alcohol, la alimentación inadecuada (ingesta excesiva de grasa, sal y azúcar o ingesta insuficiente de proteínas, fruta, verdura y fibra), la falta de actividad física y el estrés.

Riesgo relacionado con la edad

El riesgo de padecer una determinada enfermedad con frecuencia depende de la edad de la persona. Por ejemplo, los recién nacidos corren mayor riesgo de contraer ciertas enfermedades porque sus sistemas inmunológicos no están completamente desarrollados (véase el capítulo 39, *Cuidados neonatales*). Los adolescentes corren un alto riesgo de sufrir lesiones debido a traumatismos y al consumo de drogas ilegales y alcohol. El riesgo de padecer cáncer, cardiopatías, ictus y Alzheimer aumenta con la edad (véase el capítulo 41, *Emergencias geriátricas*).

Factores relacionados con el sexo

En algunos casos, el sexo está relacionado con el riesgo de padecer una determinada enfermedad. Cabe observar que el sexo físico y el género de una persona no son necesariamente lo mismo. En esta discusión, nos referimos al sexo genético de una persona; por ejemplo, una persona nacida con un cromosoma sexual XY es genética y físicamente varón, aunque su género sea femenino.

Algunas enfermedades (p. ej., el IAM) se presentan de forma diferente en las mujeres que en los hombres. Por ejemplo, se ha demostrado que las hormonas que se encuentran en las mujeres premenopáusicas tienen efectos protectores en los traumatismos craneoencefálicos graves y en determinadas afecciones cardíacas.

Por último, los trastornos genéticos están relacionados con el sexo de la persona cuando el gen defectuoso se localiza en un cromosoma sexual. La mayoría de los trastornos relacionados con el sexo están ligados al cromosoma X. Los trastornos relacionados con el cromosoma X pueden ser recesivos o dominantes. Debido a que las mujeres tienen dos cromosomas X, las que tienen un gen X defectuoso pueden no padecer el trastorno; si el trastorno es recesivo, el cromosoma X sin el defecto enmascarará el cromosoma X defectuoso. Los hombres con un gen X defectuoso siempre se verán afectados porque solo tienen un cromosoma X, por lo que el defecto no puede enmascararse.

Análisis del riesgo de enfermedad

El análisis del riesgo de enfermedad implica considerar tanto las tasas de enfermedad como los factores de riesgo de enfermedad (causales y no causales). Los factores de riesgo que pueden provocar directamente el desarrollo de una enfermedad se denominan factores de riesgo causales. Por ejemplo, *Mycobacterium tuberculosis* es un factor de riesgo causal de que una persona se infecte de tuberculosis. Los factores de riesgo asociados con el riesgo de padecer una enfermedad, pero que no son causa directa de la misma, se denominan *factores de riesgo no causales.* Por ejemplo, la pobreza es un factor de riesgo no causal de tuberculosis.

Todos los estudios sobre una enfermedad deben tener en cuenta su incidencia, prevalencia, morbilidad y mortalidad. La **incidencia** es el número de casos nuevos de una enfermedad en una población (por ejemplo, se identificaron seis casos de infección por el virus del Nilo Occidental en el condado). La **prevalencia** se refiere al número de casos de una enfermedad o condición en una población concreta en un periodo determinado (p. ej., el año pasado, más de 100 000 pacientes padecieron esta enfermedad). La **morbilidad** se refiere a la presencia de una enfermedad o a la incidencia o prevalencia de una enfermedad. La **mortalidad** se discute más a menudo como la tasa de mortalidad, que es el número de muertes por una enfermedad en una población determinada, expresada como una proporción (p. ej., 1 de cada 50 personas afectadas en Estados Unidos). En el **CUADRO 7-9** se presenta cómo se pueden expresar los conceptos de incidencia, prevalencia, morbilidad y mortalidad, utilizando como ejemplo las estadísticas de la diabetes.

Interacción de los factores de riesgo

En muchas ocasiones, los factores de riesgo, la edad y las diferencias de sexo interactúan para influir en la probabilidad de que una persona padezca una enfermedad. Por ejemplo, supongamos que una persona tiene una tendencia genética a una arteriopatía coronaria; el riesgo de infarto de miocardio o muerte súbita es mayor en esta persona, aunque haga ejercicio regularmente y no tenga otros factores de riesgo. Una persona que fuma mucho pero no tiene otros factores de riesgo puede tener un riesgo elevado similar. En el **CUADRO 7-10** se muestra la interrelación de varios factores de riesgo en las enfermedades respiratorias.

Enfermedades familiares comunes y factores de riesgo asociados

Los términos *riesgo genético* y *tendencia familiar* se utilizan de forma indistinta. Un verdadero riesgo genético es el que se transmite de generación en generación por herencia de un gen. En cambio, con una tendencia familiar, las enfermedades parecen reunirse en grupos familiares, aunque no haya pruebas de anomalías hereditarias asociadas a genes.

En el **CUADRO 7-11** se incluyen algunos de los rasgos y enfermedades que se transmiten en los cromosomas humanos. Un patrón de herencia **autosómico recesivo** implica genes localizados en los autosomas (es decir, cualquier cromosoma distinto de los cromosomas sexuales). Una persona necesita heredar dos copias de una forma particular de un gen para mostrar ese rasgo. Un progenitor portador del gen de un rasgo

CUADRO 7-9 Índices de incidencia, prevalencia, morbilidad y mortalidad de la diabetes en Estados Unidos

Término	Ejemplo
Incidencia	Cada año, 1.5 millones de estadounidenses reciben un nuevo diagnóstico de diabetes tipo 1 o tipo 2. En 2015, otros 88 millones de estadounidenses mayores de 18 años fueron clasificados como prediabéticos.
Prevalencia	En 2018, 10.5% de la población total de Estados Unidos (adultos y niños) tenía diabetes.
Tasa de mortalidad	En 2017, la diabetes fue responsable o un contribuyente clave a la muerte de 270 702 personas.
Costo económico	En 2017, los estadounidenses gastaron 237 mil millones de dólares en el tratamiento de la diabetes diagnosticada, y la enfermedad costó a la economía estadounidense otros 90 mil millones de dólares en disminución de la productividad.

Datos de: Centros para el Control y la Prevención de Enfermedades. Informe nacional de estadísticas sobre la diabetes, 2020. Atlanta, GA: Departamento de Salud y Servicios Humanos de EE.UU., 2020. https://www.cdc.gov/diabetes/data/statistics/statistics-report. html. Consultado el 28 de julio de 2020; Asociación Americana de la Diabetes. Estadísticas sobre la diabetes. http://www.diabetes.org/ diabetes-basics/statistics/. Consultado el 28 de julio de 2020.

CUADRO 7-10 Enfermedades respiratorias comunes

Enfermedad	Patología y/o síntomas	Causas y posibles causas contribuyentes
Enfisema	Destrucción del parénquima pulmonar, dificultad para respirar	Tabaquismo Contaminación atmosférica Posible susceptibilidad genética Agravada por la obesidad
Bronquitis crónica	Tos, dificultad para respirar	Tabaquismo Contaminación atmosférica Posible predisposición genética Exacerbada por la obesidad
Bronquitis aguda	Inflamación de los bronquios; tos con mucosidad amarilla; dificultad para respirar	Muchos virus y bacterias Posible predisposición genética Tabaquismo Exacerbada por la obesidad
Sinusitis	Inflamación de los senos paranasales; se caracteriza por secreción de mucosidad, obstrucción de las fosas nasales y dolor de cabeza	Muchos virus y bacterias Mala salud general
Laringitis	Inflamación de la laringe y las cuerdas vocales, dolor de garganta, ronquera, acumulación de mucosidad y tos	Muchos virus y bacterias Mala salud general
Neumonía	Inflamación de los pulmones, de leve a grave; tos y fiebre, dificultad para respirar en reposo, escalofríos, sudoración, dolor torácico, mucosidad teñida de sangre	Bacterias, virus, hongos o inhalación de gases irritantes Falta de actividad física
Asma	Constricción de los bronquiolos, acumulación de mucosidad en los bronquiolos, sibilancias periódicas, dificultad para respirar	Alergia al polen, determinados alimentos, aditivos alimentarios, caspa (células muertas de la piel y otros restos que desprenden perros, gatos o pájaros) Actividad física (asma inducida por el ejercicio) Probable relación genética

CUADRO 7-11 Rasgos y enfermedades presentes en los cromosomas humanos

Rasgo o enfermedad	Resultado
Autosómico recesivo	
Albinismo	Falta de pigmento en ojos, piel y pelo
Fibrosis quística	Insuficiencia pancreática, acumulación de mucosidad en los pulmones
Anemia falciforme	Hemoglobina anormal caracterizada por eritrocitos en forma de hoz que obstruyen los capilares vitales
Enfermedad de Tay-Sachs	Metabolismo incorrecto de los gangliósidos de las células nerviosas
Fenilcetonuria	Acumulación de fenilalanina en la sangre; causa retraso mental
Lóbulo de la oreja adherido	Lóbulo de la oreja pegado a la piel del cuello
Pulgar hiperextensible	El pulgar se dobla más allá de un ángulo de 45°

(continuación)

CUADRO 7-11 Rasgos y enfermedades presentes en los cromosomas humanos (continuación)

Rasgo o enfermedad	Resultado
Autosómico recesivo	
Acondroplasia	Enanismo resultante de un defecto en las placas epifisarias que interfiere en la formación de huesos largos
Síndrome de Marfan	Defecto del tejido conjuntivo que provoca crecimiento excesivo y alto riesgo de rotura aórtica
Pico de viuda	La línea de nacimiento del cabello que llega a un punto en la frente
Enfermedad de Huntington	Deterioro progresivo del sistema nervioso que empieza a finales de los 20 o principios de los 30 años; causa deterioro mental y muerte prematura
Braquidactilia	Desfiguración de las manos, dedos acortados
Pecas	Agregaciones permanentes de melanina en la piel

autosómico recesivo, pero que no presenta el rasgo, tiene 25% de probabilidades de transmitir la condición hereditaria a su hijo si el otro progenitor también es portador del rasgo. Si ambos progenitores tienen la enfermedad hereditaria, todos sus hijos la padecerán. La hemocromatosis, que provoca la acumulación de demasiado hierro en el cuerpo, tiene un patrón de herencia autosómico recesivo: una persona debe heredar una copia del gen de la hemocromatosis de cada progenitor para que se manifieste la enfermedad.

En la herencia **autosómica dominante**, una persona solo necesita heredar una copia de una forma concreta de un gen para mostrar ese rasgo; no importa qué forma del gen se herede del otro progenitor. Un progenitor tiene al menos un 50% de probabilidades de transmitir a su hijo una enfermedad hereditaria autosómica dominante. La poliposis adenomatosa familiar, que coloca a las personas en un riesgo extremadamente alto de padecer cáncer colorrectal (colon), tiene un patrón de herencia autosómico dominante.

Trastornos inmunológicos

Las enfermedades inmunológicas están causadas por la hiperactividad o hipoactividad del sistema inmunológico. La mayoría de las enfermedades inmunológicas que muestran tendencias familiares implican un sistema inmunológico hiperactivo (p. ej., alergias, asma, fiebre reumática). En muchas ocasiones se presenta existe un solapamiento importante entre los factores causales, incluido el entorno de la persona.

Las alergias se adquieren después de la exposición inicial a un alérgeno. Las exposiciones repetidas provocan que el sistema inmunológico reaccione al alérgeno (**FIGURA 7-19**). Aunque la presentación clínica varía, normalmente incluye edema y prurito, secreción nasal, tos, estornudos, sibilancias y congestión nasal. Se dice que una persona con tendencia alérgica es **atópica**. Las condiciones ambientales también pueden aumentar la susceptibilidad de una persona a sufrir una reacción alérgica.

El **asma** es una enfermedad inflamatoria crónica de la vía aérea inferior que provoca sibilancias intermitentes y un exceso de producción de mucosidad. Las infecciones virales precipitan casi 60% de los ataques de asma, las alergias suponen otro 20% y el estrés y las emociones causan el resto. Además del componente familiar, las diferencias cromosómicas de ciertos pacientes pueden aumentar su susceptibilidad al asma.

Poblaciones especiales

La fiebre reumática es una enfermedad inflamatoria que afecta principalmente a los niños. Esta enfermedad es el resultado de una reacción retardada a una infección estreptocócica no tratada de la vía aérea superior (como la faringitis estreptocócica). Los síntomas, que aparecen varias semanas después de la infección aguda, pueden incluir fiebre, dolor abdominal, vómito, artritis, palpitaciones y dolor torácico. Los episodios recurrentes de fiebre reumática pueden causar daños miocárdicos permanentes, especialmente en las válvulas cardíacas. Los antecedentes familiares de fiebre reumática aguda pueden predisponer a la enfermedad.

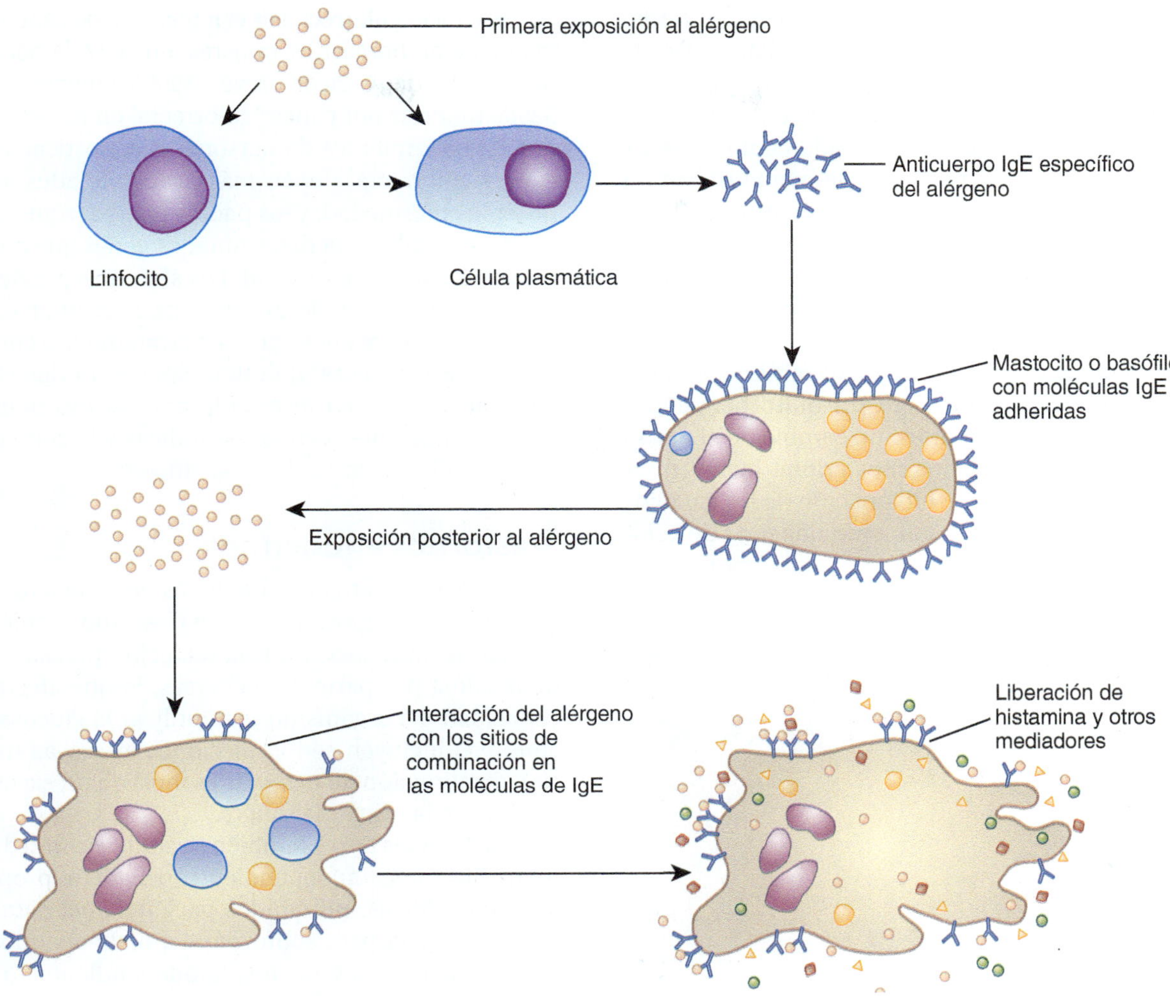

FIGURA 7-19 Patogénesis de la alergia. La primera exposición a un alérgeno induce la formación de anticuerpos IgE específicos en pacientes susceptibles; estos anticuerpos se unen a mastocitos y basófilos. La exposición posterior al mismo alérgeno provoca la interacción antígeno-anticuerpo mediante la activación de células de memoria, liberando histamina y otros mediadores de mastocitos y basófilos. Estos mediadores inducen las manifestaciones alérgicas.

Cáncer

El cáncer describe la patología asociada a crecimientos malignos (neoplasias) en diversas zonas anatómicas del cuerpo humano. Básicamente, todos los tipos de cáncer son crecimientos tisulares inadecuados debidos a una división celular no regulada. En ocasiones, las mutaciones del ADN afectan a los genes que controlan la división celular. Cuantas más mutaciones, más agresivo será el crecimiento del cáncer y más difícil será recuperar el control de esas células. El pronóstico con frecuencia depende de la extensión del cáncer (metástasis) y de la eficacia del tratamiento.

Uno de los principales factores de riesgo asociados al cáncer de pulmón es el tabaquismo. Las investigaciones han identificado ocho alteraciones en el material genético del cáncer de pulmón que sugieren una tendencia genética a desarrollar la enfermedad. Otros factores de predisposición son la exposición al amianto, los productos del carbón y otros productos industriales y químicos. Los síntomas incluyen tos, dificultad para respirar, esputo teñido de sangre e infecciones recurrentes. El tratamiento depende del tipo, localización y extensión del cáncer y puede incluir cirugía, quimioterapia y/o radioterapia.

El cáncer de mama es el tipo de cáncer más frecuente entre las mujeres. La Sociedad Americana del Cáncer informó de 316120 nuevos casos de cáncer de mama en Estados Unidos en 2017 y 40610 muertes por cáncer de mama.[12] Las mujeres cuyos familiares de primer grado (es decir, padre, madre, hermana o hija) tienen cáncer de mama cuentan con mayor probabilidad de padecer la enfermedad. El riesgo varía en función de la edad a la que se diagnosticó la enfermedad al familiar afectado: cuanto más joven es la edad en que aparece la enfermedad, mayor es el riesgo para los familiares. Aproximadamente entre 5 y 10% de las pacientes con cáncer de mama tienen un patrón de herencia autosómica dominante, en el que la predisposición al cáncer se transmite de generación en generación.[13] Esta susceptibilidad puede heredarse tanto por la familia de la madre como la del padre.

Los primeros síntomas del cáncer de mama suelen ser detectados por la mujer durante la autoexploración mamaria e incluyen un bulto pequeño e indoloro, piel gruesa o tenue o un cambio en el pezón (**FIGURA 7-20**). Los síntomas posteriores incluyen secreción del pezón, dolor e inflamación de los ganglios linfáticos de la axila. El tratamiento depende de la localización, el tamaño y la metástasis del tumor.

A

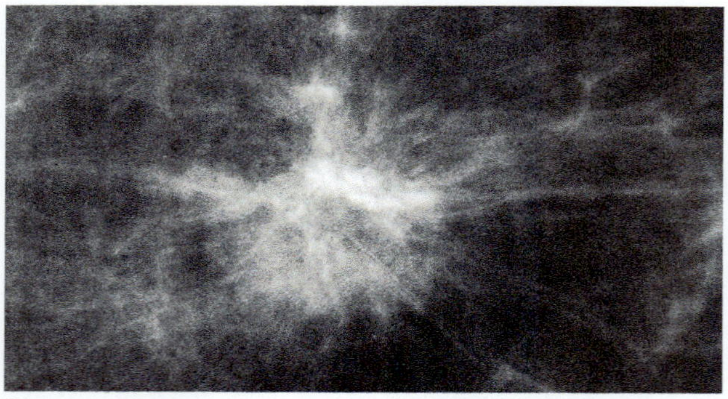

B

FIGURA 7-20 Carcinoma de mama. **A.** Corte transversal de biopsia de mama. El tumor aparece como una masa firme con bordes mal definidos que infiltra el tejido mamario graso circundante. **B.** Aspecto del carcinoma de mama en una mamografía. El tumor aparece como una zona blanca con márgenes infiltrantes.

Cortesía de Leonard V. Crowley, MD, Century College.

El cáncer colorrectal es el tercer tipo de cáncer más frecuente en hombres y mujeres. En 2021, la Sociedad Americana del Cáncer prevé 149500 nuevos casos y 52980 muertes por cáncer colorrectal en Estados Unidos.[14] Los familiares de personas diagnosticadas con cáncer colorrectal tienen más probabilidades de padecer la enfermedad, y los padres pueden transmitir a sus hijos cambios en determinados genes que pueden provocar cáncer colorrectal. Los síntomas pueden ser mínimos, consistiendo únicamente en pequeñas cantidades de sangre en las heces. El tratamiento consiste en cirugía y, a veces, quimioterapia. Para detectar la enfermedad en una fase temprana, se recomiendan las examinaciones rectales periódicas y la colonoscopia en adultos a partir de los 45 años.[14]

Trastornos endocrinos

La diabetes mellitus es una de las enfermedades endocrinas más importantes. Este trastorno crónico del metabolismo se asocia a una secreción parcial o total de insulina por parte del páncreas, lo que afecta a la capacidad del organismo para utilizar la glucosa. Los síntomas incluyen sed y micciones excesivas (poliuria), disminución de peso y presencia de un exceso de glucosa en la orina y la sangre.

La diabetes tipo 1 también se conoce como diabetes mellitus insulinodependiente (o diabetes propensa a la cetoacidosis) porque los pacientes necesitan insulina exógena para sobrevivir. La diabetes tipo 2 se denomina diabetes no insulinodependiente (o diabetes no propensa a la cetoacidosis), aunque muchas personas con diabetes tipo 2 requieren inyecciones exógenas de insulina. Ambas formas tienen una predisposición hereditaria. La diabetes tipo 1 no tiene cura conocida (aparte de la de trasplante del páncreas) en la actualidad; la diabetes tipo 2 se puede controlar ocasionalmente con pérdida de peso, actividad física regular y medicamentos.

Trastornos hematológicos

La **anemia hemolítica** se caracteriza por un aumento de la destrucción de eritrocitos, más rápido de lo que se pueden reemplazar. Este trastorno tiene varias causas, como una reacción de transfusión sanguínea del factor Rh (que se produciría con mayor probabilidad en la población neonatal), un trastorno del sistema inmunológico y la exposición a toxinas bacterianas o componentes químicos como el benceno. En la **FIGURA 7-21** se muestra cómo el cuerpo maneja el hierro. La anemia hemolítica después de una aspirina o la administración de penicilina es poco frecuente; es mucho más común, aunque todavía poco frecuente, con las sulfamidas utilizadas para tratar las infecciones del

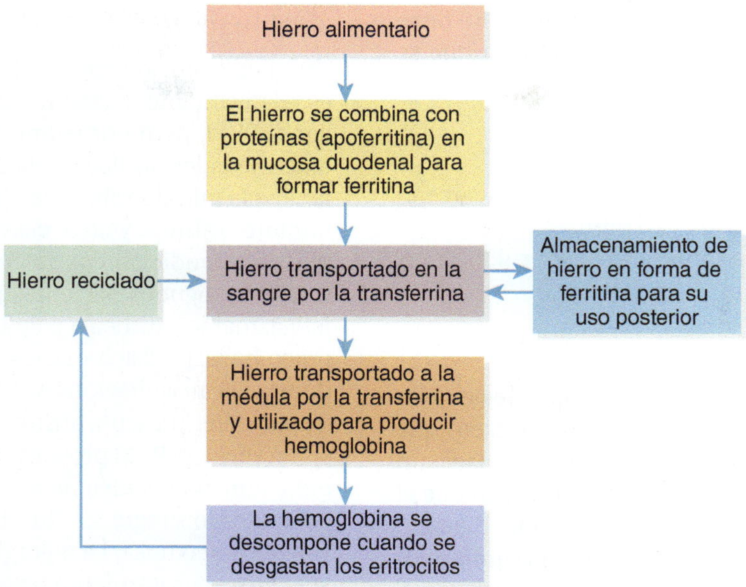

FIGURA 7-21 Captación, transporte, almacenamiento y utilización del hierro para la síntesis de hemoglobina. La mayor parte del hierro utilizado para la síntesis de hemoglobina se recicla de los eritrocitos desgastados. La pérdida crónica de sangre elimina las células que contienen hierro de la circulación, y el hierro contenido en los eritrocitos ya no puede reciclarse para producir hemoglobina, lo que provoca anemia por deficiencia de hierro.

tracto urinario, como la combinación de trimetoprima-sulfametoxazol (conocida como Septra y Bactrim). Una deficiencia enzimática hereditaria (deficiencia de glucosa-6-fosfatasa deshidrogenasa) aumenta en gran medida la susceptibilidad de una persona a la anemia hemolítica inducida por sulfamidas.

La **hemofilia** es un trastorno hereditario caracterizado por hemorragias excesivas. Se trata de una enfermedad ligada al sexo, predominantemente masculino, que se transmite de madres asintomáticas a hijos varones.[15] En este trastorno, se carece o hay una presencia anormalmente baja de una de las proteínas en la coagulación sanguínea (normalmente el factor VIII) necesaria para la coagulación normal de la sangre. Los pacientes experimentan una pérdida de sangre mayor de lo habitual en extracciones dentales y después lesiones simples. También pueden tener hemorragias articulares y, en raras ocasiones, cerebrales. El tratamiento consiste en la administración de los factores de coagulación que faltan.

La **hemocromatosis** es una enfermedad hereditaria (autosómica recesiva) en la que el cuerpo absorbe más hierro del que necesita. El exceso de hierro se almacena en varios órganos, como el hígado, los riñones y el páncreas. La hemocromatosis puede provocar diabetes, cardiopatías, enfermedades hepáticas, artritis, impotencia y piel bronceada. Estos síntomas se pueden evitar con la extracción regular de sangre (flebotomía).

Trastornos cardiovasculares

Se sabe que varios trastornos cardiovasculares siguen patrones hereditarios específicos. Otros tienen una fuerte tendencia familiar (como la cardiopatía coronaria).

Síndrome de QT largo

El síndrome de QT largo es una anomalía del sistema de conducción cardíaco, caracterizada por la prolongación del intervalo QT en el EKG. Debido a que la mayoría de los casos de síndrome de QT largo se hereda de forma autosómica dominante, todos los familiares de primer grado de las personas afectadas se deben someter a pruebas de detección. En ocasiones, estos síndromes se asocian a una pérdida auditiva congénita, miocardiopatía hipertrófica o prolapso de la válvula mitral (PVM). Los pacientes corren el riesgo de sufrir palpitaciones y arritmias ventriculares, especialmente *torsades de pointes.* Muchos pacientes son asintomáticos hasta que presentan una disritmia que causa síncope o muerte súbita. Considere siempre que un síncope en las siguientes condiciones se debe a una disritmia potencialmente mortal hasta que se demuestre lo contrario:

- Síncope inducido por el ejercicio
- Síncope asociado a dolor torácico
- Antecedentes de síncope en un familiar cercano (es decir, padre, hermano o hijo)
- Síncope asociado a sobresalto (p. ej., ruidos fuertes como teléfonos o despertadores)

Miocardiopatía

Miocardiopatía es un término general que designa las enfermedades del miocardio (músculo cardíaco) que finalmente progresan a una insuficiencia cardíaca, un IAM o la muerte. Estas enfermedades provocan que el músculo cardíaco se vuelva delgado, flácido, dilatado o agrandado. Una variante, conocida como cardiomiopatía hipertrófica, genéticamente es autosómica dominante. La característica principal de la miocardiopatía hipertrófica es un engrosamiento excesivo del músculo cardíaco (hipertrofia significa engrosar o crecer en exceso) (**FIGURA 7-22**). Además, el examen microscópico del músculo cardíaco muestra que es anormal. Los pacientes pueden tener dificultad para respirar, dolores torácicos, palpitaciones o síncope; también es posible la muerte súbita cardíaca. Los betabloqueantes son un tratamiento eficaz en algunos pacientes. Otros requieren cirugía o la implantación de un desfibrilador cardíaco, diseñado para administrar una descarga al corazón y restablecer su ritmo normal.

Prolapso de la válvula mitral

También conocido como válvula mitral flácida, el PVM es relativamente frecuente. Existe una tendencia familiar al PVM, pero normalmente se relaciona con otras enfermedades cardiovasculares. En el PVM, las valvas de la válvula mitral se abomban hacia la aurícula izquierda durante la sístole, y no se cierran adecuadamente. Aunque esta condición con frecuencia es benigna y asintomática, algunos pacientes presentan dolor torácico, fatiga, mareos, disnea o palpitaciones. Por lo general, el único hallazgo físico es un chasquido que se escucha durante la auscultación cardíaca. Un pequeño número de pacientes presenta arritmias cardíacas.

A veces, el PVM provoca regurgitación mitral (también llamada insuficiencia mitral), en la que una gran cantidad de sangre se filtra hacia atrás a través de la válvula defectuosa. La regurgitación mitral puede provocar un engrosamiento o agrandamiento de la pared del corazón, debido al bombeo adicional del corazón necesario para compensar el reflujo de sangre. A veces provoca cansancio o falta de aliento. La regurgitación mitral se puede tratar con medicamento, pero algunas personas necesitan cirugía para reparar o sustituir la válvula defectuosa.

Cardiopatía coronaria

La cardiopatía coronaria, a menudo denominada arteriopatía coronaria, se debe a un trastorno de la circulación en el corazón. Es común que los pacientes tengan obstruidas las arterias coronarias por la aparición y

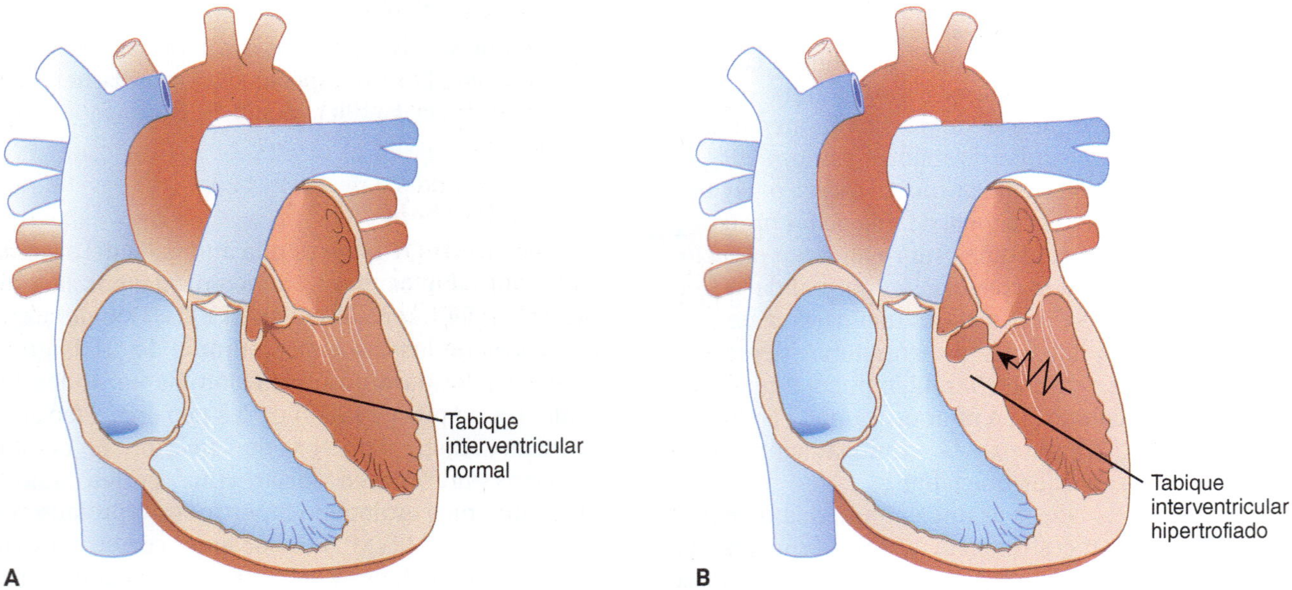

FIGURA 7-22 Comparación de la función cardíaca normal con la disfunción característica de la miocardiopatía hipertrófica. **A.** Corazón normal, que ilustra el flujo sanguíneo sin obstrucciones desde el ventrículo izquierdo hacia la aorta durante la sístole ventricular. **B.** Miocardiopatía hipertrófica, que ilustra la obstrucción del flujo de salida de la sangre del ventrículo izquierdo por el tabique hipertrofiado, que afecta a la valva anterior de la válvula mitral.

crecimiento de placa aterosclerótica. Los efectos pueden ir desde la isquemia hasta el infarto y la necrosis (muerte) del miocardio. Casi la mitad de todas las muertes cardiovasculares se deben a cardiopatías coronarias.[16] Esta enfermedad tiene una tendencia familiar; entre los factores de riesgo significativos para el desarrollo de cardiopatías coronarias se incluyen tener un padre que haya sufrido un IAM o que haya fallecido repentinamente antes de los 55 años o tener una madre que haya sufrido un IAM o que haya fallecido de manera súbita antes de los 65 años. Otros factores de riesgo son la hipercolesterolemia, el tabaquismo, la hipertensión, la edad (a medida que aumenta la edad, se incrementa el riesgo de cardiopatía coronaria) y la diabetes.

La **hipercolesterolemia** es una elevación del nivel de colesterol en sangre. El nivel de colesterol en sangre se divide en dos partes: lipoproteína de alta densidad (HDL; "colesterol bueno") y lipoproteína de baja densidad (LDL; "colesterol malo"). Aunque un paciente pueda tener un nivel de colesterol total normal, la presencia de un nivel anormalmente bajo de HDL y/o una elevación de LDL aumenta el riesgo de cardiopatía coronaria.

Hipertensión y accidente cerebrovascular

La hipertensión (PA alta) se asocia a mayor riesgo de arteriopatía coronaria y también a mayor riesgo de accidente cerebrovascular. Los factores de riesgo de hipertensión pueden clasificarse en genéticos o relacionados con el estilo de vida. Entre ellos se incluyen la edad (a medida que aumenta la edad, se incrementa el riesgo), la raza (más común en afroamericanos), el sexo (los hombres tienen más probabilidades de padecer hipertensión), los antecedentes familiares, la obesidad o el sobrepeso, el sedentarismo, el consumo de tabaco, la dieta (demasiada sal, poco potasio, poca vitamina D, demasiado alcohol) y el estrés.

Los factores de riesgo de un accidente cerebrovascular también están relacionados con la genética o el estilo de vida. Entre ellos se incluyen la edad (los adultos de 55 años o más tienen mayor riesgo), la raza (más frecuente en afroamericanos, hispanos y nativos de Alaska), el sexo (los hombres tienen más probabilidades de sufrir un accidente cerebrovascular), los antecedentes familiares, la obesidad o el sobrepeso, el sedentarismo, la hipertensión, la hipercolesterolemia, el tabaquismo, la diabetes, las enfermedades cardiovasculares, el uso de píldoras anticonceptivas o terapias hormonales y el consumo excesivo de alcohol.

Trastornos renales

Gota

La gota es una acumulación anormal de ácido úrico debida a un defecto en el metabolismo. Como consecuencia de este defecto, el ácido úrico se acumula en la sangre y en las articulaciones, causando dolor y edema de las articulaciones, especialmente del dedo gordo del pie. En muchas ocasiones, el paciente tiene fiebre y escalofríos. La gota es más común entre los hombres que entre las mujeres y por lo regular tiene una base genética. Si no se trata, la gota provoca cambios tisulares destructivos en las articulaciones y los riñones. El tratamiento incluye dieta y medicamentos para reducir la inflamación y aumentar la excreción de ácido úrico o disminuir su formación.

Cálculos renales

Los cálculos renales son pequeñas masas de ácido úrico o sales de calcio que pueden formarse en cualquier parte del sistema urinario (riñón, uréter o vejiga). Existen cuatro tipos principales de cálculos:

- **Oxalato de calcio.** Este tipo de cálculo renal es el más común y se forma cuando el calcio se combina con el oxalato en la orina. La ingesta inadecuada de calcio y líquidos, y otras condiciones, pueden contribuir a su formación.
- **Ácido úrico.** Este tipo de cálculo renal también es frecuente y se asocia al consumo de alimentos como vísceras y marisco, que tienen altas concentraciones de purinas. La ingesta elevada de purinas conduce a una mayor producción de urato monosódico, que puede provocar la formación de cálculos en los riñones. La aparición de estos cálculos tiende a ser hereditaria.
- **Estruvita.** Estos cálculos son menos frecuentes y se deben a infecciones en el tracto urinario superior.
- **Cistina.** Estos cálculos son poco frecuentes y suelen ser hereditarios.

Los cálculos renales pueden causar dolor intenso, náuseas y vómitos, cuando el cuerpo intenta expulsarlos. Aunque la mayoría de los cálculos son pequeños, ocasionalmente se vuelven lo bastante grandes como para adoptar los contornos internos del riñón (**FIGURA 7-23**). Los investigadores han descubierto un gen que ocasiona que los intestinos absorban demasiado calcio, lo que puede provocar la formación de cálculos renales. Los cálculos de ácido úrico con frecuencia también tienen una base genética. Algunos son lo bastante pequeños para eliminarlos con la orina, con o sin dolor; otros deben extirparse quirúrgicamente.

Trastornos gastrointestinales

Trastornos de malabsorción

Los trastornos de malabsorción se deben a defectos en la función de la pared intestinal que impiden la absorción adecuada de nutrientes. El resultado es un complejo de síntomas, como pérdida de apetito, edema,

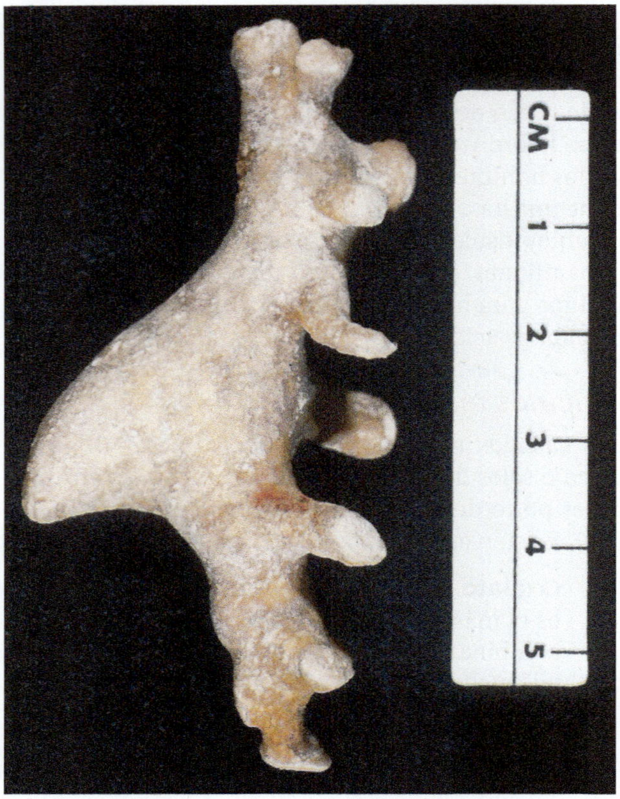

FIGURA 7-23 Cálculo renal grande en forma de cuerno de ciervo.

Cortesía de Leonard V. Crowley, MD, Century College.

pérdida de peso, dolor muscular y heces con alto contenido graso. La diarrea, que puede ser sanguinolenta, suele ser un síntoma importante.

La intolerancia a la lactosa se debe a un defecto o una deficiencia de la enzima lactasa, que provoca una incapacidad para digerir la lactosa (azúcar de la leche). Los síntomas incluyen edema, flatulencia, molestias abdominales, náuseas y diarrea después de ingerir lácteos o productos lácteos.

La colitis ulcerosa es una enfermedad inflamatoria crónica grave del intestino grueso y el recto. Esta enfermedad, que muestra una tendencia familiar, se caracteriza por episodios recurrentes de dolor abdominal, fiebre, escalofríos y diarrea profusa, con heces que contienen pus, sangre y mucosidad. El tratamiento consiste en agentes antiinflamatorios, incluidos los corticoesteroides. Los pacientes con casos graves pueden requerir cirugía para extirpar partes del tracto intestinal. Los pacientes tienen mayor riesgo de desarrollar cáncer colorrectal.

La enfermedad de Crohn es una afección inflamatoria crónica que afecta a una o más zonas del tracto gastrointestinal, desde la boca hasta el ano, pero que con mayor frecuencia afecta a la porción terminal del intestino delgado. Aunque se desconoce su causa exacta, entre las posibles se encuentran anomalías bacterianas, virales, alérgicas, autoinmunes y genéticas indeterminadas. Las manifestaciones de la enfermedad de Crohn dependen principalmente de la zona anatómica afectada, la extensión de la enfermedad y la presencia de complicaciones. Los síntomas incluyen episodios frecuentes de diarrea, dolor abdominal, náuseas, fiebre, debilidad y pérdida de peso. El tratamiento consiste en terapia nutricional, antiinflamatorios, antibióticos y, a veces, cirugía para extirpar la parte dañada del intestino, las fístulas o el tejido cicatricial.

Enfermedad de úlcera péptica

La enfermedad de úlcera péptica se caracteriza por erosiones circunscritas (ulceraciones) de la mucosa que recubre el tracto gastrointestinal, concretamente en el esófago, el estómago, el duodeno o el yeyuno. Las úlceras pépticas pueden estar asociadas a un exceso de producción de ácido o a una falla de los mecanismos normales de protección de las membranas mucosas. Aunque esta enfermedad parece tener un componente genético, la infección por la bacteria *Helicobacter pylori* contribuye en gran medida a su desarrollo; los patrones faciales observados parecen deberse a infecciones compartidas por *H. pylori*. Los síntomas incluyen dolor punzante, que suele empeorar cuando el estómago está vacío, después de comer ciertos alimentos o cuando la persona está estresada. El tratamiento incluye evitar sustancias irritantes como el tabaco, el alcohol y ciertos alimentos, antibióticos y medicamentos para reducir la acidez. En los casos refractarios, puede ser necesaria la cirugía.

Cálculos biliares

Los **cálculos biliares** (colelitiasis) son material sólido que se forma en la vesícula biliar o sus conductos, causadas por la precipitación de sustancias contenidas en la bilis, como el colesterol y la bilirrubina. Los factores que contribuyen a la formación de cálculos biliares incluyen anomalías en la composición de la bilis o estasis biliar. Al principio, los cálculos biliares pueden ser asintomáticos, pero más tarde causan síntomas cuando obstruyen el flujo biliar. Pueden causar inflamación de la vesícula biliar. Los cálculos pequeños que pasan al conducto común pueden producir indigestión y cólico biliar. El dolor del cólico biliar tiene un inicio repentino, aumenta de forma constante y suele localizarse en el cuadrante superior derecho o en la zona epigástrica y puede referirse a la espalda. Los cálculos más grandes pueden causar ictericia (piel y esclerótica amarillas).

Obesidad

La **obesidad** es una acumulación poco saludable de grasa corporal; a menudo se define como un índice de masa corporal (IMC) superior o igual a 30 kg/m^2. Se trata de una buena pauta general, excepto en los casos en los que el peso corporal no se correlaciona con el exceso de grasa; por ejemplo, en personas muy musculosas. Los Centros para el Control y la Prevención de Enfermedades (CDC) definen además la obesidad de la siguiente manera:

- Clase 1: IMC de 30 kg/m^2 a menos de 35 kg/m^2
- Clase 2: IMC de 35 kg/m^2 a menos de 40 kg/m^2
- Clase 3: IMC igual o superior a 40 kg/m^2

Los riesgos para la salud aumentan con cada incremento de clase.

Los CDC denominan **obesidad mórbida** a la obesidad de clase 3. La obesidad mórbida incluye todos los riesgos para la salud asociados a la obesidad, pero también dificulta funciones fundamentales como caminar o respirar.

Las personas con sobrepeso también corren el riesgo de padecer enfermedades, aunque no es tan elevado como en el caso de los obesos. El **sobrepeso** se define como un IMC de 25 a 29.9 kg/m^2.[17]

En las últimas décadas, la obesidad se ha convertido en una epidemia entre adultos y niños en Estados Unidos. Casi 75% de los adultos mayores de 20 años en Estados Unidos padecen obesidad o sobrepeso. Más de 50% de los niños y adolescentes estadounidenses son obesos.[18]

La obesidad tiene muchos efectos nocivos, tanto médicos como sociales. Los riesgos para la salud asociados a la obesidad incluyen hipertensión, hiperlipidemia, enfermedades cardiovasculares, intolerancia a la glucosa, resistencia a la insulina, diabetes, enfermedades de la vesícula biliar, infertilidad y cáncer de endometrio, mama, próstata y colon. Los efectos sociales y psicológicos de la obesidad incluyen depresión, ansiedad, vergüenza, rechazo y discriminación en diversos entornos, como la escuela y el lugar de trabajo.

Aunque es probable que algunas personas tengan una predisposición genética a la obesidad, aún no se ha determinado el papel de los genes específicos en su desarrollo. Se conocen mejor los factores conductuales y ambientales. Los factores conductuales que contribuyen a la obesidad incluyen un estilo de vida sedentario, comer en exceso y consumir alimentos ricos en calorías y de bajo valor nutricional, como la comida rápida y los refrescos. El entorno comunitario o laboral de una persona también puede dificultar su elección de realizar actividad física o alimentarse adecuadamente. Por ejemplo, la falta de aceras en una comunidad contribuiría que los miembros de la comunidad se vuelvan obesos. Las porciones grandes que ofrecen los restaurantes contribuyen a la falta de comprensión del tamaño adecuado de las porciones. Por último, mirar televisión y relacionarse con los medios tecnológicos puede restarle tiempo a la actividad física y fomentar el consumo de productos poco saludables. Debido a que las personas tienden a comer bocadillos mientras miran la televisión o usan la computadora, pueden consumir calorías adicionales innecesarias.

Trastornos neuromusculares

Aunque es muy probable que se deba a factores ambientales, algunos trastornos neuromusculares tienen una base fisiológica y genética. Las siguientes secciones presentan algunos de los trastornos más conocidos y preocupantes de esta categoría.

Enfermedad de Huntington

La enfermedad de Huntington (también llamada *Huntington chorea*) es una condición hereditaria (autosómica dominante). Se caracteriza por una corea progresiva (movimientos corporales involuntarios rápidos y espasmódicos) y un deterioro mental que conduce a la demencia. Los síntomas suelen aparecer por primera vez en la tercera o cuarta década de la vida y progresan hasta la muerte, a menudo en un plazo de 15 años.

Distrofia muscular

La distrofia muscular es un término genérico para un grupo de enfermedades hereditarias del sistema muscular caracterizadas por debilidad y desgaste de grupos de músculos esqueléticos, que ocasionan mayor discapacidad. Las distintas formas difieren en la edad de aparición, el ritmo de progresión y el modo de transmisión genética. La distrofia muscular de Duchenne es una enfermedad recesiva ligada al sexo (solo afecta a los hombres); los primeros síntomas aparecen alrededor de los 4 años. El desgaste progresivo de los músculos de las piernas y la pelvis produce una marcha de pato y una curvatura anormal de la columna vertebral. Por lo general, a los 12 años la persona es incapaz de andar y empieza a utilizar una silla de ruedas. No existe tratamiento conocido, y la persona suele morir, casi siempre debido a un trastorno cardíaco, alrededor de los 20 años.

Esclerosis múltiple

La esclerosis múltiple es una enfermedad progresiva en la que se daña la vaina de mielina que rodea las fibras nerviosas del cerebro y la médula espinal.[19] Aunque esta enfermedad no se hereda directamente, algunos pacientes tienen una predisposición familiar, lo que sugiere una influencia genética en la susceptibilidad. La esclerosis múltiple por lo regular aparece en los primeros años de la edad adulta y progresa lentamente, con periodos de remisión y exacerbación. Los primeros síntomas incluyen sensaciones anormales en la cara o las extremidades, debilidad y alteraciones visuales (como visión doble), que progresan a ataxia (falta de coordinación), reflejos anormales, temblores, dificultad para orinar y dificultad para caminar. También es frecuente la depresión. No se ha desarrollado ningún tratamiento o cura específicos, pero se utilizan corticoesteroides y otros fármacos para el tratamiento de los síntomas.

Poblaciones especiales

Nunca asuma que una confusión nueva o que empeora en un adulto mayor se debe únicamente a la enfermedad de Alzheimer, sin considerar primero causas potencialmente corregibles como nuevos medicamentos, infecciones o infarto de miocardio. Un aparente trastorno emocional, psicológico o conductual puede tener una causa orgánica, especialmente en la población de adultos mayores.

Enfermedad de Alzheimer

La enfermedad de Alzheimer se caracteriza por la atrofia cortical y la pérdida de neuronas en los lóbulos frontal y temporal del cerebro; además, al agrandarse los ventrículos cerebrales, se produce una pérdida de tejido cerebral. Más de 5.8 millones de estadounidenses viven actualmente con la enfermedad de Alzheimer.[20] Los cambios histológicos en el cerebro de una persona con la enfermedad de Alzheimer incluyen ovillos neurofibrilares y placas seniles (**FIGURA 7-24**). Los estudios sobre la genética de la enfermedad de Alzheimer hereditaria de aparición temprana se han relacionado con mutaciones en tres genes.

La enfermedad de Alzheimer es progresiva. Al principio de su progresión, se caracteriza por pérdida de memoria, falta de espontaneidad, cambios sutiles de personalidad y desorientación respecto a la hora y la fecha. Con el tiempo, puede progresar e incluir deterioro de la cognición y el pensamiento abstracto, inquietud y agitación, deambulación, incapacidad para realizar actividades de la vida diaria, deterioro del juicio y comportamiento social inadecuado. La enfermedad de Alzheimer avanzada implica indiferencia por la comida, incapacidad para comunicarse, incontinencia urinaria y fecal, y convulsiones.

Trastornos psiquiátricos

Algunos trastornos psiquiátricos comunes parecen tener un componente familiar e incluso genético. Dos de los más importantes son la esquizofrenia y el trastorno bipolar.

Esquizofrenia

La esquizofrenia comprende un grupo de trastornos mentales caracterizados por graves distorsiones de la realidad (psicosis), aislamiento de los contactos sociales y alteraciones del pensamiento, el lenguaje, la percepción y la respuesta emocional. Sus síntomas son muy variados, pero pueden incluir apatía, catatonia o

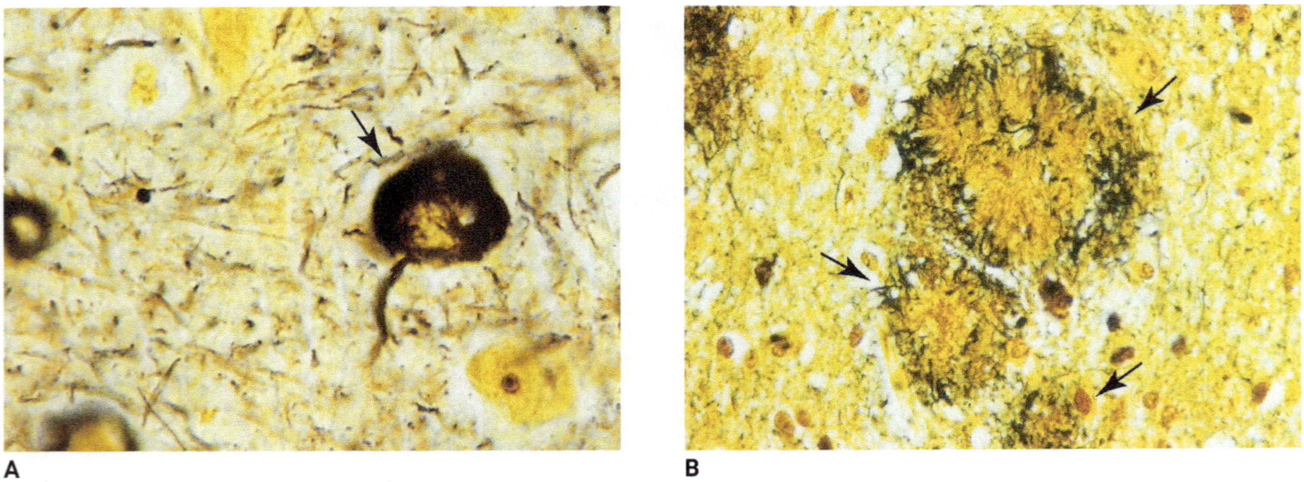

FIGURA 7-24 Enfermedad de Alzheimer. **A.** Neurofilamentos engrosados rodean y oscurecen los núcleos de las células nerviosas (flecha), formando una maraña neurofibrilar (aumento original, ×400). **B.** Tres placas seniles (flechas) compuestas por masas rotas de neurofilamentos engrosados (aumento original, ×100).

Cortesía de Leonard V. Crowley, MD, Century College.

exceso de ansiedad actividad, acciones extrañas, alucinaciones, delirios y habla incoherente. Aunque no se ha identificado la causa de la esquizofrenia, es probable que en la mayoría de los casos intervenga una combinación de factores de predisposición hereditaria o genética.

Trastorno bipolar

El trastorno bipolar (antes conocido como trastorno maniacodepresivo o psicosis maniacodepresiva) es un trastorno mental caracterizado por episodios de manía y depresión. Una u otra fase puede ser dominante en un momento determinado, las fases se pueden alternar, o puede haber presencia de aspectos de ambas fases a la vez. Se estima que el 4.4 % de los adultos estadounidenses padecen trastorno bipolar en algún momento de su vida.[21,22] Las tasas más elevadas de trastorno bipolar entre parientes, gemelos idénticos y padres biológicos frente a padres adoptivos se han citado como prueba de la función genética en este trastorno. El tratamiento consiste en psicoterapia, antidepresivos y tranquilizantes.

Estrés y enfermedad

Estrés es el término médico para una amplia variedad de fuertes estímulos externos, fisiológicos y psicológicos, que pueden provocar una respuesta fisiológica. El estrés fisiológico se define como un cambio que hace necesaria la adaptación de las células del organismo. En la **FIGURA 7-25** se presenta la serie de eventos que ocurren cuando el cuerpo responde a un estímulo o factor estresante. Tres conceptos relacionados con el estrés fisiológico incluyen el factor estresante mismo, su efecto en el cuerpo y la respuesta del cuerpo al estrés.

El cerebro y el SNC interactúan constantemente con la conciencia de una persona. La investigación ha demostrado una fuerte conexión entre la psique humana y la fisiología cerebral. Cuando una persona experimenta estrés, se activan los mecanismos de defensa del cuerpo. Normalmente, la respuesta al estrés es apropiada y beneficiosa. Sin embargo, una respuesta de estrés incontrolada puede tener consecuencias perjudiciales, como dependencia química, infarto de miocardio, ACV, depresión, dolor de cabeza y dolor abdominal.

Síndrome general de adaptación

El **síndrome general de adaptación**, término introducido por el endocrinólogo austriaco Hans Selye en la década de 1920, comprende la reacción en tres fases a los factores estresantes, ya sean físicos (como una lesión) o emocionales (como la pérdida de un ser querido).

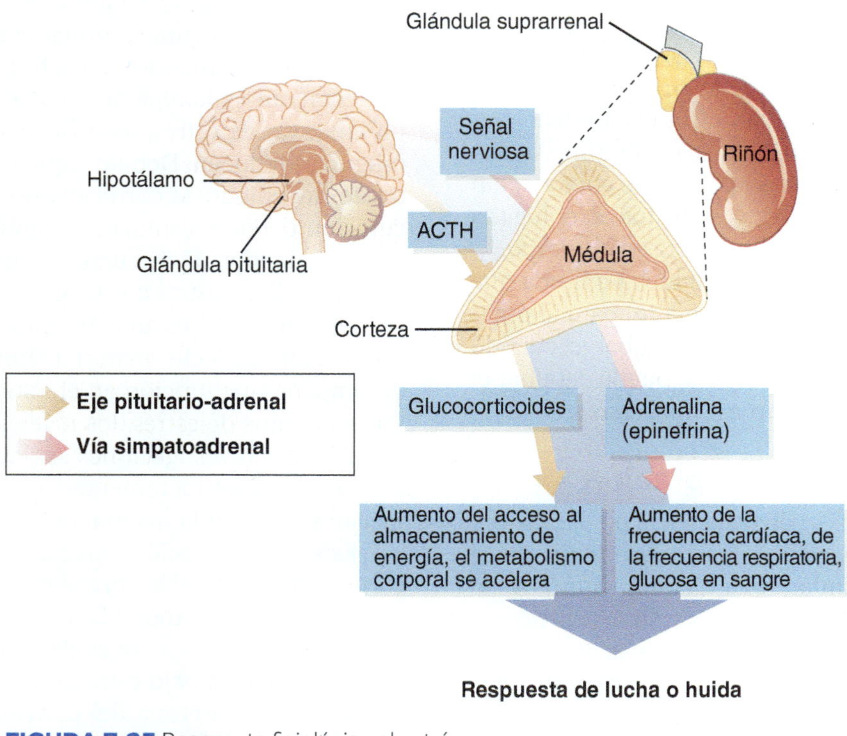

FIGURA 7-25 Respuesta fisiológica al estrés.

Abreviatura: ACTH, hormona adrenocorticotrópica.

Fase 1: alarma

El cuerpo reacciona primero al estrés liberando catecolaminas, compuestos químicos derivados del aminoácido tirosina que actúan como hormonas o neurotransmisores. Estas sustancias se producen principalmente en la médula suprarrenal y en las fibras postganglionares del sistema nervioso simpático. Las catecolaminas son hidrosolubles, por lo que circulan por el cuerpo disueltas en la sangre. Las catecolaminas más abundantes son la epinefrina (adrenalina), la norepinefrina (noradrenalina) y la dopamina. La adrenalina actúa como neurotransmisor en el SNC y como hormona en la sangre. La noradrenalina es principalmente un neurotransmisor del sistema nervioso simpático periférico, pero también está presente en la sangre (principalmente a través del derrame de las sinapsis del sistema simpático).

Como se muestra en la **FIGURA 7-25**, el estrés estimula el sistema nervioso simpático. Cuando el cuerpo percibe estrés, el cerebro hace que la médula suprarrenal del sistema endocrino envíe catecolaminas (las hormonas epinefrina y norepinefrina) que activan el sistema nervioso simpático al unirse a los **receptores**. En el sistema nervioso simpático, la unión a (activación de) los receptores alfa y beta permite activar determinadas respuestas y se produce una secuencia predecible de respuestas. La activación de los receptores alfa provoca vasoconstricción, mientras que la activación de los receptores beta provoca incremento de la frecuencia cardíaca, de la fuerza de contracción y de la velocidad de conducción. Además de los efectos cardíacos de las catecolaminas, otros efectos fisiológicos son el aumento de la frecuencia respiratoria, la disminución del flujo sanguíneo a la piel, la constricción de la musculatura lisa y diversos efectos en el hígado que aumentan el consumo de glucosa en el cuerpo.

Normalmente, la respuesta de lucha o huida que se produce en la reacción de alarma prepara al organismo para hacer frente al estrés. Sin embargo, cuando se activa con demasiada frecuencia, puede debilitar el sistema inmunológico y provocar infecciones.

Fase 2: resistencia o adaptación

Durante la fase 2, la fase de resistencia o adaptación, el cuerpo se adapta a los factores estresantes. Lo hace principalmente estimulando la glándula suprarrenal para que segregue dos tipos de hormonas corticoesteroides que aumentan el nivel de glucosa en sangre y mantienen la PA: los glucocorticoides y los mineralocorticoides. El glucocorticoide más importante del organismo es el cortisol, que controla el metabolismo de carbohidratos, grasas y proteínas. El cortisol también tiene una potente acción antiinflamatoria. Los mineralocorticoides (predominantemente la aldosterona) controlan los niveles de electrolitos y agua en el cuerpo, lo que favorece principalmente a la retención de sodio por parte de los riñones.

En momentos de estrés, el hipotálamo secreta una hormona que estimula a la glándula pituitaria anterior para que libere la hormona adrenocorticotrópica (ACTH) (**FIGURA 7-26**). La ACTH se dirige a la corteza suprarrenal, provocando la secreción de cortisol. El cortisol, a su vez, estimula a las células corporales para que aumenten su producción de energía en respuesta al mayor número de factores estresantes, incrementan los niveles séricos de glucosa y deteriora el uso de glucosa por los tejidos periféricos. Además, el cortisol disminuye las reservas de proteínas y permite la movilización de ácidos grasos mediante la epinefrina y la hormona del crecimiento. Reduce la inflamación cuando esta ha cumplido su función; por lo tanto, desempeña un papel en la cicatrización de heridas. Aunque el cortisol aumenta la producción de eritrocitos y afecta a los niveles de electrolitos, también reduce el tamaño del tejido linfoide. Debido a que el sistema linfático desempeña un papel fundamental en la inmunidad, esto puede explicar la relación entre el estrés y la enfermedad.

Las endorfinas son neurotransmisores que se liberan en momentos de estrés. Estas hormonas ayudan a reducir el dolor y el estrés activando los receptores opiáceos. En esencia, producen un tipo de analgesia.

Otras hormonas afectadas por el estrés son la hormona del crecimiento, la prolactina y la testosterona. El factor de crecimiento es una hormona que favorece el crecimiento y la reparación de células y tejidos. En un contexto de estrés, los niveles de factor de crecimiento se reducen. Debido a que la presencia del factor de crecimiento se correlaciona con la capacidad de curación del organismo, esto significa que existe una capacidad reducida de curación cuando el organismo está sometido a estrés crónico.

La prolactina es una hormona que estimula la producción de leche materna. También se cree que desempeña una función en el sistema inmunológico. En momentos de estrés, los niveles de prolactina aumentan. Las investigaciones sugieren que los niveles de prolactina se incrementan más en personas con mecanismos de adaptación ineficaces.

Existe una relación directa entre los niveles de cortisol (la principal hormona del estrés) y los niveles de testosterona: cuando los niveles de cortisol son altos, disminuyen los niveles de testosterona. Cuando el cuerpo no está bajo estrés, una enzima protege los niveles de testosterona del cortisol. No obstante, en presencia del estrés, los niveles de cortisol son demasiado altos para que la enzima pueda manejarlos bien. Como resultado, el exceso de cortisol hace que disminuyan los niveles de testosterona.

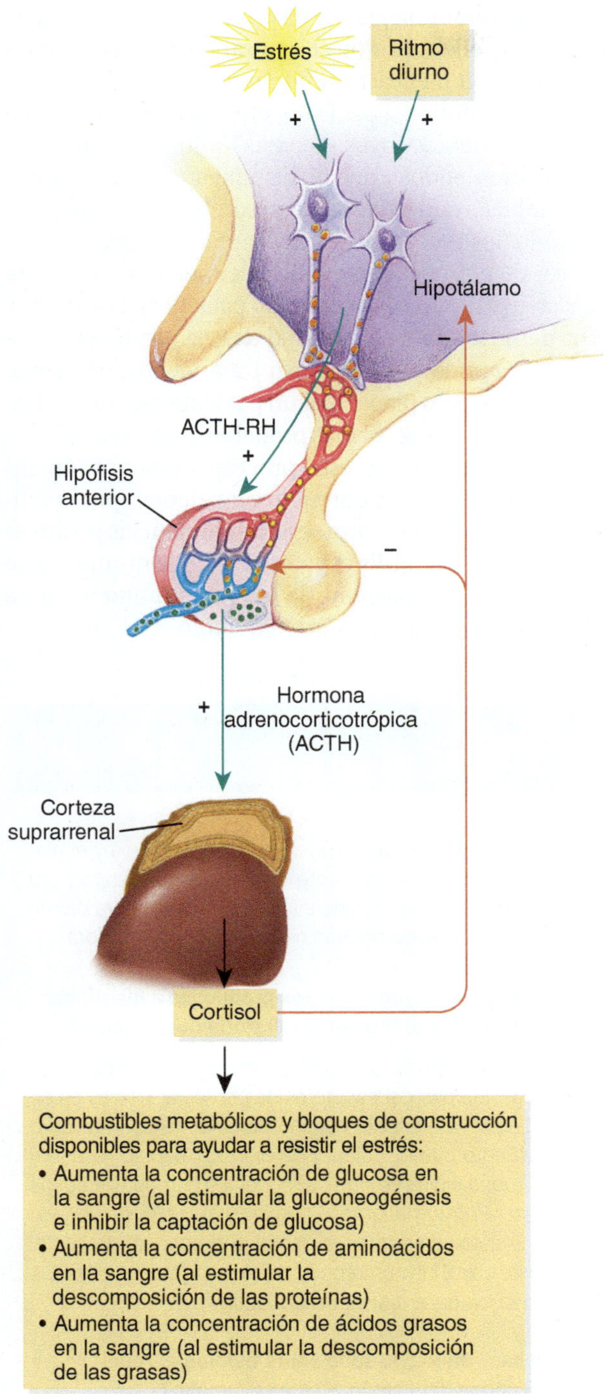

FIGURA 7-26 El estrés desencadena la secreción de la hormona adrenocorticotrópica, que da lugar a la secreción de cortisol.

Antes se creía que los niveles elevados de testosterona estaban relacionados con la supresión del sistema inmunológico. Investigaciones más recientes sugieren que la testosterona puede estar relacionada con la distribución de leucocitos en el cuerpo. Existe la teoría que, en momentos de estrés, se envían leucocitos a la piel para proteger contra la infección de heridas. En el contexto del estrés crónico, esto significaría que hay menos leucocitos presentes en otras partes del cuerpo de forma regular, por lo que esas partes son más susceptibles a las infecciones.

Los niveles de cortisol y el sistema nervioso simpático vuelven a la normalidad durante la fase de resistencia o adaptación, que ocasionan la desaparición los síntomas de lucha o huida. Sin embargo, la persistencia del estrés y la consiguiente liberación de corticoesteroides acaban provocando fatiga, falta de concentración, irritabilidad, letargo, depresión y un sistema inmunológico deprimido.

Fase 3: agotamiento

Después de un largo periodo de estrés, la persona entra en la fase de agotamiento. Las glándulas suprarrenales se agotan, disminuyendo el nivel de glucosa en sangre, lo que provoca una disminución de la tolerancia al estrés, agotamiento mental y físico progresivo, enfermedad y colapso. En este punto, el sistema inmunológico del cuerpo se ve comprometido, lo que reduce en gran medida la capacidad de la persona para resistir las enfermedades. Como resultado, se pueden presentar infartos, hipertensión o infecciones graves.

Efectos del estrés crónico

El **eje hipotálamo-hipófisis-suprarrenal** es una parte importante del sistema neuroendocrino que controla las reacciones al estrés. El eje hipotálamo-hipófisis-suprarrenal desencadena un conjunto de interacciones entre las glándulas, las hormonas y partes del cerebro medio que intervienen en el síndrome de adaptación general. Sin embargo, el estrés continuo provoca la pérdida de estos mecanismos de control normales. Como resultado, las glándulas suprarrenales siguen produciendo cortisol, que agota el mecanismo del estrés y provoca fatiga y depresión. El cortisol también interfiere en la actividad de la serotonina, lo que potencia el efecto depresivo.

Un nivel de cortisol constantemente elevado suprime el sistema inmunológico al aumentar la producción de interleucina-6, un mensajero del sistema inmunológico. La investigación indica que el estrés y la depresión tienen efectos negativos sobre el sistema inmunológico. Una inmunidad reducida hace que el cuerpo sea más susceptible a todo, desde resfriados y gripe hasta cáncer. Por ejemplo, la incidencia de enfermedades graves, incluido el cáncer, es significativamente mayor entre las personas cuyo cónyuge ha fallecido durante el último año.

Aunque el estrés grave y prolongado no causa la muerte directamente, provoca que el cuerpo pierda su capacidad para luchar contra las enfermedades en su esfuerzo por controlar el estrés. El estrés también incita al organismo a liberar grasa y colesterol en el torrente sanguíneo, que a su vez obstruyen las arterias y eventualmente pueden provocar un infarto o un derrame cerebral. Muchas personas empiezan a beber alcohol en exceso para combatir el estrés. Otras enfermedades y afecciones relacionadas con el estrés crónico son la depresión, los dolores de cabeza, el insomnio, las úlceras, la diuresis, el acné, la diabetes mellitus, la artritis reumatoide y el asma. La variedad de esta lista demuestra que el estrés afecta a casi todos los sistemas orgánicos del cuerpo.

Sin embargo, en última instancia, la reacción de una persona a los acontecimientos estresantes se correlaciona con la elevación o reducción de los niveles de hormonas. Por lo tanto, los mecanismos de adaptación desempeñan una función en la respuesta fisiológica al estrés. Una persona sana que experimenta estrés puede controlarlo con efectos adversos mínimos sobre el sistema inmunológico si dispone de mecanismos de adaptación eficaces. Por el contrario, los mecanismos de adaptación ineficaces tendrán efectos nocivos sobre el estado inmunológico. Estos efectos serán peores en aquellos pacientes cuyos sistemas inmunológicos ya estén comprometidos y que no dispongan de mecanismos de adaptación adecuados para combatir el estrés. Por otro lado, los mecanismos de adaptación eficaces pueden ser de gran beneficio para que mejore la respuesta del sistema inmunológico de los pacientes. Por último, se ha demostrado que la actitud de una persona está relacionada con la eficacia de su tratamiento médico: al igual que el efecto placebo, si un paciente cree que el tratamiento será eficaz, es más probable que lo sea.

Afortunadamente, este proceso de supresión inmunológica se puede corregir con psicoterapia, medicamentos o cualquier otra serie de influencias positivas que vuelvan a infundir esperanza y un sentimiento de autoestima. La capacidad de los seres humanos para recuperarse de la adversidad es notable.

USTED es el Paramédico RESUMEN

1. ¿Cuál es su impresión general del paciente?

El paciente tiene una dificultad respiratoria evidente porque no puede decir frases completas sin tomar aire. Este hallazgo es significativo porque indica que no hay suficiente oxígeno disponible en el cuerpo del paciente para permitirle hablar con eficacia.

2. ¿Qué puede averiguar del paciente a partir de su entorno?

La evaluación de la escena ofrece muchos indicativos de que el paciente tiene un historial médico importante. El primer dato significativo es que un vecino le recibe en la puerta. El vecino le dice que el paciente ha tenido problemas médicos y que vive solo. Una vez que entra en la residencia, observa varios frascos de medicamentos recetados y una gran cantidad de pañuelos faciales usados en la mesita. Necesita investigar más a fondo estos artículos. El paciente también lleva una cánula nasal conectada a una unidad de oxígeno doméstica, lo que indica una condición respiratoria preexistente.

3. ¿Cómo facilita la respiración el emplear músculos accesorios?

Como sabe, la acción de respirar se basa en presiones positivas y negativas. El tórax y otros músculos relacionados se expanden y contraen para crear estas presiones. Cuando la acción de respirar se dificulta, los músculos accesorios ayudan en el aspecto mecánico de la respiración. Las fosas nasales se ensanchan para dejar el mayor espacio posible y aumentar el flujo de aire hacia la vía aérea. La musculatura del tórax trabajará visiblemente más para mover la pared torácica y el diafragma y crear el gradiente de presión necesario para respirar. Sentarse erguido alinea la vía aérea para disminuir la cantidad de presión necesaria dentro del tórax.

4. ¿Cómo puede ayudarle la tos productiva a identificar el origen de la dificultad respiratoria del paciente?

La tos productiva podría indicar muchos procesos patológicos. El color del esputo es de particular interés en su evaluación. Un esputo espeso de color verde, marrón o amarillento puede indicar infección. Un esputo rosado y espumoso indica edema pulmonar. La hemoptisis puede indicar un traumatismo o carcinoma. Después de evaluar el color, determine la cantidad de esputo presente. En este caso, los numerosos pañuelos faciales utilizados pueden ayudar a indicar la cantidad.

5. Con base en lo que sabe sobre fisiología, ¿cuál es la causa del esputo rosa y espumoso?

El esputo rosa y espumoso es un indicio de edema pulmonar, que puede ser un signo de exacerbación de la insuficiencia cardíaca. Si el ventrículo izquierdo del corazón no bombea con eficacia, la sangre se acumula. Esta acumulación provoca un aumento de la presión en la circulación pulmonar. El aumento de la presión hace que el líquido atraviese las membranas alveolares y penetre en los alvéolos. La sangre entrará en los alvéolos a través de las membranas alveolares en pequeñas cantidades, produciendo un aspecto rosado en lugar de rojo del esputo. La espuma se debe a la exposición del líquido adicional al aire de los pulmones y la vía aérea del paciente.

USTED es el Paramédico RESUMEN (continuación)

6. ¿Cómo se explica la disminución del nivel de Spo_2?

En este caso, el paciente tiene una superficie reducida para el intercambio de oxígeno debido al edema pulmonar. Una menor superficie significa que menos oxígeno "saturará" las células, lo que a su vez se lee en el oxímetro de pulso como una disminución de la saturación. Es importante tener en cuenta que la cantidad de saturación mostrada en el dispositivo electrónico representa cualquier gas que sature las células. El oxígeno es uno de los muchos gases que pueden afectar a la lectura. Además, la falta de circulación del paciente puede comprometer la correcta lectura de los niveles de la saturación.

7. ¿Por qué se prescribiría un diurético a un paciente con insuficiencia cardíaca?

Si un paciente tiene insuficiencia cardíaca, el corazón no bombea la sangre con eficacia. Esto provoca un reflujo en el sistema circulatorio, que hace que se acumule líquido en la circulación pulmonar. Un diurético ayuda a eliminar parte del líquido del sistema y disminuye la carga de trabajo del corazón. La mayoría de los diuréticos actúan sobre los riñones para eliminar agua y electrolitos. La eliminación desplaza el líquido del espacio extracelular al espacio intravascular, transportándolo fuera del organismo. El objetivo es reducir la precarga cardíaca, lo que reducirá la cantidad de trabajo que debe realizar el sistema cardíaco y reducirá la reserva de líquido.

8. ¿Por qué tendría este paciente una PA normal o ligeramente alta?

En los pacientes con insuficiencia cardíaca, el corazón trabaja más para bombear el volumen de líquido. Según la ley de Starling, el aumento del retorno venoso al corazón aumenta la precarga cardíaca. El músculo cardíaco se estira en respuesta al incremento en la cantidad de líquido. A continuación, el músculo cardíaco se contrae con mayor fuerza —hasta cierto punto— para expulsar el líquido. Esto explica una PA normal o superior a la normal, ya que el cuerpo intenta compensar la falta de capacidad muscular del corazón.

Reporte de atención de paciente prehospitalario (RAPP)					
Fecha: 08-01-21	**Incidente núm.:** 1234	**Naturaleza de la llamada:** Dificultad respiratoria		**Ubicación:** 420 Beach Street	
Despacho: 20:41	**En camino:** 20:41	**En el escenario:** 20:45	**Transporte:** 20:52	**En el hospital:** 21:07	**En servicio:** 21:20

Información del paciente	
Edad: 72 **Sexo:** M **Peso:** 80.2 kg	**Alergias:** NKDA **Medicamentos:** Muchos **Antecedentes médicos:** Insuficiencia cardíaca **Principal manifestación:** Dificultad respiratoria

Signos vitales				
Hora: 20:47	**PA:** 140/90	**Pulso:** 110	**Respiraciones:** 22	**Spo_2:** 89%
Hora: 20:52	**PA:** 138/88	**Pulso:** 114	**Respiraciones:** 24	**Spo_2:** 92%
Hora:	**PA:**	**Pulso:**	**Respiraciones:**	**Spo_2:**

Tratamiento en SEM (circule todo lo aplicable)				
Oxígeno @ 15 L/min por (circular uno): **NC (NRM) Dispositivo de bolsa y mascarilla**		**Ventilación asistida**	**Dispositivo de la vía aérea**	**RCP**
Desfibrilación	**Control de la hemorragia**	**Vendaje**	**Inmovilización**	**(Otro: CPAP)**

Narrativa

Llegamos y encontramos a un hombre de 72 años atendido por su vecino. El paciente vive solo en esta residencia. El paciente está alerta (orientado hacia la persona, el lugar y el día). El paciente no puede hablar frases completas debido al esfuerzo respiratorio. El paciente dice que no ha tomado sus medicamentos según las indicaciones. El paciente declara que tiene antecedentes de "insuficiencia cardíaca" y que recibe O_2 domiciliario a 2 L/min por cánula. Se escuchan crepitaciones gruesas en todos los campos. El paciente tiene tos productiva con esputo espumoso de color rosa. O_2 vía MNR aplicado inicialmente a 15 L/min y luego cambiado a CPAP en la escena y durante el traslado. Línea IV de NS establecida TKO, EKG muestra taquicardia sinusal a 114, no se observa ectopia. La forma de onda $ETCO_2$ parece apropiada en forma y la lectura es de 36 mm Hg. Tratamiento de acuerdo con el protocolo local, informe por radio durante el transporte e informe verbal a Halifax Health a la llegada. Traslado del paciente a la habitación A-20.

Fin del reporte

Kit de preparación

Resumen rápido

- La fisiopatología es el estudio del funcionamiento alterado del organismo, en presencia de una enfermedad.
- La fisiopatología en el entorno celular incluye alteraciones en el equilibrio de fluidos y los desequilibrios electrolíticos. Estos diversos desequilibrios pueden alterar la homeostasis y dar lugar o contribuir a estados de emergencia.
- Las lesiones celulares se deben a factores como la hipoxia, la isquemia, las lesiones químicas, las lesiones infecciosas, las lesiones inmunológicas, las lesiones inflamatorias y los daños físicos como la radiación y las condiciones adversas como el frío extremo.
- Cuando las células están expuestas a condiciones adversas, se someten a un proceso de adaptación para protegerse de las lesiones. Algunos ejemplos de adaptación son la atrofia, la hipertrofia, la hiperplasia, la displasia y la metaplasia.
- La respuesta inflamatoria se caracteriza por efectos tanto locales como sistémicos. Los efectos locales consisten en la dilatación (expansión) de los vasos sanguíneos y el aumento de la permeabilidad vascular. Si el proceso inflamatorio es grave, se hacen evidentes efectos sistémicos como la fiebre. El resultado de la inflamación depende del grado de daño tisular que se haya producido.
- Las enfermedades inmunológicas se producen por la hiperactividad o hipoactividad del sistema inmunológico. Las alergias se adquieren después de la exposición inicial a un alérgeno; las exposiciones repetidas hacen que el sistema inmunológico reaccione al alérgeno.
- La perfusión es el suministro de oxígeno y nutrientes y la eliminación de desechos de las células, órganos y tejidos por parte del sistema circulatorio. La hipoperfusión se produce cuando el nivel de perfusión tisular disminuye por debajo de lo normal.
- El shock es un estado anormal asociado a un aporte inadecuado de oxígeno y nutrientes al aparato metabólico de la célula, lo que provoca una alteración del metabolismo celular y, en última instancia, una perfusión inadecuada de los órganos vitales.
- El shock central se compone de shock cardiogénico y shock obstructivo. El shock cardiogénico se produce cuando el corazón no puede hacer circular suficiente sangre para mantener un aporte periférico de oxígeno adecuado. El shock obstructivo se produce cuando se bloquea el flujo sanguíneo dentro del corazón o los grandes vasos (aorta y vena pulmonar).
- El shock periférico incluye el shock hipovolémico y el shock distributivo. En el shock hipovolémico, el volumen de sangre circulante es insuficiente para suministrar el oxígeno y los nutrientes adecuados a las células del organismo. El shock distributivo se produce cuando hay una dilatación generalizada de los vasos de resistencia (arteriolas pequeñas), de los vasos de capacitancia (vénulas pequeñas) o de ambos.
- El síndrome de disfunción multiorgánica (SDMO) se produce en pacientes gravemente enfermos; se caracteriza por el fallo concurrente de dos o más órganos o sistemas orgánicos que inicialmente no resultaron dañados por el trastorno o lesión aguda que causó la enfermedad actual del paciente. En el diagnóstico de SDMO se examinan seis sistemas orgánicos: respiratorio, hepático, renal, hematológico, neurológico y cardiovascular.
- El sistema inmunológico incluye todas las estructuras y procesos relacionados con la defensa del organismo frente a sustancias extrañas y agentes patógenos.
- El cuerpo tiene tres líneas de defensa: las barreras anatómicas, la respuesta inflamatoria y la respuesta inmunológica.
- Existen dos tipos generales de respuesta inmunológica: natural y adquirida.
- La inmunidad puede ser humoral o mediada por células.
- Entre los leucocitos importantes del sistema inmunológico se encuentran los neutrófilos, los eosinófilos, los basófilos, los monocitos y los linfocitos. Otras células importantes del sistema inmunológico son los macrófagos, los mastocitos, las células plasmáticas, las células B y las células T.
- Los anticuerpos secretados por los linfocitos B se denominan inmunoglobulinas. Los anticuerpos

Kit de preparación continuación

dan mayor visibilidad de los antígenos para el sistema inmunológico de tres formas: al actuar como opsoninas, provocar la aglutinación de los antígenos e inactivar las toxinas bacterianas.

- La respuesta inflamatoria es una respuesta de los tejidos del cuerpo a la irritación o lesión. Se caracteriza por dolor, edema, enrojecimiento y calor.
- Las dos causas más comunes de inflamación son las infecciones (bacterianas o virales) y las lesiones.
- Los sistemas de proteínas plasmáticas que modulan el proceso inflamatorio incluyen el sistema del complemento, el sistema de la coagulación (formación de coágulos) y el sistema de la cinina.
- Las citocinas son productos de las células que afectan a la función de otras células; incluyen las interleucinas, las linfocinas y los interferones.
- Las respuestas inflamatorias crónicas por lo regular son a causa de una respuesta inflamatoria aguda infructuosa a un cuerpo extraño, una infección persistente o la presencia de un antígeno.
- La cicatrización normal de una herida implica cuatro pasos: reparación del tejido dañado, eliminación de los restos inflamatorios, restauración del tejido a su estado normal y regeneración celular.
- Las heridas pueden cicatrizar por intención primaria o secundaria. La cicatrización por intención primaria se produce en heridas limpias con márgenes opuestos. Las heridas que cicatrizan por segunda intención presentan una fase inflamatoria más pronunciada y prolongada y un tejido de granulación más abundante.
- La hipersensibilidad es la respuesta del organismo a cualquier sustancia a la que el paciente tiene una sensibilidad aumentada; es un término genérico que engloba una variedad de reacciones. Una reacción de hipersensibilidad puede ser inmediata, produciéndose en cuestión de segundos o minutos, o retardada, que ocurre horas o días después de la exposición a un antígeno.
- Las reacciones de hipersensibilidad se pueden clasificar como tipo I, hipersensibilidad inmediata; tipo II, reacciones de hipersensibilidad citotóxica; tipo III, enfermedad por inmunocomplejos, y tipo IV, hipersensibilidad retardada (mediada por células).
- La inmunodeficiencia puede ser congénita o adquirida.
- Los factores relacionados con la edad y el sexo interactúan con una combinación de factores genéticos y ambientales, causas anatómicas o reacciones inmunológicas para causar la enfermedad.
- El análisis del riesgo de enfermedad implica la consideración de las tasas de enfermedad (incidencia, prevalencia, morbilidad y mortalidad) y de los factores de riesgo de enfermedad controlables e incontrolables (causales y no causales). Estos factores de riesgo, la edad y las diferencias de sexo interactúan para influir en el nivel de riesgo de una persona.
- Un verdadero riesgo genético se transmite de generación en generación por herencia de un gen. En cambio, con una tendencia familiar, las enfermedades parecen reunirse en grupos familiares a pesar de la falta de pruebas de anomalías hereditarias asociadas a un gen. En la herencia autosómica dominante, una persona solo necesita heredar una copia de una forma particular de un gen para mostrar el rasgo. En la herencia autosómica recesiva, la persona debe heredar dos copias de una forma particular de un gen para mostrar el rasgo.
- Aunque el estrés grave y prolongado no causa la muerte directamente, sí hace que el cuerpo pierda su capacidad de luchar contra las enfermedades para manejar el estrés. Los mecanismos de adaptación eficaces pueden ayudar mucho al paciente a mejorar la respuesta del sistema inmunológico.
- El síndrome general de adaptación describe las reacciones del organismo al estrés a corto y largo plazos.
- El estrés provoca la estimulación del sistema nervioso simpático. Esto se produce a través de la liberación de catecolaminas que se unen a los receptores alfa y beta, lo que da como resultado efectos que se describen colectivamente como la respuesta de lucha o huida.
- El estrés también provoca la secreción de cortisol, que tiene muchos efectos útiles, como aumentar los niveles séricos de glucosa, disminuir las reservas de proteínas y permitir la movilización de ácidos grasos. Sin embargo, la secreción continua de cortisol tiene efectos nocivos para el organismo.

Kit de preparación continuación

Vocabulario fundamental

Acidosis Aumento de los iones H^+ extracelulares; un pH sanguíneo menor a 7.35.

Acidosis láctica Producto de la respiración celular anaeróbica que se produce cuando los tejidos y los órganos no reciben la perfusión suficiente, como en el shock y el paro cardíaco.

Acidosis metabólica Estado patológico caracterizado por un pH sanguíneo menor a 7.35 y causado por una acumulación de ácidos en el organismo por una causa metabólica.

Acidosis respiratoria Estado patológico caracterizado por un pH sanguíneo menor a 7.35 y causado por una acumulación de ácidos en el organismo de causa respiratoria.

Activación En la respuesta inflamatoria, fase en la que los mediadores de la inflamación desencadenan la aparición de selectinas e integrinas en las superficies de las células endoteliales y los neutrófilos polimorfonucleares, respectivamente.

Adhesión En la respuesta inflamatoria, fase que se caracteriza por la adhesión de los neutrófilos polimorfonucleares a las células endoteliales, mediada por selectinas e integrinas.

Alcalosis Disminución de los iones H^+ extracelulares; pH sanguíneo mayor a 7.45.

Alcalosis metabólica Estado patológico caracterizado por un pH sanguíneo mayor a 7.45 y causado por una acumulación de bases en el organismo por una causa metabólica.

Alcalosis respiratoria Estado patológico caracterizado por un pH sanguíneo mayor a 7.45 y provocado por una acumulación de bases en el organismo por una causa respiratoria.

Alérgeno Cualquier sustancia que provoca una reacción de hipersensibilidad.

Alergia Reacción de hipersensibilidad a la presencia de un agente (alérgeno).

Aminas vasoactivas Sustancias como la histamina y la serotonina que aumentan la permeabilidad vascular, provocan vasodilatación y pueden causar broncoconstricción, náuseas y vómitos.

Anemia hemolítica Enfermedad caracterizada por una mayor destrucción de eritrocitos. Este trastorno tiene varias causas, como una reacción a una transfusión de sangre con factor Rh (más probable en la población neonatal), un trastorno del sistema inmunológico y la exposición a toxinas bacterianas o productos químicos como el benceno.

Angiogénesis Crecimiento de nuevos vasos sanguíneos.

Anticuerpo Proteína secretada por determinadas células inmunológicas que se une a los antígenos para hacerlos más visibles al sistema inmunológico.

Antígeno Sustancia extraña reconocida por el sistema inmunológico.

Apoptosis Muerte celular normal.

Asma Enfermedad inflamatoria crónica de la vía aérea inferior que provoca sibilancias intermitentes y una producción excesiva de mucosidad.

Atópico Tendencia alérgica.

Atrofia Disminución del tamaño celular debida a la pérdida de componentes subcelulares.

Autoanticuerpos Anticuerpos dirigidos contra uno mismo.

Autoinmunidad Producción de anticuerpos o células T que actúan contra los tejidos del propio cuerpo, produciendo reacciones de hipersensibilidad o enfermedad autoinmune.

Autosómico dominante Patrón de herencia en el que intervienen genes situados en los autosomas (cualquier cromosoma distinto de los cromosomas sexuales). La herencia de una sola copia de una forma particular de un gen es necesaria para mostrar el rasgo.

Autosómico recesivo Patrón de herencia en el que intervienen genes situados en los autosomas (cualquier cromosoma distinto de los cromosomas sexuales). Se necesita la herencia de dos copias de una forma particular de un gen para mostrar el rasgo.

Bradipnea Frecuencia respiratoria lenta.

Cálculos biliares Masas de aspecto pétreo en la vesícula biliar o sus conductos causadas por la precipitación de sustancias contenidas en la bilis, como el colesterol y la bilirrubina; también conocidas como colelitiasis.

Kit de preparación continuación

Cascada de fibrinólisis Descomposición de la fibrina en los coágulos sanguíneos y prevención de la polimerización de la fibrina en nuevos coágulos.

Células T asesinas Células liberadas durante una reacción alérgica de tipo IV que matan a las células diana portadoras de antígenos.

Células T auxiliares Tipo de linfocito T que participa en las respuestas inmunológicas mediadas por células y anticuerpos; segrega citocinas que estimulan las células B y otras células T.

Cetoacidosis Estado acidótico creado por la producción de cetonas a través del metabolismo de las grasas.

Cetoacidosis alcohólica Estado metabólico acidótico que se manifiesta debido a hábitos nutricionales inadecuados asociados al abuso crónico del alcohol. El hígado y el cuerpo experimentan reservas inadecuadas de glucógeno y, por lo tanto, tienen que cambiar al metabolismo de los ácidos grasos.

Cetonas Subproductos ácidos del metabolismo de las grasas.

Citocinas Productos de las células que afectan a la función de otras células.

Complejo de ataque de membrana Moléculas que se insertan en la membrana bacteriana, debilitando esas zonas de la membrana.

Displasia Alteración del tamaño, la forma y la organización de las células.

Edema Hinchazón causada por un exceso de líquido atrapado en los tejidos corporales.

Eje hipotalámico-hipofisario-suprarrenal Parte principal del sistema neuroendocrino que controla las reacciones al estrés; mecanismo de un conjunto de interacciones entre glándulas, hormonas y partes del mesencéfalo que median en el síndrome de adaptación general.

Enfermedad del suero Enfermedad en la que los complejos antígeno-anticuerpo formados en el torrente sanguíneo se depositan en lugares del cuerpo, sobre todo en los riñones, provocando reacciones inflamatorias.

Espasmo carpopedal Posición contorsionada en la que los dedos de las manos o de los pies se flexionan en forma de garra; puede deberse a hiperventilación o hipocalcemia.

Fagocitos Leucocitos que engullen y consumen material extraño, como microorganismos y restos celulares.

Fibrina Proteína que polimeriza (se une) para formar el componente fibroso de un coágulo sanguíneo.

Fisiopatología Estudio de la fisiología del funcionamiento alterado en presencia de una enfermedad.

Gramnegativo Reacción de las bacterias a una tinción de Gram en la que las bacterias no retienen la tinción púrpura oscura; estas bacterias tienen paredes celulares compuestas en gran parte de lípidos y tienen cualidades patógenas que las hacen especialmente problemáticas para los seres humanos.

Grampositivo Reacción de las bacterias a una tinción de Gram en la que las bacterias retienen la tinción púrpura oscura; estas bacterias tienen paredes celulares gruesas compuestas de muchas capas de peptidoglicano (aminoácidos y glucosa).

Hapteno Sustancia que por lo general no estimula una respuesta inmunológica, pero que puede combinarse con un antígeno y, posteriormente, iniciar por sí sola una respuesta específica de anticuerpos.

Hemocromatosis Enfermedad hereditaria (autosómica recesiva) en la que el organismo absorbe más hierro del que necesita y lo almacena en el hígado, los riñones y el páncreas.

Hemofilia Trastorno hereditario ligado al género caracterizado por hemorragias excesivas.

Hipercalcemia Aumento del nivel de calcio en suero.

Hipercolesterolemia Nivel elevado de colesterol en sangre.

Hiperfosfatemia Aumento del nivel de fosfato en suero.

Hipermagnesemia Aumento de la concentración sérica de magnesio.

Hipernatremia Nivel sérico de sodio superior o igual a 143 mEq/L.

Hiperplasia Aumento del número real de células en un órgano o tejido, que suele dar lugar a un aumento del tamaño del órgano o tejido.

Hiperpotasemia Nivel elevado de potasio en suero.

Kit de preparación continuación

Hipersensibilidad Término genérico que designa las respuestas del organismo a una sustancia a la que el paciente presenta una sensibilidad aumentada.

Hipertrofia Aumento del tamaño de las células debido a la síntesis de más componentes subcelulares, lo que a su vez provoca un aumento del tamaño de los tejidos y órganos.

Hipocalcemia Disminución del nivel de calcio en suero.

Hipofosfatemia Disminución del nivel de fosfato en suero.

Hipomagnesemia Disminución del nivel de magnesio en suero.

Hiponatremia Nivel sérico de sodio inferior o igual a 135 mEq/L.

Hipoperfusión Estado que se produce cuando el nivel de perfusión tisular disminuye por debajo de lo normal.

Hipopotasemia Disminución del nivel de potasio en suero.

Histamina Amina vasoactiva que aumenta la permeabilidad vascular, provoca vasodilatación y puede causar broncoconstricción, náusea y vómito.

Incidencia Número de casos nuevos de una enfermedad en una población.

Inmunidad adquirida Inmunidad que se produce cuando el cuerpo se expone a una sustancia o enfermedad extraña y produce anticuerpos contra el invasor; también denominada inmunidad adquirida.

Inmunidad humoral Tipo de inmunidad en la que los linfocitos de células B producen anticuerpos denominados inmunoglobulinas, que reconocen un antígeno específico y reaccionan con él.

Inmunidad mediada por células Proceso inmunológico por el que los linfocitos de células T (1) reconocen antígenos y segregan citocinas (en concreto linfocinas) que atraen a otras células o (2) se convierten en células citotóxicas y eliminan células infectadas o anormales.

Inmunidad natural Respuesta celular y humana (anticuerpos) inespecífica que actúa como primera línea de defensa del organismo frente a patógenos; también denominada inmunidad nativa.

Inmunodeficiencia Estado anormal en el que alguna parte del sistema inmunológico del organismo es inadecuada y, en consecuencia, disminuye la resistencia a las enfermedades infecciosas.

Inmunógeno Antígeno capaz de generar una respuesta inmunológica.

Inmunoglobulinas Anticuerpos secretados por los linfocitos B.

Interferón Proteína producida por las células en respuesta a la invasión viral que se libera en el torrente sanguíneo o en el líquido intercelular para inducir a las células sanas a fabricar una enzima que contrarreste la infección.

Interleucinas Componentes químicos que atraen a los eritrocitos a las zonas de lesiones e invasiones bacterianas.

Isoinmunidad Formación de anticuerpos o células T dirigidas contra los antígenos de las células de otra persona (normalmente luego del trasplante de un órgano o tejido).

Leucocitosis Aumento del número de leucocitos en la sangre, a menudo debido a una inflamación.

Leucotrienos Metabolitos del ácido araquidónico que funcionan como mediadores químicos de la inflamación; también conocidos como sustancias de reacción lenta de la anafilaxia.

Linfocinas Citocinas liberadas por los linfocitos, incluidas muchas de las interleucinas, el interferón gamma, el factor de necrosis tumoral beta y las quimiocinas.

Marginación En la respuesta inflamatoria, fase en la que la pérdida de líquido de los vasos sanguíneos en el tejido inflamado o infectado aumenta la viscosidad de la sangre que permanece en los vasos, lo que desacelera el flujo sanguíneo y produce estasis.

Metaplasia Adaptación celular reversible en la que un tipo de célula adulta es sustituido por otro tipo de célula adulta.

Morbilidad Presencia de una enfermedad o la incidencia o prevalencia de una enfermedad.

Mortalidad Número de muertes por una enfermedad en cada población.

Necrosis Muerte del tejido, generalmente causada por el cese del suministro de sangre.

Kit de preparación continuación

Neutrófilos polimorfonucleares (PMN) Tipo de leucocito formado por el tejido de la médula ósea que tiene un núcleo formado por varias partes o lóbulos unidos por finos filamentos.

Obesidad Acumulación malsana de grasa corporal; índice de masa corporal igual o superior a 30 kg/m^2.

Obesidad mórbida Acumulación excesiva de grasa corporal, definida como un índice de masa corporal superior o igual a 40 kg/m^2.

Oliguria Disminución de la diuresis.

Opsonización Proceso por el que un anticuerpo recubre un antígeno para facilitar su reconocimiento por las células inmunológicas.

Perfusión Suministro de oxígeno y nutrientes y eliminación de desechos de las células, órganos y tejidos por el sistema circulatorio.

Pirógenos Componentes químicos o proteínas que viajan hasta el cerebro, donde afectan al hipotálamo y estimulan un aumento de la temperatura corporal.

Poliuria Micción frecuente y abundante.

Prevalencia Número de casos de una enfermedad o afección en una población concreta dentro de un periodo determinado.

Prostaglandinas Grupo de lípidos que actúan como mensajeros químicos en la reproducción, la respuesta inflamatoria a las infecciones y la percepción del dolor.

Quimiotaxinas Componentes del sistema de complemento activado que atraen leucocitos de la circulación para ayudar a combatir infecciones.

Quimiotaxis Movimiento de neutrófilos polimorfonucleares hacia el lugar de la inflamación en respuesta a factores quimiotácticos liberados por bacterias o formados a partir del complemento activado, quimiocinas o derivados del ácido araquidónico (como los leucotrienos) en respuesta a una lesión celular.

Radicales libres Moléculas a las que les falta un electrón en su capa externa.

Receptor Área especializada del tejido que inicia determinadas acciones luego de una estimulación específica.

Respuesta inflamatoria Reacción de los tejidos del organismo ante una irritación o lesión, caracterizada por dolor, edema, enrojecimiento y calor.

Respuesta inmunológica Reacción de defensa del organismo ante cualquier sustancia que reconoce como extraña.

Serotonina Amina vasoactiva que aumenta la permeabilidad vascular, provoca vasodilatación y puede causar broncoconstricción, náusea y vómito.

Shock anafiláctico Reacción de hipersensibilidad grave que implica broncoconstricción y colapso cardiovascular; también denominada anafilaxia.

Shock cardiogénico Estado causado por la pérdida de 40% o más del miocardio funcional; el corazón no puede hacer circular suficiente sangre para mantener un aporte periférico de oxígeno adecuado.

Shock central Tipo de shock causado por una falla de la bomba central, incluidos el shock cardiogénico y el shock obstructivo.

Shock distributivo Tipo de shock causado por la dilatación generalizada de los vasos de resistencia (arteriolas pequeñas), los vasos de capacitancia (vénulas pequeñas) o ambos.

Shock hipovolémico Tipo de shock que se produce cuando el volumen de sangre circulante es insuficiente para suministrar al organismo el oxígeno y los nutrientes adecuados.

Shock neurogénico Tipo de shock que suele ser consecuencia de una lesión de la médula espinal; se produce una pérdida del tono normal del sistema nervioso simpático y vasodilatación.

Shock obstructivo Tipo de shock que se produce cuando el flujo sanguíneo se bloquea en el corazón o en los grandes vasos.

Shock periférico Shock causado por anomalías circulatorias periféricas; incluye el shock hipovolémico y el shock distributivo.

Shock séptico Tipo de shock que se produce como consecuencia de una infección generalizada, normalmente bacteriana; si no se trata, el resultado es un síndrome de disfunción orgánica múltiple y, a menudo, la muerte.

Kit de preparación continuación

Síndrome de disfunción multiorgánica (SDMO) Enfermedad grave, pero a veces reversible, de un paciente crítico, caracterizada por el fallo simultáneo de dos o más órganos o sistemas orgánicos que inicialmente no habían sido dañados por el trastorno o lesión aguda que causó la enfermedad actual del paciente.

Síndrome general de adaptación Reacción en tres fases ante factores estresantes, ya sean físicos (como una lesión) o emocionales (como la pérdida de un ser querido). Las fases incluyen alarma, resistencia o adaptación y agotamiento.

Sistema cinina Grupo de polipéptidos que median las respuestas inflamatorias estimulando el músculo liso visceral y relajando el músculo liso vascular para producir vasodilatación.

Sistema de coagulación Sistema que desempeña un papel vital en la formación de coágulos en los vasos sanguíneos. La inflamación desencadena la cascada de coagulación, iniciando una compleja serie de reacciones que favorecen la formación de fibrina.

Sistema del complemento Grupo de proteínas plasmáticas que atraen a los leucocitos a los focos de inflamación, los activan y los destruyen directamente.

Sistema inmunológico Sistema corporal que incluye todas las estructuras y procesos relacionados con la defensa del organismo frente a sustancias extrañas y agentes patógenos.

Sobrepeso Acumulación poco saludable de grasa corporal; índice de masa corporal de 25 a 29.9 kg/m^2.

Taponamiento pericárdico Alteración del llenado diastólico de los ventrículos derecho e izquierdo debido a la presencia de cantidades importantes de líquido en el saco pericárdico que rodea el corazón, lo que provoca una disminución del gasto cardíaco.

Tiempo de llenado capilar Prueba realizada en las uñas de las manos o de los pies que consiste en apretar brevemente la uña del pie o de la mano y evaluar el tiempo que tarda en recuperar el color.

Transmigración (diapedesis) En la respuesta inflamatoria, fase en la que los neutrófilos polimorfonucleares atraviesan la pared vascular y pasan al espacio intersticial.

Urticaria Múltiples áreas pequeñas y elevadas en la piel que pueden ser uno de los signos de alerta de anafilaxia inminente; también conocida como urticaria.

Vasculitis Inflamación de los vasos sanguíneos.

Virulencia Medida de la capacidad de un microorganismo para causar enfermedades.

Referencias

1. F He, J Li, GA MacGregor. Effect of longer term modest salt reduction on blood pressure: Cochrane systematic review and meta-analysis of randomised trials. *BMJ*. 2013;346:f1325.
2. BJ Friis-Hansen, M Holiday, T Stapleton, WM Wallace. Total body water in children. *Pediatrics*. 1951;7(3):321-327
3. PB Fontanarosa, S Christiansen. Units of measure. Table 2: selected laboratory tests, with reference ranges and conversion factors. In: American Medical Association, ed. *AMA Manual of Style: A Guide for Authors and Editors*. 11th ed. New York, NY: Oxford University Press; 2020:798-815.
4. J Paz, M West, K Panasci, K Greenwood. *Acute Care Handbook for Physical Therapists*. 5th ed. St. Louis, MO: Elsevier; 2020.
5. E Speakman. *Body Fluids and Electrolytes: A Programmed Presentation*. 8th ed. St. Louis, MO: Elsevier/Mosby; 2002.
6. MH Stipanuk, M Caudill. *Biochemical, Physiological, and Molecular Aspects of Human Nutrition*. 4th ed. St. Louis, MO: Elsevier; 2019.
7. JJ Rose, L Wang, Q Xu, et al. Carbon monoxide poisoning: pathogenesis, management and future directions of therapy. *Am J Resp Crit Care*. October 18, 2016. [Epub ahead of print]. doi:10.1164/rccm.201606-1275CI.
8. H Schmidt, U Müller-Werdan, T Hoffmann, et al. Autonomic dysfunction predicts mortality in patients with multiple organ dysfunction syndrome of different age groups. *Crit Care Med*. 2005;33(9):1994-2002
9. Mayo Clinic Staff. Diseases and conditions: lupus: symptoms & causes. Mayo Foundation for Medical Education and Research. https://www.mayoclinic.org/diseases-conditions/lupus/symptoms-causes/syc-20365789. Consultado el 19 de febrero de 2021.
10. MedlinePlus. X-linked agammaglobulinemia. https://medlineplus.gov/genetics/condition/x-linked-agammaglobulinemia/. Consultado el 19 de febrero de 2021.

Kit de preparación continuación

11. American Academy of Allergy, Asthma, and Immunology. X-linked agammaglobulinemia (XLA). https://www.aaaai.org/conditions-and-treatments/conditions-dictionary/x-linked-agammaglobulinemia-(xla). Consultado el 19 de febrero de 2021.
12. Breast cancer facts and figures, 2017–2018. American Cancer Society website. https://www.cancer.org/content/dam/cancer-org/research/cancer-facts-and-statistics/breast-cancer-facts-and-figures/breast-cancer-facts-and-figures-2017-2018.pdf. Publicado en 2017. Consultado el 18 de agosto de 2021.
13. N Howlader, AM Noone, M Krapcho, al. et, eds. *SEER Cancer Statistics Review, 1975–2017*. Bethesda, MD: National Cancer Institute. https://seer.cancer.gov/csr/1975_2017/. Based on November 2019 SEER data submission; posted April 2020. Consultado el 19 de febrero de 2021.
14. American Cancer Society. *Cancer Facts and Figures 2021*. Atlanta, GA: American Cancer Society; 2021. https://www.cancer.org/content/dam/CRC/PDF/Public/8604.00.pdf. Consultado el 19 de febrero de 2021.
15. National Hemophilia Foundation. A. Hemophilia https://www.hemophilia.org/bleeding-disorders-a-z/types/hemophilia-a. Consultado el 19 de febrero de 2021.
16. CDC WONDER Online Database. Underlying cause of death 1999–2019. Centers for Disease Control and Prevention website. Underlying cause of death 1999–2013 on CDC WONDER Online Database, released 2015. Data are from the Multiple Cause of Death Files, 1999–2013, as compiled from data provided by the 57 vital statistics jurisdictions through the Vital Statistics Cooperative Program. Reviewed March 11, 2021. Consultado el 30 de abril de 2021.
17. Defining adult overweight and obesity. Centers for Disease Control and Prevention website. https://www.cdc.gov/obesity/adult/defining.html. Revisado el 3 de marzo de 2021. Consultado el 4 de mayo de 2021.
18. Obesity and overweight. Centers for Disease Control and Prevention website. https://www.cdc.gov/nchs/fastats/obesity-overweight.htm. Page last reviewed January 11, 2021. Consultado el 23 de febrero de 2021.
19. National Multiple Sclerosis Society. What Is MS? https://www.nationalmssociety.org/What-is-MS. Consultado el 19 de febrero de 2021.
20. Alzheimer's Foundation of America. About Alzheimer's disease and dementia. https://alzfdn.org/caregiving-resources/about-alzheimers-disease-and-dementia/. Copyright 2019. Consultado el 19 de febrero de 2021.
21. Depression and Bipolar Support Alliance. Bipolar disorder statistics. https://www.dbsalliance.org/education/bipolar-disorder/bipolar-disorder-statistics/. Consultado el 19 de febrero de 2021.
22. National Institute of Mental Health website. https://www.nimh.nih.gov/health/statistics/bipolar-disorder.shtml. Última actualización en noviembre de 2017. Consultado el 23 de febrero de 2021.

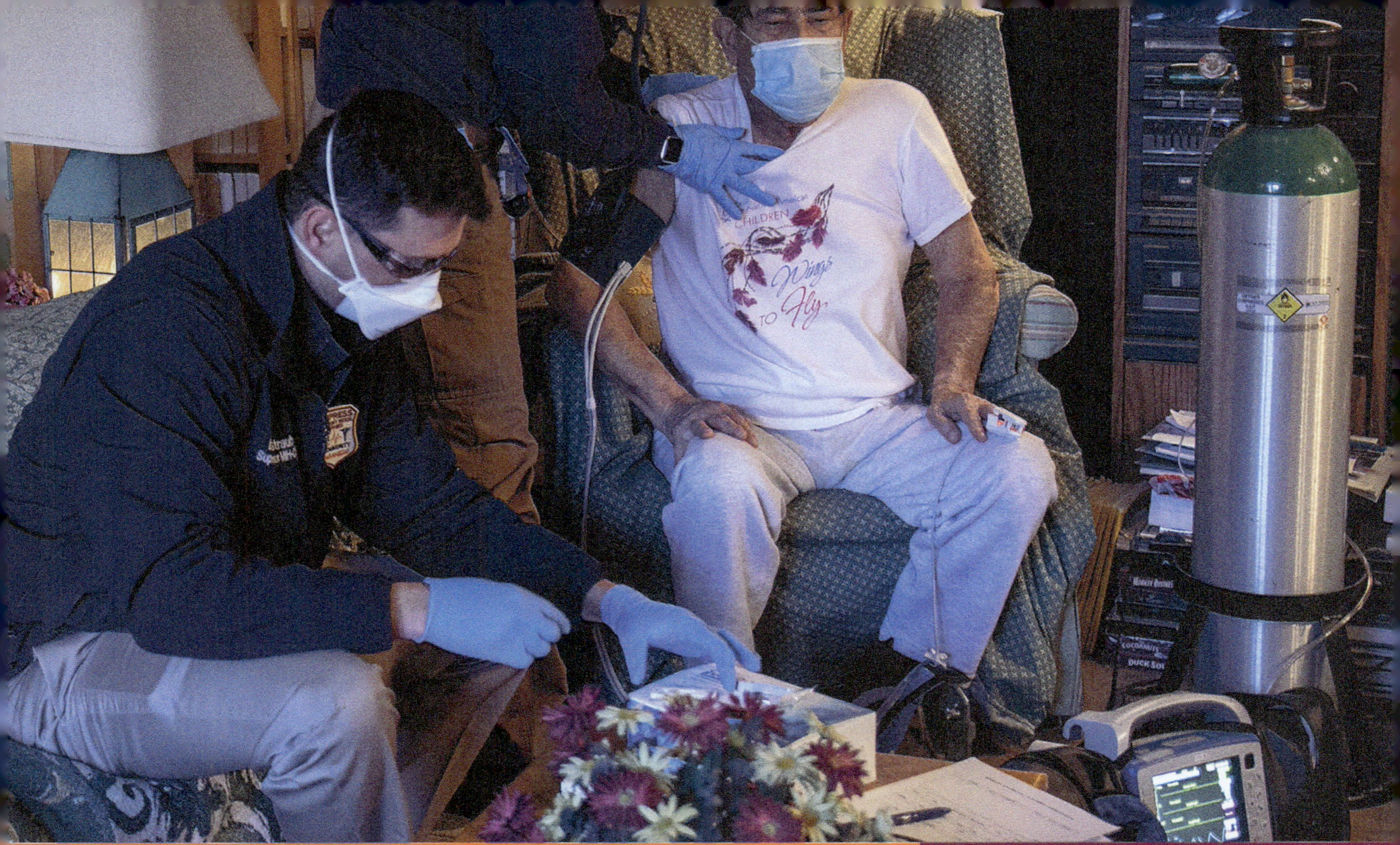

Evaluación del paciente

VOLUMEN 1

Sección

3

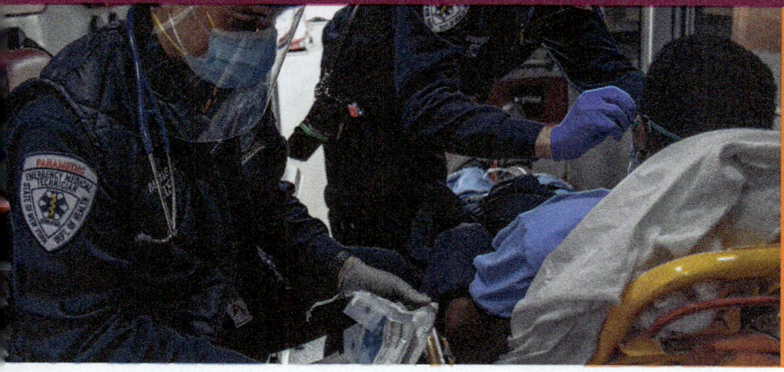

Capítulo 8

Evaluación del paciente

COMPETENCIAS DEL ESTÁNDAR NACIONAL DE EDUCACIÓN EN EL SEM

Evaluación

Integrar los datos de la escena y de evaluación del paciente con su conocimiento de la epidemiología y la fisiopatología para formar una impresión en el campo de su ejercicio profesional. Usar el razonamiento para hacer una lista de diagnósticos diferenciales, modificar la evaluación y formular un plan terapéutico.

Evaluación de la escena

- Seguridad de la escena. (pp. 492-496)
- Tratamiento en la escena. (p. 492)
  - Impacto del ambiente en la atención del paciente. (p. 494)
  - Abordaje de los riesgos. (pp. 493-496)
  - Violencia. (pp. 493-495)
  - Necesidad de recursos adicionales especializados. (pp. 496-497)
  - Precauciones estándar. (p. 497)
  - Situaciones de pacientes múltiples. (pp. 494-496)

Evaluación primaria

- Evaluación primaria de las circunstancias de todos los pacientes:
- Impresión general inicial. (pp. 499-500)
  - Nivel de consciencia. (p. 499)
  - ABCDE. (pp. 500-506)
  - Identificación de amenazas para la vida. (pp. 506-507)
  - Evaluación de las funciones vitales. (pp. 506-507)
- Iniciar las intervenciones necesarias para conservar la vida. (p. 499)
- Integración de los tratamientos o procedimientos necesarios para conservar la vida. (pp. 499-500)

Interrogatorio

- Identificación de la principal manifestación. (pp. 508-509)
- Investigación de la principal manifestación. (pp. 523-524)
- Mecanismo de lesión/naturaleza de la enfermedad. (pp. 496-497)
- Antecedentes médicos. (pp. 526-527)
- Signos y síntomas vinculados. (pp. 530-532)
- Respuestas negativas pertinentes. (p. 530)
- Componentes de los antecedentes del paciente. (pp. 523-527)
- Técnicas de entrevista para el historial clínico. (pp. 508-515)
- Cómo integrar las técnicas de comunicación terapéutica y adoptar la forma de indagación con base en los hallazgos y el cuadro clínico. (pp. 510-512)

Evaluación secundaria

- Hacer una revisión rápida del cuerpo completo. (pp. 536-537)
- Evaluación enfocada del dolor. (pp. 545-548)
- Evaluación de los signos vitales. (pp. 538-543)
- Técnicas de la exploración física. (pp. 535-538, 544, 545)
- Aparato respiratorio. (pp. 562-566)
  - Presencia de ruidos ventilatorios. (pp. 564-566)
- Aparato cardiovascular (pp. 566-570)
- Sistema neurológico. (pp. 586-591)
- Sistema musculoesquelético. (pp. 576-580)

Técnicas de exploración física de los principales:

- Aparatos y sistemas corporales. (pp. 530-532)
- Regiones anatómicas. (pp. 553-559)

Evaluación de:

- Ruidos pulmonares. (pp. 561-566)

Dispositivos de vigilancia

- Obtención y uso de la información de dispositivos de vigilancia de los pacientes, incluidos (pero no limitados a):
  - Oximetría de pulso. (pp. 541-543)
  - Toma de presión arterial incruenta. (pp. 594-595)
  - Determinación de la glucemia. (pp. 593-594)
  - Vigilancia continua por EKG. (p. 595)
  - Interpretación del EKG de 12 derivaciones. (p. 594)
  - Vigilancia del dióxido de carbono. (pp. 594-595)
  - Química sanguínea básica. (pp. 595-596)

Reevaluación

- Cómo y cuándo revaluar a los pacientes. (p. 597)
- Cómo y cuándo hacer una reevaluación de todas las circunstancias de un paciente. (p. 597)

Medicina

Integrar los datos de la evaluación con los principios de epidemiología y fisiopatología para formarse una impresión en el campo de su desempeño profesional e implementar un plan amplio de tratamiento o intervenciones para un paciente con una afección médica.

Repaso médico breve

Evaluación y tratamiento de:

- Una afección médica. (pp. 488, 491, 499, 508, 523-524, 599)
- Fisiopatología, evaluación y tratamiento de las afecciones médicas, que incluyen:
- Modo de transporte. (pp. 506-507, 598-599)
- Decisiones en cuanto al destino. (pp. 491, 506-507, 598-599)

OBJETIVOS COGNITIVOS

1. Nombre los componentes del proceso de evaluación del paciente; incluya las determinaciones más importantes hechas por paramédicos. (pp. 488-489)
2. Explique cómo determinar el mecanismo de lesión (ML) o la naturaleza de la enfermedad (NE) en una escena médica de emergencia; incluya por qué es indispensable diferenciar a los pacientes con un traumatismo de los que presentan una afección médica. (pp. 496-497)
3. Describir los posibles riesgos que pueden estar presentes en una escena médica de emergencia, las formas de reconocerlos y las precauciones para garantizar la seguridad personal. (p. 497)
4. Enlistar las precauciones estándar mínimas que el personal del SEM debería seguir y el equipo de protección que debería usar en la escena médica de emergencia; incluya ejemplos de cuándo serían apropiadas precauciones adicionales. (p. 497)
5. Describa los principales propósitos del proceso de evaluación primaria. (p. 498)
6. Describa cómo se forma una impresión general de un paciente como parte de la evaluación primaria; incluya por qué este paso es crítico para su tratamiento. (pp. 499-500)
7. Recuerde cómo identificar los riesgos para la vida por inspección y palpación, en busca de datos abiertos y cerrados durante la evaluación primaria. (p. 498)
8. Explicar cómo valorar el estado de una vía aérea en pacientes con y sin respuesta; incluir ejemplos de posibles signos y causas de obstrucción de la vía aérea en cada situación y la respuesta apropiada de los paramédicos. (pp. 500-501)
9. Explicar cómo evaluar el estado ventilatorio de un paciente; incluir información clave que los paramédicos deben obtener durante este proceso y la atención requerida para aquellos con ventilación adecuada e inadecuada. (pp. 501-502)
10. Explicar cómo valorar el estado circulatorio de un paciente; incluir los diferentes métodos para obtener el pulso y el tratamiento apropiado, dependiendo de su estado. (pp. 502-503)
11. Explicar cómo valorar la piel de un paciente, con inclusión de color, temperatura y estado (CTE); incluir ejemplos de datos normales y anormales para diversos grupos, y cómo tal información se relaciona con su estado. (pp. 503-504)
12. Determinar la prioridad de la atención del paciente y su transporte en una escena de urgencia; incluir ejemplos de afecciones que requieren el transporte inmediato. (pp. 506-507)
13. Identificar el ML más probable que causa lesiones que ponen en riesgo la vida. (pp. 527-530)
14. Describir el proceso de obtención de los antecedentes de un paciente; incluir el propósito y el abordaje inicial. (pp. 508-509)
15. Dar ejemplos de diferentes técnicas que los paramédicos deben usar para obtener una información completa y precisa de los pacientes durante el proceso del interrogatorio. (pp. 509-512)

16. Describir los retos que los paramédicos pueden enfrentar cuando hacen el interrogatorio de un paciente del cual debe obtenerse información selectiva; incluya estrategias para facilitar tales situaciones. (pp. 512-514)
17. Comprender los retos únicos que surgen durante el interrogatorio de los pacientes pediátricos y geriátricos. (pp. 521-523)
18. Identificar los elementos del interrogatorio por obtener en pacientes con respuesta de la familia o de transeúntes, en el caso de que no respondan, y de quienes sufrieron un traumatismo. (pp. 523-530)
19. Reconocer qué aspectos de los aparatos y sistemas corporales deberían cubrirse durante el proceso del interrogatorio. (pp. 530-532)
20. Aplicar el razonamiento clínico, con base en los resultados de la evaluación primaria y el interrogatorio del paciente, para formar un diagnóstico diferencial. (p. 533)
21. Explicar el propósito de hacer una evaluación secundaria; incluya técnicas de exploración física y el equipo usado. (pp. 534-545)
22. Nombre los dispositivos usados para vigilar el estado médico de un paciente durante la evaluación secundaria y la reevaluación. (pp. 593-596)
23. Explicar la importancia de evaluar el estado mental de un paciente; incluya ejemplos de los diferentes métodos usados para indagar el estado de alerta, la respuesta y la orientación. (pp. 549-551)
24. Explicar las afecciones generales (sistémicas) que se consideran durante la evaluación secundaria; de los que debería incluir ejemplos con base en la principal manifestación del paciente. (pp. 534, 545-548, 553-559, 561-570, 575, 576, 586-591)
25. Describir los ruidos pulmonares normales y anormales percibidos durante la auscultación. (pp. 561-566)
26. Explicar la importancia de la reevaluación del paciente; incluir la correspondiente del estado mental y de ABCDE, así como la prioridad de transporte y cualquier intervención aplicada. (pp. 597-599)

OBJETIVOS DE DESTREZA

1. Demostrar cómo evaluar y documentar la orientación y el estado general de un paciente. (pp. 499-500)
2. Demostrar cómo valorar la vía aérea y la ventilación de un paciente y obtener correctamente información sobre frecuencia respiratoria, su ritmo, calidad/características y profundidad. (pp. 500-502)
3. Demostrar cómo valorar la evaluación de la circulación de un paciente mediante los pulsos y CTE de la piel. (pp. 502-504)
4. Demostrar cómo hacer una revisión rápida de todo el cuerpo. (pp. 536-537, Práctica de destreza 8-1)
5. Demostrar cómo hacer la percusión como técnica de evaluación. (p. 538, Práctica de destreza 8-2)
6. Demostrar cómo comparar los signos vitales de un paciente en forma seriada con las mediciones basales para identificar tendencias en su estado. (pp. 538-539)
7. Demostrar cómo hacer una revisión del cuerpo completo en los pacientes con lesiones potencialmente graves y ocultas. (pp. 545-548, Práctica de destreza 8-3)
8. Demostrar cómo evaluar la glucemia de un paciente con un glucómetro. (p. 550, Práctica de destreza 8-4)
9. Demostrar cómo explorar la cabeza de un paciente, con evaluación de los datos de afección abierta y cerrada. (p. 555, Práctica de destreza 8-5)
10. Demostrar cómo hacer una exploración ocular general. (p. 557, Práctica de destreza 8-6)
11. Demostrar cómo explorar el cuello de un paciente en busca de lesiones. (p. 560, Práctica de destreza 8-7)
12. Demostrar cómo explorar el tórax de un paciente y auscultar sus campos pulmonares. (pp. 562-563, Práctica de destreza 8-8)
13. Demostrar cómo auscultar los ruidos cardíacos. (p. 568)
14. Demostrar cómo obtener los signos vitales de un paciente en posición ortostática para valorar el grado de cualquier hemorragia interna. (pp. 571-572)
15. Demostrar cómo explorar el abdomen de un paciente con las técnicas que incluyen inspección, auscultación, percusión y palpación. (p. 572, Práctica de destreza 8-9)
16. Demostrar cómo explorar el sistema musculoesquelético de un paciente. (pp. 577-578, Práctica de destreza 8-10)
17. Demostrar cómo explorar el sistema vascular periférico de un paciente, con inclusión de las extremidades superiores e inferiores. (p. 582, Práctica de destreza 8-11)
18. Demostrar cómo explorar y palpar la columna vertebral de un paciente en busca de anomalías y evaluar su rango de movimiento. (p. 585, Práctica de destreza 8-12)

19. Demostrar cómo hacer una exploración neurológica con inclusión del uso de COASTMAP como siglas mnemotécnicas y la escala de AVDI para precisar la capacidad de respuesta del paciente. (p. 589, Práctica de destreza 8-13)

20. Demostrar cómo evaluar los reflejos tendinosos profundos y calificar las respuestas del paciente. (p. 590, Práctica de destreza 8-14)

Introducción

Como paramédico, una de las destrezas más importantes que desarrollará es la capacidad de evaluar a un paciente. La evaluación combina un número de pasos: evaluación de la escena, obtención de la **manifestación principal** (el motivo por el cual el paciente, u otras personas, llamaron para pedir ayuda) y los antecedentes médicos, así como realizar una evaluación secundaria (exploración física). Una de las cosas más alentadoras acerca de sus destrezas de evaluación del paciente es que *no hay límite de qué tan buena pueda ser*. En el contexto hospitalario, médicos y enfermeras pueden usar recursos adicionales (p. ej., radiografías, ultrasonido y resultados de pruebas de laboratorio) para ayudarse a hacer un diagnóstico. Sin embargo, la mayoría de los paramédicos no cuenta con tales recursos y debe depender de su capacidad de hacer un interrogatorio preciso del paciente, una exploración física sistemática y utilizar de forma prudente los recursos de diagnóstico disponibles (p. ej., monitor cardíaco, capnografía y glucometría).

Para el paciente, el proceso de evaluación completo debería parecer perfecto. Para el proveedor, por lo general se despliega al integrar las preguntas y respuestas en una exploración física. Lo que varía de un paciente a otro es el número y los tipos de preguntas que se deben hacer y el grado hasta el que debe ser explorado antes de llegar a un "diagnóstico provisional". Su **diagnóstico diferencial** es la lista de probables determinaciones con base en los datos de la evaluación del paciente. El **diagnóstico preliminar** es uno de la lista diferencial en el que usted basa su plan terapéutico. Es importante que desarrolle la experiencia para dar prioridad a los pacientes, ya que algunos deben ser evaluados rápido y transportados de inmediato a la instalación mejor equipada para tratar la afección que se sospecha (p. ej., traumatismo que pone en riesgo la vida, accidente cerebrovascular, ataque cardíaco). El proceso completo de evaluación del paciente debería ser organizado, exhaustivo y, sin embargo, flexible, por los diversos ambientes en que se encuentra.

Además de la **evaluación primaria**, que se centra en la identificación y el abordaje de los riesgos para la vida, es flexible la secuencia de los demás componentes de la historia clínica del paciente y la evaluación secundaria. En otras palabras, usted puede hacer la mayor parte de su evaluación y exploración física en el orden que mejor convenga al paciente, *una vez que se concluyó la evaluación primaria y se atendieron las amenazas para la vida.*

Una clave para mantener su práctica prehospitalaria exitosa es desarrollar y cultivar su propio estilo de evaluación y estrategia general para examinar y proporcionar atención al paciente en las circunstancias únicas y variadas que se encuentran en el campo de su desempeño profesional. Dentro de los parámetros de los estándares de atención aplicables, usted puede agregar toques personales, como decidir qué equipo usar ante una determinada llamada, o elegir arrodillarse, sentarse o permanecer de pie mientras entrevista a un paciente específico.

USTED es el Paramédico

PARTE 1

Se encuentra en una guardia nocturna, y su unidad recibe un aviso de "hombre caído" en una zona de dudosa seguridad en la ciudad. El despachador dice que no hay más información porque la llamada fue hecha por un tercero. Su unidad es la primera en llegar a la escena. Usted ve a un hombre tendido que yace sobre su costado izquierdo sobre la banqueta frente a un centro comercial abandonado. No parece haber nadie más alrededor. Su compañero enciende luces en la escena y usted observa en la banqueta lo que parece ser sangre cerca del hombre.

1. ¿Cuál es su primera preocupación en esta escena?

2. ¿Cómo abordaría esta circunstancia?

Evaluación del paciente

Evaluación de la escena

Garantizar la seguridad de la escena
Determinar el mecanismo de lesión/la naturaleza de la enfermedad
Tomar las precauciones estándar
Determinar el número de pacientes
Considerar la necesidad de recursos adicionales/especializados

Evaluación primaria*

Formarse una impresión general

Evaluar

- La capacidad de respuesta/el estado de consciencia

Evaluar y tratar

- Vía aérea
- Ventilación
- Circulación

También evaluar

- Discapacidad
- Exposición

Identificar

- La principal manifestación/amenaza para la vida (tratar)
- Prioridad de la atención del paciente
- Decisión de transporte

Historia clínica

Antecedentes de la afección actual (OPQRST)
Antecedentes médicos (SAMPLE)

Evaluación secundaria

¿Se trata de una afección médica o de trauma del paciente?

Evaluar

- Signos vitales basales
- Dispositivos de vigilancia (según sea apropiado)

Exploración física sistemática

- Exploración total del cuerpo o una revisión rápida
- Enfoque en la lesión
- Con base en el aparato o sistema corporal (respiratorio, cardiovascular, neurológico, reproductivo, etc.)

Reevaluación

- Repetir la evaluación primaria
- Obtener los signos vitales
- Reexaminar la manifestación principal
- Revisar las intervenciones
- Identificar y tratar los cambios en el estado del paciente

Revaluar al paciente

- Cuando se encuentra inestable: cada 5 minutos
- Cuando se encuentra estable: cada 15 minutos

***Nota:** La evaluación primaria suele seguir una secuencia ABCDE (vía Aérea, *Breathing* [respiración], Circulación, Discapacidad, Exposición), pero si el paciente presenta en su evaluación muestras de hemorragia externa grave, utilice la secuencia XABDE (eXanguinante control de hemorragias, vía Aérea, *Breathing* [respiración], Discapacidad, Exposición).

Recuerde, su labor total como paramédico es identificar rápido el o los problemas del o los pacientes, establecer las prioridades de atención, desarrollar un plan terapéutico, y ejecutarlo de manera rápida y eficaz.

> **Perlas de sabiduría**
>
> Las siglas SOAP resumen el abordaje general de la evaluación. Esto es, usted adquiere información **S**ubjetiva en una entrevista (síntomas), además de observar y medir información **O**bjetiva (los signos) y comparar los datos con sus experiencias previas para arribar a una evaluación (***A****ssessment*) de lo que usted cree que está mal (diagnóstico diferencial), para poder **P**lanear el tratamiento más adecuado a su diagnóstico provisional.

Enfermo o no

La habilidad de evaluación más importante que debe adquirir es aquella que se obtiene solo con mucha experiencia, determinar rápido si el paciente está *enfermo* o *no enfermo*. Esta evaluación rápida y temprana está basada tanto en la principal manifestación, la ventilación, el pulso, el estado mental, como el color de la piel, temperatura y estado (CTE). Juntos, estos aspectos reflejan el desempeño total de los aparatos respiratorio y cardiovascular, y el sistema neurológico, tres que son críticos para equilibrar el cuerpo, como un banco de tres patas. Juntos lo sostienen. Sin embargo, si usted desestabiliza una de las patas, como el aparato respiratorio, entonces los otros dos solo momentáneamente sostienen al cuerpo antes de que todos se colapsen. En los pacientes de trauma deberían también incluirse el mecanismo de lesión (ML) y los signos obvios del traumatismo.

Si el paciente está afectado, el siguiente paso es determinar qué tanto. En un extremo de la escala de afección se encuentra el paciente abatido con una infección de los senos paranasales. ¿Está enfermo el paciente? Sí. ¿Es este un suceso que pone en riesgo la vida? Probablemente no. En el otro extremo de la escala se encuentra un paciente con labios azules, bañado en sudor y con dificultad para responder sus preguntas, pero con tan escasa ventilación que solo le es posible expresar una o dos oraciones. ¿Está enfermo este paciente? Sí. ¿Es este un suceso que pone en riesgo la vida? Con base en los signos y síntomas descritos, la respuesta es sí.

Cada vez que usted evalúe a un paciente, debe *calificar* si está enfermo o no. Después debe *cuantificar* qué tan enfermo se encuentra (p. ej., uno con dificultad respiratoria se considera "enfermo" y si usa los músculos accesorios de la ventilación y presenta retracciones, ello indica que el proceso es "grave"). Una vez que usted hizo esto, se encuentra en posición de decidir qué atención, si acaso, debe proveerse en la escena, en contraposición a aquella en la ambulancia en camino al hospital.

Establecer una impresión inicial

En la mayoría de los casos, usted formará su propia **impresión inicial** con base en la historia clínica y la manifestación principal del paciente, un resumen inicial de su estado general de acuerdo con el cuadro clínico y el descartar otras posibles causas con base en el diagnóstico diferencial. Usted debe ser capaz de obtener información de calidad de los pacientes con diferentes capacidades cognitivas y recursos de instrucción, culturales y étnicos, algunos de los cuales pueden alterarse por el consumo de alcohol o el uso de las drogas.

El ser bueno para la evaluación de un paciente es como ser un buen detective. Conforme lo entrevista, busque claves en la información que obtiene durante el proceso. Con esa base, haga preguntas más importantes con relación a la principal manifestación del paciente. Sus interrogantes en cuanto al uso actual de medicamentos pueden no aportar nada importante, por ejemplo, y, sin embargo, su siguiente línea de indagación podría aportar mucha información pertinente acerca de los antecedentes médicos. Así como un detective veterano colecta y analiza metódicamente las claves para resolver un caso, usted debe también seguir un proceso similar para proveer la mejor atención a su paciente.

Con el transcurso del tiempo, todo paramédico desarrolla su propio estilo de evaluación. Conforme usted perfecciona esta destreza laboral indispensable, es crítico que piense la evaluación del paciente como un proceso fluido. Conforme se despliega la entrevista, tenga la capacidad de cambiar la secuencia de sus indagaciones conforme lo dicte la situación o el estado del paciente. Sepa cuándo debe ampliar su interrogatorio para centrarse en la información importante. Por supuesto, su estilo deberá basarse en una práctica médica sólida, teniendo en mente que (1) la forma en que usted aprende y practica las destrezas técnicas como estudiante, se trasladará a la forma en que provea la atención y desempeñe las habilidades técnicas en el campo profesional, y (2) hay un examen psicomotor, que incluye la evaluación, que los estudiantes deben aprobar y que sigue un formato relativamente normativo.

¿Es esta una urgencia médica o de trauma?

Así como los hospitales se organizan en unidades médica y quirúrgica, hay dos clasificaciones básicas de los pacientes en la atención prehospitalaria: de medicina y de trauma. Para los pacientes con afecciones médicas, sus prioridades son identificar la principal manifestación y examinar cuidadosamente la historia clínica en busca de claves sobre el estado actual del paciente. En contraste, las llamadas para rescate de trauma, por lo general, son resultado de sucesos inesperados. Cuando un traumatismo es la preocupación primaria, la historia clínica del paciente a menudo es secundario y complementario para su plan de cuidados y el destino específico puede ser significativo. Por ejemplo, algunos pacientes de trauma solo pueden estabilizarse bajo las "luces brillantes y el frío acero" de una sala quirúrgica. Otros pacientes pueden requerir destinos específicos para su terapéutica, como aquel con infarto del miocardio con elevación del segmento ST (IAMEST), un paciente con quemaduras, el que experimentó un paro cardíaco con retorno espontáneo de la circulación (RCE), o quien sufrió un accidente cerebrovascular: cada uno de ellos necesita transporte a un centro especializado de atención. El determinar el destino apropiado para los pacientes críticos con traumatismos y darle prioridad se describe con detalle en el capítulo 26, *Sistemas de trauma y mecanismos de lesión*.

Dicho esto, nunca olvide que los sucesos médicos pueden causar traumatismos. Por ejemplo, un paciente con diabetes que utiliza insulina puede colisionar su vehículo si pasó por alto el desayuno, lo que causó un descenso posterior en su glucemia. De manera similar, los sucesos traumáticos pueden producir afecciones médicas. Por ejemplo, el estrés de un asalto puede desencadenar dificultades ventilatorias en un paciente con asma. En otras palabras, a veces lo que parece obvio resulta no ser toda la historia. Por ejemplo, que le llamen a un hogar de ancianos, donde se encontró a una persona mayor en el piso con una fractura "evidente" de la cadera derecha. Es indispensable ver más allá de esa deformidad obvia y determinar cómo terminó en el piso. Un giro, un chasquido y una caída son diferentes de un desmayo y despertar en el piso, lo cual pudiera indicar una disritmia cardíaca que podría haber causado el síncope. Mantenga su mente abierta para las escenas de atención de pacientes variadas que puede encontrar en su práctica profesional, de modo que esté mentalmente listo para responder a la necesidad de cada uno. Recuerde, cualquier llamada para atención puede corresponder 100 % a un traumatismo, 100 % a un proceso médico o a cualquier combinación de ambos. Como profesional de la medicina prehospitalaria, usted debe ver más allá de lo obvio y considerar una lista de afecciones que podrían explicar la afección del paciente, lo que se conoce como diagnóstico diferencial.

Evaluación del paciente

Evaluación de la escena

- Garantizar la seguridad de la escena
- Determinar el mecanismo de lesión/la naturaleza de la enfermedad
- Tomar las precauciones estándar
- Determinar el número de pacientes
- Considerar la necesidad de recursos adicionales/especializados

↓

Evaluación primaria

↓

Historia clínica

↓

Evaluación secundaria

↓

Reevaluación

Evaluación de la escena

El tratamiento dinámico de la escena empieza por su evaluación, proceso que se conoce como **evaluación de la escena**. Independientemente de cuándo o dónde usted responda a una llamada de emergencia, antes de iniciar cualquier atención de un paciente, su primer paso es evaluar la seguridad y estabilidad total de la escena. Busque cualquier amenaza para usted, su equipo de rescate, el paciente, y cualquier amigo, familiar o transeúnte. Garantice además que tiene acceso seguro a la escena para su personal y equipo, y también para salir con facilidad. Al final, considere cualquier recurso especial que pueda necesitar, como un equipo de materiales peligrosos o el respaldo de la policía, y obténgalos en dirección al mismo lugar que usted. Recuerde, mientras más rápido pida ayuda, más rápido llegará.

Si usted no toma algunos momentos para evaluar la escena y abordar aspectos de la seguridad, usted y/o su compañero podrían unirse a la lista de bajas. Un paramédico lesionado simplemente aumenta la carga del equipo de rescate y se resta de los recursos disponibles.

El éxito de la coordinación total de cualquier incidente puede afectarse mucho por su capacidad de realizar una evaluación adecuada de la escena. Este paso marca la pauta para el resto de un incidente. Sin esta evaluación temprana, es posible que la escena sea caótica y la atención a los pacientes perjudicada.

Seguridad de la escena: un proceso dinámico

El principal objetivo de su evaluación es la seguridad y el bienestar de su equipo de servicios de emergencias médicas (SEM) y cualquier otro personal de emergencias. Pregúntese, "¿es seguro para mí y mi equipo entrar a la escena y acercarnos al paciente?" Para responder esa pregunta, evalúe la escena con la perspectiva de una lente gran angular. Si usted determina que es segura, establezca contacto con el paciente y proceda con su evaluación. Sin embargo, si no parece ser segura (p. ej., está presente un peligro obvio), o si no se define que lo es (p. ej., puede haber un riesgo), asegure la escena o pida recursos adicionales antes de iniciar la atención del paciente. Recuerde, puede ser necesario salir de una escena insegura o incierta hasta el arribo del personal de la policía. El hacerlo no es un abandono, ¡es autoconservación!

La escena y las condiciones ambientales pueden cambiar rápido, por lo que mantenerse vigilante es un concepto importante de comprender por todo el personal de los SEM. La profesión del SEM es peligrosa, por lo que debe hacerse todo esfuerzo para disminuir el potencial de lesiones o decesos. De acuerdo con el *National Institute for Occupational Safety and Health* (NIOSH), en 2019 ocurrieron 21 500 lesiones laborales en el personal del SEM,[1] lo que constituye una tasa de lesiones tres veces mayor que la de la fuerza laboral general; además, los integrantes de la industria del SEM experimentan una tasa de pérdida del día laboral triple, respecto de todos los trabajadores de industrias privadas. Las causas comunes de lesiones incluyen la mecánica corporal (p. ej., levantar pacientes); exposición a sustancias peligrosas; resbalones, tropezones y caídas; incidentes vehiculares, violencia/asalto entre otras.[2]

Las escenas de colisión y rescate a menudo incluyen múltiples amenazas y riesgos de extracción, así como vehículos en posiciones inestables, fugas de combustible, metales irregulares y vidrios rotos, riesgos de incendio o explosión, y caída de cables eléctricos y materiales peligrosos, **FIGURA 8-1**. Además, el solo dirigir las operaciones de rescate y el SEM de forma activa constituye un riesgo. Muchos conductores se distraen

SEGURIDAD

Garantizar la seguridad de la escena es un proceso dinámico que requiere reevaluación constante, y antes se consideraba como una simple tarea "por revisar" al inicio del encuentro con un paciente, pero no debería subestimarse.

FIGURA 8-1 Las escenas de colisión constituyen muchas amenazas para usted, sus compañeros y el paciente.

FIGURA 8-2 Utilice un chaleco de seguridad pública certificado, de alta visibilidad, cuando trabaje en cualquier carretera.

por tratar de mirar la escena del incidente mientras pasan, lo que se conoce como "fisgonear". Es posible que estos conductores no estén atentos a la presencia del personal del SEM en el camino. Por lo tanto, incluso en incidentes donde parece haber un riesgo limitado al proceso de extracción, siempre es posible la amenaza de otros motoristas que perturben la escena. Cuando trabaje cerca de una vía pública, utilice, como mínimo, un chaleco de seguridad de alta visibilidad con certificación 107 o 207 del *American National Standards Institute* (ANSI), **FIGURA 8-2**. La edición 2009 de la *National Fire Protection Association* (NFPA) 1901, exige un chaleco de tráfico por cada plaza de asiento. Este chaleco debe tener un dispositivo de separación de cinco puntos. El usar un chaleco le da adecuada visibilidad, a la vez que minimiza la interferencia con el resto de su ropa y equipo. Además, varios fabricantes ofrecen guantes, abrigos y botas especiales con propiedades reflectantes. Siempre es mejor exagerar en la seguridad que no tener suficiente.

Otra consideración importante es la de acceso y salida. Usted y su equipo deben tener acceso seguro a la escena y el paciente, para después salir con seguridad con él. Si no se puede asegurar la escena de acuerdo con sus criterios, considere hacer un movimiento de entrar y sacar al paciente. Esto es ingresar rápido para encontrarlo, proveer la cantidad *mínima absoluta* de atención prioritaria que permita trasladarlo con seguridad, y hacer una rápida salida con él a un lugar más seguro y estable (p. ej., su ambulancia).

En todos los casos, establezca un perímetro seguro para mantener a los transeúntes fuera del camino riesgoso. En algún punto, se pueden requerir cinta o barricadas para aislar la escena. Al inicio, no obstante, la seguridad en el lugar de la escena suele establecerse simplemente con el personal asignado para esa tarea. Sin ese perímetro, permitir el ingreso sin regulación de los transeúntes en una escena de emergencia puede rápidamente provocar el caos, lo que complica demasiado su llamado, obstaculiza la atención al paciente, y aumenta su probabilidad de lesiones a los pacientes, los transeúntes y el personal de los SEM.

Llegar a una escena con riesgos y múltiples pacientes puede resultar abrumador para usted y su equipo del SEM. Formule un plan básico con su equipo y explore visualmente la escena, de ser posible, antes de salir del vehículo. Esto promueve una mejor coordinación de la atención del paciente y de identificación temprana de la necesidad de recursos adicionales. Por ejemplo, cuando usted arriba a la escena de una colisión por vehículos, tal vez observe que hay múltiples pacientes en vehículos potencialmente inestables. Además, el incidente pudo haber ocurrido en una intersección muy concurrida, con múltiples vehículos que aún circulen por la vía donde se encuentra la escena. Puede ser evidente la necesidad de recurrir al departamento de bomberos, personal de rescate especializado y policía. Los primeros dos pueden ayudar a estabilizar los vehículos y extraer a los pacientes, en tanto la policía puede regular el tráfico e investigar la colisión. Además, puesto que hay múltiples pacientes involucrados, este sería un momento adecuado para solicitar ambulancias adicionales, según se requiera.

En muchas escenas se encuentran sustancias tóxicas. Desde los productos de limpieza que hay en casi todo hogar y las sustancias químicas incontables que se usan en instalaciones industriales y de fabricación, siempre manténgase alerta de la presencia de sustancias tóxicas. Sea cauto para trabajar en ambientes en los cuales la atmósfera misma es tóxica. El humo es un producto secundario de la combustión incompleta, que puede contener sustancias tóxicas, gérmenes patógenos y carcinógenos. El contar con equipo apropiado de protección corporal y ventilatoria, es una obligación antes de ingresar a tal escenario e iniciar la atención de los pacientes, **FIGURA 8-3**.

Con mucha frecuencia, el personal del SEM es el primero en arribar (a veces sin saberlo) a la escena de un crimen. No considere las escenas de crimen como tiempo pasado, siempre existe la posibilidad de que ocurra más violencia. Bajo circunstancias ideales, cuando se despacha el personal del SEM a una posible escena de crimen, el personal de policía debería ingresar y asegurarla en primer término. Por ejemplo, el encargado de despachar podría recibir una llamada para atender a una persona lesionada; al arribar, los paramédicos del SEM se percatan que el paciente presenta una herida por arma de fuego. Solicite la asistencia policiaca de inmediato, porque es casi imposible que usted y su compañero dominen tal escena y atiendan al paciente

FIGURA 8-3 Las escenas que involucran sustancias tóxicas pueden requerir de bomberos u otras agencias con entrenamiento específico y equipo de protección adicional.

FIGURA 8-4 Después de que solicite apoyo de la policía, espere en su vehículo a una distancia segura.

al mismo tiempo, **FIGURA 8-4**, escenario que debe considerarse inseguro porque el agresor puede regresar.

Cuando se enfrenta una escena inestable o una que comienza a deteriorarse (p. ej., una multitud progresivamente más ruidosa o turbulenta, o haciendo gestos agresivos o lanzando amenazas), considere retroceder a su ambulancia hasta que la escena se haya asegurado y se considere sin riesgo. Si usted cree que puede maniobrar con seguridad y retirar al paciente de la escena, hágalo, pero recuerde que tal intento es una decisión a criterio. Para ello, debe basarse en toda la información que haya obtenido mediante un conocimiento constante de la situación.

Cuando es despachado a una escena donde el potencial de violencia es alto, su compañero y usted deben formular un plan de escape si el escenario se torna inseguro. Cuando arribe, estacione su vehículo lejos de la escena, ciérrelo, y evite ingresar hasta que el personal de la policía la haya asegurado.[3] Desde el momento en que usted llegue en su vehículo, haga una revisión cuidadosa y exhaustiva de la escena en busca de claves que indiquen el potencial de violencia. Además de la amenaza de los transeúntes, siempre está presente el riesgo de que un paciente se vuelva agresivo; en particular, cuando existen sustancias ilícitas o estupefacientes como cocaína o metanfetaminas. Con el aumento de la fabricación y el uso ilegal de metanfetaminas, el personal del SEM atestigua un número creciente de pacientes que están al final de múltiples días de insomnio provocado por las drogas. Estas personas a menudo se encuentran paranoicas, emocionalmente inestables y casi siempre armadas, lo que las convierte en una amenaza bastante más grave que la de un paciente promedio con una emergencia conductual no inducida por drogas. Además, los usuarios de metanfetaminas y cocaína están en alto riesgo de experimentar un delirio de excitación o agitación. El **delirio** se caracteriza por un agudo cambio súbito del estado mental, secundario a algún factor/incidente subyacente significativo. Estos pacientes suelen presentar una ira ciega y ser casi incontrolables. Nunca dude en pedir ayuda a la policía para el tratamiento de cualquier paciente que se torne violento. Se provee información adicional acerca de pacientes violentos en el capítulo 25, *Emergencias psiquiátricas.*

Otros riesgos de la escena se relacionan con su ambiente físico. Las superficies inestables son sucesos cotidianos en este campo profesional. En algunas partes de Estados Unidos, las superficies cubiertas por nieve o hielo pueden persistir durante 4 meses del año. La lluvia se presenta casi en todos lados. Mientras más tiempo se exponga un paciente al viento y la lluvia, más probabilidad tiene de que la hipotermia se convierta en un factor. Por supuesto, tampoco una carretera de asfalto caliente es un buen lugar para un paciente. Cuando el ambiente no es amigable: realice la evaluación primaria, aborde las amenazas para la vida, y traslade al paciente al ambiente regulado de la ambulancia tan rápido como sea posible.

Además, la mayor parte del país presenta problemas de terreno que van desde colinas a montañas, pasando por playas arenosas. Por lo tanto, trabajar en superficies inestables es una parte inevitable de la medicina prehospitalaria **FIGURA 8-5**. Tóme el tiempo necesario para que todas las elevaciones y movimientos del paciente sean lo más seguros y controlados posible. Si se centra en este aspecto de su práctica, contribuirá en gran medida a evitar caídas y lesiones.

Además, considere la estabilidad de las estructuras circundantes y la amenaza de un colapso secundario. Si usted tiene alguna duda sobre la integridad estructural en cualquier escena, abandone el área, establezca un perímetro seguro y solicite recursos adicionales para asegurarla.

Una vez que se ha establecido la seguridad del personal del SEM, la siguiente prioridad es la seguridad de los transeúntes y el paciente. Si en cualquier momento la escena se torna insegura para el personal del SEM, también lo hace para el paciente. Por lo tanto, el primer paso es reducir al mínimo la probabilidad de cualquier riesgo que pueda lesionar al personal del SEM o al paciente. Si usted no puede hacerlo, desplace al paciente a una zona segura, siempre que esta acción no suponga un riesgo excesivo para usted, su compañero u otros rescatistas. A continuación, considere la seguridad de los transeúntes. Muchos intentan ayudar durante una emergencia; siempre recuerde que tal vez no estén entrenados para manejar equipo del SEM o para tratar enfermedades o lesiones. Si resulta que un transeúnte tiene como profesión la de proveedor de atención sanitaria, es mejor seguir la política de su servicio o supervisor médico regional para determinar qué participación puede tener.

FIGURA 8-5 En ocasiones usted puede requerir un equipo para sacar a los pacientes de zonas con terreno inestable.

Establezca un perímetro o barrera alrededor de la escena de la emergencia para prevenir que los transeúntes y los medios de comunicación ingresen. Hoy casi todo el mundo tiene un teléfono celular con cámara y a menudo se publican grabaciones de video inapropiadas en las redes sociales antes de que usted siquiera lo sepa. Puede ser mejor aislar al paciente o los transeúntes para facilitar que tenga una atención apropiada o establecer un ambiente más seguro. Si la escena se convierte en insegura por los transeúntes, haga que los retiren de inmediato con la ayuda de la policía.

Mecanismo de lesión o naturaleza de la enfermedad

La mayoría de las llamadas al 9-1-1 será para una emergencia médica o alguna forma de traumatismo. Recuerde, una llamada para atender a un hombre lesionado puede resultar ser una de alguien que cayó y se lesionó por baja glucemia. De manera similar, una víctima de traumatismo podría haber colisionado su vehículo cuando se desmayó por ritmo cardíaco anormal. Los paramédicos prudentes mantienen sus mentes abiertas ante las múltiples posibilidades cuando se percatan de lo que está sucediendo con su paciente. El no hacerlo lleva a una visión de túnel y una mala atención.

El **mecanismo de lesión (ML)** corresponde a la forma en que ocurre; abarca las fuerzas que actúan sobre el cuerpo para causarla. Evalúe el ML para ayudarle a predecir la probabilidad de que ocurran ciertas lesiones y calcular su gravedad. Los patrones de lesión presentes en sucesos traumáticos se describen con detalle en el capítulo 26, *Sistemas de trauma y mecanismos de lesión.*

En las llamadas para rescate médico, determine rápido por qué se solicitó al personal del SEM para el paciente (la familia, amigos o transeúntes). La **naturaleza de la enfermedad (NE)** es el tipo general de padecimiento que experimenta el paciente.

En este punto del rescate, si hay más de un paciente o si este presenta obesidad mórbida (de manera que se necesiten múltiples rescatistas o una unidad de especialidad para levantarlo de la escena), entonces usted puede requerir solicitar tales recursos. Si múltiples pacientes presentan síntomas o manifestaciones similares en una llamada para rescate médico, considere como primeras candidatas intoxicación por monóxido de carbono (o contacto con algún otro producto nocivo) o intoxicación alimentaria. Independientemente de la causa del problema, la presencia de múltiples pacientes significa que deben seleccionarse para determinar qué recursos adicionales se requieren y cómo los distribuirá.

De manera similar, cuando múltiples pacientes requieren cuidados en una escena de trauma, usted debe seleccionarlos. Identifique el número de pacientes y calcule la gravedad de sus lesiones. A continuación, solicite suficientes recursos adicionales para respaldar a quienes ya están en la escena (p. ej., SEM adicional, bomberos, policía, de rescate de especialidad, empresas de servicios públicos o personal que maneje materiales peligrosos). Preste atención a las indicaciones en la información de despacho, como el número de pacientes y transeúntes y los riesgos identificados; esta información puede llevarlo a solicitar recursos adicionales antes o activar el sistema de comando de incidentes (SCI), si se requiere. Considere la posibilidad de llamar a la policía desde antes si se necesita proteger al paciente o asegurar la escena de los transeúntes. No subestime el valor de la abundancia de recursos. Recuerde que siempre puede cancelar un auxilio adicional si no se requiere. Este concepto es fácil de recordar por la expresión, "¡no subestimes en exceso!"

Conozca los diversos recursos especializados disponibles de agencias que utilizan equipo específico para garantizar su seguridad cuando realice sus operaciones. En una escena determinada pueden requerirse trajes químicos y biológicos, equipo de extracción especializado y de ascenso o descenso, y trajes secos. Sólo los rescatistas con entrenamiento pueden participar específicamente en estas operaciones.

El proceso de evaluación de la escena debe concluirse con rapidez. Una vez que usted analizó y despachó la información, evaluó la seguridad total de la escena, dio al personal el equipo de protección personal (EPP), determinó el ML o la NE, y agregó ayuda adicional, se encuentra listo para iniciar la evaluación de su paciente. Si la tripulación que responde puede resolver la situación sin ayuda adicional, determine la necesidad de estabilización manual y proceda con la atención del paciente. Con base en la evaluación de la escena y el ML, el personal del SEM puede requerir asegurarse de proveer la estabilización manual al acercarse al paciente.

En este libro de texto se utilizan las denominaciones *estabilización manual, inmovilización raquídea,* y *restricción del movimiento raquídeo (RMR).* Independientemente de la terminología usada, los proveedores de atención deberían tener en mente que aplicar un collar y ubicar al paciente en una camilla rígida no inmoviliza por completo la columna vertebral. Lo mismo probablemente es válido con todas las formas de ferulización. En este libro de texto se usan denominaciones como *estabilización manual* e *inmovilización raquídea* para representar la *consecuencia pretendida* de estas acciones. Las indicaciones de estabilización manual e inmovilización raquídea se cubren en el capítulo 31, *Traumatismos de cabeza y columna vertebral.*

Precauciones estándar

Para recalcar lo antes señalado, su primera y más importante preocupación ante cualquier llamada de rescate es garantizar su seguridad y la de su equipo. Después de todo, usted no puede ayudar al paciente si se lesiona. Suponga que contrae una enfermedad contagiosa porque ignoró tomar las precauciones estándar. Perdería entonces tiempo laboral. En el peor de los escenarios, podría contraer una enfermedad que ponga en riesgo su vida o que termine su carrera.

Cualquier paciente con el que usted entra en contacto debería considerarse potencialmente contagioso. Las enfermedades no discriminan; se pueden encontrar en niños de localidades suburbanas y urbanas, adultos mayores en residencias o casas para ancianos, y profesionales de negocios prósperos, así como personas que carecen de hogar. Las preocupaciones estándar se perfeccionaron para asegurar que los trabajadores de la atención sanitaria traten a todos los pacientes de la misma forma: como potencialmente infecciosos.

Utilice guantes adecuados y ajustados en cada llamado. Dado que la sangre u otros fluidos pueden salpicar o esparcirse, use protección para los ojos. Cuando la inhalación de partículas sea un riesgo, utilice una mascarilla de respiración de tamaño apropiado y ajustada (de aire particulado eficaz [HEPA] o N95). En algunos casos puede también estar indicado utilizar bata. Siempre tome los pasos necesarios para protegerse en los llamados de rescate. En caso de duda, siempre es mejor equivocarse por exceso de

Perlas de sabiduría

Recuerde cambiar sus guantes entre la atención de un paciente y otro para prevenir cualquier contaminación posible. Lave sus manos de inmediato o utilice una sustancia desinfectante a base de alcohol cada vez que se retire o cambie los guantes.[4] El lavado de manos es la mejor forma de prevenir la transmisión de la mayoría de las enfermedades.

precaución. La prevención de infecciones se cubre a profundidad en el capítulo 2, *Seguridad y bienestar del personal.*

Además, considere otros riesgos involucrados en la atención de los pacientes y tome las precauciones necesarias para protegerse. El EPP incluye ropas o equipo especializado que proveen alguna protección contra sustancias que podrían constituir un riesgo para la salud o la seguridad. Incluye artículos como botas con punta de acero para proteger sus pies y dedos gordos, guantes de piel, un casco, prendas exteriores resistentes al calor y un aparato de ventilación de autocontención.

SEGURIDAD

Además de la seguridad en el escenario, la del paciente se ha convertido en un tópico medular en los SEM. En *Health and Medicine Division* (HMD) de *National Academies of Sciences, Engineering, and Medicine,* se define a la seguridad del paciente como "la ausencia de lesiones accidentales", mientras que en la *National Patient Safety Foundation* se define su objetivo como la "evitación, prevención y mejora de los resultados adversos o las lesiones derivadas del proceso de atención sanitaria". Se define a la **seguridad del paciente** como disminución de riesgo de daños innecesarios relacionados con la atención de los SEM hasta un mínimo aceptable que se define por los límites de las mejores evidencias médicas, equipo, tecnología y destrezas humanas disponibles.

Evaluación del paciente

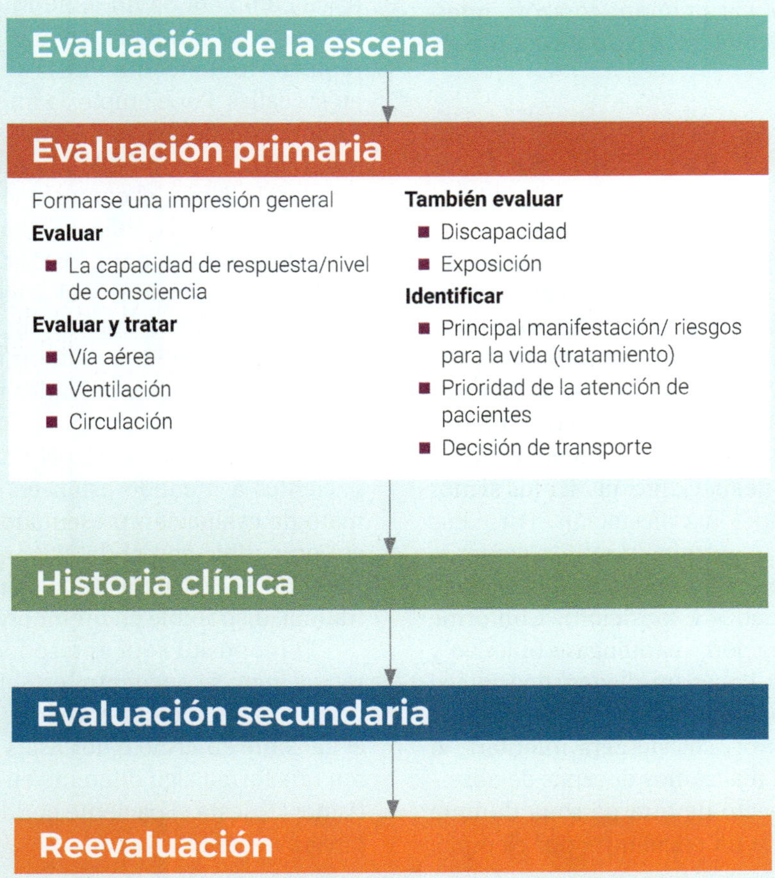

Evaluación primaria

Técnicas de exploración

Antes de describir la evaluación primaria, se destacan tres técnicas de exploración importantes que usted puede usar durante el proceso, ya sea en la evaluación primaria o en la secundaria, dependiendo de la urgencia del padecimiento del paciente.

- **Inspección.** Es simplemente la observación del paciente y el registro de cualquier anomalía o asimetría (p. ej., edema, deformidad o cambios en la coloración) que podría indicar lesiones de tejidos blandos.
- **Palpación.** El proceso de uso del tacto para percibir anomalías (p. ej., edema o deformidades). En ocasiones, la palpación es suave, pero un tacto firme le permitirá identificar zonas donde el paciente presente dolor e hipersensibilidad. Las puntas de sus dedos están bien adaptadas para detectar textura y consistencia, en tanto que el dorso de su mano es mejor para precisar la temperatura cutánea.
- **Auscultación.** Es la percepción de sonidos dentro del cuerpo (p. ej., pulmón, corazón, intestino y presión arterial [PA]) con el uso de un estetoscopio.

Formarse una impresión general

La evaluación primaria puede ser la parte más intensa del proceso, porque se centra en la identificación y tratamiento de problemas que ponen en riesgo la vida. En los primeros 60 a 90 segundos, conforme usted lo observa, habla con él y hace contacto, se forma una **impresión general**, que es la impresión inicial integral que determina la prioridad de la atención por proveer; con base en el entorno del paciente, el ML, los signos y síntomas y la principal manifestación. Formarse una impresión general le permite identificar amenazas para el ABCDE (vía Aérea, *Breathing* [ventilación], Circulación, Discapacidad y Exposición). Conforme dispone de más información, manténgase objetivo y evite la visión de túnel: hacer un diagnóstico inicial con información clínica limitada.

Cada uno de nosotros, sin siquiera intentarlo o estar consciente de ello, realizamos docenas de observaciones acerca del aspecto de otra persona durante los primeros segundos de un encuentro; por ejemplo, nos fijamos en si la persona está sentada o de pie, si tiene sobrepeso o es delgada, si sonríe o frunce el ceño, si va bien vestida o está desaliñada. Cuando evalúa a un paciente, usted debe hacer observaciones similares, pero de forma mucho más consciente, objetiva y sistemática. Busque pistas específicas que le den una percepción inmediata de la gravedad de la situación. Un paciente que jadea, "Es que... no puedo... mantener... mi respiración", claramente está muy enfermo. Un ejemplo todavía más obvio de prioridad es un paciente que refiere dolor torácico después de haber sido apuñalado en el tórax.

A continuación, se incluye una nota importante del *National Registry Paramedic Portfolio.* Usted será evaluado respecto de esta información si decide solicitar un Registro Nacional. El formato de evaluación descrito en esta sección está diseñado para pacientes enfermos o lesionados. En algunas situaciones, los pacientes quizás no tengan manifestaciones y no refieran malestar alguno. Estos pacientes pueden ser sometidos a una "exploración de paciente sano", que es más amplia que las exploraciones médicas o de trauma y requiere más tiempo. En el *National Registry Paramedic Portfolio* de EU, hay un formulario para una sesión de laboratorio que involucra la evaluación física completa de un adulto normal. La exploración del paciente sano incluye más detalles de los que se requieren obtener durante la atención prehospitalaria en las calles. Por ejemplo, la impresión general para la exploración del paciente sano incluye su aspecto, el que hable cuando se le aborda, la expresión facial, el color de la piel, el contacto visual, el peso estimado en kilogramos, el trabajo ventilatorio, la postura, la facilidad del movimiento, los de cuerpo o del aliento, la vestimenta, la higiene y el arreglo personal. El hacer estas evaluaciones durante un llamado para rescate de emergencia podría requerir tiempo, que sería mejor dedicar a proveer cuidados para salvar la vida y el transporte.

En el campo, cuando el tiempo es esencial y los pacientes a menudo están en peligro, utilice el formato de evaluación presentado en este capítulo, que es compatible con el de *National Registry Paramedic Portfolio* de EU para las evaluaciones médicas y de trauma, disponible en nremt.org.

El propósito aquí es responder dos preguntas: (1) ¿el paciente se encuentra estable o inestable?, y en el primer caso, ¿podría tornarse inestable? y (2) ¿está el paciente enfermo o no? Estas interrogantes adquieren una forma algo diferente en el caso de un traumatismo: (1) ¿está el paciente herido? y (2) si lo está, ¿qué tan gravemente?

Ya sea que la llamada de rescate sea para un paciente médico o de trauma, la pregunta 1 corresponde a una calificación y la 2 a una cuantificación. "¿Está enfermo este paciente? requiere una respuesta de sí o no, mientras que "¿Qué tan enfermo está el paciente?" pretende valorar la gravedad de la situación. Con el tiempo y la experiencia, usted será capaz de responder ambas preguntas y formarse una impresión general dentro de un margen de 60 a 90 segundos.

El estado mental suele ser uno de los principales indicadores del grado de enfermedad de un paciente. Sus cambios en el nivel de consciencia (NC) pueden proporcionar una primera pista de una alteración en su estado. Por lo tanto, establezca un concepto basal tan pronto como se encuentre con él. Conforme evalúa el estado mental de un paciente con un traumatismo, decida si debe implementar procedimientos de inmovilización raquídea. Otras consideraciones del estado mental incluyen analizar su discurso (calidad, velocidad, volumen, articulación de las palabras, fluidez), el talante, la orientación (con respecto a persona, lugar y tiempo), la memoria (a corto y largo plazos). Estos aspectos se describen más ampliamente en el apartado de la evaluación secundaria, en este capítulo.

Una vez que usted estableció la gravedad de la manifestación del paciente, determine sus prioridades de atención, desarrolle un plan terapéutico y póngalo en acción. Si el principal problema parece ser una lesión traumática, identifique y evalúe el ML. Si el problema primario parece ser médico, identifique la NE. Identifique la edad y sexo del paciente, puesto que esta información puede cambiar la forma en cómo se presenta el paciente. Por ejemplo, una mujer de edad avanzada que sufre infarto podría no tener dolor de tórax, en tanto un hombre de edad avanzada con el mismo trastorno puede presentar dolor torácico intenso. De manera similar, una niña en edad escolar suele ser más madura desde el punto de vista emocional que un varón de la misma edad, lo que cambia la manera en que cada niño responde a sus preguntas y reacciona a la emergencia misma.

La información obtenida de la evaluación primaria es crucial para el resultado global del paciente. Trate las amenazas para la vida en cuanto las encuentre y decida qué atención adicional se requiere, lo que debe hacerse en la escena, en contraposición a lo que debe hacerse en ruta, cuándo iniciar el transporte y qué instalación de destino es la más apropiada dadas las necesidades únicas del paciente.

El estado mental de un paciente se evalúa inicialmente utilizando la escala **AVDI**:

Perlas de sabiduría

La evaluación primaria consta de IG, EM, ABCDE (o XABDE) y la determinación de prioridades.

En concreto, primero hay que formarse una impresión general (IG) del paciente, después de terminar con rapidez su estado mental (EM) con uso de la escala AVDI (descrita a continuación). A continuación, evalúe y trate las amenazas encontradas en el orden ABC. Es una excepción cuando el paciente parece inerte o muestra una hemorragia externa que pone en riesgo la vida, en cuyo caso se sigue el orden CAB o XABC, respectivamente. Si el paciente no tiene pulso, inicie las compresiones de tórax. Si presenta una hemorragia que pone en riesgo la vida, aplique de inmediato un torniquete.

La porción DE en las siglas le recuerda que la discapacidad y la exposición son importantes porque ayudan a identificar todas las lesiones que ponen en riesgo la vida. Es importante valorar la discapacidad y exponer al paciente, para después cubrirlo. Se insiste en el tratamiento de las amenazas para la vida de la vía aérea, la ventilación y la circulación, porque deben atenderse en segundos. Recuerde, "cuando los segundos cuentan, su tratamiento no puede estar a minutos". Esto se suma a la importancia de valorar y tratar las amenazas para la vida identificadas durante la evaluación primaria.

A *Alerta* (responde adecuadamente; defina además el estado mental como sigue)
  - *Alerta y orientado × 4* = Persona, espacio, tiempo y suceso
  - *Alerta y orientado × 3* = Persona, espacio y tiempo
  - *Alerta y orientado × 2* = Persona y espacio
  - *Alerta y orientado × 1* = Solo persona

V Respuesta a estímulos *verbales*

D de Dolor, responde a estímulos dolorosos

I de Inconsciente, sin respuesta alguna para determinar el grado de conciencia del paciente

Con la escala AVDI se puede evaluar el estado mental determinando si el paciente se encuentra **alerta y orientado (A × O)** en cuatro aspectos: persona, espacio, tiempo y suceso. Respecto de la orientación temporal, si el paciente sabe el día correcto, pero no está seguro de la hora, esto podría indicar una desorientación.

De manera similar, si conoce la hora, pero no está seguro del día, el mes o el año, también podría indicar que está desorientado. Por lo tanto, pregunte por el día, el mes y el año si sospecha desorientación, y documente las respuestas en su reporte de atención al paciente prehospitalario (RAPP/eRAPP).

Cuando los pacientes muestran cambios del estado mental, se mantienen despiertos pero desorientados. En general, se desorientan primero respecto de sucesos, olvidan la hora, y después, en dónde están. El olvidar quiénes son constituye la última pérdida de orientación.

El describir cómo está actuando un paciente es más útil que simplemente documentar su nivel de respuesta. Por ejemplo, usted puede describir a un paciente como "alerta y cooperador" o "despierto y combativo" o incluso "despierto, pero de lenta respuesta a las preguntas".

Conforme clasifica la respuesta a los estímulos, asigne un grado al paciente de acuerdo con la mejor respuesta que obtenga. Por ejemplo, un paciente que perdió el estado de vigilia en la calle que gesticula en respuesta a un grito fuerte de usted se calificaría con una "V" en la escala de AVDI. La respuesta a los estímulos táctiles (p. ej., presión del lecho ungular o de la masa muscular arriba de la clavícula o el giro de la piel del antebrazo) daría una "D" al paciente. ¿Es una respuesta apropiada (p. ej., el retiro del origen del dolor) o simplemente representa una postura neurológica (p. ej., la de decorticación [flexión de los brazos y extensión de las piernas] o de descerebración [extensión de ambas extremidades, superiores e inferiores])? La ausencia de respuesta a los estímulos verbales o táctiles se clasificaría como "I", lo que significa que se aplicaron estímulos dolorosos sin recibir respuesta.

Evaluar la vía aérea

Evalúe el estado de la vía aérea del paciente con dos preguntas: ¿está abierta y permeable? En el primer caso, ¿posiblemente se mantenga así? Las amenazas inmediatas para la vida pueden ser causadas por la lengua, un cuerpo extraño, la obstrucción de la vía aérea, líquidos y la anatómica (por aplastamiento/edema). Para que el aire llegue a los pulmones, la vía aérea debe estar en posición apropiada y sin obstrucción (anatómicamente abierta). Los pacientes con respuesta que hablan o lloran le dan una clave acerca de lo adecuado de su vía aérea. Si usted percibe ruidos ventilatorios sonoros (ronquidos), piense en un "problema de posición": con toda probabilidad causado por una obstrucción parcial de la vía aérea por la lengua. Si usted escucha sonidos de burbujeo, piense en "aspiración": con toda probabilidad se trata de líquidos (p. ej., sangre, moco o vómito) dentro de la boca o la orofaringe posterior.

Conforme usted considere opciones terapéuticas de la vía aérea, diríjase de lo simple a lo complejo. El problema más fácil de resolver es la posición de la cabeza, para lo que no se requiere equipo y se puede mejorar con rapidez. En el caso de una obstrucción, como puede ser por alimentos, utilice procedimientos de soporte vital básico (SVB) (p. ej., compresiones del tórax/abdominales) para eliminar la obstrucción. La aspiración requiere más tiempo, por la necesidad de preparar y usar el equipo, y es más complicada que cambiar la posición del paciente. Además, la aspiración durante mucho tiempo puede crear problemas nuevos, como la hipoxia y la bradicardia secundaria a la estimulación vagal.

La posibilidad de una lesión raquídea (o su ausencia) impulsa la decisión de qué técnica usar al inicio para abrir la vía aérea; las maniobras de inclinación de la cabeza-elevación del mentón en pacientes con afecciones médicas y la de tracción mandibular en los de trauma.

Poblaciones especiales

Si usted realiza la maniobra de inclinación cefálica-elevación mentoniana, recuerde las diferencias anatómicas en los diferentes grupos de edad. Asegúrese de no crear una obstrucción de la vía aérea por una posición inapropiada de la cabeza. Los lactantes y niños pequeños no tienen anillos cartilaginosos bien desarrollados para proveer soporte traqueal, como los adultos. Por lo tanto, la tráquea de un niño se colapsa fácilmente o se ocluye conforme cambia la posición de la cabeza.

Si se requiere un medio mecánico para mantener la vía aérea abierta, debe elegir un adyuvante de la vía aérea. Si opta por colocar una cánula orofaríngea (COF) o nasofaríngea (CNF), debe contar con el equipo, seleccionar el tamaño adecuado para el paciente, y después insertarlo de manera correcta.

Este procedimiento consume tiempo, por lo que siempre debe llevar el equipo necesario para una evaluación primaria al lado del paciente.

Si usted determina que el paciente no puede mantener su vía aérea permeable y no puede lograrlo por otros medios, use una técnica más invasiva, como una intubación endotraqueal o un dispositivo supraglótico (p. ej., King LT, i-gel, mascarilla laríngea), como se describe en el capítulo 13, *Manejo de la vía aérea.*

Evalúe la ventilación

Evalúe la ventilación de un paciente en la misma forma independientemente de su edad. Céntrese en dos preguntas clave: la primera, ¿está ventilando el paciente? En caso de que no ocurra, usted tiene que ventilarlo. En segundo lugar, si el paciente está ventilando, ¿el proceso es adecuado? Son ejemplos de riesgos para la vida por la ventilación el neumotórax abierto, el neumotórax a tensión, el tórax inestable y el volumen minuto inadecuado.

Exponga el tórax y haga su inspección en busca de lesiones. Si localiza un segmento inestable, asegure las ventilaciones adecuadas y respáldelas, según se requiera. Si usted localiza una lesión de tórax que aspira, oclúyala con un sello de tórax y si este no está disponible con un apósito oclusivo de tres lados, oxigene y ventile al paciente según se requiera. Si un paciente muestra signos de insuficiencia respiratoria o estado de shock y presenta ruidos respiratorios disminuidos o ausentes, considere la posibilidad de un neumotórax a tensión. Deberá hacerse la descompresión del tórax con aguja, si está indicado.

La cantidad de aire desplazado al interior y fuera de los pulmones cada minuto es la mejor medida de lo adecuado de la ventilación, lo que se llama *volumen minuto* y se calcula multiplicando la frecuencia respiratoria por el volumen de ventilación pulmonar (p. ej., aquel del aire inspirado con cada inhalación), según se explica con detalle en el capítulo 13, *Manejo de la vía aérea.* Por ejemplo, un paciente adulto que ventila lenta y profundamente a razón de 12 ventilaciones/min y 500 ml/ventilación, presenta 6 000 ml de volumen por minuto. Uno que respira más rápido en forma menos profunda, con una frecuencia de 24 ventilaciones/min y 250 ml/ventilación, también debería tener un volumen de 6000 ml minuto. Con una base por minuto, los volúmenes de los dos pacientes son idénticos, aunque el segundo está ventilando al doble de la velocidad que el primero. Como regla general, una frecuencia ventilatoria *mayor* a 24/min se considera demasiado rápida para un adulto. De manera similar, una frecuencia ventilatoria de 8/min se considera demasiado lenta. En ambos casos, es necesario iniciar el tratamiento pronto, aunque más urgente en quien respira a razón de 8 ventilaciones/min, en comparación con el de 24.

Además de determinar el volumen de ventilación pulmonar, anote la frecuencia ventilatoria del paciente y el trabajo respiratorio (es decir, esfuerzo ventilatorio). Los signos de un aumento del trabajo ventilatorio pueden incluir el uso de músculos accesorios, restricciones de tórax, la inquietud y el inclinarse hacia adelante para inhalar. Evalúe el ascenso y descenso del tórax, advierta la simetría de su pared, y observe la profundidad y el ritmo de las ventilaciones (p. ej., regulares, irregulares, periódicas). Ausculte los ruidos pulmonares, observando su presencia y claridad, así mismo como cualquier anomalía. Alterne de un lado a otro y compare sus hallazgos. Durante la evaluación primaria, el tipo de ruidos pulmonares que presenta un paciente es tan importante como anotar si están presentes y son equivalentes. Si la evaluación de la ventilación revela hipoxia o ventilaciones inadecuadas, es importante empezar a corregir esos problemas utilizando oxígeno complementario y/o ventilación a presión positiva, según se requiera.

Evaluar la circulación

Evalúe la circulación mediante una revisión completa del cuerpo. Busque hemorragias importantes u otras lesiones que pongan en riesgo la vida, verifique el pulso, y evalúe la temperatura y color de la piel. En algunos casos, puede ocurrir pérdida sanguínea muy rápida, que lleva al estado de shock, la exanguinación, o incluso la muerte. Los signos de pérdida sanguínea incluyen hemorragia cuantiosa de heridas y otros signos, como la presencia de sangre en la ropa en el paciente o acumulada cerca. La hemorragia profusa de una vena grande se caracteriza por un flujo constante de sangre. Aquella de una arteria por la salida de sangre a borbotones. Por supuesto, si el paciente ya tuvo una pérdida sanguínea significativa, su presión arterial sistólica habrá disminuido, y se expulsará la sangre con menor fuerza. En contraste, si se lesionó una arteria importante, la exanguinación puede producirse en cuestión de minutos.

Cuando usted evalúa a un paciente sin respuesta, busque sangre mediante el recorrido rápido y ligero con sus manos enguantadas desde la cabeza hasta el hallux, haciendo pausas periódicas por si observa sangre en los guantes. Inmediatamente cohíba toda hemorragia externa que ponga en riesgo la vida. Si está sangrando una extremidad, es apropiado aplicar de inmediato un torniquete, lo que debería hacerse en menos de 30 segundos para resolver una hemorragia arterial.[5] En un paciente que responde, este paso debería realizarse antes de evaluar el pulso, la vía aérea o la ventilación. Se aporta más información acerca de la aplicación de torniquetes y detención de las pérdidas sanguíneas en el capítulo 27, *Hemorragia*.

Perlas de sabiduría

Use las siglas de mnemotecnia ABCDE cuando aborde al paciente (vía Aérea, *Breathing* [ventilación], Circulación, Discapacidad y Exposición). Esta técnica a veces se ajusta durante la evaluación primaria en dos escenarios. Primero, cuando hay una hemorragia que pone en riesgo la vida, la secuencia se puede describir como XABCDE, donde X representa eXanguinación (hemorragia que pone en riesgo la vida). En segundo término, cuando el paciente parece inerte y se sospecha un paro cardíaco, la secuencia se describe como CABDE para dar prioridad a la circulación.

La evaluación de pulso involucra una revisión rápida de la frecuencia, calidad y el ritmo del latido cardíaco. Para palparlo, comprima suavemente una arteria contra una prominencia ósea, lo que le permite percibir la onda de presión generada por la contracción cardíaca. En los adultos y niños que responden, el pulso se palpa mejor en la arteria radial; si no hay respuesta, es más fácil evaluarla en la carótida. Use las puntas de sus dedos índice y medio para palpar el pulso. En los lactantes con y sin respuesta, palpe el pulso en la arteria humeral. Si usted no puede encontrar un pulso, en cualquier paciente, inicie las compresiones torácicas.

Para la mayoría de los pacientes, es mejor contar los pulsos percibidos en 30 segundos y multiplicar el resultado por 2 para obtener la frecuencia por minuto. Un pulso débil y difícil de palpar, irregular o en extremo lento, debería palparse y contabilizarse durante 1 minuto completo. En los adultos en reposo, la frecuencia del pulso normal es de 60 y 100 latidos/min. Las personas con buena condición física pueden tener una frecuencia en reposo en cifras cercanas a 40, en tanto quienes están fuera de forma podrían presentar un pulso de tal vez 112 latidos/min en reposo. En los adultos, en general, una frecuencia menor de 60 latidos/min se considera lenta y se conoce como *bradicardia*. Aquella mayor de 100 se tiene como rápida y se conoce como *taquicardia*.

Compare la fortaleza y calidad de los pulsos periféricos y centrales. Determine la calidad o fortaleza del pulso para valorar el gasto cardíaco. Un pulso normal se percibe con facilidad, como si una fuerte onda pasara bajo sus dedos. Un pulso débil es difícil de percibir, y uno filante es aquel débil y rápido. Un paciente con hipertensión producirá un pulso más fuerte que lo usual, el llamado pulso saltón. Un pulso débil central puede indicar un shock por hipotensión (descrito en el capítulo 37, *Manejo y reanimación del paciente crítico*). Un pulso periférico difícil de encontrar, débil o irregular, sugiere una deficiente perfusión periférica y puede ser un signo de estado de shock, hemorragia o disritmia cardíaca.

Observe el ritmo del pulso. El normal es regular, como el tic tac de un reloj. Si algunos latidos son tempranos o tardíos o están ausentes, se considera al pulso irregular. Aunque muchas arritmias cardíacas no son amenazas para la vida, un pulso irregular puede indicar un estado grave. En consecuencia, considere a todos los pacientes con un pulso irregular y con síntomas (p. ej., con disnea, débiles, con sudoración excesiva) en riesgo de deterioro hasta que se demuestre lo contrario. Informe de sus hallazgos con la descripción de la frecuencia del pulso, su calidad y ritmo. Por ejemplo, usted podría expresar, "el pulso del paciente es de 72, fuerte y regular" o "el pulso es de 138, filante e irregular".

Como parte de esta fase de la evaluación primaria, determine el color y temperatura de la piel del paciente. En conjunto, estos criterios proveen discernimiento de la **perfusión** total del paciente. Para valorar la temperatura y humedad de la piel, utilice el dorso de su mano, ya que tiende a ser más sensible que la palma, **FIGURA 8-6**.

El color de la piel, **CUADRO 8-1**, en especial en pacientes de tez clara, refleja de inmediato el estado de circulación debajo de la piel, incluida la saturación sanguínea de oxígeno. En las personas de tez morena, los cambios en la piel tal vez no sean evidentes de inmediato, pero pueden evaluarse por la exploración cercana de las membranas mucosas (p. ej., labios o conjuntivas). Cuando los vasos sanguíneos que irrigan la piel están por completo dilatados en una persona de tez clara, la piel se torna caliente y rosada.

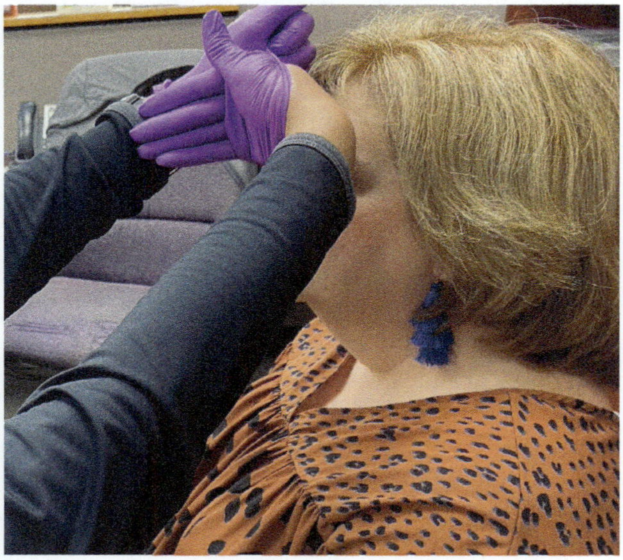

FIGURA 8-6 Valoración de color, temperatura y condición. Utilice el dorso de la mano para evaluar la temperatura y humedad de la piel.

Cortesía de Rhonda Hunt.

Cuando los vasos sanguíneos que irrigan la piel se constriñen o el gasto cardíaco desciende, la piel se torna más pálida o moteada y fría. Si el paciente no recibe suficiente oxígeno (p. ej., una sobredosis de narcótico puede causar una ventilación tan lenta como de 4 por min), la sangre se desaturará conforme la concentración de oxígeno desciende. La piel entonces cambiará a un color gris sucio o azuloso, circunstancia conocida como **cianosis**. En un paciente cuyo tono de piel basal es oscuro, la mala circulación se manifestará por un tono de la piel azulado o de aspecto moteado. Ocurre **palidez**, si el flujo de sangre arterial cesa en una parte del cuerpo (p. ej., debido a un coágulo sanguíneo o hemorragia masiva). La hipotermia también causa palidez conforme el cuerpo deriva sangre hacia su porción central y la aleja de las extremidades.

La temperatura cutánea aumenta conforme se dilatan los vasos sanguíneos periféricos; desciende si los vasos se constriñen. La fiebre y una temperatura ambiental alta suelen estimular la vasodilatación, en tanto el estado de shock origina vasoconstricción. La piel normal es moderadamente tibia y seca y no se siente "oleosa". La sequedad o humedad de la piel está determinada principalmente por el sistema nervioso simpático (SNS), cuya estimulación, como ocurre en el estado de shock o cualquier otro estrés o dolor intensos, produce sudoración intensa y excesiva (**diaforesis**). La depresión del SNC, como ocurre cuando se lesiona la columna torácica o lumbar, puede causar que la piel afectada se torne anormalmente seca y fría, **CUADRO 8-2**.

CUADRO 8-1 Inspección de la piel

Color	Posible causa
Rojo (con rubor)	Fiebre Hipertensión Quemaduras superficiales Reacción alérgica Ingestión de alcohol Intoxicación con monóxido de carbono (signo tardío)
Blanco (palidez)	Pérdida sanguínea excesiva Anafilaxia Hipoglucemia Ansiedad
Azulado (cianosis)	Hipoxemia, desaturación de oxígeno
Moteado	Afección cardiovascular (como en el estado de shock), coagulación intravascular diseminada
Con ictericia	Disfunción hepática

Poblaciones especiales

El tiempo de llenado capilar se incluye como parte de la evaluación de los niños en muchos programas de entrenamiento pediátrico, como recurso para evaluar su estado cardiovascular. Debido a la variabilidad en la perfusión periférica, el uso de esmalte de uñas y la higiene de las manos, muchos médicos y enfermeras perciben el llenado capilar en los adultos, como menos confiable respecto de la perfusión periférica que en los niños. El llenado capilar retrasado puede en realidad ser normal en algunos adultos. El llenado capilar se describe en el capítulo 40, *Emergencias pediátricas*.

CUADRO 8-2 Palpación de la piel

Afección de la piel	Posible causa
Caliente, seca	Calor corporal excesivo (shock térmico)
Caliente, húmeda	Reacción a una temperatura interna o externa aumentada
Tibia, seca	Fiebre
Fría, seca	Exposición al frío
Fría, húmeda	Estado de shock

Medicina basada en evidencia

En un estudio en 2015 se encontró que el tiempo de llenado capilar era de 2 segundos o menos cuando se medía en el dedo de niños sanos y lactantes mayores, pero puede extenderse hasta 4 segundos cuando se mide en el tórax o los pies. Los resultados del estudio revelaron que el tiempo de llenado capilar es una "señal de alarma" importante para identificar a los niños con enfermedad grave; esto es, el encontrar un tiempo de llenado capilar anormal aumenta la probabilidad de un resultado grave, incluidas la muerte y la deshidratación. Sin embargo, un tiempo de llenado capilar normal no hace menos probable un resultado grave. Por lo tanto, no debería usarse para descartar una enfermedad grave en los niños.[6]

Restablecimiento de la circulación

Si un paciente presenta circulación inadecuada, actúe de inmediato para restaurarla o mejorarla, yugule las hemorragias graves y mejore el aporte de oxígeno a los tejidos. Recuerde seguir las precauciones estándar, que también pueden especificar el uso de guantes, protección ocular y un dispositivo de barrera para la ventilación. La circulación alterada en forma prolongada es devastadora, porque priva de oxígeno a las células corporales, necesario para su funcionamiento normal.

La ausencia aparente de pulso palpable en un paciente que responde indica un gasto cardíaco bajo, no un paro cardíaco. Sin embargo, si no puede detectar el pulso en un paciente adulto que no responde, inicie de inmediato las compresiones del tórax y obtenga y aplique un desfibrilador (ya sea uno externo automático [DEA] o uno manual). Aunque los pacientes con paro cardíaco traumático probablemente requerirán soluciones intravenosas (IV) como tratamiento de la pérdida sanguínea, se requerirán ciertos medicamentos para el paro cardíaco. Identifique el ritmo cardíaco del paciente con un monitor/desfibrilador. La reanimación cardiopulmonar (RCP) y la detención de la hemorragia pretenden mantener la circulación. El aporte de oxígeno mejora por su administración complementaria. Los pacientes con alteración de la circulación deberían recibir oxígeno a flujo alto a través de una mascarilla de no reinhalación o ventilación asistida, para mejorar el aporte de oxígeno en el ámbito celular. Los procedimientos de RCP y desfibrilación se describen en el capítulo 15, *Emergencias cardiovasculares.*

Perlas de sabiduría

La investigación de operaciones militares mostró que casi todas las heridas de combate se presentan en las extremidades, y 7% de las muertes en el campo de batalla podría prevenirse con la aplicación apropiada de torniquetes.[7,8] Un motivo por el que las heridas suelen presentarse en las extremidades en el contexto del combate es que los soldados utilizan armadura corporal y cascos para proteger su cabeza y tórax. Además, tienen más probabilidad de encontrar ML difusos, como los dispositivos explosivos improvisados. La característica común de estas heridas de combate tiende a ser la de ML de penetración a alta velocidad. En el contexto civil un ML análogo es el de una herida por arma de fuego. La mayoría (58%) de las heridas por arma de fuego en los civiles ocurre en la cabeza o el tórax, y solo el 20% en las extremidades.[9] Por lo tanto, la supervivencia ante este ML es mucho menor en el contexto civil.

Recuerde que sólo unos cuantos trastornos médicos causan la muerte súbita: obstrucción de la vía aérea, paro respiratorio, paro cardíaco y hemorragia grave. A menudo (pero no siempre) estas afecciones son reversibles; sin embargo, para revertirlas, usted debe ser capaz de reconocerlas con rapidez y tomar medidas inmediatas para corregirlas. ¡Ese es el propósito de la evaluación primaria!

Evaluación del paciente en cuanto a discapacidad

Una vez que exploró la vía aérea del paciente, su ventilación y circulación y abordó cualquier circunstancia que ponga en riesgo la vida, realice una evaluación neurológica breve. Una exploración neurológica mínima incluye la escala AVDI, pupilas (p. ej., tamaño, igualdad, reactividad a la luz), una rápida evaluación de las deficiencias neurológicas, y la **escala de coma de Glasgow (ECG)**, que es la de uso más frecuente, el método confiable y consistente para valorar el estado mental y la función neurológica. Asigna el valor de un punto (calificación) a la abertura ocular, la respuesta verbal y la motora; que se suman para una calificación total, **CUADRO 8-3**. Si bien puede requerir un tiempo más prolongado para realizarse que la escala de AVDI, el cálculo de la ECG provee mucho discernimiento de la función neurológica total del paciente. Cuando usted registre y reporte sus hallazgos, asegúrese de incluir la calificación de cada categoría del ECG, no solo la acumulativa.

Para ilustrar cómo funciona el ECG, hagamos un recorrido por un ejemplo de escena. Usted encuentra un hombre de edad avanzada que le sigue con la mirada cuando usted ingresa al cuarto. Mientras habla con él nota que su respuesta verbal está desorientada, aunque sigue sus órdenes. Sus calificaciones de ECG serían 4, 4 y 6, para una puntuación total de 14. Por comparación, si abrió sus ojos solo ante el dolor, gime como única respuesta verbal y se retrajo ante el estímulo doloroso, recibiría una calificación de 2, 2 y 4, para una puntuación total de 8.

Por último, como parte de su breve evaluación neurológica, determine cualquier déficit neurológico grueso, solicite al paciente que mueva cuidadosamente todas las extremidades para localizar cualquier déficit motor. Evalúe bilateralmente la fortaleza o debilidad motoras pidiendo al paciente que mueva cada extremidad contra la resistencia de sus manos. Evalúe la fortaleza de sujeción con el puño pidiendo al paciente que comprima dos de sus dedos bilateral y simultáneamente, de manera que se haga evidente cualquier déficit neurológico unilateral. Valore rápidamente cualquier pérdida de sensibilidad mediante el tacto de las porciones distales de las extremidades con un objeto romo o afilado para precisar los defectos sensoriales gruesos.

Exponga y después cubra

Cuando hace la exploración física del paciente, realice inspección visual de cada zona para asegurarse de que es precisa y exhaustiva. Si bien no todo paciente necesita exponerse por completo para una evaluación

CUADRO 8-3 Escala de coma de Glasgow

Abertura ocular		Mejor respuesta verbal		Mejor respuesta motora	
Espontánea	4	Conversación orientada	5	Sigue las órdenes	6
Ante la orden verbal	3	Conversación desorientada	4	Localiza el dolor	5
Ante el dolor	2	Discurso sin sentido	3	Se retira ante el dolor	4
Sin respuesta	1	Ruidos incomprensibles	2	Flexión anormal	3
		Sin respuesta	1	Extensión anormal	2
				Sin respuesta	1

Calificaciones:

15: indica que no hay discapacidad neurológica

13-14: presencia de disfunción leve

9-12: disfunción moderada a grave

8 o menos: disfunción grave (la calificación más baja posible es de 3)

apropiada, es importante tener en mente que no puede valorar lo que no ve. Por lo tanto, es indispensable la exposición adecuada de cada zona de la que se hace exploración física. Cuando termine la exploración, cubra al paciente en respeto a su privacidad, pudor y para mantener su calor corporal.

Perlas de sabiduría

Cuando un paciente es de alta prioridad y no hay tiempo para una evaluación secundaria completa en la escena, haga un recorrido rápido de todo el cuerpo (a veces llamado barrido corporal rápido) antes de aplicar un collar. Este barrido se describe en la sección de Evaluación secundaria más adelante en este capítulo.

Tome una decisión de transporte

Como se señaló antes, en etapas tempranas del proceso de evaluación, identifique a los pacientes prioritarios que se beneficiarán de un tiempo limitado en la escena y un transporte rápido. Por lo general, se considera que los pacientes prioritarios se encuentran en una condición potencialmente inestable o inestable y necesitan atención definitiva que no puede proveerse en el campo.

Los pacientes en condición estable en general no se consideran de alta prioridad y si bien lesionados o afectados, no necesariamente están en estado crítico (inestables) y por lo tanto no requieren transporte rápido.

En el traslado de los pacientes al hospital, la seguridad debería ser siempre de máxima importancia. Con un paciente prioritario, transpórtelo rápido y haga sólo lo absolutamente necesario en la escena y maneje todo lo demás en camino (p. ej., historia clínica apropiada del paciente, evaluación secundaria y reevaluación). La siguiente es una lista de pacientes prioritarios:

- **Pacientes que reciben RCP, en paro respiratorio o que reciben soporte vital ventilatorio/circulatorio.**
- **Con una mala impresión general.** El paciente está en obvias dificultades y no tiene buen aspecto.
- **Sin respuesta.** La ausencia de respuesta nunca es un buen signo y por lo general suele indicar un paciente en estado grave o crítico que tal vez no pueda proteger su vía aérea.
- **Con respuesta pero que no puede seguir órdenes o no las cumple.** Las alteraciones mentales son otro mal signo; la pregunta que usted debe responder es exactamente qué tan mala es la condición del paciente, en especial si hay una posible lesión traumática del encéfalo.
- **Dificultad ventilatoria.** Es una de las más frecuentes manifestaciones principales de la atención prehospitalaria. Estos pacientes se encuentran en problemas, y quienes lo hacen muy laboriosamente están en un problema mucho mayor.
- **Hipoxia que no se corrige con rapidez** (en 1 a 2 minutos de intervención en el campo).
- **Hipoperfusión o shock.** Sin duda, la hipoperfusión o el estado de shock son signos obvios de que un paciente se encuentra en alto riesgo. Un pulso periférico débil o ausente, la taquicardia sostenida, y una piel más pálida que la basal, fría y húmeda señalan a un paciente muy grave.
- **Parto complicado.** Si cualquier parte del neonato, que no sea su cabeza (un hombro o un

SEGURIDAD

En un informe de la *National Academies of Sciences*, denominado *Crossing the Quality Chasm: A New Health System for the 21st Century* (Cruzar la brecha de calidad: un nuevo sistema sanitario para el siglo XXI), se identificaron las seis vertientes de calidad que debe abarcar la atención sanitaria.[10,11]

- **Seguridad.** Evitar lesiones a los pacientes por causa de cuidados destinados a ayudarles.
- **Puntualidad.** Reducir las esperas y los retrasos, a veces lesivos para ambos, quienes reciben atención y quienes la brindan.
- **Eficacia.** Proveer servicios con base en el conocimiento científico a todos los que podrían beneficiarse, y abstenerse de prestarlos a quienes no tengan probabilidad de beneficio.
- **Eficiencia.** Evitar el despilfarro, incluidos el de equipo, provisiones, ideas y energía.
- **Equidad.** Prestar una atención que no varíe en calidad en función de características personales (p. ej., sexo, grupo étnico, ubicación geográfica y estado socioeconómico).
- **Centrado en el paciente.** Proveer atención que respete y responda a las preferencias, necesidad y valores individuales del paciente, y garantizar que estos últimos guíen todas las decisiones clínicas.

pie, por ejemplo) se presenta en el conducto del parto, es poco probable que la situación se pueda tratar exitosamente en el campo de su ejercicio profesional.

- **Dolor de tórax con presión arterial sistólica menor de 100 mm Hg**. En especial en un contexto de taquicardia, este signo puede indicar un estado de shock o una afección cardíaca, y un paciente de alto riesgo en estado inestable.
- **Sospecha de infarto agudo de miocardio (IAM) con un electrocardiograma (EKG) que muestra IAMEST**. Este paciente debe tratarse con rapidez y llevarse al centro de cardiología más apropiado de la región, puesto que "tiempo es músculo".
- **Sospecha de accidente cerebrovascular**. Cuando se identifican los signos y síntomas de un accidente cerebrovascular, es importante determinar el último momento en que el paciente parecía "normal" y transportarlo a un centro de atención para estos casos.
- **Hemorragia no controlable**. Ya sea interna o externa, tal forma de hemorragia es una amenaza grave para la vida.
- **Dolor intenso en cualquier sitio**. Cualquier persona con un dolor intenso, en especial el suficiente para despertarlo, debería considerarse un paciente prioritario.
- **Lesiones múltiples (incluidas quemaduras graves)**. En tanto que un paciente puede presentar lesiones menores múltiples que no son graves, varios problemas pequeños pueden añadirse hasta constituir uno grande.
- **Lesiones abdominales**. Considere cualquier signo o síntoma de lesión abdominal como grave e índice de paciente de alta prioridad en estado inestable.
- **Hipertensión grave**. Los pacientes pueden estar en una crisis hipertensiva o presentar un accidente cerebrovascular.
- **Incapacidad de movimiento** de cualquier parte del cuerpo.
- **Suceso aparentemente mortal (SAM).** Una crisis caracterizada por una combinación de apnea (central u obstructiva), cambio de color de la piel (cianótica, pálida, eritematosa o pletórica), cambio del tono muscular (por lo general disminuido) y ahogamiento o arcadas.

USTED es el Paramédico

PARTE 2

Usted solicita de inmediato personal policiaco para la escena e informa al despachador de lo que observa. Utiliza el sistema de altoparlantes público (AP) para decir al paciente "si me escucha, salúdeme con su mano". El paciente hace gestos en dirección a usted. El personal policiaco llega con dos patrullas. Los oficiales se acercan al paciente, y después se dirigen a usted para que se acerque. El primer oficial le informa que el paciente ha sido apuñalado en el tórax. Su camisa está ensangrentada, pero no se observa ningún cuchillo u otro implemento que pudo haber sido usado como arma. El paciente lo mira, pero no dice nada cuando usted le pregunta qué pasó.

Tiempo de registro:	3 minutos
Aspecto	Alerta
Nivel de consciencia	"V"
Vía aérea	Abierta y permeable
Ventilación	Adecuada
Circulación	Adecuada
Discapacidad	Fuerza equivalente en las cuatro extremidades
Exposición	Una sola herida en el tórax; se aplica un lienzo

3. ¿Cuál es su impresión general de este paciente?
4. ¿Cuál es su siguiente paso en su evaluación?

Evaluación del paciente

Evaluación de la escena

↓

Evaluación primaria

↓

Historia clínica

Evolución de la afección actual (OPQRST)
Antecedentes médicos (SAMPLE)

↓

Evaluación secundaria

↓

Reevaluación

Inteligencia en la calle

Un buen proveedor de atención sanitaria puede obtener datos de las condiciones médicas actuales del paciente y sus antecedentes. La recopilación de datos no siempre es tan fácil como parece. Es indispensable su capacidad para comunicarse de forma amigable y compasiva. Usted debe determinar qué tan confiable es el paciente en cuanto a su capacidad para proporcionar antecedentes médicos precisos. Si por algún motivo el paciente no puede proporcionar un historial confiable, debe encontrar a un proveedor de atención o un transeúnte que puedan hablar sobre los aspectos médicos del paciente. Por ejemplo, es posible que un paciente involucrado en una colisión vehicular de alta velocidad tal vez no pueda proveer datos precisos por alteraciones en su estado mental secundarios a una lesión de la cabeza. De manera similar, un paciente bajo la influencia del alcohol u otras drogas tal vez no esté en un estado mental adecuado para proveer información confiable.

Historia clínica

Propósito

El propósito de una **historia clínica del paciente** (la principal manifestación, los síntomas actuales, y las afecciones previas) es obtener información acerca de él y de los sucesos circundantes al incidente. El objetivo de usted es conseguir antecedentes claros y precisos del paciente en cuanto al suceso inmediato y el historial médico anterior relevante (descrito con detalle más adelante en este capítulo), ubicar detalles que le ayuden a distinguir entre amenazas para la vida y las manifestaciones que no constituyen una emergencia. Cuando sea pertinente, los detalles ampliados acerca de los antecedentes del paciente pueden ayudarle a hacer más breve su diagnóstico diferencial.

Como regla general, las preguntas abiertas proveen más información, ya que permiten a los pacientes responder en sus propias palabras de diversas formas. Las preguntas cerradas, con respuesta "sí o no", aportan información valiosa pero pocos detalles. Evite hacer preguntas dirigidas, porque podrían deteriorar la vía de información del paciente y hacerla irrelevante. En ocasiones usted debe hacer preguntas muy directas, como ante un paciente deprimido: "¿ha tenido usted pensamientos sobre lesionarse o cometer suicidio?"

Asegúrese que las preguntas sean apropiadas para la edad e instrucción del paciente y tenga paciencia. Haga una pregunta y espere la respuesta. El apurar a su paciente casi garantiza que no obtenga la información que desea y necesita. Durante el proceso de evaluación, incluso puede encontrar tiempo para darle alguna instrucción, por ejemplo, "usted podría considerar el uso de una caja para las píldoras de la semana en un momento dado para ayudarle a cumplir con su medicación".

Inteligencia en la calle

El cómo usted aborde una entrevista puede lograr o destruir una relación terapéutica. Los pacientes deben saber que usted está interesado en su bienestar como un todo y no simplemente en su afección o lesión. Aprenda a escuchar con atención lo que dicen los pacientes, sin interrumpirlos y antes de iniciar la exploración física. La mayoría de las veces, la causa de los síntomas del paciente puede determinarse a partir de sus propias palabras, con la exploración física y las pruebas de diagnóstico que simplemente confirman la causa que se sospechaba o el diagnóstico diferencial. A menudo se dice "a los pacientes no les importa cuánto sabe usted hasta que saben cuánto se preocupa por ellos".

Información del paciente

Varios componentes constituyen en conjunto la historia clínica del paciente. En la mayoría de los llamados para rescate, las dos piezas más importantes que debe obtener son su nombre y la principal manifestación. Después de eso, puede obtener el resto de la información en el orden que sea más conveniente y que conduzca a una buena atención sanitaria.

Técnicas para obtener la historia clínica

Su aspecto y actitud

Cada vez que usted atiende a un paciente, debe primero establecer una relación profesional. En la mayoría de los casos, se trata de una relación a corto plazo, a menudo menor a 90 minutos, cuya duración es solo hasta que usted provee su reporte escrito y entrega al paciente al personal del departamento de emergencias (DE).

Aunque el tiempo es breve, usted deseará dejar una impresión positiva de la comunicación que establece con todos los involucrados. Cuando usted se encuentra por primera vez con los pacientes, ellos deben ver a un proveedor de atención de salud limpio. Mantenga buena higiene y arreglo personales y use vestimenta limpia y sin arrugas, **FIGURA 8-7**. Sus pacientes probablemente se formarán una primera impresión buena, si usted se ve profesional. En caso contrario, puede ser que sus pacientes tengan dificultad para confiar en que reciben una atención competente. Recuerde, esta percepción está en los ojos del paciente, no en los ojos del proveedor de atención. En muchas comunidades, la mayoría de los pacientes son adultos mayores, quienes podrían tener puntos de vista más tradicionales que usted. Un aspecto importante de la atención es ganar la confianza de sus pacientes.

Junto con su aspecto, esté pendiente de su actitud, que está a la vista en cada llamado de rescate. Si usted no está feliz, puede ser que se muestre triste. Recuerde que su expresión facial y el lenguaje corporal envían mensajes poderosos. Si usted ha llegado a creer que las llamadas al 9-1-1 deben cumplir con *sus* expectativas, *se equivoca.* Si los pacientes piensan que un problema es lo suficiente grave como para ameritar una llamada al 9-1-1, usted tiene la obligación de tratarlos y atender sus reclamos como corresponde, de manera profesional y con lo mejor de su capacidad.

FIGURA 8-7 Su aspecto debería ser profesional y su actitud positiva y amistosa.

Cortesía de Rhonda Hunt.

Inteligencia en la calle

Recuerde, si usted está usando EPP, que incluye una mascarilla, los pacientes y otros en la escena ¡no pueden percibir su sonrisa! Otros índices, como la selección de palabras, las inflexiones vocales y el lenguaje corporal son necesarias para expresar sus buenas intenciones.

Tomar nota

Conforme comience a obtener información, deje saber al paciente que le hará varias preguntas y que mientras responde, usted o su compañero tomarán nota. Esto comunica al paciente que no está siendo ignorado y que la información provista es lo suficientemente importante para registrarla, **FIGURA 8-8**

Con este abordaje, recuerde hacer contacto visual con el paciente. Muy a menudo, el personal del SEM recita una lista de preguntas a sus pacientes para llenar todos los espacios en blanco de un reporte de atención al paciente, ¡No esconda su nariz en una tableta de cómputo o en una carpeta o portapapeles! De ser posible, ubíquese al nivel de los ojos del paciente, mantenga buen contacto visual y preste atención.

Técnicas de comunicación

Presentarse y abordar al paciente Preséntese a su paciente y comuníquele que usted es un paramédico, y diga el nombre de su servicio. Presente también a su compañero. A continuación, pregunte el nombre al paciente y pregunte cómo le gustaría que se le llame. Es preferible pecar de formalidad, utilizando los pronombres señor, señora o señorita. Hay un mundo de diferencia entre decir Sr. John Markham (formal), John (más casual), o Johnnie (muy informal). Su paciente dirá, "dígame, Johnnie", si es lo que prefiere. Es profesional abordar a los pacientes por el nombre que prefieren, pero hasta que usted sepa cuál es el preferido, es respetuoso asumir la formalidad y le ayudará a establecer mayor confianza que siendo demasiado familiar.

FIGURA 8-8 Usted puede tomar notas en una tarjeta de evaluación o directamente en su tableta de cómputo durante el interrogatorio del paciente.

Inteligencia en la calle

Asegúrese de usar el nombre o pronombre (señor, señora, caballero, dama) que el paciente prefiera, o aún mejor, simplemente llámelo por su nombre una vez que se presente. Toda persona que usted atiende merece ser tratada con respeto y compasión.

Evite sobrenombres impersonales como "compañero", "colega", "buen chico", "jefe", "tío", "amigo", "cariño", "dulce", "guapa" o "querida". Puede entorpecer el proceso de obtención de la historia clínica de un paciente con esa actitud y al tratarle de manera no profesional. El uso de sobrenombres informales puede también ser problemático cuando hay diferencias culturales. Ciertas denominaciones tienen connotaciones negativas en algunas culturas. Familiarícese con los grupos culturales en su región de servicio y con aspectos que podrían conducir a malentendidos. Es útil para los paramédicos desarrollar "**inteligencia cultural**": la capacidad de actuar eficazmente en distintos contextos culturales, al interactuar con personas de todas las nacionalidades y llevarse bien con aquellos de todas las diferencias étnicas, políticas o incluso generacionales.

Interrogantes acerca de los sentimientos Preguntar respecto de los sentimientos de un paciente es una de las conversaciones más difíciles que enfrentará como paramédico. Pero como parte de obtener un buen interrogatorio de salud, pregúntele si está cansado, deprimido o tiene cualquier cantidad de sentimientos que sean más fáciles de abordar con la negación.

Evite cualquier estímulo visual, sonido u olor desagradables que puedan alterar al paciente que tiene malestar. Usted también puede validar los sentimientos del paciente: "está usted en una situación difícil". Ese tipo de respuesta corresponde a la empatía en

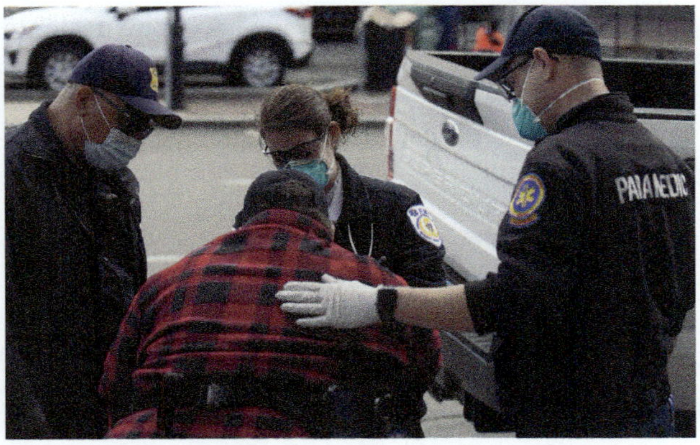

FIGURA 8-9 Sea tan empático como sea posible, si un paciente le da información triste o trágica.

acción. Haga lo mejor posible para asistir continuamente las necesidades psicológicas del paciente durante su intervención. Es una parte de su labor, que constituye un reto, pero esas necesidades pueden afectar profundamente la salud física de una persona.

Comunicación empática. La empatía es una cualidad subyacente a la atención compasiva. A menudo se describe como un paso más adelante que la simpatía. Se trata de un regalo psicológico que le permite a usted sentir lo que el paciente siente; es la capacidad de ponerse en sus zapatos. A veces, mientras usted hace la historia clínica, recibirá información triste o incluso trágica. No dude en comunicar sus sentimientos y abordar el efecto emocional de lo que usted escuchó, **FIGURA 8-9**. La empatía le puede ayudar a ubicar al paciente en el camino a la curación, sin importar el diagnóstico.

Mientras sea empático con su interrogatorio, es importante mantener la eficacia. No pregunte, "¿está usted bien?" ¡Esta es la más tentadora de todas las preguntas para contestar un sí o no! En su lugar, pregunte primero los hechos y después haga el seguimiento. Cuando se les pregunta, por ejemplo, la mayoría de las personas negarían sentirse exhaustos, cansados, asustados o deprimidos. Después de todo, el paciente le conoce desde hace solo unos minutos. Determine que usted es un profesional de atención sanitaria, al hacer una serie de preguntas "seguras" en cuanto a la salud física antes de hacerlo respecto de afecciones de salud mental.

Ofrecimiento de consuelo Con una actitud positiva también llega la tentación de consolar a sus pacientes, a veces de manera inapropiada. Tenga cuidado acerca de lo que les dice, de manera que no haga promesas que no puede cumplir.

Por ejemplo, usted podría sentirse tentado a asegurarle a un trabajador de la industria metalúrgica que se enganchó con su anillo de boda a una pieza de metal, en el sentido de que solo se necesitarán unas cuantas puntadas para el tratamiento. En realidad, muchos cortes circunferenciales de los dedos pueden culminar en una amputación. Imagine la angustia que causará a su paciente cuando llegue al departamento de emergencias y reciba una noticia que no es tan positiva.

Además, si su confortación es inapropiada, el paciente puede optar por no compartir tanta información como podría haberlo hecho en otras circunstancias, lo que le deja con menos información y no con más.

A veces, es apropiado ofrecer algún consuelo. Cuando se presenta un suceso inesperado, puede avasallar emocionalmente a las personas. Los pacientes y los miembros de su familia junto con amigos y vecinos pueden encontrarse de súbito bajo niveles extremos de estrés, como resultado de una situación de emergencia. Tal como algunas personas reaccionan con ira y hostilidad ante una situación estresante, otras lloran cuando son vencidas por la tristeza, la felicidad, el temor o la ansiedad. La paciencia y algo de palabras de alivio, como "estamos aquí para atenderle", tienen alcances prolongados.

Por fortuna, la presencia de los SEM en la escena a menudo ejerce un efecto calmante. A lo largo de su carrera se sorprenderá de la frecuencia con la que escuchará a alguien decir "¡gracias a Dios que los paramédicos están aquí!", en el momento que cruza la

Inteligencia en la calle

La atención compasiva demuestra la conciencia del sufrimiento del paciente y su deseo de aliviarlo. Una declaración compasiva, como "puedo ver cómo este dolor de tórax le preocupa en cuanto a presentar un ataque cardíaco", muestra al paciente que usted se identifica con él como otro ser humano. Tal comprensión mutua permite al paciente sentirse cómodo al revelarle información y a menudo ayuda a mejorar su satisfacción con el encuentro. No obstante, recuerde que los pacientes pueden a veces interpretar mal las declaraciones empáticas, como gestos no sinceros de consuelo. La empatía genuina puede constituir un reto para expresarla, a menos que usted personalmente haya experimentado lo que el paciente enfrenta. El proveer respuestas compasivas a las preocupaciones del paciente es un arte que solo puede aprenderse con el tiempo, la observación y la práctica.

puerta. En conjunto, su actitud en calma y abordaje paciente, el tacto apropiado, como colocar una mano sobre el hombro y un tono de voz tranquilo, "estoy al mando ahora", ayudarán a que la persona deje de llorar y le permitirá comenzar su evaluación y atención.

Lectura de claves no verbales Manténgase alerta en cuanto a signos no verbales de malestar. El dolor, el estrés psicológico y el temor a menudo se muestran en movimientos corporales y expresiones faciales. A medida que usted trabaje en el campo como estudiante, aprenderá a leer muchas claves no verbales de los pacientes. Los paramédicos con los que labora le ayudarán a descifrarlas, así como los proveedores de atención experimentados en el DE y el hospital.

Uno de los elementos más críticos del proceso de entrevista es el ser un *gran escucha,* y una gran parte de serlo es *escuchar al paciente.* Por muchos motivos, podría tener una respuesta lenta. No deje que un periodo de silencio le genere ansiedad. Tal vez la persona no escuchó su pregunta, no le comprendió, tiene miedo de responder, trata de recordar detalles distantes con relación a la pregunta que usted hizo, o intenta decidir si confía en usted lo suficiente para contestar de manera veraz, o no. Pregunte y después espere. Dé tiempo a los pacientes para pensar antes de que respondan; de otra manera, pueden guardar silencio si usted muestra una falta de sensibilidad. Si no puede determinar la causa del silencio de un paciente, considere si sus formas pueden ser la causa y ajuste su abordaje.

Durante el proceso de evaluación, busque la comunicación no verbal, como los cambios de la expresión facial, pesados suspiros o gestos agresivos (p. ej., señalar con el dedo, puño), cualquiera que pueda afectar su procesamiento de la información.

Cuando usted se comunica con los pacientes, sea ecuánime y confidente, con una actitud positiva. Tenga en mente que cualquier información que no obtenga podría ser la que necesita para tratar al paciente.

Diálogo alentador Usted tomará decisiones de atención del paciente con base en las respuestas a las preguntas, combinadas con datos de su diagnóstico. Ciertos abordajes y técnicas de conversación que pueden mejorar el volumen y la calidad de la información que obtenga durante la entrevista con el paciente, se resumen en el **CUADRO 8-4** y se describen más ampliamente en el capítulo 3, *Comunicaciones.*

Evitar la terminología médica Recuerde hablar en términos legos, no en el lenguaje médico. Los pacientes sin antecedentes en medicina generalmente utilizan denominaciones no médicas para responder a sus preguntas de evaluación. No trate de impresionarlo con la terminología médica. Las frases simples son mucho más fáciles de comprender para los pacientes, en especial aquellos con retos del desarrollo y cuyo idioma principal es diferente del suyo. Por un lado, preguntar al paciente "¿piensa que está teniendo un ataque de angina inestable?", puede darle a usted poco más que una mirada en blanco. Por otro lado, preguntarle, "¿tiene usted dolor de pecho?" puede proporcionarle la información que necesita para proceder con la atención del paciente.

Nivele su terminología con el conocimiento y la comprensión del paciente. En tanto un paciente que sea personal de enfermería de un DE o un cirujano retirado comprenden la terminología médica, un paciente que habla poco el idioma local tal vez requiera una comunicación dirigida y directa.

Documentación y comunicación

Conforme avance en su evaluación use preguntas abiertas siempre que pueda. De ser posible, evite aquellas que se pueden contestar con solo "sí o no", pero haga al paciente una pregunta cerrada si así lo requiere la situación. Evite las preguntas capciosas, las que son formuladas de tal manera que sugieran la opinión de usted, en lugar de alentar al paciente para emitir su respuesta con base en sus propias observaciones. Son ejemplos de preguntas dirigidas: "cree usted que se trata de una emergencia cardíaca?" o "¿el dolor en su tórax es un dolor sordo? ¿Se irradia detrás del esternón y hacia la mandíbula?" Usted no desea poner palabras en boca de los pacientes o ideas en sus cabezas. Ofrézcales opciones de respuesta para elegir o simplemente pídales describir con sus propias palabras cómo se sienten. Muchos pacientes, en particular los adultos mayores, desean cooperar y darán la respuesta que crean que quien los entrevista quiere oír. El hacer preguntas dirigidas puede llevar a un diagnóstico erróneo y obstaculizar la atención del paciente.

Abordaje de tópicos sensibles

La **historia social** no suele recogerse en el ámbito prehospitalario. Sin embargo, provee información valiosa acerca del estado de la salud general del paciente y ayuda a identificar los factores de riesgo de diversos procesos patológicos. Son ejemplos de componentes de la historia social el consumo de tabaco, de alcohol y drogas, el comportamiento sexual, la dieta, el historial de viajes, el entorno de la vivienda y la ocupación.

CUADRO 8-4 Técnicas de comunicación

Técnica	Significado	Ejemplos
Facilitación	Aliente a su paciente a sentirse abierto para darle cualquier información que necesite.	Preste atención. Haga contacto visual. Repita la información clave de las respuestas del paciente. Asienta con la cabeza. Use frases como: "Eso es útil". "¿Algo más que se le ocurra?" "Por favor continúe".
Reflexión	Haga una pausa para considerar algo significativo que su paciente le expresó.	Paciente: "No podía mantener mi respiración". Usted: "Eso es muy útil. Espere un segundo, y déjeme pensar al respecto por un momento".
Aclaración	Pregunte acerca de más información cuando algún aspecto de la historia clínica del paciente sea confuso o poco claro para usted.	Usted: "¿Qué pasa hoy Sra. Hendrickson?" Paciente: "Oh, no sé, solo estoy... bueno, simplemente no me siento como yo misma". Usted: "Lo siento. ¿podría tratar de ser un poco más específica? Si puede darme algunos detalles me ayudará a tener una idea de qué sucede hoy con usted". Paciente: "Siempre estoy llena de energía al levantarme por la mañana, pero me siento tan débil ahora que no podría sacar a pasear a mi perra Princess".
Confrontación	Haga saber a su paciente que percibe una inconsistencia entre su conducta (o la información que le está dando) y la escena real o su exploración/datos de diagnóstico.	Use un abordaje directo. Por ejemplo, con un paciente que tiene depresión crónica, pregunte si está pensando en un suicidio y en tal caso, si tiene un plan. Manténgase profesional y no enjuiciante, pero directo.
Interpretación	Infiera la causa del malestar del paciente y después pregúntele si está usted en lo correcto.	Mantenga un abordaje diplomático. Use la frase: "entonces, si le entiendo bien..."

Obtención del antecedente de uso erróneo de alcohol y drogas De acuerdo con la *National Highway and Traffic Safety Administration* (NHTSA) de EU, en 2016 ocurrieron 10 497 muertes en colisiones de vehículos motores en el tráfico que involucraron a un conductor con un contenido conocido de alcohol en sangre (CAS) de 0.08 g/dl o más alto,[12] cifra que representa 28% del total de decesos en el tráfico para ese año en Estados Unidos.

El alcohol puede enmascarar cualquier número de signos y síntomas, incluido el dolor. Cuando un paciente que experimentó un suceso traumático significativo niega dolor de cuello y dorso, y usted percibe lo que considera olor a alcohol en su ventilación, o si su conducta le hace sospechar del uso de esta sustancia o de drogas, haga una estabilización manual del cuello.

El paciente puede ofrecer una historia no confiable de dolor, consumo de alcohol o uso de drogas. Las personas que usan drogas o alcohol de manera sistemática suelen manifestar como menor la cantidad si se les pregunta cuánto consumieron. Los paramédicos experimentados cuentan que una respuesta frecuente a la pregunta sobre cuántos tragos ha tomado una persona es "un par", incluso cuando su conducta y los signos físicos indican que ha ingerido mucho más. Las personas que de manera regular usan drogas o alcohol se vuelven expertas en ocultar los signos y síntomas a sus amigos, familiares y socios laborales, y a negar que hay un problema. Tal negación puede continuar durante años.

Con la intoxicación también viene un decremento de la paciencia; conforme el paciente trata de explicarle las cosas, su hostilidad o ira pueden aumentar mucho más rápido que si no estuviese intoxicado. Una escena común de este tipo de conducta se presenta en CVM menor, cuando el conductor intoxicado desea regresar a su vehículo y continuar conduciendo. Su conducta puede tornarse explosiva. En tales casos, no agrave el estado del paciente. Su capacidad de ser tolerante y diplomático es fundamental en tales situaciones peligrosas. El tratar con personas intoxicadas puede ser frustrante para usted e interponerse en el camino de sus mejores esfuerzos por asistir a la salud de sus pacientes; sin embargo, manténgase objetivo y no enjuiciante. Recuerde, usted está ahí para ayudar.

El alcohol es una droga legal y en muchos estados de Estados Unidos, la mariguana también. Si un paciente está usando otras sustancias para "estimularse", cualquiera de ellas o la forma en que se usan (p. ej., inhalación de vapores de pintura) es ilegal con gran probabilidad. El temor por el castigo podría llevar a los pacientes a negar su uso. Haga saber al paciente que usted es un proveedor de atención médica, y cualquier cosa que le exprese se mantendrá confidencial hasta el grado en que la ley lo permita. Haga lo mejor por ganar la confianza de su paciente, porque necesita información precisa para proveer un tratamiento apropiado.

Mantenga su mejor actitud profesional al trabajar con los pacientes que sospecha usaron drogas o alcohol. Nunca los juzgue por su aspecto o conducta. Una persona desaliñada sin hogar podría estar en la necesidad desesperada de evaluación y atención inmediata por un traumatismo cefálico o hipoglucemia, más que por alcoholismo. Recuerde, ¡nadie llama al SEM para ser juzgado!

Perlas de sabiduría

Un paciente puede no ser capaz de proveer una historia adecuada por diversos motivos (p. ej., estado mental alterado [EMA], intoxicación). Quizás también la información que provee no sea confiable porque no recuerda, no confía en el proveedor o no está motivado para ayudarle. Juzgue la confiabilidad de su fuente de información al final de su evaluación, no al principio. Si usted determina la confiabilidad de la información al inicio, tal vez no escuche de manera adecuada la historia y puede pasar por alto información vital.

Obtener la historia sexual La historia social puede incluir información acerca de la conducta sexual. Hablar sobre la actividad sexual es un tema incómodo, inclusive para los paramédicos maduros. Tenga precaución y tacto cuando solicite esta información, pocos encuentros con pacientes requieren una historia sexual detallada. Sin embargo, para algunos es indispensable obtenerla. Por ejemplo, una mujer en el segundo decenio de la vida, con dolor del cuadrante inferior izquierdo del abdomen y un ciclo menstrual que no se presentó podría significar un embarazo ectópico, una emergencia que potencialmente pone en riesgo la vida. La historia sexual de esta paciente será un aspecto importante de su evaluación total. Entrevístela en un contexto tan privado como sea posible. Recuerde, los pacientes de todas las edades dudan en compartir información privada o embarazosa. Garantice que sus pacientes se sientan seguros con usted, de manera que le den la información que necesita.

Varios factores pueden influir en los pacientes para ser poco directos en cuanto a su historia sexual. Tener una educación religiosa, querer ajustarse a las costumbres culturales o sociales o participar en prácticas sexuales fuera de lo "considerado convencional" puede inhibir a un paciente de dar una historia sexual precisa. Usted puede requerir preguntar a los pacientes si alguna vez han sido objeto de pruebas del virus de la inmunodeficiencia humana (VIH), el síndrome de inmunodeficiencia adquirido (SIDA), o hepatitis, o en algunos casos, si presenta genitales masculinos o femeninos. No interponga opinión alguna o sesgo acerca de la presentación, el aspecto o la conducta. Las vidas de sus pacientes no son la suya, al igual que su vida no es la de sus pacientes. Hoy, más pacientes son más abiertos en cuanto a actividades transgénero.

Poblaciones especiales

Algunos preadolescentes pueden confundirse cuando se les pregunta en cuanto a sus actividades sexuales. Sea directo y evite usar preguntas como "¿es usted activo sexualmente?" Algunas personas jóvenes pueden pensar que "activo" significa "frecuente".

Violencia doméstica y asalto sexual o violación

Como paramédico, usted está obligado a informar un caso si tiene motivos para sospechar que se ha producido abuso físico o violencia doméstica. Aunque sería inapropiado acusar a alguien de abuso en la escena de los hechos, nunca dude en llamar al personal de policía si tiene motivos para sospechar que hubo malos tratos. La policía puede estabilizar la escena, proveer otro conjunto de experticias profesionales, y, de ser necesario, poner a alguien bajo custodia.

Perlas de sabiduría

Si de manera repentina usted se encuentra en una posición peligrosa y su compañero no está al tanto, use palabras acordadas en clave para alertarlo. Por ejemplo, un código discreto puede ser usar el nombre de algo que se encuentre en su vehículo de emergencia: "¿podrías traer la caja de fármacos?" Su compañero debería saber que este código significa que hay peligro y que debería conseguir personal policiaco.

Algunas pistas pueden llevarle a sospechar de violencia doméstica. En tales casos son frecuentes las lesiones que no concuerdan con la información que se brinda, así como lesiones múltiples en diversas etapas de cicatrización. El comportamiento de los familiares puede transmitir mensajes no hablados. Puede ser que usted se percate de la postura temerosa de una mujer en la mesa de la cocina mientras su marido u otra persona cercana se para junto a ella y responde las preguntas en su lugar. Si un miembro de la familia del paciente lesionado no le da información, sino que espera que alguien más lo haga, puede ser una pista de que está siendo reprimido. Usted podría sugerir a quien está haciendo toda la conversación que vaya a la ambulancia para ayudarle con la camilla. En el momento que se cierre la puerta, podría ser que reciba información valiosa como "mi marido me pega, estoy muerta de miedo. Sáqueme de aquí antes de que me mate a mí o a uno de nuestros hijos". Solicite *de inmediato* personal policiaco si ocurre algo parecido a esta situación.

Las escenas de emergencia que implican violencia doméstica son de las más peligrosas tanto para el personal de policía como para el del SEM. Ni siquiera piense en confrontarles sin la presencia policiaca.

En casos de ataque sexual o violación, maneje toda la ropa de acuerdo con el protocolo local, y guárdela en una bolsa junto con cualquier otra evidencia (use bolsas de papel, más que de plástico). El asalto sexual y la violación tienen efectos psicológicos devastadores. Sea comprensivo, afectuoso y no enjuiciante durante su atención. Lo ideal es que el proveedor del SEM sea del mismo sexo que la persona que fue atacada.

Manejo de la atracción física hacia los pacientes

No es raro que médicos y pacientes se sientan atraídos. Si bien estos sentimientos son normales, *nunca* es apropiado que un personal profesional actúe al respecto. Si un paciente se muestra seductor o hace insinuaciones sexuales, explíquele de manera gentil, pero firme, que su relación es profesional y no personal. Si esto ocurre, intente mantener a su compañero, un miembro de la policía o a un familiar en la habitación con usted en todo momento, para atestiguar cualquier suceso que se presente, ya que una persona de apoyo ayudará al paciente a reconocer que su conducta es inapropiada. Asegúrese de no cruzar la línea que separa la conducta personal de la profesional, y no permita que el paciente lo haga.

Garantizar la confidencialidad

Como paramédico, usted tiene la obligación de mantener la confidencialidad de la información del paciente. La *Health Insurance Portability and Accountability Act* (Ley de responsabilidad y rendición de cuentas del seguro médico) y leyes estatales de EU rigen la divulgación de la información sobre los pacientes. Conozca las leyes importantes. Además, muestre al paciente el respeto a la confidencialidad de su información médica para ayudar a establecer una buena relación y contribuir a una experiencia general favorable de la atención al paciente.

Protección de la privacidad del paciente

Entreviste a los pacientes en un contexto privado. La mayoría de las personas no quiere admitir que tiene malos hábitos, como fumar o consumir drogas o alcohol. Si un paciente parece reacio a revelar tal información, tal vez por temor a un proceso judicial, usted debe ser lo bastante persistente para obtenerla. No dude en pedir al personal no esencial que abandone la habitación, o al menos que se aleje, porque con frecuencia usted se encontrará formulando preguntas personales o íntimas a los pacientes para recibir la información necesaria.

Si el contexto hace que un paciente se sienta amenazado o incómodo, podría elegir no responder a sus preguntas, o hacerlo de manera imprecisa. Si necesita desplazarlo para obtener una historia clínica más clara, puede disponer de privacidad fácilmente en su consultorio (la ambulancia). Garantizar la privacidad, confidencialidad y comodidad del paciente contribuye en gran medida al establecimiento de una relación positiva con este y alentarle a tener una comunicación honesta y abierta.

Búsqueda de información de terceros

Es posible que algunos pacientes no puedan darle información, en ese caso tal vez tenga que recurrir a sus familiares y amigos. Es importante documentar las fuentes de tal información en su registro. Si bien usted requiere la información para ayudar al paciente, esté al tanto de que mientras más se aleje de la fuente primaria, mayor probabilidad habrá de que la información contenga imprecisiones. Como cuando se trabaja con intérpretes, la familia y los amigos a menudo funcionan como filtros de la información. Pueden ser capaces de describir la principal manifestación, la historia de la enfermedad presente, los antecedentes médicos y, tal vez, el estado de salud actual del paciente.

Perlas de sabiduría

Los medicamentos que reciben los pacientes, sus condiciones de vida y el nombre del médico que los atiende pueden a menudo aportar claves acerca de su historia médica. Por ejemplo, el uso de insulina significa que el paciente tiene diabetes, y la presencia de un tanque de oxígeno y un nebulizador en su casa tal vez denote una enfermedad pulmonar obstructiva crónica (EPOC). El nombre de un médico especialista, como un oncólogo o un psiquiatra, indica que el paciente es tratado por cáncer o una enfermedad mental, respectivamente.

Recuerde, usted no puede revelar a la familia información médica de sus pacientes, por lo que el hacer preguntas será difícil. Sin embargo, el obtenerla es crítico, por lo que se recomienda interactuar con las personas que puedan ayudarlo.

El personal de policía y los transeúntes pueden ser también valiosas fuentes de información. Nunca olvide que la mejor fuente de información es su paciente; las respuestas que proveen otros pueden ser menos precisas y, por lo tanto, menos útiles.

Si ya se encuentra en la escena algún personal médico de emergencias, indague qué información ya fue obtenida y los resultados de cualquier atención provista, como la de que se haya yugulado alguna hemorragia, o de la administración de oxígeno. Pregunte si se obtuvieron datos de los medicamentos del paciente (por prescripción, de venta libre [OTC] recreativos y suplementos). Busque tal información para ahorrar tiempo y evitar preguntar lo mismo otra vez.

Muchos pacientes día a día entran en contacto con los SEM para traslados sistemáticos de instalaciones de asistencia vital o de atención ampliada al hospital y de regreso. Tome unos momentos para revisar los papeles de traslado. Entérese de la historia médica del paciente, de manera que esté preparado para darle atención si su traslado sistemático planeado tuviera un giro inesperado.

Tenga en mente la importancia de evaluar las claves de información en cuanto a su confiabilidad. Si bien los expedientes médicos en el transporte de una instalación de atención sanitaria ampliada a otra deberían asumirse como razonablemente precisos, la confiabilidad de la documentación de los proveedores de atención individuales inevitablemente varía, usted es finalmente responsable de las decisiones de atención de un paciente, de modo que asegúrese de trabajar con base en información tan precisa como sea posible.

Competencia cultural

Para comunicarse con eficacia, usted debe esforzarse por comprender las diferencias intrínsecas entre todas las personas, pues solo así podrá reajustar sus esfuerzos para adaptarse y superar barreras culturales.

Inteligencia en la calle

Las barreras más frecuentes de la comunicación son las relacionadas con raza, identidad étnica, edad, sexo, lenguaje, instrucción, religión, geografía y estado económico. El conjunto de esas características puede denominarse "cultura". Sin embargo, *no* es lo mismo que etnicidad, aunque la cultura de una persona puede verse afectada por su identidad étnica.

Usted no puede tratar a sus pacientes con eficacia si su única referencia es su propia cultura. El personal del SEM no puede imponer su propia moralidad a los pacientes. Dedique tiempo para comprender otras culturas, en especial las prevalentes en su zona de servicio, un conocimiento indispensable que le ayudará a comunicarse eficazmente cuando trata pacientes con orígenes culturales diferentes al suyo.

La cultura tiene un efecto sobre nuestra sociedad moderna en muchas formas. Las creencias culturales pueden modificar muchas decisiones médicas y planes terapéuticos. Por ejemplo, en algunas culturas se cree que espíritus malignos pueden causar enfermedades. Cuando se trata a un paciente que cree que un espíritu maligno causó su enfermedad, no desestime tal creencia y temor. Sea compasivo. Su abordaje asegurará que se mantenga abierta la comunicación para conservar la continuidad de la atención.

Inteligencia en la calle

Hay una delgada línea entre la competencia cultural y los estereotipos. La conciencia cultural implica sensibilidad ante la posibilidad de que las creencias, valores y experiencias de otras personas difieran de las propias. Esta sensibilidad es un buen inicio para reconocer las diferencias entre uno mismo y otras personas; *no* es una suposición que tales diferencias existen. Las suposiciones son la base de los estereotipos, son conclusiones acerca de otras personas con base en información incompleta y superficial. Por un lado, la competencia cultural es un paso clave hacia una comprensión más amplia de su paciente, lo que le permitirá proveerle una atención más eficaz y compasiva; por otro lado, la creación de estereotipos es un atajo mental peligroso que puede llevarle a hacer suposiciones incorrectas sobre su paciente y, por lo tanto, proveerle una atención inadecuada.

Es importante señalar que los esfuerzos hacia la competencia cultural, como la formación intercultural, deben hacerse con cuidado y de manera que no se reafirmen inadvertidamente los estereotipos culturales.[13]

Las prácticas alimentarias y las relaciones familiares deben también considerarse durante la atención de los pacientes. Por ejemplo, en algunas culturas, las personas pueden comer ciertos alimentos que quizás no sean saludables, lo que las hace más susceptibles a la diabetes y las cardiopatías. Cuando tenga la oportunidad, hacer recomendaciones en cuanto a opciones de alimentación sanas puede mejorar la salud familiar completa.

En culturas que tienen un líder identificado en la casa, el cual toma la mayoría de las decisiones acerca de la alimentación y los cuidados médicos, es importante establecer una buena relación con él para ayudar a facilitar la atención de los pacientes.

Con respecto a la atención sanitaria, en ciertas culturas y religiones no se cree en la administración de vacunas, medicamentos para la prevención y el tratamiento de las enfermedades. Algunos de esos grupos rechazan la transfusión de productos sanguíneos, sin importar qué tan grave sea la condición. Por ese motivo, siempre obtenga su consentimiento antes de administrar cualquier medicamento a un paciente. Recuerde, mientras un adulto sea mentalmente competente, puede rechazar el tratamiento de cualquier tipo; sin embargo, cuando se trata de un niño, los padres no tienen el derecho de negar intervenciones que pueden salvar su vida con bases culturales o religiosas. Ante la duda, consulte a su supervisor médico.

El estado económico de una persona puede relacionarse con su salud física general. Aquellas con bajos ingresos cuentan con recursos financieros más escasos para mantener una buena salud. Usted debe proveer la mejor atención posible a todos los pacientes, independiente de sus ingresos o capacidad de pagar.

Se dispone de clases y seminarios que se centran en el manejo de las diferencias culturales. ¿Qué enseñan en realidad? En una palabra, respeto. Puede ser que usted no haga todo correctamente cuando se encuentra con una persona de otra cultura, pero sus esfuerzos de comunicación deben reflejar su respeto, esto da una impresión positiva. Recuerde que los modales son importantes. Use frases como "sí, señor", "no, señora", "gracias", "por favor", "desearía usted", "podría usted" y "puedo". Si en algún momento usted nota que el paciente parece sentirse avergonzado o incómodo, modifique su abordaje, para ayudar a mantener la dignidad del paciente.

Facilitación de la comunicación intercultural

El mundo es hogar de muchos grupos de personas que no hablan el idioma principal de los países donde viven. Pero cuando están enfermos, usted desea proveer la mejor atención posible a todos sus pacientes, **FIGURA 8-10**.

Documentación y comunicación

Algunos términos médicos y la jerga popular a menudo no se traducen bien, tales como "derivaciones de EKG", "barrido de TAC", "JAWS" y "heces".

La primera persona de quien debe buscar ayuda es de un intérprete: alguien que hable tanto su idioma como el del paciente. (Si en su servicio hay grandes grupos de personas que hablan un idioma que no es el de

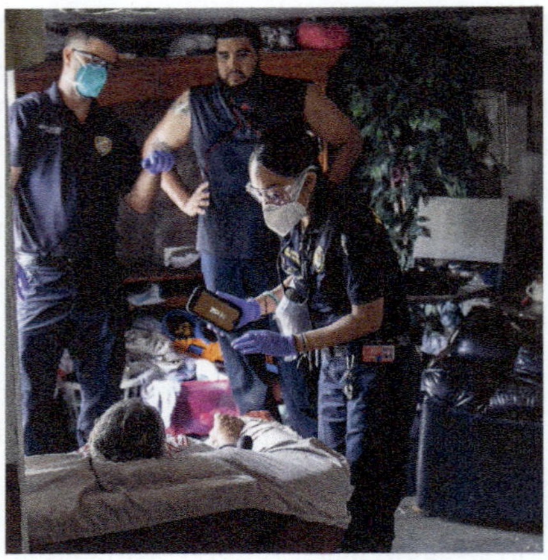

FIGURA 8-10 Usted trabajará con personas de otras culturas, lo que quizás requiera recurrir a un intérprete.

usted, es prudente aprender a solicitar un intérprete). Sin embargo, un intérprete conlleva riesgos inherentes, porque finalmente actúa como filtro. El cómo se formula una pregunta puede hacer un mundo de diferencia; por lo tanto, es mejor hacer preguntas cerradas para obtener respuestas cortas. Por ejemplo, usted puede preguntar, "¿Tiene problemas para respirar?" El intercambio en este tipo de preguntas no da una gran cantidad de información; sin embargo, si usted hace preguntas reflexivas y espera a que el paciente conteste, podrá obtener la información que necesita para proveerle atención. Finalmente, dedique un momento para recordar al intérprete que no debería compartir esta información privada acerca del paciente con nadie más.

A menudo, las únicas personas disponibles para traducir son los hijos del paciente, ya que los niños aprenden rápidamente en sus escuelas nuevos idiomas. Sin embargo, si usted puede encontrar alguien de mayor edad y no tan íntimamente asociado, sería una mejor opción para obtener una buena historia clínica. Mantenga sus preguntas tan directas como sea posible, y haga lo mejor para no espantar al niño. Su agencia del SEM puede utilizar la interpretación remota por videograbación, un servicio con un dispositivo electrónico, como una tableta de cómputo, para conectar rápido a los proveedores con un intérprete a través tanto de audio como de video, este último permite una mayor precisión para comunicarse con un individuo que no habla su mismo idioma y con pacientes con sordera o dificultad auditiva.[14]

Debe considerarse mantener la confidencialidad del paciente cuando se selecciona un intérprete apropiado. Por tal motivo, se prefiere recurrir a uno certificado con entrenamiento que comprenda la terminología médica, pero que también sepa sobre parámetros de confidencialidad, la cual se puede vulnerar cuando se elige a un miembro de la familia o a un transeúnte como intérprete. El paciente tal vez desee que cierta información médica no sea divulgada por un intérprete, por lo tanto, deberá hacerse todo intento por encontrar un intérprete médico calificado para asegurar que no se violen sus derechos. Desde un punto de vista realista, el encontrar un intérprete médico en el campo puede no ser práctico, pero debe considerarse.

No permita que unas pocas palabras entrecortadas suyas sustituyan los servicios de un intérprete. Además, no basta con simplemente hablar más alto durante su interrogatorio para superar la barrera del idioma.

Por último, recuerde que los modales, los ademanes y el lenguaje corporal tienen diferentes significados en culturas diversas. Desarrolle un estilo de comunicación sin gestos ni ademanes que puedan malinterpretarse o que tengan significados culturales específicos.

Retos especiales en la elaboración de la historia clínica

El trato con pacientes que hablan mucho o son reservados

Otro reto que usted posiblemente enfrente es el de pacientes que hablan demasiado o no lo suficiente. Tendrá que ayudar a algunos pacientes a filtrar la información que le dan. Por ejemplo, puede que deseen contarle todos los resfriados y situaciones que tuvieron. Algunas personas aprenden a hablar mucho sobre un tema para socializar, pero usted debe considerar qué motivos clínicos podría haber detrás de ese parloteo incesante. Podrían ser el motivo la recuperación de una situación de defensa o huida, el consumo de un café exprés triple hace 15 minutos, o el uso de una droga ilícita (p. ej., cocaína o metanfetaminas).

Cualquiera que sea la causa, el primer requerimiento en el tratamiento de un enfermo que habla mucho es, otra vez, ser paciente. Deje que dé rienda suelta durante varios minutos, pues entonces la mayoría hablará durante menos de 2 minutos y usted, por lo general, obtendrá la mayoría de la información valiosa que necesita. Trate de no interrumpirlo, a menos que sea necesario aclarar algo que dijo.

Si continúa hablando durante más tiempo, o si lo que está diciendo es simplemente incomprensible, trate de interrumpirlo para aclarar un fragmento de la información. Esto le permite resumir con rapidez lo que recién escuchó.

Otros pacientes ofrecerán muy poca información o lo tomarán de manera tan literal que pudiesen obstaculizar su evaluación. Por ejemplo, si usted pregunta a un paciente, "¿tiene usted algún problema cardíaco?", él podría decir "no". Sin embargo, cuando abre su camisa encuentra una cicatriz que transcurre por la mitad del tórax por una operación con el corazón abierto, replica, "pensé que dijo que no había tenido problemas cardíacos". El paciente contesta: "no tengo problemas cardíacos, los tuve hace unos años, pero arreglaron la válvula dañada". Ante los pacientes reservados es indispensable hacer preguntas abiertas, dado que su probabilidad de proveer información adicional es escasa.

Perlas de sabiduría

Una causa común de ansiedad es la hipoxia (cantidad baja de oxígeno en sangre). El paciente puede estar sudoroso e inquieto y agitarse fácilmente. La hipoxia a menudo se malinterpreta como ansiedad o pánico.

Tratamiento de pacientes con ansiedad

Aunque usted tal vez no lo crea, usted mismo puede ser la causa de que muchos de sus pacientes estén demasiado ansiosos. No importa qué tanto el público disfrute ver emergencias en la televisión, es atemorizante ver una ambulancia, camión de bomberos o un vehículo de la policía detenerse enfrente de su casa. Es de esperar que los pacientes estén algo ansiosos al inicio, pero se calmarán poco después de su arribo. Si no, considere otras posibilidades. Por ejemplo, la ansiedad importante es un signo temprano de shock fisiológico, que debe tratarse de inmediato. Otra posibilidad es que un paciente esté ocultando algo, como el abuso físico o el uso de drogas ilegales.

Conversación con los pacientes deprimidos

A diferencia de la mayoría de otros proveedores de atención sanitaria, los paramédicos ven a las personas cuando apenas ocurrió una enfermedad o un suceso traumático y como resultado, son de manera especial vulnerables y demandantes. Busque de la mejor forma desarrollar la empatía con todos sus pacientes.

Si un paciente no presenta una condición médica aparente, considere la posibilidad de que se encuentre deprimido y que tal vez requiera referirlo con un especialista por una afección mental. La depresión es un motivo frecuente para buscar atención médica. Por ejemplo, si un paciente parece triste, inquieto e irritable; tiene alteraciones del sueño o de la alimentación; expresa que tiene poca energía, o sufre dolor para el que no puede usted encontrar un origen, considere que pudiese estar deprimido.

Hay dos tipos básicos de depresión: situacional y crónica. La primera es una reacción normal ante un suceso estresante, como la pérdida del trabajo, el divorcio o la muerte de un ser amado. La depresión crónica es constante y no tiene causa obvia.

La mayoría de las personas con una depresión situacional pueden eventualmente aceptar lo que sucedió y empezar a continuar con su vida. Otros desarrollan la depresión crónica. Cualquier forma de la depresión puede llevar a una conducta peligrosa, que incluye el suicidio. Indague los sentimientos del paciente para valorar el riesgo de atentar contra su vida. Si admite que ha tenido pensamientos en cuanto a cegar su propia vida, siga su protocolo para asegurar que se establezca relación con un profesional de atención de la salud mental.

En capítulos previos se describieron formas de estar bien informado acerca de los diversos recursos que pueden ayudar a sus pacientes.

Abordaje seguro de la ira y la hostilidad

Con frecuencia, usted se encontrará como blanco de frustraciones de pacientes y miembros de la familia, que quizás se manifiesten con ira u hostilidad. Tales reacciones a realidades injustas y difíciles son normales; no las tome de manera personal; en su lugar, hágalo de manera profesional.

Poblaciones especiales

La mayoría de los pacientes tiene una edad mayor que los paramédicos que les atienden. Quizás se sientan amenazados por "jóvenes" extraños que les dicen qué es lo mejor para ellos. Escuche y respete a estos pacientes adultos mayores. Sin ofenderlos o volverse impaciente, explique lo que está haciendo y por qué. Los pacientes quizás no conozcan lo que es por su mejor interés, y una explicación en calma con cortesía podría facilitarles el proceso.

Una destreza importante de enfrentamiento es no mostrar ira usted mismo. Cuando la domina, puede trabajar la situación en calma. Esté atento a los cambios en el lenguaje corporal, como los ademanes amenazantes o el volumen creciente de la conversación o, todavía peor, el tener un diálogo acalorado que se convierte en un combate total a gritos. Cuando las personas están iracundas u hostiles, lo peor que se puede hacer es también tornarse así.

Establecer una escena segura es de primer orden para usted ante cualquier llamado de rescate. Si no puede calmar al paciente o a los miembros de la familia, es momento de solicitar personal de policía. Si alguien muestra hostilidad, quizás necesite decirle directamente que, si continúa gritando, usted no se sentirá lo suficiente seguro para proveerle atención y tendrá que recurrir a la asistencia policiaca antes de reanudar su actividad. Sin embargo, si el paciente o los miembros de su familia ya están iracundos, el decirles que la policía está en camino no los hará felices de repente. En el peor de los casos, usted puede tener que retirarse de la escena a la seguridad de su vehículo de emergencia y esperar el arribo del personal de policía.

Si una persona hostil súbitamente abandona el cuarto, en especial a la mitad de la conversación, usted o su compañero deberían considerar que se trata de una amenaza, ya que puede estar yendo por un arma y potencialmente regresar a dispararles a ustedes, y tal vez de nuevo al paciente. Si aún no llega la policía, lo mejor puede ser entonces retirarse a un lugar seguro hasta que esto ocurra.

Aclarar una historia confusa o una conducta inusual

Los paramédicos a veces encuentran que la historia proporcionada por el paciente en la escena es diferente de la que da al médico en el DE del hospital. En ocasiones, la información es tan diferente que parece como si se tratara por completo de otro paciente. Los pacientes pueden estar también atemorizados o sentirse incómodos de proveer información particular a un paramédico, pero aportan información vital a un médico por teléfono.

El cerebro humano es un órgano impresionante, pero puede funcionar erróneamente por muchos motivos. La conducta confusa a menudo se relaciona con una falta de glucosa u oxígeno, dos productos energéticos indispensables para la función cerebral, aunque no se pueden almacenar. Muchas otras probabilidades podrían contribuir a la conducta confusa de un paciente, como un ambiente tóxico, un accidente cerebrovascular (ictus), o un ataque isquémico transitorio (AIT). Además, considérese la posibilidad de una enfermedad mental o un delirio inducido por drogas. Además, causas orgánicas como la enfermedad de Alzheimer, otras formas de demencia o un tumor cerebral, pueden contribuir a las discrepancias.

Tratamiento de los pacientes con limitaciones sensoriales o del desarrollo

Limitaciones de instrucción o intelectuales *Evite* asumir que no podrá obtener una historia directamente del paciente. Algunos no sabrán mucho acerca del sistema de atención sanitaria o su vocabulario especializado, otros presentarán una limitación del desarrollo. Asuma que puede obtener al menos una historia meritoria de todos los pacientes y que es su trabajo seguir haciendo preguntas de manera diferente hasta obtener las respuestas que requiere.

Perlas de sabiduría

No asuma que es imposible hablar con un paciente hasta que lo haya intentado.

Con un abordaje diestro de pregunta y respuesta (y paciencia), usted a menudo puede obtener información adecuada de pacientes con instrucción o capacidad intelectual limitadas. Sin embargo, esté alerta respecto de omisiones o respuestas parciales a sus preguntas. Estos pacientes quizás no sepan o no puedan recordar la información que usted solicita. Respecto de aquellos con dificultades mentales graves, quizás requiera obtener información de miembros de la familia, amigos u otro proveedor de atención sanitaria.

Pérdida de la audición, visión deficiente o ceguera Otra limitación interesante se relaciona con la atención de pacientes con pérdida auditiva o visual. La primera puede variar desde una forma leve hasta la sordera total. En aquellos con solo una pérdida mínima, como los de edad avanzada, puede que lo necesario sea hablar lentamente y de manera un poco más fuerte. Para las personas con pérdida auditiva más grave, usted quizás desee dejarlas usar su estetoscopio mientras lo sostiene por su cápsula y les habla. Si lo hace, limpie las piezas óticas antes de ofrecérselas y ponérselas otra vez.

Perlas de sabiduría

Después de concluir un programa de paramédico, dos de las mejores inversiones en la educación continua que puede hacer para su futuro son aprender inglés para la conversación y el lenguaje de señas.

Muchos pacientes con diversos grados de disminución de la visión son autosuficientes y viven de manera independiente. Cuando se interactúa con un paciente ciego o deficiente visual, primero, y de importancia máxima, es presentarse y decirle su identidad y el motivo de su presencia. Si usted toma una silla para sentarse cerca al paciente con visión deficiente o ceguera, recuerde de ponerla exactamente en el lugar donde la encontró; lo mismo es válido si tiene que mover muebles para el acceso o la salida. Las personas con ceguera han dispuesto sus ambientes vitales en la forma que desean, de modo que puedan moverse alrededor con gran facilidad. Asegúrese de dejar las cosas en el lugar en donde usted las encontró.

Una vez que traslada al paciente a la ambulancia, este se encuentra en un ambiente extraño y requiere asistencia del personal del SEM para su transporte y una entrega ordenada al del DE. Informe en todo momento a la persona lo que usted está haciendo y la localización del vehículo de transporte (p. ej., "llegaremos al hospital en casi 10 minutos" o "estamos arribando al hospital, y le sacaremos de la ambulancia en silla de ruedas hacia el DE en un minuto más").

Abordaje de las consideraciones relacionadas con la edad

Pacientes pediátricos

La mayoría de los problemas pediátricos que se encuentran en el campo de la atención tiene relación con la ventilación o los líquidos corporales. Tan solo un día o dos de vómito o diarrea pueden poner en alto riesgo a un niño pequeño. En una escena de trauma, los pacientes pediátricos tienen más peso en la parte alta de su cuerpo, de modo que presentan más probabilidad de caer y golpearse la cabeza, en especial en los incidentes de vehículo contra peatón. En el capítulo 40, *Emergencias pediátricas*, se incluye una descripción completa de la evaluación pediátrica. El abordaje inicial de cualquier paciente pediátrico debería ser similar al de un adulto, con algunas escasas excepciones. Siempre inicie la evaluación de la escena; fórmese una impresión general; y valore, y trate las circunstancias que pongan en riesgo la vida y que afecten la vía aérea, la ventilación o la circulación. Sin embargo, hay diferencias en la interacción total que tendrá con el paciente pediátrico y sus padres.

La obtención de una **historia de la enfermedad actual**, que es un detalle narrativo de los síntomas que el paciente experimenta, puede ser complejo en la población pediátrica. Si bien debería hacerse todo esfuerzo por incluir al niño en el proceso de obtención de la historia clínica, la más precisa y completa provendrá de un padre o encargado de su cuidado. Por lo general, los padres conocen los hábitos, la actitud del niño y perciben cuando algo anda mal. Por lo tanto, escuche cuando uno muestra preocupación y le dice que su hijo no está actuando apropiadamente.

En muchas ocasiones los padres llaman a un SEM por temor acerca del bienestar de su hijo. Es vital que usted como proveedor de atención sanitaria comprenda sus temores y continúe investigando esas

USTED es el Paramédico

PARTE 3

Usted de inmediato determina que el paciente tiene potencial para un deterioro rápido. Su compañero saca la camilla de la ambulancia con la ayuda de un policía. Mientras tanto, usted determina que el enfermo presenta respuesta y está desorientado, corta su camisa y encuentra una herida penetrante de aproximadamente 2.5 cm en el hemitórax izquierdo, apenas debajo del centro de la clavícula. La herida ya dejó de sangrar. Usted aplica un apósito oclusivo triangular. El paciente ventila con rapidez y parece muy inquieto.

Tiempo de registro:	5 minutos
Ventilaciones	28 /min, poco profundas
Pulso	De 122 latidos/min, débil
Piel	Fría, más pálida que el color basal, pegajosa
Presión arterial	90/64 mm Hg
Saturación de oxígeno (SpO_2)	93% en aire ambiental
Pupilas	Pupilas iguales, redondas, reactivas a la luz (PIRRL)

5. Con base en su evaluación de ABCDE, ¿cuál es su prioridad principal en la atención de este paciente?

6. ¿Puede usted determinar la prioridad de transporte de este paciente en este momento?

preocupaciones con mayor detalle. Por ejemplo, una convulsión febril en un paciente pediátrico es un suceso bastante frecuente que enfrenta el personal del SEM y una situación relativamente benigna; sin embargo, puede ser uno emocionalmente traumático para un reciente progenitor. Los padres desean saber qué está mal con su hijo y, por lo general, buscarán fuentes de internet para las respuestas. El problema con tal abordaje es que deja mucho a la imaginación, y las fuentes en línea no siempre son creíbles. Por lo tanto, el padre de un niño que experimenta una convulsión febril probablemente no esté pensado solo acerca del suceso inmediato, sino que también se preocupa por las posibles causas de una convulsión (p. ej., hemorragia cerebral, tumor cerebral o cáncer), cuando en realidad puede tratarse de una afección benigna. Esté al tanto de estos temores y considérelos cuando asista a este u otros encargados legales de la custodia.

Mientras usted obtiene información de un padre o un cuidador, preste atención a la relación entre esta persona y el niño. Por lo general, cuando se encuentra enfermo, se cuelga del padre o del cuidador y se rehúsa a permitir que un paramédico lo explore o lo retire de sus brazos. Sin embargo, un niño que fácilmente le permite retirarlo del padre para su exploración, debería hacer surgir en usted la preocupación de que puede estar gravemente enfermo y también de la probabilidad de negligencia y/o abuso.

En neonatos y lactantes, es importante la historia de salud materna. Pregunte al respecto durante el embarazo; el tipo de atención prenatal recibido; el uso de medicamentos, hormonas y vitaminas, y el uso de alcohol y drogas ilícitas. También debería obtenerse la historia del parto: indague la duración del embarazo, el sitio del nacimiento, las condiciones del trabajo de parto y las complicaciones para el nacimiento, si fue parto por vía vaginal o por cesárea, el estado y el peso al nacer. Indague la historia gestacional de madre y cualquier otro embarazo o hijo, incluyendo los óbitos fetales y aquellos niños que fallecieron.

El primer mes que sigue al nacimiento, desde otros puntos de vista conocido como periodo neonatal, es una parte importante de la historia pediátrica. Deberían hacerse preguntas acerca de anomalías congénitas, problemas de alimentación, presencia de ictericia, datos de alguna enfermedad, y puntos de referencia del desarrollo.

Cerca de los 3 a 5 años, los niños pueden proveer un relato del problema actual. Una vez en edad escolar, el meollo del interrogatorio debería cambiar con base en ella. El preguntar acerca del desempeño escolar del niño ayuda a determinar si hay alguna deficiencia del desarrollo o discapacidad intelectual. También deberían dedicarse interrogantes a la dentición, el crecimiento, el desarrollo sexual, las enfermedades e inmunizaciones del niño.

Si se trata de un adolescente, céntrese más en él que en el padre cuando obtenga la historia. Los adolescentes luchan por su independencia y quieren estar a cargo de sus cuerpos. Obtenga la historia del adolescente para ayudar a establecer confianza y una buena afinidad. Como el tipo de interrogatorio de un adolescente se vuelve más privado, considere entrevistarlo en un sitio más privado, en presencia de su compañero. Dirija su atención a las conductas de riesgo, los aspectos de autoestima, la rebeldía, el uso de drogas y alcohol, y la actividad sexual. Algunos pacientes pueden rehusarse a platicar de estos temas con usted, por lo que es importante establecer la confianza y afinidad.

Además de buscar información acerca del adolescente, asegúrese de obtener una historia médica familiar y de viajes recientes precisa. En el capítulo 23, *Enfermedades infecciosas,* se encuentra más información sobre la importancia de la historia de viajes recientes.

Una revisión de los aparatos corporales debería también incluirse en la historia clínica pediátrica. Si bien se cubrirá cada uno de ellos, préstese atención especial a las **lesiones** cutáneas (zonas localizadas de la piel que no se parecen a la circundante); cualquier antecedente de otitis media (infección del oído interno); ronquido, ventilación bucal o alergias ambientales, y los problemas dentales.

Pacientes geriátricos

Los pacientes adultos mayores pueden constituir retos diferentes para los paramédicos. Esta población está aumentando y con frecuencia representa a los principales solicitantes del SEM, con una variedad de afecciones médicas y traumáticas que no se encuentra en otros grupos.

Con el envejecimiento a menudo ocurre deterioro sensorial, por lo que las quejas de dolor son menos frecuentes. La diabetes añadirá problemas de neuropatía periférica, lo que disminuye aún más la percepción del dolor, así como la vista y enfermedades renales. Los problemas de equilibrio aumentan la probabilidad de caídas. Muchos pacientes adultos mayores utilizan anticoagulantes como parte de su esquema terapéutico para la fibrilación auricular. En ellos una caída menor puede ser fatal si la sangre no puede coagularse en una forma oportuna. Incluso si lo hace, una caída puede ser letal para un adulto mayor, según se demuestra en los datos (véase capítulo 41, *Emergencias geriátricas*).

Un adulto mayor puede tener dificultad para verle u oír sus preguntas durante su evaluación. Si utiliza anteojos o un auxiliar para audición, asegúrese que estén disponibles durante la entrevista. Usted puede requerir hablar más lento y en voz alta cuando trata a estos pacientes; sin embargo, no dé por hecho que tienen dificultad auditiva. Además, puede ser útil ver de frente al paciente cuando se hacen las preguntas, en caso de que sepa leer los labios para ayudar a la comunicación, lo que puede hacer es pedirle que se retire su mascarilla para hablar con él. El ajustarse a estas pérdidas sensoriales puede mejorar la cantidad y calidad de la información obtenida durante la evaluación del paciente.

Perlas de sabiduría

Cualquier paciente que tome cinco o más fármacos probablemente presente alguna forma de su interacción.

Cumplir con la medicación es un reto para cualquier paciente, pero mucho más para los adultos mayores. Tienden a presentar muchas afecciones médicas crónicas que pueden complicar el proceso de elaboración de la historia clínica. Las múltiples manifestaciones principales pueden dificultar distinguir entre aquellas que son agudas y crónicas. Por ejemplo, suponga que un hombre de 68 años le expresa, "en realidad estoy débil, y siento como si tuviera mariposas en mi tórax". Primero, determine si estos síntomas están relacionados, y si piensa que así es, debe identificar el origen del problema para dar una atención apropiada. En este caso usted tal vez desearía preguntar, "¿ha tenido este problema antes?" para ver si el paciente presentó esas manifestaciones de taquicardia y debilidad con anterioridad.

Usted también requiere priorizar las manifestaciones múltiples. Por ejemplo, suponga que el paciente se queja de mareo y dolor en el tobillo izquierdo. Usted pudiera hacerle preguntas y determinar adicionalmente que ambas manifestaciones no tienen relación. Decida cuál constituye su prioridad.

Además, los adultos mayores a menudo toman muchos medicamentos de prescripción y de venta libre (OTC), que podrían contribuir a sus diversas manifestaciones, fenómeno denominado *polifarmacia*, u originar afecciones **iatrogénicas**, que son las lesiones causadas por medicamentos u otros tratamientos médicos y pueden enmascarar padecimientos diferentes, que podrían requerir una atención médica inmediata.

Las sobredosis accidentales y las reacciones adversas de los medicamentos son aspectos frecuentes en los adultos mayores. Obtenga una historia adecuada de la medicación, con las dosis actuales para ayudar a otros proveedores de atención sanitaria a continuar con la atención del paciente.

Los síntomas de enfermedad pueden ser menos notorios en un adulto mayor. Conforme el cuerpo envejece, las respuestas a las afecciones, como el estado de shock y el dolor, a menudo se entorpecen, lo que puede complicar el proceso de evaluación dado que no siempre muestran una respuesta "de manual" ante un padecimiento. Sus síntomas pueden ser vagos e inespecíficos, en especial en las mujeres en la posmenopausia con IAM. Mantenga un elevado índice clínico de sospecha cuando trate a adultos mayores, y siempre considere el escenario del peor de los casos.

Tenga en mente incluir una evaluación funcional durante la revisión de aparatos y sistemas corporales en los adultos mayores con aparente discapacidad, que suele incluir la de la movilidad en casa y en la comunidad, la función y las limitaciones de las extremidades superiores y las de las actividades de la vida diaria. Además, los médicos por lo general evalúan las actividades de la vida diaria de manera instrumental (AVDI) cuando exploran a los pacientes adultos mayores, lo que incluye abordar tareas como el vestido, el baño y la preparación de alimentos, y puede incluso ampliarse a zonas como la administración financiera y las compras. Ayude a este proceso evaluando algunas de tales funciones en el campo; lo que debería ser parte de la evaluación de los pacientes tanto en condiciones estables como inestables, si lo permite el tiempo.

Pacientes médicos con respuesta

Para un paciente que responde y presenta una afección médica, usted por lo general se formará una impresión inicial provisional con base en la información obtenida durante el proceso de registro de la historia clínica. La evaluación secundaria y cualquier prueba de diagnóstico que realice después de obtener la historia clínica le ayudará a señalar más precisamente el problema.

Principal afección

Asegúrese que el paciente esté tan cómodo como sea posible cuando inicia el proceso, con la calidez o frescura suficientes y la privacidad asegurada, porque usted obtuvo su confianza. Después pregunte por qué se hizo la llamada para pedir rescate (principal afección), que es lo más serio que le preocupa. Idealmente debería registrarse la principal manifestación en las palabras del paciente, por ejemplo, si expresa, "me duelen las costillas", usted deberá escribirlo como tal entre comillas en su documentación, como la principal manifestación. En los pacientes sin respuesta, o que desde otros puntos de vista no pueden hablar, en general se considera aceptable escribir su afección médica principal o simplemente anotar "sin respuesta".

Además del nombre y la principal manifestación del paciente, pregunte acerca del *día de la semana y el lugar*, para determinar si está alerta. A continuación, pregunte acerca de *sucesos* que rodean a la situación actual para profundizar en la manifestación principal. En su sistema del SEM puede ser que le requieran colectar datos de identificación adicionales, como edad, sexo, dirección y ocupación. También deseará saber quién llamó al 9-1-1: ¿lo hizo el paciente en busca de ayuda, o un amigo, miembro de la familia o transeúnte?"

Busque artículos en la escena o en la casa que pudieran ayudarle a indagar más acerca de la condición del paciente. Objetos como pastilleros y la joyería médica proveerán conocimientos invaluables de las condiciones subyacentes del paciente. Los dispositivos de identificación médica pueden tener la forma de un brazalete, collar o tarjeta de billetera. Tales artículos se usan para identificar a los pacientes con antecedentes de alergias, ciertas afecciones médicas (p. ej., diabetes, padecimientos cardíacos, portación de marcapasos, hipertensión y enfermedad renal), y otras que podrían necesitar abordarse, como la presencia de un cardioversor desfibrilador implantable automático (CDIA).

En un paciente con afección médica que responde, es muy probable que algún tipo de dolor, malestar o disfunción corporal ("no he defecado en 4 días") fue lo que dio origen a la llamada para el rescate. La manifestación puede ser vaga ("simplemente no me siento bien hoy"), lo que es frecuente en los adultos mayores, y convierte en un reto hacer la pregunta correcta y ser un escucha paciente conforme labora para obtener la información que necesita para tomar buenas decisiones de atención, **FIGURA 8-11**.

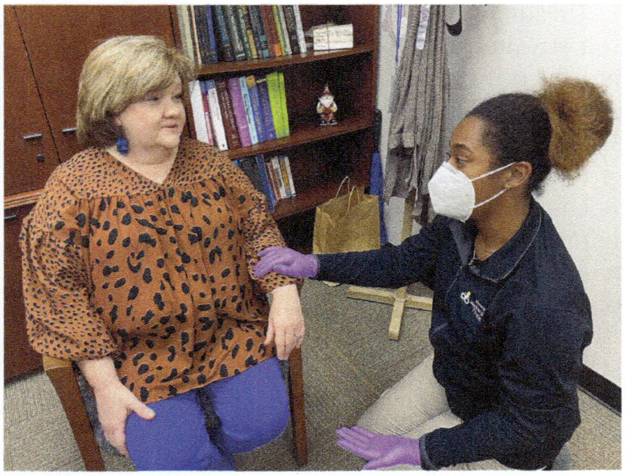

FIGURA 8-11 Sea paciente en particular cuando obtenga información respecto de una manifestación vaga.

Cortesía de Rhonda Hunt.

Historia de la enfermedad actual

Después de determinar la principal manifestación, obtenga la historia de la enfermedad actual, información que debe proveerle una secuencia clara y un registro cronológico de los signos y síntomas del paciente, específicamente, *qué pasó* y *cuándo*. Los **signos** son observaciones objetivas o determinaciones que usted hace, y los **síntomas** corresponden a la información subjetiva que el paciente le expresa.

Asegúrese de indagar acerca de la *región* o localización del dolor, con las siguientes preguntas:

- ¿Dónde le duele exactamente?
- ¿Puede usted señalar dónde le duele con un dedo; es en una región específica?
- ¿Se mantiene el dolor inmóvil, o se desplaza o irradia a otro lugar?
- ¿Si su dolor se desplaza o irradia, hacia dónde lo hace?

Las siglas OPQRST ofrecen un abordaje útil para analizar la principal manifestación del paciente y obtener un registro completo, claro y cronológico de sus síntomas. Por ejemplo, cuando se revisa una manifestación de dolor, usted podría hacer las siguientes preguntas:

- **Inicio**. ¿Qué estaba usted haciendo cuando se inició el dolor?
- **Provocación/paliación**.
  - ¿Se inició súbitamente el dolor o lo hizo en forma gradual?
  - ¿Alguna cosa hace que el dolor desaparezca, disminuya o empeore?
- **Calidad**. Si tratara de hacerme sentir lo que usted siente, ¿qué me haría para darme esa sensación?
- **Región/radiación/referencia**.
  - ¿Puede usted señalar dónde se ubica el dolor?
  - ¿Se mantiene fijo el dolor, o se dirige hacia alguna otra parte?
- **Severidad/gravedad**. En una escala de 0 a 10, donde 0 es ausencia de dolor y 10 el peor que usted pueda imaginar, ¿qué calificación le daría a este?[15,16]

- **Tiempo**. ¿Durante cuánto tiempo se ha usted sentido así?

Documentación y comunicación

Es indispensable documentar la calificación de la intensidad del dolor. Además, señale qué tan molesto parece el paciente: leve, moderado o importante.

Las siglas SAMPLE pueden también ser útiles en este proceso de entrevista, pues abordan los siguientes aspectos: signos y síntomas de la manifestación actual; alergias; medicamentos; antecedentes pertinentes; última ingestión, y los sucesos que condujeron a la lesión o enfermedad actual.

La historia de la enfermedad actual se inicia con una de las preguntas médicas más abiertas: "¿qué sucedió hoy que le hizo llamar al 9-1-1?" Esta o una interrogante similar que echará a andar la conversación. Si la conducta del paciente es inapropiada, considere la probabilidad de que pueda deberse a hipoxia; a una causa médica, como infección o enfermedad vascular cerebral, hipoglucemia o hipotermia, o a una emergencia conductual. Alternativamente, el paciente puede presentar alteración mental secundaria a la ingestión de alcohol o el uso de drogas ilícitas.

Uno de los aspectos más retadores del proceso de toma de la historia clínica es unificar el **estado de salud actual**, porque abarca muchos fragmentos de información no relacionados. Sin embargo, a menudo asocia algo de los antecedentes médicos con la historia de la enfermedad actual o el suceso presente, por lo que es ciertamente útil para el proceso de evaluación. Además, el estado de salud actual del paciente se centra en los hábitos ambientales y personales que podrían influir en su estado general.

Las preguntas de máxima utilidad para obtener una historia útil del estado de salud actual del paciente incluyen las siguientes:

- ¿Qué medicamentos por prescripción está tomando? ¿Cuánto y qué tan a menudo? Los pacientes pueden, y a menudo lo hacen, confundirse respecto de cuándo y cómo toman sus medicamentos; en tal caso, usted podría ser testigo de una reacción farmacológica. Conforme adquiere experiencia como paramédico, su conocimiento de los fármacos y sus efectos le dará una idea de la enfermedad del paciente. Los medicamentos también le darán una clave en cuanto a condiciones de la salud mental o demencia, sin que usted necesite enfrentar a un paciente renuente.
- ¿Toma usted cualquier medicamento de venta libre, como ácido acetilsalicílico, o complementos, como hierbas o vitaminas?
- ¿Es usted alérgico a algo? ¿Puede usted describir la reacción que experimentó?
- ¿Bebe usted cerveza, vino o cocteles? ¿En qué cantidad? ¿Qué tan a menudo? De ser necesario, recuerde al paciente que cierta información es necesaria para saber cómo tratarlo apropiadamente.
- ¿Fuma? Obtenga información acerca de la cantidad del hábito de tabaquismo, junto con su duración. (Este antecedente por lo general se registra en "cajetillas, años". Por ejemplo, un paciente que fuma 1 cajetilla diaria de cigarrillos durante 15 años se registra con un antecedente de 15 cajetillas-años. Aquel que fuma la mitad de una cajetilla por día durante 15 años se registra como 7.5 cajetillas-años).
- ¿Toma usted alguna droga ilícita? (Asegure al paciente la confidencialidad de las respuestas a tales interrogantes hasta el grado que la ley lo permita).
- ¿Qué comió usted ayer y hoy?
- Pregunte acerca de pruebas de detección importantes. Por ejemplo, para la dificultad ventilatoria, pregunte, "¿le han hecho recientemente una radiografía de tórax?"
- ¿Están actualizadas sus inmunizaciones? ¿Ha recibido usted una dosis de vacuna antigripal o contra neumococos o COVID-19? Pregunte también acerca de las inmunizaciones infantiles.
- ¿Ha tenido un buen sueño nocturno? Busque patrones de mala adaptación del sueño.
- ¿Hace usted ejercicio? ¿Cuánto? ¿Qué tan a menudo?
- Pregunte acerca de riesgos específicos (p. ej., limpiadores, sustancias químicas o productos ambientales) que pudieran estar presentes en la casa o en el lugar de trabajo, lo que hace al paciente más vulnerable a las lesiones o enfermedades.
- En cuanto a las medidas de seguridad, pregunte sobre el uso de cinturones de seguridad, anteojos de protección, cascos de bicicleta, seguros de armas de fuego, cajas para guardar medicamentos y cubiertas externas (si hay niños pequeños en casa) para su apertura.
- ¿Tiene usted antecedentes familiares de alguna enfermedad específica? Las afecciones que deberían evaluarse en los miembros de la familia incluyen alcoholismo, anemia, artritis, cáncer, diabetes,

drogadicción, epilepsia, cefaleas, cardiopatías, hipertensión, nefropatías, enfermedades mentales, accidentes cerebrovasculares y tuberculosis.
- ¿Dónde vive? ¿Qué le gusta hacer en casa? ¿Hay alguien en su vida a quien podría tener miedo? (Usted quizás necesite evaluar una situación doméstica difícil, como un retraso del desarrollo).
- ¿Cómo pasa el tiempo durante el día? La respuesta a esta pregunta podría ayudar a evaluar la capacidad del paciente de actuar de manera independiente en la sociedad.
- ¿Ha tenido alguna experiencia importante reciente? Pregunte acerca de cualquier suceso vital significativo, como divorcio, cambios de trabajo, o mudanza a un nuevo hogar. Incluso algunas experiencias positivas en la vida, como las bodas, pueden ser estresantes para los pacientes.
- ¿Tiene usted alguna creencia religiosa que le evite la administración del tratamiento? Pregunte sobre sus preferencias religiosas para asegurar que respeta sus sistemas de creencias.
- ¿Es usted una persona optimista? (Es indispensable obtener el concepto global de la vida en el paciente para evaluar la depresión u otras afecciones psiquiátricas).
- ¿Ha viajado recientemente a países vinculados con enfermedades contagiosas?

Poblaciones especiales

En algunos casos, las creencias religiosas de un paciente pueden ser importantes, como aquellas relacionadas directamente con la atención médica. Si su paciente menciona tales creencias como importantes, la información deberá transmitirse también al personal del DE.

Por supuesto, usted no necesita obtener todos los datos de información de esta lista en todos los pacientes. Requiere tiempo, práctica y cierta cantidad de sentido común conocer las preguntas correctas a formular a cada paciente. Decida cuáles de los aspectos enlistados desea usted explorar y cuáles no. Para un paciente enfermo con amenazas inmediatas para la vida, usted quizás no tenga tiempo para explorar alguna de ellas. Para un paciente en condición estable que no parece tener alguna molestia aparente, usted podría tener tiempo y decidir explorar todos los tópicos importantes.

Una historia médica familiar breve ayuda a establecer los patrones y factores de riesgo de las enfermedades. Si un hombre de 35 años con dolor de tórax le expresa que su padre murió de un ataque cardíaco a los 39, por ejemplo, preocúpese porque podría estar experimentando también un ataque cardíaco masivo. Recuerde, no todo aspecto de la historia familiar es necesariamente importante en el contexto inmediato de emergencia. Su tarea es colectar información pertinente de la afección médica actual del paciente.

Quizás necesite hacer preguntas acerca de la ocupación del paciente, su ambiente de vida y la historia de los viajes para concluir la historia social. La identificación de la ocupación provee información acerca de la posible exposición a sustancias tóxicas y aporta detalles acerca de la salud física. El ambiente en el que reside el paciente provee detalles acerca del estilo de vida y las exposiciones crónicas. Una historia de viajes puede señalar la posibilidad de ciertas enfermedades raras en Estados Unidos, en cuyo caso considere si alguna de esas enfermedades le ponen en riesgo de contraer una enfermedad transmisible. También es útil la historia de viajes cuando se sospecha una embolia pulmonar (EP). Las personas que han tenido vuelos prolongados son susceptibles a presentar coágulos sanguíneos, por no haberse movilizado sus extremidades inferiores durante periodos prolongados. En cualquier momento que un paciente acuda con una enfermedad inusual o enigmática obtenga una historia de viajes.

Las preguntas acerca de la alimentación del paciente también son parte de su historia social. Es apropiado indagar la ingestión alimentaria diaria usual del paciente, así como la hora y la cantidad del consumo. Esta información puede ayudarle a reducir la lista de posibles diagnósticos diferenciales. Por ejemplo, los pacientes que no ingieren ciertos alimentos por motivos personales, culturales, o religiosos, tal vez experimenten deficiencias nutricionales que se reflejen en sus síntomas.

Antecedentes médicos

Los **antecedentes médicos** le permiten saber de alguna afección médica subyacente crónica o presente del paciente. Algunos aspectos de los antecedentes quizás no parezcan importantes ahora, pero obtener un historial de manera cuidadosa y completa ayudará a obtener una imagen clara del estado de salud general del paciente. Esto no solo podría ayudar en su evaluación, sino que también ayudará a mantener la continuidad total de la atención cuando otros proveedores de atención sanitaria asumen la responsabilidad por el paciente en el DE.

La historia médica con frecuencia se vincula con el estado actual del paciente. Por ejemplo, las personas con diabetes que no regulan sus cifras de glucemia podrían tener problemas con el empeoramiento progresivo en la circulación periférica, la vista, la cicatrización de heridas o la función renal. De manera similar, la mayoría de aquellos con angina estable en un momento dado la presentarán inestable, y tal vez experimenten un ataque cardíaco.

La historia médica anterior debería incluir los medicamentos de uso actual y sus dosis. Si bien esta información puede no parecer importante en el momento, quizás sea bastante útil después. No solo se debería obtener la información acerca de medicamentos prescritos sino también cualquiera de VL, drogas recreativas y tratamientos de herbolaria/medicina alternativa o complementos alimentarios. Además, debería de documentarse cualquier alergia, lo que incluye a aquellas a medicamentos y a otras sustancias (p. ej., alimentos, detergentes, caspa de mascotas). Conforme usted registra esta información, pregunte al paciente cuál es su reacción ante cada alergia en específico, lo que será valioso más adelante en el proceso de su atención.

Deberán evaluarse brevemente, si el tiempo lo permite, las enfermedades e inmunizaciones de la infancia, lo que le ayudará a descartar o confirmar diversos procesos patológicos conforme hace el interrogatorio y realiza una evaluación secundaria.

Pida al paciente que le informe de cualquier enfermedad o afección para la que esté recibiendo tratamiento actual por un médico. Esta información proveerá conocimiento y detalles que podrían pertenecer a la condición médica de emergencia actual. Por ejemplo, suponga que el paciente manifiesta dolor torácico, en cuyo caso, es pertinente una historia médica de hipertensión, hiperlipidemia y diabetes, porque cada una de esas afecciones se considera un factor de riesgo independiente de un IAM. Pregunte al paciente acerca de operaciones quirúrgicas previas. Una gran forma de abordar este tópico es cuando usted nota una cicatriz quirúrgica en su evaluación primaria; pregúntele cómo ocurrió. Sin embargo, no todas las cicatrices quirúrgicas son notorias y algunas operaciones no dejan cicatriz. Por lo tanto, pregunte a cada paciente respecto de antecedentes quirúrgicos incluido cuándo ocurrieron.

Una historia donde se describen hospitalizaciones previas y cualquier discapacidad por enfermedades anteriores le ayudará a afinar su evaluación. Un antecedente de hospitalización por EPOC, por ejemplo, le aporta claves de qué tan avanzada o grave puede ser la enfermedad del paciente. Un déficit neurológico por un suceso traumático previo podría obstaculizar los datos de exploración física en un paciente con sospecha de accidente cerebrovascular; por lo tanto, es importante preguntar respecto de cualquier discapacidad previa.

La afectación emocional del paciente, que es su expresión de emoción o la falta de ella, brinda información de la salud mental general del paciente y le ayuda a evaluar su estado mental. Por ejemplo, un paciente que apenas participó en una colisión vehicular posiblemente se encuentre molesto. Sin embargo, cuando un paciente parece tener una respuesta emocional que no es representativa o apropiada para las circunstancias actuales, considere la posibilidad de un EMA. Indague acerca de cualquier afección de salud mental que pueda tener el paciente o si alguna vez se fue hospitalizado por alguna. Aunque a menudo es difícil que los pacientes y sus familiares admitan afecciones de salud mental, usted puede obtener una respuesta honesta si se muestra realista y solemne al hacer la pregunta.

A medida que indague acerca de los antecedentes médicos, dedique tiempo para explorar cómo se resolvieron algunos de los problemas del paciente (p. ej., "tomé un par de tratamientos ventilatorios antes de sentirme mejor" o "después de mi última crisis de asma, tuve que ser intubado y estuve en el hospital con un ventilador durante una semana").

Es de igual importancia la situación en la que el paciente acude con una enfermedad que nunca experimentó. Una presentación aguda de una nueva enfermedad o afección es mejor considerarla grave hasta que se demuestre lo contrario.

Pacientes sin respuesta

Usted inicia con una desventaja cuando evalúa a un paciente que no responde, porque su fuente de información más confiable no puede responder sus preguntas. Debido a esta grave limitación, la historia clínica y la evaluación secundaria de un paciente que no responde son muy parecidas a la evaluación de un traumatismo. Usted debe confiar en una exploración física exhaustiva de cabeza a pies, más el uso de los recursos diagnósticos usuales (oximetría de pulso, capnografía, vigilancia cardíaca en pantalla, presión arterial y glucómetro) para adquirir la información necesaria para la atención del paciente (que se describe más tarde en la sección Evaluación secundaria de los pacientes sin respuesta).

Pacientes de trauma

Conforme usted avanza en el interrogatorio de un paciente de trauma, revise con rapidez toda la información de la evaluación primaria, reconsiderando incluso el ML. Colectivamente, estos datos pueden ayudarle a identificar a quien debe transportarse rápido a un centro de trauma. La ausencia de respuesta puede indicar una lesión grave del cerebro, por lo general traumática, incluso si el ML no parece significativo. La evidencia de un impacto de alta energía debería aumentar su sospecha de lesiones que ponen en riesgo la vida, **FIGURA 8-12**.[17]

- Caídas
  - Adultos: más de 6 m (1 piso es igual a 10 pies o 3 m)
  - Niños: más de 3 m o 2 a 3 veces la altura del niño
- MVC de alto riesgo
  - La incrustación, incluida aquella por el techo: de más de 30 cm en el asiento del pasajero; de más de 46 cm en cualquier otro lugar
  - Expulsión (parcial o completa) de un vehículo motorizado
  - Muerte en el mismo compartimiento de otros pasajeros
  - Datos de telemetría del vehículo, disponibles en muchos de los nuevos vehículos, compatibles con un alto riesgo de lesión
  - Vehículo contra peatón/ciclista: arrojado, atropellado o con impacto significativo (a más de 30 km/h)
- Colisión de motocicleta o vehículo todo terreno (VTT) mayor de 20 mph

Si el paciente es un lactante o niño, el ML que indica a uno de alta prioridad incluye lo siguiente, **FIGURA 8-13**:

- Caída desde más de 3 m, o desde 2 a 3 veces la talla del niño.

FIGURA 8-12 Mecanismos de lesión significativos. **A.** Expulsión (parcial o completa) de cualquier vehículo motriz (p. ej., automóvil, motocicleta, vehículo todo terreno). **B.** Muerte de otro paciente en el mismo compartimiento de pasajeros. **C.** Caída de un adulto desde más de 6 m. **D.** Datos de telemetría del vehículo compatibles con una lesión de alto riesgo. **E.** Colisión de vehículo motor a alta velocidad. **F.** Colisión vehículo-peatón. **G.** Colisión a más de 30 km/h de una motocicleta. **H.** Lesiones penetrantes de cabeza, cuello, tronco o extremidades.

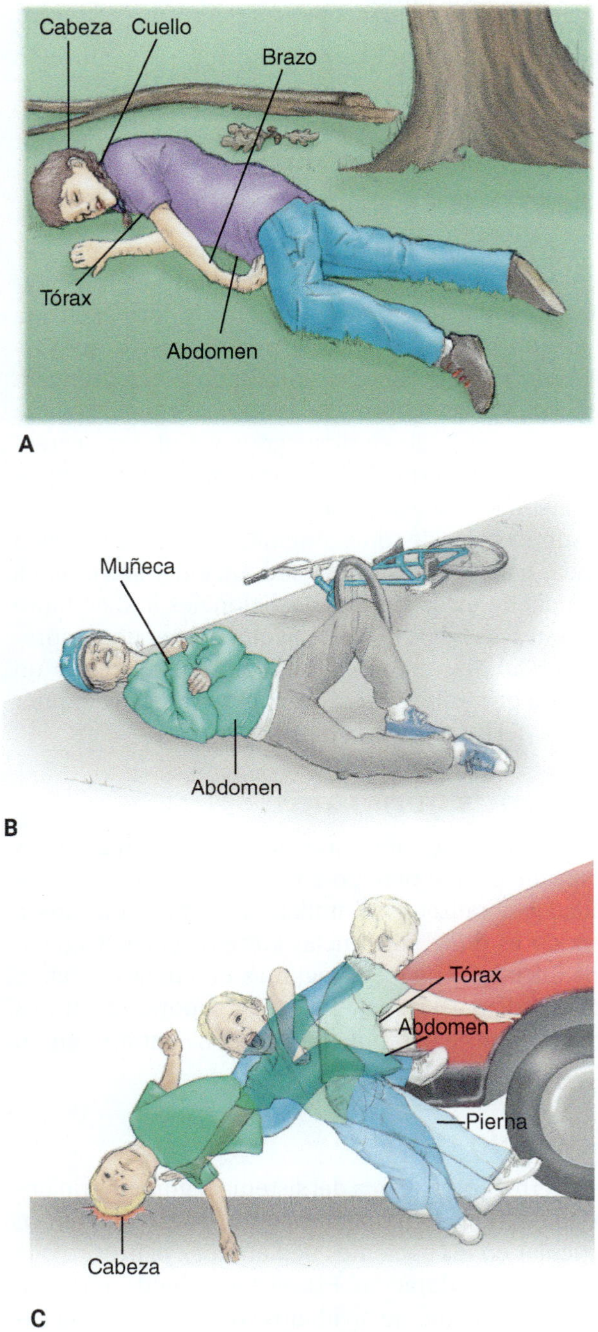

FIGURA 8-13 ML significativos para un lactante o niño. Se etiquetan las principales áreas de lesión potencial. **A.** Caídas desde más de 3 m. **B.** Colisión de bicicleta. **C.** Colisión de vehículo-peatón.

- Caída desde menos de 1 m con pérdida de consciencia
- Colisión de bicicleta
- Colisión vehicular a velocidad de media a alta (40 km/h o más)

Perlas de sabiduría

Dos o más ML graves aumentan de manera notoria la probabilidad de un paciente de sufrir una lesión grave o fatal.

En muchos casos, intervienen múltiples ML en un suceso traumático. Por ejemplo, una colisión lateral puede dejar al paciente con aplastamiento del brazo y de la cintura pélvica, así como un traumatismo penetrante por una pieza del marco de la puerta incrustada en el tórax. Por ello, un paciente con cualquiera de los mecanismos antes mencionados debería de elevar su índice de sospecha.

Los asientos de seguridad del automóvil y las bolsas de aire han disminuido significativamente la prevalencia de la muerte y la discapacidad vinculadas con las CVM. Al mismo tiempo, pueden también causar lesión. Mientras evalúa a un paciente involucrado en una CVM, busque signos y haga preguntas para determinar si participaron cinturones de seguridad y/o bolsas de aire. Revise la clavícula donde cruza el eje del hombro. La clavícula es un hueso pequeño detrás del cual transcurren la vena y la arteria subclavias. En los pacientes de menor talla, una cinta de hombro montada en el poste B de un automóvil puede deslizarse hacia arriba en el cuello, lo que aumenta el riesgo de lesiones de tejidos blandos y cervicales. Explore la zona donde el cinturón atraviesa la cintura pélvica. Si el cinturón no atraviesa la espina iliaca, pero se oculta en la parte baja del abdomen, una persona tendrá más riesgo de daño orgánico y lesión de la columna lumbar o torácica. Los pasajeros que colocan el arnés de hombros bajo sus brazos para comodidad y después se involucran en colisiones de vuelco, están en alto riesgo de muerte por la lesión hepática causada por la posición inapropiada del cinturón.

Las bolsas de aire han salvado incontables vidas, pero muchas personas no se percatan de que constituyen un sistema de restricción secundario, diseñado para funcionar junto con los cinturones de seguridad con el fin de disminuir las lesiones. Cuando no se usa dicho cinturón y ocurre una colisión, la bolsa de aire se despliega, lo que momentáneamente sujeta al paciente. Conforme esta se desinfla, libera al conductor o pasajero, que continúa desplazándose hacia adelante y puede descender (hacia el tablero) o ascender (hacia el volante y/o el parabrisas) cuando no tenían puesto el cinturón de seguridad. En la escena de cualquier colisión con despliegue de bolsas de aire, levante la bolsa y verifique debajo en busca de un volante doblado,

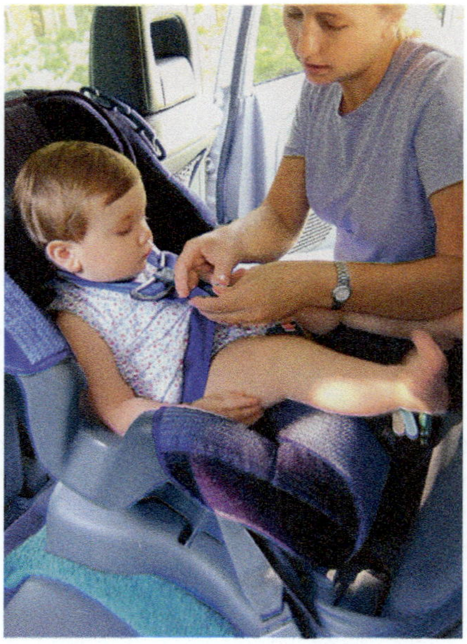

FIGURA 8-14 Un niño debería colocarse correctamente en un asiento de tamaño adecuado para la seguridad infantil y ajustado en el asiento trasero del vehículo.

otra posible fuente de lesiones internas que ponen en riesgo la vida. Durante su reporte de transferencia en el DE, informe al personal del hospital si se usaban cinturones de seguridad y estaban ubicados adecuadamente, y si se desplegaron las bolsas de aire.

Los asientos de seguridad infantiles también han salvado incontables vidas, **FIGURA 8-14**. Si se instalan o ubican inapropiadamente en el vehículo, sin embargo, pueden ser inútiles como dispositivo de seguridad. Si el asiento de seguridad infantil se suelta durante una colisión, aumenta notoriamente el riesgo del niño de traumatismo facial, cefálico, cervical o de columna vertebral. De manera similar, si el niño es demasiado voluminoso o muy pequeño para el asiento, no recibirá el grado de protección que se pretende.

La mayoría de las llamadas para rescate por un traumatismo involucra a pacientes con una lesión única aislada o, en ocasiones, varias menores. En casi todos los casos, la ausencia de lesiones graves o críticas es compatible con la de un ML significativo: una colisión en la cancha de basquetbol da como resultado una torcedura de tobillo; las colisiones en patinadores terminan con una fractura distal del radio; una pieza suelta de metal que se desprende en un taller mecánico lacera el antebrazo del mecánico. Los pacientes no deberían mostrar ningún signo de afección sistémica (hipotensión). Si lo hacen hay más que una lesión aislada en proceso. Continúe su evaluación para encontrar y corregir la lesión más grave.

Revisión de los aparatos y sistemas corporales

La revisión de los aparatos y sistemas corporales durante el registro de la historia clínica provee información adicional que podría ayudarle a formarse una impresión precisa en el campo. Para colectar todavía más información, muchos proveedores de atención prehospitalaria incluyen **negativos pertinentes**: una ausencia o falta de ciertos signos y síntomas característicos de enfermedades particulares. Por ejemplo, las personas que experimentan un IAM, por lo general, sufren dolor de tórax. Además, a menudo señalan disnea, náusea y/o vómito, sudoración y síncope. La ausencia de estos síntomas adicionales le dice tanto como su presencia, lo que le ayuda a tener una impresión inicial más precisa. Otro ejemplo sería el de un paciente que golpeó su cabeza, pero "niega cualquier pérdida del estado de vigilia".

Síntomas generales

Muchos pacientes presentan signos y síntomas vagos inespecíficos que tienden a clasificarse como de "debilidad generalizada" y "similares a la gripe". En ellos, a menudo es difícil diferenciar entre diversos diagnósticos iniciales; el hacer preguntas en cuanto a fiebre, escalofríos, malestar general, fatiga, sudores nocturnos y variaciones de peso, puede ayudar a centrarse en un probable diagnóstico.

Piel, pelo y uñas

Las interrogantes acerca del sistema tegumentario deberían centrarse en aspectos como los exantemas (en particular en los pacientes pediátricos), el prurito o la urticaria y la sudoración. Este sistema tiende a ser uno de los más fácilmente olvidados cuando se hace la exploración física y, sin embargo, es en realidad uno de los más importantes. Los síntomas varían porque son subjetivos, pero el significado de síntomas como la sudoración y la palidez no deberían soslayarse. Busque e interrogue acerca de estas afecciones, porque muchos pacientes pasarán por alto tales manifestaciones sutiles u omitan comunicarlas.

Musculoesqueléticas

Las afecciones del sistema musculoesquelético tienden a atribuirse a traumatismos, pero algunas condiciones médicas también lo afectan. En los pacientes que manifiestan signos y síntomas que pueden vincularse con el sistema musculoesquelético, pregunte acerca de dolor articular, pérdida del rango de movimiento (RM), y cualquier edema, eritema, aumento de temperatura local o deformidad.

Cabeza y cuello

Múltiples estructuras dentro de la cabeza y el cuello pueden afectar el estado de salud total del paciente. Preste particular atención a quienes experimentan una cefalea intensa o la pérdida del estado de vigilia, porque podrían dar como resultado una condición que ponga en riesgo la vida.

Ojos y oídos Haga preguntas en cuanto a los ojos y la vista, incluyendo la agudeza, visión borrosa, **diplopía** (visión doble), fotofobia (hipersensibilidad ante la luz), dolor y destellos de luz en el campo de la visión. Las preguntas acerca de los oídos deberían centrarse en la pérdida auditiva, el dolor, la secreción, los zumbidos y el vértigo (sensación de que el cuarto gira alrededor).

Nariz, faringe y boca Pregunte a los pacientes acerca de su sentido del olfato, rinorrea (escurrimiento nasal), obstrucción, epistaxis y dolor de senos paranasales. Las preguntas acerca de la faringe y la boca deberían centrarse en manifestaciones como dolor de garganta, hemorragia, dolor, problemas dentales, úlceras y cambios del sentido del gusto.

Sistema endocrino

El sistema endocrino corresponde a una red compleja de glándulas que secretan hormonas que ayudan a regular diversas funciones en el cuerpo humano. Muchas enfermedades del sistema endocrino se visualizan en el campo y deberían incluirse en su revisión de aparatos y sistemas. Debido a que múltiples glándulas y órganos son parte del sistema endocrino, hay un amplio rango de preguntas al respecto. Pregunte si alguna vez se dijo al paciente que presentaba crecimiento de la glándula tiroides. Si bien se percibe uno sutil solo por palpación, el paciente en general se le identifica cuando es excesivo.

Las preguntas sobre el sistema endocrino incluyen intolerancia a la temperatura, cambios cutáneos, edema de manos y pies, cambios de peso, poliuria (aumento de la frecuencia de la micción), polidipsia (aumento de la sed), polifagia (aumento del apetito) y cualquier cambio en el vello corporal o facial.

Tórax y pulmones

Las manifestaciones en cuanto al corazón y los pulmones son motivo frecuente de solicitud de un SEM. Una revisión de los aparatos y sistemas no sería completa sin buscar posibles afecciones cardíacas o respiratorias. Siempre descarte disnea y dolor de tórax en los pacientes. Otras interrogantes ventilatorias deberían centrarse en la tos, sibilancias, hemoptisis (tos con sangre), y la presencia de tuberculosis activa. Con respecto a la tos, obtenga una descripción de esta (p. ej., producción de moco o flema). Cuando usted interroga a un paciente en cuanto a manifestaciones cardíacas, al inicio céntrese en si se trata de la primera vez o es un suceso recurrente. La siguiente prioridad sería indagar dolor o malestar. Como se describió antes, céntrese en la manifestación principal con uso de preguntas con las siglas OPQRST. Otras preguntas relacionadas con el corazón y los vasos sanguíneos incluyen ortopnea, edema, evaluación y pruebas cardíacas previas.

Hematología y ganglios linfáticos

Pregunte a los pacientes sobre antecedentes de anemia, equimosis o fatiga. La anemia puede exacerbar múltiples afecciones médicas que podrían visualizarse durante una llamada de rescate por SEM. Señale cualquier equimosis, en especial cuando es traumática, que sugiera un trastorno de la coagulación que quizás afecte a las lesiones traumáticas, así como a otras afecciones médicas. Señale cualquier equimosis que podría indicar un abuso físico e informe de su sospecha de acuerdo con las leyes estatales.

Pueden presentarse ganglios linfáticos hipersensibles y crecidos ante afecciones que van desde una infección hasta el cáncer. Muchos pacientes atendidos por personal del SEM presentan una infección. Pregunte al paciente acerca de hipersensibilidad o crecimiento de ganglios linfáticos pues puede indicarle una posible impresión diagnóstica en el campo.

Digestivo

Las manifestaciones gastrointestinales (GI) son motivo frecuente de llamadas a los SEM. Los paramédicos deben comprender las afecciones GI y hacer las preguntas apropiadas en la revisión de aparatos y sistemas para ayudar a distinguir entre las diversas enfermedades. Pregunte a los pacientes acerca del apetito, la digestión general, alergias e intolerancias de alimentos, pirosis, cualquier náusea o vómito, diarrea, hematemesis (presencia de sangre en vómito), irregularidad intestinal, cambios en las heces (tamaño, forma, olor o color), flatulencia, ictericia y cualquier evaluación GI previa. Preste particular atención a los signos y síntomas que señalan una hemorragia GI activa, afección que pone en riesgo la vida.

Muchos pacientes dudan en ofrecer información acerca de la micción. Algunas personas atribuyen los cambios en los hábitos urinarios al envejecimiento, pero a menudo constituyen un nuevo hallazgo que podría indicar una infección subyacente u otro problema que debe tratarse. Pregunte en cuanto a los hábitos urinarios o cambios en ellos, que incluyan disuria (dolor en la micción), aumento de la frecuencia, urgencia (necesidad súbita de orinar), nocturia (despertar a la mitad del sueño para orinar), hematuria (sangre en la orina) o poliuria (micción excesiva). Indague acerca del dolor de flanco y de la región suprapúbica si sospecha que la manifestación principal representa un problema urinario subyacente.

Genitourinario

El aparato genitourinario (GU) también incluye los genitales. Como se mencionó antes, los pacientes tal vez no tengan facilidad para hablar de sus genitales ante un extraño. Sin embargo, tanto las afecciones médicas como las infecciones de transmisión sexual pueden ser graves. Si bien puede tratarse de un tópico embarazoso para pacientes y paramédicos, pregunte respecto de cualquier infección de transmisión sexual actual o su antecedente. Algunas preguntas son específicas para el sexo masculino o femenino. Los órganos de ambos géneros secretan hormonas que pertenecen al sistema endocrino.

Mantenga enfocadas sus preguntas. Para una mujer que informa de dolor abdominal agudo, secreción vaginal fétida, dolor al orinar o lesiones genitales, indague si su ciclo menstrual es regular, cuándo fue el último periodo y si sufre dismenorrea (dolor menstrual). Además, inquiera cuándo fue su último coito, si ha tenido múltiples compañeros sexuales, qué tipos de anticoncepción usa (si es el caso), y si alguna vez se embarazó. Las afecciones ginecológicas y obstétricas se describen más ampliamente en los capítulos 19, *Emergencias neurológicas,* y 38, *Obstetricia.*

Cuando usted interroga a pacientes de sexo masculino, pregunte sobre disfunción eréctil y secreción de fluidos, así como por dolor testicular. Puede parecer trivial para el paciente, pero los problemas con la disfunción eréctil frecuentemente se vinculan con enfermedades sistémicas, como la hipertensión o la diabetes. Además, los medicamentos usados para tratar muchas de estas afecciones pueden modificar la atención provista por los paramédicos, como no administrar nitroglicerina a alguien que toma fármacos como sildenafil o tadalafilo para la disfunción eréctil.

A los hombres que informan de dolor al orinar, secreción por el pene o lesiones genitales, pregunte cuándo fue su última relación sexual y si utilizan condón. Pídales que describan las características de cualquier secreción o lesión.

Neurológico

Cuando un paciente llama a un SEM por una manifestación neurológica usted debe comprender la importancia de evaluar las alteraciones patológicas del sistema nervioso. Eso significa hacer preguntas específicas durante la revisión de aparatos y sistemas, que cubra o involucre al sistema nervioso. Por ejemplo, indague el antecedente de convulsiones o síncope, pérdida de sensibilidad, debilidad de extremidades, parálisis, pérdida de coordinación o memoria, y sacudidas musculares o temblores. Además, esté alerta de los signos de asimetría facial, en especial cuando la principal manifestación es de cefalea. Si usted sospecha un accidente cerebrovascular o AIT, use un recurso para la evaluación de dichos accidentes, de acuerdo con sus protocolos locales. Las escalas para evaluarlos se describen con detalle en el capítulo 16, *Emergencias neurológicas.*

Psiquiatría

Los paramédicos a menudo son llamados a la escena de una emergencia de salud conductual. En algunas comunidades hoy se despacha a profesionales de atención de la salud mental y ya no se envía personal policiaco para este tipo de rescates. Puesto que muchos problemas médicos pueden inicialmente presentarse con síntomas conductuales, se desconoce qué tan eficaz será este abordaje. Si los paramédicos están en la escena, deberán interrogar a los pacientes apropiadamente para diferenciar entre las diversas enfermedades mentales. Pregunte al paciente respecto de los antecedentes de cualquier depresión o su actual presencia, cambios en hacer sus rutinas habituales, dificultad de concentración, irritabilidad, ansiedad, trastornos del sueño, fatiga diurna e ideas suicidas u homicidas. Este paso es indispensable para proveer una atención apropiada del paciente y garantizar su seguridad, la de usted mismo y su tripulación.

Pensamiento crítico

El propósito de su evaluación debería ser precisar el motivo más probable de la principal manifestación del paciente y cómo abordarla mejor. En el capítulo 9, *Pensamiento crítico y toma de decisiones clínicas*, usted encontrará los detalles de dicho pensamiento; hay cinco aspectos del pensamiento crítico: (1) formación del concepto, (2) interpretación de los datos, (3) aplicación de las principales, (guías o algoritmos) (4) reflexión acerca de la acción (desear cambiar la evolución del padecimiento conforme interpreta la condición del paciente), y (5) reflexión sobre la acción (mediante críticas honestas y exhaustivas para beneficiar el aprendizaje después de la prueba).

El poder pensar y desempeñarse bien bajo presión, es una gran parte de convertirse en un buen paramédico. En muchas formas, el pensamiento crítico y la toma de decisiones son las destrezas que más necesitará para trabajar, no solo cuando usted es estudiante, sino también durante el resto de su carrera.

Razonamiento clínico

El razonamiento clínico combina su conocimiento de la anatomía, fisiología y fisiopatología con la información acerca de las manifestaciones del paciente, para dirigir el interrogatorio cuando haga la historia clínica. Señale cualquier síntoma o dato de exploración física anormal, así como su localización anatómica. Preste atención cuidadosa a cualquier signo o síntoma incompatible con su diagnóstico provisional, porque podría señalarle una dirección distinta. Conforme el paciente responde las preguntas de su interrogatorio, usted empezará a analizar la información con base en sus conocimientos médicos. Una vez que concluyó la historia respecto de la principal manifestación, la de la enfermedad presente, los antecedentes médicos y la revisión de sistemas, usted puede empezar a estructurar un diagnóstico diferencial: una hipótesis de trabajo acerca de la naturaleza del problema. Su diagnóstico diferencial es la lista de posibles causas de la manifestación del paciente. Por ejemplo, un paciente informa del inicio súbito de disnea en ausencia de traumatismo. Podría comenzar a refinar su diagnóstico diferencial al descartar infarto de miocardio, edema pulmonar, neumonía, alergia, enfermedad reactiva de vía aérea, y así sucesivamente. Parte de la historia clínica y la exploración física es confirmar o descartar "posibles diagnósticos en el diagnóstico diferencial". En el ejemplo precedente, la disnea del paciente se inició de manera súbita y probablemente no se debe a neumonía, pues no presenta fiebre. No hay traumatismo, de manera que es poco probable que resulte de una fractura costal.

De manera similar a un detective, usted puede entonces empezar a probar esta hipótesis para determinar si resulta válida. Puede estructurar esta reflexión por una evaluación adicional y pruebas (p. ej., un EKG de 12 derivaciones con una determinación de glucemia), proceso que evoluciona conforme hace diferentes preguntas con base en las respuestas del paciente. Tal exploración, a su vez, le ayuda a centrarse en la evaluación física y hace todavía más estrecha su lista de posibles diagnósticos en el campo.

Conforme usted desarrolla su diagnóstico diferencial, empiece con las probabilidades burdas; esto es, decida qué sistemas corporales podrían estar contribuyendo a la manifestación del paciente. Por ejemplo, el dolor de tórax podría involucrar a los sistemas cardíaco, respiratorio y GI, abordaje que le ayuda a evitar la visión de túnel, en la que usted se centra en un diagnóstico demasiado temprano, antes de considerar todas las posibilidades y descartar de manera sistemática cada una para determinar cuál es el real.

La exploración física (descrita más adelante en este capítulo) es otro aspecto crucial del razonamiento clínico. La hipersensibilidad u otros signos específicos de la exploración ayudan a guiarle hacia las localizaciones anatómicas precisas que pueden estrechar sus posibilidades de diagnóstico. Una vez que usted identifique los posibles sistemas orgánicos involucrados, utilice su conocimiento de la fisiopatología para determinar el diagnóstico más probable. Una vez que llegue al diagnóstico preliminar, continúe su interrogatorio para ayudar a confirmarlo. Además, reevalúe la situación total y la manifestación principal para asegurar que aborda todas las quejas del paciente.

Evaluación secundaria

La **evaluación secundaria** es el proceso por el cual se obtiene información cuantificable, objetiva (con base en hechos u observaciones) en cuanto al estado total

Evaluación del paciente

Evaluación de la escena

↓

Evaluación primaria

↓

Historia clínica

↓

Evaluación secundaria

¿La afección del paciente es médica o traumatológica?

Evaluar

- Signos vitales basales
- Dispositivos de vigilancia (según sea apropiado)

Exploración física sistemática

- De todo el cuerpo o su recorrido rápido
- Centrada en la lesión
- Con base en el sistema corporal (respiratorio, cardiovascular, neurológico, reproductivo, etc.)

↓

Reevaluación

de salud de un paciente. Esta información se compara con la subjetiva (observada o percibida por él), información histórica obtenida del paciente. Ya armado con estos dos tipos de información, usted puede obtener una impresión inicial y desarrollar un diagnóstico diferencial del paciente. Mientras analiza la evaluación, usted puede ver el estado del paciente como un fenómeno clínico; sin embargo, un abordaje de atención y empático dará mejores resultados y una evaluación más precisa. De manera similar, el avanzar en el aspecto profesional y la actitud inspirará confianza en sus capacidades como proveedor de atención sanitaria.

La evaluación secundaria consta de dos elementos:

1. Obtener los signos vitales basales, una medida de la función corporal total.
2. Hacer una exploración física sistemática, como la revisión de todo el cuerpo (también llamada evaluación de cabeza a dedo gordo), una exploración dirigida a una lesión específica, o una basada en el sistema corporal identificado en la principal manifestación (p. ej., respiratorio, cardiovascular, neurológico, reproductivo, etc.).

Por supuesto, las condiciones del contexto prehospitalario pueden determinar cómo realizar la evaluación secundaria. A veces se puede condensar. Por ejemplo, en un paciente médico que no responde o uno de trauma con un ML significativo, tal vez no haya suficiente tiempo para hacer una rápida revisión corporal total, como se describe más adelante en esta sección.

La evaluación global del paciente le ayuda a determinar si hay una afección médica, de modo que se puedan tomar las acciones para tratarla. Sin embargo, antes de que usted pueda apreciar las anomalías en la exploración, debe comprender la diversidad de cuadros clínicos usuales, conocimiento que se puede obtener solo por interacción directa con el paciente y la adquisición de experiencia. Así, cada encuentro con pacientes representa una oportunidad para ganar experiencia en cuanto al estado normal humano.

Conforme usted aborda al paciente, considere los principales sistemas corporales y su localización anatómica. Una comprensión de la anatomía y la fisiología le ayudará mucho durante la evaluación y la realización de su impresión en el campo. Por ejemplo, conforme palpa el tórax, es indispensable que recuerde que el corazón, los pulmones, los grandes vasos y el esófago se localizan en esa región anatómica, y deberían tenerse en mente cuando un paciente informa de dolor en la región. Además, comprender el sistema GI y las localizaciones de órganos específicos en la cavidad abdominal puede ayudar a hacer un diagnóstico diferencial.

Como se refirió antes, el abordaje general para explorar a un paciente debería ser sistemático. Sin embargo, el punto de inicio real de su exploración es determinado por varios factores, como su estabilidad y principal manifestación, los antecedentes, su capacidad de comunicarse, y el potencial de afecciones o lesiones no detectadas. Por ejemplo, un paciente que informa de un dolor aislado del tobillo no necesariamente justifica una exploración que se inicie con la cabeza. Dicho esto, un paciente con traumatismos de múltiples aparatos y sistemas puede requerir una evaluación rápida de cabeza a pies al inicio de su estudio. Dependiendo de su grado de estabilidad, algunos pacientes tal vez nunca sean objeto de una evaluación completa, porque usted estará muy ocupado tratando las lesiones que ponen en riesgo la vida identificada en la evaluación primaria. Por lo tanto, no todo aspecto de la evaluación secundaria se concluirá en todo paciente. Además, pueden surgir retos adicionales vinculados con las afecciones comórbidas subyacentes (presencia simultánea de dos o más enfermedades crónicas) cuando se explora un paciente. Por ejemplo, uno que participó en una CVM que no responde puede tener una emergencia subyacente por diabetes, que contribuyó a la colisión.

Otros factores por considerar cuando se inicia una exploración incluyen la localización en donde se realiza, la posición del paciente, su punto de vista y la necesidad de mantener el profesionalismo. Siempre considere su ambiente y pregúntese si este es el más apropiado donde realizar la exploración. Los factores, como ruido, luces y la posición del paciente, pudieran dificultar su evaluación. Además, *siempre* debe considerarse la privacidad del paciente, no solo por la necesidad de exponerlo, sino también de disuadir a los transeúntes de mirar, escuchar y crear videograbaciones del proceso de exploración para publicarlos en las redes sociales. Si es necesario y factible, traslade al paciente a un lugar más privado, como su consultorio (la ambulancia), antes de hacer una evaluación secundaria profunda. Recuerde que es probable que el paciente esté pasando por un suceso emocional y traumático.

Su tacto durante la exploración contribuirá al grado de estrés del paciente. Explíquele todo antes de realizarla para ayudarle a aliviar su estrés. Esto le facilita establecer un alto nivel de profesionalismo y demuestra que está atento a sus necesidades. Tenga en mente que a la mayoría de las personas no les gustan las exploraciones físicas, por lo cual el ser amable, profesional y compasivo, le avanzará un largo trecho para calmar la ansiedad y los temores.

Exploración física de los pacientes prioritarios

La exploración física que usted hace se basa en las necesidades de su paciente. Si el paciente es un paciente médico que no responde o un paciente de trauma con un ML significativo, usted tal vez no tenga el tiempo para realizar la exploración física que suele hacerse en la evaluación secundaria. Tal vez sea necesario hacer un **recorrido corporal total rápido** del paciente (a veces llamado barrido corporal total rápido) y trasladarle al DE. El barrido rápido de todo el cuerpo corresponde a una revisión no sistemática de 60 a 90 segundos y la palpación corporal para identificar lesiones que deben tratarse o protegerse de inmediato. Si no hay tiempo para hacer la exploración física usual, de cabeza a dedo gordo, debería hacerse como se describe en la siguiente sección.

Durante un barrido rápido corporal completo, haga *inspección* de los tejidos blandos, busque heridas abiertas o cerradas, y *palpe* para detectar dolor o hipersensibilidad. Evalúe en cada región del cuerpo lo siguiente:

- **Lesiones abiertas:**
  - Abrasiones/amputaciones/avulsiones
  - Punciones/penetraciones
  - Laceraciones
- **Lesiones cerradas:**
  - Deformidades o edema
  - Quemaduras
  - Contusiones/ por aplastamiento

Perlas de sabiduría

Cuando es realizada de manera apropiada, la palpación no debería causar daño. Rara vez se hace en forma profunda por proveedores del SEM y requiere práctica y la comprensión de cuándo detenerse.

Para realizar una revisión rápida de todo el cuerpo del paciente, siga los pasos en la **PRÁCTICA DE DESTREZA 8-1.** Recuerde, ¡esta exploración no debería consumir más de 60 a 90 segundos!

Práctica de destreza 8-1 Realización de una revisión rápida de todo el cuerpo

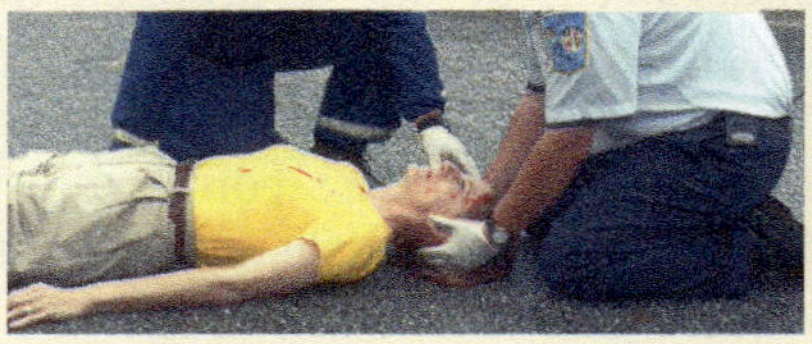

Paso 1

Haga inspección y palpación de la cabeza en cuanto a lesiones abiertas/cerradas y crepitaciones.

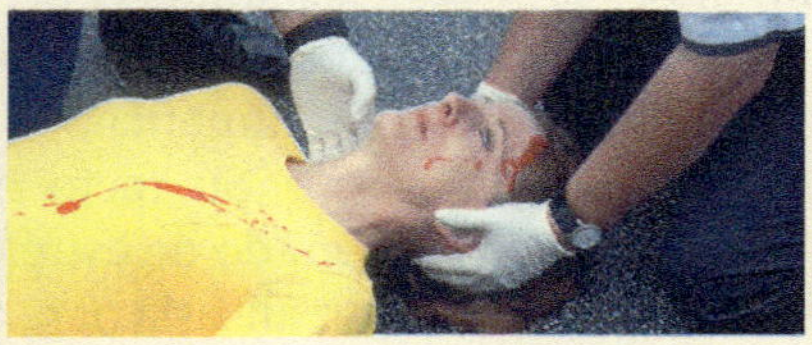

Paso 2

Haga inspección y palpación del cuello en busca de lesiones abiertas/cerradas, **distensión venosa yugular** (protrusión visible de las venas yugulares cuando un paciente está en posición de semi-Fowler o en su forma completa), la desviación traqueal y la crepitación. En pacientes de trauma, considere aplicar un dispositivo de inmovilización raquídea cervical. Es imperativo evaluar el cuello antes de cubrirlo con un collar.

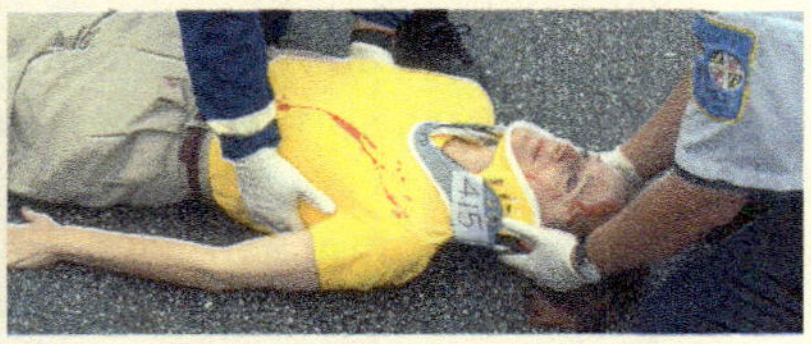

Paso 3

Haga inspección y palpación del tórax en busca de lesiones abiertas/cerradas, movimientos paradójicos y crepitaciones. Ausculte los ruidos respiratorios en ambos lados del tórax.

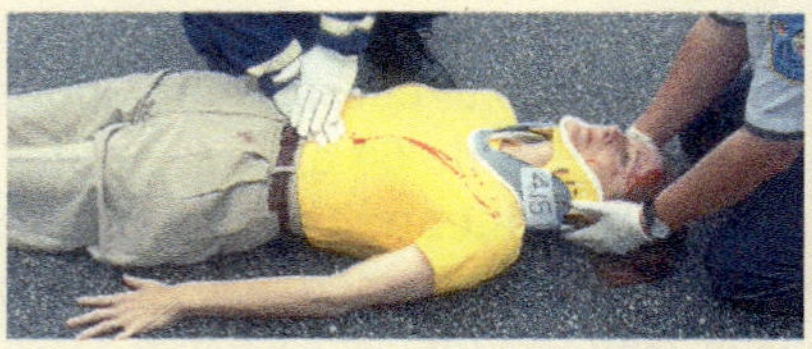

Paso 4

Haga inspección y palpación del abdomen en busca de lesiones abiertas/cerradas, rigidez (firme o blanda) y distensión.

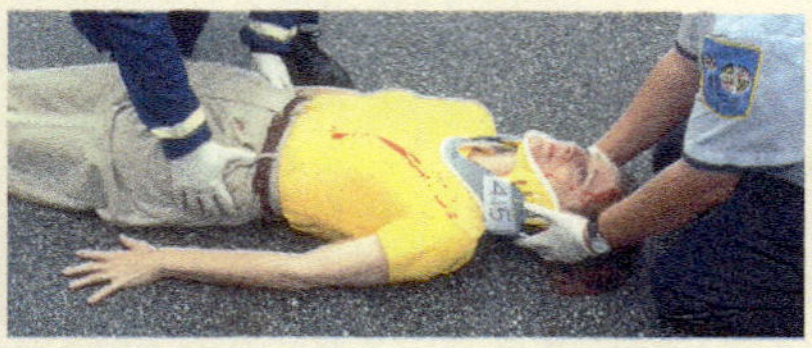

Paso 5

Haga inspección y palpación de la pelvis en busca de lesiones abiertas/cerradas. Si no hay dolor, comprima suavemente la pelvis hacia abajo y adentro en busca de hipersensibilidad e inestabilidad.

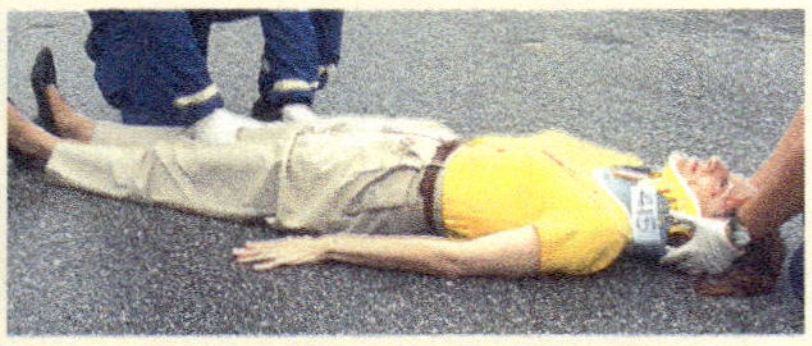

Paso 6

Haga inspección y palpación de las cuatro extremidades en busca de lesiones abiertas/cerradas. Precise bilateralmente los pulsos distales y las funciones sensoriales y motoras.

Práctica de destreza 8-1 Realización de una revisión rápida de todo el cuerpo (continuación)

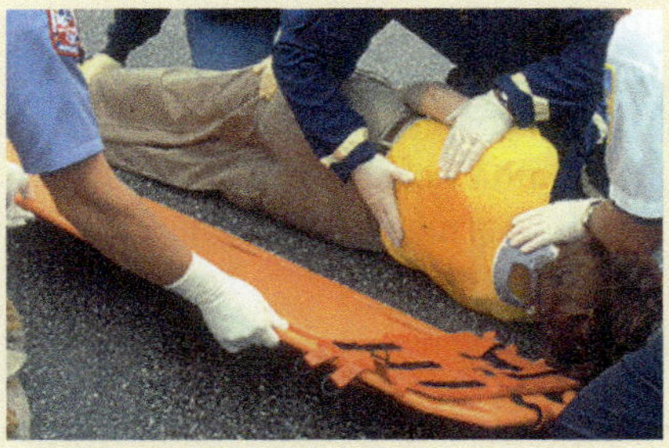

Paso 7

Haga inspección y palpación del dorso y las nalgas en busca de datos de lesiones abiertas/cerradas. En todos los pacientes de trauma, mantenga en línea la estabilización de la columna vertebral mientras gira al paciente sobre su lado no lesionado en un movimiento suave. Si coloca al paciente sobre una camilla rígida, verifique el dorso antes de terminar su giro hacia ella. Si utiliza una camilla excavada o una canasta, no podrá hacer inspección o palpación de la columna torácica baja y la lumbar, pero hay mucho menos movimiento.

Técnicas de evaluación

Las técnicas de inspección, palpación, auscultación y percusión le permiten utilizar sus sentidos para obtener información y conocer las funciones normales (o anormales) del cuerpo de un paciente. Recuerde que la inspección implica mirar al paciente, ya sea en general o en una región específica. Por ejemplo, usted podría observar el aspecto general del paciente desde la entrada, y luego, observar específicamente la pared del tórax en busca de anomalías o deformidades, **FIGURA 8-15**.

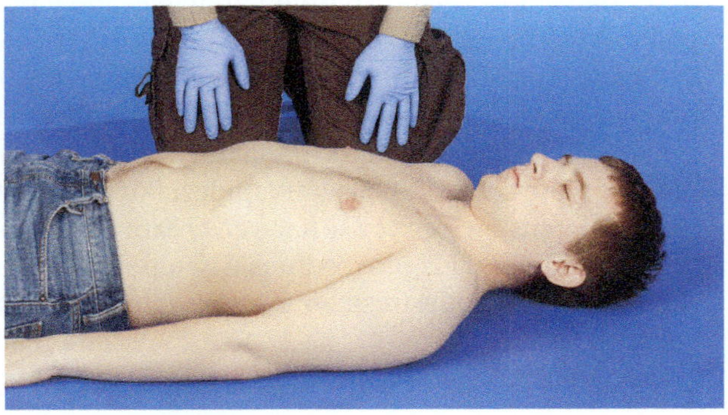

FIGURA 8-15 Inspección en la exploración física.

La palpación es el contacto para obtener información, como detectar hipersensibilidad (producir dolor), percibir cualquier deformidad, **crepitación** (una sensación de rechinido o molido, o el sonido que se produce cuando se frotan dos trozos de un hueso roto), una masa o un crecimiento anormal de un órgano, y la evaluación de la calidad del pulso, **FIGURA 8-16**. Usted, por lo general, utiliza las puntas de sus dedos para verificar los pulsos, pero usará las palmas de sus manos para recorrer el cráneo, por ejemplo, con el propósito de evaluar su integridad estructural, así como la presencia de defectos (p. ej., nudos o muescas). Use el dorso de su mano para tocar la piel del paciente en la evaluación de la fiebre, porque es más sensible que la palma.

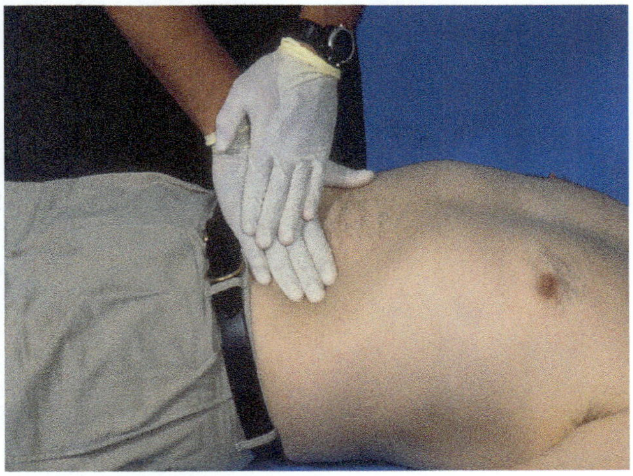

FIGURA 8-16 Palpación en la exploración física.

Se usan varias técnicas de palpación para explorar regiones específicas. La palpación con las manos y las puntas de los dedos suele hacerse en el tórax, el abdomen y las extremidades. Consígalo manteniendo su mano y antebrazo en un plano horizontal, con los dedos juntos y planos sobre el paciente, y palpando con un movimiento de deslizamiento o profundización, dependiendo de la región explorada. La palpación con las puntas de los dedos puede reservarse para explorar la porción distal de las extremidades, la cabeza y el cuello. Use la superficie cubital de la mano cuando explore el abdomen. Algunos pacientes de inmediato tensarán los músculos de su abdomen durante la exploración, independientemente de que sientan dolor. Cuando usted usa solo la cara cubital de una mano, la exploración parece menos molesta para el paciente, y los resultados con más probabilidad son precisos. Use la cara dorsal de la mano en la misma forma que la cubital, técnica que también permite evaluar la temperatura cutánea.

La **percusión** implica golpear con suavidad la superficie del cuerpo, por lo general donde cubre diversas cavidades. Esta técnica le permite detectar cambios en la densidad de las estructuras subyacentes. Por ejemplo, la percusión de un pulmón normal producirá sonidos resonantes de tono bajo e intensidad media a alta. Los ruidos por percusión sobre músculos y huesos deben ser suaves, de tono agudo y apagados. Los sonidos obtenidos por la percusión sobre órganos huecos, como los intestinos, a menudo se describen como de alto volumen, tono elevado y timpánicos (como un tambor).

La percusión es una destreza que requiere mucha práctica para perfeccionarse. Un internista que domina esta destreza y la aplica una docena de veces al día, adquiere competencia con rapidez. Por comparación, la percusión rara vez se hace en el campo y, como tal, la mayoría de los proveedores de atención sanitaria perfecciona la destreza en forma mínima. Siga los pasos de la **PRÁCTICA DE DESTREZA 8-2** para realizar la percusión.

La auscultación es la escucha de los ruidos corporales con un estetoscopio. El cuerpo genera una diversidad de sonidos de altas y bajas frecuencias, tanto normales como anormales, que se pueden detectar por auscultación. Usted puede evaluar los ruidos intestinales por auscultación, así como los pulmonares y cardíacos. Apreciar la presencia y las diferencias en los ruidos obtenidos por auscultación, requiere una atención entusiasta, una comprensión exhaustiva de lo que son los ruidos "normales", y mucha práctica.

Signos vitales

Los signos vitales incluyen la frecuencia, el ritmo y la calidad del pulso; la frecuencia ventilatoria, su ritmo, y calidad; la presión arterial; la temperatura, y la oximetría de pulso. Además del aspecto general, los signos vitales proveen los datos de máxima objetividad para determinar el estado del paciente. El determinar los signos vitales requiere utilizar técnicas de auscultación, palpación e inspección. El primer conjunto de signos vitales, que suelen tomarse en la evaluación secundaria, se conoce como *basal*. Los conjuntos adicionales, que suelen obtenerse durante la reevaluación, se denominan *signos vitales seriados*, cuya revisión y comparación de las cifras basales obtenidas, le ayuda a establecer propensiones que muestran la mejoría o el deterioro de un paciente, a lo que se llama

Práctica de destreza 8-2 Realización de la percusión

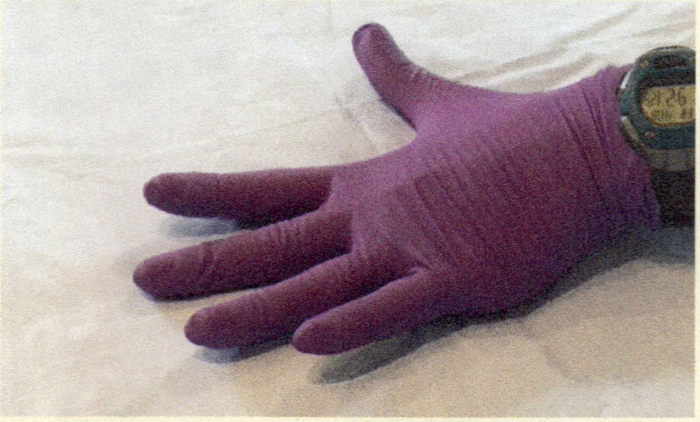

Paso 1

Extienda en totalidad su dedo medio, y aplique presión firme sobre la superficie por percutir.

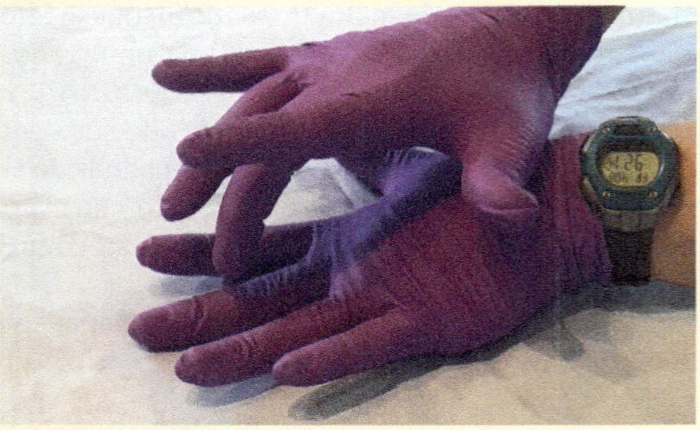

Paso 2

Golpee directamente la falange media de su dedo medio con una o dos puntas de los dedos de su otra mano. Aplique la misma fuerza sobre cada región del cuerpo para comparar con precisión los sonidos producidos mediante la percusión.

Poblaciones especiales

En los pacientes pediátricos y en los adultos con ventilación irregular, debería determinarse la frecuencia ventilatoria durante un mínimo de 30 segundos, y después multiplicar el resultado por 2 para obtener la correspondiente por minuto.

Evaluar el trabajo de la ventilación en un paciente pediátrico es uno de los signos aislados más predictivos; por lo tanto, cuando usted ve a un niño con ventilación en exceso laboriosa que empieza a mostrar signos de fatiga, se encuentra a unos minutos de un colapso fisiológico.

La palpación del pulso en un lactante suele ser todo un reto. Ya que su cuello a menudo es corto y grasoso, y la frecuencia del pulso es bastante rápida, usted podría tener dificultades para encontrar el pulso carotídeo. Por lo tanto, para evaluar el pulso en los lactantes (menores de 1 año), palpe la arteria humeral.

tendencia de los signos vitales. Debido a que los signos vitales pueden cambiar de manera drástica durante periodos relativamente cortos, el no determinarlos con frecuencia ni observar su tendencia, en especial en el contexto de un paciente gravemente enfermo o lesionado, puede conducir a una mala atención.

Preste atención estricta a los signos vitales, ya que corresponden a parámetros de importancia crítica. Los límites normales, como se muestran en el **CUADRO 8-5**, pueden variar, dependiendo de factores como la edad y el uso de medicamentos. Interprete las lecturas con esos factores en mente.

Pulso

En las determinaciones del **pulso** se deberían evaluar la frecuencia, presencia, localización, calidad y regularidad del latido cardíaco. Se puede percibir el pulso en varios puntos del cuerpo, que incluyen las arterias

CUADRO 8-5 Signos vitales normales a diversas edades

Edad	Frecuencia del pulso (latidos/min)	Ventilaciones por minuto	PA (mm Hg)	Temperatura (°C)
Neonato (de 0 a 1 mes)	Despierto: de 100 a 205 Dormido: de 90 a 160	De 30 a 60	Sistólica: de 67 a 84 Diastólica: de 35 a 53 Presión arterial media: de 45 a 60	De 37 a 38 °C
Lactante (de 1 mes a 1 año)	Despierto: de 100 a 180 Dormido: de 90 a 160	De 30 a 53	Sistólica: de 72 a 104 Diastólica: de 37 a 56 Presión arterial media: de 50 a 62	De 36 a 37.5 °C
Niño en edad de caminar (de 1 a 2 años)	Despierto: de 98 a 140 Dormido: de 80 a 120	De 22 a 37	Sistólica: de 86 a 106 Diastólica: de 42 a 63 Presión arterial media: de 49 a 62	De 36 a 37.5 °C
Preescolar (de 3 a 5 años)	Despierto: de 80 a 120 Dormido: de 65 a 100	De 20 a 28	Sistólica: de 89 a 112 Diastólica: de 46 a 72 Presión arterial media: de 58 a 69	37 °C
Escolar (de 6 a 12 años)	Despierto: de 75 a 118 Dormido: de 58 a 90	De 18 a 25	Sistólica: de 97 a 120 Diastólica: de 57 a 80 Presión arterial media: de 66 a 79	37 °C
Adolescente (de 12 a 15 años)	Despierto: de 60 a 100 Dormido: de 50 a 90	De 12 a 20	Sistólica: de 110 a 131 Diastólica: de 64 a 83 Presión arterial media: de 73 a 84	37 °C
Adulto joven (de 18 a 40 años)	De 60 a 100	De 12 a 20	Sistólica: de 90 a 140	37 °C
Adulto medio (de 41 a 60 años)	De 60 a 100	De 12 a 20	Sistólica: de 90 a 140	37 °C
Adulto mayor (de 61 años y más)	De 60 a 100	De 12 a 20	Sistólica: de 90 a 140	37 °C

Datos pediátricos de: American Heart Association (AHA). Vital signs in children. In: AHA. *Pediatric Advanced Life Support*. Dallas, TX: AHA; 2020.

radial, humeral, femoral y carótida, **FIGURA 8-17**. Como se mencionó en la sección de evaluación primaria, cuando usted cuente formalmente la frecuencia del pulso, percíbala durante un mínimo de 30 segundos y después multiplique el resultado por 2 para obtener la frecuencia por minuto.

El personal del SEM debería comparar los pulsos distal y proximal durante la evaluación del paciente. Si resultan irregulares o lentos, es mejor determinarlos durante todo 1 minuto. Si usted no puede palpar un pulso radial, revalúe utilizando la arteria carótida.

Aunque es apropiado verificar un pulso radial en un paciente que no responde, el real debería cuantificarse en una localización periférica que se pueda palpar. En el paciente que responde, determine la frecuencia ventilatoria mientras simula que está revisando el pulso, lo

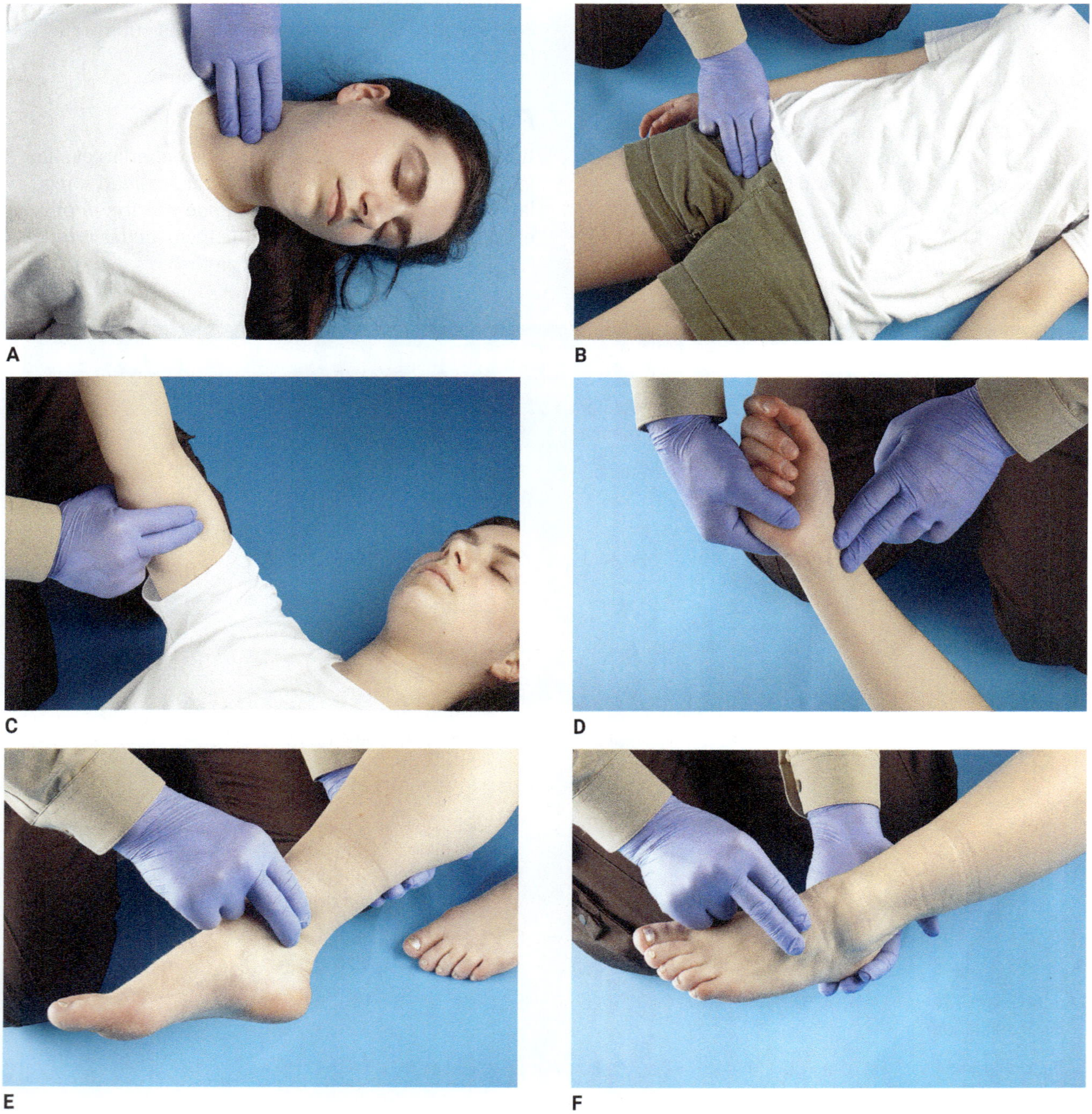

FIGURA 8-17 Puntos comunes para la percepción del pulso. **A.** Pulso carotídeo. **B.** Pulso femoral. **C.** Pulso humeral. **D.** Pulso radial. **E.** Pulso tibial posterior. **F.** Pulso dorsal del pie.

que podría disminuir la tendencia del paciente a modificar inadvertidamente su patrón o frecuencia ventilatorios cuando se percata de que está siendo evaluado.

Ventilación

La frecuencia ventilatoria suele determinarse al observar el ascenso y descenso del tórax del paciente. Se puede evaluar el esfuerzo respiratorio total visualizando porciones de la pared abdominal, el cuello y la cara, y el uso de músculos accesorios. Aunque es importante la frecuencia ventilatoria absoluta, debería evaluarse también la calidad del esfuerzo ventilatorio. Aprenda a reconocer los patrones patológicos de ventilación, **CUADRO 8-6**. Refiérase al capítulo 14, *Emergencias respiratorias*, para ilustraciones de estos patrones. De manera similar, aprenda a reconocer cuando un paciente muestra una posición de trípode, el uso de músculos accesorios o las retracciones, información en especial crítica cuando se evalúa a los pediátricos.

Presión arterial

La **presión arterial (PA)** corresponde a la medición de la fuerza ejercida por la sangre contra las paredes de los vasos sanguíneos. Por lo general, se determina en una arteria periférica, si bien esto se puede hacer esencialmente en cualquier sitio del aparato circulatorio. La presión arterial es producto del gasto cardíaco y la resistencia vascular periférica, por lo que incluye dos componentes: sistólica y diastólica, que se declaran en milímetros de mercurio (mm Hg). La **presión sistólica** se origina en el ventrículo izquierdo mientras se contrae (p. ej., durante la sístole). La **presión diastólica** es resultado de la presión residual en el sistema mientras el ventrículo izquierdo se está relajando (p. ej., durante la diástole). Normalmente, la presión diastólica no debería descender hasta cero, porque la resistencia vascular periférica en el lado arteriolar del sistema circulatorio debería proveerla continuamente. Las arterias coronarias reciben sangre por este mecanismo, por lo que un descenso en la presión diastólica significa menor perfusión del miocardio.

Perlas de sabiduría

Muchos pacientes muestran un aumento de la presión arterial por la ansiedad y el estrés de una lesión o enfermedad aguda. Visualice al paciente y las tendencias de los signos vitales antes de concluir que la presión arterial es realmente anormal.

Perlas de sabiduría

Siempre que sea posible, evite tomar la presión arterial en una extremidad adolorida/lesionada, o un brazo con una derivación o fístula arteriovenosa, y en el hemitórax después de una mastectomía. El hacerlo causa dolor y/o produce lecturas imprecisas.

La presión arterial debe medirse utilizando un manguito apropiado para las dimensiones del paciente y su hábito corporal. El manguito debería corresponder a 50 a 66% del tamaño del brazo. Los manguitos que son muy pequeños o apretados darán una presión alta artificial; aquellos que son muy grandes o los laxos darán resultados imprecisamente bajos. Aunque la presión arterial debería idealmente auscultarse, se puede palpar para calcular la presión sistólica; sin embargo, este método conlleva el potencial de error. Es necesaria la inspección periódica del calibre de los manguitos de presión arterial porque pueden perder precisión y requerir recalibración o sustitución.

Temperatura

Se pueden usar muchos métodos para evaluar la temperatura corporal. Los proveedores del SEM han empezado a prestar mayor atención a la fiebre que en el pasado, por la pandemia de COVID-19. Si usted utiliza un dispositivo para medir la temperatura del tímpano y obtener la temperatura corporal, esté alerta de qué factores extrínsecos pueden aumentarla o disminuirla. Asegúrese que el conducto auditivo externo esté libre de **cerumen** (cera ótica), que puede disminuir la temperatura. Coloque la sonda dentro del conducto de tal manera que el haz infrarrojo se dirija al tímpano; de otro modo, la medición será inválida. Espere de 2 a 3 segundos hasta que aparezca la lectura digital de la temperatura. Con este método se determina la temperatura corporal central, que suele ser mayor y más precisa que la bucal, que se considera un aproximado de la temperatura real, que es la primera.

Oximetría de pulso

La saturación de oxígeno arterial determinada por **oximetría de pulso** (SpO_2) se ha vuelto parte regular de la vigilancia de los signos vitales, **FIGURA 8-18**. Por lo general, la administración de oxígeno complementario se considera en los pacientes sintomáticos (aquellos con signos de hipoxia) con una SpO_2 menor de 94%. Aunque la oximetría de pulso es un recurso valioso, no debería usarse como índice absoluto de la necesidad

CUADRO 8-6 Patrones ventilatorios patológicos

Forma de onda	Patrón	Descripción	Causas
	Eupnea	Frecuencia y patrón regulares; inspiración y exhalación son equivalentes	Normal
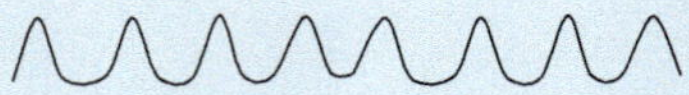	Taquipnea	Ventilación en exceso rápida y poco profunda, patrón regular	Estimulantes, ejercicio, excitación, enfermedad pulmonar u otra causa médica (p. ej., ansiedad, asma, asfixia, enfermedad pulmonar obstructiva crónica, insuficiencia cardíaca o embolia pulmonar)
	Bradipnea	Disminución de la frecuencia ventilatoria, patrón regular	Opioides, sedantes, alcohol, neumonía, apnea del sueño, exposición al monóxido de carbono, lesión cerebral traumática
	Apnea	Ausencia de ventilación	Hipoxia grave, depresores, lesiones de la cabeza, ataque cardíaco, latido cardíaco irregular, afecciones metabólicas (p. ej., desequilibrio químico, mineral o acidobásico), sumersión, accidente cerebrovascular
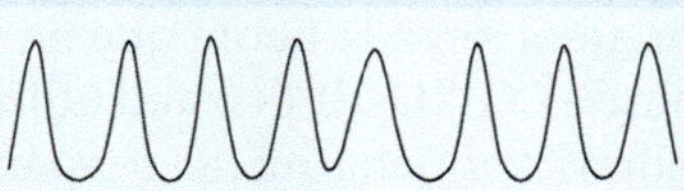	Hiperpnea	Ventilaciones rápidas, regulares, profundas	Estimulantes, sobredosis, ejercicio
	Ventilación de Cheyne-Stokes	Aumento gradual en la frecuencia y profundidad ventilatorias, seguida por un decremento gradual, con periodos intermitentes de apnea	Patrón premortal, lesión del tronco encefálico, síndrome de herniación encefálica
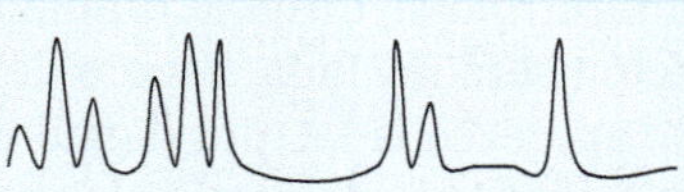	Ventilaciones de Biot/atáxicas	Patrón, frecuencia y profundidad de las ventilaciones, irregulares, con periodos de apnea	Lesión del tronco encefálico, aumento de la presión intracraneal
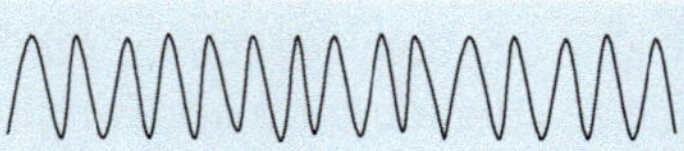	Ventilación de Kussmaul	Ventilaciones de jadeo profundas (taquicardia extrema e hiperpnea)	Acidosis Cetoacidosis diabética
	Ventilaciones apnéusticas	Fase inspiratoria prolongada con acortamiento de la fase exhalatoria y bradipnea	Lesión del tronco encefálico

de administración de oxígeno. La oximetría de pulso mide el porcentaje de saturación de la hemoglobina y puede ser imprecisa en algunas circunstancias. Usted debe saber las limitaciones de la oximetría de pulso para procesar de manera apropiada la información que brinda. Se pueden obtener lecturas imprecisas por una diversidad de motivos, que incluyen hipotensión, hipotermia, intoxicación por monóxido de carbono,

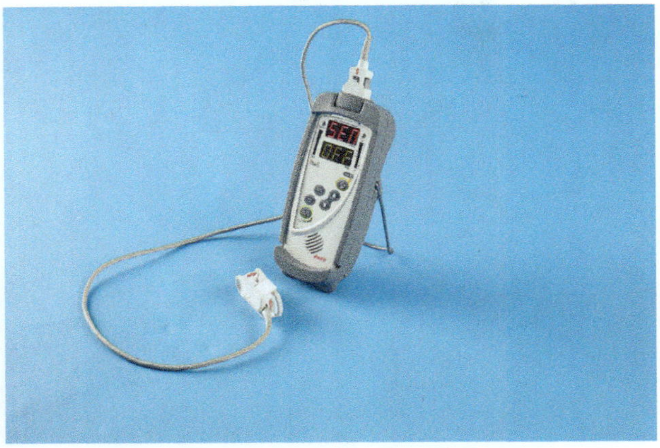

FIGURA 8-18 Un oxímetro de pulso.

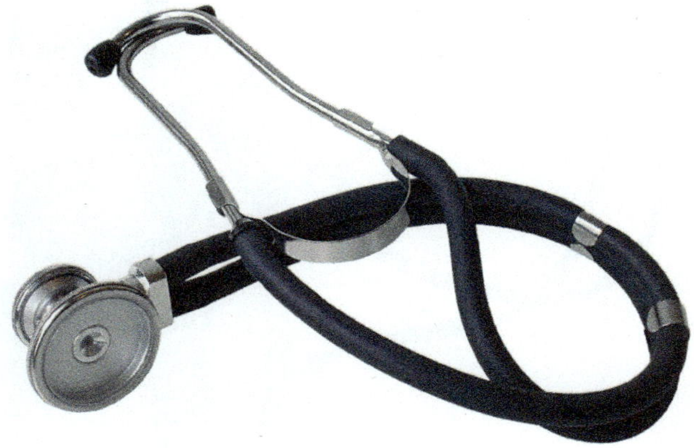

FIGURA 8-19 Un estetoscopio.

drepanocitemia, anemia, colorantes vasculares, movimientos del paciente, colocación incorrecta e incluso ciertos tipos de barniz de uñas.

Perlas de sabiduría

Visualice al paciente, y no al número. Si parece enfermo pero su lectura de oximetría de pulso es normal, entonces todavía está enfermo.

Perlas de sabiduría

Hay importantes diferencias entre la campana y el diafragma del estetoscopio. La primera se usa para escuchar ruidos profundos y de bajo tono (los cardíacos). Se coloca ligeramente sobre la piel, apenas lo suficiente para formar un sello. El diafragma plano se usa para escuchar ruidos de tono alto (ventilatorios, intestinales y cardíacos normales); se coloca con firmeza sobre la piel.

Equipo usado para la evaluación secundaria

El equipo usado para evaluación secundaria incluye un estetoscopio, un **esfigmomanómetro** (p. ej., manguito de presión arterial), oxímetro de pulso, capnógrafo y glucómetro, martillo de reflejos, una fuente confiable de luz, guantes y una sábana o lienzo.

Se dispone de estetoscopios en dos formas: acústicos y electrónicos, **FIGURA 8-19**. El estetoscopio acústico no amplifica los sonidos; más bien, simplemente bloquea los ruidos ambientales, lo que le permite oír y apreciar los ruidos corporales. Un estetoscopio electrónico convierte las ondas de sonido acústicas en una señal electrónica, que después se amplifica.

El estetoscopio acústico de hoy, que es el dispositivo que más a menudo se encuentra en el contexto prehospitalario, consta de dos piezas auriculares unidas a un tubo lleno de aire conectado con una pieza de tórax, con dos lados, un diafragma (disco de plástico) y una campana (copa hueca), cualquiera que puede colocarse sobre el paciente para percibir los sonidos. El diafragma vibra de acuerdo con los ruidos del cuerpo, que se transmiten a través de los auriculares del estetoscopio; por lo tanto, si usa el lado del diafragma para captar los ruidos de mayor frecuencia, la campana, que suele transmitir los de menor frecuencia, permite percibirlos directamente en la piel del paciente. Algunos estetoscopios tienen diafragmas atenuados, lo que significa que cuentan con un anillo metálico externo y otro cercano al centro de la cabeza, y el impulso suave sobre la cabeza le permite escuchar un conjunto de ruidos, mientras que presionar con firmeza acopla al diafragma sobre el anillo interno, lo que permite que usted perciba un conjunto de ruidos diferente.

Un esfigmomanómetro, o manguito de presión arterial, permite su medición, **FIGURA 8-20**. El dispositivo usual consta de un manguito inflable, que ocluye el riego sanguíneo, y un manómetro (medidor de la presión), que se usa para determinar la presión del interior de la arteria, componentes que están conectados por tubos. En los manguitos manuales, un tubo separado se une a un bulbo de inflado. También se dispone de manguitos de presión arterial sin perilla, pero pueden ser incómodos en la piel desnuda.

El **oftalmoscopio** le permite explorar los ojos del paciente, visualizar la retina y el humor acuoso. Un

FIGURA 8-20 Un esfigmomanómetro.

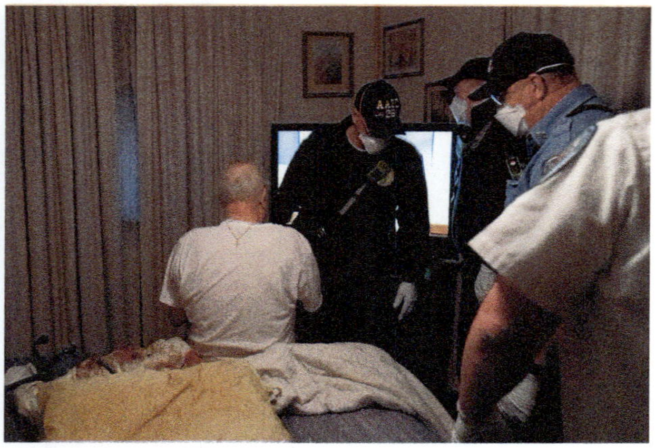

FIGURA 8-21 Impresión general de la situación total conforme se acerca al paciente.

otoscopio se usa para evaluar los oídos del paciente, dos dispositivos que rara vez se utilizan en la medicina paramédica.

Controversias

La ultrasonografía, que incluye la evaluación enfocada con ultrasonografía en la exploración de trauma (FAST, por sus siglas en inglés), representa la atención médica prehospitalaria de vanguardia, tecnología que se puede usar para evaluar rápido a los pacientes y decidir si requieren transporte a un centro de trauma. Sin embargo, el costo del equipo y el entrenamiento es significativo, y muchos directores médicos de los servicios han optado por dejar pendiente esta inversión hasta que haya suficiente investigación que muestre sus beneficios prehospitalarios.[18] Por lo tanto, la intervención no se ha convertido aún en corriente principal de la práctica profesional del paramédico. Los directores médicos pueden elegir entrenar a los paramédicos en su sistema y a utilizar protocolos para exploraciones FAST, pero es crucial que la aplicación de esta destreza nunca retrase el transporte de un paciente traumatizado al centro regional de trauma.

La exploración física

La exploración física de un paciente en el contexto prehospitalario es la destreza de máxima importancia que un proveedor de atención sanitaria puede adquirir. Establecer el acceso vascular, administrar medicamentos y realizar la intubación endotraqueal son destrezas que requieren amplia práctica para su dominio. Por comparación, las destrezas de evaluación de un paciente y la interpretación de los datos de la exploración física realmente separan al paramédico maduro del novato. La exploración física consta de una revisión de aparatos y sistemas para determinar la naturaleza y extensión de la enfermedad o lesión del paciente.

Tan pronto como usted llegue a la escena, ya habrá empezado a buscar información acerca del cuadro clínico total del paciente, **FIGURA 8-21**. Uno que yace sobre el piso en una tarde fría lluviosa, por ejemplo, debería considerarse hipotérmico hasta demostrar lo contrario. Un vistazo rápido del ambiente en el que se encuentra el paciente y su aspecto general proveen una cantidad sustancial de información antes de que usted incluso comience a hacer preguntas.

Busque signos de malestar significativo, como cambios del estado mental, ansiedad, ventilación laboriosa, dificultad para hablar, sudoración, dolor obvio, deformidad obvia, y defensa o rigidez voluntaria de una zona dolorosa. No es raro que las personas experimenten dolor sustancial incapacitante y presenten una actitud tranquila y en silencio.

Otros aspectos que pueden ser fácilmente aparentes y dignos de mención incluyen vestido, higiene, expresión, talla total, postura, olores desagradables o inusuales y el estado global de salud. Conforme usted determine el estado total del paciente, use términos apropiados para describir el grado de malestar: ninguno, aparente, leve (ligero o no intenso), moderado (pequeño o promedio), agudo (muy grande o malo) y grave (peligroso o difícil de soportar). Otros términos aceptables para describir el estado general de salud de un paciente incluyen crónicamente enfermo, frágil, lánguido, robusto y vigoroso.

Inteligencia en la calle

Se dispone de muchos dispositivos tecnológicos para el personal del SEM, como auxiliares para la evaluación de los pacientes. Aunque este equipo se considera con un desempeño excelente, recuerde siempre que está evaluando a un paciente, no a una máquina. Dedique tiempo para explicarle qué dispositivos usa y por qué, una acción simple que ayuda a disminuir su ansiedad. Además, aprenda a hacer mediciones en forma manual, (p. ej., de la presión arterial) ¡antes de que comience a depender de los aparatos!

La evaluación secundaria debería impulsarse por la información que obtuvo durante la evaluación primaria y la fase de historia clínica. Para un paciente que le expresa, "no... puedo... mantener... mi respiración", la evaluación temprana de los ruidos ventilatorios es un deber. Si el paciente le dice, "siento las piernas adormecidas", está indicada la evaluación del pulso, la función motora, y la sensibilidad en las extremidades afectadas y no afectadas. Ejerza el buen juicio para hacer el mejor uso de su tiempo. No lo pierda palpando el abdomen de un paciente o auscultando sus ruidos cardíacos si este le refiere dolor de rodilla. En general, la atención que usted provea a un paciente médico que responde se ve impulsada por los protocolos locales en conjunción con su consulta al médico de la estación basal.

La exploración de cuerpo completo

La **exploración de cuerpo completo** es una exploración sistemática de pies a cabeza. Al igual que el examen rápido de todo el cuerpo, la exploración de cuerpo completo incluye inspección, palpación y auscultación, además de percusión y requiere más tiempo para concluir. Este proceso permite identificar lesiones ocultas y otros problemas que no se encontraron durante la evaluación primaria. Cualquier paciente con un ML significativo, que no presenta respuesta, o se encuentra en estado crítico, debería ser objeto de este tipo de exploración, pues un paciente que no responde no le puede decir qué le sucede, por lo tanto, este tipo de exploración puede darle pistas para identificar el problema. Dependiendo de la gravedad del paciente, esta exploración a menudo se hace en camino al DE.

Para hacer una exploración de cuerpo completo de un paciente sin sospecha de lesiones raquídeas, siga los pasos de la **PRÁCTICA DE DESTREZA 8-3** y si sufrió un traumatismo significativo, asegure que aún se mantenga la estabilización manual.

Una **exploración dirigida**, a veces llamada evaluación dirigida, se hace, por lo general, en pacientes que tuvieron ML insignificantes o en pacientes médicos con respuesta. Este tipo de exploración se basa en la principal manifestación. Las manifestaciones más comunes en pacientes con respuesta involucran la cabeza, el corazón, los pulmones o el abdomen, de manera individual o en combinación.

Práctica de destreza 8-3 Realizar la exploración de cuerpo completo

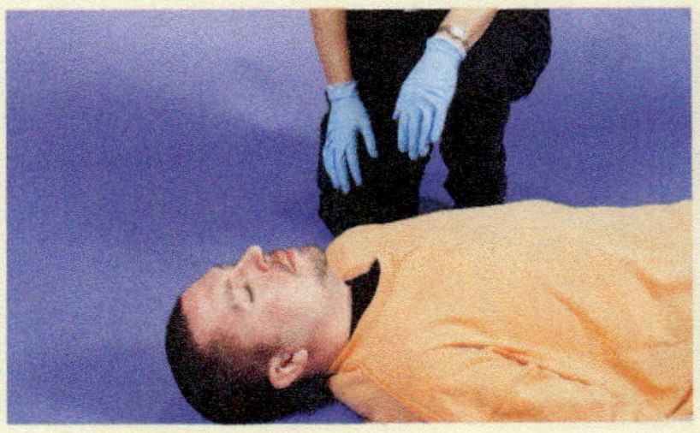

Paso 1

Revise la cara en cuanto a laceraciones, equimosis, presencia de líquidos y deformidades obvias.

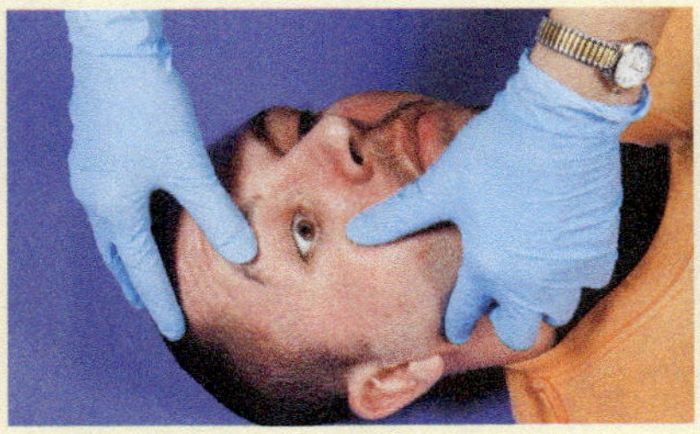

Paso 2

Inspeccione la región periocular y los párpados.

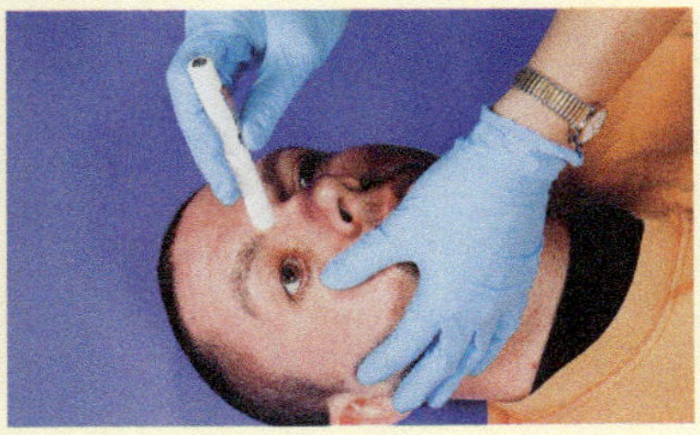

Paso 3

Explore si los ojos están enrojecidos y en busca de lentes de contacto. Use una linterna bolígrafo para evaluar las pupilas.

(continúa)

Práctica de destreza 8-3 Realizar la exploración de cuerpo completo (continuación)

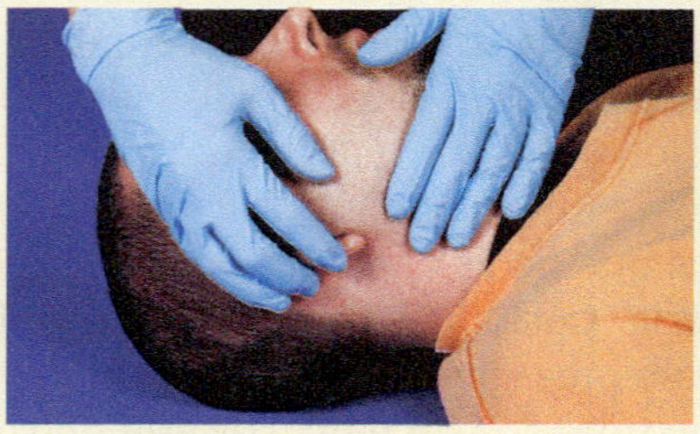

Paso 4

Busque equimosis detrás de los oídos (signo de Battle).

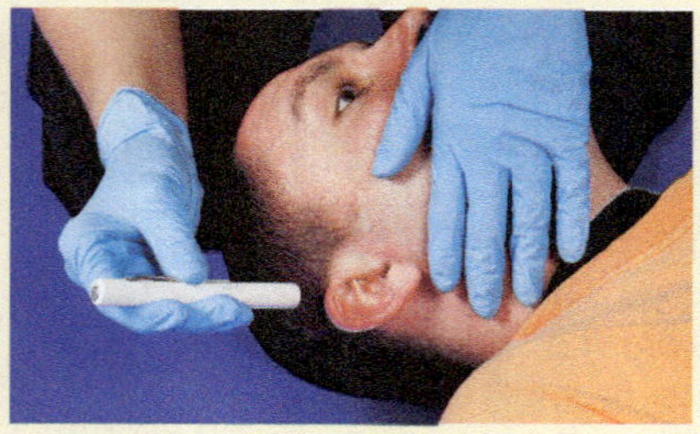

Paso 5

Use la lámpara bolígrafo para buscar drenaje de líquido cefalorraquídeo (LCR) o sangre por los oídos.

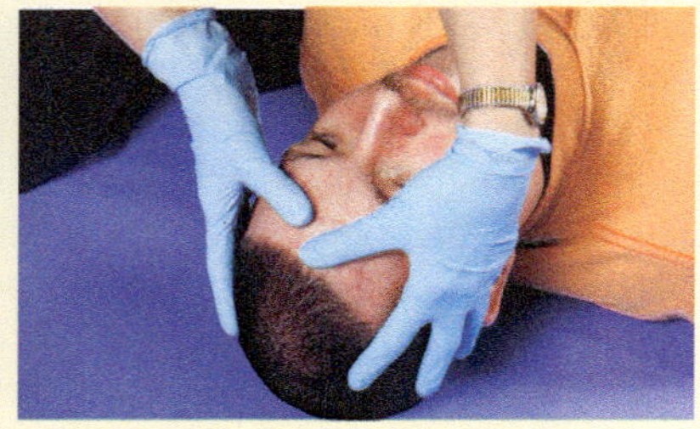

Paso 6

Explore la cabeza en busca de equimosis y laceraciones. Palpe en busca de hipersensibilidad, depresiones y deformidades del cráneo.

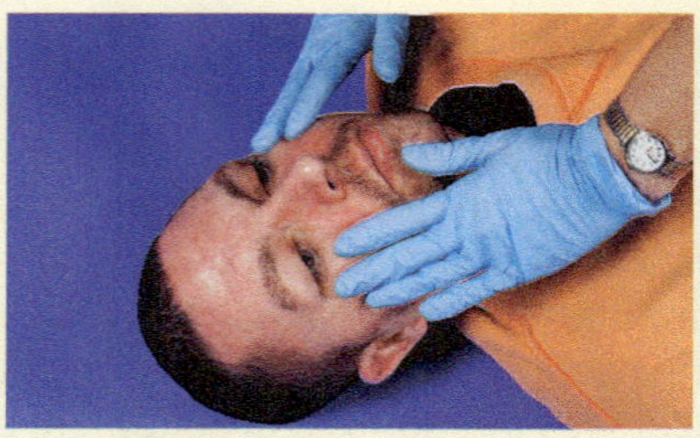

Paso 7

Palpe los huesos cigomáticos en cuanto a hipersensibilidad, simetría e inestabilidad.

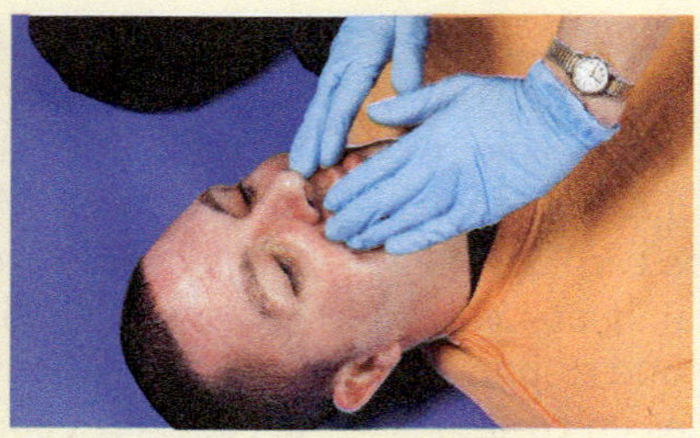

Paso 8

Palpe los maxilares.

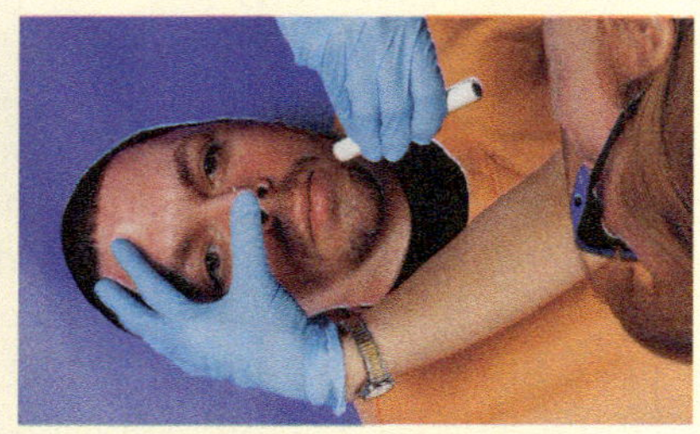

Paso 9

Revise la nariz en busca de sangre y algún drenaje.

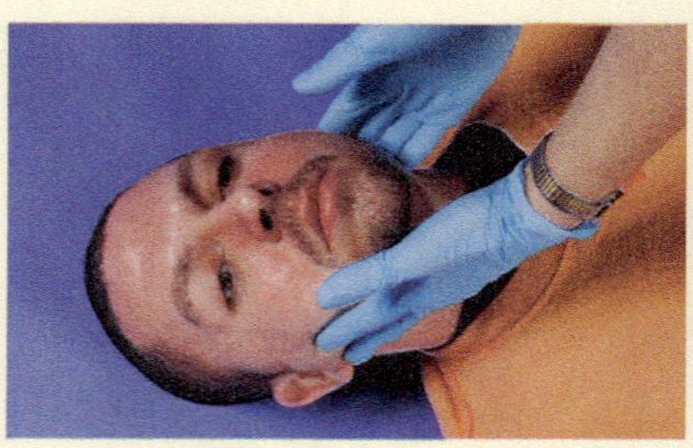

Paso 10

Palpe la mandíbula.

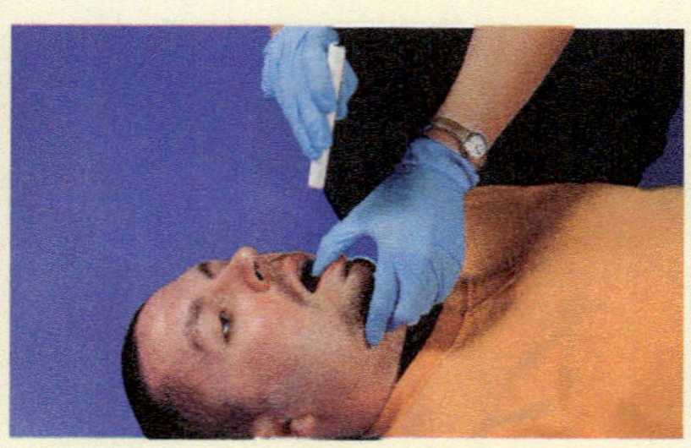

Paso 11

Evalúe boca y nariz en cuanto a cianosis, cuerpos extraños (incluidos dientes o dentaduras sueltos o rotos), hemorragia, laceraciones y deformidades.

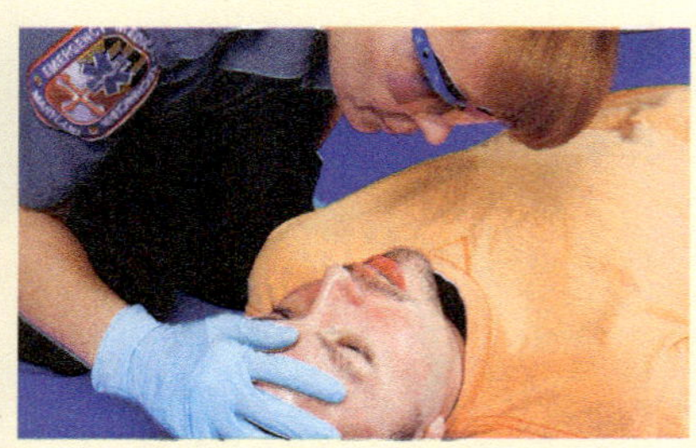

Paso 12

Verifique olores inusuales en el aliento del paciente.

Práctica de destreza 8-3 Realizar la exploración de cuerpo completo (continuación)

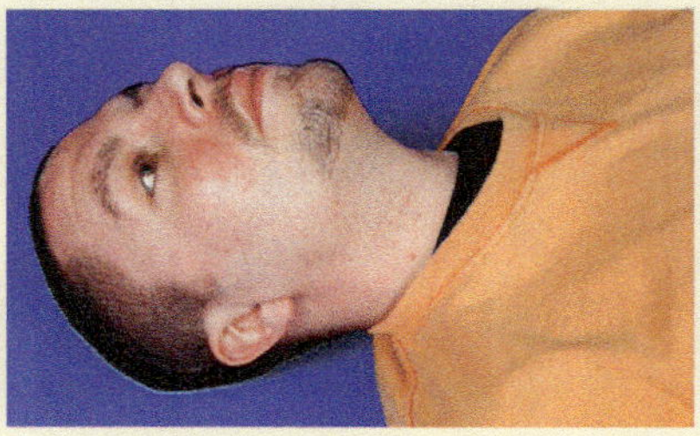

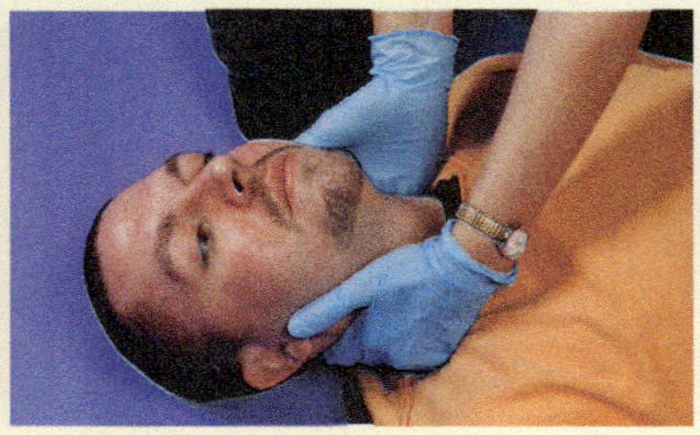

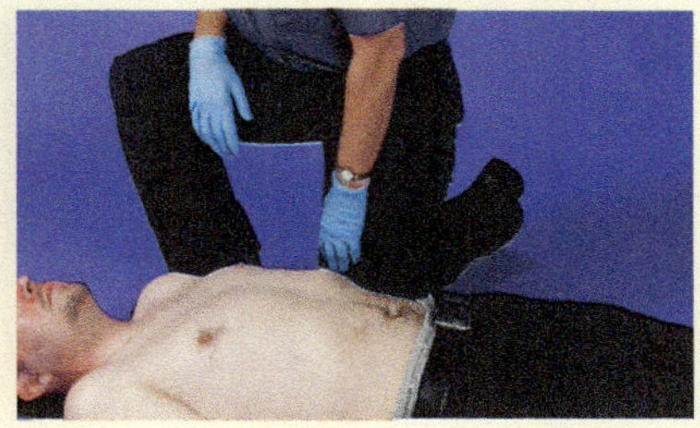

Paso 13

Revise el cuello en busca de laceraciones, equimosis y deformidades obvias. Observe si hay distensión de la vena yugular (DVY) y palpe en busca de una desviación traqueal.

Paso 14

Palpe el frente y el dorso del cuello en cuanto a hipersensibilidad y deformidad.

Paso 15

Inspeccione el tórax en busca de signos obvios de lesión, antes de empezar la palpación. Observe el movimiento ventilatorio del tórax y evalúe si es laborioso.

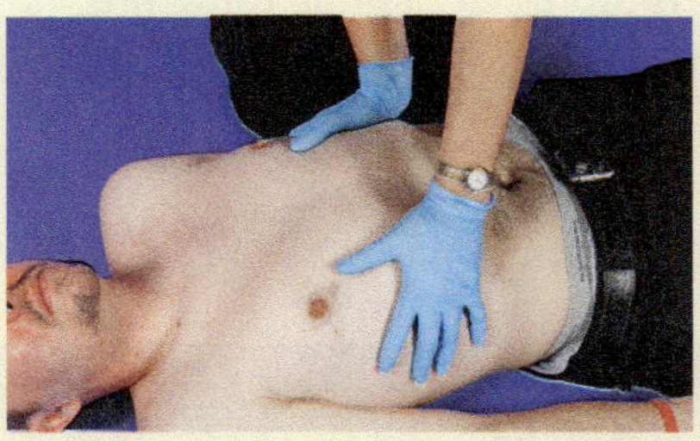

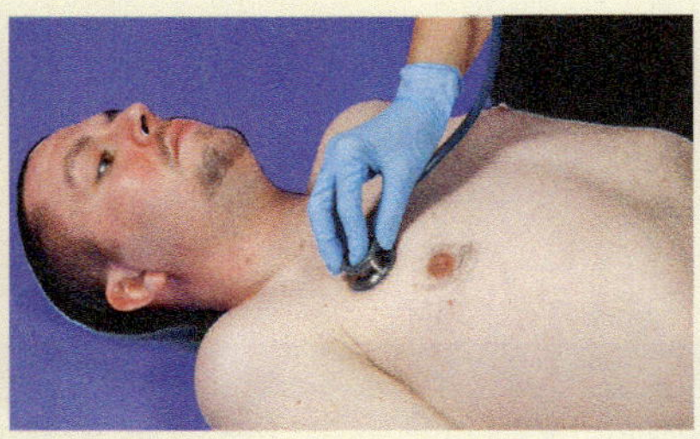

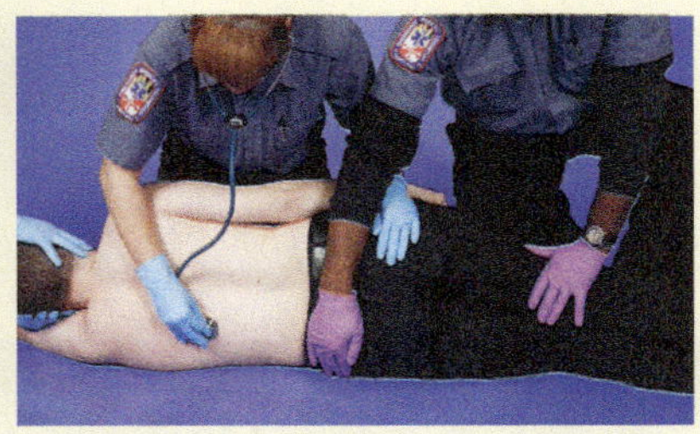

Paso 16

Palpe suavemente las costillas para evaluar su integridad estructural y buscar hipersensibilidad. Evite presionar sobre equimosis y fracturas obvias.

Paso 17

Escuche los ruidos ventilatorios sobre las líneas media axilar y medioclavicular, un mínimo de cuatro campos cuando revisa el tórax anterior y seis campos cuando revisa el tórax posterior.

Paso 18

Evalúe las bases y los ápices pulmonares. En este punto, también evalúe el dorso en cuanto a hipersensibilidad y deformidades, de manera que pueda usted hacer girar sobre su eje longitudinal al paciente solo una vez. Recuerde, si sospecha una lesión de la médula espinal, utilice las precauciones raquídeas para el giro.

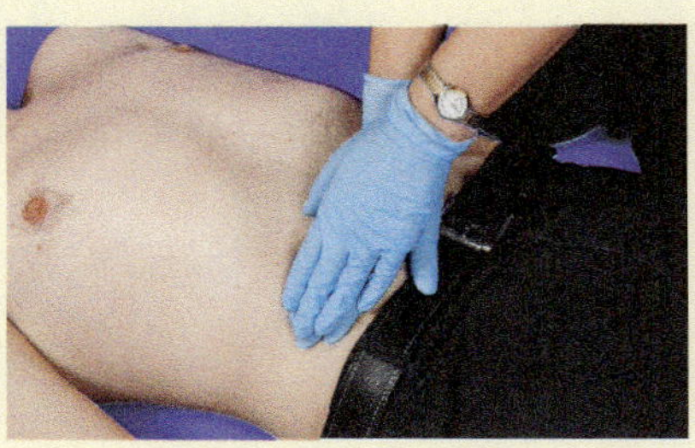

Paso 19

Busque laceraciones, equimosis y deformidad obvias de abdomen y pelvis. Palpe con suavidad en busca de hipersensibilidad, así como el cuadrante ubicado en diagonal respecto de la localización del dolor. Si el paciente señala que su dolor se localiza en un cuadrante, palpe esa zona al final. La contracción de los músculos abdominales en respuesta a la palpación se presenta ante circunstancias subyacentes, como una apendicitis, y se describe como "reflejo de defensa". Cuando la contracción persiste a través de la musculatura abdominal, se describe al abdomen como "rígido", condición que se presenta ante la inflamación grave, como una peritonitis.

(continúa)

Práctica de destreza 8-3 Realizar la exploración de cuerpo completo (continuación)

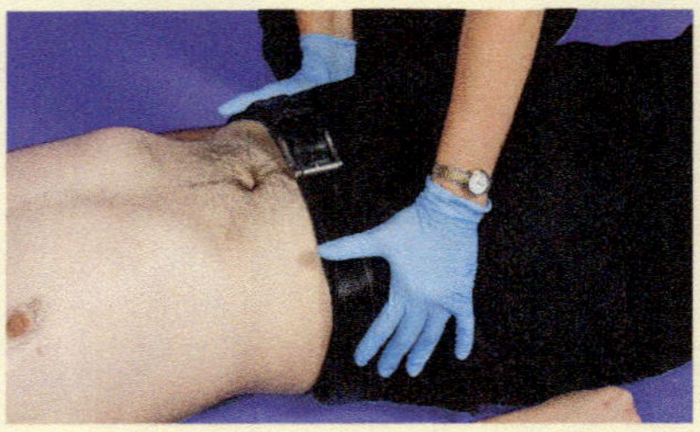

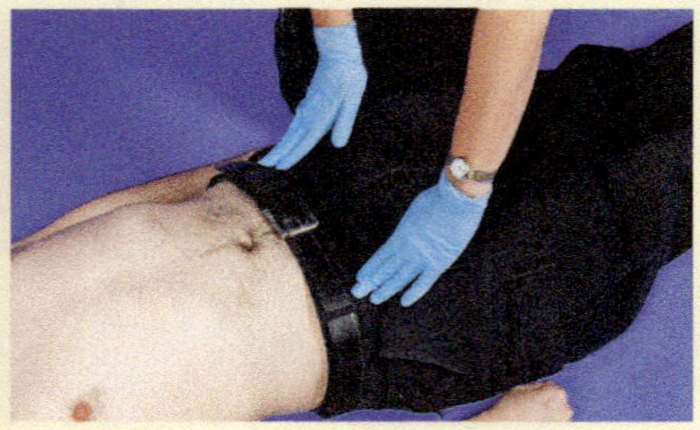

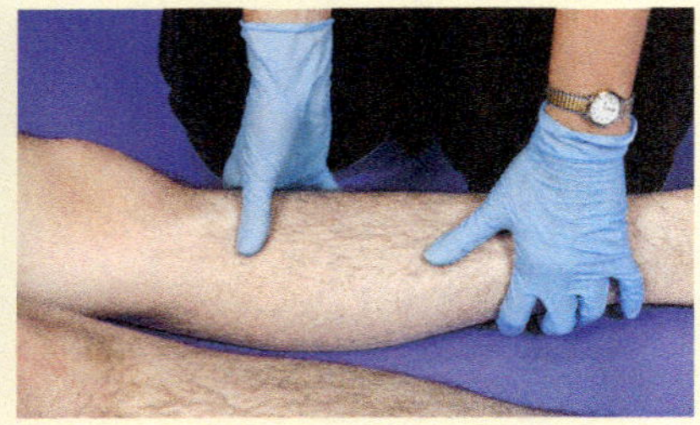

Paso 20

Comprima con suavidad la pelvis desde los lados en busca de hipersensibilidad.

Paso 21

Presione con suavidad las crestas iliacas en busca de inestabilidad, hipersensibilidad y/o crepitación.

Paso 22

Inspeccione las cuatro extremidades en busca de laceraciones, equimosis, edema, deformidades o joyería de alerta médica. Además, valore los pulsos distales y las funciones motora y sensorial. Compare los lados derecho e izquierdo siempre que sea posible.

CUADRO 8-7 Principales manifestaciones comunes y exploraciones dirigidas

Manifestación principal	Exploración dirigida
Dolor de tórax	Evalúe la piel, el pulso y la presión arterial. Busque traumatismos de tórax, valore las venas yugulares externas y ausculte los ruidos ventilatorios. Evalúe el edema de pies/partes declives. Obtenga un EKG de 12 derivaciones.
Dolor abdominal	Evalúe la piel, el pulso y la presión arterial. Busque traumatismos del abdomen, y pálpelo en cuanto a hipersensibilidad o **rigidez**.
Disnea	Evalúe la piel, el pulso, la presión arterial, y la frecuencia y profundidad de la ventilación. Busque obstrucciones de la vía aérea. Ausculte cuidadosamente los ruidos ventilatorios y busque hipoxemia (p. ej., con uso de la oximetría de pulso). Valore en cuanto a edema de pies/partes declives. Obtenga un EKG de 12 derivaciones.
Mareo	Valore la piel, el pulso, presión arterial y lo adecuado de la ventilación. Vigile con cuidado el grado de consciencia y la orientación. Revise la cabeza en cuanto a signos de traumatismos. Valore los signos de accidente cerebrovascular (p. ej., ptosis facial, farfullo y debilidad en un lado). Evalúe el antecedente de problemas del oído interno. Determine la cifra de glucemia. Obtenga un EKG.
Cualquier dolor vinculado con huesos o articulaciones	Valore la piel, el pulso, el movimiento y la sensibilidad adyacentes a la región afectada, y los distales.

Abreviaturas: PA, presión arterial; EKG, electrocardiograma.

Por ejemplo, si un paciente informa de cefalea, valore cuidadosa y sistemáticamente la cabeza y/o el sistema neurológico. En contraste, uno con una laceración de un brazo puede requerir solo la evaluación correspondiente. El propósito de la exploración dirigida es centrar la atención en la manifestación inmediata. En el **CUADRO 8-7** se dan ejemplos de las principales manifestaciones comunes y las exploraciones dirigidas correspondientes.

Estado mental

En pacientes con síntomas relacionados con la cabeza (p. ej., confusión, cefalea, EMA), valore y palpe en busca de signos de traumatismos. Revise la asimetría facial, como ptosis y otros signos de sospecha de un accidente cerebrovascular. Las pupilas dilatadas o contraídas pueden indicar el uso de drogas recreativas, en tanto, las conjuntivas enrojecidas sugieren el uso de drogas o alcohol. La elevación de la presión arterial se acompaña a menudo de cefalea, tal vez en forma secundaria a la hipertensión.

Poblaciones especiales

Es claro que un niño o lactante responderá de manera diferente que un adulto durante la exploración del estado mental, por lo cual puede ser difícil de evaluar el estado mental de los pacientes pediátricos. En tal caso, debería usarse una forma modificada de dicha exploración. Primero, determine si el niño está alerta. Inclusive los lactantes estarán atentos a su presencia y deberían seguirle con los ojos (un proceso llamado "seguimiento"). Pregunte al padre si la conducta del niño es normal, en particular con respecto a su estado de alerta. La mayoría de los niños mayores de 2 años conoce su nombre y el de sus padres y hermanos. Evalúe el estado mental de los escolares preguntando acerca de días festivos, actividades escolares recientes o los nombres de sus maestros, tema que se aborda en el capítulo 40, *Emergencias pediátricas*.

Evalué el estado mental de un paciente indagando su función cognitiva (capacidad de razonamiento). Como mínimo, precise el grado de consciencia. Use la escala AVDI, como se describió en la sección de Evaluación primaria, para ayudar a identificar el NC del paciente. Determine la glucemia con un glucómetro si hay EMA, en especial en pacientes con antecedente de diabetes. En la **PRÁCTICA DE DESTREZA 8-4** se incluyen los pasos para el uso de un glucómetro.

Usted puede evaluar mejor el estado mental considerando si el paciente está alerta y orientado (A × O) en cuatro aspectoss: persona, lugar, tiempo y el suceso mismo, y con la determinación de la calificación de la EKG, como se describió antes en este capítulo. Evaluar si el paciente puede recordar su nombre indaga la memoria a largo plazo, en tanto el determinar si sabe dónde está y qué sucedió, pone a prueba la memoria a corto plazo.

Una vez que evaluó el estado mental, realice una exploración mental exhaustiva, en especial en quienes experimentan una emergencia conductual. Esta exploración se inicia determinando el aspecto general del paciente, incluidas su postura, expresión facial y capacidad de relajación. ¿Cambia la postura del paciente con los tópicos tratados, las actividades o el acercamiento de ciertas personas? Una postura tensa, inquieta, sugiere que presenta ansiedad, en tanto una postura desplomada y movimientos lentos indican una depresión subyacente. Observe la cara del paciente, tanto en reposo como durante su interacción con otros. Verifique variaciones en su expresión ante los tópicos que se tratan. ¿Son apropiadas sus expresiones faciales? Una cara relativamente inmóvil (p. ej., un paciente que no parpadea o con una mirada fija) durante la exploración puede indicar la enfermedad de Parkinson.

Observe los patrones de lenguaje del paciente. Preste atención a la cantidad, la velocidad, el volumen, la articulación y fluidez del discurso. Las alteraciones en el lenguaje sugieren una subyacente enfermedad psiquiátrica o del sistema nervioso central (SNC).

Pregunte al paciente en cuanto a su conducta habitual. Esta es una declaración objetiva similar a la de la principal manifestación. El simplemente preguntar, "¿cómo se siente?" puede dar lugar a una respuesta apropiada; sin embargo, quizás se requieran interrogantes más directas acerca de sus actividades habituales. A todos los pacientes se les debe preguntar en cuanto a ideas suicidas. Cualquiera que exprese tenerlas debería evaluarse en una instalación apropiada.

La valoración de los pensamientos y las percepciones del paciente es una parte importante de la exploración completa del estado mental. Indague la lógica, la importancia, la organización y la coherencia de los pensamientos del paciente simplemente al escuchar su conversación. Perciba irregularidades, como el cambio abrupto de conversación de un tema a otro, las palabras inventadas o distorsionadas y un lenguaje en gran parte incomprensible, que pueden indicar una afección subyacente, como la esquizofrenia. Las percepciones del paciente incluyen a los sentidos. Pregúntele si a veces escucha, ve o percibe cosas que otros no, inclusive si nadie está presente. Los pacientes que responden "sí" a cualquiera de esas preguntas pueden estar experimentando alucinaciones relacionadas con una enfermedad psiquiátrica o alteración del SNC subyacente.

Práctica de destreza 8-4 Uso de un glucómetro para determinar la glucemia

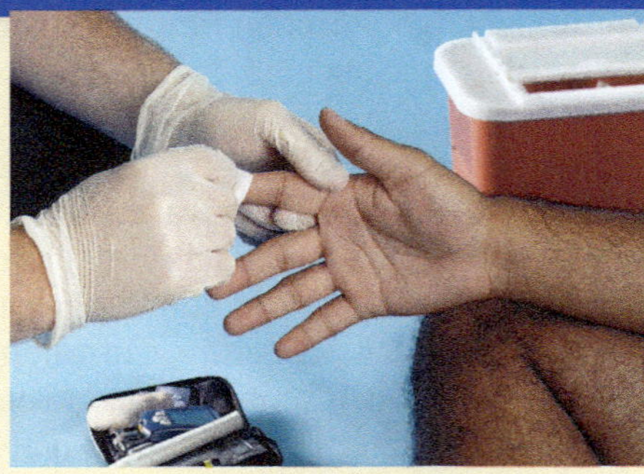

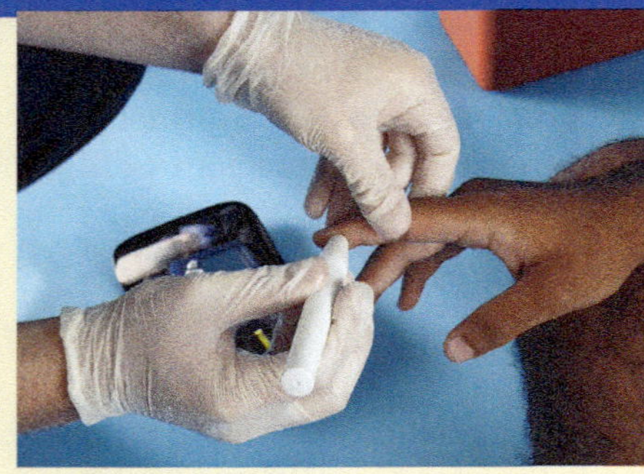

Paso 1

Identifique la necesidad de determinar la glucemia, sus cifras normales, contraindicaciones y posibles complicaciones. Cumpla con las precauciones estándar. Explique claramente el procedimiento al paciente. Seleccione, ensamble y revise el equipo (glucómetro, tira reactiva, aguja o dispositivo de punción automático de resorte, almohadillas preparadas con alcohol). Encienda el glucómetro e inserte una tira reactiva. Limpie la punta del dedo del paciente con la almohadilla preparada con alcohol.

Paso 2

Puncione el sitio antes preparado con la lanceta o el dispositivo de punción y obtenga sangre capilar.

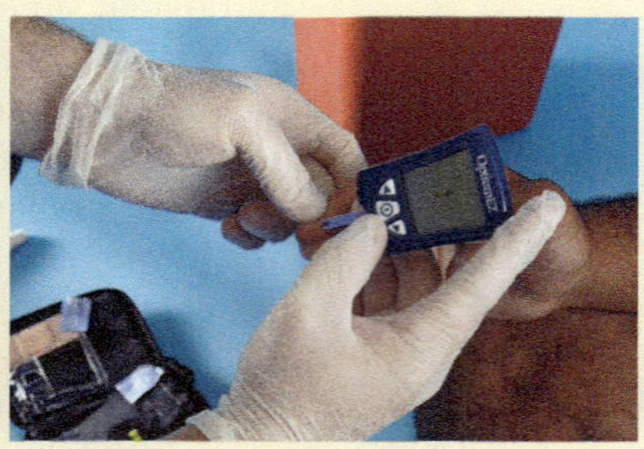

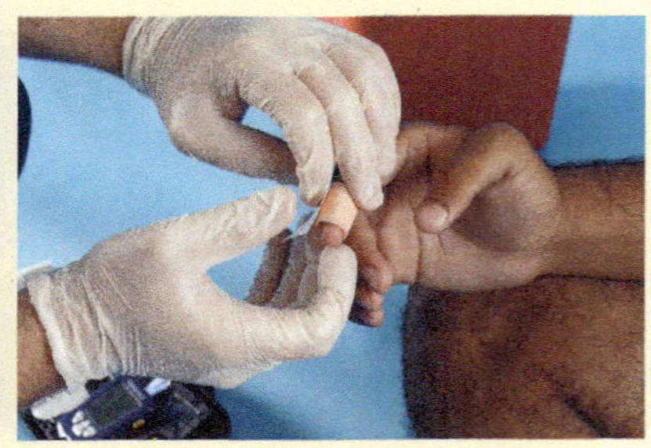

Paso 3

Deseche la lanceta en un recipiente de objetos cortantes.

Paso 4

Inserte la tira reactiva en el glucómetro, obtenga una muestra de sangre, transfiérala a la tira reactiva y a continuación active el dispositivo de acuerdo con las instrucciones del fabricante.

Paso 5

Cubra la punta del dedo puncionada haciendo presión con una almohadilla preparada con alcohol, y después, coloque un vendaje sobre el sitio de la punción. Registre la lectura del glucómetro y documéntela apropiadamente.

Escuche el contenido de los pensamientos que sugieran fobias, obsesiones, ansiedades o delirios. Los delirios son creencias falsas, fijas, personales, no compartidas por la mayoría de los otros miembros de su cultura. Es esencial que cualquier observación acerca del contenido del pensamiento del paciente se comunique al DE.

Valore el discernimiento y juicio del paciente, que demuestra que sabe de su enfermedad y de la necesidad de tratamiento. Usted simplemente pregunte, "¿qué piensa que está mal?" Algunos pacientes responderán, "tengo depresión, y sé que necesito obtener ayuda", lo que demuestra que tiene un discernimiento positivo de su afección. Otros podrían creer que es normal escuchar voces inexistentes y que no necesitan tratamiento, a estos pacientes se les considera con discernimiento deficiente.

Usted puede, por lo general, valorar el juicio al anotar la respuesta del paciente a preguntas acerca de la familia y conflictos interpersonales, trabajo y uso del dinero. Por ejemplo, podría preguntar, "¿quién va a cuidar su casa mientras usted está en el hospital?" Cualquier respuesta inapropiada puede indicar delirio, demencia, o retraso del desarrollo, así como una psicosis.

Finalmente, un estudio completo del estado mental incluye la valoración adicional de la función cognitiva del paciente y, por lo general, no se hace en el campo de acción de los paramédicos, ya que puede ser difícil de interpretar sin una hoja de calificación y el ajuste para el nivel de instrucción.

Perlas de sabiduría

En casos de una potencial lesión cefálica, a veces se usa una hoja de calificación específica que requiere entrenamiento especial para su implementación, con ella se valora la atención, memoria y capacidad de aprendizaje del paciente. Hay varias formas de evaluar la atención: dos métodos de uso frecuente son la *serie de 7* y el *deletreo retrógrado*. La serie de 7 se hace pidiendo al paciente que inicie con 100, reste 7, y continúe haciéndolo. Consigne el esfuerzo que realiza, su velocidad y precisión. El deletreo en retroceso es otra forma de evaluar la atención. Pida al paciente expresar una palabra de cinco letras, como M-U-N-D-O, en forma anterógrada y retrógrada. Nuevamente, señale su esfuerzo, velocidad y precisión.

Para valorar la memoria, inicie con la memoria remota, como aniversarios, cumpleaños, escuelas a la que asistió y trabajos en que participó. Puede ser difícil precisar la memoria remota, ya que puede no haber alguien disponible para confirmar las respuestas del paciente, por lo que este método no es siempre el recurso de más valor. A continuación, inquiera en cuanto a la memoria reciente del paciente, lo que podría involucrar sucesos del día. Por ejemplo, pregunte qué medicamentos tomó y qué ingirió en el desayuno. Al igual que en la prueba de memoria remota, debe estar disponible alguien para confirmar la precisión de las respuestas del paciente. Finalmente, valore el recuerdo de la memoria del paciente dándole 3 o 4 palabras para recordar, como *pelota, llave* y *podadora*. Pídale que recite estas palabras de 3 a 5 minutos después.

Piel, pelo y uñas

Piel Tal vez la forma inicial más rápida y confiable de evaluar el grado total de malestar del paciente es la inspección de la piel. Los cambios relativamente sutiles pero graves en la circulación total, se manifiestan tempranamente en el aspecto de la piel.

En un ambiente frío, la constricción de vasos sanguíneos desvía la sangre lejos de la piel para disminuir la pérdida de calor por radiación desde la superficie corporal (lo cual se observa como palidez o moteado). Cuando el ambiente es cálido, los vasos sanguíneos se dilatan, la piel se torna con rubor o rojiza, y ocurre pérdida de calor por radiación desde la superficie corporal. Además, en un ambiente cálido, se secreta sudor y se dirige a la superficie cutánea por conductos delgados desde las glándulas correspondientes. Durante el proceso de evaporación se presenta una pérdida de energía en forma de calor corporal, que causa descenso de la temperatura del organismo. Es notorio que con un grado de humedad mayor de 85%, no ocurre evaporación.

Poblaciones especiales

Cuando valore la turgencia de la piel en un paciente de edad avanzada, hágalo en la piel de la parte superior del tórax, un índice mucho más confiable que el de las extremidades.

Revise la piel por inspección y palpación. Preste atención cuidadosa a CTE: color, temperatura y condición (humedad o textura). Señale también la **turgencia** y cualquier lesión significativa o deformidad obvia. Busque evidencias de disminución de la perfusión, valore palidez y cianosis, y esté pendiente de la diaforesis. En los pacientes con piel oscura, necesitará confiar en el color de las conjuntivas en cuanto a signos del estado de shock. Se puede observar piel enrojecida o rosada en una variedad de estados normales, pero también es evidente en estados de **vasodilatación** relativa (rubor), que suele hacerse evidente en pacientes con fiebre, y quizás se observe en pacientes que experimentan un proceso alérgico. La piel enrojecida

Perlas de sabiduría

Siempre esté alerta en cuanto a signos de posible abuso o maltrato cuando haga la inspección de la piel. Las equimosis múltiples en diferentes etapas de cicatrización o incluso las úlceras por presión, deberían despertar preocupación en cuanto a un posible abuso o descuido físico, y debería comunicarse. Las equimosis de las puntas de los dedos (p. ej., aquellas causadas por agarre, levantamiento o arrastre) siempre deberían despertar una sospecha.

Algunas afecciones médicas y prácticas de medicina tradicional pueden confundirse con signos de abuso. Por ejemplo, las manchas mongólicas son benignas y no tienen vínculo con alteración o enfermedad alguna. El síndrome de Ehlers-Danlos es una afección relacionada con cortes, equimosis y cicatrices atribuibles a la fragilidad de la piel del paciente. Las afecciones sanguíneas, como la hemofilia, la enfermedad de Von Willebrand y la leucemia, causan también cambios cutáneos similares a los que se presentan en situaciones de abuso.

también se debe tener en cuenta en un contexto de quemaduras superficiales.

La exploración de la piel respecto de cambios en la perfusión suele lograrse de la mejor forma en zonas donde la epidermis es más delgada, como las uñas, los labios y las conjuntivas. A veces es útil también revisar las palmas de las manos y plantas de los pies. Ocurre palidez cuando la perfusión de los lechos capilares es deficiente. Usted también puede detectar palidez al observar los labios o las conjuntivas oculares del paciente. La palidez es un dato relativamente frecuente en aquellos muy graves y puede indicar una **vasoconstricción** muy importante, como la que ocurre en la anemia intensa, los sucesos cardiovasculares agudos, otros estados similares al de shock y la hipotermia. Las zonas locales de piel blanqueada, fría, son típicas de la congelación.

La cianosis indica una carencia relativa de perfusión y oxígeno, aunque el número de eritrocitos pueda ser adecuado para portar cualquier cantidad de oxígeno disponible. La cianosis se correlaciona muy estrechamente con una baja saturación de oxígeno arterial. En general, se puede visualizar en la piel, pero más específicamente en los lechos ungulares, la cara y los labios. Aunque suele presentarse cianosis en estados de desaturación de oxígeno, también puede ser resultado de hipotermia, en especial en los pacientes jóvenes. El **moteado** es un dato característico de los estados de hipoperfusión intensa prolongada y estado de shock, fácil de reconocer en pacientes pediátricos gravemente enfermos o lesionados. Sin embargo, cuando observe el moteado en un paciente pediátrico, no considere de inmediato el dato como "normal". Es importante considerar todos los aspectos de la historia y la exploración física para asegurar que no existan datos de hipoperfusión.

La **equimosis** es una colección de sangre o hematoma dentro o debajo de la piel. Evalúe las grandes equimosis por la probabilidad de una lesión grave de tejidos blandos, huesos u órganos subyacentes. Deberían también consignarse las heridas graves de cabeza, cuello y tronco, así como cualquier dato de hemorragia.

Requiere práctica el determinar con precisión la perfusión relativa de los pacientes y su estado de hidratación. El conocer los datos anormales de la piel y las membranas mucosas es una forma auxiliar excelente para juzgar ambas circunstancias. La turgencia tiene relación directa con la hidratación y cuando es deficiente expresa una piel mal hidratada, con **plegamiento** asociado, evidente en casos extremos, en particular, en los niños pequeños, en quienes la piel se retrae lentamente más que retornar de inmediato a su lugar cuando se pellizca y arrastra ligeramente alejándola del cuerpo. Apenas unas cuantas horas de vómito profuso y diarrea pueden causar una deshidratación grave en un lactante. Debido a los cambios normales en la elastina y los tejidos conectivos con el avance de la edad, la turgencia cutánea es un índice insignificante en los adultos mayores (geriátricos), ya que su piel es anormalmente seca al tacto.

Perlas de sabiduría

La palabra *pálido*, como se usa en este libro de texto, es aplicable a cualquier paciente cuyo aspecto de su piel sugiera disminución del riego sanguíneo u oxigenación. En los pacientes de tez clara, la palidez suele presentarse con un inusual color claro, en comparación con el color basal de la persona. En los pacientes de piel oscura, la palidez corresponde a un color gris o ceniza en la evaluación total. En general, las membranas mucosas de la cara interna del párpado inferior y la boca son de color rosado en todos los pacientes sanos, con independencia del color de su piel; por lo tanto, un aspecto pálido o blanco en cualquiera sugiere disminución del riego sanguíneo o la oxigenación.

Puesto que los proveedores de atención sanitaria no necesariamente conocen el color basal de la piel de un paciente, deberían tomar en cuenta las observaciones de los amigos o miembros de la familia presentes en la escena. El solo preguntar, "¿le parece que el color de su piel es el usual?" puede aportar un discernimiento útil del estado general del paciente.

CUADRO 8-8 Datos anormales de las uñas

Condición	Datos	Posible causa
Líneas de Beau	Depresiones transversas de las uñas que indican un periodo de inhibición del crecimiento	Enfermedad sistémica, infección grave o lesión ungular
Acropaquia	El ángulo entre la uña y su base se acerca o rebasa 180°	Aplanamiento y crecimiento de las puntas de los dedos relacionados con una enfermedad respiratoria crónica
Psoriasis	Picaduras, coloración y engrosamiento subungulares	Enfermedad autoinmunitaria
Hemorragias en araña	Bandas lineales rojas o pardas en el lecho ungular	Endocarditis bacteriana o triquinosis
Uñas de Terry	Bandas blancas transversas que cubren toda la uña excepto la punta distal	Cirrosis

Preste atención a la temperatura cutánea, ya que a veces puede ser útil para determinar las causas de diferentes afecciones médicas (p. ej., dificultad respiratoria). En ocasiones es útil hacer la diferenciación clínica entre la neumonía y la insuficiencia cardíaca acompañada por edema pulmonar.

Explore la piel en busca de lesiones que resultan de muchas causas, a menudo difíciles de determinar. Es indispensable una descripción precisa de las lesiones cutáneas, elevadas, planas o hundidas. También se pueden clasificar como vasculares (asociadas con un vaso sanguíneo), contagiosas, traumáticas o inflamatorias y ser resultado de un proceso cutáneo localizado o representar una manifestación de enfermedad sistémica. Son ejemplos de lesiones comunes las marcas al nacer, los lunares, las ampollas, las úlceras, las cicatrices y las verrugas. Las lesiones cutáneas en ocasiones pueden ser el único signo externo de una lesión interna grave. Tome nota de cualquier zona grande de equimosis, crepitación palpable (fracturas) y heridas abiertas. Las lesiones internas devastadoras pueden producir signos externos que parecen relativamente benignos. Esté alerta respecto de cualquier región corporal oculta por la ropa o dispositivos, como un tablero dorsal o un inmovilizador cefálico. Siempre haga inspección visual y palpación del dorso del paciente y exponga todo su cuerpo. De manera similar, evalúe la piel en cuanto a exantemas mediante la revisión discreta de zonas desde ciertos puntos de vista ocultas por la ropa.

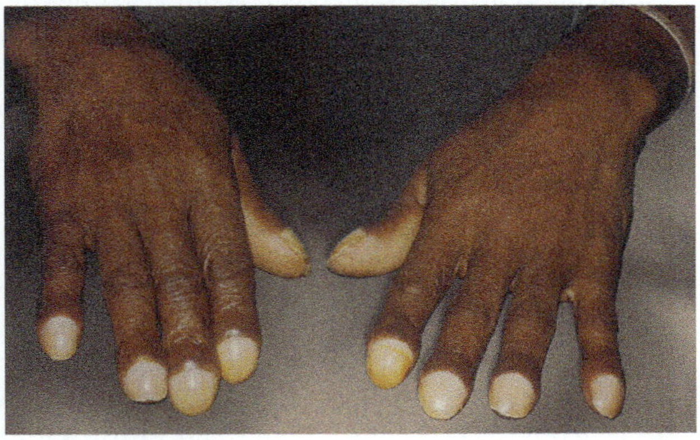

FIGURA 8-22 La acropaquia se relaciona con la enfermedad respiratoria crónica.

Pelo y uñas Explore el pelo por inspección y palpación, con anotación de su cantidad, distribución y textura. Los cambios recientes en el crecimiento o la pérdida del pelo pueden indicar una afección endocrina, como diabetes, o ser resultado de modalidades terapéuticas para procesos patológicos, como la quimioterapia o la radioterapia en el cáncer. Aunque una pérdida reciente de pelo puede relacionarse con un proceso patológico, también puede ser normal en los pacientes de edad avanzada. El pelo que fue arrancado con fuerza a menudo señala una escena de abuso.

Revise las uñas de dedos y artejos en busca de muchos datos sutiles, **CUADRO 8-8**, **FIGURA 8-22**. Deberán evaluarse el color, la forma, la textura y la presencia o ausencia de lesiones. Una uña normal debe ser firme y lisa a la palpación. Con el envejecimiento hay cambios normales de las uñas, tales como la aparición de estrías y cambio de color (tinte amarillo), relacionados con la disminución del calcio corporal. Las uñas demasiado gruesas o las que presentan líneas paralelas al dedo a menudo sugieren una infección micótica.

Cabeza, ojos, oídos, nariz y garganta

La exploración de la cabeza, los ojos, los oídos, la nariz y la garganta (ECOONG) consta de una valoración cefálica y las estructuras relacionadas. Es crucial porque la cabeza contiene al encéfalo, varios órganos sensoriales y la vía aérea superior. Los ojos son estructuras del sistema nervioso que implican vías motoras (párpados, músculos extraoculares, constrictores pupilares, reflejo corneal de parpadeo) y sensoriales. Los oídos proveen la regulación tanto de la audición como del equilibrio. La nariz es un órgano sensorial involucrado en los sentidos de olfato y gusto; también tiene participación vital para la ventilación. La garganta consta de la boca, la parte posterior de la faringe y todas las estructuras intrínsecas, un órgano complejo que combina de manera simultánea muchas funciones motoras y sensoriales, en tanto también lo hace con las actividades iniciales de los aparatos respiratorio y digestivo.

Cabeza Explore la cabeza por percepción táctil e inspección visual, un paso importante para tratar a los pacientes con (posible) traumatismo, aquellos con EMA, y quienes no presentan respuesta. Haga inspección y tacto del cráneo completo en cuanto a signos de deformidad o asimetría. No palpe ninguna depresión, pues el hacerlo podría impulsar fragmentos de hueso hacia la bóveda craneana o el encéfalo, **FIGURA 8-23**. Señale cualquier zona con aumento de temperatura o húmeda; suele representar sangre, LCR o su combinación. Si usted encuentra datos de una hemorragia externa, intente separar manualmente el pelo e irrigue el coágulo; esto le permitiría identificar su origen. Evalúe el cráneo en cuanto a cualquier deformidad o hipersensibilidad. Observe la forma y el contorno generales. Busque cicatrices o derivaciones que sugieren el antecedente de traumatismo o problemas con el SNC. Si sospecha la presencia de una derivación desde el encéfalo, pregunte al paciente dónde se colocó y hacia dónde se dirige su drenaje en el cuerpo.

Perlas de sabiduría

Es vital proteger las estructuras frágiles del SNC de un daño más importante para favorecer la probabilidad de una vida normal futura del paciente. Inclínese hacia la precaución y protección en la valoración y el tratamiento de posibles lesiones del encéfalo y la médula espinal.

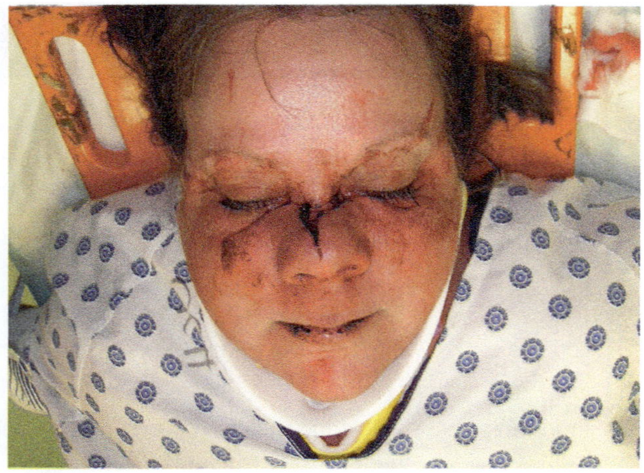

FIGURA 8-23 Cuando se explora la cabeza y la cara no debe palparse depresión alguna en la piel, pues podría impulsar fragmentos de hueso hacia la bóveda craneana o el encéfalo.

Precise el color y la humedad de la piel conforme valore la cara, así como su expresión, simetría, y contorno. La asimetría facial podría sugerir un problema subyacente del sistema nervioso, como un accidente cerebrovascular o la parálisis del nervio facial. Además, preste atención a cualquier edema o región aparente de lesión, y señale cualquier signo de dificultad respiratoria. Para la evaluación de la cabeza siga los pasos de la **PRÁCTICA DE DESTREZA 8-5**.

Ojos Se trata de órganos sensoriales en extremo complejos, que procesan los estímulos luminosos, de manera que el encéfalo pueda traducirlos en imágenes visuales. Los ojos tienen un enlace crítico con el SNC, y, en consecuencia, se debe permitir al médico que hace la exploración determinar de manera más precisa las funciones del SNC.

Cada ojo consta de dos cámaras, anterior y posterior, que siempre son evaluadas en forma estandarizada, de delante hacia atrás. Los aspectos externos del ojo se revisan en primer término para después valorar las estructuras más profundas. Después de que usted evalúe externamente el ojo, determine la **agudeza visual**, esto es, qué tan bien puede ver el paciente, al revisar cada uno en forma aislada. La herramienta estándar para estudiar la agudeza visual es la carta de Snellen (carta E), aunque no es adecuada en el contexto prehospitalario. **FIGURA 8-24**. Las pruebas simples son recursos más apropiados en ese ambiente, como la discriminación de luz/oscuridad y el conteo de los dedos. El informe sobre la agudeza visual debe incluir la distancia desde la que se cuantificaron los dedos.

La pupila es una abertura circular en el centro del pigmentado iris ocular, cuyo diámetro y reactividad ante la luz reflejan el estado de perfusión del cerebro.

Práctica de destreza 8-5 Evaluación de la cabeza

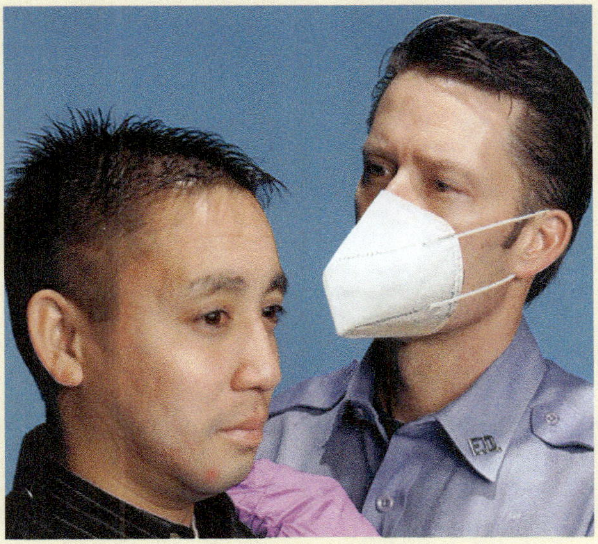

Paso 1

Haga inspección y palpe la cabeza en busca de lesiones abiertas/cerradas y crepitación.

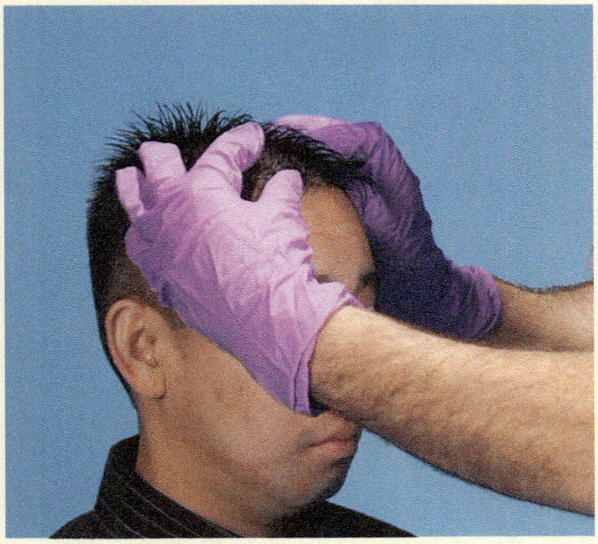

Paso 2

Palpe la parte alta y el dorso de la cabeza para localizar cualquier anomalía sutil. Use un abordaje sistemático de delante atrás, para asegurarse de no pasar nada por alto.

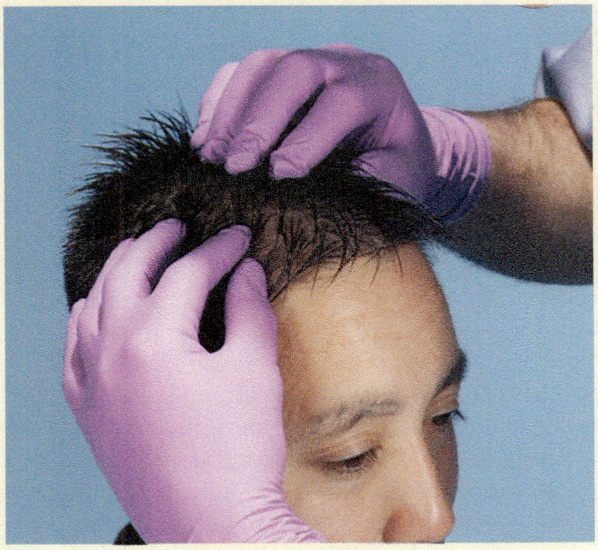

Paso 3

Separe el pelo en varios lugares para explorar el estado del cuero cabelludo. Identifique toda lesión.

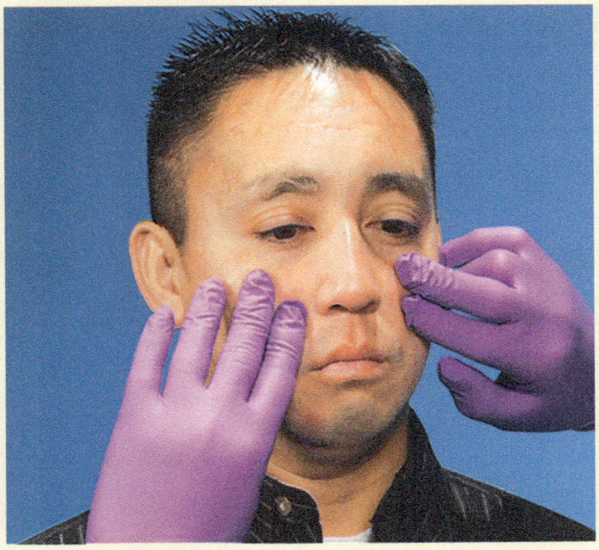

Paso 4

Palpe la estructura de la cara. Detecte cualquier lesión cerrada/abierta o crepitación. Preste atención al estado de la piel, la distribución del cabello y la forma facial.

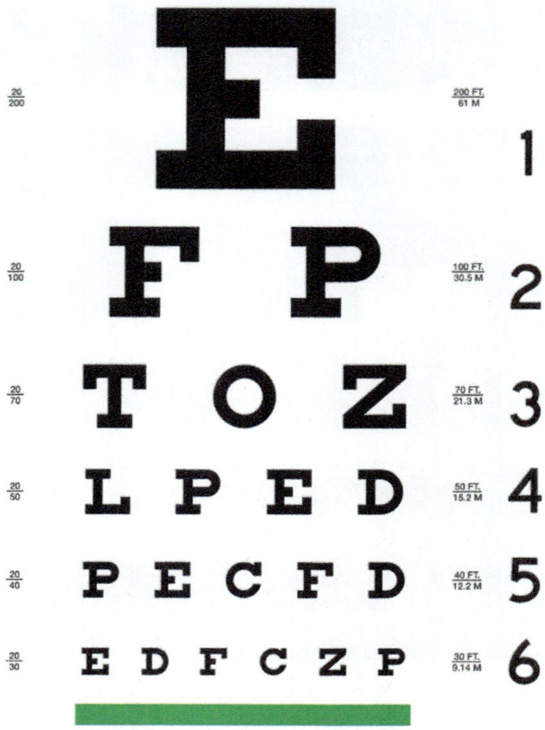

FIGURA 8-24 Debido a su tamaño y complejidad, la carta de Snellen no es un buen recurso para el uso prehospitalario.

Perlas de sabiduría

El no poder seguir con los ojos cierta dirección indica debilidad o disfunción de los músculos extraoculares o del nervio craneal que los inerva. Las cataratas se muestran como zonas negras opacas sobre un reflejo rojo.

Perlas de sabiduría

El uso del oftalmoscopio requiere de la práctica frecuente. Un dispositivo que no se usa en el contexto prehospitalario usual, pero que puede utilizarse en situaciones donde los paramédicos recibieron entrenamiento adicional *significativo* y trabajan en un contexto de alcances ampliados.

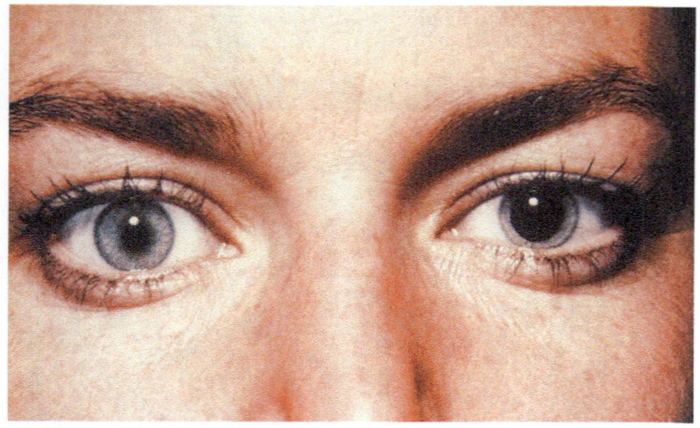

FIGURA 8-25 Las pupilas asimétricas pueden ser normales o indicar un daño encefálico grave.

Las pupilas normalmente son redondas y de dimensiones casi equivalentes; sirven como diafragmas ópticos y ajustan sus dimensiones de acuerdo con la luz disponible, y se relajan por completo y dilatan en su ausencia. Bajo la temperatura normal de un cuarto, las pupilas parecen de tamaño mediano. Ante grados de iluminación altos o cuando súbitamente se les aplica una luz brillante, se constriñen al instante, lo que permite que ingrese menos luz y protege así a las sensibles células receptoras del dorso ocular.

Las dimensiones de la pupila se regulan por una serie de mandos motores continuos que el encéfalo envía automáticamente a través del nervio motor ocular común (tercer par craneal) dirigido a cada ojo. Por ejemplo, cuando se introduce una luz brillante en un ojo (o ingresa en cifras altas solo a uno), ambas pupilas deben constreñirse de manera equivalente hasta la dimensión apropiada para el máximo que atraviese la pupila.

Perlas de sabiduría

Las siglas PIRRL (Pupilas iguales, redondas y reactivas a la luz) suelen usarse en contexto tanto prehospitalario como hospitalario. Debido a que no siempre se estudia la acomodación, o esto no es posible en el contexto prehospitalario, los sistemas del SEM utilizan a menudo sólo las siglas PIRRL. Las siglas PIRRL usadas en este libro de texto recuerdan que puede incluirse la acomodación en esa evaluación.

La **anisocoria** es una afección en la que las pupilas son asimétricas, con diferencia de tamaño de más de 1 mm, lo que se puede encontrar en hasta 30% de la población. A veces indica una alteración patológica ocular o neurológica significativa, pero debe correlacionarse con el cuadro clínico total del paciente,[19] **FIGURA 8-25**. La aplicación tópica de ciertos medicamentos y sustancias puede también provocar cambios pupilares.

Estúdiese además el movimiento muscular. Los músculos se encargan del movimiento físico de los ojos de un lado a otro, arriba y abajo, lo que permite una visión binocular perfecta.

Para la exploración del ojo, siga los pasos de la **PRÁCTICA DE DESTREZA 8-6**.

Práctica de destreza 8-6 Exploración ocular

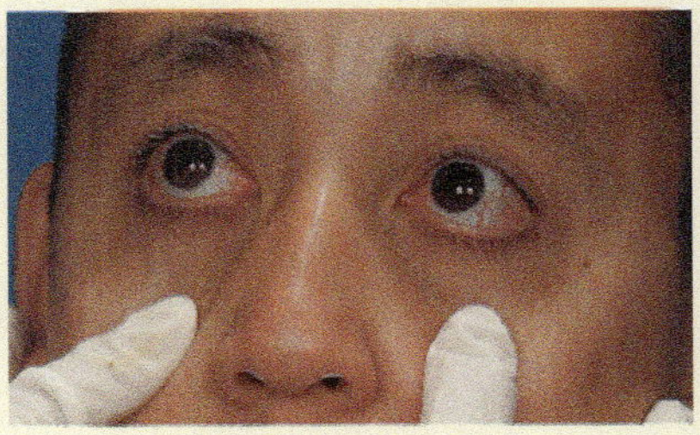

Paso 1

Explore la parte externa del ojo. Palpe con cuidado las partes alta y baja de las órbitas, inicie en la nariz y hacia los lados. Busque si hay traumatismo o deformidad obvios. Pregunte por dolor o enrojecimiento, alteración o pérdida de la visión diplopía, fotofobia, visión borrosa, secreción, hipersensibilidad a la luz, uso de lentes correctivas. Note si hay equimosis periorbitaria (ojos de mapache).

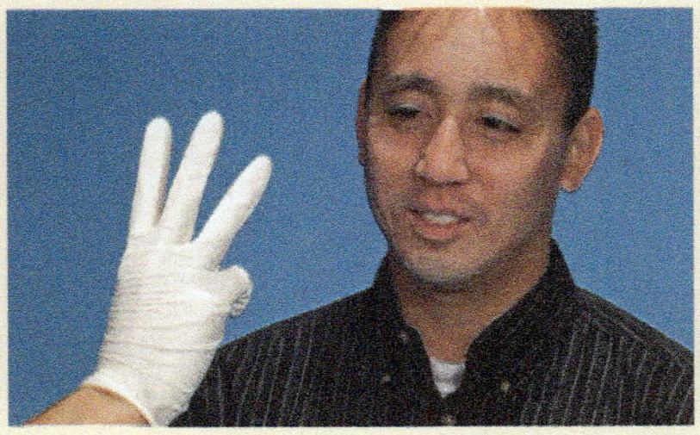

Paso 2

Determine la agudeza visual al hacer que el paciente cuente el número de dedos que usted mantiene a diferentes distancias (por lo general 2 m, 1 m y 0.3 m). Haga esta exploración en cada ojo de manera independiente. Si normalmente se usan lentes para corrección, verifique la agudeza visual con lentes colocados.

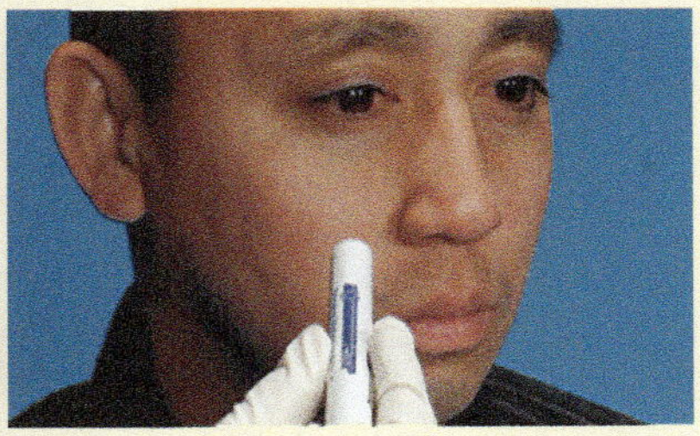

Paso 3

Explore las pupilas en cuanto a su tamaño (en milímetros), forma y simetría. Deberían ser casi equivalentes. Pruebe su reactividad a la luz en un ambiente tan oscuro como sea posible. Ambas pupilas deben constreñirse cuando son expuestas a la luz, y con una respuesta equivalente.

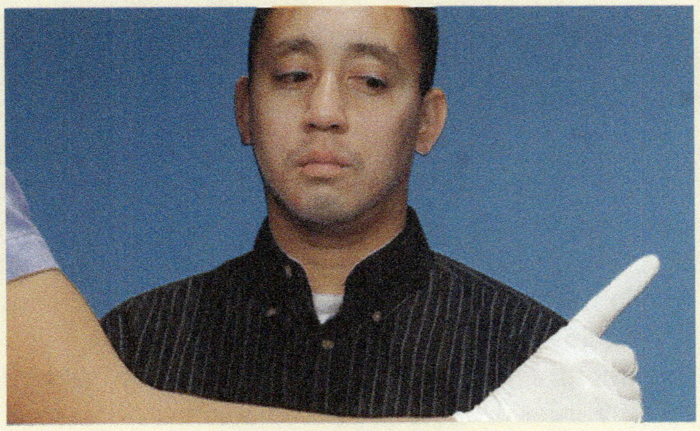

Paso 4

Estudie la función de los nervios craneales al pedirle al paciente que siga sus dedos con un patrón en Z o H. Los ojos deberían moverse suave y simétricamente, en seguimiento del movimiento de su dedo. Evalúe si los ojos se mueven en forma sincronizada (mirada conjugada) y si pueden recorrer todas las direcciones (arriba, abajo, a la izquierda, a la derecha). Note cualquier movimiento anormal. Una exploración de los campos visuales precisa la capacidad de la retina (y, por lo tanto, del nervio óptico) para percibir la luz, lo que se hace al verificar la visión periférica del paciente, con la revisión de cada ojo por separado.

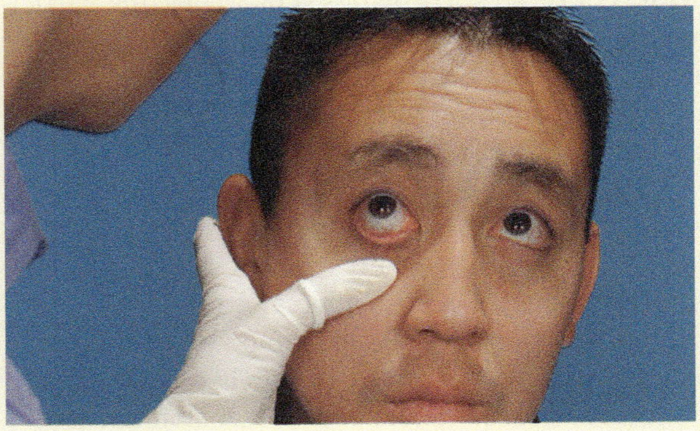

Paso 5

Inspeccione párpados, pestañas y conductos lagrimales, busque traumatismo y secreción. Levante los párpados en busca de cuerpos extraños e inspeccione la conjuntiva y la esclerótica, ésta debe ser blanca, sin ictericia ni enrojecida. La hemorragia subconjuntival indolora es frecuente, pero benigna. Las conjuntivas deben ser de color rosa, sin cianosis, palidez, o enrojecimiento intenso. La córnea y el cristalino serán difíciles de revisar sin recursos de exploración adicionales, aunque debería notar si el globo ocular permite el paso de luz ante un traumatismo. En seguida, explore la transparencia en la cámara anterior y el iris, y señale cualquier nebulosidad o hemorragia.

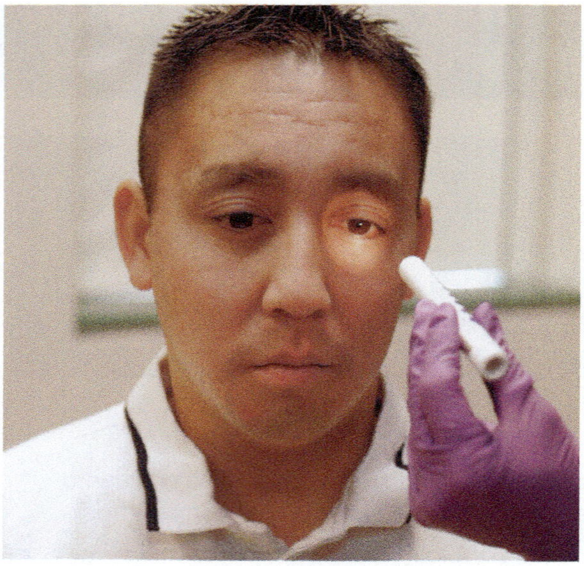

FIGURA 8-26 Exploración con lámpara bolígrafo..

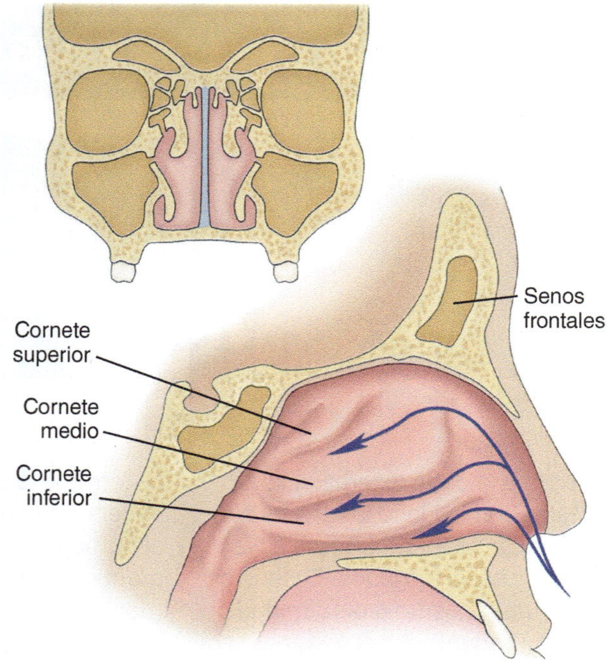

FIGURA 8-27 La nariz tiene dos cámaras, separadas por un tabique. Cada una está constituida por capas de hueso llamadas cornetes. Arriba de la nariz se encuentran los senos frontales y a cada lado las órbitas oculares.

Después de la exploración ocular general, suele hacerse una más precisa, con una lámpara bolígrafo, **FIGURA 8-26**.

Oídos Los oídos son órganos sensoriales que participan principalmente en la audición y la percepción de ruidos, pero también en la regulación del equilibrio. Constan de una porción externa, una media y una interna.

La evaluación de los oídos esencialmente involucra verificar aberraciones nuevas en la percepción de sonidos, así como inspección y palpación en busca de heridas, edema o drenaje (pus, sangre, LCR). Con frecuencia se valora la apófisis mastoides del cráneo, que se palpa inmediatamente detrás de la oreja, en busca de cambios en la coloración e hipersensibilidad (**signo de Battle**).

Perlas de sabiduría

Después de un traumatismo, el franco escurrimiento de sangre o de secreción acuosa clara (LCR) desde los oídos o la nariz sugiere una fractura de la base del cráneo.

Nariz La nariz es un órgano sensorial involucrado en el olfato y el gusto, y también parte del aparato respiratorio. Conforme usted valora las lesiones de la nariz, es de utilidad obtener su imagen interna, **FIGURA 8-27**. La cavidad nasal se divide por el tabique nasal, formado por cartílago, en dos secciones o cámaras, cada una con tres capas óseas (cornetes) cubiertas por un revestimiento húmedo, los cornetes superior, medio e inferior. El aire se desplaza a través de las cámaras nasales que lo filtran y humidifican en los cornetes durante la ventilación nasal.

Mientras revisa la nariz, hágalo en las partes anterior e inferior en busca de evidencias de asimetría, deformidad, heridas, cuerpos extraños, secreción o hemorragia, e hipersensibilidad. Observe cualquier dato de dificultad respiratoria, como el aleteo nasal. Haga inspección del exterior de la nariz en busca de cambios de color, simetría y anomalías estructurales, pues debería ser firme y con narinas libres de obstrucción. Explore la columna nasal. Debería estar en la línea media dentro de la cara. Haga inspección del tabique en cuanto a cualquier desviación respecto de la línea media. Las narinas deberían ser simétricas. Ligeras desviaciones o asimetrías de las narinas, el tabique o la columna constituyen datos normales; sin embargo, deberán señalarse las anomalías notorias. Señale cualquier secreción o drenaje.

Garganta Evalúe la garganta por revisión de boca, faringe y, a veces, el cuello. Se trata de un conducto tanto para la ventilación como para la digestión, y se encuentra cerca de numerosas estructuras neurovasculares vitales.

Como parte de la evaluación del estado de hidratación total del paciente, preste particular atención a los labios, los dientes, la mucosa bucal y la lengua. En los pacientes que presentan un notorio EMA, determine rápidamente el estado de la vía aérea; es obligada la valoración rápida de la garganta y las estructuras de la vía aérea superior. Dependiendo de la situación, indague la presencia de un cuerpo extraño o **aspiración** en la garganta o las estructuras de vía aérea inferior. Las situaciones que requieren el retiro de cuerpos extraños, secreciones o sangre pueden manifestarse en muchos tipos de casos de emergencia. Siempre esté preparado para asistir con el despeje de la faringe mediante técnicas manuales y aspiración.

Revise la boca iniciando con los labios, que deberían ser de color normal para el paciente, sin edema o irregularidades superficiales. Confirme la simetría bucal. Las encías deben ser de color rosado, sin lesiones o edema. La cianosis se presenta temprano alrededor de los labios. ¡Esté alerta de este signo! Escuche en busca de ronquera y perciba cualquier olor inusual en el aliento.

Inspeccione la vía aérea en cuanto a obstrucciones. Observe la lengua, respecto de su color, dimensiones y humedad, la lengua debe estar ubicada en la línea media, sin edemas y estar húmeda.

Revise y palpe los maxilares superiores y la mandíbula, evaluando su integridad y simetría. Revise la boca abierta, y busque signos de traumatismo (p. ej., dientes rotos o ausentes, o ausencia de coronas dentales). Verifique la mordida en cuanto a su ajuste.

Revise la orofaringe, con identificación de cualquier cambio en la coloración o pústula que pueda ser indicio de infección. Esté alerta de cualquier olor inusual en el aliento del paciente (p. ej., alcohol, cetonas). Revise la cara posterior de la faringe en cuanto a líquidos, que quizás requieran aspiración. Haga inspección de la úvula en cuanto a edema y eritema.

El cuello es una región extraordinariamente muscular, a través de la cual pasan muchas estructuras vitales. Su anatomía externa incluye a la mandíbula, la membrana cricotiroidea, las venas yugulares externas, el cartílago tiroides, la muesca supraesternal y las apófisis espinosas cervicales. Conforme usted valore el cuello, busque cualquier anomalía, incluyendo las relacionadas con simetría, masas y distensión venosa. Cuando un paciente se encuentra en decúbito supino y sentado hasta en un ángulo de 45°, las venas yugulares presentan una distensión natural cuando el volumen sanguíneo es adecuado. Si hay ingurgitación yugular cuando el paciente se sienta con un ángulo mayor de 45°, se trata de un signo de sobrecarga del sistema venoso o hipertensión, que puede observarse con máxima facilidad al revisar las caras anterolaterales del cuello; en una persona normal tal vez se deba a la posición supina con elevación de las extremidades inferiores. Verifique qué tanta distensión hay, medida en centímetros desde el origen de la vena yugular en la base del cuello hasta el ángulo de la mandíbula. Cuando haga la medición, anote el ángulo de la posición del paciente con relación al de 0° (plano). Palpe los pulsos carotídeos y señale la fortaleza relativa de su impulso. Busque cualquier masa pulsátil o en expansión cerca del punto del pulso carotídeo. Palpe la muesca supraesternal para identificar cualquier desviación traqueal y busque en cuanto a estomas, orificios presentes en pacientes que fueron objeto de laringectomía, pues sirven como su único medio para tener una vía aérea permeable. Si se encuentra con esta, revísela para asegurar que esté libre de obstrucciones. En estos pacientes, el manejo de la vía aérea debería centrarse en las estomas. Pida al paciente abrir y cerrar la mandíbula conforme usted palpa la articulación temporomandibular durante su exploración. Palpe en busca de ganglios linfáticos inflamados, que son signo de infección. Normalmente, los ganglios linfáticos son casi del tamaño de un guisante. Cuando existe una infección u otros procesos patológicos, pueden aumentar de tamaño hasta el tamaño de las uvas. Para explorar el cuello, siga los pasos de la **PRÁCTICA DE DESTREZA 8-7**.

Columna cervical

La columna cervical es la vía por la que la médula espinal encuentra su camino fuera del encéfalo y hacia el tronco, lo que permite a los nervios raquídeos alcanzar e inervar al resto del organismo, **FIGURA 8-28**. También es el punto en el que la cabeza se conecta con el cuerpo. La columna vertebral es sostenida por una gran masa muscular, así como por múltiples soportes tendinosos y ligamentosos. Puede presentarse una lesión cervical en diversas formas, y su valoración debe conducirse con cuidado.

Evalúe en primer término al paciente en cuanto al ML, y después, respecto de la presencia de dolor. ¿Presenta el paciente EMA u ocurrió una pérdida de consciencia en el momento del evento? De acuerdo con el *Prehospital Trauma Life Support* (Soporte vital de

Práctica de destreza 8-7 Exploración del cuello

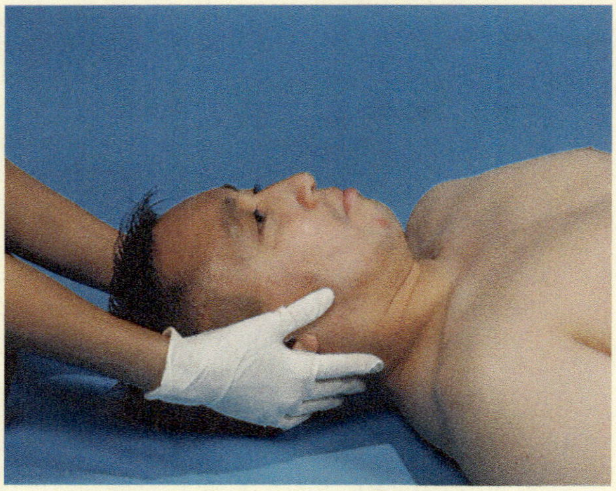

Paso 1

Si se sospecha un traumatismo raquídeo, tome las precauciones para proteger la columna cervical de acuerdo con su protocolo. Evalúe el uso de músculos accesorios durante la ventilación.

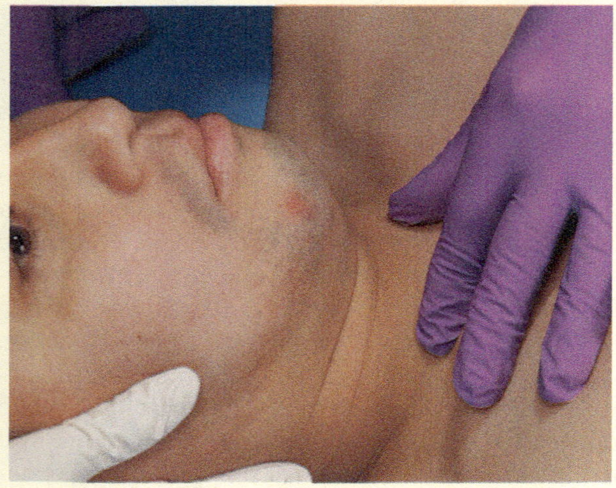

Paso 2

Palpe el cuello en busca de cualquier anomalía estructural o la presencia de aire subcutáneo, y para asegurarse que la tráquea se encuentre en la línea media. Inicie en la mueca supraesternal y diríjase hacia la cabeza. Tenga cuidado cuando aplique presión a la región de las arterias carótidas, porque esto podría estimular una respuesta vagal.

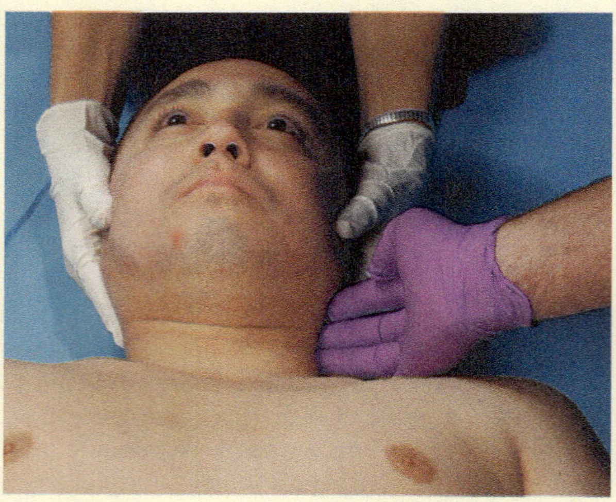

Paso 3

Evalúe los ganglios linfáticos y señale cualquier inflamación que indique una infección.

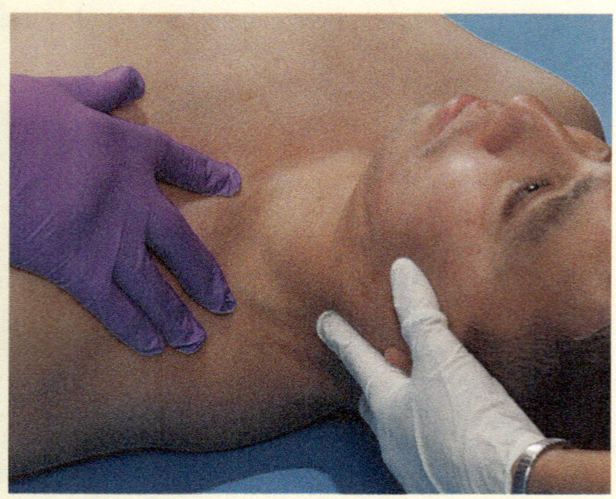

Paso 4

Evalúe las venas yugulares en cuanto a su distensión, que quizás indique un problema con el retorno venoso cardíaco.

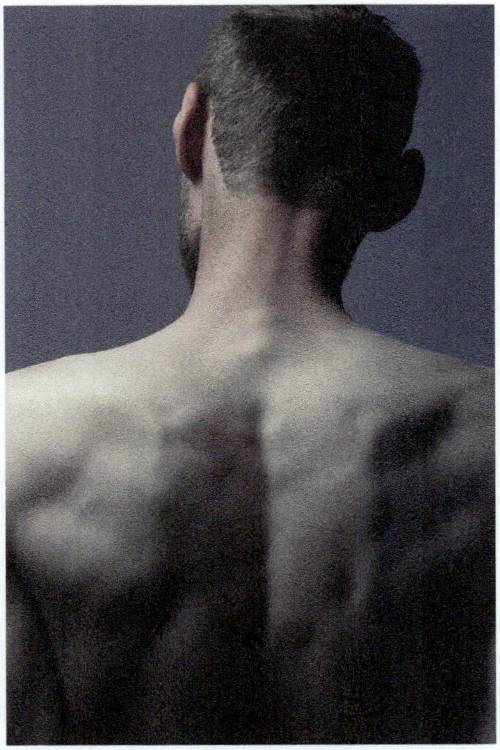

FIGURA 8-28 Columna cervical vista desde la parte posterior del cuello.

trauma prehospitalario) de EU, las indicaciones para la inmovilización raquídea incluyen las siguientes:

- Hipersensibilidad a la palpación de la columna vertebral.
- Manifestación de dolor en la columna vertebral.
- EMA (p. ej., lesión traumática encefálica, bajo la influencia del alcohol etílico o sustancias tóxicas).
- Incapacidad de comunicarse con eficacia (p. ej., edad en extremo breve, barrera del lenguaje).
- Calificación de Glasgow menor de 15.
- Evidencia de lesión de separación.
- Parálisis u otro déficit o manifestación neurológicos.

Conforme usted explora la columna cervical, examine y palpe en busca de datos de hipersensibilidad y deformidad. El dolor es el índice aislado más confiable de una lesión raquídea o de la médula espinal. La hipersensibilidad posterior en la línea media que afecta a las apófisis espinosas debería siempre causar preocupación. El malestar palpable sobre las caras laterales del cuello suele señalar un problema muscular o ligamentoso, no una lesión de la columna ósea raquídea. Cualquier manipulación que cause dolor, hipersensibilidad u hormigueo debe hacerle detener *de inmediato* la exploración y colocar al paciente un collar de tamaño apropiado. Cualquier manifestación de dolor de cuello en los pacientes con un ML significativo justifica la evaluación cuidadosa y, dependiendo de los hallazgos, quizás la estabilización con un collar y un tablero dorsal, dependiendo del protocolo local. La evaluación continua del RM de un paciente debería ocurrir solo cuando no hay potencial de lesión grave.

Conforme usted evalúa el cuello, si no hay manifestación de dolor, anomalías neurológicas como debilidad o entumecimiento en las extremidades superiores e inferiores, y tampoco hipersensibilidad de línea media, pida al paciente mover activamente su cuello a través de un RM. Solicite que se detenga si presenta malestar o cualquier síntoma neurológico. Nunca mueva usted el cuello del paciente (acción referida como *movimiento pasivo,* porque su participación es involuntaria), pues podría causar una lesión de la médula espinal. Para verificar el rango de movimiento, primero pida al paciente girar lentamente su cabeza de un hombro a otro. Después, si no hay dolor o malestar, solicite que extienda la cabeza hacia atrás y luego la flexione junto con el cuello hasta tocar la mandíbula con la pared torácica. Cualquier malestar que causen estos movimientos deben conducir a terminar de inmediato la exploración y proteger la columna vertebral del paciente.

Tórax

El pecho (o tórax) forma la porción superior del tronco, desde la base del cuello hasta el diafragma, según se delinea por los arcos costales, **FIGURA 8-29**. La pared torácica se divide en porciones anterior y posterior: al frente y el dorso del paciente. El dorso del tórax se extiende por la espalda, hasta el nivel del diafragma en la cara posterior, que se desplaza hacia arriba y abajo con la ventilación. El tórax contiene muchas estructuras vitales, que incluyen a los pulmones y los elementos del mediastino (corazón, grandes vasos). La pared del tórax sirve como cobertura de protección de sus componentes internos y consta de numerosas estructuras musculoesqueléticas, vasculares, nerviosas, conectivas y de revestimiento.

Perlas de sabiduría

Los pulmones están demasiado inflados en los pacientes con enfisema crónico, con el resultado de una hiperresonancia, donde se esperaría escuchar con matidez los ruidos cardíacos.

FIGURA 8-29 El tórax consta de la porción superior del tronco, desde la base del cuello hasta el diafragma, según se delinea por los arcos costales.

Por lo general, la exploración del tórax se hace en tres fases: se revisa la pared, se hace una valoración pulmonar y también cardiovascular. Debe hacerse inspección del tórax en busca de deformidades y de la permeabilidad de la pared, así como claves externas de dificultad ventilatoria. Exponga el tórax e inicie su valoración, utilizando las técnicas de inspección, palpación, percusión y auscultación. La exploración de la cara posterior del tórax es igual que la de la anterior. Siga los pasos de la **PRÁCTICA DE DESTREZA 8-8** para la exploración del tórax.

Preste atención estrecha a cualquier signo de movimiento ventilatorio anormal (p. ej., paradójico o del uso de músculos accesorios, de alteración o disminución de la ventilación) y de retracciones (p. ej., supraesternales, esternales, intercostales o subcostales). Busque signos de fatiga ventilatoria, como disminución del estado mental o un aspecto de agotamiento, que a menudo precede a la insuficiencia ventilatoria y, con frecuencia, al paro ventilatorio o cardíaco. . Vigilar la aparición de DVY en pacientes con problemas respiratorios; puede indicar neumotórax o insuficiencia cardíaca.

Práctica de destreza 8-8 Exploración del tórax

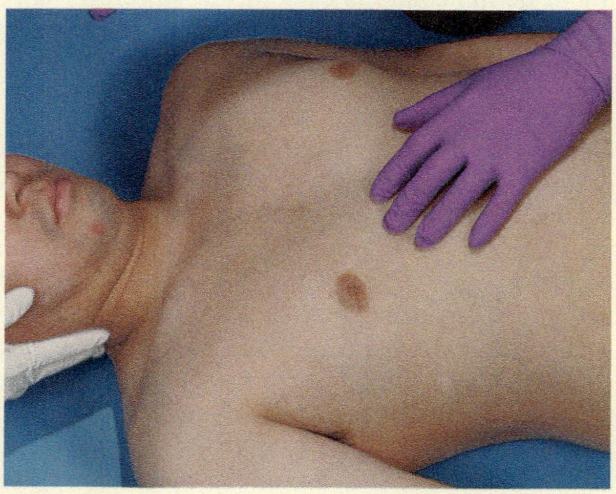

Paso 1

Asegure la privacidad del paciente lo mejor que pueda. Haga inspección y palpación del tórax en cuanto a lesiones abiertas/cerradas, movimientos paradójicos y crepitaciones. Observe la pared torácica en cuanto al esfuerzo ventilatorio, y documente la frecuencia, profundidad y ritmo de las ventilaciones. Si encuentra cualquier herida abierta, cúbrala apropiadamente.

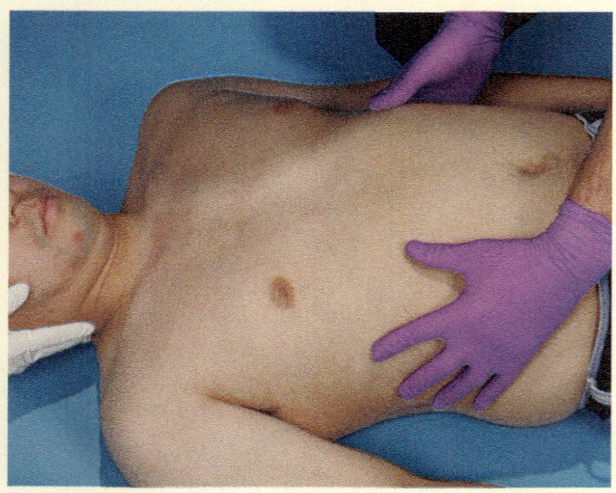

Paso 2

Compare los dos lados del tórax en cuanto a su simetría. Note su forma: le puede dar claves respecto de muchas afecciones médicas subyacentes, como el enfisema. Busque cualquier cicatriz quirúrgica, como la parecida a un "zíper" en la línea media, que puede ser resultado de una operación cardíaca previa. Palpe el tórax para revelar la presencia de aire bajo la piel (como ocurre en el enfisema subcutáneo).

Práctica de destreza 8-8 Exploración del tórax (continuación)

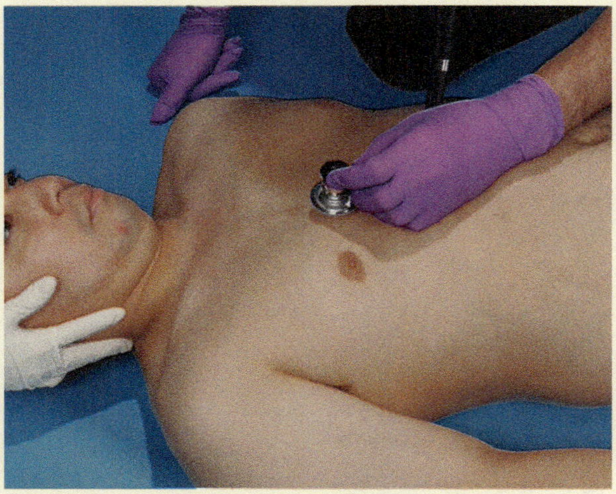

Paso 3

Ausculte los campos pulmonares y tenga en cuenta cualquier ruido anormal. Ausculte los ruidos cardíacos. Ausculte directamente sobre la piel del paciente, no a través de su ropa, puesto que la tela amortigua los sonidos. Con cada colocación del estetoscopio, escuche al menos una inhalación y una exhalación completas. Si el paciente puede cooperar, pídale que respire con la boca abierta para ayudar a reforzar los ruidos pulmonares.

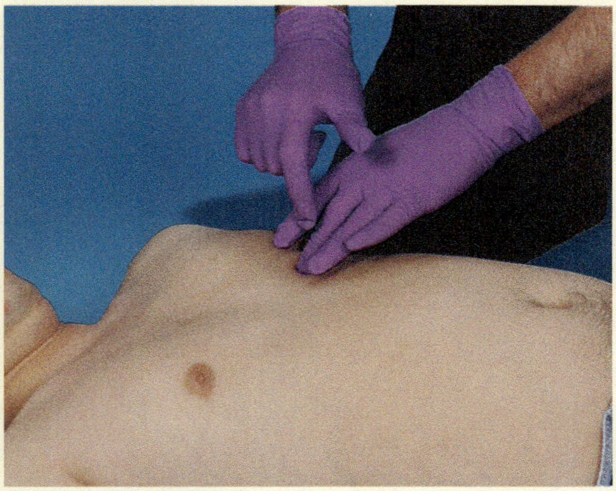

Paso 4

Percuta el tórax para detectar cualquier anomalía. Repita las partes de la exploración adecuadas a la cara posterior.

Busque signos de uso de músculos accesorios o retracciones que sugieran dificultad respiratoria. Señale cualquier deformidad del tórax, como tórax en tonel (EPOC), segmentos inestables o aire subcutáneo (traumatismos), cifoescoliosis de la columna vertebral (fracturas por compresión), equimosis significativas, y cualquier herida sospechosa. Recuerde, los segmentos inestables pueden no acompañarse de un movimiento paradójico desde el principio, debido al efecto de ferulización de los espasmos musculares.

Palpe cualquier región de la pared torácica donde inicialmente notó una anomalía por inspección, lo que también le permitirá apreciar mejor la simetría ventilatoria y la expansión, así como el trabajo ventilatorio total. Aunque a menudo impráctico en el ambiente prehospitalario, la percusión de la pared del tórax permite la mejor valoración de la cavidad torácica subyacente por la diferenciación entre matidez e hiperresonancia.

Los pulmones presentan cinco lóbulos definidos: en el derecho se encuentran los lóbulos superior, medio e inferior; en el izquierdo, solo superior e inferior. Durante su exploración escuche sobre cada lóbulo y compárelo con el contralateral, tanto en la cara anterior como en la posterior. Para facilitar su evaluación auscultatoria, haga que el paciente ventile tan profundamente como pueda a través de la boca abierta. Escuche tantas porciones de los pulmones como sea posible y evite cualquier prominencia ósea, equipo médico acoplado y ropa. A menudo se escuchan mejor los ruidos ventilatorios de un paciente desde su espalda; por lo tanto, si se tiene acceso al dorso escuche ahí los seis campos, **FIGURA 8-30**. Si usted estabilizó al paciente o si este se encuentra en posición supina, auscúltelo desde el frente y a los lados y evalúe cuatro campos. Siempre utilice el mejor estetoscopio disponible.

Los ruidos ventilatorios normales son claros y tranquilos durante la inspiración y exhalación, y se escuchan en tres regiones. Los **ruidos bronquiales** se auscultan sobre la tráquea y son tubulares huecos, de tono bajo. El cociente de inspiración/exhalación es de 1:3. Los ruidos normales se encuentran en la mitad del tórax o en la cara posterior entre las escápulas y se llaman **ruidos broncovesiculares**. Reflejan una mezcla del tono entre los ruidos vesiculares y los bronquiales; su cociente de inspiración/exhalación es de 1:1. Los ruidos suaves y agudos que normalmente se escuchan sobre la mayor parte de la superficie pulmonar, que tienen una

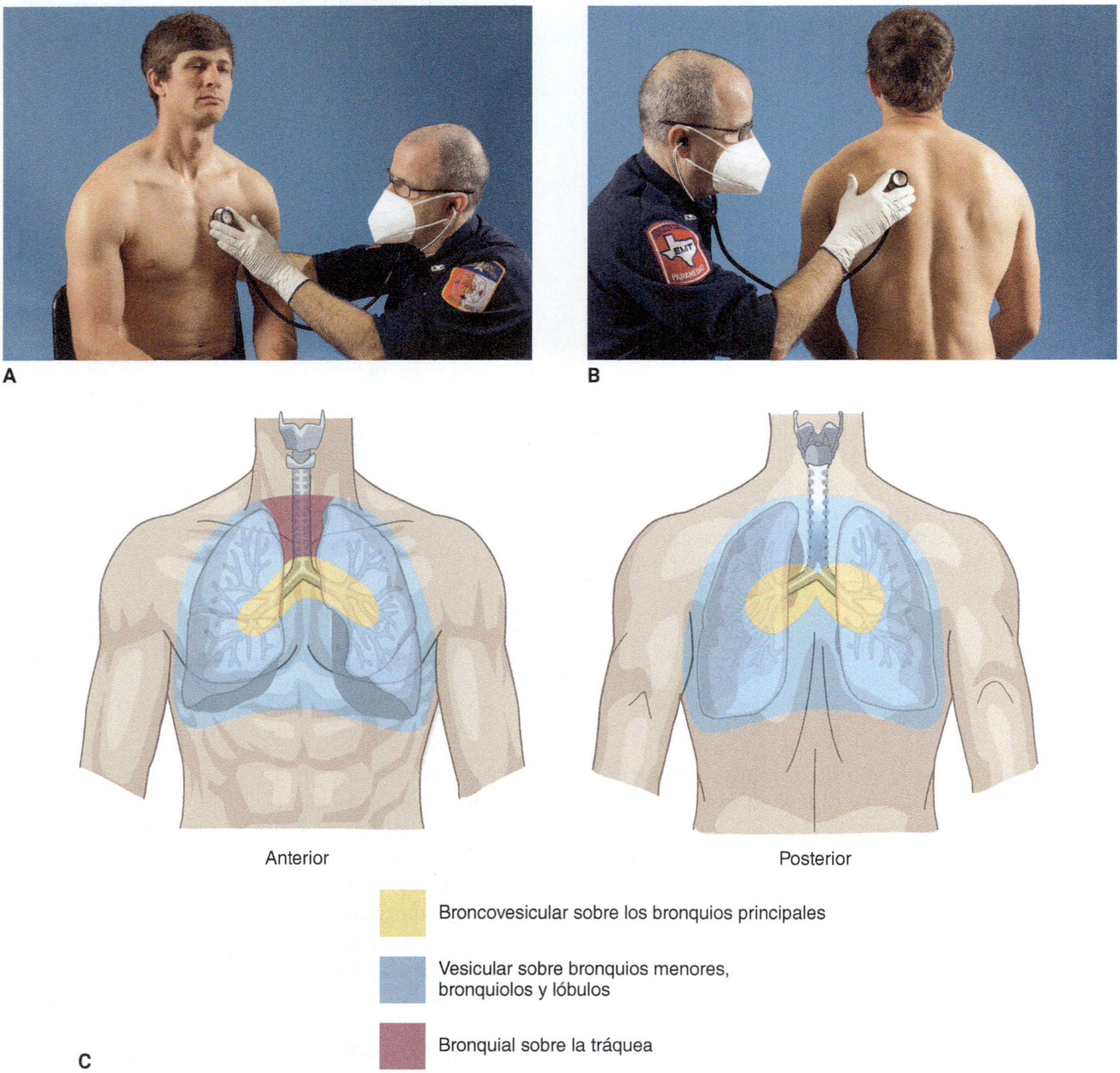

FIGURA 8-30 Localizaciones para la auscultación de los ruidos ventilatorios: ambos lados del tórax en múltiples campos pulmonares, como se muestra. **A.** Posición del estetoscopio para auscultar la pared anterior del tórax. **B.** Posición del estetoscopio para auscultar la pared posterior. **C.** Los colores en la ilustración corresponden a las regiones donde se auscultan los ruidos.

calidad de crujido durante la inspiración y un sonido más suave durante la exhalación, se conocen como **ruidos vesiculares**.

Para los pacientes con manifestaciones ventilatorias, evalúense los ruidos tempranamente y a menudo. Los **ruidos ventilatorios adventicios** o patológicos incluyen los siguientes, **FIGURA 8-31**:

- **Ruidos ventilatorios sibilantes.** Sugieren una obstrucción de la vía aérea inferior. Las **sibilancias** son ruidos de tipo silbido de tono alto, más prominentes durante la exhalación, pero se pueden escuchar en la inspiración de los pacientes más enfermos. Si las sibilancias son unilaterales, sospeche la aspiración de un cuerpo extraño o infección. Si son bilaterales, sospeche de asma. Otras potenciales causas incluyen la inhalación de un irritante, como el cloro; también pueden causar el problema otras afecciones pulmonares menos frecuentes, como la asbestosis.
- Las **crepitaciones** (también llamadas *estertores húmedos*). Son ruidos ventilatorios con humedad que pueden indicar insuficiencia cardíaca o infección, en especial en un niño pequeño. A menudo son difíciles de escuchar, en especial en la parte trasera de una ambulancia en movimiento. Los estertores se caracterizan como de carácter húmedo, por lo general auscultados durante la inspiración y exhalación. Se producen por el oxígeno que pasa a través de la humedad en el sistema broncoalveolar o por alvéolos cerrados que se abren de manera abrupta. Son ejemplos de afecciones en las que se pueden auscultar, neumonía, insuficiencia cardíaca, asma y enfermedad pulmonar restrictiva.
- **Roncus**. Son ruidos continuos de congestión ventilatoria, con un tono más bajo y una calidad de traqueteo. Indican la presencia de fluidos en la vía aérea más grandes. Pueden indicar la presencia de moco en los pulmones, por ejemplo, como resultado de infección (p. ej., neumonía) o inflamación (p. ej., bronquitis). Espere auscultar ruidos de tono bajo más prominentes en la exhalación. El paciente a menudo informa de una tos productiva vinculada. La aspiración de líquido puede también producir estertor seco.
- **Estridor**. Se trata de un sonido metálico de gorjeo, a menudo percibido sin estetoscopio, causado por estenosis, edema u obstrucción de la vía aérea superior y puede indicar que el paciente presenta una obstrucción en el cuello o la parte alta del tórax. Es de máxima prominencia durante la inspiración. El estridor puede ser causado por

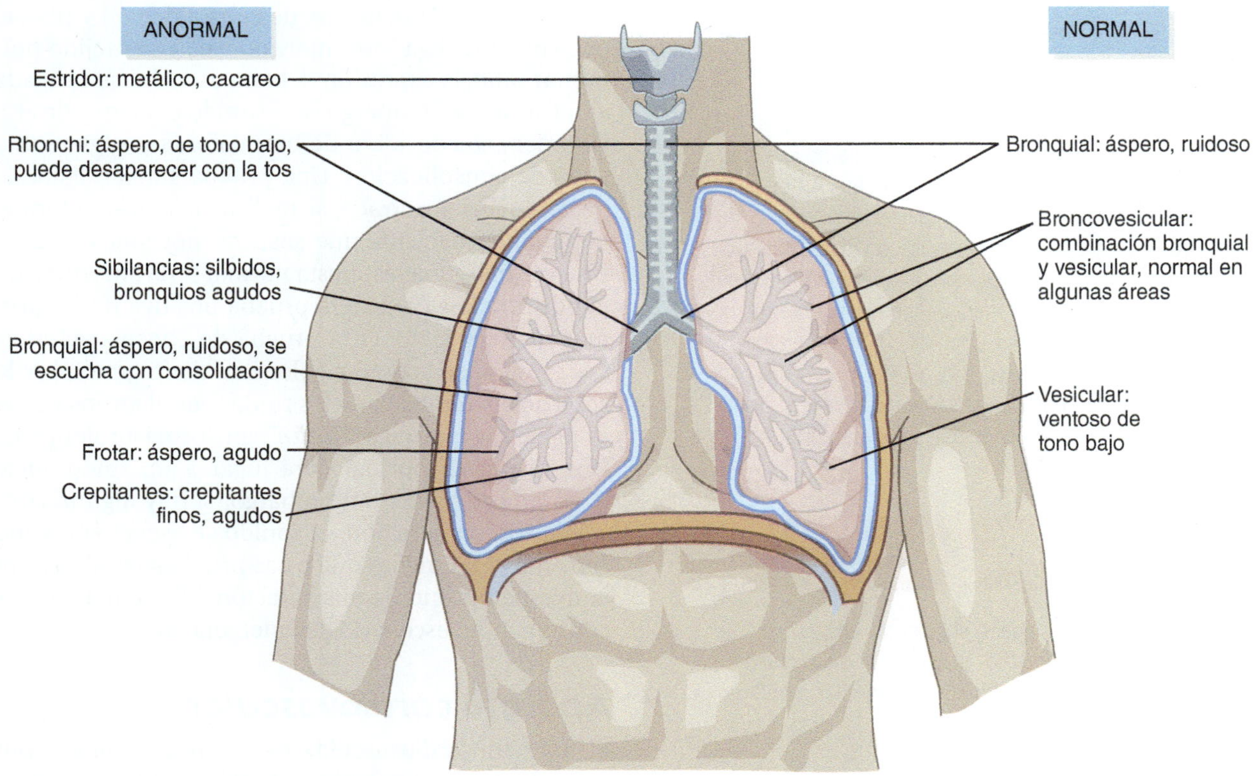

FIGURA 8-31 Localizaciones y descripciones de los ruidos ventilatorios anormales (adventicios) en comparación con los normales.

epiglotitis bacteriana, laringitis viral, edema por quemadura de la vía aérea superior o una obstrucción parcial por un cuerpo extraño. El estridor a menudo indica una afección que pone en riesgo la vida, puesto que equivale a 85% de reducción de las dimensiones de la vía aérea. El inicio de gorjeo o estridor en presencia de fiebre o infección de vías respiratorias altas debería reconocerse como una amenaza para la vida.

- **Frotes de fricción pleural**. Estos ruidos de chirrido o ásperos, ocurren cuando los revestimientos pleurales se frotan entre sí. En estos casos, las capas de la pleura perdieron su lubricación, con frecuencia máxima por inflamación, afección que suele vincularse con dolor a la inspiración. Los ruidos pueden escucharse en cualquier momento en que se moviliza la pared del tórax; por lo tanto, durante la inspiración, la exhalación o ambas.

Perlas de sabiduría

Uno de los más importantes aspectos de la valoración pulmonar y tal vez con excesiva frecuencia pasado por alto, es la apreciación de ruidos ventilatorios disminuidos o ausentes. Numerosas afecciones médicas pueden causar su disminución e incluyen, neumotórax, hemotórax, derrame pleural, EP, atelectasia/consolidación, exacerbación de EPOC, crisis asmática, intoxicación por opiáceos, neumonía, bronquitis y EMA. Usted no puede estar al tanto de la disminución de los ruidos ventilatorios o su ausencia sin primero desarrollar una apreciación del amplio espectro de cuadros clínicos normales que existen. Antes de acudir a su campo de desempeño profesional, ocupe muchas horas escuchando ruidos respiratorios normales, de manera que desarrolle una comprensión de lo que constituyen sus múltiples variaciones. Después pase tiempo de auscultación de los pacientes con dificultad ventilatoria, preferentemente junto con un proveedor de atención sanitaria experimentado que pueda señalarle las variaciones significativas en las anomalías que se presentan.

Perlas de sabiduría

La ventilación normal debería ser tranquila y no en extremo evidente para usted. Si puede oír o ver que el paciente tiene un trabajo intenso para ventilar, significa que presenta un problema.

En ocasiones incluso el proveedor de atención sanitaria más experimentado tiene dificultad para descifrar los diversos ruidos pulmonares patológicos, en cuyo caso, puede ser útil describirlos, más que intentar clasificarlos de inmediato. Pregúntese si los ruidos parecen ser húmedos o secos. Los primeros sugerirían neumonía o edema pulmonar. ¿Son continuos o intermitentes? Los continuos sugieren un proceso patológico, en tanto los intermitentes podrían provenir de la obstrucción parcial por un cuerpo extraño o un proceso reversible, como un broncoespasmo. Defina a los ruidos como gruesos o finos. Los primeros son de mayor volumen e intensidad y sugieren un posible problema del árbol bronquial, en tanto los ruidos finos son más tranquilos y a veces se relacionan con un problema de la vía aérea inferior.

La disminución de los ruidos ventilatorios se puede localizar en una porción de un pulmón o abarcar todo el tórax. Cuando se sospecha hipoventilación, actúe de inmediato. La disminución de los ruidos ventilatorios, por lo general, señala ausencia de movimiento ventilatorio o decremento del volumen de ventilación pulmonar. Si se localiza la disminución de ruidos ventilatorios en una zona específica, evalúe la transmisión de los ruidos de la voz para ver si hay aumento de la resonancia vocal, que sugiere una posible neumonía. La valoración adicional de mayor resonancia vocal se puede hacer mediante pruebas de **broncofonía**. Coloque el diafragma del estetoscopio sobre la zona de sospecha de consolidación y pida al paciente que diga "noventa y nueve". En el tejido pulmonar sano, la expresión debería escucharse apagada e indistinta; sin embargo, si el sonido es claro y de alto volumen, se considera de broncofonía y sugiere una zona de consolidación. Una prueba similar, llamada **pectoriloquia susurrada**, se realiza en la misma forma, pero con el paciente que susurra "noventa y nueve". Una vez más, una respuesta normal sería amortiguada e indistinta. Se considera prueba positiva un susurro más fuerte y claro. Otra prueba de consolidación es la **egofonía**, en la que se coloca un diafragma sobre la zona de disminución de los ruidos ventilatorios y pide al paciente que diga "*iiiiiii*" en forma prolongada. Una respuesta normal dará lugar a un ruido vocal largo amortiguado. Sin embargo, si hay alguna consolidación en la región, el sonido se escuchará como "*ei*". Tenga en mente que estas pruebas requieren un ambiente óptimo de auscultación, algo difícil de encontrar en un escenario de emergencia.

Aparato cardiovascular

El aparato cardiovascular hace circular sangre por todo el cuerpo, una actividad que mantiene la perfusión de los tejidos corporales. La sangre fluye a través de dos recorridos: el de circulación sistémica del cuerpo y el de circulación pulmonar. La circulación sistémica transporta sangre rica en oxígeno del ventrículo izquierdo hacia el resto del cuerpo y de retorno a la aurícula derecha. Conforme la sangre pasa por los tejidos y órganos, libera oxígeno y nutrimentos y absorbe desechos celulares y dióxido de carbono. Los residuos celulares, a su vez, son eliminados por el hígado y los riñones, que filtran la sangre. La circulación pulmonar lleva sangre pobre en oxígeno desde el ventrículo derecho a través de los pulmones y de retorno a la aurícula izquierda.

El ciclo cardíaco consta de relajación (diástole), llenado y contracción (sístole), sucesos mecánicos coordinados eléctricamente por el marcapasos y el sistema de conducción cardíacos.

La contracción y relajación del corazón, en combinación con el riego sanguíneo, generan ruidos característicos durante la auscultación con un estetoscopio. Los ruidos de patrón normal son como de: "lub-DUB, lub-DUB, lub-DUB..." El "lub" se refiere al primer ruido cardíaco o S_1, y "DUB" (con mayúsculas porque a menudo es más fuerte) es el segundo ruido cardíaco, o S_2. El S_1 representa el cierre de las válvulas auriculoventriculares, lo que marca el inicio de la contracción ventricular o sístole. El S_2 representa el cierre de las válvulas semilunares, lo que marca el inicio de la relajación ventricular, o diástole.

Ruidos cardíacos patológicos incluyen S_3 y S_4. El tercer ruido cardíaco o S_3, es un ruido suave de tono bajo, raro, que se presenta tempranamente en la diástole ventricular, cuando la válvula mitral se abre para permitir el llenado pasivo del ventrículo izquierdo. Aunque a veces se encuentra en personas jóvenes saludables, con máxima frecuencia se vincula con presiones de llenado anormalmente aumentadas en las aurículas, en forma secundaria a una insuficiencia cardíaca moderada a grave. El ruido S_4 se considera un ritmo de "galope", ruido de tono bajo que se presenta con el llenado diastólico tardío del ventrículo por la contracción auricular, ocurre de inmediato antes del ruido S_1 normal y siempre es anormal. El ruido S_4 representa una disminución de la distensibilidad (elasticidad) del ventrículo izquierdo o un aumento de presión en las aurículas. Los sucesos de las cavidades derechas cardíacas suelen presentarse ligeramente más tarde que los de las cavidades izquierdas, lo que crea dos ruidos discernibles, más bien que uno solo, lo que se conoce como **desdoblamiento** y que se presenta con máxima frecuencia con S_2 y es un hallazgo

Perlas de sabiduría

El ruido S_3 se asocia con insuficiencia cardíaca y debe considerarse anormal en pacientes mayores de 35 años.

USTED es el Paramédico

PARTE 4

Su equipo de trabajo terminó movilizando al paciente hacia la camilla, y usted lo está llevando a la ambulancia para transportarle a un centro de trauma. En el camino, usted planea iniciar una venoclisis para la administración de soluciones, lo oxigena y vigila estrechamente su ventilación.

Tiempo de registro:	10 minutos
Ventilaciones	28/min, poco profundas
Pulso	120 latidos/min, débiles
Piel	Fría, más pálida que en el momento basal, pegajosa
Presión arterial	92/62 mm Hg
Saturación de oxígeno (SpO_2)	De 99% con 15 L/min de O_2 mediante una mascarilla sin reservorio
Pupilas	PIRRL

7. ¿Cómo puede usted determinar el grado de daño interno si no cuenta con el implemento que se usó para apuñalar al paciente?

8. ¿Cuál es la importancia de los antecedentes médicos en este caso?

durante la auscultación. Es causado por los cierres de las válvulas aórtica y pulmonar, que no están sincronizados normalmente. Un ruido S_2 con desdoblamiento que no cambia con la ventilación puede indicar un problema cardíaco grave, que justifica una valoración más amplia.

Usted puede apreciar los ruidos cardíacos al auscultar la pared del tórax en las regiones paraesternales superior e inferior, así como en aquella por arriba del pezón izquierdo. Para auscultar los ruidos cardíacos, coloque al paciente en una posición que lleve al corazón más cerca de la pared torácica anterior izquierda, como sentado o inclinado ligeramente hacia adelante. Coloque su estetoscopio en el quinto espacio intercostal sobre el ápice cardíaco; esto correspondería aproximadamente a la válvula mitral. En la **FIGURA 8-32** se muestra dónde colocar el estetoscopio para auscultar diversos ruidos cardíacos.

Los **ruidos de Korotkoff** tienen relación con la PA del paciente. Hay cinco ruidos de Korotkoff, pero solo el primero y el quinto tienen importancia clínica, los ruidos se presentan a continuación y ocurren en el siguiente orden:

1. Fase I: ruidos claros, débiles, pulsátiles, que gradualmente aumentan de intensidad; tienen relación con la contracción sistólica.
2. Fase II: los ruidos cambian a uno suave *de susurro.*
3. Fase III: los ruidos se tornan más nítidos otra vez y aumentan en intensidad; más suaves que los pulsátiles de la fase I.
4. Fase IV: los ruidos se muestran amortiguados.
5. Fase V: todos los ruidos desaparecen; en relación con la presión diastólica.

El segundo y tercer ruidos de Korotkoff no tienen importancia clínica conocida.

En algunos pacientes los ruidos pueden desaparecer brevemente entre las fases II y III, lo que se conoce como brecha auscultatoria.

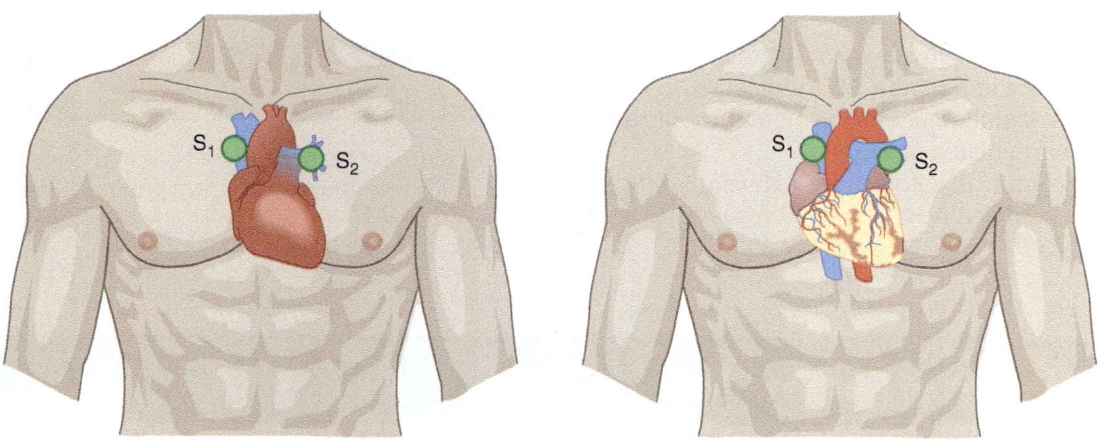

Ruido cardíaco	Representa	Dónde se escucha
S_1	Región aórtica: cierre de la válvula auriculoventricular	Entre el segundo y tercer espacio intercostales en el borde esternal derecho
S_2	Región pulmonar: cierre de la válvula semilunar	En el segundo a tercer espacio intercostales en el borde esternal izquierdo
S_3	Región tricuspídea	En el cuarto, quinto y sexto espacios intercostales en el borde esternal izquierdo
S_4	Región mitral: cierre de la válvula mitral	Ápice del corazón, del quinto a sexto espacios intercostales en la línea media clavicular

FIGURA 8-32 Lugares para la colocación del estetoscopio cuando se auscultan los ruidos cardíacos. Para detectar S_2, pida al paciente que ventile normalmente y se sostenga en inhalación. Ausculte la zona por arriba del pezón izquierdo para escuchar los ruidos cardíacos S_3 y S_4.

Mientras hace la inspección y palpación del tórax, escuche los ruidos cardíacos del paciente. Exhiba la pared del tórax para localizar el punto máximo de impulso (PMI) y apreciar el pulso apical. Palpe cualquier **elevación** (también llamada **tirón**, la percepción del latido cardíaco muy fuerte) en la pared torácica, que sugiere hipertrofia. Preste atención a cualquier **frémito** (vibración zumbante). Un frémito palpable sugiere un soplo o un soplo subyacente y justifica mayor investigación. Escuche sobre las zonas en las que se localizan las válvulas cardíacas. La aórtica está cerca del segundo espacio intercostal: a la derecha del esternón. La válvula pulmonar yace cerca del segundo espacio intercostal a la izquierda del esternón. La tricúspide se ausculta sobre el extremo inferior izquierdo del borde esternal. La mitral se puede evaluar sobre el ápice cardíaco, por fuera del borde izquierdo del esternón inferior cerca de la línea medioclavicular. Perciba la intensidad de los ruidos cardíacos, y escuche S_1, S_2 y cualquiera adicional, así como los soplos.

Un **estremecimiento** es un ruido *de susurro* anormal que indica un riego sanguíneo turbulento a través de una arteria estenótica (la más significativa, la carótida). Un **soplo** es un ruido *susurrante* anormal que se escucha sobre el corazón e indica un riego sanguíneo turbulento alrededor de una válvula cardíaca. Los soplos se gradúan de acuerdo con su intensidad, desde 1 (el más suave) hasta 6 (el más fuerte). Muchas personas presentan soplos fisiológicos normales y en algunos pueden representar un grado de alteración patológica, dependiendo de la naturaleza de la enfermedad subyacente y la anatomía específica de la válvula involucrada. Para apreciar de manera completa la naturaleza y calidad de los ruidos cardíacos normales y soplos, usted debe practicar exhaustivamente sus destrezas de auscultación con un equipo excelente.

Los pulsos arteriales representan la presión arterial sistólica, y ocurren cuando la contracción del ventrículo izquierdo y posterior expulsión de sangre hacia la circulación sistémica genera una onda de presión, que después viaja a través del sistema arterial. Los pulsos arteriales son palpables donde quiera que una arteria cruce sobre una prominencia ósea.

Las tendencias de la presión venosa tienden a ser bajas. De hecho, en el contexto normal, la presión en las venas cavas apenas antes de recibir sangre de la aurícula derecha es de cerca de cero. Las venas son relativamente carentes de músculo, vasos de pared delgada que no modifican la resistencia vascular sistémica o respaldan la presión arterial sistémica. La sangre fluye a través del sistema venoso y retorna al corazón en parte porque es impulsada de manera continua desde atrás, por el drenaje de la red capilar. El retorno de la mayoría de la sangre venosa es función del ciclo ventilatorio, impulsado por la presión intratorácica negativa que se genera en la inspiración durante la ventilación normal.

Evalúe las extremidades, en particular las inferiores, en cuanto a cualquier signo de obstrucción o insuficiencia venosa. Los signos incluyen ingurgitación venosa, edema palpable, aumento de volumen, hiperpigmentación y eritema leve. Los pacientes pueden informar de edema, venas superficiales dolorosas, pesadez en las extremidades o cambios en el color de la piel.

En ocasiones, la presión venosa yugular ayuda a calcular la capacidad del sistema venoso. En cualquier momento que se observe ingurgitación yugular, determine la localización de la obstrucción venosa que impide el retorno de sangre al corazón. Si el paciente presenta un traumatismo penetrante del hemitórax izquierdo, la ingurgitación yugular puede indicar un taponamiento cardíaco. Si muestra edema de los pies, considere la insuficiencia cardíaca. Específicamente en la insuficiencia cardíaca derecha el riego sanguíneo a la aurícula derecha tiende a ser lento. La capacitancia venosa aumenta en un esfuerzo por compensar, lo que a su vez eleva la presión y da como resultado la ingurgitación yugular. Si usted palpa el hígado y observa una ingurgitación yugular significativa, esto sugiere hepatopatía o inflamación secundaria a una hepatitis.

En situaciones que incluyen hipotensión, tal vez no haya datos de ingurgitación yugular inclusive en posición supina. Sin embargo, los pacientes hipotensos con ingurgitación yugular deben evaluarse cuidadosamente en cuanto a la naturaleza de su enfermedad. Dependiendo del cuadro clínico, los pacientes con ingurgitación yugular pueden estar experimentando un shock cardiogénico o la rotura de una válvula cardíaca. En el contexto de un traumatismo de tórax, la distensión de las venas del cuello y la hipotensión pueden señalar un neumotórax a tensión o un taponamiento pericárdico.

La capacidad que tiene el aparato circulatorio de contraerse y dilatarse puede disminuir notoriamente conforme la persona envejece. Aunque esta limitación varía considerablemente de un paciente a otro, en los de edad más avanzada puede verse notoriamente impedida la capacidad de compensar una agresión cardiovascular por los cambios relacionados, en especial la ateroesclerosis y la diabetes. Además, muchos medicamentos que las personas de edad avanzada toman de manera sistemática para tratar afecciones médicas como la presión arrerial alta, pueden alterar la capacidad del cuerpo de manejar cambios súbitos en la demanda de riego sanguíneo (p. ej., el organismo desea aumentar la frecuencia del pulso, pero un medicamento bloqueante β no le permite acelerar). Por el contrario, los vasos de los niños y adultos jóvenes tienen mejor capacidad de vasoconstricción y aumento de la frecuencia del pulso para compensar una agresión vascular; mecanismo de compensación que puede engañarle al creer que los pacientes jóvenes están menos enfermos de lo que en realidad se encuentran.

Conforme usted revisa el aparato cardiovascular de un paciente, preste atención a los pulsos arteriales, señale su localización, frecuencia, ritmo y calidad. Además, note la amplitud de los pulsos (p. ej., débiles y filantes, en comparación con fuertes y saltones). Obtenga una presión arterial precisa y repita la medición periódicamente para precisar la estabilidad hemodinámica del paciente. Determine si tiene antecedente de hipertensión y, en caso afirmativo, indique a qué categoría pertenece de acuerdo con el **CUADRO 8-9**. Palpe las arterias carótidas y escúchelas con la campana del estetoscopio para precisar cualquier soplo (descrito más adelante).

En un paciente con sospecha de un problema cardíaco, evalúe el pulso en cuanto a regularidad y fortaleza, y revise la piel en cuanto a signos de hipoperfusión (palidez y temperatura baja, humedad) o de desaturación de oxígeno (cianosis). Si percibe irregular el pulso, valórelo durante 1 minuto, mejor que solo por 30 segundos, para obtener una determinación más precisa de su frecuencia. Escuche los ruidos ventilatorios, ya que muchas afecciones cardíacas se relacionan con problemas de la ventilación, los estertores secundarios a edema pulmonar, por ejemplo. Obtenga los signos vitales basales. La hipotensión grave con taquicardia sostenida progresiva es común en los pacientes con shock cardiogénico; manténgase alerta de esta afección, porque conlleva una tasa de mortalidad de más de 80%. Verifique también la ingurgitación yugular. Puede indicar insuficiencia cardíaca, taponamiento cardíaco o neumotórax. Explore las extremidades en cuanto a signos de edema periférico, que quizás indiquen una insuficiencia cardíaca derecha.

CUADRO 8-9 Categoría de la PA en los adultos *(2017 American College of Cardiology/American Heart Association Clinical Practice Guidelines)*[a]

Categoría de la PA[a]	PAS		PAD
Normal	< 120 mm Hg	y	< 80 mm Hg
Elevada	de 120-129 mm Hg	y	< 80 mm Hg
Hipertensión			
Etapa 1	de 130-139 mm Hg	o	de 80-89 mm Hg
Etapa 2	≥ 140 mm Hg	o	≥ 90 mm Hg

[a] Los individuos con presión arterial sistólica (PAS) y diastólica (PAD) en dos categorías deberían ubicarse en la de cifras más altas (PA).

Abdomen

Debido al gran número de órganos dentro del abdomen, su localización y la complejidad de las manifestaciones médicas relacionadas, se describe más fácilmente a este segmento corporal mediante su división en cuatro cuadrantes. El diafragma es el músculo cupuliforme usado para la ventilación en la parte más alta de la cavidad abdominal, y la pelvis constituye el piso. Los cuadrantes: superior izquierdo (CSO), superior derecho (CSD), inferior izquierdo (CII), inferior derecho (CID), corresponden a un conjunto de líneas perpendiculares imaginarias que se intersecan en el ombligo, que es el punto de referencia central, **FIGURA 8-33**.

Por otro lado, valore los órganos del abdomen dividiéndolo en nueve regiones: hipocondrio derecho, HD; epigastrio, E; hipocondrio izquierdo, HI; flanco derecho, FD; mesogastrio, MG; flanco izquierdo, FI;

Perlas de sabiduría

Valore los cuatro cuadrantes abdominales en cuanto a dolor/hipersensibilidad, rigidez, edema, defensa voluntaria y distensión. Inicie en una región donde el paciente no presente dolor.

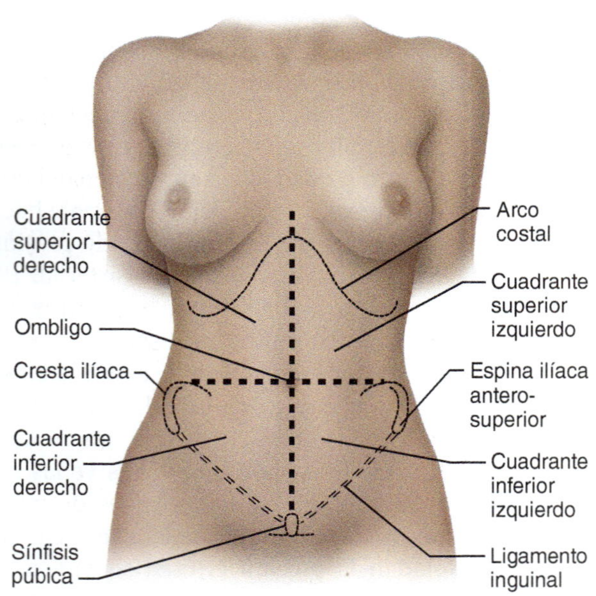

FIGURA 8-33 El abdomen se divide en cuadrantes por líneas verticales y horizontales imaginarias que se intersecan en el ombligo.

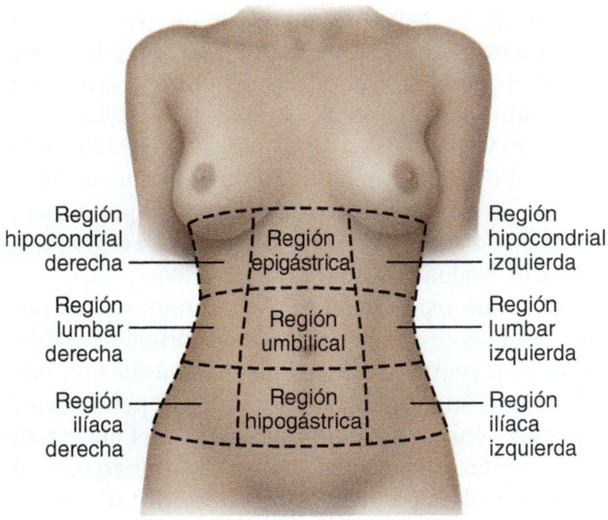

FIGURA 8-34 El abdomen se puede dividir en nueve regiones.

fosa iliaca derecha, FID; hipogastrio, H, y fosa iliaca izquierda, FII, **FIGURA 8-34**.

El abdomen contiene casi todos los órganos de la digestión, los del aparato GU y estructuras neurovasculares significativas. La pared abdominal es una estructura muscular relativamente gruesa que cubre al peritoneo. El peritoneo es una capa bien definida de aponeurosis constituida por sus hojas parietal y visceral. Los órganos abdominales a menudo se caracterizan por ser intraperitoneales o extraperitoneales, dependiendo de su localización con relación a esta capa. Los órganos intraperitoneales incluyen al estómago, la porción proximal del duodeno en el intestino delgado, el páncreas, el yeyuno, el íleon, el apéndice, el ciego, el colon transverso, el colon sigmoides, la porción proximal del recto, el hígado, la vesícula biliar, el bazo, el epiplón y los órganos genitales femeninos. Son órganos extraperitoneales las porciones media y distal del duodeno, la aorta abdominal, las porciones media e inferior del recto, los riñones, la cola del páncreas, las glándulas suprarrenales, los uréteres, los vasos sanguíneos renales y los gonadales masculinos, el colon ascendente, el colon descendente y la vejiga.

Una de las manifestaciones más problemáticas para usted en su evaluación en el contexto del campo de su desempeño laboral es el dolor abdominal, puesto que tiene múltiples causas y a menudo se acompaña de pocos o ningún signo externo. Tres mecanismos básicos producen dolor abdominal:

- Se presenta *dolor visceral* cuando se obstruyen los órganos huecos y se distiende el músculo liso de su pared, lo que a su vez produce cólicos y un dolor amplio más difuso.
- La *inflamación* o irritación de las fibras de dolor somático localizadas en la piel, la pared abdominal y la musculatura, pueden producir un dolor agudo localizado, como en el caso de la enfermedad pélvica inflamatoria (EPI) o la apendicitis. Si el contenido gástrico, sangre u orina, ingresaran al peritoneo, también producirían dolor somático, si bien suele ser mucho menos localizado y difuso.
- Ocurre un *dolor referido* cuando se origina en un órgano particular, pero el paciente lo percibe en un lugar diferente. Son ejemplos el dolor de flanco relacionado con cálculos renales, el de la cara interna del muslo por apendicitis o EII, el dolor capsular de la colecistitis, y el dolor de la ingle (ondulatorio) del cólico renal.

Obtener los signos vitales basales es parte integral de cualquier evaluación secundaria, cuyas claves obtenidas pueden ayudarle a determinar la gravedad de la afección del paciente y la función de los órganos internos. Recuerde que el estado de shock ya sea de origen médico o relacionado con un traumatismo, se presenta en diferentes etapas. Los cambios en la presión arterial de un paciente pueden ser la última evidencia que note cuando el estado de shock cambia de un grado al siguiente. La presión arterial debe ser suficiente para mantener la perfusión adecuada de los órganos terminales.

Perlas de sabiduría

La mayor movilidad intestinal que se presenta en la hiperactividad del intestino produce ruidos de tono alto, fuertes, rápidos o tintineantes. Los ruidos hipoactivos o ausentes pueden ser consecutivos a una intervención quirúrgica abdominal reciente o de respuesta a la inflamación peritoneal.

Normalmente, los barorreceptores en el cuerpo perciben el descenso de la presión arterial y el volumen y estimulan una respuesta de catecolaminas y renina - aldosterona que, a su vez, producen vasoconstricción periférica, aumento de la frecuencia del pulso y retención de líquidos, que lleva más sangre hacia la circulación central y aumenta el volumen y la presión arterial. En los pacientes con consumo de volumen, no hay suficiente sangre circulante para impulsar la circulación central, específicamente cuando se cambia de una posición supina a la de sentado o bipedestación. Los **signos vitales ortostáticos**, también llamados de "prueba de inclinación", son parámetros de la presión arterial de un paciente y el pulso que se toman en posición supina y la de sentado o bipedestación. Los resultados de esta prueba pueden ayudarle a determinar el

Perlas de sabiduría

Si un paciente se marea al pasar de una posición supina a una posición sentada, no haga que se ponga de pie porque muy probablemente sufrirá un desmayo.

grado de consumo de volumen e indicar si el paciente requiere la restitución de líquidos. La prueba de inclinación en general se usa en pacientes con manifestaciones de náusea, vómito, diarrea, síncope y problemas GI.

En algunos estudios, se considera positiva la prueba de inclinación o de cambio ortostático cuando la presión arterial sistólica de un paciente disminuye hasta 20 mm Hg, la presión arterial diastólica aumenta más de 10 mm Hg (una presión del pulso en reducción), y aumenta por 20 latidos/min la frecuencia del pulso. Tome los signos vitales a intervalos de 1 minuto cuando movilice a un paciente a una nueva posición, y después, coloque el manguito en el mismo brazo y la misma localización. Documente si el pulso fue regular, si el paciente es vigilado y tiene una derivación de EKG acoplada, y si está experimentando otros síntomas. Si se menciona el antecedente de una carga de líquidos para restitución de volumen, repita la valoración ortostática después de evaluar los ruidos pulmonares.

Conforme usted explore el abdomen de un paciente, asegúrese de que esté lo más cómodo posible. A veces esto requiere administrar analgésicos en primer término, lo que suele ayudarle a cooperar mejor y enfocarse con menor molestia. Evalúe el abdomen con el paciente en posición supina. Sin embargo, para explorar y palpar/percutir la cara posterior del abdomen, pida al paciente que se siente o que gire hasta esta posición. Siempre proceda con la evaluación

Práctica de destreza 8-9 Exploración del abdomen

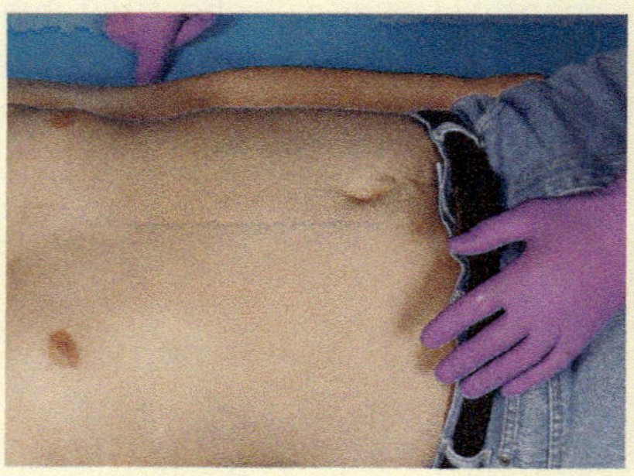

Paso 1

Inspeccione y palpe el abdomen en busca de heridas abiertas/cerradas, rigidez (firmeza), hipersensibilidad, distensión, edema o equimosis. Visualice la piel, y el contorno y el aspecto total de la pared abdominal. Cualquier cicatriz quirúrgica, podría ser clave de una enfermedad subyacente, un traumatismo o intervención quirúrgica. Busque simetría y distensión. Pregunte por exantema o signos de reacción alérgica. Note cualquier herida, estría, dilatación venosa o distensión generalizada, o masa localizada.

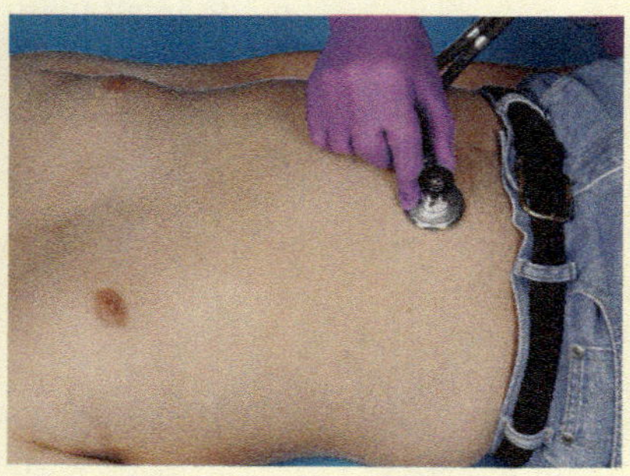

Paso 2

Ausculte los ruidos intestinales en el abdomen (si el tiempo y el nivel de ruido lo permiten). Note su presencia o ausencia, así como la frecuencia y el carácter de cualquier sonido hiperactivo.

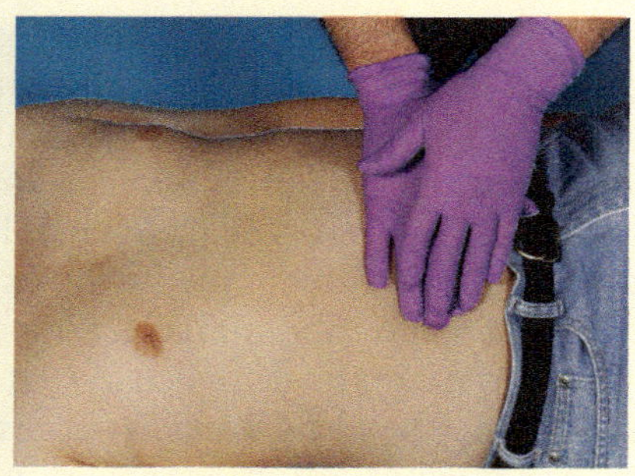

Paso 3

Antes de palpar el abdomen pida al paciente que señale la zona de máxima molestia y evite tocarla hasta el final. Palpe de manera sistemática los cuatro cuadrantes abdominales, con inicio en el más lejano de la molestia del paciente. Actúe lentamente y evite los desplazamientos rápidos. Realice la percusión según sea apropiado. Preste atención especial a las expresiones del paciente, porque pueden aportarle información valiosa.

Perlas de sabiduría

Con el dolor cólico y la gastroenteritis o la obstrucción intestinal se presentan inquietud y cambios constantes de posición. La quietud absoluta, que resiste cualquier movimiento, se demuestra con el dolor de la peritonitis (inflamación del peritoneo). Son también signos de dolor la flexión de la rodilla, las muecas faciales y la ventilación rápida/no equilibrada.

abdominal realizando de forma sistemática la inspección, auscultación y palpación, como se muestra en la **PRÁCTICA DE DESTREZA 8-9**.

El abdomen se puede describir como plano, redondeado, protuberante (voluminoso), escafoideo (hueco o con forma de bote [esquife]) o pulsátil (que brinca). En estado normal, su cavidad debería parecer blanda, sin hipersensibilidad o tumoraciones. Cualquier distensión abdominal debe distinguirse de la obesidad, en la que tiende a ser más protuberante que distendido (tenso e inflado) y, por lo general, excepcionalmente plegable.

Algunos pacientes quizás presenten **ascitis**, una colección de líquido dentro de la cavidad peritoneal, similar al edema, pero en lugar de afectar a los tejidos intersticiales de las extremidades inferiores, se presenta en el abdomen, que puede parecer distendido de manera notoria y quizás sea evidente una onda visible o palpable de fluido durante la exploración, con matidez cambiante a la percusión. La ascitis por lo general se presenta en pacientes con hepatopatía, pero también se puede vincular con cáncer o inclusive con insuficiencia renal o cardíaca.

Perlas de sabiduría

El dolor al liberar la presión que se ejercía se describe como hipersensibilidad de rebote, un signo confiable de inflamación peritoneal, como el que se presenta en la apendicitis. No haga revisión repetida en cuanto a la hipersensibilidad de rebote, ya que le genera malestar al paciente.

El cambio de color azul de la región periumbilical (signo de Cullen) o en los flancos (signo de Grey Turner) es índice de hemorragia intraperitoneal, dos de las más frecuentes causas son la rotura de un embarazo ectópico y la pancreatitis aguda.

La auscultación abdominal es parte de una exploración sistemática, si bien puede tener utilidad limitada en el contexto prehospitalario. Para escuchar los ruidos intestinales, el ambiente debe ser bastante tranquilo y el paciente permanecer inmóvil. Dedique tiempo para asegurar una evaluación adecuada. En ocasiones una anomalía se caracteriza por hiperactividad (aumento) o hipoactividad (disminución), más bien que la ausencia total de los ruidos intestinales. La obstrucción, por lo general, produce un ruido de tono alto o tintineante. La diferenciación entre datos normales y anormales puede constituir un reto, por lo que usted debe practicar esta destreza en muchas personas saludables para desarrollar una apreciación completa de las situaciones anormales que probablemente encuentre.

Además de auscultar los ruidos intestinales, utilice la campana del estetoscopio para percibir cualquier soplo en el abdomen. Recuerde que se trata de ruidos debidos a un riego sanguíneo turbulento por las arterias. En la cavidad abdominal, ausculte en busca de soplos sobre la aorta, las arterias renales derecha e izquierda y las iliacas primitivas, que en esas regiones sugieren estenosis o bloqueo arteriales.

La palpación aporta la información de diagnóstico más significativa durante la exploración abdominal: la hipersensibilidad (dolor que se produce), un gemido, una mueca, o el retiro súbito, envían todo el mismo mensaje; usted tocó algo o un sitio donde se presenta malestar o dolor. Un paciente que contrae sus músculos abdominales ejerce una **defensa**, que puede ser voluntaria o involuntaria y, por lo general, indica afecciones subyacentes, como una apendicitis. La contracción notoria persistente de la musculatura abdominal se describe como de rigidez y a menudo indica una peritonitis, un signo importante en la clínica y que a menudo da lugar a una evaluación e intervención quirúrgica de emergencia.

Usted puede ser capaz de correlacionar estos datos con la información histórica relacionada con la enfermedad o la situación actual del paciente para determinar qué está mal. La opresión o la defensa voluntaria pueden ser resultado de una hemorragia interna, un órgano inflamado y muchas otras causas. La rotura del bazo o la mononucleosis infecciosa son posibles fuentes de dolor del CSI. A menos que se pueda descartar, ese dolor siempre debería asumirse como de origen esplénico, ya que puede ser fatal no hacer el diagnóstico. Los pacientes con dolor abdominal de CII, en especial si tienen antecedentes de estreñimiento, náusea, vómito y fiebre, deberían ser objeto de sospecha de diverticulitis. La causa del dolor abdominal del CID probablemente es la apendicitis. El dolor abdominal generalizado de las mujeres en edad de procrear puede ser resultado de un embarazo ectópico, un quiste ovárico roto, o alguna otra afección obstétrica o ginecológica que pueda poner en riesgo la vida.

Cuando sea apropiado, hable con el paciente acerca de la NE mientras palpa su abdomen. Revise cada cuadrante con suavidad, pero firmemente, y reconozca que el paciente puede responder en muchas formas. Una vez que se localizó una zona de hipersensibilidad, intente precisar qué estructuras pueden estar debajo y piense acerca de lo que podría estar causando el problema. Si el paciente sufre un traumatismo penetrante, este paso no constituye una prioridad; es difícil localizar zonas dañadas por un ML de alta velocidad mediante la visualización y palpación de la pared abdominal. Considere cualquier signo o síntoma de lesión abdominal como grave e índice de alta prioridad en pacientes en una condición inestable. Esa información clave es digna de incluirse en su evaluación.

La hipersensibilidad de rebote rara vez se revisa en el campo, principalmente porque hacerlo puede ser doloroso. Requiere el impulso descendente lento, y después, la liberación rápida de secciones del abdomen. Un signo positivo (el paciente llora o se retira) indica irritación peritoneal, que puede surgir cuando un órgano cubierto por el peritoneo se inflama o ¡un órgano hueco se rompe!, con vaciamiento de su contenido en la cavidad peritoneal. La hemorragia de gran volumen con distensión peritoneal puede también producir este fenómeno. Sin embargo, esté alerta de que en casos de trauma, la hemorragia de un órgano sólido no siempre causa irritación peritoneal, reflejo de defensa y rigidez.

Los pacientes con hipersensibilidad menos bien definida (localizada) y reflejo de defensa a la palpación, pueden presentar un problema más visceral. Aunque esto pueda representar una manifestación temprana de una afección grave, también podría vincularse con grados variables de obstrucción intestinal, cólico renal o biliar, o infección de vías urinarias. El dolor a menudo es de ubicación profunda y el paciente lo describe mal. Los casos de cólico, por lo general, involucran un problema con el peristaltismo, el movimiento de contracción ondulatorio de una estructura tubular hueca como el intestino delgado o el grueso, el conducto biliar común o el uréter. Un cálculo puede obstruir el conducto, por ejemplo, o una adherencia o hernia prevenir el peristaltismo intestinal apropiado. Algunos pacientes describirán el dolor como ondulatorio o que aparece y desaparece. Otras fuentes abdominales menores de dolor e hipersensibilidad incluyen procesos GU.

Conforme usted palpa la cavidad abdominal, intente tocar el hígado, la vesícula biliar y el bazo. Para palpar el primero, coloque su mano izquierda detrás del paciente, en ubicación paralela a las costillas 11 y 12, a las que sostiene, y a los tejidos blandos adyacentes debajo. Coloque su mano derecha en la porción derecha del abdomen del paciente apenas debajo de la caja costal. Pídale que haga una inspiración profunda. Trate de percibir el borde hepático, ya que desciende para encontrase con las puntas de sus dedos. Si usted lo percibe, alivie ligeramente la presión de su mano que palpa, de modo que el hígado pueda deslizarse bajo las yemas de sus dedos y usted pueda percibir su cara anterior.

Use la misma técnica para evaluar la vesícula biliar. Si bien, por lo general, no es palpable, el inicio de dolor o un jadeo súbito indican su posible inflamación. La diferencia en la técnica es que cuando el paciente haga una inspiración profunda usted intente desplazar las puntas de sus dedos bajo el borde del hígado, más bien que palpar su cara anterior. Esto las llevará más cerca de la vesícula biliar.

El bazo es un órgano muy difícil de palpar, y usted probablemente pueda hacerlo solo si está inflamado. Con su mano izquierda acérquese al paciente y rodéelo para darle respaldo, y presione hacia adelante la caja torácica izquierda inferior y los tejidos blandos adyacentes. Con su mano derecha debajo del borde costal izquierdo, presione en dirección del bazo. Inicie la palpación con suficiente antelación de manera que se encuentre bajo un posible bazo crecido. Pida al paciente que haga una inspiración profunda y trate de percibir la punta del bazo o su borde, en su descenso para unirse con las puntas de sus dedos.

Las fuentes vasculares pueden causar dolor abdominal significativo, el de máxima notoriedad, un aneurisma aórtico. En ocasiones, puede visualizarse una aorta notoriamente dilatada en la línea media de la porción alta del abdomen. Si el paciente presenta una masa pulsátil obvia, no la palpe. Sin embargo, si no se visualiza una masa pulsátil, proceda con la palpación abdominal. Un aneurisma aórtico roto también tiende a ser hipersensible a la palpación. Una vez que usted sospeche un aneurisma de la aorta, tenga especial cuidado para disminuir al mínimo la manipulación. La aorta es una estructura retroperitoneal, por lo que la carencia de datos obvios mientras se evalúa la pared anterior del abdomen, no descarta el diagnóstico.

Otra masa de la pared abdominal palpable notoria es una *hernia*, debilitamiento localizado de su musculatura. En ocasiones, usted podría encontrar una hernia en la pared ventral del abdomen, diferente de aquella que se localice en la ingle. Muchos de estos tipos de hernias, como las umbilicales, son de origen congénito, en tanto otras son producto de una intervención quirúrgica abdominal previa (hernia incisional). Las hernias en la pared ventral no siempre son visibles. Si usted sospecha una hernia, pero no la visualiza en el ámbito umbilical o incisional, coloque al paciente en posición supina y pídale que eleve sus hombros y cabeza sobre la mesa. Esta maniobra, por lo general, producirá la protrusión de una hernia. La mayor parte del tiempo, tales datos se consideran benignos en el ambiente del SEM. Sin embargo, se trata de una emergencia médica real si una sección del intestino se queda atrapada y estrangulada dentro de la hernia. En tales casos, los síntomas del paciente incluirán fiebre, dolor, y posiblemente, el estado de shock.

Genitales femeninos

Los genitales femeninos constan de los externos, y los ovarios, las trompas de Falopio, el útero y la vagina. Los ovarios yacen en la porción más baja del abdomen, en la región de la ingle, apenas arriba del pliegue inguinal. Fuera del embarazo, el útero es una estructura pequeña no palpable por exploración. En el capítulo 19, *Emergencias ginecológicas*, se incluyen una revisión detallada e ilustraciones de los genitales femeninos.

En general, la evaluación de los genitales femeninos se hace en una forma limitada y discreta. Siempre mantenga a la paciente apropiadamente cubierta durante la exploración. De ser posible, los paramédicos de género masculino deben ser apoyados por una mujer. Los motivos para revisar los genitales incluyen preocupación respecto a una hemorragia que ponga en riesgo la vida o cuando se sospecha que el parto es inminente en una embarazada.

Conforme usted evalúe el abdomen, palpe ambas regiones inguinales y el hipogastrio. Si se toma la decisión de explorar específicamente los genitales, limite la revisión a la sola inspección. El dolor y la hipersensibilidad en las trompas de Falopio y los ovarios se puede despertar durante la evaluación de la paciente. Son causas clínicamente significativas de dicho dolor un embarazo ectópico, complicaciones del tercer trimestre del embarazo y afecciones ováricas o infecciones pélvicas en las pacientes no embarazadas. En las pacientes de trauma, en quienes preocupa una fractura de la pelvis, si bien es posible, también es poco probable la hemorragia genital. En el caso de una lesión que implique un traumatismo intencional, es posible una hemorragia significativa; si usted debe intervenir en este tipo de situación, conserve cualquier ropa y proporciónesela al personal de policía tan pronto como sea posible. Señale la cantidad y calidad de cualquier pérdida sanguínea, así como de inflamación, secreción, edema o lesión genital alguna.

Genitales masculinos

El aparato reproductor masculino consta de testículos, conductos de la reproducción, vesículas seminales, próstata, pene y uretra, **FIGURA 8-35**. Los testículos son análogos de los ovarios, pues constituyen los principales órganos de la reproducción, yacen fuera del tronco dentro de un saco (*escroto*), producen hormonas y células reproductivas (espermatozoides). Los espermatozoides se transportan después desde los testículos hacia la pelvis, donde se mezclan con el semen de las vesículas seminales y el líquido de la próstata y se expulsan durante el proceso de la eyaculación.

Asegúrese de que esté presente su compañero mientras usted explora los genitales masculinos; hágalo en una forma limitada y discreta. En el contexto prehospitalario, son limitadas las situaciones que requieren

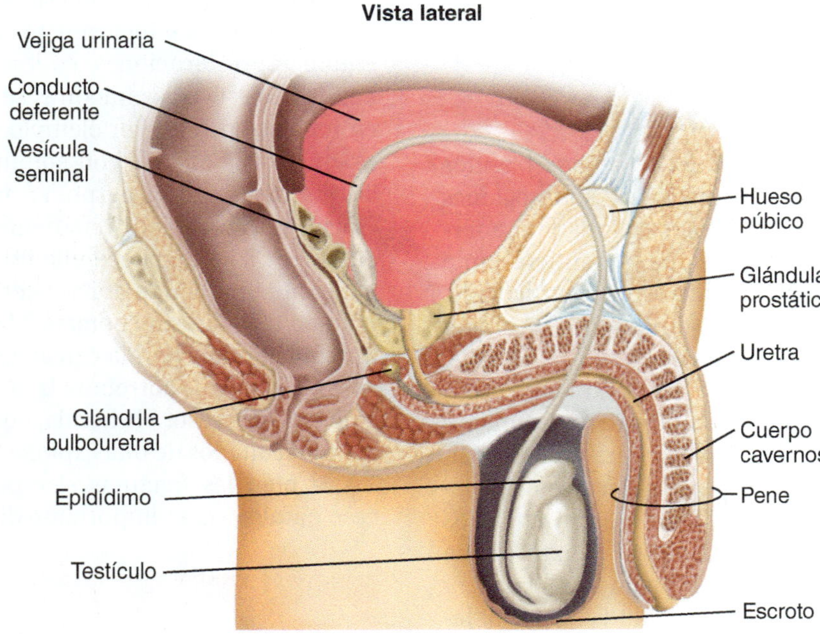

FIGURA 8-35 Genitales masculinos.

evaluación de los genitales masculinos. Siempre evalúe todo el abdomen y señale cualquier dato pertinente, debido a que los problemas abdominales bajos en ocasiones se refieren desde los genitales. Por ejemplo, los pacientes con una torsión testicular o una hernia inguinal en ocasiones se quejan de dolor abdominal bajo, pero con hipersensibilidad mínima. En el caso de un paciente de trauma, evalúe la posibilidad de una hemorragia genital significativa y la lesión o una fractura subyacente. Señale cualquier inflamación, secreción, edema o lesiones. Además, el priapismo es una erección duradera del pene, que suele ser resultado de una lesión de la médula espinal. Además, busque datos de incontinencia urinaria, en especial en un paciente que no responde, pues puede vincularse con una lesión de la médula espinal o una convulsión.

Ano

El ano es el orificio distal del tubo digestivo y a menudo se evalúa en el mismo momento que los genitales. Se explora solo en unas cuantas circunstancias y siempre con el paciente apropiadamente cubierto y la presencia de su compañero. Ante un antecedente positivo (p. ej., hemorragia rectal, dolor anal intenso) o los signos o síntomas de un traumatismo, explore la región para evaluar la necesidad de yugular una hemorragia o iniciar otra intervención (p. ej., tratamiento del estado de shock o el cuidado de partes evisceradas). La exploración suele involucrar solo la inspección y se hace con el paciente en una posición de decúbito lateral. Revise el dorso, la parte posterior de las nalgas y el periné, con señalamiento de hemorragias, traumatismos, tumoraciones, úlceras, inflamación, exantema, abrasiones obvias o datos de incontinencia fecal.

Sistema musculoesquelético

Las extremidades constan tanto de tejidos blandos como de huesos. Las articulaciones son regiones donde los extremos de los huesos colindan para formar un tipo de estructura móvil que se mantiene junta por ligamentos que crean un apéndice articulado. Cada articulación tiene un revestimiento de absorción de golpes (cartílago) y está llena de líquido (sinovial) y en conjunto permiten al cuerpo realizar trabajo mecánico. De hecho, el proceso mecánico del movimiento se hace posible cuando las articulaciones se flexionan y extienden alternativamente por músculos esqueléticos (estriados) que las atraviesan y están anclados al hueso mediante tendones. Cada músculo recibe un nombre de acuerdo con su localización y función.

Las principales articulaciones de las extremidades superiores son las del hombro (acromioclavicular y glenohumeral), el codo (olecranon) y la muñeca (radiocarpiana). Las principales articulaciones de las extremidades inferiores son la cadera (acetábulo), la rodilla (rotuliana) y el tobillo (astragalotibial).

> **Perlas de sabiduría**
>
> Para evaluar a un paciente con una posible dislocación de un hombro, colóquese detrás y compare los dos. El lado dislocado suele ser más bajo que el no lesionado.

En los pacientes adultos mayores, son frecuentes las manifestaciones musculoesqueléticas. Conforme envejecen, las articulaciones se tornan más vulnerables al estrés y el traumatismo del movimiento repetitivo, y la pérdida de cartílago articular por fragmentación inflamatoria o mecánica conduce a la osteoartritis. Estos pacientes probablemente tengan menor movilidad y RM en forma secundaria a los cambios articulares y musculares. La disrupción de los huesos, las articulaciones y los tejidos blandos pueden tomar diversas formas y el malestar o la discapacidad ser manifestaciones de un problema agudo, crónico o de ambos tipos. Además de los cambios articulares, la masa muscular disminuye con la edad y por la falta de uso. Los adultos mayores tienden a vivir con un estilo más sedentario, lo que contribuye a tales afecciones. Un dato frecuente cuando se evalúan las articulaciones es la crepitación con el movimiento, que, si bien se consideraría un dato anormal en la población más joven, corresponde a una variante normal del envejecimiento, por lo general, relacionada con la artritis avanzada.

Las lesiones musculoesqueléticas y de tejidos blandos comunes incluyen fracturas, estiramientos, esguinces, dislocaciones, contusiones, hematomas y heridas abiertas. Las fracturas se pueden caracterizar en muchas formas. Por ejemplo, una fractura abierta es en esencia aquella con comunicación directa con la cara externa del cuerpo, en tanto una cerrada se vincula con una piel circundante íntegra. En algunas ocasiones, lo que parece una fractura abierta es simplemente una herida abierta cercana al sitio de esta, pero en realidad sin contacto. No obstante, cualquier fractura con una herida cercana debería considerarse abierta hasta que corrobore la ausencia de comunicación real entre esta y la herida, por lo general, con base en los resultados de una exploración quirúrgica.

Si bien las fracturas siempre implican un proceso patológico, es importante distinguir una **fractura**

> **Perlas de sabiduría**
>
> La hipersensibilidad puntual es el índice de máxima confiabilidad de que hay una fractura subyacente.

patológica de una **fractura traumática**. La primera ocurre cuando se aplican fuerzas normales a estructuras óseas anormales y se produce una pérdida de continuidad. Ocurre una fractura traumática cuando se aplican fuerzas anormales a estructuras óseas normales y se produce tal disrupción. Las fracturas traumáticas suelen presentarse ante traumatismos contusos de alta intensidad. Las fracturas patológicas a menudo se presentan como resultado de disminución de la densidad ósea, como la osteopenia o un cáncer oculto, y pueden ocurrir con una aplicación relativamente escasa de fuerza.

Explore el esqueleto y las articulaciones, con atención a su estructura y función. Considere cómo se visualizan y funcionan la articulación y la extremidad vinculadas. ¿Parece normal la extremidad y se desplaza con facilidad? En particular, note cualquier limitación del RM, así como crepitación ósea o dolor alguno con el movimiento. Busque datos de inflamación o lesión, como edema, hipersensibilidad, aumento de la temperatura local, eritema, equimosis y disminución de la función. También valore la articulación o extremidad en cuanto a una deformidad evidente, disminución de la fuerza, atrofia y asimetría. La exploración del musculo esquelético no debería causar dolor alguno al paciente; en caso de presentarse, se considerará un dato anormal. Siga los pasos de la **PRÁCTICA DE DESTREZA 8-10** para revisar el sistema musculoesquelético.

Práctica de destreza 8-10 Exploración del sistema musculoesquelético

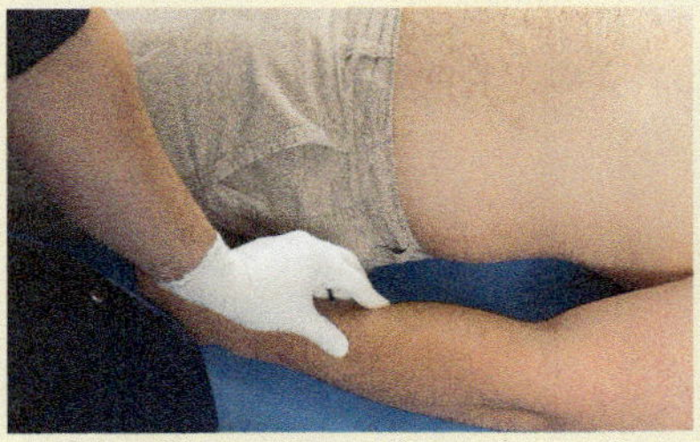

Paso 1

Con inicio en las extremidades superiores, haga inspección de la piel que cubre a los músculos, huesos y articulaciones en busca de daños de los tejidos blandos. Note cualquier deformidad o estructura anormal.

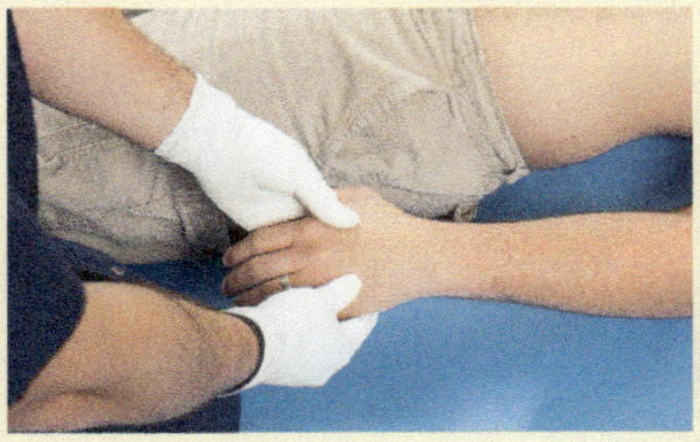

Paso 2

Haga inspección y palpación de las manos y las muñecas. Consigne cualquier lesión abierta/cerrada y crepitaciones.

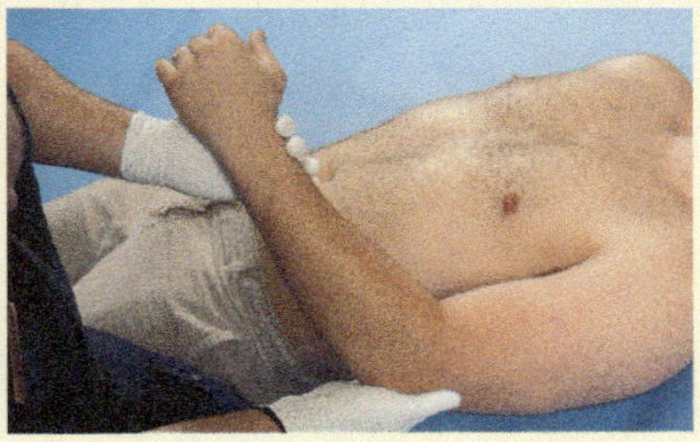

Paso 3

Haga inspección y palpación de los codos. Pida al paciente que los flexione y extienda para establecer su RM. Señale cualquier anomalía.

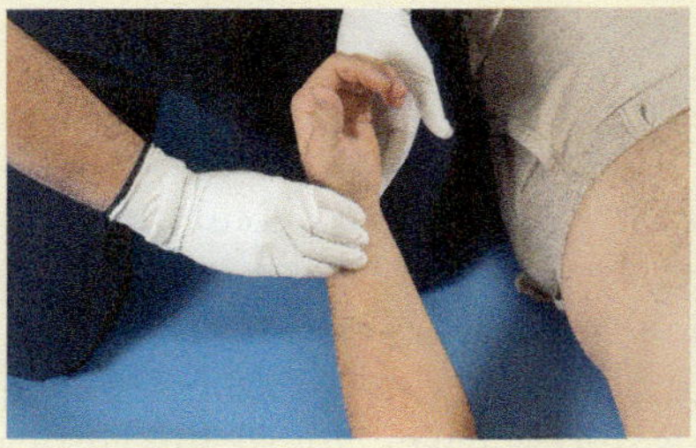

Paso 4

Verifique el pulso distal adecuado, la función motora y la sensibilidad de cada extremidad.

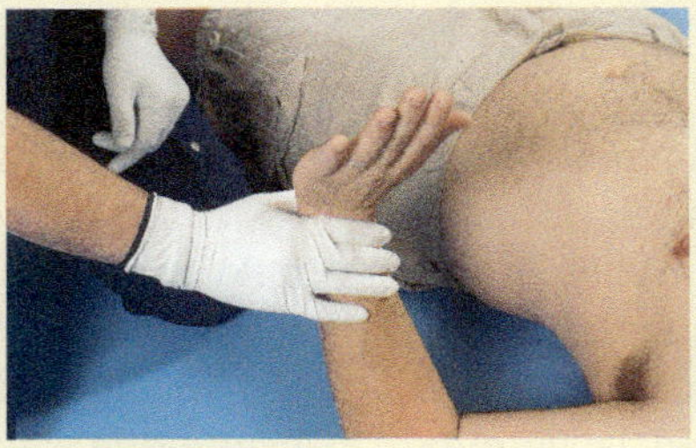

Paso 5

Pida al paciente que flexione y extienda las articulaciones de los dedos, las manos y la muñeca para establecer su RM. Si experimenta molestia alguna, de inmediato detenga esa porción de la exploración.

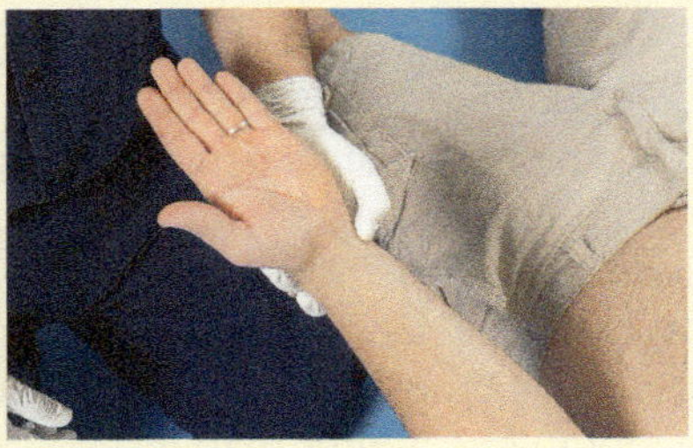

Paso 6

Mientras mantiene sujeto el codo del paciente, pídale que gire su mano de la posición de palma-abajo hacia la de palma-arriba y de regreso.

(continúa)

Práctica de destreza 8-10 Exploración del sistema musculoesquelético (continuación)

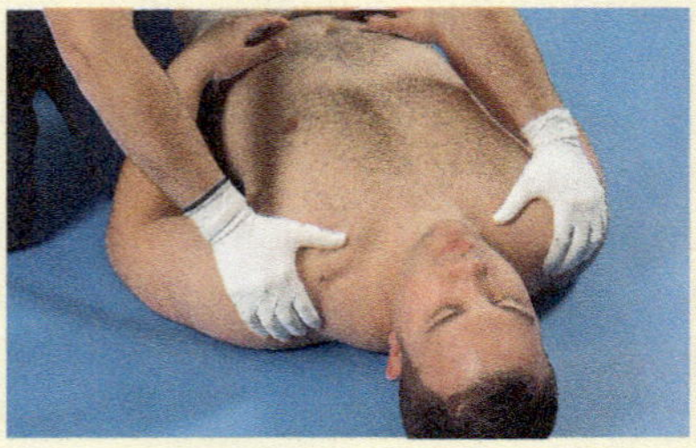

Paso 7

Haga inspección y palpación de los hombros. Pida al paciente encogerse de hombros, elevar y extender ambos brazos.

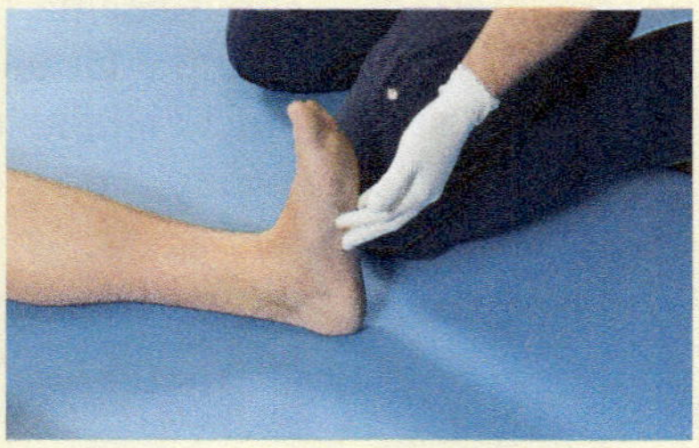

Paso 8

Haga inspección y palpación de las estructuras óseas para establecer el RM. Pida al paciente que extienda y flexione sus artejos.

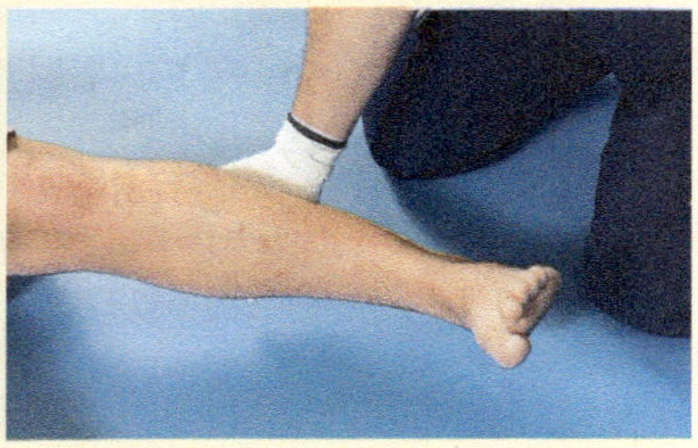

Paso 9

Pida al paciente que gire el tobillo para verificar la restricción del RM o el dolor.

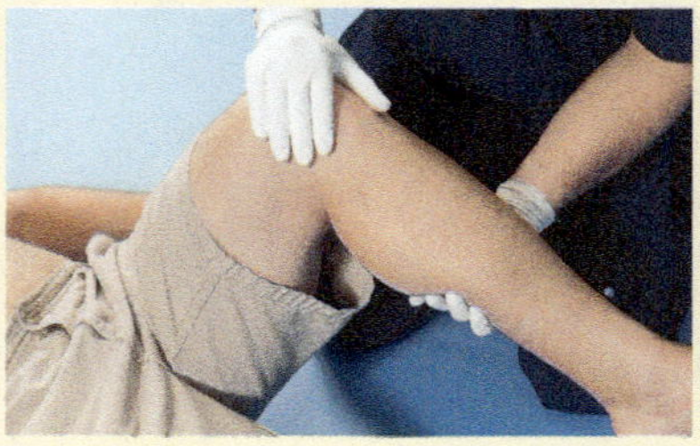

Paso 10

Haga inspección y palpación de las articulaciones de la rodilla y rótulas para establecer su RM. Pida al paciente flexionar y estirar ambas rodillas.

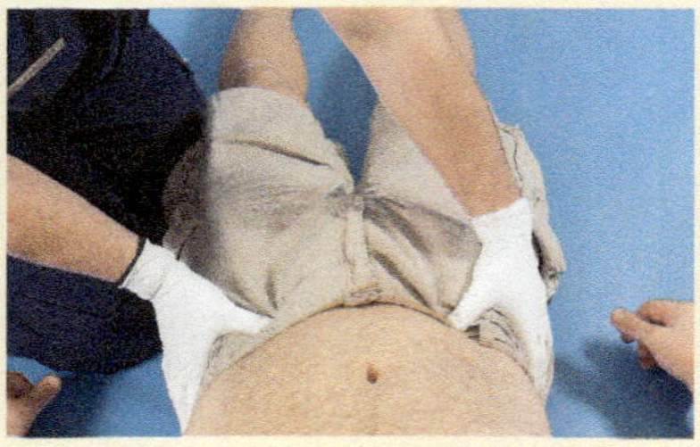

Paso 11

Verifique la integridad estructural de la pelvis al aplicar presión suave sobre las crestas iliacas, con impulso hacia el interior y después hacia abajo.

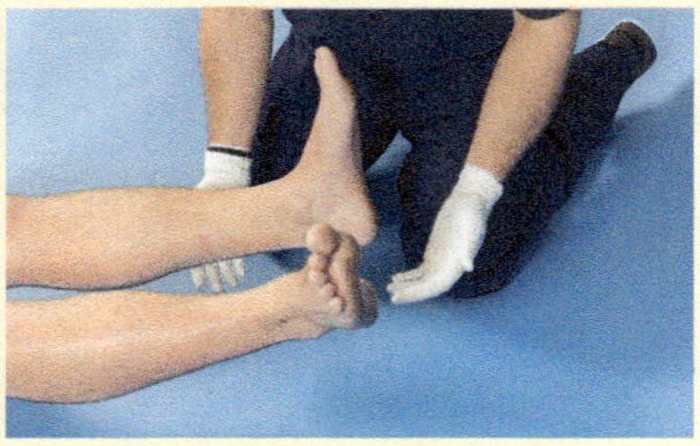

Paso 12

Pida al paciente que levante ambas piernas, que las flexione en la cadera y que las gire hacia adentro y afuera. Observe cualquier anomalía.

A menudo el diagnóstico de un problema que involucra a los hombros y las estructuras relacionadas puede hacerse simplemente por verificación de la postura del paciente en el momento de su primer contacto. Por ejemplo, una dislocación de la articulación glenohumeral puede manifestarse como la pérdida del contorno normal del hombro, con una cuadratura anormal de la cara lateral, y la visibilidad de la cabeza humeral y/o palpación dentro de los tejidos blandos de la pared torácica, en la región subacromial, **FIGURA 8-36**.

Palpe la porción proximal de la extremidad superior y el hombro. Valore las articulaciones esternoclavicular y acromioclavicular, la región subacromial y el surco bicipital (origen del músculo bíceps, apenas distal a la cara anterior de la cabeza del húmero). Señale cualquier hipersensibilidad, edema, crepitación, deformidad, rotación o equimosis en estas regiones.

Cuando sea posible, verifique el RM al pedir al paciente que eleve sus brazos hasta la posición vertical por arriba de la cabeza. A continuación, pídale que muestre la rotación externa y abducción colocando ambas manos detrás del cuello, con los codos hacia afuera a los lados. Finalmente, realice la rotación interna al pedir al paciente que coloque ambas manos detrás de la parte baja de la espalda.

Evalúe los codos mediante una inspección total de deformidades macroscópicas o rotación anormal.

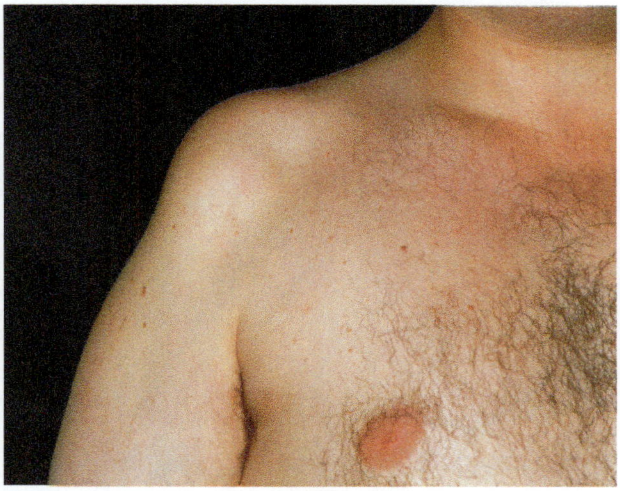

FIGURA 8-36 Cuadratura anormal del hombro.

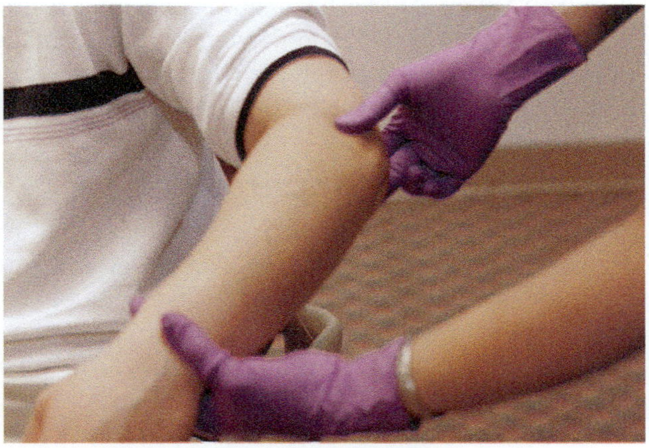

FIGURA 8-37 Palpe el codo.

Palpe el codo entre los epicóndilos y el olecranon, y también cada uno, **FIGURA 8-37**. Señale cualquier hipersensibilidad, crepitación, edema o engrosamiento. Haga pruebas del RM al final, porque la sospecha de una alteración patológica significativa o fractura del codo indica una inmovilización apropiada tan pronto como sea posible. Cuando se estudian los codos, flexione y extienda ambos pasivamente y de manera activa. A continuación, haga que el paciente produzca supinación y pronación de los antebrazos mientras flexiona los codos a los lados.

Haga la inspección de manos y muñecas en cuanto a cualquier anomalía, que incluya edema, eritema, contusiones, heridas, nódulos, deformidades o atrofia. Palpe las manos, perciba las caras medial y lateral de cada articulación interfalángica de los dedos, **FIGURA 8-38**. Apriete las manos, con compresión de las articulaciones metacarpofalángicas. Palpe los huesos del carpo en las muñecas, y señale cualquier zona de edema, hipersensibilidad o consistencia blanda. Realice la evaluación del RM al pedir al paciente que forme puños con ambas manos y después extienda y separe los dedos, para, a continuación, flexionar y extender las muñecas, y finalmente mover las manos hacia los lados y hacia la línea media, con las palmas viendo hacia abajo. En ese punto, verifique el rellenado capilar (en los pacientes pediátricos), la simetría de los pulsos radiales y la temperatura total de la extremidad.

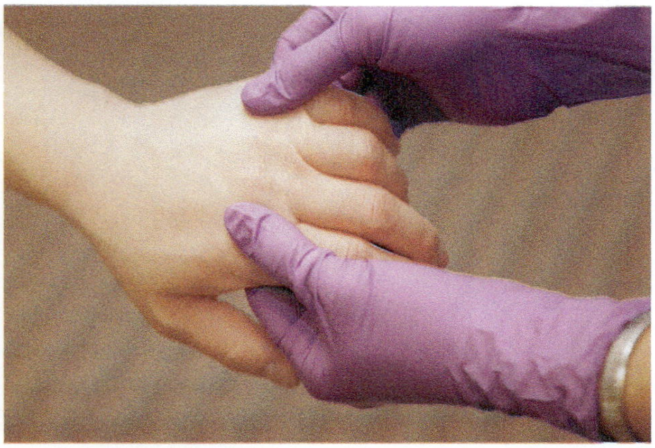

FIGURA 8-38 Palpe la mano y los dedos.

Puede obtenerse una rápida apreciación de lesión o discapacidad que involucre a las extremidades inferiores al valorar la capacidad del paciente para caminar. Por supuesto, este tal vez no sea el primer abordaje práctico para la evaluación en muchos pacientes prehospitalarios.

Explore las rodillas y caderas revisando la alineación y simetría total de las extremidades inferiores, **FIGURA 8-39**. Identifique cualquier deformidad de las extremidades inferiores, en especial el acortamiento y/o la rotación, ya sea interna o externa; datos que a menudo son evidentes ante una lesión de la cara proximal de la extremidad inferior o articulación de la cadera. En particular, una fractura pélvica en libro abierto, que se presenta con ambos pies rotados hacia el exterior, es una lesión que pone en riesgo la vida. Busque datos de engrosamiento, edema o equimosis del muslo. Señale cualquier crepitación o hipersensibilidad palpable. De ser posible, pruebe el RM de las rodillas y caderas para determinar la presencia de una lesión subyacente a esas estructuras. Pida al paciente doblar cada rodilla y levantarla hacia el tórax. Evalúe la rotación y abducción de las caderas, tanto en forma pasiva como activa. A continuación, palpe cada cadera de manera individual distal al surco inguinal y sobre las

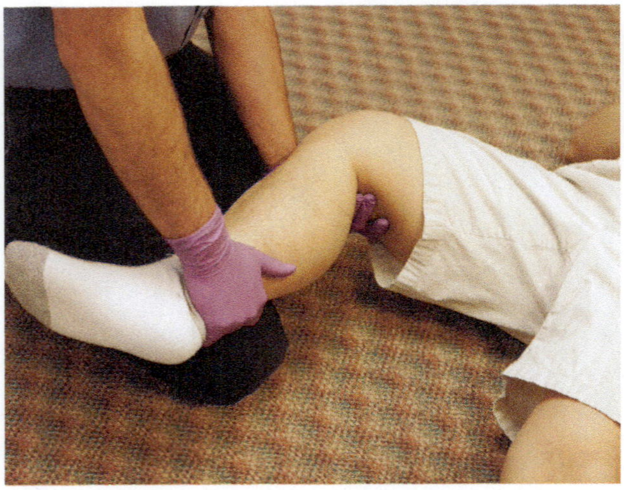

A

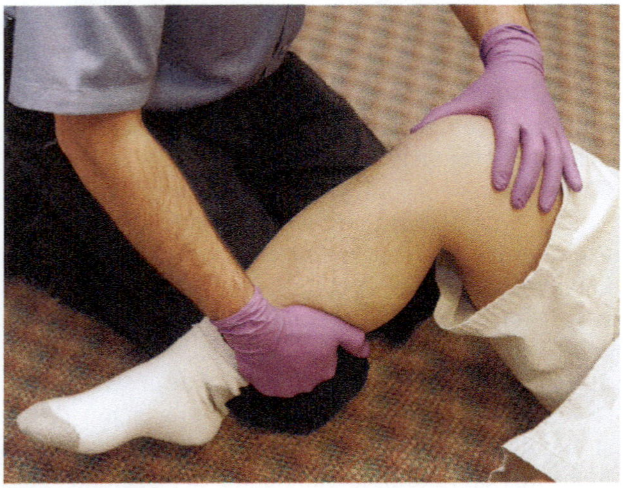

B

FIGURA 8-39 Exploración de las extremidades inferiores. **A.** Cadera. **B.** Rodilla.

caras anterior, lateral y posterior. Finalmente, palpe y comprima suavemente la pelvis hacia abajo y después hacia adentro.

Explore los tobillos y los pies con observación de todas las superficies, señale cualquier herida, deformidad, cambio de coloración, nódulo o edema. Palpe todas las superficies de pies y tobillos, y señale hipersensibilidad, reblandecimiento, edema y crepitación. Determine los pulsos distales de las arterias pedía dorsal y tibial posterior, y evalúe la temperatura total de la extremidad. La fortaleza del pulso puede disminuir en los pacientes adultos mayores, en especial en aquellos con antecedente de edema moderado y enfermedad vascular periférica. Debido al pequeño tamaño anatómico de los pacientes pediátricos, los pulsos pueden ser difíciles de palpar, situación en la que el rellenado

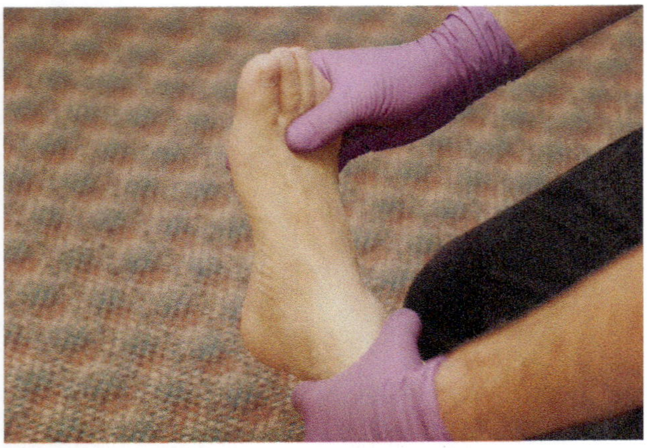

FIGURA 8-40 Inspección de los pies del paciente.

capilar será más confiable como índice de perfusión (como se describe en el capítulo 40, *Emergencias pediátricas*). Valore el RM al hacer que el paciente efectúe la flexión plantar, dorsiflexión, inversión y eversión de tobillos y pies. Revise el antepié y los artejos por inspección, palpación y pruebas del RM, **FIGURA 8-40.**

Sistema vascular periférico

El sistema vascular periférico abarca todos los aspectos del sistema circulatorio, excepto el corazón, los grandes vasos inmediatamente involucrados con el mediastino y la circulación coronaria. Así, incluye todas las arterias, venas, arteriolas, vénulas, capilares, linfáticos corporales y los respectivos líquidos que conducen.

El sistema linfático es una red compleja de ganglios y conductos de diversos tamaños, dispersos por

Perlas de sabiduría

Escala de 4 puntos del edema con fóvea:

+ 1 = de 0 a 0.635 cm
+ 2 = de 0.635 a 1.27 cm
+ 3 = de 1.27 a 2.54 cm
+ 4 = > 2.54 cm

Perlas de sabiduría

Ocurre edema de partes declives bilateral con fóvea ante circunstancias sistémicas como la insuficiencia cardíaca y la cirrosis hepática. Se presenta edema unilateral con las afecciones locales, como la oclusión de venas profundas.

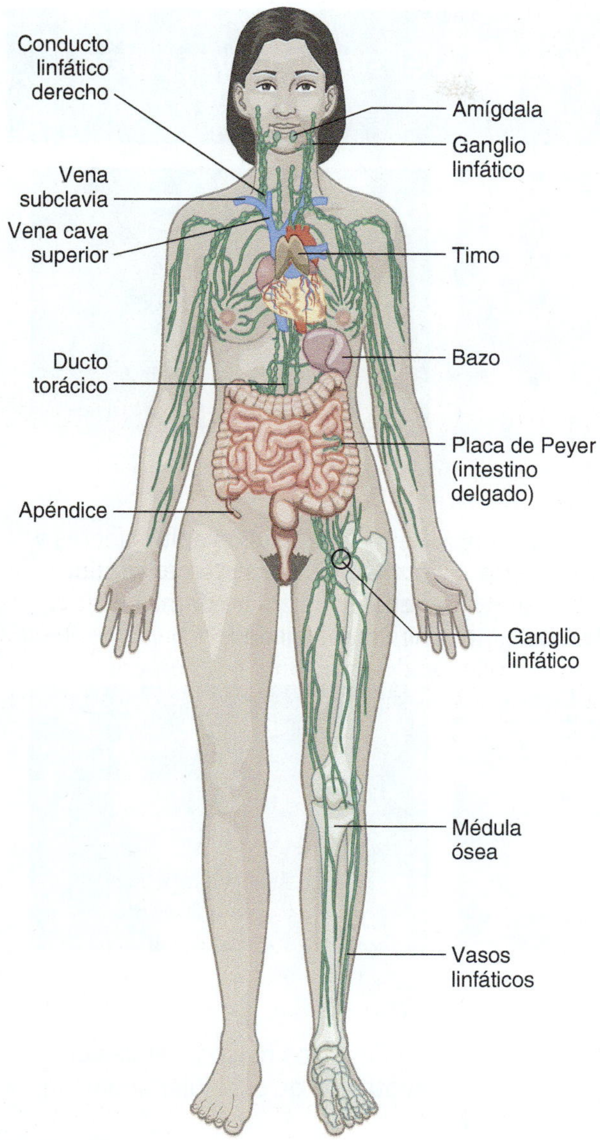

FIGURA 8-41 Sistema linfático.

todo el cuerpo, **FIGURA 8-41**. Los ganglios linfáticos son las acumulaciones de tejido linfático más grandes, y en los tejidos del cuerpo se distribuyen cantidades más pequeñas de linfa. Todo tejido linfático contiene grandes cifras de células inmunológicamente activas; por lo tanto, tiene una función clave en el sistema inmunitario corporal. Los conductos contienen un fluido rico en grasas, conocido como linfa, que transporta materiales del tejido linfático hacia la circulación venosa central a través del conducto torácico.

Ocurre perfusión en la circulación periférica a través de una red de lechos capilares. Las células sanguíneas y el plasma en estrecha proximidad a los tejidos descargan las sustancias requeridas por las células para su funcionamiento metabólico apropiado y transportan de manera simultánea residuos metabólicos fuera de los tejidos para su eventual eliminación del cuerpo. La alteración del funcionamiento del sistema vascular periférico significa que los lechos capilares no pueden perfundir adecuadamente a los tejidos y órganos, lo que causa morbilidad significativa y mortalidad.

Las enfermedades del sistema vascular periférico a menudo se presentan en pacientes con otras afecciones médicas subyacentes (p. ej., diabetes, hipertensión, dislipidemia, obesidad y las causadas por el uso del tabaco). Esos procesos patológicos, por lo general, dañan a los vasos de diámetro más pequeño del sistema vascular periférico, con la afección resultante de los tejidos y órganos que dependen de ellos para su funcionamiento apropiado. Con la edad y el avance de estos diversos procesos patológicos, la vasculatura ya no puede manejar cambios rápidos en los requerimientos de perfusión y, por lo tanto, se convierten en fuente de enfermedades.

Conforme usted valore el sistema vascular periférico, preste atención a ambas extremidades, superiores e inferiores. Busque signos que indiquen problemas vasculares agudos o crónicos. Al sistema vascular periférico le puede afectar una amplia variedad de afecciones, desde la estasis venosa crónica y el linfedema hasta la claudicación intermitente (dolor de tipo calambre en las piernas por mala circulación o cifras bajas de potasio) y la oclusión arterial aguda. La enfermedad vascular periférica se manifiesta en diversas formas, dependiendo del punto en donde se localice la anomalía. La afección de las arterias carótidas se puede manifestar como accidente cerebrovascular, por ejemplo, en tanto las embolias arteriales que afectan a los vasos mesentéricos causan isquemia y necrosis intestinales. En las extremidades, la afección de la vasculatura periférica puede llevar a la isquemia. Siga los pasos de la **PRÁCTICA DE DESTREZA 8-11** para revisar el sistema vascular periférico.

Haga inspección de las extremidades superiores desde las puntas de los dedos hasta los hombros. Anote la dimensión relativa de cada una y valórela en cuanto a simetría por comparación de un lado con el otro. Preste atención a cualquier edema obvio, patrones venosos inusuales, CTE de la piel y color de los lechos ungulares. Si está indicado, palpe los ganglios linfáticos epitrocleares y axilares con señalamiento de sus dimensiones, hipersensibilidad, movilidad y eritema suprayacente. Palpe los pulsos radiales en forma simultánea y compárelos. En circunstancias de ausencia unilateral de pulsos, revise los sitios del pulso humeral en dirección proximal. Conforme usted evalúa una extremidad en cuanto a isquemia, considere las cinco P de la insuficiencia arterial aguda que aprendió

Práctica de destreza 8-11 Exploración del sistema vascular periférico

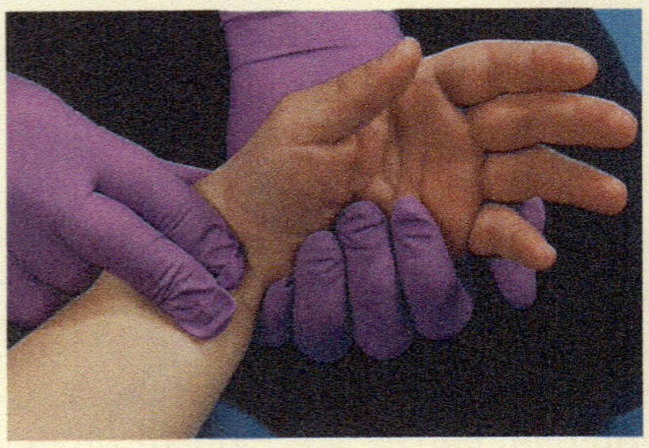

Paso 1

Conforme explora las extremidades superiores, anote cualquier anomalía del pulso radial, el color de la piel, su temperatura o condición.

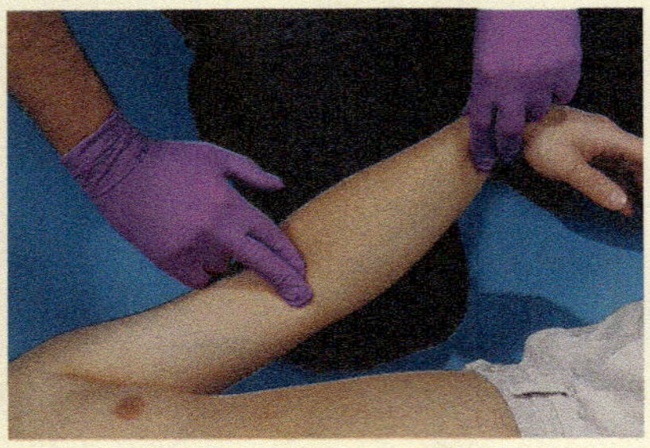

Paso 2

Si usted encuentra anomalías en el pulso distal, diríjase en forma proximal, revise los puntos de latido y anote sus hallazgos.

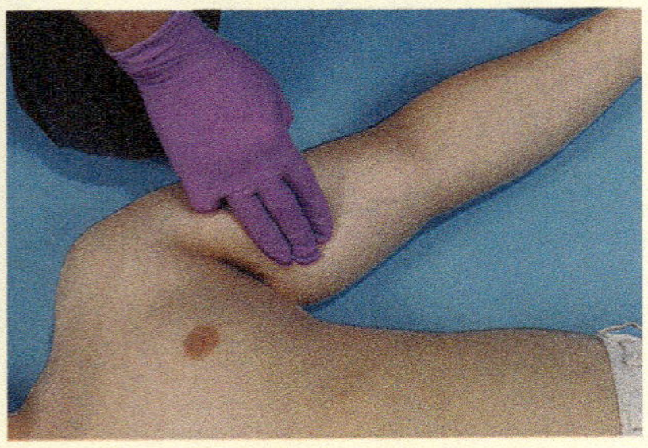

Paso 3

Palpe los ganglios epitrocleares y humerales del sistema linfático. Señale cualquier edema o hipersensibilidad.

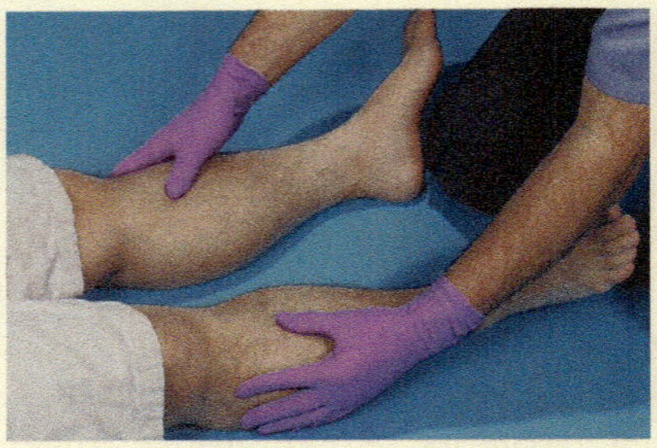

Paso 4

Explore las extremidades inferiores, con anotación de cualquier anomalía en el tamaño y la simetría de las piernas. Evalúe la temperatura de cada una con relación al resto del cuerpo y la contralateral.

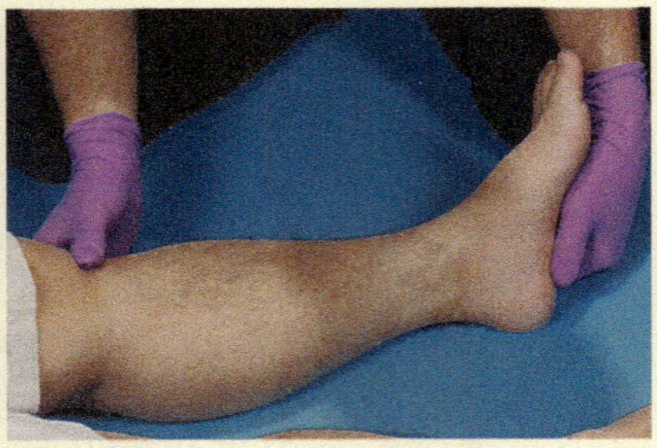

Paso 5

Inspeccione el color y la condición de la piel. Anote cualquier patrón venoso anormal o aumento de volumen.

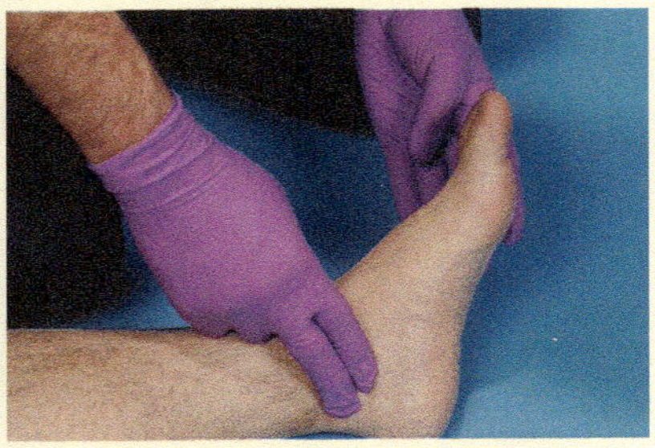

Paso 6

Verifique los pulsos distales con anotación de cualquier anomalía.

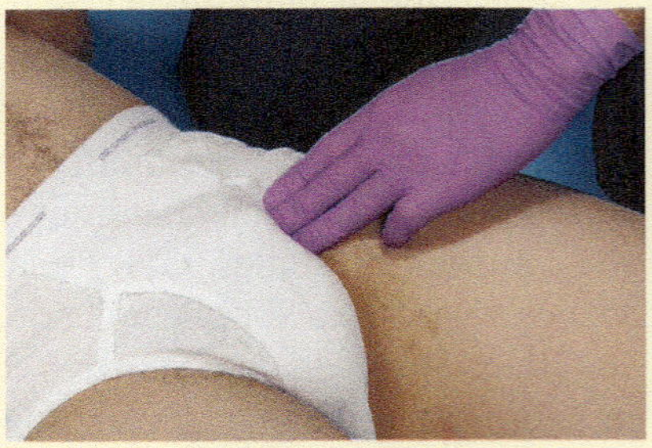

Paso 7

Palpe los ganglios inguinales en cuanto a edema e hipersensibilidad.

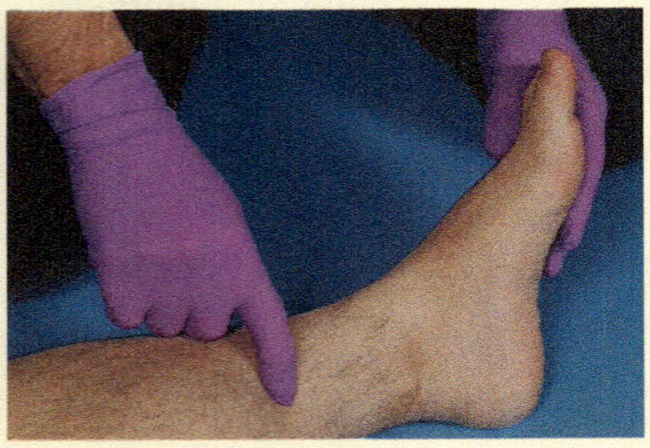

Paso 8

Valore el edema con fóvea en las piernas y los pies.

en el entrenamiento de PAP: *Pain* (dolor en inglés), Palidez, Parestesia, Paresia y ausencia de Pulso. La pérdida de un pulso palpable es el peor índice de este problema, porque se considera un hallazgo tardío.

La evaluación apropiada del estado vascular de las extremidades inferiores requiere que el paciente se encuentre en decúbito y esté apropiadamente cubierto. Retire las tobilleras, medias y zapatos antes de proceder con la exploración. Haga inspección de las extremidades inferiores desde la ingle y las nalgas hasta los pies. Siempre compare el lado derecho con el izquierdo. Verifique sus dimensiones y simetría y anote cualquier edema local o generalizado. Preste atención a cualquier patrón venoso superficial notorio o aumento de volumen de las venas. Observe la pigmentación cutánea, así como el color y la textura. El **rubor**, las equimosis, o la palidez pueden todos encontrarse en pacientes con insuficiencia vascular significativa. También señale la presencia de cualquier exantema, cicatriz o úlcera y determine si es superficial o profunda.

Palpe los pulsos en las extremidades inferiores para evaluar la circulación arterial. En particular, hágalo sobre la arteria dorsal del pie y la tibial posterior, así como en las regiones femorales. El pulso poplíteo también puede en ocasiones apreciarse. Señale la temperatura de pies y piernas e intente palpar cualquier edema presente. Para hacerlo, haga presión con su pulgar sobre el dorso del pie y en la parte anterior sobre la tibia, y manténgalo con presión firme pero suave durante al menos 5 segundos. Si está indicado, palpe los ganglios linfáticos inguinales superficiales, con señalamiento de su movilidad, dimensiones, hipersensibilidad y cualquier eritema suprayacente.

Columna vertebral

Antes se presentó la valoración de la columna cervical. En esta sección se cubre la evaluación completa de la columna vertebral, que representa el centro del esqueleto axilar y consta de 33 vértebras individuales, de las que las nueve más bajas están fusionadas.

Para evaluar la columna vertebral, inicie con la inspección del dorso, desde las caras posterior y laterales. La columna vertebral presenta varias curvas que representan las regiones cervical, torácica y lumbar. Es normal un cierto grado de curvatura de la columna vertebral, sin embargo, la lordosis y cifosis son grados anormales de curvatura. La **lordosis** se refiere a la curvatura hacia adelante de la columna lumbar, apenas arriba de las nalgas. Una lordosis *exagerada* da como resultado la hiperlordosis, **FIGURA 8-42**.

La **cifosis** se refiere a la curvatura externa de la columna torácica, **FIGURA 8-43**. Con frecuencia

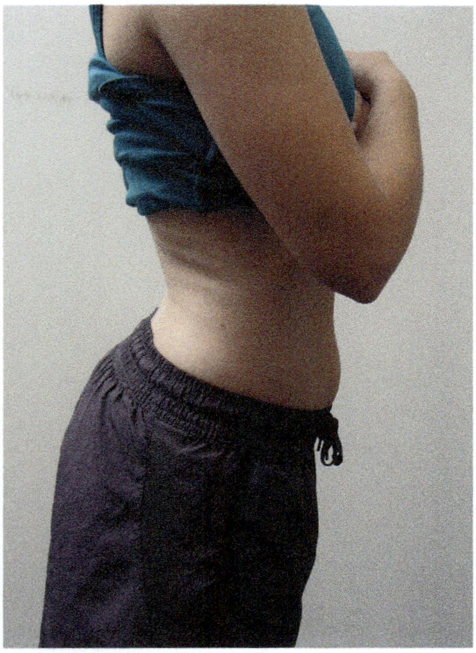

FIGURA 8-42 La lordosis es una curvatura hacia adelante de la columna lumbar, apenas arriba de las nalgas.

exagerada en los adultos mayores por enfermedad articular degenerativa, osteoporosis y las fracturas de compresión vertebral. En su peor aspecto, la cifosis se puede tornar en fuente de enfermedad pulmonar restrictiva, una forma de EPOC. La **escoliosis**, es una curvatura lateral de la columna vertebral, también anormal, **FIGURA 8-44**. Conforme usted explora la columna vertebral, busque diferencias en la altura de los hombros, así como de las crestas iliacas de la pelvis. Revise todo el dorso anotando cualquier herida o equimosis.

Perlas de sabiduría

El giro del paciente sobre su eje longitudinal hacia un tablero dorsal siempre le da una oportunidad valiosa de inspección y palpación rápidas del dorso en cuanto a signos de lesión. Instruya y ubique a sus asistentes para facilitar esta breve exploración.

La palpación de la columna vertebral suele hacerse con el paciente en decúbito supino, a menudo después de que se giró en su eje longitudinal hacia un lado para facilitar el acceso al dorso y la colocación de un dispositivo de inmovilización raquídea. Conforme usted palpa la columna vertebral utilice su pulgar para tocar cada apófisis espinosa, lo que le permite identificar cualquier hipersensibilidad, escalonamiento

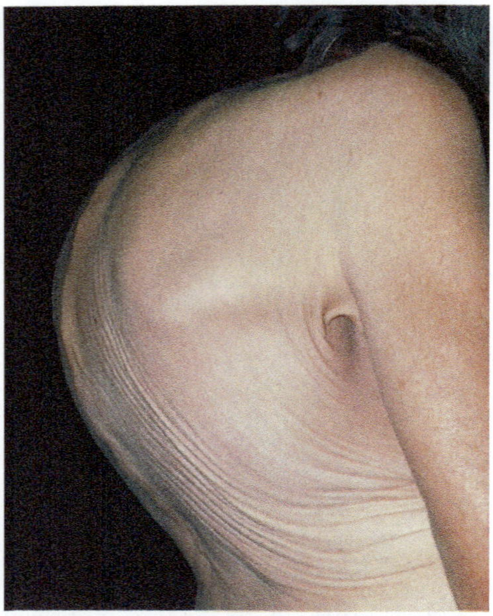

FIGURA 8-43 La cifosis es una curvatura externa de la columna vertebral; puede ser exagerada en los adultos mayores.

© Dr. P. Marazzi/Science Source.

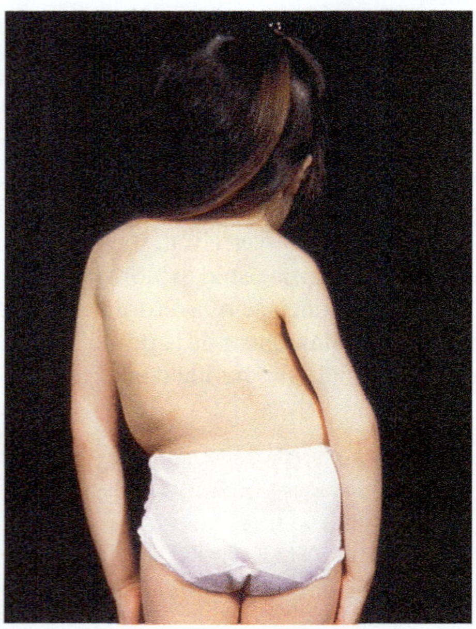

FIGURA 8-44 La escoliosis es una curvatura lateral de la columna vertebral.

© Southern Illinois University/Science Source.

y crepitación. Ocurre escalonamiento en el contexto de una fractura desplazada o una dislocación, **FIGURA 8-45**. Si usted identifica cualquier anomalía, instituya rápido una restricción del movimiento como medida de protección y realice una inmovilización apropiada y, de acuerdo con sus protocolos regionales.

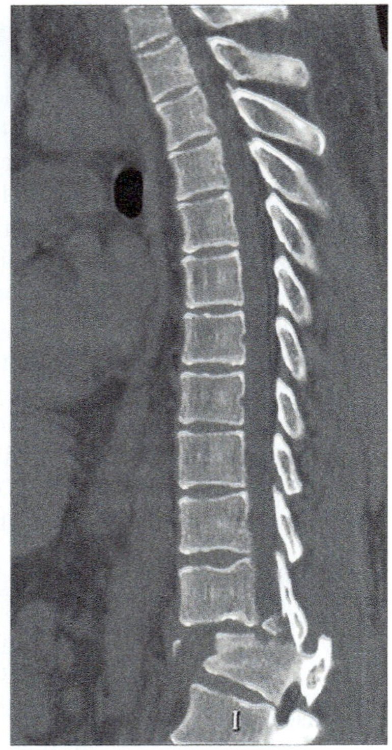

FIGURA 8-45 En el contexto de una fractura desplazada o una dislocación puede haber un escalonamiento cuando se palpa de una vértebra a la siguiente, como se muestra aquí.

© Living Art Enterprises/Science Source.

Revise el resto del dorso en cuanto a cualquier otro dato significativo a la palpación. Percuta sobre los ángulos costovertebrales y palpe las escápulas, las regiones pararraquídeas y la base del cuello. Además, revise las nalgas. Finalmente, haga una valoración del RM que, aunque puede ser de utilidad limitada en el contexto prehospitalario, quizás sea bastante útil en zonas donde se practica la inmovilización raquídea selectiva. *Nunca* debería hacerse la determinación del RM en forma pasiva. El paciente despierto y alerta se protegerá y no cortará su propia médula espinal por el movimiento activo del cuello. Por el contrario, usted puede hacer eso. Siempre pida al paciente movilizar su cuello a través de una RM cómodo. Si en cualquier momento durante la determinación del RM del paciente, experimenta dolor en la columna o entumecimiento en las extremidades, detenga de inmediato esa fase de la evaluación e inmovilice la columna de acuerdo con sus protocolos regionales.

Durante su valoración del RM activo del paciente, preste atención a la suavidad y simetría de sus movimientos, junto con el grado real que logra u obtiene. Siga los pasos de la **PRÁCTICA DE DESTREZA 8-12** para explorar la columna vertebral.

Práctica de destreza 8-12 Exploración de la columna vertebral

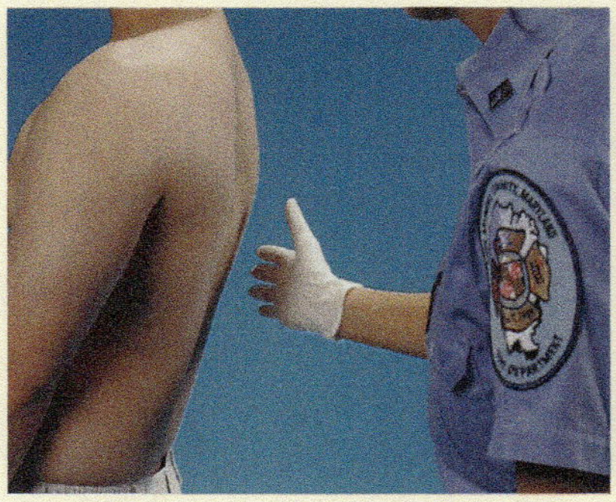

Paso 1

Revise las curvas cervical, torácica y lumbar en busca de cualquier anomalía.

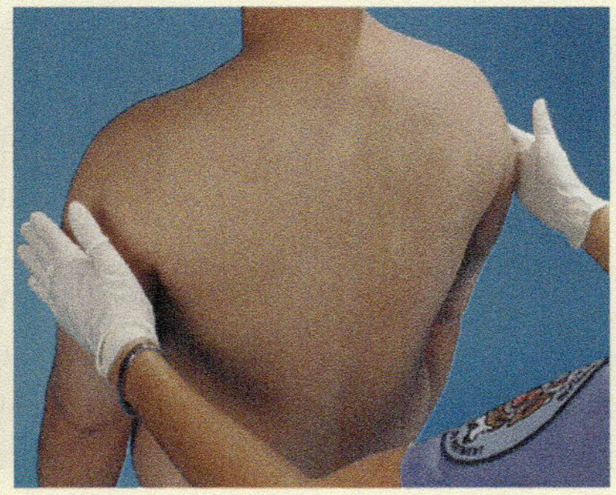

Paso 2

Evalúe la altura de los hombros y las crestas iliacas. Las diferencias entre un lado y el otro pueden indicar una curvatura anormal de la columna vertebral.

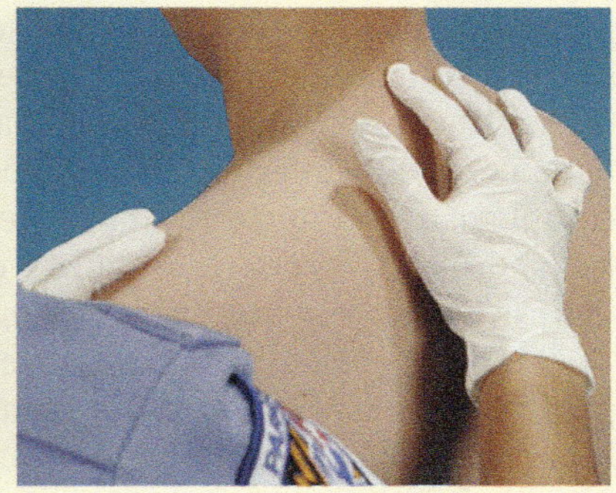

Paso 3

Palpe la porción posterior de la columna cervical, y señale cualquier hipersensibilidad puntual o anomalía estructural.

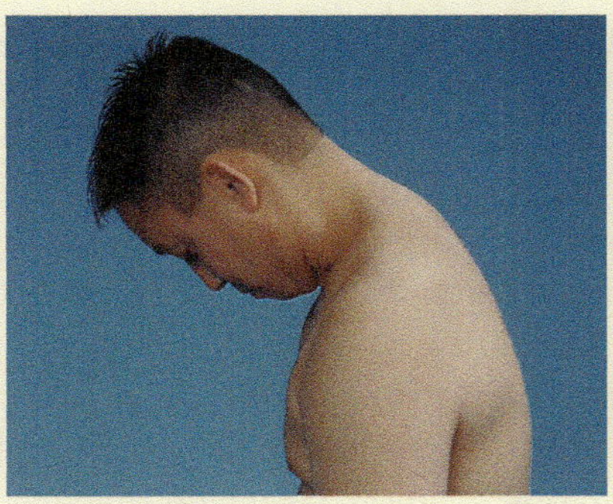

Paso 4

En el paciente sin traumatismo y en ausencia de informe de dolor, pídale que incline su cabeza hacia adelante, hacia atrás y de un lado a otro.

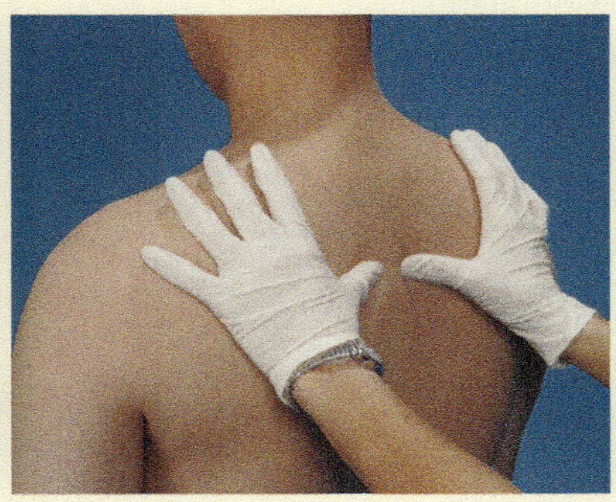

Paso 5

Palpe cada vértebra con los pulgares.

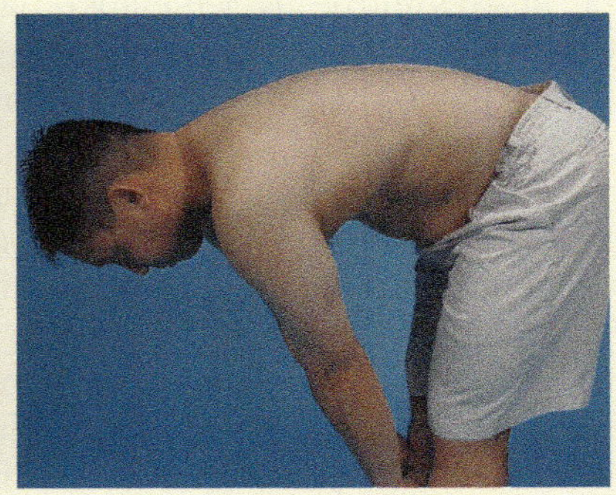

Paso 6

En ausencia de dolor o traumatismo, pida al paciente que se flexione por la cintura en cada dirección para establecer su RM.

Sistema nervioso

El cerebro es una estructura compleja con un enorme requerimiento de perfusión, como se revisó en el capítulo 6, *Anatomía y fisiología*. Con excepción de los nervios craneales, todos finalmente son dirigidos al cerebro a través de la médula espinal, que tiene la participación de un gran conducto que pasa la información anterógrada y retrógrada por sus vías sensoriales. Recuerde que el sistema nervioso se divide en porciones involuntaria (autónomo) y voluntaria, con el primero subdividido adicionalmente en simpático y parasimpático.

Los **reflejos** son respuestas motoras involuntarias ante estímulos sensitivos específicos, como percutir la rodilla o acariciar una pestaña. La localización de lo que se estimula determina qué músculo se contraerá de manera refleja. Ocurren reflejos raquídeos cuando el impulso sensorial proviene de receptores en los músculos, las articulaciones y la piel. La respuesta motora a esta estimulación se presenta por completo dentro de la médula espinal; no se requiere procesamiento encefálico. Otros reflejos incluyen a los tendinosos profundos y los superficiales y del tronco encefálico. Los **reflejos primitivos**, incluido el de Babinski, el de sujeción y el de succión, son normales en los lactantes. En las personas de edad avanzada, una vez que las vías motoras del sistema nervioso periférico (SNP) se desmielinizaron por completo, estos reflejos primitivos representan hallazgos anormales, típicos de lesiones o de la desconexión entre la corteza cerebral y el tronco encefálico.

Se puede usar la prueba del reflejo de Babinski para verificar la función neurológica. Se logra estimulando la planta del pie por el roce con su pulgar o el paso de una pluma u otro objeto puntiagudo en toda su longitud. En una reacción normal, el dedo gordo se flexiona. Sin embargo, *no haga* la prueba del reflejo de Babinski a un paciente con lesiones de las extremidades inferiores, pues ello le llevaría a tirar de la pierna hacia atrás, lo que causa dolor.

Exploración neurológica La revisión del sistema nervioso es uno de los elementos de la exploración física que más consume tiempo. En su mayor parte, el hacer una exploración neurológica completa y exhaustiva será imposible en el campo de atención del paramédico y sería inapropiado; sin embargo, cuando el paciente muestra signos y síntomas de una afección neurológica, deberá hacerse todo intento por realizar porciones importantes de esta exploración. Como mínimo, en la exploración neurológica debería determinarse el estado mental basal del paciente (AVDI), la función de los nervios craneales (pupilas, ojos, sonrisa, discurso, deglución, encogerse de hombros), la función motora distal (capacidad de desplazamiento) y la función sensorial distal (capacidad de sentir). Pueden también estudiarse los reflejos tendinosos profundos, si es necesario.

> **Perlas de sabiduría**
>
> ¡La inquietud es una señal peligrosa!

Primero, evalúe el estado mental total del paciente. ¿Está despierto? En caso afirmativo, ¿se encuentra alerta y hasta qué grado? Si ocurrió un cambio del nivel de consciencia (NC), ¿qué tipo de estímulo se requiere para obtener una respuesta y hasta qué grado mejora el estado mental del paciente? En el caso de EMA, ¿observa usted alguna postura inusual? ¿Hay alguna alteración del estado físico? (p. ej., puede el paciente desplazarse exitosamente y de forma simétrica)? Antes en este capítulo se hizo una explicación detallada de la exploración del estado mental. He aquí una revisión rápida utilizando las siglas mnemotécnicas COASTMAP:

- **C** **Conciencia.** Junto con el NC, observe la capacidad del paciente de prestar atención y concentrarse. ¿Se distrae fácilmente?
- **O** **Orientación.** Pregunte acerca del año, la temporada, el mes, el día y la fecha. Haga que el paciente identifique la localización actual; esto es, estado, ciudad o pueblo, y lugar específico. ¿Puede el paciente recordar y describir el suceso actual?
- **A** **Actividad.** ¿Parece ansioso o inquieto? ¿Está haciendo algún movimiento extraño o repetitivo (tal vez por el uso de metanfetaminas)?
- **S** ***Speech*** **(discurso).** Señale la velocidad, el volumen, la articulación y la entonación del discurso del paciente. ¿Suena apresurado (forzado)? ¿Tiene el discurso una forma plana, monótona compatible con la depresión? ¿Es confuso o mal articulado (disartria)? En ese caso hay muchas causas posibles, incluidas las alteraciones por el uso de alcohol o drogas, un accidente cerebrovascular o una lesión encefálica traumática.
- **T** ***Thought*** **(pensamiento).** Escuche la historia del paciente. ¿Qué hay en su mente? ¿Tiene sentido lo que expresa? ¿Hay algo irregular en cuanto a su razonamiento? ¿Está expresando al parecer ideas falsas (delirio)? ¿Hay voces que le dicen al paciente qué hacer o pensar (psicosis)? ¿Informa el paciente de pensamientos de que las personas están "tratando de atraparlo" (paranoia)?
- **M** **Memoria.** Usted puede formarse una impresión de la memoria del paciente al escucharle reconstruir sucesos previos. Una evaluación más precisa requiere hacer unas cuantas preguntas. Primero, explíquele que le gustaría que tratara de recordar tres palabras. Después exprese lentamente tres palabras no relacionadas (p. ej., *manzana, bicicleta, máquina de coser*). Pida al paciente que las repita para asegurarse de que las escuchó y comprendió. Unos cuantos minutos después, pregúntele si puede recordar las tres palabras que nombró antes; esto prueba la retención y memoria.

A Afecto. El afecto del paciente (comportamiento habitual) puede ser muy obvio en su lenguaje corporal. Una postura de hombros caídos y cabeza flexionada, por ejemplo, señala depresión. Observe si el afecto parece apropiado para la situación.

P Percepción. La detección de trastornos de la percepción puede ser difícil porque los pacientes a menudo se rehúsan a responder preguntas en cuanto a alucinaciones. En ocasiones es útil preguntar al paciente, "¿escucha alguna vez cosas que otras personas no pueden?"

Después de evaluar el estado mental total del paciente, inicie una exploración neurológica amplia. Por supuesto no se requiere en todos los casos. Sus detalles pueden variar mucho, dependiendo de la naturaleza del problema. Además, muchas porciones de la exploración neurológica pueden haberse concluido antes durante otros espectros de la evaluación del paciente. Revise sus datos iniciales, de manera que pueda comunicarlos de forma que no se repitan innecesariamente, y se pueden anotar cambios subsiguientes del estado mental. ¿Son simétricos los hallazgos motores y sensoriales izquierdo y derecho? De lo contario, ¿en qué difieren? ¿Parece el problema de presentación ser más una disfunción del SNC que del SNP, o es secundario al edema o el desplazamiento óseo por un traumatismo?

Cuando se estudian los nervios craneales, se pueden emplear varias maniobras simples para determinar la

CUADRO 8-10 Pruebas de disfunción de los nervios craneales

Nervio craneal	Función	Técnica de evaluación
I. Olfatorio	Olfato	No suele valorarse. Use amoniaco u otro producto de olor conocido como inhalante.
II. Óptico	Visión	Coloque un dedo enfrente de la cara del paciente y pregúntele si puede verlo.
III. Motor ocular común	Movimiento de ojos, pupilas y párpados	Pida al paciente que siga su dedo conforme lo desplaza en forma de "H". Solicite al paciente que parpadee.
IV. Patético	Movimiento ocular	(Estudie en la misma forma que el nervio motor ocular común).
V. Trigémino	Masticación Dolor Temperatura Tacto de boca y cara	Pida al paciente que sonría.
VI. Motor ocular externo	Movimiento ocular	(Estudie en la misma forma que el nervio motor ocular común).
VII. Facial	Movimiento facial Lagrimeo Salivación y sabor	(Estudie en la misma forma que el nervio trigémino).
VIII. Auditivo	Audición y equilibrio	Pida al paciente que siga sus órdenes verbales.
IX. Glosofaríngeo y X. Vago	Glosofaríngeo: deglución, gusto, y sensaciones de boca y faringe Vago: sensibilidad y movimiento de faringe, laringe, tórax y aparato digestivo	Pida al paciente que sonría y después degluta.
XI. Accesorio espinal	Movimientos de la cabeza y los hombros	Pida al paciente que se encoja de hombros; sostenga ambos al mismo tiempo para evaluar su simetría.
XII. Hipogloso	Movimientos de la lengua	Pida al paciente que saque la lengua.

presencia de discapacidad y su grado, **CUADRO 8-10**. Con la práctica, la exploración completa de los nervios craneales puede realizarse en menos de 3 minutos. Dicho esto, no pierda su tiempo haciendo esta exploración si el paciente muestra necesidades más apremiantes.

La evaluación adecuada del sistema motor implica varias zonas diferentes. Aunque la actividad motora puede representar el trabajo local del sistema musculoesquelético, el sistema nervioso tiene una influencia suprayacente. Observe la postura inicial del paciente y su posición corporal, **FIGURA 8-46**, así como la ubicación de su cuerpo, tanto en reposo como con movimiento, si es apropiado. Observe cualquier movimiento involuntario aparente y documente su calidad, velocidad, ritmo y amplitud. Determine si ese movimiento tiene relación con la postura o actividad del paciente, y considere si su presentación incluye un componente de fatiga o emoción. Haga una evaluación general del conjunto principal de grupos musculares del paciente. Compare las dimensiones de estos músculos y la simetría de su contorno. Documente el tono muscular vinculado por verificación de la resistencia al movimiento pasivo.

La escala del *Medical Research Council Manual Muscle Testing* de EU es un método de aceptación común de evaluación de la fortaleza muscular. Con su uso, el proveedor de atención sanitaria gradúa la fortaleza del paciente en una escala de 0 a 5 por determinación de su grado de esfuerzo en el uso de músculos clave de las extremidades superiores e inferiores:[20]

0. Sin activación muscular
1. Rastree la activación muscular, como la de un tic, que no alcanza el rango completo de movimiento

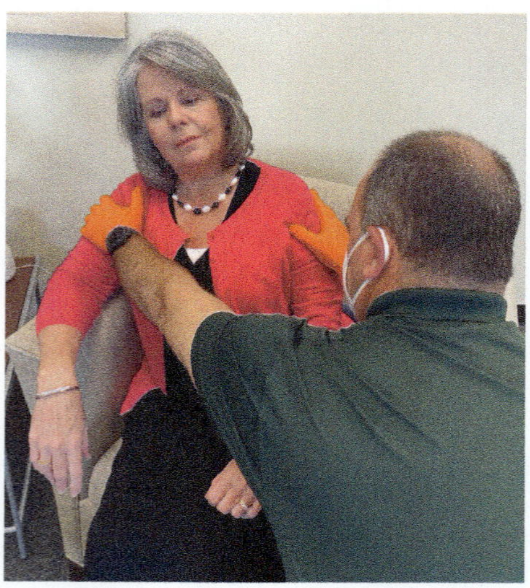

FIGURA 8-46 Determine la postura del paciente y la posición de su cuerpo.

Cortesía de Rhonda Hunt.

2. Activación muscular con eliminación de la gravedad, que alcanza el rango completo de movimiento
3. Activación muscular contra la gravedad, que alcanza el rango completo de movimiento
4. Activación muscular contra alguna resistencia, que alcanza el rango completo de movimiento
5. Activación muscular contra la resistencia completa de quien hace la exploración y que alcanza el rango completo de movimiento

La fortaleza se expresa como cociente, donde 5/5 representa el tono muscular normal, por ejemplo, “fortaleza de 4 de 5 (4/5) en las extremidades superiores e inferiores a ambos lados”. Cuando se revisa la fuerza, prepárese para estudiar la flexión, extensión, sujeción, abducción, aducción y oposición, dependiendo de la localización de los grupos musculares involucrados.

Verifique la coordinación como parte de la exploración neurológica; esta valoración prueba diversas funciones del sistema nervioso, en especial las que involucran el funcionamiento cerebeloso. Precise la coordinación al verificar la capacidad del paciente de hacer movimientos alternantes rápidos, de un punto a otro (p. ej., de dedo a nariz y de talón a espinilla), su postura y marcha. Evalúe ambas, pero solo en pacientes cuyo estado le permita colocarlos con seguridad en posición de bipedestación. Señale cualquier temblor de extremidades superiores o **desviación en pronación**, que se observa cuando se le pide al paciente mantener sus brazos rectos con las palmas hacia arriba y con los ojos cerrados. El paciente debería ser capaz de sostener ambos brazos en esa posición durante 20 a 30 segundos si la vía motora está intacta; si una de las palmas gira hacia abajo (pronación), sospeche en ese momento de una función anormal del hemisferio cerebral opuesto, o el signo de un estado de shock.

Además de la coordinación, estúdiese la **propiocepción**, percepción por el paciente del movimiento y la posición de una parte de su cuerpo. La propiocepción es una función del cerebelo cuya pérdida puede presentarse ante afecciones médicas como los traumatismos, la esclerosis múltiple, la deficiencia de vitamina B_{12}, y la neuropatía periférica. Pruebe la propiocepción sujetando el dedo gordo del paciente y tomándolo por sus lados entre el pulgar e índice, para después impulsarlo alejándolo de los otros dedos. A continuación, demuestre para el paciente el “ascenso” y “descenso” mientras usted mueve el dedo gordo claramente hacia arriba y abajo. Después, con el paciente con los ojos cerrados pregúntele respecto de una respuesta de arriba o abajo conforme desplaza el hallux.

Por supuesto, también es útil evaluar la calificación de la escala de Glasgow, como se describió en la sección de la Evaluación primaria. En los pasos de la

Práctica de destreza 8-13 Exploración del sistema nervioso

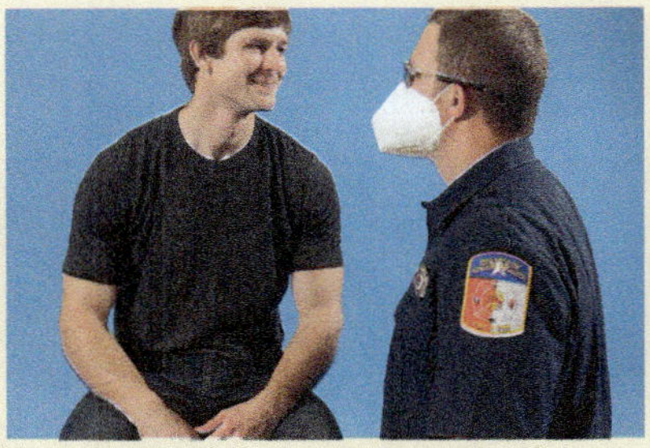

Paso 1

Utilice la escala de AVDI para evaluar el estado mental del paciente. Note su postura. Valore la función de los nervios craneales (véase cuadro 8-10).

Paso 2

Evalúe la coordinación del paciente con la prueba de dedo a nariz, utilizando en forma alterna las manos.

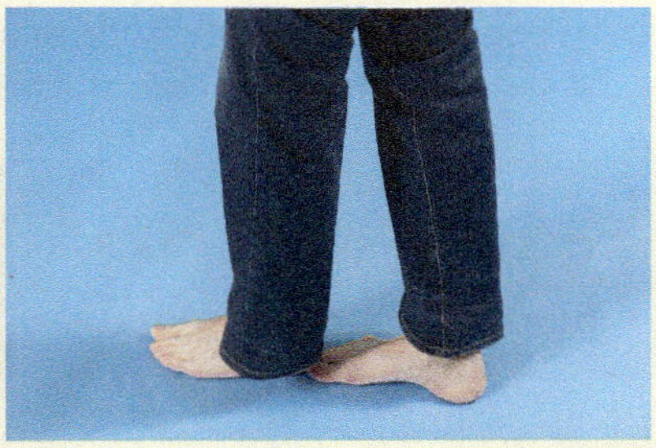

Paso 3

Si es apropiado, estudie la marcha y el equilibrio del paciente haciéndolo caminar de talón a dedo gordo o adoptar una posición de talón-espinilla.

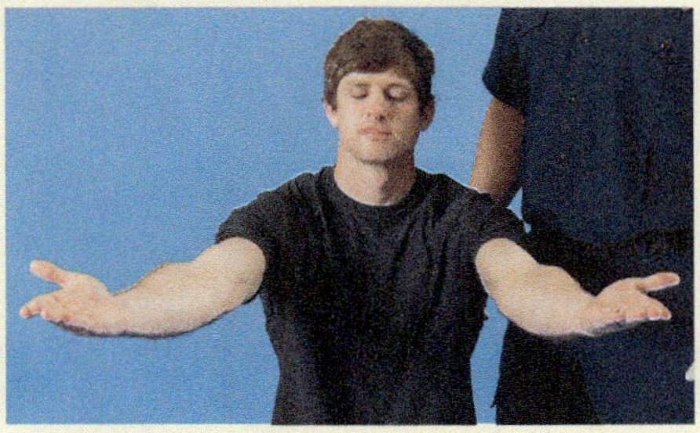

Paso 4

Realice la prueba de desviación en pronación al pedir al paciente que cierre sus ojos y sostenga ambas extremidades superiores enfrente del cuerpo. No debería haber diferencia en el movimiento a cada lado.

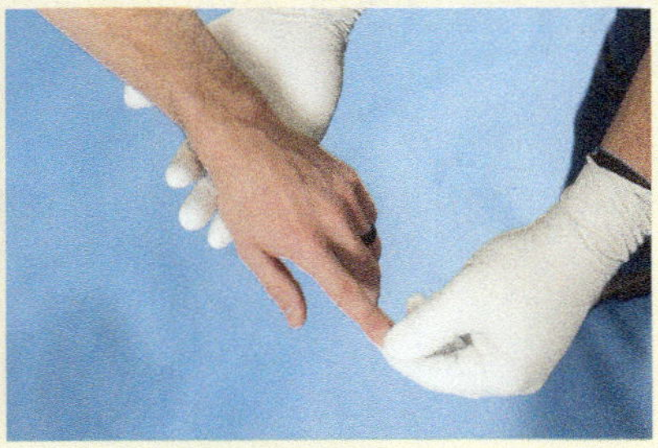

Paso 5

Valore la función sensorial del paciente al verificar sus respuestas al tacto burdo y ligero. Si es apropiado, verifique los reflejos tendinosos profundos.

PRÁCTICA DE DESTREZA 8-13 se resume la exploración del sistema nervioso.

Justo como usted usa la función motora para estudiar la del sistema nervioso desde el encéfalo hasta el resto del cuerpo, utilice la función sensorial para hacer lo propio respecto de la comunicación del sistema nervioso entre el resto del cuerpo y el encéfalo. Estudie los procesos sensoriales a ambos lados, en busca de asimetría, y por comparación de los procesos proximales con los distales. Una exploración sensorial, por lo general, es la primera que se hace en la evaluación primaria de un paciente que parece gravemente enfermo. En ella, valore las funciones sensoriales tanto primarias como corticales. Intente de inicio maniobras de "agite y grite" en busca de evidencias de funcionamiento cerebral elevado y determine si el funcionamiento sensorial primario del paciente está intacto. Por lo general, estas pruebas buscan cualquier respuesta a los estímulos gruesos (como un grito fuerte en la cara) o formas más agresivas (p. ej., compresión del lecho ungular, de dos dedos juntos).

Para evaluar apropiadamente el funcionamiento cortical, el primario del paciente debe estar intacto. La corteza sensorial primaria del cerebro busca información percibida y la utiliza para realizar funciones corticales del más alto nivel. Por lo tanto, si se interrumpe la función primaria, no será confiable cualquier exploración de la función cortical. Sin embargo, cuando la función sensorial primaria parece íntegra, proceda con las pruebas de percepción del paciente ante el tacto ligero o grueso (se usan los dedos; no se requiere equipo adicional). En esta prueba se evalúan zonas de función sensorial cortical. La evaluación sensorial más profunda requiere verificar la percepción de estímulos agudos con los burdos y la discriminación de dos puntos. La sensibilidad suele comunicarse con relación a su localización asociada a un dermatoma en la superficie corporal. Los dermatomas son regiones de la piel inervados por un nervio sensorial específico.

Siga los pasos de la **PRÁCTICA DE DESTREZA 8-14** para valorar los reflejos tendinosos profundos, del que se incluye un método en el **CUADRO 8-11**.

Práctica de destreza 8-14 Valoración de los reflejos tendinosos profundos

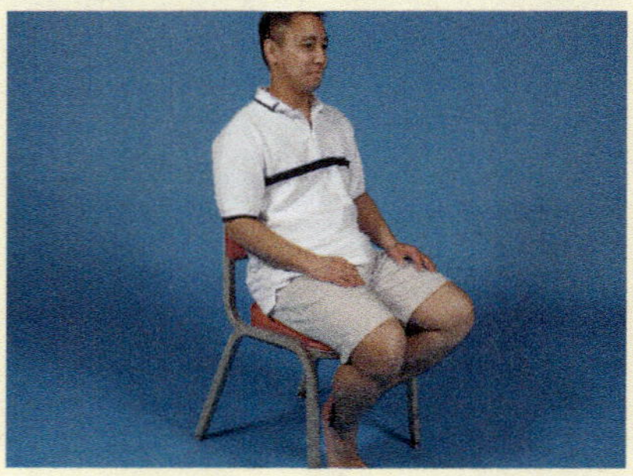

Paso 1

Coloque al paciente en posición sentada.

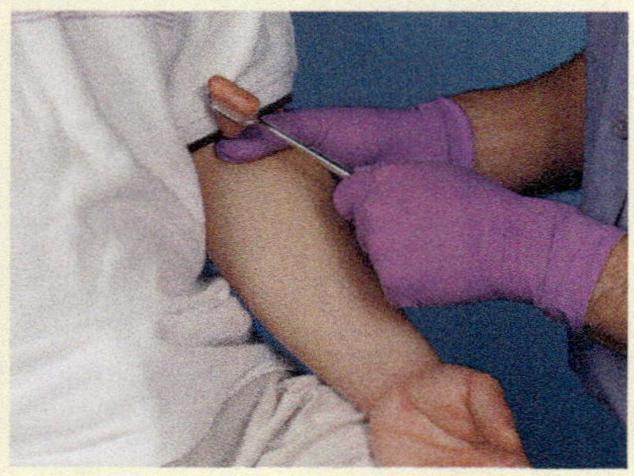

Paso 2

Flexione el brazo del paciente en el codo hasta un ángulo de 45°. Localice el tendón del bíceps en la fosa precubital. Coloque su pulgar sobre el tendón, con los dedos detrás del codo. Golpee su pulgar con el martillo de reflejos y observe la flexión del codo.

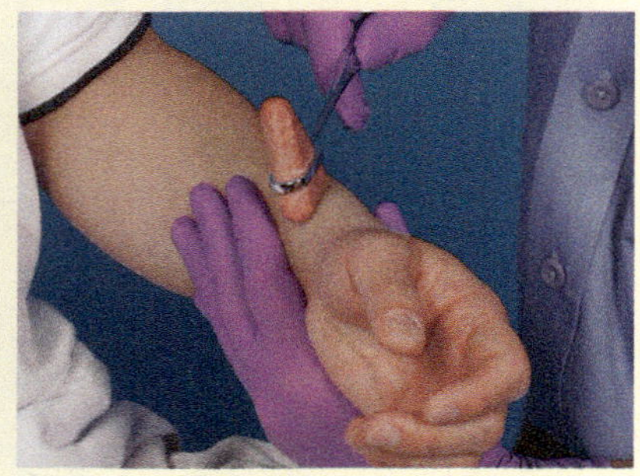

Paso 3

Con el brazo del paciente que permanece en flexión de 45°, déjelo descansar sobre el suyo, con la mano ligeramente en pronación. Golpee el tendón del músculo braquiorradial del paciente cerca de la muñeca y note la flexión del codo.

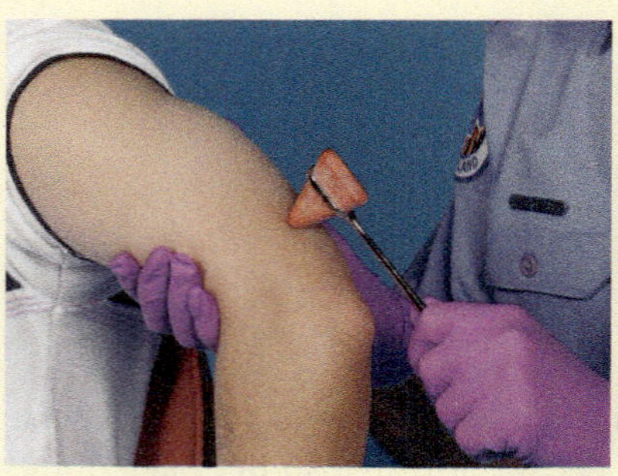

Paso 4

Flexione el brazo del paciente en el codo a 90°, y deje reposar su mano sobre el cuerpo. Localice y golpee el tendón del tríceps y observe la contracción de este o la extensión del codo.

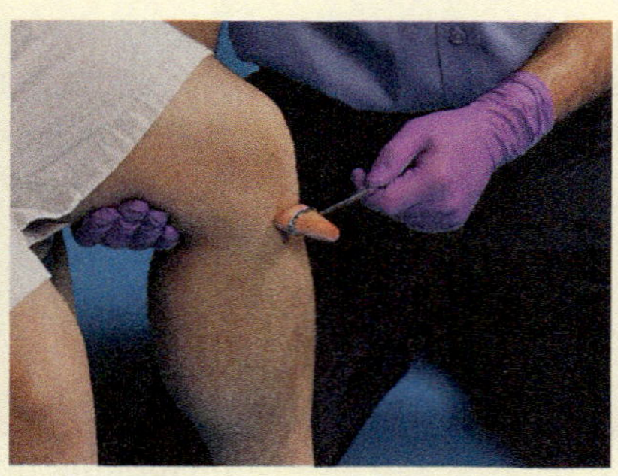

Paso 5

Flexione la rodilla del paciente a 90° y deje que la pierna cuelgue. Sostenga la parte superior de la extremidad con su mano y golpee el tendón rotuliano apenas debajo de la rótula. Note la contracción del cuádriceps y la extensión de la pierna.

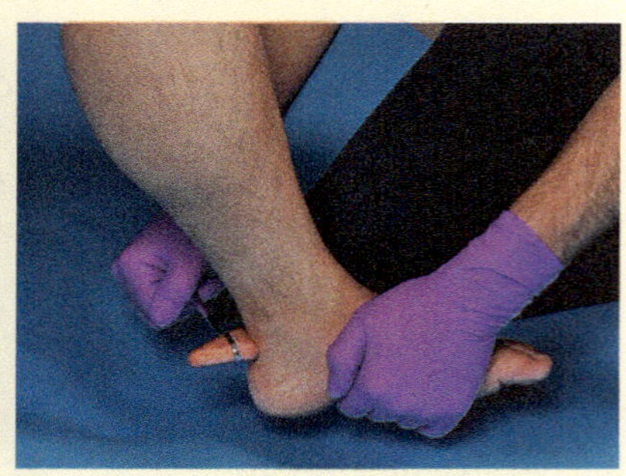

Paso 6

Con la pierna del paciente en la misma posición, sujete el talón en su mano. Golpee el tendón de Aquiles y observe la flexión plantar del pie.

CUADRO 8-11 Calificación de los reflejos tendinosos profundos

Grado	Respuesta de reflejo tendinoso profundo
0	Nula
1+	Lenta
2+	Activa (la esperada)
3+	Ligeramente hiperactiva
4+	Hiperactiva franca

Resultados de la exploración neurológica Los resultados anormales de una exploración neurológica pueden tomar una gran variedad de formas. Las más frecuentes son los cambios del estado mental, que pueden representar cualquier número de procesos agudos o crónicos, muchos que tienen un origen no neurológico. Los cambios del estado mental a menudo se vinculan con una perfusión inadecuada o se encuentran como índice sutil de una septicemia temprana (que es frecuente en los adultos mayores).

Cuando se atiende a un paciente con EMA, es importante distinguir entre delirio y demencia. El delirio es un cambio agudo del estado mental, secundario a algún factor significativo y/o incidente subyacente. La **demencia** es un deterioro gradual y penetrante de las funciones corticales cognitivas, por lo general secundario al lento progreso de una enfermedad, como la de Alzheimer.

Las anomalías motoras encontradas con frecuencia incluyen asimetría facial y de la fortaleza de las extremidades junto con la dificultad para hablar (**afasia** de expresión), signos típicos de una enfermedad cerebrovascular. Otras anomalías frecuentes incluyen ataxia, distonía, convulsiones, vértigo, cambios visuales, zumbido y temblor. En el contexto de un traumatismo, los cambios totales en el estado mental son más indicadores de lesiones masivas intracraneales, en tanto la disminución de la función motora de las extremidades puede presentarse con asimetría proximal, en comparación con la distal, y **parestesias** objetivas (hormigueo o cambios sensoriales), más compatibles con una lesión raquídea.

Evaluación secundaria de los pacientes sin respuesta

Después de concluir la evaluación primaria y descartar traumatismos, coloque al paciente sin respuesta en la posición de recuperación (decúbito lateral izquierdo) para facilitar el drenaje de vómito, sangre u otros fluidos, y ayudar a prevenir su aspiración. Si se sospecha un traumatismo raquídeo, ubique al paciente alineado, con un collar rígido de tamaño adecuado acoplado, e implemente los procedimientos de inmovilización raquídea de acuerdo con su protocolo regional.

Perlas de sabiduría

Los pacientes sin respuesta siempre deberían considerarse en una condición inestable, por lo que está indicado su transporte rápido a una instalación apropiada. Durante este, realice la reevaluación, que incluye verificar ABCDE y revalorar cualquier signo o síntoma relacionado con la principal manifestación.

Haga una valoración exhaustiva de la cabeza, el cuello, el tórax, el abdomen, la pelvis, la parte posterior del cuerpo y las extremidades, en busca de signos de enfermedad, como exantema o urticaria (con presencia de habón), fiebre, equimosis inusual o excesiva, edema pulmonar o periférico, y pulso irregular. Continúe su exploración con al menos dos conjuntos de signos vitales: uno obtenido en el momento y otro unos cuantos minutos después de sus intervenciones iniciales (p. ej., oxígeno complementario y soluciones IV). El primer conjunto de lecturas establece una base (signos vitales basales); el segundo y los adicionales (signos vitales seriados) proveen datos comparativos para ayudarle a precisar si el estado del paciente mejora, se mantiene o empeora. Si el tiempo lo permite, tome conjuntos adicionales de signos vitales para obtener más datos, y permítase registrar tendencias, como una frecuencia de pulso en aceleración constante. Asegure que los signos vitales incluyan la presión arterial auscultatoria, el pulso preciso y la frecuencia ventilatoria, así como la temperatura. Revise también los ruidos ventilatorios. Todo paciente sin respuesta debería ser objeto de la valoración de su postura. Si no hay movimiento espontáneo, quizás requiera aplicar un estímulo doloroso. Si el paciente responde normalmente, tratará de alejar el estímulo o retirarse. Las respuestas posturales anormales del tronco y las extremidades incluyen las de decorticación y descerebración. Se puede encontrar más información sobre las presentaciones posturales en el capítulo 16, *Emergencias neurológicas*.

Evaluación secundaria de los pacientes de trauma

Se puede clasificar a los pacientes de trauma en dos grandes grupos: aquellos con una lesión aislada y los que presentan traumatismos de múltiples aparatos y sistemas.

Desde una perspectiva de evaluación secundaria, la diferencia es que una lesión aislada permite centrarse de inmediato en la principal lesión. En contraste, en un paciente con traumatismos de múltiples aparatos y sistemas, usted debe encontrar primero todas las lesiones diversas, o tantas de ellas como pueda de manera razonable. Después, dará prioridad a las lesiones por su gravedad y planeará el orden en que las abordará. Durante la evaluación, piense de manera continua cómo cada lesión o condición tiene relación con las otras. Por ejemplo, la tasa de mortalidad se duplica en un paciente con una lesión encefálica traumática grave, que apenas mostró una crisis aislada de hipotensión.[21] En tal caso, si usted no detecta y aborda la hipotensión, con la carencia subsiguiente de una presión de perfusión adecuada, esto puede tener un efecto enorme en el paciente, a veces fatal.

Perlas de sabiduría

Salvar vidas toma precedencia sobre salvar extremidades.

Otra consideración importante es el "factor de alta visibilidad" de muchas lesiones, que a veces crea una distracción. Una fractura compuesta de la pierna y el tobillo, con el pie girado hacia un lado y trabado bajo el pedal del freno de un vehículo, no es una vista agradable, pero tampoco pone en riesgo la vida. Debido a que el tobillo notoriamente deformado llama su atención, no obstante, usted puede pasar por alto los signos tempranos y síntomas de un estado de shock asociado con las lesiones internas más graves, pero probablemente invisibles, y la hemorragia que usted no puede ver.

Un paciente de trauma que no responde con EMA deberá considerarse de alto riesgo, prioritario, que requiere del transporte inmediato a un centro de trauma pues puede presentar una lesión encefálica traumática, un accidente cerebrovascular, hipoglucemia o una intoxicación por alcohol o drogas. Todas son circunstancias graves, posiblemente lesiones letales o devastadoras.

Recuerde que usted hará la evaluación primaria y, si está indicado, una revisión rápida del cuerpo en los pacientes de trauma. Aunque no siempre habrá tiempo para una exploración física más amplia, aproveche la oportunidad de continuarla si su condición y el tiempo lo permiten. Recuerde, la exploración de un paciente de trauma requiere *grandes cantidades de práctica.*

Asegúrese antes de que se inmovilice manualmente la columna cervical en posición alineada si sospecha una lesión raquídea. Revalore rápido el estado mental actual comparándolo con las lecturas basales. Finalmente, revise su decisión de transporte. Si usted decide que el paciente necesita transporte de inmediato, haga la revisión rápida de todo el cuerpo y no retrase el traslado en busca de más información.

Además, mentalmente conjunte todo lo que sabe acerca del paciente, incluyendo la manifestación principal, la historia del suceso actual, los antecedentes médicos y cualquier información en cuanto a su estado de salud presente. Combine ese conocimiento con la otra información y el discernimiento que obtuvo de las diversas valoraciones junto con los datos de su diagnóstico y debería tener más información que la suficiente para elegir buenas opciones clínicas para su paciente.

Registro de los datos de la evaluación secundaria

La información médica puede presentarse en formas tanto verbal como escrita. La documentación siempre debería registrarse en forma ordenada y concisa, sin omitir datos importantes. La información que usted obtenga puede entonces pasarse de manera práctica y precisa al personal médico que recibe al paciente. Además, la documentación exhaustiva asegura una referencia precisa de la historia del paciente antes de que llegara al hospital e ingresara legalmente al expediente médico formal. Actualmente están en uso varios formatos aceptables, incluyendo los electrónicos. Use el método de documentación que se requiera en sus protocolos locales.

Inteligencia en la calle

Recuerde los componentes legales y éticos de la evaluación:

1. Respete la autonomía de toma de decisiones del paciente.
2. Responsabilícese del paciente.
3. Respete la confidencialidad y privacidad del paciente.
4. Obtenga su consentimiento.
5. Comprenda y respete las voluntades anticipadas.
6. Documente los hechos de manera precisa y no enjuiciante.

La evaluación secundaria requiere de la interacción física entre usted y el paciente, y puede hacerse exitosamente con quien no puede comunicarse. Conforme usted registra sus datos de exploración, señale los signos objetivos, los negativos pertinentes, y la información similar importante. La información objetiva suele registrarse en un formato estándar, en el mismo orden usado para un RAPP escrito.

Límites de la evaluación secundaria

Como paramédico, la capacidad de hacer una evaluación secundaria en forma competente es una de las destrezas más valiosas que puede poseer. Puede, por ejemplo, descubrir información que el paciente no puede o no desea compartir. Un médico experto utilizará esta destreza en conjunción con la toma de la historia clínica y otros recursos de diagnóstico para formarse una impresión y formular un plan de tratamiento.

No obstante, a pesar del énfasis puesto en la exploración física amplia, la evaluación secundaria tiene algunas limitaciones. Incluso el proveedor de atención sanitaria más experimentado comprende que no todo se puede descubrir en tal evaluación. Aprenda a mantener en un mínimo el tiempo que pasa en la escena. No hay motivo para proceder con una evaluación secundaria exhaustiva en el campo, que incluya una evaluación de los reflejos tendinosos profundos, cuando el resultado será el transporte a un DE, independientemente de los hallazgos. El médico del DE necesitará repetir la exploración. Una evaluación secundaria rara vez debería consumir más de unos cuantos minutos. Debe agilizar las cosas, en especial si el paciente tiene una afección prioritaria en la que es crucial el tiempo. En el contexto prehospitalario, es importante recordar que se necesita la evaluación por un médico instruido, acoplada con estudios de laboratorio y radiográficos, para un diagnóstico definitivo.

Dispositivos de vigilancia

En tanto la toma de la historia clínica y el proceso de evaluación secundaria constituyen los mejores métodos para determinar el diagnóstico diferencial de un paciente, suelen usarse ciertos dispositivos de diagnóstico y vigilancia y pruebas de laboratorio para ayudar al proceso. Aunque estos dispositivos son útiles, no pueden sustituir a un buen interrogatorio de los antecedentes médicos y la evaluación secundaria. Evite el error de depender de los dispositivos de monitoreo y no en la exploración física y el cuadro clínico del paciente. Siempre recuerde tratar al paciente, no al aparato de monitoreo.

Vigilancia continua por EKG

El propósito de la vigilancia continua por EKG en el ambiente prehospitalario es establecer un ritmo basal y custodiar al paciente en cuanto a cambios dinámicos en la actividad eléctrica cardíaca, quien debería estar bajo vigilancia cardíaca continua si muestra signos y síntomas cardíacos o los correspondientes de enfermedad que podrían afectar al corazón. Muchas afecciones de los pacientes cumplen con este umbral, motivo por lo que los paramédicos con frecuencia los conectan a aparatos de vigilancia cardíaca como parte de sus cuidados de soporte vital avanzado (SVA) sistemático.

La mayoría de los aparatos de monitoreo EKG diseñados para el ambiente prehospitalario funciona en la misma forma. Los electrodos deben colocarse correctamente para monitorear de manera precisa el ritmo cardíaco, **FIGURA 8-47**. Los dispositivos de monitoreo del ritmo cardíaco, por lo general, hacen uso de tres a cinco derivaciones que suelen tener un color y estar etiquetadas para ayudar a su colocación. Los alambres de derivación se acoplan a electrodos, que son discos adhesivos con un gel en el centro para ayudar al contacto con la piel. Algunos fabricantes ofrecen un electrodo "diaforético" que se acopla más eficazmente a un paciente que suda.

En tanto el monitoreo del EKG continúa provee visibilidad directa de la actividad eléctrica cardíaca, solo muestra un aspecto de ella. Un trazo de EKG le brinda información limitada en cuanto a la función muscular cardíaca, y no siempre evaluará de manera precisa lo

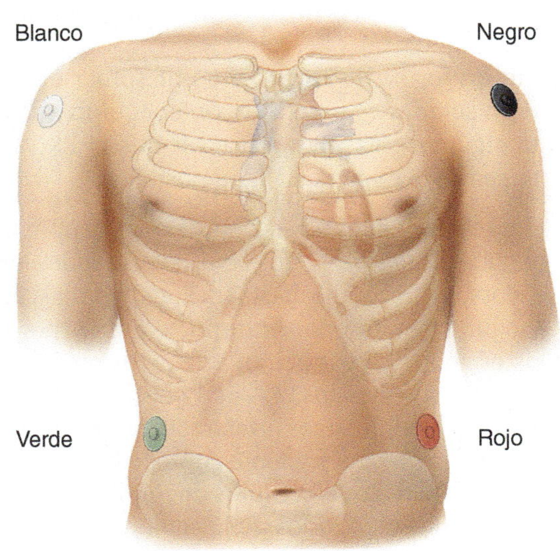

FIGURA 8-47 Colocación de los electrodos de cuatro derivaciones.

adecuado del riego sanguíneo del músculo cardíaco a través de las arterias coronarias. El corazón es como un foco en un socket: contiene todo lo que necesita para funcionar, pero requiere el aporte de electricidad. Cuando un foco se funde y deja de funcionar, aún fluye electricidad hacia el socket. En tanto el apagador se mantenga activo, la electricidad se encuentra ahí, funcione o no funcione el foco. El mismo principio es válido aquí: hay veces que el EKG parece normal, pero, sin embargo, el corazón puede no estar funcionando de forma correcta. Se puede encontrar más información sobre la interpretación del EKG en el capítulo 15, *Emergencias cardiovasculares.*

Monitoreo por EKG de 12 derivaciones

Para los fines de la interpretación del ritmo cardíaco, suele ser suficiente una sola derivación (por lo general la II). Sin embargo, para localizar el sitio de lesión del músculo cardíaco, usted debe poder visualizarlo desde varios ángulos, que es el propósito del EKG de 12 derivaciones.

La adición de un EKG de 12 derivaciones a la caja de herramientas del paramédico abrió la puerta para una atención más avanzada del paciente en el campo. Por ejemplo, los paramédicos pueden ahora diagnosticar una IAM en la casa del paciente, una detección temprana que permite que los hospitales se preparen antes de su arribo, lo que así disminuye el tiempo que se requiere para que reciban la atención definitiva. Además, los paramédicos en algunas zonas de Estados Unidos realizan la intervención temprana en el campo por administración de fibrinolíticos en los pacientes con IMEST o por su derivación a centros cardiológicos con laboratorios de cateterización.

La única forma de aprender cómo tomar un EKG de 12 derivaciones es practicar con el equipo mismo. He aquí algunas guías para asegurar que el EKG que obtenga sea de la máxima calidad posible:

- El paciente debería estar en decúbito supino. Si percibe disnea en esa posición, usted puede elevar el dorso de la camilla hasta un ángulo de casi 30°.
- Asegúrese que el paciente no se enfríe, porque los escalofríos producirán artefactos en el trazo de EKG. Note que los EKG de 12 derivaciones son más susceptibles a los artefactos que los de 3.
- Prepare la piel del paciente como lo haría para la colocación de los electrodos de monitoreo.
- Conecte los electrodos de las cuatro extremidades. Revise doblemente que el electrodo correcto se encuentra en cada extremidad (el "LA" en el brazo izquierdo, el "RA" en el brazo derecho, y así sucesivamente).

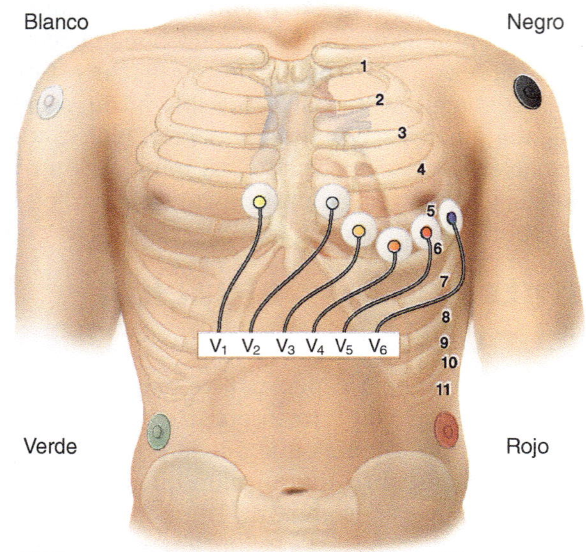

Dirigir	Localización	Vista
V_1	4o. espacio intercostal, borde esternal derecho	Ventricular septum
V_2	4o. espacio intercostal, borde esternal izquierdo	Ventricular septum
V_3	Entre V_2 y V_4	Pared anterior del ventrículo izquierdo
V_4	5o. espacio intercostal, línea medioclavicular	Pared anterior del ventrículo izquierdo
V_5	Lateral a V_4 en la línea axilar anterior	Pared lateral del ventrículo izquierdo
V_6	Lateral a V_5 en la línea axilar media	Pared lateral del ventrículo izquierdo

FIGURA 8-48 Colocación de los electrodos de 12 derivaciones.

- Conecte y aplique todas las derivaciones precordiales, como se indica en la **FIGURA 8-48**.
- Registre el EKG.

La interpretación del EKG de 12 derivaciones se describe con detalle en el capítulo 15, *Emergencias cardiovasculares.*

Vigilancia del dióxido de carbono

El dióxido de carbono es un producto secundario natural del metabolismo celular en el cuerpo humano, según se describió en el capítulo 6, *Anatomía y fisiología.* Como el metabolismo responde a los factores de estrés, el cambio en la producción de dióxido de carbono se puede ver y medir. Como paramédico usted debe ser capaz de detectarla en un paciente y usar esa información para determinar estrategias terapéuticas.

Hay dos formas en las que se vigila el dióxido de carbono en el campo: capnometría y capnografía. La **capnometría** consta, por lo general, de un dispositivo electrónico desechable que provee un medio de medición de la producción de dióxido de carbono. La **capnografía** permite registrar dicha producción y provee una forma de onda basada en las mediciones seriadas. Es el ECG de la ventilación, por así decirlo.

Un capnógrafo es un dispositivo práctico de simple uso en el ambiente prehospitalario. Si bien los modelos más antiguos eran pesados y a veces difíciles de manejar, los nuevos son amigables para el usuario y fáciles de interpretar. Estos dispositivos se pueden usar para confirmar la colocación de un tubo endotraqueal. En pacientes conscientes y que ventilan pueden también usarse para obtener una imagen continua del estado ventilatorio y alertarle respecto de un broncoespasmo, un estado de shock o la acidosis.

Medicina basada en evidencia

La correlación entre el dióxido de carbono de ventilación terminal ($ETCO_2$) y el gasto cardíaco tiene dos implicaciones importantes durante la RCP. En primer lugar, se puede vigilar su eficacia para producir un gasto cardíaco adecuado con base en el $ETCO_2$. En segundo lugar, un aumento abrupto del $ETCO_2$ sugiere un incremento concomitante en el gasto cardíaco y es un indicador de retorno a la circulación espontánea.

En los pacientes intubados, el dispositivo se coloca en el extremo proximal del tubo endotraqueal, y después, se conecta al aparato portátil de vigilancia por EKG o uno separado. Para aquellos que ventilan, se utiliza una cánula nasal especial adaptada para colectar el dióxido de carbono mientras se administra oxígeno. Aunque el capnógrafo tiene una calidad de vigilancia superior a la del capnómetro, también presenta limitaciones. Ambos dispositivos, por lo general, requieren un flujo de aire mínimo para el cálculo de la lectura, que en ocasiones se afecta por la presencia de secreciones en el tubo. Pueden también requerir calibración periódica.

El propósito de la capnometría es verificar la colocación correcta de un tubo endotraqueal. La idea es que el capnómetro se ubique en el extremo proximal de un tubo endotraqueal. Si este se encuentra en la tráquea, el dióxido de carbono exhalado debería pasar por el sensor y proveer información acerca de su ubicación.

La capnometría y la capnografía se describen con más detalle en el capítulo 13, *Manejo de la vía aérea.*

Química sanguínea básica

Una variedad de los elementos que se encuentran en la sangre le puede ayudar a decidir entre las probabilidades de un diagnóstico diferencial. Aunque los resultados de la historia clínica y la evaluación secundaria son importantes para determinar de inicio el diagnóstico diferencial, a veces un resultado de laboratorio ayuda a disminuir el número de probabilidades.

Glucómetro La cuantificación de la glucemia en todo paciente con EMA es ineludible, relativamente fácil de hacer, y provee rápido la información acerca de la glucosa disponible para él. Una cifra baja de glucemia le ayuda a formar el diagnóstico diferencial de un paciente que no responde. De manera similar, la glucemia alta en un paciente con náusea, vómito y dolor abdominal puede ser índice de una cetoacidosis diabética.

Deberían evaluarse las cifras de glucemia en todos los pacientes que se sabe presentan diabetes, los que no responden por un motivo desconocido y aquellos con malestar general/debilidad. Además, se puede precisar la glucemia en cualquier paciente que usted considere que tiene un mal aspecto general.

Hay, en general, dos formas de obtener una lectura rápida de la glucemia en el campo: del mandril de un catéter IV o por una punción digital. Cuando se obtiene una muestra de sangre de un catéter IV, establezca el acceso usual, coloque la tira reactiva sobre el mandril del catéter antes de conectar el tubo IV y permita que una gota de sangre toque la tira reactiva. En los pacientes con un catéter IV ya colocado, utilice una lanceta para obtener una gota de sangre. A continuación, limpie el sitio (dedo) con un antiséptico y punciónelo con la lanceta. Inmediatamente deseche la aguja en un recipiente de objetos cortantes y colecte una gota de sangre en la tira reactiva. Cuando termine, coloque una venda adhesiva sobre el sitio de la punción.

La mayoría de los glucómetros requiere solo unos cuantos segundos para proveer una lectura. Tenga en mente que, si bien esto es conveniente para usted, "rápido" no siempre equivale a "preciso". Los glucómetros deben calibrarse de manera regular para mantener su precisión. Además, verifique que las tiras reactivas sean correctas para el glucómetro que está usando y que no hayan caducado. Finalmente, asegúrese de que preparó adecuadamente el sitio antes, y que el dedo está limpio.

Biomarcadores cardíacos Se usan los biomarcadores cardíacos para evaluar el daño del miocardio. Por lo general, tales pruebas sanguíneas se hacen para determinar si el paciente sufrió un IAM. En etapas previas de este capítulo se cubrió el uso de los EKG de 12 derivaciones en el campo para ayudar a determinar si ocurrió un IMSEST; sin embargo, se sabe que la mayoría de los ataques cardíacos corresponde a infartos del miocardio sin elevación de ST (IMSEST), sucesos que, por lo general, se diagnostican mediante resultados de laboratorio con uso de biomarcadores cardíacos; sin embargo, hoy se dispone de varios dispositivos para cuantificarlos rápido en el campo.

En el entorno del SEM, los biomarcadores cardíacos deberían valorarse en todo paciente con una afección cardíaca, considerando que esto sea compatible con su protocolo local. También debería hacerse en cualquier paciente con signos y síntomas de un accidente cerebrovascular. El procedimiento es similar al de obtención de glucemia. Sin embargo, la precisión de la prueba depende de la calibración apropiada del equipo y el uso de un medio adecuado no caduco (p. ej., tiras reactivas). Además, entiéndase que pueden transcurrir varias horas para que aparezcan los biomarcadores cardíacos en la sangre de un paciente después de un IAM. Por lo tanto, si no se observan en cifras elevadas en el campo, usted no necesariamente puede descartar la posibilidad de un IAM, que se describe con mayor detalle en el capítulo 15, *Emergencias cardiovasculares.*

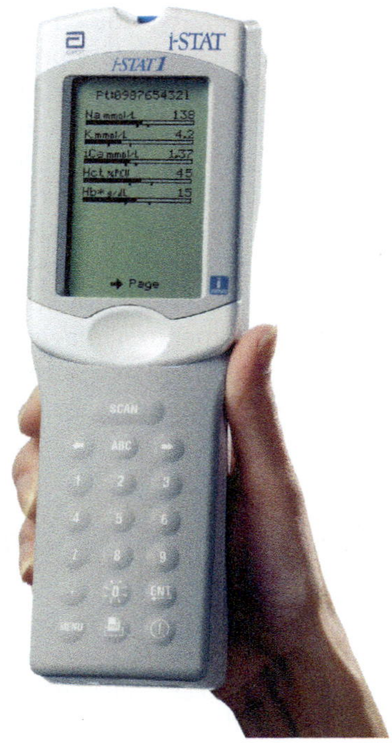

FIGURA 8-49 Dispositivo portátil de pruebas i-STAT.

© Abbott Point of Care Inc.

Otras pruebas sanguíneas Con la invención de los dispositivos para pruebas de laboratorio rápidas, en más sistemas del SEM, en particular aquellos que manejan transportes con atención de especialidad, se empiezan a realizar pruebas de laboratorio básicas en el campo.

El dispositivo de mano i-STAT funciona con cartuchos desechables de un solo uso, **FIGURA 8-49**. que cubren una amplia variedad de las pruebas de diagnóstico de más frecuente realización, como las de marcadores cardíacos, lactato, coagulación, gases, química y electrólitos sanguíneos, y otras hematológicas.

Las pruebas, como el conjunto completo de pruebas metabólicas (CHEM 7 y CHEM 12) revelan el estado de los electrólitos del paciente, junto con los de la función renal y, a veces, de la hepática. La concentración del péptido natriurético de tipo B (PNB), por lo general, se eleva en un paciente que experimenta la exacerbación de una insuficiencia cardíaca crónica. Una prueba del PNB le ayuda a diferenciar entre las causas cardíacas y pulmonares de la dificultad ventilatoria. Estas pruebas, en general, no se usan en el campo, a menos que usted esté actuando en un contexto clínico de especialidad.

Evaluación del paciente

Evaluación de la escena

↓

Evaluación primaria

↓

Historia clínica

↓

Evaluación secundaria

↓

Reevaluación

- Repetir la evaluación primaria
- Obtener los signos vitales
- Reevaluar la principal manifestación
- Revisar las intervenciones
- Identificar y tratar los cambios en el estado del paciente

Reevaluar al paciente

- Cuando inestable: cada 5 minutos
- Cuando estable: cada 15 minutos

Reevaluación

Después de la evaluación primaria, la **reevaluación** es el proceso de revisión más crítico que realizará. Cuando la haga, revalore ABCDE para asegurar que abordó adecuadamente la principal manifestación; obtenga otro conjunto de signos vitales, y cierre cualquier otra vertiente de atención de los pacientes, como el cubrir con apósitos las heridas pequeñas y colocar compresas frías. La reevaluación representa un proceso continuo y cíclico, que usted realiza durante el transporte, exactamente en el momento de que conduce al paciente para su atención por el personal de un DE. En los pacientes bajo una condición estable, haga la reevaluación cada 15 minutos. En los de condición inestable, haga un esfuerzo concertado por repetirla cada 5 minutos.

Reevaluación de la evaluación primaria

La reevaluación combina la repetición de la evaluación primaria, la de los signos vitales y los ruidos ventilatorios, y la de la evaluación secundaria. Durante la reevaluación, continúe valorando y revalorando el estado del paciente y la eficacia de cualquier tratamiento ya administrado, mediante la comparación de sus signos vitales seriados, información que indica qué cambios ocurrieron y qué afecciones críticas se han abordado y corregido.

En primer término, compare el NC del paciente con su evaluación basal. ¿Está cambiando? En caso afirmativo, ¿cómo? Si el estado mental desciende, ¿puede el paciente aún proteger su vía aérea? Si tiene dudas, considere insertar un dispositivo de vía aérea avanzado.

En segundo lugar, revise la vía aérea del paciente. ¿Están permeables? El edema, la hemorragia o apenas un cambio de posición, pueden rápidamente obstruir un dispositivo de vía aérea, por lo que asegúrese de que esté apropiadamente colocado y seco. Siempre prepárese para la aspiración, y no la retrase si escucha burbujeos en la vía aérea superior. Es mucho mejor prevenir la aspiración que tratarla después. Si necesitan asegurarse la vía aérea, *prepare al paciente para la intubación y realice el procedimiento de inmediato.* Después, revise los ruidos pulmonares y haga oximetría y capnografía periódicamente para confirmar la correcta colocación del tubo.

En tercer lugar, revalore la ventilación. ¿Está el paciente ventilando adecuadamente? De lo contrario, discierna por qué y corrija el problema. Para la hipoventilación, auxilie con oxígeno y un dispositivo de bolsa y mascarilla. Corrija la hipoxia mediante oxígeno en concentración alta. En los pacientes con disminución o ausencia de ruidos ventilatorios, ingurgitación yugular y disnea progresiva (signos de neumotórax), descomprima el tórax.

Manténgase alerta en cuanto a los signos de fatiga ventilatoria, como una disminución de la lectura de la oximetría de pulso o un paciente que se ve cada vez más cansado. Esté especialmente alerta respecto de esa posibilidad en los niños, porque es un signo clásico de desastre inminente. Los pacientes de cualquier edad que muestran signos de fatiga ventilatoria necesitan tratamiento intensivo de su vía aérea.

Finalmente, revalore la circulación del paciente. Señale el color total de la piel como parámetro inicial de la función cardiovascular y el estado hemodinámico. Piense en el estado de shock si la piel se encuentra más pálida, fría y húmeda que en el momento basal; piense en la desaturación de oxígeno si hay cianosis; si se observa moteado hágalo en el shock en etapa terminal.

Asegúrese de yugular toda hemorragia. Si usted encuentra vendajes humedecidos en sangre, añada vendajes secos y repita el vendaje. Revalúe la presión arterial, observe cuidadosamente los signos de que el paciente empieza a descompensarse.

Revalúe el pulso, incluidas su frecuencia, fortaleza y regularidad. La taquicardia progresiva puede indicar que el problema del paciente no se corrigió (aún está sangrando, presenta hipoxia o se encuentra en desarrollo de un shock cardiogénico). En contraste, la bradicardia sostenida o progresivamente peor puede reflejar un incremento de la presión intracraneal (por traumatismo o enfermedad vascular cerebral), o la etapa terminal de un estado de shock.

Poblaciones especiales

Durante una crisis, pueden diferir las respuestas de los niños y los pacientes adultos mayores. A su vez, usted puede tener un abordaje diferente de la reevaluación. Los adultos tienden a mostrar signos de deterioro cuando su condición se torna inestable. Los niños, no obstante, se descompensan mucho más rápido; por lo que es imperativa su reevaluación frecuente. Cualquier índice de deterioro del estado mental o de cambios en la vía aérea, la ventilación o circulación, debería dar lugar a una intervención inmediata.

Los pacientes geriátricos difieren de otros adultos y de los pediátricos porque pueden carecer de mecanismos compensadores apropiados y, por lo tanto, no mostrar signos de deterioro conforme su estado médico se torna inestable. Además, muchos de ellos presentan enfermedades subyacentes o toman medicamentos que enmascaran datos de evaluación importantes. Por ejemplo, un paciente que está entrando en estado de shock, por lo general, mostrará un aumento de la frecuencia del pulso. Sin embargo, muchos adultos mayores carecen de la capacidad a aumentar su frecuencia del pulso o toman medicamentos que lo modifican. La reevaluación del estado mental puede también constituir un reto en esta población. Para algunos pacientes, un EMA al parecer es su conducta basal; por lo tanto, se hace difícil evaluar si mejora. En consecuencia, se requiere su reevaluación frecuente para determinar y vigilar el progreso y la estabilidad totales.

Reevaluación de la atención del paciente y prioridades del transporte

Después de reevaluar al paciente, piense respecto de su plan de atención. ¿Ha abordado todas las amenazas para la vida? ¿Necesita revisar su lista de prioridades con base en lo que sabe? En caso afirmativo, haga el cambio y avance. Por el contrario, si su plan está funcionando bien y usted abordó la mayoría o todas las manifestaciones principales del paciente, no hay necesidad de revisar el plan terapéutico.

Conforme usted revalúa las prioridades de atención de su paciente, revise también el plan de transporte. ¿Debería cambiarse del transporte sistemático a uno prioritario? ¿Está empeorando su condición general hasta el punto en que debería considerar derivarlo a una instalación más cercana? ¿Necesita establecer una cita con una ambulancia aérea?

Alternativamente, si la condición de su paciente mejoró y se estabilizó, disminuya los cuidados prioritarios y transpórtelo en forma sistemática, que es claramente la mejor opción.

Obtenga otro conjunto completo de signos vitales, y compárelos en relación con los resultados esperados de su tratamiento. Por ejemplo, si usted administra una carga de 500 ml de solución salina normal a un paciente con hemorragia GI, esperaría un aumento de la presión arterial y un descenso de la frecuencia del pulso. Con cualquiera de tipo prioritario, incluso en un transporte breve, usted debería como mínimo obtener tres conjuntos de signos vitales. En los pacientes con prioridad máxima, usted contará con cuatro o cinco conjuntos de signos vitales. De esa manera, puede visualizar tendencias o patrones, como un pulso decreciente, una presión arterial creciente y los patrones ventilatorios erráticos que representan en **reflejo de Cushing**, un signo grave para los pacientes con un traumatismo cefálico. Alternativamente, la disminución de la presión del pulso, la amortiguación de los ruidos cardíacos y la ingurgitación yugular se vinculan con el taponamiento cardíaco (**tríada de Beck**), por lo general, secundario a un traumatismo penetrante de tórax.

El último elemento de la reevaluación es revisar las manifestaciones principales del paciente (a partir de la historia clínica), junto con sus intervenciones. ¿Ha mejorado o se resolvieron las manifestaciones? Por ejemplo, ¿mejoró 9 sobre 10 el dolor torácico con la nitroglicerina que administró? ¿Facilitó el segundo tratamiento con albuterol la ventilación del paciente? ¿Qué situaciones siguen sin resolver? Aquellas que empeoran son especialmente importantes, porque podrían indicar un problema no percibido o intervenciones ineficaces. Con cada reevaluación, documente sus datos de manera que el expediente médico sea preciso y completo. Finalmente, si usted no ha llegado a la instalación receptora, inicie el proceso nuevamente; es por lo que se denomina *reevaluación*.

Perlas de sabiduría

Usted no puede reconocer el estechamiento de las presiones del pulso hasta que no haya tomado dos o tres lecturas de la PA. Los controles múltiples proporcionan los datos comparativos que necesita.

USTED es el Paramédico RESUMEN

1. ¿Cuál es su principal preocupación en esta escena?

Usted no sabe en este momento qué le pasó al paciente. Podría tratarse o no de una escena de crimen. De cualquier forma, la principal prioridad es garantizar la seguridad y el bienestar de usted y su compañero. Considere si es seguro ingresar a la escena y acercarse al paciente. Evalúe el escenario con la amplia perspectiva de una lente gran angular. Si usted tiene duda en cuanto a que la escena sea segura, solicite recursos adicionales apropiados antes de continuar. En este caso, el aspecto de la seguridad de la escena tiene relación con el potencial de violencia. Usted no tiene entrenamiento para hacer segura esta escena, por lo que es obligatorio que solicite la participación de la policía, antes de exponerse al peligro.

2. ¿Cómo abordará esta preocupación?

Solicite de inmediato personal policiaco en aquellos casos que podrían involucrar un crimen, porque es casi imposible que usted y su compañero dominen la escena y la atención del paciente al mismo tiempo, y puesto que el atacante podría volver con armas adicionales. Si no está seguro de qué hacer, antes de cualquiera otra cosa protéjase a usted y su equipo de trabajo. Esto puede significar mantenerse en la ambulancia hasta la llegada del personal policiaco para asegurar la escena.

3. ¿Cuál es su impresión general de este paciente?

Usted sabe que el paciente responde y sangra de una herida de tórax, pero no obedece órdenes simples. Incluso con esta información limitada usted sabe que podría deteriorarse rápido y entrar en estado de shock, y quizás requiera un transporte rápido.

4. ¿Cuál es su siguiente paso en la evaluación de este paciente?

Los cambios en el NC pueden aportar la primera clave de una alteración del estado del paciente, por lo que debe establecer cuál es el estado basal tan pronto como lo encuentre. Conforme usted evalúe el estado mental del paciente, si ocurrió un traumatismo, decida si sospecha de uno raquídeo e implemente los procedimientos de inmovilización correspondientes. La forma más rápida y simple de evaluar el estado mental o el NC del paciente es con el uso de la escala AVDI.

5. Con base en su evaluación de ABCDE, ¿cuál es su principal prioridad en la atención de este paciente?

La evaluación de la vía aérea se centra en dos preguntas: ¿están abiertas y permeables? ¿Es posible que se mantengan así? Si usted determina que el paciente no puede mantener su vía aérea, un COF o CNF pueden resolver

USTED es el Paramédico RESUMEN (continuación)

el problema. Sin embargo, si no puede mantener la vía aérea permeable por cualquier otro medio, utilice una técnica más invasiva, como la intubación endotraqueal. La ventilación es proporcional y tiene relación con lo adecuado de la vía aérea. Por lo tanto, evaluar la ventilación posiblemente se centre en dos preguntas: ¿está ventilando el paciente? En caso negativo, usted tendrá que auxiliarlo. Si el paciente ventila, ¿lo hace en forma adecuada? De nuevo, si la ventilación no es adecuada, haga lo necesario para respaldarla o considere hacer una intubación en secuencia rápida.

6. ¿Puede usted determinar la prioridad de transporte de este paciente en este momento?

Sí. Cuando usted tiene un paciente prioritario (inestable), acelere el transporte, haga lo absolutamente necesario en la escena y maneje todo lo demás en el camino, incluyendo la historia clínica y la exploración física. El paciente presenta un mal estado general, responde, pero no puede seguir órdenes y tiene dificultad para la ventilación por una lesión penetrante del tórax. Solamente con base en estos tres criterios, su transporte rápido es una prioridad.

7. ¿Cómo puede usted determinar el grado de lesión interna del paciente si no cuenta con el implemento que se usó para agredirlo?

Cualquier lesión de tórax, independiente del objeto usado, puede causar un daño interno significativo, ya que contiene muchas estructuras vitales que incluyen los pulmones y los elementos del mediastino (corazón, grandes vasos). El tórax incluye la porción superior del tronco, desde la base del cuello hasta el diafragma, según delinean los arcos costales. La pared del tórax se divide en porciones anterior y posterior (el frente y el dorso del paciente). El dorso del tórax se extiende hacia la espalda, hasta el nivel del diafragma en la parte posterior, que tiende a desplazarse hacia arriba y abajo con la ventilación. La pared del tórax sirve como cobertura de protección de los componentes internos y consta de numerosas estructuras musculoesqueléticas, vasculares, nerviosas, conectivas y de revestimiento.

8. ¿Cuál es la importancia de los antecedentes médicos en este caso?

La historia médica previa le permite aprender respecto de cualquier afección médica pertinente o crónica subyacente que el paciente presente. Aunque algunos de los aspectos de los antecedentes médicos tal vez no parezcan importantes en este paciente, un interrogatorio cuidadoso y exhaustivo ayudará a obtener una imagen más clara de su estado de salud total. Sin embargo, tal vez no desee o no pueda darle esa información. Dependa de lo que aprendió durante su evaluación e inspección del paciente tanto como sea posible. Siempre busque cualquier joyería o dispositivo de alerta médica y advierta alguna cicatriz que pueda indicar una operación de la pared del tórax o con el corazón abierto, como la colocación de un marcapasos o un CDI.

Reporte de Atención de Paciente Prehospitalario (RAPP)

Fecha: 04-28-22	**Incidente No.:** 902	**Naturaleza de la llamada:** Herida por arma cortopunzante		**Localización:** 4th Ave/Main St	
Despacho: 02:00	**En ruta:** 02:01	**En el escenario:** 02:05	**Transporte:** 02:15	**En el hospital:** 02:25	**En servicio:** 02:40

Información del paciente

Edad: aproximadamente 30 años **Sexo:** M **Peso:** 75 kg	**Alergias:** NKDA **Medicamentos:** se desconocen **Antecedentes médicos:** se desconocen **Principal manifestación:** herida penetrante de 2.5 cm en la parte alta del hemitórax izquierdo

Signos vitales

Hora: 02:10	**PA:** 90/64	**Pulso:** 122	**Ventilaciones:** 28	**SpO_2:** de 93% en aire
Hora: 02:15	**PA:** 92/62	**Pulso:** 120	**Ventilaciones:** 28	**SpO_2:** de 99% con 15 L/min de oxígeno
Hora: 02:20	**PA:** 92/60	**Pulso:** 118	**Ventilaciones:** 26	**SpO_2:** de 99% con 15 L/min de oxígeno

USTED es el Paramédico RESUMEN (continuación)

Tratamiento del SEM (circule todo lo que aplique)				
Oxígeno @ 15 L/min por (circular uno): NC (NRM) Dispositivo de bolsa y mascarilla		**Ventilación asistida:**	**Adyudante de vía aérea:**	**RCP**
Desfibrilación	**Detención de la hemorragia**	**Vendaje**	**Ferulización**	(**Otra:** vendaje oclusivo)

Narración
Se despachó la unidad 84 por un hombre caído frente a un centro comercial de la 4ª Avenida & Main Street. La unidad arribó y se encontró al paciente en decúbito lateral izquierdo sobre la banqueta. No parece haber nadie más presente en la escena. Antes de salir del vehículo, las luces revelan lo que parece ser sangre en la banqueta cerca del tórax del paciente. Debido a preocupaciones por la seguridad, se evaluó el grado de corciencia a través del sistema AP. El paciente mostró seguir las órdenes en ese momento. La policía en la escena en aproximadamente 1 minuto después de su arribo, aseguró la escena para la evaluación y el tratamiento del paciente que tiene aproximadamente 30 años, de sexo masculino con una herida penetrante de casi 2.4 cm de longitud apenas debajo del centro de la clavícula izquierda. La hemorragia ya se detuvo. Se aplicó un vendaje oclusivo de 3 puntos. El paciente responde, sigue las órdenes, pero no expresa nada verbalmente. Sensibilidad y movimiento normales en todas las extremidades; con base en la evaluación clínica no se aplicó inmovilización raquídea. VS según se consignó y O_2 a 15 L/min a través de NRM. Se estableció acceso IV con SN y un catéter 16ga, AC derecho. El paciente puede mantener su propia vía aérea, pero muestra dificultad creciente para ventilar en posición supina sobre la camilla. Se le transporta al centro de trauma regional con notificación previa. Se elevó la cabecera del tablero largo 15°, lo que brindó algún alivio del esfuerzo ventilatorio. El reporte del paciente se entregó al Dr. Solomon al arribar.
Fin del reporte

Kit de preparación

Resumen rápido

- La evaluación del paciente es la base de la atención prehospitalaria de calidad y la destreza aislada de máxima importancia que usted usa para atenderlo.
- Hay cinco componentes del proceso de evaluación del paciente: de la escena, la primaria, la historia clínica, la secundaria y la reevaluación.
- El primer paso del proceso de evaluación del paciente es la escena, porque su primera y más importante preocupación en cualquier llamado de rescate es garantizar su seguridad y la del demás personal del SEM.
- Durante la evaluación de la escena, usted determina ML o NE.
- Otro paso importante para protegerse es tomar las precauciones estándar. Use todo el equipo de protección personal necesario antes de acercarse al paciente.
- El primer paso en la evaluación primaria es formarse una impresión general del estado del paciente. Conforme usted lo aborda, note si parece estar en condición estable o inestable y verifique el ambiente en cuanto a ciertas claves.
- Durante la evaluación primaria, identifique amenazas para ABCDE y abórdelas de inmediato.
- Evalúe al paciente en cuanto a discapacidad, y después tome una decisión de transporte. Si sufrió un traumatismo, haga una exploración rápida de cuerpo completo (de la porción de evaluación secundaria del proceso) para identificar lesiones que requieran atención antes de inmovilizarlo.
- Una vez que concluya la evaluación primaria y se aborden todas las amenazas para la vida, pase al componente de historia clínica de la evaluación.
- La historia del paciente es el medio primario de determinar su principal manifestación en el

Kit de preparación continuación

campo; su utilidad depende de la capacidad de obtener de manera diestra información completa y precisa.

- Use destrezas de comunicación constructivas al hablar con los pacientes: facilitación, reflexión, aclaración, empatía, confrontación, interpretación, y preguntas directas en cuanto a sentimientos.
- En ocasiones usted debe preguntar a los pacientes en cuanto a tópicos sensibles, como el uso erróneo de alcohol o drogas, el abuso físico u otro tipo de violencia, o los antecedentes sexuales. Investigue las técnicas para entrevistarlos exitosamente en cuanto a tales tópicos.
- Dentro de su servicio y con su compañero, trabaje en estrategias de comunicación positiva con pacientes silentes, con los que hablan demasiado, los ansiosos, iracundos u hostiles, intoxicados, que lloran, deprimidos, o que buscan consuelo. Describa cómo determinar la principal manifestación en un paciente con síntomas múltiples y cómo permanecer profesional cuando trate a uno al que se siente usted físicamente atraído.
- En pacientes con afecciones médicas que responden, obtenga directamente los antecedentes médicos, aunque ciertos de ellos (p. ej., niños pequeños) quizás requieran asistencia. A ellos haga preguntas en cuanto a cada sistema y aparato corporal para obtener una imagen exhaustiva de su salud.
- En los pacientes de tipo médico que no responden y los de trauma, puede ser necesario obtener los antecedentes médicos de los miembros de la familia o transeúntes.
- La primera parte de la historia médica del paciente también sirve como una buena exploración del estado mental: pregunte su nombre; la fecha, la hora y el lugar; la principal manifestación y los sucesos que llevaron a la llamada al SEM.
- Después de aclarar la historia de la enfermedad presente, pregunte al paciente en cuanto a sus antecedentes médicos, estado general de su salud y cualquier antecedente familiar pertinente. Pida una lista de los medicamentos que usa y de sus alergias, como parte del interrogatorio.
- Obtener la historia médica de un paciente adulto mayor puede constituir un reto. Suelen presentar múltiples afecciones médicas, toman numerosos medicamentos, y muestran un cuadro clínico diferente que los adultos más jóvenes, lo que puede hacer a sus emergencias más complejas. También pueden presentar pérdidas sensoriales que requieren que ajuste usted su abordaje para colectar la información necesaria.
- La evaluación secundaria (también conocida como exploración física de cabeza a pies) es el proceso por el que usted obtiene información cuantificable objetiva de un paciente en cuanto a su estado general de salud.
- Los dos tipos de exploración física realizados durante la evaluación secundaria son la del cuerpo completo y la dirigida. Si el paciente presenta amenazas graves para la vida, usted tal vez no tenga en absoluto tiempo de hacer una evaluación secundaria. Alternativamente, puede centrarse primero en el tema de la principal manifestación, y después pasar a otros órganos, aparatos y sistemas corporales, conforme lo permita el tiempo.
- La evaluación secundaria incluye obtener los signos vitales, que son una medida de la función corporal total, y hacer una exploración física de cabeza a pies donde evalúe la función de órganos, aparatos y sistemas corporales específicos. Esta exploración se hace en forma secuencial para evaluar todo aspecto de la función corporal.
- Las técnicas de inspección, palpación, percusión y auscultación, le permiten usar sus sentidos para obtener información física y comprender las funciones normales (o anormales) del cuerpo de un paciente.
- Los signos vitales constan de la determinación de presión arterial; la frecuencia, el ritmo y la calidad del pulso; la frecuencia, el ritmo y la calidad ventilatorios; la temperatura corporal, y la oximetría de pulso. Además del aspecto global del paciente, los signos vitales son de los datos objetivos más valiosos para determinar su estado.
- Los dispositivos de vigilancia usados por el paramédico incluyen el de EKG continuo y el de 12 derivaciones, los de vigilancia del dióxido de

Kit de preparación continuación

carbono (capnografía y capnometría), los análisis de química sanguínea, la determinación de la glucemia y los biomarcadores cardíacos, entre otros.

- Modifique su abordaje cuando evalúe a lactantes y niños. Si un niño pequeño no puede hablar, valore su condición con base sobre todo en lo que puede ver y oír. Los miembros de la familia o cuidadores pueden también proveerle información útil.
- Después de la evaluación primaria, la reevaluación es el proceso aislado más importante de revaloración que realizará.
- La reevaluación se realiza en todos los pacientes. Le da oportunidad de revalorar la principal manifestación y sus intervenciones, para asegurar que aún sean eficaces. La información de la reevaluación puede usarse para identificar y tratar los cambios en su estado.
- Un paciente en condición estable debería revalorarse cada 15 minutos, en tanto aquel inestable, cada 5. Uno en estado crítico debe evaluarse en forma continua.

Vocabulario esencial

Afasia Alteración del lenguaje que afecta la producción o comprensión del discurso y la capacidad de leer o escribir.

Agudeza visual Determinada por la capacidad o incapacidad de ver y a qué distancia.

Alerta y orientado (A × O) Una determinación que se hace cuando se evalúa el estado mental al indagar si el paciente está orientado en cuatro aspectos: persona, lugar, tiempo y el suceso mismo. Cada elemento provee información en cuanto a diferentes aspectos de su memoria.

Anisocoria Pupilas no iguales con una diferencia de más de 1 milímetro.

Antecedentes médicos Información obtenida durante el proceso de historia clínica, como el estado general de salud, las enfermedades de la infancia y en la edad adulta, intervenciones quirúrgicas y hospitalizaciones, afecciones psiquiátricas y mentales o lesiones traumáticas, que podrían tener relación con el estado mental del paciente.

Ascitis Acumulación anormal de líquido en la cavidad peritoneal; suele indicar una insuficiencia hepática.

Aspiración Ingreso de líquidos o sólidos a la tráquea, los bronquios y los pulmones; el acto de extraer material mediante presión negativa.

Auscultación El acto de usar un estetoscopio para escuchar sonidos dentro del cuerpo.

AVDI Un método de evaluación del estado mental por determinación de si el paciente está despierto y Alerta, con respuesta a estímulos Verbales o dolor, o sin respuesta; se usa principalmente en la evaluación primaria.

Broncofonía Una prueba de disminución de los ruidos ventilatorios que se hace colocando el diafragma del estetoscopio sobre la zona en cuestión, mientras el paciente expresa "noventa y nueve"; un sonido fuerte, claro señala una consolidación pulmonar.

Capnografía Uso de un recurso de diagnóstico incruento que puede rápida y eficazmente proveer información sobre el estado ventilatorio y circulatorio de un paciente con una representación gráfica y digital similar a un electrocardiograma.

Capnometría Uso de un capnómetro, dispositivo de vigilancia que se usa para medir la cantidad de dióxido de carbono exhalado. La lectura suele darse en forma digital.

Cerumen Cera del oído.

Cianosis Un color azul gris de la piel causado por cifras inadecuadas de oxígeno en la sangre.

Cifosis Curvatura externa de la columna torácica.

Crepitación Un sonido crujiente, áspero o rechinante que suele percibirse cuando se frotan los fragmentos de huesos rotos.

Defensa Contracción de los músculos abdominales que indica irritación peritoneal. Puede ser voluntaria o involuntaria.

Delirio Un estado de confusión aguda caracterizado por alteración global del pensamiento, la percepción, el juicio y la memoria.

Kit de preparación continuación

Demencia Deterioro gradual y penetrante o la pérdida de las funciones cognitivas corticales.

Desdoblamiento En el contexto de los ruidos cardíacos, una situación en la que los sucesos del lado derecho del corazón ocurren ligeramente después que los del lado izquierdo, lo que crea dos ruidos discernibles, más bien que uno solo.

Desviación en pronación El desvío descendente en pronación de uno de los brazos hacia los pies de un paciente mientras los mantiene con las palmas de las manos hacia arriba y los ojos cerrados; puede ser signo de un accidente cerebrovascular.

Diaforesis Sudoración excesiva; a menudo relacionada con el estado de shock.

Diagnóstico diferencial El proceso de ponderar la probabilidad de una enfermedad con otra al comparar datos clínicos que puedan contribuir; también se refiere a la lista de posibles afecciones consideradas con base en los signos y síntomas del paciente.

Diagnóstico preliminar El diagnóstico de una lista del diagnóstico diferencial que se usa como base del plan terapéutico del paciente.

Diplopía Visión doble.

Distensión venosa yugular (DVY) La protrusión visible de las venas yugulares cuando el paciente se encuentra en posición de semi-Fowler o Fowler completa; indica un desplazamiento inadecuado de sangre a través del corazón y/o los pulmones.

Egofonía Una prueba de disminución de los ruidos ventilatorios realizada colocando el diafragma del estetoscopio sobre la zona en cuestión, en tanto el paciente emite un sonido prolongado de "iiiii" o "eeeiiiii" indica consolidación pulmonar.

Elevación Una sensación que se percibe al palpar la pared del tórax en la que los latidos cardíacos son en extremo fuertes; sugiere hipertrofia; también llamada tirón.

Equimosis Hematoma localizado o colección de sangre dentro o bajo la piel.

Escala de coma de Glasgow (ECG) Un recurso de valoración para determinar el grado de conciencia mediante la evaluación y asignación de puntos (calificaciones) a la abertura ocular, las respuestas verbal y motora, que después se suman; eficaz para ayudar a predecir los resultados de los pacientes.

Escoliosis Curvatura lateral de la columna vertebral.

Esfigmomanómetro Un dispositivo para medir la presión arterial; un manguito de presión arterial.

Estado de salud actual Una imagen compuesta por varios factores en la vida de un paciente, como los hábitos alimentarios, los medicamentos de uso actual, las alergias, el ejercicio, el uso de alcohol o tabaco, el uso de drogas recreativas, los patrones de sueño y sus alteraciones, y las inmunizaciones.

Estertores Ruidos húmedos de traqueteo, burbujeo o crepitación que indican la presencia de líquido en las vías aéreas pequeñas.

Estremecimiento Un sonido anormal *susurrante* de riego sanguíneo turbulento a través de una arteria estenótica; suele escucharse en las arterias carótidas.

Estridor Un ruido ventilatorio de tono alto, burdo, producido conforme el aire se mueve a través de una obstrucción dentro o inmediatamente arriba de la abertura glótica; se asocia con una obstrucción grave de la vía aérea superior.

Evaluación de la escena Un paso en el proceso en la evaluación del paciente que implica la valoración rápida de la escena y su medio circundante para obtener información en cuanto a la seguridad global y estabilización, y el mecanismo de lesión o la naturaleza de la enfermedad. Este proceso se hace antes de ingresar a la escena e iniciar la atención de un paciente.

Evaluación primaria Parte del proceso de estudio de un paciente que se centra en identificar condiciones inmediatas o potenciales que ponen en riesgo la vida, de manera que se pueda iniciar la atención para salvarla.

Evaluación secundaria Proceso por el que obtiene información más detallada, cuantificable y objetiva del paciente en cuanto a su estado total de salud.

Exploración de cuerpo completo Una revisión sistemática de cabeza a pies, que se realiza durante la evaluación secundaria de un paciente que sufrió un

Kit de preparación continuación

mecanismo de lesión significativo, no presenta respuesta, o se encuentra en estado crítico.

Exploración dirigida Un tipo de exploración física que suele hacerse en los pacientes que responden y sufrieron una lesión aislada; se basa en la principal manifestación y se centra en un aparato, sistema o parte corporal.

Fractura patológica Aquella que ocurre cuando se aplican fuerzas normales a estructuras óseas anormales.

Fractura traumática. Fractura que ocurre cuando se aplican fuerzas anormales sobre estructuras óseas normales.

Frémito Una vibración de zumbido que puede palparse a través de la pared del tórax y sugiere un soplo subyacente.

Frotes de fricción pleural Ruidos chirriantes o de rallado que se presentan cuando los revestimientos pleurales se frotan entre sí, lo que podría percibirse en la inspiración, exhalación o ambas; por lo general, causados por la inflamación de la pleura.

Historia de la enfermedad actual Una narración detallada de los síntomas que un paciente experimenta, por lo general obtenida con las siglas nemotécnicas OPQRST.

Historia clínica del paciente Información en cuanto a su manifestación principal, los síntomas presentes y las enfermedades previas.

Historia social Una subsección de la historia clínica del paciente que provee información valiosa acerca de su estado de salud total y ayuda a identificar factores de riesgo de diversos procesos patológicos; incluye aspectos como el uso de tabaco, alcohol y drogas, la conducta sexual, la alimentación, la historia de viajes, el ambiente de vida y la ocupación.

Iatrogenia Relacionado con un efecto secundario o la complicación del uso de medicamentos u otros métodos terapéuticos. Impresión inicial. Una conclusión acerca del problema del paciente en el campo de su ejercicio profesional con base en el cuadro clínico y la exclusión de otras posibles causas, por consideración del diagnóstico diferencial.

Impresión general La impresión inicial total que determina la prioridad de la atención de un paciente; con base en el ambiente circundante, el mecanismo de lesiones, los signos y síntomas y la manifestación principal.

Inspección Observación del paciente, ya sea en general o de una región específica (p. ej., su aspecto general visto desde la puerta de entrada, en comparación con su observación específica de la pared torácica en cuanto a anomalías/deformidades).

Inteligencia cultural Capacidad de funcionar eficazmente a través de varios contextos, interacción con personas de todas las nacionalidades y la relación con todos aquellos que presentan diferencias étnicas, políticas y generacionales.

Lesiones Regiones localizadas de la piel que no se parecen a la zona que las circunda.

Lordosis Curvatura interna de la columna lumbar apenas arriba de las nalgas. Su forma exagerada da lugar a la circunstancia conocida como hiperlordosis o lomo hundido.

Manifestación principal El motivo por el que el paciente busca ayuda.

Mecanismo de lesión (ML) La serie de sucesos resultantes en lesiones traumáticas; fuerzas que actúan sobre el cuerpo y causan lesión.

Moteado Un patrón de manchas de la piel; un dato característico de estados de hipoperfusión grave prolongada y estado de shock.

Naturaleza de la enfermedad (NE) El tipo general de afección que un paciente está aparentemente experimentando.

Negativos pertinentes Ausencia de ciertos signos y síntomas que normalmente se esperan ante enfermedades o condiciones específicas; estos hallazgos no justifican ninguna atención o intervención médica, pero demuestran lo exhaustivo de la exploración del paciente y su historia clínica.

Oftalmoscopio Un instrumento usado para explorar los ojos de un paciente y visualizar la retina y el líquido llamado humor acuoso; consta de un espejo cóncavo y una lámpara de baterías que suelen contenerse dentro de un mango.

Otoscopio Un instrumento usado para explorar los oídos de un paciente; consta de un cabezal y un

Kit de preparación continuación

mango. El primero contiene una fuente de luz eléctrica y lentes de aumento de baja potencia.

Oximetría de pulso Un recurso de valoración que se usa para medir la saturación de oxígeno de la hemoglobina en los lechos capilares.

Palidez Coloración de la piel distinta del tono basal y sugiere disminución del riego sanguíneo o la oxigenación.

Palpación Contacto físico con el propósito de obtener información (p. ej., detectar hipersensibilidad).

Parestesia Sensación de hormigueo o cambio sensorial.

Pectoriloquia susurrada Una prueba de disminución de los ruidos ventilatorios realizada colocando el diafragma del estetoscopio sobre la zona en cuestión, mientras el paciente susurra "noventa y nueve"; un sonido claro de gran volumen que indica consolidación pulmonar.

Percusión Golpes suaves de la superficie del cuerpo, por lo general, sobre diversas cavidades, para detectar cambios en las densidades de las estructuras subyacentes.

Perfusión La circulación de sangre oxigenada a través de los tejidos y vasos corporales.

Plegamiento Una condición en la que la piel se retrae en forma lenta después de pinzarse y jalarse ligeramente alejándose del cuerpo; un signo de deshidratación.

Presión arterial (PA) Medición de la fuerza ejercida contra las paredes de los vasos sanguíneos conforme el corazón se contrae y relaja; se calcula como el producto del gasto cardíaco y la resistencia vascular periférica.

Presión diastólica Resultado de la presión residual en el aparato circulatorio mientras el ventrículo izquierdo se relaja (p. ej., en diástole).

Presión sistólica Aquella creada por el ventrículo izquierdo cuando se contrae (p. ej., en la sístole).

Propiocepción Percepción de la posición y el movimiento del cuerpo o las extremidades.

Pulso La onda de presión creada conforme el corazón se contrae y fuerza la sangre fuera del ventrículo izquierdo y hacia las arterias principales; se palpa en un punto donde la arteria pasa cerca de un hueso.

Recorrido corporal total rápido Una revisión sistemática y palpación del cuerpo de un paciente de 60 a 90 segundos para identificar lesiones que deben tratarse o protegerse de inmediato; también llamado barrido rápido de todo el cuerpo.

Reflejo de Cushing Combinación de pulso decreciente, presión arterial creciente, y un patrón ventilatorio errático; un signo grave de los pacientes con traumatismo cefálico o accidente cerebrovascular.

Reflejos Respuestas motoras involuntarias ante estímulos sensoriales específicos, como un golpe en una rodilla o la caricia de una pestaña.

Reflejos primitivos Reacciones automáticas, como los de Babinski, de sujeción y de succión, que normalmente muestran los lactantes.

Reevaluación La porción del proceso de evaluación en la que la condición del paciente se revalora y se ponderan las respuestas al tratamiento.

Rigidez Un signo importante en la clínica que se caracteriza por irritación peritoneal notoria y defensa voluntaria, que indica una lesión o enfermedad para la que puede requerirse una intervención quirúrgica emergente.

Roncus Ruidos ventilatorios de bajo tono gruesos que se escuchan en los pacientes por la presencia crónica de moco en la vía aérea superior.

Rubor Enrojecimiento; uno de los signos clásicos de la inflamación.

Ruidos broncovesiculares Una combinación de ruidos ventilatorios traqueales y vesiculares; se escuchan donde se encuentran los alvéolos de la vía aérea, en la parte alta del esternón y entre las escápulas.

Ruidos bronquiales Sonidos de tono bajo, tubulares, huecos, que se auscultan sobre la tráquea.

Ruidos de Korotkoff Sonidos relacionados con la medición de la presión arterial que se auscultan por el estetoscopio.

Ruidos ventilatorios adventicios Ruidos anormales, como sibilancias, roncos, estertores, estridores y frotes de fricción pleural.

Ruidos vesiculares Ruidos ventilatorios normales que hace el aire al moverse dentro y fuera de los alvéolos.

Kit de preparación continuación

Seguridad del paciente Disminución del riesgo y daño innecesarios vinculados con los servicios médicos de emergencia, que se mantienen en un mínimo aceptable, y se define por los límites de la mejor evidencia, equipo, tecnología y destreza humana posibles.

Sibilancia Un sonido silbante de tono alto que se puede escuchar en la inspiración, exhalación o ambas, que indica movimiento de aire a través de una vía aérea inferior constreñida, como en el asma.

Signo de Battle Equimosis sobre la apófisis mastoides, que puede indicar fractura de la base del cráneo; también conocida como equimosis retroauricular u ojos de mapache.

Signos Observaciones objetivas que pueden percibirse por la vista, oírse, sentirse, olerse o medirse.

Signos vitales ortostáticos Conjunto de múltiples signos vitales que se obtienen con el paciente en diferentes posiciones (p. ej., supina y sentada o de bipedestación) para determinar el grado de hipovolemia; también llamada prueba de inclinación.

Síntomas Información subjetiva que el paciente percibe, como dolor, malestar u otra anomalía.

Soplo Un ruido *susurrante* anormal percibido sobre el corazón que indica un riego sanguíneo turbulento alrededor de una válvula cardíaca.

Suceso aparentemente mortal (SAM) Una crisis caracterizada por alguna combinación de apnea (central u obstructiva), cambio de color de la piel (cianótica, pálida, eritematosa o pletórica), cambio en el tono muscular (por lo general disminuido) y asfixia o reflejo nauseoso.

Tirón La percepción de que el corazón late muy fuerte; se percibe a la palpación de la pared torácica, dato que sugiere hipertrofia; también llamado elevación.

Tríada de Beck La combinación de disminución de la presión del pulso, ruidos cardíacos amortiguados, y distensión de las venas yuguladas, relacionada con el taponamiento cardíaco; por lo general, causada por un traumatismo penetrante de tórax.

Turgencia Pérdida de la elasticidad cutánea.

Vasoconstricción Estenosis del diámetro de un vaso sanguíneo.

Vasodilatación Ensanchamiento del diámetro de un vaso sanguíneo.

Referencias

1. Emergency medical services workers: injury data. Centers for Disease Control and Prevention website. https://www.cdc.gov/niosh/topics/ems/data.html. Revisado el 21 de septiembre de 2021. Consultado el 27 de enero de 2022.
2. Maguire BJ, Smith S. Injuries and fatalities among emergency medical technicians and paramedics in the United States. *Prehosp Disaster Med*. 2013;28(4):376-382
3. Reichard AA, Marsh SM, Moore PH. Fatal and nonfatal injuries among emergency medical technicians and paramedics. *Prehosp Emerg Care*. 2011;15(4):511-517
4. Centers for Disease Control and Prevention. Guideline for hand hygiene in health-care settings: recommendations of the Healthcare Infection Control Practices Advisory Committee and the HICPAC/SHEA/APIC/IDSA Hand Hygiene Task Force. *MMWR*. 2002;51(RR-16).
5. Tourniquet: clinical indications. JointEMS Protocols website. https://www.jointemsprotocols.com/Tourniquet. Consultado el 27 de enero de 2022.
6. Fleming S, Gill P, Jones C, et al. The diagnostic value of capillary refill time for detecting serious illness in children: a systematic review and meta-analysis. HuyNT, ed. *PLoS One*. 2015;10(9):e0138155.
7. Kragh JK, Littrel ML, Jones JA, et al. Battle casualty survival with emergency tourniquet use to stop limb bleeding. *J Emerg Med*. 2011;41(6):590-597
8. Beekley AC, Sebesta JA, Blackbourne LH, et al. Prehospital tourniquet use in Operation Iraqi Freedom: effect on hemorrhage control and outcomes. *J Trauma*. 2008;64(2 suppl):S28-S37.
9. Smith ER, Shapiro G, Sarani B. The profile of wounding in civilian public mass shooting fatalities. *J Trauma Acute Care Surg*. 2016;81(1):86-92
10. The National Academies of Sciences, Engineering, and Medicine. https://www.nationalacademies.org/hmd/About-HMD.aspx. Consultado el 27 de enero de 2022.
11. Institute of Medicine Committee on Quality of Health Care in America. *Crossing the Quality Chasm: A New Health System for the 21st Century*. National Academy of Sciences website. http://www.nationalacademies.org/hmd/~/media/Files/Report%20Files/2001/Crossing-the-Quality-Chasm/Quality%20Chasm%202001%20

Kit de preparación continuación

%20report%20brief.pdf. Publicado en marzo de 2001. Consultado el 27 de enero de 2022.

12. Traffic safety facts 2016 data: alcohol-impaired driving. National Highway Traffic Safety Administration website. https://crashstats.nhtsa.dot.gov/Api/Public/ViewPublication/812450. Publicado en octubre de 2017. Consultado el 27 de enero de 2022.
13. Buchtel EE. (2014). Cultural sensitivity or cultural stereotyping? Positive and negative effects of a cultural psychology class. *Int J Intercult Relat.* 2014:39;40-52.
14. Molinet J. Northwell equips ambulances with video remote interpreting access. https://www.northwell.edu/center-for-emergency-medical-services/news/the-latest/northwell-equips-ambulances-with-video-remote-interpreting-access-. Publicado el 22 de mayo de 2019. Consultado el 4 de marzo de 2022.
15. Krebs EE, Carey TS, Weinberger M. Accuracy of the pain numeric rating scale as a screening test in primary care. *J Gen Intern Med*. 2007;22(10):1453-1458
16. Lord B. The assessment of pain in paramedic practice. EMS World website. May 1, 2016. https://www.hmpgloballearningnetwork.com/site/EMSWorld/211793/assessment-pain-paramedic-practice. Consultado el 27 de enero de 2022.
17. Sasser SM, Hunt RC, Faul M, et al. Guidelines for field triage of injured patients: recommendations of the National Expert Panel on Field Triage, 2011. Centers for Disease Control and Prevention website. https://www.cdc.gov/mmwr/preview/mmwrhtml/rr6101a1.htm. Consultado el 27 de enero de 2022.
18. Taylor J, McLaughlin K, McRae A, et al. Use of prehospital ultrasound in North America: a survey of emergency medical services medical directors. *BMC Emerg Med.* 2014;14:6.
19. What is anisocoria? American Association for Pediatric Ophthalmology and Strabismus website. https://aapos.org/glossary/anisocoria-and-horners-syndrome. Consultado el 27 de febrero de 2021.
20. Naqvi U, Sherman AI. Muscle strength grading. StatPearls [Internet]. Treasure Island (FL): StatPearls Publishing. https://www.ncbi.nlm.nih.gov/books/NBK436008/. Actualizado el 2 de septiembre de 2021. Consultado el 4 de marzo de 2022.
21. Spaite DW, Hu C, Bobrow BJ, et al. The effect of combined out-of-hospital hypotension and hypoxia on mortality in major traumatic brain injury. *Ann Emerg Med*. 2017;69(1):62-72

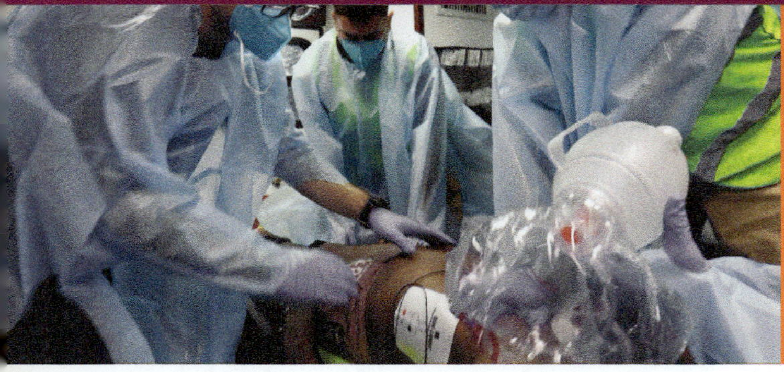

Capítulo 9

Pensamiento crítico y toma de decisiones clínicas

COMPETENCIAS DEL ESTÁNDAR NACIONAL DE EDUCACIÓN EN SEM

Evaluación

Integrar los hallazgos de la escena y la evaluación del paciente con los conocimientos de epidemiología y fisiopatología para formar una impresión general. Esto incluye el desarrollo de una lista de diagnósticos diferenciales a través del razonamiento clínico para modificar la evaluación y elaborar un plan de tratamiento.

OBJETIVOS COGNITIVOS

1. Describir las cuatro piedras angulares de una práctica paramédica eficaz. (pp. 610-613)
2. Explicar las ventajas y desventajas de los protocolos de pacientes, aplicar indicaciones estándar y los algoritmos de atención al paciente en el sistema de servicios de emergencias médicas (SEM). (p. 612)
3. Explicar cómo identificar a los pacientes con riesgos críticos para la vida de aquellos en estado grave y de los que presentan lesiones mínimas que no ponen en peligro la vida. (pp. 613-614)
4. Describir las cinco fases del pensamiento crítico y su proceso en el entorno prehospitalario. (pp. 614-619)
5. Describir las seis R de la toma de decisiones clínicas. (pp. 619-623)

OBJETIVOS DE DESTREZA

No hay objetivos de destreza para este capítulo.

Introducción

La descripción más básica de lo que hace un médico a diario es la siguiente: identificar problemas, establecer prioridades en la atención al paciente, desarrollar un plan de tratamiento y llevarlo a cabo. Aunque estos pasos son cruciales, al aplicar la **medicina como recetario de cocina** —la práctica de seguir al pie de la letra los pasos sin pensar en lo que se hace o si funciona— no es una forma eficaz de practicar la medicina prehospitalaria. La práctica de la medicina prehospitalaria efectiva requiere que usted sea un "cocinero pensante", porque muchos pacientes se presentan de forma atípica cuando se comparan con las descripciones clásicas de los libros de texto. Para complicar aún más las cosas, el entorno prehospitalario es dinámico; siempre debe estar consciente de la situación porque la estabilidad de la escena con frecuencia es un problema que se puede deteriorar sin previo aviso (**FIGURA 9-1**). Algunos paramédicos que han trabajado en un departamento de emergencias (DE) hospitalario dicen que trabajar en uno de estos es menos caótico que

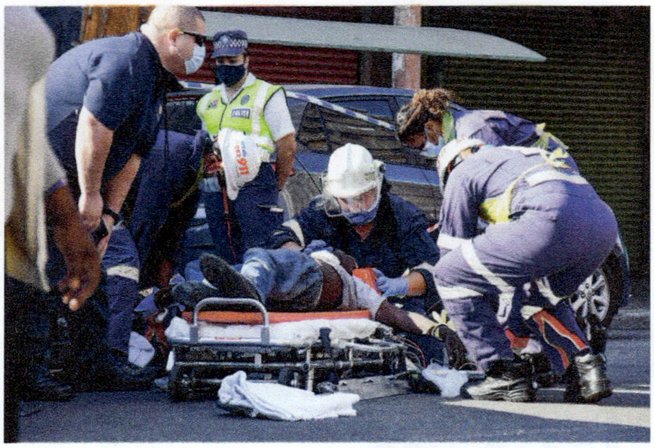

FIGURA 9-1 Su trabajo como paramédico rara vez se realiza en un entorno tranquilo y libre de estrés. Tendrá que dominar la habilidad de tomar decisiones en un entorno a veces caótico.

trabajar en las calles. La mayoría de los servicios de urgencias, en general están bien iluminados, se encuentran en zonas conocidas y por lo regular son lugares seguros para que trabajen los profesionales de la salud. No siempre es así cuando se trabaja en la escena. Los paramédicos se pueden encontrar con pacientes en muchos escenarios diferentes: en la calle, en una autopista, en un callejón, en la escena de un crimen o en la casa del paciente, por mencionar algunas posibilidades. La variedad mantiene el trabajo fresco y, a veces, emocionante. Como se suele decir: "¡Si has visto una llamada del SEM, has visto una llamada del SEM!" A pesar de lo impredecible de su trabajo, como paramédico, que trabaja en el ámbito prehospitalario, se espera que proporcione una atención de calidad al paciente en escenarios que pueden ser estresantes e incluso inestables.

Este capítulo se divide en dos partes, empezando con una explicación del pensamiento crítico y concluyendo con una discusión práctica de cómo puede aplicar las habilidades de pensamiento crítico en las calles. Para convertirse en un experto del pensamiento crítico y de la toma de decisiones clínicas, debe conocer las piedras angulares de los procesos del pensamiento y los términos que los describen.

Piedras angulares de la práctica paramédica eficaz

Recopilación, evaluación y procesamiento de la información

La primera piedra angular de su práctica paramédica implica recopilar, evaluar y sintetizar (procesar) la información. Cada día, llamada tras llamada, se encontrará con el reto de obtener información de pacientes de diferentes edades y niveles educativos, con distintas capacidades de comunicación. A veces, el consumo de alcohol o drogas, las barreras lingüísticas o las dificultades auditivas pueden impedir que un paciente responda a sus preguntas, lo cual complica aún más el proceso de evaluación del paciente.

Una vez recopilada la información, debe valorarla y evaluarla para formular un plan de tratamiento (recuerde la nemotecnia SOAP: obtener información **S**ubjetiva y **O**bjetiva, realizar la **A**tención de paciente con una evaluación y, a continuación, **P**lanificar el tratamiento). Debe comprobar la validez de la información, con frecuencia basándose en su propio juicio y en sus habilidades de comunicación. Por ejemplo, es posible que se encuentre con un paciente con esguince de tobillo que le pide morfina para el dolor. En un principio puede pensar que esta persona busca un fármaco ilícito. Sin embargo, otra consideración es que su paciente pueda ser un profesional de la salud o estar bien informado sobre medicamentos y tener baja tolerancia al dolor. Debido a que la morfina por lo regular no es un fármaco de primera línea para esguince de tobillo,

USTED es el Paramédico

PARTE 1

A las 11:02 horas, usted y su compañero son enviados al gimnasio Winner's porque una chica de 15 años se lesionó el hombro durante un entrenamiento de animadoras. Al llegar, suben al tercer piso y ven a una chica rodeada de gente. Un miembro del cuerpo técnico sujeta el brazo izquierdo de la chica. Un segundo miembro del personal le dice que la paciente estaba practicando una maniobra piramidal y no fue atrapada al caer. La paciente cayó aproximadamente 2.4 m (8 pies) sobre un suelo con resortes de gimnasia con los brazos extendidos.

1. Haga un resumen sobre su impresión general de esta llamada de emergencia y los factores que pueden estar implicados.
2. ¿Qué incluye su evaluación primaria y los pasos iniciales para el tratamiento de esta paciente?

puede ser que deba explicar a su paciente por qué no puede administrarle el fármaco y ofrecerle otras alternativas. Como paramédico con pensamiento crítico, debe ser lo más objetivo posible en su proceso de toma de decisiones.

Después de haber evaluado la información que obtuvo de la escena, del paciente o de un transeúnte, y de determinar qué información es válida o no, necesita **sintetizar** esta información. Sintetizar es combinar varios elementos, como los detalles de la historia clínica, en un todo de manera coherente.

Inteligencia en la calle

Su ética profesional exige que considere todas las posibilidades cuando se comunique con un paciente. Nadie llama a los SEM para que le juzguen. Concéntrese en cómo puede satisfacer mejor las necesidades de su paciente.

Por ejemplo, supongamos que se encuentra con un hombre de 64 años con dolor torácico. Este paciente tiene diabetes mellitus de tipo 1 desde la infancia, empezó a fumar en preparatoria y desde los 50 años padece enfermedad pulmonar obstructiva crónica (EPOC). La síntesis requiere que considere cómo interactúa cada elemento con los demás y, por último, cómo afectan al estado actual del paciente (**FIGURA 9-2**).

Perlas de sabiduría

Una vez establecido el diagnóstico diferencial, el plan de tratamiento se determina a través de los protocolos de atención al paciente o las indicaciones estándar del sistema del SEM en el que trabaje.

La **comorbilidad** se define como la presencia de dos o más enfermedades o condiciones crónicas en un paciente. En este escenario, el paciente tiene diabetes y EPOC. Una condición comórbida como la diabetes está directamente relacionada con complicaciones circulatorias (p. ej., el desarrollo de una enfermedad vascular). Además, en el contexto de un shock, un nivel elevado de glucosa en sangre puede provocar que la sangre sea progresivamente más espesa y pegajosa, empeorando aún más la situación. Además, mientras que un nivel de glucosa en sangre extremadamente bajo puede matar a alguien o provocar con rapidez daños cerebrales, un nivel de glucosa en sangre que se mantiene alto de manera crónica en relación al normal pasa factura a todos los órganos y sistemas del cuerpo. Piense en cuántas personas ha visto con diabetes de larga evolución que presentan problemas de visión o amputación de dedos de manos o pies debido a problemas de circulación y cicatrización. La otra condición comórbida del paciente, la EPOC, es una enfermedad de intercambio gaseoso inadecuado que a menudo provoca una combinación de hipoxia e hipercapnia. Usted debe tomar

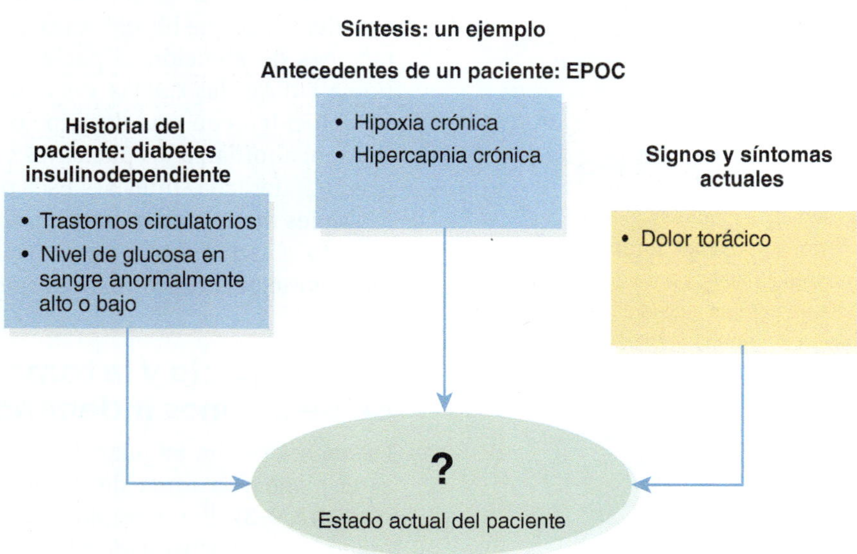

FIGURA 9-2 Cuando sintetice la información del paciente que ha recopilado, evalúe la importancia de la historia clínica del paciente (recuadros azules) y de los signos y síntomas (recuadro amarillo). Estos factores por lo regular se afectan mutuamente.

Abreviatura: EPOC, enfermedad pulmonar obstructiva crónica.

en consideración las comorbilidades del paciente mientras evalúa su nuevo síntoma, la aparición de dolor torácico. Es probable que la arteriopatía coronaria haya provocado la obstrucción de uno o más vasos del músculo cardíaco, causando que las células del corazón del paciente empiecen a necrosarse o morir. Si toma toda la información que ha recopilado y la sintetiza, entonces su conclusión sonaría más o menos así: "Tengo un paciente con enfermedades circulatorias y respiratorias. Existe la posibilidad de que parte de su corazón esté muriendo porque los vasos sanguíneos son incapaces de llevar sangre oxigenada a una parte del músculo cardíaco."

Debe tratar el efecto combinado de los procesos patológicos de este paciente para evitar que muera la sección no perfundida del corazón, lo cual podría matar al paciente. Esta es la parte de síntesis de la práctica paramédica: tomar condiciones individuales y unirlas mentalmente para determinar su potencial de tener un efecto que ponga en peligro la vida. En el escenario que acabamos de describir, debe considerar el diagnóstico probable de síndrome coronario agudo, una condición en potencia mortal.

Controversias

Un **diagnóstico** es la identificación de una enfermedad basada en sus signos y síntomas. La cuestión de si los proveedores prehospitalarios diagnostican enfermedades ha sido objeto de debate durante años. Algunos insisten en que los proveedores prehospitalarios se limitan a tratar los síntomas y que solo los médicos pueden diagnosticar formalmente las condiciones de los pacientes. Otros sostienen que los proveedores prehospitalarios sí diagnostican, incluso en ausencia de equipos sofisticados, utilizando la información obtenida de la historia clínica y el examen físico del paciente y, cuando está indicado, los resultados obtenidos con herramientas y pruebas de diagnóstico (p. ej., estetoscopio, glucómetro, pulsioxímetro, capnómetro, electrocardiógrafo). La frase utilizada para describir el diagnóstico del paciente cambia a medida que se recopila más información durante la atención al paciente (p. ej., impresión inicial, diagnóstico probable, diagnóstico diferencial) y vuelve a cambiar cuando la atención al paciente se transfiere a otros profesionales de la salud (p. ej., diagnóstico durante el ingreso).

Desarrollo y aplicación de un plan de tratamiento

La segunda piedra angular de su práctica paramédica es su habilidad para desarrollar y poner en práctica un plan de tratamiento. Este paso es mucho más sencillo que analizar la validez de la información recopilada. Después de determinar el problema principal del paciente mediante la identificación de la queja principal y establecer su diagnóstico probable, su plan de tratamiento se define y se guía por los protocolos de atención al paciente o las indicaciones estándar en el sistema del SEM en el que trabaja. Recuerde que su diagnóstico diferencial es la lista de posibles diagnósticos basados en los hallazgos de la evaluación del paciente. El diagnóstico probable es un único diagnóstico de esa lista diferencial en el que se basa el plan de tratamiento.

Los protocolos o las indicaciones estándar definen las normas clínicas básicas de atención a pacientes con determinadas lesiones, enfermedades o trastornos del comportamiento, tal y como se describe en el capítulo 1, *Sistemas de servicios de emergencias médicas*. Además, especifican los parámetros de actuación (es decir, qué terapias o intervenciones se pueden o no llevar a cabo sin tener contacto con el control médico), así como cuándo se debe poner en contacto con el control médico antes de proporcionar cuidados adicionales. En conjunto, los protocolos promueven tanto un enfoque estándar como una norma de atención de calidad definida por lineamientos a nivel regional, estatal o nacional. Asimismo, los protocolos proporcionan parámetros a los médicos del centro regulador para que no ordenen tratamientos con medicamentos que sean superiores a su nivel de formación o lo que por lo regular se lleva en su unidad.

Es lamentable que los protocolos, las indicaciones estándar y los algoritmos de atención al paciente solo aborden "listas de libros de texto clásicos" de presentaciones de atención al paciente. Por regla general, no se cubren las quejas vagas de los pacientes que no coinciden con una descripción clínica de manera clara, ni abordan a los pacientes con múltiples etiologías (¿recuerda la síntesis?). Esos pacientes requerirán múltiples modalidades en su plan de tratamiento. Por lo tanto, el siguiente paso es decidir qué hacer para satisfacer mejor las necesidades específicas del paciente.

Uso del juicio y la toma de decisiones independiente

La tercera piedra angular de su práctica paramédica es el juicio y la toma de decisiones independientes (**FIGURA 9-3**). Por ejemplo, suponga que le han llamado de una fábrica donde una persona se ha lesionado en el trabajo y ha sufrido un corte grave en la parte superior de la pierna. Con cada latido de su corazón, ve que brota una gran cantidad de sangre de la zona de la arteria femoral. En una situación así, lo

SEGURIDAD

Varios estudios han examinado la toma de decisiones clínicas por parte del personal de los SEM y han evaluado la precisión de los diagnósticos preliminares realizados por los paramédicos,[1] cómo determinan los paramédicos la necesidad médica de transporte,[2] la cancelación adecuada de las llamadas para soporte vital avanzado (SVA), la competencia de los paramédicos,[3] la eficacia del ámbito de la práctica paramédica y otras cuestiones clínicas. En conjunto, los resultados de estos estudios sugieren que quizás se está pidiendo a los proveedores del SEM que tomen decisiones para las que no están capacitados. Además, a medida que se agregan procedimientos y tareas al ámbito de la práctica paramédica, una especie de "ampliación del ámbito" (cambio no controlado) puede dar lugar a decisiones que podrían perjudicar a los pacientes. Aun cuando esta observación apunta a un potencial de error mayor debido a las crecientes exigencias sobre las habilidades y la toma de decisiones de los SEM, no se han propuesto recomendaciones concretas para hacer frente a este dilema. No obstante, es muy probable que se requiera de una formación adicional en la toma de decisiones complejas; habilidades de baja frecuencia y alto riesgo; y equipos avanzados, así como apoyo adicional en tiempo real por parte de los médicos de control del centro regulador.

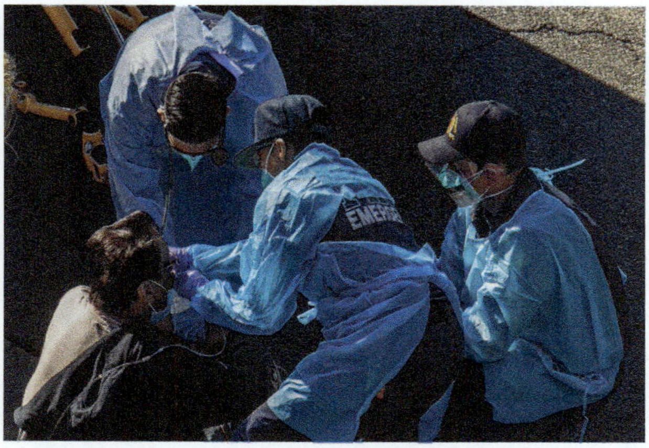

FIGURA 9-3 Cada llamada tiene sus propias circunstancias y retos. Gran parte de su atención al paciente depende del uso de una toma de decisiones metódica y extensa.

mejor para el paciente es retrasar cualquier contacto con el centro regulador hasta que se haya controlado la hemorragia y esté de camino al hospital. Debe actuar de inmediato para salvar la vida del paciente o este puede morir. Incluso en las mejores circunstancias, si no se ocupa primero de la hemorragia, este paciente puede morir mucho antes de que finalice su llamada al centro regulador. Para salvar al paciente, debe reconocer la arteria seccionada como una amenaza vital inmediata y aplicar un torniquete sobre la herida y un apósito hemostático para asegurar el control de la hemorragia.

Considere otro escenario en el que le llaman para atender a una paciente que está en paro cardíaco sobre el pasto junto a su buzón. En tal situación, empezaría de inmediato la RCP de alta calidad en la escena, incluida la desfibrilación si estuviera indicada. A continuación, una vez en camino, proporcionaría cuidados de SVA (es decir, obtendría acceso intravenoso o intraóseo, administraría vasopresores e insertaría un dispositivo avanzado para la vía aérea). Ahora imagine que ese mismo paciente se encuentra en el ático en un departamento de un tercer piso con una pequeña y traicionera escalera exterior como único punto de acceso. Debido al entorno físico, se da cuenta de que es imposible sacar con rapidez y eficacia al paciente del departamento para trasladarlo al servicio de urgencias. En este caso, tiene que tomar una decisión: suspender la reanimación en la escena o reanimar y estabilizar al paciente antes de su traslado.

Conforme cambien las circunstancias, también puede ocurrir con su plan de tratamiento. Sin embargo, los cambios necesarios en el tratamiento solo se producirán si utiliza de la mejor manera posible su pensamiento crítico y su capacidad de decisión.

Pensar y trabajar bajo presión

La cuarta y última piedra angular de su práctica como paramédico es su habilidad para pensar y trabajar bajo presión. Imagine que toca a la puerta de una residencia a la que ha sido enviado y una madre histérica abre la puerta y le entrega a un niño de 14 meses con cianosis y apnea que ha estado sumergido en la tina "solo uno o dos minutos". Su pensamiento crítico le dice que el niño debe empezar a respirar en los próximos segundos o sufrirá un paro cardíaco, si es que aún no se ha producido, lo que reducirá sus posibilidades de salvarle la vida. Solo una combinación de conocimientos y excelentes habilidades clínicas le permitirán evitar que la atención al paciente sea un desastre: la muerte de un niño. Debe ser capaz de trabajar bajo una presión extrema y pensar, analizar la situación y actuar con rapidez y eficacia.

Margen de condiciones del paciente

Un elemento clave de la práctica paramédica es tener la capacidad de determinar rápido si el paciente está enfermo. En el caso de los pacientes enfermos, debe tener la capacidad de cuantificar su gravedad, lo que a su vez le permitirá tomar las mejores decisiones en cuanto a la atención que debe prestar en la escena y en la ambulancia durante el trayecto. Este proceso se complica cuando hay varios pacientes enfermos o lesionados.

Poblaciones especiales

Puede ser un reto reconocer si un bebé o un niño está enfermo o no porque estos pacientes tienden a ser de "baja frecuencia, pero de alta gravedad". En otras palabras, los paramédicos no atienden muchas llamadas de niños, pero cuando lo hacen, suelen ser llamadas graves. Para mejorar su capacidad, considere la posibilidad de realizar cursos de formación continua y leer artículos de investigación sobre pediatría. La formación con simulación también puede ser una preparación útil.

Pensamiento crítico y toma de decisiones clínicas

Como proveedor del SEM, debe comprender los procesos de pensamiento y toma de decisiones. Si comprende mejor cómo se forman y procesan sus pensamientos, podrá aprender a pensar con mayor eficacia. El proceso de pensamiento crítico se puede dividir en cinco fases: formación de conceptos, interpretación de datos, aplicación de principios, reflexión *en* acción y reflexión *sobre* la acción.

Formación de conceptos

La primera fase del proceso de pensamiento en la atención prehospitalaria consiste en recopilar información: cosas que se ven, oyen, huelen o sienten e información que se obtiene aplicando las herramientas de diagnóstico. Este proceso se denomina **formación de conceptos**.

La formación de conceptos empieza al llegar al lugar, tomar conciencia de la situación y evaluar el escenario para garantizar su seguridad, la de su equipo y la del paciente. En el proceso de evaluación del paciente, este paso se conoce como reconocimiento de la escena. Como ya hemos dicho, no se trata de un acto aislado, sino que requiere mantener una conciencia constante durante todo el encuentro. En el caso de un traumatismo, determine el mecanismo de lesión (ML) o, en caso de una llamada médica, la naturaleza de la enfermedad (NE) actual. ¿Cómo se presenta el paciente? ¿Parece incómodo, asustado o mortalmente enfermo? Evalúe el nivel de consciencia (NC) del paciente, en parte para determinar si le puede proporcionar información confiable sobre la cual actuar. Esta

USTED es el Paramédico

PARTE 2

Mientras habla con el miembro del personal, este le dice que vio caer a la paciente y le informa que solo parece haberse lastimado el brazo. No observó ningún traumatismo en la cabeza ni en el cuello. Usted examina a la paciente y observa que su brazo izquierdo presenta una deformidad angular en la región del húmero. Usted observa un movimiento anormal cada vez que ella intenta mover el brazo, y no puede moverlo sin referir un dolor "muy fuerte". La paciente califica su nivel de dolor como 9 en una escala de 0 a 10, pero niega tener dolor de cabeza, cuello o espalda. Usted obtiene sus signos vitales mientras un miembro del personal sigue sujetándole el brazo. Los padres de la paciente no están en el lugar, pero un miembro del personal le dice que los están localizando. Aunque la paciente está visiblemente agitada, no llora y responde de manera adecuada a las preguntas.

Tiempo de registro:	0 minutos
Aspecto	Visiblemente alterada, evidente deformidad del brazo
Nivel de conciencia	Alerta y orientada
Vía aérea	Abierta y permeable
Respiración	Normal, 22 respiraciones/min
Circulación	Pulso radial, taquicárdica

3. ¿Ha reunido suficientes datos para convertir su impresión sobre el terreno en un plan de tratamiento?
4. ¿Debe administrar analgésicos?

evaluación inicial del NC también establecerá una línea de base a la que remitirse más adelante a medida que avance la llamada y en caso de que cambie el estado del paciente.

A medida que avanza en el proceso de recopilación de información conforme realiza una evaluación primaria centrada en la identificación y corrección de cualquier amenaza inmediata para la vida de la paciente relacionada con el ABCDE (vía aérea, respiración, circulación, discapacidad y exposición). Usted continúa y lleva a cabo una evaluación secundaria y un examen físico e identifica la queja principal del paciente. Al obtener un historial SAMPLE (**S**ignos y síntomas, **A**lergias, **M**edicamentos, antecedentes médicos **P**ertinentes, última ingesta [del inglés [***L**ast oral intake*], los sucesos [del inglés ***E**vents*] que llevaron a la enfermedad o lesión) podrá recopilar información importante del paciente, incluido cualquier medicamento que esté tomando (p. ej., con receta, sin receta, ilegal, a base de hierbas).

FIGURA 9-4 Obtenga pistas no solo de las emociones del paciente, sino también del entorno. Evalúe todo el entorno para asegurarse de que comprende bien su efecto sobre la condición del paciente. Esta llamada fue para una mujer que estaba débil y mareada en una parada de autobús.

Inteligencia en las calles

El conocimiento de la situación es una destreza paramédica esencial. Le ayudará a anticipar factores que podrían interrumpir la atención al paciente o incluso suponer un peligro físico para usted y su equipo. Puede provocar una sensación de que "algo no está bien". Como parte de su conocimiento de la situación, observe a los miembros de la familia en busca de pistas. ¿Parecen preocupados o nerviosos? ¿Les parece de rutina llamar al 9-1-1? ¿Están posicionados en un rincón llorando o intentan ver su programa favorito en la televisión durante su evaluación?

Esté alerta ante situaciones que no son lo que parecen.

Una de las observaciones más importantes que debe juzgar es el **afecto** o emoción de su paciente, o el estado emocional reflejado en el comportamiento físico (**FIGURA 9-4**). La emoción puede no coincidir con lo que le dice el paciente. Por ejemplo, puede tratar a un paciente que presenta un comportamiento maniaco que se puede asociar al abuso de anfetaminas, pero el paciente niega haber consumido drogas. Puede que incluso vea una parafernalia farmacológica. Debe evaluar la exactitud de la información que está recibiendo si no coincide con lo que usted está viendo y oyendo.

Por último, debe obtener los signos vitales del paciente y los resultados de las pruebas clínicas pertinentes utilizando sus principales instrumentos de diagnóstico (p. ej., glucómetro, pulsómetro, oxímetro, capnómetro, monitor de electrocardiograma [EKG], brazalete de presión arterial [PA] y estetoscopio).

Interpretación de los datos

Durante la segunda fase del proceso de pensamiento crítico, debe evaluar toda la información que ha recopilado y llegar a una conclusión, lo que se denomina **interpretación de los datos**. Para entender cómo funciona el cuerpo y cómo responde cuando surgen complicaciones, necesita una sólida formación en anatomía, fisiología y fisiopatología. Otro elemento clave es su nivel de formación y experiencia. Si usted ha llegado a su programa paramédico como un PAP con experiencia, entonces usted puede tener una excelente plataforma para construir. Sin embargo, incluso sin esos antecedentes, aplicarse a sus estudios le ayudará a afrontar los retos de trabajar en los SEM. Siéntase siempre libre de preguntar a sus instructores y mentores. Por lo general, la única mala pregunta es la que no se hace.

La forma en que piensa y saca conclusiones se ve afectada no solo por las actitudes de sus pacientes, sino también por su actitud como profesional de la salud. Por ejemplo, *nunca* debe considerar que una llamada es una pérdida de tiempo o de talento. Además, los comentarios poco profesionales, como "¡No puedo creer que nos hayan llamado para *esto*!", demuestran falta de compasión y de interés por ofrecer atención de calidad al paciente. Tener una actitud negativa hacia cualquier paciente o situación de atención al paciente casi garantizará que la atención que preste no sea óptima. Para mantener los estándares de atención establecidos por su profesión, debe proporcionar la mejor atención posible a cada paciente que encuentre. De hecho, muchos programas paramédicos piden a sus estudiantes que en sus ceremonias de graduación juren la Declaración de Ginebra o el Código Ético.

Aplicación de principios

En la tercera fase del proceso de pensamiento crítico, su impresión inicial se convierte en su diagnóstico probable. La palabra clave es *probable*. El diagnóstico probable es lo que usted considera tentativamente que es el problema y el objetivo de su tratamiento. Tenga en cuenta que su diagnóstico probable no siempre se reduce a un solo problema, sino que puede incluir varias condiciones de su diagnóstico diferencial y las afecciones por las que está tratando al paciente.

A partir de este punto, su plan de tratamiento se rige por los protocolos de atención al paciente, o indicaciones estándar, del sistema del SEM en el que trabaja.

Reflexión *en* acción

En la cuarta fase del proceso de pensamiento crítico, usted atiende activamente al paciente mientras vigila los efectos de sus intervenciones. Piense en la *reflexión en acción* como *pensar mientras se hace.*

Por ejemplo, si la dificultad para respirar del paciente es considerable (nivel de Spo_2 inferior a 94% combinado con signos evidentes de hipoxia), le administraría oxígeno suplementario y volvería a evaluar al paciente al cabo de unos minutos, preguntándole: "¿Ya puede respirar con más facilidad?" Si la situación no mejora, tal vez sea conveniente realizar intervenciones adicionales (es decir, administrar un fármaco o una ventilación más agresiva). Es fundamental que periódicamente compruebe sus intervenciones para ver si hacen sentir mejor al paciente. Preguntar al paciente cómo está funcionando el tratamiento le da confianza e indica que usted está preocupado y se mantiene al pendiente de la situación (**FIGURA 9-5**). La reevaluación es una parte vital de la atención al paciente.

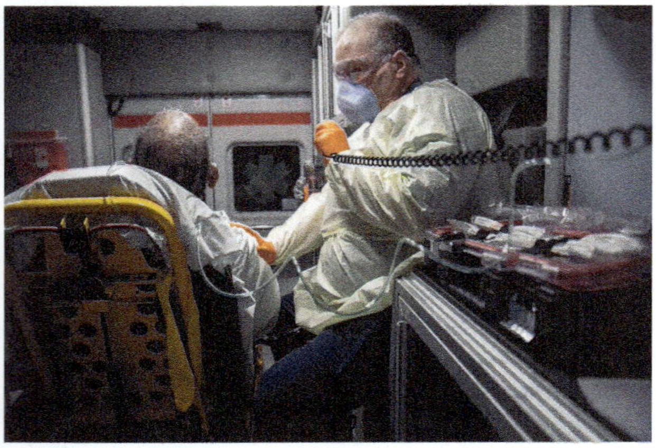

FIGURA 9-5 El estado de un paciente puede cambiar de manera rápida, en especial cuando la persona está muy enferma o lesionada de gravedad. Vigile de continuamente cualquier cambio en el estado del paciente.

Tomemos en consideración el caso de un hombre de 58 años que ha experimentado dolor torácico mientras movía piedras para su jardín. Aunque no tiene antecedentes de enfermedad cardiovascular, está en el grupo de edad adecuado para que usted sospeche de una condición cardíaca. Cuando le pregunta si le puede señalar dónde parece estar el dolor, sus dedos se cierran en un puño (lo que se conoce como el signo de Levine) mientras señala el lugar de su pecho situado directamente sobre el corazón. El problema podría seguir siendo el corazón, así que continúa con la evaluación y un plan de tratamiento para "descartar un infarto del miocardio".

Le pregunta si hay algo que mejore o empeore el dolor, y el paciente le explica que, si mantiene el brazo izquierdo inmóvil, el dolor desaparece. Sin embargo, al mover el brazo, el dolor se intensifica. Esta afirmación es clave porque usted sabe que el dolor asociado a un infarto de miocardio no se alivia simplemente quedándose quieto y sin mover una extremidad. Ahora revisa su impresión y centra su evaluación en la posibilidad de una lesión musculoesquelética, y cambian en consecuencia su plan de tratamiento e intervenciones. Antes de obtener esta información, probablemente habría administrado al paciente aspirina, nitroglicerina y quizás oxigenoterapia para mejorar el suministro de oxígeno y contrarrestar un posible infarto cardíaco. En cambio, ahora podría considerar la posibilidad de administrar un analgésico para aliviar el dolor de una lesión musculoesquelética aislada.

Documentación y comunicación

Es fundamental documentar qué procedimientos se realizan, qué medicamentos se administran y el efecto que el procedimiento o el medicamento haya tenido, en su caso, en el paciente.

Perlas de sabiduría

Para prestar atención óptima al paciente, evite la visión de túnel al determinar la causa de su condición. No se centre solo en su impresión general. A medida que recopile información, modifique su plan de tratamiento en función de los antecedentes adicionales adquiridos y de las necesidades del paciente.

Uno de los elementos clave de esta fase crítica del proceso de reflexión es evitar la **visión de túnel**. La visión de túnel se produce cuando uno se centra o considera solo un aspecto de una situación sin tener en cuenta antes todas las posibilidades. Mantenga la mente abierta a todas las posibles causas de la condición actual del paciente. Tal vez este paciente esté sufriendo un infarto de miocardio que se presenta de forma distinta a los signos y síntomas usuales, por lo que se debe obtener un EKG de 12 derivaciones y revaluar continuamente el estado del paciente.

Perlas de sabiduría

Es primordial conocer los servicios que ofrece su área de respuesta antes de acudir a una llamada a fin de garantizar los buenos resultados de los pacientes y la sostenibilidad del servicio. Muchos departamentos de urgencias y sistemas del SEM se han visto desbordados por la carga de pacientes y se están utilizando como lugares de atención primaria para algunas personas, por lo que es fundamental tener en cuenta la necesidad y el destino adecuado para el traslado de pacientes. Su área de respuesta puede ofrecer servicios no urgentes que ayuden a los pacientes a encontrar recursos como adicionales cuando la llamada al 9-1-1 no sea una emergencia médica o traumática. Dichos programas permiten evaluar a los "súper usuarios de un sistema" para determinar las necesidades de servicios como los cuidados domiciliarios, los servicios de transporte, los servicios de alimentación y los aspectos de seguridad que pueden haberse detectado durante la respuesta inicial del personal del SEM. Es posible que, debido al crecimiento de la paramedicina comunitaria, también se encuentre atendiendo a un paciente que pueda ser cuidado en casa y dado de alta con base en los protocolos locales y los servicios de seguimiento que se le puedan ofrecer.

Reflexión acerca de la acción

La última fase en el proceso de pensamiento crítico ocurre después de que la llamada ha terminado y comúnmente abarca revisiones de ejecución, críticas de ejecución o rendición de cuentas. Durante esta fase, vuelve la vista atrás y reflexiona sobre cómo se ha recopilado y procesado la información y cómo llegó a sus decisiones. Uno de los aspectos más difíciles de esta fase es aprender a aceptar que algo salió mal o que se podrían haber tomado mejores decisiones de tratamiento. Es esencial adoptar la actitud de que siempre se puede mejorar personal y profesionalmente. La revisión de la ejecución es una excelente oportunidad para evaluar qué pudo salir mal y cómo puede mejorar sus habilidades como paramédico. No se culpe ni se critique; simplemente analice, aprenda y siga adelante. Recuerde que usted no causó el infarto del paciente, es probable que hayan influido la genética, una nutrición inadecuada y un estilo de vida sedentario.

Regularmente se encontrará con pacientes con presentaciones atípicas, es decir, que no muestran los signos y síntomas clásicos de una enfermedad. Por

SEGURIDAD

Un error médico es un acto de omisión o comisión en la planificación o ejecución que contribuye o podría contribuir a un resultado no deseado.[4] En lugar de considerar que cada error médico es el resultado de un único error humano, es necesario profundizar y ver otros factores que pueden haber preparado el terreno para el fracaso. Los errores médicos se pueden clasificar en eventos adversos a los medicamentos, intervenciones quirúrgicas en sitios equivocados, caídas, quemaduras, úlceras por presión y errores en la identidad de los pacientes. Es probable que el índice de producir muchos más errores con consecuencias graves es mayor en la unidad de cuidados intensivos, el quirófano o el servicio de urgencias, así como durante la atención prestada por los paramédicos sobre el terreno o durante los traslados de pacientes críticos. Con frecuencia se producen durante las transiciones de la atención, lo que subraya la importancia de una comunicación adecuada con el departamento de urgencias.

Una cultura justa (creencias, costumbres y comportamientos aceptables dentro de una organización) se centra en identificar los problemas que conducen a errores o comportamientos inseguros, al tiempo que mantiene la responsabilidad individual por comportamientos imprudentes. Ayuda a distinguir varios tipos de errores, incluidos los errores humanos (es decir, pasos en falso), comportamientos de riesgo (es decir, tomar atajos) y comportamientos imprudentes (es decir, ignorar las medidas de seguridad requeridas). Los seres humanos no son perfectos, por lo que cualquier sistema creado por el hombre debe prever cierto nivel de error. Incluso los mejores paramédicos pueden cometer un error o un lapsus. El error humano por lo regular es producto del diseño del sistema y de las elecciones de comportamiento. Por lo tanto, no se debe considerar como una acción a castigar, sino como una oportunidad para pensar de forma crítica sobre el sistema y, en última instancia, mejorarlo.

ejemplo, puede ver a un paciente con una fractura de cuello que no tiene dolor. Para hacer un diagnóstico preciso, también debe utilizar todo lo que ha aprendido sobre la comunicación con los pacientes. Por ejemplo, es posible que el paciente proceda de una cultura que minimiza la presencia de dolor, por lo que vacila a la hora de comunicar este síntoma.

Perlas de sabiduría

Cuanto más aprenda, menos utilizará las palabras "siempre" y "nunca".

La reflexión le brinda la oportunidad de mejorar continuamente sus habilidades de pensamiento y toma de decisiones. A su vez, la atención al paciente mejorará a medida que adquiera más experiencia. Esté abierto al aprendizaje y recuerde que cada llamada a la que acuda, cada clase que tome y cada revisión de la ejecución a la que asista es otra oportunidad para mejorar sus habilidades (**FIGURA 9-6**). *El crecimiento personal y profesional no se producirá si no puede admitir los errores o no está dispuesto a seguir aprendiendo.* Terminar con éxito el programa paramédico es solo un punto de partida en su carrera como proveedor del SEM. Para proporcionar la mejor atención posible, se debe comprometer a aprender durante toda su vida. El rasgo más importante para una carrera exitosa de por vida en los SEM es un deseo genuino de mejorar continuamente como paramédico profesional.

FIGURA 9-6 Una revisión formal, o auditoría, de su rendimiento puede parecer intimidante. Sin embargo, también es una oportunidad para que usted obtenga retroalimentación significativa y mejore como paramédico, así que mantenga una mente abierta.

A continuación, se incluye una lista de los elementos fundamentales que contribuyen al pensamiento

USTED es el Paramédico

PARTE 3

La empleada le dice que ha intentado llamar a los padres dos veces, pero que aún no ha logrado localizarlos. Dice que seguirá intentando. Debido al dolor muy intenso de la paciente, usted decide llamar a control médico para que le autoricen dar analgésicos. Le da al médico un informe que incluye la estatura (1.5 m) y el peso (45 kg) de la paciente, y él le aconseja que le administre 5 mg de morfina seguidos de otra dosis de 2 mg de morfina 10 minutos después. La paciente está de acuerdo, usted coloca una vía intravenosa y administra 5 mg de morfina.

Tiempo de registro:	5 minutos
Respiraciones	26 respiraciones/min
Pulso	110 latidos/min
Piel	Cálida y seca
Presión arterial	110/80 mm Hg antes del analgésico (morfina) 2 min después de la administración de morfina: 100/50 mm Hg
Saturación de oxígeno (Spo_2)	100%
Pupilas	Pupilas iguales, redondas y reactivas a la luz y al acomodamiento (PIRRL)

5. ¿Cuál es su diagnóstico probable?
6. ¿Qué efectos cabe esperar de la administración de morfina?

crítico y al proceso de toma de decisiones clínicas. Conforme revise cada punto, pregúntese: "¿Ya tengo esta cualidad o necesito desarrollarla?"

- Conocimientos adecuados de anatomía, fisiología y fisiopatología
- Habilidad para reunir y organizar datos y formar conceptos
- Capacidad para centrarse en elementos específicos y múltiples de los datos
- Aptitud para identificar y tratar la **ambigüedad médica**, es decir, la incertidumbre respecto a la causa específica del estado del paciente (pocas llamadas seguirán al pie de la letra los "guiones" de sus protocolos).
- Destreza para diferenciar entre datos relevantes e irrelevantes
- Capacidad para analizar y comparar situaciones similares y contrarias
- Habilidad para articular su razonamiento y construir sus argumentos

De la teoría a la aplicación práctica

En cada llamada entran en juego varios factores únicos. Considere la siguiente situación:

> Se le envía a un llamado de "coche fuera de la carretera", en la que un vehículo con cuatro pasajeros se ha salido de una carretera resbaladiza y ha caído en una zanja a una velocidad estimada de 55 kilómetros por hora (kph). Piense en cómo cada una de las siguientes variables podría cambiar su forma de responder y manejar este llamado:
>
> - Los pasajeros no llevaban puesto el cinturón de seguridad.
> - El vehículo circulaba a 100 kph y no a 55 kph.
> - El vehículo ha volcado y está sobre el techo.
> - La temperatura exterior es de –7 °C y la localización del accidente se descubrió por lo menos una hora después.

Como se puede ver en la lista, las distintas variables crean muchos nuevos resultados posibles para los pacientes. Del mismo modo, su capacidad para manejar la llamada y la atención al paciente de forma adecuada se convierte en todo un reto. Incluso si solo unas pocas de las llamadas a las que responde a diario representan emergencias que ponen en peligro la vida, debe atender todas las llamadas con el mismo profesionalismo y proporcionar la mejor atención posible.

Como paramédico, debe aprender a hacer frente a sus reacciones, como el efecto de la respuesta de luchar o huir, cuando se enfrenta a emergencias médicas extremas (un tema tratado con más detalle en el capítulo 2, *Seguridad y bienestar del personal*). Esta respuesta puede perjudicar su capacidad de pensamiento crítico y disminuir su capacidad de concentración y evaluación. Una forma de contrarrestar estos efectos negativos es mejorar su condición mental y el rendimiento de sus habilidades. Practique sus destrezas hasta que pueda realizarlas por instinto (lo que se conoce como memoria muscular) y llevarlas a cabo en un laboratorio de destrezas. Una vez que haya alcanzado ese nivel de dominio de las destrezas, podrá utilizarlas rápidamente en la vida real, lo que le permitirá centrarse mejor en la evaluación del paciente o en otras áreas de toma de decisiones.

Memorice la siguiente lista de comprobación mental para todas las llamadas para así facilitar un mejor pensamiento bajo presión:

1. Tómese un momento para explorar la escena.
2. Tómese otro momento para detenerse y pensar.
3. Avance, tome decisiones y actúe en nombre del paciente.
4. Mantenga la calma y el control, y los conocimientos de la situación.
5. Reevalúe al paciente de forma regular y continua.

Perlas de sabiduría

No hay que dejarse engañar por pacientes que de inicio parecen sanos o sin lesiones. No dude en realizar una historia clínica exhaustiva y una exploración física completa, así como tomar otra serie de signos vitales.

Llevándolo a la calle

Cuando se está de guardia, el pensamiento crítico se puede resumir con las *seis R de la toma de decisiones clínicas* (**FIGURA 9-7**).

1. Revisar la escena

Una escena de emergencia está repleta de valiosa información a la que se puede tener acceso muy fácil. Esta información cuenta una historia que solo está disponible en la escena; y se convierte en no disponible en el momento en que se inicia el traslado al servicio de urgencias. Para revisar de forma eficaz la

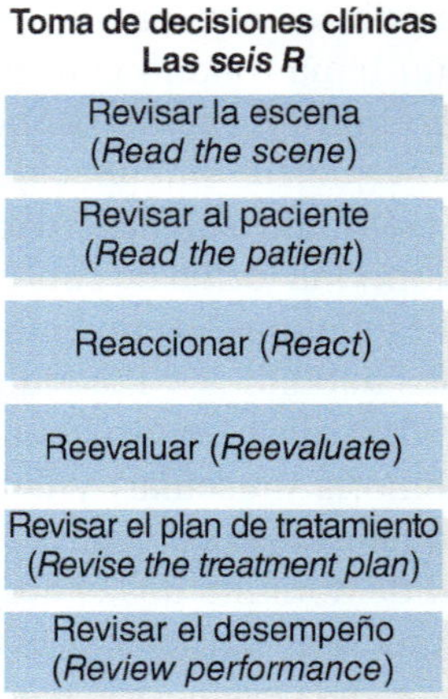

FIGURA 9-7 Las seis R de la toma de decisiones clínicas.

escena, debe evaluar los siguientes aspectos: (1) la seguridad general de la situación; (2) las condiciones ambientales; (3) el entorno inmediato; (4) cualquier problema de acceso y salida, y (5) el ML o NE (**FIGURA 9-8**). En particular, cuando se encuentre en una situación de emergencia, debe tener en cuenta los siguientes aspectos. En particular, cuando considere el ML, tómese su tiempo para evaluar todos los aspectos del incidente.

FIGURA 9-8 Aunque se debe centrar en tratar a los pacientes lo antes posible, tómese siempre un momento para recopilar información importante sobre la escena. Una evaluación eficaz de la escena le ayudará a estar seguro y a proporcionar una atención de calidad al paciente, como se explica en el capítulo 8, *Evaluación del paciente*.

Otros aspectos por tomar en consideración al evaluar la escena incluyen la evaluación del entorno. ¿Hace calor, frío o está húmedo? ¿Hay testigos, amigos o familiares que puedan aportar información adicional?

USTED es el Paramédico

PARTE 4

En la reevaluación, la paciente siente menos dolor y lo valora con un 5 en la escala de 0 a 10. Usted procede a inmovilizarle el brazo con un cabestrillo. Después de que usted y su compañero colocan a la paciente en una camilla y la trasladen a la ambulancia, llega su tía a la escena. Usted le da a la tía Julie un informe completo y le dice que van a trasladar a su sobrina al servicio de urgencias local para que reciba tratamiento. También informa a la tía Julie de que le va a administrar una segunda dosis de morfina. La tía le dice "¡No!" y que no debería haber administrado analgésicos a su sobrina.

Tiempo de registro:	10 minutos
Respiraciones	18 respiraciones/min
Pulso	70 latidos/min
Piel	Cálida y seca
Presión arterial	100/60 mm Hg
Saturación de oxígeno (Spo_2)	100%
Pupilas	PIRRL
EKG	Sinusal sin ectopia

7. ¿Cómo debe responder a la afirmación de la tía de que no debería haberle administrado analgésicos?

8. ¿Tenía derecho a administrar analgésicos a la paciente sin la presencia de sus padres?

2. Revisar al paciente

Una de las mejores habilidades que puede desarrollar es aprender a leer rápidamente a un paciente. Al acercarse, ¿le ve y le sigue visualmente? Ofrézcale al paciente su mano enguantada para estrecharla (o un gesto apropiado basado en la cultura y costumbres de la persona), preséntese y pregúntele por qué llamó al 9-1-1. Si el paciente le toma la mano y le contesta de manera adecuada, usted acaba de determinar que el paciente tiene una puntuación de 15 en la escala de coma de Glasgow (apertura espontánea de los ojos, sigue las órdenes, respuesta verbal adecuada). Otros componentes de una evaluación primaria y una historia clínica eficaces son los siguientes:

- **Observe al paciente.** ¿Cuál es el NC del paciente y su nivel de comodidad o malestar? ¿Tono de la piel? ¿Su posición? ¿Trabajo respiratorio? ¿Alguna deformidad o asimetría evidente?
- **Hable con el paciente.** Determine la queja principal. ¿Se trata de una enfermedad nueva o del empeoramiento de una enfermedad preexistente? Obtenga el historial médico y los acontecimientos que condujeron a la enfermedad o lesión.
- **Tocar al paciente.** Evalúe el color, la temperatura y la condición de la piel. Evalúe la frecuencia, regularidad y fuerza del pulso.
- **Ausculte los ruidos respiratorios.** Confirme si la respiración es adecuada o inadecuada y evalúe la permeabilidad de la vía aérea.
- **Identifique y corrija cualquier amenaza para la vida** relacionada con los ABCDE en el orden en que los encuentre.
- **Obtenga signos vitales completos y precisos** (**FIGURA 9-9**). Para cada paciente, incluidos los que se transportan en traslados de rutina, debe obtener una serie de signos vitales de referencia. Recuerde que los signos vitales de un paciente están influenciados por la edad del paciente, las condiciones físicas y médicas subyacentes y los medicamentos actuales. En el caso de los pacientes con condiciones graves, dos tomas de signos vitales proporcionan datos comparativos para empezar a establecer tendencias. En el caso de pacientes en estado crítico, tres o más tomas de signos vitales permiten evaluar tendencias y reevaluar si el estado del paciente se estabiliza, mejora o empeora. Si la condición del paciente se deteriora, obtenga varias series de constantes vitales para seguir la progresión.

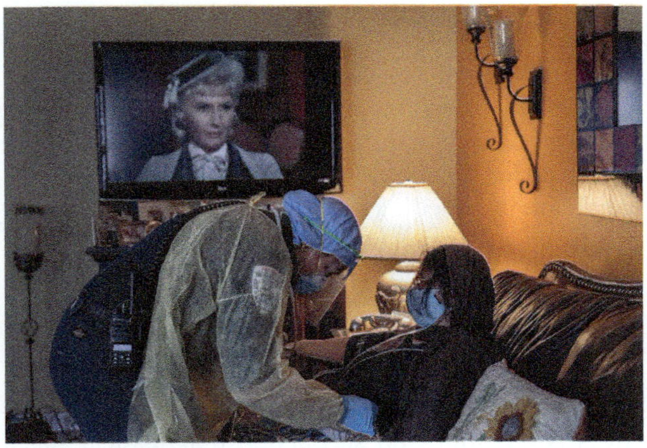

FIGURA 9-9 Cuanto más precisa sea la información del paciente, más confiable será el diagnóstico. Tómese el tiempo necesario para obtener una serie de signos vitales de referencia para cada paciente.

SEGURIDAD

La comunicación eficaz es vital para todos los miembros del equipo de atención al paciente después de un evento adverso para la seguridad del paciente, como una lesión física o psicológica grave. Una comunicación eficaz ayuda al equipo a manejar otras prioridades, superar problemas relacionados con factores humanos y disminuir los errores.

Reunirse es una técnica de comunicación y un acontecimiento que con frecuencia adopta la forma de una reunión estructurada, una reunión breve y estructurada en la que el equipo de atención al paciente se reúne para hablar sobre un paciente, un procedimiento o una situación. También se puede convocar a una reunión cuando un equipo necesita reagruparse y compartir preocupaciones, discutir la asignación de recursos, anticipar resultados y crear planes de contingencia. Después de un evento adverso grave, se aconseja que el equipo se reúna (siempre que el distanciamiento social lo permita) y discuta el suceso ocurrido, incluida la estabilización del paciente y la situación; determine los hechos de lo ocurrido; mitigue cualquier daño producido o que pueda ocurrir; aborde los problemas de seguridad del personal; asegure el equipo o los materiales, y alerte a otras personas si lo considera necesario la persona encargada del personal que dirige la reunión. La reunión es fundamental para garantizar que los hechos, las secuencias y los tiempos reales se registren con exactitud para facilitar el análisis posterior y las medidas correctivas relacionadas con la situación. Asimismo, es la única oportunidad de conservar el equipo en el estado real en que se encontraba cuando se produjo el incidente; por ejemplo, un problema causado por un ventilador o una bomba intravenosa defectuosa no se puede analizar correctamente si se cambian los ajustes o se vuelve a utilizar el equipo.

3. Reaccionar

Como paramédico, su prioridad durante la atención al paciente es ocuparse de cualquier amenaza que ponga en peligro la vida. Luego, considere las posibles causas de los síntomas del paciente y descarte ciertas condiciones a medida que reúne más información y desarrolla su diagnóstico diferencial y, por último, un diagnóstico probable.

Si al final de su evaluación no puede reducir el diagnóstico diferencial a un diagnóstico probable, atienda al paciente con base en los signos y síntomas que presenta. Con frecuencia atenderá a pacientes cuyas condiciones no se pueden diagnosticar hasta que llegan al servicio de urgencias. De hecho, algunos pacientes ingresan a una unidad de cuidados intensivos para someterse a más pruebas y monitoreo (p. ej., para descartar un infarto de miocardio). Muchas condiciones no se pueden tratar en campo, por lo que el transporte a un centro adecuado puede ser uno de los aspectos más importantes de la atención que usted proporciona. Por todas estas razones, es tan fundamental determinar un plan de tratamiento como atender las amenazas que ponen en peligro la vida. Este plan debe incluir el traslado rápido si su análisis del estado del paciente sugiere que está justificado.

4. Revaluar

Mientras sigue atendiendo al paciente, asegúrese de hacer un seguimiento de sus intervenciones. Compruebe si la férula que aplicó ha aliviado el dolor en la pierna lesionada del paciente. Si trata a un paciente con analgésicos, revalúe su nivel de dolor para ver si el medicamento es efectivo. En los llamados difíciles, es fácil entrar en "modo tratamiento" y concentrarse en hacer cosas olvidándose de comprobar si lo que se está haciendo realmente mejora la condición del paciente.

Cuando revalúe al paciente, tómese el tiempo necesario para agregar a la evaluación primaria la información que haya podido recopilar en la evaluación secundaria, por ejemplo, el descubrimiento de problemas menos obvios. Por ejemplo, descubre que el paciente no tiene ruidos respiratorios en el lóbulo superior derecho como consecuencia de una fractura de costilla que ha provocado un pequeño neumotórax. Un pequeño neumotórax por sí mismo no es una amenaza vital inmediata para una persona relativamente sana. Sin embargo, este paciente también tiene una fractura bilateral de fémur, una pérdida sustancial de sangre y un traumatismo craneoencefálico leve. En estas circunstancias, un pequeño neumotórax puede complicar las cosas mucho más que si se tratara de una condición aislada. Cuando atienda a pacientes, en particular a aquellos traumatizados con múltiples lesiones, debe evaluar el efecto acumulativo de todos los factores a la hora de desarrollar su plan de tratamiento. Su objetivo es asegurarse de no pasar por alto nada que deba atenderse en campo.

Inteligencia en las calles

Afrontar las controversias y los cambios

Durante muchos años, el personal del SEM ha proporcionado a los pacientes tratamientos profilácticos eficaces, a pesar de que la investigación basada en la evidencia no respalde la necesidad de algunas intervenciones. ¿Se debe inmovilizar a todos los pacientes traumatizados en una camilla? Es probable que no. ¿Se debe administrar naloxona a todas las personas que no responden? Probablemente no. ¿Debe el personal del SEM ser agresivo con los líquidos o limitarlos? ¿Cuáles son las normas más actualizadas y qué ocurre cuando las directrices cambian, pero un sistema del SEM se retrasa en la aplicación de esas actualizaciones?

Manténgase al día de la investigación, esté al tanto de los cambios que puedan producirse y conozca los motivos de los cambios. Su director médico (u organización) decidirá actualizar los protocolos de tratamiento locales en el momento más práctico, reconociendo que las actualizaciones por lo regular implican capacitación. Los directores de su agencia aprenderán los fundamentos de los cambios y ayudarán a sus compañeros a entenderlos y aceptarlos.

La adaptabilidad es una buena actitud en los SEM. Recuerde, la paramedicina siempre está en evolución, ¡así que espere un aprendizaje permanente y aprenda a aceptar los cambios!

5. Revisar el plan de tratamiento

Como paramédico con pensamiento crítico —y no importa lo seguro que esté del diagnóstico probable— siempre debe mantener su mente abierta a otras posibilidades que puedan explicar la presentación del paciente. A medida que el llamado se desarrolla y se dispone de información adicional, esté preparado para revisar su plan de tratamiento según sea necesario. Al permanecer mentalmente "ligero de pies", se posiciona para ser receptivo a presentaciones o circunstancias cambiantes, lo que a su vez le ayuda a evitar la visión de túnel.

6. Revisar el desempeño

De nuevo, una vez finalizado el llamado, tiene la oportunidad de mirar atrás y reexaminar su trabajo (**FIGURA 9-10**). Ya sea que esta revisión se produzca en el entorno formal de una reunión de mejora continua de la calidad, en una reunión informativa posterior al código de campo o en una conversación con su compañero en la estación, dedicar tiempo a evaluar de forma crítica su trabajo le ofrece oportunidades reales de crecimiento, en particular cuando pudo haber cometido un error. Aunque el éxito es satisfactorio y sin duda sienta bien, ofrece pocas oportunidades de crecimiento. Sin embargo, cuando se comete un error, se puede aprender a evitar repetirlo y a hacerlo mejor la próxima vez. La excelencia en la atención prehospitalaria es el resultado gradual de un esfuerzo constante por mejorar el rendimiento, lo que requiere tener *siempre* una actitud abierta al aprendizaje.

FIGURA 9-10 Puede aprender algo nuevo con cada llamado al cual acuda. Una de las mejores maneras de revisar su desempeño —y de aprender y mejorar de continuo— es hablarlo con sus compañeros.

Ser un paramédico con pensamiento crítico solo ocurrirá si elige trabajar diario en sus habilidades de pensamiento crítico, llamada por llamada, a lo largo de su carrera. Si sigue mejorando su forma de pensar y de tomar decisiones, su atención al paciente también mejorará. Su recompensa será la excelencia en su práctica, la máxima satisfacción laboral.

USTED es el Paramédico RESUMEN

1. Haga un resumen de su impresión general sobre esta llamada de urgencia y los factores que puedan estar implicados.

La llamada fue por una niña que se lesionó el hombro durante un entrenamiento de porrista. En la escena, un miembro del personal le informa de que la paciente cayó 2 m (8 pies) sobre un suelo con resortes de gimnasia con los brazos extendidos. Usted se percata de que atenderá a un paciente pediátrico con lesiones que pueden ser graves. El proceso de recopilar su impresión general basándose en todo lo que ve, escucha, huele y siente se denomina formación de conceptos.

2. ¿Qué se incluye en su evaluación primaria y en los pasos iniciales del tratamiento de este paciente?

Debe descartar de inmediato cualquier lesión en la columna cervical, la espalda o la cabeza del paciente. Evalúe los signos vitales de la paciente, incluyendo su NC y ABCDE. Vigile el estado respiratorio de la paciente y administre oxígeno si observa algún signo de dificultad para respirar. Pregunte también a la paciente si le harían bien analgésicos antes de inmovilizarle el brazo con un cabestrillo. Recuerde que, de ser posible, debe obtener el consentimiento paterno antes de administrar un tratamiento de urgencia a un menor.

3. ¿Recopiló suficientes datos para convertir su impresión inicial en un plan de tratamiento?

Tiene suficiente información para elaborar un plan de tratamiento. La paciente ha sufrido un traumatismo aislado en el brazo. Debe llevar a cabo las siguientes acciones críticas: inmovilizar el brazo, poner a la paciente cómoda y trasladarla a un hospital para que reciba tratamiento adicional.

4. ¿Debe administrar analgésicos?

Desde el punto de vista ético, usted es responsable de que la paciente esté lo más cómoda posible. En ausencia del consentimiento de los padres, puede administrar medicamento a los pacientes pediátricos para aliviar el dolor, aunque esta práctica varía de una jurisdicción a otra. Si no están disponibles alguno de los padres o tutor para dar su consentimiento a un tratamiento de urgencia, usted puede llevar a cabo dicho tratamiento para mantener la vida sin necesidad de consentimiento, en virtud de la doctrina del consentimiento implícito. En caso de duda, obtenga orientación en línea con el médico del centro regulador. Conozca las leyes de su estado y los protocolos locales relacionados con el tratamiento a menores.

USTED es el Paramédico RESUMEN continuación

5. ¿Cuál es su diagnóstico probable?

Ya descartó un traumatismo multisistémico y determinó que la paciente presenta un traumatismo aislado en una extremidad. No hay ninguna condición médica relacionada con la emergencia y la paciente niega tener antecedentes médicos significativos o alergias a medicamentos. Su tratamiento incluye la inmovilización de la lesión y garantizar la comodidad del paciente mientras se dirige al hospital.

6. ¿Qué efectos cabe esperar de la administración de morfina?

La morfina es un analgésico narcótico común con el que cuentan muchas agencias del SEM. El efecto de la morfina difiere en cada paciente. Aunque el medicamento analgésico no elimina el dolor del paciente, sí lo reducirá. Algunas de las ventajas de administrar analgésicos son que el paciente está más relajado, lo que se traduce en cambios positivos en los signos vitales y en una disminución del nivel de ansiedad. Algunos pacientes pueden ser alérgicos a los analgésicos; antes de administrar el medicamento se debe averiguar si existe cualquier alergia. Además, los analgésicos a veces causan efectos adversos, como náuseas y/o vómitos. Estos efectos se deben prever y los pacientes pueden ser tratados con un antiemético.

7. ¿Cómo debe responder a la afirmación de la tía de que no debieron administrarle analgésicos?

Los menores presentan problemas únicos para el paramédico. Por lo general, uno de los padres es el responsable legal de la toma de decisiones de un menor; un familiar no es un responsable legal de la toma de decisiones a menos que los padres hayan firmado documentos legales que indiquen lo contrario. Luego de reconocer que el familiar puede tener una preocupación válida, explíquele que su tratamiento fue autorizado por un médico y que es un tratamiento estándar. Aconseje a la tía Julie que se ponga en contacto con los padres de la paciente y que les comente lo que le preocupa. Recuerde mantener una actitud amistosa y no discutir con el familiar, ya que ello podría agravar la situación.

8. ¿Tenía derecho a administrar analgésicos a la paciente sin la presencia de sus padres?

En determinadas circunstancias, tiene derecho a tratar a un menor sin la presencia de sus padres. En este caso, el control médico le dio la autoridad para tratar a la paciente. En muchas ocasiones, puede ser difícil obtener el consentimiento para tratar a un menor. A veces, el padre, la madre o el tutor de un niño pueden no querer que usted lo trate por diversas razones. En dichos casos, debe respetar los deseos de los padres (o tutores) y discutir las consecuencias médicas de esa decisión. Sin embargo, no puede negarse a atender al paciente cuando la persona que lo solicita no es el padre o tutor. Como defensor de la paciente, debe ser consciente de las dificultades asociadas a la obtención del permiso y estar preparado para discutir la necesidad de atención.

Reporte de atención de paciente prehospitalario (RAPP)

Fecha: 04-24-22	**Incidente núm.:** 110435	**Naturaleza de la llamada:** Menor lesionada		**Ubicación:** Gimnasio Winner's	
Despacho: 11:02	**En camino:** 11:03	**En el escenario:** 11:05	**Transporte:** 11:30	**En el hospital:** 11:45	**En servicio:** 12:01

Información del paciente

Edad: 15 **Sexo:** F **Peso:** 45 kg	**Alergias:** Ninguna conocida **Medicamentos:** Ninguno **Antecedentes médicos:** Ninguno **Principal manifestación:** Dolor en parte superior del brazo

Signos vitales

Hora: 11:10	**PA:** 110/80; 2 min después de admin, de morfina 100/50	**Pulso:** 110	**Respiraciones:** 26	**Spo_2:** 100%
Hora: 11:15	**PA:** 100/60	**Pulso:** 70	**Respiraciones:** 18	**Spo_2:** 100%
Hora:	**PA:**	**Pulso:**	**Respiraciones:**	**Spo_2:**

USTED es el paramédico RESUMEN continuación

Tratamiento en SEM (circule todo lo aplicable)				
Oxígeno @ ____ L/min por (circular uno): NC NRM Dispositivo de bolsa y mascarilla		Ventilación asistida	Dispositivo para la vía aérea	RCP
Desfibrilación	Control de la hemorragia	Vendaje	Inmovilización (circulado)	Otro:

Narrativa
Al llegar a la escena se encuentra a una chica de 15 años al cuidado del personal técnico. El personal afirma que la paciente estaba en lo alto de una pirámide realizando una maniobra de animadora y que no la sostuvieron al caer. La paciente afirma que cayó unos 2 m sobre su brazo izquierdo y derecho, y que la mayor parte de la fuerza fue absorbida por el brazo izquierdo. El suelo del gimnasio tenía resortes y pudo absorber la mayor parte de la energía de la caída. La paciente afirma que tiene un dolor "muy fuerte" en la parte superior del brazo izquierdo. Niega dolor de cabeza, cuello o espalda. Niega cualquier otra lesión, problema o dolor que no sea en el brazo izquierdo. La evaluación del brazo de la paciente revela un dolor extremo con el movimiento del brazo. La paciente aceptó recibir medicamento para el dolor. El control médico del Midtown Hospital autorizó 5 mg de morfina inicial y otros 5 mg al cabo de 10 minutos si el dolor seguía siendo intenso. El personal del hospital espera nuestra llegada. Se establece una vía intravenosa en la vena AC derecha con una aguja calibre 20, se conecta y se inicia un goteo de suero salino a la velocidad de KVO. A las 11:15 se administran 5 mg de morfina. Minutos más tarde, la paciente declaró que el nivel de dolor había pasado de 9/10 a 5/10, y se le inmovilizó el brazo con un cabestrillo. La paciente fue trasladada a la ambulancia y revaluada; se le tomaron los signos vitales y se anotó lo anterior. La paciente declaró que el nivel de dolor seguía en 5 después de 10 minutos. Se le administró una segunda dosis de 5 mg de morfina. La tía de la paciente, Julie, se reunió con nosotros antes de salir para el hospital y expresó su descontento con el SEM por haberle dado morfina a su sobrina. El SEM tranquilizó a la tía diciéndole que el médico de control había autorizado el tratamiento de la paciente y declaró que la paciente se sentía mucho mejor y con menos dolor. La paciente fue trasladada sin más incidentes. Se controlaron los signos vitales y el dolor de la paciente disminuyó de 5 a 4. La paciente fue entregada a la enfermera de la sala 4 de urgencias con un informe. La vía estaba permeable y se infundieron menos de 200 ml. La enfermera fue testigo del desecho de 6 mg de morfina. Se adjunta formulario de residuos a la PCR. **Fin del reporte**

Kit de preparación

Resumen rápido

- La primera piedra angular de su práctica paramédica es tener la capacidad de reunir, evaluar y sintetizar (procesar) información.
  - Después de recopilada la información, evalúa su validez y el efecto que puede tener en el plan de tratamiento que está desarrollando.
  - Después de haber evaluado la información que obtuvo de la escena, del paciente o de cualquier transeúnte y haya determinado qué información es válida, entonces deberá sintetizar esa información.
- La segunda piedra angular de su práctica paramédica es desarrollar y poner en práctica un plan de tratamiento.
  - Su plan de tratamiento casi siempre está definido por los protocolos de atención al paciente o las indicaciones estándar en el sistema del SEM en el que trabaja.
- La tercera piedra angular de su práctica paramédica es el juicio y la toma de decisiones independientes.
- La cuarta y última piedra angular de su práctica paramédica es su capacidad de pensar y trabajar bajo presión.
- La primera fase del proceso de pensamiento en la atención prehospitalaria es la recopilación de información: cosas que ve, escucha, huele o siente u obtiene con sus diagnósticos. Este proceso conduce a la formación de conceptos.
  - Como parte de su evaluación primaria, céntrese en la identificación y corrección de cualquier amenaza inmediata para la vida en relación con el ABCDE.

Kit de preparación continuación

- La segunda fase del proceso de pensamiento crítico es la interpretación de los datos —evaluar la información que ha recopilado y llegar a una conclusión.
- La tercera etapa del proceso de pensamiento crítico es la aplicación de principios, cuando su impresión inicial se convierte en su diagnóstico probable.
- La cuarta fase del proceso de pensamiento crítico es la reflexión en la acción: tratar de forma activa al paciente al mismo tiempo que se controlan los efectos de las intervenciones.
- La última fase del proceso de pensamiento crítico es la reflexión sobre la acción. Se produce una vez finalizado el llamado y por lo común se asocia a las revisiones, críticas o reuniones informativas. Vuelve la vista atrás a la llamada completa y reflexiona sobre cómo procesó toda la información que recopiló y tomó las decisiones.
- Uso de las *seis R de la toma de decisiones clínicas* para hacer un resumen de lo que se debe hacer en una llamada:
  - Revisar la escena.
  - Revisar al paciente.
  - Reaccionar.
  - Revaluar.
  - Revisar el plan de tratamiento.
  - Revisar el desempeño.
- La excelencia en la atención prehospitalaria es el resultado de un esfuerzo constante por mejorar su práctica, lo que requiere que tenga siempre una actitud abierta al aprendizaje.

Vocabulario esencial

Afecto Estado emocional del paciente que se refleja en su comportamiento físico.

Ambigüedad médica Aspectos vagos o poco claros de la medicina.

Comorbilidad Existencia de dos o más enfermedades o condiciones crónicas en un paciente.

Diagnóstico Identificación de una enfermedad basada en sus signos y síntomas.

Formación de conceptos Patrón de comprensión basado en la información obtenida de inicio; primera fase del proceso de pensamiento crítico en la atención prehospitalaria.

Interpretación de datos Proceso de llegar a conclusiones basándose en la comparación de la presentación del paciente con la información de su capacitación, educación y experiencias pasadas; la segunda fase del proceso de pensamiento crítico en la atención prehospitalaria.

Medicina de recetario de cocina Seguir a ciegas un protocolo o algoritmo sin pensar en lo que se hace y si funciona.

Sintetizar Combinar varias cosas, como elementos de la historia, en un todo coherente.

Visión de túnel Centrarse o considerar solo un aspecto de una situación sin antes tener en cuenta todas las posibilidades.

Referencias

1. O Koivulahti, M Tommila, E Haavisto. The accuracy of preliminary diagnoses made by paramedics: a cross-sectional comparative study. *Scand J Trauma Resusc Emerg Med*. 2020;28(70):1-7. doi:10.1186/s13049-020-00761-6.
2. MC Gratton, SR Ellison, J Hunt, OJ Ma. Prospective determination of medical necessity for ambulance transport by paramedics. *Prehosp Emerg Care*. 2003;7(4):466-469
3. W Tavares, S Boet. On the assessment of paramedic competence: a narrative review with practice implications. *Prehosp Disaster Med*. 2016;31(1):64-73
4. ED Grober, JM Bohnen. Defining medical error. *Can J Surg*. 2005;48(1):39-44.

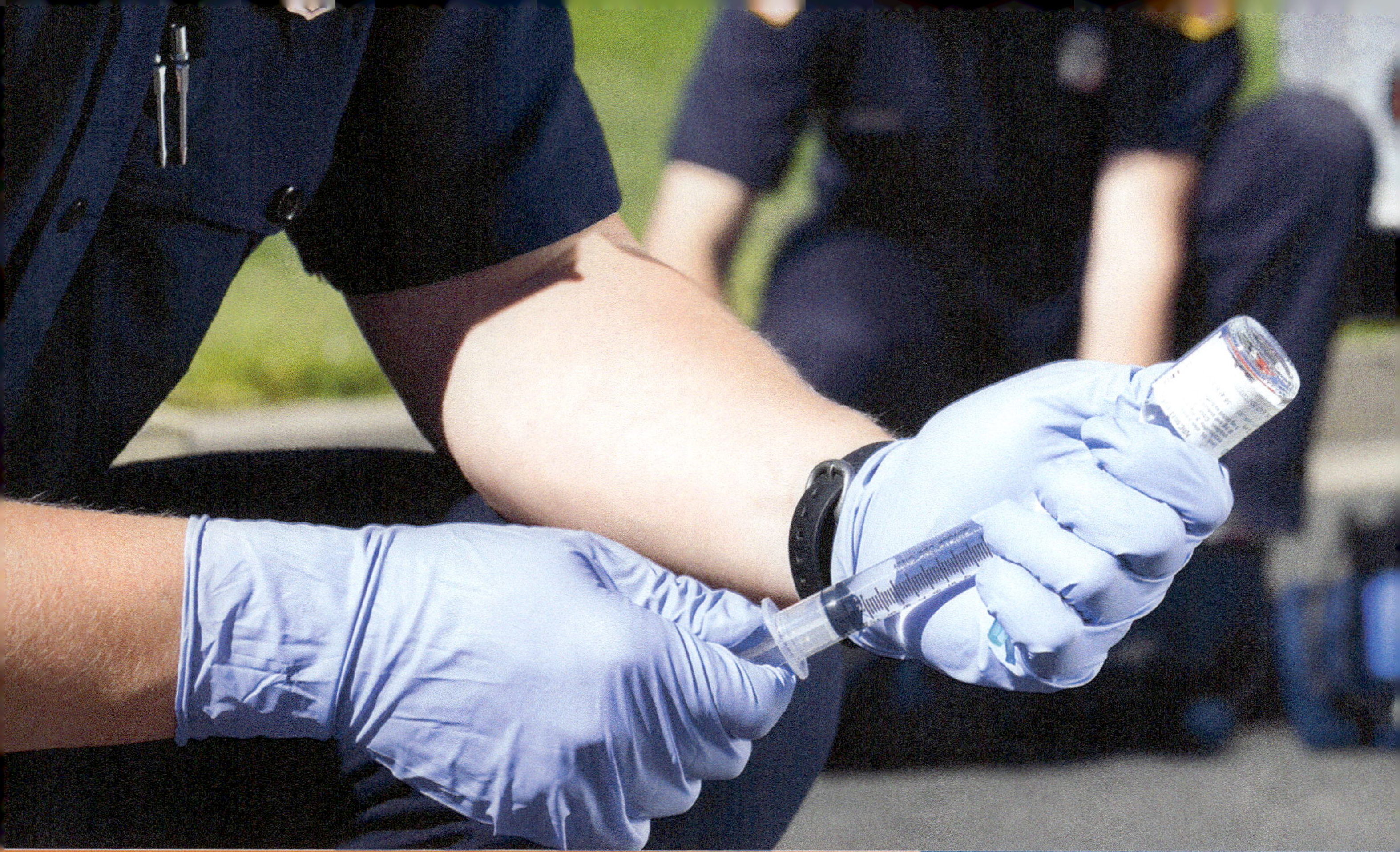

Farmacología

VOLUMEN 1

SECCIÓN

4

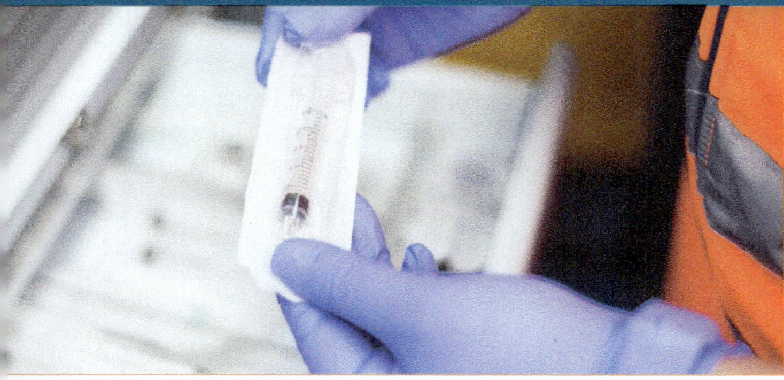

Capítulo 10

Principios de farmacología

COMPETENCIAS DEL ESTÁNDAR NACIONAL DE EDUCACIÓN EN EL SEM

Farmacología

Integrar amplios conocimientos de farmacología para formular un plan de tratamiento destinado a mitigar las emergencias y mejorar la salud general del paciente.

Principios de farmacología

- Seguridad de los medicamentos. (pp. 636-637)
- Legislación sobre medicamentos. (pp. 631-632)
- Nombres. (pp. 633-634)
- Clasificaciones. (p. 636)
- Horarios. (pp. 631-632)
- Farmacocinética. (pp. 649-651)
- Almacenamiento y seguridad. (pp. 636-637)
- Farmacología autónoma. (p. 665)
- Metabolismo y excreción. (pp. 657-659)
- Mecanismo de acción. (p. 635)
- Fases de la actividad medicamentosa. (pp. 637-638)
- Relaciones de respuesta a la medicación. (pp. 645-649)
- Interacciones medicamentosas. (p. 649)
- Toxicidad. (pp. 649, 688)

Administración de medicamentos

- Vías de administración. (pp. 651-656)
- Automedicación. (véase capítulo 11, *Administración de medicamentos*).
- Administrar la medicación entre iguales (véase capítulo 11, *Administración de medicamentos*).
- Asistir/administrar medicamentos a un paciente (véase capítulo 11, *Administración de medicamentos*).
- Dentro del ámbito de la práctica del paramédico, administrar medicamentos a un paciente (véase capítulo 11, *Administración de medicamentos*).

OBJETIVOS COGNITIVOS

1. Explicar cómo la farmacología se relaciona con la práctica clínica del paramédico. (p. 630)
2. Describir las medidas reglamentarias que afectan a los medicamentos administrados en el ámbito prehospitalario. (pp. 630-631)
3. Describir cómo se clasifican los medicamentos. (pp. 631-632)
4. Describir fuentes fiables de información sobre medicación a disposición de los paramédicos. (pp. 632-633)
5. Enumerar los componentes de un perfil de medicación. (p. 635)
6. Discutir los requisitos de almacenamiento, seguridad y responsabilidad de los medicamentos. (pp. 636-637)
7. Describir las propiedades farmacocinéticas y farmacodinámicas de los medicamentos en general. (pp. 637-638, 649-651)
8. Identificar situaciones en las que los efectos de la medicación se verán alterados por la edad, el sexo, el peso y otras características de un paciente concreto. (pp. 641-645)
9. Identificar los pasos para reducir la incidencia de errores de medicación y limitar la gravedad de los efectos nocivos asociados con la administración de medicamentos. (pp. 659-661)
10. Discutir la prevención, el reconocimiento y el manejo de las reacciones adversas a la medicación. (pp. 646-647)

11. Seleccionar la medicación y el método de administración de la medicación óptimos para pacientes con una condición o situación clínica particular. (pp. 651-656)
12. Identificar las distintas clases de medicamentos que influyen en el sistema nervioso simpático. (pp. 661-665)
13. Enumerar clases destacadas de medicamentos que pueden tomar los pacientes en el ámbito prehospitalario. (pp. 666-669)
14. Explicar los medicamentos que probablemente utilicen los pacientes con afecciones respiratorias, incluyendo para qué se utiliza cada medicamento. (pp. 671-672)
15. Reconocer los medicamentos que se prescriben habitualmente a los pacientes con enfermedades cardiovasculares. (pp. 672-674)

OBJETIVOS DE DESTREZA

No hay objetivos de destrezas para este capítulo.

Introducción

La administración de medicamentos es un elemento definitorio de la práctica clínica del paramédico. Cuando se administran de manera adecuada, los medicamentos tienen la capacidad única de corregir o disminuir la gravedad de una enfermedad o lesión, tratar muchas afecciones potencialmente mortales y reducir de forma sustancial el malestar del paciente. Por el contrario, si se administra la medicación incorrecta, se utiliza la vía incorrecta, se selecciona una dosis inadecuada o no se sigue la técnica correcta de administración, pueden producirse consecuencias graves y a menudo potencialmente mortales en muchas situaciones. Este capítulo le ayudará a minimizar los riesgos asociados con la administración de medicación al tiempo que proporciona a los pacientes una gran variedad de beneficios disponibles de las intervenciones farmacológicas.

A lo largo de este capítulo, los términos *medicamentos* y *drogas* se utilizan de manera indistinta. Cuando los medicamentos comerciales, las drogas ilegales y otras sustancias químicas entran en el cuerpo humano, pueden compartir características comunes y producir efectos clínicos similares, a pesar de entrar en el cuerpo en circunstancias muy diferentes.

La **farmacología** es el estudio científico de cómo diversas sustancias interactúan o alteran la función de los organismos vivos. Como paramédico, utilizará la ciencia de la farmacología de diversas formas, como cuando trate a pacientes que ya reciben medicación de forma intermitente o a largo plazo. También se encontrará con pacientes que experimentan efectos adversos de los medicamentos que toman en casa, por lo que es crucial obtener un historial de medicación durante la evaluación del paciente. También es esencial comprender la farmacología cuando se administran medicamentos para tratar los síntomas del paciente durante una respuesta del SEM o cuando se trata a un paciente que ha estado expuesto a un producto químico, fármaco o medicamento potencialmente tóxico.

Perlas de sabiduría

Los términos medicamento y droga suelen utilizarse de manera indistinta, pero tienen significados distintos. Un **medicamento** o **fármaco** se refiere a una sustancia utilizada para tratar una enfermedad o afección. Una **droga**, en términos generales, es cualquier sustancia que produce un efecto fisiológico, terapéutico o no; cuando se utiliza en sentido clínico, se entiende que este término se refiere a una sustancia que produce un efecto terapéutico cuando se administra en las circunstancias y en las dosis adecuadas. Por lo tanto, todo medicamento es una droga, pero no toda droga es un medicamento.

Perspectiva histórica de la administración de medicamentos

Durante siglos, las sustancias químicas, principalmente derivadas de plantas o animales, se han utilizado para curar enfermedades o aliviar síntomas. Las primeras sociedades chinas, mesopotámicas y egipcias utilizaban remedios químicos para tratar desde el dolor hasta la calvicie. Las enfermedades no se conocían bien, y los remedios naturales se dirigían a aliviar diversos síntomas más que a acabar con el proceso de la enfermedad en sí. El estudio científico formal de los efectos de los medicamentos en el organismo empezó a surgir a finales del siglo XVII y en el siglo XVIII. En la actualidad, la ciencia farmacológica ha evolucionado hasta convertirse en una producción farmacéutica comercial a gran escala, una industria muy rentable y estrictamente regulada. Muchas subespecialidades únicas, como la manipulación genética y la toxicología, siguen desdibujando la línea que separa la farmacología, la medicina y otros campos científicos. Aunque la farmacología ha evolucionado hasta convertirse en un sofisticado campo de la atención sanitaria, algunos medicamentos descubiertos en la Antigüedad siguen utilizándose.

El proceso de selección y administración de medicamentos ya no es aleatorio o anecdótico como en siglos anteriores. Las guías basadas en la evidencia ayudan a los clínicos a utilizar intervenciones farmacológicas en todo el espectro de especialidades médicas. En la actualidad, los medicamentos se someten a pruebas exhaustivas y a numerosos ensayos clínicos antes de que se permita su uso generalizado. Sin embargo, a pesar de los avances de la farmacología, las reacciones adversas a los medicamentos siguen siendo frecuentes.

Regulación de medicamentos y fármacos

Estados Unidos ha implantado un amplio sistema de regulación de medicamentos y fármacos. La primera regulación importante se promulgó en 1906, con la aprobación de la *Pure Food and Drug Act.* Como su nombre indica, esta ley prohibía alterar o etiquetar incorrectamente los medicamentos. En 1909 se prohibió la importación de opio en virtud de la *Opium Exclusion Act.* En 1914 se promulgó la *Harrison Narcotics Act,* que restringía el consumo de diversos opiáceos y cocaína.

En virtud de la *Food, Drug, and Cosmetic Act* (1938), la *US Food and Drug Administration* (FDA) recibió autoridad para hacer cumplir las normas que exigen que los nuevos medicamentos sean seguros y puros. La FDA sigue siendo la agencia federal responsable de aprobar nuevos medicamentos y retirar del mercado los que no sean seguros. La aprobación de un nuevo medicamento suele llevar varios años, y solo una pequeña parte de los medicamentos presentados a la FDA reciben finalmente la aprobación de comercialización. En ocasiones, los medicamentos innovadores para enfermedades potencialmente mortales pueden recibir una consideración preferente acelerada o aprobaciones de emergencia (p. ej., las vacunas contra COVID-19). Cabe destacar que muchos medicamentos, una vez aprobados y disponibles en el mercado, se utilizan para fines no aprobados por la FDA, a dosis diferentes de las recomendadas o por vías de administración no aprobadas por la FDA. El uso no indicado está muy extendido en la asistencia sanitaria, pero un director médico o un paramédico pueden tener un mayor riesgo de responsabilidad por el uso no indicado de un medicamento que provoque un mal resultado para un paciente. Los medicamentos solo deben administrarse fuera de lo indicado cuando estén específicamente aprobados para este uso por el director médico del servicio o por el protocolo de la agencia/región. El uso de ácido tranexámico intravenoso (IV) en pacientes que han tenido un traumatismo, que se discute más adelante en este capítulo, es un ejemplo de uso de medicamentos fuera de lo indicado en los SEM.

Como proveedor del SEM, usted debe estar familiarizado con las reglas y regulaciones implementadas bajo la *Controlled Substances Act* (también conocida como *Comprehensive Drug Abuse Prevention and Control Act*) de 1970. Esta ley clasifica ciertos medicamentos con potencial de abuso en cinco categorías (listados), con los correspondientes requisitos de seguridad, dispensación y mantenimiento de registros **CUADRO 10-1**. La *US Drug Enforcement Agency* es responsable de hacer cumplir esta ley.

Los medicamentos de la categoría I no pueden recetarse, dispensarse, utilizarse ni administrarse para uso médico. La marihuana, que a veces se prescribe con fines médicos, sigue siendo una controvertida sustancia controlada de la categoría I. Varios estados permiten la prescripción de marihuana para condiciones médicas específicas, y algunos permiten tanto el uso médico como el recreativo.

Es probable que los paramédicos lleven consigo y administren medicamentos de la categoría II, como fentanilo (Sublimaze®) y sulfato de morfina, y

USTED es el Paramédico

PARTE 1

La central de despacho les envía a su compañero y usted a un centro de enfermería especializada para atender a una mujer de 88 años de edad que presenta alteraciones mentales. Según la información adicional recibida, la paciente tiene pulso y respira, pero su nivel de consciencia está disminuido.

1. ¿Qué condiciones médicas esperaría encontrar en un centro de enfermería especializada o en un centro de cuidados de larga duración?

CUADRO 10-1 Clasificación de los medicamentos considerados sustancias controladas

Categoría	Descripción	Ejemplos
I	Alto potencial de abuso; sin finalidad médica reconocida	Heroína, marihuana (cannabis), LSD, peyote.
II	Alto potencial de abuso; finalidad médica legítima	• Opioides: codeína, fentanilo (Sublimaze®), hidrocodona, hidromorfona (Dilaudid®), morfina • Estimulantes: anfetamina (Adderall®), cocaína, metilfenidato (Ritalin®)
III	Menor potencial de abuso que los medicamentos de la categoría II	• Opioides: paracetamol con codeína (Tylenol® con codeína nº 3) • No opioides: esteroides anabolizantes, ketamina
IV	Menor potencial de abuso que los medicamentos de la categoría III	Alprazolam (Xanax®), diazepam (Valium®), Lorazepam (Ativan®)
V	Menor potencial de abuso que los medicamentos de la categoría IV	Medicamentos opioides para la tos

Abreviatura: LSD, dietilamida del ácido lisérgico.

medicamentos de la categoría IV, como midazolam (Versed®), diazepam (Valium®) y lorazepam (Ativan®). Todos los medicamentos de las categorías II a la V requieren almacenamiento bajo llave, mantenimiento de registros detallados y procedimientos de desperdicio controlado. Los centros estatales del SEM, farmacia o aplicación de la ley pueden imponer requisitos adicionales para la seguridad y responsabilidad de estas sustancias controladas.

Perlas de sabiduría

Mantener una cuidadosa contabilidad de las sustancias controladas puede proteger tanto al paramédico como a la organización del SEM. No controlar y desperdiciar de forma adecuada las sustancias controladas puede poner en peligro su trabajo, su reputación y su certificación o licencia profesional.

Fuentes de medicación

Los medicamentos pueden derivarse o fabricarse a partir de diversas fuentes. Las sociedades antiguas utilizaban medicamentos aislados de las raíces, hojas, semillas, frutos, flores o cortezas de ciertas plantas. Los animales, en particular los sistemas endocrinos, se utilizan como fuente de otros medicamentos. Los minerales representan otra fuente de muchos medicamentos utilizados para una amplia variedad de afecciones clínicas. Los microorganismos como las bacterias, los hongos y el moho también se utilizan para la fabricación de medicamentos. El **CUADRO 10-2** enumera las fuentes de muchos medicamentos comunes.

CUADRO 10-2 Fuentes de medicamentos

Fuente	Ejemplos
Planta	Atropina, aspirina, digoxina, morfina
Animal	Heparina, antídotos, preparados tiroideos, insulina
Microorganismo	Estreptoquinasa, numerosos antibióticos, dextrano
Mineral	Hierro, sulfato de magnesio, litio, fósforo, calcio

Muchos otros medicamentos son sintéticos (fabricados íntegramente en un laboratorio) o semisintéticos (fabricados a partir de sustancias químicas de origen vegetal, animal o mineral modificadas químicamente en un laboratorio). La ingeniería genética también se utiliza para fabricar algunos medicamentos que no pueden obtenerse de fuentes naturales.

Las empresas farmacéuticas controlan estrictamente la concentración, pureza, conservadores y otros ingredientes presentes en los medicamentos durante el proceso de fabricación. La *United States Pharmacopeia-National Formulary* ([USP-NF], de la que hablaremos más adelante) es una excelente fuente de información sobre los detalles de fabricación de un medicamento concreto. En el envase de cada medicamento encontrará el número de lote de fabricación y la fecha de caducidad.

Formas de medicación

Manejará y administrará medicamentos en diversas formas. La gran mayoría de los medicamentos administrados en la práctica del SEM son soluciones inyectables estériles. Estas soluciones requieren una manipulación cuidadosa y una técnica aséptica durante la administración para evitar la contaminación con microorganismos u otras sustancias nocivas. Estas soluciones se suministran en bolsas IV grandes, frascos y ampolletas, y en ocasiones en frascos de vidrio (p. ej., nitroglicerina y etanol). En el **CUADRO 10-3** se describen otras formas de medicación.

Manejo de la medicación para paramédicos

Nombres de los medicamentos

En Estados Unidos, todos los medicamentos reciben tres nombres distintos: una denominación química, una genérica o común y una de marca o patente. Durante su desarrollo inicial, los medicamentos reciben un nombre químico, que suele ser largo y difícil de pronunciar y puede contener letras o números específicos que indican la composición química del medicamento. El nombre químico rara vez se utiliza en la práctica clínica. El bicarbonato de sodio, el cloruro potásico y algunos otros medicamentos se encuentran entre las pocas excepciones en las que se utiliza el nombre químico en la práctica clínica. La mayoría de las fuentes de referencia de medicamentos utilizadas por los paramédicos no publican el nombre químico o la estructura de un medicamento.

Cada medicamento recibe también una denominación común, o genérica. El fabricante propone la

CUADRO 10-3 Formas de medicación

Forma	Descripción	Ejemplos
Cápsula	Medicamento en polvo o sólido encerrado en una cubierta cilíndrica de gelatina disoluble	Paracetamol (Tylenol®), ibuprofeno (Motrin®), difenhidramina (Benadryl®)
Tableta	Partículas sólidas de medicamento aglutinadas en una forma diseñada para disolverse o tragarse	Aspirina (AAS), nitroglicerina SL
Polvo	Pequeñas partículas de medicamento diseñadas para disolverse o mezclarse en una solución o líquido	Glucagón, vecuronio (Norcuron®)
Gotas	Solución estéril o líquido no estéril destinado a la administración directa en la nariz o el oído	Fenilefrina (Neo-Sinefrina®, Afrin®), tetracaína, naloxona (Narcan®)
Solución parenteral	Solución estéril para inyección directa en una cavidad corporal, tejido u órgano	Fentanilo (Sublimaze®), epinefrina
Preparación de la piel	Gel, pomada o sustancia pastosa diseñada para permitir la absorción transdérmica (a través de la piel)	Pasta de nitroglicerina, parche de fentanilo (Sublimaze®)
Supositorio	Medicamento en un material similar a la cera que se disuelve en el recto u otra cavidad corporal	Prometazina (Phenergan®), paracetamol (Tylenol®)
Líquido	Medicamento disuelto o suspendido en líquido destinado al consumo oral	Paracetamol infantil (Tylenol®), jarabe para la tos
Inhalador/aerosol	Medicamento en forma de gas o niebla fina destinado a la inhalación y absorción a través del pulmón, las vías aéreas o los tejidos orales	Albuterol (Ventolin®), nitroglicerina en aerosol

Abreviaturas: AAS, ácido acetilsalicílico; SL, sublingual.

denominación genérica, que debe ser aprobada por el *US Adopted Names Council* y la Organización Mundial de la Salud. El nombre genérico está regulado de manera internacional para promover la coherencia y evitar la duplicación en los nombres de los medicamentos. Los nombres genéricos suelen incluir una "raíz" que los relaciona con otros **medicamentos de la misma clase** (el grupo al que pertenece un medicamento). A menudo, la raíz se encuentra al final del nombre, pero también puede aparecer al principio o dentro del nombre del medicamento. Por ejemplo, muchos medicamentos benzodiacepínicos, como midazolam, diazepam y lorazepam, tienen la raíz "am". La raíz "pril" significa que un medicamento pertenece a la clase de los inhibidores de la enzima convertidora de angiotensina (ECA), como enalapril (Vasotec®), captopril (Capoten®) y lisinopril (Prinivil®, Zestril®). Existen otros muchos ejemplos de raíces. Además de saber que las raíces proporcionan información sobre la clase de medicamentos, es necesario conocer los nombres específicos y las indicaciones de todos los medicamentos que se administran.

SEGURIDAD

No hay que basarse únicamente en la raíz para determinar a qué clase de medicamento pertenece un fármaco, ya que diferentes clases pueden tener la misma raíz. Los nombres de los antidepresivos tricíclicos, como la amitriptilina (Elavil®) y la desipramina (Norpramin®), tienen la misma raíz que los nombres de algunos inhibidores selectivos de la recaptación de serotonina (ISRS), como la fluoxetina (Prozac®) y la paroxetina (Paxil®). Una sobredosis de un antidepresivo tricíclico suele poner en peligro la vida, mientras que una sobredosis de un ISRS no suele plantear el mismo riesgo.

El último tipo de nombre de medicamento es el nombre de marca, que es elegido por el fabricante y aprobado por la FDA. El nombre de marca no tiene los mismos requisitos funcionales que el nombre genérico, pero debe cumplir determinados criterios mínimos establecidos por la FDA. Las marcas suelen elegirse con fines de mercadotecnia. Los ejemplos creativos a veces están relacionados con una enfermedad concreta. El metoprolol, un bloqueador betaadrenérgico, tiene el nombre comercial de Lopressor®, que puede ser una sutil referencia a la disminución de la presión (de la sangre). Oseltamivir tiene el nombre comercial de Tamiflu® y se utiliza para tratar la gripe.

Los tres tipos distintos de nombres de medicamentos pueden ilustrarse a continuación con un ejemplo. Los paramédicos suelen administrar el siguiente medicamento:

Nombre químico: ácido 4-cloro-*N*-furfuril-5-sulfamoilantranílico
Nombre genérico: furosemida
Nombre comercial: Lasix®

En la actualidad, muchas fuentes de referencia utilizan letras de "hombre alto" para imprimir los nombres de determinados medicamentos. Con ello se pretende evitar la confusión entre medicamentos con nombres similares. Las letras mayúsculas resaltan una parte del nombre en medicamentos con nombres similares. Algunos ejemplos son DOBUTamina y DOPamina, y difenhidrAMINA y dimenhiDRINATO.

SEGURIDAD

Muchos nombres de medicamentos parecen y suenan igual. Minimice el riesgo de errores de medicación comprobando dos veces la etiqueta del envase del medicamento cada vez que se disponga a administrarlo. Las concentraciones y los envases pueden cambiar de forma inesperada.

Fuentes de referencia de medicamentos

Existe una amplia gama de fuentes de referencia sobre medicación para ayudarle en la práctica clínica. Al seleccionar una fuente de referencia para usar o comprar, considere una variedad de factores, incluyendo la confiabilidad de la fuente de referencia; si la fuente es impresa, electrónica o ambas; la profundidad de la información necesaria o proporcionada; accesibilidad; costo; disponibilidad de actualizaciones, y tamaño de los materiales usados (si es un producto impreso).

La información sobre medicamentos suele recopilarse en un formato denominado **monografía o perfil del medicamento**. Los detalles pueden variar en gran medida entre las fuentes de referencia, pero la estructura básica se mantiene constante. El **CUADRO 10-4** destaca los componentes comunes de los perfiles de medicación.

La *USP-NF* y la *Prescriber's Digital Reference* (PDR, antes llamada *Physicians' Desk Reference*) proporcionan abundante información fiable y detallada sobre miles de medicamentos. La información incluye diagramas gráficos de la estructura química y otras

CUADRO 10-4 Componentes de los perfiles de medicación

Componente	Descripción
Nombres de los medicamentos	Las fuentes suelen incluir tanto la marca como el nombre genérico. Las fuentes impresas suelen ordenar alfabéticamente las entradas por nombre genérico. Las fuentes electrónicas suelen poder buscarse por marca o por nombre genérico.
Categoría o clase de medicamento	Agrupación a la que pertenece un medicamento. Los medicamentos se agrupan según sus características, rasgos o componentes primarios.
Uso/**indicación**	Signo, síntoma o afección que podría beneficiarse de un medicamento concreto; motivo por el que se administra un medicamento.
Mecanismo de acción (farmacodinámica)	La forma en que un medicamento produce la respuesta prevista.
Factor de riesgo del embarazo	Una escala que indica la probabilidad de daño potencial para el feto si el medicamento se administra a una paciente embarazada.
Contraindicaciones	Cualquier condición, pero en especial una enfermedad, que se sabe qué hace que una determinada línea de tratamiento sea inadecuada o indeseable.
Formularios disponibles (cómo se suministran)	La forma en que el fabricante envasa el medicamento para su distribución y venta. Los métodos típicos de envasado son jeringuillas precargadas, frascos o ampolletas.
Dosificación (a menudo diferenciada en función de la edad o la indicación)	El volumen o la dosis típica o media de medicación que debe administrarse al paciente y la vía por la que debe introducirse la medicación al paciente.
Consideraciones sobre la administración y el control	Cualquier información adicional necesaria para administrar el medicamento con seguridad y cualquier parámetro importante que deba observarse tras la administración.
Posibles incompatibilidades	Problemas que pueden producirse cuando se administran juntos dos o más medicamentos, que pueden ser al mismo tiempo, en la misma solución o a través del mismo tubo intravenoso o dispositivo de administración (nebulizador, jeringa, etc.).
Efectos adversos	Cualquier efecto anormal o perjudicial causado por la exposición a una sustancia química. Un efecto puede clasificarse como adverso si causa daño funcional o anatómico, provoca un cambio irreversible en la homeostasis de la persona o aumenta la susceptibilidad de la persona a otro estrés químico o biológico.
Farmacocinética	Los efectos del medicamento en el organismo, descritos con los siguientes términos: **Inicio:** tiempo estimado que tardará el medicamento en entrar en el organismo/sistema y empezar a hacer efecto. **Pico:** tiempo estimado que tardará el medicamento en producir su mayor efecto en el paciente/sistema. **Duración (de la acción):** cantidad estimada de tiempo durante el cual el medicamento tendrá algún efecto en el paciente/sistema.

Poblaciones especiales

Los pacientes pediátricos y de edad avanzada suelen tener tiempos de absorción y eliminación de la medicación más lentos, lo que obliga a modificar las dosis de muchos fármacos administrados a estos pacientes. Las pacientes embarazadas están limitadas en cuanto a los medicamentos que pueden tomar debido al riesgo potencial para el feto.

propiedades químicas específicas de los medicamentos. Las versiones electrónicas de estos recursos, como las disponibles a través de aplicaciones para teléfonos inteligentes, han mejorado su accesibilidad sobre el terreno. Los primeros formularios impresos eran poco prácticos de utilizar en entornos prehospitalarios debido a su tamaño y a la cantidad de información que contenían. A pesar de la mejora del formato, muchos de los detalles de estas fuentes no son necesarios en entornos prehospitalarios, lo que dificulta que los paramédicos localicen rápido la información necesaria. Las versiones electrónicas de la *USP-NF* y la *PDR* pueden ser útiles para los educadores y administradores de los SEM que desarrollen protocolos de medicación específicos de la agencia o creen materiales de formación.

Los fabricantes proporcionan material escrito con cada envase de medicamento distribuido. Estos "insertos" son redactados por los fabricantes y aprobados por la FDA. Estos insertos incluyen información sobre **dosis**, vía de administración, contraindicaciones, efectos adversos y otras características del medicamento.

Las farmacias hospitalarias suelen recopilar información sobre medicamentos en formularios específicos para las necesidades de información de cada hospital. El formulario del hospital suele incluir mucha de la misma información que se incluye en el prospecto del medicamento, *USP-NF* o *PDR*, pero está adaptado a las necesidades de los prescriptores del hospital. Los paramédicos de los sistemas del SEM hospitalarios o afiliados a hospitales pueden tener acceso al formulario del hospital.

Tiene muchas otras opciones de referencias de información sobre medicación publicadas de manera comercial. Algunos recursos están orientados en específico a los proveedores de transporte prehospitalario o de cuidados intensivos, haciendo hincapié en la selección, dosificación y administración de medicamentos para las afecciones de los pacientes que se encuentran en estos entornos. Otras referencias se centran de manera exclusiva en la medicación IV o solo hacen hincapié en la información necesaria durante la atención práctica al paciente. Como se ha mencionado, los avances en los dispositivos electrónicos portátiles y los teléfonos inteligentes significan que muchas referencias de medicación son ahora accesibles electrónicamente, haciendo que toda una biblioteca de información esté disponible dentro de los confines limitados del vehículo de emergencia. Los SEM estatales y las organizaciones individuales de bomberos y los SEM con frecuencia desarrollan protocolos específicos o formularios de medicación, que recopilan información sobre los medicamentos aprobados administrados por los paramédicos en un entorno particular.

Perlas de sabiduría

Encuentre una fuente de referencia de medicación de bolsillo (impresa o electrónica, como una aplicación para un celular inteligente) que le funcione bien y llévela siempre consigo, junto con una copia de sus protocolos regionales, mientras esté de servicio.

Clasificación de recomendaciones y nivel de evidencia de la AHA

En la mayoría de los entornos de los SEM, usted seguirá las guías establecidas y distribuidas por la *American Heart Association* (AHA). Estas guías se pueden consultar directamente o se pueden incorporar a políticas o protocolos más amplios del departamento o del organismo. Las medicaciones e intervenciones enumeradas en las guías de la AHA cuentan con diversos grados de apoyo de pruebas científicas fiables. En el capítulo 1, *Sistemas del SEM*, se analiza la distinción y la relación entre una *clase* y un *nivel de evidencia*. En general, se puede inferir el nivel de evidencia por la clase asignada a una intervención propuesta. Para proporcionar una mayor claridad a los profesionales sanitarios respecto al nivel de evidencia, la AHA utiliza el siguiente sistema para describir la importancia relativa de determinados medicamentos o intervenciones:[1]

- *Clase I* indica que existen pruebas sólidas que apoyan el uso del procedimiento/medicación, que el beneficio es mayor que el riesgo y que la intervención debe realizarse o administrarse.
- *Clase IIa* indica una evidencia moderada de que el beneficio es mayor que el riesgo, la intervención es razonable y la intervención puede ser útil.
- *Clase IIb* indica una evidencia débil de que el beneficio es mayor que el riesgo; se puede considerar la intervención.
- *Clase III ningún beneficio* indica que la evidencia es débil, el beneficio es igual al riesgo y la intervención no debe realizarse/administrarse.
- *Daño de clase III* indica que hay pruebas sólidas de que el riesgo es mayor que el beneficio, y la intervención no debe realizarse/administrarse.

Almacenamiento de medicamentos

El almacenamiento de medicamentos es una consideración esencial para los paramédicos. El entorno prehospitalario no controlado es un lugar difícil para mantener la seguridad y la integridad de los envases de medicamentos. Los fármacos deben guardarse en un lugar que ofrezca una protección adecuada para los suministros de medicamentos, pero que sea lo suficientemente práctico como para permitir un acceso rápido en situaciones de emergencia.

Una preocupación fundamental en relación con el almacenamiento de medicamentos es la integridad del envase del medicamento. La medicación debe almacenarse de forma que no se produzcan daños físicos en el frasco, la ampolleta, la solución o los comprimidos. A menudo es necesario retirar la mayor parte del embalaje proporcionado por el fabricante, dejando solo el envase de la medicación en el vehículo o bolsa de respuesta. Debido a que las cajas o bolsas de medicamentos pueden caerse de manera accidental durante una llamada, los contenedores de medicamentos deben colocarse en recipientes protectores o rodearse de suficiente acolchado para evitar que se dañen durante una respuesta o mientras se realiza la atención al paciente en el lugar. Organice los contenedores de medicación de forma que se facilite una identificación rápida y precisa de la medicación durante las situaciones de emergencia. Las necesidades de las organizaciones individuales del SEM dictan el tipo y la cantidad de medicamentos que están disponibles en un vehículo de respuesta en particular o en la bolsa de un proveedor. Llevar cantidades excesivas de medicación puede dificultar su almacenamiento o provocar un desperdicio innecesario debido a su caducidad. Por el contrario, tener cantidades insuficientes disponibles puede perjudicar la atención al paciente o requerir una reposición frecuente.

Las regulaciones estatales del SEM requieren que los SEM tengan políticas establecidas que definan el almacenamiento, mantenimiento y reemplazo apropiados de los medicamentos y los líquidos IV. La luz solar directa, el calor y el frío extremos, y el daño físico a los envases de medicamentos pueden acelerar la degradación de muchos fármacos, haciéndolos ineficaces o inseguros para su uso.[2-4] Muchos servicios de emergencias utilizan calentadores, enfriadores o refrigeradores de medicamentos en sus vehículos de emergencias para controlar las temperaturas a las que se almacenan los medicamentos y garantizar la seguridad e integridad de los medicamentos que transportan.

Perlas de sabiduría

Tomar medidas para garantizar que los medicamentos se almacenan a la temperatura adecuada. Los paramédicos que trabajan en lugares sometidos a temperaturas extremas pueden estar administrando medicamentos que tienen una eficacia reducida debido al entorno en el que están almacenados.[5]

Seguridad de los medicamentos

Las sustancias controladas que se describen el **CUADRO 10-1** requieren precauciones adicionales de seguridad, mantenimiento de registros y eliminación. Estos medicamentos deben guardarse en armarios cerrados con llave o estar continuamente en manos de un proveedor del SEM de guardia responsable de su administración. La eliminación de envases de medicación parcialmente utilizados o dañados requiere la verificación por parte de un testigo o la devolución de la parte dañada o no utilizada al departamento responsable de dispensar la medicación. Las agencias del SEM y los paramédicos individuales son conjuntamente responsables de adherirse a todas las regulaciones federales, estatales y locales con respecto a la seguridad y responsabilidad de las sustancias controladas. Estas normativas varían ligeramente de una región a otra. En general, se debe documentar hasta el último mililitro o miligramo de una sustancia controlada, desde el pedido, pasando por la recepción por parte del SEM, hasta la administración por parte del proveedor del SEM (o el desecho como residuo). Los formularios y procedimientos concretos pueden variar de un lugar a otro, pero la norma de responsabilidad permanece constante.

Las sustancias controladas suelen ser objeto de manipulación o desvío. Inspeccione los frascos de medicación, las ampolletas y similares en busca de signos sutiles de manipulación, que pueden ser tan pequeños como el agujero de un alfiler. Sospeche de la manipulación en situaciones en las que las dosis apropiadas de analgésicos o sedantes parezcan ineficaces, en especial cuando la tolerancia del paciente sea improbable.

La fisiología de la farmacología

La finalidad de los medicamentos es producir un efecto deseado en el organismo, por lo general en respuesta a una enfermedad, lesión o afección médica concreta, pero en ocasiones para prevenir una situación perjudicial específica. Cuando se administra un medicamento, empieza a alterar una función o un proceso del organismo. Esta acción se conoce como **farmacodinámica**.

Cualquier medicamento capaz de producir efectos clínicos benéficos puede causar efectos tóxicos cuando se administra a una dosis excesiva. También pueden producirse efectos tóxicos si un medicamento se administra por una vía incorrecta o cuando un dispositivo de administración, como un catéter IV o una aguja intraósea (IO), funciona mal. En otros casos, los medicamentos pueden resultar ineficaces si se administran a una dosis inadecuada o por una vía incorrecta. Incluso en ausencia de error, muchos factores relacionados con el paciente, su estado y la medicación concreta pueden causar toxicidad o efectos adversos.

El cuerpo humano inicia de manera simultánea el proceso de **absorción**, **distribución**, posible **biotransformación** y, en última instancia, **eliminación** de un medicamento o sustancia química tras su administración. La acción del organismo sobre un medicamento se conoce como **farmacocinética**. Siempre hay que tener en cuenta los principios de la farmacodinámica y la farmacocinética a la hora de decidir si administrar o no un determinado medicamento.

Principios de farmacodinámica

La investigación ha demostrado la presencia de sitios **receptores** en proteínas conectadas a células de todo el cuerpo. Diversos receptores son activados por sustancias químicas **endógenas**, las que se producen de forma natural en el organismo, y por la presencia de medicamentos y sustancias químicas absorbidas por el cuerpo. La activación de estos receptores produce una respuesta específica por parte de células individuales, tejidos, órganos y, en última instancia, sistemas corporales. Cuando un medicamento se une a un receptor, se produce una de las cuatro acciones posibles:

1. Los canales que permiten el paso de iones (partículas cargadas) en las paredes celulares se abren o se cierran.
2. Un mensajero bioquímico se activa, iniciando otras reacciones químicas dentro de la célula.
3. Se impide el funcionamiento normal de las células.
4. Comienza una función normal o anormal de la célula.

A efectos de este capítulo, las sustancias químicas **exógenas** (procedentes del exterior del cuerpo) se denominarán medicamentos, aunque la exposición a sustancias químicas en el medio ambiente puede causar efectos similares a los de los medicamentos, incluidos efectos adversos. Los laboratorios clandestinos de metanfetamina son un excelente ejemplo de exposición ambiental a una sustancia química. Los funcionarios encargados de hacer funcionar la ley y otros intervinientes en emergencias pueden experimentar una exposición accidental por inhalación o dérmica a las metanfetaminas durante una respuesta de emergencia y demostrar efectos clínicos idénticos a los de las personas que abusan de forma intencional de estas sustancias. En otro ejemplo, los niños pequeños que ingieren accidentalmente ciertos venenos para ratones mostrarán efectos clínicos idénticos a los experimentados tras la administración terapéutica de warfarina (Coumadin®). La exposición es diferente de la administración terapéutica normal en cada uno de estos casos, pero los efectos clínicos son idénticos.

En secciones posteriores de este capítulo se discutirán medicamentos y sustancias químicas específicas utilizadas por los paramédicos y se presentarán las propiedades de varias clases de medicamentos pertinentes a la atención prehospitalaria. En el capítulo 24, *Toxicología*, se analizan las propiedades adversas de las drogas de abuso más comunes. Funcionalmente, la distinción entre los términos *medicamentos terapéuticos, sustancias químicas exógenas* y *drogas ilícitas* es en gran medida irrelevante. Estos términos reflejan sustancias que siguen patrones similares (y a menudo predecibles) cuando interactúan con el organismo.

Los medicamentos se desarrollan para alcanzar y unirse a determinados receptores de las células objetivo. Los medicamentos más recientes están diseñados para dirigirse únicamente a receptores específicos de determinadas células con el fin de minimizar sus efectos adversos. Por el contrario, muchos medicamentos antiguos, incluidos los utilizados por los paramédicos, afectan a células y tejidos no relacionados con la enfermedad que se está tratando, causando efectos adversos en todo el organismo.

Hay dos tipos de medicamentos o sustancias químicas que afectan de manera directa la actividad celular uniéndose a los receptores de cada célula. Los **medicamentos agonistas** inician o alteran una actividad celular al unirse a los sitios receptores, provocando una respuesta celular. Los **medicamentos antagonistas** impiden que las sustancias químicas agonistas endógenas o exógenas alcancen los receptores celulares e inicien o alteren una actividad celular concreta **FIGURA 10-1**. Los pares agonista-antagonista específicos notables se discuten en varios puntos más adelante en este capítulo. Por ejemplo, los opioides como el sulfato de morfina y el fentanilo son sustancias químicas agonistas que causan **analgesia** y depresión respiratoria. Los efectos de estas sustancias químicas pueden revertirse con el antagonista opioide naloxona (Narcan®).

Medicamentos agonistas

La dosis de un medicamento concreto, la vía de administración y muchos otros factores determinan la concentración de un medicamento presente en los sitios receptores de las células diana. La **afinidad** es la capacidad de un medicamento para unirse a un receptor concreto. Juntos, la concentración y la afinidad del fármaco, determinan el número de sitios receptores unidos por ese fármaco. Como se ha indicado antes, los fármacos agonistas se unen a los receptores, iniciando o alterando la acción de la célula.

Para que se inicie o altere la actividad celular debe estar presente una determinada concentración mínima del medicamento agonista. A medida que la concentración del medicamento aumenta y cruza el **nivel umbral**, comienza la iniciación o alteración de la actividad celular. Las concentraciones crecientes de

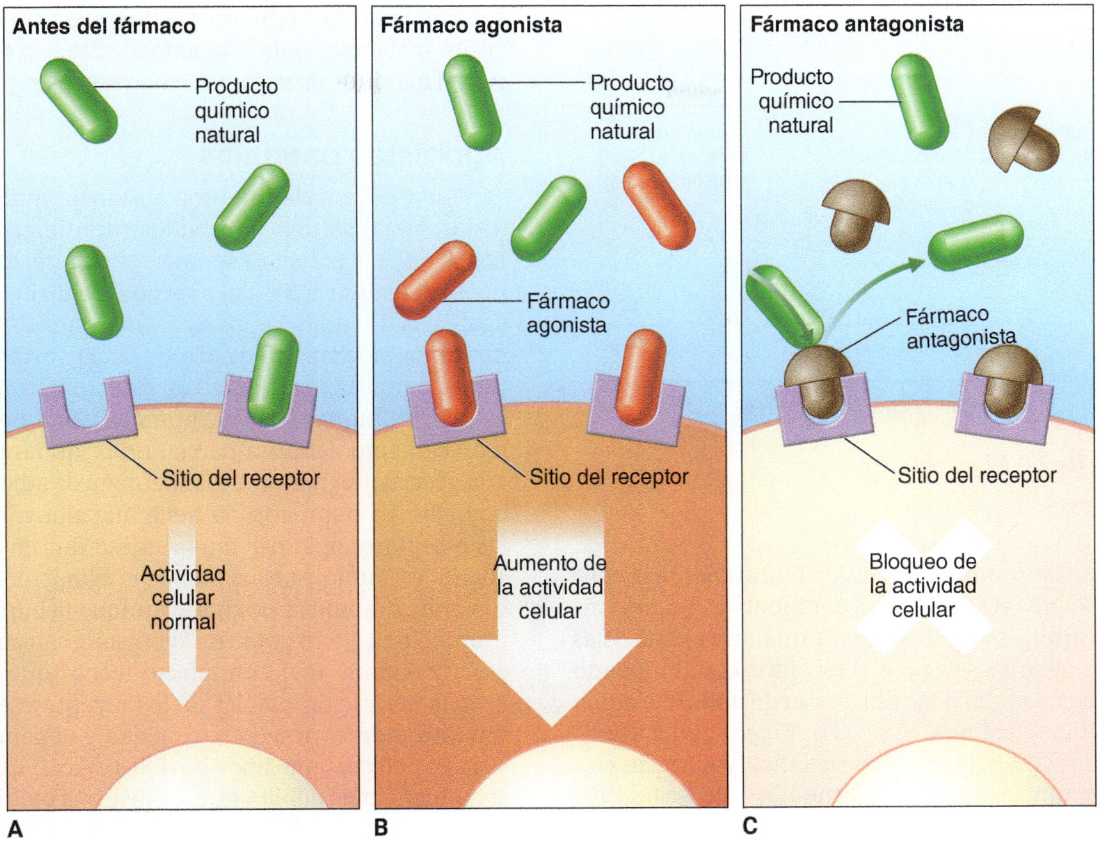

FIGURA 10-1 A. Normalmente, las sustancias químicas naturales se unen a los sitios receptores para provocar acciones. **B.** Cuando un fármaco agonista está presente, se une al receptor y aumenta la actividad celular. **C.** Cuando hay un fármaco antagonista, se une al receptor y bloquea la actividad celular.

fármaco provocan un aumento de los efectos hasta que se ocupan todos los sitios receptores o se alcanza la capacidad máxima de la célula. La concentración de medicamento necesaria para iniciar una respuesta celular se conoce como **potencia** del medicamento. A medida que aumenta la potencia de un medicamento, disminuye la concentración o dosis necesaria para una respuesta celular determinada. Por el contrario, cuando la potencia de un medicamento es baja, se requiere una concentración mayor. La capacidad de iniciar o alterar la actividad celular de forma terapéutica o deseada se denomina **eficacia**. Una vez que todos los sitios receptores celulares se unen con el medicamento agonista, la actividad celular se estabiliza y no es posible ningún aumento o cambio adicional en la actividad. En este punto, el efecto de la medicación ha alcanzado su punto máximo, y dosis adicionales o concentraciones más altas de la medicación no causarán una acción celular adicional. La **curva dosis-respuesta** ilustra la relación entre la dosis (o concentración) del medicamento y su eficacia. La potencia relativa de dos medicamentos diferentes que causan el mismo efecto puede demostrarse comparando sus curvas dosis-respuesta. La dosis umbral es menor para los medicamentos de mayor potencia (**FIGURA 10-2**).

Medicamentos antagonistas

Como ya se ha mencionado, los medicamentos antagonistas se unen a los receptores para impedir la respuesta celular a las sustancias químicas agonistas. Los antagonistas pueden utilizarse para inhibir la activación celular normal por sustancias químicas agonistas naturales del organismo. Los medicamentos antagonistas también pueden utilizarse para tratar los efectos agonistas nocivos de fármacos o sustancias químicas exógenas, posiblemente tras una sobredosis o una exposición tóxica.

Los antagonistas pueden ser competitivos o no competitivos. Los **antagonistas competitivos** se unen temporalmente a los sitios receptores celulares, desplazando a las sustancias químicas agonistas. La eficacia de un medicamento antagonista competitivo está directamente relacionada con su concentración cerca

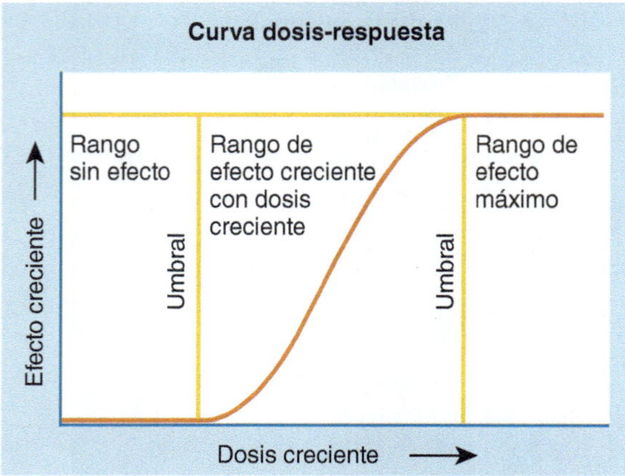

FIGURA 10-2 Curva dosis-respuesta.

de los sitios receptores. A medida que aumenta la concentración de un antagonista competitivo cerca de los sitios receptores, puede impedir que otras sustancias químicas agonistas lleguen al receptor, disminuyendo así la acción celular. Este efecto puede aplicarse a una gran cantidad de una sustancia química agonista concreta o a la presencia de varias sustancias químicas con efectos agonistas similares. A medida que disminuye la concentración del antagonista competitivo (debido a la eliminación del fármaco o sustancia, p. ej., a través de los riñones) o cuando aumenta la concentración de sustancias químicas agonistas, más sustancias químicas agonistas pueden unirse a los sitios receptores y continuar o reanudar la activación celular.

La eficacia de un medicamento antagonista competitivo también está relacionada con la fuerza de su afinidad (capacidad de unirse a un sitio receptor) en comparación con la afinidad de las sustancias químicas agonistas presentes. Los medicamentos antagonistas competitivos con menor afinidad requieren una mayor concentración para ser eficaces.

Los **antagonistas no competitivos** se unen de forma permanente a los sitios receptores e impiden la activación por sustancias químicas agonistas. Los efectos de los medicamentos antagonistas no competitivos continúan hasta que se crean nuevos sitios receptores o nuevas células, lo que puede ocurrir mucho tiempo después de la administración de la última dosis del medicamento antagonista. La ketamina (de la que hablaremos más adelante) es un antagonista no competitivo del agonista glutamato en los receptores de *N*-metil-D-aspartato del sistema nervioso central (SNC). Los efectos de la ketamina solo duran de 10 a 15 minutos. La aspirina (de la que también se hablará más adelante) es un antagonista no competitivo que se une a la enzima ciclooxigenasa, provocando efectos antiplaquetarios que duran hasta 10 días cuando se regeneran las plaquetas. Incluso dosis mayores de sustancias químicas agonistas no superarán la presencia de sustancias químicas antagonistas no competitivas en los sitios receptores celulares.

Agonistas parciales

También es posible que una sustancia química **agonista parcial** se una a los sitios receptores celulares. Los agonistas parciales se unen al sitio receptor, pero no inician tanta actividad o cambio celular como otros agonistas. En esencia, los agonistas parciales reducen de forma efectiva la eficacia de otras sustancias químicas agonistas que puedan estar presentes en las células. La buprenorfina (Buprenex®, Subutex®) es un medicamento agonista parcial utilizado tanto para la analgesia como para el tratamiento de la adicción a los opioides. La buprenorfina tiene una alta afinidad por los receptores opioides mu (μ) (descritos en el cuadro 10-10), y su unión a ellos impide el agonismo por otras sustancias químicas opioides. Aunque la buprenorfina proporciona cierto grado de agonismo, causando analgesia y euforia, tiene un "efecto techo" que solo permite la activación parcial de los receptores opioides, minimizando el riesgo de toxicidad y dependencia física. Los efectos máximos posibles de la buprenorfina son mucho más débiles que los de otros opioides.

Mecanismos alternativos de acción de los fármacos

Algunos medicamentos pueden alterar la función de células, tejidos, órganos y sistemas del organismo sin interactuar de manera directa con los receptores de las células individuales. Por ejemplo, los medicamentos pueden diseñarse para actuar en otros lugares del organismo, como microorganismos, lípidos, agua y sustancias tóxicas exógenas. Los **antimicrobianos**, como los **antibióticos** y los **antifúngicos**, pueden diseñarse para actuar sobre sustancias específicas presentes en las paredes celulares de una determinada bacteria u hongo. Otros medicamentos, conocidos como **agentes quelantes**, se unen a metales pesados como el plomo, el mercurio y el arsénico presentes en el organismo y crean un compuesto que puede eliminarse. El bicarbonato de sodio (del que se habla con detalle más adelante en este capítulo), un medicamento utilizado para una amplia variedad de afecciones médicas se descompone tras su administración, produciendo iones de bicarbonato. Los iones de bicarbonato pueden unirse al exceso de iones de hidrógeno, elevando el pH y disminuyendo la acidez de varios fluidos corporales.

El manitol (Osmitrol®) es un medicamento **diurético**, diseñado para distribuirse en el agua del organismo, creando cambios **osmóticos** que alteran la distribución de líquidos y electrólitos. El efecto diurético resultante extrae el exceso de agua de ciertos tejidos corporales, incluidos el cerebro y los ojos, al tiempo que aumenta la excreción de orina. Los expansores del plasma y los laxantes de volumen se dirigen al agua del organismo y alteran la distribución de diversos fluidos corporales.

Los medicamentos a base de electrólitos como el magnesio, el potasio y el calcio modifican la concentración y distribución de iones en las células y líquidos de todo el organismo, afectando a muchas actividades celulares. La alteración de la concentración de determinados electrólitos a nivel celular afecta a la capacidad de funcionamiento de diversas células. Las alteraciones de la función celular se producen sin que las sustancias químicas se unan directamente a los receptores celulares.

Factores que afectan la respuesta a los medicamentos

Son varios los factores que determinan cómo afectará una medicación concreta a un paciente. Estos factores pueden influir en la elección de la medicación, la dosis, la vía, el momento, la forma de administración y la monitorización necesaria después de que un paciente reciba una medicación. Incluso la dosificación de la medicación basada en el peso, que es común en el ámbito prehospitalario, produce profundas diferencias en la forma en que una medicación afecta a un paciente individual debido a los factores descritos en las siguientes secciones.

Edad

La distribución, el metabolismo y la eliminación de los medicamentos siguen cambiando a lo largo de la vida humana. Por lo tanto, las respuestas de los pacientes adultos mayores y pediátricos a diversos medicamentos pueden ser muy diferentes de las respuestas observadas en adolescentes y adultos. Es posible que se encuentre con situaciones inusuales que le obliguen a consultar con el control médico en línea para ajustar la dosis de la medicación para lactantes, niños y pacientes de edad avanzada con el fin de obtener la respuesta deseada.

Los medicamentos se distribuyen en tres tipos principales de sustancias corporales (agua, lípidos o grasa y proteínas) tras su administración. El porcentaje de grasa corporal es más bajo en los recién nacidos prematuros, aumenta de forma significativa en los niños pequeños, disminuye durante la adolescencia y aumenta en los adultos, incluidos los mayores. El porcentaje de agua corporal es mayor en los recién nacidos y disminuye de forma constante a lo largo de la vida. El porcentaje de proteínas corporales varía a lo largo de la vida y suele alcanzar su máximo en la preadolescencia, la adolescencia y la edad adulta. Los lactantes y los adultos mayores tienen el porcentaje más bajo de proteínas corporales. Si un medicamento es **hidrosoluble**, deben administrarse dosis más elevadas en función del peso a los lactantes (que tienen un mayor porcentaje de agua corporal) que a los adultos y los adultos mayores. Los medicamentos liposolubles y liposolubles requieren dosis mayores en función del peso en los adultos mayores debido a su mayor porcentaje de grasa corporal y a la mayor distribución de la grasa.

Cuando se trate a pacientes pediátricos o de edad avanzada con porcentajes alterados de agua, grasa o lípidos y proteínas corporales, considere la posibilidad de realizar una titulación cuidadosa de la medicación seleccionada en lugar de administrar simplemente un bolo basado en el peso. Los medicamentos hidrosolubles y liposolubles pueden requerir dosis iniciales mayores para superar la dilución que de forma inevitable se produce con su amplia distribución en el organismo. Los pacientes adultos mayores, por ejemplo, suelen tener un menor porcentaje de agua corporal. Por lo tanto, los medicamentos hidrosolubles, como la digoxina, tendrán niveles séricos más altos en los pacientes de edad avanzada que en otros pacientes que pesen lo mismo y reciban la misma dosis. Los adultos mayores tienen menos agua corporal en la que pueda extenderse la digoxina, lo que causa mayor concentración de este medicamento en el agua corporal presente, en especial en la sangre (suero). Los pacientes de edad avanzada también suelen tener un mayor porcentaje de grasa corporal. Los medicamentos liposolubles como el diazepam producen inicialmente niveles séricos mucho más bajos para una dosis determinada, pero el organismo tarda mucho más en eliminarlos, lo que prolonga en gran medida sus efectos. Sin una monitorización cuidadosa, puede ser fácil superar los niveles séricos terapéuticos al administrar dosis repetidas, causando efectos adversos o tóxicos que pueden persistir durante horas o días. La información sobre la solubilidad de un medicamento suele incluirse en sus materiales de referencia.

La alteración del metabolismo y la eliminación en pacientes pediátricos y de edad avanzada puede prolongar los efectos de los medicamentos o dar lugar a concentraciones más elevadas de medicamentos en diversos tejidos. El metabolismo de los medicamentos en el hígado se ve afectado por el **sistema del citocromo P-450** (analizado más adelante en este capítulo). Este sistema funciona de forma diferente con distintos tipos de medicamentos, es muy variable en lactantes y niños, y muestra un declive funcional en los adultos mayores. El metabolismo hepático también suele estar alterado en los adultos mayores debido a la disminución del flujo sanguíneo al hígado. Una disminución de la función hepática o renal, debida al envejecimiento o a otra causa, requiere una disminución de la dosis de muchos medicamentos porque su eliminación del organismo se verá alterada.

Los pacientes con edades extremas son desproporcionadamente susceptibles de presentar reacciones **paradójicas** a la medicación, es decir, efectos clínicos opuestos a los efectos previstos de la medicación. Por ejemplo, los medicamentos sedantes pueden producir excitación o agitación profundas en lugar de sedación. Los barbitúricos pueden causar excitación o agitación inesperadas en pacientes de edad avanzada. La prometazina (Phenergan®), la difenhidramina (Benadryl®), el hidrato de cloral y diversas benzodiacepinas, como el midazolam, pueden causar excitación o agitación paradójica en los niños. Las reacciones paradójicas suelen complicar una situación clínica ya de por sí delicada cuando los pacientes que necesitan sedación se vuelven aún más excitados, agitados o combativos.

Peso

Muchos medicamentos utilizados en la atención prehospitalaria y en el transporte de pacientes críticos se administran utilizando una dosificación basada en el peso. Para calcular la dosis recomendada para cada paciente, se multiplica una cantidad de medicamento (por lo general gramos, miligramos, microgramos o mililitros) por el peso del paciente en kilogramos. Este método de dosificación de la medicación tiene ventajas y limitaciones. La principal ventaja de este método es que la cantidad de medicación administrada es proporcional al tamaño del paciente. Los fabricantes de medicamentos y los médicos ya han calculado los factores que afectan a la absorción, la distribución, el metabolismo, las tasas de eliminación y la cantidad deseada presente en las células o tejidos diana cuando se administra un medicamento concreto en una dosis basada en el peso. Puede utilizar la fórmula basada en el peso para determinar la dosis de medicación adecuada para pacientes que van desde neonatos prematuros hasta adultos de gran tamaño.

Las limitaciones asociadas con este método incluyen el hecho de que se necesita el peso del paciente en kilogramos para calcular una dosis de medicación basada en el peso. El peso del paciente debe estimarse en situaciones de emergencia y, a menudo, debe convertirse de libras a kilogramos. Incluso en entornos controlados, los profesionales sanitarios pueden tener dificultades para estimar con precisión el peso de los pacientes. Un estudio reveló que una parte significativa de las estimaciones de peso de los pacientes realizadas por los profesionales sanitarios se equivocaban en más de 10 o 15%.[6] Por lo general, los pacientes calculan su propio peso con más precisión que los profesionales sanitarios. Una estimación inexacta del peso de un paciente, dependiendo del grado de error, podría dar lugar a la administración de una dosis incorrecta de medicación.

Otra limitación de la dosificación basada en el peso es el riesgo de que la multiplicación de los números de la fórmula durante una situación de estrés o en un lugar no controlado pueda dar lugar a errores de dosificación. El uso de una calculadora o de una tabla de dosis de medicación preimpresa cuando se administran medicamentos basados en el peso puede ayudar a reducir este tipo de errores.

Poblaciones especiales

Antes de administrar cualquier medicamento a un paciente pediátrico, pregunte a los padres si el niño ha tenido una reacción previa, como una reacción paradójica.

El método de cálculo de la dosis basado en el peso tampoco tiene en cuenta las diversas alteraciones de la distribución, el metabolismo y la eliminación comentadas antes. Los datos estándar relativos a los porcentajes de agua, grasa y proteínas corporales a distintas edades pierden fiabilidad a medida que la obesidad y la desnutrición afectan a los pacientes. Las dosis de medicación basadas en el peso pueden calcularse utilizando el peso corporal real o el peso corporal ideal del paciente. Por ejemplo, la lidocaína, un medicamento antiarrítmico, se administra en función del peso corporal real del paciente. En cambio, la digoxina, un medicamento glucósido cardíaco, se administra en función del peso corporal ideal del paciente. Desafortunadamente, muchas fuentes de referencia no proporcionan orientación sobre si debe utilizarse el peso corporal real o el ideal del paciente para calcular la dosis de medicación. Las fórmulas para el peso corporal ideal en adultos son las siguientes:

Para hombres: peso ideal (kg) = 50 + (2.3 veces la estatura del paciente en pulgadas por encima de 5 pies [1.70 ml])

Para mujeres: peso ideal (kg) = 45.5 + (2.3 veces la altura del paciente en pulgadas por encima de 5 pies [1.70 ml])

Por ejemplo, el peso ideal para un hombre de 1.80 m [6 pies] es 77.6 kg [50 + (2.3 × 12)], y el peso ideal para una mujer de 1.70 m (5 pies) es 57 kg [45.5 + (2.3 × 5)].

Medio ambiente

Tanto la hipertermia como la hipotermia pueden afectar a la absorción, el metabolismo y la eficacia de los medicamentos. La fiebre provoca taquicardia que puede aumentar el flujo sanguíneo hepático, aumentando en teoría el metabolismo inicial de los fármacos en el hígado y reduciendo la cantidad de fármaco devuelto a la circulación por el hígado. La fiebre también suprime la función del sistema del citocromo P-450 en el hígado, lo que en última instancia disminuye la tasa de metabolismo de ciertas clases de medicamentos. En consecuencia, la respuesta de cada paciente puede variar con respecto a la esperada.

Se sabe que la hipotermia afecta a la eficacia de los fármacos utilizados en el soporte vital cardiovascular avanzado (ACLS, *advanced cardiac life support*) tradicional. Las guías ACLS 2020 de la AHA indican que puede ser razonable considerar la administración de epinefrina durante un paro cardíaco causado por hipotermia accidental según el algoritmo ACLS estándar, junto con estrategias de recalentamiento.[7]

Factores genéticos

Sea en extremo cuidadoso a la hora de decidir si administrar medicamentos a pacientes con trastornos genéticos específicos. La hipertensión pulmonar primaria, la anemia falciforme y la deficiencia de glucosa-6-fosfato deshidrogenasa son algunas afecciones notables que requieren una consideración especial, y su presencia en un paciente puede descartar el uso de ciertos medicamentos administrados con frecuencia por los paramédicos. Los pacientes con hipertensión pulmonar primaria pueden presentar una descompensación aguda cuando reciben medicamentos vasopresores. Los medicamentos con salicilatos como la aspirina (ácido acetilsalicílico) pueden precipitar la **hemólisis** (destrucción de los glóbulos rojos [GR] por alteración de la membrana celular) en pacientes con deficiencia de glucosa-6-fosfato deshidrogenasa. Los pacientes con anemia falciforme necesitan una hidratación y un volumen de líquido intravascular adecuados. Los medicamentos que provocan diuresis, como la furosemida (Lasix®), o vasoconstricción, como la epinefrina o la dopamina, pueden causar o empeorar complicaciones potencialmente mortales de la anemia falciforme. Muchas otras enfermedades genéticamente relacionadas requieren una cuidadosa consideración a la hora de administrar medicamentos en el ámbito prehospitalario.

Variaciones genéticas sutiles entre cada persona pueden desencadenar respuestas significativamente diferentes a la misma medicación. Los efectos de los inhibidores de la ECA, los agonistas beta-2, los antipsicóticos, la warfarina, la aspirina y los inhibidores de la glucoproteína IIb/IIIa están relacionados con la acción de determinados genes. Las variaciones en la expresión de estos genes vinculados provocarán respuestas diferentes a cada uno de estos medicamentos o grupos de medicamentos (junto con muchos otros). El profundo impacto de las variaciones genéticas en la respuesta a la medicación ha impulsado el desarrollo de una amplia gama de pruebas de detección genética específicas para determinados estados de enfermedad o medicamentos.

Inteligencia en la calle

Los pacientes con trastornos genéticos y sus familiares suelen ser excelentes fuentes de información específica sobre el trastorno. Debe aprovechar los conocimientos de los pacientes y familiares sobre las afecciones genéticas; admitir la falta de conocimientos sobre una afección genética inusual y tratar a los pacientes y familiares como expertos en la afección genética puede ayudar a fomentar su confianza en usted.

Embarazo

El embarazo provoca una serie de cambios fisiológicos en el organismo que, a su vez, pueden afectar de forma significativa a las decisiones sobre la medicación. El gasto cardíaco y el volumen intravascular aumentan en gran medida durante el embarazo, incrementándose cada uno de ellos en torno a 40% por encima de los niveles previos al embarazo. El **hematocrito** (es decir, el porcentaje de glóbulos rojos en el espacio intravascular) disminuye en respuesta al aumento del volumen total de plasma sanguíneo. El volumen corriente respiratorio y los volúmenes minuto aumentan, mientras que los volúmenes de reserva inspiratoria y espiratoria disminuyen. La motilidad gastrointestinal (GI) disminuye a medida que avanza el embarazo. El flujo sanguíneo renal y la eliminación urinaria aumentan, aproximadamente en proporción al gasto cardíaco y al volumen intravascular. La mayoría de las glándulas endocrinas presenta algún grado de cambio durante el embarazo, lo que provoca inestabilidad emocional, alteración del metabolismo de la glucosa, taquicardia generada por el tiroides y otras afecciones.

Cada uno de estos cambios puede afectar a la absorción, distribución o eliminación de los medicamentos durante el embarazo. El estrés impuesto al organismo durante el embarazo por estos cambios también puede exacerbar un proceso de enfermedad subyacente, amenazando potencialmente la vida o la salud de la paciente y el feto. Además de tener en cuenta las alteraciones del organismo de la mujer durante el embarazo, debe considerar los posibles efectos perjudiciales sobre el feto en desarrollo cuando administre medicación a una paciente embarazada. Para determinar si un medicamento específico es seguro para una embarazada y el feto en desarrollo, los paramédicos deben consultar la etiqueta del medicamento (es decir, el inserto), que proporciona información aprobada por la FDA sobre los siguientes temas:[8]

- Embarazo, incluidos la labor de parto y parto
  - Registro de exposición durante el embarazo
  - Resumen de riesgos
  - Consideraciones clínicas
  - Datos
- Lactancia, incluidas madres lactantes
  - Resumen de riesgos
  - Consideraciones clínicas
  - Datos
- Efectos potenciales sobre la reproducción, tanto en hombres como mujeres
  - Pruebas de embarazo
  - Anticoncepción
  - Infertilidad

A partir de 2018, este formato de etiqueta de medicamento reemplazó de forma oficial las anteriores categorías de cartas de riesgo de la FDA (A, B, C, D y X), que fueron cuestionadas por proporcionar información engañosa o insuficiente.

En general, los medicamentos y las intervenciones que protegen la vida y la salud de la madre suelen redundar en beneficio del feto dependiente. La mayoría de los medicamentos administrados por paramédicos no suponen un riesgo inaceptable para el feto. Aun así, debe tener en cuenta las implicaciones de riesgo para el embarazo siempre que contemple la administración de medicación a una paciente potencialmente embarazada. Evite los medicamentos que se sabe que causan daño al feto en todas las situaciones, excepto en las más extremas que pongan en peligro la vida de la madre. En situaciones que implican una amenaza directa para la vida de la paciente, a menudo es necesario administrar un medicamento de mayor riesgo para preservar la vida de la madre, independientemente del riesgo para el feto. Los médicos de control en línea pueden orientar a menudo en estas situaciones difíciles.

La mayoría de las fuentes comerciales de referencia proporcionan la categoría de riesgo de embarazo de la FDA para cada medicamento. La categoría de riesgo para el embarazo de un medicamento también figura en su monografía. La aspirina y ciertas benzodiacepinas, como el diazepam y el midazolam, son medicamentos prehospitalarios comunes de los que se sabe que causan daño fetal.

Poblaciones especiales

Trate a toda mujer en edad fértil como si pudiera estar embarazada.

Factores psicosociales

Ser consciente del papel de los factores psicosociales en la eficacia de los medicamentos a la hora de seleccionar y administrar los medicamentos. El dolor, la ansiedad y el malestar general pueden variar en gran medida entre cada paciente con la misma enfermedad o lesión. A diferencia de los signos vitales medibles y los hallazgos clínicos observables con facilidad, las percepciones y respuestas de los pacientes al malestar son en gran medida subjetivas. Los factores psicológicos, culturales, emocionales y situacionales pueden influir en el grado de malestar que manifiestan los pacientes en relación con la enfermedad subyacente, la posición del paciente, los factores estresantes del entorno y las intervenciones que usted pueda realizar durante el tratamiento. Debe estar atento a las señales verbales y no verbales cuando evalúe el malestar y administre medicación para la ansiedad, el dolor y la sedación. Las señales no verbales pueden estar indicadas por cambios en los signos vitales, la expresión facial, cambios posturales y de movimiento, patrones respiratorios alterados, lágrimas o llanto y otros comportamientos. Estas señales pueden proporcionar información potencialmente útil sobre el dolor, la ansiedad o el malestar del paciente, pero pueden tener significados diferentes para cada persona, por lo que su interpretación de las señales debe confirmarse con el paciente.

La administración de medicamentos se complica aún más por el **efecto placebo**. Numerosos estudios han demostrado que los pacientes a menudo experimentan una mejoría clínica mensurable o presentan efectos adversos inexplicables luego de recibir un medicamento sin propiedades farmacológicas. Los placebos se utilizaban de forma habitual en la práctica médica de los siglos XVII y XVIII, y su uso continuó hasta principios del siglo XX. Los medicamentos farmacológicamente inactivos siguen siendo utilizados por los investigadores sanitarios para validar la eficacia o los efectos adversos de los medicamentos en investigación cuantificando el efecto placebo presente en el estudio concreto. El mecanismo fisiológico del efecto placebo sigue siendo objeto de especulación. El alivio del dolor con un placebo puede provenir de las endorfinas liberadas por el cerebro en previsión del alivio del dolor con el placebo. Los efectos adversos tras la administración de placebo pueden estar relacionados de algún modo con las expectativas negativas o la ansiedad, aunque el mecanismo sigue siendo incierto. La eficacia de un placebo puede estar relacionada con el momento de la administración en relación con los medicamentos farmacológicamente activos.

Puede resultar tentador explotar el efecto placebo administrando sustancias inactivas a un paciente como alternativa al tratamiento farmacológico. Esta práctica es degradante para los pacientes y puede dar lugar a medidas disciplinarias o acciones penales si el acto implica el desvío de sustancias controladas. El uso de placebo por parte de los paramédicos viola los principios éticos, engaña a los pacientes y socava la credibilidad de la profesión de los SEM.

Tipos de respuestas a la medicación

Todo medicamento capaz de producir un beneficio terapéutico también puede tener efectos potencialmente adversos o tóxicos a dosis excesivas. Incluso a dosis adecuadas, muchos medicamentos producen efectos nocivos o no deseados en personas susceptibles. Usted puede prevenir o minimizar los efectos adversos seleccionando de manera adecuada la medicación correcta, la vía, la dosis, el método de administración y el tratamiento de apoyo necesario para cada paciente.

SEGURIDAD

En la asistencia sanitaria pueden producirse muchos tipos de errores. Tal vez los más notables sean los errores de medicación y prescripción, pero otros errores menos comunes son la identificación errónea del paciente, los errores de transfusión, los suicidios evitables, las caídas, las quemaduras, los procedimientos en el lado equivocado y los errores en la transición de la asistencia o en el traspaso de pacientes. En el **CUADRO 10-5** se enumeran los tipos de errores médicos.

CUADRO 10-5 Tipos de errores médicos

Categoría de error	Errores específicos
Diagnóstico	Error o retraso en el diagnóstico No emplear las pruebas indicadas Uso de pruebas o terapias obsoletas No actuar en función de los resultados del control o las pruebas
Tratamiento	Error en la realización de una operación, procedimiento o prueba Error en la administración del tratamiento Error en la dosis o en el método de utilización de un medicamento Retraso evitable en el tratamiento o en la respuesta a una prueba anormal Atención inadecuada
Preventivo	Falta de tratamiento profiláctico Control o seguimiento inadecuados del tratamiento
Otros	Falla de comunicación Falla del equipo Otra falla del sistema

Datos de: Kohn LT, Corrigan JM, Donaldson MS, eds. *To Err Is Human: Building a Safer Health System*. Washington, DC: National Academy Press; 2000.

Respuesta terapéutica (deseada)

Las intervenciones farmacológicas se basan en la enfermedad, lesión, dolencia, signo o síntoma real o previsto del paciente. Esta condición debe coincidir con el uso o la indicación que figura en el perfil para el medicamento específico. Los centros y organizaciones del SEM a menudo formulan protocolos que especifican qué medicamentos deben o pueden administrarse en determinadas situaciones. Los directores médicos pueden autorizar usos no indicados (discutidos antes) para medicamentos aprobados cuando este uso refleja la práctica médica aceptada. Cuando los protocolos o guías existentes no parezcan apropiados para las necesidades de un paciente, en muchos sistemas del SEM se puede contactar con el control médico en línea para pedir consejo o autorización para la administración de medicamentos.

La medicación se administra en una dosis destinada a producir una respuesta clínica deseada para el paciente. A veces, esta respuesta puede ser la resolución completa del problema tras una única dosis de medicación. En otros casos, puede ser necesario administrar varias dosis del mismo medicamento para obtener la respuesta deseada. Algunos medicamentos requieren dosis repetidas frecuentes, una titulación cuidadosa o una administración continua para obtener o mantener la respuesta deseada. Estos medicamentos son capaces de demostrar una **acción acumulativa**, lo que significa que varias dosis más pequeñas de un medicamento producen el mismo efecto clínico deseado que una dosis única más grande de ese mismo medicamento. Este enfoque puede producir el mismo beneficio terapéutico y, al mismo tiempo, reducir los riesgos asociados con la administración de una dosis excesiva de un medicamento. No todos los medicamentos o situaciones permiten la acción acumulativa. Por ejemplo, muchos medicamentos requieren una concentración umbral mínima para causar un efecto clínico. El metabolismo y la eliminación (analizados más adelante) pueden eliminar las moléculas del medicamento antes de que se alcance la concentración umbral si las dosis son demasiado pequeñas o infrecuentes. La situación clínica y la elección de la medicación determinarán qué forma de administración de la medicación es necesaria u óptima.

Efectos adversos de la medicación

Los efectos adversos y tóxicos son consideraciones importantes a la hora de seleccionar y administrar medicamentos. Los investigadores y fabricantes farmacéuticos intentan desarrollar medicamentos dirigidos solo a receptores específicos de determinados tipos de células. Desafortunadamente, el gran número de posibles sitios receptores en el organismo hace que los medicamentos sean selectivos (en lugar de específicos) en el mejor de los casos. Incluso los medicamentos que se unen a un grupo limitado de sitios receptores pueden causar respuestas no deseadas en una variedad de células.

El término *efecto secundario* se utiliza a menudo para significar *efecto adverso*. Aunque ambos términos suelen utilizarse para referirse a efectos nocivos o potencialmente nocivos, el término *efecto adverso* indica con más claridad la posibilidad de consecuencias graves. Algunos efectos secundarios pueden ser benéficos; por ejemplo, un médico puede recetar un antidepresivo específico para tratar síntomas posmenopáusicos, como los "sofocos", porque se identificó un efecto secundario positivo del fármaco. Asimismo, un efecto secundario de un medicamento puede ser deseable en determinadas situaciones y perjudicial en otras. Por ejemplo, las benzodiacepinas se utilizan para tratar la actividad convulsiva y se sabe que causan sedación. La sedación puede ser deseable para un paciente combativo con un traumatismo craneoencefálico, pero también podría poner en peligro la vida del mismo paciente si presenta vómito.

Diversas fuentes también pueden referirse a los efectos adversos como **efectos perjudiciales**. Tanto los efectos adversos como los inconvenientes son cambios clínicos provocados por un medicamento que no son deseados y causan cierto grado de daño o malestar al paciente.

SEGURIDAD

El proceso por el que un paciente recibe una medicación es complejo y está plagado de oportunidades de error, incluidos los errores de prescripción, dispensación, administración y monitorización. El entorno prehospitalario no controlado crea retos adicionales para los paramédicos cuando administran medicamentos.

Las respuestas no deseadas o perjudiciales a un medicamento pueden estar directamente relacionadas con la respuesta celular prevista o con la activación aleatoria de células no relacionadas en todo el organismo. Algunos ejemplos de respuestas no deseadas o perjudiciales son la hipoglucemia tras la administración de insulina (efecto "terapéutico" exagerado); la bradicardia profunda tras tomar metoprolol, un medicamento antagonista betaadrenérgico (efecto terapéutico exagerado); y una reacción alérgica a un medicamento (no es un efecto terapéutico). Algunos ejemplos de efectos adversos comunes son náusea, vómito, sedación, palpitaciones,

USTED es el Paramédico

PARTE 2

A su llegada, le dirigen a la habitación de la paciente. El personal de enfermería informa de que la paciente suele estar despierta, alerta y orientada; sin embargo, se ha notado que "no es ella misma" en las últimas horas y ahora tiene peor aspecto. El personal también informa que la paciente ingresó en el centro de enfermería especializada por complicaciones de diabetes mellitus y que estaba mejorando lentamente hasta que desarrolló náusea, vómito y diarrea en las últimas 36 a 48 horas. La temperatura de la paciente era de 37.6 °C justo antes de su llegada.

Tiempo de grabación: 0 minutos	
Apariencia	Piel pálida (el personal confirma que su tono de piel es pálido en comparación con su color habitual)
Nivel de conciencia	Disminución de la capacidad de respuesta, gemidos y habla incoherente, ojos abiertos a estímulos táctiles profundos
Vía aérea	Permeable
Respiración	Ruidos respiratorios claros, ligeramente disminuidos en las bases bilateralmente
Circulación	Pulso normal, frecuencia cardíaca ligeramente aumentada

2. Basándose en esta breve historia clínica y en la exploración física, ¿qué problemas sospecha?
3. ¿Qué información adicional le ayudaría a identificar las posibles causas del estado de la paciente?

hipotensión, hipertensión, bradicardia, taquicardia, depresión respiratoria y mareo. Las fuentes de referencia de medicamentos suelen clasificar los efectos adversos por sistema corporal, frecuencia de aparición o gravedad.

Al seleccionar los medicamentos, hay que tener en cuenta los posibles efectos adversos en relación con el estado del paciente. Por ejemplo, es poco probable que las propiedades depresoras de la respiración de los analgésicos opioides, como el sulfato de morfina, afecten de manera negativa a un paciente con quemaduras que está intubado y recibe ventilación mecánica; sin embargo, si se administra morfina a un paciente que se está fatigando durante un ataque de asma, podría producirse una amenaza inmediata para su vida. Otro ejemplo de cómo los efectos adversos influyen en la toma de decisiones es la elección entre dos o más medicamentos que pueden administrarse para la misma enfermedad. Por ejemplo, tanto el ondansetrón (Zofran®) como la prometazina (Phenergan®) son medicamentos antieméticos. La prometazina provoca cambios hemodinámicos y electrocardiográficos (EKG) significativos, que no se conocen con el ondansetrón. Este puede resultar un medicamento antiemético más seguro para los pacientes especialmente susceptibles a los efectos adversos asociados con la prometazina. En general, un medicamento debe evitarse o utilizarse con precaución en pacientes que son en particular susceptibles a los efectos adversos asociados con ese medicamento.

Los pacientes con determinadas enfermedades crónicas son por lo general más susceptibles a los efectos adversos de los medicamentos que los pacientes sin dichas enfermedades. Las enfermedades cardiovasculares graves, la diabetes, el deterioro de la función inmunológica y la insuficiencia renal se asocian más a menudo con una mayor gravedad o frecuencia de los efectos adversos. Muchos efectos adversos de los medicamentos están directamente relacionados con estas afecciones; por ejemplo, la insuficiencia renal dificulta la capacidad de los riñones para eliminar los medicamentos de manera adecuada. Además, los pacientes con dificultad respiratoria, shock, traumatismos múltiples u otras afecciones potencialmente mortales pueden ser incapaces de tolerar incluso efectos adversos leves. Debe tener cuidado al seleccionar medicamentos para pacientes con estas afecciones. También debe estar atento a los efectos adversos una vez administrados los medicamentos.

Los efectos adversos pueden variar en gravedad, desde cambios apenas perceptibles para los pacientes y los paramédicos hasta una afección potencialmente mortal que requiera una intervención agresiva. Por ejemplo, algunos antidepresivos pueden causar cardiomiopatía, una enfermedad del músculo cardíaco. Se sabe que algunos antibióticos y anticonvulsivos provocan el **síndrome de Stevens-Johnson**, una reacción medicamentosa grave y posiblemente mortal que imita una quemadura. Varios medicamentos provocan anemia (recuento bajo de glóbulos rojos) por supresión de la médula ósea o hemólisis directa.

En ocasiones se producen efectos adversos totalmente inesperados y cuya asociación con un medicamento concreto no se conocía con anterioridad. Estas reacciones **idiosincrásicas** a la medicación implican una susceptibilidad anormal a un medicamento, posiblemente debido a rasgos genéticos o a la disfunción de una enzima metabólica propia de un paciente concreto.

Índice terapéutico

Las empresas farmacéuticas y los científicos dedican intensos esfuerzos a evaluar la seguridad y eficacia de un posible medicamento antes de ponerlo a disposición del público. Las pruebas con animales establecen la **dosis letal media (DL_{50})**, que es la dosis basada en el peso de un medicamento que causa la muerte en 50% de las pruebas con animales. Además, los fabricantes determinan la **dosis tóxica media (DT_{50})** para un efecto adverso concreto del medicamento, lo que significa que 50% de las pruebas con animales tuvieron efectos tóxicos a esta dosis basada en el peso o por encima de ella. Los ensayos en humanos o animales también revelan la **dosis media efectiva (DE_{50})** para un uso o indicación particular del medicamento. La relación entre la dosis media efectiva y la dosis media letal o la dosis media tóxica se conoce como **índice o razón terapéuticos**. Si existe una diferencia significativa entre la dosis media efectiva y la dosis media tóxica o la dosis media letal, el medicamento se considera seguro o incluso no tóxico. Sin embargo, si el cociente es relativamente pequeño, es esencial una cuidadosa selección del paciente, el uso de la medicación y su monitorización. Un medicamento relativamente inseguro puede utilizarse en la práctica clínica si es la única opción para una enfermedad que de otro modo sería mortal.

Respuesta inmunomediada a la medicación

Los medicamentos y sustancias presentes en el medio ambiente pueden desencadenar una respuesta exagerada del sistema inmunológico del organismo, que se describe por lo general como reacción alérgica. Las reacciones alérgicas pueden variar desde cambios cutáneos leves hasta reacciones multisistémicas potencialmente mortales. Es posible que se encuentre con pacientes con esta afección que soliciten la asistencia del SEM o que la observe de inmediato después de administrar un medicamento a un paciente por una afección no relacionada.

Los pacientes genéticamente predispuestos a una reacción alérgica suelen tener una exposición inicial y una sensibilización a un alérgeno concreto. Tras la exposición inicial, varios componentes del sistema inmunológico del organismo evolucionan hacia anticuerpos dirigidos en específico a este tipo de alérgeno. Si el paciente tiene una exposición posterior a este tipo de alérgeno, se inicia una cascada potencialmente masiva de actividad del sistema inmunológico, conocida como **anafilaxia**. En casos graves, esta reacción altera en gran medida la función de los sistemas cutáneo, gastrointestinal, respiratorio y cardiovascular, manifestándose en última instancia como shock e insuficiencia respiratoria. El capítulo 22, *Emergencias inmunológicas*, incluye una discusión adicional de la fisiopatología y el manejo de una respuesta inmunomediada a la medicación.

Los pacientes predispuestos a una reacción alérgica, anafilaxia u otra respuesta inmunomediada a la medicación pueden informar de reacciones previas a medicamentos, látex, alimentos u otras sustancias del entorno. La aspirina y los antibióticos, sobre todo la penicilina y los antibióticos a base de sulfamidas, son los principales responsables de las reacciones inmunológicas a medicamentos. Una cantidad muy pequeña de cualquier medicamento puede provocar esta reacción. Una reacción inmunomediada puede producirse días o semanas después de empezar a tomar un medicamento.

Los pacientes también pueden presentar una **sensibilidad a la medicación** que no esté relacionada con una respuesta exagerada del sistema inmunológico. Puede producirse una reacción de leve a grave tras la primera exposición a un medicamento u otra sustancia, que a menudo presenta muchos de los mismos signos y síntomas que una reacción inmunomediada. El tratamiento de la sensibilidad a los medicamentos es similar al de una respuesta inmunológica. Evite administrar medicamentos a pacientes que hayan tenido una reacción grave al medicamento específico (o a un medicamento de la misma clase) a menos que el efecto adverso estuviera claramente relacionado con la dosis y pueda reducirse mediante una administración juiciosa y una monitorización cuidadosa.

Perlas de sabiduría

No tema preguntar más de una vez sobre las alergias al mismo paciente si se le están administrando varios medicamentos.

Tolerancia a los medicamentos

Se sabe que algunos medicamentos disminuyen su eficacia o potencia cuando un paciente los toma repetidamente, un estado conocido como **tolerancia**. Una teoría sugiere que la tolerancia es el resultado de un mecanismo que reduce el número de receptores celulares disponibles para unirse a un medicamento concreto, un proceso conocido como **regulación a la baja**. El organismo compensa los efectos de un medicamento aumentando el metabolismo o la eliminación de este, lo que provoca una disminución de la concentración del medicamento presente cerca de los receptores. En algunos casos, los efectos deseados continúan mientras que otros efectos no deseados o adversos disminuyen. En otras situaciones, los efectos adversos persisten o aumentan mientras se requiere medicación adicional para alcanzar el mismo objetivo terapéutico.

La exposición repetida a un medicamento de una clase determinada, como los opioides o las benzodiacepinas, puede provocar tolerancia a otros medicamentos de la misma clase. Este fenómeno, conocido como **tolerancia cruzada**, se vuelve problemático cuando los pacientes usan o abusan de medicamentos, drogas o sustancias químicas con regularidad y luego requieren medicamentos de esa clase para un fin médico legítimo. Determinar la dosis adecuada para estos pacientes puede resultar todo un reto, y a menudo hace que reciban dosis inadecuadas o excesivas de medicamentos terapéuticos.

Una afección similar, conocida como **taquifilaxia**, se produce con algunos medicamentos. La administración de dosis repetidas de medicación en un breve espacio de tiempo puede provocar rápida tolerancia, haciendo que la medicación sea prácticamente ineficaz. Es probable que se produzca taquifilaxia con determinados medicamentos simpaticomiméticos (que se comentarán más adelante) y puede ocurrir con otros medicamentos que usted pueda administrar, como nitroglicerina y dobutamina.

Perlas de sabiduría

Considere la tolerancia del paciente, la infiltración o desconexión IV o la posible manipulación de la medicación siempre que la administración de una sustancia controlada no produzca el efecto clínico esperado.

Abuso y dependencia de medicamentos

Algunas clases de medicamentos y grupos similares de sustancias químicas ilícitas tienen un grave potencial de uso indebido y abuso. Algunas personas pueden optar por experimentar muchos de los efectos clínicos deseados de los medicamentos o sustancias químicas incluso cuando no tienen una afección o síntoma médico subyacente. Los pacientes que reciben determinados medicamentos por afecciones médicas legítimas pueden seguir utilizándolos mucho después de que se haya resuelto su afección médica inicial. A menudo es difícil determinar si sigue existiendo una indicación médica apropiada para algunos medicamentos. En el transcurso de su práctica como SEM, es casi seguro que se encuentre con pacientes que abusan de medicamentos, drogas ilícitas y otras sustancias químicas.

Dos grupos distintos de medicamentos y sustancias químicas son en especial susceptibles de uso indebido y abuso: los estimulantes y los depresores. Las sustancias químicas **estimulantes** provocan un aumento transitorio del rendimiento físico, mental o emocional. La cafeína, la cocaína y las anfetaminas son estimulantes con un grave potencial de uso indebido o abuso. En general, estos medicamentos aumentan el nivel de conciencia de una persona, incrementan el ritmo cardíaco, aumentan la presión arterial y activan de otro modo el sistema nervioso simpático. Los efectos inmediatos o a largo plazo de los medicamentos estimulantes pueden poner en peligro la vida.

Los medicamentos y sustancias químicas **depresoras**, a diferencia de los estimulantes, reducen el funcionamiento del sistema nervioso central y del sistema nervioso simpático, provocando sedación, ansiólisis, depresión respiratoria, bradicardia, hipotensión y una variedad de síntomas clínicos similares. Las benzodiacepinas, el alcohol y los opioides son sustancias depresoras comunes. La toxicidad de las sustancias depresoras también puede poner en peligro la vida tras una exposición aguda o prolongada.

La exposición repetida a determinados medicamentos o sustancias químicas hace que el paciente experimente **habituación**, una tolerancia anormal a los efectos adversos o terapéuticos asociados con una sustancia. En esencia, el organismo se adapta para acomodarse a la exposición y protegerse de la gravedad de los cambios clínicos asociados con una sustancia. La exposición prolongada o significativa a depresores, estimulantes y otros medicamentos y sustancias químicas puede causar cierto grado de **dependencia**. La dependencia es la necesidad física, emocional o conductual de estas sustancias para mantener un nivel de funcionamiento “normal”. Cuando existe, la persona se ha adaptado a la presencia frecuente de la sustancia. En ausencia de la sustancia, se producen efectos clínicos adversos. En casos graves, la abstinencia brusca de una sustancia puede precipitar cambios clínicos potencialmente mortales.

Interacciones medicamentosas

Los pacientes que reciben varios medicamentos, fármacos u otras sustancias químicas presentan el riesgo de que se produzca una interacción no deseada entre las distintas sustancias, lo que puede ocasionar resultados inesperados. Las interacciones indeseadas entre medicamentos se denominan **interferencias** medicamentosas. Hay que tener en cuenta la posibilidad de que las drogas ilícitas, los medicamentos de venta con o sin receta y las hierbas medicinales interactúen con cualquier medicamento que se administre a un paciente. A medida que se prescribe a los pacientes un mayor número de medicamentos para tratar enfermedades crónicas, el riesgo de que se produzca una interacción medicamentosa aumenta en gran medida.

El problema más evidente de las interacciones entre medicamentos es la incompatibilidad durante la administración. Cuando se administran de forma simultánea a través de la misma vía venosa, la composición química de algunos medicamentos cambiará, lo que posiblemente creará partículas sólidas en el tubo, que luego pasarán al paciente. Otras combinaciones de medicamentos desactivarán uno o más de los medicamentos, haciéndolos ineficaces. Los medicamentos también requieren el uso de la solución IV adecuada, ya que algunos solo pueden mezclarse con solución salina normal o con soluciones que contengan dextrosa. Consulte una fuente de referencia de medicación fiable antes de administrar varios medicamentos, en especial infusiones continuas de medicación, a través de la misma vía intravenosa. En particular, el bicarbonato de sodio y la furosemida son dos medicamentos utilizados en el ámbito prehospitalario que son incompatibles con otros medicamentos prehospitalarios comunes.

Un medicamento puede aumentar el efecto, disminuir el efecto o alterar el efecto de otro medicamento en el organismo. En el **CUADRO 10-6** se describen varios tipos de interacciones medicamentosas.

Principios de farmacocinética

Debe considerar con cuidado las propiedades farmacocinéticas de cualquier medicamento que esté considerando administrar a un paciente. Cuando se administra un medicamento, el organismo inicia un

CUADRO 10-6 Interacciones medicamentosas

Tipo de interacción	Descripción	Ejemplo
Suma o total	Dos medicamentos con un efecto similar se combinan para producir un efecto igual a la suma del efecto individual de cada medicamento (p. ej., 1 + 1 = 2).	Las propiedades antipiréticas del paracetamol (Tylenol®) y las propiedades antipiréticas del ibuprofeno (Motrin®, Advil®) se combinan para reducir la fiebre en pacientes con temperaturas que no pueden controlarse con ninguno de los dos medicamentos por sí solos.
Sinergia	Dos medicamentos con un efecto similar se combinan para producir un efecto mayor que la suma de los efectos de los medicamentos.	Los pacientes experimentan una sedación profunda cuando se administran medicamentos opioides IV como el fentanilo (Sublimaze®) con benzodiacepinas IV como el midazolam (Versed®), mayor que la suma esperada de estos dos medicamentos.
Potenciación	El efecto de un medicamento se ve muy potenciado por la presencia de otro que no produce el mismo efecto.	La prometazina (Phenergan®) se administra para aumentar los efectos de la codeína o de otros antitusígenos (supresores de la tos) para un alivio de la tos mayor que el que se consigue con el antitusígeno solo.
Absorción alterada	La acción de un medicamento aumenta o disminuye la capacidad de otro medicamento para ser absorbido por el organismo. Por ejemplo, los medicamentos que aumentan o disminuyen el pH o la motilidad gastrointestinal pueden aumentar o disminuir la absorción de otros medicamentos tomados por vía oral.	La famotidina (Pepcid®), un bloqueador H_2, puede reducir la absorción del ketoconazol (un antifúngico) o de algunos antibióticos de cefalosporina.
Alteración del metabolismo	La acción de un medicamento aumenta o disminuye el metabolismo de otro medicamento en el organismo. Por ejemplo, muchos medicamentos (y algunos alimentos) alteran el funcionamiento del sistema del citocromo P-450 en el hígado, que es responsable del metabolismo de una variedad de otros medicamentos.	El fluconazol (Diflucan®), un medicamento antifúngico, inhibe la función de la enzima CYP3A4 del citocromo P-450, aumentando de forma significativa los riesgos de hemorragia asociados con la Warfarina (Coumadin®), un medicamento anticoagulante.
Distribución alterada	La presencia de un medicamento altera el área disponible para la distribución de otro medicamento en el organismo, lo que adquiere importancia cuando ambos medicamentos están unidos al mismo sitio, como las proteínas plasmáticas. Si las proteínas ya están ocupadas por un medicamento, pueden desarrollarse niveles tóxicos del otro.	El medicamento anticonvulsivo ácido valproico (Depakote®, Depakene®) compite con otro medicamento anticonvulsivo, la fenitoína (Dilantin®), causando niveles séricos potencialmente aumentados o disminuidos y efectos clínicos quizá impredecibles.
Eliminación alterada	Los medicamentos pueden aumentar o disminuir el funcionamiento de los riñones u otra vía de eliminación, influyendo en la cantidad o duración del efecto de otro medicamento en el organismo.	El etanol disminuye el metabolismo de la warfarina (Coumadin®), lo que puede predisponer al paciente al riesgo de hemorragia.

Tipo de interacción	Descripción	Ejemplo
Antagonismo fisiológico (fármaco)	Dos medicamentos, cada uno de los cuales produce efectos opuestos, están presentes de manera simultánea, dando lugar a cambios clínicos mínimos o inexistentes.	El nitroprusiato de sodio (Nipride®) y la dobutamina (Dobutrex®) suelen administrarse simultáneamente para el shock cardiogénico. Por sí sola, la dobutamina aumenta el gasto cardíaco, lo que puede provocar una elevación de la presión arterial. El nitroprusiato de sodio provoca vasodilatación y quizá hipotensión. Cuando se administran juntos, estos medicamentos pueden regularse para mantener una presión arterial normal en el paciente.
Neutralización	Dos medicamentos se unen en el organismo, creando una sustancia inactiva.	Los anticuerpos específicos contra la digoxina (Digibind®, Digifab®) se administran a pacientes con toxicidad al medicamento digoxina. Estos medicamentos se combinan, dejando inactivas las moléculas de digoxina.

Abreviaturas: H_2, antagonista del receptor de la histamina$_2$; IV, intravenoso.

Datos de: Schelleman H, Bilker WB, Brensinger CM, et al. Warfarin with fluoroquinolones, sulfonamides, or azole antifungals: interactions and the risk of hospitalization for gastrointestinal bleeding. *Clin Pharmacol Ther*. 2008;84(5):581-588.

complejo proceso de traslado de ese medicamento, posiblemente alterando su estructura y, en última instancia, eliminándolo del organismo. La dosis del medicamento, la vía de administración y el estado clínico del paciente determinarán en gran medida la duración y la eficacia del medicamento (véase la sección *Principios de farmacodinámica*, antes en este capítulo). Las acciones de absorción, distribución, metabolismo y eliminación se discuten en detalle en el siguiente texto.

La sección de farmacocinética de un perfil de medicación suele indicar el *inicio*, el *pico* y la *duración del efecto* del medicamento. Estos valores varían según la vía de administración y pueden tener un amplio rango, dependiendo de las características de cada paciente. El inicio y el pico de un medicamento suelen estar relacionados con la absorción y la distribución. En concreto, una dosis o concentración mínima de medicamento debe estar presente en determinados lugares del organismo para que se produzcan efectos clínicos (véase la sección anterior *Principios de farmacodinámica*).

La duración del efecto suele estar relacionada con el metabolismo y la eliminación de la medicación. A medida que disminuye la cantidad de un medicamento que se encuentra cerca de los receptores celulares (u otro lugar de acción), los efectos clínicos causados por el medicamento empiezan a disminuir y se reanuda el funcionamiento normal.

Si un medicamento se une de manera permanente a un receptor o altera de forma irreversible la función de una célula, la duración de su efecto viene determinada por la capacidad del organismo para regenerar las células. En estos casos, la duración del efecto puede no tener casi ninguna relación con la dosis o la concentración del medicamento presente en el organismo. Una dosis única de aspirina, por ejemplo, es eliminada rápido por el organismo, normalmente en varias horas, pero puede provocar una inhibición de la actividad plaquetaria que dure de 3 a 10 días.

Inteligencia en la calle

Comunicar al paciente la hora de inicio y el pico de una medicación puede generar confianza y credibilidad.

Vías de administración de los medicamentos

La medicación debe entrar en el organismo para proporcionar un beneficio clínico. Por lo tanto, es necesario seleccionar una vía de administración capaz de administrar una cantidad adecuada de medicamento en el lugar correcto del cuerpo del paciente. La vía de administración está determinada por las propiedades físicas y químicas del medicamento, las vías de administración disponibles para un paciente concreto y la rapidez con la que se necesitan los efectos del medicamento.

La vía de administración elegida determina el porcentaje del medicamento inalterado que llega a la circulación sistémica. Este porcentaje, conocido como **biodisponibilidad**, varía de forma significativa de un medicamento a otro, excepto cuando se administra por vía IV. Los medicamentos administrados por vía IV tienen, por definición, una biodisponibilidad de 100%.

La biodisponibilidad es irrelevante para los medicamentos que se secuestran en el sistema gastrointestinal, como el carbón activado y algunos medicamentos catárticos. En cambio, es una consideración crítica para otros medicamentos que se absorben mal por determinadas vías o que están sujetos a un metabolismo hepático inmediato antes de llegar a la circulación sistémica. Varios grupos importantes de medicamentos, como los Betabloqueadores y los antagonistas del calcio, tienen una biodisponibilidad relativamente baja por vía oral. Las dosis IV de estos medicamentos suelen ser inferiores a las dosis orales cuando se administran para la misma indicación. La lidocaína y el fentanilo no suelen administrarse por vía oral debido a su baja biodisponibilidad por esta vía. En las siguientes secciones se abordan varias vías de administración disponibles para los paramédicos.

Administración oral, por sonda orogástrica y por sonda nasogástrica

Muchos medicamentos prescritos para enfermedades crónicas y varios medicamentos prehospitalarios importantes se administran por vía GI. El uso de esta vía requiere que el paciente responda y pueda tragar o que tenga colocada una sonda nasogástrica u orogástrica. La aspirina, los antipiréticos, el carbón activado, la difenhidramina y la glucosa oral son medicamentos prehospitalarios que pueden administrarse por vía gastrointestinal. Una vez administrados por esta vía, la absorción de la medicación varía en función de varios factores **CUADRO 10-7**.

CUADRO 10-7 Factores que afectan a la absorción GI de medicamentos

Factor	Efectos sobre la absorción de medicamentos
Motilidad gastrointestinal	Capacidad de la medicación para atravesar el sistema gastrointestinal y llegar al torrente sanguíneo
pH gastrointestinal	Perfusión del sistema gastrointestinal (puede disminuir durante un traumatismo sistémico o un shock)
Presencia de alimentos, líquidos o sustancias químicas en el estómago	Lesión o hemorragia en el sistema gastrointestinal (ambos pueden alterar la motilidad gastrointestinal, disminuyendo el tiempo de absorción de los medicamentos orales)

Además de estos factores, los medicamentos con efectos gastrointestinales pueden estar sujetos a un metabolismo de primer paso. Los medicamentos pasan del sistema gastrointestinal a la vena porta, que los lleva directo al hígado. Una vez en el hígado, se produce el metabolismo, que altera y puede inactivar el medicamento antes de que llegue a la circulación sistémica. Este metabolismo de primer paso puede aprovecharse si transforma un medicamento inactivo en activo. La codeína, por ejemplo, presenta un importante **efecto de primer paso** en el que una parte del medicamento puede ser convertida en morfina, un analgésico más potente, por el hígado. El metabolismo de un medicamento también puede producirse en el sistema gastrointestinal y cuando el medicamento entra en el torrente sanguíneo. La biodisponibilidad de los medicamentos administrados por vía oral o a través de una sonda nasogástrica u orogástrica puede oscilar entre 5 y 100%, dependiendo del medicamento concreto y del efecto del metabolismo de primer paso. Varios medicamentos cardíacos, como el metoprolol y el verapamilo, están sujetos a un metabolismo de primer paso significativo cuando se administran por vía oral. La reducción de la biodisponibilidad debida al metabolismo hepático de primer paso ya se ha tenido en cuenta con la dosificación oral, lo que explica por qué las dosis orales son significativamente superiores a las dosis IV de estos medicamentos cuando se administran con el mismo fin. Los pacientes con disfunción hepática (del hígado) tienen riesgo de toxicidad cuando estos medicamentos se administran por vía oral, incluso a dosis convencionales, porque el efecto de primer paso en estas personas está alterado, de modo que una mayor cantidad del medicamento llega a su circulación sistémica.

Administración endotraqueal

Los protocolos ACLS hacen hincapié en el uso de las vías IV o IO para la administración de medicación frente a la vía endotraqueal. Si se elige la vía endotraqueal, las fuentes recomiendan administrar al menos de 2 a 2.5 veces la dosis IV de los medicamentos aprobados para esta vía, seguida de un lavado de 5 a 10 ml con agua estéril o solución salina normal.[9] Con la mejora de las técnicas y dispositivos de IO, es probable que el uso de la vía endotraqueal para la administración de medicación sea cada vez más limitado. Sin embargo, todavía se pueden administrar broncodilatadores o mucolíticos por vía endotraqueal en determinados entornos de cuidados críticos.

Administración intranasal

Con la vía intranasal de administración de medicamentos, los fármacos líquidos se convierten en una fina niebla que se pulveriza en una o ambas fosas nasales. El fentanilo, el midazolam y la naloxona pueden administrarse por esta vía, y la eficacia resultante suele ser igual o mejor que la de los mismos fármacos administrados por otras vías. La absorción de los medicamentos se produce rápido por esta vía, y la biodisponibilidad de los medicamentos intranasales parece cercana a 100% en determinados estudios. Otros estudios sugieren que este método es superior a las vías de administración IV y rectal. La administración nasal de la medicación puede producirse casi de inmediato, sin demora para iniciar una vía IV, en especial cuando el acceso IV es difícil o imposible de obtener. Además, la administración nasal no supone un riesgo de pinchazo cuando se trata a pacientes que no cooperan.

Administración intravenosa

La vía IV sigue siendo el método preferido para administrar la mayoría de los medicamentos utilizados en el ámbito prehospitalario. Se inserta un catéter de pequeño diámetro en una vena yugular periférica o externa, lo que permite administrar los medicamentos de forma directa en la circulación sistémica. En situaciones especiales, es posible que se le permita utilizar catéteres venosos permanentes o catéteres de gran calibre que ya hayan sido insertados en venas centrales por otros profesionales sanitarios.

La biodisponibilidad de la medicación IV es de 100% por definición. Los medicamentos administrados por vía IV tienen un inicio de acción significativamente más rápido que el de los medicamentos administrados por vía oral o a través de una sonda orogástrica o nasogástrica, lo que a menudo permite una respuesta inmediata o crea la capacidad de titular un medicamento con cuidado en una situación clínica de rápida evolución.

La administración de medicación por vía IV presenta varias limitaciones importantes. En primer lugar, el acceso puede ser difícil en algunos grupos de pacientes, en concreto, pacientes que han abusado de los fármacos por vía IV, pacientes en estado de shock profundo o con colapso cardiovascular, pacientes con obesidad mórbida y pacientes con determinadas enfermedades crónicas, como diabetes e insuficiencia renal. En segundo lugar, el procedimiento de acceso IV puede causar dolor o infección y requiere de tiempo. Por último, las escenas incontroladas, las condiciones ambientales extremas y el movimiento del vehículo de transporte dificultan el acceso IV en el entorno prehospitalario. El establecimiento del acceso IV se trata con más detalle en el capítulo 11, *Administración de medicamentos.*

Perlas de sabiduría

Revalúe con frecuencia el sitio de la vía IV en busca de infiltraciones o desconexión del tubo durante el transporte. Confirme que la vía IV sigue funcionando de forma correcta durante la rotación del paciente, en especial si la medicación que se administra tiene un alto potencial de causar un efecto adverso.

La infiltración de medicación IV en los tejidos alrededor del vaso sanguíneo es una preocupación importante para los paramédicos. Algunas clases de medicación, como los **simpaticomiméticos** y las soluciones electrolíticas, pueden causar dolor significativo y daño tisular cuando se acumulan en los tejidos circundantes. En casos extremos, se producirá la muerte del tejido en las zonas afectadas, dejando una gran área de tejido necrótico o piel.

Administración intraósea

La vía IO de administración de medicación ofrece una alternativa viable cuando no se puede obtener acceso IV. Cuando se utiliza esta vía, se introduce una aguja a través de la piel del paciente hasta el hueso. La punta de la aguja perfora la capa dura y externa del hueso y penetra en la médula ósea, que es más blanda. La captación vascular desde la médula ósea proporciona una vía fiable para los medicamentos y los líquidos IV (**CUADRO 10-8**). En el capítulo 11, *Administración de medicamentos,* se describe con más detalle la técnica de acceso IO.

Cualquier medicamento o líquido que pueda administrarse por vía IV también puede administrarse por vía IO. Las velocidades de infusión de líquidos por vía IO son comparables a las de la vía IV cuando se utiliza

CUADRO 10-8 Venas utilizadas durante la infusión IO

Sitio intraóseo	Vena
Tibia proximal	Vena poplítea
Fémur	Vena femoral
Tibia distal (maléolo medial)	Vena safena magna
Húmero proximal	Vena axilar
Manubrio (esternón)	Venas mamarias internas y ácigos

Abreviatura: IO, intraósea.

una bolsa de presión o un dispositivo de infusión mecánica. Por lo general, los dispositivos intraóseos pueden dejarse colocados hasta 24 horas, lo que permite su uso continuado como vía de administración de medicación o líquidos hasta que pueda obtenerse un acceso IV.

La administración por vía intraósea está contraindicada en huesos fracturados. También se desaconseja cuando los pacientes tienen enfermedades óseas o una infección cutánea sobre un posible lugar de inserción. Los dispositivos más recientes permiten la inserción intraósea en una variedad de localizaciones anatómicas y en todo el espectro de edades y pesos de los pacientes.

Administración intramuscular

Algunos medicamentos utilizados en el ámbito prehospitalario pueden administrarse por vía intramuscular (IM). Con esta técnica de administración, la medicación estéril se introduce en una jeringa conectada a una aguja y se inyecta en uno de los músculos más grandes del paciente. Esta vía se utiliza cuando no puede establecerse un acceso IV o cuando la situación clínica requiere la administración inmediata de medicación que no puede esperar al acceso IV. Los medicamentos tienen una biodisponibilidad que oscila entre 75 y 100% tras la administración intramuscular. La tasa de absorción es determinada por la precisión del punto de referencia de la inyección y la perfusión al músculo elegido.

Como paramédico, debe tener cuidado al aplicar una inyección intramuscular. Los pacientes que no cooperan pueden moverse bruscamente, exponiéndole a usted o a otros paramédicos al riesgo de pincharse con una aguja contaminada. Los dispositivos de autoinyección, como el EpiPen® y el auto-inyector DuoDote®, están disponibles en el mercado, se cargan por resorte y administran una cantidad predeterminada de medicación. Lamentablemente, estos dispositivos no suelen retraer la aguja tras la administración, por lo que presentan el riesgo de un pinchazo contaminado.

Debe confirmar que un medicamento es apropiado para uso intramuscular antes de administrarlo por esta vía. Incluso si un medicamento es seguro para uso intramuscular, las fuentes de referencia de medicamentos pueden indicar que debe utilizarse un músculo concreto o recomendar una técnica de inyección específica. Muchos medicamentos son seguros para uso IV, pero pueden causar lesiones importantes si se administran por vía intramuscular. Otros medicamentos están indicados solo para uso intramuscular y causarán complicaciones si se administran por vía IV.

Administración subcutánea

La administración subcutánea de medicación es similar a la administración intramuscular. En esta técnica, se introduce una solución estéril de medicación en una jeringa conectada a una aguja. A continuación, se inyecta el medicamento en varios puntos del tejido subcutáneo de todo el cuerpo. La parte anterior del abdomen, justo por fuera del ombligo, y la piel que recubre el músculo tríceps son lugares habituales de inyección subcutánea. En comparación con las agujas intramuscular, las agujas para la administración subcutánea son más cortas y tienen un diámetro menor. Algunos medicamentos pueden estar indicados solo para uso subcutáneo y no deben administrarse por vía IV, aunque ya exista una vía IV permeable. La absorción más lenta que se produce a través del tejido subcutáneo puede prevenir efectos cardiovasculares adversos, en comparación con la absorción casi instantánea que se produce con la administración IV de la medicación. Consulte los protocolos de soporte vital avanzado (ALS, *advanced life support*) o una referencia de medicación fiable para obtener información específica sobre la administración subcutánea de un medicamento. Las técnicas de administración de medicación subcutánea e intramuscular se tratan con más detalle en el capítulo 11, *Administración de medicamentos*.

Administración dérmica y transdérmica

Es posible que en el ámbito prehospitalario se encuentre con pacientes que reciben medicación por vía transdérmica. Los parches que suelen contener nicotina, antieméticos, analgésicos, nitroglicerina u otros medicamentos pueden estar colocados en varias partes del cuerpo. Debido a que los medicamentos transdérmicos pueden alterar la presentación clínica de un paciente o interferir con los medicamentos que usted administrará durante la respuesta del SEM, pregunte al paciente o a un miembro de su familia si tiene colocado un parche de medicación transdérmica mientras obtiene el historial de medicación de un paciente.

Los parches transdérmicos administran una dosis relativamente constante de medicación durante un periodo prolongado. Los cambios en la temperatura o la perfusión del paciente pueden alterar la administración de la medicación, lo que puede provocar cambios clínicos significativos. Además, los parches transdérmicos suelen contener una gran cantidad de medicación. Si estos parches son masticados o ingeridos, sobre todo por niños, es posible que se produzcan efectos tóxicos potencialmente mortales.

Administración sublingual

La nitroglicerina se administra con frecuencia a los pacientes por vía sublingual. Los comprimidos de nitroglicerina se colocan bajo la lengua del paciente o se pulveriza nitroglicerina bajo la lengua del paciente, donde es absorbida con rapidez por las membranas mucosas, lo que provoca un inicio de acción relativamente rápido. La biodisponibilidad de la nitroglicerina sublingual es bastante baja, por lo que se requieren dosis relativamente grandes cuando se utiliza esta vía en comparación con una infusión IV, cerca de 100 veces mayores para la dosis inicial. Los pacientes deben estar receptivos y alerta para recibir la medicación sublingual. Además, la falta de humedad o saliva en la boca del paciente puede retrasar de manera significativa la absorción de los medicamentos sublinguales. En este caso, la formulación en aerosol es preferible a los comprimidos sublinguales. También puede encontrarse con pacientes que reciben algunos medicamentos analgésicos mediante pastillas y otros medicamentos administrados por vía sublingual como paletas, chicles y comprimidos de disolución oral.

Administración inhalada o nebulizada

Algunos medicamentos pueden ser inhalados o nebulizados en el sistema respiratorio, proporcionando a los paramédicos una vía vital de administración de medicamentos. El oxígeno es un ejemplo de medicación prehospitalaria inhalada. También puede administrar o ayudar a los pacientes a administrar medicación respiratoria utilizando un inhalador de dosis medida, normalmente para el asma o la enfermedad pulmonar obstructiva crónica (EPOC). La activación del inhalador de dosis medida convierte el medicamento líquido en gas, lo que permite que el medicamento pase a los pulmones del paciente. Cuando se utilizan con una cámara espaciadora, los inhaladores de dosis medida son al menos tan eficaces como los nebulizadores para administrar medicamentos broncodilatadores.

La medicación en forma líquida también puede nebulizarse (convertirse en una fina pulverización) para su administración directa en el sistema respiratorio. Con esta técnica de administración, se conecta un tubo con oxígeno o aire comprimido a una pequeña cámara, lo que crea una niebla cuando el gas pasa a través del medicamento líquido. La cámara se conecta a una boquilla o mascarilla, lo que permite a los pacientes recibir gotas de medicación con cada inspiración. Desafortunadamente, una parte de la medicación se pierde durante la espiración y durante las pausas en la respiración del paciente. Los medicamentos nebulizados suelen administrarse para tratar el broncoespasmo o el edema de las vías aéreas. Albuterol, levalbuterol (Xopenex®) y bromuro de ipratropio (Atrovent®) son medicamentos nebulizados disponibles en el ámbito prehospitalario. En algunos casos, se le puede indicar que administre otros medicamentos mediante nebulizador. Tenga en cuenta que los medicamentos nebulizados pueden provocar broncoespasmos.

Administración rectal

Algunos medicamentos utilizados en el ámbito prehospitalario pueden administrarse por vía rectal. La vía rectal es preferible a la vía oral en varias situaciones, por ejemplo, cuando el paciente no responde, tiene convulsiones, vómito o no puede tragar los medicamentos orales. Además, los medicamentos rectales no suelen estar sujetos al metabolismo de primer paso, que disminuye la biodisponibilidad de muchos medicamentos orales. De hecho, algunos medicamentos administrados por vía rectal pueden tener una biodisponibilidad superior a 90%. Si un medicamento se administra en el recto proximal, todavía es posible determinado nivel de efecto de primer paso. Los medicamentos administrados en la parte inferior del recto tienen menos probabilidades de presentar una reducción de la dosis debido al efecto de primer paso. Siempre que sea posible, los medicamentos deben administrarse en el recto inferior, en lugar del proximal. La absorción de medicamentos por vía rectal puede ser impredecible, a menudo relacionada con el lugar específico de absorción dentro del recto. La dosis rectal de un medicamento suele ser mayor que la dosis oral o IV.

Los medicamentos rectales se fabrican en forma de supositorios, una sustancia parecida a la cera moldeada en forma similar a una bala. El supositorio se lubrica y se introduce en la cavidad rectal del paciente. Los medicamentos antieméticos y antipiréticos suelen estar disponibles en forma de supositorios.

Administración oftálmica

Los SEM pueden aprobar la administración de medicamentos por vía oftálmica. En el ámbito prehospitalario, la vía oftálmica se limita por lo general a agentes **anestésicos** oculares administrados para facilitar la irrigación ocular tras una exposición química. Aunque el papel de los medicamentos oftálmicos en el entorno prehospitalario suele ser limitado, debe tener en cuenta que estos medicamentos pueden causar efectos tóxicos sistémicos tras su administración oftálmica.

Otros métodos de administración de medicamentos

La hemodiálisis es una de las raras excepciones en las que los medicamentos producen efectos benéficos fuera del organismo del paciente. En este procedimiento, la sangre de un paciente se bombea a través de una máquina de diálisis, donde la sangre se expone a una solución de dializado que elimina las toxinas, el exceso de electrólitos y otras sustancias químicas de la sangre; a continuación, la sangre limpia se devuelve al paciente. Es poco probable que los paramédicos que trabajan en el ámbito prehospitalario utilicen este método de administración de medicamentos.

Como paramédico, puede encontrarse con pacientes que reciben medicación por otras vías. Estos métodos no suelen utilizarse en el ámbito prehospitalario y pueden causar complicaciones graves o potencialmente mortales si son empleados por personal no entrenado. No debe utilizar catéteres, vías, tubos u otros dispositivos desconocidos para la administración de medicación o líquidos a menos que haya recibido la formación y autorización adecuadas para su uso.

Distribución de medicamentos

Las propiedades químicas y físicas de un medicamento determinan cómo se desplaza por el organismo. Muchos factores relacionados con la medicación, como el tamaño de las moléculas, la capacidad de unirse a otras sustancias del organismo y la capacidad de disolverse en determinados fluidos corporales, determinan a qué células, tejidos y órganos llegará un medicamento concreto. Los factores individuales del paciente, como el contenido de grasa, agua y proteínas también determinan la cantidad de medicamento disponible para provocar cambios fisiológicos con una dosis determinada.

El cuerpo humano posee un elaborado sistema de barreras diseñado para impedir la introducción de sustancias extrañas en el organismo y en células, tejidos y órganos específicos. Por consiguiente, las moléculas de los medicamentos tienen que atravesar varias barreras para llegar a sus lugares de destino dentro del organismo. Para atravesar estas barreras, las moléculas del fármaco deben moverse a través de espacios entre células individuales o pasar de forma directa a través del centro de células individuales.

El proceso de **ósmosis** se utiliza para mejorar la distribución de algunos medicamentos, electrólitos y líquidos IV. Durante la ósmosis, el agua libre y ciertas partículas como el sodio y el potasio pueden atravesar una membrana semipermeable para igualar la concentración de agua y otras partículas a cada lado de la membrana. Este proceso permite que los líquidos IV salgan del espacio intravascular y entren en los tejidos y las células. La ósmosis es también uno de los mecanismos que utilizan los riñones para regular el equilibrio de líquidos en el organismo.

La **filtración** es un proceso interno del organismo, similar a la ósmosis, que se utiliza para redistribuir el agua y otras partículas. La mayor parte del debate sobre la filtración en el organismo se centra en la filtración renal de sodio y agua en los capilares glomerulares. La presión hidrostática fuerza diferentes fluidos corporales contra membranas semipermeables, provocando el paso de algunas sustancias a un compartimento adyacente.

La piel, el tracto gastrointestinal, los ojos y la vía urinaria contienen células epiteliales que crean una barrera continua. Esta barrera impide el movimiento de las moléculas de medicamento entre las células epiteliales. Para atravesar la barrera epitelial, las moléculas de medicamento deben pasar de manera directa a través de las células para entrar en el organismo. Las pequeñas moléculas de medicamento **no iónicas** (sin carga) y **lipofílicas** (atraídas por grasas y lípidos) atraviesan con facilidad las membranas celulares. De hecho, todos los medicamentos solubles en lípidos, excepto los más grandes, pueden atravesar con facilidad las membranas celulares.

En cambio, las moléculas de medicamento más grandes, **hidrófilas** (atraídas por las moléculas de agua) e iónicas (cargadas) deben encontrar otra vía de entrada en las células. Cuando se enfrentan a moléculas de medicación más grandes, las células utilizan un proceso denominado **pinocitosis** para ingerir líquidos extracelulares y su contenido. Las moléculas de medicamento también pueden unirse a proteínas transportadoras para su transporte al interior de las células. Este proceso de unión con proteínas transportadoras se denomina **difusión facilitada** cuando no se gasta energía y **transporte activo** cuando se utiliza energía para mover las moléculas contra un gradiente de concentración.

Además de la barrera epitelial, el cuerpo humano tiene barreras capilares cerca de tejidos específicos. Una vez dentro de los vasos sanguíneos, las moléculas del medicamento deben atravesar las paredes capilares para llegar a sus células objetivo o a otros lugares. Las barreras hematoencefálicas, hematoplacentaria y hematotesticular son zonas en las que las células capilares forman una barrera continua que impide que las moléculas de medicamento atraviesen las aberturas de las paredes capilares. Estas tres barreras anatómicas impiden que diversas moléculas de medicamentos lleguen a los tejidos subyacentes. Solo determinados medicamentos pueden atravesar las membranas celulares de estas zonas y penetrar en los tejidos adyacentes.

Los capilares del riñón, la tiroides, el páncreas y otras zonas permiten que las moléculas de los medicamentos atraviesen libremente las paredes capilares y lleguen a los tejidos circundantes. Solo los medicamentos ligados a proteínas tienen dificultades para atravesar los capilares de estas zonas. Los pulmones y el peritoneo también permiten que las moléculas de medicamento entren y salgan con facilidad a través de las paredes capilares.

La **unión a proteínas plasmáticas** altera de manera significativa la distribución de algunos medicamentos en el organismo. Las moléculas de los medicamentos se unen de modo temporal a las proteínas del plasma sanguíneo. La albúmina y otras proteínas plasmáticas almacenan con eficacia una cantidad de medicamento en gran medida independiente de la concentración del medicamento presente en la sangre u otros tejidos corporales. La edad del paciente, su estado nutricional y su condición médica influyen en la cantidad de proteínas plasmáticas presentes en el organismo. Cuando cambian los niveles de proteínas plasmáticas o se introduce otro medicamento que se une a las proteínas plasmáticas, la concentración del medicamento original en la sangre y los tejidos corporales puede cambiar de manera significativa.

La unión a proteínas aumenta la cantidad de medicamento necesaria para producir el efecto clínico deseado. Este proceso reversible también libera medicación a medida que los niveles circulantes de un determinado medicamento comienzan a descender, lo que causa mayor duración de la acción del medicamento. Un paciente puede tener un nivel terapéutico (seguro) de un medicamento unido a proteínas hasta que se les administra un segundo medicamento unido a proteínas con mayor afinidad. El segundo medicamento desplaza al original unido a proteínas plasmáticas, provocando un aumento drástico de la cantidad del medicamento original presente en la circulación y los consiguientes efectos tóxicos.

El tejido adiposo es otro lugar de distribución de la medicación que altera la cantidad de medicamento disponible para actuar en el organismo. Los tejidos grasos de las personas con obesidad pueden retener grandes cantidades de medicamentos lipofílicos. En este caso, la medicación se libera con lentitud, provocando efectos prolongados en comparación con la misma dosis en personas con una composición corporal magra. A medida que aumenta el porcentaje de grasa corporal, la misma dosis basada en el peso de un medicamento hidrófilo ocasiona mayor concentración en el plasma y en el agua de todo el organismo.

Volumen de distribución

El **volumen de distribución** de un medicamento describe hasta qué punto se distribuye en el organismo. Algunos medicamentos no abandonan con facilidad el plasma. Otros se distribuyen en el agua por todo el organismo. Otros se unen fácilmente a huesos, dientes u otros tejidos, lo que causa una concentración relativamente baja en la sangre. El volumen de distribución relaciona la dosis de medicamento con el nivel plasmático previsto de un medicamento determinado en un paciente "típico". Los medicamentos con un volumen de distribución más bajo están presentes en niveles más altos en el plasma a una dosis determinada en comparación con los medicamentos con un volumen de distribución más alto. A la inversa, en el caso de los medicamentos con un volumen de distribución elevado, se necesita una dosis total mayor para alcanzar un determinado nivel en el plasma que en el caso de los medicamentos con un volumen de distribución menor. También es posible estimar la cantidad de un fármaco o sustancia química presente en el organismo conociendo el nivel del medicamento presente en el plasma y el volumen de distribución conocido para un medicamento concreto. Este valor puede ayudar a explicar por qué una gran dosis de medicamento adicional puede causar solo un modesto aumento en la cantidad de medicamento disponible.

Metabolismo de los medicamentos

Muchos medicamentos presentan algún grado de cambio químico en el organismo, lo que se conoce como biotransformación. Cuando un medicamento tiene una biotransformación, se denomina metabolito. Los metabolitos pueden ser activos o inactivos. Los **metabolitos activos** siguen siendo capaces de ejercer alguna actividad farmacológica, como alterar un proceso celular o una función corporal. Los metabolitos activos pueden pasar de ser útiles o terapéuticos a perjudiciales. Los **metabolitos inactivos** ya no poseen la capacidad de alterar un proceso celular o una función corporal.

La biotransformación tiene cuatro efectos posibles sobre un medicamento absorbido por el organismo:

1. Una sustancia inactiva puede convertirse en activa, produciendo efectos clínicos deseados o no deseados (metabolito activo).
2. Un medicamento activo puede transformarse en otro medicamento activo (metabolito activo).
3. Un medicamento activo puede inactivarse total o parcialmente (metabolito inactivo).
4. Un medicamento puede transformarse en una sustancia (metabolito activo o inactivo) más fácil de eliminar por el organismo.

La mayor parte de la biotransformación se produce en el hígado. El sistema del citocromo P-450 del hígado utiliza un complejo proceso enzimático para alterar la estructura química de un medicamento u otra sustancia química. Dentro del sistema del citocromo P-450 existen distintas vías responsables del metabolismo de diferentes grupos de medicamentos. Estas vías pueden verse influidas de forma selectiva por otros medicamentos, sustancias químicas y elecciones dietéticas, alterando el metabolismo de determinados grupos de medicamentos. Por ejemplo, se sabe que el etanol, los anticonceptivos orales y el jugo de toronja provocan alteraciones potencialmente mortales en el metabolismo del citocromo P-450 de algunos medicamentos.

Los riñones, la piel, los pulmones, el tracto gastrointestinal y muchos otros tejidos corporales también tienen cierta capacidad de biotransformación. Los microorganismos presentes en el tracto gastrointestinal inician la biotransformación de algunos medicamentos ingeridos por vía oral. La biotransformación hace que los medicamentos y las sustancias químicas sean más hidrosolubles y fáciles de eliminar del organismo por los riñones y otros órganos. Sospeche de una alteración del metabolismo de los medicamentos en pacientes con alcoholismo crónico, enfermedad hepática o cualquier enfermedad que afecte al hígado.

Eliminación de medicamentos

Los medicamentos y otras sustancias químicas son eliminados del organismo principalmente por los riñones. El medicamento original o su metabolito (la sustancia química producida tras la biotransformación) es filtrado por los riñones y eliminado por la orina. Varios factores influyen en la rapidez con la que el medicamento se elimina del organismo. En particular, la disfunción o enfermedad renal dificulta la eliminación de muchas sustancias. Los pacientes con insuficiencia renal aguda o crónica tienen un riesgo importante de presentar los efectos tóxicos de los medicamentos o de los productos metabólicos de desecho en el organismo. El flujo sanguíneo renal, la obstrucción de las vías urinarias y las alteraciones del pH de la orina pueden afectar a la capacidad de los riñones para eliminar medicamentos y toxinas del organismo.

Los medicamentos y las sustancias químicas del organismo siguen dos patrones distintos de metabolismo y eliminación: la de orden cero y la de primer orden. En la **eliminación de orden cero**, se desecha una cantidad fija de una sustancia durante un periodo determinado, independientemente de la cantidad total que haya en el organismo. El etanol es un ejemplo clásico de eliminación de orden cero. El consumo crónico de etanol aumenta la capacidad del hígado para metabolizar el etanol debido a una mayor activación del sistema del citocromo P-450. A pesar del aumento de la tasa de eliminación, solo se elimina una pequeña parte de la sustancia. A pesar del aumento de la tasa de eliminación, solo se eliminará una cantidad fija de etanol cada hora, independiente al nivel plasmático inicial. La duración de la intoxicación está directamente relacionada con el nivel plasmático inicial.

La mayoría de los medicamentos y sustancias químicas experimenta una **eliminación de primer orden**, en la que los niveles plasmáticos de la sustancia influyen directamente en el ritmo de eliminación. En esencia, cuanta más sustancia haya en el plasma, más se esforzará el organismo por eliminarla. La

USTED es el Paramédico

PARTE 3

Usted administra oxígeno a la paciente mediante una mascarilla sin respiración; sin embargo, la paciente se resiste a mantener la mascarilla en su sitio. Una de las enfermeras del personal ayuda a proporcionar oxígeno a la paciente mientras usted establece el acceso IV colocando un catéter de calibre 18 en el espacio antecubital derecho de la paciente y obtiene un nivel de glucosa en sangre. Su compañero obtiene los signos vitales y coloca a la paciente en el monitor cardíaco.

Tiempo de grabación:	10 minutos
Respiraciones	22 respiraciones/min
Pulso	108 latidos/min, regular
Piel	Pálida, cálida, seca
Presión arterial	96/64 mm Hg
Saturación de oxígeno (Spo_2)	98% con 10 L/min de oxígeno mediante mascarilla sin reinhalación
Nivel de glucosa en sangre	132 mg/dl
EKG	Taquicardia sinusal con artefacto de movimiento

4. ¿Estaría indicada la solución de dextrosa IV para esta paciente?
5. ¿Ayudan los resultados del EKG a identificar la causa del estado de esta paciente?

eliminación de primer orden se cuantifica como la **semivida** del medicamento en el perfil de medicación. La semivida de un medicamento es el tiempo necesario en una persona media para el metabolismo o la eliminación de 50% de la sustancia en el plasma. Se necesitan mucho más de dos semividas para eliminar por completo un medicamento, a pesar del significado literal del término. La semivida de un medicamento puede verse alterada por factores como los estados patológicos, los cambios en la perfusión y las interacciones entre medicamentos. Considere el siguiente ejemplo de cálculo de la semivida:

> El paciente A ha tomado una sobredosis del medicamento X, que tiene una semivida de 2 horas. El nivel plasmático del medicamento a su llegada al departamento de emergencias era de 100 mcg/ml. Después de 2 horas, el nivel plasmático será de 50 mcg/ml. Cuatro horas después de la llegada, el nivel plasmático será de 25 mcg/ml. Después de otras 2 horas, el nivel plasmático será de 12.5 mcg/ml.

La semivida de un medicamento solo se refiere a la cantidad de medicamento en el organismo, no necesariamente a sus efectos clínicos. La aspirina, como ya se ha comentado, tiene una semivida de solo 15 a 20 minutos, pero produce efectos antiagregantes plaquetarios que pueden durar hasta 10 días. La adenosina, un medicamento administrado en el ámbito prehospitalario para la taquiarritmia, tiene una semivida inferior a 10 segundos, pero puede resolver de manera permanente la taquicardia supraventricular. La benzodiacepina clonazepam (Klonopin®) tiene una semivida larga: de 19 a 50 horas en adultos. Los pacientes suelen permanecer sedados durante varios días después de una sobredosis intencionada.

Los médicos y otros profesionales sanitarios intentan crear un estado estacionario cuando administran determinados medicamentos. En otras palabras, tratan de administrar los medicamentos a una dosis y con una frecuencia que igualen la tasa de eliminación del organismo, lo que se traduce en un nivel constante de medicamento en el organismo. El estado estacionario es deseable en el caso de los anticoagulantes, los antibióticos, los anticonvulsivos y algunos antiarrítmicos. Se debe sospechar de cambios en el estado estacionario de una medicación cuando los pacientes manifiestan síntomas de una enfermedad subyacente (p. ej., convulsiones o arritmias) que suele estar bien controlada con medicaciones a largo plazo.

Cantidades más pequeñas de medicamentos, metabolitos de medicamentos y otras sustancias químicas pueden eliminarse a través de otros sistemas corporales, como en el aire expirado de los pulmones, las heces, la saliva, la leche materna y la transpiración. Cuando se administra por vía oral, el carbón activado puede unirse a ciertas toxinas orales (y a varias sustancias químicas presentes en el torrente sanguíneo) y eliminarlas a través del tracto gastrointestinal. (El carbón activado se trata con más detalle en el capítulo 24, *Toxicología*).

Reducir los errores de medicación

Como paramédico, tendrá las difíciles tareas de evaluar a los pacientes, realizar procedimientos invasivos y administrar medicamentos en el entorno prehospitalario no controlado. En este entorno, la historia clínica del paciente suele ser limitada, inexacta o inexistente. No siempre tendrá el tiempo o los recursos para evaluar con cuidado los riesgos y beneficios asociados con los medicamentos que está considerando administrar a un paciente. Las decisiones sobre la medicación a menudo se basan en la memoria y con frecuencia se producen en el contexto de una situación estresante, que pone en peligro la vida del paciente. Usted y otros paramédicos están en constante riesgo de cometer un error cognitivo, como elegir el medicamento o la dosis equivocados, o un error técnico, como administrar un volumen de medicamento mayor del previsto. El **CUADRO 10-9** enumera lo correcto de la administración de medicación.

CUADRO 10-9 Lo correcto de la administración de medicamentos

Paciente correcto

Aunque normalmente tratará a un paciente cada vez, a veces tendrá que tratar a varios pacientes. Es esencial confirmar la identidad de un paciente antes de administrar cualquier medicación, en especial cuando los pacientes no responden o son incapaces de comunicarse (debido a la edad, alteración del nivel de consciencia u otros factores). Intente siempre que el paciente confirme su identidad verbalmente, o confirme usted mismo la identidad del paciente mediante dispositivos de identificación (p. ej., una pulsera o tarjeta de identificación), en la medida de lo posible. Una cuestión crítica, tal como se identifica en el historial SAMPLE (**S**ignos/síntomas, **A**lergias, **M**edicación, Antecedentes relevantes [***P**ertinent past history*], Última ingesta oral [***L**ast oral intake*], **E**ventos que provocaron la lesión o enfermedad), es asegurarse de que el paciente no es alérgico a la medicación o medicaciones que se le van a administrar **FIGURA 10-3**.

(continúa)

CUADRO 10-9 Lo correcto de la administración de medicamentos (continuación)

Medicación e indicación correctas

La administración de un medicamento equivocado es el error farmacológico más frecuente. Hay varios factores que pueden provocar errores de "medicación equivocada", como envases y etiquetado similares, nombres y prácticas de almacenamiento similares y comunicación ineficaz. Repita siempre (hágase eco) la orden de medicación y confirme que el envase coincide con la orden prevista. Evite el uso de abreviaturas y volver a comprobar siempre la orden antes de administrar la medicación. Confirme las indicaciones y contraindicaciones. Asegurarse de que la medicación es adecuada para el estado de salud y la historia clínica del paciente.

Dosis correcta

Las dosis de casi todos los medicamentos dependen de factores específicos del paciente (p. ej., estado, peso y edad). La dosis real necesaria a menudo no es igual a la cantidad suministrada en una ampolleta o una jeringa precargada en el ámbito prehospitalario. Por lo tanto, tendrá que calcular la dosis específica del paciente. Cuando calcule la dosis correcta, vuelva a comprobar siempre sus cálculos y, si es posible, pida a su compañero que vuelva a comprobar y verifique la dosis final.

Ruta correcta

Muchos medicamentos pueden administrarse por diversas vías; la vía óptima depende del estado del paciente y de la rapidez con que deba hacer efecto la medicación. Pueden producirse errores cuando se confunden las dosis y las vías de administración de los medicamentos. Por ejemplo, las dosis por goteo IV pueden ser diferentes de las dosis para el mismo medicamento inyectado en una vía IV como bolo. Otra cuestión importante relacionada con la vía es el estado del paciente. Si un paciente está en estado de shock profundo, hay que tener en cuenta lo bien que se absorberá la medicación y se distribuirá a los tejidos objetivo. La elección de la vía correcta ayuda a garantizar que la medicación tendrá el efecto correcto. Verifique siempre la vía de administración.

El momento correcto

Dado que todos los medicamentos tardan cierto tiempo en hacer efecto y pueden interferir con otros medicamentos, debe seguir siempre las guías recomendadas para la frecuencia adecuada de administración de la medicación. Evalúe el estado del paciente antes y después de administrar cualquier medicamento, y documente cualquier respuesta o cambio observado en el estado del paciente. Recuerde también que algunos medicamentos requieren una frecuencia de administración específica para mantener un nivel terapéutico.

Educación correcta del paciente

La educación del paciente debe comenzar lo antes posible. Los pacientes receptivos deben ser informados de los riesgos y beneficios pertinentes antes de la administración de la medicación. Implicar a los pacientes receptivos en la evaluación y el seguimiento continuos, informándoles de cualquier síntoma importante que puedan experimentar o que deban notificar.

Derecho a negarse

Respetar la autonomía del paciente. Los pacientes con capacidad de decisión o un responsable sustituto pueden rechazar medicamentos y otras intervenciones, incluso si el rechazo de un medicamento puede provocar daños. Consulte al control médico en línea en cualquier situación de alto riesgo. Asegúrese de que el paciente es consciente de las posibles consecuencias de rechazar un medicamento o tratamiento.

Respuesta y evaluación correctas

Vigilar de manera continua al paciente. Observe los efectos deseados y las posibles reacciones adversas de cualquier medicamento administrado. Algunos medicamentos pueden requerir una monitorización cuidadosa; otros pueden requerir múltiples dosis para lograr el efecto deseado.

Documentación e informes correctos

Debido a que casi siempre transferirá la atención de un paciente a otros profesionales sanitarios, es fundamental documentar por escrito los medicamentos administrados, la dosis, el momento en que se administraron y los efectos que experimentó el paciente. Siempre que sea posible, comunique esta información por escrito (en el informe de atención al paciente) y en un informe verbal al siguiente nivel asistencial.

Abreviatura: IV, intravenoso.

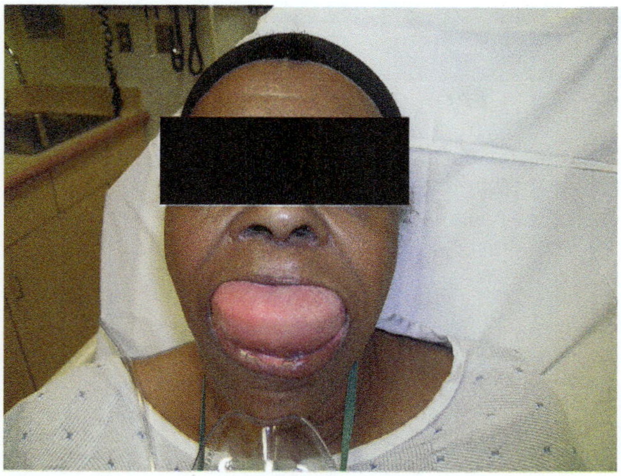

FIGURA 10-3 El angioedema es una inflamación aguda, a veces de los labios y la lengua, que puede ser causada por una reacción alérgica. Algunos medicamentos provocan angioedema después de la primera o segunda dosis.

Los expertos en seguridad del paciente recomiendan encarecidamente el uso de prácticas específicas para disminuir la probabilidad de errores de medicación. Realice una lectura verbal de todas las órdenes recibidas del control médico en línea. La lectura debe incluir el medicamento, la dosis y la vía de administración. Cuando haya varios paramédicos presentes, diga en voz alta el nombre del medicamento y la dosis antes de su administración. Ambas prácticas permiten a sus colegas detectar posibles errores de medicación antes de que lleguen al paciente.

Las jeringuillas sin etiquetar suponen un riesgo importante en la asistencia sanitaria. Muchos medicamentos se suministran en frascos, por lo que el personal sanitario debe introducirlos en una jeringa. Ya que la mayoría de los medicamentos inyectables se suministran en forma de líquido transparente, y dado que el mismo medicamento puede suministrarse en diferentes concentraciones, es posible que un medicamento extraído de una jeringa no tenga ninguna característica de fácil identificación perceptible. Siempre que sea posible, utilice pegatinas prefabricadas o etiquetas escritas a mano que indiquen al menos el nombre y la concentración de la medicación, incluso si la medicación se va a administrar de inmediato. En el SEM, el flujo de trabajo se ve interrumpido con frecuencia, lo que puede ocasionar la presencia de varias jeringuillas en el lugar de los hechos. Además, puede haber un retraso entre el momento en que se introduce una medicación en una jeringa y el momento en que se administra realmente al paciente.

Los expertos en seguridad del paciente recomiendan crear un entorno en el que los proveedores del SEM se sientan cómodos informando de los errores (y de los casi errores). En estos entornos, los errores se identifican/revelan y se evalúan, y se introducen cambios en el sistema para evitar que se produzcan en el futuro. En este tipo de entorno, a menudo denominado "cultura de la justicia", la atención se centra en mejorar los sistemas en lugar de tratar de castigar a las personas.

Antes de transportar a un paciente a un centro sanitario, intente localizar y llevar consigo los medicamentos que el paciente toma actualmente en su domicilio. Tener los medicamentos a la mano permite al personal sanitario receptor transcribir con precisión los distintos medicamentos, las dosis, la frecuencia y otra información pertinente, en lugar de depender de la memoria del paciente o de las notas del personal del SEM.

Debe utilizar una fuente de referencia de medicación actualizada y fiable siempre que administre medicamentos potencialmente desconocidos o considere una dosis o vía de administración inusual. Para evitar errores técnicos, pida a su compañero que confirme el volumen de una jeringa o un cálculo de medicación basado en el peso. Muchos centros sanitarios exigen que dos profesionales verifiquen los cálculos de medicación pediátrica y de alto riesgo. También debe evaluar si el paciente es alérgico o hipersensible a la medicación antes de cada administración.

La *Joint Commission* y el *Institute for Safe Medication Practices* han elaborado listas de abreviaturas de medicamentos que deben considerarse peligrosas en el entorno sanitario. Cuando los médicos, paramédicos y otros profesionales sanitarios utilizan estos símbolos y abreviaturas, aumenta la probabilidad de que se produzca un error de medicación debido a una mala comunicación. Los símbolos y abreviaturas propensos a errores y los términos médicos relacionados con la farmacología se tratan en el capítulo 5, *Terminología médica.*

Fármacos que actúan sobre el sistema nervioso simpático

Como ya se ha dicho, existen sitios receptores en proteínas conectadas a células de todo el cuerpo. Los receptores son activados por sustancias químicas, ya sean naturales o en forma de medicamento. Los fármacos que influyen en el sistema nervioso simpático se clasifican según los receptores con los que interactúan (**CUADRO 10-10**).

Un receptor de fármacos se puede comparar con un interruptor de encendido de un coche. Cuando se introduce la llave adecuada en el contacto del coche y se gira, se produce una secuencia predecible de

CUADRO 10-10 Sitios receptores importantes dentro del cuerpo

Receptor	Efecto agonista
Alfa(α)	• Los receptores α-1 provocan la constricción de las pequeñas arterias y arteriolas periféricas, del músculo liso vascular y de los esfínteres vesical y gastrointestinal. • Los receptores α-2 inhiben la liberación de enzimas pancreáticas e insulina, suprimen la liberación de norepinefrina e inhiben la motilidad gastrointestinal.
Beta (β)	• Los receptores β-1 (mnemotécnica: un corazón = beta-1) aumentan la frecuencia cardíaca (efecto cronotrópico), la contractilidad miocárdica (efecto inotrópico) y la conducción miocárdica (efecto dromotrópico); también afectan a la secreción de renina. • Los receptores β-2 (mnemotécnica: dos pulmones = beta-2) provocan broncodilatación; causan la dilatación de las arteriolas del corazón, los pulmones y el músculo esquelético; inhiben la liberación de insulina; aumentan la liberación de glucagón, y provocan la relajación de los intestinos, la vejiga y el útero. • Los receptores β-3 aumentan la lipólisis y la producción de calor en la grasa.
Dopaminérgico[a]	Cada tipo de receptor de dopamina tiene una función única: • D1: memoria, atención, control de los impulsos, regulación de la función renal, locomoción • D2: locomoción, atención, sueño, memoria, aprendizaje • D3: cognición, control de los impulsos, atención, sueño • D4: cognición, control de los impulsos, atención, sueño • D5: toma de decisiones, cognición, atención, secreción de renina
Nicotínico	Estos receptores permiten a la acetilcolina estimular la contracción muscular.
Muscarínico	Los receptores muscarínicos tienen las siguientes funciones: • M1: afecta a la cognición, la excitación y la secreción de ácido gástrico • M2 (cardíaco): disminución de la frecuencia cardíaca y de la contractilidad • M3: estimulan la secreción de las glándulas y la contracción del músculo liso • M4: actúan sobre los canales de potasio y calcio • M5: afecta a la liberación de dopamina
Opioides	• Los receptores Mu (μ) son los más prominentes, con la mayor afinidad tanto por la morfina como por la naloxona (antagonista opioide); su estimulación provoca analgesia, sedación, cambios de humor, pupilas contraídas, depresión respiratoria y disminución de la motilidad gastrointestinal. • La estimulación de los receptores delta provoca analgesia espinal, depresión respiratoria y disminución de la motilidad gastrointestinal. • La estimulación de los receptores kappa provoca analgesia espinal, sedación, disforia y disminución de la motilidad gastrointestinal.

[a] Bhatia A, Lenchner JR, Saadabadi A. Biochemistry, dopamine receptors. StatPearls. https://www.ncbi.nlm.nih.gov/books/NBK538242/. Actualizado julio 26, 2020. Consultado julio 5, 2021; and Mishra A, Singh S, Shukla S. Physiological and functional basis of dopamine receptors and their role in neurogenesis: possible implication for Parkinson's disease. *J Exp Neurosci*. 2018;12. doi:10.1177/1179069518779829.

acontecimientos: la batería envía corriente al motor de arranque y a las bujías, que se encienden; se produce la combustión de la gasolina y el aire, y el motor arranca. Aunque muchas llaves pueden encajar en el contacto de un coche concreto, no todas las llaves que encajan giran y arrancan el coche, pero todas las que giran provocan la misma reacción. Del mismo modo, los órganos del cuerpo tienen varias "llaves de contacto". En el sistema nervioso simpático, esos interruptores (receptores) se denominan alfa y beta. Cada vez que uno de esos interruptores es activado por una "llave" (un fármaco o una hormona) se produce una secuencia predecible de respuestas.

El corazón solo tiene un interruptor de encendido para una agente beta. Una agonista beta aumentará el ritmo, la fuerza y el **automatismo** del corazón (generación de un impulso espontáneo desde el interior). Las arterias, por el contrario, tienen receptores para agentes alfa y beta. Un agonista alfa activará el interruptor que provoca la **vasoconstricción**; un agonista beta activará el interruptor que provoca la **vasodilatación**. Del mismo modo, los pulmones tienen

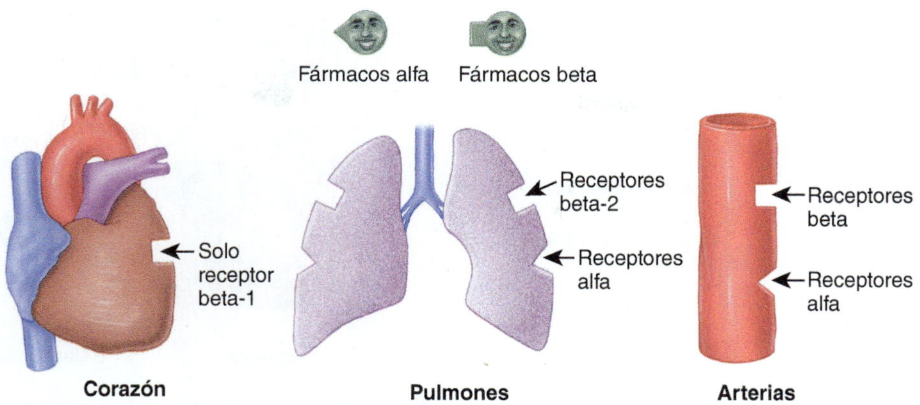

FIGURA 10-4 Sitios receptores del sistema nervioso simpático en el corazón, los pulmones y las arterias.

receptores alfa y beta. Los agentes alfa no tienen mucho efecto sobre los pulmones; como mucho, provocan una **broncoconstricción** menor. Por el contrario, los agonistas adrenérgicos beta (como los fármacos utilizados para tratar el asma) desencadenan una **broncodilatación** significativa. En la **FIGURA 10-4** se representan de manera esquemática estos conceptos.

Los fármacos con propiedades alfa o beta se denominan fármacos simpaticomiméticos porque imitan (mimetizan) las acciones de las sustancias químicas simpáticas naturales. Si se sabe si un fármaco simpaticomimético es un agente alfa o beta, se puede predecir la respuesta del corazón, los pulmones y las arterias. Consideremos, por ejemplo, el isoproterenol (Isuprel®). Es un agente beta puro. Armado con este conocimiento, usted puede reconocer de inmediato que el isoproterenol actúa de la manera mostrada en la **FIGURA 10-5**; estimula el corazón, dilata los bronquios y las arterias. La fenilefrina (neosinefrina), por el contrario, es un agente alfa puro. No tiene efecto directo sobre el corazón, pero provoca una ligera broncoconstricción y una marcada vasoconstricción (**FIGURA 10-6**)

Desafortunadamente, predecir los efectos de un fármaco no siempre es tan sencillo. Aunque el isoproterenol y la fenilefrina son agentes beta y alfa puros, respectivamente, la mayoría de los demás fármacos simpaticomiméticos tiene diversos grados de actividad alfa y beta (**FIGURA 10-7**). Efectos de la norepinefrina (Levophed®), por ejemplo, es en esencia un agente alfa y causa principalmente vasoconstricción. Por ejemplo, la norepinefrina (Levophed®) es primordialmente un agente alfa y provoca de manera primordial vasoconstricción; sin embargo, como tiene cierta actividad beta, también afectará al corazón. La epinefrina (adrenalina) también ejerce efectos sobre los receptores alfa y beta. Cuando se administra en pequeñas dosis, tiene una mayor afinidad por los receptores beta, pero la

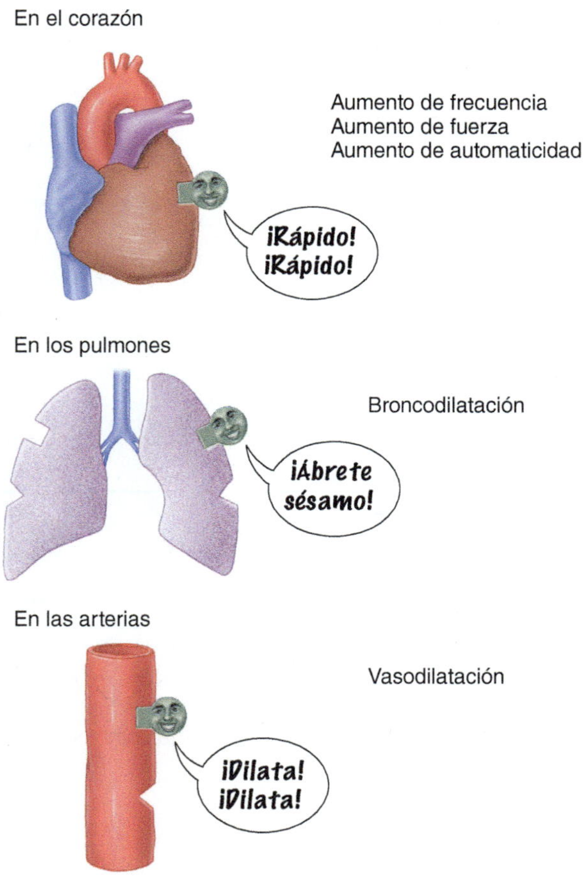

FIGURA 10-5 Los agentes simpáticos beta aumentan el ritmo, la fuerza y el automatismo del corazón, dilatan los bronquios y las arterias periféricas.

estimulación de los receptores alfa predomina cuando se administra en dosis mayores. La norepinefrina y la epinefrina también son sustancias químicas naturales del sistema nervioso simpático. Sus acciones son las

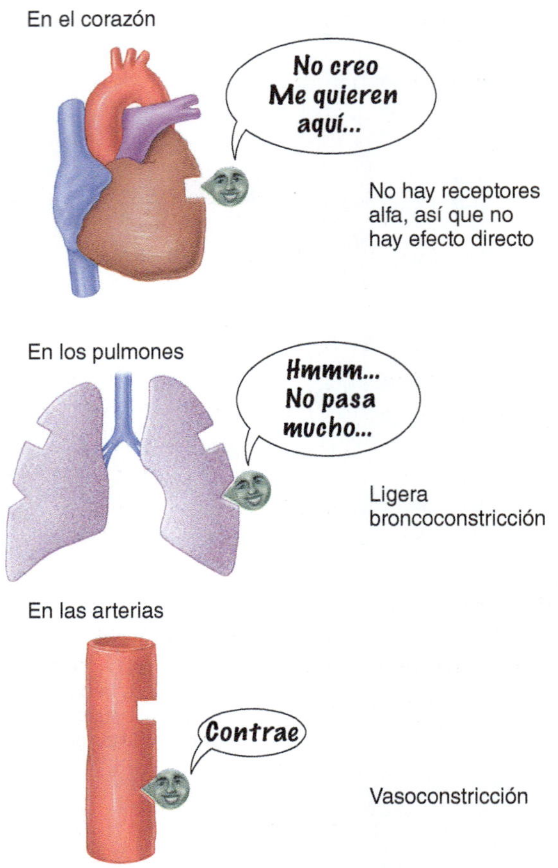

FIGURA 10-6 Los agentes alfa no tienen efecto directo sobre el corazón; provocan una ligera broncoconstricción y una marcada vasoconstricción.

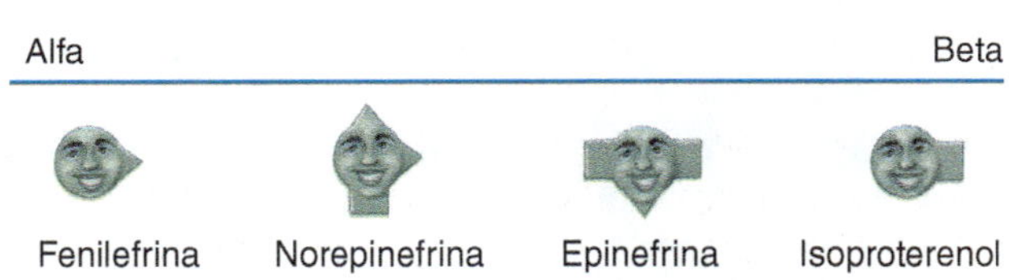

FIGURA 10-7 Mientras que algunos agentes simpaticomiméticos estimulan los receptores alfa (fenilefrina) o beta (isoproterenol), otros (p. ej., norepinefrina, epinefrina) ejercen efectos variables tanto en los receptores alfa como en los beta.

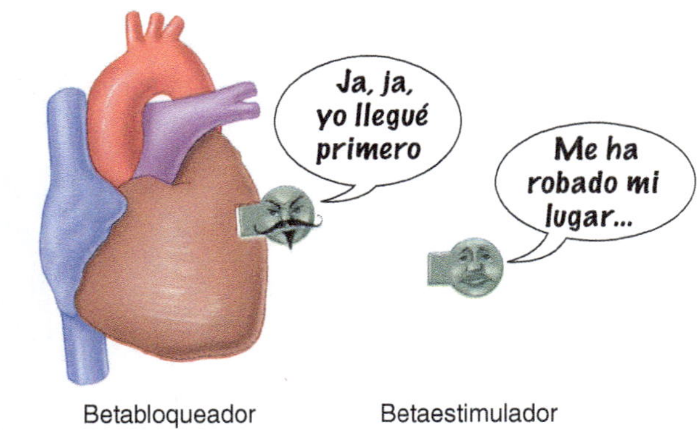

FIGURA 10-8 Un bloqueador simpático (antagonista) ocupa el sitio receptor del fármaco estimulante (agonista), impidiendo así que el fármaco estimulante ejerza su efecto habitual.

mismas tanto si se producen en el organismo y se liberan desde el sistema nervioso como si se elaboran en una fábrica y se inyectan.

Los agentes simpáticos beta pueden clasificarse en dos grupos en función de las sutiles diferencias entre los receptores beta del corazón y los de los pulmones. Los fármacos que actúan principalmente sobre los receptores beta cardíacos se denominan agonistas beta-1 adrenérgicos; los que actúan primordialmente sobre los receptores beta pulmonares se denominan agonistas beta-2 adrenérgicos. Los broncodilatadores (agonistas adrenérgicos beta-2) que se prescriben con frecuencia son albuterol, formoterol, salbuterol, levalbuterol y salmeterol.

Otra clase de fármacos que actúan sobre el sistema nervioso simpático son los simpaticolíticos o bloqueadores simpáticos. Como su nombre indica, bloquean la acción de los agentes simpáticos batiéndolos hasta los sitios receptores e impidiendo que estos agentes enciendan la ignición. Los sitios receptores no pueden distinguir un bloqueador de un estimulador hasta que es demasiado tarde. Con el bloqueador ocupando el sitio receptor, el agente estimulador no puede acceder a él para encender el interruptor (**FIGURA 10-8**).

Perlas de sabiduría

Para recordar qué tipo de agonista adrenérgico (beta-1 o beta-2) actúa sobre cada tipo de receptor beta, pregúntese: "¿Cuántos corazones tengo?". Un corazón: beta-1. "¿Cuántos pulmones tengo?". Dos pulmones: beta-2.

Los bloqueadores betaadrenérgicos ocupan receptores beta en el corazón, los pulmones y las arterias, así como en otras partes del organismo. Así pues, los agentes beta, tanto si se liberan de las terminaciones nerviosas simpáticas como si se administran por vía IV, no pueden ejercer todos sus efectos cuando antes se ha administrado un betabloquedor como el propranolol (Inderal®) o el metoprolol (Lopressor®) (**FIGURA 10-9**).

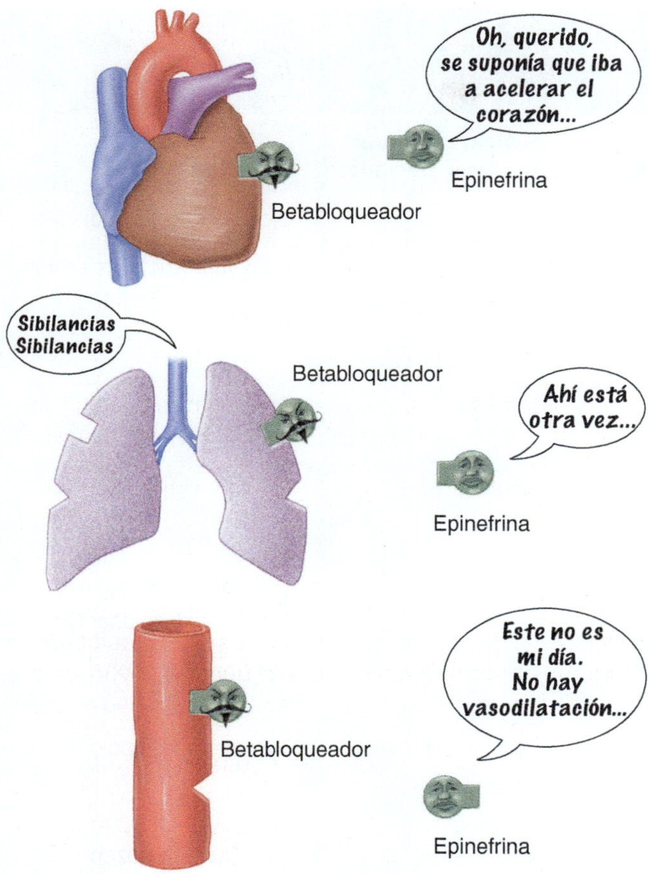

FIGURA 10-9 Al ocupar los sitios de los receptores beta, el betabloqueador impide que la epinefrina ejerza sus efectos habituales sobre el corazón, los pulmones y los vasos sanguíneos.

Perlas de sabiduría

Las indicaciones de los principales agentes estimulantes y bloqueadores autonómicos pueden deducirse una vez que se conocen las propiedades de los fármacos y cómo interactúan con el sistema nervioso autónomo.

Medicamentos importantes en el ámbito prehospitalario

Como paramédico, debe comprender las indicaciones y limitaciones de varios grupos importantes de medicamentos. Las siguientes secciones proporcionan una visión general de los medicamentos y grupos de medicamentos utilizados para tratar condiciones médicas que afectan principalmente a sistemas corporales específicos. Muchos de estos grupos de medicamentos tienen indicaciones para una amplia gama de condiciones médicas, incluso fuera del contexto de un sistema corporal particular (**CUADRO 10-11**).

Medicamentos utilizados en el manejo de la vía aérea

En algunos sistemas del SEM, se le puede permitir el uso de diversos medicaments para el manejo de la vía aérea. La intubación de secuencia rápida y la colocación de la vía aérea con medicación son procedimientos controvertidos en el ámbito prehospitalario y no están permitidos en todos los lugares. En estos procedimientos, se utilizan medicamentos sedantes con o sin paralizantes químicos para asegurar una vía aérea artificial en pacientes con un reflejo nauseoso intacto y cierto grado de capacidad de respuesta. Cuando los pacientes están sedados de forma adecuada, el reflejo nauseoso desaparece y el trismo u otras tensiones musculares faciales cesan después del uso y la secuencia correctos de la medicación para la vía aérea. Si se realiza de manera correcta, los pacientes no se dan cuenta ni recuerdan el procedimiento.

Agentes sedantes e hipnóticos utilizados en el manejo de la vía aérea

El etomidato (Amidate®) y la ketamina (Ketalar®) son dos medicamentos sedantes de acción ultracorta utilizados para facilitar el manejo de la vía aérea. El etomidato actúa como sedante profundo de dosis única y se prefiere por su efecto mínimo sobre la presión arterial y otros parámetros hemodinámicos. Su corta duración de acción suele ser deseable para los procedimientos de la vía aérea, pero el paciente deberá ser sedado una vez más con rapidez con una medicación sedante alternativa durante o de inmediato después de la inserción del dispositivo de vía aérea.

La ketamina es otro posible complemento para la colocación de vías aéreas. Tiene una composición química similar a la fenciclidina (PCP) y provoca una disociación profunda y anestesia general. La ketamina puede mantener la presión arterial y la frecuencia cardíaca, pero eleva la presión intracraneal sin embargo, en años recientes se ha demostrado que este aumento no es clínicamente significativo. Este medicamento provoca cierto grado de broncodilatación, lo que puede ser útil en pacientes con asma o EPOC que requieran de acceso a la vía aérea por insuficiencia respiratoria. Algunos proveedores y centros utilizan ketamina para controlar el dolor refractario o el delirio que no responde a otros medicamentos. Consulte con la dirección médica sus opiniones sobre esta medicación.

CUADRO 10-11 Grupos de medicamentos importantes que afectan a la atención prehospitalaria de los pacientes

Clase de medicamento	Indicaciones o propósitos comunes	Sistema corporal primario afectado	Ejemplos
Agentes alcalinizantes	Aumento del pH sérico o urinario	Renal	Bicarbonato de sodio
Agentes alquilantes	Grupo de medicamentos contra el cáncer que atacan el ADN de las células cancerosas, provocando su muerte	Variada	Cisplatino, ciclofosfamida (Cytoxan®), ifosfamida (Ifex®)
Agentes antiglaucoma (normalmente colirios)	Tratan el glaucoma	Variada	Brinzolamida (Azopt®), bimatoprost (Lumigan®)
Agentes quimioterapéuticos	Tratan el cáncer o una neoplasia maligna	Variada	Vincristina (Oncovin®, Vincasar®), cisplatino (Platinol®)
Alcaloides vegetales	Medicamentos contra el cáncer derivados de plantas	Variada	Vincristina (Vincasar®), etopósido (Toposar®)
Analgésicos opioides	Alivian el dolor y alivian o suprimen la tos	SNC	Morfina, oxicodona
Antagonistas de los receptores de histamina$_2$	Bloquean los receptores de histamina, incluidos los responsables de la secreción de ácido gástrico	GI e inmunológico	Famotidina (Pepcid®)
Antagonistas del calcio	Reducir la frecuencia cardíaca y la presión arterial	Cardiovascular	Diltiazem (Cardizem®), verapamilo (Calan®)
Antiácidos	Neutralizan el exceso de ácidos presentes en el estómago	Gastrointestinal	Sucralfato (Carafate®), sales de aluminio, carbonato cálcico
Antiarrítmicos	Previenen o controla diversas disritmias cardíacas	Cardiovascular	Lidocaína, amiodarona (Cordarone®)
Antibióticos	Tratan la infección bacteriana	Variada	Penicilina, ciprofloxacino (Cipro®)
Antibióticos antitumorales	Medicamentos (como los descritos antes) que tienen la capacidad adicional de atacar y destruir determinadas células cancerosas	Variada	Doxorrubicina (Adriamicina®), mitomicina (Mutamicina)
Anticoagulantes	Reducen la eficacia de los factores de coagulación presentes en la sangre	Hematológico	Heparina, warfarina (Coumadin®)
Anticonceptivos orales	Previenen la concepción (embarazo)	Endocrino y genitourinario	Estrógeno, progesterona
Antidepresivos tricíclicos	Tratan la depresión, la neuropatía y los síndromes de dolor crónico	SNC	Amitriptilina (Elavil®), doxepina, desipramina (Norpramin®)
Antidiarreicos	Disminuyen la motilidad gastrointestinal, altera la actividad de secreción gastrointestinal	Gastrointestinal	Loperamida (Imodium®), combinación de difenoxilato y atropina (Lomotil®)

Clase de medicamento	Indicaciones o propósitos comunes	Sistema corporal primario afectado	Ejemplos
Antieméticos	Tratan o previenen náusea y vómito	Gastrointestinal, sistema nervioso central	Prometazina (Phenergan®), ondansetrón (Zofran®)
Antiflatulentos	Previenen o trata el exceso de gases intestinales	Gastrointestinal	Simeticona, lactasa
Antifúngicos	Tratan las infecciones fúngicas	Variada	Fluconazol (Diflucan®), ketoconazol (Nizoral®)
Antihelmínticos	Tratan los parásitos intestinales	Gastrointestinal	Mebendazol (Vermox®)
Antihiperlipidémicos	Disminuyen el colesterol sanguíneo, secuestran las sustancias químicas del colesterol en la bilis	Hematológico, cardiovascular	Colestiramina (Questran®), colesevelam (Welchol®)
Antihistamínicos	Bloquean los receptores de histamina, secan las mucosas, inhiben la respuesta inmune en las reacciones alérgicas	Variada	Difenhidramina (Benadryl®), loratadina (Claritin®)
Antiinflamatorios no esteroideos	Tratan el dolor y la inflamación	Endocrino	Ibuprofeno (Motrin®, Advil®), ketorolaco (Toradol®), indometacina (Indocin®)
Antimetabolitos	Medicamentos contra el cáncer que imitan las sustancias normales dentro de una célula, alteran el metabolismo celular y eliminan las células cancerosas	Variada	Metotrexato (Rheumatrex®, Trexall®) 5-fluorouracilo (5-FU®, Adrucil®)
Antiparasitarios	Tratan las infecciones parasitarias	Variada	Nitazoxanida (Alinia®)
Antipsicóticos	Tratan las psicosis, incluida la esquizofrenia	Sistema nervioso simpático	Haloperidol (Haldol®), olanzapina (Zyprexa®)
Antivirales	Tratan infecciones virales	Variada	Aciclovir (Zovirax®), famciclovir (Famvir®)
Barbitúricos	Reducen o previenen las convulsiones, proporcionan sedación	SNC	Fenobarbital
Benzodiacepinas	Tratan la ansiedad y las convulsiones, proporcionan sedación	SNC	Lorazepam (Ativan®), diazepam (Valium®), oxazepam (Serax®)
Betabloqueadores	Reducen la frecuencia cardíaca y la presión arterial	Cardiovascular	Metoprolol (Lopressor®), atenolol (Tenormin®)
Beta agonistas	Broncodilatación	Respiratorio	Albuterol, levalbuterol (Xopenex®)
Bloqueadores neuromusculares	Proporcionan parálisis química en pacientes intubados y ventilados	Sistema nervioso periférico y musculoesquelético	Succinilcolina (Anectine®), rocuronio (Zemuron®)
Colinérgicos	Activan las glándulas secretoras de los ojos y el tracto GI; mejora la debilidad muscular en la miastenia grave	Sistema nervioso parasimpático	Pilocarpina (Isopto®); piridostigmina (Mestinon®)

(continúa)

CUADRO 10-11 Grupos de medicamentos importantes que afectan a la atención prehospitalaria de los pacientes (continuación)

Clase de medicamento	Indicaciones o propósitos comunes	Sistema corporal primario afectado	Ejemplos
Corticoesteroides	Disminuyen la inflamación; inmunosupresor; sustituye o aumenta la función de la corteza suprarrenal (véanse entradas sobre glucocorticoides y mineralocorticoides)	Endocrino e inmunológico	Prednisona, dexametasona (Decadron®)
Descongestionantes nasales	Disminuyen la secreción de moco de las vías aéreas superiores	Sistema nervioso simpático	Seudoefedrina (Sudafed®), fenilefrina (Neo-Synephrine®)
Digestores	Mejoran la digestión de los alimentos; puede incluir un suplemento de enzimas pancreáticas	GI	Glutamina
Diuréticos	Favorecen la excreción de orina; aliviar la sobrecarga de líquidos	Renal	Manitol (Osmitrol®), furosemida (Lasix®)
Fármacos hormonales sustitutivos	Sustituyen hormonas; mejoran la densidad ósea que ha disminuido debido al envejecimiento y a la pérdida de hormonas; sustituyen o aumentan la función de glándulas pituitarias o tiroideas deterioradas	Endocrino	Estrógeno, progesterona, levotiroxina (Synthroid®), testosterona, hormona de crecimiento humano recombinante
Fibrinolíticos	Disolver coágulos presentes en vasos sanguíneos o dispositivos de acceso vascular	Hematológico	Activador tisular del plasminógeno (tPA), tenecteplasa (TNKase®)
Glucocorticoides	Terapia de sustitución o mantenimiento, tratamiento de la inflamación sistémica, otros numerosos usos	Endocrino e inmunológico	Hidrocortisona, beclometasona (Beconase®)
Glucósidos cardíacos	Disminuye la frecuencia cardíaca y mejora la contractilidad	Cardiovascular	Digoxina (Lanoxina®)
Hipoglucemiantes orales	Tratan la diabetes mellitus de tipo 2	Endocrino	Gliburida (Diabeta®), metformina (Glucophage®), glipizida (Glucotrol®)
Inhibidores de la bomba de protones	Suprimen la actividad de secreción ácida de las células parietales	Gastrointestinal	Omeprazol (Prilosec®), esomeprazol (Nexium®)
Inhibidores de la fosfodiesterasa	Tratan la disfunción eréctil	Cardiovascular	Sildenafilo (Viagra®), tadalafilo (Cialis®)
Inhibidores de la glucoproteína IIb/IIIa	Desactivan las proteínas implicadas en la agregación plaquetaria	Hematológico	Tirofibán (Aggrastat®), eptifibatida (Integrilin®)
Inhibidores de la síntesis del colesterol	Previenen la conversión del colesterol en el hígado	GI	Atorvastatina (Lipitor®), simvastatina (Zocor®)
Inhibidores plaquetarios	Disminuyen la agregación plaquetaria en pacientes con riesgo de formación de trombos	Hematológico	Aspirina, clopidogrel (Plavix®)

Clase de medicamento	Indicaciones o propósitos comunes	Sistema corporal primario afectado	Ejemplos
Inhibidores selectivos de la recaptación de serotonina	Tratan la depresión, la ansiedad y afecciones relacionadas	SNC	Paroxetina (Paxil®), sertralina (Zoloft®)
Inmunomoduladores	Inhiben o mejoran el funcionamiento del sistema inmunológico	Inmunológico	Interferón, levamisol (Ergamisol®)
Inmunosupresores	Previenen el rechazo de órganos y tejidos trasplantados; tratan la artritis reumatoide	Inmunológico	Ciclosporina (Gengraf®), tacrolimús (Prograf®)
Insulina	Efectos inotrópicos positivos, permite la captación celular de glucosa, trata la hiperpotasemia	Endocrino	Insulina (Humalog®, Humulin®)
Laxantes	Aumentan la motilidad GI	GI	Bisacodilo (Dulcolax®), docusato (Colace®)
Midriáticos	Dilatan pupilas para procedimientos de diagnóstico y tratamiento ocular	Sistema nervioso parasimpático y ocular	Ciclopentolato (Cyclogyl®)
Mineralocorticoides	Favorecen la retención de sodio y agua	Endocrino e inmunológico	Fludrocortisona (Florinef®)
Mucolíticos	Ayudan a eliminar la mucosidad de la vía aérea	Pulmonar	Acetilcisteína (Mucomyst®)
Simpaticomiméticos	Aumentan la presión arterial, la frecuencia cardíaca y el gasto cardíaco; contraen los vasos sanguíneos	Cardiovascular	Epinefrina (adrenalina), fenilefrina (Neo-Sinefrina®)
Supresores de la tos	Disminuyen la irritación bronquial causante de la tos	SNC	Codeína, dextrometorfano
Tocolíticos	Disminuyen o eliminan las contracciones uterinas durante el parto prematuro	Endocrino y genitourinario	Sulfato de magnesio
Xantinas	Broncodilatación	Respiratorio	Teofilina (Uniphyl®)

Abreviaturas: GI, gastrointestinal; PA, presión arterial; SNC, sistema nervioso central.

Benzodiacepinas

Los medicamentos benzodiacepínicos, como diazepam, lorazepam y midazolam, se utilizan ampliamente en el ámbito prehospitalario. A los pacientes se les pueden recetar otras benzodiacepinas como clonazepam y temazepam (Restoril®) para su uso a largo plazo. Las benzodiacepinas tienen potentes propiedades anticonvulsivas, ansiolíticas y sedantes, lo que las hace deseables en muchas situaciones. Estos agentes pueden utilizarse como sedantes primarios en procedimientos de colocación de vías aéreas, pero por lo general se requieren dosis elevadas para conseguir una sedación adecuada. En dosis elevadas, las benzodiacepinas provocan hipotensión, lo que complicará aún más el estado de un paciente con shock o politraumatismo. Por lo tanto, estos medicamentos se utilizan mejor para la sedación de mantenimiento después del manejo avanzado de la vía aérea, en pacientes intubados o con dispositivos supraglóticos.

Las benzodiacepinas proporcionan cierto grado de protección anticonvulsiva en pacientes con traumatismos craneoencefálicos. Las convulsiones activas pueden tratarse en un inicio con la administración IV, intramuscular, intranasal y rectal de estos medicamentos. Las dosis más bajas también pueden ser útiles para reducir la ansiedad, aunque este uso no está aprobado en todos los sistemas del SEM.

Las tres benzodiacepinas utilizadas en la práctica prehospitalaria (diazepam, lorazepam y midazolam) están clasificadas como medicamentos de clase D en estado de embarazo, lo que significa que se ha demostrado que pueden dañar al feto. Estos medicamentos solo deben administrarse a pacientes con embarazo en situaciones de riesgo vital cuando no se disponga de medicamentos alternativos más seguros.

Agentes químicos paralizantes

En el ámbito prehospitalario pueden utilizarse dos clases de agentes paralizantes químicos (despolarizantes y no despolarizantes). Estos medicamentos proporcionan una relajación muscular que facilita la colocación del dispositivo de vía aérea y evita la asincronía paciente-ventilador durante la ventilación mecánica. Los agentes paralizantes permiten una mejor visualización de las estructuras de las vías aéreas que cuando solo se utilizan sedantes. La clase de agente químico paralizante utilizado influye en gran medida en el inicio y la duración de la relajación muscular.

En circunstancias normales, las células nerviosas liberan acetilcolina (ACh), que se une a los receptores nicotínicos de las células musculares, provocando la contracción muscular. Los paralizantes químicos (bloqueadores neuromusculares) se unen a los receptores nicotínicos de las células musculares, antagonizando (impidiendo la activación por) la ACh (**FIGURA 10-10**).

La succinilcolina (anectina) es un agente paralizante **despolarizante competitivo**. Alcanza la unión neuromuscular, se une a los receptores nicotínicos de los músculos, provoca una activación transitoria conocida como **fasciculación** e impide la activación adicional por ACh. Muchos profesionales sanitarios prefieren la succinilcolina por su rápido inicio (en 60 segundos) y la duración relativamente breve de su efecto (de 4 a 6 minutos). La hipertermia maligna es una reacción adversa a la succinilcolina infrecuente, pero potencialmente mortal; se caracteriza por hipertermia grave (temperatura elevada), rigidez muscular y acidosis metabólica. Otros agentes anestésicos también pueden causar este trastorno. Antes de administrar succinilcolina a los pacientes capaces de comunicarse, se les debe examinar para detectar reacciones personales o familiares a la anestesia.

Perlas de sabiduría

Debido a las reacciones adversas graves que pueden producirse potencialmente con la administración de succinilcolina, muchos médicos prefieren utilizar otros agentes bloqueadores neuromusculares, incluso si los otros agentes tienen una duración de acción significativamente mayor.

En el ámbito del transporte prehospitalario o de cuidados críticos se utilizan varios agentes paralizantes **no despolarizantes**. Los agentes no despolarizantes compiten con la ACh en los receptores nicotínicos. Ocupan (pero no activan) estos receptores, impidiendo así su activación por la ACh. Los miembros de esta clase de fármacos suelen tener una duración más larga que

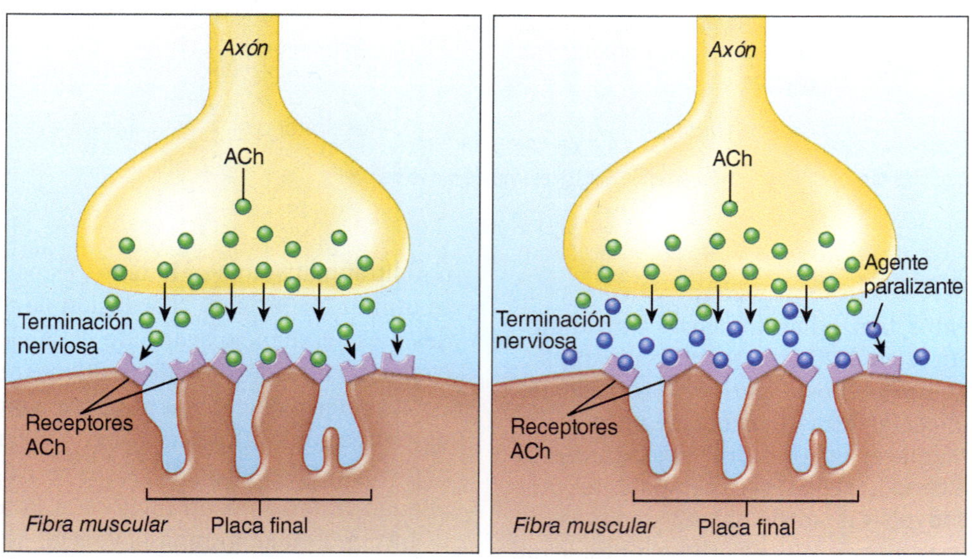

A B

FIGURA 10-10 Los paralizantes químicos se unen a los receptores nicotínicos de las células musculares, antagonizando la acetilcolina (ACh). **A.** Función normal de las células nerviosas, en las que la ACh se une a sus receptores. **B.** Efecto de la medicación paralizante química, en la que se bloquean los receptores de ACh.

la succinilcolina y menos efectos adversos. El rocuronio (Zemuron®) tiene el inicio más rápido combinado con una duración más corta (30 a 60 minutos), lo que lo convierte en un agente no despolarizante apropiado para la colocación de dispositivos de vía aérea en situaciones de emergencia. El vecuronio (Norcuron®) también puede administrarse como coadyuvante o como único agente paralizante químico para procedimientos de emergencia en la vía aérea. Tiene una duración de acción más corta (20 a 35 minutos) que el rocuronio.

Los agentes paralizantes químicos despolarizantes y no despolarizantes crean una amenaza inmediata para la vida si son administrados por paramédicos que no pueden asegurar una vía aérea artificial. Los paramédicos autorizados para administrar estos medicamentos deben dominar la ventilación con bolsa-mascarilla y tener destreza en la colocación de dispositivos de "rescate" de respaldo para la vía aérea, como se aborda en el capítulo 13, *Manejo de la vía aérea*. Si no es capaz de oxigenar y ventilar de manera adecuada a un paciente tras la administración de un agente químico paralizante, es probable que se produzcan complicaciones potencialmente mortales.

Otros medicamentos para el manejo de la vía aérea

Los paramédicos de algunos SEM pueden utilizar medicamentos para tratar el edema de la vía aérea superior en pacientes que responden y respiran de forma espontánea. En específico, se pueden administrar medicamentos corticoesteroides, vasoconstrictores y broncodilatadores cuando hay edema de la vía aérea superior. Estos medicamentos se tratan más adelante en este capítulo.

Medicamentos utilizados en el tratamiento respiratorio

Una respiración eficaz requiere una oxigenación y ventilación adecuadas. Las emergencias respiratorias pueden ser una dolencia primaria o la manifestación de un proceso patológico en otro sistema corporal. Los grupos de medicamentos tratados en esta sección se refieren a afecciones respiratorias primarias como el asma y la EPOC.

Medicamentos betaagonistas

Los agonistas betaadrenérgicos siguen siendo el principal tratamiento del broncoespasmo agudo asociado con asma, EPOC y otras afecciones. Cuando los agonistas beta-2 los activan, los receptores beta-2 del músculo liso bronquial provocan relajación muscular y broncodilatación. Los paramédicos pueden administrar diversos agonistas beta-2 a los pacientes con broncoespasmo.

Los agonistas beta pueden ser selectivos, dirigiéndose solo a los receptores beta-2, o no selectivos, afectando tanto a los receptores beta-1 como a los beta-2. A pesar de su anunciada selectividad, muchos agonistas beta-2 muestran en realidad cierto grado de activación beta-1. Por lo tanto, debe vigilar con cuidado los efectos cardiovasculares adversos siempre que administre agonistas beta-2. Por lo tanto, siempre que se administren agonistas beta hay que vigilar cuidadosamente los efectos cardiovasculares adversos.

El albuterol (Ventolin®, Proventil®) es un agonista beta-2 selectivo de uso común. Este medicamento suele nebulizarse o administrarse mediante un IDM para el tratamiento de emergencia del broncoespasmo. El albuterol puede causar diversos grados de taquicardia, en especial durante la administración prolongada. Puede promover la captación celular de potasio, lo que lo convierte en un posible tratamiento temporal de la hiperpotasemia hasta que se produzca la eliminación definitiva de potasio. El levalbuterol es estructuralmente similar al albuterol, sin muchos de los efectos beta-1 descritos.

Medicamentos mucocinéticos y broncodilatadores

Los paramédicos pueden complementar los medicamentos beta agonistas con bromuro de ipratropio o un medicamento similar cuando traten a pacientes con broncoespasmo o enfermedad reactiva de las vías aéreas. El bromuro de ipratropio es un agente antimuscarínico de acción corta, lo que significa que antagoniza los receptores muscarínicos, provocando broncodilatación y disminución de la mucosidad en las vías aéreas superiores e inferiores. Los efectos cardiovasculares del ipratropio suelen ser limitados debido a su escasa absorción sistémica.

Corticoesteroides

Muchas emergencias respiratorias implican cierto grado de inflamación de las vías aéreas. En el entorno prehospitalario, se administran corticoesteroides para reducir la inflamación de las vías aéreas y, en última instancia, mejorar la oxigenación y la ventilación. Estos medicamentos reducen de forma significativa la gravedad del compromiso respiratorio por asma, EPOC, reacciones alérgicas y otras causas de inflamación de las vías aéreas. En algunos sistemas prehospitalarios se administran metilprednisolona (Solu-Medrol®), dexametasona (Decadron®) y prednisona. Los corticoesteroides tienen propiedades inmunosupresoras y pueden alterar una serie de funciones endocrinas. Estos medicamentos tienen muchas contraindicaciones y efectos adversos, por lo que los SEM pueden limitar o restringir su uso por parte de los paramédicos. Si se le permite administrar estos medicamentos, debe tener cuidado de evaluar los riesgos y beneficios potenciales para cada paciente.

Antagonistas de los receptores de leucotrienos

Los pacientes con asma tienen una sobreproducción de unas sustancias químicas llamadas leucotrienos. Los leucotrienos se unen a los receptores de los pulmones y provocan una potente broncoconstricción, así como efectos inflamatorios, de promoción de la mucosidad y de permeabilidad vascular. Su potencia broncoconstrictora es exponencialmente mayor que la de las histaminas. Los medicamentos antagonistas de los receptores de leucotrienos, como montelukast (Singulair®) y zafirlukast (Accolate®), son tomados por pacientes con asma y algunas alergias a largo plazo. Estos medicamentos están destinados a aliviar los síntomas a largo plazo y no se utilizan para tratar episodios emergentes de broncoespasmo e inflamación.

Medicamentos que afectan al sistema cardiovascular

El sistema cardiovascular se divide en tres componentes funcionales: la bomba (corazón), las tuberías (arterias, venas y capilares) y la sangre. Muchos medicamentos se utilizan para afectar a uno o más de estos componentes. Los hemoderivados y los medicamentos que afectan a las funciones de la sangre se tratan por separado en otros capítulos. Los fármacos antiarrítmicos se dirigen específicamente a las células del corazón para resolver una disritmia o suprimir **focos ectópicos** (lugares de generación de impulsos eléctricos distintos de las células marcapasos normales). Muchos fármacos antiarrítmicos afectan a células de otras partes del sistema cardiovascular o de todo el organismo. Otros medicamentos cardiovasculares alteran la actividad del corazón o modifican el tono de los vasos sanguíneos.

Varios de los medicamentos tratados en esta sección no suelen utilizarse en el ámbito prehospitalario. Sin embargo, puede encontrarlos durante el transporte entre centros o al responder a una emergencia en un centro sanitario fuera de un hospital.

Medicamentos antiarrítmicos

Diversos medicamentos tienen la capacidad de mejorar o corregir las anomalías del ritmo cardíaco de un paciente. Muchos de los medicamentos utilizados para tratar las arritmias cardíacas también tienen una capacidad similar para causar arritmias cardíacas y producir un gran número de efectos adversos en los pacientes que reciben estos medicamentos. Debido a este potencial para un resultado negativo, debe considerar con cuidado los riesgos y beneficios de administrar un medicamento en particular en el contexto de un paciente individual. En muchos casos, se beneficiará de la orientación experta a través del control médico en línea cuando trate a pacientes en situación hemodinámicamente estable con una arritmia cardíaca.

Los medicamentos utilizados para tratar las arritmias cardíacas se agrupan en cuatro clases utilizando el **esquema de clasificación de Vaughan-Williams**. Este esquema de clasificación se basa en el mecanismo de acción y no en grupos específicos de medicamentos. Algunos medicamentos tienen un mecanismo de acción que los sitúa en más de una clase. La adenosina (Adenocard®) es un medicamento utilizado para tratar ciertas disritmias cardíacas, pero no se incluye en la clasificación de Vaughan-Williams.

Una breve descripción de la actividad celular cardíaca es esencial para comprender la acción de los fármacos antiarrítmicos. Existen cinco fases de actividad celular cardíaca, numeradas de 0 a 4. El ciclo cardíaco comienza en la fase 4. Durante la fase 4, las células cardíacas están en reposo, esperando la generación de un impulso espontáneo desde dentro (automatismo) o la transferencia de un impulso desde una célula cardíaca adyacente. Este periodo coincide con la diástole del corazón.

La fase 0 comienza cuando una célula muscular cardíaca recibe un impulso. Los iones de sodio entran rápido en la célula a través de los canales de sodio de la célula cardíaca. El calcio, que entra más lento a través de los canales de calcio, provoca la liberación de calcio para la contracción muscular. Se produce la **despolarización**, alterando la carga eléctrica presente en la célula, y comienza la contracción (**FIGURA 10-11**).

Durante la fase 1, los canales de sodio se cierran mientras que el potasio sale de la célula. Durante la fase 2, el sodio y el calcio entran lentamente en la célula, mientras que el potasio sigue saliendo de ella. Durante la fase 3, los canales de calcio se cierran lentamente y el calcio sale de la célula, mientras que los canales de potasio se abren, permitiendo el rápido movimiento del potasio fuera de la célula. La repolarización, que comenzó durante la fase 2, se completa al final de la fase 3.

A lo largo de las fases 0, 1 y 2 y hasta la mitad de la fase 3, no puede producirse ninguna despolarización adicional debido a estímulos externos. Esta protección limita la potencial frecuencia cardíaca máxima asegurando que transcurra un cierto tiempo entre las

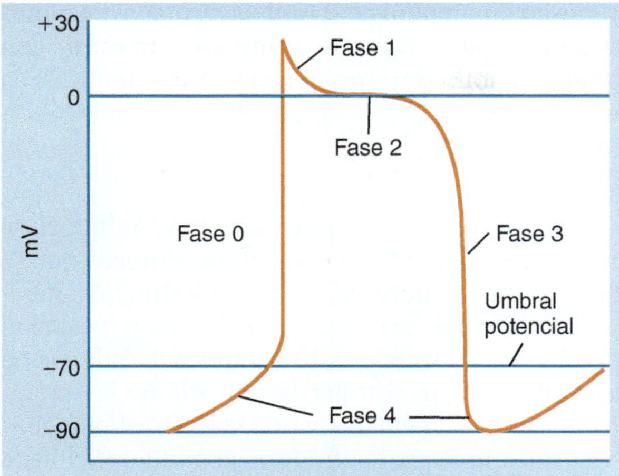

FIGURA 10-11 Potencial de acción en una célula muscular cardíaca.

Reproducida de *12-Lead ECG: The Art of Interpretation*, cortesía de Tomas B. Garcia, MD.

contracciones miocárdicas. Este periodo se conoce como **periodo refractario absoluto** o periodo refractario efectivo. Inmediatamente después del periodo refractario absoluto (efectivo), existe una breve ventana de tiempo en la que un estímulo inusualmente potente puede iniciar la despolarización, conocida como **periodo refractario relativo**.

También es posible que células no marcapasos inicien actividad eléctrica de forma espontánea. Durante los periodos de hipoxia celular, ciertos canales iónicos se alteran. Estos cambios permiten que el calcio (en lugar del sodio) inicie la despolarización, provocando los latidos ectópicos que acompañan con frecuencia a la isquemia miocárdica.

Medicamentos antiarrítmicos clase I

Los medicamentos antiarrítmicos clase I ralentizan el movimiento del sodio a través de los canales de determinadas células cardíacas. La procainamida (Pronestyl®), por ejemplo, es un medicamento clase IA que puede suprimir la actividad de los focos ectópicos y ralentizar la velocidad de conducción. Este mecanismo puede prolongar los intervalos QRS y QT. La procainamida es un tratamiento eficaz para una variedad de arritmias auriculares y ventriculares, pero requiere una administración y monitorización cuidadosas.

La lidocaína es un medicamento antiarrítmico clase IB que bloquea los canales de sodio en las fibras de Purkinje y los ventrículos, resolviendo de forma eficaz diversas arritmias ventriculares y suprimiendo los focos ectópicos. Este medicamento también se utiliza como anestésico local durante la reparación de tejidos blandos y como complemento de la sedación en pacientes con riesgo de aumento de la presión intracraneal durante los intentos de intubación. La lidocaína tiene numerosas interacciones significativas con otros medicamentos y debe utilizarse con precaución en pacientes con enfermedad hepática o renal.

Medicamentos antiarrítmicos clase II/ agentes bloqueadores betaadrenérgicos

Los bloqueadores betaadrenérgicos (Betabloqueadores) constituyen la segunda clase principal de agentes antiarrítmicos. Los Betabloqueadores inhiben de forma competitiva la activación por catecolaminas (epinefrina y norepinefrina) de los receptores beta. A dosis terapéuticas, algunos Betabloqueadores son capaces de cierta selectividad beta-1, afectando a la frecuencia cardíaca, la contractilidad o la velocidad de conducción cardíaca, sin un impacto sustancial sobre los receptores beta-2 en los pulmones. Esta selectividad se pierde cuando se administran dosis más altas o Betabloqueadores no selectivos. Los efectos tóxicos de los Betabloqueadores suelen incluir bradicardia, hipotensión, retrasos en la conducción y otros efectos cardiovasculares diversos.

Los Betabloqueadores deben utilizarse con extrema precaución en pacientes con enfermedad reactiva de la vía aérea debido a la posibilidad de que el antagonismo beta-2 provoque broncoespasmo. Los Betabloqueadores también pueden causar anomalías de la conducción o hipotensión significativa cuando se administran de forma simultánea con bloqueadores de los canales del calcio. Vigilar con cuidado la presión arterial, frecuencia y ritmo cardíacos del paciente durante y después de la administración de un betabloqueador.

Medicamentos antiarrítmicos clase III

Los fármacos antiarrítmicos clase III aumentan la duración de las fases 1, 2 y 3 del ciclo cardíaco. Al prolongar el potencial de acción celular, estos medicamentos prolongan el periodo refractario absoluto, tratando así las taquicardias auriculares o ventriculares. Con algunos medicamentos clase III, el grado de prolongación del potencial de acción es inversamente proporcional a la frecuencia cardíaca basal, lo que hace que estos medicamentos sean menos eficaces para tratar frecuencias cardíacas demasiado rápidas, mientras que disminuyen de manera drástica frecuencias cardíacas basales relativamente más lentas.

La amiodarona (Cordarone®) es un medicamento antiarrítmico clase III útil para tratar las arritmias auriculares y ventriculares. Este agente se administra por vía IV en el ámbito prehospitalario o de cuidados intensivos y puede continuarse por vía oral para el mantenimiento a largo plazo. La amiodarona se distribuye de manera amplia por todo el organismo, lo que podría causar una amplia gama de efectos adversos. Además de efectos cardiovasculares adversos graves, provoca diversas afecciones pulmonares potencialmente mortales en hasta 10.7% de los pacientes.[10] Los pacientes suelen desarrollar complicaciones pulmonares después de varios meses de tratamiento con amiodarona oral; sin embargo, estas complicaciones pueden aparecer en cualquier momento del tratamiento.

El sotalol (Betapace®) es otro medicamento clase III que puede encontrarse en el ámbito prehospitalario. Los pacientes suelen tomar este medicamento por vía oral para las arritmias ventriculares o auriculares. Puede utilizarse por vía IV para la interrupción de la taquicardia ventricular.

Medicamentos antiarrítmicos clase IV/ Bloqueadores de los canales de calcio

Los antagonistas del calcio tienen muchos usos potenciales en el ámbito prehospitalario. Estos fármacos se utilizan para reducir la presión arterial y controlar la frecuencia cardíaca y pueden aumentar el aporte de oxígeno al miocardio durante los periodos de isquemia. Además, estos medicamentos son usados para inhibir las contracciones uterinas durante el parto prematuro, para el tratamiento a largo plazo de las migrañas y para el tratamiento de la miocardiopatía.

Los bloqueadores de los canales del calcio desplazan al calcio en determinados sitios receptores o penetran en las células musculares lisas en lugar del calcio. Esta acción relaja el músculo liso presente en el corazón, los vasos sanguíneos, el tracto gastrointestinal y el útero. Los antagonistas del calcio ralentizan la conducción a través del nódulo auriculoventricular, disminuyen la automaticidad de los focos ectópicos del corazón y reducen la velocidad de contracción cardíaca. La carga de trabajo cardíaco y el consumo de oxígeno disminuyen al reducir la resistencia vascular periférica (poscarga) y, al mismo tiempo, el gasto cardíaco.

El verapamilo (Calan®) y el diltiazem (Cardizem®) son dos antagonistas del calcio de uso frecuente en el transporte prehospitalario y de cuidados críticos. En la mayoría de los casos, estos medicamentos se utilizan para controlar la frecuencia cardíaca en pacientes estables con taquicardia de QRS estrecho o para controlar la frecuencia ventricular en pacientes con fibrilación o aleteo auriculares sin preexcitación. El diltiazem parece tener menos efecto sobre la presión arterial, por lo que es más aconsejable para pacientes con riesgo de hipotensión. Ambos fármacos se administran por vía IV durante al menos 2 minutos con monitorización continua del EKG y frecuente de la presión arterial.

Adenosina

La adenosina es el único miembro de la quinta clase (sin nombre) de medicamentos antiarrítmicos que se utiliza de forma rutinaria en el ámbito prehospitalario. Tiene inicio de acción rápido, duración de acción breve y semivida inferior a 10 segundos. La adenosina puede utilizarse para tratar la mayoría de las taquicardias estables, regulares y de QRS estrecho, incluidas las que implican reentrada en el nódulo AV. Puede considerarse para el tratamiento de pacientes con taquicardias inestables de QRS estrecho mientras se preparan para la cardioversión, o utilizarse para ayudar en el diagnóstico cuando el origen o el patrón no pueden determinarse en un EKG debido a una frecuencia cardíaca inusualmente rápida.

Tanto los pacientes como los profesionales sanitarios suelen experimentar niveles similares de ansiedad durante la pausa de 5 a 15 segundos en la actividad cardíaca eléctrica y mecánica provocada por la adenosina. Realice un registro continuo del EKG en papel siempre que administre adenosina. Esto le ayudará a usted y a otros profesionales sanitarios a identificar la disritmia del paciente si la conversión con adenosina no tiene éxito.

Medicamentos cardiovasculares adicionales

Antagonistas de los receptores alfa-adrenérgicos

Los antagonistas de los receptores alfaadrenérgicos (alfabloqueadores) impiden que las catecolaminas endógenas alcancen los receptores alfa, principalmente en el músculo liso de los vasos sanguíneos. En general, estos medicamentos reducen la presión arterial (sobre todo la diastólica) y disminuyen la resistencia vascular sistémica. El bloqueo no selectivo de los receptores alfa-2 provoca una taquicardia "refleja" al permitir un aumento de la secreción de norepinefrina del sistema nervioso simpático.

Los pacientes que toman alfabloqueadores en casa suelen presentar hipotensión ortostática (hipotensión relacionada con cambios bruscos de posición) y taquicardia. Los antagonistas de los receptores alfa adrenérgicos se prescriben a pacientes con hipertensión, agrandamiento de la próstata y glaucoma. El antagonismo de los receptores alfa también se produce con frecuencia como efecto adverso en apariencia no relacionado de otros medicamentos.

Es concebible que usted administre uno de los tres medicamentos alfaadrenérgicos en el ámbito del transporte prehospitalario o de cuidados críticos. La clonidina (Catapres®) es principalmente un agonista de los receptores alfa-2, que suele administrarse por vía oral para el tratamiento de emergencia de la hipertensión. Al activar los receptores alfa-2, la clonidina suprime la liberación de norepinefrina, un potente vasoconstrictor, provocando vasodilatación.

También puede administrar fentolamina (Regitine®). Las catecolaminas y los simpaticomiméticos (de los que hablaremos más adelante) pueden provocar una necrosis tisular profunda si se produce **extravasación** (filtración de sangre y medicación al tejido que rodea el vaso sanguíneo) durante su administración a través de una vía IV periférica. Cuando se produce la extravasación, los vasos sanguíneos de la piel y los tejidos blandos se contraen, cortando el flujo sanguíneo a las células de la zona afectada. La fentolamina puede administrarse mediante inyección subcutánea para invertir la vasoconstricción en el tejido blando afectado, evitando así la muerte del tejido.

Por último, puede administrar labetalol (Tranda-te®), un medicamento inusual con una combinación de propiedades de antagonismo alfa-1, beta-1 y beta-2. Este agente se administra en situaciones de emergencia para la hipertensión. La forma IV tiene un efecto mucho mayor sobre los receptores beta-1 y beta-2 que sobre los receptores alfa-1. Los pacientes con riesgo de estimulación alfa sin oposición, como los que tienen un feocromocitoma o una sobredosis de cocaína, deben recibir otro antagonista adrenérgico alfa antes de recibir labetalol en una emergencia hipertensiva. En este caso, el descenso del gasto cardíaco debido al antagonismo beta-1 provoca la secreción de catecolaminas endógenas, causando una hipertensión potencialmente no controlada.

Inhibidores de la enzima convertidora de angiotensina

Los medicamentos conocidos como inhibidores de la ECA alteran la función del sistema renina-angiotensina en el organismo. Este sistema provoca vasoconstricción y retención de líquidos en respuesta a la hipotensión o la hipoperfusión. Cuando la conversión de angiotensina I en angiotensina II se ve alterada por el uso de inhibidores de la ECA, se producen diversos efectos clínicamente benéficos. Se reduce la presión arterial y disminuye la poscarga cardíaca sin alterar de forma significativa el gasto cardíaco ni provocar un aumento de la frecuencia cardíaca. Los inhibidores de la ECA son útiles para tratar la hipertensión, la cardiomiopatía y la insuficiencia cardíaca. Además, protegen la función renal en determinados grupos de personas susceptibles de desarrollar esas afecciones.

Los pacientes que toman inhibidores de la ECA pueden experimentar una tos seca crónica, que se cree que está relacionada con una acumulación de sustancias químicas procedentes del sistema renina-angiotensina ahora alterado. Algunos pueden experimentar un angioedema repentino y potencialmente mortal: edema de la boca, la cara y la vía aérea como consecuencia de un rápido aumento de la permeabilidad vascular subdérmica y submucosa. Cuando se produce este tipo de angioedema, los tratamientos habituales, como la epinefrina y los antihistamínicos, no son tan eficaces. Debe prever una estrecha vigilancia y tratamiento de apoyo o, en situaciones graves, prepararse para una intubación endotraqueal demasiado difícil.

Algunos SEM pueden utilizar inhibidores de la ECA como parte de su atención al paciente, en particular enalapril (Vasotec®). Debe seguir sus protocolos locales en relación con las indicaciones y la administración de este agente, y ser consciente de las contraindicaciones importantes si se utiliza enalapril u otro inhibidor de la ECA en su SEM.

Medicamentos anticolinérgicos

Los medicamentos anticolinérgicos se utilizan en entornos prehospitalarios y otros entornos sanitarios con varios fines clínicos importantes. Los sistemas nerviosos parasimpático y simpático responden de manera continua a estímulos internos y externos liberando diversas sustancias bioquímicas. Estas sustancias químicas mejoran o suprimen la función de muchos tejidos, órganos y sistemas corporales. A lo largo del día, predominará la actividad del sistema nervioso simpático o del parasimpático, dependiendo de las necesidades percibidas por el organismo. El sistema nervioso simpático predomina en la respuesta al estrés, liberando catecolaminas para mejorar el rendimiento cardiovascular, aumentar la respiración y retener agua corporal. Cuando el estímulo estresante desaparece, el sistema nervioso parasimpático vuelve a predominar, permitiendo que se reanuden funciones vitales como el descanso, la digestión y la micción.

El nervio vago (nervio craneal X) es un componente principal del sistema nervioso parasimpático. Este nervio controla la estimulación parasimpática de los receptores del corazón, los pulmones y el sistema digestivo, así como el tórax y el abdomen. El nervio vago libera ACh, que actúa sobre los receptores muscarínicos-2 del corazón para disminuir la frecuencia y la contractilidad cardíacas y la velocidad de conducción cardíaca. La activación excesiva de los receptores muscarínicos-2 del corazón por la ACh provoca bradicardia y retrasos en la conducción. La activación excesiva de otros receptores muscarínicos provoca un aumento de la salivación, broncoconstricción, secreciones pulmonares, vómito, emesis, diarrea, lagrimeo y una gran variedad de efectos clínicos no deseados. Muchos de estos síntomas están presentes en pacientes expuestos a inhibidores de la acetilcolinesterasa en pesticidas y agentes nerviosos, lo que permite una liberación excesiva de ACh y conduce a niveles elevados de ACh en el organismo. El sulfato de atropina se utiliza en entornos prehospitalarios y otros entornos sanitarios para tratar muchos síntomas **colinérgicos** asociados con la liberación excesiva de ACh.

La atropina se considera un antagonista competitivo de los receptores muscarínicos. Su eficacia está relacionada en gran medida con su concentración en los sitios receptores en comparación con la ACh. Cuando los niveles de ACh aumentan demasiado debido a la inhibición de la **acetilcolinesterasa** (la enzima que descompone la ACh), pueden ser necesarias dosis masivas de atropina.

La atropina se utiliza para el tratamiento de la bradicardia cuando se sospecha una estimulación vagal (del nervio vago) de los receptores muscarínicos-2. Este medicamento puede administrarse de forma empírica para excluir la posibilidad de estimulación vagal durante episodios de bradicardia con una causa no identificada. Cuando se administra atropina para la bradicardia, se impide la activación por ACh de los receptores muscarínicos-2, lo que permite que predomine la estimulación simpática subyacente. Es poco probable que la atropina sea eficaz para el tratamiento de la bradicardia causada por el bloqueo de la conducción cardíaca, como ocurre con los bloqueos auriculoventriculares de segundo y tercer grados.

En particular, la atropina se utiliza en la premedicación en el manejo de la vía aérea, en especial en niños. La laringoscopia puede estimular el nervio vago, provocando bradicardia. Además de prevenir la bradicardia, la atropina puede suprimir la liberación de saliva y otras secreciones en la vía aérea del paciente.

Por último, la atropina es el antídoto que salva vidas en caso de toxicidad por inhibidores de la acetilcolinesterasa. Cuando los pacientes están expuestos a pesticidas y agentes nerviosos, este medicamento se administra de forma continua hasta que el estado respiratorio y hemodinámico del paciente mejora, independientemente de la dosis total requerida. Los suministros de atropina de los vehículos de emergencia y de los hospitales pueden agotarse rápido luego de exposiciones graves, en especial cuando un incidente afecta a varios pacientes. La atropina no se une a los receptores nicotínicos; en consecuencia, no mejorará la debilidad muscular, las fasciculaciones o la parálisis de la intoxicación colinérgica.

Catecolaminas y simpaticomiméticos

Las catecolaminas son sustancias químicas naturales del organismo que estimulan los receptores del sistema nervioso simpático. Estas sustancias químicas contienen dos estructuras: el grupo catecol y el grupo monoamina. Las catecolaminas endógenas incluyen epinefrina, norepinefrina y dopamina. Estas sustancias químicas estimulan los receptores alfa, beta y dopaminérgicos, provocando la respuesta de "lucha o huida" ante estímulos estresantes. Estas tres sustancias químicas se fabrican comercialmente para su administración a pacientes con determinadas afecciones médicas. Las catecolaminas son metabolizadas con rapidez por la monoaminooxidasa y la catecol-*O*-metiltransferasa (una enzima), lo que provoca una breve duración de la acción después de su administración. Es posible que encuentre algunos medicamentos catecolamínicos y simpaticomiméticos en el ámbito prehospitalario. Otros medicamentos de esta categoría pueden encontrarse durante el transporte a cuidados críticos.

Las sustancias químicas simpaticomiméticas no se encuentran de forma natural en el organismo. Estas sustancias químicas sintéticas imitan a las catecolaminas naturales y activan los receptores del sistema nervioso simpático. Varias anfetaminas, albuterol, fenilefrina y cocaína tienen propiedades simpaticomiméticas. Los medicamentos simpaticomiméticos no desarrollan el mismo metabolismo que las catecolaminas, por lo que tienen una mayor duración de acción luego de su administración.

La epinefrina (Adrenalin®), también conocida como adrenalina (nótese la similitud con el nombre comercial), es una catecolamina que estimula los receptores alfa, beta-1 y beta-2. Puede administrarse por vía IV, intraósea, intramuscular, subcutánea, endotraqueal y nebulizada, según la situación clínica y el tipo de acceso al medicamento disponible. La epinefrina, al igual que muchas catecolaminas y simpaticomiméticos, puede aumentar demasiado la carga de trabajo cardíaco y la demanda miocárdica de oxígeno. Estos medicamentos deben utilizarse con mucha precaución en pacientes con isquemia miocárdica, miocardiopatía o shock cardiogénico.

La norepinefrina es otra catecolamina natural que estimula los receptores beta-1 y alfa. Sus efectos vasoconstrictores (alfa) suelen ser mayores que sus efectos cardíacos (beta-1). Las afecciones que implican pérdida del tono vasomotor, como sepsis, shock neurogénico y shock anafiláctico, son las principales indicaciones de la norepinefrina, debido a sus efectos en el restablecimiento del volumen intravascular. La norepinefrina se administra mediante infusión IV continua y se ajusta en función de la respuesta del paciente. Al igual que otros vasopresores, puede causar necrosis tisular si se produce extravasación durante la administración IV. Si la norepinefrina se administra a través de una vía periférica, es imperativo realizar una evaluación frecuente de la vía. Lo ideal es que los paramédicos que hayan recibido la formación adecuada administren la norepinefrina y otros fármacos vasoconstrictores a través de un catéter venoso central cuando esté disponible.

La dopamina (Intropin®) se utiliza con frecuencia para la hipotensión refractaria a la reanimación con volumen. La dosis de este agente se determina a partir de un cálculo de infusión basado en el peso, por lo general utilizando unidades de microgramos por kilogramo por minuto, y se administra mediante una bomba de infusión. Los efectos clínicos de la dopamina varían en función de la dosis administrada.

La dobutamina es una catecolamina sintética similar a la dopamina. Activa los receptores beta-1 y, en menor medida, los receptores beta-2 y alfa. La dobutamina puede aumentar ligeramente la frecuencia cardíaca, al tiempo que proporciona una mejora significativa de los efectos inotrópicos (fuerza de contracción cardíaca). Cuando se utiliza para el tratamiento del shock cardiogénico, este agente se combina con frecuencia con una medicación vasodilatadora IV para aumentar los efectos inotrópicos y disminuir la poscarga, con la consiguiente mejora del gasto cardíaco. En un hospital o en un entorno de transporte de cuidados críticos, la dobutamina se administra con una bomba de infusión y se realiza una cuidadosa monitorización cardíaca y hemodinámica.

La milrinona (Primacor®) es un fármaco que puede administrarse por vía oral o IV para el tratamiento de la insuficiencia cardíaca. Tiene la capacidad de aumentar la contractilidad cardíaca al tiempo que provoca la dilatación de las arterias y venas sistémicas. Aunque esta combinación mejora el gasto cardíaco, aumenta la mortalidad de los pacientes cuando la milrinona se utiliza a largo plazo.

La fenilefrina es un medicamento sintético, casi puro, agonista alfa. Como paramédico, puede utilizar la fenilefrina como vasoconstrictor de la mucosa durante la colocación de una vía aérea artificial.

Preparados digitálicos

Los **preparados digitálicos** se prescriben para el tratamiento de la insuficiencia cardíaca crónica o algunas disritmias auriculares rápidas (p. ej., aleteo auricular rápido, fibrilación auricular y arritmias supraventriculares). Los digitálicos actúan aumentando la fuerza de las contracciones cardíacas, mejorando así el gasto cardíaco y ralentizando la conducción a través de la unión auriculoventricular (como en la fibrilación o el aleteo auricular), lo que permite conducir menos impulsos a los ventrículos y, por lo tanto, ralentizar la frecuencia cardíaca global. Los pacientes pueden experimentar una amplia variedad de signos y síntomas como reacción adversa a los preparados digitálicos, como pérdida de apetito, náusea, vómito, dolor de cabeza, visión borrosa, visión amarilla o diversas disritmias cardíacas. *Prácticamente cualquier arritmia cardíaca puede ser causada por los efectos tóxicos de los digitálicos*, por lo que es importante preguntar a todos los pacientes con alteraciones del ritmo cardíaco si están tomando digitálicos.

Los pacientes que toman digitálicos son sensibles a los preparados de calcio, y son muy sensibles a una disminución de los niveles séricos de potasio. Por lo tanto, debe tener precaución cuando administre agentes que puedan reducir las reservas de potasio del organismo, como diuréticos o grandes cantidades de bicarbonato de sodio. Los preparados digitálicos más utilizados son digoxina (Lanoxin®) y digitoxina (Crystodigin®).

Perlas de sabiduría

Agentes antianginosos

Para aliviar el dolor de la angina se utilizan tres clases principales de fármacos: nitratos, Betabloqueadores y antagonistas de calcio. Todos ellos actúan exclusiva o principalmente en el lado de la demanda de la fórmula oferta-demanda de oxígeno; es decir, todos ellos disminuyen, de un modo u otro, la demanda miocárdica de oxígeno.

Medicamentos vasodilatadores directos

Se utilizan diversos fármacos vasodilatadores directos para el tratamiento de la hipertensión no controlada, la insuficiencia cardíaca, el infarto del miocardio, la isquemia cardíaca y el shock cardiogénico. Estos fármacos actúan sobre las arterias, las venas o ambas, provocando la relajación del músculo liso vascular y la vasodilatación. Estos medicamentos pueden reducir la precarga y la poscarga cardíacas y la resistencia vascular pulmonar.

La nitroglicerina (Nitro-Bid, Nitrostat®) es un vasodilatador directo que se administra para diversas afecciones cardiovasculares. La nitroglicerina dilata principalmente las venas y las arterias coronarias, disminuyendo la precarga cardíaca, reduciendo la demanda miocárdica de oxígeno y mejorando la circulación coronaria. Algunos médicos recomiendan obtener un EKG de 15 derivaciones (EKG de 12 derivaciones con evaluación adicional de la isquemia del lado derecho del corazón) antes de iniciar el tratamiento con nitroglicerina. El infarto del miocardio del lado derecho requiere una precarga adecuada para mantener un gasto cardíaco apropiado, que puede verse comprometido por la administración de nitroglicerina.

Debido a que los comprimidos de nitroglicerina sublinguales son susceptibles de degradación, deben almacenarse en un recipiente cerrado y protegido de la luz. Sin embargo, la nitroglicerina se adhiere al plástico de los envases y a los líquidos o tubos IV, por lo que deben utilizarse frascos de vidrio para la administración IV siempre que la seguridad y la disponibilidad lo permitan. Debe evitarse el uso de nitroglicerina en pacientes que toman inhibidores de la fosfodiesterasa-5 para la disfunción eréctil, como sildenafilo (Viagra®) y tadalafilo (Cialis®) (**FIGURA 10-12**).

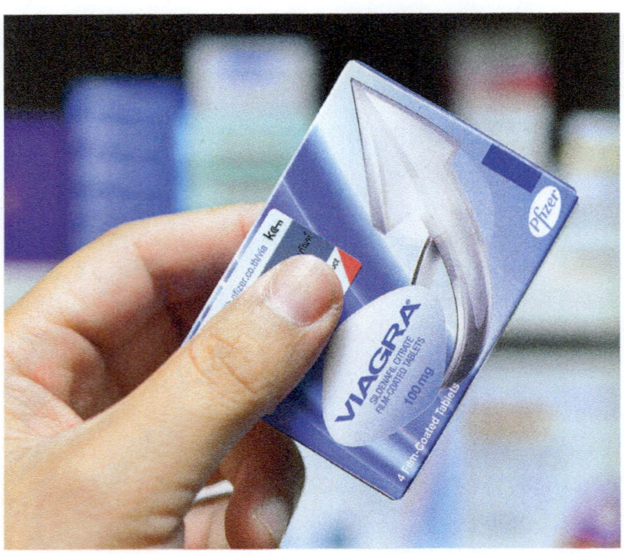

FIGURA 10-12 La administración de nitroglicerina en pacientes que han tomado medicación para la disfunción eréctil en determinados plazos está contraindicada.

Cuando se combinan, nitroglicerina e inhibidores de la fosfodiesterasa-5, pueden causar hipotensión grave refractaria.

El nitroprusiato de sodio (Nipride®) es un potente vasodilatador IV que afecta al músculo liso de venas y arterias. Se utiliza con frecuencia junto con medicamentos inotrópicos para el tratamiento del shock cardiogénico. El nitroprusiato de sodio también se utiliza para la hipertensión maligna y en situaciones en las que se desea una hipotensión intencionada, como en el caso de un aneurisma vascular inestable. Las tasas de infusión IV pueden ajustarse para mantener una presión arterial y un gasto cardíaco óptimos. El nitroprusiato de sodio se metaboliza en cianuro y tiocianato, que pueden causar toxicidad durante una infusión prolongada. Cuando se administra en el entorno de transporte de cuidados críticos, debe preguntar al personal del centro de envío o al proveedor acerca de la obtención de los niveles plasmáticos de cianuro y tiocianato antes de ir con el paciente.

La hidralazina (Apresoline®) es un vasodilatador directo que puede administrar en pacientes con hipertensión inducida por el embarazo. Este medicamento dilata las arteriolas, disminuyendo la resistencia vascular pulmonar y sistémica.

Un subgrupo de pacientes con hipertensión arterial pulmonar idiopática puede depender de infusiones continuas de epoprostenol (Flolan®) para mantener la vida. Este medicamento es un potente vasodilatador que afecta tanto a los vasos sanguíneos pulmonares como a los sistémicos. Además, el epoprostenol inhibe la agregación plaquetaria, lo que quizá disminuye la prevalencia o gravedad de la formación de trombos (coágulos sanguíneos) pulmonares. Los pacientes que reciben infusiones continuas de epoprostenol suelen tener bombas de infusión compactas y un acceso IV a largo plazo, por lo general un catéter central insertado periféricamente o un dispositivo similar. Se puede solicitar al SEM en caso de falla inesperada del dispositivo de infusión o del acceso IV. Los SEM pueden proporcionar protocolos para que los paramédicos ayuden en la administración del epoprostenol del propio paciente; sin embargo, esta medicación no suele administrarse a los pacientes por primera vez en el entorno prehospitalario. Los efectos adversos incluyen taquicardia, palpitaciones, disritmia, hemorragia y rubor. Se debe consultar con el control médico en línea si se considera la posibilidad de realizar ajustes en la velocidad de infusión continua. En la mayoría de los casos, la intervención de los paramédicos se limitará a restablecer el acceso IV y solucionar los problemas de la bomba de infusión, a menos que exista una afección médica persistente.

Medicamentos diuréticos

Los paramédicos administran medicamentos diuréticos para corregir la sobrecarga de volumen, controlar la insuficiencia cardíaca y mejorar la respiración en pacientes con edema pulmonar. Los diuréticos también pueden preservar la función renal cuando se liberan grandes cantidades de subproductos de la destrucción celular, como la degradación muscular o la hemólisis de las células sanguíneas. Estos agentes se utilizan para eliminar ciertas toxinas del organismo y para favorecer la excreción del exceso de electrólitos. El **CUADRO 10-12** enumera los medicamentos diuréticos prescritos con mayor frecuencia.

La furosemida es un medicamento diurético utilizado en el ámbito prehospitalario. Las personas también pueden tomar furosemida a largo plazo para el tratamiento de la hipertensión, la insuficiencia cardíaca, las enfermedades hepáticas o la disfunción renal. Por lo general, la furosemida se administra para el tratamiento del edema pulmonar, a menudo relacionado con la disfunción cardíaca. Hay que tener mucho cuidado antes de administrar furosemida en pacientes con inestabilidad hemodinámica y alteraciones electrolíticas conocidas.

El manitol es un diurético osmótico que puede o no estar disponible para uso de los paramédicos. En entornos de cuidados críticos, este medicamento se utiliza para disminuir la presión intracraneal asociada con el edema cerebral. Los diuréticos osmóticos pueden dirigirse a tejidos corporales específicos, eliminando el exceso de agua del cerebro y los ojos. Los gradientes de presión osmótica también extraen agua de tejidos corporales seleccionados y a través de los riñones para mantener el flujo de orina cuando los riñones corren el riesgo de obstruirse con subproductos celulares. Después de la administración de manitol pueden producirse muchos trastornos electrolíticos. Se sabe que las infusiones prolongadas de manitol provocan un aumento paradójico de la presión intracraneal.

CUADRO 10-12 Diuréticos prescritos con mayor frecuencia

Categoría	Nombre genérico (nombre comercial)
Diuréticos del asa: interrumpen la reabsorción de sodio en la rama ascendente gruesa del asa de Henle dentro de los riñones	Furosemida (Lasix®) Bumetanida (Bumex®) Torsemida (Demadex®)
Diuréticos ahorradores de potasio: alteran la reabsorción de sodio en el túbulo colector cortical del riñón	Espironolactona (Aldactone®) Triamtereno (Dyrenium®)
Diuréticos tiazídicos: inhiben el transporte de sodio en el túbulo distal del riñón	Clorotiazida (Diuril®) Hidroclorotiazida Metolazona (Diulo®, Zaroxolyn®)
Vasodilatadores/nitratos	Hidralazina (Apresoline®)
Fármacos combinados	Hidroclorotiazida y espironolactona (Aldactazide®) Triamtereno e hidroclorotiazida (Dyazide®, Maxzide®)

Perlas de sabiduría

Póngase en contacto con el control médico en línea si se encuentra con un paciente en la comunidad que está recibiendo una infusión de un medicamento que usted no está acostumbrado a administrar.

Agentes antihipertensivos

Como su nombre indica, los antihipertensivos se utilizan para tratar la hipertensión. Muchos de los agentes diuréticos que se han mencionado se utilizan también como antihipertensivos o en combinación con antihipertensivos para conseguir un efecto sinérgico. Del mismo modo, los betabloqueadores se utilizan en el tratamiento de la hipertensión.

A menudo es difícil regular la dosis de los antihipertensivos para que la presión arterial del paciente baje lo suficiente, pero no demasiado. Como consecuencia, algunos pacientes que toman estos agentes pueden presentar síntomas de hipotensión, como debilidad y mareos. Muchos experimentarán una sensación de mareo con un cambio de posición, como al pasar de una posición recostada a una posición sentada o de pie; este fenómeno se denomina **hipotensión ortostática**. Por lo tanto, todo paciente que tome antihipertensivos debe someterse a un control de la presión arterial en decúbito y sentado para detectar la hipotensión ortostática. En el **CUADRO 10-13** se enumeran los antihipertensivos que se prescriben con mayor frecuencia.

CUADRO 10-13 Agentes antihipertensivos prescritos con mayor frecuencia

Categoría	Nombre genérico (nombre comercial)
Betabloqueadores no selectivos (tienen efectos tanto beta-1 como beta-2)	Labetalol (Normodyne®, Trandate®) Propranolol (Inderal®)
Inhibidores de la enzima convertidora de angiotensina (los nombres genéricos de esta clase de medicamentos acaban en *-pril*)	Benazepril (Lotensin®) Captopril (Capoten®) Enalapril (Vasotec®) Fosinopril (Monopril®) Lisinopril (Prinivil®, Zestril®) Quinapril (Accupril®) Ramipril (Altace®)
Alfaagonista	Clonidina (Catapres®) Metildopa (Aldomet®)
Alfabloqueador	Prazosina (Aldomet®)
Otros antihipertensivos	Reserpina (Sandril®, Ser-Ap-Es®, Serpasil®)

Otros medicamentos cardíacos

Además de los comentados hasta ahora, el **CUADRO 10-14** enumera los medicamentos que pueden prescribirse a pacientes con afecciones cardíacas.

Hemoderivados y medicamentos que afectan a la sangre

En el organismo, la sangre actúa como principal mecanismo de transporte de oxígeno, dióxido de carbono, nutrientes, productos de desecho, sustancias bioquímicas y medicamentos. Los profesionales sanitarios tienen la capacidad de manipular o mejorar muchas características de la sangre con fines clínicos terapéuticos. En determinadas situaciones, necesitará suprimir la capacidad de coagulación de la sangre para mejorar la circulación o mitigar los efectos de la hipoperfusión. En otros casos, necesitarán aumentar la capacidad de transporte de oxígeno o de coagulación de la sangre cuando estas funciones estén alteradas. En los entornos de transporte prehospitalario y de cuidados críticos se utilizan diversos medicamentos que afectan a la sangre. Además, muchos SEM permiten a los paramédicos iniciar o supervisar la administración de diversos productos sanguíneos en situaciones clínicas apropiadas.

CUADRO 10-14 Otros medicamentos prescritos para tratar o prevenir enfermedades cardíacas

Categoría	Nombre genérico (nombre comercial)
Antagonistas de los receptores de la angiotensina II (los nombres genéricos de esta clase de medicamentos terminan en *sartán*)	Losartán (Cozaar®); valsartán (Diovan®); irbesartán (Avapro®); candesartán (Atacand®)
Medicamentos para reducir el colesterol	Estatinas: lovastatina (Altoprev®, Mevacor®); fluvastatina (Lescol®); pravastatina (Pravachol®); atorvastatina (Lipitor®); simvastatina (Zocor®) Niacinas: ácido nicotínico (Niacor®); niacina de liberación prolongada (Niaspan®) Resinas de ácidos biliares: colestipol (Colestid®); colestiramina (Questran®); colesevelam (Welchol®) Fibratos: clofibrato (Atromid®); gemfibrozilo (Lopid®); fenofibrato (Tricor®)
Vasodilatadores	Dinitrato de isosorbide[a] (Dilatrate-SR®, Iso-Bid, Isonate®, Isordil®, Isotrate®, Sorbitrate®); mononitrato de isosorbida (Imdur®); hidralazina[a] (Apresoline®)

[a]El dinitrato de isosorbide y la hidralazina se administran juntos.

Administración de hemoderivados

El adulto medio tiene alrededor de 5 L de sangre, que constituyen entre 7 y 8% de su peso corporal. La sangre contiene cerca de 55% de plasma. Dado que un porcentaje tan elevado del plasma es agua (92%), el agua constituye alrededor de 50% del volumen intravascular total. Los glóbulos rojos representan aproximadamente 45% del volumen sanguíneo. Muchas sustancias químicas, células, proteínas y hormonas constituyen el resto de la composición de la sangre. Los traumatismos y una amplia gama de afecciones médicas pueden alterar la cantidad total, la composición o el rendimiento de la sangre. Los profesionales, incluidos los paramédicos, pueden administrar varios productos sanguíneos diferentes para corregir estas anomalías. Los pacientes reciben transfusiones de componentes específicos de la sangre que están disminuidos o tienen una función alterada. La administración de sangre completa se está estudiando y reintroduciendo en algunos SEM.[11]

Los componentes sanguíneos pueden no ser compatibles, de tipo específico para un paciente concreto o de compatibilidad cruzada para un receptor concreto. Los hemoderivados de tipo específico pueden utilizarse tan pronto como se haya tomado la decisión y se conozca el grupo sanguíneo del paciente receptor, pero se asocian con un riesgo algo mayor de reacción transfusional adversa, potencialmente mortal. La sangre cruzada tiene un menor riesgo de reacción transfusional, pero requiere una muestra de sangre del paciente, seguida de un cuidadoso análisis de esta muestra en el banco de sangre antes de que el hemoderivado pueda ser administrado al paciente.

En el ámbito prehospitalario, lo más probable es que utilice sangre no compatible, posiblemente transportada por equipos aeromédicos o enviada al lugar de una extricación prolongada en la que un paciente tiene una hemorragia profunda y permanecerá atrapado durante un largo periodo. La sangre no compatible es casi siempre del tipo O, Rh negativo (O negativo). (El Rh es el antígeno responsable de la enfermedad hemolítica del recién nacido.) Los productos sanguíneos de tipo O negativo pueden administrarse teóricamente en pacientes con cualquier tipo de sangre, aunque otras proteínas y sustancias químicas del producto sanguíneo pueden provocar una reacción a la transfusión.

Durante el transporte de pacientes entre centros, puede enfrentarse al dilema de decidir si administrar hemoderivados de tipo O negativo no compatibles o retrasar el transporte para obtener hemoderivados de tipo específico o compatibles. La estabilidad del estado clínico del paciente y la duración de los retrasos previstos para la determinación del grupo sanguíneo o la compatibilidad suelen hacer que la decisión sea evidente. En ausencia de una elección clara, consulte el control médico en línea o al médico remitente, ya que son recursos valiosos para obtener orientación.

Recientemente, la sangre total del grupo O de baja titulación (LTOWB, *low-titer group O whole blood*) ha empezado a utilizarse en el ámbito prehospitalario.[11] La LTOWB es sangre extraída de un único donante y analizada para determinar los niveles de inmunoglobulinas específicas que pueden provocar en el paciente una reacción a la transfusión. Las investigaciones han demostrado que la presencia o ausencia del antígeno Rhesus (el factor Rh) no es un factor significativo a la hora de reanimar a pacientes con shock hemorrágico. Las ventajas relacionadas con el uso de LTOWB incluyen la administración rápida de sangre, menos aditivos y anticoagulantes, y menor probabilidad de error humano. La principal desventaja es su corta vida útil.[12]

Los productos sanguíneos requieren una monitorización cuidadosa del paciente durante su administración, ya que son posibles muchos tipos de reacciones relacionadas con la transfusión. Cualquier paramédico que deba iniciar o monitorizar transfusiones de

USTED es el Paramédico

PARTE 4

Mientras se prepara para el transporte, se infunde un bolo de 250 ml de solución salina normal desde una bolsa de 1 L. La paciente permanece con oxígeno y su ritmo cardíaco no ha cambiado. El personal de enfermería proporciona la siguiente información adicional sobre esta paciente:

- Alergias:
  - Penicilina
  - Medicamentos "sulfa"
- Medicamentos programados/diarios:
  - Metformina
  - Aspirina, una vez al día
  - Lisinopril
  - Atorvastatina
  - Vitamina C
  - Folato
- Medicamentos necesarios:
  - Paracetamol
  - Difenhidramina
  - Metoclopramida
  - Ondansetrón
  - Prometazina
  - Docusato

6. ¿La lista de alergias y medicación de la paciente añade alguna posible causa de su estado actual?
7. ¿Qué medicamentos de esta lista, en su caso, deben utilizarse con especial precaución en pacientes de edad avanzada?

hemoderivados debe ser capaz de reconocer y manejar posibles reacciones transfusionales durante el transporte. Además de la monitorización del pulso y la presión arterial, debe reevaluarse con frecuencia la temperatura durante el transporte. Si hay un catéter urinario permanente, se debe vigilar si hay cambios en el color de la orina que puedan indicar una reacción hemolítica a la transfusión potencialmente mortal.

La mayoría de los hemoderivados requiere un tubo IV filtrado especial para su administración. Este tubo puede obstruirse durante transfusiones masivas de hemoderivados. Además, algunos líquidos IV son incompatibles con los hemoderivados cuando se combinan en el mismo tubo intravenoso. La solución salina normal es el líquido IV preferido para la administración de tubos en Y durante las transfusiones de hemoderivados.

Glóbulos rojos empaquetados

Los paramédicos pueden administrar glóbulos rojos envasados (PRBC, *Packed RBC*) para corregir la anemia resultante de la pérdida de sangre, la producción inadecuada de glóbulos rojos o la destrucción masiva de glóbulos rojos circulantes, conocida como hemólisis. Los pacientes sin una afección médica grave concurrente pueden compensar bien una anemia profunda que se ha desarrollado durante semanas o meses. Sin embargo, cuando la pérdida de glóbulos sanguíneos se produce de forma repentina por un traumatismo, una hemorragia o una hemólisis, los pacientes son mucho menos capaces de compensarla. En general, la tasa de administración de PRBC debe ser proporcional a la tasa de pérdida de células sanguíneas.

Una unidad de PRBC contiene entre 225 y 250 ml de glóbulos rojos concentrados, junto con un conservador. La administración de 1 U de PRBC aumentará el valor del hematocrito, el porcentaje de glóbulos rojos en la sangre, en alrededor de 3% (o menos con una pérdida continua de glóbulos rojos). En niños y lactantes, se administra un volumen de PRBC específico para cada paciente. Los pacientes con riesgo de sobrecarga de volumen, como los que tienen insuficiencia renal o cardíaca, requieren una administración lenta de PRBC y una monitorización cuidadosa del volumen de líquidos y del estado respiratorio.

Por lo general, los PRBC se administran durante no más de 4 horas por unidad. En pacientes en estado crítico, los PRBC pueden administrarse rápido mediante un infusor-calentador a presión comercial o utilizando bolsas de presión. Se debe utilizar el catéter IV más grande posible. En adultos, debe utilizarse al menos un catéter IV de calibre 20, de preferencia de calibre 18 o mayor. Los pacientes con traumatismos y hemorragias deben recibir una adecuada reanimación con líquidos IV antes o simultáneamente a la administración de PRBC. Para las células sanguíneas, el tipo AB es el receptor universal y el tipo O es el donante universal.

Las unidades de PRBC suelen contener un conservador a base de citrato. Puede producirse hipocalcemia cuando el citrato se une al calcio del organismo. Durante las transfusiones masivas de PRBC, debe vigilar los signos de hipocalcemia, como la tetania y un intervalo QT prolongado en el trazado del EKG.

Los pacientes que reciben PRBC también presentan el riesgo de hiperpotasemia. Si los PRBC se almacenan durante un periodo prolongado o si se produce hemólisis durante la administración de PRBC, se liberan grandes cantidades de potasio intracelular. En situaciones graves, la hiperpotasemia puede poner en peligro la vida. Un pico de ondas T en el trazado del EKG es altamente sugestivo de hiperpotasemia.

Plasma fresco congelado

Las alteraciones de la coagulación sanguínea pueden tratarse mediante la administración de plasma fresco congelado (PFC). Debido a que el PFC contiene muchos factores de coagulación, suele administrarse luego de traumatismos, hemorragias, toxicidad por warfarina, coagulación intravascular diseminada y otras afecciones. Siempre que se administren grandes volúmenes de otros componentes sanguíneos (como PRBC), debe utilizarse también PFC. El PFC debe ser compatible con el grupo sanguíneo del paciente, pero no es necesario que sea compatible con el Rh.

En general, las unidades de PFC tienen el mismo volumen que las unidades de PRBC (es decir, 225-250 ml). Estas unidades requieren una descongelación adecuada antes de su administración. El PFC se utiliza para reponer factores de coagulación, no para aumentar el volumen. Por lo general, la expansión de volumen se logra mejor con líquidos IV y transfusión de PRBC. Algunos centros médicos y SEM han empezado a utilizar plasma líquido, también conocido como plasma nunca congelado, que tiene una estabilidad y eficacia superiores al PFC.[13]

El crioprecipitado es un hemoderivado que contiene un surtido concentrado de factores de coagulación de la sangre, sin el volumen adicional presente en el PFC. Es poco probable que se administre crioprecipitado en el ámbito prehospitalario. El plasma tipo AB y el crioprecipitado pueden administrarse a pacientes con cualquier tipo de sangre.

Plaquetas

Los paramédicos y otros profesionales sanitarios administran plaquetas para corregir la trombocitopenia, un nivel bajo de plaquetas en la sangre. La trombocitopenia puede deberse a traumatismos, hemorragias y diversas enfermedades crónicas, así como a determinados medicamentos anticoagulantes. Los pacientes también pueden tener un nivel normal de plaquetas que son disfuncionales debido a un trastorno de la coagulación o a medicación antiplaquetaria. Las plaquetas deben ser compatibles con el grupo sanguíneo y el Rh.

Medicamentos que alteran el rendimiento sanguíneo

Las plaquetas se combinan con sustancias químicas coagulantes en el torrente sanguíneo para detener la hemorragia cuando se rompe un vaso sanguíneo. Este complicado proceso es esencial para la supervivencia humana. De hecho, sin este proceso, las hemorragias espontáneas se producirían con facilidad y los traumatismos leves causarían la muerte por desangramiento. Cuando se produce la coagulación de la sangre en un vaso sanguíneo, se crea un trombo (coágulo de sangre). Este trombo puede ocluir el vaso sanguíneo, poniendo en peligro las células, tejidos y órganos dependientes. Durante la atención prehospitalaria y el transporte entre centros, puede administrar o controlar varios medicamentos importantes que alteran la capacidad de la sangre para formar un trombo, con el objetivo de prevenir o limitar la lesión de órganos vitales como el corazón y los pulmones.

Ácido tranexámico

El ácido tranexámico (Lysteda®) se ha revelado como una potente intervención farmacológica para favorecer la coagulación de la sangre y reducir la mortalidad en pacientes traumatizados con hemorragias graves. Este medicamento se utiliza en muchos centros de trauma, en el ejército y en un número cada vez mayor de servicios de emergencias. El *International Trauma Life Support* ha respaldado el uso del ácido tranexámico en el tratamiento de la hemorragia traumática con la aprobación del control médico.[14]

En pacientes con un traumatismo, se inicia el proceso de formación de coágulos sanguíneos en respuesta a la lesión y la hemorragia. Esta formación de coágulos suele ir acompañada de *hiperfibrinólisis*, que provoca la rápida disolución de nuevos coágulos sanguíneos. Si no se controla, la hiperfibrinólisis aumenta de manera considerable la mortalidad de los pacientes con traumatismo. El ácido tranexámico es un preparado comercial de lisina, un aminoácido del organismo responsable de impedir la descomposición de los coágulos de fibrina. Cuando se administra en las 3 horas siguientes al acontecimiento traumático, el ácido tranexámico disminuye de manera significativa la mortalidad de los pacientes por hemorragia excesiva; después de 3 horas, aumentan las complicaciones.[15]

Medicamentos anticoagulantes

Los medicamentos anticoagulantes alteran la función de las sustancias químicas de la coagulación en el torrente sanguíneo. La sangre humana contiene un equilibrio de sustancias que favorecen la formación de coágulos sanguíneos o son capaces de disolverlos. Este equilibrio permite detener la hemorragia y, al mismo tiempo, disolver los coágulos una vez restablecida la integridad de los vasos sanguíneos. Los medicamentos anticoagulantes potencian la función de las sustancias de la sangre que inhiben la formación de coágulos. Estos medicamentos impiden la formación de nuevos coágulos sanguíneos y el crecimiento de los coágulos existentes, pero no disuelven los coágulos sanguíneos existentes.

La heparina y la enoxaparina (Lovenox®) son medicamentos anticoagulantes de uso frecuente que potencian la antitrombina III para inhibir la coagulación sanguínea. Ambos medicamentos se utilizan para tratar o prevenir el síndrome coronario agudo, la trombosis venosa profunda y la embolia pulmonar. Por lo general, estos medicamentos no se inician en el ámbito prehospitalario, aunque es concebible que los paramédicos en lugares remotos o los SEM ambiciosos puedan administrar estos medicamentos en situaciones clínicas específicas. Tanto la heparina como la enoxaparina pueden provocar hemorragias, trombocitopenia y otros efectos adversos.

También puede encontrarse con pacientes que estén tomando un tratamiento con fondaparinux (Arixtra®), otro medicamento anticoagulante. El fondaparinux suele administrarse para prevenir la trombosis venosa profunda, para tratar la trombosis o durante el periodo inmediatamente posterior a un infarto del miocardio con elevación del segmento ST para prevenir un nuevo infarto.

La warfarina (Coumadin®) es un medicamento anticoagulante de uso común que los pacientes toman por vía oral a corto o largo plazo para el tratamiento o la prevención de coágulos sanguíneos. La warfarina actúa impidiendo la producción de cuatro factores diferentes de coagulación de la sangre que utilizan vitamina K. Los pacientes tienen el riesgo de presentar hemorragias potencialmente mortales cuando los niveles de warfarina no están controlados de forma adecuada, tras un traumatismo o cuando se produce cualquier otra hemorragia. Algunos alimentos, el alcohol y diversos medicamentos pueden aumentar los efectos de este medicamento. Además, una amplia variedad de condiciones fisiológicas puede predisponer a los pacientes que toman warfarina a presentar hemorragias graves.

Los niveles de warfarina se deducen por el tiempo de protrombina (TP) en sangre y los niveles del cociente internacional normalizado (INR). Durante los traslados entre centros y de cuidados críticos, los valores de TP o INR del paciente son esenciales para comprender la gravedad de la situación del paciente y deben incluirse en el informe de entrega al personal del centro receptor.

Existen varias opciones de tratamiento si los pacientes que toman warfarina desarrollan una hemorragia grave o requieren una intervención quirúrgica urgente. El riesgo de hemorragia debe sopesarse frente a los riesgos asociados con la reversión de los efectos protectores de la warfarina. En muchos casos, los proveedores intentarán controlar la hemorragia sin revertir completamente la warfarina. Esta decisión suele requerir una consulta especializada y una deliberación meditada entre los profesionales.

Medicamentos antiagregantes plaquetarios

Las plaquetas desempeñan un papel esencial en la coagulación de la sangre y la formación de trombos. Los antiagregantes plaquetarios orales e IV pueden utilizarse para reducir la agregación plaquetaria (aglutinación), evitando así la formación de nuevos trombos o la extensión de un trombo existente. En el **CUADRO 10-15** se enumeran los anticoagulantes y antiagregantes plaquetarios prescritos con mayor frecuencia.

La aspirina es un antiagregante plaquetario oral muy utilizado para el tratamiento y la prevención de la formación de trombos. Se administra en el ámbito prehospitalario para el tratamiento del síndrome coronario agudo, que suele sospecharse en pacientes que refieren dolor torácico. La aspirina también está indicada para el tratamiento de un evento vascular cerebral una vez que se ha excluido de forma fiable la presencia de hemorragia.

Cuando está indicada, la aspirina se tritura o mastica antes de tragarla, lo que favorece su rápida absorción gastrointestinal. El organismo elimina rápido este medicamento, pero sus efectos antiagregantes plaquetarios persisten hasta que se reponen todas las plaquetas afectadas, lo que puede tardar hasta 10 días. Los pacientes pueden manifestar alergia a la aspirina basada en molestias gastrointestinales. Debe preguntar sobre las circunstancias específicas cuando un paciente declara una alergia o sensibilidad a la aspirina y la aspirina está indicada clínicamente de otro modo.

El clopidogrel (Plavix®) y la ticlopidina (Ticlid®) son otros antiagregantes plaquetarios orales que los paramédicos pueden administrar como alternativa a la aspirina. Estos medicamentos inhiben la agregación plaquetaria mediante un mecanismo diferente al de la aspirina. El clopidogrel ha demostrado ser superior a la aspirina en determinadas situaciones clínicas. La ticlopidina tiene varios efectos adversos graves que limitan su papel en el tratamiento prehospitalario y a largo plazo. La aspirina, el clopidogrel y la ticlopidina pueden causar diversos tipos de hemorragias en los pacientes, dependiendo del medicamento, la dosis o la combinación.[16,17]

Es posible que se encuentre con varios medicamentos inhibidores de la glucoproteína IIb/IIIa durante los transportes entre centros. El abciximab (ReoPro®), el tirofibán (Aggrastat®) y la eptifibatida (Integrilin®) proporcionan una potente inhibición plaquetaria más eficaz que los antiagregantes plaquetarios orales. Estos fármacos se administran mediante infusión IV, que a menudo continúa durante el traslado a un centro de atención cardíaca terciaria. Las hemorragias y la trombocitopenia son efectos adversos observados en cerca de 5 a 7% de los pacientes que reciben estos medicamentos.[18]

CUADRO 10-15 Agentes anticoagulantes y antiagregantes plaquetarios prescritos con mayor frecuencia

Categoría	Nombre genérico (nombre comercial)
Antiagregantes plaquetarios	Clopidogrel (Plavix®); ticlopidina (Ticlid®); aspirina; prasugrel (Effient®)
Anticoagulantes cumarínicos	Warfarina (Coumadin®)
Inhibidores directos de la trombina	Dabigatrán (Pradaxa®)
Inhibidores del factor Xa	Rivaroxaban (Xarelto®); apixaban (Eliquis®); edoxaban (Savaysa®)

Fibrinolíticos

Los fármacos fibrinolíticos (p. ej., Activase®) disuelven los coágulos sanguíneos en arterias y venas. Estos medicamentos se administran para el tratamiento de emergencia del infarto agudo de miocardio y evento vascular cerebral. Además, los fibrinolíticos se administran a veces en dosis más bajas para abrir catéteres vasculares que han quedado ocluidos por un presunto coágulo sanguíneo.

Los fibrinolíticos pueden causar hemorragias potencialmente mortales. La selección y exclusión cuidadosa de los pacientes es esencial antes de administrar estos medicamentos. Cualquier condición que sugiera la formación de coágulos sanguíneos en otra parte del cuerpo, como un traumatismo reciente o una intervención quirúrgica, es probable que descarte el uso de fibrinolíticos en un paciente. Además, existen numerosas contraindicaciones absolutas y relativas para el tratamiento fibrinolítico.

Los fibrinolíticos siguen siendo valiosos en lugares remotos y hospitales comunitarios más pequeños, pero tienen un papel limitado en el tratamiento del infarto agudo de miocardio cuando los servicios de cardiología intervencionista están disponibles con facilidad. Muchos hospitales han desarrollado procedimientos de diagnóstico y tratamiento rápidos para optimizar la eficacia de los fibrinolíticos en pacientes con evento vascular cerebral isquémico agudo.

Evite múltiples intentos IV y traumatismos innecesarios en cualquier paciente que sea probable candidato a fibrinolíticos. Una determinación cuidadosa del momento de inicio de los síntomas influirá en la decisión sobre la administración de fibrinolíticos. No se debe retrasar de manera innecesaria el transporte del paciente; estos medicamentos solo están indicados en un periodo corto después del inicio de los síntomas. Un tiempo prehospitalario prolongado puede impedir la administración de fibrinolíticos.

Medicamentos utilizados para afecciones neurológicas

Como paramédico, es posible que encuentre y trate a un gran número de pacientes con padecimientos y afecciones neurológicas. El dolor acompaña a la gran mayoría de las lesiones traumáticas y es un síntoma común asociado con muchas afecciones médicas. La actividad convulsiva es otro evento que con frecuencia desencadena la activación de los SEM. Muchos de los pacientes con los que se encuentran los SEM se beneficiarían clínicamente del tratamiento de la ansiedad o de la administración de sedantes.

Los paramédicos dependen en gran medida de los medicamentos opioides para la analgesia (tratamiento del dolor) en el ámbito prehospitalario. Estos medicamentos son eficaces para eliminar o reducir el dolor causado por diversas afecciones. Es probable que también tenga que administrar naloxona, un potente agente de reversión para pacientes que han recibido cantidades peligrosas de opioides.

Los medicamentos benzodiacepínicos (de los que se ha hablado antes en la sección *Medicamentos utilizados en el tratamiento de la vía aérea*) son la principal modalidad de tratamiento para la actividad convulsiva persistente. Estos medicamentos también funcionan bien para la sedación y el tratamiento de la ansiedad.

Medicamentos analgésicos opioides

Los paramédicos administran medicamentos que estimulan los receptores opioides del organismo para aliviar o prevenir el dolor asociado con una lesión, afección médica o procedimiento o movimiento relacionado con la medicina. El cuerpo humano contiene al menos siete tipos de receptores opioides en el SNC, el sistema nervioso periférico y el tracto gastrointestinal. Los medicamentos utilizados por los paramédicos actúan sobre los receptores opioides mu. Las endorfinas naturales también estimulan (activan) los receptores mu, provocando analgesia, euforia, contracción de las pupilas, depresión respiratoria y disminución de la motilidad gastrointestinal. También se sabe que los medicamentos opioides suprimen el reflejo de la tos, lo que puede ser un efecto clínico deseable o adverso dependiendo de la situación.

Las sustancias químicas opioides, los medicamentos y las drogas ilícitas son conocidas por provocar tolerancia, tolerancia cruzada y adicción. Los pacientes que reciben sustancias opioides a largo plazo suelen necesitar dosis inusualmente altas de medicamentos opioides para aliviar el dolor de una enfermedad o lesión aguda. También pueden experimentar graves síntomas de abstinencia si es necesario revertir la administración de opioides luego de un error durante el tratamiento.

Los medicamentos opioides pueden causar sedación profunda, depresión respiratoria y apnea cuando se administran dosis excesivas. Otros efectos adversos pueden ser hipotensión, bradicardia, palpitaciones, disritmias y edema pulmonar no cardiogénico. La gravedad o probabilidad de los efectos adversos varía de forma significativa entre los distintos medicamentos opioides.

SEGURIDAD

La posibilidad de que se produzcan errores de medicación en el entorno de los SEM se ve en aumento por cuestiones como los cambios en el envasado y el etiquetado. Desafortunadamente, en los últimos años, los servicios de emergencias se han visto afectados de gravedad por la escasez de medicamentos (p. ej., escasez de $D_{50}W$ [dextrosa a 50% en agua], bicarbonato de sodio, epinefrina, dopamina, sulfato de morfina, ondansetrón y glucagón). Como sustitutos de los medicamentos no disponibles, los servicios pueden usar medicamentos con los que los paramédicos están menos familiarizados, de distintos fabricantes que utilizan un etiquetado o envasado diferente y medicamentos que tienen diferentes regímenes de dosificación. En un entorno de alta presión y descontrolado, como la parte trasera de una ambulancia en movimiento con un paciente que se descompensa o entra en paro cardíaco, es fácil que se produzcan errores.

Perlas de sabiduría

Considere la posibilidad de llevar una lupa para leer las letras pequeñas de las etiquetas (p. ej., concentración, fecha de caducidad). La función de aumentar (*zoom*) de la cámara de un teléfono móvil también puede utilizarse con este fin.

De los medicamentos opioides, los paramédicos administran sulfato de morfina o fentanilo con mayor frecuencia en el ámbito prehospitalario. La meperidina (Demerol®), la hidromorfona (Dilaudid®) y los nuevos opiáceos sintéticos pueden utilizarse en determinados servicios de emergencias o en el transporte de pacientes críticos. Dependiendo de la medicación elegida, los paramédicos pueden utilizar la vía de administración IV, intramuscular o intranasal.

El sulfato de morfina se utiliza con frecuencia en el SEM. Además de los efectos adversos mencionados, se sabe que este medicamento provoca náusea o vómito en hasta 60% de los pacientes.[19] Extreme siempre las precauciones cuando administre morfina a pacientes que no puedan proteger su vía aérea. Los pacientes con un nivel de consciencia alterado y los pacientes sujetos a una tabla pueden experimentar una obstrucción de la vía aérea potencialmente mortal si se produce vómito luego de la administración de este opioide. La morfina también puede provocar una liberación de histamina que causa prurito, rubor y diaforesis. Estos síntomas suelen describirse erróneamente como una reacción alérgica.

El fentanilo está ganando popularidad como analgésico opioide en el ámbito prehospitalario. En general, no es tan probable que provoque hipotensión, lo que lo convierte en el analgésico preferido para pacientes en estado crítico o inestable. El fentanilo tampoco presenta el mismo riesgo de náusea y liberación de histamina que la morfina, y puede administrarse por vía intranasal.

Medicación antagonista de los opioides

La naloxona es un potente antagonista de los receptores opioides que utilizan los paramédicos y otros profesionales sanitarios para revertir los efectos del exceso de sustancias químicas opioides en el organismo. La naloxona compite con las sustancias químicas opioides en los receptores opioides, lo que provoca una reversión total o parcial de los efectos clínicos de los opioides. Su eficacia depende de la dosis. A menudo se necesitan grandes dosis para revertir los efectos de los opioides potentes. Además, la duración de los efectos de la naloxona en el organismo es menor que la de muchas sustancias químicas opioides. Los efectos tóxicos recurrentes son un riesgo cuando la naloxona se elimina más rápido que las sustancias químicas opioides en el organismo. Las situaciones de sobredosis grave de opioides requieren la administración repetida o la infusión IV continua de naloxona.

Cuando se administre naloxona a pacientes que reciben opioides a largo plazo, hay que administrar solo la cantidad suficiente para corregir estados potencialmente mortales como la depresión respiratoria y el compromiso de la vía aérea. Es probable que la reversión completa de los opioides provoque síntomas graves de abstinencia, poniendo en peligro tanto al paciente como a los profesionales sanitarios que lo tratan.

Fenitoína y fosfenitoína

La fenitoína (Dilantin®) y la fosfenitoína (Cerebyx®) se administran para prevenir las convulsiones. Los pacientes pueden recibir cualquiera de estos medicamentos a largo plazo para controlar un trastorno convulsivo. También puede encontrarse con estos medicamentos al realizar un transporte entre centros de pacientes con traumatismo craneoencefálico, hemorragia intracraneal o estado epiléptico. Ambos medicamentos disminuyen el potencial de actividad convulsiva al alterar los canales de sodio, limitando el sodio celular en partes del SNC.

Medicamentos que afectan al sistema gastrointestinal

Los paramédicos administran dos grandes grupos de medicamentos que afectan al sistema gastrointestinal. Los antagonistas de los receptores de histamina$_2$ se utilizan para reducir el ácido en el estómago y el tracto gastrointestinal y también para aumentar otros medicamentos utilizados en el tratamiento de reacciones alérgicas. Los agentes antieméticos se administran para prevenir y tratar náusea y vómito.

Antagonistas de los receptores de histamina$_2$

Los medicamentos antagonistas de los receptores de histamina$_2$ (bloqueadores H_2) disminuyen la secreción de ácido en el estómago. Es posible que encuentre pacientes que tomen bloqueadores H_2 para el tratamiento a corto plazo y episódico de afecciones gastrointestinales relacionadas con la acidez. Estos medicamentos también se administran en situaciones de emergencia para contrarrestar la liberación de histamina durante una reacción medicamentosa inmunomediada u otro tipo de reacción alérgica. Los bloqueadores H_2 impiden que la histamina estimule los receptores de las células parietales del estómago. Esto reduce la secreción ácida, protegiendo contra úlceras, hemorragias gastrointestinales, neumonitis por aspiración ácida y otras afecciones relacionadas. La cimetidina (Tagamet®) y la famotidina (Pepcid®) son dos bloqueadores H_2 disponibles para administración oral e IV.

Medicamentos antieméticos

Hay varios tipos de medicamentos antieméticos disponibles para su uso en el ámbito prehospitalario. Algunos pacientes pueden activar el SEM con una referencia primaria de náusea o vómito. En otros casos, náusea y vómito son síntomas asociados con acontecimientos primarios como traumatismos craneoencefálicos, embarazo, sobredosis e isquemia miocárdica. Más allá de la incomodidad evidente asociada con náusea y vómito, éstos pueden empeorar de manera drástica muchas enfermedades graves. El vómito prolongado puede causar un desgarro de Mallory-Weiss (un desgarro en la mucosa de la parte inferior del esófago o de la parte superior del estómago), que provoca una hemorragia digestiva. El vómito también puede elevar la presión intracraneal e intraocular, afectando negativamente a los pacientes con lesiones craneales u oculares. Además, el vómito puede causar aspiración pulmonar en pacientes con vía aérea protegidas de manera inadecuada debido a una disminución del nivel de consciencia o de la posición (como estar sujeto a una tabla o en decúbito supino). El vómito con aspiración de carbón activado, administrado tras una exposición tóxica, suele ser letal. Los pacientes con epiglotitis, absceso periamigdalino u otra enfermedad de las vías aéreas pueden presentar un aumento del edema debido al vómito. Se recomienda ampliamente el uso de medicamentos antieméticos para prevenir náusea y vómito en los pacientes de riesgo.

Los medicamentos fenotiazínicos tienen propiedades tanto antieméticas como antipsicóticas. Estos medicamentos activan los receptores dopaminérgicos del cerebro, liberando hormonas que deprimen el sistema activador reticular del cerebro y, en última instancia, inhiben la emesis. La prometazina (Phenergan®, Promethegan®, Phenadoz®) y la proclorperazina (Compazine®) son medicamentos antieméticos fenotiazínicos utilizados en diversos entornos sanitarios; ambos están disponibles en preparaciones orales e IV. La prometazina es conocida por causar lesiones tisulares durante su administración IV. La proclorperazina es conocida por causar hipotensión si se administra rápidamente por vía IV. También es posible que se produzcan reacciones **distónicas** con estos medicamentos, que provocan una actividad muscular inusual y un malestar importante en el paciente. Las reacciones distónicas pueden tratarse con difenhidramina IV. También son posibles muchos otros efectos adversos.

La metoclopramida (Reglan®) es un antiemético que puede estar disponible en el ámbito prehospitalario. Este agente aumenta la motilidad gastrointestinal al potenciar los efectos de la ACh en los receptores del tracto GI superior. El aumento de la motilidad gastrointestinal favorece el vaciado gástrico, un efecto útil en diversas situaciones clínicas. La metoclopramida puede administrarse por vía oral, por inyección IV lenta y por infusión IV. Las reacciones distónicas son también un posible efecto adverso de la metoclopramida y se tratan de nuevo con difenhidramina IV.

Los medicamentos antieméticos que antagonizan los sitios receptores de la 5-hidroxitriptamina$_3$ (5-HT$_3$) han experimentado un reciente aumento de popularidad. Los receptores 5-HT$_3$ están presentes en el cerebro y en el tracto gastrointestinal, y tienen un papel destacado en la activación del centro del vómito del cerebro. Los medicamentos con la capacidad de ocupar estos sitios receptores previenen algunos mecanismos (pero no todos) que inducen el vómito. Por ejemplo, los antagonistas de 5-HT$_3$ no previenen el vómito relacionado con el mareo.

El ondansetrón (Zofran®), el granisetrón (Kytril®) y el dolasetrón (Anzemet®) son antagonistas de los receptores 5-HT$_3$ que están disponibles en preparaciones orales e IV para uso clínico. Algunos medicamentos 5-HT$_3$ están ahora disponibles en comprimidos de disolución oral. Este preparado puede eliminar la necesidad de iniciar una vía IV en pacientes que vomitan activamente pero no muestran signos de deshidratación. Los efectos adversos son mínimos, pero incluyen la posibilidad de prolongación del intervalo QT en el EKG.

Octreotida

Es posible que encuentre octreotida (Sandostatin®) durante el transporte interhospitalario de determinados pacientes. La octreotida no se administra de forma rutinaria en el ámbito prehospitalario. Este medicamento es una versión sintética de la somatostatina, una hormona que inhibe la liberación de serotonina, provocando una disminución de la secreción de insulina, glucagón, hormonas del crecimiento y otras sustancias químicas. La octreotida tiene muchos usos potenciales. Es posible que se le pida que controle una infusión IV de octreotida durante el transporte interhospitalario de un paciente con varices esofágicas sangrantes. La octreotida disminuye el flujo sanguíneo a través de los vasos sanguíneos esofágicos, reduciendo la hemorragia hasta que se pueda proporcionar un tratamiento definitivo. Debe vigilar con cuidado a los pacientes que reciben este medicamento para detectar una amplia gama de efectos adversos, como bradicardia y dolor torácico relacionados con la octreotida.

Medicamentos varios utilizados en el ámbito prehospitalario

Algunos medicamentos se utilizan ampliamente en el ámbito prehospitalario, pero no pertenecen a ninguna de las clases de medicamentos ya mencionadas. Debe prever el uso de estos medicamentos en una variedad de situaciones clínicas. Encontrará más información sobre dosificación y administración en el capítulo 12, *Medicamentos de emergencia.*

Paracetamol

El paracetamol (Tylenol®, APAP®) es un medicamento con propiedades antipiréticas (para bajar la fiebre) y analgésicas leves. Los paramédicos y otros proveedores del SEM pueden administrar paracetamol como complemento de otros medicamentos analgésicos, para reducir el malestar mediante el tratamiento de los síntomas de la fiebre, o para prevenir las convulsiones febriles en pacientes pediátricos. El paracetamol no está indicado para la hipertermia relacionada con los efectos tóxicos de medicamentos o exposición ambiental.

El paracetamol está disponible en forma de comprimido y cápsula, líquido y supositorio rectal. Existen al menos dos concentraciones líquidas, lo que puede causar errores en el cálculo de la dosis si no se confirma la concentración antes de la administración. La administración oral debe evitarse en pacientes con alto riesgo de convulsiones o compromiso de la vía aérea.

Los efectos adversos son raros cuando este medicamento se administra a dosis terapéuticas. La toxicidad de la sobredosis de paracetamol es insidiosa y a menudo mal gestionada por los profesionales sanitarios. Los niveles elevados de paracetamol pueden causar lesiones hepáticas graves y potencialmente mortales. La toxicidad se determina mediante el historial del paciente y la evaluación de un nivel sérico de paracetamol, calculado en función del tiempo probable de sobredosis. Una vez determinada la toxicidad, muchos proveedores siguen asociando erróneamente la toxicidad con los niveles séricos de paracetamol. El daño hepático seguirá produciéndose por la presencia de un metabolito nocivo, más que por el propio paracetamol.

Preparados de calcio

En el ámbito prehospitalario, el calcio IV tiene muchos usos que pueden salvar vidas. Puede utilizarse para todos los fines siguientes:

- Como antídoto para la sobredosis de antagonistas del calcio
- Para tratar la toxicidad del magnesio (sulfato)
- Para prevenir la disritmia durante la hiperpotasemia grave
- Para la repleción de calcio en pacientes con hipocalcemia
- Para la restauración del calcio tras la exposición al ácido fluorhídrico
- Como pretratamiento para prevenir la hipotensión asociada con la administración IV de verapamilo

El calcio no está indicado para su uso rutinario durante la reanimación en caso de paro cardíaco.

Por lo general, el calcio IV está disponible en forma de cloruro o gluconato cálcicos. El cloruro cálcico contiene alrededor de tres veces la cantidad de calcio elemental por gramo que se encuentra en el gluconato cálcico. Se sabe que ambos medicamentos son extremadamente irritantes para los vasos sanguíneos y deben diluirse para una infusión IV lenta siempre que sea posible. Vigile con cuidado los sitios de catéter IV para evitar la extravasación. Evite la administración subcutánea o IM y evalúe la incompatibilidad cuando administre estos agentes de manera simultánea con otros medicamentos. Se han dado casos de precipitación en tubos IV.

Dextrosa

La solución de dextrosa IV se administra a pacientes con hipoglucemia conocida o presunta. En la mayoría de los casos, la hipoglucemia se diagnostica con un glucómetro portátil, ahora disponible en la mayoría de las ambulancias de ALS. Cuando no se dispone de un glucómetro de inmediato, varios indicios clínicos, como antecedentes conocidos de diabetes, intoxicación concurrente por etanol y alteración del estado mental, harán sospechar a un paramédico astuto que se trata de una hipoglucemia.

Una vez diagnosticada la hipoglucemia, se administra solución de dextrosa a través de un catéter IV de gran calibre mientras se observa de manera continua la zona de la vía en busca de signos de infiltración. La extravasación de dextrosa IV puede causar destrucción tisular y edema. Antes de administrar dextrosa, se debe confirmar la colocación de la vía IV con un lavado adecuado o un flujo libre de líquido IV.

La hipoglucemia de rebote es posible tras la administración de dextrosa. Debe seguir controlando el estado clínico y el nivel de glucosa en sangre del paciente después de este tratamiento.

Difenhidramina

Los SEM utilizan con frecuencia la difenhidramina para diversas situaciones clínicas. Este antagonista competitivo de los receptores de histamina-1 impide la activación de los receptores por la histamina liberada durante diversas afecciones médicas. La difenhidramina tiene una amplia gama de usos potenciales en el ámbito prehospitalario:

- Tratamiento de la anafilaxia junto con otros medicamentos e intervenciones
- Tratamiento único de las reacciones alérgicas o inmunomediadas leves a medicamentos
- Sedante suave
- Antitusivo suave (supresor de la tos)
- Tratamiento de la reacción distónica o de los síntomas extrapiramidales
- Tratamiento del prurito de causa desconocida
- Sequedad de las mucosas en pacientes con rinorrea sintomática

Los paramédicos suelen administrar difenhidramina por vía IV o intramuscular. También se comercializan preparados orales en cápsulas, comprimidos y líquidos, que muchas personas toman habitualmente para tratar afecciones leves, como las alergias estacionales. Los efectos adversos de las dosis terapéuticas de difenhidramina suelen limitarse a una ligera sedación, palpitaciones y ansiedad. Estos síntomas se agravan si se administran por error cantidades excesivas de difenhidramina. Es posible una toxicidad grave y la muerte tras grandes sobredosis.

Glucagón

El glucagón (GlucaGen®) es otro medicamento con diversos usos potenciales en el ámbito prehospitalario. Esta hormona peptídica natural, segregada por el páncreas, también se fabrica comercialmente para el tratamiento de determinadas afecciones médicas.

Como paramédico, puede utilizar glucagón para el tratamiento de la hipoglucemia. El glucagón convierte las reservas de glucógeno del hígado en glucosa sanguínea circulante, que puede ser utilizada por diversas células. Este medicamento es útil si no puede iniciar el acceso IV en pacientes con diabetes a los que, de otro modo, se les administraría glucosa IV (dextrosa). Los pacientes combativos debido a una hipoglucemia moderada y los que no responden sin acceso IV también son candidatos probables para recibir glucagón por vía intramuscular. La producción de glucosa tarda de 5 a 20 minutos después de la administración IV de glucagón y 30 minutos luego de la administración intramuscular. Los niveles de glucosa en sangre permanecen elevados solo durante un tiempo limitado tras la administración del glucagón. Asegúrese de vigilar de manera continua el retorno de la hipoglucemia. Una solución de dextrosa IV sigue siendo el tratamiento preferido para pacientes con hipoglucemia.

El glucagón también se utiliza para aumentar la frecuencia cardíaca y la contractilidad tras una sobredosis de antagonistas betaadrenérgicos (Betabloqueadores). Produce efectos cronotrópicos e inotrópicos positivos sin activar directamente los receptores beta-1. Además, el glucagón se utiliza en el tratamiento de sobredosis graves de antagonistas del calcio para revertir la depresión miocárdica.

También puede administrar glucagón a pacientes que presenten un cuerpo extraño o una partícula grande de alimento alojada en el esófago. El glucagón relaja el músculo liso del tracto gastrointestinal, lo que puede permitir que el objeto pase al estómago para su digestión. Por lo general, el glucagón solo debe administrarse con este fin tras consultar con un control médico en línea.

Ketorolaco

Algunos SEM utilizan ketorolaco (Toradol®) como alternativa o complemento a los analgésicos opioides. El ketorolaco es un antiinflamatorio no esteroide (AINE) que inhibe la síntesis de prostaglandinas y trata tanto el dolor como la inflamación. Suele administrarse por vía IV o intramuscular, aunque existen formas orales. Los efectos adversos más frecuentes son la irritación gastrointestinal y el dolor de cabeza. También se sabe que el ketorolaco causa dolor en el lugar de la inyección. Evite este medicamento o utilícelo con precaución en cualquier paciente susceptible de presentar hemorragias gastrointestinales o un trastorno similar. A algunos cirujanos les preocupa que el ketorolaco pueda inhibir la cicatrización ósea. Cada vez hay más pruebas de que este temor es infundado.[20]

Sulfato de magnesio

El sulfato de magnesio es un electrólito IV con varias indicaciones clínicas importantes:

- Tratamiento de emergencia de *torsades de pointes* o de una arritmia ventricular similar.
- Corrección de la hipomagnesemia conocida o presunta, una afección frecuente en pacientes con desnutrición o que consumen etanol a largo plazo.
- Prevención o tratamiento de las convulsiones en pacientes embarazadas con preeclampsia o eclampsia.
- Tratamiento complementario con broncodilatadores y otros tratamientos para el asma grave refractaria.

El sulfato de magnesio suple las deficiencias de magnesio en el organismo. El magnesio es esencial para el movimiento de otros electrolitos como sodio, calcio y potasio a través de los canales de las membranas celulares. La hipomagnesemia provoca actividad convulsiva y disritmias cardíacas. Cuando se administra sulfato de magnesio, disminuye la excitabilidad de las membranas celulares y ralentiza la conducción a través del nódulo auriculoventricular, prolongando el tiempo de conducción.

El sulfato de magnesio actúa relajando diversos tejidos musculares lisos. Sus efectos clínicos sobre el músculo liso son más notables en las vías aéreas inferiores, causando broncodilatación, y en el útero, causando tocólisis. La depresión respiratoria, la disminución del tono muscular y la pérdida de reflejos tendinosos profundos son posibles por dosis excesivas de sulfato de magnesio. Los efectos tóxicos de este medicamento se tratan interrumpiendo la infusión y administrando un preparado de calcio por vía IV.

Bicarbonato de sodio

El bicarbonato de sodio es un agente alcalinizante que se utiliza en el ámbito prehospitalario y en otros entornos sanitarios. Se administra con los siguientes fines:

- Elevar el pH sanguíneo en pacientes con acidosis metabólica grave.
- Estabilizar la hiperpotasemia profunda en una situación de emergencia.
- Proporcionar estabilización de la membrana celular cardíaca por sobredosis de antidepresivos tricíclicos.
- Favorecer la excreción urinaria de salicilatos y de algunos productos de desecho de los tejidos.
- Reponer el bicarbonato perdido debido a diversas afecciones médicas.

El bicarbonato de sodio puede administrarse por vía IV rápida o añadirse a los líquidos IV para infusión intermitente o continua. Se debe evaluar la posible incompatibilidad cuando se administra en el mismo tubo IV que otros medicamentos prehospitalarios, en especial preparados de calcio y catecolaminas. Los pacientes que reciben bicarbonato de sodio deben ser monitorizados para detectar cambios en los niveles de electrolitos y pH sanguíneo. La administración de cantidades excesivas de este agente puede causar sobrecarga de volumen, alcalosis, numerosas anomalías electrolíticas, edema cerebral y pulmonar. En muchos casos, el bicarbonato de sodio se titula para mantener un valor de pH arterial o urinario deseado.

Tetracaína

La tetracaína, un anestésico oftálmico suave, se utiliza al insertar la lente de Morgan en un ojo, para facilitar el lavado de los ojos.

Tiamina

La tiamina es un preparado medicamentoso comercial de vitamina B_1. Los paramédicos la administran para corregir una presunta deficiencia de tiamina antes de la administración de dextrosa en pacientes con desnutrición o que consumen alcohol de forma prolongada. La deficiencia de tiamina puede causar encefalopatía de Wernicke, un trastorno neurológico, que puede agravarse por la administración repentina de dextrosa IV. La tiamina se administra por vía IV o intramuscular profunda. Los efectos tóxicos y adversos son improbables cuando se administran dosis terapéuticas.

USTED es el Paramédico RESUMEN

1. ¿Qué condiciones médicas esperaría encontrar en un centro de enfermería especializada o en un centro de cuidados de larga duración?

Los pacientes que viven en un centro de enfermería especializada o en un centro de cuidados de larga duración pueden presentar una amplia gama de afecciones médicas. Muchas intervenciones médicas que antes solo se realizaban en hospitales y centros de rehabilitación son ahora habituales en los centros de enfermería especializada y de cuidados de larga duración, por ejemplo, terapia IV, diálisis, cuidado de heridas complejas y tratamiento ortopédico. La demencia es el motivo más frecuente de ingreso en un centro de enfermería especializada. Otras afecciones, como evento vascular cerebral (ictus), insuficiencia cardíaca, enfermedad de Parkinson, artrosis y complicaciones de la diabetes mellitus, también son frecuentes en estos pacientes.

USTED es el Paramédico RESUMEN continuación

1. **Con base en este breve historial y en la exploración física, ¿qué problemas sospecha?**

   Esta breve anamnesis y exploración física no pueden excluir ninguna de las posibles causas o afecciones que pueda tener el paciente.

2. **¿Qué información adicional le ayudaría a identificar las posibles causas del estado del paciente?**

   Los signos vitales, el nivel de glucosa en sangre, la exploración física, la historia completa de la enfermedad actual y una lista de medicación serían útiles para identificar las posibles causas de la alteración del estado mental de este paciente.

3. **¿Estaría indicada la solución de dextrosa IV para esta paciente?**

   La solución de dextrosa IV no está indicada para este paciente. Los niveles normales de glucosa en sangre oscilan entre 70 y 99 mg/dL. Esta paciente tiene un nivel de glucosa en sangre de 132 mg/dL y se consideraría hiperglucémico. Es poco probable que la paciente se beneficie de las soluciones de dextrosa IV. Además, la administración de solución de dextrosa podría empeorar otras posibles causas de alteración del estado mental en pacientes de edad avanzada.

4. **¿Ayudan los resultados del electrocardiograma (EKG) a identificar la causa del estado de este paciente?**

   El trazado del EKG revela taquicardia sinusal. Este hallazgo indica un estado de estrés fisiológico en el organismo, pero no es lo suficientemente específico como para identificar la causa del estado de la paciente. La taquicardia sinusal representa típicamente un aumento de la liberación de catecolaminas por una amplia variedad de causas, como ejercicio o esfuerzo físico, fiebre, hipovolemia, shock, sepsis, dolor, ansiedad, hipoxia o anemia, entre otras numerosas causas posibles. Muchas causas potenciales de alteración del estado mental en pacientes de edad avanzada provocan taquicardia sinusal. No es diagnóstica en este escenario.

5. **¿La lista de alergias y medicación de la paciente añade alguna posible causa de su estado actual?**

   Esta paciente recibe actualmente 12 medicamentos diferentes, ya sea de forma regular o según sea necesario. Mientras que algunos medicamentos en el perfil de esta paciente son relativamente benignos, otros medicamentos en su perfil son muy propensos a alterar muchos órganos, sistemas y funciones corporales. Las interacciones medicamentosas y los efectos secundarios de la medicación están con frecuencia implicados como causa de alteración del estado mental en pacientes de edad avanzada. La toxicidad, los efectos secundarios y las interacciones de los medicamentos deben evaluarse siempre que se busquen causas de alteración del estado mental, en especial en pacientes de edad avanzada.

6. **¿Qué medicamentos de esta lista, en su caso, deben utilizarse con especial precaución en pacientes de edad avanzada?**

   Tanto la prometazina (Phenergan®) como la metoclopramida (Reglan®) requieren precaución cuando se utilizan en pacientes de edad avanzada. Cada uno de estos medicamentos puede causar una serie de síntomas cardiovasculares y neurológicos graves. Los síntomas neurológicos van desde la somnolencia leve hasta reacciones graves, como convulsiones y alucinaciones. La prometazina es conocida por provocar respuestas extrañas e impredecibles en pacientes de edad avanzada, incluida la excitación paradójica en lugar de la sedación.

Reporte de atención de paciente prehospitalario (RAPP)

Fecha: 7-23-22	**Incidente núm.:** 2056	**Naturaleza de la llamada:** estado mental alterado		**Ubicación:** Calle Goldenbridge núm. 1	
Despacho: 15:10	**En camino:** 15:11	**En el escenario:** 15:16	**Transporte:** 15:45	**En el hospital:** 16:00	**En servicio:** 16:15

Información del paciente

Edad: 88 **Sexo:** F **Peso:** 60 kg (133 lb)	**Alergias:** penicilina, medicamentos sulfas **Medicamentos:** metformina, aspirina QD, lisinopril, atorvastatina, vitamina C, folato **Antecedentes médicos:** diabetes mellitus, náusea y vómito **Principal manifestación:** estado mental alterado

USTED es el Paramédico RESUMEN continuación

Signos vitales				
Hora: 15:21	**PA:** 96/64	**Pulso:** 108	**Respiraciones:** 22	**Spo_2:** 98% sobre O_2
Hora: 15:31	**PA:** 104/68	**Pulso:** 106	**Respiraciones:** 22	**Spo_2:** 99% sobre O_2
Hora: 15:41	**PA:** 112/72	**Pulso:** 104	**Respiraciones:** 20	**Spo_2:** 99% sobre O_2
Hora: 15:51	**PA:** 114/76	**Pulso:** 98	**Respiraciones:** 20	**Spo_2:** 98% sobre O_2

Tratamiento en el SEM (circule todo lo aplicable)				
Oxígeno @ 10 L/min por (circular uno): **NC (NRM) Dispositivo de bolsa y mascarilla**		**Ventilación asistida**	**Dispositivo de la vía aérea**	**RCP**
Desfibrilación	**Control de la hemorragia**	**Vendaje**	**Inmovilización**	(**Otro:** Monitor cardíaco)

Narrativa

A su llegada, encuentra a una mujer de 88 años en cama con disminución de la capacidad de respuesta, gemidos y habla incoherente, ojos abiertos a estímulos táctiles profundos. La paciente ingresó por complicaciones de diabetes mellitus. Presentó náusea, vómito y diarrea durante las últimas 36 a 48 horas. Se nota que la paciente "no es ella misma". Temperatura de 37.6 °C (99.7 °F) justo antes de llegar. La paciente recibe oxígeno al 100% mediante mascarilla de no reinhalación. Se comprueba la glucosa en sangre, con un resultado de 132 mg/dl. Se toman los signos vitales. Pulso ligeramente elevado y monitor cardíaco. El EKG muestra taquicardia sinusal. Se inicia la administración de líquidos IV a través de un catéter número 18 antecubital derecho. Se cuelga bolsa de suero salino normal con 10 gotas para mantener la vía permeable. Se coloca al paciente en la camilla y se le toman los signos vitales. Trasladada al Memorial Hospital sin más cambios. Informe entregado a la enfermera de la habitación 4; IV patente y ritmo mostrado en el monitor.

Fin del reporte

Kit de preparación

Listo para revisión

- Aunque la ciencia de la farmacología ha evolucionado hasta convertirse en un sofisticado campo de la atención sanitaria, algunos medicamentos descubiertos en la Antigüedad siguen utilizándose.
- Los paramédicos deben estar familiarizados con las normas y reglamentos aplicados en virtud de la *Controlled Substances Act* (también conocida como *Comprehensive Drug Abuse Prevention and Control Act*) de 1970.
- Los medicamentos de la categoría I no pueden recetarse, dispensarse, utilizarse ni administrarse para uso médico.
- Todos los medicamentos de la categoría II a la V requieren un almacenamiento bajo llave, un importante mantenimiento de registros y procedimientos controlados de eliminación de residuos.
- En Estados Unidos, todos los medicamentos reciben tres nombres distintos:
  - Nombre químico
  - Nombre genérico
  - Marca
- Las fuentes de referencia, como la *United States Pharmacopeia-National Formulary* y la *Prescriber's Digital Reference*, proporcionan detalles sobre miles de medicamentos.
- La luz solar directa, el calor y el frío extremos y los daños físicos a los envases de los medicamentos pueden hacer que estos sean ineficaces o inseguros para su uso.

Kit de preparación continuación

- Cuando se administra un medicamento, este empieza a alterar una función o un proceso del organismo. Esta acción se conoce como farmacodinámica.
- Los medicamentos se desarrollan para alcanzar y unirse a determinados receptores de las células objetivo. Los receptores alfa y beta incluyen alfa-1 (vasoconstricción), alfa-2 (restricción de la insulina, secreción de glucagón, inhibición de la liberación de norepinefrina), beta-1 (efectos cardíacos) y beta-2 (relajación del músculo liso y broncodilatación).
- Los medicamentos más recientes están diseñados para dirigirse solo a receptores muy específicos de determinadas células, en un intento de minimizar los efectos secundarios.
- Una amplia variedad de factores, incluida la composición genética del paciente, determinan cómo afectará una medicación concreta a un paciente y pueden influir en la elección de la medicación, la dosis, la vía, el momento, la forma de administración y la monitorización necesaria después de que un paciente reciba una medicación.
- Los términos *efecto secundario* y *efecto adverso* suelen utilizarse de manera indistinta, pero el de efecto adverso suele referirse al ámbito prehospitalario. Los efectos adversos son respuestas no deseadas o perjudiciales a un medicamento.
- La relación entre la dosis media eficaz y la dosis media letal o la dosis media tóxica se conoce como índice o razón terapéuticos.
- La exposición repetida a un medicamento de una clase determinada puede provocar una tolerancia que afecte a otros medicamentos de la misma categoría.
- Los pacientes que reciben varios medicamentos, fármacos u otras sustancias químicas tienen el riesgo de que se produzca una interacción involuntaria entre las distintas sustancias, es posible que con resultados inesperados.
- Cuando se administra un medicamento, el organismo inicia un complejo proceso de desplazamiento del medicamento, posible alteración de su estructura y, en última instancia, eliminación del medicamento del organismo. La dosis del medicamento, la vía de administración y el estado clínico del paciente determinarán en gran medida la duración de la acción y la eficacia del medicamento.
- Muchos factores de la medicación, como el tamaño de las moléculas del medicamento, la capacidad de unirse a otras sustancias del organismo y la capacidad de disolverse en determinados fluidos corporales, determinan a qué células, tejidos y órganos llegará un medicamento en concreto.
- La biotransformación es un proceso que tiene cuatro efectos posibles sobre un medicamento absorbido por el organismo:
  - Puede activarse, produciendo efectos clínicos deseados o no deseados
  - Puede cambiarse por otro medicamento activo
  - Puede inactivarse total o parcialmente
  - Puede transformarse en una sustancia más fácil de eliminar para el organismo
- Los paramédicos corren constantemente el riesgo de cometer un error cognitivo (como elegir el medicamento o la dosis equivocados) o un error técnico (como administrar más volumen de medicamento del previsto).
- Lo correcto en la administración de medicamentos incluyen las siguientes consideraciones:
  - Paciente correcto
  - Medicación e indicación correctas
  - Dosis correcta
  - Vía correcta
  - Momento correcto
  - Educación correcta del paciente
  - Derecho a negarse
  - Respuesta y evaluación correctas
  - Documentación e informes correctos
- Los medicamentos que influyen en el sistema nervioso simpático se clasifican según los receptores con los que interactúan: alfa o beta.
- Entre los medicamentos y grupos de medicamentos que se utilizan con frecuencia en el ámbito prehospitalario se incluyen los utilizados para el tratamiento de la vía aérea, los utilizados para el tratamiento de afecciones que afectan a los sistemas cardiovascular, gastrointestinal y neurológico, y los hemoderivados y medicamentos utilizados para el tratamiento de afecciones en la sangre.

Kit de preparación continuación

Vocabulario vital

Absorción Proceso por el que las moléculas de una sustancia se trasladan desde el lugar de entrada o administración a la circulación sistémica.

Acción acumulativa Varias dosis más pequeñas de un medicamento concreto son capaces de producir los mismos efectos clínicos que una sola dosis más grande de ese mismo medicamento.

Acetilcolinesterasa Enzima que descompone la acetilcolina.

Afinidad Capacidad de un medicamento de unirse a un receptor concreto.

Agentes quelantes Medicamentos que se unen a los metales pesados del organismo y crean un compuesto que puede eliminarse; se utilizan en casos de ingestión o envenenamiento.

Agonista parcial Sustancia química que se une al lugar del receptor pero no inicia tanta actividad o cambio celular como otros agonistas; disminuye la eficacia de otras sustancias químicas agonistas presentes en las células.

Anafilaxia Forma sistémica extrema de una reacción alérgica que afecta a dos o más sistemas corporales.

Analgesia Estado de insensibilidad al dolor mientras se está consciente.

Anestésico Medicamento que provoca la incapacidad de sentir sensaciones.

Antagonistas competitivos Medicamentos que se unen de manera temporal a los sitios receptores celulares, desplazando a las sustancias químicas agonistas.

Antagonistas no competitivos Medicamentos que se unen de manera permanente a los sitios receptores e impiden la activación por sustancias químicas agonistas.

Antibióticos Medicamentos utilizados para combatir las infecciones matando a los microorganismos o impidiendo su multiplicación para que el sistema inmunológico del organismo pueda vencerlos.

Antifúngicos Medicamentos utilizados para tratar las infecciones fúngicas.

Antimicrobianos Medicamentos utilizados para eliminar o suprimir el crecimiento de microorganismos.

Automatismo Estado en el que las células cardíacas están en reposo, a la espera de que se genere un impulso espontáneo desde el interior.

Biodisponibilidad Porcentaje del medicamento inalterado que alcanza la circulación sistémica.

Biotransformación Proceso con cuatro efectos posibles sobre un medicamento absorbido por el organismo: (1) una sustancia inactiva puede convertirse en activa, capaz de producir efectos clínicos deseados o no deseados. (2) Un medicamento activo puede transformarse en otro medicamento activo. (3) Un medicamento activo puede inactivarse total o parcialmente. (4) Un medicamento se transforma en una sustancia (activa o inactiva) más fácil de eliminar por el organismo.

Broncoconstricción Estrechamiento de los bronquios.

Broncodilatación Ensanchamiento de los bronquios.

Clase de medicamento Agrupación a la que pertenece un medicamento. Los medicamentos se agrupan según sus características, rasgos o componentes primarios.

Clasificación de Vaughan-Williams Esquema de clasificación de medicamentos basado en el mecanismo de acción y no en grupos específicos de medicamentos.

Colinérgico Término utilizado para describir las fibras del sistema nervioso parasimpático que liberan una sustancia química llamada acetilcolina.

Contraindicaciones Cualquier condición, en especial cualquier enfermedad, que hace que una determinada línea de tratamiento sea inadecuada o indeseable.

Curva dosis-respuesta Ilustración gráfica de la respuesta de un fármaco en función de la dosis administrada.

Dependencia Necesidad física, conductual o emocional de un medicamento o sustancia química para mantener una función fisiológica "normal".

Kit de preparación continuación

Depresor Sustancia química o medicamento que disminuye el funcionamiento del sistema nervioso central o del sistema nervioso simpático.

Despolarización Proceso de descarga de las fibras musculares cardíacas en reposo mediante un impulso eléctrico que provoca su contracción.

Despolarizante competitivo Término utilizado para describir los agentes paralizantes que actúan en la unión neuromuscular uniéndose a los receptores nicotínicos de los músculos, provocando fasciculaciones e impidiendo la activación adicional por la acetilcolina.

Difusión facilitada Proceso por el que las moléculas de medicamento se unen a las proteínas transportadoras cuando no se gasta energía.

Distónico Relativo a los movimientos musculares voluntarios que están distorsionados o alterados debido a un tono muscular anormal.

Distribución Movimiento y transporte de un medicamento por el torrente sanguíneo hasta los tejidos y células y, en última instancia, hasta su receptor objetivo.

Diurético Sustancia química que aumenta la diuresis.

Dosificación Cantidad especificada de un medicamento que debe administrarse a intervalos concretos.

Dosis letal media (DL_{50}) Dosis basada en el peso de un medicamento que causó la muerte en 50% de los animales probados.

Dosis media eficaz (DE_{50}) Dosis basada en el peso de un medicamento que fue eficaz en 50% de los seres humanos y animales sometidos a prueba.

Dosis tóxica media (DT_{50}) Dosis basada en el peso de un medicamento que demostró toxicidad en 50% de los animales probados.

Duración (de la acción) En un contexto farmacológico, el tiempo que puede esperarse que la concentración de un medicamento permanezca por encima del nivel mínimo necesario para proporcionar la acción prevista.

Efecto de primer paso Alteración de un medicamento a través del metabolismo en el tracto gastrointestinal antes de que llegue a la circulación sistémica.

Efecto placebo En un contexto farmacológico, los efectos positivos y negativos de un medicamento inactivo en una persona que están relacionados con las expectativas de la persona y otros factores.

Efectos adversos Efectos anormales o perjudiciales para un organismo causados por la exposición a una sustancia química; indicados por algún resultado como la muerte, un cambio en el consumo de alimentos o agua, la alteración del peso corporal y de los órganos, la alteración de los niveles de enzimas o una enfermedad visible.

Efectos perjudiciales Cambios clínicos provocados por un medicamento que causan daño o molestias a un paciente; también conocidos como efectos adversos.

Eficacia En un contexto farmacológico, la capacidad de un medicamento para producir el efecto deseado.

Eliminación En un contexto farmacológico, la eliminación de un medicamento o sus subproductos del organismo.

Eliminación de orden cero Proceso en el que se elimina una cantidad fija de una sustancia durante un periodo determinado, independientemente de la cantidad total en el organismo.

Eliminación de primer orden Proceso en el que la velocidad de eliminación está directamente influida por los niveles plasmáticos de una sustancia.

Endógeno Procedente del interior del organismo (cuerpo).

Estimulante Medicamento o sustancia química que mejora temporalmente el funcionamiento del sistema nervioso central y del sistema nervioso simpático.

Exógeno Se origina fuera del organismo (cuerpo).

Extravasación Filtración de sangre y medicamentos en el tejido que rodea el vaso sanguíneo.

Fármaco Sustancia que tiene algún efecto terapéutico (como reducir la inflamación, combatir las bacterias o producir euforia) cuando se administra en las circunstancias y dosis adecuadas.

Farmacocinética Actividad de los medicamentos en el organismo a lo largo del tiempo, como su absorción, distribución y eliminación.

Kit de preparación continuación

Farmacodinámica Efectos bioquímicos y fisiológicos y mecanismo de acción de un medicamento en el organismo.

Farmacología Estudio científico del modo en que diversas sustancias interactúan con los organismos vivos o alteran su funcionamiento.

Fasciculación Movimiento descoordinado y visible de pequeños grupos musculares; puede estar causada por la administración de un agente bloqueador neuromuscular despolarizante (en concreto, succinilcolina).

Filtración Uso de la presión hidrostática para forzar el paso de agua o partículas disueltas a través de una membrana semipermeable.

Focos ectópicos Lugares de generación de impulsos eléctricos distintos de las células marcapasos normales.

Habituación Tolerancia inusual a los efectos terapéuticos y clínicos adversos de un medicamento o sustancia química.

Hematocrito Porcentaje de glóbulos rojos en una muestra de sangre.

Hemólisis Destrucción de los glóbulos rojos por alteración de la membrana celular.

Hidrófilo Atraído por las moléculas de agua.

Hipotensión ortostática Caída de la presión arterial al cambiar a la posición de pie.

Idiosincrásico En un contexto farmacológico, susceptibilidad anormal a un medicamento, posiblemente debida a rasgos genéticos o a la disfunción de una enzima metabólica, que es peculiar de un paciente individual (y por lo general inexplicable).

Indicación Circunstancia que señala o muestra la causa, patología, tratamiento o cuestión de un ataque de enfermedad; lo que señala; lo que sirve de guía o advertencia.

Índice terapéutico Relación entre la dosis media eficaz y la dosis media letal o la dosis media tóxica; también se conoce como relación terapéutica.

Inicio Tiempo necesario para que la concentración del medicamento en el tejido objetivo alcance el nivel mínimo eficaz.

Interferencia Situación en la que un medicamento o sustancia química que toma un paciente menoscaba la eficacia de otro medicamento que toma o se le administra.

Lipofílico Atraído por grasas y lípidos.

Mecanismo de acción Forma en que un medicamento produce la respuesta prevista.

Medicamento Sustancia utilizada para tratar una enfermedad o afección.

Medicamentos agonistas Grupo de medicamentos que inician o alteran una actividad celular uniéndose a sitios receptores, provocando una respuesta celular.

Medicamentos antagonistas Grupo de medicamentos que impiden que las sustancias químicas agonistas endógenas o exógenas alcancen los receptores celulares e inicien o alteren una actividad celular determinada.

Metabolitos activos Medicamentos que han tenido una biotransformación y son capaces de alterar un proceso celular o una función corporal.

Metabolitos inactivos Medicamentos que han presentado una biotransformación y ya no son capaces de alterar un proceso celular o una función corporal; no son farmacológicamente activos.

Monografía o perfil del medicamento Documento que ofrece información detallada sobre los medicamentos, como sus indicaciones y usos, información sobredosificación, precauciones, contraindicaciones y efectos adversos.

Nivel umbral En un contexto farmacológico, concentración de medicamento a partir de la cual se inicia o altera la actividad celular.

No despolarizante Término utilizado para describir los fármacos que producen relajación muscular al interferir con los impulsos entre la terminación nerviosa y el receptor muscular.

No iónico No cargado.

Ósmosis Movimiento de un disolvente, como el agua, desde una zona de baja concentración de soluto a otra de alta concentración a través de una membrana selectivamente permeable para igualar

Kit de preparación continuación

las concentraciones de un soluto a ambos lados de la membrana.

Osmótico Caracterizado por el movimiento de un disolvente, como el agua, a través de una membrana semipermeable (p. ej., la pared celular) desde una zona de menor concentración de soluto a otra de mayor concentración.

Paradójico Lo contrario de lo esperado.

Periodo refractario absoluto Fase inicial de la repolarización cardíaca, durante la cual no se puede estimular al músculo cardíaco para que se despolarice; también se conoce como periodo refractario efectivo.

Periodo refractario relativo Periodo del ciclo de disparo celular en el que es posible pero difícil volver a estimular a la célula para que dispare otro impulso.

Pico En un contexto farmacológico, el punto de máximo efecto de un fármaco.

Pinocitosis Proceso por el que las células ingieren el líquido extracelular y su contenido.

Potencia Relación entre la respuesta deseada de un medicamento y la dosis necesaria para lograr dicha respuesta.

Preparados digitálicos Fármacos utilizados en el tratamiento de la insuficiencia cardíaca y de algunas disritmias auriculares.

Receptor Zona especializada de los tejidos que inicia determinadas acciones tras una estimulación específica.

Regulación a la baja Proceso en el que un mecanismo que reduce los receptores celulares disponibles para un medicamento concreto provoca tolerancia.

Semivida Tiempo necesario en una persona media para el metabolismo o la eliminación de 50% de una sustancia en el plasma.

Sensibilidad a los medicamentos Reacción de leve a grave después de la primera exposición a un medicamento u otra sustancia, que suele presentar muchos de los mismos signos y síntomas que una reacción inmunomediada.

Simpaticomiméticos Medicamentos administrados para estimular el sistema nervioso simpático.

Síndrome de Stevens-Johnson Reacción grave, posiblemente mortal, que imita una quemadura; puede deberse a un medicamento.

Sistema del citocromo P-450 Hemoproteína implicada en la desintoxicación de muchos fármacos.

Soluble en agua Propiedad que indica que un material puede disolverse en agua.

Taquifilaxia Trastorno en el que la administración de dosis repetidas de un medicamento en un breve periodo provoca tolerancia con rapidez, lo que hace que el medicamento sea prácticamente ineficaz.

Tolerancia Estado que se desarrolla tras el uso repetido de un medicamento por parte de un paciente y que se traduce en una disminución de su eficacia o potencia.

Tolerancia cruzada Proceso en el que la exposición repetida a un medicamento de una clase determinada provoca una tolerancia que puede "transferirse" a otros medicamentos de la misma clase.

Transporte activo Proceso de unión de moléculas con proteínas transportadoras cuando se utiliza energía para mover las moléculas contra un gradiente de concentración.

Unión a proteínas plasmáticas Proceso en el que las moléculas de medicamento se unen de manera temporal a las proteínas del plasma sanguíneo, alterando de forma significativa la distribución del medicamento en el organismo.

Vasoconstricción Estrechamiento del diámetro de un vaso sanguíneo.

Vasodilatación Ampliación del diámetro de un vaso sanguíneo.

Volumen de distribución Grado de difusión de un medicamento en el organismo.

Referencias

1. Applying class of recommendations and level of evidence to clinical strategies, interventions, treatments, or diagnostic testing in patient care. American Heart Association website. https://cpr.heart.org/en/

Kit de preparación continuación

resuscitation-science/cpr-and-ecc-guidelines/tables/applying-class-of-recommendation-and-level-of-evidence. Actualizado en mayo 2019. Consultado en julio 5, 2021.

2. Brown LH, Bailey LC, Medwick T, Okeke CC, Krumperman K, Tran CD. Medication storage on US ambulances: a prospective multi-center observational study. *Pharm Forum*. 2003;29:540-547.
3. Gammon DL, Su S, Roger Huckfeldt R, et al. Alteration in prehospital drug concentration after thermal exposure. *Am J Emerg Med*. 2008;26(5):566-573.
4. McMullan JT, Pinnawin A, Jones E, et al. The 60-day temperature-dependent degradation of midazolam and lorazepam in the prehospital environment. *Prehosp Emerg Care*. 2013;17(1):1-7.
5. Madden JF, O'Connor RE, Evans J. The range of medication storage temperatures in aeromedical emergency medical services. *Prehosp Emerg Care*. 1999;3(1):27-30.
6. Lin BW, Yoshida D, Quin J, Strehlow M. A better way to estimate adult patients' weights. *Am J Emerg Med*. 2009;27(9):1060-1064.
7. Panchal AR, Bartos JA, Cabañas JG, et al. Part 3: Adult basic and advanced life support: 2020 American Heart Association guidelines for cardiopulmonary resuscitation and emergency cardiovascular care. *Circulation*. 2020;142(16 suppl 2):S366-S468.
8. FDA pregnancy categories. Drugs.com website. https://www.drugs.com/pregnancy-categories.html. Consultado en julio 5, 2021.
9. Pozner CN. Advanced cardiac life support (ACLS) in adults. UpToDate website. https://www.uptodate.com/contents/advanced-cardiac-life-support-acls-in-adults?topicKey=EM%2F278&elapsedTimeMs=6&view=print&displayedView=full#. Actualizado en abril 1, 2021. Consultado en mayo 11, 2021.
10. Patterson SJ, Oliphant CS, Self TH. Amiodarone-induced lung disease *Consultant*. 2014;54(3):207-208.
11. Ebrom C, Manifold C, Schaefer R. Resident eagle: whole blood in the rural EMA environment. EMS World website. https://www.emsworld.com/article/1224535/resident-eagle-whole-blood-rural-ems-environment. Publicado en julio 2020. Consultado en mayo 11, 2021.
12. Arefleva CAL, Chen B, Redman TT, et al. The use of low-titer group O whole blood in emergency medicine. Emergency Medicine Residents' Association website. https://www.emra.org/emresident/article/group-o-whole-blood/. Publicado en octubre 17, 2018. Consultado en mayo 11, 2021.
13. Matijevic N, Wang YW, Cotton BA, et al. Better hemostatic profiles of never-frozen liquid plasma compared with thawed fresh frozen plasma. *J Trauma Acute Care Surg*. 2013;74(1):84-91.
14. Napolitano LM. Prehospital tranexamic acid: what is the current evidence? *Trauma Surg Acute Care Open*. 2017;2(1):e000056. https://doi.org/10.1177/14604086211001163.
15. Napolitano LM, Cohen MJ, Cotton BA, et al. Tranexamic acid in trauma: how should we use it. *J Trauma Acute Care Surg*. 2013;74(6):1575-1586.
16. Bucchiara BL, Messe SR. Antithrombotic therapy for the secondary prevention of ischemic stroke. UpToDate website. https://www.uptodate.com/contents/antithrombotic-therapy-for-the-secondary-prevention-of-ischemic-stroke/. Actualizado en abril 26, 2021. Consultado en mayo 11, 2021.
17. Bhatt DL, Fox KAA, Hacke W, et al. Clopidogrel and aspirin versus aspirin alone for the prevention of atherothrombotic events. *N Engl J Med*. 2006;354(16):1706-1717.
18. Anondo Stangi P, Lewis S. Review of currently available GP IIb/IIIa inhibitors and their role in peripheral vascular interventions. *Semin Intervent Radiol*. 2010;27(4):412-421.
19. Smith HS, Smith JM, Seidner P. Opioid-induced nausea and vomiting. *Ann Palliat Med*. 2012;1(2):121-129.
20. McDonald E, Winters B, Nicholson K, et al. Effect of postoperative ketorolac administration on bone healing in ankle fracture surgery. *Foot Ankle Int*. 2018;39(10):1135-1140.

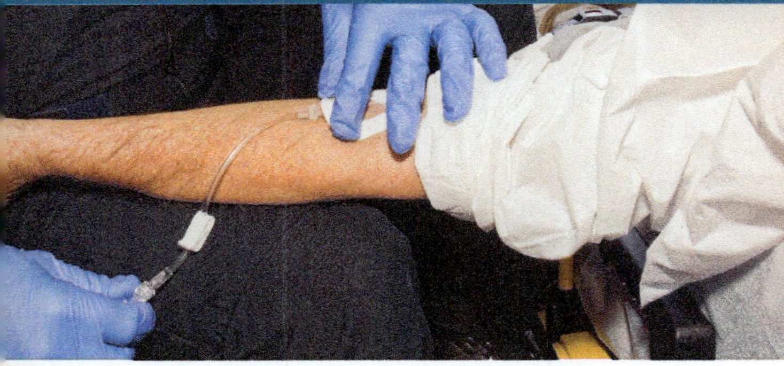

Capítulo 11

Administración de medicamentos

COMPETENCIAS DEL ESTÁNDAR NACIONAL DE EDUCACIÓN EN EL SEM

Farmacología

Integra amplios conocimientos de farmacología para formular un plan de tratamiento destinado a mitigar las emergencias y mejorar la salud general del paciente.

Administración de medicamentos

- Vías de administración. (véase el capítulo 10, *Principios de farmacología*)
- Autoadministración de medicamentos. (p. 775)
- Medicamentos administrados por compañeros. (p. 775)
- Apoyar con/administrar medicamentos a un paciente. (pp. 702, 738-745, 747-779)
- Dentro del ámbito de la práctica del paramédico, administrar medicamentos a un paciente. (pp. 702, 738-745, 747-779)

OBJETIVOS COGNITIVOS

1. Describir la función de la dirección médica en la administración de medicamentos. (p. 702)
2. Analizar los beneficios de realizar una Verificación Cruzada para la Administración de Medicamentos (*Medication Administration Cross-Check* MACC) antes de administrar un medicamento. (p. 703)
3. Explicar la importancia de documentar adecuadamente la administración de medicamentos. (p. 702)
4. Analizar las responsabilidades de los paramédicos relacionadas con la seguridad de los medicamentos almacenados en la ambulancia. (p. 703)
5. Explicar las diferencias entre técnicas asépticas, limpias y estériles. (p. 704)
6. Describir el uso de las precauciones habituales relacionadas con la administración de medicamentos. (p. 705)
7. Analizar los signos y síntomas que pueden ocurrir con los cambios en el estado de los líquidos corporales. (pp. 705-707)
8. Enumerar las composiciones de líquidos intravenosos (IV) más utilizadas y los tipos de soluciones IV. (pp. 707-710)
9. Analizar las técnicas para llevar a cabo la terapia intravenosa. (pp. 710-725)
10. Analizar los factores a considerar al momento de elegir una solución intravenosa. (p. 711)
11. Analizar los factores que se deben tener en cuenta al elegir un equipo de administración. (pp. 712-713)
12. Analizar los factores a considerar al elegir una vía IV. (pp. 713-716)
13. Enumerar los tipos de catéteres IV. (p. 751)
14. Describir las consideraciones especiales al realizar terapia IV en un paciente pediátrico o adulto mayor. (pp. 724-725)
15. Enumerar los factores para comprobar si el flujo IV es incorrecto. (p. 725)
16. Describir las complicaciones que pueden presentarse como consecuencia de la terapia IV. (pp. 725-729)

17. Analizar las consideraciones sobre el transporte de un paciente sometido a una transfusión de sangre. (p. 731)
18. Analizar las ventajas, desventajas y técnicas para establecer una vía intraósea (IO). (pp. 731-738)
19. Enumerar los tipos de dispositivos IO disponibles. (pp. 733-735)
20. Analizar las posibles complicaciones de la infusión IO. (pp. 735-738)
21. Analizar los sistemas de pesos y medidas utilizados en la administración de medicamentos. (pp. 741-744)
22. Explicar los principios del cálculo de dosis de fármacos, incluyendo la dosis deseada, la concentración disponible, el volumen disponible, el volumen por administrar y la velocidad de goteo IV. (pp. 743-747)
23. Analizar las ventajas, desventajas y técnicas de la administración oral de medicamentos. (pp. 747-748)
24. Analizar las ventajas, desventajas y técnicas de la administración rectal de medicamentos. (pp. 748-749)
25. Analizar las ventajas, desventajas y técnicas de la administración intradérmica de medicamentos. (pp. 756-757)
26. Analizar las ventajas, desventajas y técnicas de la administración subcutánea de medicamentos. (pp. 757-758)
27. Analizar las ventajas, desventajas y técnicas de la administración intramuscular de medicamentos. (pp. 759-761)
28. Analizar las ventajas, desventajas y técnicas de la administración IV de medicamentos. (pp. 761-768)
29. Analizar las ventajas, desventajas y técnicas de la administración IO de medicamentos. (pp. 768-769)
30. Analizar las ventajas, desventajas y técnicas de la administración transdérmica de medicamentos. (pp. 769-771)
31. Analizar las ventajas, desventajas y técnicas de la administración sublingual de medicamentos. (p. 771)
32. Analizar otros métodos de administración de medicamentos, incluidas las vías oral, ocular y ótica. (pp. 771-773)
33. Analizar las ventajas, desventajas y técnicas de la administración intranasal de medicamentos. (p. 773)
34. Analizar las ventajas, desventajas y técnicas de administración por inhalación de medicamentos. (pp. 773-779)
35. Analizar las velocidades de absorción de los medicamentos a través de diversas vías. (p. 782)

OBJETIVOS DE DESTREZAS

1. Demostrar cómo perforar una bolsa para infusión IV. (p. 719)
2. Demostrar cómo obtener un acceso vascular. (pp. 719-721, Práctica de destreza 11-1)
3. Demostrar cómo obtener una muestra de sangre. (pp. 729-731)
4. Demostrar cómo obtener un acceso IO. (pp. 736-737, Práctica de destreza 11-2)
5. Demostrar cómo administrar un medicamento oral a un paciente. (pp. 747-748)
6. Demostrar cómo administrar medicamentos a través de una sonda gástrica. (p. 748)
7. Demostrar cómo extraer un medicamento de una ampolla. (pp. 752-753, Práctica de destreza 11-3)
8. Demostrar cómo extraer un medicamento de un vial. (pp. 754-755, Práctica de destreza 11-4)
9. Demostrar cómo administrar un medicamento subcutáneo a un paciente. (p. 758, Práctica de destreza 11-5)
10. Demostrar cómo administrar un medicamento intramuscular a un paciente. (pp. 760-761, Práctica de destreza 11-6)
11. Demostrar cómo administrar un medicamento por vía IV en bolo. (p. 762, Práctica de destreza 11-7)
12. Demostrar cómo administrar un medicamento por vía IV por goteo intermitente. (pp. 765-767, Práctica de destreza 11-8)
13. Demostrar cómo realizar una infusión IO. (pp. 769-770, Práctica de destreza 11-9)
14. Demostrar cómo administrar un medicamento sublingual a un paciente. (p. 772, Práctica de destreza 11-10)
15. Demostrar cómo administrar un medicamento intranasal a un paciente. (p. 774, Práctica de destreza 11-11)
16. Demostrar cómo ayudar a un paciente con un inhalador de dosis medida. (p. 776, Práctica de destreza 11-12)
17. Demostrar cómo asistir a un paciente con un nebulizador de pequeño volumen. (p. 778, Práctica de destreza 11-13)
18. Demostrar cómo tener acceso a dispositivos de acceso vascular no canalizables e implantados. (pp. 779-782)

Introducción

Su educación paramédica le proporcionará conocimientos de anatomía y fisiología, fisiopatología y los efectos que tienen los tratamientos farmacológicos en los pacientes. Es su responsabilidad administrar los medicamentos apropiados y la dosis adecuada cuando sea necesario, y determinar la vía más eficaz para hacerlo. Recuerde siempre que cualquier procedimiento que realice, incluida la administración de medicamentos, debe ser aprobado por la dirección médica mediante protocolos establecidos o con la supervisión de este en línea.

Muchas veces, en la medicina de urgencias se necesita el acceso vascular en el caso de pacientes hemodinámicamente inestables que necesitan líquidos intravenosos (IV), diversos medicamentos o ambos. Se utilizan varias técnicas para obtener acceso vascular en el ámbito prehospitalario, como la canalización de una vena periférica de una extremidad, la canalización de la vena yugular externa (YE), el acceso intraóseo y los dispositivos de acceso vascular (DAV) de larga duración. La **canalización** es la inserción de un catéter en una cavidad corporal, conducto o vaso para permitir el flujo de líquidos. La supervivencia de los pacientes en estado crítico o lesionados depende a menudo de su capacidad para obtener un acceso vascular rápido y eficaz. Debido a que estos procedimientos son invasivos, el personal prehospitalario debe ser competente al realizarlos. El uso de una técnica inadecuada, un conocimiento

SEGURIDAD

Un concepto que contribuye a una cultura de seguridad eficaz es el de organización de alta confiabilidad (HRO, por sus siglas en inglés).[1,2] Las industrias aeronáutica y nuclear, que cuentan con muchas HRO, comparten algunos rasgos comunes. Por ejemplo, todas las HRO están preocupadas con el fracaso, y la cultura de cada organización entiende bien que inevitablemente ocurrirán fallas. Sin embargo, las HRO se centran en el manejo de estas fallas, de modo que ninguna llegue al cliente (el paciente, en el sector de la atención médica). Este impulso ha dado lugar a la redundancia en formación, equipos y mantenimiento que se observa en el sector de las aerolíneas. Tanto las aerolíneas como las centrales nucleares son conscientes de que una persona o un equipo puede fallar, por lo que han dedicado un esfuerzo considerable a garantizar que una sola falla no provoque un suceso catastrófico (p. ej., un accidente aéreo o una fusión nuclear). En la atención médica, una HRO se centraría en los dobles controles (por ejemplo, la comprobación cruzada de un medicamento que se está administrando) y otros sistemas para garantizar que una sola falla, que es inevitable, no provoque daños al paciente.

USTED es el Paramédico

PARTE 1

Usted acude a un domicilio particular por una llamada relacionada con un hombre de 26 años que ha sufrido un episodio sincopal. A su llegada, el paciente declara que tuvo palpitaciones repentinas mientras estaba en el cuarto de baño y se sintió mareado. Se dejó caer al suelo y perdió brevemente el conocimiento. El paciente informa que las palpitaciones siguen presentes, pero niega molestias torácicas o disnea. Su exploración primaria no revela amenazas vitales inmediatas. Mientras su compañero le coloca el monitor cardíaco y obtiene una serie de signos vitales de referencia, usted observa un pulso rápido e irregular.

Tiempo de grabación:	1 minuto
Aspecto	Piel cálida y húmeda
Nivel de consciencia	Alerta (orientada en persona, lugar, tiempo y acontecimiento)
Vía aérea	Permeable
Respiración	20 respiraciones/min, sin dificultad
Circulación	Pulso radial fuerte, rápido e irregular

1. Dado este escenario, ¿qué vía de administración prevé utilizar para administrar los medicamentos? ¿Cuáles son las ventajas de esta vía?
2. ¿Qué aspectos de la historia clínica del paciente es importante tener en cuenta antes de administrarle cualquier medicamento?

insuficiente de los medicamentos que se administran o estos dos aspectos pueden provocar daños importantes al paciente.

En este capítulo se analizan los distintos tipos de soluciones IV utilizadas en el ámbito prehospitalario y las técnicas de terapia IV/IO. Describe los principios matemáticos utilizados en farmacología y para el cálculo de las dosis de medicamentos: las administradas en **bolo** (una dosis única, en general administrada por vía IV) y en infusión de mantenimiento. Los paramédicos administran medicamentos de diferentes formas. El capítulo concluye con un análisis de las vías de administración de medicamentos.

Dirección médica

Es importante destacar aquí varios puntos relacionados con la dirección médica, en especial para la administración de medicamentos (la dirección médica se analiza en profundidad en el capítulo 1, *Sistemas de Servicios de Emergencias Médicas*). Por ejemplo, su director médico puede exigirle que se ponga en contacto con el control médico antes de realizar procedimientos específicos (p. ej., la administración de ciertos opioides). Cuando solicite órdenes a control médico en línea, muéstrese seguro y detallado. Reúna toda la información sobre el paciente antes de ponerse en contacto con el control médico. Debe tener la capacidad de presentar una imagen del paciente al médico y demostrar la necesidad del medicamento que solicita.

Las políticas y los procedimientos locales están diseñados para guiarle en situaciones específicas. Los principios de gestión de recursos del equipo, que se analizan en el capítulo 3, *Comunicaciones*, y en el capítulo 36, *Respuesta al código de campo*, sugieren que debe utilizar todos los recursos disponibles para ayudar a reducir la carga cognitiva. Por consiguiente, si no está seguro de la dosis de un medicamento, su indicación, contraindicación o cualquier otro aspecto de la administración del fármaco, debe utilizar sus protocolos, un formulario de medicamentos, una guía, una aplicación para teléfonos inteligentes o tabletas, o cualquier otro recurso disponible. Más allá de las fuentes disponibles en su unidad de respuesta, considere la ayuda del control médico. El control médico en línea no es solo una autoridad a la cual consultar para la aprobación de medicamentos que están fuera de sus protocolos, también puede tener acceso a él para consultas generales sobre modalidades de tratamiento con las que no esté seguro. *Si tiene alguna duda sobre la acción correcta, ¡consulte al control médico!*

Garantizar una administración de medicamentos correcta y segura

Se debe asegurar de que los medicamentos que proporcione se administren de forma correcta y segura. Los errores de medicación son un problema en toda la atención de la salud. Los paramédicos administran medicamentos basándose en órdenes permanentes o instrucciones médicas en línea, pero la supervisión real en el momento de la administración es mínima. Por ello, el sistema de servicios de emergencias médicas (SEM) debe desarrollar herramientas para disminuir los errores derivados de factores humanos, y los paramédicos deben hacer un esfuerzo consciente por utilizar estas herramientas.

Asimismo, el peligro de que algo salga mal al administrar un fármaco, como administrar el fármaco incorrecto o la dosis incorrecta, se puede minimizar utilizando una herramienta para verificar la dosis del fármaco, el nombre, la vía, la velocidad de administración, la indicación de administración, las contraindicaciones, la **concentración** del fármaco y el volumen que se va a administrar.[3] Nunca intente adivinar qué ordenó el médico. En caso de duda, pida que le aclaren. Siempre se deben respetar los derechos de administración de medicamentos analizados en el capítulo 10, *Principios de farmacología.*

Es muy importante documentar la administración de medicamentos. Debe anotar la dosis administrada, el nombre del medicamento, la vía, la dosis, la hora de administración, quién administró el medicamento, quién realizó la verificación cruzada para la administración del medicamento y la respuesta del paciente. La dosis debe enumerarse por la cantidad total administrada en ese momento, las unidades de medida de ese fármaco y el volumen administrado al paciente. Verifique la ortografía del nombre del fármaco; en este punto es donde por lo común ocurren errores de medicación. La dosis se documenta en referencia a un bolo, infusión u otro método de administración.

Sistema local de distribución de fármacos

Antes de responder a una llamada del SEM, se debe asegurar de que todo el equipo del vehículo de emergencias funciona correctamente; esta verificación se realiza durante la revisión del vehículo al inicio del turno. Debe comprobar que los medicamentos no estén caducados o dañados y que estén disponibles en la cantidad adecuada. Debe estar muy familiarizado con

Perlas de sabiduría

El sistema del SEM del condado de Wichita-Sedgwick en Kansas desarrolló una herramienta conocida como Verificación cruzada para la administración de medicamentos (MACC, por sus siglas en inglés), **FIGURA 11-1**.[4] Esta herramienta utiliza principios de gestión de recursos del equipo al requerir un proceso de verificación para cada medicamento cada vez. Además, la herramienta utiliza apoyos de trabajo para ayudar a reducir la carga cognitiva y asegurar que el proceso se complete cada vez que se administra un medicamento.

Debido a que los sistemas del SEM varían en su configuración —por ejemplo, un paramédico que trabaja con un proveedor de soporte vital básico (SVB)— la herramienta MACC está diseñada para trabajar con todos los niveles de proveedores. Aunque los proveedores de SVB pueden no estar familiarizados con todos los medicamentos, pueden verificar las cantidades, los nombres de los medicamentos, las fechas de caducidad y demás información. Y lo que es más importante, el segundo proveedor, al margen de su nivel de certificación, actúa como caja de resonancia para el primero. Esta práctica obliga al primer proveedor a validar la administración de los medicamentos. Algunos profesionales pueden detectar el error cuando se lo leen a sí mismos. Otros lo detectan cuando el segundo profesional les pide que repitan algo que no les ha parecido correcto. A veces, el segundo proveedor puede detectar el error y llamar la atención del primero. Aunque la herramienta MACC no eliminará todos los errores de medicación, su uso adecuado puede reducir de manera significativa el número de errores en la administración de medicamentos.

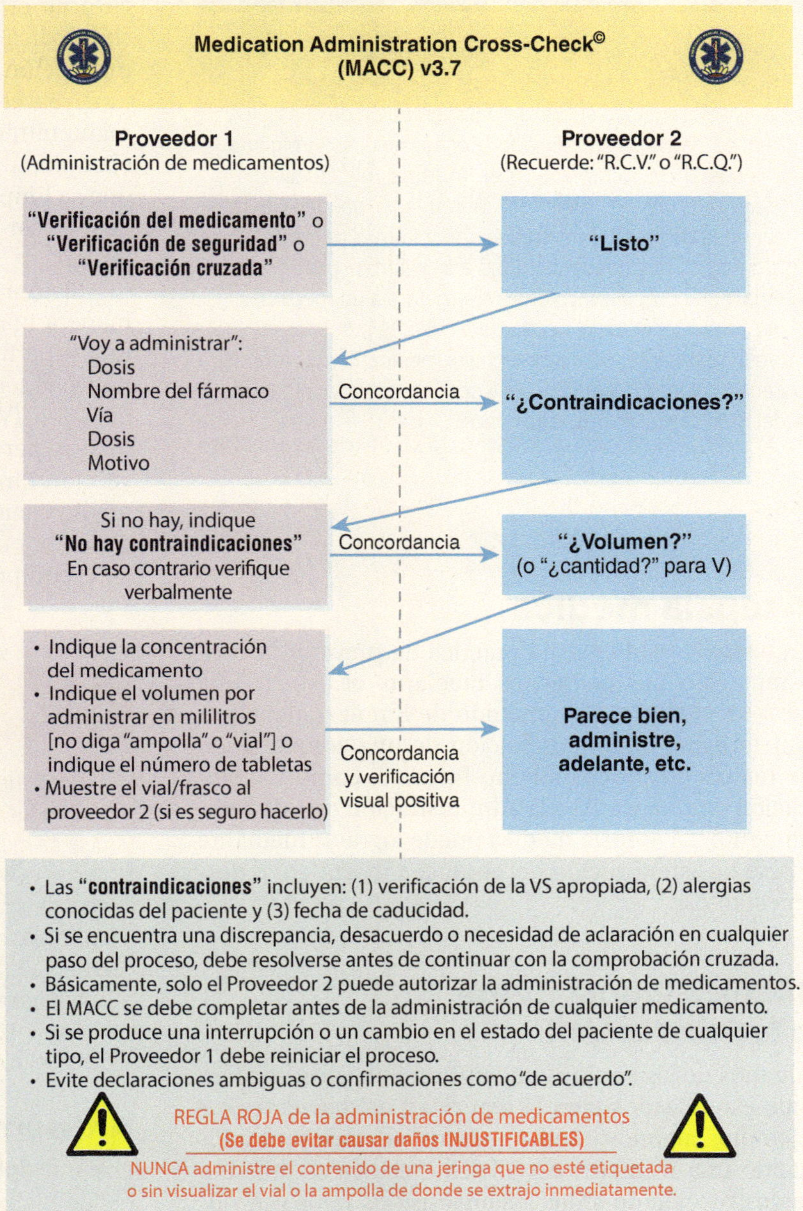

FIGURA 11-1 Apoyo para la comprobación cruzada de la administración de medicamentos.

Reproducido de: Misasi P, Braithwaite S. *The Medication Administration Cross-Check (MACC) User's Manual*. Wichita-Sedgwick County EMS System; marzo 2012. https://kansasemstransition.files.wordpress.com/2012/08/macc-user-manual-v2-0.pdf. Consultado el 27 de mayo de 2021.

el sistema utilizado para intercambiar y sustituir en su sistema del SEM medicamentos caducados o dañados.

Usted es responsable de la documentación y seguridad de todas las sustancias controladas transportadas en su vehículo, incluida la contabilidad de todas las sustancias controladas que se desperdiciaron (es decir, el medicamento residual que no se administró al paciente). Siga las políticas y los procedimientos específicos de su sistema local de distribución de medicamentos, seguridad y rendición de cuentas.

Documentación y comunicación

Además de la documentación normal de un medicamento administrado, deberá seguir la política de su director médico sobre la documentación de cualquier medicamento "desperdiciado". Por ejemplo, si administra una sustancia controlada (p. ej., morfina, midazolam [Versed], fentanilo [Sublimaze, Duragesic]), documente la cantidad de medicamento que administró al paciente y la cantidad que desperdició (no administró al paciente). Pida a su compañero, a una enfermera o a un médico del centro receptor, o a su supervisor, que presencien (vean realmente) cómo desecha el medicamento. Ambos deben firmar el formulario que documenta la eliminación del medicamento desperdiciado.

Asepsia médica

La **asepsia médica** es la práctica de prevenir la contaminación por patógenos mediante el uso de una **técnica aséptica**. Este método de limpieza tiene por objeto evitar la contaminación de una zona cuando se realiza un procedimiento invasivo, como la colocación de una vía IV o la administración de un medicamento. La asepsia médica puede lograrse mediante el uso de esterilización del equipo, antisépticos o desinfectantes.

Técnica limpia frente a técnica estéril

Algunos de los equipos que utilizará en la escena han sido esterilizados para la seguridad del paciente. Por ejemplo, algunos medicamentos se envasan utilizando una técnica **estéril**. Dicha técnica se refiere a la destrucción de todos los organismos vivos y se obtiene mediante la aplicación de calor, gas o productos químicos.

Para crear un campo estéril, se deben utilizar varios equipos estériles y seguir una serie de normas. Deberá llevar una mascarilla y mangas estériles o una bata que le cubra desde la muñeca hasta 5 cm proximales al codo. Además, debe ponerse guantes estériles del tamaño adecuado, que se identifican mediante tallas numéricas en lugar de tallas de "pequeño" a "extragrande". Coloque paños estériles alrededor de la zona del procedimiento; todo lo que quede por debajo de los paños debe considerarse no estéril. Solo el personal y los artículos estériles pueden entrar en el campo estéril para garantizar que la zona permanezca estéril.

Debido a que puede no ser factible mantener un entorno estéril en la escena, debe practicar la asepsia médica para reducir el riesgo de contaminación e infección. Entre los ejemplos de asepsia médica se incluyen el lavado de manos, el uso de guantes y el mantenimiento del equipo lo más limpio posible. Por ejemplo, se dice que el sitio en la mano de un paciente que se limpió con yodo, clorhexideno o alcohol antes de colocar una vía intravenosa está "médicamente limpio".

Si abre el empaque de un catéter IV y este cae de manera inadvertida al suelo o entra en contacto con una superficie contaminada, deséchelo y obtenga un nuevo catéter IV. Si ya limpió el puerto de inyección del tubo IV en el que pretende inyectar el medicamento, pero toca inadvertidamente el puerto de inyección limpio, vuelva a limpiar antes de inyectar el medicamento. Siempre debe hacer un esfuerzo consciente por evitar la contaminación, ya sea al manipular el equipo, los suministros o al paciente.

Perlas de sabiduría

Además de asegurarse de que los medicamentos no han caducado ni se han contaminado, debe confirmar que se mantienen a las temperaturas recomendadas mientras están almacenados en su vehículo de emergencia. Algunos medicamentos se vuelven inactivos en condiciones extremas de calor o frío. El prospecto de envase de cada medicamento le proporcionará esta información.

Antisépticos y desinfectantes

Los **antisépticos** se utilizan para limpiar una zona antes de realizar un procedimiento invasivo, como una terapia IV o la administración de medicamentos. Aunque los antisépticos son capaces de destruir patógenos, no son tóxicos para los tejidos vivos. El alcohol isopropílico (alcohol para fricciones), el yodo y el gluconato de clorhexidina al 2% (ChloraPrep) son los antisépticos que utilizará con más frecuencia sobre el terreno.

Los **desinfectantes**, a diferencia de los antisépticos, son tóxicos para los tejidos vivos; por lo tanto, nunca debe utilizarlos en un paciente. Use desinfectantes solo en objetos no vivos, como el interior de la ambulancia, las hojas del laringoscopio y otros equipos no desechables.

Precauciones habituales y eliminación de equipos contaminados

La primera regla de las precauciones habituales es tratar cualquier líquido corporal como potencialmente infeccioso. En el capítulo 2, *Seguridad y bienestar del personal*, se tratan estos principios en detalle.

Eliminación de equipos contaminados

Una vez que un catéter IV o una aguja ha penetrado en la piel de un paciente, está contaminado. Los pinchazos accidentales son cada vez menos frecuentes gracias a las precauciones habituales y a los diseños de agujas que tienen en cuenta la seguridad, pero siguen siendo una de las principales causas de transmisión de enfermedades en el entorno de la atención médica.[5] Manipule siempre con cuidado el equipo contaminado y deséchelo de forma inmediata y adecuada. Los objetos **punzocortantes** incluyen agujas y catéteres IV, intramusculares (IM) y subcutáneos, bisturís, ampollas o viales rotos y cualquier otro objeto que pueda penetrar o lacerar la piel.

Deseche de inmediato todos los objetos punzocortantes en un contenedor a prueba de pinchazos que lleve el logotipo de riesgo biológico, **FIGURA 11-2**. Los contenedores de objetos punzocortantes deben ser fácilmente accesibles para reducir al mínimo el tiempo dedicado a manipular agujas, catéteres y otros objetos punzocortantes, **FIGURA 11-3**. Además, debe incluir un recipiente más pequeño para objetos punzocortantes en su botiquín o caja de medicamentos para permitir la eliminación inmediata de estos mientras no se encuentre en el vehículo de emergencia. En el **CUADRO 11-1** se incluyen algunas prácticas seguras que minimizarán el riesgo de pinchazos accidentales.

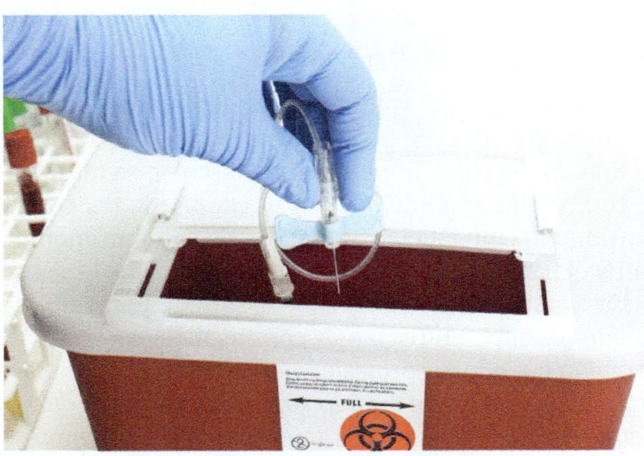

FIGURA 11-2 Deseche siempre los objetos punzocortantes o ensangrentados en un recipiente a prueba de pinchazos.

Composición y estado de los líquidos celulares

Composición de los líquidos corporales

El cuerpo humano está compuesto en su mayor parte por agua, la cual proporciona el medio en el que tienen lugar las reacciones químicas necesarias para la vida, como se describe en el capítulo 6, *Anatomía y fisiología*. El cuerpo sano mantiene un delicado equilibrio entre la ingesta y la eliminación de líquidos y electrólitos, lo que garantiza que el medio interno permanezca relativamente constante. Sin embargo, el cuerpo enfermo o lesionado puede ser incapaz de mantener la homeostasis, y pueden producirse excesos o déficits de líquidos y electrólitos. Como paramédico, debe saber cuándo se indican los líquidos IV, qué

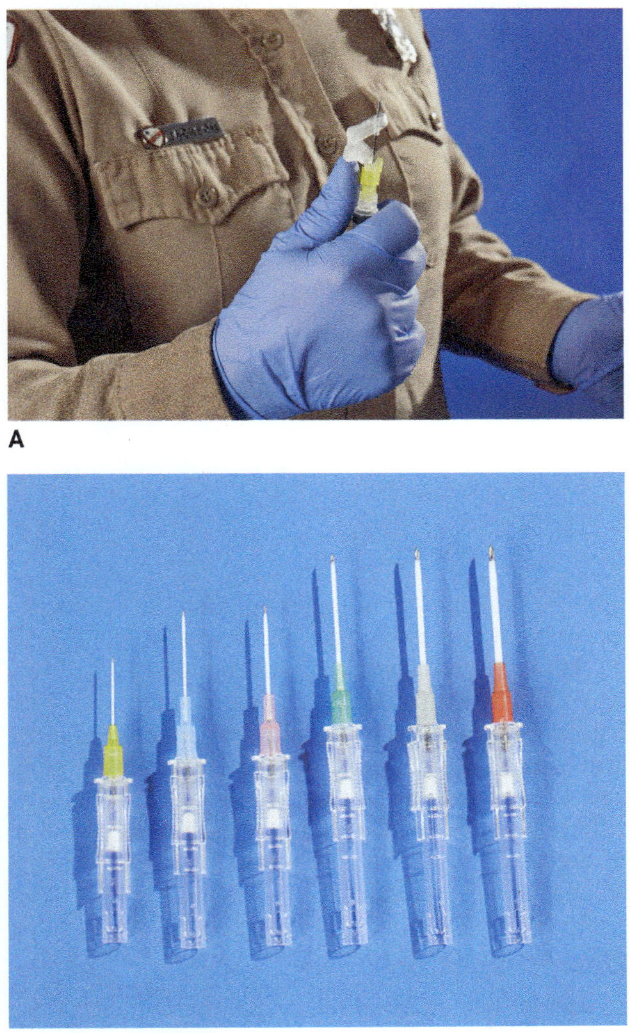

A

B

FIGURA 11-3 Aguja hipodérmica de seguridad **(A)** y catéteres intravenosos de seguridad **(B)**.

CUADRO 11-1 Minimización del riesgo de punción con aguja

Utilice agujas de punta roma cuando extraiga medicamento de viales o lo infunda directamente en una solución IV.

Utilice un sistema de administración sin aguja para que esta se "encapsule" sola, lo que reducirá en gran medida el riesgo de punción.

Deseche de inmediato todos los objetos punzocortantes en un contenedor a prueba de pinchazos. *No* tire los objetos punzocortantes al piso para su posterior eliminación, y *no* intente volver a tapar una aguja y una jeringa antes de depositarlas en el contenedor para objetos punzocortantes. Incluso si utiliza una aguja o una vía IV que se retrae automáticamente, debe desecharla en un contenedor para objetos punzocortantes.

Siempre que sea posible, realice los procedimientos invasivos en la escena. Si el estado del paciente justifica la colocación de una vía IV o la administración de un medicamento de camino al hospital, *extreme las precauciones*. Aunque la mayoría de los paramédicos se vuelven expertos en la colocación de vías intravenosas en la parte trasera de una ambulancia en movimiento, tal vez sea necesario que su compañero detenga brevemente la ambulancia, sobre todo si viaja en terreno accidentado.

Vuelva a colocar las agujas *solo* como último recurso. Si debe volver a tapar una aguja, utilice la técnica de una mano: coloque la tapa de la aguja sobre una superficie fija y, a continuación, deslice la aguja con una mano hacia el interior de la tapa.

Abreviatura: IV, intravenosa.

tipos de líquidos se requieren en diferentes situaciones y cuándo pueden ser peligrosos los líquidos IV.

Una persona sana pierde alrededor de 2 a 2.5 L de líquido al día a través de la diuresis, los pulmones (exhalación) y la piel. Estas pérdidas se reponen mediante la ingesta de líquidos y de nutrientes que se convierten parcialmente en agua en su metabolismo. En caso de enfermedad, pueden producirse estados anormales de hidratación en los que se pierde el equilibrio entre la ingesta y la eliminación.

Deshidratación

La **deshidratación** se define como un volumen de líquido sistémico total inadecuado. Por lo regular es una condición crónica de pacientes jóvenes y mayores y puede tardar días en manifestarse. A medida que se produce la pérdida de líquido del compartimento vascular, el cuerpo reacciona desplazando líquido intersticial hacia la zona vascular; el líquido también se desplaza de los compartimentos intracelular a extracelular. El resultado de estos movimientos de líquido es un déficit total de líquido sistémico.

Los signos y síntomas de la deshidratación incluyen alteración del nivel de conciencia, hipotensión ortostática, taquipnea, sequedad de las mucosas, disminución de la diuresis, taquicardia, escasa turgencia cutánea y piel enrojecida y seca. Las causas de deshidratación incluyen diarrea, vómito, drenaje gastrointestinal, infecciones, trastornos metabólicos como la cetoacidosis diabética, hemorragia, emergencias ambientales, dieta alta en cafeína e ingesta insuficiente de líquidos.

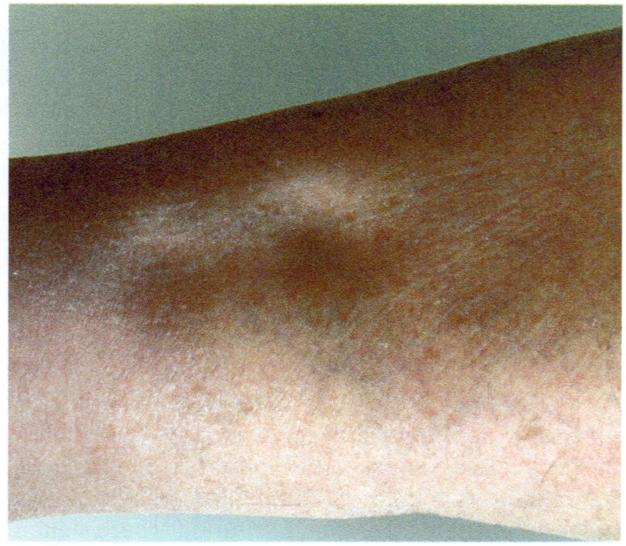

FIGURA 11-4 Un signo de acumulación de líquido es el edema con fóvea, que se muestra en este paciente. Este edema se produce cuando se presiona la piel con un dedo y queda una hendidura después de retirarlo, como se ve aquí.

Sobrehidratación

Cuando aumenta el volumen total de líquido sistémico del organismo, se produce una **sobrehidratación**. El líquido llena el compartimento vascular, se filtra en el compartimento intersticial y es expulsado del compartimento intersticial saturado al compartimento intracelular. Esta acumulación de líquido puede conducir a la muerte, **FIGURA 11-4**. La sobrehidratación se puede producir en pacientes con insuficiencia renal y también cuando los profesionales de la salud administran una cantidad de líquido superior a la que el organismo puede excretar. Los neonatos (niños menores de 1 mes) también son más propensos a la sobrehidratación porque sus riñones aún no están por completo desarrollados.

Los signos y síntomas de la sobrehidratación incluyen dificultad respiratoria, párpados hinchados, edema, poliuria, crepitantes húmedos (antes llamadas estertores) y aumento marcado de peso. Las causas de la sobrehidratación incluyen vías IV no monitoreadas (en pacientes pediátricos), insuficiencia renal, intoxicación por agua en deportes de resistencia e hipoventilación prolongada.

Perlas de sabiduría

El signo primordial de la sobrehidratación es el edema.

Composición de los líquidos IV

El uso de líquidos IV puede alterar de manera significativa la condición del paciente y facilitar su tratamiento. Cada bolsa de solución IV debe ser estéril y segura; por lo tanto, cada bolsa se esteriliza individualmente, **FIGURA 11-5**.

El plasma humano contiene una variedad de electrólitos, como se explica en el capítulo 7, *Fisiopatología.* Los compuestos e iones disueltos en las soluciones IV son idénticos a los que se encuentran en el cuerpo, aunque sus concentraciones pueden variar. En el **CUADRO 11-2** se incluye la composición electrolítica de diversos líquidos IV.

El sodio se utiliza como referencia para calcular la tonicidad de una solución. La concentración de sodio en las células del cuerpo es de alrededor de 0.9%. Por lo tanto, la alteración de dicha concentración en la solución IV puede hacer que el agua entre o salga de cualquier compartimento de líquidos del cuerpo.

Al seleccionar la solución IV adecuada para un paciente, es vital comprender cómo funcionan los electrólitos. Los niveles de electrólitos de un paciente pueden alterarse como resultado de vómito excesivo, diarrea, problemas dietéticos, medicamentos (tomados regularmente o administrados por el personal del SEM), pérdida de sangre o una variedad de otras lesiones. Comprender la función de cada electrólito y el cuadro clínico que puede encontrarse si un paciente tiene una cantidad excesiva o insuficiente de un electrólito le ayudará a seleccionar la solución IV adecuada.

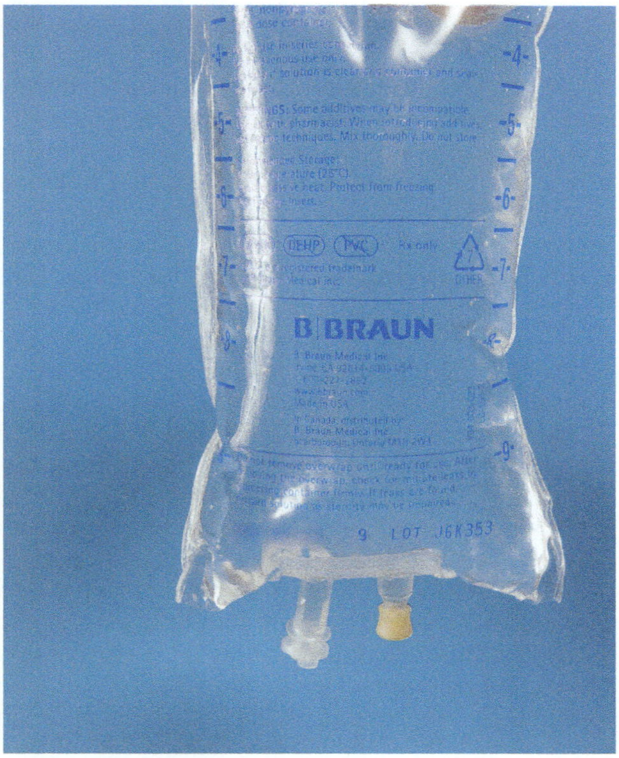

FIGURA 11-5 Cada bolsa de solución intravenosa debe ser estéril, no tener fugas, ser transparente y no estar caducada.

CUADRO 11-2 Composición electrolítica de los líquidos intravenosos

Líquido	Sodio (Na) mEq/L	Cloruro (Cl) mEq/L	Potasio (K) mEq/L	Calcio (Ca) mEq/L	Magnesio (Mg) mEq/L
Plasma humano	135-145	95-105	3.5-5	8-10.5	1.5-2.5
Cloruro de sodio al 0.45%	77	77	0	0	0
Cloruro de sodio al 0.9%	154	154	0	0	0
Cloruro de sodio al 3.0%	513	513	0	0	0
Lactato de Ringer	130	109	4	3	0

Tipos de soluciones IV

En función de sus componentes disueltos o composición, las soluciones IV se clasifican en cristaloides o coloides. Con base en su tonicidad, también se clasifican en isotónicas, hipotónicas o hipertónicas. Los líquidos IV utilizan combinaciones de estas soluciones para crear los efectos deseados dentro del cuerpo.

Soluciones cristaloides

Las **soluciones cristaloides** son cristales disueltos (p. ej., sales o azúcares) en agua. La capacidad de estos líquidos para atravesar las membranas y alterar los niveles de líquidos los convierte en la mejor opción para la atención prehospitalaria de pacientes lesionados que necesitan reposición de líquidos corporales. Cuando se utiliza una **solución cristaloide isotónica** para la reposición de líquidos a fin de mantener la presión arterial (PA) luego de una pérdida de sangre, el objetivo es administrar suficiente líquido para mantener la perfusión y seguir proporcionando eritrocitos oxigenados al corazón, el cerebro y los pulmones. Antes, la regla de reposición recomendada solía ser de 3 ml de solución cristaloide isotónica para sustituir 1 ml de sangre del paciente. Esta cantidad se recomendaba porque alrededor de dos tercios de la solución cristaloide isotónica infundida abandonan los espacios vasculares más o menos en 1 hora. Sin embargo, ahora se reconoce que con una pérdida significativa de sangre, el líquido de reemplazo óptimo es idealmente lo más cercano posible a la sangre completa, empezando con la administración de un paquete de eritrocitos y plasma en una proporción de 1:1 o 1:2.

Cuando se repone la pérdida de volumen de un paciente, es imprescindible recordar que las soluciones cristaloides no transportan oxígeno. Los bolos de líquido se deben administrar según proceda en función del diagnóstico probable para mantener la perfusión, mas no para restablecer la PA al nivel normal del paciente. Aumentar demasiado la PA con soluciones IV no solo diluye el volumen de sangre restante, disminuyendo así la proporción de hemoglobina en este volumen, sino que, en caso de shock hemorrágico, también puede aumentar la hemorragia interna al interferir con la **hemostasia**, que es el mecanismo interno de coagulación sanguínea del organismo. La PA se debe procurar mantener en 90 mm Hg sistólica en adultos, a menos que el protocolo local indique lo contrario.[6]

Perlas de sabiduría

En pacientes que sufren traumatismos, las soluciones cristaloides isotónicas como la solución salina normal y la solución de Lactato de Ringer (LR) reemplazan la pérdida de volumen, pero no transportan oxígeno. Reemplace la pérdida de volumen para mantener la perfusión, pero reconozca la necesidad de administración de hemoderivados y cirugía. La reanimación con líquidos no debe tener prioridad sobre el transporte rápido.

Soluciones coloides

Las **soluciones coloides** contienen moléculas (por lo regular proteínas) que son demasiado grandes para atravesar las membranas capilares y, por lo tanto, permanecen en el sistema vascular. Estas moléculas proteicas de gran tamaño confieren a las soluciones coloides una osmolaridad elevada. Como resultado, atraen líquido de los compartimentos intersticial e intracelular a los compartimentos vasculares. Las soluciones coloides funcionan bien para reducir el edema (p. ej., edema pulmonar o cerebral) al tiempo que expanden el compartimento vascular. Sin embargo, si no se administran de forma controlada, también pueden provocar cambios drásticos de líquidos y poner en peligro al paciente. Por esta razón, junto con su corta duración de acción y su baja relación de costo y beneficio en el ámbito prehospitalario, rara vez se utilizan los coloides en medicina prehospitalaria, pero se puede dar en traslados entre centros. Algunos ejemplos de soluciones coloides son la albúmina, el dextrano, el plasmanato y el hetastarch (Hespan).

Tonicidad de la solución

Como ya se ha mencionado, las soluciones IV también se clasifican por su tonicidad. Existen tres categorías relacionadas con la tonicidad:

- *Isotónica:* cloruro de sodio al 0.9% (nivel de sodio plasmático normal), LR
- *Hipotónica:* dextrosa al 5% en agua (**D_5W**) (considerada isotónica, pero se vuelve hipotónica cuando se administra)
- *Hipertónica:* solución salina al 3%, hemoderivados, albúmina

Los efectos de la presión osmótica sobre una célula se denominan tonicidad de la solución. La tonicidad es la concentración de sodio en una solución y el movimiento del agua en relación con los niveles de sodio dentro y fuera de la célula:

- Una **solución isotónica** tiene la misma concentración de sodio que la célula. En este caso, el agua no se desplaza y no se produce ningún cambio en la forma de la célula.

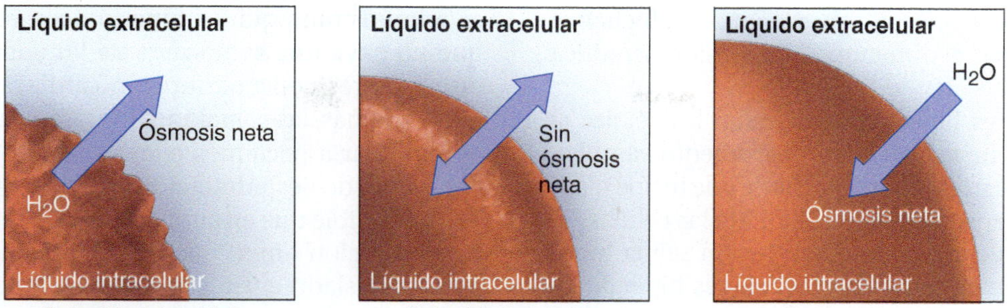

FIGURA 11-6 Movimiento de líquidos con soluciones hipertónicas, isotónicas e hipotónicas.

- Una **solución hipertónica** tiene una concentración de sodio mayor que la de la célula. El agua sale de la célula y esta puede colapsar por el aumento de la presión osmótica extracelular.
- Una **solución hipotónica** tiene una concentración de sodio inferior a la de la célula. El agua entra en la célula, que se hincha y puede reventar por el aumento de la presión osmótica intracelular.

En la **FIGURA 11-6** se ilustra el movimiento de líquidos a través de una membrana celular como resultado de soluciones hipertónicas, isotónicas e hipotónicas. Los líquidos IV introducidos en el sistema circulatorio pueden afectar la tonicidad del líquido extracelular, lo que puede tener graves consecuencias si no se tiene cuidado.

Soluciones isotónicas

Las soluciones isotónicas, como la **solución salina normal** (cloruro de sodio al 0.9%), tienen casi la misma **osmolaridad** (concentración de sodio) que el suero y otros líquidos corporales. En consecuencia, las soluciones isotónicas expanden el contenido del compartimento intravascular sin desplazar líquido hacia o desde otros compartimentos ni cambiar la forma celular, una consideración importante cuando se atiende a pacientes hipotensos o hipovolémicos. Al administrar soluciones isotónicas, hay que tener cuidado de evitar la sobrecarga de líquidos. Los pacientes con hipertensión e insuficiencia cardíaca corren el mayor riesgo de sufrir este problema.

La **solución Lactato de Ringer (LR)** por lo general se utiliza en la escena en pacientes con pérdidas de sangre importantes. Como su nombre indica, contiene lactato, que se metaboliza en el hígado para formar bicarbonato, el tampón clave que combate la acidosis intracelular asociada a la pérdida grave de sangre. La solución LR no se debe administrar a pacientes con problemas hepáticos porque no pueden metabolizar el lactato. Esta solución isotónica no ha demostrado un beneficio abrumador sobre la solución salina normal para la reanimación con líquidos. La LR está contraindicada durante las transfusiones de hemoderivados porque el calcio se une a los **anticoagulantes** añadidos a la sangre transfundida, creando un posible coágulo sanguíneo. La LR también se contraindica en pacientes que reciben infusiones de manitol, metilprednisolona, nitroglicerina, nitroprusiato, norepinefrina, procainamida y propranolol.

> **Perlas de sabiduría**
>
> Al tratar a pacientes con hipertensión e insuficiencia cardíaca, administre líquidos con precaución. La reevaluación frecuente de los ruidos pulmonares y del trabajo respiratorio puede evitar que el paciente desarrolle una sobrecarga de líquidos.

La D_5W (dextrosa al 5% en agua) es un tipo único de solución isotónica. Mientras permanece en la bolsa, se considera una solución isotónica. Sin embargo, una vez administrada, la dextrosa se metaboliza rápidamente y la solución se vuelve hipotónica. La D_5W rara vez se administra sola; es decir, por lo regular se administra mientras se preparan infusiones de medicamentos como dopamina (Intropin) o amiodarona (Cordarone).

Soluciones hipotónicas

Una solución hipotónica tiene una concentración de sodio (osmolaridad) inferior a la del suero celular. Cuando este líquido entra en el compartimento vascular, empieza a diluir el suero. Pronto, la osmolaridad del suero es menor que la del líquido intersticial, y el agua sale del compartimento vascular y entra en el compartimento del líquido intersticial. Finalmente, este proceso se repite y el agua sale del compartimento intersticial y entra en las células del compartimento intersticial. Por último, las células que se sobrellenan se hinchan y quizás estallan por el aumento de la presión osmótica intracelular.

Las soluciones hipotónicas hidratan las células al mismo tiempo que vacían el compartimento vascular. Pueden ser necesarias para un paciente que recibe diálisis cuando la terapia diurética deshidrata las células. Se pueden usar soluciones como la solución salina hipotónica para el tratamiento de condiciones hiperglucémicas como la cetoacidosis diabética, en la que los altos niveles de glucosa sérica extraen líquido de las células y lo llevan a los compartimentos vascular e intersticial.

Las soluciones hipotónicas pueden causar un desplazamiento repentino de líquido del espacio intravascular a las células, lo que provoca un colapso cardiovascular y un aumento de la presión intracraneal por el desplazamiento de líquido a las células cerebrales. Por ejemplo, la administración de D_5W durante un periodo prolongado puede aumentar la presión intracraneal. Esto hace que las soluciones hipotónicas sean peligrosas para los pacientes con accidente vascular cerebral o cualquier traumatismo craneal. La administración de estas soluciones a pacientes con quemaduras, traumatismos, desnutrición o enfermedades hepáticas también es peligrosa porque ellos corren el riesgo de desarrollar un **tercer espaciamiento**, un desplazamiento anormal de líquido hacia los revestimientos serosos del cuerpo.

Una solución hipotónica que puede verse es el cloruro de sodio al 0.45%, por lo regular conocida como solución salina seminormal. Rara vez se administra en el ámbito prehospitalario; puede administrarse durante el traslado interno de pacientes con niveles normales de sodio pero que necesitan reposición de líquidos.

Soluciones hipertónicas

Una solución hipertónica tiene una osmolaridad superior a la del suero, lo que significa que la solución tiene una **concentración iónica** superior a la del suero y extrae líquido y electrólitos de los compartimentos intracelular e intersticial hacia el compartimento intravascular. El peligro es que las células pueden colapsarse por el aumento de la presión osmótica extracelular. Las soluciones hipertónicas desplazan los líquidos corporales a los espacios vasculares y ayudan a estabilizar la PA, aumentar la diuresis y reducir el edema. Estos líquidos rara vez se utilizan en el ámbito prehospitalario, pero es habitual encontrarlos durante los traslados entre centros. Se puede utilizar una elevada concentración de electrólitos de las soluciones hipertónicas para diversos problemas.

En muchas ocasiones, el término "hipertónico" se utiliza para referirse a soluciones que contienen altas concentraciones de proteínas. Estas proteínas tienen el mismo efecto sobre el líquido que el sodio. Cuando se administran líquidos hipertónicos, se debe cuidar que no haya una sobrecarga de líquidos, en especial en pacientes con una función cardíaca o renal alterada. Además, las soluciones hipertónicas no se deben administrar a pacientes con cetoacidosis diabética o con riesgo de deshidratación celular.

Es posible que en sus protocolos del SEM encuentre la solución hipertónica de cloruro de sodio al 3% para el traslado entre centros. Debido a los cambios de líquidos que se producen por los movimientos del sodio, se administra cloruro de sodio al 3% a pacientes con lesiones cerebrales traumáticas graves. Se utiliza como medida temporal para extraer líquido y reducir la presión intracraneal hasta que el paciente pueda ser llevado a neurocirugía.

Soluciones que transportan oxígeno

El mejor líquido para sustituir la pérdida de sangre es la sangre completa. A diferencia de las soluciones cristaloides y coloides, la sangre completa contiene hemoglobina, que transporta oxígeno a las células del organismo. En ocasiones (p. ej., transportes aeromédicos, incidentes con múltiples víctimas), se puede administrar sangre O negativo (el tipo de sangre universalmente compatible) fuera de un entorno hospitalario. Sin embargo, debido a sus requisitos de refrigeración y otros problemas de almacenamiento, el uso general de sangre completa no es práctico en el ámbito prehospitalario.

Se está investigando un sustituto sintético de la sangre. Los sustitutos sanguíneos de perfluorocarbono (PFC) son productos sintéticos derivados de sustancias químicas que contienen flúor y carbono. Los PFC pueden disolver grandes cantidades de gases, como el oxígeno, pero deben emulsionarse antes de su administración a los pacientes porque no se mezclan con la sangre. Aunque los primeros ensayos clínicos de estos productos resultaron prometedores, se interrumpieron porque los pacientes que recibían PFC mostraban un mayor riesgo de efectos adversos que los que recibían sangre de donante. En junio de 2020, se interrumpieron los ensayos clínicos de transportadores de oxígeno basados en hemoglobina debido a problemas de seguridad.[7] Hasta la fecha, la *Food and Drug Administration* de Estados Unidos no ha aprobado el uso de ningún sustituto de sangre transportador de oxígeno.

Técnicas IV y su administración

Intravenoso (IV) significa "dentro de una vena". La **terapia intravenosa** implica la canalización de una vena con un catéter para tener acceso al sistema vascular del paciente. Es una de las muchas técnicas invasivas que realizará como paramédico. La **canalización venosa periférica** consiste en canalizar venas de la periferia: es decir, venas que se pueden ver o palpar (p. ej., venas de la mano, el brazo o la extremidad inferior y la vena yugular externa).

Un punto fundamental por recordar acerca de la terapia intravenosa es que hay que mantener estéril el equipo intravenoso. La previsión y la atención a los detalles ayudarán a evitar errores mentales y de procedimiento al iniciar la VI. Una forma de garantizar una técnica adecuada es desarrollar una rutina para ensamblar el equipo apropiado.

Ensamble del equipo

Para evitar retrasos y la contaminación de la vía IV, reúna y prepare todo el equipo antes de iniciar una vía IV. En algunos casos, las condiciones del paciente pueden dificultar la preparación completa, por lo que es fundamental trabajar en equipo. Muchas veces, los miembros de su propio equipo, anticipándose a sus necesidades, pueden reunir el equipo IV necesario. Aunque los procedimientos varíen de un servicio a otro, la mayoría de los servicios preparan los suministros en su kit IV. En la **FIGURA 11-7** se presentan algunas variaciones del siguiente equipo:

- Torniquete sin látex
- Toallitas o aplicadores antisépticos
- Gasas
- Cinta o venda adhesiva
- Apósito de poliuretano transparente
- Catéter IV de tamaño adecuado
- Juego de extensión IV
- Suero fisiológico
- Juego de administración y líquido IV correspondiente a la condición del paciente
- Contenedor para objetos punzocortantes

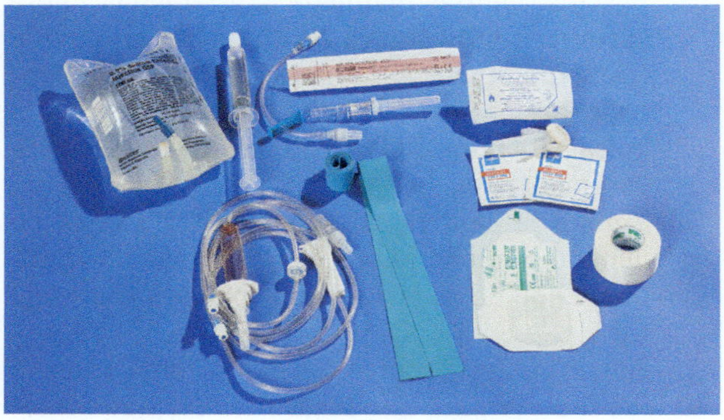

FIGURA 11-7 Equipo intravenoso.

Elección de una solución IV

Cuando elija la solución IV más adecuada, debe identificar las necesidades del paciente. Hágase las siguientes preguntas:

- ¿El estado del paciente es crítico?
- ¿El estado del paciente es estable?
- ¿El paciente necesita reposición de líquidos?
- ¿Necesita medicamento?
- ¿Tiene el paciente alguna enfermedad preexistente (p. ej., insuficiencia renal) que pueda impedir o modificar la elección del tratamiento IV estándar?

En el entorno prehospitalario, la elección de la solución IV por lo regular se limita a dos cristaloides isotónicos: solución salina normal y solución LR. La solución D_5W con frecuencia se utiliza para administrar medicamentos, ya que la dextrosa puede alterar los niveles de líquidos y electrólitos en el cuerpo.

Cada bolsa de solución IV se envuelve en una bolsa de plástico estéril protectora y se garantiza que permanecerá estéril hasta la fecha de caducidad indicada. Una vez rota y retirada la envoltura protectora, la solución IV se debe utilizar en un plazo de 24 horas. Cada bolsa para infusión IV tiene dos puertos: un puerto de inyección para los medicamentos y un **puerto de acceso** para conectar el equipo de administración. Un conector flexible extraíble protege el puerto de acceso estéril. Una vez que se retira el conector flexible, la bolsa se debe utilizar de inmediato o desecharse.

Las bolsas de solución IV están disponibles en varios volúmenes de líquido, **FIGURA 11-8**. Los volúmenes

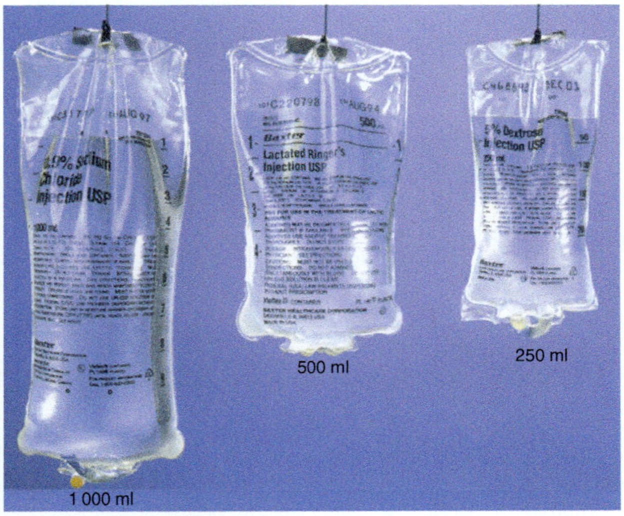

FIGURA 11-8 Las bolsas de solución intravenosa vienen en diferentes volúmenes de líquido.

utilizados habitualmente en hospitales son 1000, 500, 250, 100 y 50 ml; los volúmenes prehospitalarios más comunes son 1 000 y 500 ml. Los volúmenes más pequeños (250 y 100 ml) por lo regular contienen D_5W o solución salina y se utilizan para mezclar y administrar infusiones de medicamentos de mantenimiento.

Elección de un equipo de administración

Un **equipo de administración** traslada el líquido de la bolsa para infusión intravenosa al sistema vascular del paciente. Los equipos de administración IV son estériles mientras permanezcan en su empaque protector. Cada juego contiene una **punta de perforación** protegida por una cubierta de plástico. Una vez que la punta queda al descubierto y se rompe el sello de la tapa, el equipo se debe utilizar de inmediato o desecharse.

En la mayoría de los goteros, un número en el envase indica el número de gotas necesarias para que 1 mililitro de líquido pase a través del orificio y dentro de la **cámara de goteo**, **FIGURA 11-9**. Los equipos de administración vienen en dos tamaños principales: microgoteo y macrogoteo. Los **equipos de microgoteo** permiten que 60 **gtt** (gotas) por mililitro (ml) pasen a través del orificio en forma de aguja dentro de la cámara de goteo. Son ideales para la administración de medicamentos o líquidos pediátricos, ya que es fácil controlar el flujo de líquidos. Los **equipos de macrogoteo** permiten el paso de 10 o 15 gtt/ml a través de una gran abertura entre la punta de perforación y la cámara de goteo. Se utilizan mejor para la reposición rápida de líquidos. Algunos equipos de goteo permiten que el usuario marque la velocidad de goteo deseada a 10, 15 o 60 gotas.

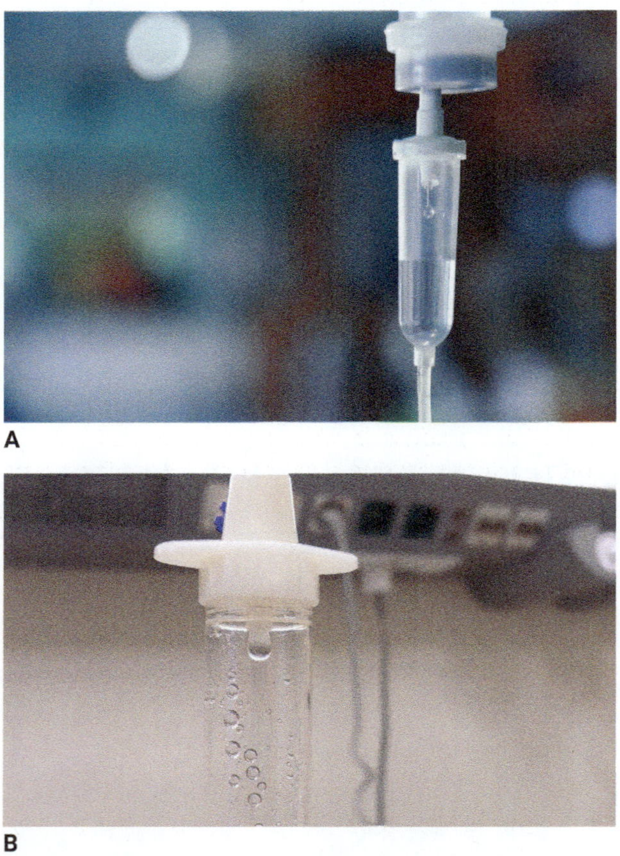

FIGURA 11-9 El empaque de un equipo de goteo para administración IV contiene un número que hace referencia al número de gotas que se necesitan para que 1 ml de líquido pase a través del orificio a la cámara de goteo. Aquí se muestran un microgotero **(A)** y un macrogotero **(B)**.

A: © Amornrat Phuchom/iStock/Getty Images Plus/Getty Images; B: © maradek/Shutterstock.

Preparación de un equipo de administración

Después de elegir el equipo de administración IV y la bolsa de solución IV, verifique la fecha de caducidad de la solución y compruebe su claridad. A continuación, prepárese para perforar la bolsa con el equipo de administración. Los pasos para perforar la bolsa son los siguientes:

1. Tome las precauciones habituales. Asegúrese de que dispone de la solución adecuada, de que esta es transparente y no ha caducado, y de que están colocadas las tapas protectoras del puerto.
2. Asegúrese de haber elegido el nivel de goteo correcto para el equipo de administración, de que el tubo no está enredado, de que hay cubiertas protectoras en ambos extremos y compruebe que la abrazadera de flujo está del todo arriba de la cámara de goteo y cerrada.
3. Retire la cubierta protectora que se encuentra en el extremo de la bolsa para infusión IV mientras mantiene la estabilidad. Esta bolsa debe estar sellada en este punto y no tendrá fugas hasta que la punta de perforación agujere este puerto. Mientras mantiene la estabilidad, retire la cubierta protectora de la punta de perforación (recuerde que esta punta está estéril y ¡es punzocortante!) y deslice la punta en el puerto de la bolsa para infusión IV hasta que quede asentada contra la bolsa, **FIGURA 11-10**.
4. Apriete la cámara de goteo hasta la línea de llenado de la cámara y, a continuación, introduzca líquido en la línea para expulsar el aire del tubo.
5. Gire la cubierta protectora del extremo opuesto del tubo IV para que salga el aire. No retire todavía esta cubierta ya que mantiene estéril el extremo del tubo hasta que se necesite. Deje

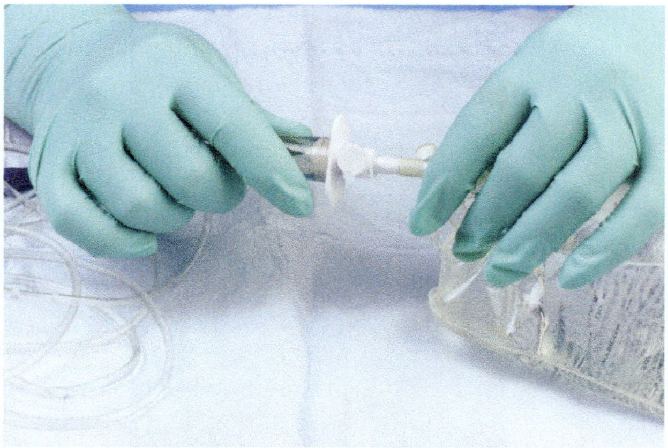

FIGURA 11-10 Perforación de la bolsa de solución intravenosa.

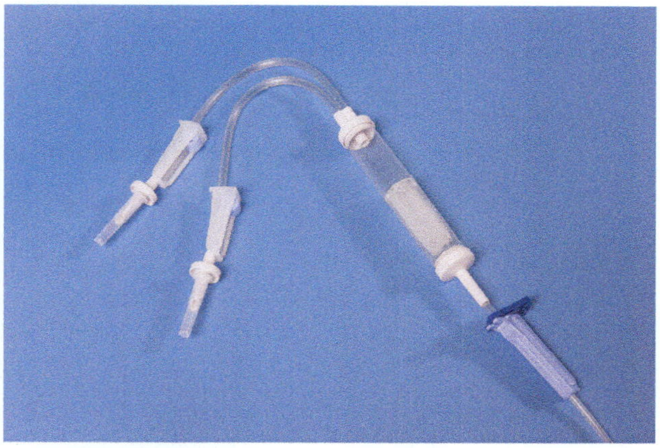

FIGURA 11-11 La mayoría de los equipos de sangre contienen picos de doble perforación que permiten utilizar dos bolsas de líquido al mismo tiempo para el mismo paciente.

que el líquido fluya hasta que se eliminen las burbujas de aire de la línea y, a continuación, gire la rueda de la pinza de rodillo para detener el flujo o ajuste la velocidad de goteo según la dosis requerida.

6. A continuación, vuelva a comprobar la cámara de goteo; debe estar llena solo hasta la mitad. El nivel de líquido debe ser visible para calcular la velocidad de goteo. Si el nivel de líquido es demasiado bajo, apriete la cámara hasta que se llene. Si la cámara está demasiado llena, con la pinza de rodillo en la posición de cierre, invierta la bolsa y la cámara y apriete la cámara para vaciar el líquido de nuevo en la bolsa. Cuelgue la bolsa en un lugar adecuado, donde el extremo del tubo IV sea fácilmente accesible.

Otros equipos de administración

El **tubo de sangre** es un equipo de administración de macrogoteo diseñado para facilitar la rápida reposición de líquidos mediante la infusión manual de varias bolsas IV o combinaciones de reposición de sangre e IV. La mayoría de los equipos de administración de tubos de sangre contiene puntas de perforación dobles que permiten el uso simultáneo de dos bolsas de líquidos para el mismo paciente, **FIGURA 11-11**. La cámara central de goteo tiene un filtro especial diseñado para filtrar la sangre durante las transfusiones.

Es fundamental un control adecuado de los líquidos en los pacientes pediátricos y en determinados pacientes de edad avanzada. Un equipo de goteo llamado **Volutrol** (también llamado Buretrol o bureta) permite llenar una cámara de goteo calibrada de 100 o 200 ml con una cantidad específica de líquido y administrar solo esa cantidad, lo que ayuda a evitar una sobrecarga involuntaria de líquidos. Este tipo de equipo por lo regular se utiliza en pacientes pediátricos. Una pinza de rodillo proximal le permite cerrar la cámara de goteo de Volutrol desde la bolsa para infusión IV. Si el paciente necesita más líquido, basta con abrir la pinza de rodillo proximal y llenar el Volutrol con más líquido.

Selección de la vía IV

Es importante seleccionar la vena más apropiada para la inserción del catéter IV. En la **FIGURA 11-12** se muestran los lugares habituales para la inserción de catéteres IV. Evite las áreas de la vena que contengan válvulas y bifurcaciones, ya que el catéter no pasará fácilmente a través de estas áreas y la aguja puede causar daños en ellas. Las válvulas se reconocen como pequeñas protuberancias situadas en la vena. Las bifurcaciones son puntos en los que una vena puede dividirse en dos. Utilice los siguientes criterios para identificar una vena:

- Localice la sección de la vena con el aspecto más recto, **FIGURA 11-13**.
- Elija una vena que tenga un aspecto firme y redondo o que sea elástica a la palpación.
- Evite las zonas donde la vena cruza las articulaciones.
- Evite las extremidades edematosas, lesionadas, infectadas o paralizadas y cualquier extremidad con una fístula de diálisis o en el lado donde se realizó una mastectomía.

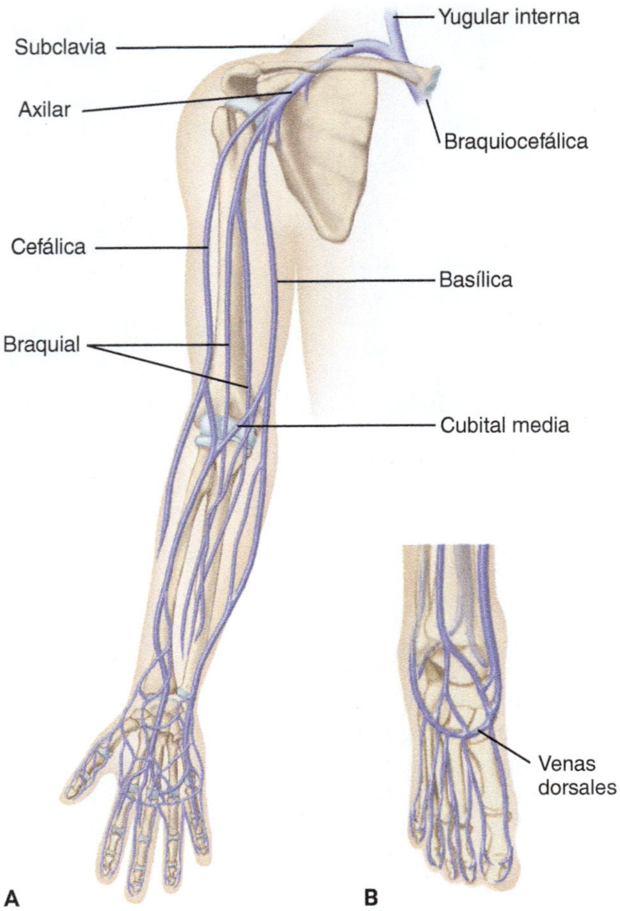

FIGURA 11-12 A. Los sitios intravenosos (IV) por lo común utilizados en la extremidad superior incluyen las venas braquial y cefálica en el brazo proximal, las venas radial y cubital en el brazo distal, las venas antecubitales que se encuentran anteriores al codo y las venas dorsales de las manos. **B.** Los puntos IV más utilizados en las extremidades inferiores incluyen las venas dorsales de los pies.

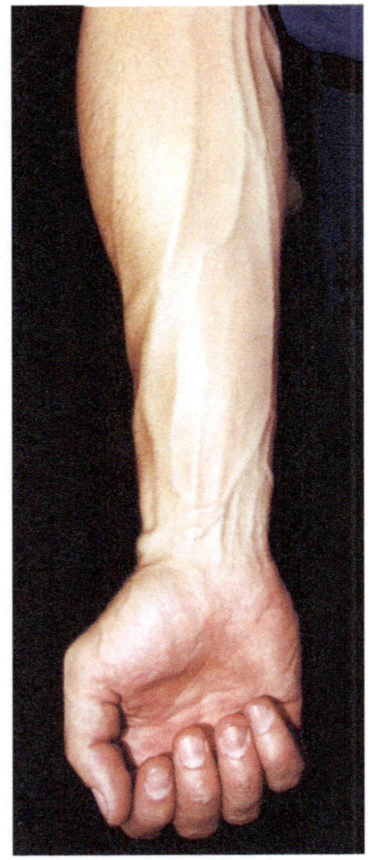

FIGURA 11-13 Busque venas que sean relativamente rectas y se retraigan al palparlas.

Perlas de sabiduría

Como regla general, debe comenzar distalmente y por la extremidad del paciente al abrir una vía IV. Para aquellos que necesitan una rápida reposición de líquidos, están en paro cardíaco o son hemodinámicamente inestables por otros motivos, utilice un sitio disponible con facilidad, como la vena antecubital. A diferencia de otras venas de las extremidades (p. ej., mano, antebrazo), esta vena por lo regular es visible y más fácil de palpar. Considere también canalizar una vena yugular externa u obtener un acceso IO en la pierna o el húmero.

Si se está administrando terapia IV para una enfermedad o lesión potencialmente mortal, la elección del lugar de administración con frecuencia se limita a las zonas que permanecen abiertas durante la hipoperfusión. De lo contrario, limite el acceso IV a las zonas más distales de las extremidades: *empiece distalmente; trabaje proximalmente.* Si la zona más distal se rompe o se infiltra, puede ascender por la extremidad hasta la siguiente zona adecuada. Debido a que una cánula fallida crea la posibilidad de fuga a los tejidos circundantes, cualquier líquido introducido justo debajo de una herida abierta tiene el potencial de entrar en el tejido y causar daños.

Las venas grandes y protuberantes del brazo pueden ser engañosas en cuanto a su facilidad de canalización. A menudo, estas venas abultadas se desplazan de un lado a otro durante el intento de canalización, lo que hace que no se llegue a la vena. Una solución es aplicar tracción manual a la vena para bloquearla en su posición y asegurarse de no insertar la aguja IV demasiado profundo. Las técnicas de tracción varían en función del lugar elegido para la canalización. Mantenga las venas de la mano en su sitio tirando de la piel sobre la vena con el pulgar de la mano libre mientras flexiona la mano del paciente,

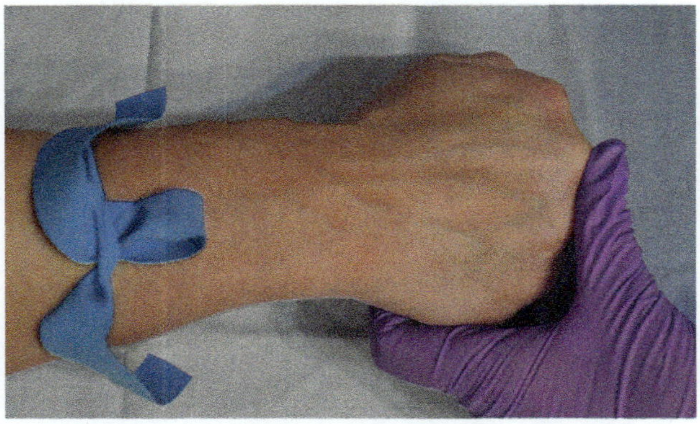

FIGURA 11-14 Mantenga las venas de la mano en su sitio tensando la piel sobre la vena con el pulgar de la mano libre mientras flexiona la mano del paciente.

FIGURA 11-14. Estabilice las venas de la muñeca flexionando la muñeca y tirando de la piel tensa sobre la vena. La aplicación de tracción lateral a la vena con la mano libre puede estabilizar las venas del antebrazo y las zonas **antecubitales**. La estabilización y canalización de la vena yugular externa requiere un enfoque diferente (que se describe más adelante en este capítulo).

De igual modo, se debe tener en cuenta la opinión del paciente a la hora de seleccionar un lugar para la vía IV, ya que él puede conocer un lugar que haya funcionado bien en el pasado y ser capaz de identificar lugares que sabe son problemáticos. Evite los intentos de insertar una vía IV en una extremidad si presenta signos de traumatismo o infección. Asimismo, ponga especial atención a las zonas de la vena que presenten **marcas**; por lo general son un signo de esclerosis causada por la canalización frecuente o la punción de la vena (p. ej., por el uso indebido de fármacos IV).

Los hospitales prefieren que las vías intravenosas se sitúen en zonas no articuladas, como la parte superior de la mano o el antebrazo. Esta preferencia puede tenerse en cuenta si se prevé una estancia prolongada del paciente en el servicio de urgencias (SU), la unidad de cuidados intensivos (UCI) o la unidad médico-quirúrgica. De lo contrario, el hospital puede volver a colocar la vía IV en una posición más conveniente. Si hay lesiones en una mano u otra parte de la extremidad, aplique la vía IV en el otro brazo para que no estorbe en los cuidados definitivos. Sin embargo, en situaciones críticas, es posible que no pueda tener en consideración estas cuestiones.

Algunos protocolos permiten la canalización IV de las venas de las piernas. Sin embargo, tenga cuidado cuando canalice venas en estas zonas porque pueden exponer al paciente a un mayor riesgo de **trombosis venosa** y posterior **embolia pulmonar**.

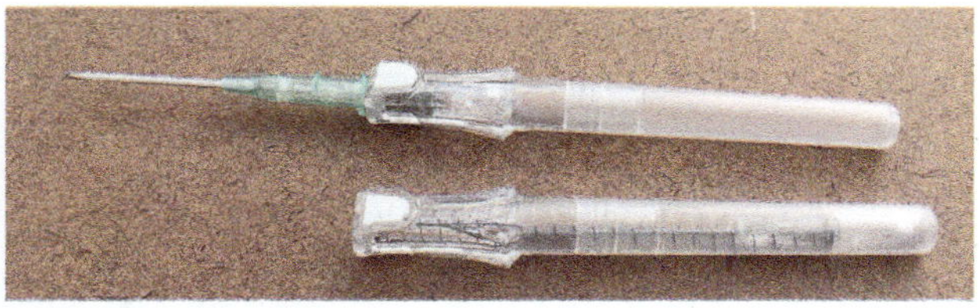

FIGURA 11-15 Un catéter sobre la aguja (aguja más catéter) y tapa de seguridad. Se muestra el catéter superior antes de la retracción de la aguja, y el catéter inferior después de la retracción.

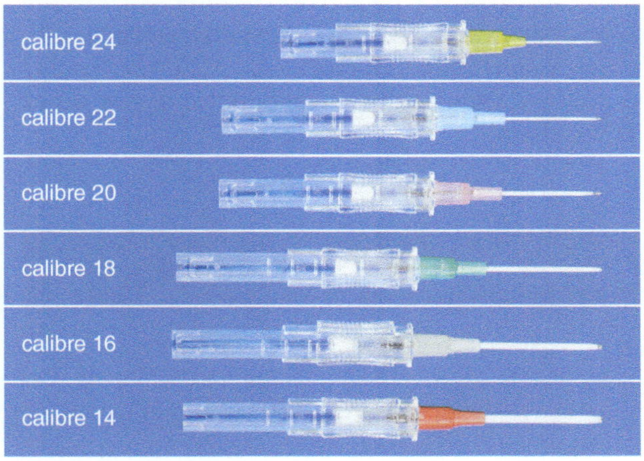

FIGURA 11-16 Observe la diferencia de tamaño de los catéteres.

Selección de un catéter intravenoso

La selección del catéter debe reflejar el propósito de la vía IV, la edad del paciente y la ubicación para la vía IV. Los tipos más utilizados en el ámbito prehospitalario son los catéteres sobre la aguja y los catéteres mariposa. Un **catéter sobre la aguja**, **FIGURA 11-15** es un catéter de teflón insertado *sobre* una aguja hueca (p. ej., Angiocath, Terumo, Jelco). Los catéteres sobre la aguja utilizan la retracción automática de la aguja después de la inserción para disminuir el riesgo de lesión accidental por una **punción contaminada**: un evento en el que un paramédico perfora la piel con el mismo catéter utilizado para canalizar la vena del paciente. La retracción de la aguja por lo regular se lleva a cabo con un mecanismo deslizante de bloqueo o un mecanismo deslizante accionado por resorte.

El tamaño de los catéteres con aguja se determina por su diámetro, que se denomina **calibre**, **FIGURA 11-16**. Cuanto menor es el calibre del catéter, mayor es su diámetro y mayor puede ser la velocidad de flujo. Así, un catéter de calibre 14 tiene un diámetro mayor que uno de calibre 22; el de calibre 14 es el mayor y el de calibre 27 es el menor. Cuanto mayor es el diámetro, más líquido se puede administrar a través del catéter. Las longitudes más comunes son 3 cm (1¼ pulgadas) y 6 cm (2¼ pulgadas). Aunque existen catéteres de calibre 10 y 12, los proveedores del SEM no los utilizan de manera habitual para el acceso vascular. Su presencia en el ámbito prehospitalario se reserva para la descompresión con aguja.

Seleccione el catéter de mayor diámetro que se adapte a la vena elegida o que resulte más adecuado y cómodo para el paciente. Un catéter de calibre 18 o 20 suele ser un buen tamaño para los adultos. En las venas metacarpianas de la mano por lo regular caben catéteres de calibre 18 o 20. En general, se debe utilizar un catéter calibre 18 cuando el paciente requiera reposición de líquidos (p. ej., para pacientes en shock hipovolémico).

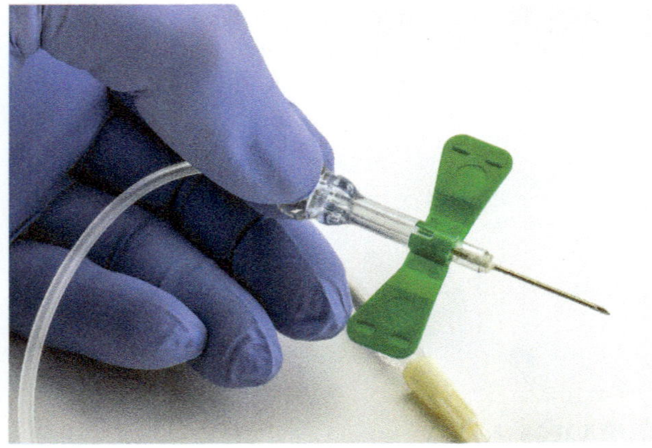

FIGURA 11-17 Las alas de un catéter mariposa facilitan su manipulación.

Perlas de sabiduría

Por lo regular, los hospitales prefieren disponer de un catéter de calibre 18 o mayor si los proveedores necesitan administrar hemoderivados o agentes de contraste IV (una tinción que se administra para mejorar la visión durante los estudios radiológicos). Sin embargo, no pierda tiempo intentando establecer una vía IV de ese tamaño si no ve una vena en la que quepa. Es posible que, si establece el acceso vascular utilizando un catéter de calibre 22, sea suficiente hasta que el hospital pueda insertar un catéter de mayor calibre. Si los proveedores del hospital no pueden obtener un acceso vascular de mayor calibre, pueden seguir utilizando la vía IV periférica de menor calibre (que se estableció antes de la llegada del paciente al hospital) para transfusiones de sangre u otras necesidades de tratamiento. En última instancia, debe obtener el mejor acceso vascular que pueda en su situación actual sin prolongar el tiempo en la escena.

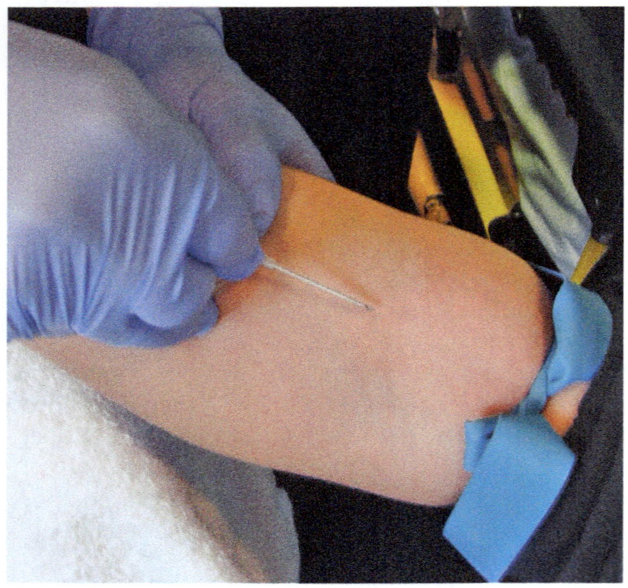

FIGURA 11-18 Mantenga el lado biselado del catéter hacia arriba al insertar la aguja en una vena.

Un **catéter mariposa** es una aguja hueca de acero inoxidable con dos alas de plástico para facilitar su manejo, **FIGURA 11-17**. Estos catéteres se emplean sobre todo en flebotomía, pero a veces se utilizan para la colocación de vías IV en venas del cuero cabelludo en pacientes pediátricos. Un intracatéter es un tubo que entra en el torrente sanguíneo con la aguja de punción. Se puede utilizar en el entorno hospitalario para la administración de medicamentos, la toma de muestras de sangre y el monitoreo hemodinámico. Aunque en su momento se utilizaron en el ámbito prehospitalario, en la actualidad apenas se emplean en este entorno.

Cómo insertar el catéter IV

Cada paramédico tiene una técnica única para insertar una vía IV, y usted debe observar muchas técnicas diferentes para determinar cuál le funciona mejor. No obstante, se aplican dos consideraciones para *cualquier* técnica:

1. Mantenga el lado biselado del catéter hacia arriba cuando inserte la aguja en una vena, **FIGURA 11-18**.
2. Mantenga una tracción adecuada sobre la vena durante la canalización.

En los kits de inicio IV se incluye un torniquete sin látex que parece una goma elástica larga, plana y de 3 cm de ancho. Aplique la banda restrictiva entre 10 y 20 cm por encima de la zona de venopunción prevista para permitir que la sangre llene las venas. Esta técnica permite que la presión vascular llene las venas de sangre por debajo de la banda, la cual debe estar lo suficientemente ajustada como para disminuir el flujo venoso, mas no debe obstaculizar el flujo arterial. La banda restrictiva se debe dejar colocada solo el tiempo necesario para completar la inserción IV, obtener muestras de sangre (de ser necesario) y conectar la vía. *No deje puesta la banda restrictiva mientras coloca el equipo intravenoso*; si lo hace, puede provocar que la vena se llene en exceso y se produzca un hematoma durante la venopunción. Algunos pacientes tienen piel y venas frágiles. El uso de una banda restrictiva o un abordaje agresivo del acceso IV en estas personas puede provocar el desgarro de la piel del paciente o que se "reviente" la vena prevista.

Las bandas restrictivas pueden ser difíciles de manejar, en especial cuando se llevan guantes. Debe desarrollar una técnica que le permita liberar la banda restrictiva con un pequeño tirón de un extremo.

En ocasiones, puede resultar difícil visualizar o palpar las vías IV. En tales casos, los proveedores sanitarios pueden optar por sustituir las bandas restrictivas por otro dispositivo que ejerza más presión, como un manguito de tensión arterial o una banda más gruesa y de mayor diámetro conocida como **drenaje de Penrose**.

Debido a que los centros receptores con frecuencia tienen requisitos específicos sobre qué soluciones al iniciar una vía IV en la escena constituyen una técnica aséptica, los proveedores sanitarios deben intentar descubrir con anterioridad dichas preferencias. Una vez seleccionado el lugar de inserción, límpielo de acuerdo con los protocolos locales o de la institución. No toque el sitio después de haberlo preparado. Si contamina la zona, tendrá que volver a limpiarla. Mientras mantiene la esterilidad, retire la aguja y el catéter IV del kit de inicio IV. Inspeccione la aguja en busca de rebabas u otras imperfecciones. Si no hay ninguna, afloje el conector del catéter con un movimiento giratorio para romper el sello. Por el contrario, si observa una imperfección, deseche la aguja IV y el catéter en un contenedor para objetos punzocortantes y seleccione otro. Tenga cuidado de no mover el catéter hacia arriba y abajo por el eje: al hacerlo puede desgarrar el catéter en la punta de la aguja, con el riesgo de un cizallamiento del catéter y el consiguiente embolismo de este.

Perlas de sabiduría

Una vez que se ha hecho avanzar un catéter sobre una aguja, ¡nunca, nunca, nunca tire de él hacia atrás!

Perlas de sabiduría

Las preferencias de las dependencias para la limpieza de una vía IV varían. La mayoría recomienda limpiar la zona desde el centro hacia el exterior con un movimiento circular. Algunas recomiendan un movimiento de vaivén en una zona amplia durante 30 segundos, y otras prefieren un patrón horizontal, luego vertical y luego circular antes de realizar una venopunción. En todos los casos, una vez limpia la zona, no la toque. Siga los protocolos institucionales.

Aplique una tracción suave hacia abajo o lateral en la piel sobre la vena (**tracción distal**) con la mano libre mientras sujeta el catéter, con el bisel hacia arriba, con la mano dominante. Tenga cuidado al aplicar la tracción para evitar colapsar la vena. La tracción distal estabilizará la vena y evitará que "ruede" al insertar la aguja. Empiece estableciendo un ángulo de inserción de unos 35 a 45°, **FIGURA 11-19**. Indique al paciente que está a punto de sentir un pinchazo y, a continuación, haga avanzar el catéter a través de la piel hasta perforar la vena. Deberá sentir un "pop" cuando la aguja penetre en la vena y ver una salpicadura de sangre en la **cámara de expansión** del catéter. Baje de inmediato el ángulo a unos 15° y haga avanzar el catéter unos centímetros más para asegurarse de que la vaina del catéter está en la vena. Deslice la vaina fuera de la aguja y dentro de la vena hasta que el centro toque la piel; no avance demasiado el catéter porque puede perforar el otro lado de la vena. Una vez que el catéter haya avanzado totalmente, aplique presión justo proximal al extremo del catéter para ocluir la vena. Retire la aguja, active el dispositivo de protección y deséchela en un contenedor para objetos punzocortantes. Retire el tapón protector del tubo IV y conéctelo al conector del catéter manteniendo la esterilidad. Suelte la banda restrictiva y, a continuación, asegúrese de que la vía está patente abriendo la pinza de flujo y permitiendo que el líquido fluya durante un breve periodo antes de asegurar el tubo IV y ajustar la velocidad de flujo.

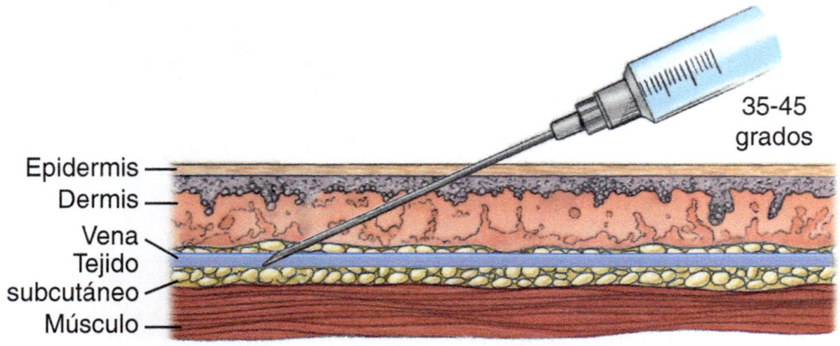

FIGURA 11-19 Inserción de la aguja intravenosa. Al entrar en la vena, baje de inmediato el ángulo a 15° y haga avanzar el catéter unos centímetros más para asegurarse de que la vaina del catéter está en la vena.

Perlas de sabiduría

El yodo puede ayudar a hacer más visibles las venas al cambiar el reflejo de la luz ambiental. Esta técnica es de especial beneficio en personas de piel oscura.[8,9] Como con cualquier paciente, asegúrese de que no es alérgico al yodo antes de utilizarlo.

Dispositivos de ayuda para la identificación de venas

Hay varios dispositivos disponibles que pueden ayudar a visualizar la vasculatura de un paciente cuando el proveedor sanitario se enfrenta a un inicio IV difícil. Algunos ejemplos son los dispositivos de tecnología de infrarrojo cercano, los dispositivos guiados por ultrasonido y los transiluminadores de venas portátiles. De estas opciones, los dispositivos de transiluminación son hoy los más viables desde el punto de vista ecológico en el ámbito prehospitalario. Debido a que los procedimientos pueden variar de un dispositivo a otro, asegúrese de seguir las recomendaciones del fabricante.

Fijación de la vía

Una vez que el catéter está en posición y el contenido de la bolsa para infusión intravenosa fluye de manera correcta, debe asegurar la vía IV. Para minimizar el riesgo de desprendimiento e infección, se aplica directo sobre el lugar de inserción un apósito de poliuretano transparente, que por lo general se incluye en los kits comerciales de inserción intravenosa, **FIGURA 11-20**. Si utiliza cinta adhesiva, córtela antes de colocar la vía IV porque necesitará una mano para

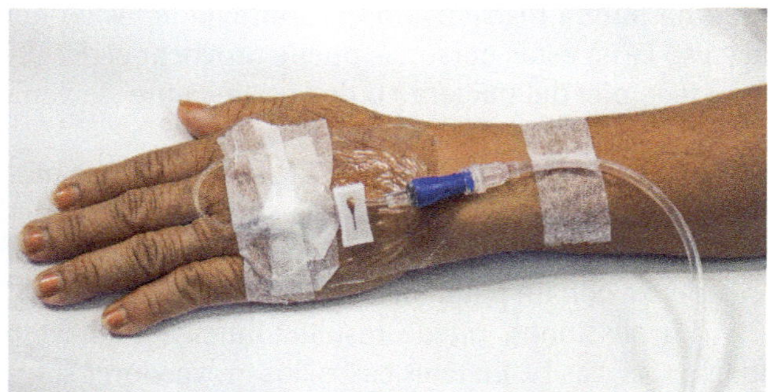

FIGURA 11-20 Fije el catéter y el tubo intravenoso al paciente.

Perlas de sabiduría

Consejos útiles para la vía IV:

- Deje que el brazo del paciente cuelgue de la camilla.
- Dé palmaditas o frote la zona, sin ser demasiado firme. Si se hace con demasiada fuerza, puede iniciar un reflejo de vasoconstricción.[8]
- Aplique compresas de calor químico envueltas durante alrededor de 60 segundos.
- Si encuentra resistencia en una válvula, eleve la extremidad.
- Después de dos intentos fallidos, deje que lo intente su compañero. (¡Usted está teniendo un mal día!)
- Si la vía IV se sigue infiltrando, intente realizar la punción sin banda restrictiva.
- Nunca tire del catéter hacia atrás sobre la aguja. Podría cizallar la punta plástica del catéter y provocar que esta se convierta en un émbolo.
- Cuantas más inserciones intravenosas realice, más destreza adquirirá.

Documentación y comunicación

Para documentar el establecimiento de una vía IV, es necesario incluir la siguiente información:

1. El calibre de la aguja
2. Los intentos de vía IV frente a los éxitos
3. El lugar (p. ej., antebrazo izquierdo, yugular externa izquierda)
4. El tipo de líquido que está administrando
5. La velocidad a la que se administra el líquido

Por ejemplo, si en su primer intento ha iniciado una vía IV en la fosa antecubital izquierda con un catéter calibre 18 y está infundiendo suero salino normal a una velocidad de 120 ml por hora, la documentación debe aparecer de la siguiente manera:

18g IV × 1 en AC izquierda con SN a 120ml/h por paramédico 785

estabilizar el sitio mientras aplica la cinta. Doble hacia atrás el tubo para crear un bucle que actuará como amortiguador si por accidente se tira de la línea. Evite el vendaje circunferencial alrededor de cualquier extremidad porque puede afectar a la circulación. Si es necesario fijar el tubo circunferencialmente porque el paciente intenta tirar de la vía, considere la posibilidad de envolver la extremidad y el tubo con una gasa enrollable.

Para establecer el acceso vascular, siga los pasos de la **PRÁCTICA DE DESTREZA 11-1**.

Cambio de una bolsa para infusión intravenosa

Es posible que tenga que cambiar la bolsa para infusión intravenosa en algunos pacientes, sobre todo en los que requieren grandes volúmenes de líquido IV (es decir, shock hipovolémico). No deje que se termine *por completo* el líquido de una bolsa de suero intravenoso.

Práctica de destreza 11-1 Obtención del acceso vascular

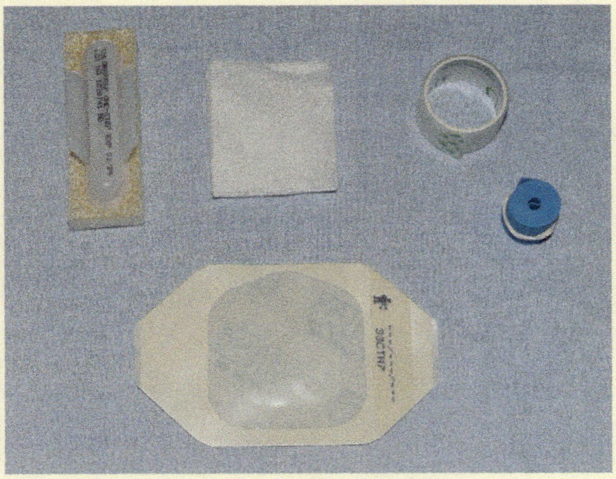

Paso 1

Explique el procedimiento al paciente. Reúna los suministros necesarios para la venopunción; rasgue la cinta necesaria para asegurar el sitio; abra torundas antisépticas, gasas, vendaje oclusivo y cualquier otra cosa necesaria para el acceso vascular según el protocolo local. Elija el líquido y el gotero adecuados para el estado del paciente.

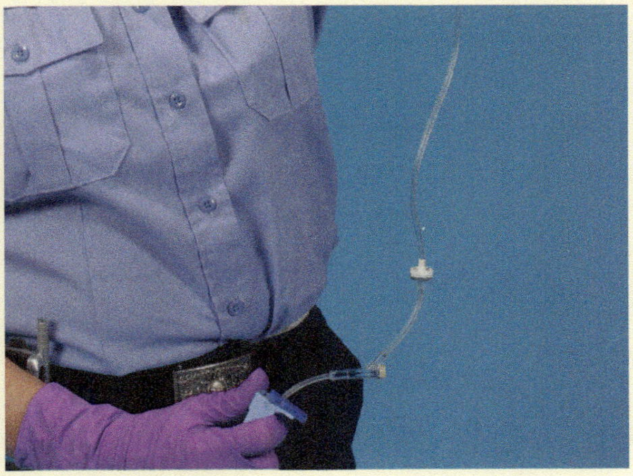

Paso 2

Examine la bolsa para ver si está transparente y asegúrese de que el líquido no haya caducado. Mientras mantiene la esterilidad, retire las cubiertas protectoras de la cámara de goteo y del puerto de cola de la bolsa IV. Sin tocar la punta de perforación, perfore la bolsa IV y, a continuación, póngala en posición vertical. Apriete la cámara de goteo y llénela hasta la mitad. Abra la pinza del rodillo y purgue el líquido a través del tubo para eliminar el aire. Cierre la pinza después de purgar el tubo.

(continúa)

Práctica de destreza 11-1 Obtención del acceso vascular (continuación)

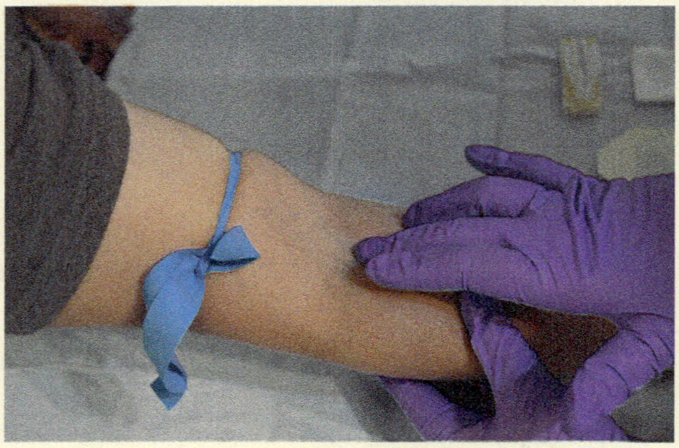

Paso 3

Tome las precauciones habituales y localice un sitio potencial para la canalización. Aplique la banda restrictiva por encima del lugar previsto para la vía IV y, a continuación, palpe e identifique una vena adecuada. Limpie la zona utilizando una técnica aséptica.

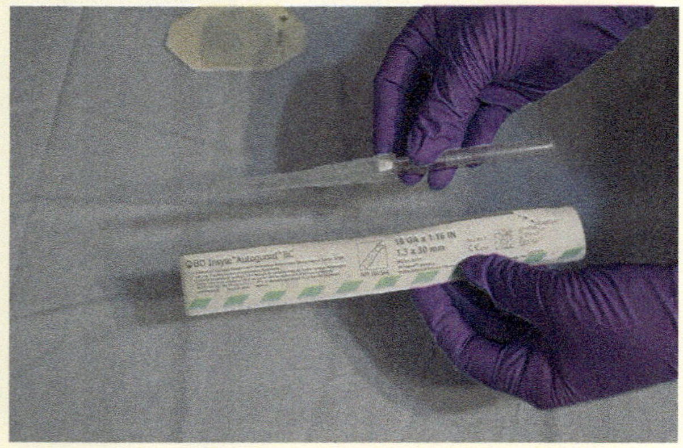

Paso 4

Saque de su envoltorio un catéter del tamaño adecuado y examínelo para ver si presenta imperfecciones. Deséchelo si descubre algún defecto. Afloje el conector del catéter con un movimiento giratorio para romper el sello.

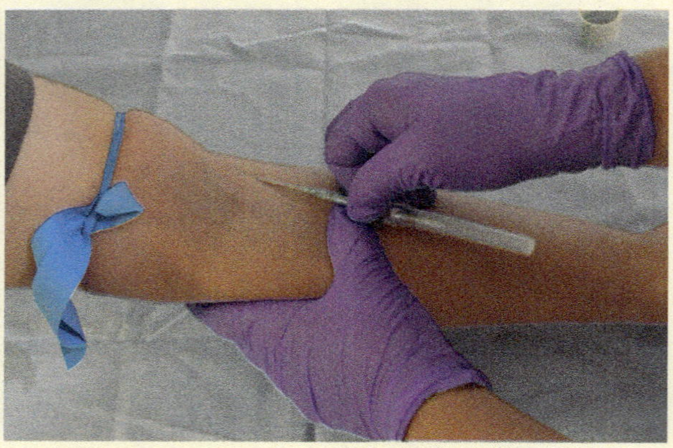

Paso 5

Aconseje al paciente que espere un piquete. Mientras aplica tracción distal en el sitio con una mano, inserte el catéter con el bisel hacia arriba en un ángulo de aproximadamente 35 a 45°. Sienta un "pop" cuando el estilete entra en la vena y observe si se produce un "retroceso" cuando la sangre entra en el catéter. Baje el estilete y haga avanzar suavemente el catéter de 0.3 a 0.6 cm (⅛ a ¼ pulgada) más.

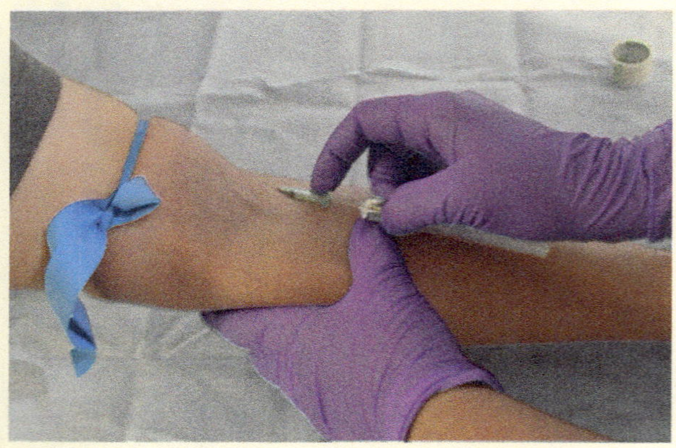

Paso 6

Estabilice la aguja y deslice el catéter fuera de la aguja hasta que el centro toque la piel.

Práctica de destreza 11-1 Obtención del acceso vascular (continuación)

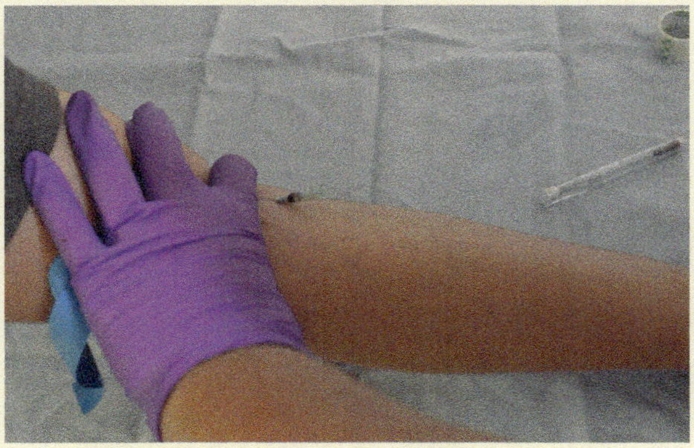

Paso 7

Aplique presión sobre el extremo del catéter proximal al lugar de inserción para evitar que salga sangre de la vena mientras retira la aguja. Retire la aguja y deséchela de inmediato en el contenedor correspondiente.

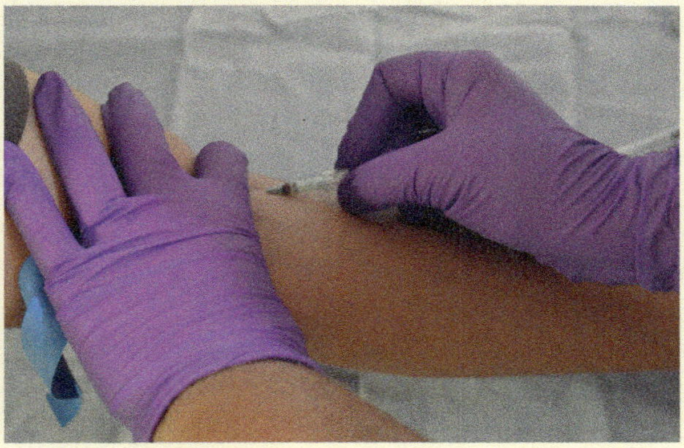

Paso 8

Conecte la vía IV y suelte la banda restrictiva.

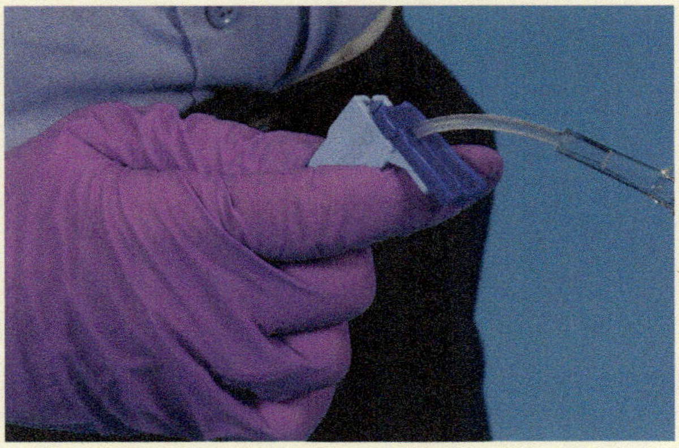

Paso 9

Abra lentamente la vía IV para asegurarse de que la vía está permeable. Observe si hay edema o **infiltración** (la salida de líquido hacia el tejido circundante, causando una zona localizada de edema) alrededor de la vía IV. Si la vía está permeable, ajuste el caudal según proceda. Si el líquido no fluye, compruebe si se ha soltado la banda restrictiva. Si se observa infiltración, detenga de inmediato la infusión y retire el catéter mientras mantiene la presión sobre el lugar con gasas para evitar hemorragias.

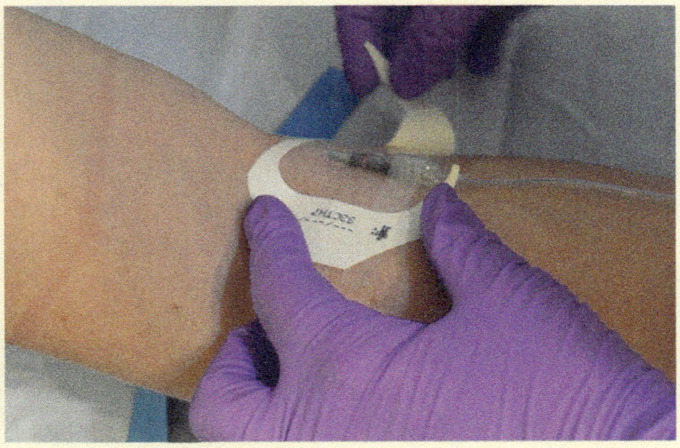

Paso 10

Asegure el catéter y el tubo IV con cinta adhesiva o un dispositivo comercial. Evalúe al paciente en busca de indicios de una respuesta terapéutica o signos de una reacción adversa.

Cambie la bolsa cuando queden aproximadamente 25 ml de líquido.

Al igual que la configuración inicial de la bolsa para infusión IV y el equipo de administración, la sustitución de la bolsa para infusión IV requiere el uso de una técnica estéril. Si el equipo se contamina, sustitúyalo por otro nuevo. Asegúrese siempre de que queda algo de líquido en la cámara de goteo y en el tubo del equipo. Esta simple acción evitará que entre aire en la vena del paciente.

Los pasos para cambiar una bolsa de líquido IV son los siguientes:

1. Detenga el flujo de líquido de la bolsa vacía cerrando la pinza de rodillo.
2. Prepare la nueva bolsa de líquido IV retirando el conector flexible del puerto de punción. Inspeccione la nueva bolsa de líquido IV para comprobar su claridad y decoloración; asegúrese también de que no ha caducado.
3. Retire la punta de perforación de la bolsa vacía e insértela en el puerto de la nueva bolsa. *No toque la punta de perforación del equipo de administración.*
4. Asegúrese de que la cámara de goteo esté debidamente llena y, a continuación, abra la pinza de rodillo y ajuste la velocidad del líquido en consecuencia.

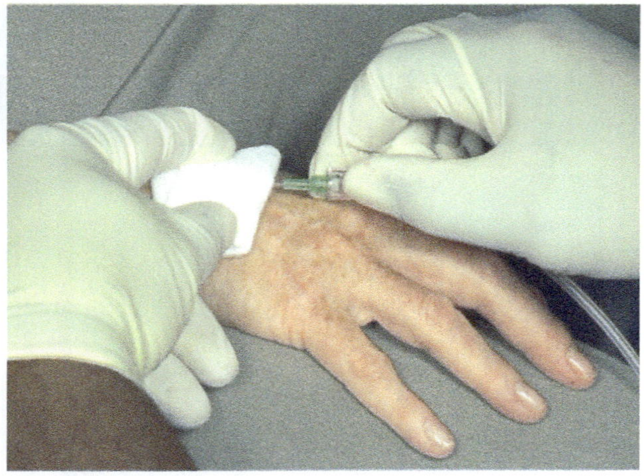

FIGURA 11-21 Al retirar un catéter y una vía intravenosa, tire suavemente de ellos en línea recta sin retorcerlos y, a continuación, aplique presión para controlar la hemorragia.

Interrupción de la vía IV

Para interrumpir la vía IV, cierre el flujo con la pinza de rodillo. Despegue con suavidad la cinta hacia el lugar de la vía. A medida que se acerque al sitio y al catéter, estabilice el catéter mientras afloja la cinta restante que lo sujeta en su lugar. No retire el tubo IV del centro del catéter. Doble un trozo de gasa de 10 × 10 cm (4 × 4 pulgadas) y colóquelo sobre la zona, sujetándolo mientras tira hacia atrás del centro del catéter. Extraiga con suavidad el catéter y la vía IV de la vena del paciente mientras ejerce presión para controlar la hemorragia, **FIGURA 11-21**. Después de mantener una presión directa durante alrededor de un minuto, aplique un vendaje o sujete la gasa con cinta adhesiva.

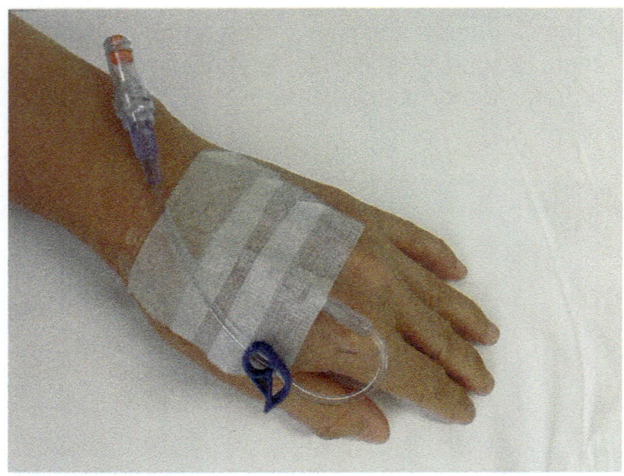

FIGURA 11-22 Un bloqueo salino es un dispositivo de acceso vascular utilizado para la administración intravenosa intermitente de líquidos o medicamentos.

Sitios y técnicas IV alternativos

Bloqueos salinos

Los **bloqueos salinos** (conectores) son una forma de mantener activa una vía IV sin necesidad de administrar líquidos por la vena. Un bloqueo salino consiste en un cierre Luer macho que se conecta al conector de un catéter IV y un conector Luer hembra que se puede conectar a jeringas para la administración de medicamentos o a un equipo de administración intravenosa. Los bloqueos salinos se utilizan sobre todo en pacientes que no necesitan líquidos adicionales, pero que pueden necesitar líquidos IV intermitentes o medicamentos (p. ej., antibióticos). Un bloqueo salino se fija al extremo de un catéter IV y se llena con alrededor de 2 ml de solución salina normal para evitar que la sangre se coagule en el extremo del catéter, **FIGURA 11-22**.

Como se trata de un sitio de acceso sellado, la solución salina permanece en el puerto sin entrar en la vena, evitando así la coagulación.

Canalización de la vena yugular externa

La **vena yugular externa (YE)**, **FIGURA 11-23**, se extiende hacia abajo y oblicuamente hacia atrás por detrás de la articulación de la mandíbula hasta que perfora la fascia profunda del cuello justo por encima de la mitad de la clavícula. Desemboca en la vena subclavia, donde unas válvulas retardan el reflujo sanguíneo. La vena YE es bastante grande y por lo regular es fácil de canalizar; sin embargo, al encontrarse tan cerca de la superficie de la piel, tiende a rodar si no se ancla de manera adecuada durante la canalización. Esta vena también se encuentra cerca de otros vasos (p. ej., la arteria carótida) que pueden dañarse durante la canalización.

Debe agotar todos los demás medios de canalización de una vena periférica (p. ej., en el brazo o la mano) antes de intentar la canalización de la vena YE. Aunque se trata de una vena "periférica", la canalización de esta vena conlleva muchos más riesgos, sobre todo la punción inadvertida de la arteria carótida, un **hematoma** que se expande *rápidamente* (una acumulación de sangre en los tejidos que rodean una vía IV) si se produce una infiltración y una embolia exógena.

Siga estos pasos para canalizar la vena YE:

1. Coloque al paciente en posición supina, con la cabeza hacia abajo, para llenar la vena yugular. Gire la cabeza del paciente hacia el lado opuesto a la zona de punción venosa prevista. *Antes de canalizar una vena yugular, palpe **siempre** cuidadosamente el pulso. Es imperativo no perforar la arteria carótida.*
2. Limpie adecuadamente la zona de venopunción.

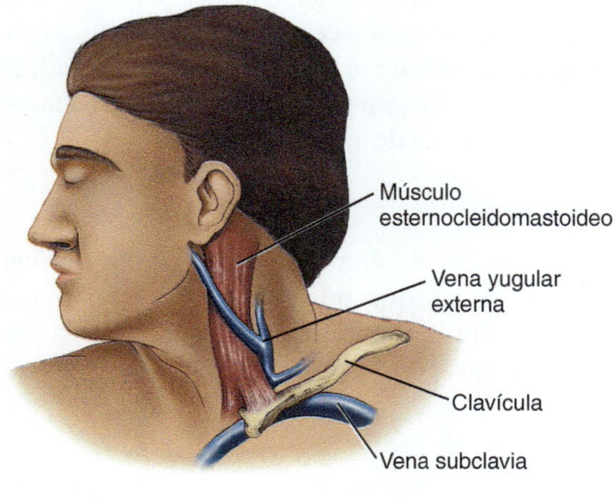

FIGURA 11-23 Anatomía de la vena yugular externa.

3. Ocluya la vena yugular con el dedo, distal al lugar de inserción del catéter; esto hace que el vaso se distienda, lo que permite que sea más visible y más fácil de canalizar.
4. Alinee el catéter en dirección a la vena, con la punta dirigida hacia el hombro del lado de la venopunción, **FIGURA 11-24**.
5. Realice la punción a medio camino entre el ángulo de la mandíbula y la línea medio clavicular. Estabilice la vena colocando un dedo ligeramente sobre ella justo por arriba de la clavícula.
6. Proceda como se describe para la canalización de una vena periférica. *No permita que entre aire en el catéter una vez que esté en la vena.* Los pacientes pueden aspirar hasta 10% de su volumen corriente a través de una vena YE abierta, provocando un gran embolismo de aire.
7. Fije la vía con cinta adhesiva, pero *no* coloque apósitos circunferenciales alrededor del cuello.

Poblaciones especiales

Consideraciones sobre la terapia IV para poblaciones especiales

Puntos importantes de la terapia IV pediátrica	Aspectos destacados de la terapia IV geriátrica
• Utilice catéteres de menor calibre o agujas de mariposa para el acceso IV periférico debido a la menor vasculatura. • Es posible que para los catéteres y tubos IV necesite gasas adicionales para evitar que el paciente los arranque. • Tal vez requiera de tablillas o férulas para ayudar a sujetar las vías. • Se puede obtener acceso en otros sitios, como las venas del cuero cabelludo o las venas umbilicales.	• Utilice catéteres de menor calibre para aumentar la comodidad y reducir el riesgo de extravasación. • Se necesita tracción distal debido a la mayor elasticidad de la piel, pero se debe aplicar con cuidado. Una tracción agresiva puede causar desgarros cutáneos. • Considere una velocidad de flujo más lenta para reducir la posibilidad de ruptura de una vena o de complicaciones por sobrecarga de líquido. • Evite las arañas vasculares más pequeñas que no toleran la inserción de un catéter.

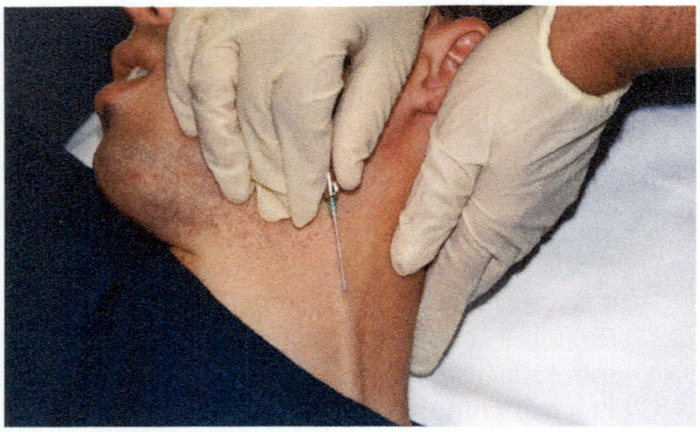

FIGURA 11-24 Canalización de la vena yugular externa.

Cortesía de Rhonda Hunt.

Consideraciones sobre la terapia IV pediátrica

En los pacientes pediátricos se pueden utilizar las mismas soluciones y equipos intravenosos que en los adultos, con algunas excepciones.

Catéteres

Si utiliza catéteres sobre la aguja para iniciar una vía IV pediátrica, los catéteres de calibre 20, 22, 24 o 26 son las mejores opciones para las inserciones. Se pueden usar catéteres de mariposa en pacientes pediátricos y colocarse en los mismos lugares que los catéteres sobre la aguja y en las venas visibles del cuero cabelludo.

Localización de vías IV

Cuando coloque una vía IV, explique tanto al niño como a los padres lo que está haciendo. Los padres se pueden estresar tanto como el niño, así que tómese su tiempo para explicarles con detalle el procedimiento.

Cuanto más joven sea el paciente pediátrico, menos opciones tendrá en cuanto a las vías IV. Las venas de las manos son dolorosas y difíciles de manejar en los pacientes pediátricos más jóvenes, pero siguen siendo el lugar de elección para iniciar vías IV periféricas. En algunos casos, la mejor opción es una vena antecubital con inmovilización completa del brazo para evitar el desplazamiento de la vía IV. La protección de la vía IV es fundamental y tal vez antes de la canalización se requiera la inmovilización de la zona con una tabla para el brazo. Mientras se sella la zona, asegúrese de que el centro del catéter y la conexión del tubo estén cubiertos con un apósito transparente para poder evaluarlos de forma continua. Considere la posibilidad de envolver el tubo y el catéter con una gasa enrollable si teme que el niño tire del catéter. No los envuelva tan apretados que impida la circulación o el flujo de líquidos en el tubo.

Una de las mejores técnicas para colocar vías IV pediátricas es utilizar una linterna para iluminar las venas del dorso de la mano. Encienda la luz a través de la palma de la mano para iluminar las venas del dorso. Asegúrese de no quemar al paciente con la linterna (aunque es poco probable). Una vez que haya localizado un lugar adecuado, roce un poco la superficie de la mano con la uña para poder encontrar el lugar después de apagar la linterna. Proceda a la inserción IV, utilizando la marca que ha creado como guía.

Aunque las venas del cuero cabelludo por lo regular son fácilmente visibles en niños menores de 18 meses, quizá se dificulte canalizarlas y asegurarlas debido a la forma de la cabeza del niño y a la presencia de pelo. La canalización de las venas del cuero cabelludo con frecuencia es estéticamente desagradable tanto para el niño como para los padres y puede provocar aprehensión en ambos simplemente debido a su ubicación. Cuando asegure una vena del cuero cabelludo, cubra el lugar con un vaso de papel para evitar aplicar presión directa al catéter de mariposa. La presión puede hacer que la aguja perfore el otro lado de la vena y deje escapar líquidos a los tejidos (extravasación). Para obtener acceso vascular en pacientes pediátricos estando en la escena por lo general se opta por el acceso IO en lugar de la canalización de la vena del cuero cabelludo.

Consideraciones sobre la terapia IV en adultos mayores

Tal vez sean preferibles los catéteres más pequeños en pacientes de edad avanzada, a menos que sea necesaria una reposición rápida de líquidos. Algunos medicamentos utilizados de manera habitual por los pacientes de edad avanzada tienden a aumentar la fragilidad de su piel y venas, ya de por sí frágiles. Muchas veces, la simple punción de la vena provocará un gran hematoma. El uso de cinta adhesiva puede dañar la piel, por lo que hay que tener cuidado al establecer vías IV en pacientes de edad avanzada. Considere el uso de otras alternativas, como cinta adhesiva de papel o dispositivos comerciales que reduzcan el riesgo de lesiones cutáneas.

Catéteres

Intente utilizar catéteres más pequeños (de calibre 20, 22 o 24) porque pueden resultar más cómodos para el paciente adulto mayor y reducir el riesgo de extravasación.

Equipos IV

Tenga cuidado al utilizar macrogoteo porque pueden permitir la infusión rápida de líquidos y provocar un edema si no se vigilan. Tanto en los pacientes mayores

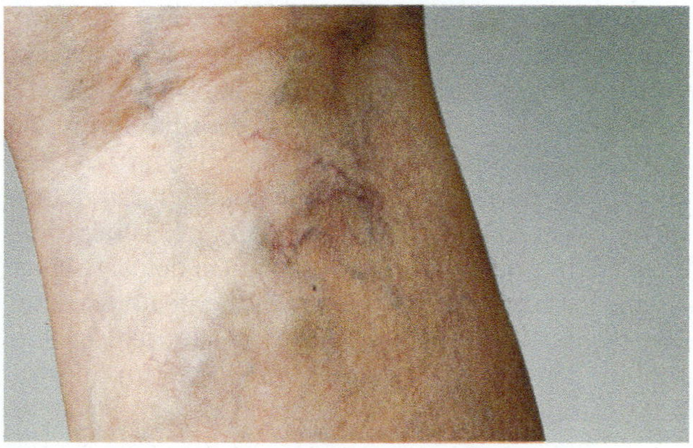

FIGURA 11-25 Cuando busque una vía intravenosa, evite las pequeñas venas en forma de araña y las varices.

como en los pediátricos, la sobrecarga de líquidos es una preocupación potencialmente grave. Por este motivo, debe vigilar con cuidado en ambos grupos la administración de líquidos.

Ubicación

Cuando elija un lugar para la vía IV, debe tener en consideración la posibilidad de que la elasticidad de la vena sea deficiente. Una de las consecuencias del envejecimiento es la pérdida de elasticidad de los tejidos corporales. Las venas se esclerosan y se vuelven frágiles. Ciertos medicamentos, como la prednisona, también pueden afectar a la estructura de la vena, haciendo que las venas de los pacientes de edad avanzada sean aún más frágiles y se rompan con mayor facilidad. Evite insertar una vía IV en pequeñas venas de tipo araña que se entrecrucen, **FIGURA 11-25**, porque se pueden romper con facilidad. Del mismo modo, no utilice **venas varicosas**; aunque a menudo parezcan ideales para la inserción de vías IV, están cerradas casi por completo y la circulación es muy reducida.

Factores que afectan la velocidad de flujo intravenoso

Varios factores pueden influir en la velocidad de flujo de una vía IV. Por ejemplo, si la bolsa IV no se cuelga lo suficientemente alta, la velocidad de flujo no será suficiente. Realice las siguientes comprobaciones después de completar la administración IV y siempre que se produzca un problema de flujo:

- **Revise el líquido IV.** Los líquidos espesos y viscosos, como los hemoderivados y las soluciones coloides, se infunden lentamente y se pueden diluir para acelerar la administración. Los líquidos fríos fluyen más lentamente que los calientes. De ser posible, caliente los líquidos IV antes de administrarlos en un entorno frío.
- **Revise el equipo de administración.** El macrogoteo se utiliza para la administración rápida de líquidos; el microgoteo se aplica para la administración de un flujo más controlado.
- **Revise la altura de la bolsa para infusión IV.** La bolsa para infusión IV debe colgarse lo suficientemente alta para vencer la gravedad. Cuélguela lo más alto posible. Cuanto más cerca esté del paciente, más lenta será la velocidad de infusión. Si la bolsa para infusión IV cae por debajo del nivel del paciente, la vía IV comenzará a extraer sangre de la vena.
- **Revise el tipo de catéter utilizado.** Cuanto mayor sea el diámetro del catéter (cuanto menor sea el número [un catéter de calibre 14 tiene un diámetro mayor que uno de calibre 20]), más rápido podrá administrarse el líquido.
- **Revise la banda restrictiva.** No deje la banda restrictiva en el brazo del paciente después de establecer la vía IV.
- **Revise toda la vía para asegurarse de que no está pinzada en ningún punto.** En ocasiones, se deja cerrada la pinza de rodillo o la pinza de un juego de extensión.
- **Revise la posición de la vía IV.** El problema con la vía IV puede ser posicional, lo que le obligará a pedir al paciente que mantenga el brazo recto, colocar una gasa debajo del centro del catéter o manipular la vía para colocarla en posición de otra forma.

Posibles complicaciones de la terapia IV

Los problemas asociados a la terapia IV se pueden clasificar en complicaciones locales o sistémicas. Las complicaciones locales incluyen problemas en el lugar de inserción del catéter o cerca de él. Las **complicaciones sistémicas** afectan al sistema vascular o a múltiples sistemas corporales.

Complicaciones locales

La mayoría de las complicaciones locales requiere la interrupción de la vía IV y su establecimiento en la extremidad opuesta o en un lugar más proximal de la misma extremidad con un nuevo equipo. Algunos ejemplos de complicaciones locales son la infiltración, la oclusión del catéter, el espasmo venoso, la flebitis y la tromboflebitis, el hematoma, la lesión de nervios, tendones o ligamentos y la punción arterial.

Infiltración

La infiltración es el escape de líquido hacia el tejido circundante, lo que provoca una zona localizada de edema. La extravasación es el escape o fuga real (no intencionada) de un agente irritante (un vesicante) de un vaso, que causa ampollas en el tejido circundante. Entre las posibles causas de infiltración y extravasación se incluyen las siguientes:

- Desprendimiento del catéter de la vena
- Punción de la pared venosa distal durante la venopunción
- Fuga de solución en el tejido circundante desde el lugar de inserción de la cánula
- Línea mal asegurada
- Mala selección de la vena o del sitio
- Solución o medicamento irritante que inflama la pared de la vena y provoca su debilitamiento
- Tamaño inadecuado de la cánula
- Alta velocidad de administración o presión de la solución o el medicamento

Los signos y síntomas de infiltración incluyen edema en la zona (con o sin dolor), flujo lento o inexistente, flujo IV continuo después de la oclusión de la vena por encima de la zona de inserción, ausencia de reflujo de sangre hacia el tubo cuando la pinza está completamente abierta y la solución desciende por debajo de la zona, y sensación de opresión, ardor y dolor alrededor de la zona de la vía IV, según el paciente.

Si se produce infiltración o extravasación, detenga la infusión, retire el catéter y restablezca la vía IV en otro lugar con nuevo equipo. Asegúrese de documentar e informar de esta situación al llegar al centro receptor, en especial si en la bolsa para infusión IV había medicamento (p. ej., dopamina, epinefrina, norepinefrina). En el centro receptor se puede inyectar rápidamente un fármaco que revierta la vasoconstricción (p. ej., fentolamina) en la zona donde se produjo la infiltración/extravasación, a fin de restablecer el flujo sanguíneo.

Oclusión del catéter

La oclusión es el bloqueo físico de una vena o un catéter. Si el flujo es insuficiente para mantener el líquido en movimiento fuera de la punta del catéter de forma que la sangre entre en él, puede formarse un coágulo y ocluir el flujo. El primer signo de oclusión es la disminución de la velocidad de goteo o la presencia de sangre en el tubo IV. Cuando se coloca una vía IV en un sitio posicional, el líquido fluye a velocidades diferentes según la posición del catéter dentro de la vena; estas diferencias pueden provocar oclusiones. Si la bolsa para infusión IV está casi vacía y la PA del paciente supera el flujo también se puede presentar una oclusión, provocando una acumulación de líquido en la vía.

No intente purgar un catéter para eliminar una oclusión. El uso de la fuerza para eliminar la oclusión de un catéter puede liberar la sustancia oclusiva en el sistema vascular, creando potencialmente un émbolo. Si se sospecha una oclusión del catéter, retírelo, evalúe la integridad de este y aplique en el sitio un apósito seco y estéril.

Espasmo venoso

El espasmo venoso puede ser la causa de una reacción grave posterior a la administración de medicamentos o líquidos irritantes, líquidos fríos o sangre. Algunos ejemplos de líquidos irritantes son las sustancias con un pH alto o bajo y las soluciones de dextrosa con concentraciones superiores a 12.5%. Los signos y síntomas incluyen una velocidad de infusión lenta o detenida cuando la pinza está abierta, dolor intenso en la zona que se irradia a la extremidad, blanqueamiento de la piel sobre la zona y enrojecimiento sobre y alrededor de la zona. Si se produce un espasmo venoso, reduzca la velocidad de infusión hasta que el espasmo disminuya; si persiste, retire el catéter.

Flebitis y tromboflebitis

La flebitis, o inflamación de las venas, se puede deber a la administración de soluciones o medicamentos IV irritantes (flebitis química), a la lesión del revestimiento de la vena por el catéter (flebitis mecánica) o a una infección (flebitis bacteriana). Los pacientes que sufren flebitis por lo regular refieren dolor y sensibilidad a lo largo de la vena afectada. Además, se pueden observar enrojecimiento y edema en el lugar, y la zona afectada puede sentirse caliente. Si aparecen signos de flebitis, interrumpa la vía IV y guarde el equipo para un análisis posterior. Vuelva a colocar la vía IV en la otra extremidad con un equipo nuevo.

La **tromboflebitis** (inflamación de una vena relacionada con un trombo [coágulo sanguíneo]) puede producirse asociada a la canalización venosa. Es frecuente en pacientes que abusan de los fármacos y en aquellos que reciben terapia intravenosa a largo plazo en un hospital o en un centro de cuidados paliativos o con soluciones que irritan las venas (p. ej., soluciones de dextrosa o hipertónicas de cualquier tipo). Los signos y síntomas pueden incluir disminución de la velocidad o interrupción de la infusión, sensación de dolor o ardor en el punto de infusión, piel caliente y enrojecida alrededor del punto, edema de la extremidad y dolor punzocortante en ella. Por lo general, estos signos no aparecen hasta pasadas varias horas de tratamiento IV, por lo que es poco probable que se produzca un nuevo caso de tromboflebitis en la escena, excepto durante el transporte interhospitalario de un paciente con una vía IV establecida. Si se sospecha de tromboflebitis, detenga la infusión y suspenda la vía IV en ese lugar. La aplicación de compresas calientes en la zona puede proporcionar cierto alivio.

Hematoma

Un hematoma es una acumulación de sangre en los tejidos que rodean una vía IV, que con frecuencia es el resultado del avance total de la aguja a través de la vena o de la aplicación inadecuada de presión para evitar la salida de sangre de la vena cuando se retira la aguja. Los signos y síntomas incluyen hematomas sobre y alrededor del punto de inserción, dolor en el punto, edema y dureza en ese punto, incapacidad para purgar la vía IV y para introducir la cánula por completo en la vena durante la inserción, **FIGURA 11-26**. Los pacientes con antecedentes de enfermedades vasculares (incluida la diabetes), los que toman determinados medicamentos (p. ej., corticoesteroides o un anticoagulante como la warfarina [Coumadin]) o beben alcohol pueden tener predisposición a la rotura de venas o a la aparición de hematomas con la inserción IV.

Si se produce un hematoma mientras intenta insertar un catéter, deténgase y aplique presión directa para ayudar a minimizar la hemorragia. Si se produce un hematoma después de la inserción correcta del catéter, evalúe tanto el flujo IV como el hematoma. Si este parece estar controlado y el flujo no se ve afectado, vigile el lugar de la vía IV y déjela colocada. Si se produce un hematoma como resultado de la interrupción de la vía IV, aplique presión directa con una gasa en el sitio.

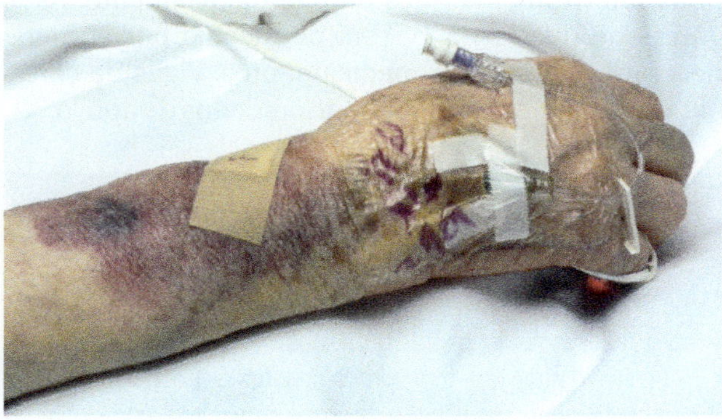

FIGURA 11-26 Los hematomas pueden ser a causa de retirar de manera incorrecta un catéter que provoca la acumulación de sangre alrededor del sitio intravenoso, lo que produce sensibilidad y dolor.

Cortesía de Rhonda Hunt.

Daño de nervios, tendones o ligamentos

El daño de nervios, tendones o ligamentos se presenta como resultado de una técnica de venopunción inadecuada, una identificación incorrecta de las estructuras anatómicas alrededor de la vía IV, una fijación y estabilización inadecuadas de la cánula y la vía después de la inserción o una extravasación de la solución. La elección de una vía IV cerca de las articulaciones aumenta el riesgo de lesión de estas estructuras. Cuando se produce este tipo de lesión, los signos y síntomas incluyen dolor repentino e intenso, hormigueo, entumecimiento, pérdida de sensibilidad y de movimiento. Retire de inmediato el catéter y seleccione otra vía.

Punción arterial

Puede perforar por accidente el vaso sanguíneo equivocado si la vena seleccionada para la canalización se encuentra cerca de una arteria. El riesgo de punción arterial es en especial alto al canalizar una vena YE, por lo que debe extremar las precauciones en estos casos. Si por error introduce un catéter en una arteria, saldrá sangre de color rojo brillante a través del catéter. El color de la sangre y sus características de flujo le alertarán de su error. Además, los pacientes con niveles de PA en extremo altos pueden tener un reflujo rápido hacia la bolsa. Evalúe con cuidado el incidente, los puntos de referencia y al paciente. Retire cuanto antes el catéter y aplique presión directa sobre el lugar de punción durante al menos 5 minutos o hasta que se detenga la hemorragia.

Perlas de sabiduría

Para minimizar el riesgo de una punción arterial accidental, compruebe siempre si hay pulso en cualquier vaso que pretenda canalizar. En circunstancias normales, las venas se encuentran cerca de la superficie de la piel y las arterias a mucha más profundidad. En ocasiones, existe una anomalía anatómica y los vasos se transponen, lo que hace que una arteria tenga una posición superficial.

Complicaciones sistémicas

Por lo regular, las complicaciones sistémicas afectan a otros sistemas corporales y pueden poner en peligro la vida del paciente. Si la vía está establecida y permeable en un paciente con una complicación sistémica, no la retire porque puede ser necesaria para el tratamiento. Las complicaciones sistémicas potenciales incluyen reacciones alérgicas y pirogénicas, sobrecarga circulatoria y shock de velocidad, émbolo aéreo, reacciones vasovagales y cizallamiento del catéter.

Reacciones alérgicas

Es posible que se observe una reacción alérgica como respuesta a la solución IV, a sus conservantes o a los medicamentos. El paciente puede ser alérgico a la cánula, al preparado antiséptico o a la cinta adhesiva. Los signos y síntomas pueden variar de leves a graves y afectar a varios sistemas corporales, desarrollarse de manera rápida o gradual, y su aparición se puede retrasar hasta horas después de la administración del alérgeno. El paciente puede experimentar escalofríos, fiebre, urticaria, picor y dificultad para respirar, con o sin sibilancias. Si se produce una reacción alérgica, interrumpa la infusión y la vía intravenosa en ese lugar y seleccione otro lugar para la vía.

Reacciones pirogénicas

Los pirógenos son proteínas extrañas capaces de producir fiebre. La presencia de pirógenos en la solución de infusión o en el equipo de administración puede inducir una **reacción pirogénica**, que se caracteriza por una elevación brusca de la temperatura (hasta 41.1 °C [106 °F]) con escalofríos intensos, dolor de espalda y de cabeza, debilidad, náusea y vómito. En ocasiones se produce un colapso vascular, acompañado de todos los signos y síntomas del shock. La reacción por lo regular empieza en los 30 minutos siguientes al inicio de la infusión IV.

Si observa *algún* signo de este tipo de reacción (p. ej., si el paciente dice que le duele la cabeza o la espalda después de haber empezado a administrarle líquidos), *¡interrumpa la infusión de inmediato!* Inicie una nueva vía IV en el otro brazo con una *nueva solución de infusión* y retire la primera vía IV. Si el paciente muestra signos de shock, trátelo como trataría cualquier otro caso de shock.

Las reacciones pirogénicas se pueden evitar en gran medida inspeccionando con cuidado la bolsa IV antes de usarla. Si la bolsa tiene fugas o si el líquido parece turbio o descolorido, deséchela y seleccione otra.

Sobrecarga circulatoria y shock de velocidad

La sobrecarga circulatoria ocurre cuando se administra un volumen excesivo de líquido y puede dar lugar a un edema pulmonar, en especial cuando el paciente tiene una disfunción cardíaca, pulmonar o renal; los pacientes con este tipo de disfunción no toleran fácilmente las demandas adicionales derivadas del aumento del volumen circulatorio. La causa más común de sobrecarga circulatoria relacionada con el tratamiento IV en el ámbito prehospitalario es no reajustar la velocidad de goteo después de purgar una vía IV justo después de su inserción.

Los signos y síntomas de sobrecarga circulatoria incluyen ansiedad, disnea, estertores crepitantes, tos, distensión de la vena yugular, pulso saltón e hipertensión. Si aparecen signos y síntomas de sobrecarga circulatoria, reduzca la velocidad de infusión IV para mantener la vena abierta y controle con diligencia la velocidad de infusión. Coloque al paciente en posición semi-Fowler (si no está contraindicado) para aliviar la dificultad respiratoria. Administre oxígeno si hay signos de hipoxia y vigile los signos vitales y la respiración adecuada. Considere el uso de presión positiva continua en la vía aérea (CPAP, por sus siglas en inglés) para expulsar líquido de los alvéolos, si está indicado, y transporte rápidamente al paciente.

El shock rápido se produce cuando un medicamento o solución se introduce rápidamente en la circulación, por ejemplo, durante un tratamiento IV en bolo. En particular, la sobrecarga circulatoria se refiere al *volumen* de una solución administrada, mientras que el shock rápido, como su nombre indica, refleja la *velocidad* a la que se administra una sustancia. Los signos y síntomas del shock rápido incluyen mareos, enrojecimiento facial, ansiedad, dolor de cabeza intenso, escalofríos, disnea, taquicardia y posible paro cardíaco. Si aparecen signos y síntomas de shock rápido, interrumpa la infusión o el medicamento. Asegúrese de que la vía IV está permeable por si fuera necesario administrar medicamentos. Vigile de cerca los signos vitales y proporcione cuidados de apoyo.

Poblaciones especiales

Vigile siempre la vía IV para asegurar la velocidad de goteo adecuada. Si se dispone de un dispositivo de administración IV (p. ej., Volutrol, Buretrol, bomba de infusión), considere su uso en pacientes con riesgo de sobrecarga circulatoria.

Émbolo aéreo

Un embolismo gaseoso se produce cuando entra aire en el torrente sanguíneo. El aire puede entrar en la circulación durante inserción del catéter IV (por lo regular en una vena central), cuando se desconecta el tubo para sustituir una solución o cuando se termina un recipiente de solución. Aunque las bolsas IV están diseñadas para colapsarse a medida que se vacían para ayudar a prevenir este problema, este colapso no siempre ocurre. El aire introducido en la circulación venosa puede volver al lado derecho del corazón e impedir el flujo sanguíneo a través del corazón, provocando un shock. Los signos y síntomas del embolismo de aire incluyen hipotensión repentina; palidez que conduce a cianosis; piel fría y húmeda; pulso débil, filiforme y rápido; dolor torácico, de hombros y lumbar; disminución del nivel de conciencia, y paro respiratorio.

Si sospecha un embolismo de aire, de inmediato coloque al paciente sobre el lado izquierdo con la cabeza hacia abajo para atrapar el aire que pueda haber en la aurícula derecha o el ventrículo derecho. Administre oxígeno al 100% y traslade rápidamente al paciente al centro adecuado más cercano. Esté preparado para ayudar a ventilar si el paciente no respira bien.

Reacciones vasovagales

El síncope vasovagal (también conocido como "desvanecimiento") se puede presentar cuando el cuerpo de un paciente reacciona de forma exagerada a un desencadenante específico, como ver sangre o agujas. Al exponerse al desencadenante, la vasculatura venosa se dilata, lo que provoca un descenso de la PA, una disminución del flujo sanguíneo al cerebro y una breve pérdida de conciencia (síncope). Antes de desmayarse, el paciente puede tener las palmas de las manos sudorosas y describir sensación de calor, náusea, mareos o aturdimiento. Además, los pacientes pueden parecer pálidos y diaforéticos.

Los síntomas normalmente desaparecen con rapidez cuando se coloca al paciente en decúbito supino y se restablece un flujo sanguíneo cerebral adecuado. Si los síntomas persisten, administre oxígeno si hay indicios de hipoxia, controle los signos vitales, establezca una vía IV en caso de que sea necesaria la reposición de líquidos, proporcione cuidados de apoyo y traslade al paciente.

Cizallamiento del catéter

El **cizallamiento del catéter** ocurre cuando parte del catéter se pellizca contra la aguja y esta lo atraviesa, creando un fragmento que flota libremente. El fragmento del catéter se puede desplazar a través del sistema circulatorio y acabar en la circulación pulmonar, provocando un émbolo pulmonar. Los catéteres IV son radioopacos (es decir, aparecen blancos en una radiografía) para ayudar a diagnosticar este tipo de problema.

Los signos y síntomas de cizallamiento del catéter incluyen dolor repentino e intenso en el lugar o un retorno sanguíneo reducido o ausente al comprobar la colocación del catéter. Si el fragmento del catéter no se desplaza fuera del lugar inicial, el paciente puede ser asintomático. Si se aloja en una cámara cardíaca o en la circulación pulmonar, el paciente puede experimentar disnea súbita, hipotensión, taquicardia, dolor torácico, cianosis o pérdida de conciencia. El tratamiento consiste en la extracción quirúrgica del fragmento del catéter.

Si sospecha que se trata de un cizallamiento del catéter, coloque al paciente en decúbito lateral izquierdo con las piernas hacia abajo y la cabeza elevada para intentar mantener el remanente del catéter fuera de la circulación pulmonar. Debido a que el paciente necesitará un acceso IV continuo, intente obtener un sitio IV en la otra extremidad y transpórtelo.

Obtención de muestras de sangre

Si se necesitan muestras de sangre para análisis de laboratorio (por lo regular a petición del hospital), debe obtenerlas al mismo tiempo que abre la vía IV. Sin embargo, si tiene dificultades para extraer sangre, interrumpa esta operación y termine de establecer la vía IV. Aunque los proveedores de algunos servicios de transporte de cuidados críticos también pueden obtener muestras de sangre arterial, el alcance de la práctica de los paramédicos en general se limita a la obtención de muestras de sangre venosa.

Para obtener muestras de sangre cuando está colocando una vía IV, necesitará el siguiente equipo:

- Una jeringa de 15 o 20 ml
- Una aguja calibre 18 o 20
- Tubos de sangre autosellables

La presentación de las tapas de los tubos de sangre por lo regular es en color rojo, azul, verde y lavanda, y los tubos se deben llenar en ese orden, **FIGURA 11-27**. Utilice la siguiente mnemotecnia en inglés para recordar el orden de llenado de los tubos: ***Red Blood Gives Life*** (La sangre roja da vida). El tubo con tapón *rojo* contiene activador de coágulos en tubos de plástico (no en tubos de vidrio) y se utiliza para pruebas basadas en suero. El tubo *azul* contiene citrato, un anticoagulante reversible; el citrato fija el calcio, necesario para la coagulación de la sangre. Esta muestra de sangre se utiliza para pruebas de coagulación como el tiempo de protrombina, el tiempo parcial de tromboplastina y el cociente internacional normalizado. El tubo *verde* (tubo separador de plasma) contiene

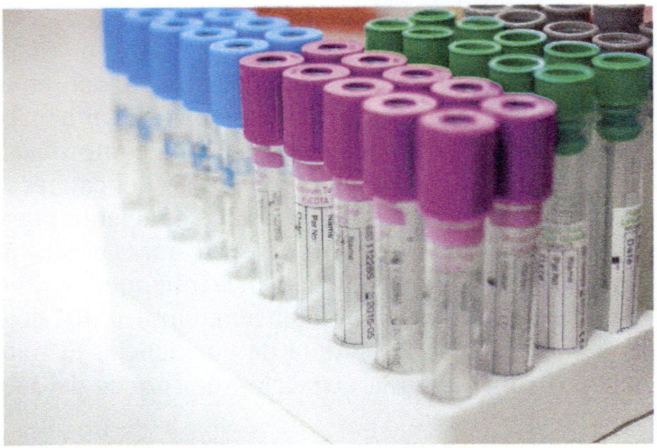

FIGURA 11-27 La presentación de los tubos de sangre autosellables por lo regular es con tapas de color rojo, azul, verde y lavanda, y se deben llenar en ese orden.

heparina y se utiliza para algunas determinaciones basadas en plasma. Por último, el tubo de color *lavanda* contiene el anticoagulante EDTA (ácido etilendiaminotetraacético) y se utiliza para recuentos sanguíneos (p. ej., recuentos de hematíes, hematocritos, leucocitos y plaquetas).

Una vez colocado el catéter IV, ocluyalo y retire la banda restrictiva. Conecte una jeringa de 15 o 20 ml al conector del catéter IV y extraiga la cantidad de sangre que se requiera. No tire de forma agresiva del émbolo de la jeringa. Una presión excesiva puede provocar hemólisis, lo que inutilizaría la muestra. *No deje la banda restrictiva puesta mientras extrae sangre con la jeringa; si lo hace, podrían acumularse productos de desecho en la sangre y alterar los resultados de las pruebas de laboratorio.* Una vez obtenida la cantidad de sangre necesaria, retire la jeringa, conecte el tubo IV y comience la infusión. Conecte una aguja calibre 18 o 20 a la jeringa, llene los tubos de sangre con la cantidad necesaria y deseche de inmediato la jeringa y la aguja en un recipiente adecuado para objetos punzocortantes. *Extreme las precauciones cuando llene los tubos de sangre con esta técnica porque está manipulando una aguja "viva".*

Si la terapia IV no está indicada, pero se necesitan muestras de sangre, obténgalas utilizando un dispositivo cilíndrico que se acopla a una aguja de muestreo de calibre 18 o 20 (un **Vacutainer**, **FIGURA 11-28**). Los tubos de sangre se introducen en el Vacutainer después de que la aguja a la que está acoplado haya entrado en la vena. Para obtener sangre utilizando un Vacutainer, siga estos pasos:

1. Coloque una banda restrictiva y localice una vena adecuada, por lo regular la antecubital. Tome las precauciones habituales.

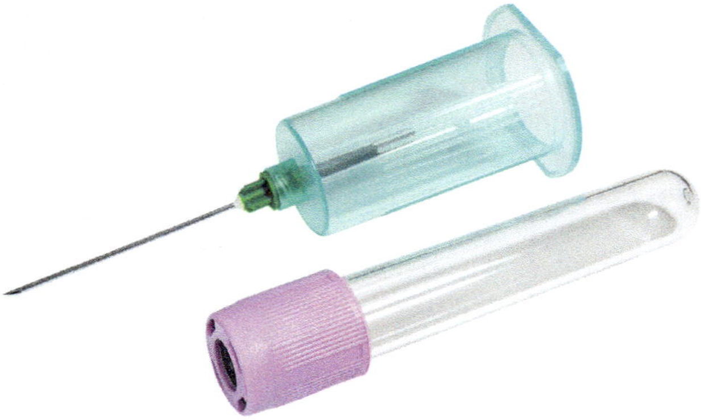

FIGURA 11-28 Un Vacutainer se utiliza cuando la terapia IV no está indicada, pero se requieren muestras de sangre.

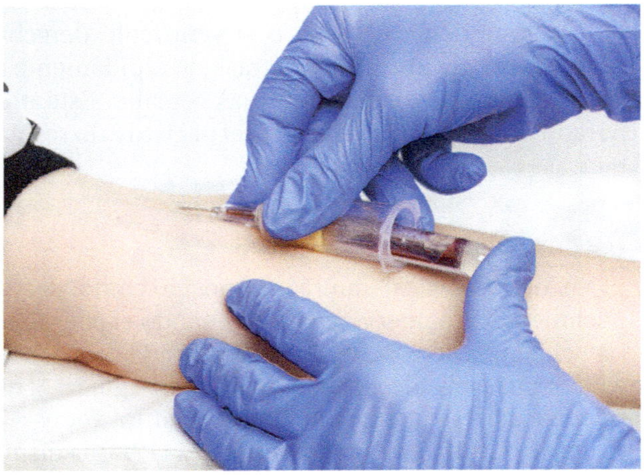

FIGURA 11-29 Obtención de muestras de sangre con un Vacutainer.

2. Limpie el lugar.
3. Inserte la aguja (ya conectada al Vacutainer) en la vena.
4. Retire la banda restrictiva e inserte los tubos de sangre en el Vacutainer para obtener la cantidad necesaria de sangre, **FIGURA 11-29**.
5. Retire la aguja de la vena, y aplique presión directa.
6. Deseche la aguja en un contenedor para objetos punzocortantes.
7. Etiquete todos los tubos con el nombre del paciente, la fecha, la hora y su nombre con sus credenciales lo antes posible para evitar mezclar los tubos con los de otro paciente.

Una vez llenos los tubos de sangre, gire con suavidad hacia delante y hacia atrás varias veces para mezclar de manera uniforme el anticoagulante y la sangre. La excepción es el tubo con tapón rojo, destinado a separar el suero de los demás componentes sanguíneos. Evite agitar este tubo después de que la sangre se haya coagulado, ya que el movimiento puede destruir la muestra.

Para que los tubos de sangre sean viables para el análisis, deben estar llenos al menos en tres cuartas partes. Siga los protocolos locales en cuanto a los tipos de tubos de sangre que se deben llenar.

SEGURIDAD

La identificación incorrecta de los pacientes es un problema potencialmente grave en la atención de la salud que puede dar lugar a errores en la administración de medicamentos. Las recomendaciones prácticas que ayudan a evitar este error siempre incluyen múltiples identificadores de pacientes. Por ejemplo, los profesionales que administran medicamentos deben utilizar siempre dos identificadores del paciente (es decir, nombre y fecha de nacimiento). Esto es en especial importante en el caso de los equipos del SEM que recogen a un paciente para trasladarlo a otro centro. Aunque en la mayoría de los casos la llamada al 9-1-1 del SEM para un solo paciente da como resultado un paciente obvio, es perfectamente posible que un equipo recoja al paciente equivocado en un hospital o centro de salud y lo traslade a un lugar equivocado.

Transfusiones de sangre

Algunos estados permiten a los paramédicos transportar a pacientes que reciben sangre y productos sanguíneos en el ámbito interinstitucional o aeromédico. En la mayoría de los casos, la infusión de sangre se iniciará en un centro de transferencia antes de la llegada y los proveedores del SEM continuarán con la infusión. La preparación para estos transportes que implican transfusión de sangre puede llevar mucho tiempo debido a la cantidad de datos que se deben recopilar, revisar y corroborar antes del transporte.

El grupo sanguíneo se identifica obteniendo un tipo y una prueba cruzada del análisis de sangre del paciente. Después de obtener el grupo sanguíneo del paciente, el centro le colocará un brazalete que identifique el grupo sanguíneo. Cada vez que se cambia la bolsa de sangre o se transfiere la asistencia, se debe cotejar la sangre que se transfunde o que se va a transfundir con el brazalete del paciente y dos proveedores de soporte vital avanzado (SVA) lo verifican. Estos proveedores pueden ser un paramédico y una enfermera, o dos paramédicos, dependiendo de la normativa local, regional o estatal. Esta verificación incluye la siguiente información:

- Nombre completo del paciente
- El número de historia clínica del paciente
- El producto que se transfunde
- El número de unidad del producto que se transfunde
- Tipo ABO y Rh del producto
- Fecha de caducidad de la unidad

En situaciones de emergencia médica, es posible que se desconozca el grupo sanguíneo ABO y el factor Rh del paciente. En estos casos, el hospital dispondrá de sangre de tipo O para transfusión. Si se espera que su equipo cambie las unidades durante el transporte, verifique el tipo ABO y el factor Rh antes de abandonar el hospital de transferencia, incluso si tiene dos proveedores de SVA en el equipo de transporte. Esto garantiza que no se acepte por accidente una unidad que no se pueda utilizar. La sangre aceptada se debe utilizar en un plazo de 4 horas o devolverse al banco de sangre.

Siempre que acepte un traslado que implique una transfusión de sangre, asegúrese de que el paciente tenga al menos un sitio vascular disponible por el que no corra sangre. Si se produce una reacción a la transfusión, se debe interrumpir cualquier vía IV que tenga sangre transfundida.

Cuando se transfunde sangre, esta se administra a través de un tubo especial que tiene un filtro diseñado para retener los coágulos de sangre; también se mezcla con solución salina normal. Los signos vitales se deben obtener antes de iniciar el traslado de un paciente sometido a una transfusión de sangre, y esos datos se deben comparar con los signos vitales previos para identificar tendencias de mejoría o empeoramiento del paciente. Los signos vitales se deben evaluar cada 5 minutos posterior al intercambio de unidades adicionales de sangre. Cuando se agreguen nuevas unidades, debe vigilar estrechamente al paciente para detectar signos de reacción a la transfusión, como dolor de cabeza, cambios en el estado mental, enrojecimiento de la piel, náusea y vómito, dificultad para respirar, escalofríos, taquicardia, hipotensión y fiebre. Guarde la bolsa de sangre y el tubo porque se deben devolver al banco de sangre para su análisis. En el capítulo 21, *Emergencias hematológicas* se estudian con más detalle las reacciones a la transfusión.

Infusión intraósea

Intraósea (IO) significa “dentro del hueso”. La **infusión intraósea** es una técnica de administración de líquidos, sangre y hemoderivados, y medicamentos en el **espacio intraóseo** de la tibia proximal, la cabeza del húmero o el esternón.

Los huesos largos, como la tibia, constan de un eje (**diáfisis**), los extremos (**epífisis**) y la placa de crecimiento (**placa epifisaria**), **FIGURA 11-30**. El espacio IO

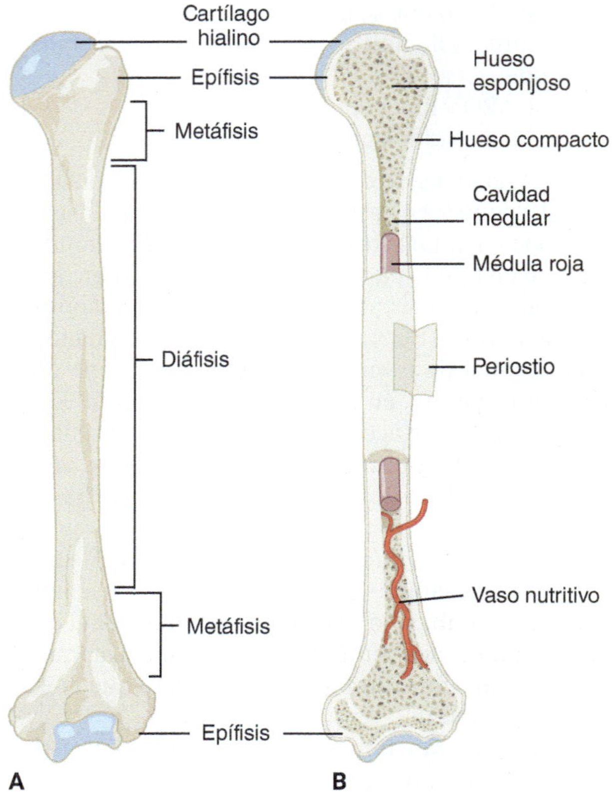

FIGURA 11-30 Los componentes de un hueso largo.
A. El húmero. Obsérvese el eje largo y los extremos dilatados.
B. Sección longitudinal del húmero que muestra el hueso compacto, el hueso esponjoso y la médula.

comprende colectivamente el hueso esponjoso de las epífisis y la cavidad medular de la diáfisis. Su vasculatura drena hacia la circulación central a través de una red de senos y canales venosos.

Cuando un paciente se encuentra en estado de shock, paro cardíaco o en una situación hemodinámicamente comprometida, con frecuencia las venas periféricas se colapsan, lo que dificulta en gran medida, si no es que imposibilita, el acceso IV. Sin embargo, el espacio IO permanece permeable, a menos que el paciente haya sufrido un traumatismo en su estructura ósea (p. ej., una fractura). Por este motivo, el espacio IO se conoce comúnmente como “vena no colapsable”. Absorbe rápidamente los líquidos y medicamentos IV y los lleva a la circulación central, tan pronto como es posible por vía IV. Todo lo que se puede administrar por vía IV (cristaloides, medicamentos, sangre y hemoderivados) se puede administrar por vía IO.

La infusión IO está indicada cuando no se puede obtener acceso IV en un paciente en estado crítico o lesionado, por ejemplo, debido a un shock profundo, un paro cardíaco o un estado epiléptico. En general,

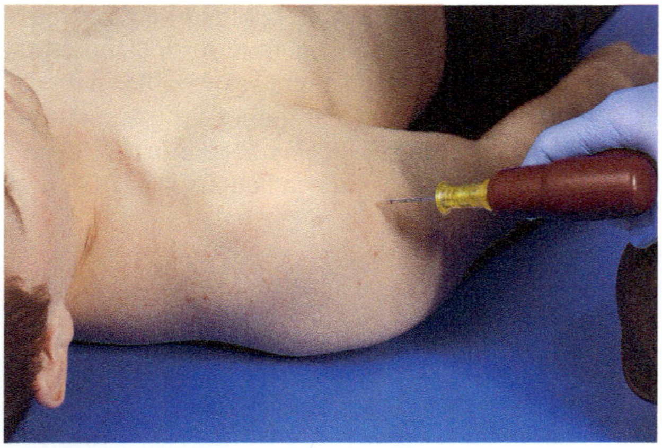

FIGURA 11-31 El sitio humeral para la inserción intraósea.

debe intentar obtener un acceso IV periférico antes de buscar un acceso IO, pero esto puede variar en función del protocolo local y del estado del paciente.

Sitios IO

Los tres lugares que por lo regular se utilizan para la inserción IO son el esternón, el húmero y la tibia proximal. La técnica para realizar la infusión IO requiere en cada caso la identificación adecuada del punto de referencia anatómico.

Para localizar el lugar de la IO humeral, tendrá que manipular el brazo del paciente y palpar la cabeza del húmero, **FIGURA 11-31**. Empiece colocando la mano del paciente sobre el abdomen, lo que provoca una rotación interna de la cabeza humeral. Coloque la cara cubital de una de sus manos verticalmente sobre la axila, cerca de la cabeza humeral que se utilizará para la inserción. Coloque la cara cubital de la otra mano lateralmente a lo largo de la línea media de la parte superior del húmero del paciente. Coloque los pulgares juntos, palpando hacia arriba por el cuello quirúrgico hasta la cabeza humeral. La selección y estabilización adecuadas de la aguja son fundamentales para utilizar este sitio con éxito.

Identifique el sitio esternal IO palpando la muesca esternal y utilizando el objetivo adhesivo del dispositivo IO, **FIGURA 11-32**. El sitio esternal tiene una velocidad de flujo extremadamente rápida. El lugar de inserción del dispositivo está cerca de los puntos de referencia de compresión torácica; sin embargo, el dispositivo no impide las compresiones torácicas.

El hueso plano de la tibia proximal se encuentra medial a la tuberosidad tibial, la protuberancia ósea situada justo debajo de la rodilla. Es necesario palpar la pierna para diferenciar entre el primer y segundo puntos de referencia (no se pueden ver, se deben palpar).

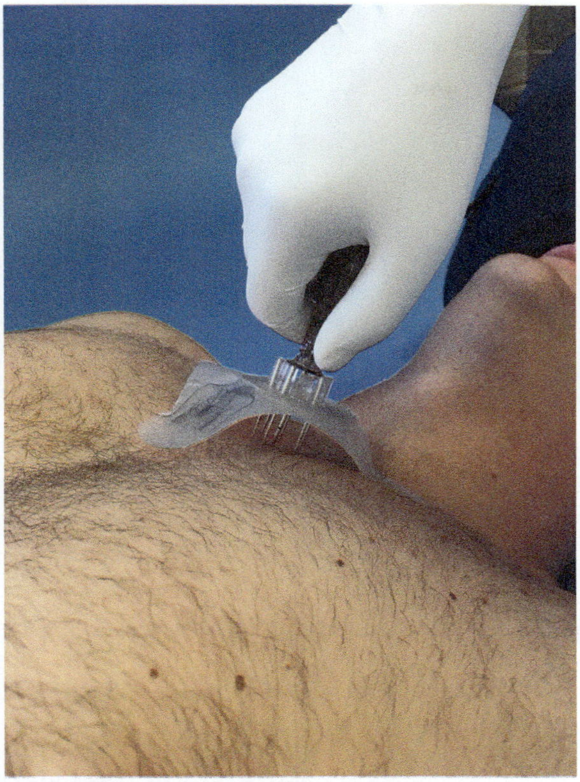

FIGURA 11-32 El sitio esternal para la inserción intraósea.

Cortesía de Stephen J. Rahm, NRP.

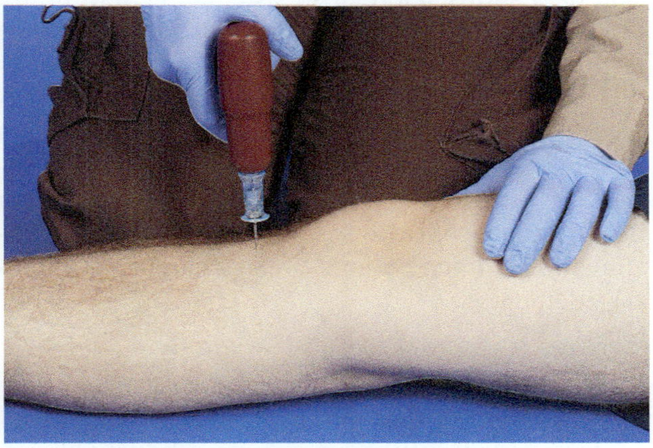

FIGURA 11-33 El sitio de la tibia proximal para la inserción intraósea en adultos.

© Jones & Bartlett Learning.

Para localizar el sitio IO de la tibia proximal, palpe la tuberosidad tibial, luego palpe medialmente 2 cm (0.8 pulgadas). Este es el sitio IO para pacientes adultos, **FIGURA 11-33**. Para pacientes pediátricos, palpe de 1 a 2 cm distalmente para evitar la placa epifisaria.

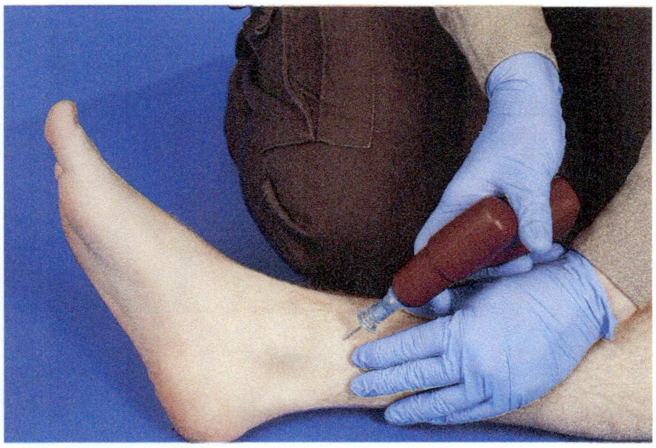

FIGURA 11-34 El sitio distal de la tibia para la inserción intraósea en adultos.

© Jones & Bartlett Learning.

Utilice también la palpación para el sitio IO de la tibia distal. Primero, identifique el maléolo medial. A continuación, palpe de 2 a 3 cm por encima de ese sitio, **FIGURA 11-34**. Para los pacientes pediátricos, debe palpar de 1 a 2 cm por arriba del maléolo medial.

Equipo para infusión intraósea

Se pueden utilizar varios productos para colocar una aguja IO en el espacio IO: agujas IO insertadas manualmente, el FAST1, el EZ-IO, la pistola para inyección ósea (BIG, por sus siglas en inglés) y el nuevo dispositivo intraóseo (NIO, por sus siglas en inglés). El uso de estos dispositivos requiere una capacitación especializada y un profundo conocimiento de sus características, funcionalidad y aplicación clínica. Si su sistema del SEM utiliza alguno de estos dispositivos, siga los protocolos locales relacionados con su aplicación.

Las agujas IO de inserción manual (es decir, aguja de Jamshedi, aguja de Cook) fueron los dispositivos originales utilizados para establecer el acceso intraóseo en niños y se siguen utilizando en el entorno prehospitalario. Consisten en una aguja perforadora sólida (**trocar**) que se inserta a través de una aguja hueca afilada, **FIGURA 11-35**. La aguja IO se introduce en el hueso con una acción de enroscado y torsión. Una vez que la aguja atraviesa el hueso, se retira la aguja sólida, dejando en su lugar la aguja de acero hueca. El tubo intravenoso se conecta a este catéter.

El líquido no fluye tan rápido a través de una aguja IO como a través de una vía IV. Por este motivo, en los niños, los bolos de cristaloides se deben administrar por vía IV con una jeringa y un **dispositivo infusor a presión** (un manguito que se coloca alrededor de la

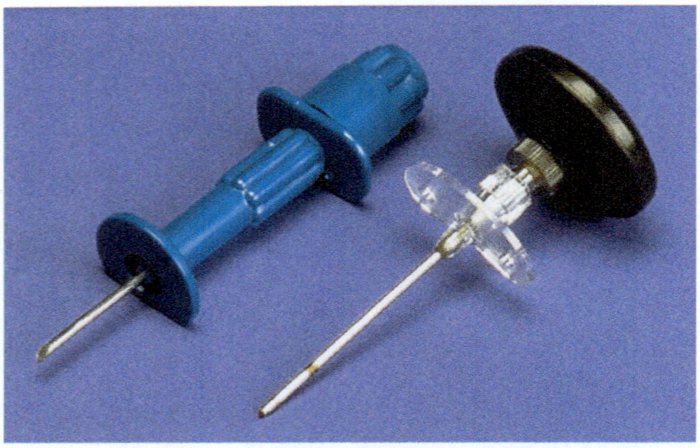

FIGURA 11-35 Agujas intraóseas de inserción manual.

FIGURA 11-36 Dispositivo de inserción intraósea FAST1.

bolsa para infusión IV y se infla para forzar la salida de líquido de la bolsa para infusión IV) en adultos.

Las agujas IO insertadas manualmente son largas, se apoyan en un ángulo de 90° con respecto al hueso y se desplazan con facilidad. La estabilización cuidadosa es fundamental para que estas vías mantengan un flujo adecuado. Estabilice la aguja IO de la misma manera que lo haría con cualquier objeto clavado.

Dispositivos FAST

Los **dispositivos FAST** (First Access for Shock and Trauma) fueron los primeros dispositivos IO aprobados para su uso en pacientes mayores de 12 años. Incluyen cuatro elementos de diseño que permiten la colocación intraósea en el esternón: un tubo de infusión y portal subcutáneo, un introductor, un parche de alivio de tensión/objetivo y una cúpula protectora, **FIGURA 11-36**. A pesar de esta colocación, los dispositivos FAST se pueden utilizar durante el paro cardíaco. Aunque las compresiones torácicas pueden continuar de manera simultánea a la colocación del dispositivo FAST IO, se debe interrumpir el uso de dispositivos mecánicos de RCP mientras se inserta el dispositivo FAST. La RCP mecánica puede continuar una vez estabilizado el dispositivo FAST.

El FAST1 es el dispositivo IO esternal original, compuesto por un tubo de infusión calibre 14 y 10 agujas de estabilización. El dispositivo está diseñado para alinearse con la muesca esternal, lo que minimiza el margen de error. El dispositivo FAST1 es completamente manual (no necesita pilas).

El FAST Responder (FASTR) es un dispositivo actualizado con muchos componentes ya ensamblados, lo que agiliza el proceso de inserción. Este dispositivo tiene un cierre de seguridad que se debe retirar antes de su inserción. El FASTR requiere solo 15 kg de presión para su inserción. Si su sistema del SEM utiliza estas IO esternales, se debe familiarizar con ambos dispositivos.

Los FAST1 y FASTR están diseñados para permanecer en su lugar durante un máximo de 24 horas. Para volver a mover cualquiera de los dos dispositivos, sujete con firmeza el tubo de inserción y tire con firmeza hasta que el dispositivo se desprenda. Realice un movimiento continuo durante la extracción; evite empezar y detenerse.

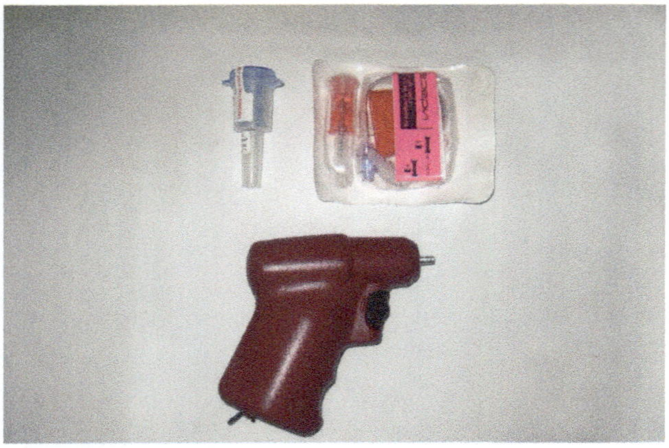

FIGURA 11-37 El sistema de acceso vascular EZ-IO cuenta con un controlador manual alimentado por batería, al que se acopla una aguja intraósea.

Dispositivo EZ-IO

El dispositivo **EZ-IO** dispone de un controlador manual alimentado por batería que se utiliza para insertar una aguja IO en la tibia proximal o distal de adultos y niños y en la cabeza humeral en adultos cuando es difícil o imposible obtener acceso IV, **FIGURA 11-37**. El controlador alimentado por batería del EZ-IO es el mismo en todos estos dispositivos, pero se dispone de agujas de diferentes tamaños. Siga las instrucciones del fabricante con respecto a la selección del tamaño adecuado de la aguja.

Para extraer un EZ-IO, utilice una jeringa de 10 ml. Conecte la jeringa al cierre Luer de la vía IO, gire la jeringa en el sentido de las agujas del reloj y extraiga el dispositivo con un movimiento rápido.

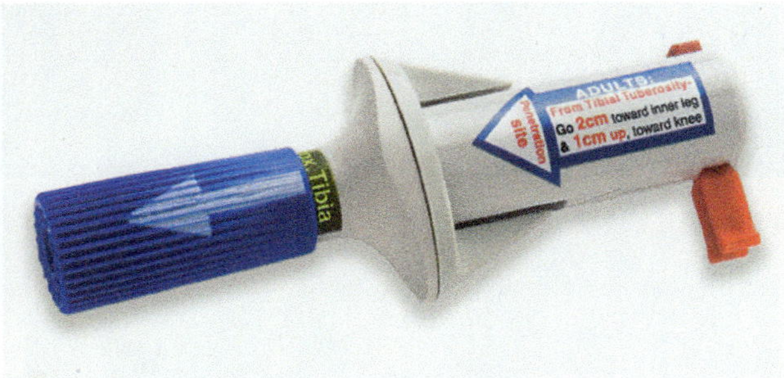

FIGURA 11-38 Pistola para inyección ósea (BIG).

Cortesía de PerSys Medical.

Dispositivo de pistola para inyección ósea

La **pistola para inyección ósea** (**BIG**, por sus siglas en inglés) es un tornillo de banco accionado por resorte que se utiliza para insertar una aguja IO en la tibia proximal de pacientes adultos y pediátricos y en la cabeza del húmero en adultos, **FIGURA 11-38**. Está disponible en tamaños adulto y pediátrico. Aunque ambas versiones ofrecen las mismas características operativas, la profundidad de inserción es diferente para cada tamaño de dispositivo.

El cierre de seguridad de la BIG sirve como estabilizador una vez insertado el dispositivo. Cuando esté listo para extraer el dispositivo, utilice el dispositivo de estabilización como herramienta de extracción. Coloque el lado más ancho de la herramienta de extracción sobre el puerto de conexión. Extraiga el dispositivo con un movimiento rápido mientras sujeta la herramienta de extracción.

Nuevo dispositivo intraóseo

El **nuevo dispositivo intraóseo** (**NIO**, por sus siglas en inglés) se coloca en la tibia proximal de un paciente adulto para proporcionar acceso IO, **FIGURA 11-39**. La cabeza humeral es un lugar alternativo para este dispositivo, el cual es accionado por resorte y no contiene ni taladro ni batería. Se inserta desbloqueando una tapa de seguridad. A continuación, mientras se aplica presión hacia abajo con la mano dominante, los dedos de la otra mano del proveedor tiran de las alas del gatillo hacia arriba para desplegar el dispositivo. Posteriormente, se tira del dispositivo NIO hacia arriba con un movimiento giratorio mientras el estabilizador de la aguja se mantiene contra la piel. Una vez retirado el trocar de introducción, se puede conectar cualquier tubo con cierre Luer.

Existe una versión pediátrica, NIO Pediatric (NIO-P), aprobada para pacientes de 3 a 12 años. Este tornillo de banco tiene un selector ajustable, que permite al proveedor ajustarlo en función de la edad del paciente o de la profundidad del hueso (si se prevé una circunferencia excesiva para la edad). En el momento de redactar este documento, el NIO-P solo se había aprobado para su colocación en la tibia proximal.

FIGURA 11-39 El nuevo dispositivo intraóseo (NIO).

Cortesía de PerSys Medical.

Cómo realizar una infusión intraósea

Siga estos pasos para realizar una infusión IO utilizando un dispositivo EZ-IO, **PRÁCTICA DE DESTREZA 11-2**.

Posibles complicaciones de una infusión IO

Si se utiliza la técnica adecuada (es decir, identificación adecuada del punto de referencia anatómico, técnica aséptica), entonces la infusión IO se asocia a una tasa de complicaciones relativamente baja. Sin embargo, las mismas complicaciones potenciales asociadas a la terapia IV se pueden presentar con la infusión IO, así como otras exclusivas de este método de infusión.

La infiltración se puede producir cuando la aguja IO no entra en el espacio IO, sino que descansa fuera del hueso (porque el hueso se ha omitido por completo o está fracturado). En tal caso, el líquido IV se acumulará en los tejidos blandos. El riesgo de infiltración se puede reducir utilizando la técnica de inserción adecuada: *inserte la aguja IO en un ángulo de 90° respecto al hueso.* Si la infusión no fluye libremente o si se edematiza muy rápido la zona, en especial la cara posterior de la pierna sospeche de una infiltración. Si esto ocurre, interrumpa de inmediato la infusión y vuelva a intentar la inserción en la pierna opuesta. Una infiltración no detectada podría provocar un síndrome compartimental, que puede llevar a un compromiso vascular e incluso a la pérdida de la pierna.

La **osteomielitis** es la inflamación del hueso y el músculo causada por una infección; se presenta como resultado de la inserción de una vía IO, pero es poco frecuente.

Práctica de destreza 11-2 Obtención de acceso IO con un dispositivo EZ-IO

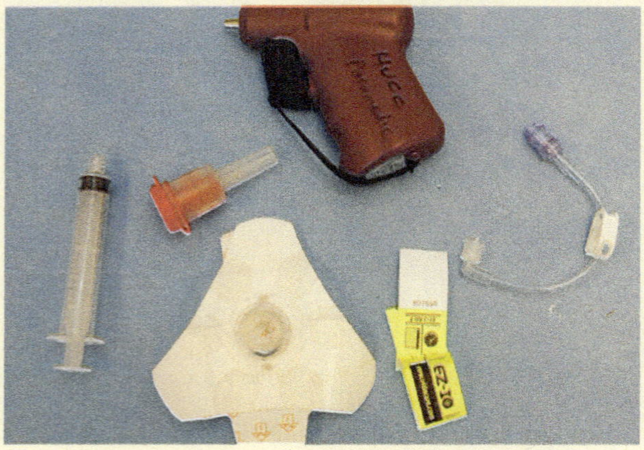

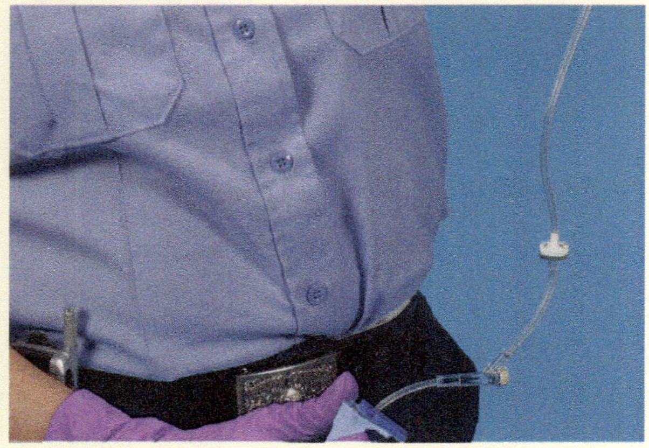

Paso 1

Reúna los suministros necesarios para el procedimiento, incluida una aguja IO, jeringa, solución salina, juego de extensión y apósitos voluminosos o estabilizadores; arranque la cinta necesaria para asegurar el sitio, abra las torundas antisépticas, las gasas, el apósito oclusivo, el apósito estabilizador y cualquier otra cosa necesaria para el acceso IO según el protocolo local. También puede utilizar una llave de paso de tres vías para facilitar la administración de líquidos. Elija el líquido adecuado para el estado del paciente. Examine la bolsa en busca de claridad, asegurándose de que no haya partículas flotando en el líquido, y confirme que este no haya caducado. Seleccione un equipo de goteo apropiado para el estado del paciente y conéctelo al líquido. Prepare la jeringa y conecte el tubo de extensión al extremo del equipo IV.

Paso 2

Mientras mantiene estéril, retire las cubiertas protectoras de la cámara de goteo y del puerto de cola de la bolsa IV. Sin tocar la punta de perforación, perfore la bolsa para infusión IV y luego gírela en posición vertical. Apriete la cámara de goteo y llénela hasta la mitad. Abra la pinza de rodillo y "purgue" el líquido a través del tubo para eliminar el aire. Cierre la pinza después de purgar el tubo. Tome las precauciones habituales antes de entrar en contacto con el paciente.

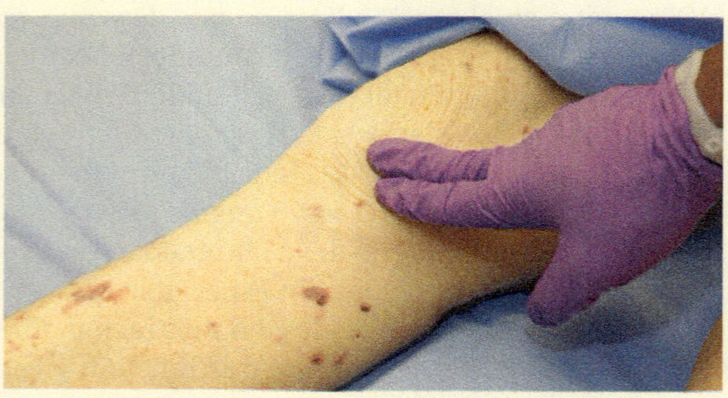

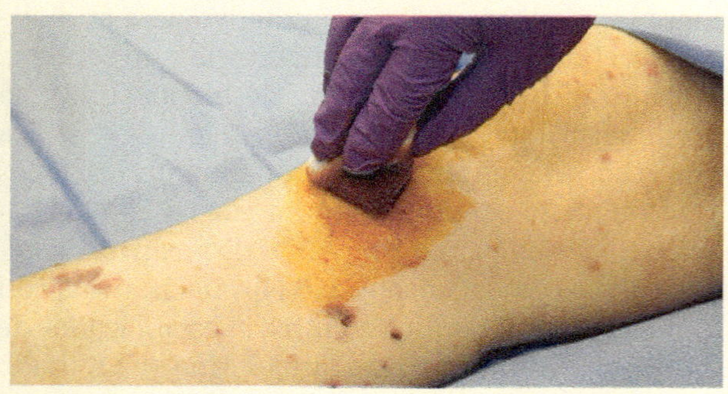

Paso 3

Identifique el sitio anatómico adecuado para la punción IO. Palpe los puntos de referencia y prepare el lugar. Solo se puede acceder a la tibia con los dispositivos EZ-IO y BIG. La colocación humeral por lo regular se reserva para adultos cuando se utilizan los dispositivos EZ-IO o BIG.

Paso 4

Limpie la zona utilizando una técnica aséptica.

Práctica de destreza 11-2 Obtención de acceso IO con un dispositivo EZ-IO (continuación)

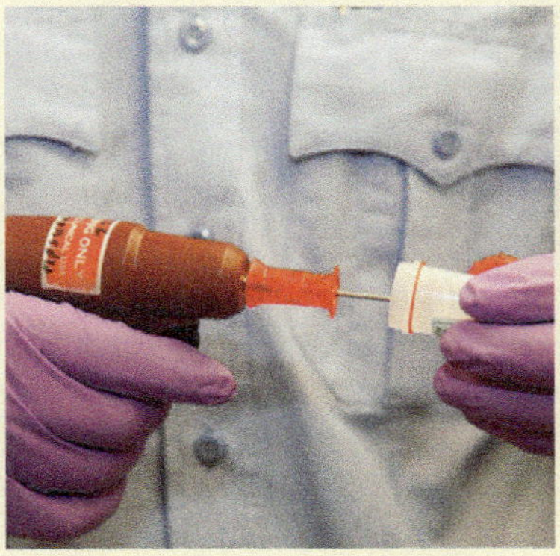

Paso 5

Conecte la aguja a la pistola EZ-IO y retire la cubierta protectora. Examine la aguja. Si encuentra alguna imperfección, deseche la aguja y seleccione otra.

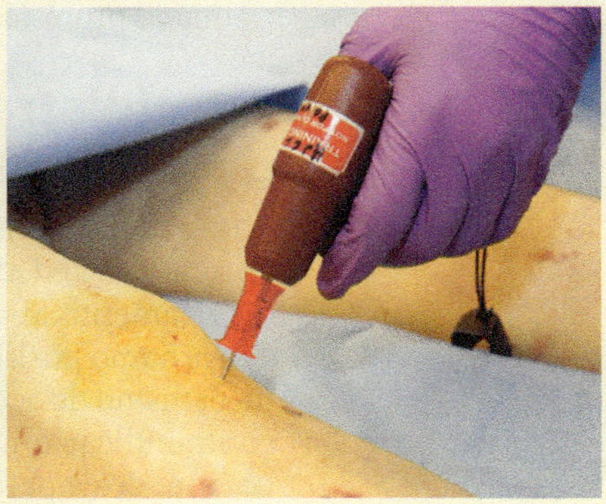

Paso 6

Realice la punción IO estabilizando primero la tibia, después coloque una toalla doblada bajo la rodilla y, por último, sujete la extremidad de forma que mantenga los dedos alejados del lugar de punción (p. ej., si accede a la tibia, no sujete la pierna con la palma de la mano y realice la punción IO directamente sobre la mano). Para la colocación en el húmero, siga ejerciendo presión en las caras anterior e inferior del húmero.

Inserte la aguja en un ángulo de 90° respecto al lugar de inserción. Haga avanzar la aguja con un movimiento giratorio hasta que sienta un "pop" u observe menos resistencia.

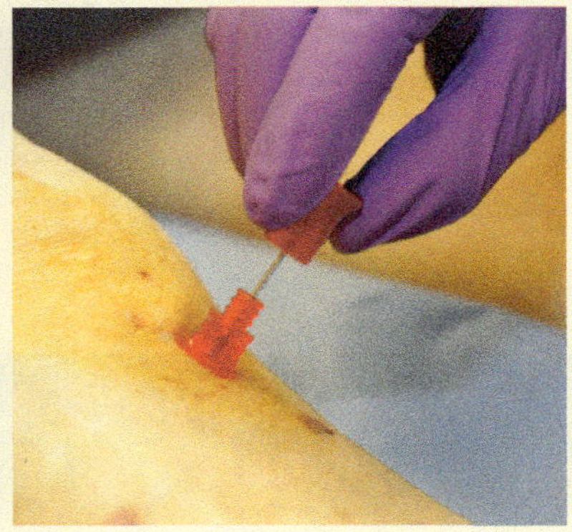

Paso 7

Retire el estilete del catéter y deséchelo en un contenedor para objetos punzocortantes.

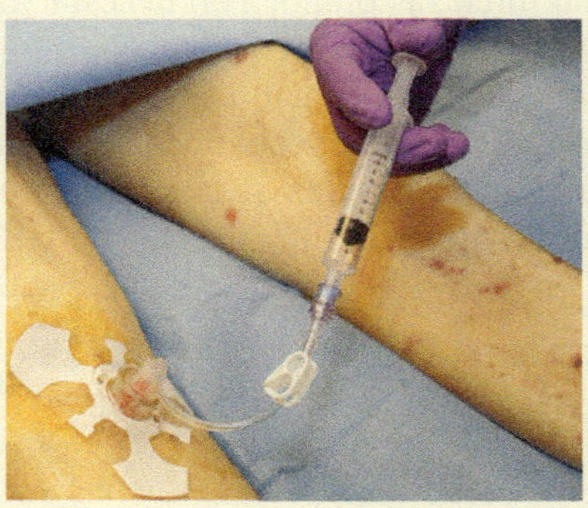

Paso 8

Conecte el juego de jeringa y extensión a la aguja IO. Tire hacia atrás de la jeringa para aspirar sangre y partículas de médula ósea y asegurarse de que la colocación es correcta. La ausencia de médula no significa que el acceso haya fallado. Los pacientes receptivos deben recibir lidocaína al 1% antes de comenzar la infusión de líquidos. Inyecte lentamente solución salina mientras observa si hay signos de infiltración. Si observa que esta existe, detenga la infusión de inmediato. Es posible fracturar el hueso durante la inserción de la aguja IO. Si esto ocurre, retire la aguja IO y cambie a otro lugar de inserción.

Si no hay signos de infiltración, conecte el equipo de administración y ajuste el flujo según proceda. Asegure la aguja con cinta adhesiva y sujétela con un vendaje voluminoso o estabilizador. Tenga cuidado de no colocar cinta adhesiva alrededor de la circunferencia completa de la extremidad, ya que podría afectar a la circulación y dar como resultado un potencial síndrome compartimental. Evalúe al paciente en busca de una respuesta terapéutica o signos de una reacción adversa.

Perlas de sabiduría

A excepción del dispositivo IO esternal FAST1, todos los dispositivos IO (manuales, con resorte y con batería) se utilizan sobre todo para insertar una aguja IO en el espacio IO de la tibia proximal, la tibia distal o la cabeza humeral. Sin embargo, otras localizaciones anatómicas, como el fémur distal, también pueden ser aceptables para la inserción de la aguja IO.

Documentación y comunicación

Cuando se inicia una vía IV para administrar un medicamento, el flujo debe ser lo suficientemente lento como para mantener la vena permeable. Este flujo lento puede documentarse como KVO (mantener la vena abierta [MVA]) o TKO (mantener abierta).

Si no se identifica la marca anatómica adecuada, se puede dañar el cartílago de crecimiento, lo que puede provocar anomalías del crecimiento óseo a largo plazo en los niños.

Si la técnica de inserción es demasiado enérgica o si se utiliza una aguja IO demasiado grande para la edad o el tamaño del paciente, se pueden producir fracturas. La inserción completa se produce cuando la aguja IO atraviesa *ambos* lados del hueso. Para evitar este problema, deje de insertar la aguja cuando sienta un chasquido. Si siente un "pop, pop", es probable que la aguja haya atravesado ambos lados del hueso. Si ocurre una fractura o la inserción atraviesa el hueso, retire la aguja e intente la inserción en la extremidad opuesta.

Si la inserción IO hace que partículas de hueso, grasa o médula pasen a la circulación sistémica y se alojen en una arteria pulmonar, se puede presentar una embolia pulmonar. En caso de que el paciente experimente dificultad respiratoria aguda, dolor torácico pleurítico y cianosis, se debe sospechar de una embolia pulmonar.

Contraindicaciones de la infusión IO

La canalización de una vena periférica sigue siendo la vía preferida para administrar líquidos y medicamentos por vía IV. Si se dispone de una vía IV funcional en pacientes pediátricos o adultos, *no* se indica la canalización IO. Otras contraindicaciones para la canalización e infusión IO son la fractura del hueso destinado a la canalización IO, osteoporosis, **osteogénesis imperfecta** (una enfermedad congénita que provoca fragilidad ósea), prótesis bilaterales de rodilla y una extremidad protésica en el lugar de la vía IO.

Administración de medicamentos

Antes de administrar cualquier medicamento a un paciente, usted debe comprender cómo afectará el medicamento al cuerpo humano, tanto de forma negativa como positiva. Esto incluye familiarizarse con el mecanismo de acción del medicamento, indicaciones, contraindicaciones, efectos adversos, vías de administración, dosis para pacientes y adultos y antídotos (si existen) para reacciones adversas.

La primera regla de la medicina es *primum non nocere*: "primero, no hacer daño". Por ejemplo, administrar un fármaco, como la atropina, a un paciente *asintomático* podría provocar una taquicardia no deseada y un posible compromiso hemodinámico. Como resultado, podría causar daño a un paciente que, de otro modo, no necesitaría el fármaco. Por lo tanto, es primordial que se asegure de que un fármaco concreto esté claramente indicado para tratar la enfermedad del paciente.

También debe tener conocimientos de matemáticas básicas de farmacología para calcular la dosis adecuada del medicamento. Esta sección empieza con una revisión de los principios matemáticos básicos que se aplican a la farmacología y concluye con los distintos métodos de administración de medicamentos.

Las dosis de fármacos y los cálculos de velocidad de flujo suelen ser fuentes de confusión para muchas personas prehospitalarias, sin embargo, son habilidades que utilizará con frecuencia en la escena y durante su formación inicial mientras practica en las estaciones de destrezas. Debe aprender a calcular con rapidez y precisión las dosis de medicación. Si administra un medicamento o una dosis inadecuados, por la vía incorrecta o con demasiada rapidez o lentitud, los resultados pueden ser desastrosos, incluida la muerte.

Principios matemáticos utilizados en farmacología

Repaso de matemáticas

Esta sección se refiere al uso de fracciones, porcentajes y decimales. Las habilidades matemáticas básicas son imperativas para que los paramédicos administren de forma apropiada los medicamentos.

Para el cálculo de fórmulas es fundamental comprender las fracciones, ya que representan una parte de un número entero. Se expresan como un numerador (el número superior que representa la parte disponible) sobre el denominador (que representa la cantidad total). Por ejemplo, si tiene cuatro unidades del SEM disponibles y una de ellas es enviada a una emergencia, entonces una cuarta parte (¼) de sus unidades están ocupadas. Piense en las fracciones como el numerador dividido entre el denominador. Por ejemplo, ¼ es lo mismo que 1 ÷ 4.

Los decimales distinguen los números mayores que cero de los menores que cero. Los números enteros aparecen a la izquierda del punto decimal, y las fracciones de números, a la derecha. Las fracciones pueden convertirse con facilidad en decimales dividiendo el numerador entre el denominador. Por ejemplo, al administrar atropina a un paciente adulto con bradicardia, se le daría ½ de 1 miligramo. Dividiendo 1 entre 2, se obtendría 0.5 mg (1 ÷ 2 = 0.5).

Dividir o multiplicar por 10 es sencillo si recuerda el siguiente método. Si está dividiendo un número entre 10, solo tiene que desplazar el punto decimal hacia la izquierda. Si está multiplicando un número por 10, solo tiene que desplazar el punto decimal hacia la derecha. En otras palabras, si estás dividiendo el número 20 entre 10, al mover el punto decimal un espacio a la izquierda obtiene 2, que es la respuesta correcta. Los siguientes ejemplos muestran este método.

Problema de multiplicación: 20 × 10

Paso 1: Coloque el punto decimal:

20.0

Paso 2: Para multiplicar por 10, mueva el punto decimal un espacio a la derecha:

200.0

→

La respuesta es 200.

Problema de división: 20 ÷ 10

Paso 1: Coloque el punto decimal:

20.0

Paso 2: Para dividir entre 10, mueva el punto decimal un espacio a la izquierda:

2.00

←

La respuesta es 2.

Los porcentajes indican una parte de 100 y se denotan con el símbolo %. También se pueden representar como fracciones cuyo denominador es 100; por ejemplo, 21% = 21/100. Los decimales pueden convertirse con facilidad en porcentajes desplazando el punto decimal dos posiciones (0.21 es igual a 21%).

El sistema métrico decimal

El sistema **métrico decimal** es un sistema de medida basado en múltiplos de 10 (es decir, un sistema decimal), **FIGURA 11-40**. Se utiliza para medir la longitud, el volumen y el peso, que se representan de la siguiente manera:

- Metro (m): unidad básica de longitud
- Litro (L): unidad básica de volumen
- Gramo (g): unidad básica de masa (peso)

FIGURA 11-40 Escala decimal.

En el sistema métrico decimal, los prefijos indican la fracción de la base utilizada. Los prefijos de uso común, de menor a mayor, son los siguientes:

- *micro-* = 0.000001
- *mili-* = 0.001
- *centi-* = 0.01
- *kilo-* = 1 000.0

Los medicamentos se suministran en una variedad de pesos y volúmenes, y se le pedirá que convierta esos pesos en volúmenes para administrar las dosis adecuadas de medicamentos a los pacientes. En el **CUADRO 11-3** se incluyen las unidades métricas de peso y volumen.

Para administrar la dosis adecuada de un medicamento a un paciente, debe tener la capacidad de convertir unidades mayores de peso en unidades menores (p. ej., gramos en miligramos) y unidades mayores de volumen en unidades menores (p. ej., litros en mililitros). Por el contrario, debe ser capaz de convertir unidades de peso más pequeñas en unidades más grandes (p. ej., miligramos en gramos) y unidades de volumen más pequeñas en unidades más grandes (p. ej., mililitros en litros).

Los medicamentos se envasan en diferentes unidades de peso y volumen. Sin embargo, el peso (p. ej., microgramos, miligramos y gramos) y el volumen (p. ej., mililitros) del medicamento que se va a administrar por lo regular representa solo una pequeña parte de la cantidad total de su forma envasada. Por ejemplo, un médico puede pedir 50 mg de un medicamento para un paciente, pero el fármaco está envasado en gramos. Por lo tanto, debe tener la capacidad de convertir gramos a miligramos y luego determinar cuánto volumen se necesita para alcanzar la dosis deseada. (**Dosis deseada** se refiere a la cantidad de un medicamento que ordene el médico, o dicte el protocolo, que usted administre a un paciente).

Perlas de sabiduría

Lleve consigo una calculadora, una guía de la escena del SEM o tablas de infusión de bolsillo, o utilice una aplicación para smartphone que le ayude a convertir libras a kilogramos o cuando calcule la dosis de un medicamento.

CUADRO 11-3 Unidades métricas

Unidad	Equivalente
Peso (de menor a mayor)	
1 mcg	0.001 mg
1 mg	1 000 mcg
1 g	1 000 mg
1 kg	1 000 g
Volumen (de menor a mayor)	
1 ml	1 cc[a]
100 ml	1 dl
1 000 ml	1 L

[a]Centímetro cúbico (cc) es una unidad que también se utiliza para representar mililitros (ml); por lo tanto,1 cc es lo mismo que 1 ml (1 cc = 1 ml).

Conversión de volumen

En el entorno prehospitalario, por lo regular solo se utilizan dos medidas de volumen: mililitros y litros. Debido a que 1 L equivale a 1 000 ml, basta con dividir o multiplicar por 1 000 o mover el punto decimal tres posiciones a la izquierda o a la derecha para convertir entre estas unidades.

Cuando convierta mililitros en litros, divida la unidad de volumen más pequeña entre 1 000 *o* simplemente mueva el punto decimal tres posiciones a la izquierda, como se muestra en el siguiente ejemplo:

Ejemplo 1

Conversión de 500 ml de solución salina normal a litros (500 ml = x L)

500 ml ÷ 1 000 = 0.5 L *o* 500. = 0.5 L de solución salina normal

←

Por el contrario, cuando convierta litros en mililitros, multiplique L por 1 000 *o* simplemente desplace el punto decimal tres posiciones a la derecha, como se muestra en el siguiente ejemplo:

Ejemplo 1

Conversión de 1.5 L de solución LR a mililitros (1.5 L = x ml)

1.5 L × 1 000 = 1 500 ml *o* 1.500 = 1 500 ml

→

Ejemplo 2

Conversión de 25 L de solución LR a mililitros (25 L = x ml)

25 L × 1 000 = 25 000 ml *o* 25.000 = 25 000 ml

→

Conversión del peso

Para convertir unidades de peso basta con multiplicar por o dividir entre 1 000 *o* desplazar el punto decimal tres posiciones a la derecha o a la izquierda.

Para convertir una unidad de peso mayor en una menor, *multiplique* la unidad de peso mayor por 1 000 *o* desplace el punto decimal tres posiciones a la *derecha*, como se muestra en los siguientes ejemplos:

Ejemplo 1

Conversión de 25 g de dextrosa a miligramos (25 g = *x* mg)

$$25 \text{ g} \times 1\,000 = 25\,000 \text{ mg } \textit{o } 25.000 = 25\,000 \text{ mg}$$

→

Ejemplo 2

Conversión de 0.15 mg de fentanilo en microgramos (0.15 mg = *x* mcg)

$$0.15 \text{ mg} \times 1\,000 = 150 \text{ mcg } \textit{o } 0.150 = 150 \text{ mcg}$$

→

Por el contrario, para convertir una unidad de peso más pequeña en una unidad más grande cuando la diferencia es de 1 000 (como de mg a g o de mcg a mg), divida los mg entre 1 000 *o* simplemente mueva el punto decimal tres lugares a la izquierda, como se muestra en los siguientes ejemplos. Recuerde que 1 g equivale a 1 000 mg y 1 mg equivale a 1 000 mcg.

Ejemplo 1

Conversión de 200 mcg de fentanilo a miligramos (200 mcg = *x* mg)

$$200 \text{ mcg} \div 1\,000 = 0.2 \text{ mg } \textit{o } 200. = 0.2 \text{ mg}$$

←

Ejemplo 2

Conversión de 250 mg de dextrosa a gramos (250 mg = *x* g)

$$250 \text{ mg} \div 1\,000 = 0.25 \text{ g } \textit{o } 250. = 0.25 \text{ g}$$

←

Perlas de sabiduría

Una cucharadita son aproximadamente 5 ml, y 1 cucharada son cerca de 15 ml. Una taza contiene alrededor de 240 ml. Las gotas varían en función del diámetro del gotero. Tal vez sea útil recordar estas medidas si necesita calcular la cantidad exacta del medicamento de un paciente.

Conversión de libras a kilogramos

Lo más probable es que en algunos países sus pacientes no puedan decirle cuánto pesan en kilogramos (kg). En estos casos, puede convertir fácilmente el peso de un paciente de libras a kilogramos. Esta información estará disponible con frecuencia durante los traslados entre centros. En el caso de pacientes que no sepan su peso en libras o que no respondan y no puedan proporcionarle esta información, debe realizar los siguientes pasos:

1. Calcule el peso del paciente en libras (lb).
2. Convierta las libras a kilogramos (kg).

Aunque muchos de los medicamentos que se proporcionan en medicina de urgencias se administran en dosis estándar (p. ej., 1 mg de epinefrina), otros se administran en función del peso del paciente en kilogramos (p. ej., 1 a 1.5 mg/kg de lidocaína). Además, la mayoría de los medicamentos administrados a pacientes pediátricos se basa en su peso en kilogramos.

Se pueden utilizar dos fórmulas para convertir libras a kilogramos. Utilice la que le resulte más fácil de recordar.

Por ejemplo, al convertir el peso de un hombre de 170 libras a kilogramos, la fórmula sería la siguiente:

Fórmula 1

Divida el peso del paciente en libras entre 2.2 (1 kg = 2.2 lb)

$$170 \text{ lb} \div 2.2 = 77.27 \text{ kg}$$

Debido a que el valor que sigue al punto decimal en este ejemplo es inferior a 0.5, puede redondear el peso en kilogramos del paciente a 77. Si el valor que sigue al punto decimal en el primer ejemplo hubiera sido superior a 0.5, entonces redondearía el peso en kilogramos a 78. Aunque esto pueda parecer insignificante, es una buena práctica administrar al paciente la cantidad *más* adecuada del medicamento.

Los siguientes son algunos ejemplos adicionales del uso de esta fórmula:

$$250 \text{ lb} \div 2.2 = 113.64 \text{ kg}$$
$$479.6 \text{ lb} \div 2.2 = 218 \text{ kg}$$
$$6.6 \text{ lb} \div 2.2 = 3 \text{ kg}$$
$$30 \text{ lb} \div 2.2 = 14.09 \text{ kg}$$
$$68 \text{ lb} \div 2.2 = 30.91 \text{ kg}$$

Fórmula 2

Divida el peso del paciente en libras entre 2 y reste 10% de ese número

Por ejemplo, al convertir el peso de una mujer de 120 libras a kilogramos, la fórmula sería la siguiente:

Ejemplo 1

Conversión del peso de una mujer de 120 libras a kilogramos

Paso 1: $120 \text{ lb} \div 2 = 60$

Paso 2: $60 \text{ lb} \times 10\% = 6$

Paso 3: $60 - 6 = 54 \text{ kg}$

Nota: Esta fórmula proporciona un peso aproximado en lugar de una conversión exacta.

Conversión de temperatura

Las escalas de temperatura Fahrenheit y Celsius (o centígrados) se utilizan de manera habitual para medir la temperatura. En la **escala Celsius**, el agua se congela a 0° y hierve a 100°. En la **escala Fahrenheit**, el agua se congela a 32° y hierve a 212°. La temperatura corporal normal es de 37 °C (98.6 °F). Los valores de cada una de estas escalas se pueden interconvertir fácilmente utilizando las siguientes ecuaciones:

- Para convertir Fahrenheit a Celsius: reste 32 y luego multiplique por 0.555 (5/9)

Fahrenheit → Celsius

$$98.6\ °F - 32 \times 0.555 = 36.9\ (37\ °C)$$

- Para convertir Celsius a Fahrenheit: multiplique por 1.8 (9/5), luego sume 32

Celsius → Fahrenheit

$$37\ °C \times 1.8 + 32 = 98.6\ °F$$

Ejemplos

Fahrenheit → Celsius

$$104.2\ °F - 32 \times 0.555 = 40.1\ °C$$
$$100.9\ °F - 32 \times 0.555 = 38.2\ °C$$
$$92.4\ °F - 32 \times 0.555 = 33.5\ °C$$

Celsius → Fahrenheit

$$37.9\ °C \times 1.8 + 32 = 100.2\ °F$$
$$38.6\ °C \times 1.8 + 32 = 101.4\ °F$$
$$32.2\ °C \times 1.8 + 32 = 90\ °F$$

USTED es el Paramédico

PARTE 2

Usted ha completado una evaluación secundaria y ha obtenido los signos vitales. El paciente niega padecer enfermedades crónicas y dice que nunca antes había experimentado algo así. No toma medicamentos y no tiene alergias conocidas a ningún fármaco. Se le ha colocado el monitor cardíaco, y usted observa que en este momento el paciente se encuentra en fibrilación auricular con una respuesta ventricular rápida. Usted se pone en contacto con el control médico y proporciona un breve informe. El médico le pide que administre diltiazem 0.25 mg/kg por vía IV durante 2 minutos; le gustaría llegar a una frecuencia cardíaca inferior a 110 latidos/min. El paciente pesa 105 kg. Su diltiazem viene preenvasado en una jeringa con 30 mg/5 ml.

Tiempo de grabación:	5 minutos
Respiraciones	20 respiraciones/min
Pulso	180 latidos/min, irregular
Piel	Cálida y seca
Presión arterial	134/90 mm Hg
Saturación de oxígeno (Spo_2)	99%
Pupilas	Iguales, redondas, reactivas a la luz (PIRRL)
EKG	Fibrilación auricular con respuesta ventricular rápida

3. ¿Qué información deben comunicarse entre usted y su compañero cuando se preparan para administrar este medicamento?
4. ¿Por qué es prudente ponerse en contacto con el control médico en este escenario para discutir las opciones de atención al paciente?
5. ¿Qué dosis administrará al paciente? Dado el medicamento suministrado, ¿qué volumen administrará?

Cálculo de dosis de medicamentos

Existen múltiples fórmulas para calcular las dosis de los medicamentos. Este capítulo se centra en aquellas que a la mayoría de los estudiantes les resultan fáciles de entender. En el caso de otras fórmulas de cálculo, debe consultar con su instructor. El método de cálculo de dosis de medicamentos demostrado en este capítulo se basa en los tres factores siguientes:

- Dosis deseada
- Concentración del fármaco disponible (dosis disponible)
- Volumen por administrar

Documentación y comunicación

Para evitar errores al documentar decimales, escriba 0.2 mg o 2 mg en lugar de .2 mg o 2.0 mg, que podrían confundirse fácilmente con 2 mg o 20 mg, respectivamente.

Dosis deseada

La dosis deseada (es decir, la orden del medicamento) es la cantidad de un fármaco que el médico le ordena, o el protocolo le dicta, que administre a un paciente. Se puede presentar como una dosis estándar (p. ej., 5 mg de diazepam [Valium], 25 g de dextrosa al 50%) o como un número específico de microgramos, miligramos o gramos por kilogramo de peso corporal (p. ej., 1 a 1.5 mg/kg de lidocaína [Xilocaína]).

Concentraciones de fármacos

Después de recibir una orden del medicamento (dosis deseada), debe determinar la cantidad de fármaco de que dispone. En otras palabras, debe conocer su concentración: el peso total (microgramos, miligramos o gramos) del fármaco contenido en una cantidad específica de volumen (mililitros o litros). A veces esta información está impresa en la etiqueta del envase del medicamento (p. ej., medicamento X a una concentración de 5 mg/ml); otros envases pueden indicar el peso total y el volumen total del fármaco por separado (p. ej., 8 mg de sulfato de morfina en 2 ml). Los siguientes ejemplos identifican algunas concentraciones comunes de fármacos preenvasados:

- Lidocaína, 100 mg/10 ml
- Epinefrina, 1 mg/10 ml (1:10 000)
- Furosemida, 40 mg/4 ml
- Adenosina, 6 mg/2 ml
- Dextrosa al 50%, 25 g/50 ml
- Fentanilo, 100 mcg/1 ml
- Naloxona, 2 mg/2 ml

En los ejemplos anteriores, observe que los fármacos están contenidos en diferentes volúmenes de solución. Este es su **volumen disponible**. *Para administrar un fármaco, debe conocer la concentración del fármaco presente en **1 ml**.* Esta información le indicará la concentración del fármaco disponible. La fórmula para calcularlo es la siguiente:

Concentración total del fármaco ÷ Volumen total en mililitros = Concentración por mililitro

Con esta fórmula podrá calcular fácilmente la cantidad de medicamento que contiene cada mililitro.

Ejemplos

Amiodarona, 150 mg/3 ml

150 mg (concentración total) ÷ 3 ml (volumen total) = 50 mg/ml

Ondansetrón, 4 mg/2 ml

4 mg ÷ 2 ml = 2 mg/ml

Epinefrina, 1 mg/10 ml

1 mg ÷ 10 ml = 0.1 mg/ml

Tiamina, 100 mg/2 ml

100 mg ÷ 2 ml = 50 mg/ml

Las cosas se complican un poco más cuando en la etiqueta del medicamento se indica la concentración del fármaco en forma de porcentaje: por ejemplo, "lidocaína al 1% (Xylocaine)". Lo que significa *porcentaje* en términos de concentración del fármaco

Perlas de sabiduría

Si el médico ordena que se administre un número específico de mililitros por hora (ml/h), entonces una forma rápida y fácil de calcular el número de gotas por minuto (gtt/min) con una serie de 60 gtt es dividir el número de mililitros por hora:

- Por 6, si se utiliza un macrogotero que proporciona 10 gtt/ml
- Por 4, si se utiliza un macrogoteo que proporciona 15 gtt/ml
- Por 1, si se utiliza un microgotero que proporciona 60 gtt/ml

es el número de *gramos presentes en 100 ml.* Así, la lidocaína al 1% (Xylocaine) contiene 1 g del fármaco por cada 100 ml (1 dl). Al dividir el numerador y el denominador entre 100, se llega a una concentración de 10 mg/ml:

$$\frac{1\text{ g}}{100\text{ ml}} = \frac{1\,000\text{ mg}}{100\text{ ml}} = 10\text{ mg/ml}$$

Volumen por administrar

Después de determinar la concentración del fármaco presente en cada mililitro, debe calcular cuánto volumen se necesita para administrar la cantidad del fármaco solicitada (dosis deseada). Utilice la siguiente fórmula para calcular el volumen por administrar:

Dosis deseada (mg) ÷ Concentración del fármaco disponible (mg/ml) = Volumen por administrar

Ejemplo 1

De acuerdo con sus protocolos, debe administrar 5 mg de midazolam (Versed) a un paciente que está sufriendo una convulsión. Tiene un vial de midazolam que contiene 10 mg en 5 ml. ¿Cuántos mililitros de midazolam debe administrar para alcanzar la dosis ordenada de 5 mg?

Paso 1: Determine la concentración (en mg/ml).

10 mg ÷ 5 ml = 2 mg/ml (concentración)

Paso 2: Determine cuánto volumen va a administrar.

5 mg (dosis deseada) ÷ 2 mg/ml (concentración) = 2.5 ml

Ejemplo 2

Sus protocolos dictan que debe administrar 12.5 g de dextrosa a un paciente con hipoglucemia. Dispone de una jeringa precargada de dextrosa al 50% que contiene 25 g en 50 ml. ¿Cuántos mililitros de dextrosa administrará?

Paso 1: Determine la concentración (en g/ml).

25 g ÷ 50 ml = 0.5 g/ml (concentración)

Paso 2: Determine cuánto volumen va a administrar.

12.5 g (dosis deseada) ÷ 0.5 g/ml (concentración) = 25 ml

Ejemplo 3

Usted está tratando a una paciente que tiene náusea y siente que va a vomitar. Su protocolo indica que puede administrar 4 mg de ondansetrón (Zofran). El ondansetrón está envasado en un vial de 4 mg en 2 ml.

Paso 1: Determine la concentración (en g/ml).

4 mg ÷ 2 ml = 2 mg/ml (concentración)

Paso 2: Determine cuánto volumen va a administrar.

4 mg (dosis deseada) ÷ 2 mg/ml (concentración) = 2 ml

Ejemplo 4

Para un paciente en paro cardíaco, sus protocolos le obligan a administrar 300 mg de amiodarona (Cordarone) como antiarrítmico después de epinefrina o vasopresina cuando hay fibrilación ventricular o taquicardia ventricular. La amiodarona se presenta en envases de 150 mg en 3 ml.

Paso 1: Determine la concentración (en g/ml).

150 mg ÷ 3 ml = 50 mg/ml (concentración)

Paso 2: Determine cuánto volumen va a administrar.

300 mg (dosis deseada) ÷ 50 mg/ml (concentración) = 6 ml

Dosis de medicamentos basadas en el peso del paciente

Como se mencionó antes, algunas dosis de medicamentos se basan en el peso del paciente en kilogramos. Determinar la dosis adecuada para el paciente requiere simplemente agregar un paso a la fórmula ya analizada: la conversión del peso del paciente en libras a kilogramos. Recuerde que 1 kg = 2.2 libras.

Ejemplo 1

Una niña de 7 años necesita 0.02 mg/kg de atropina para tratar una bradicardia sintomática. Usted dispone de una jeringa precargada de atropina que contiene 1 mg en 10 ml. La madre de la niña le dice que pesa 60 libras. ¿Cuántos miligramos administrará a esta niña (es decir, cuál es la dosis deseada)? ¿Qué volumen debe administrar para alcanzar la dosis deseada?

Paso 1: Convierta el peso de la niña en libras a kilogramos.

Fórmula 1: 60 lb ÷ 2.2 = 27.2 kg (redondear a 27 kg)
Fórmula 2: 60 lb ÷ 2 − 10% = 27 kg

Paso 2: Determine la dosis deseada.

0.02 mg/kg × 27 kg = 0.54 mg (redondear a 0.5 mg [dosis deseada])

Paso 3: Determine la concentración.

1 mg ÷ 10 ml = 0.1 mg/ml (concentración)

Paso 4: Determine cuánto volumen va a administrar.

0.5 mg (dosis deseada) ÷ 0.1 mg/ml (concentración) = 5 ml

Ejemplo 2
Está atendiendo a un paciente con delirio excitado. Su protocolo sugiere que puede administrar de 1 a 4 mg/kg IM de ketamina. El paciente pesa 110 libras y usted no puede obtener acceso vascular. La ketamina está envasada en un vial de 500 mg en 10 ml.

Paso 1: Convierta el peso del paciente de libras a kilogramos.

Fórmula 1: 110 lb ÷ 2.2 = 50 kg

Paso 2: Determine la dosis deseada.

3 mg/kg × 50 kg = 150 mg

Paso 3: Determine la concentración.

500 mg ÷ 10 ml = 50 mg/ml (concentración)

Paso 4: Determine cuánto volumen va a administrar.

150 mg (dosis deseada) ÷ 50 mg/ml (concentración) = 3 ml

Cálculo de las tasas de infusión de fluidos

Una vez colocado el catéter IV o IO, hay que ajustar la velocidad de flujo según el estado clínico del paciente o lo que dicte el control médico. Para ello, debe conocer la siguiente información:

- El volumen por infundir
- El periodo de infusión
- Las propiedades del equipo de administración que está utilizando, es decir, cuántas gotas por mililitro (gtt/ml) suministra

Si se sabe de antemano el volumen que se va a infundir, el periodo durante el cual se va a infundir y las propiedades del equipo de administración, se puede calcular la velocidad de flujo.

Por ejemplo, supongamos que el médico ordena la infusión de 1 L (1 000 ml) de solución salina normal en 4 horas, y que el equipo de administración por macrogotas proporciona 10 gtt/ml:

$$\frac{\text{Volumen por infundir} \times \text{gtt/ml del equipo de administración}}{\text{Tiempo total de infusión en minutos}} = \text{gtt/min}$$

Información:

Volumen total por infundir	=	1 000 ml
gtt/ml del equipo de administración	=	10
Tiempo de infusión (en minutos)	=	4 h × 60 min/h = 240 min

Cálculo:

$$\frac{1\,000 \text{ ml} \times 10 \text{ gtt/ml}}{240 \text{ minutos}} = \text{aproximadamente } 42 \text{ gtt/min}$$

Cálculo de la dosis y la velocidad para la infusión de un medicamento

Infusiones medicamentosas no basadas en el peso

Es posible que, después de la administración de determinados medicamentos, necesite iniciar una infusión continua para mantener un nivel terapéutico del fármaco en la sangre y evitar la recurrencia de la condición. En general se ordena que las infusiones de medicamentos se administren durante un periodo específico, por lo regular por minuto.

Para calcular una infusión continua de medicamentos que no se base en el peso del paciente, debe conocer de antemano la siguiente información:

- La dosis deseada (mcg/min o mg/min)
- Las propiedades del equipo de administración que utiliza (p. ej., microgoteo [60 gtt/ml])
- ¿Va a utilizar una bomba de infusión? (Las bombas de infusión mecánicas se tratan más adelante en este capítulo)

Como ya se explicó, utilizará la misma fórmula para calcular la dosis del medicamento. Después, calculará la dosis deseada que se administrará de forma continua: por lo regular un cierto número de microgramos (mcg) o miligramos (mg) por minuto.

Por ejemplo, suponga que acaba de administrar 75 mg de lidocaína a un paciente en paro cardíaco, después de lo cual el paciente se convierte en un ritmo de perfusión. El control médico le ordena entonces que inicie una infusión continua de lidocaína a 2 mg/min.

Debe determinar a cuántas gotas por minuto (gtt/min) ajustar la velocidad de goteo IV para administrar la dosis deseada de 2 mg/min. Para ello, agregará una cantidad determinada de lidocaína en una bolsa de líquido IV. En este ejemplo, se añadirán 2 g (2 000 mg) de lidocaína a una bolsa de 500 ml de solución salina normal, una combinación habitual. La fórmula para calcular la velocidad de infusión continua es la siguiente:

Paso 1: Determine la concentración.

2 g (2 000 mg) de lidocaína ÷ 500 ml de solución salina normal = 4 mg/ml (concentración)

Paso 2: Determine la cantidad de volumen por infundir por minuto (ml/min).

Para este cálculo, debe recordar la dosis deseada, en este caso, 2 mg/min.

Para determinar el número de ml/min, realice el siguiente cálculo:

$$\frac{2\text{ mg (dosis deseada)}}{\text{min}} \times \frac{1\text{ ml}}{4\text{ mg}} = \begin{matrix}0.5\text{ ml/min}\\ \text{(concentración)}\end{matrix}$$

Paso 3: Determine a cuántas gotas por minuto (gtt/min) debe ajustar el flujo IV.

Para este cálculo, debe conocer el número de gotas por mililitro (gtt/ml) que su equipo de administración IV suministra: un microgoteo (60 gtt/ml) o un macrogoteo (10 o 15 gtt/ml). Para un equipo de administración de microgoteo (utilizado normalmente cuando se administra una infusión continua del medicamento), el número de gotas por minuto para la velocidad de flujo IV se calcularía de la siguiente manera:

$$0.5\text{ ml/min} \times 60\text{ gtt/ml} = 30\text{ gtt/min}$$

Infusiones medicamentosas basadas en el peso

Algunas infusiones continuas de medicación se basan en el peso del paciente en kilogramos. La dopamina (Intropin), por ejemplo, por lo regular se administra en un rango de 5 a 20 mcg/kg/min. Utilizando la fórmula comentada antes y teniendo en cuenta el peso del paciente en kilogramos para determinar la dosis deseada, calculará la velocidad de goteo IV para un paciente de 70 kg que requiere una infusión continua de dopamina a 5 mcg/kg/min. En este ejemplo, se añadirán 800 mg de dopamina a una bolsa de 500 ml de solución salina normal, una combinación común.

Ejemplo 1

Paso 1: Determine la dosis deseada.

5 mcg/kg/min × 70 kg = 350 mcg/min (dosis deseada)

Paso 2: Determine la concentración.

800 mg (800 000 mcg) de dopamina ÷ 500 ml de solución salina normal = 1.6 mg/ml (concentración)

La advertencia aquí es que la dopamina se administra en *microgramos*, no en miligramos. Por consiguiente, debe convertir la concentración de 1.6 mg/ml a mcg/ml. Recuerde que para convertir una unidad de peso mayor a una menor, debe multiplicarla por el factor correcto o mover el decimal a la derecha. En este caso, debe multiplicar por 1 000 *o* mover el punto decimal tres lugares a la *derecha*; en otras palabras, 1.6 mg es igual a *1 600 mcg.*

Paso 3: Determine la cantidad de volumen por infundir por minuto (ml/min).

De nuevo, debe recordar la dosis deseada: en este caso, 350 mcg/min. El cálculo continúa de la siguiente manera para determinar el número de ml/min:

350 mcg/min (dosis deseada) ÷ 1 600 mcg/ml (concentración) = 0.22 ml/min

Paso 4: Determine la cantidad de gotas por minuto (gtt/min) a la que debe ajustar el flujo IV.

Una vez más, debe conocer las propiedades del equipo de administración que utilice. En este ejemplo, hará uso del equipo de microgoteo (60 gtt/ml). El número de gotas por minuto para la velocidad de flujo IV se calcularía de la siguiente manera:

$$\frac{0.22\text{ ml}}{\text{min}} \times \frac{60\text{ gtt}}{\text{ml}} = \begin{matrix}13.2\text{ gtt/min}\\ \text{(redondear a 13 gtt/min)}\end{matrix}$$

La dobutamina (Dobutrex) por lo regular se administra con una bomba IV, por lo que rara vez es necesario calcular la gtt para este medicamento. Sin embargo, los paramédicos verán este medicamento en uso durante traslados entre centros, así que el siguiente cálculo se centra en la dobutamina.

Ejemplo 2

La dobutamina por lo regular se administra durante los traslados interhospitalarios en caso de shock cardiogénico. La dosis por lo general es de 2 a 20 mcg/kg/min. En este ejemplo, usted traslada a un paciente de 60 kg que recibe un goteo de 10 mcg/kg/min. La dobutamina está envasada en 250 mg en una bolsa de 500 ml.

Paso 1: Calcule la dosis deseada.

$$10\ \text{mcg/kg/min} \times 60\ \text{kg} = 600\ \text{mcg/min}$$
(dosis deseada)

Paso 2: Calcule la concentración. El primer paso para hacerlo es convertir las unidades de mg a mcg.

$$250\ \text{mg} \times \frac{1\,000\ \text{mcg}}{\text{mg}} = 250\,000\ \text{mcg}$$

$$250\,000\ \text{mcg} \div 500\ \text{ml} = 500\ \text{mcg/ml}$$
(concentración)

Paso 3: Calcule la cantidad de volumen por infundir por minuto (ml/min).

$$600\ \text{mcg/min (dosis deseada)} \div 500\ \text{mcg/ml (concentración)} = 1.2\ \text{ml/min}$$

Paso 4: Calcule la cantidad de gotas por minuto (gtt/min) a la que se debe ajustar el flujo IV.

$$1.2\ \text{ml/min} \times 60\ \text{gtt/ml} = 72\ \text{gtt/min}$$

Dosis de medicamentos pediátricos

Se pueden utilizar varios métodos para determinar la dosis adecuada de un medicamento para un paciente pediátrico. Algunos ejemplos de estos métodos son las cintas métricas de reanimación basadas en la longitud, los diagramas de ruedas pediátricas, las guías de la escena de los SEM con tablas o diagramas específicos para pacientes pediátricos y las aplicaciones para teléfonos inteligentes. La mayoría de los medicamentos utilizados en urgencias pediátricas se basan en el peso del niño en kilogramos. A excepción de las dosis y los volúmenes más pequeños, los cálculos para la dosificación de medicamentos pediátricos y las infusiones de medicamentos son los mismos que para los adultos.

Perlas de sabiduría

Muchas veces, la persona que cuida del niño conocerá el peso del paciente. Esta información puede facilitar el cálculo de las dosis de los medicamentos.

Administración de medicamentos por vía enteral

Los **medicamentos por vía enteral**, también denominados alimentarios, se administran a través de alguna parte del tubo digestivo o intestinal. Incluyen medicamentos que se administran por vía oral, a través de una sonda de alimentación o por vía rectal.

Administración de medicamentos por vía oral

La mayoría de los pacientes toma su medicamento diario en casa por vía oral (*per os* [PO]). Las formas de medicamentos orales sólida y líquida incluyen cápsulas, cápsulas de liberación retardada, comprimidos, pastillas, tabletas, elíxires, emulsiones, suspensiones y jarabes, **FIGURA 11-41**.

Los medicamentos que se toman por vía oral se absorben lentamente en el estómago y los intestinos, por lo común entre 30 y 90 minutos. Debido a que su absorción es más lenta, tal vez sea necesario que los profesionales prehospitalarios administren medicamentos orales al principio de la atención del paciente.

Para preparar la administración de medicamentos orales, reúna el equipo adecuado para el tipo de medicamento que se va a administrar. Por ejemplo, un vasito, un gotero, una cucharadita, una jeringa oral o una mamila. Compruebe las indicaciones, contraindicaciones y precauciones, y repase los derechos de administración de los medicamentos antes de administrarla.

Siga estos pasos cuando administre un medicamento oral, **FIGURA 11-42**:

1. Tome las precauciones habituales.
2. Determine la necesidad del medicamento con base en la presentación del paciente.
3. Obtenga un historial, incluyendo cualquier alergia a medicamentos.
4. Siga las órdenes permanentes o póngase en contacto con el control médico para obtener permiso.
5. Revise el medicamento para asegurarse de que sea el correcto, que no esté turbio o descolorido y que no haya pasado su fecha de caducidad.

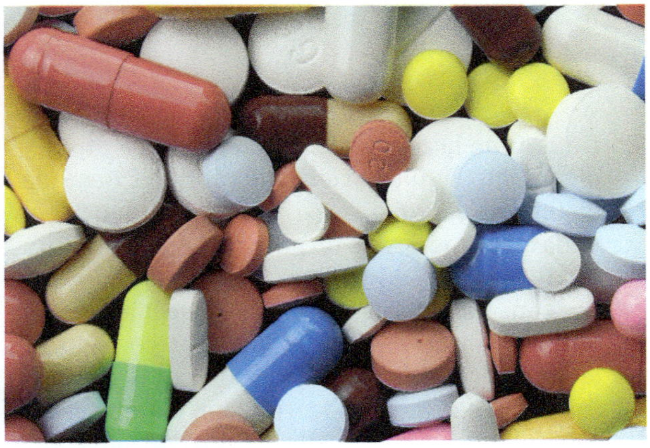

FIGURA 11-41 Los medicamentos orales entran en el torrente sanguíneo a través del sistema digestivo.

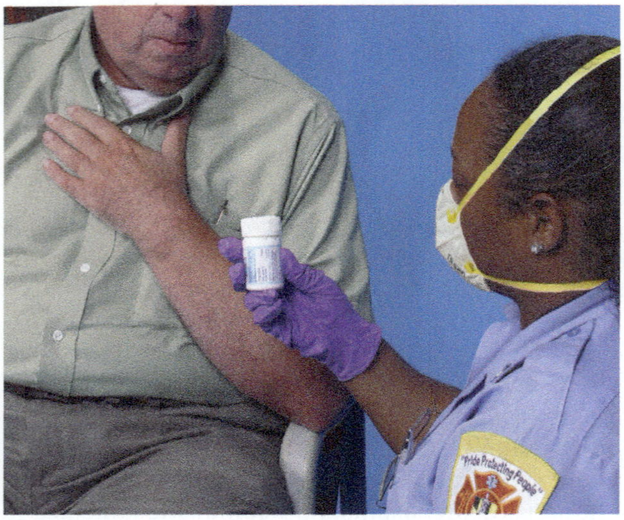

A

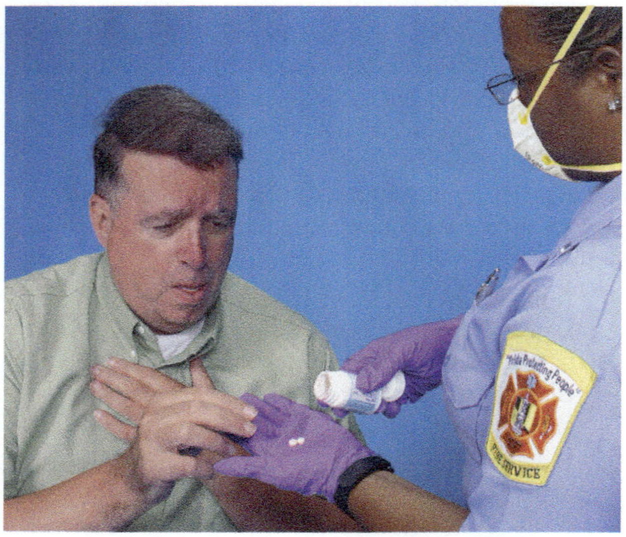

B

FIGURA 11-42 Administración de un medicamento por vía oral. **A.** Revise el medicamento y su fecha de caducidad. **B.** Haga que el paciente tome el medicamento. Proporcione un vaso o taza de agua si es necesario.

6. Determine la dosis adecuada. Si utiliza un medicamento líquido, vierta la cantidad deseada en un vaso calibrado o extraiga la cantidad adecuada en una jeringa o un gotero. Si administra un medicamento sólido (p. ej., pastilla, comprimido, cápsula), vierta la cantidad adecuada en la tapa del frasco y, a continuación, colóquelo en la mano del paciente.
7. Si se trata de una pastilla o tableta, indique al paciente que trague el medicamento con agua.
8. Controle el estado del paciente y documente el medicamento administrado, la vía, la hora de administración y la respuesta del paciente.

Tal vez tenga que calcular el número de pastillas, cápsulas o tabletas que debe administrar. En el caso de los medicamentos orales, la concentración ya se encuentra en la etiqueta del frasco. Por ejemplo, para un paciente que experimenta una exacerbación de la enfermedad pulmonar obstructiva crónica, sus protocolos pueden requerir 60 mg de prednisona oral. La concentración está etiquetada como 20 mg/tableta.

Cálculo:

60 mg (dosis deseada) ÷ 20 mg comprimidos (concentración) = 3 tabletas

Administración de medicamentos por sonda orogástrica y nasogástrica

Las **sondas gástricas** (orogástricas o nasogástricas) se insertan ocasionalmente en el entorno prehospitalario para descomprimir el estómago, realizar un lavado gástrico o establecer una vía para la administración de medicación enteral, aunque el uso de esta vía para la administración de medicamentos en la escena es poco frecuente. Algunos servicios permiten a los paramédicos administrar carbón activado por sonda gástrica para la ingestión tóxica cuando se contraindica el carbón activado oral. Es común la presencia de sondas gástricas durante los traslados entre centros; en estos casos la solución que se administra usualmente es la nutrición líquida para la alimentación por sonda. Si su servicio del SEM permite la administración de medicamentos a través de una sonda orogástrica o nasogástrica, debe recibir formación continua de su director médico sobre estos procedimientos. En el capítulo 13, *Manejo de la vía aérea*, se describe la inserción de sondas orogástricas y nasogástricas.

Administración de medicamentos por vía rectal

Si no se puede establecer un acceso IV o IO, algunos medicamentos se pueden administrar por vía rectal. Por ejemplo, en la escena se puede administrar diazepam (Valium) por vía rectal (*per rectum* [PR]) en pacientes que sufren una convulsión, ya que en estos casos puede ser difícil obtener un acceso IV. La absorción de medicamentos por esta vía es rápida y predecible porque la mucosa rectal está sumamente vascularizada, **FIGURA 11-43**. Los medicamentos rectales tienen un inicio de acción rápido porque no se digieren antes de ser absorbidos por la vasculatura corporal y, por lo tanto, omiten el metabolismo de primer paso.

En determinadas circunstancias, es posible que se le pida que administre medicamentos antieméticos

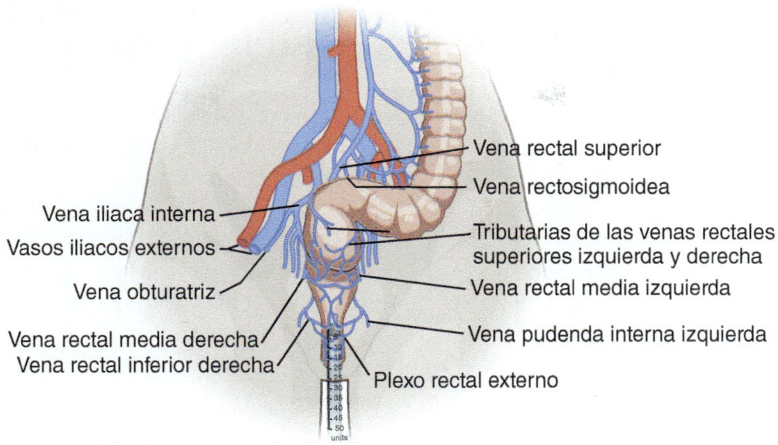

FIGURA 11-43 La mucosa rectal es muy vascular. Absorbe de forma rápida y previsible los medicamentos.

específicos que están disponibles en forma de **supositorio** (p. ej., prometazina [Phenergan]). Un supositorio es un fármaco mezclado en una base firme que se funde a la temperatura corporal y tiene la forma adecuada para adaptarse al recto. En el ámbito clínico, a veces se administran medicamentos mediante un **enema**, una solución líquida que se introduce en el recto, por ejemplo, para estudios de imagen del tracto gastrointestinal.

Siga estos pasos para administrar un fármaco por vía rectal:

1. Tome las precauciones habituales.
2. Determine la necesidad del medicamento en la presentación del paciente.
3. Obtenga un historial, incluyendo cualquier alergia a medicamentos.
4. Siga las órdenes permanentes o póngase en contacto con control médico para obtener permiso.
5. Determine la dosis adecuada y compruebe que el medicamento sea el correcto, que no está turbio ni hay decoloración y que no ha pasado la fecha de caducidad.
6. Utilice un gel hidrosoluble para lubricar cuando introduzca un supositorio. Inserte el supositorio en el recto de 3 a 4 cm (1 a 1.5 pulgadas) mientras indica al paciente que se relaje y no haga fuerza.
7. En el caso de los medicamentos en forma líquida, se necesitan algunas modificaciones. Puede utilizar una cánula nasofaríngea, un pequeño tubo endotraqueal (TE), **FIGURA 11-44**, un catéter IV calibre 18 sin aguja o un dispositivo comercial como dispositivo de administración.
   - Lubrique el extremo del dispositivo de administración con un gel hidrosoluble e introduzca con suavidad entre 3 y 4 cm (1 y 1.5 pulgadas) en el recto.

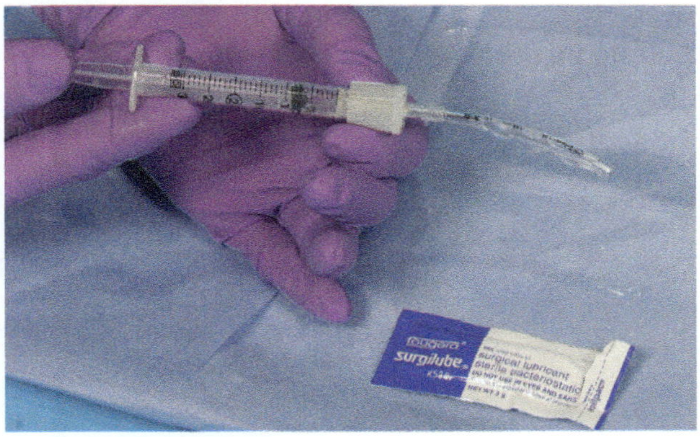

FIGURA 11-44 En el caso de la administración rectal de un medicamento en un niño, se puede utilizar una jeringa unida a un tubo endotraqueal pediátrico.

   - Indique al paciente que se relaje y que no haga fuerza, si es posible.
   - Con una jeringa *sin aguja*, empuje con suavidad el medicamento a través del tubo.
   - Una vez administrado el medicamento, retire y deseche la sonda o la jeringa en un recipiente adecuado.
8. Vigile el estado del paciente y documente el medicamento administrado, la vía, la hora de administración y la respuesta del paciente.

Administración de medicamentos por vía parenteral

La **vía parenteral** se refiere a cualquier vía que no sea el tracto gastrointestinal. Las vías parenterales para la administración de medicamentos incluyen la vía intradérmica, subcutánea, IM, IV, IO y percutánea. En

Perlas de sabiduría

El diazepam (Valium) está disponible para administración rectal en un envase específicamente diseñado, comercializado con el nombre de Diastat. El extremo distal del envase es cónico, lo que facilita su inserción en el recto. Esta característica elimina la necesidad de utilizar jeringas u otros métodos para inyectar el medicamento en el recto. El diazepam es un medicamento que por lo regular se receta a los niños con convulsiones.

SEGURIDAD

Siempre que utilice una aguja para extraer medicamento de una ampolla o vial, para evitar pincharse, sujete la jeringa contra la palma de la mano con la aguja hacia arriba y tire de la ampolla o vial hacia abajo sobre la aguja utilizando el pulgar y el índice de la palma contra la que está apoyada la jeringa. Esta técnica es de particular beneficio si se encuentra en una ambulancia en movimiento.

comparación con los medicamentos administrados por vía enteral (p. ej., oral, sonda gástrica), los medicamentos administrados por vía parenteral se absorben en la circulación central más rápido y a un ritmo más predecible, por lo que alcanzan sus efectos terapéuticos con mayor rapidez. De las diversas vías parenterales, la administración IV es la más utilizada en el entorno prehospitalario y, por lo general, es la forma más rápida de hacer llegar el medicamento a la circulación central.

Jeringas y agujas

Se utiliza una gran variedad de agujas y jeringas para administrar medicamentos parenterales. Muchas jeringas vienen preenvasadas con una aguja ya colocada. En otros casos, las agujas y las jeringas se envasan por separado. Las jeringas constan de un émbolo, un cuerpo o cilindro, una brida y una punta, **FIGURA 11-45**. Para mantener la esterilidad, no toque la punta de la jeringa, el eje del émbolo ni el interior de la jeringa. Manipule

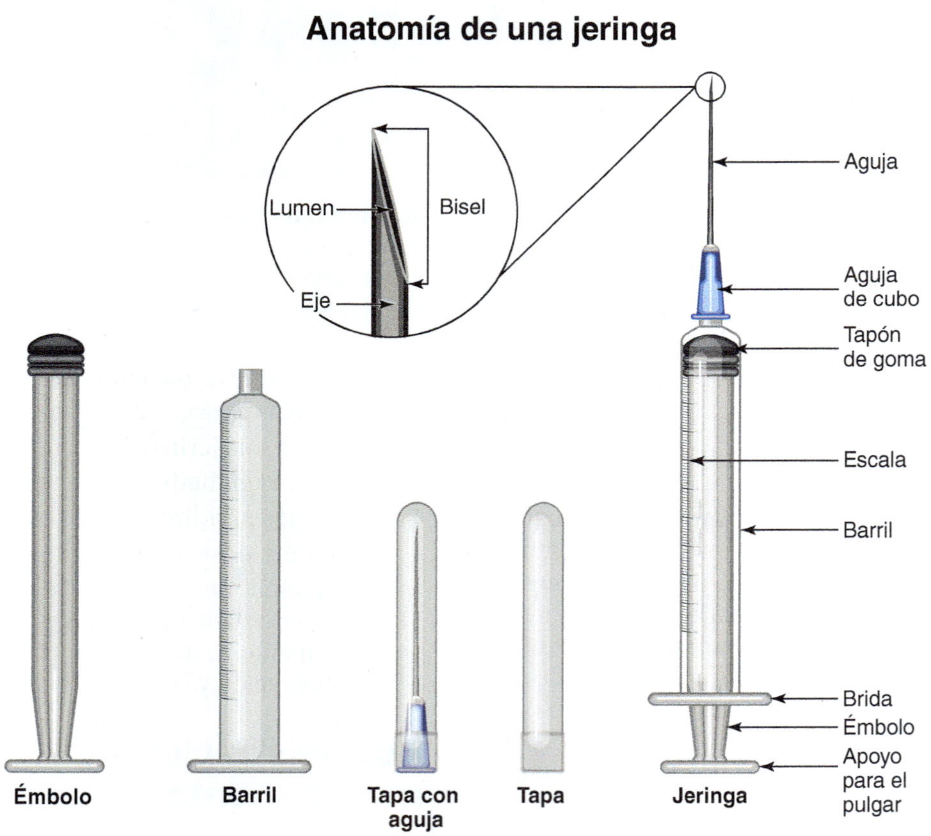

FIGURA 11-45 Una jeringa consta de un émbolo, un cuerpo o barril, una brida y una punta.

una jeringa por la parte exterior del cilindro y el mango del émbolo.

Las capacidades de las jeringas varían de 1 a 60 ml; la de 3 ml se usa comúnmente para inyecciones. La selección de la jeringa se basa en el volumen del medicamento que se va a administrar, **FIGURA 11-46**. La mayoría de las jeringas está marcada con líneas de calibración en un lado del cilindro. Cada pequeña línea refleja mililitros o fracciones de 1 mililitro, según la capacidad de la jeringa. Cuanto mayor sea dicha capacidad, mayor será el intervalo entre las líneas de calibración. Cuando mida una dosis de medicamento con una jeringa, lea la calibración desde el anillo superior del émbolo.

A la hora de elegir una jeringa, las principales consideraciones son la capacidad del dispositivo y si su escala de calibración es adecuada para la dosis que se va a administrar. Para seleccionar una jeringa con una capacidad adecuada, identifique cuántas calibraciones muestra en cada mililitro. Las jeringas de pequeña capacidad tienen dos escalas: una suele tener calibraciones en incrementos de décimas (o centésimas) de 1 mililitro; la otra está calibrada en mínimos. Una jeringa de tuberculina (TB) se utiliza para medir dosis de 1 ml o menos. Debido a que sus calibraciones son en centésimas, una jeringa TB con frecuencia se utiliza para medir dosis pediátricas. Una jeringa de 3 ml tiene calibraciones en incrementos de décimas de 1 mililitro. Además, las jeringas de 5, 6, 10 y 12 ml tienen calibraciones en incrementos de 0.2 ml. Las calibraciones de una jeringa de 20 ml están en incrementos de 1 ml.

Las agujas hipodérmicas constan de tres partes: el cubo, el eje y el bisel. El cubo es la pieza de plástico que aloja la aguja y encaja en la jeringa. El eje (también llamado cánula) es la longitud de la aguja. El eje de la aguja se conecta al cubo. El bisel es la punta inclinada del extremo de la aguja. La abertura dentro del bisel se denomina lumen. Las agujas se envasan con una cubierta de plástico para mantener su esterilidad. Cuando prepare una aguja y una jeringa para la inyección, puede manipular el centro de la aguja para asegurarse de que encaja bien en la jeringa. Sin embargo, para mantener la esterilidad, no debe tocar ni el eje ni el bisel de la aguja.

La longitud de las agujas para inyecciones estándar varía entre 0.9 y 5 cm. Al igual que con los catéteres IV, el calibre de la aguja se refiere al diámetro: cuanto menor es el número, mayor es el diámetro. Los calibres de aguja habituales oscilan entre 18 y 26. El calibre de la aguja utilizada depende de la vía de administración del medicamento parenteral. Por ejemplo, las agujas de menor calibre se utilizan para inyecciones subcutáneas, mientras que las de mayor calibre se utilizan para inyecciones IM e IV.

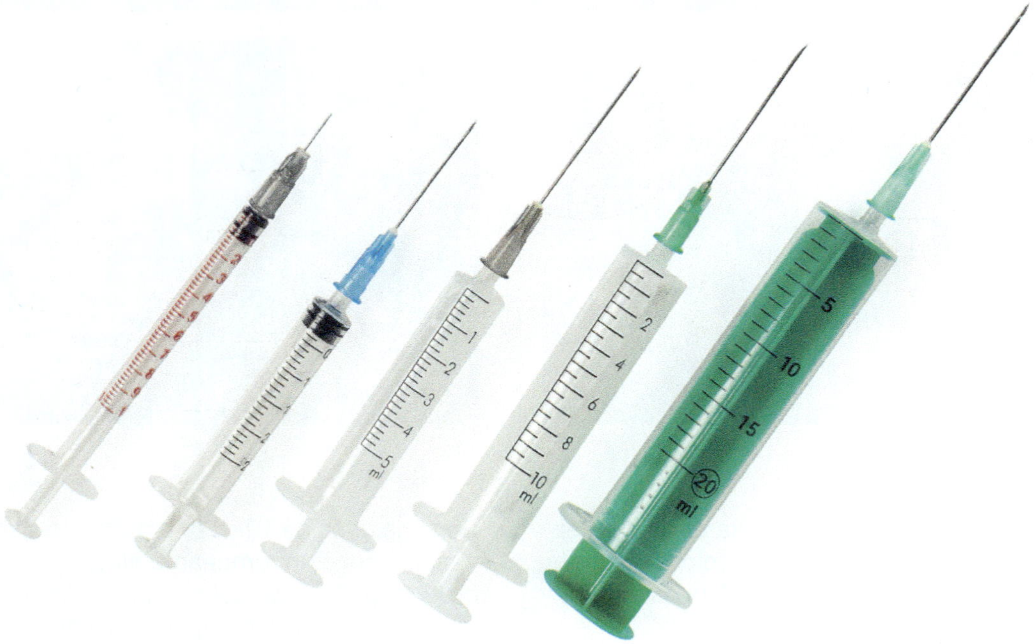

FIGURA 11-46 Las jeringas están disponibles en varias capacidades y pueden estar envasadas con o sin aguja.

Envasado de medicamentos parenterales

Los medicamentos inyectables se pueden envasar en ampollas, viales o jeringas precargadas.

Ampollas

Las **ampollas** son recipientes de vidrio estéril rompibles que están diseñados para transportar una sola dosis de medicamento, **FIGURA 11-47**. Pueden contener tan poco como 1 ml o tanto como 10 ml, dependiendo del medicamento.

Cuando extraiga un medicamento de una ampolla, siga los pasos descritos en la **PRÁCTICA DE DESTREZA 11-3**.

Viales

Los **viales** son pequeñas botellas de vidrio o plástico con un tapón de goma; pueden contener dosis únicas o múltiples de un medicamento, **FIGURA 11-48**. Cuando utilice un medicamento en vial, primero debe determinar qué cantidad de medicamento necesitará y cuántas dosis hay en el vial.

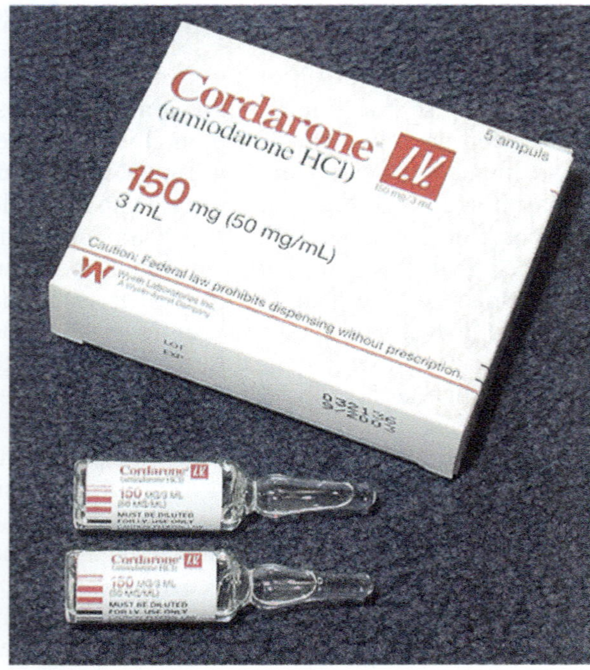

FIGURA 11-47 Medicamentos almacenados en ampollas.

Práctica de destreza 11-3 Extracción de medicamento de una ampolla

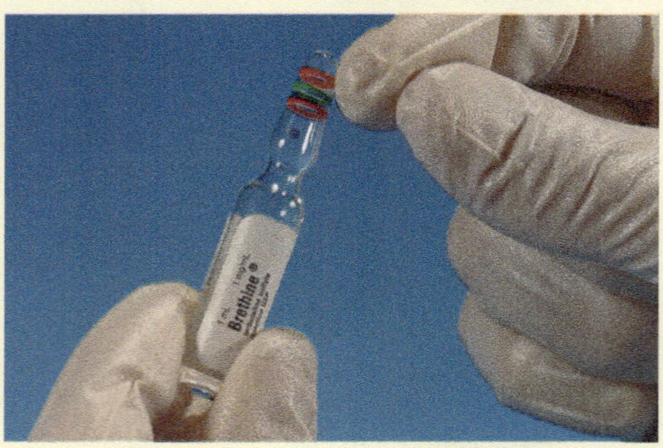

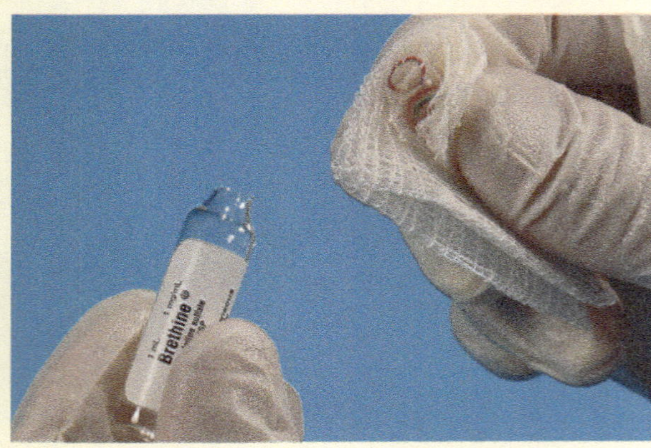

Paso 1

Revise el medicamento para asegurarse de que sea el correcto, que no esté turbio o descolorido y que no haya pasado su fecha de caducidad. Asegúrese de que la ampolla no está agrietada ni astillada.

Agite el medicamento en la base de la ampolla. Si parte del medicamento permanece atascado en el cuello, golpee suavemente el tallo. Alternamente, agite con suavidad la ampolla para desplazar el contenido del medicamento desde la parte superior del envase.

Paso 2

Con una gasa de 10 × 10 cm, una preparación con alcohol o un rompeampollas, agarre el cuello de la ampolla y rómpalo donde la ampolla esté marcada en dirección opuesta a usted. Si la ampolla no está marcada e intenta romperla, es posible que tenga bordes afilados. Tire el tallo en el contenedor para objetos punzocortantes.

Práctica de destreza 11-3 Extracción de medicamento de una ampolla (continuación)

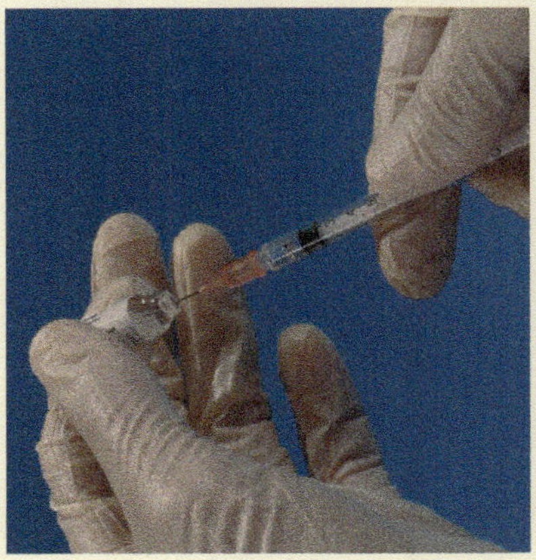

Paso 3

Coloque una aguja de filtro en la jeringa. Con la jeringa y la aguja de filtro en una mano, inserte la aguja en la ampolla sin tocar los lados exteriores ni el borde de la ampolla. Introduzca la solución en la jeringa y deseche la ampolla en el contenedor para objetos punzocortantes.

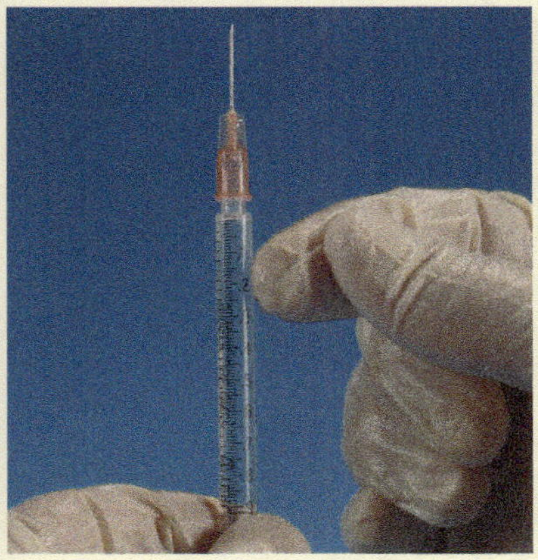

Paso 4

Sostenga la jeringa con la aguja hacia arriba y golpee suavemente el cilindro para aflojar el aire atrapado en su interior y hacer que suba.

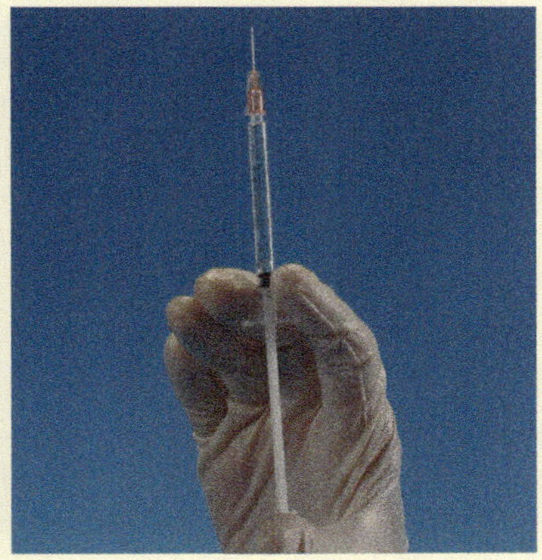

Paso 5

Presione suavemente el émbolo para disipar las burbujas de aire. Vuelva a tapar la aguja utilizando el método de una mano. Deseche la aguja en el contenedor para objetos punzocortantes y, de ser necesario, acople una aguja hipodérmica estándar a la jeringa para aplicar el medicamento.

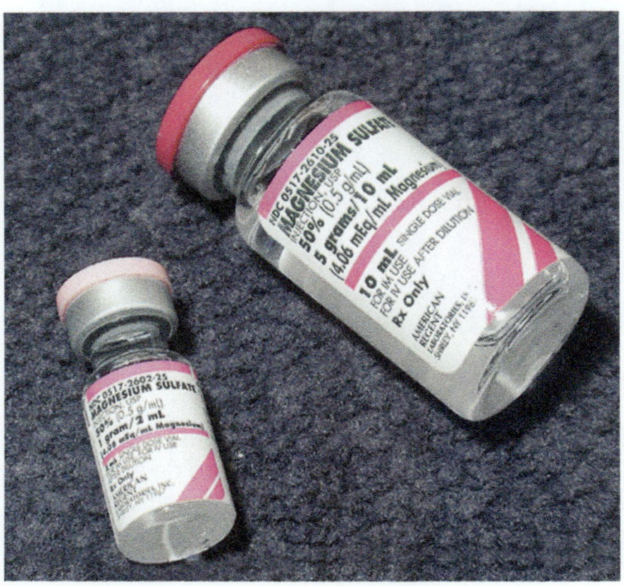

FIGURA 11-48 Viales (dosis única [izquierda] y dosis múltiple).

Cuando extraiga el contenido de un vial, limpie la parte superior del vial con alcohol antes de extraer el medicamento. Para un vial de dosis única, puede extraer toda la cantidad contenida en el vial. En el caso de viales de dosis múltiples, debe extraer solo la cantidad necesaria. Recuerde que, una vez retirada la tapa del vial, este deja de ser estéril. Si necesita una segunda dosis, vuelva a limpiar la tapa del vial con alcohol.

Algunos medicamentos que se almacenan en viales pueden necesitar ser reconstituidos, como el succinato sódico de metilprednisona (Solu-Medrol) y el glucagón. El glucagón se almacena en dos viales: uno contiene la forma en polvo del fármaco y el otro contiene agua estéril. La **reconstitución farmacológica** consiste en sacar el agua estéril (o el **diluyente** suministrado) de su vial e inyectarla en el vial que contiene el polvo, formando así una solución inyectable. Para reconstituir el contenido de dos viales, extraiga el líquido del primer vial e inyéctelo en el vial que contiene el polvo. A menos que se contraindique, agite enérgicamente el vial para mezclar el medicamento antes de extraer el contenido para su administración.

El succinato sódico de metilprednisolona se almacena en un **Mix-o-Vial**, un vial único dividido en dos partes por un tapón de goma, **FIGURA 11-49**. Para reconstituir un medicamento contenido en un Mix-o-Vial, apriete los dos viales entre sí; esta acción libera el tapón central y permite que el contenido se mezcle. A continuación, agite enérgicamente el vial para mezclar el contenido antes de extraer el medicamento.

Cuando extraiga el medicamento de un vial siga los pasos descritos en la **PRÁCTICA DE DESTREZA 11-4**.

Jeringas precargadas

Las **jeringas precargadas** se envasan en cajas a prueba de manipulaciones. Existen dos tipos de jeringas precargadas: las que están separadas en un cartucho de medicamento de vidrio y una jeringa, **FIGURA 11-50**, y las jeringas precargadas preensambladas, **FIGURA 11-51**. Estas jeringas están diseñadas para facilitar su uso. Después de todo, es mucho más fácil y rápido utilizar una jeringa precargada cuando se está tratando a un paciente en paro cardíaco que extraer cada dosis individual. Tenga cuidado al utilizar los sistemas de cartucho de fármaco y jeringa: ambas piezas del conjunto

FIGURA 11-49 Un Mix-o-Vial.

Práctica de destreza 11-4 Extracción de medicamento de un frasco

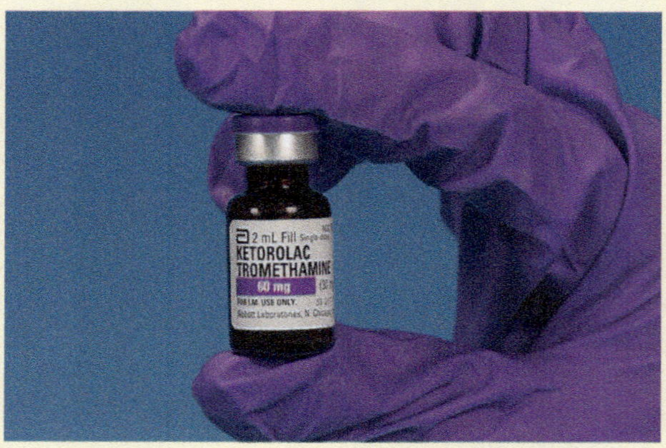

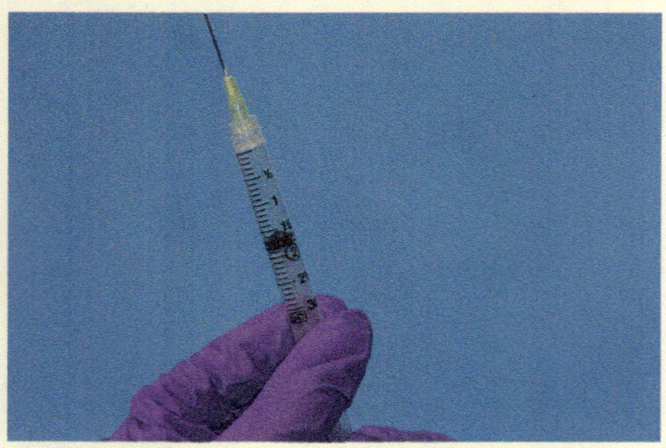

Paso 1

Compruebe el medicamento para asegurarse de que es el fármaco y la concentración correctos, que no está turbio ni descolorido y que no ha pasado la fecha de caducidad. Retire la tapa estéril o, si se abrió previamente el vial, limpie el tapón de goma del vial con alcohol.

Paso 2

Determine la cantidad de medicamento que va a necesitar e introduzca esa cantidad de aire en la jeringa. Deje un poco más de espacio para expulsar algo de aire mientras elimina las burbujas de aire.

Práctica de destreza 11-4 Extracción de medicamento de un frasco (continuación)

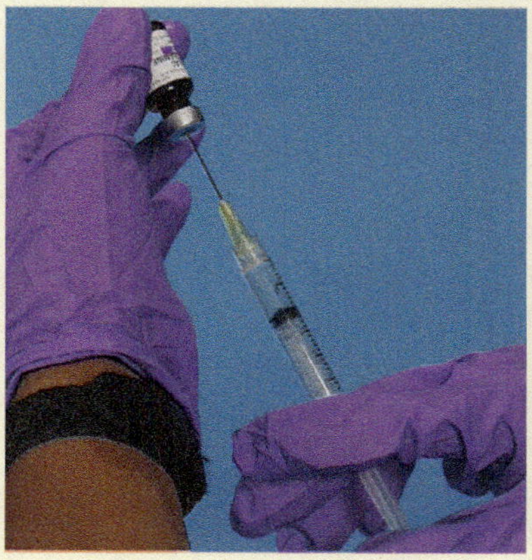

Paso 3

Invierta el vial, limpie el tapón de goma con alcohol e inserte la aguja a través del tapón de goma en el medicamento. A menos de que el vial sea de un solo uso, expulse el aire de la jeringa hacia el vial y, a continuación, extraiga la cantidad necesaria del medicamento.

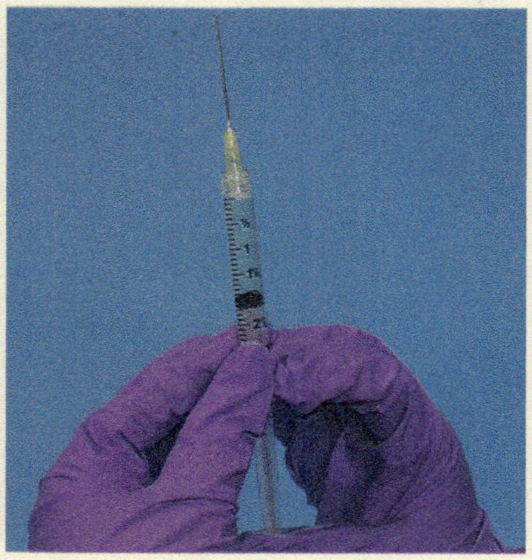

Paso 4

Una vez que tenga la cantidad correcta de medicamento en la jeringa, retire la aguja del vial y expulse el aire de la jeringa.

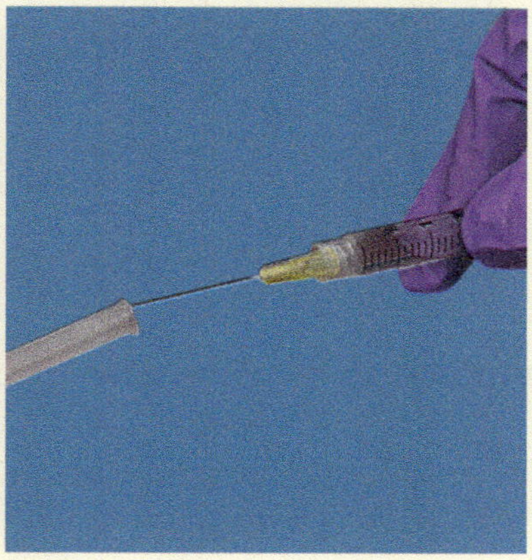

Paso 5

Vuelva a tapar la aguja utilizando el método de una mano. Si la medicación no se administra de inmediato al paciente, etiquete la jeringa.

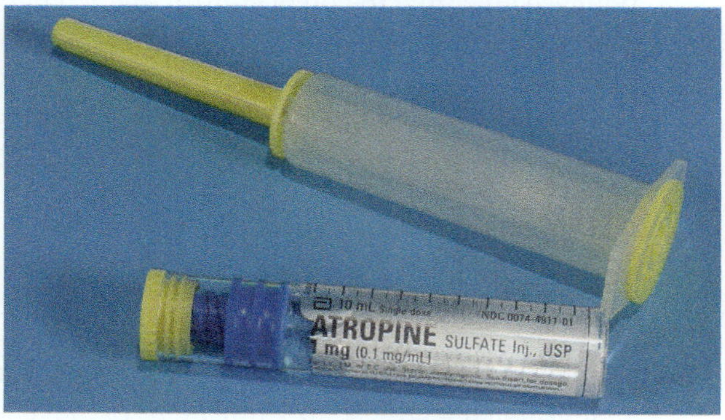

FIGURA 11-50 Las jeringas precargadas de dos partes se separan en un cartucho de vidrio del fármaco y una jeringa (p. ej., Bristojet).

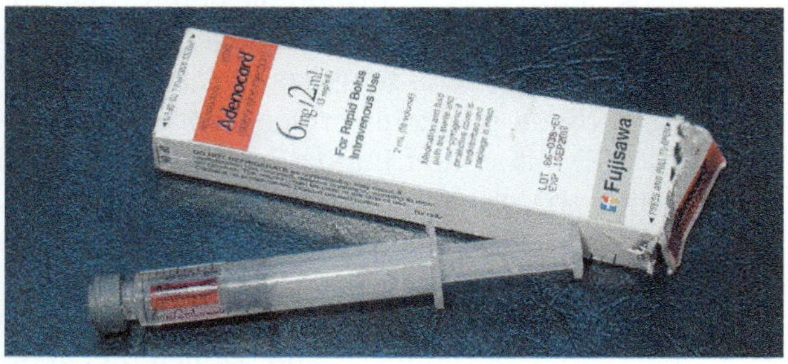

FIGURA 11-51 Jeringa precargada preensamblada.

pueden contener objetos punzocortantes y se deben desechar de forma adecuada. En los casos en que el dispositivo sea demasiado grande para caber en un contenedor para objetos punzocortantes estándar, debe manipularse con cuidado y desecharse en aquel más grande del centro receptor o de la estación.

Para ensamblar la jeringa precargada de dos piezas, retire los tapones amarillos de la jeringa y del cartucho de fármaco, inserte el cartucho de fármaco en el cilindro de la jeringa y enrósquelo. Retire la tapa de la aguja y expulse el aire de la manera antes descrita. Siga

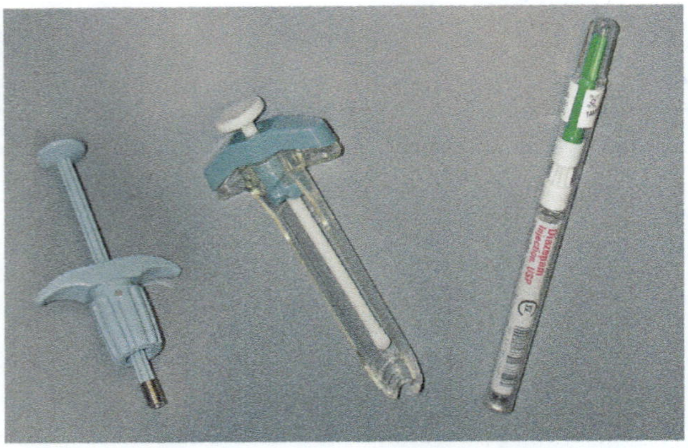

FIGURA 11-52 Jeringas reutilizables (izquierda). Cartucho desechable para medicamento (derecha).

los pasos correspondientes a la vía por la que se va a administrar el medicamento.

También existen cartuchos desechables para medicamentos de dosis única que se insertan en una jeringa reutilizable. Estas jeringas por lo regular se conocen por sus nombres comerciales: Jeringas Tubex, Aboject y Carpuject, **FIGURA 11-52**.

Dosis de empuje

Algunos vasopresores están disponibles para su administración en un formato de bolo pequeño. Estos medicamentos en general se reservan para pacientes con hipotensión transitoria o para sistemas del SEM con tiempos de traslado cortos. La epinefrina y la fenilefrina (neosinefrina) están disponibles en formato de dosis de empuje. Mientras que la fenilefrina de dosis de empuje por lo general se utiliza en las UCI, los DE y el transporte de pacientes críticos, en muchos sistemas del SEM, la epinefrina de dosis rápida se está convirtiendo en un sustituto popular de la dopamina.

En términos generales, para utilizar la epinefrina de dosis de empuje, usted debe mezclar la concentración adecuada. Empiece por tomar una solución salina de 10 ml y desperdicie 1 ml. Utilice una aguja de punta roma y extraiga 0.1 mg (1 ml) de una jeringa precargada de epinefrina 1:10 000 (0.1 mg/ml). Esto le da una concentración de 0.1 mg o 100 mcg en 10 ml. La dosis típica es de 10 a 20 mcg cada 2 a 5 minutos según sea necesario o hasta que se inicie una infusión.

Administración de medicamentos por vía intradérmica

Las inyecciones **intradérmicas** consisten en administrar una pequeña cantidad de medicamento, por lo regular menos de 1 ml, en la capa dérmica, justo debajo de la epidermis. La técnica consiste en utilizar una jeringa de 1 ml (p. ej., una jeringa de tuberculina) y una aguja calibre 25 a 27, de 0.9 a 3 cm (de $^3/_8$ a 1 pulgada).

Al seleccionar un lugar para una inyección intradérmica, debe evitar las zonas que contengan vasos sanguíneos superficiales para minimizar el riesgo de absorción sistémica del medicamento. Debido a su gran visibilidad y a la relativa falta de vello, las localizaciones anatómicas más utilizadas para las inyecciones intradérmicas son la parte anterior del antebrazo y la parte superior de la espalda.

Los medicamentos administrados por vía intradérmica tienen una tasa de absorción lenta; la distribución sistémica es mínima o nula. Por lo tanto, el medicamento permanece localmente acumulado en el lugar de la inyección. A menos que anestesie la piel antes de establecer una vía IV, rara vez utilizará la vía intradérmica para administrar medicamentos en el entorno prehospitalario. Más bien, estas inyecciones por lo regular se aplican en una consulta médica o en el hospital para comprobar si un paciente es alérgico o para llevar a cabo una prueba cutánea de PPD (siglas en inglés de derivado proteico purificado) para la tuberculosis.

Siga estos pasos para administrar un medicamento por vía intradérmica:

1. Tome las precauciones habituales. Determine la necesidad del medicamento con base en la presentación del paciente. Obtenga los antecedentes, incluidas las alergias a medicamentos y los signos vitales. Siga las órdenes del personal o póngase en contacto con el control médico para solicitar permiso.
2. Revise el medicamento para asegurarse de que sea el correcto, que no esté turbio o descolorido y que no haya pasado su fecha de caducidad, y determine la cantidad adecuada para administrar la dosis correcta.
3. Advierta al paciente de las posibles molestias mientras le explica el procedimiento. Reúna y revise el equipo necesario: preparaciones de alcohol y una jeringa de 1 ml con una aguja calibre 25 a 27, 0.9 a 3 cm ($^3/_8$ - o 1 pulgada). Extraiga la dosis correcta del medicamento.
4. Limpie la zona de administración utilizando una técnica aséptica. Tire de la piel con la mano no dominante e inserte la aguja en un ángulo de 10 a 15° con el bisel hacia arriba, **FIGURA 11-53**.
5. Inyecte lentamente el medicamento mientras observa la formación de una roncha, o pequeño bulto, lo cual indica la acumulación del medicamento en el tejido intradérmico. Si no se forma

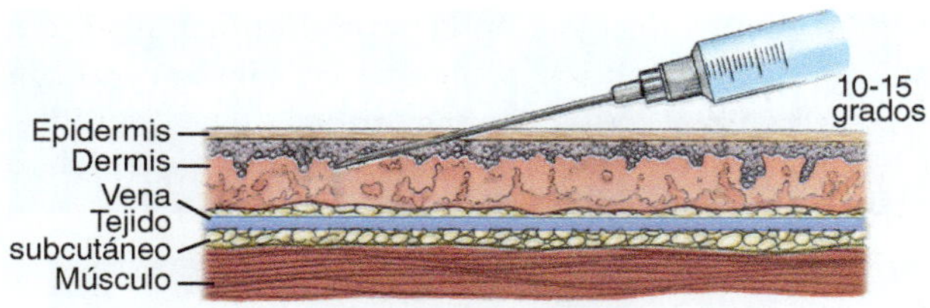

FIGURA 11-53 Inserción intradérmica de la aguja.

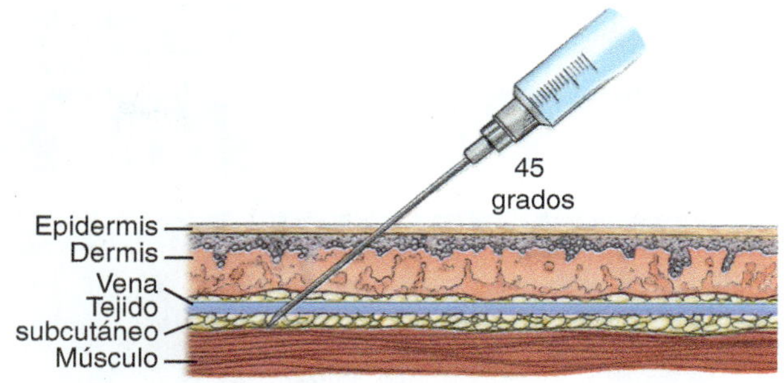

FIGURA 11-54 Una inyección subcutánea administra el medicamento por debajo de la dermis y por encima del músculo.

una roncha, el medicamento se está inyectando en el tejido subcutáneo.

6. Retire la aguja y deséchela de inmediato junto con la jeringa en un contenedor para objetos punzocortantes.
7. Controle la condición del paciente y documente el medicamento administrado, la vía, el tiempo de administración y la respuesta del paciente.

Administración de medicamentos por vía subcutánea

Las inyecciones **subcutáneas** se administran en el tejido conectivo libre entre la dermis y la capa muscular utilizando una aguja calibre 24 a 26 de 1 a 3 cm (0.5 a 1 pulgada), **FIGURA 11-54**. En adultos, la aguja se inserta en un ángulo de 45° en el tejido subcutáneo. Por el contrario, en los niños la aguja por lo regular se inserta en un ángulo de 90°, aunque algunos profesionales lo hacen en un ángulo de 45° si el niño tiene poco tejido subcutáneo. Los volúmenes de un medicamento administrado por vía subcutánea suelen ser de 2 ml o menos en adultos y de 0.5 a 1 ml en niños. Los sitios comunes para las inyecciones subcutáneas —tanto en adultos como en niños— incluyen la parte superior de los brazos, la parte anterior de los muslos y el abdomen, **FIGURA 11-55**. Los pacientes que se inyectan insulina por lo común varían de lugar para adaptarse a las inyecciones frecuentes (por lo regular diarias) que necesitan.

La vía subcutánea no debe utilizarse para administrar medicamentos irritantes para los tejidos o que no sean hidrosolubles. La absorción puede ser rápida o lenta, dependiendo de la hidrosolubilidad del fármaco y del flujo sanguíneo en el punto de inyección. Si el paciente muestra signos de shock o si el tejido en el lugar seleccionado está inflamado o quemado, no debe administrar el medicamento mediante esta vía.

Siga los pasos en la **PRÁCTICA DE DESTREZA 11-5** para administrar un medicamento por vía subcutánea.

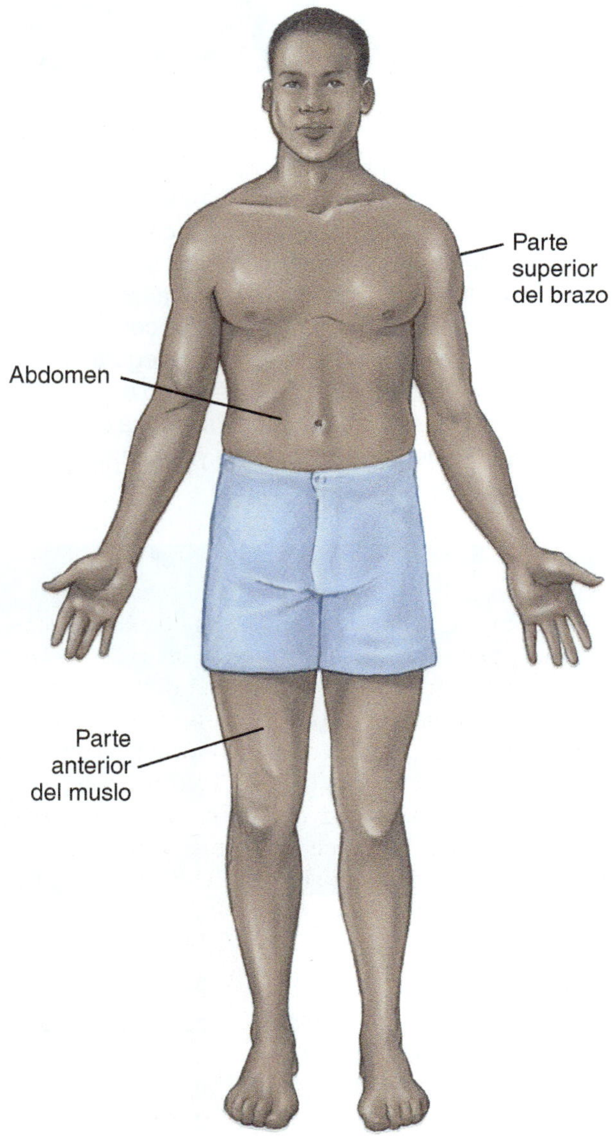

FIGURA 11-55 Lugares habituales para las inyecciones subcutáneas.

Prácticas de destrezas 11-5 Administración de medicamentos por vía subcutánea

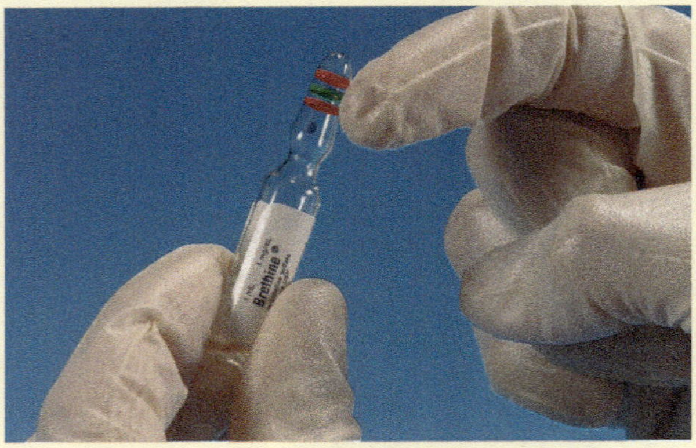

Paso 1

Tome las precauciones habituales. Determine la necesidad del medicamento con base en la presentación del paciente. Obtenga los antecedentes, incluidas las alergias a medicamentos y los signos vitales. Siga las órdenes permanentes o pida permiso a control médico. Revise el medicamento para asegurarse de que sea el correcto, que no esté turbio o descolorido y que no haya pasado su fecha de caducidad, y determine la cantidad y concentración adecuadas para la dosis correcta.

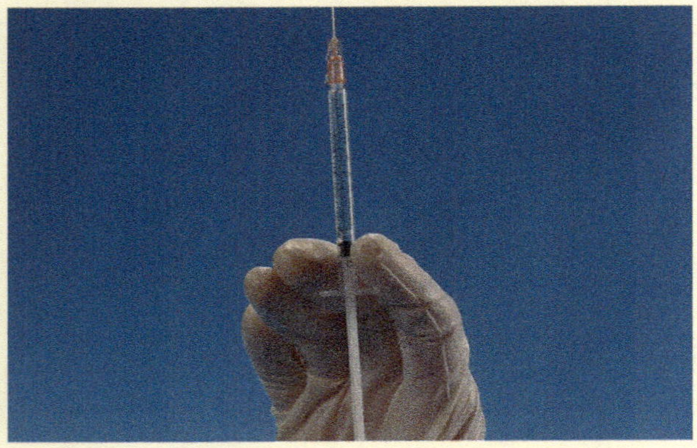

Paso 2

Advierta al paciente de las posibles molestias mientras le explica el procedimiento.

Reúna y compruebe el equipo necesario: preparaciones con alcohol y una jeringa de 3 ml con una aguja calibre 24 a 26. Extraiga la dosis correcta del medicamento y disipe el aire manteniendo la esterilidad.

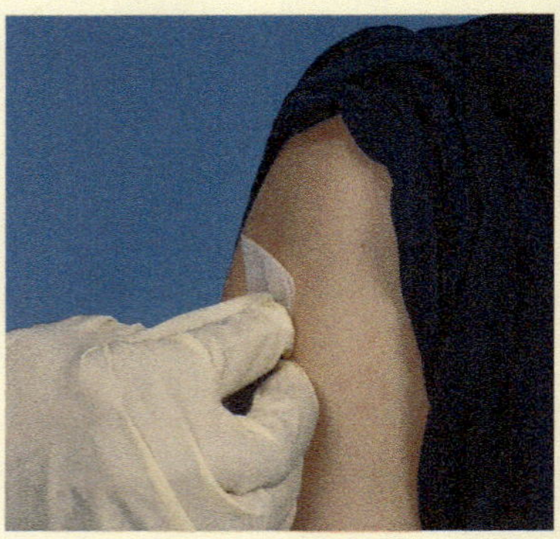

Paso 3

Limpie la zona de administración (por lo regular la parte superior del brazo o el muslo) utilizando una técnica aséptica.

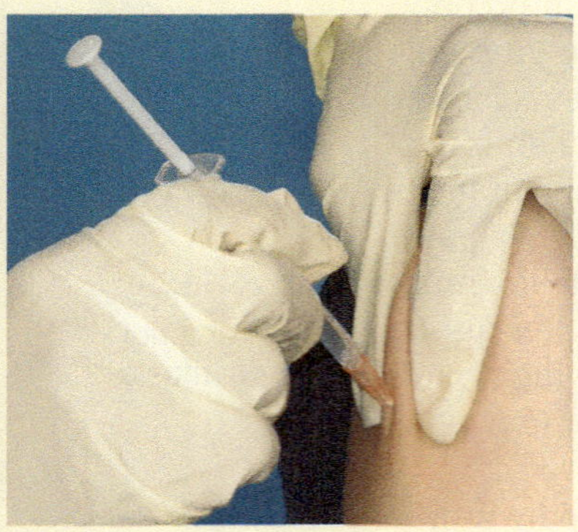

Paso 4

Pellizque la piel que rodea la zona para levantar el tejido subcutáneo y alejarlo del músculo, avise al paciente de que va a darle un piquete e insertar la aguja en un ángulo de 45°. Inyecte el medicamento, retire la aguja y suelte la piel. Deseche de inmediato la aguja y la jeringa en un contenedor para objetos punzocortantes.

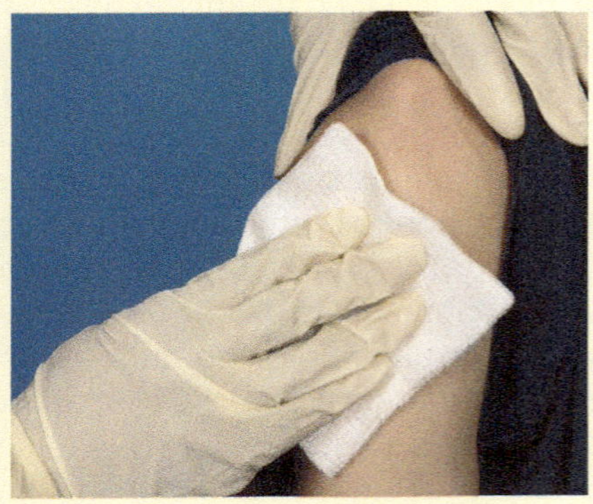

Paso 5

Para dispersar el medicamento por el tejido, frote la zona con un movimiento circular con la mano enguantada (a menos que esté contraindicado para el medicamento específico). Guarde de forma adecuada el medicamento no utilizado. Vigile el estado del paciente y documente el medicamento administrado, la vía, la hora de administración y la respuesta del paciente.

Administración de medicamentos por vía IM

Las inyecciones **intramusculares (IM)** se administran insertando una aguja a través de la dermis y el tejido subcutáneo hasta la capa muscular, **FIGURA 11-56**. Esta vía se utiliza cuando un medicamento no se puede administrar por vía oral, se desea un inicio de acción más rápido o el fármaco es demasiado irritante para administrarse por vía subcutánea. Los medicamentos administrados por vía IM se absorben más rápidamente que los administrados por vía subcutánea porque fluye más sangre a los músculos que a la capa de tejido subcutáneo.

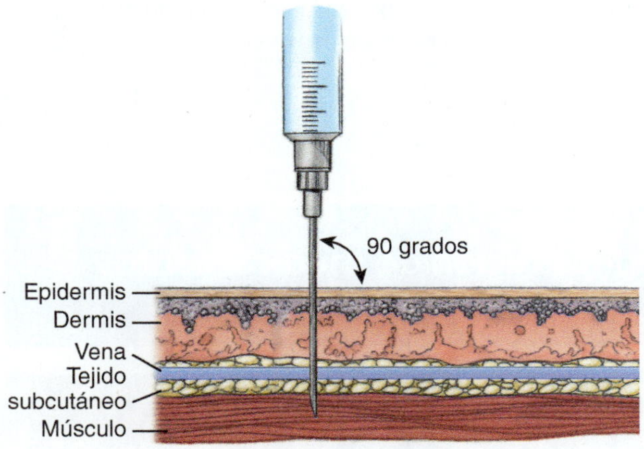

FIGURA 11-56 Una inyección intramuscular administra el medicamento por debajo de la dermis y la capa subcutánea y dentro del músculo.

Al seleccionar una aguja para una inyección IM, la aguja debe tener la longitud suficiente para alcanzar el centro del músculo. El calibre de la aguja utilizada depende del grosor del medicamento inyectado. En general, se utiliza una aguja calibre 19 a 23 para una inyección IM. En la mayoría de los adultos se utiliza una aguja de 4 a 5 cm: en el caso de un adulto delgado, se puede utilizar una de 4 cm, mientras que para un adulto pesado tal vez sea necesaria una de 5 cm. La aguja se inserta en el músculo en un ángulo de 90°.

Se pueden utilizar varios sitios para una inyección IM. Al momento de seleccionar el lugar adecuado, debe tener en cuenta el grosor y el volumen del medicamento que se va a administrar. El volumen máximo de medicamento que puede administrarse por vía IM varía en función del lugar de inyección seleccionado. En un adulto, se pueden administrar hasta 5 ml en algunas zonas. En un niño se pueden administrar hasta 2 ml, dependiendo del lugar elegido. Debido a que las inyecciones IM pueden dañar los nervios por la profundidad de la inyección, es importante elegir el lugar adecuado. Los puntos anatómicos utilizados de forma habitual para inyecciones IM en adultos y niños son los siguientes, **FIGURA 11-57**:

- **Músculo vasto lateral:** el músculo grande de la cara lateral del muslo.

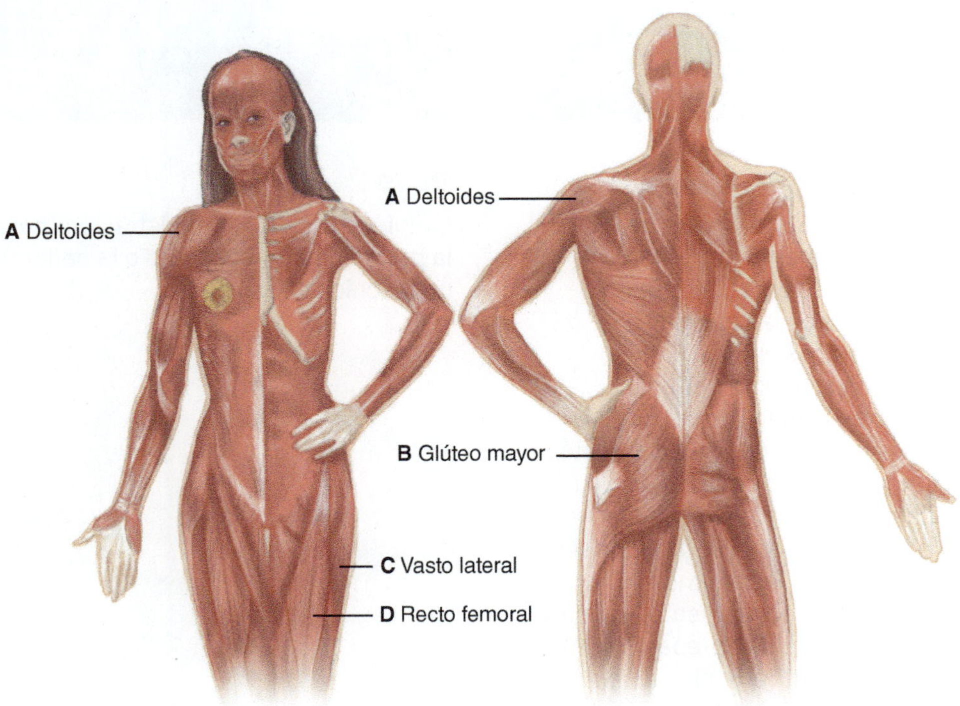

FIGURA 11-57 Sitios comunes para inyecciones intramusculares. **A.** Músculo deltoides. **B.** Zona glútea. **C.** Músculo vasto lateral. **D.** Músculo recto femoral.

- **Músculo recto femoral:** el músculo grande de la cara anterior del muslo.
- **Zona glútea:** las nalgas, en concreto en la parte superior lateral de ambos lados. Al inyectar en la zona glútea, debe utilizar el cuadrante superior externo para evitar el nervio ciático.
- **Músculo deltoides:** músculo de la parte superior del brazo que cubre la prominencia del hombro. El lugar de la inyección es de 4 a 5 cm por debajo de la apófisis del acromion en el lado lateral.

Siga los pasos de la **PRÁCTICA DE DESTREZA 11-6** para administrar un medicamento por vía IM.

Perlas de sabiduría

La absorción eficaz de los medicamentos administrados por vía subcutánea e IM requiere una perfusión periférica adecuada, que evidentemente no está presente en pacientes que se encuentran en shock profundo o paro cardíaco. Por lo tanto, las inyecciones subcutáneas e IM no se deben administrar a pacientes con perfusión inadecuada a menos que no existan otras opciones.

Las inyecciones subcutáneas e IM tampoco se deben administrar en piel endurecida, con hematomas, enrojecida o descolorida, o con manchas.

Práctica de destreza 11-6 Administración de medicamentos por vía IM

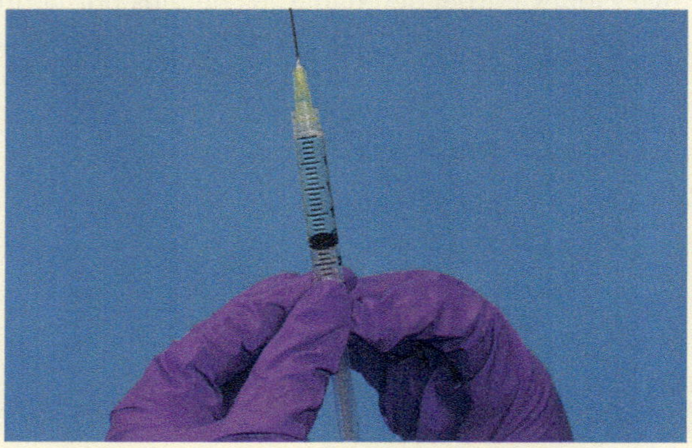

Paso 1

Tome las precauciones habituales. Determine la necesidad del medicamento con base en la presentación del paciente. Obtenga los antecedentes, incluidas las alergias a medicamentos y los signos vitales. Siga las órdenes permanentes o pida permiso a control médico. Revise el medicamento para asegurarse de que sea el correcto, que no esté turbio o descolorido y que no haya pasado su fecha de caducidad, y determine la cantidad y concentración adecuadas para la dosis correcta.

Advierta al paciente de posibles molestias mientras se le explica el procedimiento. Reúna y compruebe el equipo necesario: preparaciones de alcohol y una jeringa de 3 a 5 ml con una aguja calibre 21 de 4 o 5 cm (1 o 2 pulgadas). Extraiga la dosis correcta del medicamento y elimine el aire manteniendo la esterilidad.

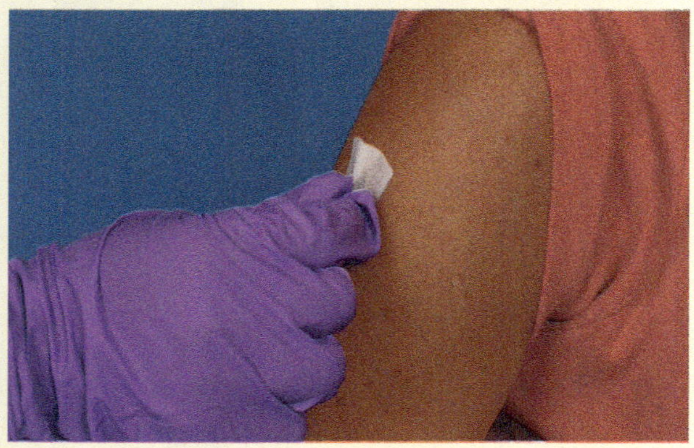

Paso 2

Limpie la zona de administración (por lo regular la parte superior del brazo o la cadera) utilizando una técnica aséptica.

Práctica de destreza 11-6 Administración de medicamentos por vía IM (continuación)

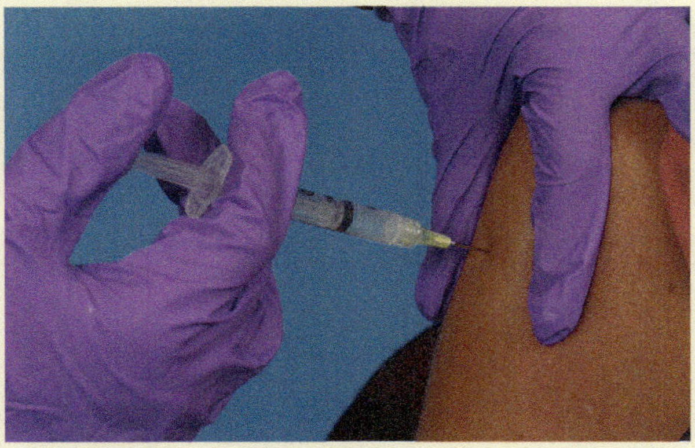

Paso 3

Estire la piel sobre la zona limpia, avise al paciente que va a sentir un piquete e inserte la aguja en un ángulo de 90°. Tire del émbolo hacia atrás para aspirar la sangre. La presencia de sangre en la jeringa indica que puede haber entrado en un vaso sanguíneo. En tal caso, retire la aguja y mantenga la presión sobre el lugar. Deseche la jeringa y la aguja en un contenedor para objetos punzocortantes. Prepare una nueva jeringa y aguja, y seleccione otro lugar. Si no hay sangre en la jeringa, inyecte el medicamento y retire la aguja.

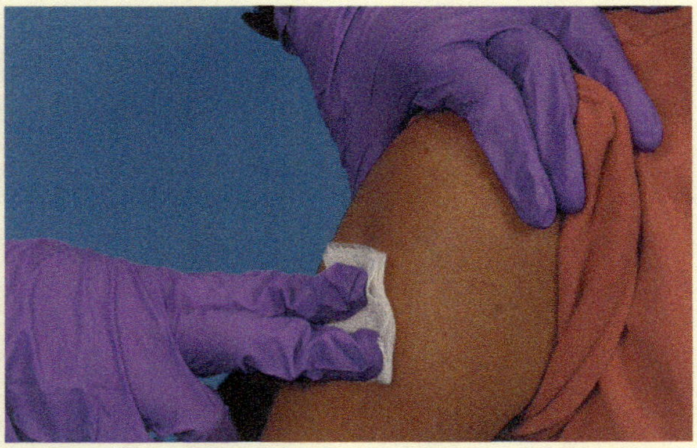

Paso 4

Deseche de inmediato la aguja y la jeringa en el contenedor para objetos punzocortantes. Guarde adecuadamente los medicamentos no utilizados. Vigile el estado del paciente y documente el medicamento administrado, la vía, la hora de administración y la respuesta del paciente.

Administración de medicamentos en bolo IV

Los medicamentos en bolo IV se administran mediante inyección directa con aguja y jeringa en una vía IV periférica establecida, con lo que el fármaco llega directamente al sistema circulatorio. Se trata de la vía más rápida de administración de medicamentos, ya que evita la mayoría de las barreras que impiden la absorción del fármaco, pero esto también significa que no hay margen de error en la administración IV.

Los sistemas sin aguja se utilizan para evitar pinchazos durante la administración de medicamentos por vía IV. Cuando se utiliza un sistema sin aguja, la jeringa se enrosca en el puerto de inyección del equipo de administración (tubo IV). Si se pincha un puerto sin aguja con una aguja, el sistema tendrá fugas, lo que le obligará a cambiar el equipo de administración por uno nuevo. En una situación crítica en la que el tiempo no le permita cambiar el equipo de goteo, puede poner un "parche temporal" en el sistema colocando una jeringa llena de solución salina en el puerto sin aguja.

Recordemos que un bolo es una dosis única, en general administrada por vía IV. Cuando se administra en una sola masa, puede consistir en una cantidad pequeña o grande de un fármaco y administrarse rápida o lentamente, dependiendo del mismo. Algunos medicamentos, como la lidocaína y la amiodarona, requieren un bolo inicial y luego pueden necesitar una infusión IV continua para mantener un nivel terapéutico del fármaco. Algunos medicamentos pueden tener efectos devastadores si se administran con demasiada rapidez. Por ejemplo, la prometazina puede causar una sensación de quemazón extrema si se administra demasiado rápido. Otros medicamentos pueden resultar ineficaces si se administran con demasiada lentitud. Por ejemplo, la adenosina tiene una semivida de 10 segundos y será ineficaz si no llega al corazón en ese intervalo de tiempo.

Siga los pasos de la **PRÁCTICA DE DESTREZA 11-7** cuando administre un medicamento por vía IV en bolo.

Como se ha comentado antes en este capítulo, los bloqueos salinos se utilizan para pacientes que no

Práctica de destreza 11-7 Administración de medicación por vía IV en bolo

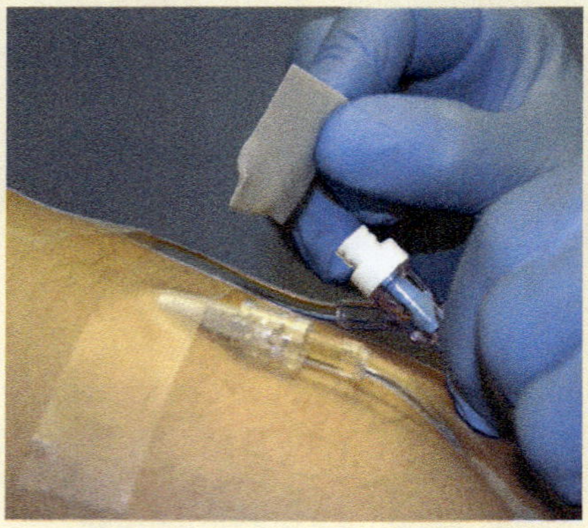

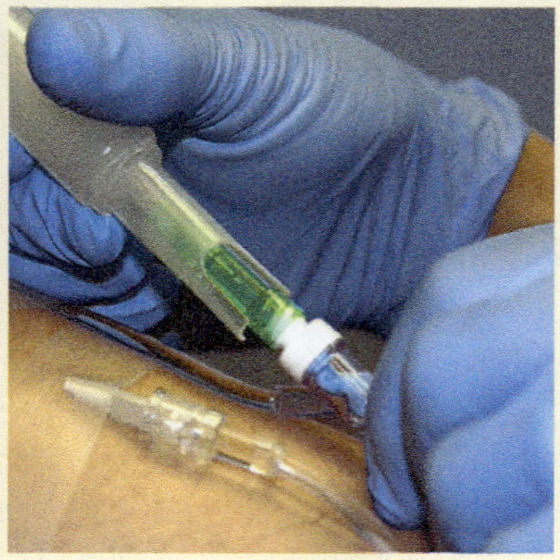

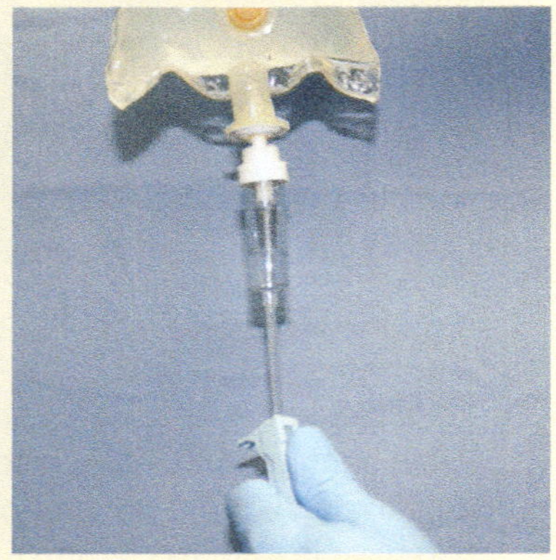

Paso 1

Tome las precauciones habituales. Determine la necesidad del medicamento con base en la presentación del paciente. Obtenga los antecedentes, incluidas las alergias a medicamentos y los signos vitales. Siga las órdenes permanentes o pida permiso a control médico. Revise el medicamento para asegurarse de que sea el correcto, que no esté turbio o descolorido y que no haya pasado su fecha de caducidad, y determine la cantidad y concentración adecuadas para la dosis correcta.

Explique al paciente el procedimiento y la necesidad del medicamento. Reúna el equipo necesario y prepare el medicamento. Expulse el aire de la jeringa. Extraiga 20 ml de solución salina normal para enjuagar el medicamento.

Limpie el puerto de inyección con alcohol, o retire la tapa protectora si se utiliza un sistema sin aguja.

Paso 2

Inserte la aguja en el puerto y apriete el tubo IV proximal al puerto de administración. Si no se cierra el tubo, el medicamento seguirá la vía de menor resistencia, es decir, fluirá hacia la bolsa en lugar de hacia el paciente.

Administre la dosis correcta del medicamento a la velocidad adecuada. Algunos medicamentos se deben administrar con rapidez, mientras que otros se deben aplicar lentamente para evitar efectos adversos.

Paso 3

Coloque la aguja y la jeringa en el contenedor para objetos punzocortantes.

Desbloquee la vía IV para introducir el medicamento en la vena. Deje que se abra brevemente o purgue con un bolo de 20 ml de solución salina normal. Reajuste el flujo IV al valor original. Guarde y etiquete correctamente el medicamento no utilizado. Vigile el estado del paciente y documente el medicamento administrado, la vía, la hora de administración y la respuesta del paciente.

requieren bolos de fluidos IV pero que pueden necesitar tratamiento farmacológico. Siga estos pasos para administrar un medicamento a través de un bloqueo salino:

1. Tome las precauciones habituales. Determine la necesidad del medicamento con base en la presentación del paciente. Obtenga los antecedentes, incluidas las alergias a medicamentos y los signos vitales. Siga las órdenes del personal o póngase en contacto con el control médico para solicitar permiso.
2. Revise el medicamento para asegurarse de que es el correcto, que no está turbio o descolorido y que no ha pasado la fecha de caducidad, y determine la cantidad y concentración adecuadas para la dosis correcta.
3. Explique al paciente el procedimiento y la necesidad del medicamento. Reúna el equipo necesario y prepare la medicación. Extraiga 20 ml de suero salino normal para utilizarlo como lavado de la medicación.
4. Limpie el puerto de inyección con alcohol o retire la tapa protectora si utiliza el sistema sin aguja. Inserte la aguja en el puerto sujetándola con cuidado, o enrosque la jeringa en el puerto. Cierre el tubo intravenoso proximalmente para evitar el reflujo hacia la solución IV.
5. Tire ligeramente hacia atrás del émbolo de la jeringa y observe si hay retorno de sangre. Si aparece sangre, inyecte lentamente el medicamento, observando la infiltración. Si siente resistencia, o el paciente informa de alguna molestia, interrumpa de inmediato la administración. En tal caso será necesario establecer un nuevo sitio.
6. Coloque la aguja y la jeringa en el contenedor para objetos punzocortantes. Limpie el puerto e inserte la aguja con la jeringa que contiene el lavado. Enjuague el bloqueo de solución salina y coloque la aguja en el contenedor para objetos punzocortantes. Almacene adecuadamente el medicamento no utilizado.

Perlas de sabiduría

Los medicamentos utilizados para infusiones de mantenimiento (p. ej., dopamina) comúnmente vienen en formas premezcladas y preenvasadas, lo que elimina la necesidad de calcular y extraer la cantidad adecuada de medicamento para añadir a la bolsa. Sin embargo, aún debe conocer la concentración (p. ej., mcg/ml o mg/ml) del fármaco en la solución premezclada y la velocidad de infusión de mantenimiento adecuada.

USTED es el Paramédico

PARTE 3

Se ha obtenido acceso vascular con una aguja IV calibre 18 en el antebrazo derecho del paciente. La vía IV está permeable y se purga fácilmente. Su compañero conecta una bolsa de 1 litro de solución salina normal a la línea IV, y el flujo se fija en mantener la vía abierta. Poco después de administrar la dosis de diltiazem ordenada, el ritmo en el monitor cardíaco cambia a ritmo sinusal. Usted se pone en contacto con control médico para proporcionar una actualización del estado del paciente. El médico le pide que inicie una infusión de mantenimiento de diltiazem a 5 mg/h. Usted dispone de una bolsa premezclada de diltiazem con 30 mg/100 ml y un equipo de administración por microgoteo.

Tiempo de grabación:	10 minutos
Respiraciones	18 respiraciones/min
Pulso	90 latidos/min
Piel	Cálida y seca
Presión arterial	126/78 mm Hg
Saturación de oxígeno (Spo_2)	100%
Pupilas	PIRRL
EKG	Ritmo sinusal

6. ¿Por qué sería preferible utilizar una bomba IV para una infusión de mantenimiento de un medicamento?
7. ¿Cuál es la velocidad de flujo adecuada para administrar la infusión de mantenimiento de diltiazem?

7. Vigile la condición del paciente y documente el medicamento administrado, la vía, la hora de administración y la respuesta del paciente.

Adición de medicamentos a una bolsa para infusión IV

Algunos medicamentos se agregan a la propia solución IV para administrarlos como infusión de mantenimiento, por ejemplo, la dopamina, la lidocaína y la epinefrina. Todos estos medicamentos requieren una cuidadosa titulación para conseguir el efecto deseado.

Los pasos para añadir medicamentos a una bolsa para infusión IV son los siguientes:

1. Revise si el líquido de la bolsa IV está claro o descolorido y asegúrese de que no ha pasado la fecha de caducidad.
2. Revise el nombre del medicamento en la ampolla, vial o jeringa precargada y, a continuación, compruebe la concentración del fármaco que contiene (p. ej., mcg/ml o mg/ml).
3. Calcule el volumen del fármaco que debe agregar a la bolsa para infusión IV y extraiga esa cantidad en una jeringa (si se utiliza una jeringa precargada, anote la proporción del volumen de la jeringa requerida).
4. Limpie el puerto de inyección del medicamento en la bolsa para infusión IV con un hisopo con alcohol.
5. Inyecte el volumen deseado del medicamento en la bolsa para infusión IV perforando el tapón de goma del puerto de inyección del medicamento, **FIGURA 11-58**.
6. Retire la aguja y deseche la aguja y la jeringa en el contenedor para objetos punzocortantes. Agite suavemente la bolsa para infusión IV para asegurarse de que el medicamento agregado se mezcla bien en la solución.

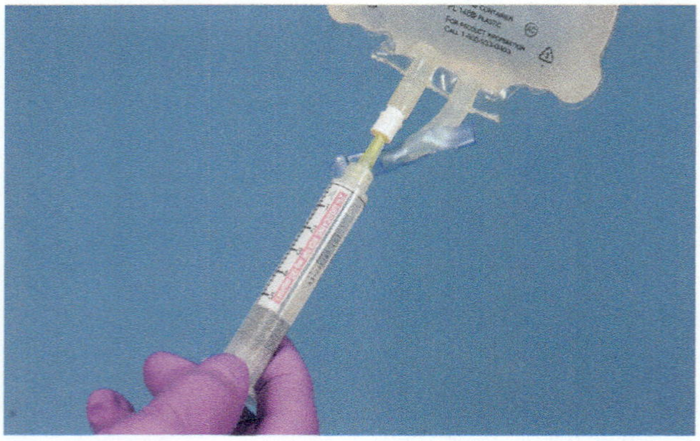

FIGURA 11-58 Adición del medicamento a una bolsa para infusión IV.

7. Etiquete la bolsa para infusión IV; en un trozo de cinta adhesiva, escriba el nombre del medicamento añadido, la cantidad añadida, la concentración del medicamento en la bolsa para infusión IV (p. ej., mcg/ml o mg/ml), la fecha y la hora, y su nombre.
8. Coloque el equipo de administración IV y prepare la bolsa para infusión IV como ya se ha explicado en este capítulo.

Perlas de sabiduría

Las bombas de infusión son el estándar de cuidado para cualquier infusión de medicamentos. Como médico y defensor del paciente, debe abogar por su uso dentro del ámbito prehospitalario.

IV por goteo intermitente

El equipo de administración IV que se conecta directo al conector del catéter IV se denomina vía primaria. Esta vía en general se utiliza para administrar una solución isotónica. La solución salina es la solución isotónica preferida porque se mezcla con todos los medicamentos que se utilizan en los traslados prehospitalarios e interhospitalarios. Cuando realice una infusión continua, tome el extremo distal del equipo de goteo que está conectado al medicamento mezclado y conéctelo a un puerto de la línea primaria. La vía que se conecta a la infusión continua se denomina "IV por goteo intermitente" o vía secundaria. Se pueden conectar varias vías a una vía IV primaria. Cuando hay varias vías en un paciente, es importante etiquetar cada una de ellas. Esto garantizará que no se produzcan interacciones entre los medicamentos cuando se administren en ruta.

Siga los pasos de la **PRÁCTICA DE DESTREZA 11-8** para realizar una infusión IV por goteo intermitente.

Bombas de infusión IV

Cuando se administra una infusión de medicamentos de mantenimiento para la que la velocidad de administración del medicamento a lo largo del tiempo es crítica, la norma de atención en la comunidad médica es utilizar una **bomba de infusión** IV, un dispositivo mecánico que infunde un volumen preciso programado por el médico, **FIGURA 11-59**. El uso de equipos de microgoteo para cronometrar las infusiones no se utiliza en ningún otro campo de la medicina debido a la propensión a cometer errores de medicación y a la variabilidad de la velocidad de goteo en función de la altura de la bolsa, el movimiento y otros factores. Asimismo, se

Práctica de destreza 11-8 Administración de un medicamento por vía intravenosa por goteo intermitente

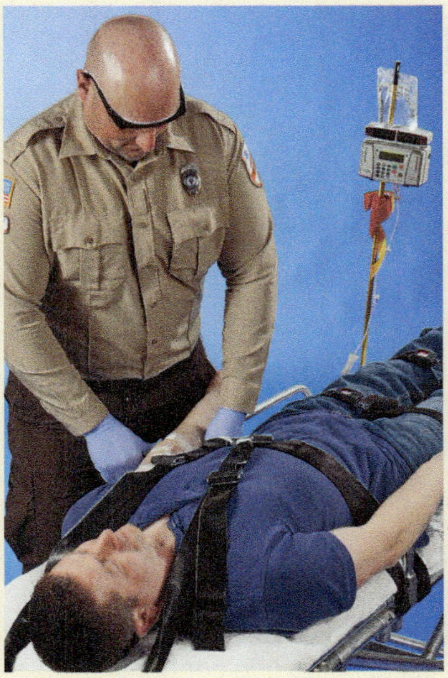

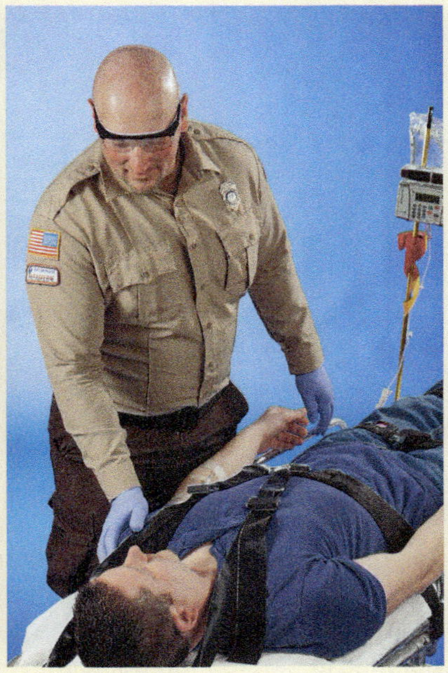

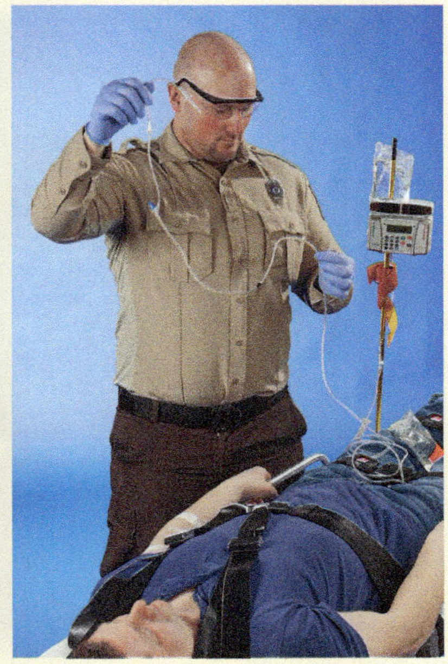

Paso 1

Tome las precauciones habituales. Asegúrese de que la vía IV establecida está permeable.

Paso 2

Determine la necesidad del medicamento con base en la presentación del paciente. Obtenga los antecedentes, incluidas las alergias a medicamentos y los signos vitales. Siga las órdenes permanentes o solicite permiso a control médico. Identifique la concentración y, a continuación, determine la dosis y la velocidad de infusión adecuadas. Revise el medicamento para asegurarse de que es el correcto, que no está turbio o descolorido y que no ha pasado la fecha de caducidad, y determine la cantidad y concentración adecuadas para la dosis correcta. Explique al paciente o a los padres el procedimiento y la necesidad del medicamento.

Paso 3

Reúna el equipo necesario. Asegúrese de que dispone de la solución IV y de que es clara, estéril y no caducada. Asegúrese de que tiene el equipo de administración y el gotero correctos. Revise que no haya líneas enredadas y confirme que las cubiertas protectoras estén en los extremos. La pinza de flujo debe estar cerrada.

(continúa)

Práctica de destreza 11-8 Administración de un medicamento por vía intravenosa por goteo intermitente (continuación)

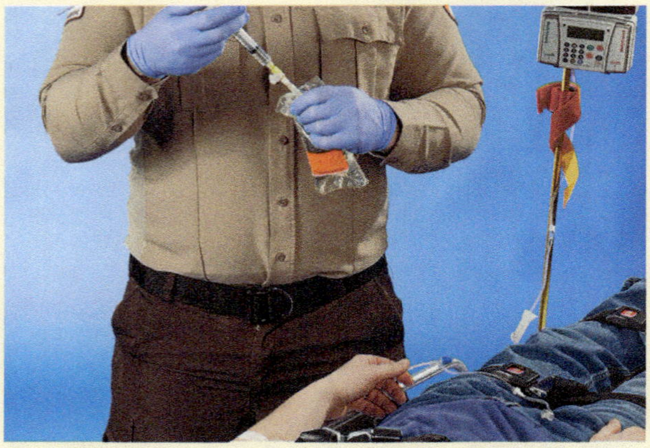

Paso 4

Limpie con alcohol el puerto de inyección de la bolsa IV secundaria (en la que se infundirá el medicamento). Inyecte el medicamento en la segunda bolsa IV y, a continuación, coloque la jeringa en el contenedor para objetos punzocortantes. Agite suavemente la bolsa para infusión IV para mezclar el medicamento inyectado con la solución.

Nota: si el fabricante lo sujeta a la segunda bolsa para infusión IV (como es el caso de los antibióticos intravenosos, algunos antiarrítmicos y algunos otros medicamentos) es posible que no sea necesario extraer el medicamento.

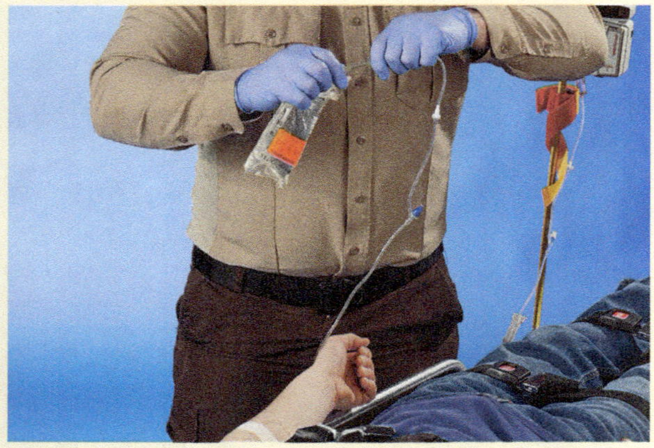

Paso 5

Retire la cubierta protectora de la segunda bolsa para infusión IV. Inserte la espiga del tubo en el puerto de cola de la segunda bolsa IV. Gire en posición vertical la bolsa que contiene el medicamento. Apriete la cámara de goteo hasta que esté medio llena. Mantenga la esterilidad.

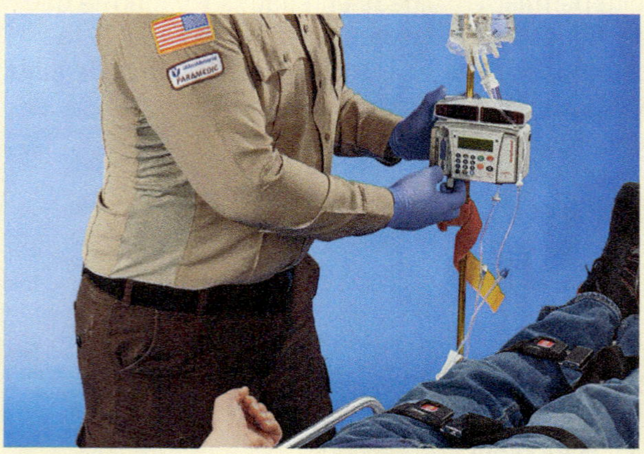

Paso 6

Desabroche la línea de la bolsa IV secundaria para eliminar el aire de la misma, o utilice la bomba de infusión para realizar este paso. Mantenga la esterilidad. Mientras elimina el aire, intente minimizar la pérdida de líquido. Una vez eliminadas todas las burbujas de aire, cierre la vía.

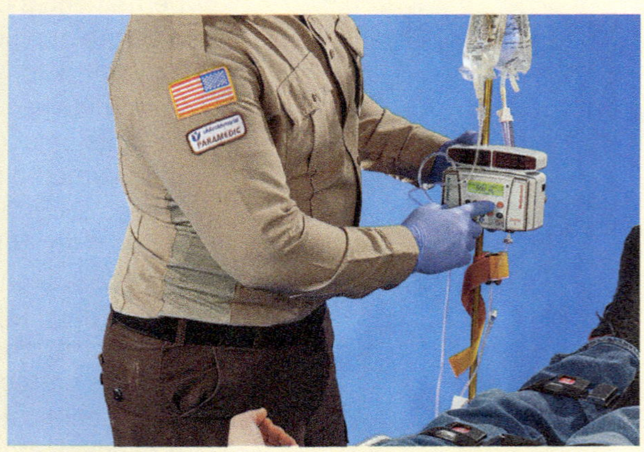

Paso 7

Si procede, programe la bomba de infusión IV con la dosis y la velocidad adecuadas. Coloque el cartucho de la bolsa IV secundaria en la bomba.

Práctica de destreza 11-8 Administración de un medicamento por vía intravenosa por goteo intermitente (continuación)

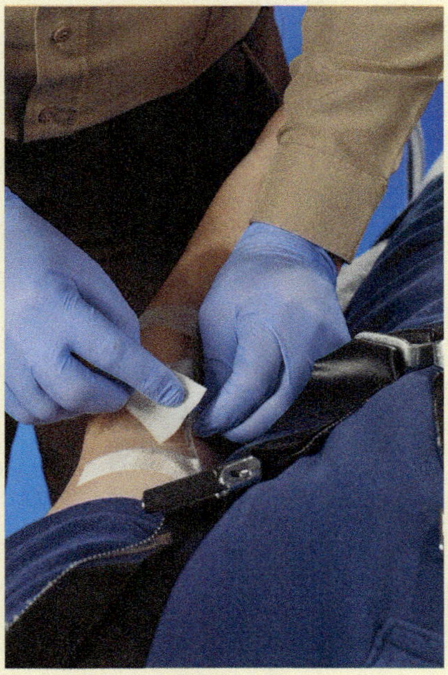

Paso 8

Limpie un puerto de la vía IV primaria. Conecte el extremo distal de la vía IV secundaria a un puerto de la vía IV primaria. Inicie el flujo y asegúrese de que la velocidad sea la adecuada. Mantenga la esterilidad.

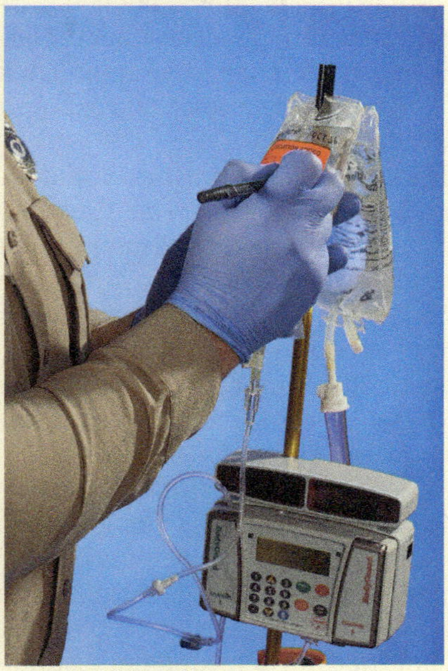

Paso 9

Etiquete la bolsa IV secundaria. Vigile la condición del paciente y documente el medicamento administrado, la vía, concentración, dosis, fecha, hora y sus iniciales. Documente la respuesta del paciente al medicamento.

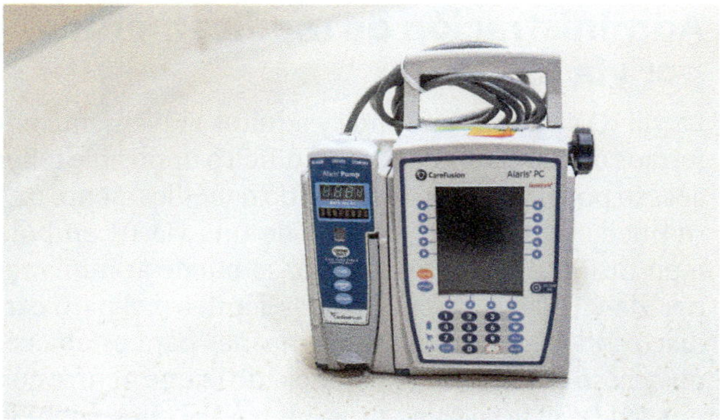

FIGURA 11-59 Bomba de infusión intravenosa.

puede utilizar una bomba de infusión para administrar infusiones de líquidos IV de mantenimiento en niños y pacientes mayores para minimizar el riesgo de una "IV desbocada" y la subsiguiente sobrecarga circulatoria.

Las bombas de infusión IV se utilizan ampliamente tanto en el hospital como durante los traslados entre centros. Además, a veces se utilizan en el ámbito prehospitalario. Estas bombas tienen ventajas e inconvenientes. En particular, administran el medicamento de forma confiable al ritmo establecido en la bomba y calculan la cantidad de líquido que se ha infundido y la cantidad de líquido restante. Debido a la falta de uniformidad entre las bombas de los distintos fabricantes, se debe familiarizar con las bombas que utiliza su servicio.

Las bombas pueden plantear problemas durante el transporte del paciente porque puede quedar aire atrapado en los conductos, lo que es detectado por las bombas. Cuando esto ocurre, la bomba detiene la infusión y suena una alarma. Esto puede resultar problemático durante el transporte cuando la ambulancia pasa por baches, realiza giros bruscos y está expuesta a otras fuerzas aplicadas.

Las bombas de infusión IV administran líquidos o medicamentos mediante presión positiva. Aunque la administración de medicamentos de este modo puede provocar la infiltración de una vena, la mayoría de las bombas de infusión está equipada con una alarma que indica un cambio en la presión de flujo. Otras características de seguridad comunes incluyen alarmas que alertan de la presencia de oclusión (p. ej., aire en el tubo) o del agotamiento del suministro de medicamento. Los tubos de las bombas de infusión IV son específicos del fabricante y del modelo, y por lo regular son incompatibles con otras bombas de infusión.

Se debe familiarizar con parte de la terminología relacionada con las bombas de infusión. Estas quizá tengan varias cámaras que pueden contener distintos medicamentos. Cada cámara puede calcular la velocidad de administración de un medicamento. Si las líneas de medicación superan en número a las cámaras disponibles, tal vez sea necesario administrar un fluido isotónico basándose solo en la gravedad. En este caso, se debe ajustar de forma manual la velocidad de flujo gtt/min de la línea isotónica, en lugar de ajustarla según la bomba. La velocidad de flujo se establece siempre en mililitros por hora. Algunas bombas IV pueden estar conectadas a bases de datos de medicación que calcularán la dosificación farmacológica en función de la dosis deseada y del peso del paciente, según sea necesario.

El volumen por infundir es la cantidad de solución que queda por infundir. Por ejemplo, si estaba infundiendo 100 ml de amiodarona y ya se han administrado 25 ml, entonces 75 ml es el volumen que se va a infundir. El volumen infundido es la cantidad de solución que ya se ha administrado, 25 ml en el ejemplo anterior. Si su bomba de infusión no realiza cálculos de medicación, los siguientes pasos pueden ayudarle a determinar la velocidad a la que debe ajustar la bomba.

Ejemplo

Las gotas de nitroglicerina son un medicamento que se administra con frecuencia en centros hospitalarios a pacientes con síndrome coronario agudo y que se está estableciendo en el ámbito prehospitalario en algunas zonas. Las dosis oscilan entre 5 y 50 mcg/min. Este cálculo se inicia en 5 mcg/min. Se tienen 25 mg en 250 ml.

Paso 1: Determine la concentración.

$$25 \text{ mg} \times \frac{1\,000 \text{ mcg}}{\text{mg}} = 250\,000 \text{ mcg}$$

$$25\,000 \text{ mcg} \div 250 \text{ ml} = 100 \text{ mcg/ml}$$
(concentración)

Paso 2: Determine la cantidad de volumen por infundir por minuto (ml/min).

Para este cálculo, debe recordar la dosis deseada: en este caso, 5 mcg/min. Para determinar el número de ml/min, realice el siguiente cálculo:

$$5 \text{ mcg/min (dosis deseada)} \div 100 \text{ mcg/ml (concentración)} = 0.05 \text{ ml/min}$$

Paso 3: Determine la velocidad y el volumen que va a infundir.

La velocidad se puede establecer multiplicando los ml/min por 60.

$$\frac{0.5 \text{ ml}}{\text{min}} \times \frac{60 \text{ min}}{\text{h}} = 3 \text{ ml/h}$$

En este ejemplo, el volumen de nitroglicerina envasada que se va a infundir es de 250 ml, a menos que el control médico solicite lo contrario. Por lo tanto, infunda este volumen a 3 ml/h hasta que se administre, o hasta que llegue al centro receptor.

Las bombas de infusión IV tienen distintas configuraciones. Debe estar familiarizado con los conceptos básicos tratados en esta sección, pero busque formación individual sobre la(s) bomba(s) de infusión específica(s) que vaya a utilizar en la práctica. Además, familiarícese con los tubos, los cartuchos y la forma básica de manejar la bomba, y asegúrese de que se siente cómodo con el dispositivo antes de utilizarlo con un paciente.

Administración de medicamentos por vía IO

La vía IO se utiliza en niños y adultos gravemente enfermos o lesionados cuando es difícil o imposible tener acceso por vía IV. Cualquier fluido o medicamento que se pueda administrar a través de una vía IV, en bolo o en fusión de mantenimiento, se puede administrar por vía IO. El shock, el estado epiléptico y el paro cardíaco son solo algunas de las razones para establecer un acceso intraóseo. A diferencia de lo que ocurre con una vía IV, el líquido no fluye bien en el hueso debido a la resistencia; por lo tanto, es necesario utilizar una jeringa grande para infundir el líquido por vía IO. Cuando se infunden líquidos por vía IV en adultos, se debe utilizar un dispositivo infusor a presión, un manguito que se coloca alrededor de la bolsa para infusión IV y se infla para forzar la salida del líquido de la bolsa.

Las complicaciones de la vía IO son similares a las asociadas a la vía IV. Además de las complicaciones ya comentadas en este capítulo, si el líquido se filtra fuera del hueso y entra en el compartimento osteofascial se puede producir un síndrome compartimental.

Siga los pasos de la **PRÁCTICA DE DESTREZA 11-9** para administrar un medicamento por vía IO.

Administración de medicamentos por vía percutánea

Con las vías de administración **percutánea**, los medicamentos se aplican y absorben a través de la piel y las membranas mucosas. Debido a que los medicamentos administrados por vía percutánea no pasan por el tracto gastrointestinal (GI), su absorción es más predecible. Las vías de administración percutánea de medicamentos incluyen las vías transdérmica, sublingual, bucal, ocular, ótica y nasal.

Administración de medicamentos por vía transdérmica

Los medicamentos **transdérmicos** se aplican por vía tópica, es decir, sobre la superficie del cuerpo. Por lo regular, la piel intacta constituye una barrera eficaz para la absorción del medicamento. Sin embargo, algunos medicamentos se han preparado de manera específica para atravesar esa barrera a un ritmo lento y constante, por lo que la vía transdérmica es útil para la liberación sostenida de ciertos medicamentos.

Práctica de destreza 11-9 Administración de medicamentos por vía IO

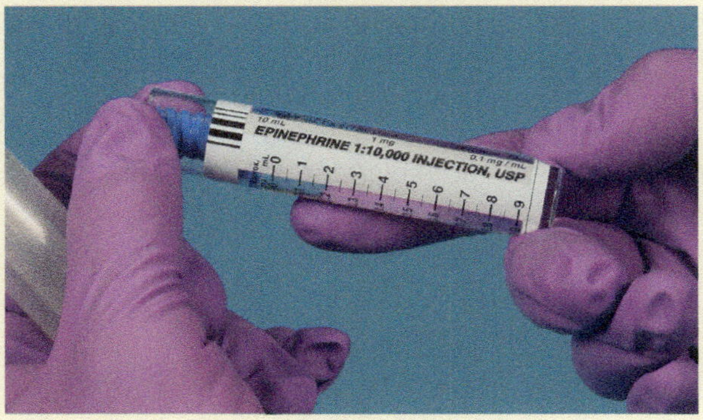

Paso 1

Tome las precauciones habituales. Determine la necesidad del medicamento con base en la presentación del paciente. Obtenga los antecedentes, incluidas las alergias a medicamentos y los signos vitales. Siga las órdenes permanentes o solicite permiso a control médico. Revise el medicamento para asegurarse de que sea el correcto, que no esté turbio o descolorido y que no haya pasado su fecha de caducidad, y determine la cantidad y concentración adecuadas para la dosis correcta. Explique al paciente o a los padres el procedimiento y la necesidad del medicamento.

Reúna el equipo necesario y prepare el medicamento. Prepare también 20 ml de solución salina normal para enjuagar.

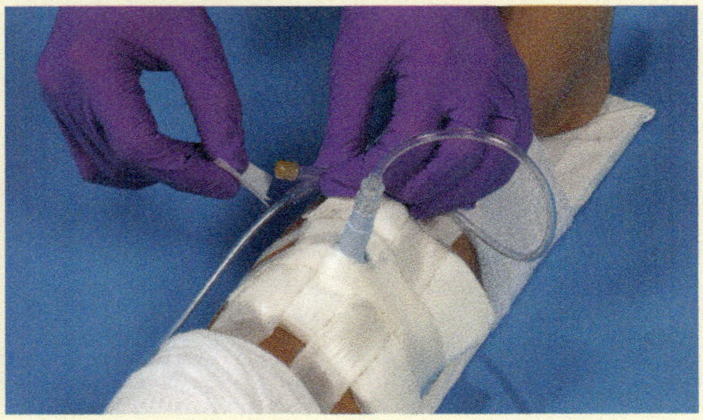

Paso 2

Limpie el puerto de inyección del tubo de extensión con alcohol, o retire la tapa protectora si utiliza un sistema sin aguja.

(continúa)

Práctica de destreza 11-9 Administración de medicamentos por vía IO (continuación)

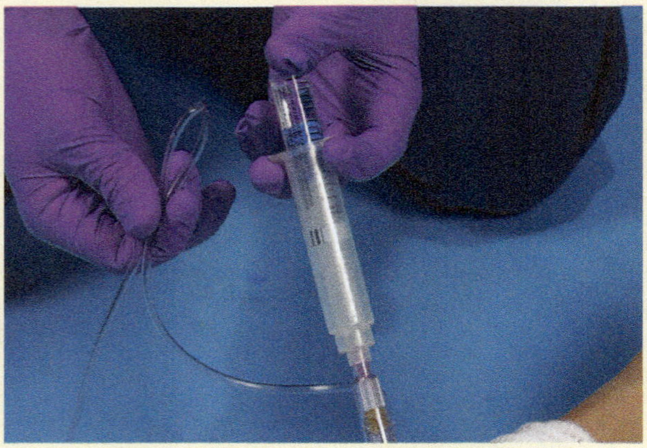

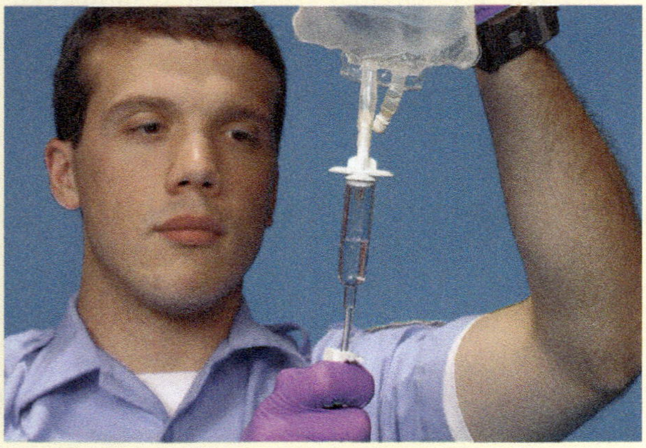

Paso 3

Inserte la aguja en el puerto y cierre el tubo IV proximal al puerto de administración. Esto por lo regular se hace con una llave de paso de tres vías. Si no se cierra la línea, el medicamento tomará la vía de menor resistencia: es decir, fluirá hacia la bolsa en lugar de hacia el paciente.

Administre la dosis correcta del medicamento a la velocidad de empuje adecuada. Algunos medicamentos se deben administrar con rapidez, mientras que otros se deben aplicar lentamente para evitar efectos adversos.

Paso 4

Coloque la aguja y la jeringa en el contenedor para objetos punzocortantes. Desbloquee la vía IV para introducir el medicamento en la zona. Lave con al menos un bolo de 20 ml de solución salina normal. Reajuste el flujo IV a la configuración original. Guarde de manera adecuada el medicamento no utilizado.

Vigile la condición del paciente y documente el medicamento administrado, la vía, la hora de administración y la respuesta del paciente.

Por ejemplo, los parches de nitroglicerina, estrógenos, nicotina y analgésicos se aplican sobre la piel y administran medicamentos durante un periodo determinado. Las cremas, lociones y pastas (p. ej., pasta de nitroglicerina, crema de corticoesteroides) también son medicamentos de administración transdérmica.

Los factores que pueden aumentar la velocidad de absorción transdérmica incluyen la administración de una cantidad excesiva del medicamento (es decir, sobredosis inadvertida o intencionada) y la piel fina o no intacta. Por el contrario, la disminución de la velocidad de absorción transdérmica se puede deber a factores como el grosor de la piel, el tejido cicatricial en la zona en la que se aplica el medicamento y las enfermedades vasculares periféricas.

Algunos medicamentos transdérmicos, como la pasta de nitroglicerina, se pueden aplicar en el entorno prehospitalario. Sin embargo, lo habitual es que los proveedores ayuden a los pacientes con sus propios parches transdérmicos. Si su servicio utiliza nitroglicerina u otro medicamento transdérmico, deberá realizar los siguientes pasos:

1. Tome las precauciones habituales. Determine la necesidad del medicamento con base en la presentación del paciente. Obtenga los antecedentes, incluidas las alergias a medicamentos y los signos vitales. Siga las órdenes permanentes o solicite permiso a control médico. Revise el parche o la crema con el medicamento para asegurarse de que sea el correcto y que no haya pasado su fecha de caducidad, y determine la cantidad y concentración adecuadas para la dosis correcta.

2. Explique al paciente el procedimiento y la necesidad del medicamento. Limpie y seque la zona de la piel donde se aplicará el medicamento.
3. Aplique el medicamento en la zona según las especificaciones del fabricante.
4. Vigile la condición del paciente y documente el medicamento administrado, la vía, la hora de administración y la respuesta del paciente.

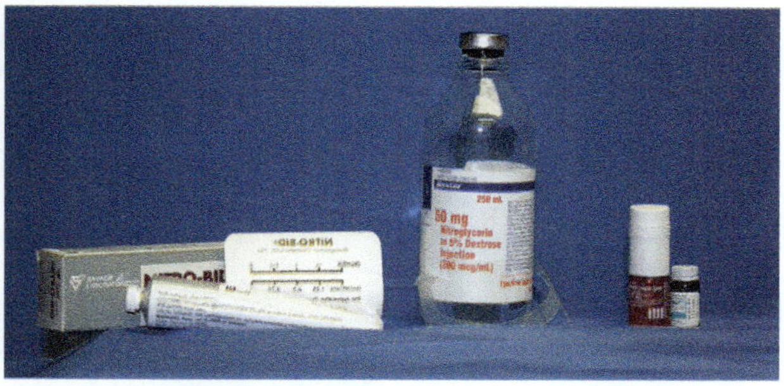

FIGURA 11-60 La nitroglicerina con frecuencia se administra por vía sublingual en forma de aerosol o comprimido. También está disponible como parche o pasta transdérmica y se puede administrar como goteo intravenoso.

Perlas de sabiduría

Durante la evaluación de un paciente, busque parches de medicamento transdérmico, en especial de opioides y nitroglicerina. Si el paciente ya se encuentra en una condición hemodinámicamente inestable, entonces los opioides y la nitroglicerina pueden complicar el cuadro clínico.

En ningún caso administre o entre en contacto con medicamentos transdérmicos sin tomar las precauciones habituales adecuadas. Debido a que estos medicamentos están diseñados para absorberse a través de la piel, se pueden absorber fácilmente a través de las manos sin guantes.

Perlas de sabiduría

Si utiliza un dispensador de medicamento en aerosol, rocíelo una o dos veces lejos del paciente y del personal antes de la administración. Al hacerlo, se asegurará de que el dispensador esté cebado y de que el paciente reciba la dosis completa de la medicación. Además, al igual que con los medicamentos transdérmicos, tome las precauciones habituales adecuadas, ya que la nitroglicerina puede absorberse a través de las manos.

Administración de medicamentos por vía sublingual

La región **sublingual** (debajo de la lengua) es muy vascular, por lo que los medicamentos administrados por esta vía se absorben rápidamente; en comparación con los administrados por vía enteral, llegan a la circulación mucho más rápido. La nitroglicerina (en aerosol o tableta) es un medicamento que se administra más comúnmente por vía sublingual, **FIGURA 11-60**.

Los medicamentos también se pueden *inyectar* en la red de venas (plexo venoso) bajo la lengua (básicamente es otra forma de inyección IV). Esta técnica es muy útil para administrar antagonistas opioides a pacientes con sobredosis de heroína, ya que encontrar una vena adecuada en estos pacientes puede ser casi imposible.

Para administrar un medicamento sublingual, siga los pasos de la **PRÁCTICA DE DESTREZA 11-10**.

Administración de medicamentos por vía bucal

La región **bucal**, que también es muy vascular, se encuentra entre la mejilla y las encías. La mayoría de los medicamentos administrados por vía bucal se presenta en forma de comprimidos o geles. La glucosa es uno de los pocos medicamentos que se pueden administrar por vía bucal en el ámbito prehospitalario.

Para administrar un medicamento por vía bucal, siga estos pasos:

1. Tome las precauciones habituales. Determine la necesidad del medicamento con base en la presentación del paciente. Obtenga los antecedentes, incluidas las alergias a medicamentos y los signos vitales. Siga las órdenes permanentes o solicite permiso a control médico.
2. Revise el medicamento para asegurarse de que sea el correcto, y que no haya pasado su fecha de caducidad, y determine la cantidad y concentración adecuadas para la dosis correcta. Explique al paciente el procedimiento y la necesidad del medicamento.
3. Coloque el medicamento entre la mejilla y la encía del paciente, o pídale que lo haga. Aconséjele que no mastique ni trague el comprimido, sino que deje que se disuelva lentamente.
4. Vigile la condición del paciente y documente el medicamento administrado, la vía, el tiempo de administración y la respuesta del paciente.

Práctica de destreza 11-10 Administración de medicamentos por vía sublingual

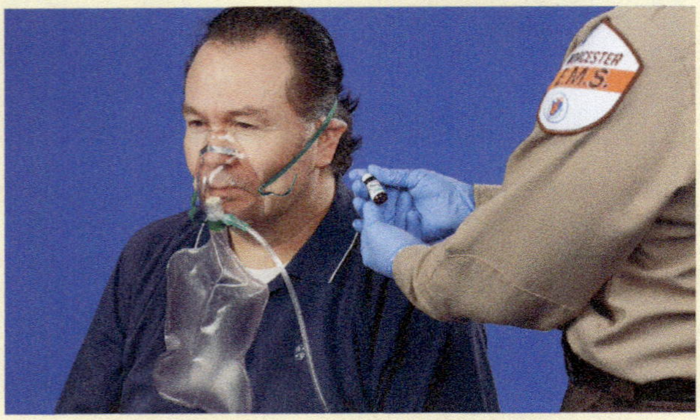

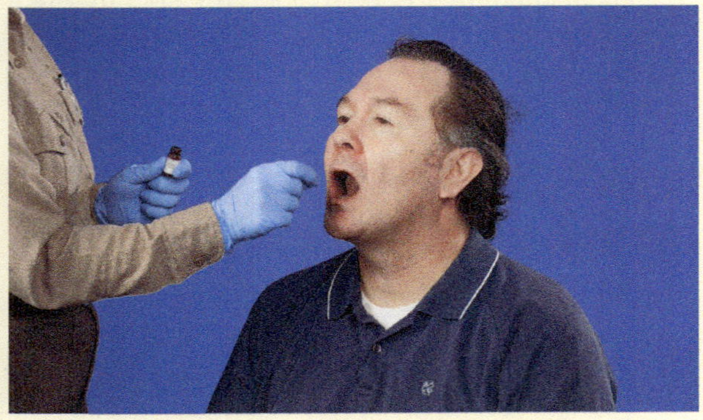

Paso 1

Tome las precauciones habituales. Determine la necesidad del medicamento con base en la presentación del paciente. Obtenga los antecedentes, incluidas las alergias a medicamentos y los signos vitales. Siga las órdenes permanentes o solicite permiso a control médico. Revise el medicamento para asegurarse de que sea el correcto, que no haya pasado su fecha de caducidad, y determine la cantidad y concentración adecuadas para la dosis correcta.

Paso 2

Pida al paciente que se enjuague la boca con un poco de agua si las mucosas están secas. Explique el procedimiento y pídale que levante la lengua. Coloque el comprimido o rocíe la dosis bajo la lengua, o pida al paciente que lo haga. Aconséjele que no mastique ni trague el comprimido, sino que deje que se disuelva lentamente. Vigile la condición del paciente y documente el medicamento administrado, la vía, la hora de administración y la respuesta del paciente.

Administración de medicamentos por vía ocular

Los medicamentos administrados por vía **ocular** por lo regular son gotas o pomadas, **FIGURA 11-61**. Los medicamentos oculares suelen administrarse para aliviar el dolor, las alergias, la sequedad ocular o las infecciones. Además de asistir a un paciente con un medicamento ocular o irrigarle los ojos después de una exposición tóxica, la administración de medicamentos por vía ocular es poco frecuente en el entorno prehospitalario.

En algunos sistemas prehospitalarios, los proveedores utilizan frascos que oprimen para obtener la cantidad prescrita de gotas en el ojo. También se puede utilizar un dispositivo comercial conocido como lente Morgan para administrar algunos medicamentos oftálmicos, especialmente anestésicos locales. Este dispositivo utiliza una lente patentada que se conecta a un gotero IV y a fluidos IV. Aunque se utiliza sobre todo para la irrigación, algunos medicamentos pueden utilizarse en o con el lente de Morgan.

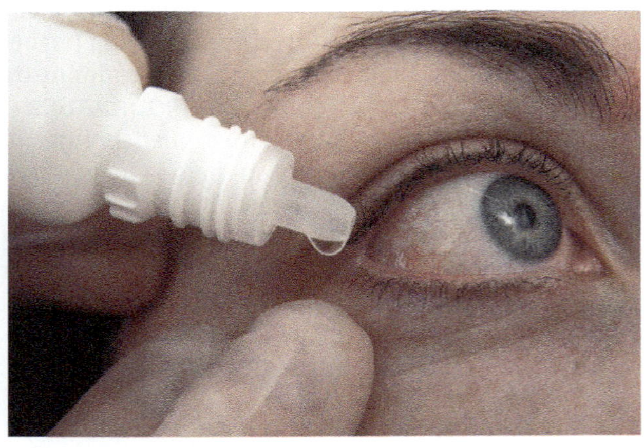

FIGURA 11-61 La vía ocular.

Si un paciente le pide que le ayude con la administración del medicamento ocular, siga estos pasos:

1. Tome las precauciones habituales. Si administra un medicamento prescrito, confirme que es el medicamento prescrito al paciente.

2. Coloque al paciente en decúbito supino, o pídale que coloque la cabeza hacia atrás y mire hacia arriba.
3. *Sin tocar el globo ocular,* exponga la conjuntiva tirando suavemente hacia abajo del párpado inferior.
4. Administre la cantidad necesaria de medicamento en el saco conjuntival utilizando un gotero. No aplique el medicamento directamente sobre el globo ocular. Aconseje al paciente que cierre los ojos durante 1 o 2 minutos.
5. Anote el nombre del medicamento, la vía, la dosis y la hora de administración. Vigile la condición y la respuesta del paciente.

Administración de medicamentos por vía ótica

Ciertos medicamentos —principalmente antibióticos, analgésicos y preparados para la eliminación del cerumen— se administran a través de las membranas mucosas del conducto **auditivo** externo. Al igual que en el caso de la vía ocular, la vía ótica rara vez o nunca se utiliza en el ámbito prehospitalario.

Si el paciente le pide que le ayude a administrar un medicamento por vía ótica, siga estos pasos:

1. Tome las precauciones habituales y confirme que el medicamento está prescrito para el paciente.
2. Coloque al paciente de lado con el oído afectado hacia arriba. Exponga el conducto auditivo tirando de la oreja hacia arriba y atrás (adultos) o hacia abajo y atrás (lactantes y niños).
3. Aplique el medicamento en la dosis adecuada con un gotero.
4. Documente el nombre del medicamento, la vía, la dosis y la hora de administración. Vigile la condición y la respuesta del paciente.

Administración del medicamento por vía intranasal

Los medicamentos **intranasales** (dentro de la nariz) incluyen aerosoles nasales para aliviar la congestión o soluciones para humedecer la mucosa nasal. En los últimos años, esta vía de administración de medicamentos es cada vez más popular en el ámbito prehospitalario. Los medicamentos administrados por vía intranasal se absorben rápidamente, lo que proporciona un inicio de acción más rápido que las inyecciones IM. Por ejemplo, algunos estudios sugieren que el fentanilo intranasal tiene un inicio y una duración iguales a los de la morfina IV.

La administración de medicamentos de emergencia por vía intranasal se realiza con un **dispositivo de atomización para mucosa** (**MAD**, por sus siglas en inglés), **FIGURA 11-62**. El MAD se acopla a una jeringa y permite rociar (atomizar) determinados medicamentos en la mucosa nasal.

FIGURA 11-62 Dispositivo de atomización para mucosa.

Cortesía de Telelex Inc.

Debido a la estructura molecular de los fármacos, solo algunos medicamentos de emergencia se pueden administrar por vía intranasal, como la naloxona (Narcan), el midazolam (Versed), el glucagón (GlucaGen), el ketorolaco (Toradol), el flumazenilo (Romazicon) y el citrato de fentanilo. Normalmente, los medicamentos intranasales requieren de 2 a 2.5 veces la dosis de los medicamentos IV. Siga el protocolo local o consulte con el control médico sobre las dosis adecuadas de estos medicamentos y de cualquier otro que pueda administrarse por vía intranasal.

Para administrar un medicamento por vía intranasal, siga los pasos indicados en la **PRÁCTICA DE DESTREZA 11-11**.

Medicamentos administrados por vía inhalatoria

Nebulizador e inhalador dosificador

Muchos medicamentos utilizados en el tratamiento de emergencias respiratorias se administran por vía **inhalatoria**. El medicamento inhalado más común es el oxígeno. Además, los broncodilatadores agonistas beta-2 (p. ej., albuterol [Ventolin, Proventil]) se administran a menudo en el ámbito prehospitalario a pacientes que experimentan dificultad respiratoria causada por ciertas enfermedades obstructivas de la vía aérea. Otros medicamentos, como el bromuro de

Práctica de destreza 11-11 Administración de medicación por vía intranasal

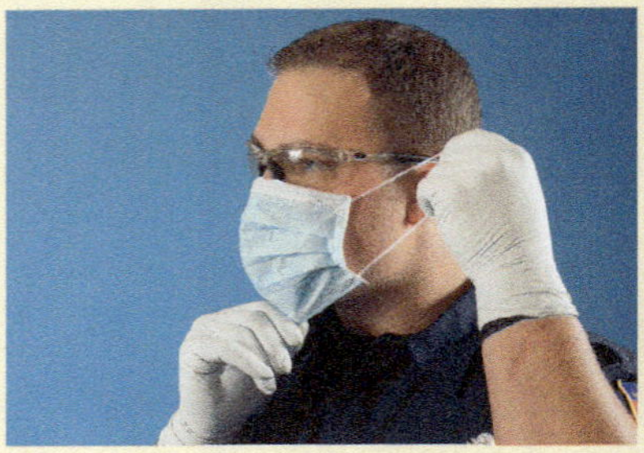

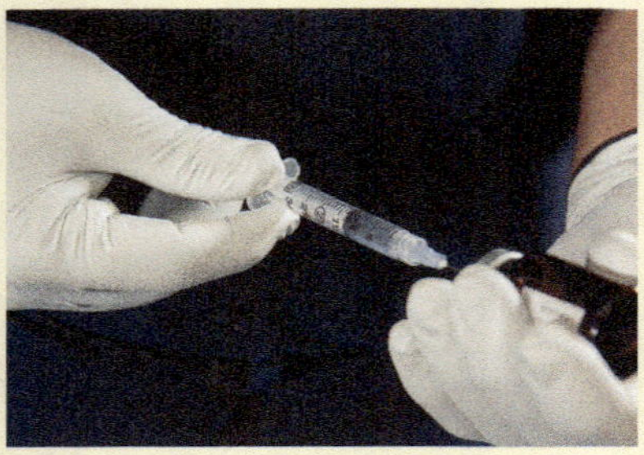

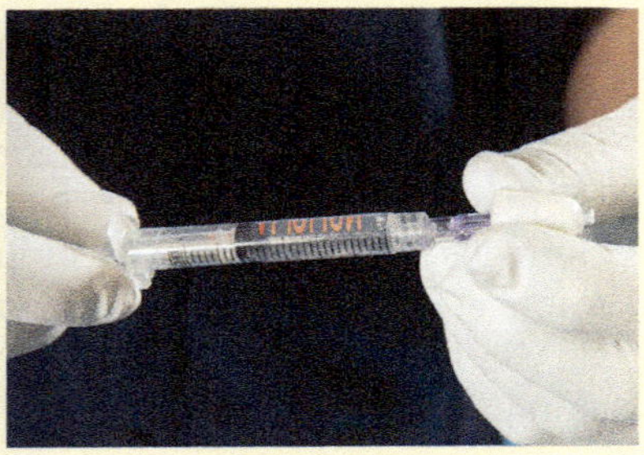

Paso 1

Tome las precauciones habituales. Determine la necesidad del medicamento con base en la presentación del paciente. Obtenga los antecedentes, incluidas las alergias a medicamentos y los signos vitales. Reúna y recoja el equipo necesario, incluido el MAD. Siga las órdenes permanentes o solicite permiso a control médico. Revise el medicamento para asegurarse de que sea el correcto, que no esté turbio o descolorido y que no haya pasado su fecha de caducidad.

Paso 2

Introduzca en la jeringa la dosis adecuada de medicamento, elimine el aire y vuelva a confirmar que es el medicamento correcto. Deseche la aguja correctamente.

Paso 3

Conecte el MAD a la jeringa, manteniendo la esterilidad.

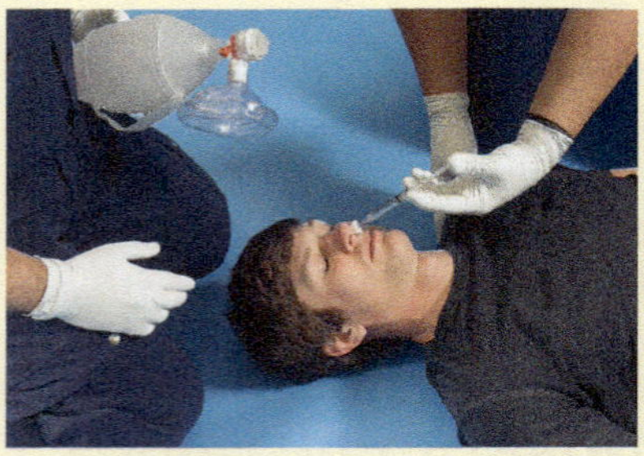

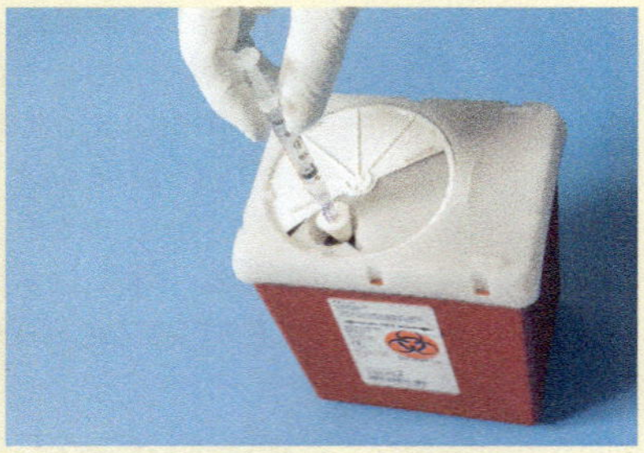

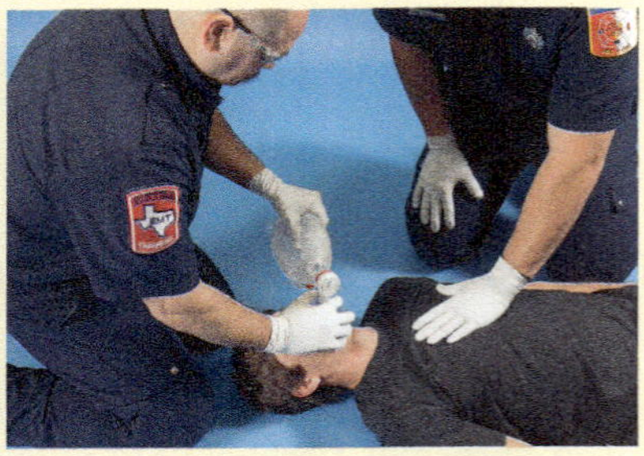

Paso 4

Explique al paciente (o a un familiar si este no responde) el procedimiento y la necesidad del medicamento. De ser necesario, interrumpa la ventilación del paciente y retire cualquier mascarilla. Inserte el MAD en la fosa nasal más grande y menos desviada o menos obstruida. Rocíe rápidamente la dosis farmacológica en una fosa nasal.

Paso 5

Deseche el MAD y la jeringa en el contenedor adecuado.

Paso 6

Vigile la condición del paciente. Documente el medicamento administrado, la vía, la hora de administración y la respuesta del paciente.

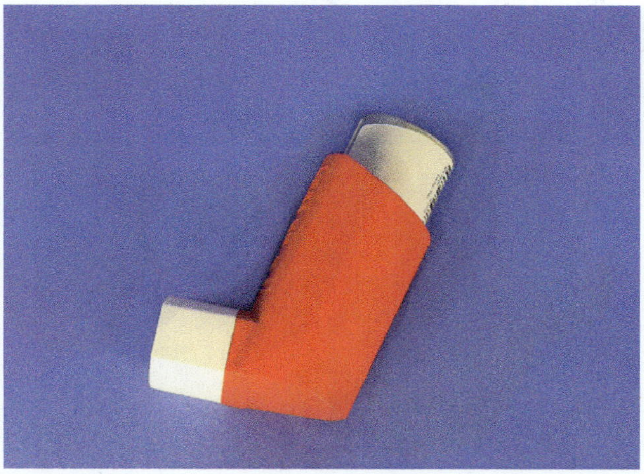

FIGURA 11-63 Algunos medicamentos se inhalan en los pulmones con un inhalador de dosis medida para que se puedan absorber rápidamente en el torrente sanguíneo.

ipratropio (Atrovent), un broncodilatador anticolinérgico, también se administran por vía inhalatoria. Consulte la guía de referencia del fármaco o el prospecto para conocer las indicaciones, contraindicaciones y precauciones antes de administrar cualquiera de estos medicamentos.

Un paciente con antecedentes de problemas respiratorios por lo general tendrá un **inhalador de dosis medida (IDM)** para usar regularmente o según sea necesario, **FIGURA 11-63**. Por lo general, el paciente mismo administra los IDM usando sus propios medicamentos recetados, pero los paramédicos deben saber cómo administrar medicamentos por esta vía porque pueden ayudar al paciente con la administración. Los medicamentos administrados por un IDM se pueden suministrar a través de una boquilla sostenida por el paciente o por una mascarilla, con o sin un dispositivo espaciador, para niños pequeños y pacientes que no pueden sostener la boquilla, **FIGURA 11-64**.

Siga los pasos de la **PRÁCTICA DE DESTREZA 11-12** para ayudar a un paciente a autoadministrarse el medicamento de un inhalador.

En el caso de pacientes con problemas más graves, los broncodilatadores líquidos se pueden aerosolizarse en un **nebulizador** para su inhalación. Los

Perlas de sabiduría

Los IDM también se denominan HFA, por el propelente hidrofluoroalcano, que ahora se utiliza en lugar de los clorofluorocarbonos en estos dispositivos; sin embargo, es más probable que IDM sea el término familiar para los pacientes. Los pacientes se refieren con más frecuencia a los IDM como sus "inhaladores".

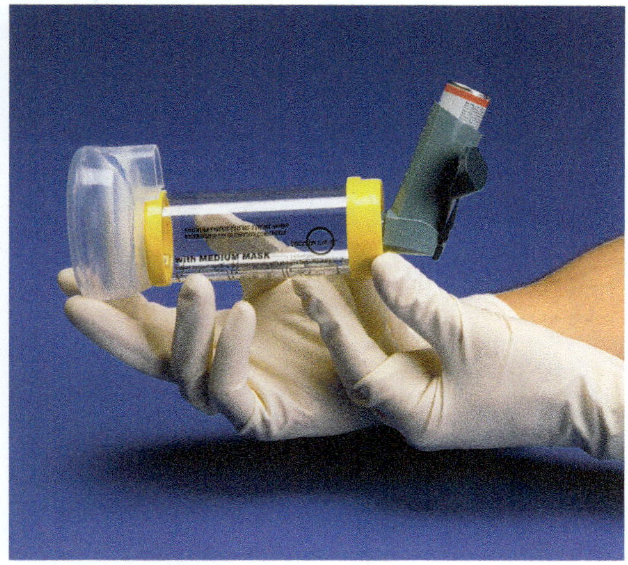

A

B

FIGURA 11-64 **A.** En los niños se pueden utilizar un inhalador de dosis medida y un espaciador con o sin mascarilla. **B.** Los niños de tan solo 6 meses pueden utilizar un dispositivo de mascarilla y espaciador.

nebulizadores de pequeño volumen (también llamados nebulizadores portátiles) son el método más utilizado para administrar medicamentos inhalados en el entorno prehospitalario, **FIGURA 11-65**. Para producir una vaporización aerosolizada se conecta oxígeno o una fuente de aire comprimido al nebulizador.

Para facilitar su uso en pacientes pediátricos, algunos nebulizadores tienen formas e imágenes adaptadas para los niños. Algunos de ellos permiten la administración por soplido para ayudar al paciente a tolerar el medicamento. Otros dispositivos para la administración de medicamentos incluyen una máscara nebulizadora, que no requiere que el paciente sujete

Práctica de destreza 11-12 Asistencia a un paciente con un inhalador dosificador

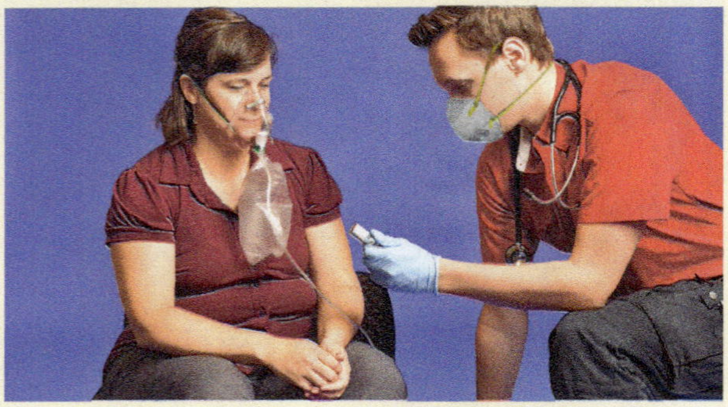

Paso 1

Tome las precauciones habituales. (Debido a que el paciente podría toser durante este procedimiento, muchos servicios sugieren que el proveedor use protección para los ojos.) Obtenga una orden del control médico o siga el protocolo local. Reúna el equipo necesario. Asegúrese de que tiene el medicamento correcto, el paciente correcto, la dosis correcta y la vía correcta, y que el medicamento no ha caducado.

Asegúrese de que el paciente está lo suficientemente alerta como para utilizar el inhalador. Corrobore si él ya ha tomado alguna dosis. Obtenga los ruidos respiratorios de referencia para compararlos después de unos minutos de uso del inhalador. Asegúrese de que el inhalador está a temperatura ambiente o más caliente.

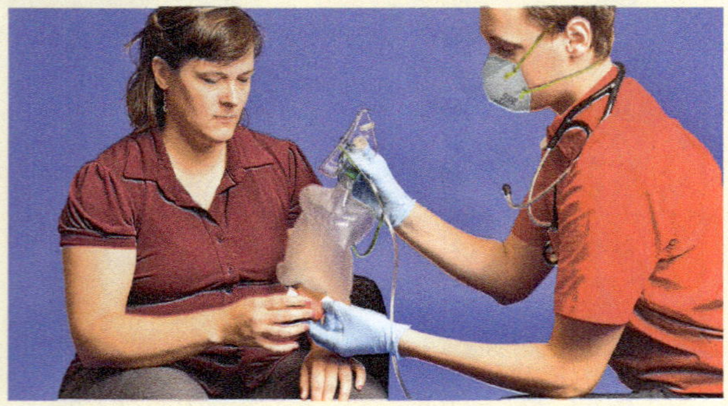

Paso 2

Agite enérgicamente el inhalador varias veces. Deje de administrar oxígeno suplementario y retire cualquier mascarilla de la cara del paciente. Pídale que exhale profundo y que, antes de inhalar, ponga los labios alrededor de la abertura del inhalador.

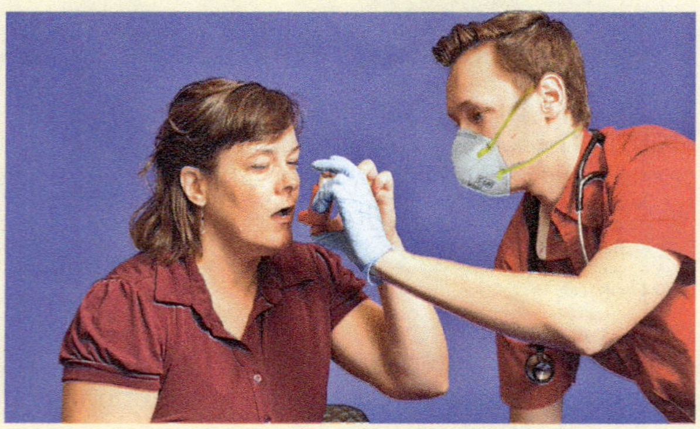

Paso 3

Si el paciente tiene un espaciador, colóquelo para permitir un uso más eficaz del medicamento. Haga que él oprima el inhalador manual y empiece a inhalar profundo. Indíquele que no respire durante el tiempo que le resulte cómodo para ayudar a los pulmones a absorber el medicamento.

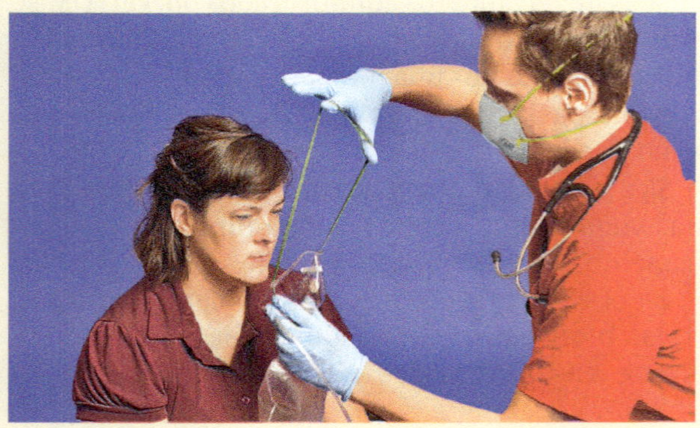

Paso 4

Siga administrando el oxígeno suplementario. Deje que el paciente respire unas cuantas veces y, a continuación, administre la segunda dosis siguiendo las indicaciones del control médico o de acuerdo con el protocolo local. Vigile la condición del paciente y documente el medicamento administrado, la vía, la hora de administración y la respuesta del paciente.

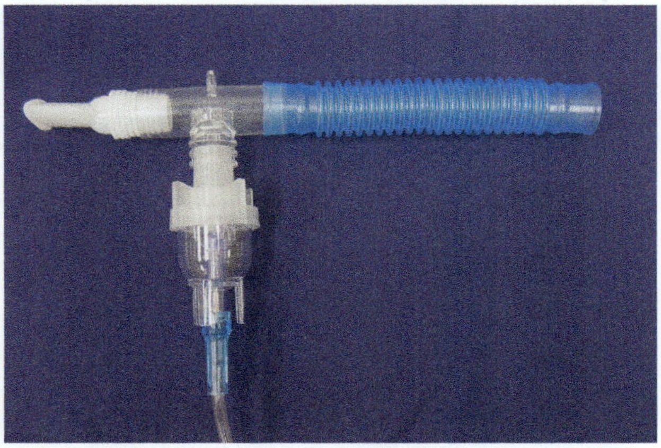

FIGURA 11-65 Un nebulizador de pequeño volumen se utiliza para administrar medicamentos mediante nebulización en aerosol.

el dispositivo. Se han diseñado algunos adaptadores para permitir a los proveedores administrar a pacientes intubados medicamentos nebulizados con cada ventilación, **FIGURA 11-66**. Estos dispositivos también se pueden adaptar para su uso con mascarillas de CPAP, **FIGURA 11-67**.

Siga los pasos de la **PRÁCTICA DE DESTREZA 11-13** para administrar un medicamento mediante un nebulizador de pequeño volumen.

Controversias

Anteriormente, los nebulizadores se consideraban el método preferido de administración de medicamentos beta agonistas para el tratamiento de crisis asmáticas. Sin embargo, estudios recientes han demostrado que los IDM, en especial cuando se utilizan con dispositivos espaciadores, son al menos tan eficaces como los nebulizadores y presentan varias ventajas claras:[10,11]

- Los IDM son más cómodos que los nebulizadores. No requieren tiempo de preparación ni una fuente de gas comprimido.
- Los IDM son más confiables que los nebulizadores. Con un nebulizador, no se puede estar seguro de que el paciente esté recibiendo la dosis completa del fármaco. Los IDM administran una cantidad más constante del medicamento en aerosol.
- Debido a que la mayoría de las personas con asma utiliza IDM en casa, su uso en una emergencia proporciona una excelente oportunidad para educar al paciente en el manejo adecuado del dispositivo. Los estudios han demostrado que más de la mitad de los pacientes que utiliza IDM en casa emplea una técnica incorrecta e ineficaz. Enseñar al paciente la técnica correcta y demostrar su eficacia puede mejorar el resultado de ataques de asma subsecuentes.

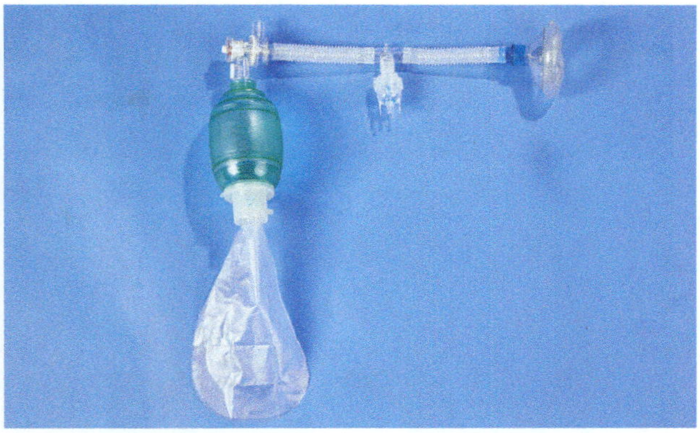

FIGURA 11-66 Se puede acoplar un nebulizador a un dispositivo bolsa-mascarilla y administrarse a través de la mascarilla.

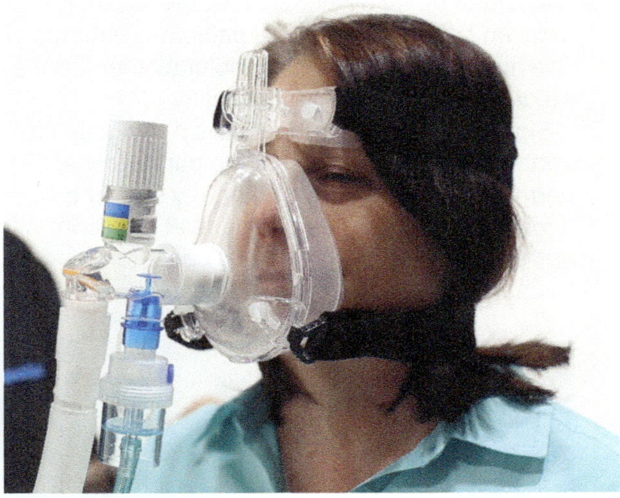

FIGURA 11-67 Medicamento nebulizado que se administra a través de una mascarilla de presión positiva continua en la vía aérea (CPAP).

Algunos pacientes con emergencias respiratorias pueden estar respirando de forma inadecuada (es decir, volumen corriente inadecuado, frecuencia respiratoria rápida o lenta) y no podrán inhalar eficazmente medicamentos beta agonistas en los pulmones a través de un nebulizador o un IDM. En tal caso, puede utilizar un nebulizador de pequeño volumen en línea con el dispositivo de asistencia. Si el paciente está intubado, coloque un tramo corto de tubo corrugado, separado por una pieza en T, para conectar el nebulizador a fin de ayudarlo con la ventilación de bolsa y mascarilla o el uso de un ventilador. Cuando utilice CPAP, tenga en cuenta que la mayoría de los fabricantes proporcionan un nebulizador diseñado para funcionar con su dispositivo. El nebulizador se debe colocar entre el dispositivo de asistencia y la mascarilla, o entre el dispositivo y el tubo endotraqueal si el

Práctica de destreza 11-13 Administración de un medicamento mediante un nebulizador de pequeño volumen

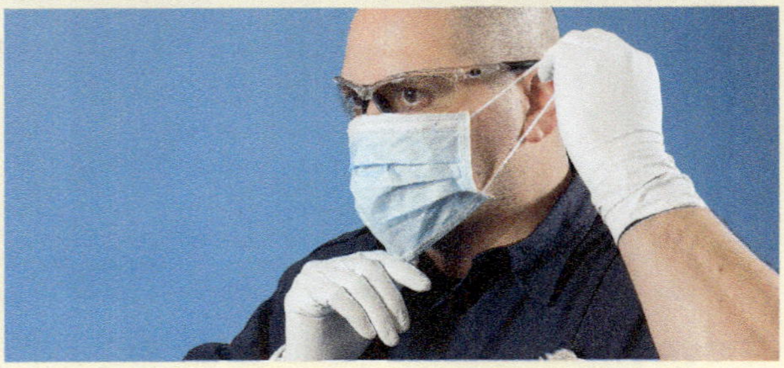

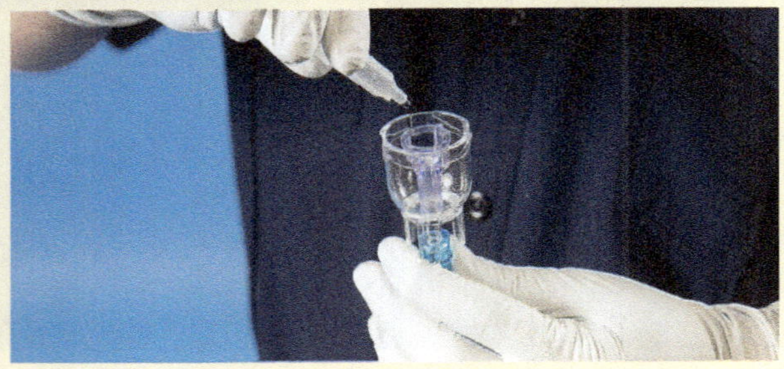

Paso 1

Tome las precauciones habituales. Determine la necesidad de un broncodilatador inhalado con base en la presentación del paciente. Obtenga una historia clínica, incluyendo cualquier alergia a medicamentos y signos vitales.

Siga las órdenes permanentes o póngase en contacto con el control médico para obtener permiso. Revise el medicamento y su fecha de caducidad. Asegúrese de que tiene el medicamento correcto y que no esté turbio o descolorido. Reúna y compruebe el equipo necesario.

Paso 2

Si el medicamento se suministra en un envase premezclado, añádalo al recipiente del nebulizador. Si no está premezclado, agregue el medicamento al recipiente y mézclelo con la cantidad especificada de solución salina normal, por lo regular de 2.5 a 3 ml.

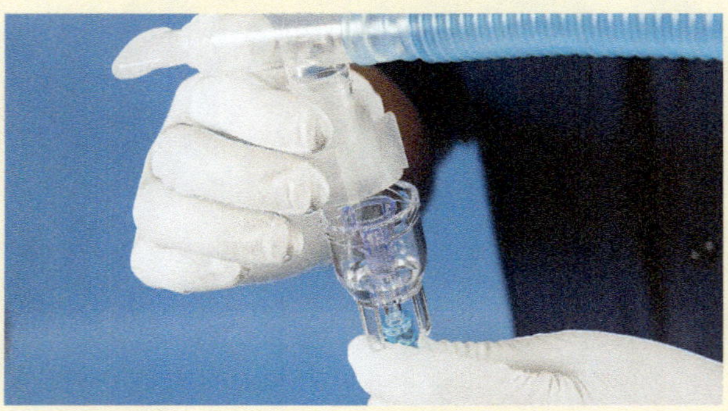

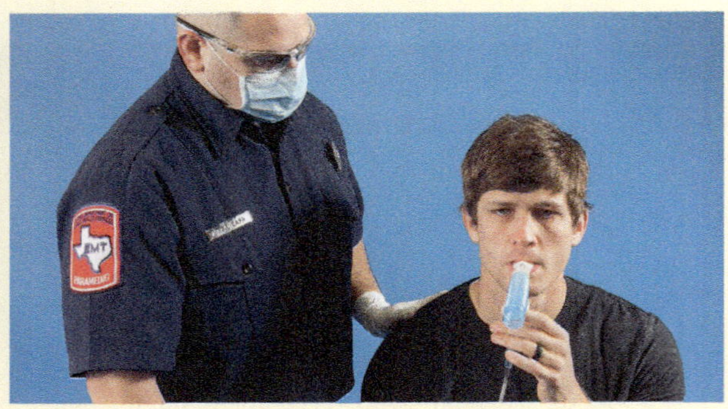

Paso 3

Conecte la pieza en T con la boquilla a la parte superior del tazón, o la mascarilla al tazón, y conéctelo al tubo de oxígeno.

Ajuste el flujómetro a 6 L/min para producir una nebulización constante. Retire la mascarilla de oxígeno del paciente si se está administrando oxígeno.

Paso 4

Con el nebulizador portátil en posición, instruya al paciente sobre la forma correcta de respirar. Haga que él respire lo más profundo posible y espere de 3 a 5 segundos antes de exhalar. Continúe instruyendo al paciente según sea necesario.

Vigile la condición del paciente y documente el medicamento administrado, la vía, la hora de administración y la respuesta del paciente al medicamento.

El monitoreo cardíaco es esencial cuando se administra un agonista beta. Si se observan arritmias cardíacas, interrumpa la administración del medicamento, trate al paciente de acuerdo con las directrices de reanimación vigentes y póngase en contacto con el control médico.

paciente está intubado, con una línea de oxígeno independiente conectada al nebulizador.

Controversias

Administración de medicamentos por vía endotraqueal

Si no se dispone de un acceso IV o IO, algunos medicamentos de reanimación se pueden administrar a través de una sonda ET. Sin embargo, la velocidad de absorción de los medicamentos administrados por esta vía son deficientes, por lo que debe utilizar otras vías más eficaces antes de intentar la administración de medicamentos a través de un tubo ET. La dosis ET óptima de la mayoría de los medicamentos es desconocida, pero la dosis habitual administrada por vía ET es de 2 a 2.5 veces la dosis IV recomendada para que el medicamento se disperse adecuadamente por el árbol traqueobronquial.[12] Cuando tenga que utilizar esta vía, los medicamentos que se pueden administrar a través de la sonda ET se pueden recordar con la nemotecnia LEAN (o LANE): Lidocaína, Epinefrina, Atropina y Naloxona (Narcan).[12] Como siempre, compruebe sus protocolos locales antes de la administración.

Dispositivos de acceso vascular a largo plazo

En algunas situaciones, el acceso IV es imperativo, pero resulta difícil de obtener. Algunos de estos pacientes pueden tener un DAV insertado por tiempo prolongado y estar recibiendo un régimen de antibióticos o quimioterapia, o sometiéndose a extracciones de sangre periódicas para trastornos crónicos, hemodiálisis o tratamiento para otras enfermedades agudas o crónicas. Estos pacientes serán francos acerca de su dispositivo médico y, por lo general, le pedirán que no les inserte una vía periférica.

Perlas de sabiduría

Los proveedores prehospitalarios no deben utilizar de forma rutinaria los DAV de tiempo prolongado. Si su agencia del SEM le permite tener acceso a estos dispositivos, es imperativo que busque capacitación regular sobre cómo tener acceso a ellos y usarlos correctamente.

Si se encuentra con pacientes con DAV de tiempo prolongado, observará que existen dos tipos generales: no canalizables e implantados. La mayoría de los protocolos permite el uso de estos DAV solo durante eventos críticos. Estos dispositivos normalmente se conservan con heparina para evitar la coagulación.

DAV no canalizables

Los **dispositivos de acceso vascular no canalizables** se insertan mediante venopunción directa a través de la piel directamente en una vena seleccionada. Los tipos más comunes de estos dispositivos que se encuentran en el ámbito prehospitalario e interhospitalario son los catéteres centrales de inserción periférica (PICC, por sus siglas en inglés), los catéteres de línea media y los catéteres venosos centrales (CVC).

Los PICC se utilizan a menudo para la administración de medicamentos a largo plazo, quimioterapia, toma frecuente de muestras venosas y nutrición parenteral total. Estos catéteres pueden tener un lumen único, doble o triple. En general los insertan enfermeras designadas para PICC, que reciben formación específica sobre su inserción. El punto de inserción por lo regular se encuentra en la vena antecubital, mientras que el extremo distal del PICC está en la vena cava superior y se verifica mediante una radiografía. Los PICC colocados pueden permanecer de 6 a 8 semanas. En algunos pacientes, la familia o el personal de cuidados domiciliarios pueden tener acceso al PICC con regularidad.

Los catéteres de línea media también se insertan en la vena antecubital. Sin embargo, a diferencia de un PICC, el extremo distal del catéter de línea media descansa en el extremo proximal de la extremidad. Por lo general, estos DAV pueden utilizarse durante aproximadamente 4 semanas, pero también se pueden emplear para terapias farmacológicas y venosas más breves.

Por lo general, los médicos insertan los CVC en situaciones de emergencia en la vena subclavia, femoral o yugular interna. Se utilizan para la administración urgente de medicamentos, la reanimación con líquidos, la administración de sangre o la toma de muestras de sangre. Por lo regular son catéteres de gran calibre y pueden situarse cerca de la vena cava.

Los pasos para tener acceso a un DAV no canalizable son los siguientes:

1. Utilice una técnica aséptica. Prepare todo el equipo adecuado: jeringa vacía de 10 a 20 ml (no debe utilizarse una jeringa de menos de 10 ml), enjuague con solución salina normal de 10 ml, guantes estériles, preparación con alcohol, equipo de administración de 10 gtt, 500 ml de solución salina normal.

   Asegúrese de que todos los lúmenes están cerrados. El embolismo aéreo es un riesgo grave en estos pacientes, ya que muchos de estos dispositivos van directamente a la vena cava. Por ello, siempre se deben pinzar las vías centrales que no se utilicen.

   Utilice un hisopo antiséptico para limpiar las vías que se van a utilizar, **FIGURA 11-68A**.

2. Coloque la jeringa vacía y extraiga un mínimo de 10 ml de sangre del lumen. Deseche la jeringa de inmediato en el contenedor para objetos punzocortantes. No extraiga con demasiada fuerza. Si encuentra resistencia, enjuague y extraiga suavemente. Pida al paciente que gire la cabeza en dirección opuesta a la vía central, **FIGURA 11-68B**.
3. Una vez que haya extraído los 10 ml de sangre, conecte la jeringa de 10 ml llena de solución salina normal y adminístrela lentamente, **FIGURA 11-68C**.
4. Conecte el equipo de goteo IV preparado y configúrelo para un flujo de por lo menos 10 ml/h. De acuerdo con el tamaño del catéter, puede infundir medicamentos a una velocidad de 125 a 250 ml/h. La vía debe funcionar de forma continua, ya que no se dispone de heparina. Administre los medicamentos por vía IV a través del gotero conectado. Vigile la condición del paciente y documente el medicamento administrado, la vía, la hora de administración y la respuesta del paciente, **FIGURA 11-68D**.

DAV implantados

Los **dispositivos de acceso vascular implantados** se colocan quirúrgicamente y se suturan debajo la piel. Estos dispositivos son palpables fuera de la piel, pero no están expuestos al entorno exterior. El DAV consta de un núcleo autosellante insertado en una carcasa de acero inoxidable, titanio o plástico conectada a un catéter que se introduce en la vena cava superior. Solo se puede tener acceso a estos dispositivos con una aguja Huber no punzante y de ángulo suave. Se pueden utilizar para la administración de medicamentos

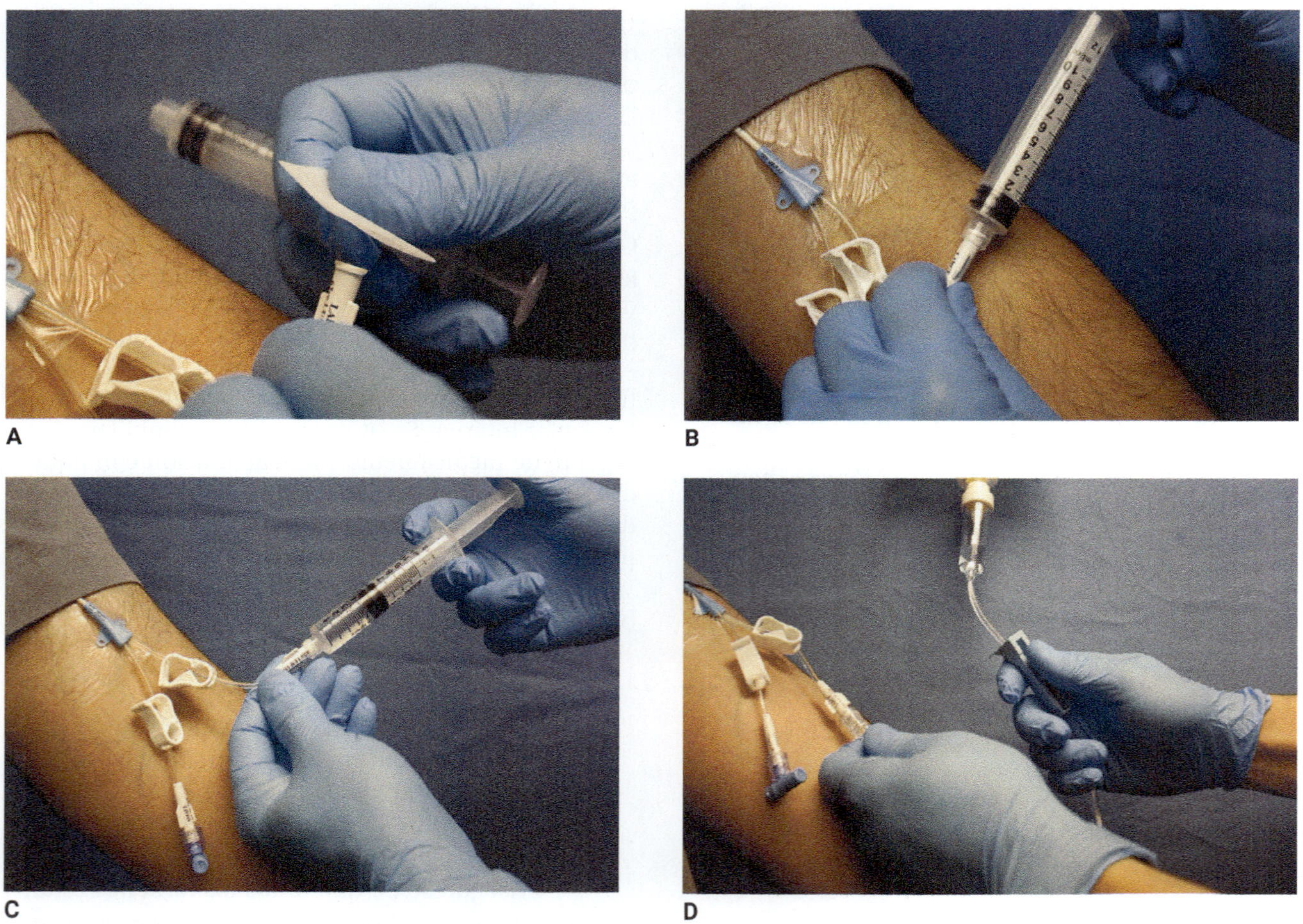

FIGURA 11-68 Acceso a un dispositivo no canalizable. Con una técnica aséptica, los pasos generales incluyen la preparación del equipo **(A)**, la colocación de la jeringa vacía y la extracción de sangre **(B)**, la colocación de la jeringa llena de solución salina normal y su administración **(C)**, y la colocación del equipo de goteo intravenoso y la administración de medicamentos **(D)**.

a largo plazo, nutrición parenteral total, quimioterapia, hemoderivados o toma de muestras de sangre venosa.

Las fístulas arteriovenosas (AV) se utilizan para una gran variedad de trastornos. Se crean conectando una vena y una arteria. Para tratar a pacientes con insuficiencia renal, la hemodiálisis utiliza fístulas AV para dializar la sangre. Las fístulas AV también se utilizan para la plasmaféresis en pacientes con diversos trastornos, como la miastenia grave y el síndrome de Guillain-Barré. Sin embargo, el acceso a estos DAV requiere una destreza especial y, por lo general, los paramédicos no deben tener acceso a ellos.

Dentro de la práctica paramédica casi no se tiene acceso a un DAV implantado; se requiere formación especial y autorización médica para llevar a cabo esta tarea. Los pasos para tener acceso a un dispositivo se resumen como sigue:

1. Utilice una técnica aséptica. Prepare todo el material necesario: aguja Huber, jeringa vacía de 10 a 20 ml (no se debe utilizar nada inferior a una jeringa de 10 ml), enjuague con solución salina normal de 10 ml, guantes estériles, clorhexidina o betadine, set de administración de 10 gtt, 500 ml de solución salina normal.
2. Identifique el sitio en la parte superior del tórax. Estabilice entre el pulgar y el índice de la mano no dominante.
3. Limpie la zona con clorhexidina. Si el paciente es alérgico a este producto químico, hágalo con betadine, **FIGURA 11-69A**.

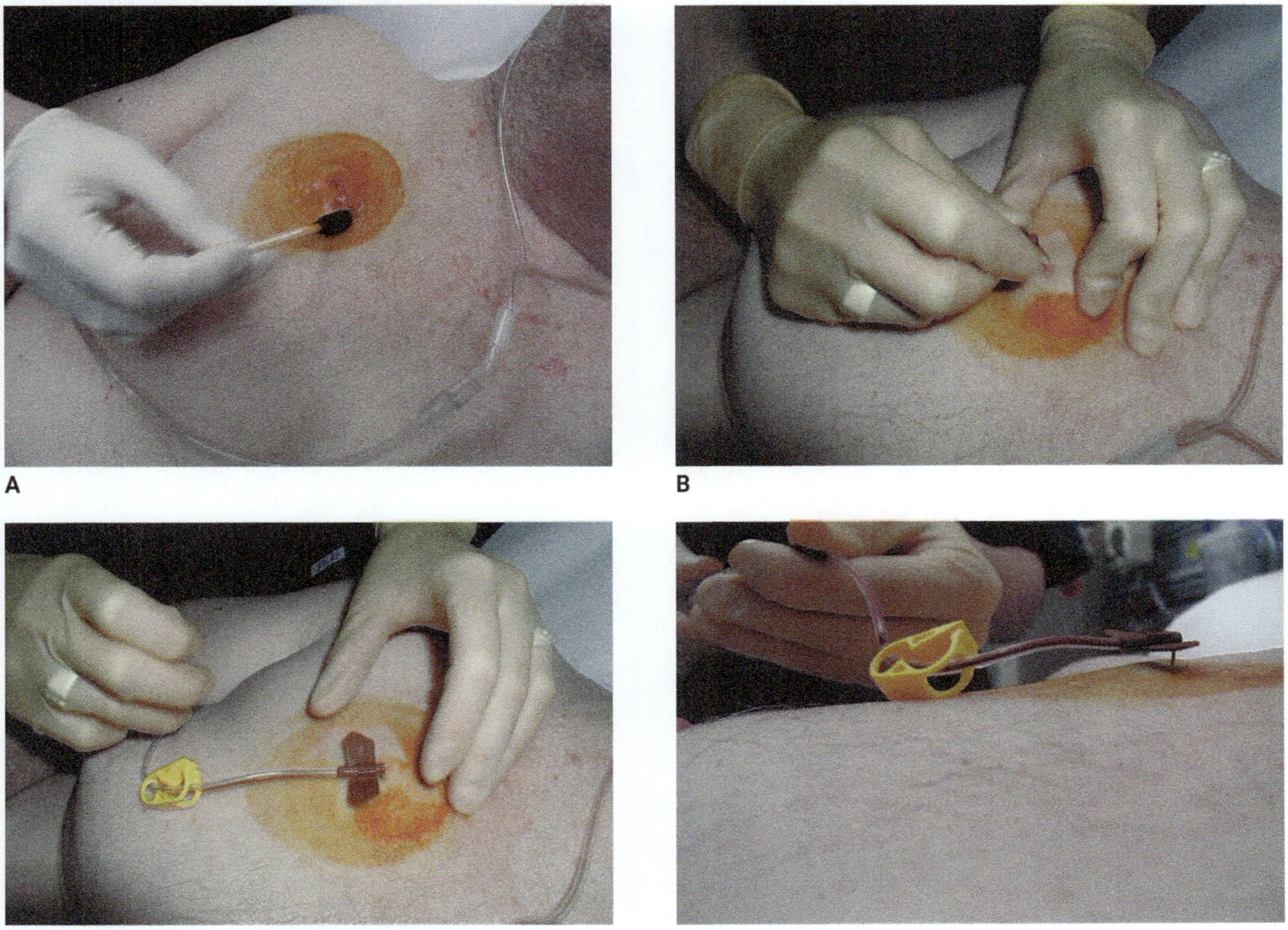

A B C D

FIGURA 11-69 Acceso a un dispositivo de acceso vascular implantado. Con una técnica aséptica, los pasos generales incluyen identificar y limpiar el sitio **(A)**, estirar la piel sobre el sitio **(B)**, insertar la aguja Huber en un ángulo de 90° **(C)**, extraer por lo menos 10 ml de sangre **(D)**, desechar, lavar con 10 ml de solución salina normal, colocar el equipo de administración y administrar medicamentos directamente en el puerto de medicación.

4. Aplique presión alrededor de los bordes del puerto para estirar la piel sobre el lugar de la inyección, **FIGURA 11-69B**.
5. Mientras estabiliza el dispositivo, inserte la aguja Huber en un ángulo de 90°, **FIGURA 11-69C**.
6. Extraiga al menos 10 ml de sangre del equipo de extensión sin aguja, **FIGURA 11-69D**. Deseche de inmediato.
7. Enjuague el equipo con 10 ml de solución salina normal. Conecte el equipo de administración IV de 10 gtt.
8. Administre el medicamento directamente en el puerto de medicación del equipo de goteo.
9. Controle la condición del paciente y documente los medicamentos administrados, la vía, el tiempo de administración y la respuesta del paciente.

La presencia de una vía central implica que el paciente tiene antecedentes médicos importantes que se deben investigar y que puede ser difícil obtener un acceso IV estándar. El acceso a estos dispositivos es arriesgado y requiere una formación adecuada. El uso de una técnica aséptica es imperativo, teniendo en cuenta que muchos DAV se sitúan dentro de la vena cava superior. Todos estos dispositivos se conservan con heparina, por lo que los profesionales deben extraer al menos 10 ml de sangre del dispositivo. Debido a que los paramédicos prehospitalarios no suelen llevar heparina, deben mantener la administración IV a un ritmo mínimo de KVO/TKO para evitar la formación de coágulos.

Perlas de sabiduría

Cuando se tiene acceso a dispositivos de múltiples lúmenes, siempre se debe intentar tener acceso primero al lumen más grande. Si los lúmenes tienen el mismo diámetro, debe acceder al lumen distal. El lumen que se debe utilizar por lo general estará marcado con el número "1".

Velocidad de absorción de los medicamentos

La velocidad a la que se absorbe un medicamento está directamente relacionada con la vía por la que se administra. Es evidente que los medicamentos inyectados directo en el torrente sanguíneo por vía IV o IO son los que tienen un acceso más rápido a la circulación central. Los medicamentos orales tardan más en alcanzar sus efectos terapéuticos porque primero se deben absorber a través del tracto gastrointestinal. En el **CUADRO 11-4** se presenta un resumen de las distintas vías de administración farmacológica y sus velocidades de absorción. Los medicamentos específicos se tratan en detalle en el capítulo 12, *Medicamentos de emergencia*.

CUADRO 11-4 Vías de administración farmacológica y velocidades de absorción

Vía de administración	Inicio de acción[a]
Intraósea	30-60 s
Intravenosa	30-60 s
Endotraqueal	2-3 min
Inhalación	2-3 min
Atomización mucosa nasal	3-5 min
Sublingual	3-5 min
Inyección intramuscular	10-20 min
Inyección subcutánea	15-30 min
Rectal	5-30 min
Oral	30-90 min
Tópico	Minutos a horas

[a]En una persona sana con perfusión adecuada.

Datos de: Verma P, Thakur AS, Deshmukh K, *et al*. Routes of drug administration. Int J Pharm Sci Res. 2010;1(1):54-59. http://www.technicaljournalsonline.com/ijpsr/VOL%20I/IJPSR%20VOL%20I%20ISSUE%20I%20JULY%20SEPTEMBER%202010/IJPSR%20VOL%20I%20ISSUE%20I%20Article%208.pdf. Consultado el 16 de febrero de 2017.

USTED es el Paramédico RESUMEN

1. Dado este escenario, ¿qué vía de administración prevé utilizar para administrar los medicamentos? ¿Cuáles son las ventajas de esta vía?

Debido a la presentación de este paciente, debe anticipar la administración de medicamentos por vía IV. La aparición súbita de los síntomas sugiere algún tipo de evento cardíaco agudo, posiblemente relacionado con una disritmia. La administración IV permitirá una absorción confiable y rápida de los medicamentos en el cuerpo. La administración subcutánea o IM de medicamentos a un paciente que experimenta un evento cardíaco puede no ser confiable debido a su estado de perfusión.

2. ¿Qué aspectos de la historia clínica del paciente es importante tener en cuenta antes de administrarle cualquier medicamento?

Recuerde que los derechos de la administración de medicamentos, tratados en el capítulo 10, *Principios de farmacología*. Verifique la dosis del medicamento, el nombre, la vía, la velocidad de administración, la indicación, las contraindicaciones, la concentración del fármaco y el volumen por administrar. Al entrevistar al paciente, determine qué medicamentos (o remedios caseros) está tomando y si es alérgico a algún fármaco.

3. ¿Qué información deben comunicarse entre usted y su compañero mientras se preparan para administrar este medicamento?

El método MACC para confirmar detalles específicos relacionados con la administración de los medicamentos es una forma útil de minimizar el riesgo de un error de medicación. Durante esta comprobación previa a la administración, la comunicación con su compañero debe incluir, como mínimo, detalles sobre la dosis, el volumen que se va a administrar, la indicación y las contraindicaciones.

4. ¿Por qué es prudente ponerse en contacto con el control médico en este escenario para discutir las opciones de atención al paciente?

El control médico puede ser un recurso inestimable en la escena. Establecer una línea de comunicación con el control médico en línea al principio de una llamada puede ayudarle a reducir la carga cognitiva y la posibilidad de cometer un error de dosificación o de juicio. Cuando hable de los cuidados del paciente con el fisioterapeuta, asegúrese de que la información que proporciona es segura y detallada.

5. ¿Qué dosis administrará al paciente? Dado el medicamento suministrado, ¿qué volumen administrará?

La dosis deseada en este caso es de 26.25 mg, que se calcula de la siguiente manera:

$$\frac{0.25\ \text{mg}}{1\ \text{kg}} \times 105\ \text{kg} = 26.25\ \text{mg}$$

La concentración del fármaco es de 30 mg en 5 ml de líquido. Por lo tanto, el volumen por administrar se calcula de la siguiente manera:

$$26.25\ \text{mg} \div \frac{30\ \text{mg}}{5\ \text{ml}} = 26.25\ \cancel{\text{mg}} \times \frac{\overset{1}{\cancel{5}}\ \text{ml}}{\underset{6}{\cancel{30}}\ \cancel{\text{mg}}} = 4.375\ \text{ml}$$

Como la instrucción es de 26.25 mg y la concentración es de 30 mg en 5 ml, hay 6 mg/ml. Por consiguiente, la administración inicial del medicamento es de 4.375 ml de diltiazem.

6. ¿Por qué sería preferible utilizar una bomba IV para una infusión de mantenimiento de un medicamento?

Las bombas de infusión IV son el estándar de atención dentro de la comunidad médica. Aunque no están disponibles en todas las ambulancias, debe reconocer que su uso sería apropiado si estuvieran disponibles. Se prefiere de un dispositivo mecánico que infunde un volumen preciso programado por el paramédico al uso de un equipo de microgoteo. Cuando se utilizan equipos de microgoteo, existe una elevada propensión a errores en la velocidad de flujo IV, y por lo tanto un alto riesgo de errores en la dosificación farmacológica. Las bombas de infusión IV no son vulnerables a la variabilidad de la velocidad de goteo en función de la altura de la bolsa, el movimiento y otros factores.

7. ¿Cuál es la velocidad de flujo adecuada para administrar la infusión de mantenimiento de diltiazem?

Se dispone de una bolsa premezclada con 30 mg/100 ml. La infusión se calcula para proporcionar 5 mg/h. En primer lugar, calcule la concentración:

$$30\ \text{mg} \div 100\ \text{ml} = 0.3\ \text{mg/ml (concentración)}$$

En segundo lugar, determine la cantidad de volumen a infundir por hora (ml/h):

$$\frac{5\ \text{mg}}{1\ \text{h}}\ \text{(dosis deseada)} \div \frac{0.3\ \text{mg}}{1\ \text{ml}}\ \text{(concentración)} = 16.67\ \text{ml/h}$$

USTED es el Paramédico RESUMEN continuación

Por último, determine la cantidad de volumen por infundir por minuto. La velocidad se puede establecer dividiendo los ml/h entre 60:

$$\frac{16.67 \text{ ml}}{1 \text{ h}} \times \frac{1 \text{ h}}{60 \text{ min}} = 0.28 \text{ ml/min}$$

Con un equipo de microgoteo (60 gtt/ml), se administrarían 16.67 gtt/min para alcanzar una velocidad de 0.28 ml/min:

$$\frac{0.28 \text{ ml}}{1 \text{ min}} \times \frac{60 \text{ gtt}}{1 \text{ ml}} = 16.67 \text{ gtt/min}$$

Los cálculos de medicación como este ayudan a ilustrar la importancia de comprender las matemáticas que hay detrás de la administración de los medicamentos. Como consejo, recuerde que cuando se utiliza un equipo de microgoteo (60 gtt/ml), gtt/min es igual a ml/h. La infusión de diltiazem a una velocidad de 16.67 gtt/min utilizando un equipo de microgoteo proporcionará una velocidad de administración de 16.67 ml/h y alcanzará el objetivo de 5 mg/h. Sin embargo, como se describió en la pregunta anterior, sería preferible utilizar una bomba para esta infusión a fin de garantizar que se administre la cantidad correcta de medicamento y el volumen correspondiente.

Reporte de atención de paciente prehospitalario (RAPP)

Fecha: 08-01-22	**Incidente No.:** 1232	**Naturaleza de la llamada:** Cardíaca		**Ubicación:** Calle Pino núm. 247	
Despacho: 11:15	**En camino:** 11:16	**En el escenario:** 11:19	**Transporte:** 11:37	**En el hospital:** 12:07	**En servicio:** 12:19

Información del paciente

Edad: 26 **Sexo:** M **Peso:** 105 kg (231 lb)	**Alergias:** NKDA **Medicamentos:** Ninguno **Antecedentes médicos:** Ninguno **Principal manifestación:** Palpitaciones, episodio de síncope

Signos vitales

Hora: 11:20	**PA:** N/A	**Pulso:** N/A	**Respiraciones:** 20	**Spo_2:** N/A
Hora: 11:24	**PA:** 134/90	**Pulso:** 180	**Respiraciones:** 20	**Spo_2:** 99%
Hora: 11:29	**PA:** 126/78	**Pulso:** 90	**Respiraciones:** 18	**Spo_2:** 100%
Hora:	**PA:**	**Pulso:**	**Respiraciones:**	**Spo_2:**

Tratamiento en SEM (circule todo lo aplicable)

Oxígeno @ __ L/min por (circular uno): **NC NRM Dispositivo de bolsa y mascarilla**		**Ventilación asistida**	**Dispositivo para la vía aérea**	**RCP**
Desfibrilación	**Control de la hemorragia**	**Vendaje**	**Inmovilización**	**Otro:**

Narrativa

El SEM llegó al lugar y encontró a un hombre de 26 años que se quejaba de la aparición repentina de palpitaciones. El paciente llamó al 911 antes de sentarse en el suelo porque se sentía débil; sufrió un episodio sincopal y había recuperado la consciencia a la llegada del SEM. Se le encontró despierto, alerta y orientado en cuanto a persona, lugar, tiempo y suceso. Se quejaba de palpitaciones. Negó tener dolor torácico o disnea. El paciente también dijo que ya no se sentía mareado ni débil, pero que aún sentía las palpitaciones. No tiene historial médico y no toma medicamentos. El paciente presentaba fibrilación auricular con respuesta ventricular rápida. Se obtuvo dirección médica en línea con el Dr. Adams en el Hospital Beauregard. De acuerdo con el Dr. Adams, se administraron 0.25 mg/kg de diltiazem (26.25 mg) en bolo IV durante 2 minutos. El paciente recuperó el ritmo sinusal; no reportó quejas. De acuerdo con las instrucciones del Dr. Adams, infusión de mantenimiento de diltiazem iniciada a 5 mg/h. El paciente fue trasladado al Hospital Beauregard sin cambios agudos. El paciente fue entregado al Dr. Adams en la sala 5 del servicio de urgencias y se informó a la enfermera.

Fin del reporte

Kit de preparación

Listo para revisión

- En medicina de urgencias, muchas veces se necesita el acceso vascular para pacientes en estado hemodinámicamente inestables y que necesitan líquidos intravenosos (IV), diversos medicamentos o ambos.
- Es su responsabilidad asegurarse de que los medicamentos se administren de forma correcta y segura. Los errores de medicación son un problema en toda la atención médica. Para minimizar el riesgo de administración incorrecta de medicamentos, debe utilizar una herramienta para verificar la dosis del medicamento, el nombre, la vía, la velocidad de administración, la indicación de administración, las contraindicaciones, la concentración del fármaco y el volumen que se debe administrar.
- Es de suma importancia documentar la administración de los medicamentos. Se debe anotar la dosis administrada, el nombre del medicamento, la vía, la velocidad, la hora de administración, quién administró el medicamento, quién ayudó a realizar el control farmacológico y la respuesta del paciente.
- Mantener y asegurar los suministros farmacológicos en la ambulancia forma parte de la función del paramédico. Siga las políticas y los procedimientos específicos establecidos por su sistema local de distribución, seguridad y responsabilidad de medicamentos.
- Cuando lleve a cabo cualquier procedimiento invasivo utilice una técnica aséptica para minimizar el riesgo de contaminación del paciente. Tome siempre las precauciones habituales al realizar un procedimiento invasivo para maximizar su propia seguridad, y deseche todo el equipo de manera adecuada.
- Es posible que un cuerpo enfermo o lesionado no tenga la capacidad de mantener la homeostasis, lo que resulta en un exceso o a un déficit de líquidos o electrólitos. La comprensión del funcionamiento de las cargas y sustancias químicas intracelulares y extracelulares le proporcionará una mejor base para entender por qué se administran distintos tipos de soluciones IV para diferentes condiciones.
- Las soluciones IV cristaloides son la mejor opción para los pacientes lesionados que necesitan reposición de líquidos. Las soluciones coloides funcionan bien para reducir el edema a la vez que expanden el compartimento vascular.
- Una solución puede ser isotónica, hipotónica o hipertónica. Las soluciones isotónicas, como la solución salina normal, tienen casi la misma osmolaridad que el suero y otros fluidos corporales. La solución Lactato de Ringer es una solución isotónica que con frecuencia se utiliza en el entorno prehospitalario en pacientes con una pérdida importante de sangre.
- Las soluciones hipotónicas pueden ser necesarias para un paciente que recibe diálisis o con cetoacidosis diabética. Los pacientes con lesiones cerebrales traumáticas graves pueden recibir soluciones hipertónicas.
- Las técnicas para obtener acceso vascular incluyen la canalización de una vena periférica de una extremidad, la canalización de la vena yugular externa y la canalización del espacio intraóseo (IO). Aunque el objetivo final de obtener acceso vascular es poder administrar fluidos y medicamentos, cada una de estas técnicas requiere un enfoque diferente y se debe practicar con frecuencia para adquirir una competencia inicial y continua.
- Existen diferentes equipos de administración IV, y debe saber cuál es el más adecuado para el estado de un paciente determinado. Los equipos de microgoteo (60 gtt/ml) se utilizan habitualmente para infusiones farmacológicas. Los equipos de macrogoteo (10 o 15 gtt/ml) se usan cuando el paciente necesita bolos de líquido IV para tratar la deshidratación, el shock hipovolémico y otros estados de inestabilidad hemodinámica.
- Se deben tener en consideración dos factores al momento de elegir un catéter intravenoso: el calibre y la longitud. Cuanto mayor sea el calibre (menor el número) y menor la longitud, más líquido podrá infundirse a través de él. Los catéteres con aguja son los catéteres IV más utilizados en el entorno prehospitalario.
- La canalización de una vena periférica de la extremidad es el medio inicial preferido para establecer el acceso vascular. Si no tiene éxito y el paciente está gravemente enfermo o lesionado, se debe proceder sin demora a la canalización IO. La canalización de la vena yugular externa normalmente se intenta solo cuando han fracasado todas las demás técnicas de acceso vascular.
- El espacio IO, que actúa como una esponja, absorbe con rapidez líquidos y medicamentos y los

Kit de preparación continuación

transporta rápidamente a la circulación central. Aunque las venas periféricas con frecuencia se colapsan cuando un paciente está en estado de shock o paro cardíaco, el espacio IO tiende a permanecer permeable. Por lo tanto, la canalización e infusión IO pueden ser medidas que salven la vida si no es posible el acceso venoso periférico. Cualquier fluido o medicamento que pueda administrarse por vía IV se puede administrar por vía IO y llegar a la circulación central con la misma rapidez.

- Se debe familiarizar a fondo con el equipo que utiliza al realizar la canalización IO. Siga los protocolos locales y asista a la capacitación continua para adquirir experiencia con el equipo específico utilizado para la canalización IO en su sistema del SEM.
- Las complicaciones potenciales de la terapia IV incluyen reacciones locales y sistémicas. Después de administrar cualquier medicamento, vigile siempre al paciente para ver si reacciona o mejora.
- Es posible que se le pida obtener una muestra de sangre: por ejemplo, para análisis en el centro receptor. Obtenga esas muestras al mismo tiempo que abre una vía IV.
- A veces puede transportar a un paciente al que se le va a realizar una transfusión de sangre. Cuando reciba a un paciente de este tipo, asegúrese de que haya al menos un sitio vascular disponible que no esté transfundiendo sangre.
- Para administrar las dosis farmacológicas correctas a los pacientes, es imprescindible tener buenos conocimientos matemáticos y conocer a fondo el sistema métrico decimal. Administrar el fármaco incorrecto, utilizando una vía de administración incorrecta o proporcionar una dosis inadecuada puede causar efectos desastrosos.
- Como paramédico, debe estar familiarizado con las diversas vías de administración de medicamentos, incluyendo el uso adecuado del equipo y las ubicaciones anatómicas apropiadas para la administración por cada vía.
- Las vías parenterales son aquellas que no pasan a través del tracto gastrointestinal; incluyen las vías intradérmica, subcutánea, intramuscular, IV, IO y percutánea. Las vías enterales son aquellas que atraviesan cualquier parte del tracto gastrointestinal (oral, sublingual, sonda gástrica).
- Las IV e IO son las vías más rápidas de administración de medicamentos.
- Los medicamentos IV se pueden administrar en bolo (dosis única) o por goteo intermitente (una vía IV secundaria conectada a un puerto de la vía de infusión primaria).
- La norma de atención al administrar una infusión de mantenimiento es utilizar una bomba de infusión electromecánica. Esta suministra líquido a una velocidad determinada y calcula la cantidad de líquido infundido, así como la cantidad restante. Lo más probable es que encuentre una bomba de infusión durante un transporte entre centros.
- En caso de duda, siga siempre los protocolos locales o póngase en contacto con el control médico para que le indiquen cómo administrar un medicamento. *Nunca tome una decisión crítica precipitada.*

Vocabulario vital

Ampollas Pequeños recipientes de vidrio sellados y cuyo contenido está esterilizado.

Antecubital Cara anterior del codo.

Anticoagulantes Sustancias que impiden la coagulación de la sangre.

Antisépticos Sustancias químicas utilizadas para limpiar una zona antes de realizar un procedimiento invasivo, como la colocación de una vía intravenosa; no son tóxicas para los tejidos vivos. Algunos ejemplos son la clorhexidina, el alcohol isopropílico y el yodo.

Asepsia médica Práctica que consiste en evitar la contaminación del paciente mediante una técnica aséptica.

Bloqueos salinos Tipos especiales de dispositivos intravenosos que eliminan la necesidad de colgar una bolsa de líquido intravenoso; también se denominan tapones conectores o INT (intermitente); se utilizan habitualmente en pacientes que no

Kit de preparación continuación

necesitan bolos de líquido pero que pueden requerir tratamiento farmacológico.

Bolo "En una masa"; en la administración de medicamentos, una dosis única administrada por vía intravenosa o intraósea; puede ser una cantidad pequeña o grande del fármaco.

Bomba de infusión Dispositivo mecánico que infunde un volumen intravenoso preciso programado por el médico.

Bucal Entre la mejilla y las encías.

Calibre Diámetro interno de un catéter o aguja intravenosa.

Cámara de destello Área de un catéter intravenoso que se llena de sangre para ayudar a indicar cuándo se canaliza una vena.

Cámara de goteo Zona del equipo de administración en la que se acumula líquido para que los tubos se llenen de líquido.

Canalización de venas periféricas Técnica en la que se inserta una cánula (tubo) en las venas de las zonas periféricas, es decir, las venas que se pueden ver o palpar. Ejemplos de venas periféricas son las de la mano, el brazo y la extremidad inferior, así como la vena yugular externa.

Canalización Inserción de un catéter en una cavidad corporal, conducto o vaso para permitir el flujo de fluidos.

Catéter mariposa Dispositivo de canalización venosa rígido y hueco que se identifica por sus "alas" de plástico que actúan como puntos de anclaje para fijar el catéter.

Catéter sobre la aguja Catéter de teflón (plástico) insertado sobre una aguja hueca.

Cizallamiento del catéter Acontecimiento en el que una aguja se vuelve a introducir en el catéter y lo corta, creando un segmento que flota libremente.

Complicaciones sistémicas Reacciones que afectan a sistemas del organismo.

Concentración iónica Cantidad de partículas cargadas que se encuentran en una zona determinada.

Concentración Peso total de un fármaco contenido en un volumen específico de líquido.

D_5W Solución intravenosa compuesta por 5% de dextrosa en agua.

Deshidratación Agotamiento del volumen de líquido sistémico del cuerpo.

Desinfectantes Sustancias químicas utilizadas en objetos no vivos para matar organismos; son tóxicas para los tejidos vivos.

Diáfisis Vástago de un hueso largo.

Diluyente Solución (normalmente agua o solución salina normal) utilizada para diluir un medicamento.

Dispositivo de atomización para mucosa (MAD, por sus siglas en inglés) Dispositivo que se acopla al extremo de una jeringa y que se utiliza para rociar (atomizar) determinados medicamentos por vía intranasal.

Dispositivo infusor a presión Manguito que se coloca alrededor de la bolsa para infusión intravenosa y se infla para forzar el flujo de líquido desde la bolsa para infusión intravenosa hasta el tubo.

Dispositivos de acceso vascular implantados Dispositivos que se implantan en cirugía, suturados bajo la piel, con el fin de administrar medicamento por tiempo prolongado, nutrición parenteral total, quimioterapia, administración de hemoderivados y toma de muestras de sangre venosa, por ejemplo, una fístula arteriovenosa.

Dispositivos de acceso vascular no canalizables Dispositivos que se han insertado mediante venopunción directa a través de la piel directamente en una vena seleccionada con el fin de administrar medicamento por tiempo prolongado a largo plazo, nutrición parenteral total, quimioterapia y toma de muestras de sangre venosa; por ejemplo, los catéteres centrales insertados periféricamente y los catéteres venosos centrales.

Dispositivos FAST Dispositivos de primer acceso para shock y trauma; dispositivos intraóseos esternales manuales utilizados en pacientes de 12 años o más; incluyen un tubo de infusión, un portal subcutáneo, un introductor, un parche de alivio de tensión/objetivo y una cúpula protectora.

Dosis deseada Cantidad de un medicamento que el médico ordena para un paciente; la orden del medicamento.

Drenaje de Penrose Tipo de drenaje quirúrgico utilizado a menudo como banda restrictiva.

Kit de preparación continuación

Embolia pulmonar Coágulo de sangre o materia extraña atrapada en la circulación pulmonar.

Enema Solución líquida, que contiene medicamentos suplementarios, que se administra por vía rectal para aliviar diversas complicaciones gastrointestinales.

Epífisis Extremos de un hueso largo.

Equipo de administración Tubo que se conecta al puerto de acceso de la bolsa para infusión intravenosa y al catéter para administrar el fluido intravenoso.

Equipos de macrogoteo Equipos de administración denominados así por el gran orificio existente entre la espiga de perforación y la cámara de goteo; permiten un flujo rápido de fluido hacia el sistema vascular; la velocidad de flujo máxima es de 10 o 15 gtt/ml, según el fabricante.

Equipos de microgoteo Equipos de administración denominados así por el pequeño orificio en forma de aguja que hay entre la espiga de perforación y la cámara de goteo; permiten un flujo de fluido totalmente controlado y son ideales para la administración de medicamentos; la velocidad de flujo máxima es de 60 gtt/ml.

Escala Celsius Escala para medir la temperatura, en la que el agua se congela a 0° y hierve a 100°.

Escala Fahrenheit Escala para medir la temperatura en la que el agua se congela a 32° y hierve a 212°.

Espacio intraóseo Hueso esponjoso y poroso de la epífisis y la cavidad medular de la diáfisis, colectivamente.

Espiga de perforación Espiga de plástico duro y afilado en el extremo del equipo de administración diseñado para perforar la membrana estéril de la bolsa para infusión intravenosa.

Estéril Desprovisto de todo organismo vivo; se consigue mediante calor, gas o productos químicos.

EZ-IO Conductor manual alimentado por baterías al que se acopla una aguja intraósea especial; se utiliza para la inserción de la aguja intraósea en la tibia proximal de niños y adultos.

gtt Unidad de medida que indica gotas.

Hematoma Acumulación de sangre en los tejidos bajo la piel; una complicación potencial de la terapia intravenosa.

Hemostasia Mecanismo natural del cuerpo para la coagulación de la sangre.

Infiltración Escape de líquido hacia el tejido circundante; resultado de la perforación de una vena durante la canalización intravenosa.

Infusión intraósea Técnica de administración de líquidos, sangre y hemoderivados, y medicamentos en el espacio intraóseo de un hueso largo, normalmente la tibia proximal.

Inhalación En los pulmones; una vía de administración de medicamentos.

Inhalador de dosis medida (IDM) Frasco presurizado que administra una dosis específica de un medicamento; se utiliza comúnmente para broncodilatadores beta agonistas.

Intradérmica Capa de la dermis situada justo debajo de la epidermis; vía de administración de medicamentos.

Intramuscular (IM) En un músculo; vía de administración de medicamentos.

Intranasal Dentro de la nariz.

Intraósea (IO) Dentro del hueso.

Intravenoso (IV) Dentro de una vena.

Jeringas precargadas Jeringas preenvasadas con medicamentos y preparadas con una concentración específica.

Medicamentos por vía enteral Administración de un medicamento a través de una parte del tracto gastrointestinal.

Mix-o-Vial Un solo vial dividido en dos compartimentos por un tapón de goma; el succinato sódico de metilprednisolona (Solu-Medrol) se almacena de esta forma.

Nebulizador Dispositivo para producir una fina atomización o niebla que se utiliza para administrar medicamentos inhalados.

Nuevo dispositivo intraóseo (NIO) Dispositivo accionado por resorte que no contiene ni taladro ni batería; se utiliza para insertar una aguja intraósea en la tibia proximal de un paciente adulto.

Objetos punzocortantes Cualquier elemento contaminado que pueda causar lesiones; incluye agujas y catéteres intravenosos, ampollas o viales rotos, o cualquier otra cosa que pueda penetrar o lacerar la piel.

Ocular Relativo al ojo.

Osmolaridad Capacidad de influir en el movimiento del agua a través de una membrana semipermeable.

Kit de preparación continuación

Osteogénesis imperfecta Enfermedad ósea congénita que da lugar a huesos frágiles.

Osteomielitis Inflamación del hueso y el músculo causada por una infección.

Ótica Perteneciente al oído.

Percutáneo A través de la piel o la mucosa.

Pinchazo contaminado Punción de la piel de un profesional de urgencias con una aguja o catéter utilizado en un paciente.

Pistola de inyección ósea (BIG, por sus siglas en inglés) Dispositivo accionado por resorte que se utiliza para insertar una aguja intraósea en la tibia proximal en pacientes adultos y pediátricos.

Placa epifisaria Placa de crecimiento de un hueso; uno de los principales lugares de desarrollo óseo durante la infancia.

Puerto de acceso Centro sellado en un equipo de administración diseñado para proporcionar acceso estéril al fluido intravenoso.

Rastro de marcas Cicatrices visibles de la canalización repetida de una vena; normalmente asociadas al consumo de drogas ilícitas.

Reacción pirogénica Reacción caracterizada por una elevación brusca de la temperatura (hasta 41 °C [106 °F]) con escalofríos intensos, dolor de espalda, dolor de cabeza, debilidad, náusea y vómito; una complicación potencial de la terapia intravenosa o intraósea.

Reconstitución farmacológica Inyección de agua estéril o línea de vapor de un vial a otro vial que contiene un medicamento en polvo.

Sistema métrico Sistema de medición basado en múltiplos de 10 (es decir, un sistema decimal) que se utiliza para medir la longitud, el peso y el volumen.

Sobrehidratación Aumento del volumen de líquido sistémico del organismo.

Solución cristaloide isotónica Solución intravenosa que no provoca un desplazamiento de líquido hacia el interior o el exterior de la célula; algunos ejemplos son la solución salina normal y la solución Lactato de Ringer.

Solución Lactato de Ringer (LR) Solución cristaloide estéril e isotónica que contiene cantidades específicas de cloruro cálcico, cloruro potásico, cloruro sódico y lactato sódico en agua.

Solución hipertónica Solución con mayor concentración de sodio que la célula; el aumento de la presión osmótica puede extraer agua de la célula y provocar su colapso.

Solución hipotónica Solución con una concentración de sodio inferior a la de la célula; el aumento de la presión osmótica permite la entrada de agua en la célula, lo que provoca su edema y posible rotura.

Solución isotónica Solución que tiene la misma concentración de sodio que la célula. Su presencia no provoca el desplazamiento del agua, por lo que no se produce ningún cambio en la forma de la célula.

Solución salina normal Solución de coloide sódico al 0.9%; un cristaloide isotónico.

Soluciones coloides Soluciones que contienen moléculas (por lo regular proteínas) demasiado grandes para salir de las membranas capilares y, por lo tanto, permanecen en el compartimento vascular.

Soluciones cristaloides Soluciones de cristales disueltos (p. ej., sales o azúcares) en agua; contienen compuestos que se disocian rápidamente en solución.

Sondas gástricas Sondas que normalmente se insertan en pacientes en el entorno prehospitalario para descomprimir el estómago; también se pueden utilizar para administrar determinados medicamentos enterales.

Subcutáneo En el tejido situado entre la piel y el músculo; una vía de administración de medicamentos.

Sublingual Bajo la lengua; vía de administración de medicamentos.

Supositorio Fármaco mezclado en una base firme que se funde a la temperatura corporal y se moldea para ajustarse al recto.

Técnica aséptica Método de limpieza utilizado para evitar la contaminación de un lugar por agentes patógenos cuando se realiza un procedimiento invasivo, como la colocación de una vía intravenosa.

Terapia intravenosa Canalización de una vena con un catéter intravenoso para tener acceso al sistema vascular del paciente.

Tercer espaciamiento Desplazamiento de líquido hacia los tejidos, creando edema.

Tracción distal Suave tracción hacia abajo o lateral sobre la piel.

Kit de preparación continuación

Transdérmica A través de la piel; vía de administración de medicamentos.

Trocar Aguja perforante sólida.

Tromboflebitis Inflamación de una vena relacionada con un trombo (coágulo de sangre).

Trombosis venosa Desarrollo de un coágulo sanguíneo estacionario en la circulación venosa.

Tubo de sangre Tipo especial de equipo de administración de macrogoteo diseñado para facilitar la administración la sustitución rápida a de líquidos mediante infusión manual de múltiples bolsas intravenosas o combinaciones de reposición de sangre intravenosa.

Vacutainer Dispositivo cilíndrico que se acopla a una aguja de toma de muestras calibre 18 o 20; acompaña a los tubos de sangre autosellantes cuando se obtienen muestras de sangre.

Vena yugular externa (YE) Vena grande del cuello, lateral a la arteria carótida.

Venas varicosas Venas de la pierna que son grandes, retorcidas y en forma de cuerda y que pueden causar dolor, edema o prurito.

Vía parenteral Vía de administración de un medicamento por una vía distinta del tracto gastrointestinal.

Viales Frascos pequeños de vidrio o plástico que contienen medicamentos; pueden contener dosis únicas o múltiples.

Volumen disponible Cantidad de líquido que tiene a mano, como la cantidad de líquido de una bolsa para infusión intravenosa o la cantidad de líquido de un vial con medicamento.

Volutrol Tipo especial de equipo de microgoteo que cuenta con una cámara de goteo calibrada de 100 o 200 ml; se utiliza para la regulación de fluidos en pacientes susceptibles de sobrecarga circulatoria, como los pediátricos y de edad avanzada; también se denomina Buretrol.

Referencias

1. Hines S, Luna K, Lofthus J, et al. *Becoming a High Reliability Organization: Operational Advice for Hospital Leaders*. (Prepared by the Lewin Group under Contract No. 290-04-0011.) AHRQ Publication No. 08-0022. Rockville, MD: Agency for Healthcare Research and Quality; abril de 2008.
2. Chassin MR, Loeb JM. High-reliability health care: getting there from here. The Joint Commission. *Milbank Q*. 2013;91(3):459-490.
3. National Highway Traffic Safety Administration. Patient safety in emergency medical services: roundtable report and recommendations. www.nhtsa.gov/people/injury/ems/archive/patient_safetyems/patientsafety02.doc. Publicado en octubre de 2002. Consultado el 7 de junio de 2021.
4. Misasi P, Braithwaite S. *The Medication Administration Cross-Check© (MACC) User's Manual*. Wichita-Sedgwick County EMS System; 2012. https://kansasemstransition.files.wordpress.com/2012/08/macc-user-manual-v2-0.pdf. Consultado el 7 de junio de 2021.
5. King KC, Strony R. Needlestick. *StatPearls*. https://www.ncbi.nlm.nih.gov/books/NBK493147/. Actualizado el 20 de enero de 2021. Consultado el 13 de julio de 2021.
6. National Association of Emergency Medical Technicians. *Advanced Medical Life Support*. 2nd ed. Burlington, MA: Jones & Bartlett Learning; 2017:159.
7. Alayash AI. Evaluating the safety and efficacy of hemoglobin-based blood substitutes. US Food and Drug Administration website. https://www.fda.gov/vaccines-blood-biologics/biologics-research-projects/evaluating-safety-and-efficacy-hemoglobin-based-blood-substitutes. Publicado el 26 de junio de 2020. Consultado el 13 de julio de 2021.
8. Cantor-Peled G, Halak M, Ovadia-Blechman Z. Peripheral vein locating techniques. *Imaging Med*. 2016;8(3). http://www.openaccessjournals.com/articles/peripheral-vein-locating-techniques.html. Consultado el 7 de junio de 2021.
9. Mbamalu D, Banerjee A. Methods of obtaining peripheral venous access in difficult situations. *Postgrad Med J*. 1999;75(886):459-462.
10. Hess D. Delivery of inhaled medication in adults. UpToDate website. https://www.uptodate.com/contents/delivery-of-inhaled-medication-in-adults/print. Actualizado el 18 de diciembre de 2020. Consultado el 13 de julio de 2021.
11. Smith C, Goldman RD. Nebulizers versus pressurized metered-dose inhalers in preschool children with wheezing. *Can Fam Physician*. 2012;58(5):528-530.
12. Link MS, Berkow LC, Kudenchuk PJ, et al. Part 7: adult advanced cardiovascular life support: 2015 American Heart Association Guidelines Update for Cardiopulmonary Resuscitation and Emergency Cardiovascular Care. *Circulation*. 2015;132(18 suppl 2):S444-S464.

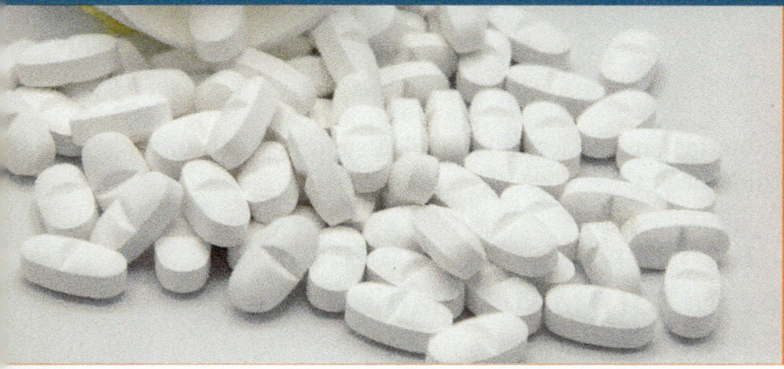

Capítulo 12

Medicamentos de emergencia

COMPETENCIAS DEL ESTÁNDAR NACIONAL DE EDUCACIÓN EN EL SEM

Farmacología

Integrar conocimientos amplios de farmacología para elaborar un plan de tratamiento destinado a mitigar las emergencias y mejorar la salud general del paciente.

Medicamentos de emergencia

- Acciones. (pp. 802, 794-955)
- Indicaciones. (pp. 792, 794-855)
- Contraindicaciones. (pp. 792, 794-855)
- Reacciones adversas/efectos secundarios. (pp. 792, 794-855)
- Interacciones. (pp. 792, 794-855)
- Vías de administración. (pp. 792, 794-855)
- Dosis de los medicamentos administrados. (pp. 792, 794-855)
- Efectos. (pp. 792, 794-855)
- Complicaciones. (pp. 792, 794-855)

OBJETIVOS COGNITIVOS

1. Explicar los elementos comunes de un perfil farmacológico. (p. 792)
2. Definir las abreviaturas utilizadas en los perfiles de medicamentos. (p. 793)
3. Conocer los nombres genéricos y comerciales, acciones, indicaciones, contraindicaciones, efectos adversos, interacciones, vías de administración y dosis de los medicamentos que pueden ser administrados por el paramédico según lo dictado por los protocolos estatales y la dirección médica local. (pp. 792-855)
4. Conocer los nombres genéricos y comerciales, acciones, indicaciones, contraindicaciones, efectos adversos, interacciones, vías de administración y dosis de medicamentos parenterales que pueden ser administrados por el paramédico según lo dictado por los protocolos estatales y la dirección médica local. (pp. 851-855)

OBJETIVOS DE DESTREZA

No hay objetivos de destrezas para este capítulo.

Formulario de farmacología

El formulario proporcionado en este capítulo sirve de referencia para los estudiantes de paramédico a medida que avanzan en su formación. Recuerde que a veces se utilizan letras mayúsculas para evitar la confusión de medicamentos con grafías similares.[1] Medicamentos LASA (del inglés, *look alike, sound alike*) a aquellos medicamentos que se parecen físicamente o que sus nombres suenan parecido. Las letras mayúsculas llaman la atención sobre las demás letras que diferencian el nombre de un medicamento con nombres similares, como se describe en el capítulo 10, *Principios de farmacología.* Los perfiles de medicamentos incluidos en este capítulo utilizan letras mayúsculas, siguiendo las guías de la *Food and Drug Administration,*[1] para ayudar a reducir los errores relacionados con la medicación.

A lo largo de estos perfiles de medicamentos se hace referencia a recomendaciones actuales de múltiples recursos. Los medicamentos de emergencia utilizados con frecuencia por los paramédicos se desglosan en los siguientes componentes, enumerados en este orden:

Nombre genérico (nombre[s] comercial[es])
Clase
Mecanismo de acción
Indicaciones
Contraindicaciones
Reacciones adversas/efectos secundarios
Interacciones medicamentosas
Dosis y administración *Adultos:____ Pediátricos:______*
Duración de la acción *Inicio:________ Efecto máximo:______ Duración:______*
Consideraciones particulares

Los medicamentos que se utilizan a menudo en el servicio de atención médica, pero que no suelen ser administrados por paramédicos, incluidos los que los pacientes pueden estar tomando para afecciones crónicas, se presentan utilizando un formato similar, pero menos detallado. Aunque los paramédicos no llevarán ni administrarán estos medicamentos, necesitan entender cómo afectan a sus pacientes y al tratamiento que están proporcionando.

Las abreviaturas utilizadas en los perfiles de medicamentos que siguen se listan en el **CUADRO 12-1**. Es importante recordar que los sistemas del SEM estatales y regionales tienen derecho a incluir otros medicamentos en sus propios formularios, y que las indicaciones de estos medicamentos pueden no estar cubiertas en este formulario. Siga siempre los protocolos locales.

Perfiles de medicamentos

AcetaZOLAMIDA (Diamox®, Diamox Sequels®)

Clase Inhibidor de la anhidrasa carbónica, diurético.

Mecanismo de acción Inhibe la excreción de iones de hidrógeno en los túbulos renales, aumentando la excreción de sodio, potasio, bicarbonato y agua y produciendo diuresis alcalina.

Indicaciones MAM (tratamiento y profilaxis), prevención de ECGA.

Contraindicaciones Hipersensibilidad a la acetazolamida o a las sulfamidas, hipopotasemia conocida, hiponatremia conocida, disfunción renal, disfunción hepática. No debe utilizarse para el tratamiento de la EPGA.[4]

Reacciones adversas/efectos secundarios Desequilibrio de líquidos y electrolitos, acidosis metabólica, convulsiones, náusea, vómito, anorexia, hipotensión ortostática.

Interacciones medicamentosas Aumento del riesgo de acidosis grave y toxicidad del SNC con dosis altas de aspirina. Precaución con diuréticos, anticonvulsivos. Puede potenciar los efectos de los hipoglucemiantes. Aumento del riesgo de formación de cálculos renales con la administración de bicarbonato de sodio.

Dosis y forma de administración (comprimidos de liberación regular) *Adultos:* tratamiento del MAM: las guías de práctica clínica recomiendan 250 mg por vía oral cada 12 horas.[4,5] *Pediatría:* tratamiento del MAM: las guías de práctica clínica recomiendan 2.5 mg/kg por vía oral cada 12 horas (máximo: 250 mg/dosis).[4,5]

Duración de la acción (comprimidos de liberación regular) *Inicio:* 1 a 1.5 horas. *Efecto máximo:* de 2 a 4 horas. *Duración:* de 4 a 12 horas.

Consideraciones especiales Seguridad en el embarazo: categoría C. La acetazolamida puede utilizarse en las dosis especificadas para el tratamiento del MAM como *coadyuvante* de la dexametasona en el tratamiento del ECGA, pero la dexametasona sigue siendo el tratamiento principal del ECGA.[4]

Acetilcisteína (Mucomyst®, Acetadote®)

Clase Antídoto de paracetamol.

Mecanismo de acción Restablece las concentraciones de glutatión en el hígado. El glutatión, un

CUADRO 12-1 Abreviaturas utilizadas en los perfiles del formulario de medicamentos

Abreviatura	Término	Abreviatura	Término
AAS	ácido acetilsalicílico	IM	intramuscular
ACTP	angioplastia coronaria transluminal percutánea	IMAO	inhibidor de la monoaminooxidasa
AESP	actividad eléctrica sin pulso	IN	intranasal
AINE	antiinflamatorio no esteroide	IO	intraóseo
ATC	antidepresivo tricíclico	IRSN	inhibidor de la recaptación de serotonina-norepinefrina
AV	atrioventricular	ISR	intubación de secuencia rápida
CAP	complejo auricular prematuro	ISRS	inhibidor selectivo de la recaptación de serotonina
COVID-19	enfermedad por coronavirus 2019	IV	intravenoso
CVP	complejo ventricular prematuro	MAM	mal agudo de montaña
D_5W	dextrosa 5% en agua (el número depende del porcentaje de dextrosa)	ML	mecanismo de lesión
EAC	enfermedad arterial coronaria	NG	nasogástrico
ECA	enzima convertidora de angiotensina	NTG	nitroglicerina
EKG	electrocardiograma	OTC	sin receta médica (*over the counter*)
ECGA	edema cerebral de gran altitud	PA	presión arterial
ECV	evento cerebro vascular	RCP	reanimación cardiopulmonar
EP	embolia pulmonar	PAD	presión arterial diastólica
EPGA	edema pulmonar de gran altitud	PAM	presión arterial media
EPOC	enfermedad pulmonar obstructiva crónica	PAS	presión arterial sistólica
ERGE	enfermedad por reflujo gastroesofágico	PIC	presión intracraneal
ET	endotraqueal	PR	por el recto
FA	fibrilación auricular	SCA	síndrome coronario agudo
FDA	US Food and Drug Administration	SDRA	síndrome de dificultad respiratoria aguda
FV	fibrilación ventricular	SL	sublingual
GABA	ácido gamma-aminobutírico	SNC	sistema nervioso central
GI	gastrointestinal	TdP	*torsades de pointes*
GP IIb/IIIa	glicoproteína IIb/IIIa	TET	tubo endotraqueal
H_1/H_2	receptor de histamina H_1/H_2	TKO	mantener abierto (*to keep open*)
IAM	infarto agudo del miocardio	TSV	taquicardia supraventricular
IAMCEST	infarto agudo del miocardio con elevación del segmento ST	TSVP	taquicardia supraventricular paroxística
IAMSEST	infarto agudo del miocardio sin elevación del segmento ST	TV	taquicardia ventricular
ICP	intervención coronaria percutánea	TVP	trombosis venosa profunda
ID	inhalador dosificador	VD	ventricular derecho
IM	infarto del miocardio	VIH	virus de la inmunodeficiencia humana

antioxidante, tiene muchas acciones en el organismo, entre ellas la desintoxicación de sustancias.

Indicaciones Sobredosis de paracetamol.

Contraindicaciones Hipersensibilidad conocida, asma aguda.

Reacciones adversas/efectos secundarios Urticaria, enrojecimiento, erupción cutánea, prurito, angioedema, náusea, vómito, broncoespasmo, sibilancias, dificultad respiratoria, taquicardia, hipotensión.

Interacciones medicamentosas Nitroglicerina.

Dosis y administración *Adultos y pediátricos:* sobredosis de paracetamol:[2] Dosis de carga 150 mg/kg IV, mezclar en 200 ml de D_5A e infundir durante 1 hora. A continuación, administrar 50 mg/kg IV en 500 ml de D_5A e infundir durante 4 horas. Si no se dispone de acceso IV, administrar acetilcisteína 140 mg/kg por vía oral.

Duración de la acción *Inicio:* 1 minuto. *Efecto máximo:* de 5 a 15 minutos. *Duración:* 100 minutos.

Consideraciones especiales Seguridad en el embarazo: categoría B. Utilizar con precaución en mujeres embarazadas y en periodo de lactancia y solo si está indicado con claridad. Cuando se administra por vía IV, la acetilcisteína puede causar reacciones anafilácticas (p. ej., erupción cutánea, prurito, angioedema, broncoespasmo, hipotensión), por lo general después de la primera dosis. Las reacciones pueden ser más frecuentes en pacientes con antecedentes de asma o enfermedad reactiva de la vía aérea. Las reacciones pueden minimizarse asegurándose de que el medicamento se infunde a lo largo de 1 hora. La acetilcisteína huele a huevo podrido debido a su contenido en azufre.

Ácido acético (vinagre)

Clase Solución ótica antiinfecciosa, irrigante.

Mecanismo de acción La solución ótica proporciona un medio ácido durante la irrigación del oído que minimiza la propagación bacteriana y fúngica; puede estabilizar la descarga de nematocistos en medusas que se encuentran fuera de EU, disminuyendo así el dolor.[2]

Indicaciones Otitis externa, control del dolor en caso de envenenamiento por medusas procedentes fuera de EU.[2]

Contraindicaciones Hipersensibilidad, membranas timpánicas perforadas, puede aumentar la descarga de nematocistos para medusas de EU y debe utilizarse solo fuera de EU.[2]

Reacciones adversas/efectos secundarios Irritación cutánea, sensibilidad, sensación de escozor.

Interacciones medicamentosas Ninguna identificada en la actualidad.

Dosis y administración *Adulto y pediatría:* para la administración ótica, colocar al paciente de lado con el oído afectado hacia arriba, instilar de 4 a 6 gotas en el oído externo y repetir cada 2 o 3 horas. Para las picaduras de medusa fuera de EU, enjuagar la zona con vinagre (4 a 6% de ácido acético) durante 30 segundos para limitar la secreción de nematocistos sin cocer que quedan en la piel.

Duración de la acción *Inicio:* 5 minutos. *Efecto máximo:* de 45 a 90 minutos. *Duración:* de 2 a 3 horas.

Consideraciones especiales Seguridad en el embarazo: categoría C. No se ha establecido la seguridad y eficacia de la solución ótica de ácido acético en niños menores de 3 años.[5] Varios enfoques terapéuticos para las picaduras de medusa, incluido el uso tópico de ácido acético, se basan en pruebas científicas poco sólidas y requieren más estudios.

Adenosina (Adenocard®)

Clase Antiarrítmico.

Mecanismo de acción Fármaco de acción corta que ralentiza la conducción a través del nodo AV; puede restablecer el ritmo sinusal en pacientes con TSV y poner fin a las taquicardias regulares causadas por reentrada en el nodo aurículo ventricular.

Indicaciones Fármaco de primera línea para la mayoría de las formas de TSV estables, regulares y de complejo estrecho, incluidas las que implican reentrada nodal AV. Puede considerarse para taquicardia por reentrada de complejo estrecho inestable mientras se prepara la cardioversión. Puede utilizarse en el diagnóstico de taquicardias estables, regulares y monomórficas de complejo ancho.

Contraindicaciones Hipersensibilidad conocida. Bloqueo AV de segundo o tercer grado o síndrome del seno enfermo u otra enfermedad del nódulo sinusal, a menos que exista un marcapasos artificial en funcionamiento; taquicardia inducida por tóxicos o fármacos. Utilizar con precaución en pacientes con antecedentes de trastornos convulsivos.[5] Puede inducir broncoespasmo en pacientes con enfermedad pulmonar broncoconstrictora o broncoespástica (asma, EPOC).

Reacciones adversas/efectos secundarios Por lo general transitorios y de corta duración debido a la corta vida media de la adenosina; rubor, sudoración, mareos, nerviosismo, parestesia, hipotensión, sensación de muerte inminente, broncoespasmo grave en pacientes con asma. Durante la conversión farmacológica puede producirse un breve periodo de casi cualquier disritmia, incluida la asistolia.[6]

Interacciones medicamentosas Es posible que se produzcan efectos aditivos si se utiliza en combinación con betabloqueadores. Las metilxantinas (cafeína y fármacos similares a la teofilina) bloquean la acción de la adenosina. El dipiridamol (Persantine®) potencia el efecto de la adenosina. La carbamazepina (Tegretol®) puede potenciar el efecto bloqueador del nodo AV de la adenosina. La nicotina puede potenciar los efectos cardiovasculares de la adenosina; puede observarse un aumento de las molestias torácicas de tipo anginoso o de la frecuencia cardíaca, o una disminución de la presión arterial.[5]

Dosis y administración *Adultos:*[2,7] administrar un bolo rápido IV/IO de 6 mg en 1 a 3 segundos inyectado en el puerto IV tan cerca del corazón como sea posible, seguido de un lavado con solución salina de 10 ml. Si no se produce conversión después de 1 o 2 minutos, administrar un bolo rápido IV/IO de 12 mg en 1 o 3 segundos. Puede repetir la dosis de 12 mg una vez si es necesario si no se produce conversión después de 1 a 2 minutos. La dosis máxima total es de 30 mg. Usualmente se usa una dosis de 6 mg y una dosis más de 12 mg sin embargo algunas guías recomiendan dosis que se incrementan de 6, 12 y 18 mg. Reducir la dosis a la mitad en pacientes que toman dipiridamol (Persantine®) o carbamazepina (Tegretol®), en pacientes con corazones trasplantados (el corazón trasplantado es supersensible a la adenosina), o si se administra por vía IV central.[5] *Pediatría:*[2,7] dosis inicial de 0.1 mg/kg por vía IV/IO rápida durante 1 a 3 segundos (primera dosis máxima, 6 mg), seguida de un lavado con solución salina de 5 a 10 ml. Segunda dosis: 0.2 mg/kg de inyección rápida IV/IO (segunda dosis máxima, 12 mg) seguida de un lavado con solución salina de 5 a 10 ml.

Duración de la acción *Inicio:* segundos. *Efecto máximo:* segundos. *Duración:* 10 segundos*:*

Consideraciones especiales Seguridad en el embarazo: categoría C. Utilizar en mujeres embarazadas solo si está indicado con claridad. Monitorizar de manera continua el EKG y registrar una tira de ritmo durante la administración. Ineficaz en la conversión de FA, aleteo auricular o TV. No debe administrarse en taquicardias hemodinámicamente inestables, irregulares o polimórficas de complejo ancho.

Agentes betabloqueadores

Los betabloqueadores antagonizan los efectos de la epinefrina sobre los receptores betaadrenérgicos. Algunos betabloqueadores son selectivos, mientras que otros son no selectivos.

Los betabloqueadores selectivos beta-1, como el atenolol (Tenormin®) y el metoprolol (Lopressor®), también se denominan betabloqueadores cardioselectivos. Su uso provoca una disminución de la frecuencia cardíaca y de la fuerza de contracción. Debido a que bloquean principalmente los receptores beta-1, en general se consideran más seguros en pacientes con enfermedades pulmonares. Los betabloqueadores no selectivos, como el propranolol (Inderal®), antagonizan tanto los receptores beta-1 como los beta-2, lo que provoca una disminución de la frecuencia cardíaca y de la fuerza de contracción y causa cierto grado de broncoconstricción. Los betabloqueadores no selectivos están contraindicados en pacientes con asma y deben utilizarse con precaución en pacientes con EPOC.[3] Los betabloqueadores habituales se enumeran en el **CUADRO 12-2**.

CUADRO 12-2 Betabloqueadores

Ejemplos	atenolol (Tenormin®), esmolol (Brevibloc®), labetalol (Normodyne®, Trandate®), metoprolol (Lopressor®, Toprol XL®), propranolol (Inderal®)
Acción	Disminuye la frecuencia cardíaca, la velocidad de conducción, la contractilidad miocárdica y el gasto cardíaco. Se utiliza para controlar la respuesta ventricular en la TSV (TSVP, FA, aleteo auricular). El labetalol provoca disminución de la PA sin taquicardia refleja; la resistencia periférica total se reduce sin un cambio significativo del gasto cardíaco.

(continúa)

CUADRO 12-2 Betabloqueadores (continuación)

Indicaciones	• Reducir la isquemia y el daño miocárdico en pacientes con IAM y frecuencia cardíaca, PA o ambas elevadas.[a] • Conversión a ritmo sinusal o a una frecuencia ventricular lenta (o ambas) en taquiarritmias supraventriculares (TSV por reentrada, FA o aleteo auricular) si no hay signos de insuficiencia cardíaca.[a] • Miocardiopatía hipertrófica. • Afecciones no cardiovasculares como ansiedad, temblor esencial, glaucoma y migraña. • Labetalol se recomienda como tratamiento antihipertensivo de emergencia para ECV hemorrágico e isquémico agudo,[a] y la hipertensión grave (PAS superior a 160 mm Hg o PAD superior a 110 mm Hg) de más de 15 minutos de duración con síntomas de preeclampsia asociados.[b]
Contraindicaciones	Hipersensibilidad; insuficiencia cardíaca, shock cardiogénico. No debe administrarse a mujeres embarazadas o con sospecha de estarlo, ni durante la lactancia. Las contraindicaciones relativas incluyen un intervalo PR superior a 0.24 segundos, bloqueo cardíaco de segundo o tercer grado, asma activa, enfermedad reactiva de la vía aérea, bradicardia grave, PAS inferior a 100 mm Hg.[a] El propranolol está contraindicado, y otros betabloqueadores están relativamente contraindicados, en el SCA inducido por cocaína.[a]
Reacciones adversas/ efectos secundarios	Mareos, debilidad, fatiga, somnolencia, broncoespasmo, manos y pies fríos, bradicardia, retrasos en la conducción AV, hipotensión, insuficiencia cardíaca, posible disfunción eréctil.
Interacciones medicamentosas	La administración concomitante con antagonistas del calcio por vía IV puede causar hipotensión grave y bradicardia/bloqueo cardíaco.[a] Puede potenciar los efectos antihipertensivos cuando se administra en pacientes que toman antagonistas del calcio o IMAO. Los fármacos depresores de catecolaminas pueden potenciar la hipotensión. Puede disminuir los efectos de los fármacos simpaticomiméticos. Puede alterar la eficacia de la insulina o de los hipoglucemiantes orales. Pueden enmascararse los signos de hipoglucemia (p. ej., taquicardia). Los antihipertensivos, el alcohol o los nitratos aumentan los efectos hipotensores.
Consideraciones especiales	Controlar con cuidado la PA, la frecuencia cardíaca y el EKG del paciente durante y después de la administración. Los inhibidores de la ECA han sustituido en gran medida el uso de betabloqueadores en el tratamiento de la hipertensión crónica. Labetalol debe administrarse siempre con el paciente en posición supina.

Abreviaturas: AV, auriculoventricular; EKG, electrocardiograma; ECV, evento cerebro vascular; FA, fibrilación auricular; IAM, infarto agudo del miocardio; IECA, inhibidores de la enzima convertidora de angiotensina; IMAO, inhibidores de la monoaminooxidasa; IV, intravenoso; PA, presión arterial; PAD, presión arterial diastólica; PAS, presión arterial sistólica; SCA, síndrome coronario agudo; TSV, taquicardia supraventricular; TSVP, taquicardia supraventricular paroxística.

[a]American Heart Association. *2020 Handbook of Emergency Cardiovascular Care for Healthcare Providers*. Dallas, TX: American Heart Association; 2020.

[b]Prescriber's Digital Reference [página principal]. https://www.pdr.net/. Consultado julio 16, 2021.

Agentes fibrinolíticos

Los fibrinolíticos se administran para disolver los coágulos sanguíneos y restablecer el flujo sanguíneo en afecciones como el IAM, el accidente cerebrovascular isquémico agudo y la embolia pulmonar. Pueden administrarse con otros agentes para mantener la permeabilidad de los vasos una vez disuelto el coágulo. Los fibrinolíticos se enumeran en el **CUADRO 12-3**.

Albuterol o salbutamol (Proventil®, Ventolin®, Proair®, Accuneb®)

Clase Simpaticomimético, broncodilatador, agonista adrenérgico beta-2 de acción corta.

Mecanismo de acción Agonista adrenérgico beta-2 selectivo que provoca la relajación del músculo liso bronquial e inhibe la liberación de mediadores de los mastocitos.

CUADRO 12-3 Agentes fibrinolíticos

Ejemplos	alteplasa (activador tisular del plasminógeno recombinante [rTPA®], Activase®), reteplasa (Retavase®), tenecteplasa (TNKase®)
Acción	Activan el plasminógeno unido a la fibrina en el lugar del coágulo, convirtiendo el plasminógeno en plasmina. La plasmina degrada el fibrinógeno, la protrombina y otros factores de coagulación y digiere las hebras de fibrina del coágulo, restableciendo la perfusión.
Indicaciones	ECV isquémica aguda (alteplasa es el único agente fibrinolítico aprobado para esta indicación), IAM en adultos, EP masiva.
Contraindicaciones	Hipersensibilidad conocida. Véase la lista de comprobación de fibrinolíticos en el capítulo 15, *Emergencias cardiovasculares*.
Reacciones adversas/ efectos secundarios	Hemorragia intracraneal, cefalea, arritmias por reperfusión, dolor torácico, palpitaciones, hipotensión, hemorragia digestiva, náusea, vómito, dolor abdominal, prurito, urticaria, rubor, broncoespasmo.
Interacciones medicamentosas	Riesgo aditivo de hemorragia si se administra en combinación con otros agentes que afectan a la hemostasia (p. ej., aspirina y otros antiagregantes plaquetarios, anticoagulantes, antagonistas de la glucoproteína IIb/IIIa, ISRS, IRSN y AINE). Aumento del riesgo de hemorragia con matricaria, ajo, jengibre, ginkgo, té verde y ácidos grasos omega-3. Tenecteplase es incompatible con soluciones de dextrosa.
Consideraciones especiales	Establecer dos vías IV periféricas y utilizar una vía exclusivamente para la administración de fibrinolíticos.[a] Vigilar de forma estrecha los signos vitales y observar si hay hemorragias. Administrar únicamente con bomba de infusión. Debido al riesgo de hemorragia espontánea grave, deben evitarse los procedimientos invasivos (p. ej., inyecciones, inserción de sonda NG o intubación nasotraqueal). Los sitios utilizados para procedimientos invasivos ya realizados deben evaluarse periódicamente.

Abreviaturas: AINE, antiinflamatorios no esteroideos; EP, embolia pulmonar; ECV, evento cerebro vascular; GI, gastrointestinal; IAM, infarto agudo del miocardio; IRSN, inhibidores de la recaptación de serotonina; IRSN, inhibidores selectivos de la recaptación de serotonina; IV, intravenoso; NG, nasogástrico.

[a]American Heart Association. *2020 Handbook of Emergency Cardiovascular Care for Healthcare Providers*. Dallas, TX: American Heart Association.; 2020.

Indicaciones Tratamiento y prevención del broncoespasmo en pacientes con enfermedad obstructiva reversible de la vía aérea, tratamiento de agentes irritantes inhalados de la vía aérea/respiratoria y tratamiento de la hiperpotasemia.

Contraindicaciones Hipersensibilidad conocida; arritmias, en especial las causadas por digitálicos. Sinérgico con otros simpaticomiméticos.

Reacciones adversas/efectos secundarios A menudo relacionados con la dosis; incluyen temblores, cefaleas, nerviosismo, mareos, arritmias, molestias torácicas, palpitaciones, náusea/vómito y sequedad de boca.

Interacciones medicamentosas Efectos aditivos con ATC, IMAO, otros simpaticomiméticos. Los betabloqueadores pueden inhibir los efectos pulmonares, disminuyendo la eficacia. Puede potenciar la hipopotasemia causada por diuréticos.

Dosis y administración *Adultos:* dificultad respiratoria: 2.5 a 5 mg por nebulizador o 1 a 2 inhalaciones (90 a 180 mcg) por ID. Dificultad respiratoria con signos de broncoespasmo:[2] administrar 5 mg por nebulizador o 6 inhalaciones por ID; repetir esta dosis con frecuencia ilimitada para la dificultad continua. Hiperpotasemia:[2] administrar 5 mg mediante nebulizador. *Pediatría:* asma leve a moderada, anafilaxia, hiperpotasemia:[7] Usando ID: 4 a 8 inhalaciones según sea necesario cada 20 minutos con un espaciador. Si se utiliza un nebulizador y el paciente pesa menos de 20 kg, administrar 2.5 mg/dosis, o si el paciente pesa más de 20 kg, administrar 5 mg/dosis, cada 20 minutos. Dificultad respiratoria con signos de broncoespasmo:[2] Administrar 5 mg mediante nebulizador o 6 inhalaciones mediante ID; repetir esta dosis con frecuencia ilimitada en caso de dificultad continua.

Duración de la acción *Inicio:* de 5 a 15 minutos. *Efecto máximo:* de 30 minutos a 2 horas. *Duración:* de 3 a 6 horas.

Consideraciones especiales Seguridad en el embarazo: categoría C. Puede precipitar angina y arritmias. Puede ser necesario instruir a los pacientes sobre el uso adecuado del ID, en particular uno con cámara espaciadora. La evidencia actual no demuestra un beneficio en el uso de albuterol para la bronquiolitis.[2]

Medicamentos de venta libre y de prescripción frecuente

Alprazolam (Xanax®)

Clase Benzodiacepina, sedante-hipnótico, anticonvulsivo; fármaco de la clase IV.

Indicaciones Ansiedad, trastorno de pánico, depresión.

Contraindicaciones Hipersensibilidad conocida, depresión respiratoria, intoxicación alcohólica aguda, reacciones psicóticas, uso reciente de depresores respiratorios, glaucoma agudo de ángulo estrecho.

Reacciones adversas/efectos secundarios Mareos, somnolencia, fatiga, depresión del SNC, cefalea, dificultad de concentración, cambios en el deseo sexual, cambios de peso.

Interacciones medicamentosas Puede precipitar la depresión del SNC si se toma con alcohol u otros depresores del SNC. La toronja aumenta los niveles de alprazolam, y el té verde disminuye los efectos del alprazolam.

Consideraciones especiales Puede causar anomalías fetales y no debe utilizarse durante el embarazo. No debe tomarse durante la lactancia.

Alcohol isopropílico

Clase Secundaria alcohol.

Mecanismo de acción Además de su función como antiséptico, puede utilizarse como antiemético.[2] Aunque su mecanismo de acción como antiemético no es seguro, el alcohol isopropílico puede influir en la neurotransmisión en varios sitios que activan la zona desencadenante de los quimiorreceptores.[18]

Indicaciones Náusea y vómito.

Contraindicaciones Ninguna.

Reacciones adversas/efectos secundarios Ninguno en adultos.

Interacciones medicamentosas Ninguna.

Dosis y administración *Adultos:*[2] permitir que el paciente inhale el vapor de una toallita de alcohol isopropílico tres veces cada 15 minutos según tolerancia. *Pediatría:* consultar a la dirección médica con respecto al uso en esta población de pacientes.

Duración de la acción *Inicio:* en 10 minutos. *Efecto máximo:* variable. *Duración:* variable.

Consideraciones especiales Ninguna.

Amiodarona (Cordarone®, Pacerone®)

Clase Antiarrítmico (clase III).

Mecanismo de acción Bloquea los canales de sodio, potasio y calcio; prolonga la duración del potencial de acción y retrasa la repolarización; disminuye la conducción AV y la función del nodo sinoauricular (SA).

Indicaciones Paro cardíaco por FV o TV sin pulso luego de RCP, desfibrilación y epinefrina; taquicardia de complejo estrecho estable y regular si el ritmo persiste a pesar de maniobras vagales o adenosina o la taquicardia es recurrente; para controlar la frecuencia ventricular en FA con una respuesta ventricular rápida sin preexcitación; taquicardia de complejo ancho estable; TV monomórfica estable; TV polimórfica con un intervalo QT normal.

Contraindicaciones Hipersensibilidad conocida, hipersensibilidad al yodo (el yodo está incorporado en la estructura química de la amiodarona),[5] shock cardiogénico, bloqueo AV de segundo o tercer grado, o síndrome del seno enfermo u otra enfermedad del nódulo sinusal, a menos que exista un marcapasos artificial en funcionamiento.

Reacciones adversas/efectos secundarios Hipotensión, insuficiencia cardíaca, empeoramiento de las arritmias, intervalo QT prolongado, bradicardia, bloqueo AV, mareos, fatiga, tos, disnea progresiva, náusea, vómito, ardor en el sitio IV, síndrome de Stevens-Johnson.

Interacciones medicamentosas Puede aumentar los efectos de digoxina, disopiramida, fentanilo, lidocaína, procainamida, quinidina o warfarina. La cimetidina puede aumentar los niveles de amiodarona. El uso con betabloqueadores o antagonistas del calcio puede potenciar la bradicardia, paro sinusal y los bloqueos AV. El uso persistente de equinácea puede potenciar los efectos hepatotóxicos de la amiodarona.[8]

Dosis y administración *Adultos:* FV/TV sin pulso:[2,7] dosis inicial 300 mg IV/IO. Segunda dosis (si es necesario) 150 mg IV/IO. Otras indicaciones: dosis de carga de 150 mg IV/IO durante 10 minutos; puede repetirse cada 10 minutos si es necesario. Después de la conversión, seguir con una infusión de 10 a 50 mg/h durante 24 horas.[2] Dosis máxima acumulada: 2.2 g IV/IO en 24 horas. *Pediatría:* FV refractaria/TV sin pulso:[7] administrar 5 mg/kg IV/IO en bolo. Puede repetirse el bolo de 5 mg/kg IV/IO hasta una dosis total de 15 mg/kg IV/IO por 24 horas (2.2 g en adolescentes) por 24 horas. Dosis única máxima: 300 mg. Arritmias ventriculares o auriculares de mala perfusión:[7] dosis de carga 5 mg/kg IV/IO durante 20 a 60 minutos (dosis única máxima: 300 mg); puede repetirse hasta una dosis máxima de 15 mg/kg IV cada 24 horas (2.2 g en adolescentes).

Duración de la acción *Inicio:* 2 horas. *Efecto máximo:* de 3 a 7 horas. *Duración:* variable.

Consideraciones especiales Seguridad en el embarazo: categoría D. El medicamento puede causar daño fetal. Debe considerarse el riesgo fetal y el beneficio materno en el contexto de emergencias. Las mujeres en periodo de lactancia no deben amamantar después de su uso. Puede empeorar o precipitar nuevas arritmias. Monitorizar al paciente por hipotensión y aumento de los intervalos PR y QT. La dosis puede cambiar según las recomendaciones más recientes del *International Liaison Committee on Resuscitation* (ILCOR).

Medicamentos comunes recetados y de venta libre (OTC)

Antiagregantes plaquetarios

Los fármacos antiplaquetarios suprimen la agregación plaquetaria y se utilizan para prevenir la trombosis arterial. En el CUADRO 12-4 se enumeran los antiagregantes plaquetarios más comunes.

CUADRO 12-4 Agentes antiplaquetarios comunes

Clopidogrel (Plavix®)	
Indicaciones[a]	IAMCEST o IAMSEST de riesgo moderado a alto, incluidos los pacientes que reciben fibrinólisis; sustituto de aspirina si se sospecha un SCA y el paciente no puede tomar aspirina; prevención de acontecimientos tromboembólicos en la FA.
Contraindicaciones	Hipersensibilidad conocida, insuficiencia hepática grave, cualquier hemorragia activa como úlcera péptica o hemorragia intracraneal.
Reacciones adversas/efectos secundarios	Dolor abdominal, hemorragia GI, mareos, dolores de cabeza, indigestión, hematomas, erupción cutánea, ardor, hemorragia en los puntos de punción.
Interacciones medicamentosas	Interfiere en el metabolismo de fenitoína, warfarina, AINE, antagonistas del calcio, morfina y amiodarona. Puede aumentar las hemorragias si se toma con otros medicamentos que afectan a la coagulación (p. ej., aspirina y otros antiagregantes plaquetarios, anticoagulantes, agentes fibrinolíticos, ISRS, IRSN y AINE). El sangrado puede aumentar si se toma con ajo, jengibre, ginkgo o té verde.
Consideraciones particulares	A menudo se administra con otros anticoagulantes (heparina, eptifibatida) en el SCA. En la actualidad no se dispone de ningún agente de reversión. Si se produce una hemorragia excesiva en un paciente en tratamiento con clopidogrel, están indicadas las transfusiones rápidas de plaquetas.
Dipiridamol (Persantine®), dipiridamol/aspirina (Aggrenox®)	
Indicaciones	Profilaxis de tromboembolismo arterial (p. ej., profilaxis de IAM, cardiopatía valvular, AIT).
Contraindicaciones	Hipersensibilidad.

(continúa)

CUADRO 12-4 Agentes antiplaquetarios comunes (continuación)

Reacciones adversas/efectos secundarios	Cefalea, mareos, náusea, dolor abdominal, disnea, sofocos, molestias en el tórax, fatiga, hemorragias, artralgia.
Interacciones medicamentosas	Riesgo agregado de hemorragia potencial si se administra en combinación con otros agentes que afectan a la hemostasia (p. ej., aspirina y otros antiagregantes plaquetarios, anticoagulantes, agentes fibrinolíticos, ISRS, IRSN y AINE), los efectos de la adenosina se potencian con dipiridamol; también puede producirse hemorragia si se administra en combinación con ajo o ginkgo.
Consideraciones especiales	El dipiridamol IV es un complemento de las pruebas de perfusión miocárdica en pacientes incapaces de realizar una prueba de esfuerzo.[b] Produce vasodilatación periférica que puede empeorar la hipotensión.

Abreviaturas: AINE, antiinflamatorios no esteroideos; FA, fibrilación auricular; GI, gastrointestinal; IAM, infarto agudo de miocardio; IAMEST, infarto del miocardio con elevación del segmento ST; IAMS, accidente isquémico transitorio; IMSEST, infarto del miocardio sin elevación del segmento ST; IRSN, inhibidores de la recaptación de serotonina-norepinefrina; ISRS, inhibidores selectivos de la recaptación de serotonina; IV, intravenoso; SCA, síndrome coronario agudo.

[a]American Heart Association. *2020 Handbook of Emergency Cardiovascular Care for Healthcare Providers*. Dallas, TX: American Heart Association; 2020.

[b]Prescriber's Digital Reference [página principal]. https://www.pdr.net/. Consultado julio 16, 2021.

Antibióticos

Los antibióticos son medicamentos utilizados para matar bacterias o inhibir su crecimiento y replicación. A menudo se clasifican por su estructura química o espectro de actividad. En el **CUADRO 12-5** se enumeran los antibióticos más comunes.

CUADRO 12-5 Antibióticos comunes

Aminoglucósidos	
Ejemplos	gentamicina (Garamycin®), neomicina (Mycifradin®), estreptomicina (Streptomycin®), tobramicina (Tobrex®, Nebcin®)
Acción	Inhiben la síntesis de proteínas al unirse a los ribosomas, provocando la muerte de las células bacterianas.
Indicaciones	Varían en función del medicamento. Infecciones graves del abdomen y de las vías urinarias, bacteriemia, neumonía, profilaxis de endocarditis, tularemia, peste, infecciones óseas y articulares.
Contraindicaciones	Hipersensibilidad conocida. Utilizar con precaución en pacientes con desequilibrio electrolítico, deshidratación, enfermedad renal, trastornos neuromusculares (miastenia grave, parkinsonismo), discapacidad auditiva y adultos mayores.
Reacciones adversas/efectos secundarios	Dolor de cabeza, fiebre, erupción cutánea, náusea, vómito, anemia, sobreinfección (una infección secundaria que se produce cuando se altera la flora corporal), disfunción renal y toxicidad del oído interno que puede provocar disfunción vestibular y auditiva.
Interacciones medicamentosas	Puede producirse bloqueo neuromuscular agudo si se utiliza con fármacos anestésicos y puede potenciar otros fármacos bloqueadores neuromusculares. Aumenta el riesgo de ototoxicidad con diuréticos de asa. Aumenta el riesgo de nefrotoxicidad si se toma con AINE, diuréticos, cefalosporinas y antifúngicos.
Consideraciones especiales	Índice terapéutico estrecho. La mayoría de los aminoglucósidos se absorben mal en el tracto gastrointestinal y solo se administran por vía parenteral. La neomicina es el fármaco más nefrotóxico, mientras que la estreptomicina es el menos nefrotóxico.

Cefalosporinas	
Ejemplos	cefazolina (Ancef®, Kefzol®), cefalexina (Keflex®), cefuroxima (Kefurox®, Zinacef®), cefuroxima axetilo (Ceftin®), ceftriaxona (Rocephin®)
Acción	Eliminan las bacterias impidiendo la formación de la pared celular bacteriana.
Indicaciones	Varían en función del medicamento. Los usos incluyen infecciones de la piel y tejidos blandos, profilaxis quirúrgica perioperatoria, faringitis estreptocócica, infecciones del sistema respiratorio superior (sinusitis, otitis media), neumonía, meningitis, infecciones de las vías urinarias, endocarditis estreptocócica, gonorrea, enfermedad de Lyme grave y sepsis.
Contraindicaciones	Hipersensibilidad conocida a las cefalosporinas.
Reacciones adversas/efectos secundarios	Náusea, vómito, diarrea, mareos, aumento del tiempo de coagulación de la sangre con grandes dosis, candidiasis oral, hongos anales o vaginales. Las reacciones adversas graves incluyen anafilaxia, angioedema, convulsiones y diarrea asociada con *Clostridium difficile*.
Interacciones medicamentosas	Varían en función del fármaco. Algunas cefalosporinas disminuyen la eficacia de los anticonceptivos orales y aumentan el riesgo de hemorragia si se toman con anticoagulantes o salicilatos.
Consideraciones especiales	Algunos pacientes alérgicos a la penicilina podrían ser alérgicos a una cefalosporina. A menos que esté contraindicado, se suele aconsejar a los pacientes que ingieran suero de leche, yogur o un suplemento de acidófilos para evitar la sobreinfección de la flora intestinal.[a]
Macrólidos y lincosaminas	
Ejemplos	azitromicina (Zithromax®), claritromicina (Biaxin®), clindamicina (Cleocin®), eritromicina (E-mycin®), lincomicina (Lincocin®)
Acción	Interfieren con la síntesis de proteínas en las células bacterianas, inhibiendo el crecimiento y la reproducción bacteriana.
Indicaciones	Varían en función del fármaco, pero los usos comunes incluyen otitis media, amigdalitis, úlcera duodenal causada por *Helicobacter pylori*, sepsis, endocarditis y otras infecciones cardíacas, infecciones de transmisión sexual, difteria, osteomielitis, infecciones de la vía aérea superiores e inferiores e infecciones de la piel y tejidos blandos.
Contraindicaciones	Hipersensibilidad a los antibióticos macrólidos. Algunos macrólidos no deben tomarse durante el embarazo. Utilizar con precaución en pacientes con enfermedad cardíaca u otras condiciones que puedan aumentar el riesgo de prolongación del intervalo QT, incluyendo arritmias cardíacas, síndrome de QT largo congénito, insuficiencia cardíaca, IM, hipertensión, EAC, hipomagnesemia, hipopotasemia e hipocalcemia, o en pacientes que reciben medicamentos conocidos por prolongar el intervalo QT o causar desequilibrios electrolíticos.[b] Los macrólidos se asocian a exacerbaciones de la miastenia gravis.
Reacciones adversas/efectos secundarios	Náusea, vómito, piel seca, eritema, prurito, cefalea, dolor y calambres abdominales, infección por *C. difficile*, colitis, disfunción hepática, sobreinfección. La azitromicina se asocia con prolongación del intervalo QT, daño hepático.
Interacciones medicamentosas	Extensivas. Puede aumentar los niveles séricos de teofilina, carbamazepina y warfarina. Puede producirse hepatotoxicidad cuando eritromicina y azitromicina se toman en dosis altas con otros fármacos hepatotóxicos, como fenotiazinas, sulfonamidas o paracetamol.[a] No debe tomarse con algunos antihistamínicos o estatinas. La azitromicina aumenta los efectos de digoxina y warfarina, y disminuye los efectos de las penicilinas y la clindamicina. El uso simultáneo de clindamicina con bloqueadores neuromusculares puede prolongar el bloqueo neuromuscular. Aumento del riesgo de muerte súbita cardíaca cuando la eritromicina se administra de manera simultánea con verapamilo o diltiazem.[a]
Consideraciones particulares	La azitromicina se ha asociado con mayor riesgo de muerte cardiovascular.[b]

(*continúa*)

CUADRO 12-5 Antibióticos comunes (continuación)

Penicilinas	
Ejemplos	amoxicilina (Amoxil®), amoxicilina-ácido clavulánico (Augmentin®), ampicilina (Omnipen®), meticilina (Staphcillin®), penicilina G (Bicillin®), penicilina V (Pen-Veek®), ticarcilina (Ticar®)
Acción	Eliminan las bacterias impidiendo la formación de la pared celular bacteriana.
Indicaciones	Varían en función del medicamento. Los usos típicos incluyen otitis media; sinusitis; infecciones respiratorias, cutáneas y de las vías urinarias. Algunas penicilinas se utilizan para tratar ántrax, meningitis, difteria, osteomielitis, sífilis, pericarditis, endocarditis e infecciones estafilocócicas graves.
Contraindicaciones	Hipersensibilidad conocida a la penicilina; ajuste de la dosis en pacientes con enfermedad hepática o enfermedad renal terminal.
Reacciones adversas/efectos secundarios	Superinfección (candidiasis oral, anal o vaginal), anorexia, náusea, vómito, diarrea. Erupción cutánea con reacción leve a moderada. Edema laríngeo, broncoconstricción con estridor, hipotensión con reacción alérgica grave.
Interacciones medicamentosas	Varían en función del fármaco. Algunas penicilinas disminuyen la eficacia de los anticonceptivos orales y tienen efectos reducidos cuando se toman con tetraciclina, eritromicina, frutas y jugos ácidos. Aumento del riesgo de hemorragia con anticoagulantes orales.
Consideraciones especiales	La erupción puede aparecer una semana después de iniciar el tratamiento. Algunos pacientes que son alérgicos a la penicilina podrían ser alérgicos a una cefalosporina. Las personas con antecedentes de asma, eccema o fiebre del heno pueden tener mayor riesgo de desarrollar una reacción alérgica grave a las penicilinas.
Quinolonas y fluoroquinolonas	
Ejemplos	ciprofloxacino (Cipro®), levofloxacino (Levaquin®), moxifloxacino (Avelox®), ofloxacino (Floxin®)
Acción	Eliminan las bacterias inhibiendo las enzimas bacterianas necesarias para replicar el ADN bacteriano, impidiendo así que las bacterias se multipliquen.
Indicaciones	Varían en función del fármaco, pero sus usos incluyen infecciones urinarias, septicemia e infecciones intraabdominales, infecciones articulares y óseas, infecciones respiratorias altas y bajas (sinusitis, neumonía, bronquitis), infecciones de tejidos blandos y de la piel, fiebre tifoidea, ántrax, gastroenteritis bacteriana, enfermedad inflamatoria pélvica e infecciones uretrales y ginecológicas.
Contraindicaciones	Hipersensibilidad conocida. Varía según el medicamento. Embarazo, lactancia. Riesgo de empeoramiento de los síntomas en pacientes con miastenia grave. Evitar la administración simultánea con fármacos que prolonguen el intervalo QT.
Reacciones adversas/efectos secundarios	Náusea, vómito, diarrea, dolor de cabeza, erupción cutánea, prolongación del intervalo QT, convulsiones, alucinaciones, angioedema, fotosensibilidad, hipoglucemia (incluido el riesgo de coma hipoglucémico) y dolor tendinoso, muscular o articular, por lo general en rodilla, codo u hombro; posibilidad de neuropatía periférica irreversible.
Interacciones medicamentosas	Amplias. Interacciones con AINE, teofilina, ATC y corticoesteroides, entre otros. Puede disminuir las necesidades de insulina.
Consideraciones especiales	En 2018, la FDA exigió que los efectos secundarios para la salud mental se enumeraran por separado de otros efectos secundarios del SNC en el etiquetado de todas las fluoroquinolonas y reflejaran alteraciones de la atención, desorientación, agitación, nerviosismo, deterioro de la memoria y delirio.
Sulfonamidas	
Ejemplos	sulfadiazina de plata (Silvadene®), sulfadiazina (Sulfadiazine®), sulfasalazina (Sulfasalazine®, Azulfidine®), trimetoprima-sulfametoxazol (Bactrim®, Septra®)

Acción	Inhiben la capacidad de las bacterias para producir una forma de ácido fólico que es necesaria para fabricar ADN y proteínas, impidiendo que las bacterias se multipliquen.
Indicaciones	Varían en función del fármaco, pero entre sus usos se incluyen algunos tipos de neumonía bacteriana, infecciones urinarias y algunas infecciones por protozoos.
Contraindicaciones	Hipersensibilidad conocida. Embarazo (en especial el tercer trimestre), madres lactantes, niños menores de 2 meses.
Reacciones adversas/efectos secundarios	Mareos, dolor de cabeza, letargo, diarrea, anorexia, náusea, vómito, erupción cutánea, urticaria, fotosensibilidad, daño hepático, formación de cristales urinarios, leucopenia, anemia, trombocitopenia.
Interacciones medicamentosas	Mayor riesgo de hemorragia con warfarina. Puede aumentar los niveles de digoxina en sangre y provocar toxicidad por digoxina. Puede producirse hiperpotasemia cuando se toma sulfametoxazol con un inhibidor de la ECA. Puede disminuir las necesidades de insulina.
Consideraciones especiales	Los pacientes que reciben sulfonamidas deben evitar la exposición excesiva a la luz solar. Una hidratación adecuada es esencial para prevenir la formación de cristales urinarios.
Tetraciclinas	
Ejemplos	doxiciclina (Doxy®, Vibramycin®), minociclina (Minocin®), tetraciclina (Sumycin®)
Acción	Inhiben la síntesis de proteínas en las células bacterianas, dificultando su crecimiento y reproducción.
Indicaciones	Varían en función del fármaco, pero suelen utilizarse para tratar infecciones de las vías urinarias, de la vía aérea y la piel. También se utiliza en el tratamiento de clamidia, gonorrea, acné moderadamente grave, rosácea, ántrax, cólera, peste, tifus, fiebre maculosa de las Montañas Rocosas y el *Helicobacter pylori*.
Contraindicaciones	Hipersensibilidad conocida. Varía en función del fármaco, Evitar en el embarazo o la lactancia (puede perjudicar el desarrollo óseo de los lactantes). La mayoría de las tetraciclinas deben evitarse en pacientes con enfermedad hepática, renal o lupus.
Reacciones adversas/efectos secundarios	Sobreinfección (candidiasis oral, anal o vaginal), fotosensibilidad, diarrea, náusea, vómito, dolor abdominal, erupción cutánea, dolor de cabeza, mareos.
Interacciones medicamentosas	Numerosas. No debe tomarse con preparados antiácidos que contengan magnesio y aluminio, productos lácteos que contengan calcio o medicamentos que contengan hierro. Algunas tetraciclinas pueden aumentar los efectos de digoxina y warfarina. La hierba de San Juan puede aumentar el riesgo de fotosensibilidad.
Consideraciones especiales	Los pacientes que reciben tetraciclinas deben evitar la exposición excesiva a la luz solar. Puede causar decoloración permanente de los dientes si se utiliza en pacientes menores de 8 años.

Abreviaturas: AINE, antiinflamatorios no esteroides; ADN, ácido desoxirribonucleico; ATC, antidepresivos tricíclicos; ECA, enzima convertidora de la angiotensina; FDA, Food and Drug Administration; GI, gastrointestinal; IM, infarto del miocardio; IVU, infecciones de las vías urinarias; SNC, sistema nervioso central.

[a]McCuistion LE, DiMaggio KV, Winton MB, Yeager JJ. *Pharmacology: A Patient-Centered Nursing Process Approach*, 10ª ed., St. Louis, MO: Elsevier; 2021.

[b]Prescriber's Digital Reference [página principal]. https://www.pdr.net/. Consultado junio 16, 2021.

Anticoagulantes

Los anticoagulantes impiden la formación de nuevos coágulos, pero no disuelven los existentes. Algunos de estos medicamentos requieren un control regular de la coagulación para evitar una anticoagulación excesiva, y por lo general se aconseja a los pacientes que los toman que lleven una identificación médica. En el **CUADRO 12-6** se enumeran los anticoagulantes más comunes.

CUADRO 12-6 Anticoagulantes comunes

Apixabán (Eliquis®)	
Indicaciones	Profilaxis de TVP, EP, ECV y embolia sistémica.
Contraindicaciones	Hipersensibilidad conocida, hemorragia patológica activa.
Reacciones adversas/ efectos secundarios	Síncope, erupción cutánea, hemorragia, hematoma, ECV, reacciones anafilácticas.
Interacciones medicamentosas	Varias. Aumento del riesgo de hemorragia si se utiliza con otros medicamentos que afectan a la coagulación (p. ej., aspirina y otros antiagregantes plaquetarios, otros anticoagulantes, agentes fibrinolíticos, ISRS, IRSN y AINE), aumento del riesgo de hemorragia si se utiliza con amiodarona, puede producirse una hemorragia aditiva si se administra en combinación con ajo, ginkgo, toronja, jugo de toronja o té verde.
Consideraciones especiales	Inhibidor directo del factor Xa. Este medicamento no requiere un control rutinario de la coagulación.
Dabigatrán (Pradaxa®)	
Indicaciones	Profilaxis de TVP, EP, ECV y embolia sistémica.
Contraindicaciones	Hipersensibilidad, válvulas cardíacas protésicas, hemorragia patológica activa, insuficiencia o deterioro renal, diálisis.
Reacciones adversas/ efectos secundarios	Ardor, urticaria, erupción cutánea, dolor abdominal, angioedema, ECV, hemorragia, gastritis, anafilaxia, reacciones anafilácticas.
Interacciones medicamentosas	Aumento del riesgo de hemorragia si se utiliza con otros fármacos que afectan a la coagulación (p. ej., aspirina y otros antiagregantes plaquetarios, otros anticoagulantes, agentes fibrinolíticos, ISRS, IRSN y AINE); aumento del riesgo de hemorragia si se utiliza con amiodarona o verapamilo; además pueden producirse hemorragias si se administra en combinación con ajo, jengibre, ginkgo, jugo de toronja o té verde. La hierba de San Juan puede reducir la eficacia.
Consideraciones especiales	Inhibidor de la trombina. Este medicamento no requiere un control rutinario de la coagulación.
Enoxaparina (Lovenox®)	
Indicaciones	Profilaxis y tratamiento de TVP, EP; tratamiento de SCA.
Contraindicaciones	Hipersensibilidad conocida a enoxaparina, heparina o productos derivados del cerdo; hemorragia grave activa; trombocitopenia.
Reacciones adversas/ efectos secundarios	Diarrea, náusea, anemia, FA, insuficiencia cardíaca, hemorragia intracraneal, neumonía.
Interacciones medicamentosas	Riesgo agregado de hemorragia si se administra en combinación con otros agentes que afectan a la hemostasia (p. ej., aspirina y otros antiagregantes plaquetarios, otros anticoagulantes, agentes fibrinolíticos, ISRS, IRSN y AINE), algunas penicilinas.
Consideraciones especiales	Heparina de bajo peso molecular. Utilizar con precaución en mujeres embarazadas con amenaza de aborto, y vigilar a todas las mujeres embarazadas por posible hemorragia. No administrar medicación multidosis por una vía a mujeres embarazadas debido al contenido de alcohol bencílico. Es necesario ajustar la dosis en pacientes con disfunción renal.
Heparina sódica	
Indicaciones	IAM, profilaxis y tratamiento de trastornos tromboembólicos (p. ej., embolia pulmonar y TVP).
Contraindicaciones	Hipersensibilidad conocida; hemorragia activa, hipertensión grave, tendencias hemorrágicas o trombocitopenia grave; cirugía intracraneal, intraespinal u ocular reciente.

Reacciones adversas/ efectos secundarios	Dolor, anafilaxia, shock, hematuria, hemorragia digestiva, hemorragia, trombocitopenia, hematomas.
Interacciones medicamentosas	Riesgo agregado de hemorragia si se administra en combinación con otros agentes que afectan a la hemostasia (p. ej., aspirina y otros antiagregantes plaquetarios, otros anticoagulantes, agentes fibrinolíticos, ISRS, IRSN y AINE), algunas penicilinas. Disminución del efecto con NTG.
Consideraciones especiales	Requiere control regular de la coagulación para evitar anticoagulación excesiva. Si se utiliza heparina con terapia fibrinolítica, obtener una muestra de sangre para el control del tiempo de tromboplastina parcial antes de la administración de heparina. Si el paciente experimenta hemorragia incontrolable, el agente de reversión es la protamina.
Rivaroxaban (Xarelto®)	
Indicaciones	Profilaxis y tratamiento de la TVP, la EP y el ECV.
Contraindicaciones	Hipersensibilidad conocida, hemorragia, enfermedad hepática moderada o grave, deterioro renal, insuficiencia renal.
Reacciones adversas/ efectos secundarios	Dolor abdominal y de espalda, mareos, ardor, insomnio, fatiga, síncope, angioedema, anafilaxia, hemorragia digestiva, hemorragia intracraneal.
Interacciones medicamentosas	Puede aumentar las hemorragias cuando se toma con otros medicamentos que afectan a la coagulación (p. ej., aspirina y otros antiagregantes plaquetarios, otros anticoagulantes, agentes fibrinolíticos, ISRS, IRSN y AINE). Puede producirse un aumento de las hemorragias cuando se toma con ajo, jengibre, ginkgo, jugo de toronja y té verde. La hierba de San Juan puede reducir la eficacia.
Consideraciones especiales	Inhibidor directo del factor Xa. Este medicamento no requiere un control rutinario de la coagulación.
Warfarina (Coumadin®, Jantoven®)	
Indicaciones	Prevención y tratamiento de la enfermedad tromboembólica.
Contraindicaciones	Hipersensibilidad conocida. Dado que warfarina puede causar hemorragias graves o mortales, su uso está contraindicado en pacientes con enfermedades en las que el tratamiento con warfarina puede causar hemorragias incontroladas.[a]
Reacciones adversas/ efectos secundarios	Escalofríos, dolor de cabeza, vómito, náusea, fatiga, palidez, mareos, prurito, urticaria, síncope, hemorragia, hipotensión.
Interacciones medicamentosas	Numerosas. Riesgo agregado de hemorragia si se administra en combinación con otros agentes que afectan a la hemostasia (p. ej., aspirina y otros antiagregantes plaquetarios, otros anticoagulantes, agentes fibrinolíticos, ISRS, IRSN y AINE). La amiodarona y la cimetidina son algunos de los muchos medicamentos que pueden potenciar los efectos de la warfarina. Alfalfa, dong quai, aceites de pescado, jengibre, ginkgo, ginseng, té verde (contiene vitamina K), cardo mariano, palma enana americana, soya y la hierba de San Juan pueden influir (aumentar o disminuir) la eficacia.
Consideraciones especiales	Antagonista de la vitamina K. Debido a su estrecho margen terapéutico, requiere un control frecuente de la coagulación. Los pacientes deben evitar cambios dietéticos bruscos en la ingesta de alimentos y bebidas ricos en vitamina K. Algunos ejemplos son el té verde, el hígado de ternera y grandes cantidades de verduras de hoja verde (p. ej., brócoli, coles de Bruselas, col, col rizada, lechuga, espinacas).

Abreviaturas: AINE, antiinflamatorios no esteroides; ECV, evento cerebro vascular; FA, fibrilación auricular; IAM, infarto agudo del miocardio; GI, gastrointestinal; NTG, nitroglicerina; EP, embolia pulmonar; IRSN, inhibidores de la recaptación de serotonina-norepinefrina; ISRS, inhibidores selectivos de la recaptación de serotonina; SCA, síndrome coronario agudo.

[a]Prescriber's Digital Reference [página principal]. https://www.pdr.net/. Consultado julio 16, 2021.

Medicamentos comunes recetados y de venta libre (OTC)

Antidepresivos

Los antidepresivos se recetan para tratar la depresión clínica, el trastorno obsesivo compulsivo, el trastorno de ansiedad generalizada y el síndrome de estrés postraumático. Existen varias categorías de antidepresivos que difieren principalmente en sus lugares específicos de acción y en el neurotransmisor o neurotransmisores que afectan al cerebro. La mayoría de los antidepresivos actúan aumentando los niveles de serotonina, norepinefrina o dopamina en el cerebro. La FDA exige que las etiquetas de todos los antidepresivos contengan advertencias de recuadro negro que indiquen mayor riesgo de ideación suicida en niños, adolescentes y adultos jóvenes.

Muchos de estos fármacos tienen el potencial de causar una reacción adversa denominada síndrome serotoninérgico. El síndrome serotoninérgico puede producirse cuando se utiliza un antidepresivo solo o en combinación con otros fármacos que afectan a los niveles de serotonina (es decir, fármacos serotoninérgicos). El síndrome serotoninérgico suele incluir signos y síntomas de tres categorías principales: (1) alteración del estado mental (agitación, ansiedad, desorientación, inquietud), (2) anomalías neuromusculares (temblores, hiperreflexia, debilidad motora o rigidez muscular) y (3) disfunción autonómica (hipertensión, taquicardia, piel enrojecida, escalofríos, vómito, arritmias). En el **CUADRO 12-7** se enumeran los antidepresivos más comunes.

CUADRO 12-7 Agentes antidepresivos comunes

Inhibidores de la monoaminooxidasa (IMAO)	
Ejemplos	isocarboxazida (Marplan®), fenelzina (Nardil®), tranilcipromina (Parnate®); selegilina (Emsam®)
Acción	Inhiben la acción de la monoaminooxidasa, enzima responsable de la degradación de los neurotransmisores norepinefrina, serotonina, dopamina y tiramina en el cerebro. Esta acción provoca aumento de los niveles de estos neurotransmisores. La selegilina es un inhibidor selectivo que descompone principalmente la dopamina, aumentando así los niveles de esta.
Indicaciones	Varían según el fármaco, pero pueden incluir ansiedad, trastorno depresivo mayor, enfermedad de Parkinson (selegilina se utiliza como complemento de la terapia con levodopa).
Contraindicaciones	Hipersensibilidad conocida, insuficiencia hepática y renal grave, cefalea grave o frecuente, hipertensión no controlada, enfermedades cardiovasculares, enfermedades cerebrovasculares.
Reacciones adversas/ efectos secundarios	Sequedad de boca, náusea, diarrea, estreñimiento, alucinaciones, agitación, insomnio, mareos o aturdimiento, hiperhidrosis (fenelzina), disfunción sexual. Si se utiliza un parche transdérmico, puede producirse una reacción cutánea en la zona del parche.
Interacciones medicamentosas	Mayor riesgo de síndrome serotoninérgico si se utiliza con medicamentos serotoninérgicos o hierba de San Juan.
Consideraciones especiales	Los pacientes que toman IMAO presentan mayor sensibilidad a los simpaticomiméticos, como la epinefrina. La selegilina se administra mediante un parche transdérmico para la depresión y por vía oral para la enfermedad de Parkinson. Los pacientes que toman IMAO por vía oral deben mantener una dieta restringida en tiramina. El consumo de alimentos o bebidas que contengan tiramina mientras se toma un IMAO puede provocar un aumento repentino de la PA, lo que podría desencadenar una hemorragia cerebral. Los quesos curados, frutos secos, aguacates, plátanos, bebidas alcohólicas (en especial cerveza con levadura y vino tinto), las habas y el salchichón son ejemplos de los muchos alimentos que contienen altos niveles de tiramina.

Inhibidores de la recaptación de serotonina-norepinefrina (IRSN)	
Ejemplos	desvenlafaxina (Pristiq®), duloxetina (Cymbalta®), levomilnacipran (Fetzima®), venlafaxina (Effexor XR®)
Acción	Bloquean la reabsorción de serotonina y norepinefrina en las células nerviosas del cerebro, aumentando así los niveles de serotonina y norepinefrina.
Indicaciones	Varían según el fármaco, pero puede incluir dolor crónico, neuropatía diabética, fibromialgia, trastorno de ansiedad generalizada, trastorno depresivo mayor (terapia de segunda línea), trastorno obsesivo-compulsivo (venlafaxina), trastorno de pánico, trastorno de estrés postraumático (venlafaxina), trastorno de ansiedad social (venlafaxina), incontinencia de esfuerzo en mujeres (duloxetina).
Contraindicaciones	Hipersensibilidad conocida, tratamiento con IMAO, hipertensión no controlada, glaucoma de ángulo estrecho no controlado. Utilizar con precaución en embarazo, lactancia, niños, enfermedades cardiovasculares, disfunción renal o hepática, convulsiones, trastornos electrolíticos, hipertiroidismo.
Reacciones adversas/ efectos secundarios	Síndrome serotoninérgico, sequedad de boca, insomnio, pesadillas, náusea, hipertensión dependiente de la dosis, hipotensión ortostática, convulsiones, taquicardia, retención urinaria.
Interacciones medicamentosas	Riesgo agregado de potencial hemorragia si se administra en combinación con otros agentes que afectan a la hemostasia (p. ej., aspirina y otros antiagregantes plaquetarios, anticoagulantes, agentes fibrinolíticos, ISRS y AINE). Es posible hipotensión si se combina con alcohol y depresores del SNC. Aumento del riesgo de síndrome serotoninérgico si se utiliza con fármacos serotoninérgicos o hierba de San Juan.
Consideraciones especiales	Puede aumentar el colesterol y los triglicéridos. La PA debe estar bien controlada antes de iniciar el tratamiento con IRSN. Riesgo de emergencia hipertensiva si se toma con IMAO.
Inhibidores selectivos de la recaptación de serotonina (ISRS)	
Ejemplos	citalopram (Celexa®), escitalopram (Lexapro®), fluoxetina (Prozac®), paroxetina (Paxil®, Pexeva®), sertralina (Zoloft®)
Acción	Bloquean las células nerviosas de reabsorción de serotonina, aumentando así los niveles de serotonina; no bloquean la reabsorción de dopamina o norepinefrina.
Indicaciones	Varían según el fármaco, pero pueden incluir trastornos de la alimentación, ludopatía, trastorno de ansiedad generalizada, síndrome del intestino irritable, trastorno depresivo mayor (tratamiento de primera línea), trastorno obsesivo-compulsivo, trastorno de pánico, trastorno de estrés postraumático, eyaculación precoz, trastorno de ansiedad social.
Contraindicaciones	Hipersensibilidad conocida, tratamiento con IMAO, trastornos hemorrágicos (p. ej., hemofilia). Utilizar con precaución en embarazo, lactancia, trastorno por consumo de alcohol, terapia anticoagulante, convulsiones, EAC, arritmias, enfermedad tiroidea.
Reacciones adversas/ efectos secundarios	Síndrome serotoninérgico, sequedad de boca, visión borrosa, alteraciones del sueño, sudoración, agitación, cefalea, aumento de peso, disfunción sexual.
Interacciones medicamentosas	Riesgo agregado de hemorragia potencial si se administra en combinación con otros agentes que afectan a la hemostasia (p. ej., aspirina y otros antiagregantes plaquetarios, anticoagulantes, agentes fibrinolíticos, IRSN y AINE). Mayor riesgo de síndrome serotoninérgico si se utiliza con fármacos serotoninérgicos o hierba de San Juan. La toronja y su jugo pueden provocar una posible toxicidad con algunos ISRS.
Consideraciones especiales	Menos efectos secundarios que los ATC.

(continúa)

CUADRO 12-7 Agentes antidepresivos comunes (continuación)

Antidepresivos tricíclicos (ATC)	
Ejemplos	amitriptilina (Elavil®), doxepina (Silenor®), desipramina (Norpramin®), imipramina (Tofranil®), nortriptilina (Pamelor®)
Acción	Bloquean la reabsorción de serotonina y norepinefrina, lo que provoca un aumento de las concentraciones de estos neurotransmisores en el cerebro; también bloquean los receptores histamínicos y colinérgicos.
Indicaciones	Varían según el fármaco; además de para la depresión, algunos se utilizan para tratar los trastornos alimentarios, la neuralgia posherpética y la profilaxis de la migraña.
Contraindicaciones	Hipersensibilidad conocida; utilizar con precaución en pacientes con trastornos convulsivos (los ATC reducen el umbral convulsivo).
Reacciones adversas/ efectos secundarios	Efectos anticolinérgicos (sequedad de boca, estreñimiento, vacilación o retención urinaria, taquicardia, visión borrosa), náusea, vómito, somnolencia, debilidad, pesadillas, cefaleas, parestesias, disfunción sexual, sudoración excesiva, cambios en el apetito o el peso, confusión, inestabilidad, cardiotoxicidad (p. ej., prolongación del complejo QRS y del intervalo QT, arritmias).
Interacciones medicamentosas	Puede producirse hipertensión grave si se utiliza con simpaticomiméticos. Carbamazepina y barbitúricos disminuyen sus efectos; se producen efectos aumentados con quinidina, inhibidores de proteasa, ISRS, cimetidina, tramadol. Aumento del riesgo de síndrome serotoninérgico si se utiliza con fármacos serotoninérgicos o hierba de San Juan. Aumento de los efectos sedantes con alcohol, hipnóticos, sedantes y barbitúricos.
Consideraciones especiales	Puede causar trastornos sanguíneos, por lo que es necesario un estrecho seguimiento de los recuentos de células sanguíneas, además del control rutinario para determinar si los niveles séricos se encuentran dentro del intervalo terapéutico.
Agentes atípicos	
Ejemplos	bupropion (Wellbutrin SR®, Wellbutrin XL®), mirtazapina (Remeron®), trazodona (Oleptro®), vilazodona (Viibryd®), vortioxetina (Brintellix®)
Acción	Afectan a la neurotransmisión de serotonina, norepinefrina, dopamina y posiblemente glutamato.
Indicaciones	Varía según el fármaco, pero puede incluir trastorno depresivo mayor, insomnio y trastorno por consumo de nicotina (bupropion).
Contraindicaciones	Hipersensibilidad conocida; convulsiones y trastornos de la alimentación (bupropion).
Reacciones adversas/ efectos secundarios	Náusea, sedación, mareos, sequedad de boca, cefalea, hipotensión ortostática, taquicardia/ palpitaciones (bupropion), priapismo (trazodona).
Interacciones medicamentosas	Aumento del riesgo de síndrome serotoninérgico si se utiliza con medicamentos serotoninérgicos o hierba de San Juan.
Consideraciones especiales	Los agentes atípicos no encajan bien en las otras categorías de antidepresivos. Algunos de estos medicamentos pueden aumentar los niveles de colesterol y triglicéridos, otros pueden causar aumento de peso y algunos causan pérdida de peso.

Abreviaturas: AINE, antiinflamatorios no esteroides; EC, enfermedad arterial coronaria; PA, presión arterial; SNC, sistema nervioso central.

Medicamentos comunes recetados y de venta libre (OTC)

Antidiabéticos orales (hipoglucemiantes)

Los fármacos antidiabéticos orales, también llamados hipoglucemiantes orales, se utilizan junto con modificaciones del estilo de vida (p. ej., dieta, reducción de peso, ejercicio) para ayudar a controlar los niveles séricos de glucosa en pacientes con diabetes tipo 2. Los pacientes con diabetes tipo 2 presentan cierto grado de secreción de insulina por el páncreas.

Todos los antidiabéticos orales están contraindicados durante el embarazo (incluida la diabetes gestacional) y la lactancia. Los niveles de azúcar en sangre en ayunas, antes de las comidas y de hemoglobina A1c se miden de manera periódica para evaluar la eficacia del tratamiento. Se aconseja a los pacientes que toman antidiabéticos orales que lleven una identificación médica que indique que tienen diabetes, la medicación que toman y la dosis. En el **CUADRO 12-8** se enumeran los antidiabéticos orales más comunes.

CUADRO 12-8 Agentes antidiabéticos orales

Inhibidores de la alfa-glucosidasa	
Ejemplos	Acarbosa (Precose®), miglitol (Glycet®)
Acción	Inhiben las enzimas que se encuentran en las células que recubren el intestino delgado y que convierten el almidón de la dieta y otros carbohidratos complejos en azúcares simples que pueden ser absorbidos, ralentizando así la absorción de glucosa después de las comidas. Las bacterias intestinales descomponen los hidratos de carbono no digeridos que llegan al colon en gases intestinales.
Contraindicaciones	Hipersensibilidad conocida, embarazo, lactancia, cetoacidosis diabética, cirrosis, insuficiencia renal grave, cualquier afección intestinal preexistente (p. ej., enfermedad inflamatoria intestinal, ulceración colónica, obstrucción intestinal, trastornos intestinales de absorción o digestión).
Reacciones adversas/ efectos secundarios	Flatulencia, diarrea, molestias abdominales.
Interacciones medicamentosas	La acarbosa puede aumentar la absorción de warfarina. La acarbosa y el miglitol pueden disminuir la eficacia de la digoxina. El miglitol disminuye la eficacia del propranolol.
Consideraciones especiales	Cuando se toman solos, los inhibidores de la alfa-glucosidasa no causan hipoglucemia; sin embargo, la hipoglucemia es un riesgo cuando los fármacos de esta clase se combinan con otros medicamentos para la diabetes (p. ej., sulfonilureas, insulina, meglitinidas).
Biguanidas	
Ejemplos	Metformina (Glucophage®)
Acción	Disminuye la cantidad de glucosa producida por el hígado, disminuye la absorción de glucosa GI, ralentiza la conversión de carbohidratos en azúcar y aumenta la sensibilidad a la insulina de las células diana.
Contraindicaciones	Hipersensibilidad conocida, embarazo, lactancia, acidosis metabólica, insuficiencia cardíaca de clase III/IV, insuficiencia hepática grave, alcoholismo, insuficiencia renal, estudio radiológico con contraste en las 48 horas siguientes.
Reacciones adversas/ efectos secundarios	Sabor metálico en la boca, anorexia leve, náusea, molestias abdominales, diarrea, flatulencia, reducción de la absorción de vitamina B_{12}, acidosis láctica (poco frecuente).
Interacciones medicamentosas	Aumento del riesgo cardiovascular si se utiliza con sulfonilureas. Existe una posible interacción farmacológica entre la metformina y la cimetidina, que puede aumentar los niveles sanguíneos de metformina.

(continúa)

CUADRO 12-8 Agentes antidiabéticos orales (continuación)

Consideraciones especiales	A diferencia de otros agentes antidiabéticos orales, no produce hipoglucemia ni hiperglucemia. Por lo general se considera el fármaco de elección en pacientes con diabetes tipo 2. Debe suspenderse de forma temporal antes de administrar medio de contraste yodado o cirugía mayor para reducir el riesgo de acidosis láctica.
Meglitinidas	
Ejemplos	Nateglinida (Starlix®), repaglinida (Prandin®)
Acción	Reducen la glucemia estimulando la liberación de insulina de las células beta pancreáticas.
Contraindicaciones	Hipersensibilidad conocida, embarazo, lactancia, insuficiencia renal o hepática grave.
Reacciones adversas/ efectos secundarios	Hipoglucemia, aumento de peso, hepatotoxicidad (poco frecuente).
Interacciones medicamentosas	Mayor riesgo de hipoglucemia si se utiliza con sulfonilureas.
Consideraciones especiales	Se utiliza a menudo en pacientes con obesidad y diabetes tipo 2 porque favorece la estabilización del peso o incluso una modesta reducción de este. La repaglinida puede utilizarse sola o en combinación con metformina.
Sulfonilureas	
Ejemplos	Primera generación: acetohexamida (Dymelor®), clorpro (Diabinese®), tolazamida (Tolinase®), tolbutamida (Orinase®) Segunda generación: gliburida (Micronase®), glipizida (Glucotrol®), glimepirida (Amaryl®)
Acción	Estimulan la liberación de insulina de las células beta del páncreas; pueden mejorar la resistencia a la insulina en tejidos diana periféricos (grasa muscular).
Contraindicaciones	Hipersensibilidad conocida, alergia a sulfonamidas, embarazo, lactancia, diabetes tipo 1, obesidad, cetoacidosis diabética, insuficiencia hepática o renal grave. Puede exacerbar las enfermedades cardiovasculares. Algunas sulfonilureas deben evitarse en pacientes con deterioro de la función renal y utilizarse con precaución en adultos mayores.
Reacciones adversas/ efectos secundarios	Síncope, mareo, nerviosismo, depresión, insomnio, dolor, parestesia, somnolencia, cefalea, diaforesis, prurito, hipoglucemia, aumento de peso, diarrea, flatulencia, vómito, alteraciones hematológicas.
Interacciones medicamentosas	Puede potenciar la hipoglucemia si se utiliza con betabloqueadores, aspirina, anticoagulantes orales, IMAO, antipsicóticos atípicos, salicilatos, sulfonamidas, antiácidos, cimetidina o clofibrato, entre otros. Puede potenciar la hiperglucemia si se utiliza con anticonceptivos orales, diuréticos tiazídicos, glucocorticoides, fenotiazinas o anticonvulsivos. El té verde puede potenciar la hipoglucemia con algunas sulfonilureas.[3]
Consideraciones especiales	Todas las sulfonilureas se han asociado con el aumento de peso. Esta clase de antidiabéticos orales se asocia con más complicaciones cardiovasculares que la metformina y presenta el mayor riesgo de producir hipoglucemia. Las sulfonilureas de segunda generación son más potentes y se administran en dosis mucho más bajas que los fármacos de primera generación. Ingerir alcohol mientras se toman sulfonilureas puede provocar una reacción que incluye rubor, dolor de cabeza, sudoración, náusea, vómito y debilidad.[3]
Tiazolidinedionas (también llamadas glitazonas)	
Ejemplos	Pioglitazona (Actos®), rosiglitazona (Avandia®)
Acción	Reducen la resistencia a la insulina actuando sobre receptores específicos del músculo, la grasa y el hígado para aumentar la utilización de la glucosa y disminuir su producción.

Contraindicaciones	Hipersensibilidad conocida, embarazo, lactancia, insuficiencia hepática, insuficiencia cardíaca de clase III/IV (utilizar con precaución en pacientes con grados menores de insuficiencia cardíaca). La pioglitazona está contraindicada si el paciente tiene cáncer de vejiga activo y debe utilizarse con precaución si existen antecedentes de cáncer de vejiga. Utilizar con precaución en pacientes con enfermedades oculares.
Reacciones adversas/ efectos secundarios	Edema, hipoglucemia, insuficiencia cardíaca, cefalea, mialgia, sinusitis, faringitis, osteoporosis, aumento de peso.
Interacciones medicamentosas	El uso concomitante de insulina parece aumentar el riesgo de insuficiencia cardíaca. La pregabalina (Lyrica®) puede potenciar la retención de líquidos.
Consideraciones especiales	Las tiazolidinedionas tienden a provocar un aumento de peso. La rosiglitazona se ha asociado con aumento de las complicaciones cardiovasculares, incluido el IAM. Cuando se toman solas, las tiazolidinedionas no tienen un riesgo elevado de causar hipoglucemia; sin embargo, la hipoglucemia es un riesgo cuando los fármacos de esta clase se combinan con otros medicamentos para la diabetes (p. ej., sulfonilureas, insulina).

Abreviaturas: GI, gastrointestinal; IAM, infarto agudo de miocardio; IMAO, inhibidores de la monoaminooxidasa.

Aspirina (ácido acetilsalicílico [AAS])

Clase Inhibidor plaquetario, AINE, agente antiinflamatorio.

Mecanismo de acción Previene la formación de tromboxano A_2, que hace que las plaquetas se agrupen (agreguen) y formen tapones que causan obstrucción o constricción; tiene propiedades antipiréticas y analgésicas.

Indicaciones Molestias torácicas de nueva aparición sugestivas de SCA.

Contraindicaciones Hipersensibilidad al AAS o a los AINE (las reacciones de hipersensibilidad asociadas con el AAS incluyen urticaria inducida por AAS o asma por intolerancia al AAS); trastornos hemorrágicos como úlceras, hemofilia, diátesis hemorrágica, hemorroides, trombocitopenia y colitis ulcerosa; anemia hemolítica por deficiencia de piruvato cinasa (PK) y glucosa-6-fosfato deshidrogenasa (G6PD); madres lactantes.[2]

Reacciones adversas/efectos secundarios Anafilaxia, broncoespasmo/crisis en pacientes alérgicos, hemorragia digestiva, malestar epigástrico, náusea, vómito, ardor de estómago, síndrome de Reye.

Interacciones medicamentosas Aumento del riesgo de hemorragia con anticoagulantes y otros AINE, disminución de los efectos de los inhibidores de la ECA y los diuréticos de asa. Los antiácidos reducen la absorción del AAS. Aumento del riesgo de hipoglucemia con la administración de fármacos hipoglucemiantes orales; los corticoesteroides disminuyen los efectos. Puede producirse un aumento de las hemorragias cuando se toma AAS con hierbas como dong quai, matricaria, ajo, jengibre, ginkgo, ginseng coreano y palma enana americana, ya que estas hierbas interfieren en la agregación plaquetaria.[3]

Dosis y administración *Adultos:* 162 mg a 325 mg por vía oral. Es preferible masticar a tragar si el comprimido de AAS no tiene cubierta entérica. *Pediatría:* no se recomienda.

Duración de la acción *Inicio:* 15 a 30 minutos. *Efecto máximo:* 1 a 2 horas. *Duración:* de 4 a 6 horas.

Consideraciones especiales Seguridad en el embarazo: categoría D. El uso de AINE alrededor de las 20 semanas o más tarde en el embarazo puede causar problemas renales poco frecuentes pero graves en el feto y provocar niveles bajos de líquido amniótico alrededor del bebé y posibles complicaciones. La FDA recomienda limitar los AINE entre las semanas 20 y 30 de embarazo y evitar su uso después de las 30 semanas. Si se determina que el tratamiento con AINE es necesario durante el embarazo, limite su uso a la dosis efectiva más baja y a la duración más corta posible.[9]

Si no existen contraindicaciones, la aspirina masticable sin cubierta entérica debe administrarse lo antes posible a todos los pacientes con sospecha de SCA después del inicio de los síntomas.

Benzocaína en aerosol (Hurricane®)

Clase Anestésico tópico.

Mecanismo de acción Impide la transmisión de impulsos a lo largo de las fibras nerviosas sensoriales y en las terminaciones nerviosas.

Indicaciones Se utiliza como anestésico tópico (p. ej., laringe, boca, tráquea, cavidad nasal) para facilitar el paso de dispositivos de diagnóstico y tratamiento. Suprime el reflejo nauseoso faríngeo y traqueal.

Contraindicaciones Hipersensibilidad a la benzocaína o a otros anestésicos "caínicos".

Reacciones adversas/efectos adversos Los signos de metahemoglobinemia incluyen piel, labios y lechos ungueales pálidos, de color gris o azul; dolor de cabeza, mareo, dificultad para respirar; ansiedad, fatiga y taquicardia.

Interacciones medicamentosas Se han notificado casos raros y a veces mortales de metahemoglobinemia con el uso de productos tópicos u oromucosos de benzocaína. Los nitritos y nitratos pueden inducir la formación de metahemoglobina adicional a la formada por los productos de benzocaína.[5]

Dosis y administración *Adultos:* pulverización de 0.5 a 1 segundo; repetir según sea necesario. *Pediatría:* pulverización de 0.25 a 0.5 segundos; repetir según sea necesario.

Duración de la acción *Inicio:* inmediato. *Efecto máximo:* menos de 5 minutos. *Duración:* de 15 a 20 minutos.

Consideraciones especiales Seguridad en el embarazo: categoría C. La cantidad de benzocaína contenida en un solo aerosol varía según los distintos fabricantes. El uso en la boca y la garganta puede causar niveles de metahemoglobina potencialmente peligrosos. En algunos casos, se notificó metahemoglobinemia después de una única pulverización de benzocaína; en otros, se produjo metahemoglobinemia luego de la aplicación de cantidades excesivas.

Bicarbonato de sodio

Clase Tampón sistémico de iones hidrógeno, agente alcalinizante.

Mecanismo de acción Reacciona con los iones hidrógeno para formar agua y dióxido de carbono, corrigiendo la acidosis metabólica. Aumenta el pH sanguíneo y urinario liberando un ion bicarbonato, que a su vez neutraliza las concentraciones de iones hidrógeno.

Indicaciones Tratamiento de paro cardíaco en la que se sospecha hiperpotasemia o sobredosis de ATC, prolongación del QRS en sobredosis de ATC conocida o con sospecha, síndrome de aplastamiento.

Contraindicaciones Hipersensibilidad documentada, alcalosis metabólica o respiratoria conocida, hipopotasemia, hipernatremia, hipocalcemia. Utilizar con precaución en pacientes con insuficiencia cardíaca y enfermedad renal debido a la alta concentración de sodio que produce.

Reacciones adversas/efectos secundarios Desequilibrio electrolítico, insuficiencia cardíaca y edema pulmonar (secundarios a sobrecarga de sodio); temblores, fasciculaciones y convulsiones causados por alcalosis.

Interacciones medicamentosas Aumenta los efectos de las anfetaminas. Disminuye los efectos de las benzodiacepinas y los ATC. Puede desactivar los simpaticomiméticos.

Dosis y administración *Adultos:*[7] 1 mEq/kg inyección lenta IV/IO. *Pediatría:*[7] 1 mEq/kg inyección IV/IO lenta (concentración de 4.2% recomendada para lactantes menores de 1 mes). Consultar a la dirección médica para repetir la dosificación.

Duración de la acción *Inicio:* segundos. *Efecto máximo:* menos de 15 minutos. *Duración:* de 1 a 2 horas.

Consideraciones especiales Seguridad en el embarazo: categoría C. Vigilar de forma estrecha a la paciente para detectar signos y síntomas de sobrecarga de líquidos. Debido a que la acción amortiguadora produce dióxido de carbono, asegurarse de que el paciente tiene un adecuado soporte ventilatorio y de la vía aérea. Puede precipitar o inactivar otros medicamentos; lavar bien la vía IV antes y después de inyectar bicarbonato de sodio. La extravasación puede producir descamación tisular, celulitis y necrosis en el punto de inyección.

Bitartrato de norepinefrina (Levophed®, Levarterenol®)

Clase Simpaticomiméticos, vasopresores.

Mecanismo de acción Actúa predominantemente sobre los receptores alfa adrenérgicos para producir la constricción de los vasos de resistencia y capacitancia, aumentando así la PA sistémica y el flujo sanguíneo arterial coronario; también actúa sobre los receptores beta-1. En dosis relativamente bajas, predomina el efecto estimulante cardíaco de la norepinefrina; con dosis mayores, predomina el efecto vasoconstrictor.[5]

Indicaciones Vasopresor de primera línea en shock neurogénico,[2] hipotensión que no responde a la reanimación con fluidos IV/IO.

Contraindicaciones Hipersensibilidad conocida; hipotensión causada por hipovolemia; embarazo (relativo).

Reacciones adversas/efectos adversos Cefalea; ansiedad, mareo, inquietud, disnea; hipertensión, arritmias, dolor torácico, cianosis periférica, parada cardíaca; náusea, vómito; retención urinaria, insuficiencia renal; necrosis tisular por extravasación; disminución del flujo sanguíneo al tracto GI, riñones, músculo esquelético y piel.

Interacciones medicamentosas Los ATC pueden aumentar de manera notable la respuesta a los presores. El uso concomitante de simpaticomiméticos puede dar lugar a efectos cardiovasculares aditivos, como aumento de la PA y de la frecuencia cardíaca. Los efectos alfa adrenérgicos pueden bloquearse durante la administración concomitante de fenotiazinas. Inactivado por soluciones alcalinas.

Dosis y administración *Adultos:*[7] 0.1 a 0.5 mcg/kg/min infusión IV/IO titulada al efecto.[2] *Pediatría:*[7] comenzar con una infusión IV de 0.05 a 0.1 mcg/kg/min; ajustar la velocidad para lograr el cambio deseado en la PA y la perfusión sistémica. Velocidad máxima de infusión: 2 mcg/kg/min.

Duración de la acción *Inicio:* inmediato. *Efecto máximo:* menos de 1 minuto. *Duración:* de 1 a 2 minutos.

Consideraciones especiales Seguridad en el embarazo: categoría C. Puede causar anoxia fetal cuando se utiliza durante el embarazo. Corregir la hipovolemia antes de administrar. Utilizar una bomba de infusión y administrar a través de una vena grande y estable para evitar la extravasación y la necrosis tisular. Es esencial vigilar de manera estrecha la zona de administración IV/IO y los signos vitales. La hipotensión inducida por fármacos o venenos puede requerir dosis más altas para lograr una perfusión adecuada. Las investigaciones demuestran que los pacientes en shock cardiogénico o séptico tratados con norepinefrina tienen una tasa de mortalidad menor que los tratados con dopamina.[2]

Bromuro de ipratropio (Atrovent®)

Clase Anticolinérgico, broncodilatador, agente antimuscarínico de acción corta.

Mecanismo de acción Antagoniza la acción de la acetilcolina sobre el músculo liso bronquial, produciendo broncodilatación.

Indicaciones Broncoespasmo persistente, exacerbación de EPOC, inhalación tóxica (junto con albuterol).

Contraindicaciones Hipersensibilidad al ipratropio, atropina, alcaloides o cacahuetes. Utilizar con precaución en pacientes con retención urinaria, glaucoma de ángulo estrecho, enfermedades cardiovasculares o hipertensión.

Reacciones adversas/efectos adversos Cefalea, mareo, nerviosismo, temblor, disnea, empeoramiento de los síntomas de EPOC, hipertensión, taquicardia, palpitaciones, rubor, IM, sequedad de boca, náusea, vómito, malestar GI.

Interacciones medicamentosas Posibilidad de efectos anticolinérgicos aditivos cuando se administra con otros medicamentos antimuscarínicos o anticolinérgicos.

Dosis y administración *Adulto y pediatría:*[2] administrar 0.5 mg nebulizados, hasta tres dosis, junto con albuterol.

Duración de la acción *Inicio:* 5 a 15 minutos. *Efecto máximo:* de 1.5 a 2 horas. *Duración*: de 4 a 6 horas.

Consideraciones especiales Seguridad en el embarazo: categoría B. Agitar bien antes de usar. El bromuro de ipratropio y otros agentes anticolinérgicos no deben administrarse a niños con bronquiolitis en el ámbito prehospitalario.[2]

Bromuro de pancuronio (Pavulon®)

Clase Agente bloquedor neuromuscular no despolarizante, antagonista de los receptores colinérgicos.

Mecanismo de acción Se une al receptor de la acetilcolina en la unión neuromuscular. La relajación de los músculos esqueléticos se produce en un orden predecible, comenzando por los músculos asociados con los movimientos finos (p. ej., ojos, cara, cuello), seguidos de los músculos de las extremidades, el tórax y el abdomen, y luego el diafragma; el tono muscular se recupera en el orden inverso.[5]

Indicaciones Coadyuvante para proporcionar relajación del músculo esquelético y facilitar la intubación traqueal y la ventilación.

Contraindicaciones Hipersensibilidad conocida al pancuronio o a un bromuro de hipersensibilidad, incapacidad para controlar la vía aérea o ventilación de soporte con oxígeno y presión positiva, enfermedad neuromuscular (p. ej., miastenia grave), insuficiencia hepática o renal. Utilizar con extrema precaución en pacientes con enfermedades pulmonares, como EPOC.

Reacciones adversas/efectos secundarios Broncoespasmo, angioedema, hipotensión, edema, taquicardia, rubefacción, debilidad, hipersalivación, prurito, urticaria, bloqueo neuromuscular prolongado. Riesgo de depresión respiratoria debido a la relajación de los músculos intercostales y del diafragma.[5]

Interacciones medicamentosas Los bloqueadores de los canales de calcio pueden prolongar el bloqueo neuromuscular. Los fármacos cronotrópicos positivos pueden potenciar la taquicardia. Aunque el uso de bloqueadores neuromusculares debe ir acompañado de una sedación y analgesia adecuadas, la coadministración de opioides puede potenciar el bloqueo neuromuscular y producir un mayor grado de depresión respiratoria, hipotensión o sedación.[5]

Dosis y administración *Adultos:*[5] administrar de inicio 0.06 a 0.1 mg/kg vía IV lenta, seguido de dosis incrementales de 0.01 mg/kg a intervalos de 25 a 60 minutos según sea necesario para mantener la relajación muscular. *Pediatría:* consultar dirección médica.

Duración de la acción *Inicio:* 2 a 3 minutos. *Efecto máximo:* parálisis en 4 minutos. *Duración:* 35 a 45 minutos.

Consideraciones especiales Seguridad en el embarazo: categoría C. El pancuronio no proporciona sedación ni analgesia y no detiene la actividad convulsiva neuronal. Si el paciente está consciente, explíquele el efecto de la medicación antes de la administración. Sedar siempre al paciente antes de administrar el pancuronio. La intubación y el soporte ventilatorio deben estar disponibles con facilidad; monitorizar al paciente con cuidado. Las dosis deben calcularse en función del peso corporal ideal. Se han notificado reacciones adversas de tipo anafiláctico y anafilactoide, incluyendo muertes, en asociación con el uso de bloqueadores neuromusculares.

Bromuro de rocuronio (Zemuron®)

Clase Agente bloqueador neuromuscular no despolarizante, antagonista de los receptores colinérgicos.

Mecanismo de acción Antagoniza la acetilcolina en la placa terminal motora, produciendo parálisis del músculo esquelético.

Indicaciones Coadyuvante para proporcionar relajación del músculo esquelético y facilitar la intubación traqueal y la ventilación.

Contraindicaciones Hipersensibilidad conocida al rocuronio o a un bromuro de hipersensibilidad, incapacidad para controlar la vía aérea o mantener la ventilación con oxígeno y presión positiva, enfermedad neuromuscular (p. ej., miastenia grave). Utilizar con precaución en pacientes con enfermedades cardíacas y hepáticas.

Reacciones adversas/efectos secundarios Hipotensión e hipertensión transitorias, taquicardia relacionada con la dosis, náusea, vómito, edema en el lugar de inyección, hipo, prurito, sibilancias, debilidad muscular residual.

Interacciones medicamentosas Efectos aditivos si se administra con o después de un agente opioide, sedante o anestésico.

Dosis y administración *Adultos:* 0.6 a 1.2 mg/kg IV/IO. *Pediatría:*[7] mayores de 3 meses: 0.6 a 1.2 mg/kg IV/IO.

Duración de la acción *Inicio:* 30 a 60 segundos. *Efecto máximo:* de 1 a 3 minutos. *Duración:* de 30 a 60 minutos.

Consideraciones especiales Seguridad en el embarazo: categoría C. El rocuronio no proporciona sedación ni analgesia y no detiene la actividad convulsiva neuronal. Si el paciente está consciente, explíquele el efecto del medicamento antes de administrarlo. Sedar siempre al paciente antes de administrar rocuronio. La intubación y el soporte ventilatorio deben estar disponibles con facilidad; monitorizar al paciente con cuidado. Las dosis deben calcularse en función del peso corporal ideal. La frecuencia del pulso y el gasto cardíaco aumentan con el uso de rocuronio. Disminuir las dosis en pacientes con enfermedad renal. Se han notificado reacciones adversas de tipo anafiláctico y anafilactoide, incluyendo muertes, en asociación con el uso de bloqueadores neuromusculares.

Bromuro de Vecuronio (Norcuron®)

Clase Agente bloqueador neuromuscular no despolarizante, antagonista de los receptores colinérgicos.

Mecanismo de acción Agente neuromuscular con una duración de acción intermedia que compite con la acetilcolina por los receptores de la placa terminal motora, produciendo un bloqueo neuromuscular.

Indicaciones Coadyuvante para proporcionar relajación del músculo esquelético y facilitar la intubación traqueal y la ventilación.

Contraindicaciones Hipersensibilidad conocida al vecuronio o a un bromuro de hipersensibilidad, incapacidad para controlar la vía aérea o mantener la ventilación con oxígeno y presión positiva, enfermedad neuromuscular (p. ej., miastenia grave), glaucoma agudo de ángulo estrecho, lesiones oculares penetrantes, recién nacidos, insuficiencia hepática o renal.

Reacciones adversas/efectos secundarios Reacciones de hipersensibilidad asociadas con liberación de histamina (p. ej., broncoespasmo, rubor, eritema, urticaria aguda, hipotensión, taquicardia), prurito, debilidad, bloqueo neuromuscular prolongado, salivación excesiva.

Interacciones medicamentosas Efectos aditivos si se administra con o después de un agente opioide, sedante o anestésico.

Dosis y administración *Adultos*: 0.08 a 0.1 mg/kg por vía IV durante 1 minuto. Dosis de mantenimiento en 20 a 45 minutos: 0.01 a 0.015 mg/kg por vía IV cada 12 a 15 minutos, según sea necesario para mantener la relajación muscular. *Pediatría:*[7] 0.1 a 0.3 mg/kg IV/IO.

Duración de la acción *Inicio:* 3 a 5 minutos. *Efecto máximo:* variable. *Duración:* de 20 a 35 minutos.

Consideraciones especiales Seguridad en el embarazo: categoría C. El vecuronio no proporciona sedación ni analgesia y no detendrá la actividad convulsiva neuronal. Si el paciente está consciente, explíquele el efecto del medicamento antes de administrarlo. Sedar siempre al paciente antes de administrarle vecuronio. La intubación y el soporte ventilatorio deben estar disponibles fácilmente; monitorizar al paciente con cuidado. Las dosis deben calcularse en función del peso corporal ideal. Disminuir las dosis en pacientes con enfermedad renal. Se han notificado reacciones adversas de tipo anafiláctico y anafilactoide, incluyendo muertes, en asociación con el uso de bloqueadores neuromusculares.

Bumetanida (Bumex®)

Clase Diurético de asa.

Mecanismo de acción Potente diurético del asa de inicio rápido y corta duración de acción. Inhibe la reabsorción de sodio y cloruro en la rama ascendente del asa de Henle.

Indicaciones Edema pulmonar, insuficiencia cardíaca.

Contraindicaciones Hipersensibilidad a la bumetanida, furosemida o sulfonamidas; hipovolemia, anuria, desequilibrio ácido-base, desequilibrio electrolítico, coma hepático. Utilizar con precaución en pacientes con cirrosis hepática, ascitis o diabetes.

Reacciones adversas/efectos secundarios Deshidratación, mareos, dolor de cabeza, hipotensión, cambios en el EKG debidos a depleción electrolítica, náusea/vómito, prurito (en pacientes con enfermedad hepática), fatiga.

Interacciones medicamentosas Los AINE reducen los efectos de los diuréticos. Pueden aumentar los niveles sanguíneos de litio, incrementando el riesgo de intoxicación por litio. Los antihipertensivos pueden causar hipotensión adicional.

Dosis y administración *Adultos:* 0.5 a 1 mg IV lento durante 1 a 2 minutos o IM. *Pediatría:* no recomendado para niños menores de 12 años ya que existe información limitada sobre seguridad, eficacia y dosificación en niños. Consultar con la dirección médica.

Duración de la acción *Inicio:* inmediato. *Efecto máximo:* de 15 a 30 minutos. *Duración:* de 3 a 6 horas.

Consideraciones especiales Seguridad en el embarazo: categoría C. Utilizar con precaución en mujeres embarazadas. No se recomienda su uso en mujeres en periodo de lactancia. La bumetanida no tiene los efectos vasodilatadores de la furosemida. La potencia diurética es unas 40 veces superior a la de la furosemida.[5]

Carbón activado (Insta-Char®, Actidose-Aqua®, Liqui-Char®)

Clase Adsorbente, antídoto.

Mecanismo de acción Adsorbe del tracto GI las sustancias tóxicas ingeridas, impidiendo así su absorción sistémica.

Indicaciones La mayoría de las intoxicaciones orales y sobredosis de medicamentos en el paciente alerta; puede utilizarse después de la evacuación de venenos.

Contraindicaciones Hipersensibilidad conocida, vía aérea desprotegida (cuidado con la aspiración), ausencia de reflejo nauseoso, íleo, obstrucción intestinal; no utilizar después de la ingestión de destilados de petróleo, hidrocarburos, metales pesados, ácidos o álcalis (corrosivos), alcoholes, hierro, litio, solventes. Precaución en pacientes con dolor abdominal de origen desconocido u obstrucción gastrointestinal conocida.

Reacciones adversas/efectos secundarios Emesis (si se aspira por emesis o por una sonda nasogástrica mal colocada, puede inducir una forma mortal de neumonitis), estreñimiento, heces negras, diarrea, obstrucción intestinal.

Interacciones medicamentosas Se une y por lo general inactiva con lo que se mezcle (p. ej., jarabe de ipecacuana); interacciones moderadas con acetilcisteína, citalopram, digoxina, difilina, metotrexato y teofilina.

Dosis y administración *Adultos y pediátricos mayores de 1 año:* 25 a 100 g por vía oral o por sonda NG. *Pediatría menor de 1 año:* 1 g/kg por vía oral o por sonda NG.

Duración de la acción *Inicio:* inmediato. *Efecto máximo:* depende de la función GI. *Duración:* actuará hasta su excreción.

Consideraciones especiales Seguridad en el embarazo: categoría C. Agitar con fuerza antes de usar porque se produce separación mientras se almacena. Antes de administrar en casos de sobredosis de paracetamol, contactar con la dirección médica porque el carbón vegetal tiene interacciones moderadas con acetilcisteína, un antídoto utilizado para la sobredosis de paracetamol. La aspiración de carbón puede producir una situación en la que el manejo de la vía aérea del paciente sea casi imposible; por lo tanto, no administre carbón activado a ningún paciente que pueda presentar un empeoramiento de su estado mental sin antes proteger su vía aérea.[2] El carbón activado ya no se utiliza en algunos sistemas del SEM, pero los paramédicos aún pueden encontrarlo.

Cimetidina (Tagamet®)

Clase Antiulcerosa, bloqueador H_2.

Mecanismo de acción Bloquea los efectos de la histamina en los receptores H_2 de las células parietales gástricas, lo que causa reducción del volumen de ácido gástrico y de la acidez gástrica.

Indicaciones Úlceras gástricas o duodenales, ERGE, como coadyuvante en el tratamiento de la urticaria o prurito en pacientes que experimentan una reacción alérgica que no responde a un bloqueador H_1 solo (p. ej. difenhidramina).

Contraindicaciones Hipersensibilidad conocida a la cimetidina o a otros bloqueadores H_2.

Reacciones adversas/efectos secundarios Dolor de cabeza, mareos, diarrea, dolores musculares, erupciones cutáneas, fatiga.

Interacciones medicamentosas La inhibición de enzimas hepáticas específicas puede aumentar los niveles plasmáticos de algunos fármacos, incluyendo anticoagulantes tipo warfarina, ATC, antiarrítmicos de clase I, bloqueadores de los canales de calcio, diazepam, fenitoína, teofilina, propranolol y metoprolol.

Dosis y administración[5] *Adultos:* 400 mg por vía oral cuatro veces al día; el máximo es de 1 200 mg/día para la mayoría de las indicaciones. *Pediatría:* no se recomienda su uso a menos que los beneficios previstos superen el riesgo potencial; 20 a 40 mg/kg al día por vía oral en dosis divididas; el máximo es de 40 mg/kg al día para la mayoría de las indicaciones.

Duración de la acción *Inicio:* 60 minutos. *Efecto máximo:* de 45 a 90 minutos. *Duración:* 4 a 5 horas.

Consideraciones especiales Seguridad en el embarazo: categoría B. Puede administrarse por vía oral o IV junto con difenhidramina para la urticaria.

Citrato de fentanilo (Sublimaze®)

Clase Analgésico opioide; opioide sintético; fármaco de clase II.

Mecanismo de acción Se une a los receptores opioides, produciendo analgesia, euforia, depresión respiratoria y sedación.

Indicaciones Tratamiento del dolor, complemento de la anestesia, dificultad respiratoria grave (cuidados paliativos).

Contraindicaciones Hipersensibilidad conocida; pacientes que han tomado un IMAO durante los 14 días anteriores. Adminístrese con precaución a pacientes con una puntuación en la escala de coma de Glasgow (ECG) inferior a 15, hipotensión, hipoxia después de una terapia suplementaria máxima con oxígeno o signos de hipoventilación.

Reacciones adversas/efectos secundarios Confusión, excitación paradójica, delirio, somnolencia, depresión del SNC, sedación, depresión respiratoria, apnea, disnea, arritmias, hipotensión, síncope, náusea, vómito, dolor abdominal, deshidratación, fatiga.

Interacciones medicamentosas Aumento de los efectos depresores respiratorios cuando se administra con otros depresores del SNC.

Dosis y administración *Adultos:*[2] dificultad respiratoria grave (cuidados paliativos): 25 mcg mezclados en 2 ml de solución salina nebulizada. Malestar moderado: 1 mcg/kg IM/IN (dosis inicial máxima: 100 mcg; dosis total máxima: 200 mcg). Molestias graves a insoportables: 1mcg/kg IV/IO (dosis inicial máxima: 100 mcg; dosis total máxima: 200 mcg). *Pediatría:*[2] molestias moderadas: 1 mcg/kg IM/IN (dosis inicial máxima: 100 mcg; dosis total máxima: 200 mcg). Molestias graves a insoportables: 1 mcg/kg IV/IO (dosis inicial máxima: 100 mcg; dosis total máxima: 200 mcg).

Duración de la acción *Inicio:* inmediato. *Efecto máximo:* de 3 a 5 minutos. *Duración:* de 30 a 60 minutos.

Consideraciones especiales Seguridad en el embarazo: categoría C. El fentanilo es de 50 a 100 veces más potente que la morfina y se fabrica legalmente en forma líquida inyectable y oral, en comprimidos y transdérmica (usado como parche); sin embargo, gran parte del fentanilo que adultera el suministro de heroína son análogos ilegales del fentanilo, como el acetilfentanilo.[2] Los pacientes con una sobredosis de opioides por fentanilo o análogos del fentanilo pueden presentar rápidamente rigidez de la pared torácica y requerir presión positiva al final de la espiración, además de dosis múltiples o mayores de naloxona, para conseguir una ventilación adecuada.[2] Documentar la intensidad del dolor utilizando una escala de 0 a 10 antes y después de la administración y a la llegada al centro receptor.[2]

Clorhidrato de dobutamina (Dobutrex®)

Clase Agente adrenérgico, inotrópico.

Mecanismo de acción Catecolamina sintética que estimula principalmente los receptores beta-1, con una estimulación menor de los receptores beta-2 y alfa-1. Aumenta la contractilidad miocárdica y el volumen sistólico, lo que se traduce en un aumento del gasto cardíaco con pocos efectos cronotrópicos. Aumenta el flujo sanguíneo renal secundario al aumento del gasto cardíaco.

Indicaciones Insuficiencia cardíaca con una PAS de 70 a 100 mm Hg y sin signos de shock.[7]

Contraindicaciones Hipersensibilidad conocida, sospecha o conocimiento de shock inducido por veneno/fármaco, PAS inferior a 100 mm Hg y signos de shock,[7] estenosis subaórtica hipertrófica idiopática.

Reacciones adversas/efectos secundarios Cefalea, disnea, taquicardia, hipertensión, dolor torácico, arritmias, náusea, vómito.

Interacciones medicamentosas Incompatible con bicarbonato de sodio y furosemida. Los betabloqueadores pueden atenuar los efectos inotrópicos.

Dosis y administración *Adultos:* infusión IV de 2 a 20 mcg/kg/min titulada al efecto deseado.[7] *Pediatría:* infusión intravenosa de 2 a 20 mcg/kg/min ajustada al efecto deseado.

Duración de la acción *Inicio:* 2 minutos. *Efecto máximo:* 10 minutos. *Duración:* 1 a 2 minutos después de interrumpir la infusión.

Consideraciones especiales Seguridad en el embarazo: categoría B. Monitorizar estrechamente la PA; se recomienda monitorización hemodinámica. Ajustar la dosis para mantener un aumento de la frecuencia cardíaca no superior a 10% del valor basal. Puede aumentar el tamaño del infarto en pacientes con IM. Puede precipitar o exacerbar la ectopia ventricular. Los pacientes de edad avanzada pueden tener una respuesta significativamente menor. Los pacientes pueden volverse hipotensos por el efecto vasodilatador.

Clorhidrato de Dopamina (Intropin®)

Clase Catecolamina endógena, adrenérgica, vasopresora, agente inotrópico.

Mecanismo de acción Precursor metabólico inmediato de la norepinefrina con efectos mixtos alfa-adrenérgicos, betaadrenérgicos y dopaminérgicos que dependen de la dosis. A dosis de 1 a 2 mcg/kg/min, provoca vasodilatación en los lechos vasculares renal, mesentérico, coronario e intracerebral, que se cree que es el resultado de la estimulación de los receptores de dopamina.[12] A dosis de 2 a 10 mcg/kg/min, la dopamina estimula los receptores beta-1, aumentando la contractilidad miocárdica y mejorando la conducción del impulso cardíaco. A dosis de infusión de 10 a 20 mcg/kg/min, la dopamina estimula los receptores alfa, lo que produce vasoconstricción, aumento de la resistencia vascular sistémica y elevación de la PA. La vasoconstricción se produce primero en los lechos vasculares del músculo esquelético, pero es evidente en los vasos renales y mesentéricos con dosis crecientes.[12] A dosis superiores a 20 mcg/kg/min, predomina la estimulación alfa, y la vasoconstricción resultante puede comprometer la circulación en las extremidades.[12]

Indicaciones Shock cardiogénico o distributivo refractario, hipotensión con estados de bajo gasto cardíaco, fármaco de segunda línea para bradicardia sintomática.

Contraindicaciones Hipersensibilidad conocida, hipovolemia, feocromocitoma, taquiarritmias no corregidas, fibrilación ventricular.

Reacciones adversas/efectos secundarios Cefalea, ansiedad, disnea, arritmias, hipotensión, hipertensión, palpitaciones, dolor torácico, disnea, náusea, vómito.

Interacciones medicamentosas Inactivado en soluciones alcalinas (bicarbonato de sodio). Los IMAO prolongan y potencian los efectos. Los ATC pueden potenciar los efectos cardiovasculares. Los betabloqueadores antagonizan los efectos cardíacos. Cuando se administra con fenitoína, puede causar hipotensión, bradicardia y convulsiones. El uso simultáneo de vasopresores puede provocar hipertensión grave.

Dosis y administración *Adultos:*[7] infusión IV/IO de 5 a 20 mcg/kg/min, titulada lento según la respuesta del paciente. *Pediatría:* no se ha establecido la seguridad y eficacia en niños.[12]

Duración de la acción *Inicio:* en 5 minutos. *Efecto máximo:* de 5 a 10 minutos. *Duración:* menos de 10 minutos.

Consideraciones especiales Seguridad en el embarazo: categoría C. Corregir hipovolemia antes de administrar. Debe administrarse mediante bomba de infusión. La extravasación puede causar necrosis y descamación del tejido circundante. Ralentizar o detener la perfusión si se observan taquiarritmias o aumento de la ectopia ventricular (seguir el protocolo local). La interrupción brusca de la perfusión puede producir hipotensión significativa. Las investigaciones sugieren que los pacientes en shock cardiogénico o séptico tratados con norepinefrina tienen una tasa de mortalidad menor que los tratados con dopamina.[2]

Clorhidrato de lidocaína (Xylocaine®)

Clase Antidisrítmico (clase Ib), anestésico.

Mecanismo de acción *Cardíaco:* se combina con los canales rápidos de sodio, inhibiendo así la recuperación luego de la repolarización y disminuyendo la excitabilidad miocárdica y la velocidad de conducción.[2] *Anestésico local:* inhibe el transporte de iones a través de la membrana neuronal, bloqueando la conducción de los impulsos nerviosos normales. *RSI:* puede disminuir la respuesta de la PIC durante la laringoscopia.[7]

Indicaciones Alternativa a la amiodarona en pacientes con parada cardíaca por TV, FV; TV monomórfica estable, o TV polimórfica estable con intervalo QT basal normal cuando se trata la isquemia y se corrige el equilibrio electrolítico. Puede utilizarse para TV polimórfica estable con prolongación del intervalo QT basal si se sospecha TdP.[7] También se utiliza como anestésico local para diversos procedimientos, incluida la intubación y las infusiones IO.

Contraindicaciones Hipersensibilidad a la lidocaína o a los anestésicos locales de tipo amida, bloqueo AV de segundo o tercer grado en ausencia de marcapasos artificial, síndrome de Stokes-Adams, latidos ventriculares de escape de complejo amplio con bradicardia, síndrome de Wolff-Parkinson-White.[2] El uso profiláctico en IAM está contraindicado.[7]

Reacciones adversas/efectos secundarios Somnolencia, confusión, convulsiones, dificultad para hablar, hipotensión, arritmias, paro cardíaco, náusea, vómito.

Interacciones medicamentosas La apnea inducida con succinilcolina puede prolongarse con dosis altas de lidocaína. Puede producirse depresión cardíaca junto con la administración de fenitoína IV. La procainamida puede exacerbar los efectos sobre el SNC. El aclaramiento metabólico está disminuido en pacientes con enfermedad hepática y en pacientes que toman betabloqueadores.

Dosis y administración *Adultos*: paro cardíaco (TV/FV sin pulso):[7] dosis inicial: 1 a 1.5 mg/kg IV/IO. Dosis de repetición: 0.5 a 0.75 mg/kg IV/IO repetida en 5 a 10 minutos. Dosis total máxima: 3 mg/kg. Infusión de mantenimiento: 1 a 4 mg/min. TV estable y taquicardia regular estable de complejo ancho: dosis inicial: 1 a 1.5 mg/kg IV/IO. Dosis repetida: 0.5 a 0.75 mg/kg IV/IO repetida en 5 a 10 minutos. Dosis total máxima: 3 mg/kg. Infusión de mantenimiento: 1 a 4 mg/min. La dosis de anestésico local varía según el procedimiento y la localización anatómica. Si se va a utilizar un acceso IO para un paciente consciente, considerar el uso de 0.5 mg/kg de lidocaína 0.1 mg/ml de empuje lento a través de la aguja IO hasta un máximo de 40 mg para mitigar el dolor de la administración de medicación IO.[2] *Pediatría:*[7] dosis IV/IO: 1 mg/kg IV/IO. Infusión IV/IO de mantenimiento: 20 a 50 mg/kg/min. Repetir la dosis en bolo (1 mg/kg) si la infusión se inicia más de 15 minutos después de la dosis en bolo inicial. Dosis de ET: 2 a 3 mg/kg. *ISR:* 1 a 2 mg/kg IV/IO. La dosis de anestésico local varía según el procedimiento y la localización anatómica.

Duración de la acción *Inicio:* 1 a 5 minutos. *Efecto máximo:* de 5 a 10 minutos. *Duración:* de 10 a 20 minutos.

Consideraciones especiales Seguridad en el embarazo: categoría B. Reducir la infusión de mantenimiento en presencia de deterioro de la función hepática o disfunción ventricular izquierda.[7] Interrumpir de inmediato la perfusión si aparecen signos de toxicidad.

Clorhidrato de meperidina (Demerol®)

Clase Analgésico opioide; opioide sintético; fármaco de clase II.

Mecanismo de acción Analgésico opiáceo sintético cuyos efectos sobre el SNC y los órganos musculares lisos son similares a los de la morfina; actúa principalmente como analgésico y sedante.

Indicaciones Analgesia del dolor moderado a intenso.

Contraindicaciones Hipersensibilidad conocida, diarrea causada por intoxicación, pacientes que han tomado un IMAO durante los 14 días anteriores, durante el parto o alumbramiento de un prematuro. Administrar con precaución a pacientes con una puntuación de Glasgow inferior a 15, hipotensión, hipoxia después de una oxigenoterapia suplementaria máxima o signos de hipoventilación. Disminuir la dosis en pacientes con insuficiencia hepática o renal.

Reacciones adversas/efectos secundarios Convulsiones, confusión, sedación, cefalea, alucinaciones, aumento de la PIC, depresión respiratoria, apnea, hipotensión, hipotensión ortostática, síncope, arritmias, náusea, vómito, estreñimiento, sudoración.

Interacciones medicamentosas Depresión del SNC adicional con ATC, alcohol u otros depresores del SNC.

Dosis y administración *Adultos:* 50 a 100 mg IM; 25 a 50 mg lenta IV/IO. *Pediatría:* no se recomienda.

Duración de la acción *Inicio:* 10 a 15 minutos IM, en 1 minuto IV. *Efecto máximo:* en 60 minutos IM, 5 a 7 minutos IV. *Duración:* de 2 a 4 horas por vía IV.

Consideraciones especiales Seguridad en el embarazo: categoría C. Utilizar con precaución en pacientes con asma y EPOC. Puede agravar las convulsiones en pacientes con trastornos convulsivos conocidos. Tiene una duración de acción más corta que la morfina. Efectos reversibles con naloxona. Documentar la intensidad del dolor utilizando una escala de 0 a 10 antes y después de la administración y a la llegada al centro receptor.[2]

Clorhidrato de midazolam (Versed®)

Clase Benzodiacepina, anticonvulsivo, ansiolítico, hipnótico-sedante; fármaco de clase IV.

Mecanismo de acción Inhibe los receptores GABA en el SNC, reduciendo así la excitabilidad neuronal y provocando efectos sedantes, ansiolíticos, amnésicos e hipnóticos.

Indicaciones Escalofríos incontrolados asociados con hipertermia/exposición al calor, convulsiones activas, restricción química, dificultad respiratoria grave (cuidados paliativos), sedación para procedimientos médicos (p. ej., intubación, pacientes ventilados, cardioversión), envenenamiento/atención de sobredosis.

Contraindicaciones Hipersensibilidad documentada, depresión neurológica o respiratoria, glaucoma agudo de ángulo estrecho, apnea del sueño, shock, intoxicación alcohólica, sobredosis, signos vitales deprimidos. Uso concomitante con barbitúricos, alcohol, opioides u otros depresores del SNC.

Reacciones adversas/efectos secundarios Cefalea, somnolencia, depresión respiratoria, paro respiratorio, hipotensión, paro cardíaco, náusea, vómito, dolor en el punto de inyección.

Interacciones medicamentosas El uso concomitante con otros depresores del SNC puede causar depresión respiratoria, hipotensión, sedación profunda y muerte. La agripalma puede potenciar los efectos sedantes del midazolam y puede producir coma.[8] La hierba de San Juan y el té verde pueden reducir su eficacia. El mango y el jugo de toronja pueden potenciar sus efectos.

Dosis y administración *Adultos:* escalofríos asociados con hipertermia/exposición al calor:[2] administrar 2.5 mg IV/IN/IO, puede repetirse una vez en 5 minutos, o 5 mg IM, puede repetirse una vez en 10 minutos. Convulsiones:[2] si se dispone de acceso vascular, 0.1 mg/kg IV/IO lento durante 2 minutos (dosis única máxima: 4 mg); si no se dispone de acceso vascular, 0.2 mg/kg (máximo: 10 mg) IM (preferible) o IN. Restricción química:[2] administrar 5 mg IV o 5 mg IM o 5 mg IN. Dificultad respiratoria grave (cuidados paliativos):[2] administrar de 2 a 5 mg IV. Sedación procesal:[7] administrar 0.1 a 0.3 mg/kg IV (dosis única máxima: 10 mg). Intoxicación/sobredosis:[2] administrar 0.1 mg/kg en incrementos de 2 mg por vía IV lenta durante 1 a 2 minutos (dosis única máxima: 5 mg). *Pediatría:* escalofríos asociados con hipertermia/exposición al calor:[2] administrar 0.1 mg/kg IV/IO o 0.2 mg/kg IN/IM (dosis única máxima: 1 mg). Se recomienda una concentración de 5 mg/ml para la administración IN/IM. Convulsiones:[2] si se dispone de acceso vascular, 0.1 mg/kg IV/IO lento durante 2 minutos (dosis única máxima: 4 mg); si no se dispone de acceso vascular, 0.2 mg/kg (máximo: 10 mg) IM (preferible) o IN. Restricción química:[2] administrar 0.05 a 0.1 mg/kg IV (dosis máxima: 5 mg) o 0.1 a 0.15 mg/kg IM (dosis máxima: 5 mg) o 0.3 mg/kg IN (dosis máxima: 5 mg). Intoxicación/sobredosis:[2] administrar 0.1 mg/kg en incrementos de 2 mg por vía IV lenta durante 1 a 2 minutos (dosis única máxima: 5 mg) o 0.2 mg/kg IN (dosis única máxima: 4 mg).

Duración de la acción *Inicio:* inmediato IV/IN, 15 minutos IM. *Efecto máximo:* 3 a 5 minutos IV/IN, 30 a 60 minutos IM. *Duración:* menos de 2 horas IV/IN, 1 a 6 horas IM.

Consideraciones especiales Seguridad en el embarazo: categoría D. Debe considerarse el riesgo fetal y el beneficio materno antes de la administración de emergencia. Las mujeres en periodo de lactancia no deben continuar amamantando después de la administración. Requiere una cuidadosa monitorización de la función respiratoria y cardíaca. Reducir la dosis en 50% en pacientes mayores de 60 años. La evidencia apoya el uso de midazolam IM como una intervención que es al menos tan segura y eficaz como el lorazepam IV para la interrupción prehospitalaria de las convulsiones.[2] En casos de exposición a un agente inhibidor de la acetilcolinesterasa, la administración de diazepam o midazolam es preferible al lorazepam debido a su inicio de acción más rápido.[2]

Clorhidrato de naloxona (Narcan®, EVZIO®)

Clase Antagonista opioide, agente de reversión opioide, antídoto.

Mecanismo de acción Inhibición competitiva en los sitios receptores de opioides. Revierte la depresión respiratoria y la sedación secundaria a los opioides.

Indicaciones Inversión completa o parcial de la depresión del SNC y respiratoria inducida por opioides u opioides sintéticos.

Contraindicaciones Hipersensibilidad o alergia conocida. Utilizar con precaución en pacientes dependientes de opiáceos. Utilizar con precaución en neonatos de madres adictas a opioides.

Reacciones adversas/efectos secundarios Inquietud, convulsiones, disnea, edema pulmonar, hipotensión con administración rápida, hipertensión, arritmias, diaforesis, náusea, vómito, síndrome de abstinencia en pacientes adictos a opioides.

Interacciones medicamentosas Incompatible con bisulfito y soluciones alcalinas.

Dosis y administración *Adultos:*[2] dosis inicial de 0.4 a 2 mg IV/IO/IM/ET por sonda o hasta una dosis de 4 mg IN. *Pediatría:*[2] dosis inicial 0.1 mg/kg IV/IO/IM/IN/ET; dosis máxima: 2 mg IV/IM/ET; dosis máxima: 4 mg IN.

Duración de la acción *Inicio:* menos de 2 minutos, IV; de 2 a 10 minutos IM/IN. *Efecto máximo:* menos de 2 minutos, IV; de 2 a 10 minutos IM/IN. *Duración:* 20 a 120 minutos, IV/IM/IN.

Consideraciones especiales Seguridad en el embarazo: categoría C. La semivida de la naloxona es a menudo más corta que la semivida de los opioides; puede ser necesario repetir la dosificación. En pacientes con paro cardíaco, la naloxona no suele ser beneficiosa. Comience las intervenciones para mantener la vía aérea, la respiración y la circulación del paciente antes de administrar naloxona y proporcione apoyo continuo a la vía aérea según sea necesario hasta que el paciente tenga un esfuerzo respiratorio adecuado.[2] La administración puede ser titulada hasta que se logre un esfuerzo respiratorio adecuado si se administra con una jeringa IV, IM, IN o tubo ET.[2] Cuando se administre IN utilizando una jeringa sin aguja, dividir las dosis en partes iguales para dar un máximo de 1 ml por fosa nasal.[2] La administración puede provocar la aparición repentina de síndrome de abstinencia a opiodes (agitación, taquicardia, edema pulmonar, náusea, vómito y, en neonatos, convulsiones).[2] Pueden ser necesarias dosis muy altas de naloxona para tratar sobredosis de nuevos opioides (p. ej., fentanilo). Si se ha administrado naloxona al paciente antes de la llegada del SEM, obtenga información sobre la dosis y la vía por la que se administró y, si es posible, lleve los dispositivos que contienen la naloxona dispensada con el paciente junto con todos los demás medicamentos al lugar de los hechos.[2]

Clorhidrato de ondansetrón (Zofran®, Zofran ODT®, Zuplenz®)

Clase Antagonista selectivo de los receptores de serotonina (5-HT_3), antiemético.

Mecanismo de acción Bloquea la acción de la serotonina, una sustancia natural que provoca náusea y vómito. No afecta a los receptores de dopamina, por lo que no provoca síntomas extrapiramidales.[2]

Indicaciones Prevención y control de náusea o vómito.

Contraindicaciones Hipersensibilidad conocida al ondansetrón u otros antagonistas de los receptores 5-HT_3, síndrome de QT largo conocido o sospechado, coadministración con apomorfina (se ha informado que la combinación causa hipotensión profunda y pérdida de conciencia).

Reacciones adversas/efectos adversos Cefalea, malestar general, síncope, sibilancias, broncoespasmo, arritmias (p. ej., bradicardia, taquicardia supraventricular, taquicardia ventricular, contracciones ventriculares, fibrilación auricular, bloqueo auriculoventricular de segundo grado), alteraciones del EKG (p. ej., prolongación del intervalo QT dependiente de la dosis, depresión del segmento ST), palpitaciones, estreñimiento, diarrea, urticaria, erupciones cutáneas, síndrome serotoninérgico.

Interacciones medicamentosas Muchas. Evitar la administración con otros fármacos que prolonguen el intervalo QT (p. ej., amiodarona, clorpromazina, droperidol, haloperidol, levalbuterol, sotalol, macrólidos, fluoroquinolonas, procainamida, prometazina). El síndrome serotoninérgico puede producirse con el uso simultáneo de varios fármacos (p. ej., fentanilo, morfina).

Dosis y administración[2] *Adultos:* antiemético: 4 mg IV/SL u oral o 4 mg SL de la formulación en comprimidos de desintegración oral. Vómito asociado con MAM: 4 mg IV, SL u oral cada 6 horas. Intoxicación/sobredosis por estimulantes: 8 mg IV *lenta* en 2 a 5 minutos o 4 a 8 mg IM u 8 mg de comprimido oral desintegrable. *Pediatría:* de 6 meses a 14 años: antiemético: 0.15 mg/kg IV u oral; dosis máxima: 4 mg.

Duración de la acción *Inicio:* 30 minutos. *Efecto máximo:* 1.3 horas (oral), 10 minutos (IV). *Duración:* de 3 a 6 horas.

Consideraciones especiales Seguridad en el embarazo: categoría B. Aunque el ondansetrón no se ha estudiado de manera adecuada en el embarazo para determinar su seguridad en esta población, sigue siendo una opción de tratamiento para la hiperémesis gravídica en pacientes embarazadas.[2]

Se recomienda la monitorización con EKG de las pacientes que presenten anomalías electrolíticas, insuficiencia cardíaca o bradiarritmias, o que también estén recibiendo otros medicamentos que provoquen prolongación del QT.[2] El ondansetrón es el antiemético preferido en niños, pero puede ser sedante en niños muy pequeños.[2]

Clorhidrato de procainamida (Pronestyl®)

Clase Antiarrítmico de clase Ia.

Mecanismo de acción[2] Inhibe la recuperación después de la repolarización, lo que provoca una disminución de la excitabilidad miocárdica y de la velocidad de conducción. Depresor directo de membrana que disminuye la velocidad de conducción, prolonga el periodo refractario, disminuye el automatismo y reduce las anomalías de repolarización.

Indicaciones[7] TV monomórfica estable con intervalo QT normal, TVS por reentrada no controlada con maniobras vagales y adenosina si la PA es estable, taquicardia de complejo ancho estable de origen desconocido, FA con frecuencia ventricular rápida en pacientes con síndrome de Wolff-Parkinson-White.

Contraindicaciones Hipersensibilidad conocida a la procainamida o a otros ingredientes, TdP, bloqueo AV cardíaco de segundo y tercer grado (sin marcapasos artificial en funcionamiento), lupus eritematoso sistémico, prolongación preexistente del QT, toxicidad digitálica, sobredosis de ATC. Administrar con precaución a pacientes con asma o arritmias inducidas por digitálicos, miastenia grave o insuficiencia cardíaca, hepática o renal.

Reacciones adversas/efectos secundarios Puede inducir o empeorar las arritmias cardíacas, anorexia, náusea, vómito, confusión, convulsiones, hipotensión grave y ensanchamiento de los intervalos PR, QRS y QT.

Interacciones medicamentosas Efecto agregado con otros agentes antiarrítmicos. El uso con agonistas beta puede estar asociado con efectos cardiovasculares adversos, incluyendo prolongación del intervalo QT.[5]

Dosis y administración *Adultos:*[7] FV recurrente/TV sin pulso: 20 mg/min infusión IV lenta hasta que se suprima la disritmia. Dosis total máxima: 17 mg/kg. En situaciones de emergencia, pueden administrarse hasta 50 mg/min, hasta una dosis total de 17 mg/kg. Otras indicaciones: infusión IV lenta de 20 mg/min hasta que se produzca cualquiera de las siguientes situaciones: supresión de la disritmia, hipotensión, ensanchamiento del QRS en más de 50% de su anchura previa al tratamiento, o se haya administrado una dosis total de 17 mg/kg. Infusión de mantenimiento: 1 a 4 mg/min (diluido en D_5W o NS). En presencia de disfunción cardíaca, hepática o renal, reducir la dosis total máxima a 12 mg/kg y la infusión de mantenimiento a 1 a 2 mg/min. *Pediatría:* no se recomienda en el ámbito prehospitalario.

Duración de la acción *Inicio:* 10 a 30 minutos. *Efecto máximo:* variable. *Duración:* de 3 a 6 horas.

Consideraciones especiales Seguridad en el embarazo: categoría C. Puede producirse hipotensión con infusión rápida.

Clorhidrato de prometazina (Phenergan®)

Clase Fenotiazina, antiemético, antihistamínico.

Mecanismo de acción Antagonista del receptor H_1; bloquea la acción (pero no la liberación) de la histamina; posee actividad sedante, antimotivacional, antiemética y anticolinérgica; potencia los efectos de los opioides para inducir analgesia.

Indicaciones Náusea y vómito.

Contraindicaciones Hipersensibilidad conocida a la prometazina u otras fenotiazinas, uso simultáneo de grandes cantidades de depresores del SNC, síndrome de Reye, síntomas respiratorios bajos (p. ej., asma), niños menores de 2 años (riesgo de desarrollar depresión respiratoria potencialmente mortal). Utilizar con precaución, si acaso, en pacientes con antecedentes de apnea del sueño, insuficiencia respiratoria aguda o crónica o trastornos convulsivos.

Reacciones adversas/efectos secundarios Cefalea, mareo, somnolencia, confusión, inquietud, sibilancias, opresión torácica, espesamiento de las secreciones bronquiales, palpitaciones, bradicardia, taquicardia refleja, prolongación del QT, hipotensión postural, diarrea, náusea, vómito.

Interacciones medicamentosas Adicional con otros depresores del SNC, aumento de los efectos extrapiramidales con IMAO.

Dosis y administración *Adultos:* 12.5 a 25 mg IM profunda. *Pediatría:* mayores de 2 años*:* 0.25 a 0.5 mg/kg IM profunda.

Duración de la acción *Inicio:* 20 minutos. *Efecto máximo:* de 30 a 60 minutos. *Duración:* de 4 a 6 horas.

Consideraciones especiales Seguridad en el embarazo: categoría C. Utilizar con precaución en mujeres embarazadas. Contraindicado su uso en mujeres en periodo de lactancia. Se han notificado convulsiones y muerte súbita cuando se utiliza en niños. No administrar si se va a administrar o se ha administrado haloperidol o droperidol (todos estos medicamentos aumentan la prolongación del QT).[2] Monitorizar el intervalo QT con un EKG de 12 derivaciones si es posible. Documentar el intervalo QT y comunicar los resultados al personal del centro receptor.[2] La vía de administración recomendada es la inyección IM profunda porque se han dado casos de lesiones tisulares graves, incluida gangrena que ha requerido amputación, después de la administración IV de prometazina.

Clorhidrato de tiamina (vitamina B_1)

Clase Vitamina.

Mecanismo de acción Se combina con el trifosfato de adenosina para formar pirofosfato de tiamina, una coenzima esencial para el metabolismo de los hidratos de carbono.

Indicaciones Tratamiento complementario que debe preceder a la administración de dextrosa a 50% o glucagón en un paciente adulto si se sospecha alcoholismo o desnutrición.

Contraindicaciones Hipersensibilidad conocida.

Reacciones adversas/efectos adversos Vasodilatación, hipotensión, debilidad (por lo general como consecuencia de una inyección IV demasiado rápida), sudoración, ardor, urticaria, náusea, sensación de calor.

Interacciones medicamentosas Inestable en soluciones alcalinas.

Dosis y administración *Adultos:* 100 mg en bolo IV/IO muy lento durante 5 minutos o 100 mg IM profundo. *Pediatría:* consultar dirección médica.

Duración de la acción *Inicio:* horas. *Efecto máximo:* 3 a 5 días. *Duración:* datos no disponibles.

Consideraciones especiales Seguridad en el embarazo: categoría A.

Ácido tranexámico (Cyklokapron®, Lysteda®)

Clase Agente hemostático, agente antifibrinolítico, inhibidor del plasminógeno.

Mecanismo de acción Inhibe la activación del plasminógeno, reduciendo así la conversión del plasminógeno en plasmina (que descompone los coágulos de fibrina, el fibrinógeno y otras proteínas plasmáticas). Al dificultar la descomposición de la fibrina, los factores de coagulación y los tapones de plaquetas circulantes pueden formar un sello (coágulo de fibrina) y reducir la hemorragia.

Indicaciones Traumatismo contuso o penetrante de menos de 3 horas de evolución con compromiso hemodinámico, hemorragia.

Contraindicaciones Hipersensibilidad conocida; mecanismo de lesión más de 3 horas antes de la atención por el SEM; hemorragia subaracnoidea; antecedentes de EP, TVP u otro trastorno tromboembólico. Reducir la dosis en pacientes con insuficiencia renal.

Reacciones adversas/efectos secundarios Fatiga, dolor de cabeza, mareos, dolor abdominal y de espalda, dolor articular, dolor musculoesquelético, anemia. La infusión rápida puede causar hipotensión. Puede aumentar el riesgo de trastornos tromboembólicos.

Interacciones medicamentosas Los anticonceptivos hormonales y los complejos de factores de coagulación aumentan el riesgo de trastornos tromboembólicos.

Dosis y administración *Adultos:* 1 g en perfusión intravenosa durante 10 minutos. *Pediatría:* no se recomienda.

Duración de la acción *Inicio:* desconocida. *Efecto máximo:* desconocido. *Duración:* 7 a 8 horas.

Consideraciones especiales Seguridad en el embarazo: categoría B. El uso en mujeres embarazadas y en periodo de lactancia debe estar indicado con claridad. Debe mezclarse en una bolsa de infusión, normalmente 100 ml de NS.

Clorhidrato de verapamilo (Isoptin®, Calan®)

Clase Bloqueador de los canales de calcio.

Mecanismo de acción Ralentiza la conducción del nodo AV, acorta el periodo refractario de las vías accesorias y actúa como inotropo negativo y vasodilatador.[6]

Indicaciones Taquicardia estable de QRS estrecho si el ritmo persiste a pesar de maniobras vagales o adenosina o si la taquicardia es recurrente; para controlar la frecuencia ventricular en pacientes con FA o aleteo auricular sin preexcitación.[6]

Contraindicaciones Hipersensibilidad conocida; síndrome de Wolff-Parkinson-White, síndrome de Lown-Ganong-Levine; bloqueo AV de segundo o tercer grado, síndrome del seno enfermo u otra enfermedad del nódulo sinusal, a menos que exista un marcapasos artificial en funcionamiento; hipotensión, shock cardiogénico, disfunción ventricular izquierda grave, taquicardias de complejo ancho; niños menores de 12 meses. Utilizar con extrema precaución en pacientes que reciben betabloqueadores orales.[7]

Reacciones adversas/efectos secundarios Mareos, dolor de cabeza, arritmias, náusea, vómito; puede disminuir la contractilidad miocárdica, dando lugar a vasodilatación periférica e hipotensión.

Interacciones medicamentosas Aumenta la concentración sérica de digoxina. La administración simultánea con betabloqueadores IV puede producir hipotensión grave. Los antihipertensivos pueden potenciar los efectos hipotensores. Puede potenciar la actividad de agentes bloqueadores neuromusculares despolarizantes y no despolarizantes. Aumento del riesgo de muerte súbita cardíaca cuando se administra al mismo tiempo que con eritromicina.[3] La hierba de San Juan puede reducir su eficacia.

Dosis y administración *Adultos:*[7] bolo IV de 2.5 a 5 mg en 2 minutos (3 minutos en pacientes de edad avanzada). Se puede repetir la dosis de 5 a 10 mg cada 15 a 30 minutos hasta una dosis total máxima de 20 mg. Dosis alternativa: bolo IV de 5 mg cada 15 minutos hasta una dosis total de 30 mg. *Pediatría:* consultar a la dirección médica.

Duración de la acción *Inicio:* de 2 a 5 minutos. *Efecto máximo:* variable. *Duración:* de 10 a 20 minutos.

Consideraciones especiales Seguridad en el embarazo: categoría C. Monitorizar con cuidado la PA, frecuencia cardíaca y EKG antes, durante y después de la administración. Puede producirse bloqueo AV o asistolia debido a una conducción AV lenta.

Cloruro de calcio

Clase Electrolito.

Mecanismo de acción Componente mineral de huesos y dientes; cofactor en reacciones enzimáticas y afecta a la actividad secretora de glándulas endocrinas y exocrinas; esencial para la neurotransmisión, la coagulación sanguínea y la contracción de músculos cardíacos, lisos y esqueléticos.

Indicaciones Hipocalcemia, hiperpotasemia, toxicidad por betabloqueadores y antagonistas del calcio, antídoto para sobredosis de sulfato de magnesio.

Contraindicaciones Hipersensibilidad conocida, toxicidad por digoxina, hipercalcemia, sospecha de hipopotasemia grave.

Reacciones adversas/efectos secundarios Síncope, bradicardia, asistolia, hipotensión, náusea, vómito, sabor metálico con inyección rápida, necrosis tisular en el lugar de la inyección, espasmo de las arterias coronarias y cerebrales.

Interacciones medicamentosas Puede aumentar la irritabilidad ventricular y precipitar la toxicidad digitálica en pacientes que toman digoxina. Potenciado por diuréticos tiazídicos. Puede antagonizar los efectos de los antagonistas del calcio. Incompatible con la mayoría de los medicamentos; purgar vía IV/IO antes y después de su administración.

Dosis y administración *Adultos:* sobredosis de antagonistas del calcio e hiperpotasemia:[6,7] Administrar 500 a 1 000 mg por vía IV/IO lenta durante 5 minutos. Repetir si es necesario. *Pediatría:*[7] sobredosis de antagonistas del calcio, hipocalcemia e hiperpotasemia: 20 mg/kg por vía IV/IO lenta. Dosis máxima: 1 g (10 ml).[6] Puede repetirse la dosis si persiste la indicación clínica documentada o con sospecha.

Duración de la acción *Inicio:* 1 a 3 minutos. *Efecto máximo:* variable. *Duración:* de 20 a 30 minutos, pero puede persistir durante 4 horas (en función de la dosis).

Consideraciones especiales Seguridad en el embarazo: categoría C. El cloruro de calcio contiene tres veces más calcio elemental que el gluconato de calcio. Es esencial la monitorización constante del EKG y de los signos vitales. En niños, se prefiere el gluconato de calcio para la sobredosis de bloqueadores de calcio, ya que el cloruro de calcio se asocia con mayor riesgo de daño tisular.[2] La administración venosa central es la vía preferida en pacientes pediátricos, si se dispone de ella. Vigilar con cuidado el punto de administración IV; la infiltración local puede provocar necrosis tisular grave y descamación. No administrar por vía IM ni subcutánea porque este medicamento es muy irritante para los tejidos.

Cloruro de succinilcolina (Anectine®)

Clase Bloqueador neuromuscular despolarizante; relajante del músculo esquelético.

Mecanismo de acción Relajante muscular esquelético despolarizante de acción ultracorta que imita a la acetilcolina. Se une a los receptores colinérgicos de la placa terminal motora, produciendo un bloqueo de fase 1 que se manifiesta por fasciculaciones musculares.

Indicaciones Coadyuvante para proporcionar relajación del músculo esquelético y facilitar la intubación traqueal y la ventilación.

Contraindicaciones Hipersensibilidad conocida, incapacidad para controlar la vía aérea o mantener la ventilación con oxígeno y presión positiva, insuficiencia renal, distrofia muscular y otras enfermedades neuromusculares, paraplejia/cuadriplejia, lesiones oculares penetrantes (aumenta la presión intraocular), inmovilización prolongada, accidente cerebrovascular con disfunción motora residual, antecedentes de hipertermia maligna. Lesiones agudas después de traumatismos multisistémicos, quemaduras importantes, hiperpotasemia conocida o sospechada, o lesiones musculares extensas que puedan provocar hiperpotasemia. Utilizar con precaución si se prevé una vía aérea difícil.

Reacciones adversas/efectos secundarios Apnea, depresión respiratoria, arritmias, paro cardíaco, salivación excesiva, rigidez muscular prolongada, rabdomiólisis, hipertermia maligna, hiperpotasemia (pacientes traumatizados); aumento de la presión intracraneal, intraocular e intragástrica.

Interacciones medicamentosas La coadministración con depresores del SNC puede causar sedación profunda, coma, depresión respiratoria, hipotensión o muerte. La oxitocina, los betabloqueadores y los organofosforados pueden potenciar sus efectos. El diazepam puede reducir su duración de acción.

Dosis y administración *Adultos:*[7] administrar de 1 a 1.5 mg/kg por vía IV rápida. *Pediatría:*[7] administrar 1 a 1,5 mg/kg en niños, 2 mg/kg en lactantes.

Duración de la acción *Inicio:* 45 a 60 segundos. *Efecto máximo:* de 1 a 3 minutos. *Duración:* de 4 a 6 minutos.

Consideraciones especiales Seguridad en el embarazo: categoría C. Las dosis deben calcularse en función del peso corporal ideal. Si el paciente está consciente, explicar los efectos del fármaco antes de la administración. Debe proporcionarse sedación y analgesia adecuadas a cualquier paciente consciente antes de iniciar el bloqueo neuromuscular. La gestión del tiempo es crucial. La sedación y la analgesia posintubación deben estar disponibles con facilidad.

Dextrosa

Clase Carbohidrato, agente elevador de la glucosa.

Mecanismo de acción Aumenta rápido los niveles séricos de glucosa. Diuresis osmótica de corta duración.

Indicaciones Hipoglucemia, alteración aguda del estado mental, coma de origen desconocido, crisis de origen desconocido, estado epiléptico.

Contraindicaciones Hipersensibilidad documentada, hiperglucemia, deshidratación grave, anuria, coma diabético, hemorragia intracraneal o intraespinal, síndrome de malabsorción de glucosa-galactosa.

Reacciones adversas/efectos secundarios Hemorragia cerebral; isquemia cerebral; calor, dolor, ardor o flebitis por infusión IV.

Interacciones medicamentosas Bicarbonato de sodio, warfarina (Coumadin®).

Dosis y administración *Adultos:*[2] administrar 25 g de D_{10} W a D_{50} W IV (50 ml de D_{50} W, o 100 ml de D_{25} W, o 250 ml de D_{10} W). Puede repetirse según sea necesario hasta que mejore el estado mental o se alcance la dosis máxima. *Pediatría:*[2] administrar 0.5 a 1 g/kg de D_{10} W a D_{25} W por vía IV/IO lenta (2 a 4 ml/kg de D_{25} W, o 4 a 8 ml/kg de dextrosa a 12.5%, o 5 a 10 ml/kg de D_{10} W). Puede repetirse según sea necesario hasta que mejore el estado mental o se alcance la dosis máxima de campo. *Neonatos y lactantes:* 0.2 g/kg, seguido de infusión IV/IO de 5 ml/kg/h de D_{10} W.[7]

Duración de la acción *Inicio:* menos de 1 minuto. *Efecto máximo:* variable. *Duración:* variable.

Consideraciones especiales Seguridad en el embarazo: categoría C. Extraer sangre para determinar el nivel de glucosa de la paciente antes de la administración. Documentar la reevaluación de los signos vitales y del estado mental después de la administración. Para niños menores de 8 años, debe utilizarse una concentración de dextrosa no superior a 25%.[2] En neonatos y lactantes menores de 1 mes, debe utilizarse una concentración de dextrosa no superior de 10 a 12.5% (su vasculatura es muy sensible a concentraciones elevadas).[2] Puede inducir una deficiencia aguda de tiamina (síndrome de Wernicke-Korsakoff) en pacientes con desnutrición y con alcoholismo crónico. En adultos con signos de abuso de alcohol o desnutrición, administrar tiamina (si está disponible) antes de administrar dextrosa (si es compatible con los protocolos locales). La extravasación puede provocar necrosis tisular; utilizar una vena grande para la administración y vigilar de manera estrecha el lugar. Detenga de inmediato la administración si se produce extravasación; documéntelo y notifíquelo al personal del centro receptor. No administrar a pacientes con evento cerebro vascular conocida a menos que se documente hipoglucemia.

Diazepam (Valium®, Diastat AcuDial®)

Clase Benzodiacepina, anticonvulsivo, ansiolítico, sedante, relajante del músculo esquelético; fármaco de clase IV.

Mecanismo de acción Parece actuar sobre una parte del sistema límbico, así como sobre el tálamo y el hipotálamo, para inducir un efecto calmante; inhibe los receptores GABA en el SNC, reduciendo la excitabilidad neuronal; eleva el umbral convulsivo; induce amnesia y sedación.

Indicaciones Escalofríos incontrolados asociados con hipertermia/exposición al calor, convulsiones activas, restricción química, intoxicación por inhibidores de la acetilcolinesterasa (carbamatos, agentes nerviosos, organofosforados).

Contraindicaciones Hipersensibilidad documentada, depresión neurológica o respiratoria, glaucoma de ángulo estrecho, miastenia grave, traumatismo craneal.

Reacciones adversas/efectos secundarios Mareos, somnolencia, confusión, cefalea, depresión respiratoria, hipo, hipotensión, taquicardia refleja, náusea, vómito, debilidad muscular, ataxia, trombosis, flebitis.

Interacciones medicamentosas Incompatible con la mayoría de los medicamentos y líquidos. El uso concomitante con otros depresores del SNC puede causar depresión respiratoria, hipotensión, sedación profunda y muerte. Cuando se administra por vía oral, el cardo mariano puede disminuir la eficacia del diazepam, y el jugo de toronja puede aumentar de forma significativa las concentraciones séricas. La agripalma puede potenciar los efectos sedantes y puede producir coma.[8]

Dosis y administración *Adultos:* escalofríos asociados con hipertermia/exposición al calor:[2] administrar 2 mg IV/IO; puede repetirse una vez cada 5 minutos. Restricción química:[2] administrar 5 mg IV o 10 mg IM. *Pediatría:* actividad convulsiva:[2] administrar 0.1 mg/kg lento IV o IO; máximo: 4 mg. Escalofríos asociados con hipertermia/exposición al calor:[2] administrar 0.1 mg/kg IV/IO: dosis única máxima: 2.5 mg. Puede repetirse una vez para una dosis total máxima de 5 mg IV/IO *o* 0.5 mg/kg PR (dosis única máxima: 10 mg). Puede repetirse una vez para una dosis total máxima de 20 mg. Restricción química:[2] administrar 0.05 a 0.1 mg/kg IV (dosis máxima: 5 mg) o 0.1 a 0.2 mg/kg IM (dosis máxima: 10 mg).

Duración de la acción *Inicio:* 2 a 5 minutos IV; 15 a 30 minutos IM. *Efecto máximo:* 15 minutos IV, 30 a 45 minutos IM. *Duración:* 15 a 60 minutos IV e IM.

Consideraciones especiales Seguridad en el embarazo: categoría D. Considerar disminuir la dosis 50% en pacientes mayores de 60 años. Convulsive Antidote Nerve Agent (CANA) es un autoinyector disponible comercialmente que contiene 10 mg de diazepam.[2] En casos de exposición a un agente inhibidor de la acetilcolinesterasa, se prefiere la administración de diazepam o midazolam en lugar de lorazepam debido a su inicio de acción más rápido.[2]

Difenhidramina (Benadryl®)

Clase Antihistamínico (bloqueador H_1).

Mecanismo de acción Bloquea los receptores H_1 en la vía aérea, los vasos sanguíneos y el músculo liso GI; invierte las reacciones extrapiramidales.

Indicaciones Reacciones alérgicas sintomáticas, distonía sintomática, signos o síntomas extrapiramidales causados por fenotiazinas, antieméticos, restricción química.

Contraindicaciones Hipersensibilidad conocida, recién nacidos y prematuros, lactancia. Utilizar con precaución en pacientes con vómito grave, asma, glaucoma de ángulo estrecho, hipertrofia prostática benigna o intoxicación por alcohol. Su uso es controvertido en pacientes con enfermedades de la vía aérea inferior (p. ej., asma aguda).[2]

Reacciones adversas/efectos secundarios Somnolencia, sedación, convulsiones, mareos, cefalea, visión borrosa, sibilancias, espesamiento de las secreciones bronquiales, palpitaciones, hipotensión, arritmias, sequedad de boca, diarrea, náusea, vómito. En los niños pueden producirse alucinaciones, confusión y excitación paradójica del SNC.

Interacciones medicamentosas Potencia los efectos del alcohol y otros depresores del SNC. Los IMAO prolongan e intensifican los efectos anticolinérgicos (secantes) de la difenhidramina.

Dosis y administración *Adultos:*[2] urticaria o prurito, anafilaxia o reacción alérgica: administrar 1 mg/kg hasta una dosis máxima de 50 mg por vía IM, IV u oral. Se prefiere la vía IV en shock grave. Antieméticos:[2] 12.5 a 25 mg IV/IM u oral. Síntomas distónicos/extrapiramidales: 25 a 50 mg IV/IM. *Pediatría:*[2] urticaria o prurito, anafilaxia o reacción alérgica:[2] administrar 1 mg/kg hasta una dosis máxima de 50 mg por vía IM, IV u oral. Se prefiere la vía IV en shock grave. Antieméticos: mayores de 2 años y peso superior a 12 kg: 0.1 mg/kg IV (máximo: 25 mg). Síntomas distónicos/extrapiramidales: administrar de 1 a 1.25 mg/kg IV/IO o IM; dosis única máxima: 25 mg. Restricción química: administrar 1 mg/kg IM/IV u oral; dosis máxima: 25 mg.

Duración de la acción *Inicio:* 10 a 15 minutos. *Efecto máximo:* 1 hora. *Duración:* de 6 a 8 horas.

Consideraciones especiales Seguridad en el embarazo: categoría B. Aumenta la eficacia de la epinefrina y a menudo se utiliza junto con ella, como en la anafilaxia. Cualquier antihistamínico bloqueador de H_2 (p. ej., famotidina, cimetidina) puede administrarse por vía oral o IV junto con difenhidramina para la urticaria.[2]

Medicamentos comunes prescritos y de venta libre (OTC)

Digoxina (Lanoxina®)

Clase Agente inotrópico, glucósido cardíaco, antiarrítmico.

Indicaciones Insuficiencia cardíaca, fármaco alternativo para TSV por reentrada, control de la frecuencia ventricular en aleteo auricular y FA.

Contraindicaciones Hipersensibilidad conocida, FV, TV, toxicidad digitálica. La hipopotasemia, la hipomagnesemia y la hipercalcemia potencian la toxicidad digitálica.

Reacciones adversas/efectos secundarios Náusea, vómito, anorexia (primeros signos de toxicidad), fatiga, cefalea, visión borrosa amarilla o verde, convulsiones, confusión, arritmias, erupción cutánea.

Interacciones medicamentosas Amiodarona, verapamilo y quinidina pueden aumentar las concentraciones séricas de digoxina. El uso simultáneo de digoxina y verapamilo puede provocar bloqueo AV grave. Los diuréticos pueden potenciar la toxicidad cardíaca. La hierba de San Juan puede reducir los efectos de la eficacia de la digoxina, y el regaliz puede potenciar sus efectos.

Consideraciones especiales La digoxina puede prolongar el intervalo PR y provocar cambios del segmento ST en el EKG; es esencial una monitorización cardíaca cuidadosa. En general, se prefieren los bloqueadores de calcio o los betabloqueadores para el control de la frecuencia cardíaca en pacientes con FA; la adenosina es preferible para tratar la TSV por reentrada. Debe evitarse la cardioversión si el paciente está tomando digoxina, pero si la situación pone en peligro su vida, debe utilizarse una dosis de menor energía (10 a 20 julios).[7]

Diltiazem (Cardizem®, Dilacor®, Diltiaz®)

Clase Bloqueador de los canales de calcio, antiarrítmico (clase IV), agente antianginoso.

Mecanismo de acción Inhibe la entrada de iones de calcio extracelular a través de las membranas de las células miocárdicas y de las células del músculo liso vascular, lo que provoca la inhibición de la contracción del músculo liso cardíaco y vascular y, por lo tanto, la dilatación de las principales arterias coronarias y sistémicas; ningún efecto sobre las concentraciones séricas de calcio; efectos inhibitorios sustanciales sobre el sistema de conducción cardíaco, actuando principalmente en el nodo AV, con algunos efectos en el nodo SA.[2] Efectos inotrópicos menos negativos que el verapamilo.

Indicaciones Taquicardia de QRS estrecho estable si el ritmo persiste a pesar de las maniobras vagales o la administración de adenosina, o si la taquicardia es recurrente; para controlar la frecuencia ventricular en pacientes con FA o aleteo auricular sin preexcitación.[6]

Contraindicaciones Hipersensibilidad conocida, hipotensión, shock cardiogénico, taquicardia de complejo ancho (puede provocar deterioro hemodinámico y FV), bloqueo AV de segundo o tercer grado o síndrome del seno enfermo u otra enfermedad del nódulo sinusal, a menos que exista un marcapasos artificial en funcionamiento, taquicardia inducida por veneno o fármacos, FA o aleteo auricular cuando se asocian con conducto accesorio de derivación (p. ej., síndrome de Wolff-Parkinson-White o síndrome de Lown-Ganong-Levine). Evitar su uso en pacientes con disfunción sistólica ventricular izquierda o insuficiencia cardíaca descompensada.[5] Utilizar con extrema precaución en pacientes que toman betabloqueadores orales.[7]

Reacciones adversas/efectos secundarios Mareo, debilidad, cefalea, disnea, arritmias incluyendo paro cardíaco, insuficiencia cardíaca, edema periférico, hipotensión, síncope, dolor torácico, náusea, vómito, sequedad de boca.

Interacciones medicamentosas Utilizar con precaución en pacientes que toman medicamentos que afectan a la contractilidad cardíaca. El uso simultáneo con betabloqueadores IV puede producir disminución de la contractilidad cardíaca, bradicardia (incluyendo bloqueos AV) e hipotensión grave. Aumento del riesgo de muerte súbita cardíaca cuando se administra de forma simultánea con eritromicina.[3]

Dosis y administración *Adultos:*[7] dosis inicial: 15 a 20 mg (0.25 mg/kg) IV/IO lento durante 2 minutos. Después de 15 minutos, puede administrarse un segundo bolo de 20 a 25 mg (0.35 mg/kg) IV/IO lento durante 2 minutos si la respuesta inicial fue inadecuada. Para pacientes mayores de 65 años, la dosis inicial máxima recomendada de diltiazem es de 10 mg IV/IO y la segunda dosis máxima es de 20 mg IV/IO.[2] Infusión de mantenimiento: 5 a 15 mg/h titulada a una frecuencia cardíaca fisiológicamente apropiada. *Pediatría:* no se recomienda.

Duración de la acción *Inicio:* de 2 a 5 minutos. *Efecto máximo:* por lo general en 7 minutos. *Duración:* de 1 a 3 horas.

Consideraciones especiales Seguridad en el embarazo: categoría C. Pueden observarse arritmias durante la conversión farmacológica. Monitorizar con cuidado la PA y el EKG antes, durante y después de la administración.

Droperidol (Inapsine®)

Clase Antiemético, antipsicótico.

Mecanismo de acción Produce una marcada tranquilización y sedación; reduce la actividad motora y la ansiedad; también posee propiedades bloqueadoras adrenérgicas, antifibrilatorias, antihistamínicas y anticonvulsivas.[2]

Indicaciones Sujeción química, delirio agudo o psicosis.

Contraindicaciones Hipersensibilidad conocida; intervalo QT prolongado conocido o con sospecha, incluyendo pacientes con síndrome de QT largo congénito. Usar con extrema precaución en pacientes con bradicardia, enfermedad cardíaca, terapia concurrente con IMAO, o uso de antiarrítmicos de clase I y clase III u otros fármacos que prolonguen el intervalo QT y causen alteraciones electrolíticas debido a sus efectos cardiovasculares adversos (es decir, prolongación del QT, hipotensión, taquicardia y TdP).[2]

Reacciones adversas/efectos secundarios Prolongación del intervalo QT, TV, TdP, paro cardíaco, hipotensión leve a moderada, hipertensión, taquicardia, mareos, somnolencia, inquietud, ansiedad, disforia, hiperactividad, alucinaciones, síntomas extrapiramidales (cuando se utiliza durante periodos prolongados).

Interacciones medicamentosas Potencia los depresores del SNC, reduce el efecto presor de la epinefrina.

Dosis y administración *Adultos:* restricción química:[2] administrar 2.5 mg IV lenta o 5 mg IM. *Pediatría:* no se recomienda de forma rutinaria.

Duración de la acción *Inicio:* 3 a 10 minutos IV/IM. *Efecto máximo:* 30 minutos IV/IM. *Duración:* 2 a 4 horas IV/IM.

Consideraciones especiales Seguridad en el embarazo: categoría C. Se han producido casos de prolongación del QT o TdP en pacientes sin factores de riesgo conocidos de prolongación del QT; algunos casos han sido mortales. Vigilar de manera estrecha los signos vitales y el EKG. Monitorizar el intervalo QT con un EKG de 12 derivaciones si es posible. Documentar el intervalo QT y comunicar los resultados al personal del centro receptor.[2]

Epinefrina (Adrenalin®, EpiPen®, AsmaNefrin®)

Clase Simpaticomimético, agonista simpático (alfa/beta adrenérgico).

Mecanismo de acción Catecolamina con fuertes efectos alfa adrenérgicos, beta-1 fuertes y beta-2 moderados. Los efectos de la estimulación alfa producen vasoconstricción sistémica, aumentando la resistencia vascular periférica. Los efectos de la estimulación beta-1 aumentan la frecuencia cardíaca, la contractilidad miocárdica, el gasto cardíaco y la demanda miocárdica de oxígeno. Los efectos de la estimulación beta-2 provocan la relajación del músculo liso bronquial. Efecto secundario de relajación en el músculo liso del estómago, intestino, útero y vejiga urinaria.[2]

Indicaciones Paro cardíaco, bradicardia, shock, anafilaxia, sibilancias severas refractarias (IM), crup/bronquiolitis (nebulizado).

Contraindicaciones Hipersensibilidad conocida, insuficiencia coronaria, dilatación cardíaca.[2] Las contraindicaciones relativas incluyen hipertensión no controlada, hipotermia, edema pulmonar, isquemia miocárdica, shock hipovolémico.

Reacciones adversas/efectos secundarios Nerviosismo, inquietud, cefalea, temblor, arritmias, dolor torácico, aumento de la demanda miocárdica de oxígeno, hipertensión, palpitaciones, náusea, vómito.

Interacciones medicamentosas Potencia otros simpaticomiméticos. Desactivado por soluciones alcalinas (bicarbonato de sodio). Los IMAO y los antidepresivos pueden potenciar sus efectos. Los betabloqueadores pueden atenuar sus efectos.

Dosis y administración *Adultos:* anafilaxia:[2] administrar 0.3 mg IM en la cara anterolateral del muslo (puede administrarse 1 mg/ml de un frasco o frasco autoinyector, si se dispone de él). Si persisten los signos de anafilaxia, puede administrarse epinefrina adicional cada 5 a 15 minutos a la misma dosis IM. Si hay dificultad respiratoria con sibilancias, considere la posibilidad de administrar albuterol nebulizado o 5 ml de epinefrina nebulizada de 1 mg/ml. Si hay estridor, considere 5 ml de epinefrina nebulizada de 1 mg/ml. Considerar una infusión IV de epinefrina (0.5 mcg/

kg/min) cuando se presente colapso cardiovascular a pesar de dosis IM repetidas de epinefrina y bolos de líquido isotónico de al menos 60 ml/kg. Broncoconstricción grave con insuficiencia respiratoria inminente:[2] administrar 0.01 mg/kg de 1 mg/ml IM; dosis máxima: 0.3 mg (solo debe administrarse como tratamiento complementario cuando no haya signos clínicos de mejoría). Bradicardia profunda con signos de inestabilidad hemodinámica:[2] infusión IV/IO de 0.02 a 0.2 mcg/kg/min titulada hasta una PA media superior a 65 mm Hg o dosis IV/IO de 10 a 20 mcg en bolos (1 a 2 ml) cada 2 minutos titulada hasta una PA media superior a 65 mm Hg. Prepare una dosis de epinefrina añadiendo 1 ml de epinefrina de 0.1 mg/ml a 9 ml de solución salina normal (SN); el resultado es una concentración de 10 mcg/ml. Shock que no responde a líquidos IV, o shock cardiogénico con signos de sobrecarga de fluidos:[2] infusión IV/IO de 0.05 a 0.3 mcg/kg/min. Paro cardíaco:[7] administrar 1 mg (0.1 mg/ml) IV/IO cada 3 a 5 minutos durante la reanimación. Seguir cada dosis con un lavado de 20 ml y elevar el brazo durante 10 a 20 segundos después de la dosis. ET: 2 a 2.5 mg diluidos en 10 ml de SN. *Pediatría:* anafilaxia:[2] si el peso es inferior a 25 kg: administrar 0.15 mg IM en la cara anterolateral del muslo; si el peso es igual o superior a 25 kg, administrar 0.3 mg IM en la cara anterolateral del muslo (puede administrarse 1 mg/ml de un frasco o frasco autoinyector, si se dispone de él). Si persisten los signos de anafilaxia, puede administrarse epinefrina adicional cada 5 a 15 minutos a la misma dosis IM. Si hay dificultad respiratoria con sibilancias, considere la posibilidad de administrar albuterol nebulizado o 5 ml de epinefrina nebulizada de 1 mg/ml. Si hay estridor, considere 5 ml de epinefrina nebulizada de 1 mg/ml. Considerar una infusión IV de epinefrina (0.5 mcg/kg/min) cuando se presente colapso cardiovascular a pesar de dosis IM repetidas de epinefrina y bolos de líquido isotónico de al menos 60 ml/kg. Bradicardia profunda con signos de inestabilidad hemodinámica:[2] dosis IV/IO de 0.01 mg/kg (0.1 ml/kg), cada 3 a 5 minutos; dosis única máxima: 10 mcg (1 ml) titulada a una PA media superior a 65 mm Hg. Preparar una dosis de epinefrina como se ha descrito antes. Paro cardíaco:[7] administrar 0.01 mg/kg (0.1 mg/ml) IV/IO cada 3 a 5 minutos durante el paro. Dosis única máxima: 1 mg. ET: 0.1 mg/kg (1 mg/ml) cada 3 a 5 minutos de la parada hasta que se consiga acceso IV/IO, entonces comenzar con la primera dosis IV. *Neonatos:* bradicardia:[13] administrar 0.01 a 0.03 mg/kg (0.1 mg/ml) IV/IO, seguido de 0.5 ml a 1 ml de SN. Considerar administrar 0.05 a 0.1 mg/kg (0.1 mg/ml) ET hasta que se pueda obtener acceso IV. La dosificación puede repetirse cada 3 a 5 minutos si la frecuencia cardíaca se mantiene por debajo de 60 latidos/min.

Duración de la acción *Inicio:* menos de 2 minutos IV, de 3 a 10 minutos IM. *Efecto máximo:* menos de 5 minutos IV, 20 minutos IM. *Duración:* 5 a 10 minutos IV, 20 a 30 minutos IM.

Consideraciones especiales Seguridad en el embarazo: categoría C. Contraindicado para pacientes en trabajo de parto activo. Documentar con cuidado la dosis, concentración, vía y hora de administración de la epinefrina y la respuesta de la paciente a cada dosis. Administrar epinefrina lo antes posible en parada cardíaca asociada con AEP o asistolia.[6] Considere reducir la dosis de epinefrina en pacientes que toman IMAO, según sus protocolos locales.

Medicamentos comunes recetados y de venta libre (OTC)

Estatinas

Las estatinas, también conocidas como inhibidores de la HMG-CoA (β-hidroxi-β-metilglutaril-coenzima A) reductasa, pertenecen a la clase de fármacos antihiperlipidémicos. Disminuyen las concentraciones de colesterol y triglicéridos séricos, reducen el colesterol de lipoproteínas de baja densidad (LDL) y aumentan ligeramente el colesterol de lipoproteínas de alta densidad (HDL). Estos medicamentos han demostrado su utilidad para disminuir el riesgo de EAC y accidente cerebrovascular. Las estatinas más comunes se enumeran en el **CUADRO 12-9**.

CUADRO 12-9 Estatinas

Ejemplos	atorvastatina (Lipitor®), fluvastatina (Lescol®), lovastatina (Altoprev®), pravastatina (Pravachol®), rosuvastatina (Crestor®), simvastatina (Zocor®)
Indicaciones	Disminuir los niveles de colesterol y lípidos séricos, en especial LDL y triglicéridos.
Contraindicaciones	Hipersensibilidad conocida, pacientes embarazadas, lactancia, enfermedad hepática activa o crónica.
Reacciones adversas/efectos secundarios	Dolor de cabeza, náusea, hiperglucemia, visión borrosa, fatiga, dolores musculares y articulares, insomnio; algunos pueden causar disfunción eréctil.
Interacciones medicamentosas	Mayor riesgo de lesiones musculares cuando se utilizan con fibratos (medicamentos para reducir el colesterol), grandes dosis de niacina, ranolazina (utilizada para tratar la angina) y colchicina (utilizada para tratar la gota). Las estatinas aumentan los efectos de la warfarina. La amiodarona y el verapamilo aumentan los niveles sanguíneos de algunas estatinas. La toronja y sus derivados pueden reducir la eficacia de las estatinas.
Consideraciones especiales	Los pacientes que toman warfarina y una estatina requieren una estrecha vigilancia de la coagulación.

Abreviatura: LDL, lipoproteína de baja densidad.

Etomidato (Amidate®)

Clase Hipnótico no barbitúrico, agente inductor de la anestesia.

Mecanismo de acción Hipnótico de acción ultracorta que produce sedación rápida con mínima depresión cardiovascular o respiratoria.[7]

Indicaciones Premedicación para intubación facilitada por medicación o sedación de procedimiento.

Contraindicaciones Hipersensibilidad conocida, parto o shock séptico (en especial en niños).

Reacciones adversas/efectos secundarios Apnea de corta duración, depresión respiratoria, hipoventilación, hiperventilación, nistagmo, arritmias, hipotensión, hipertensión, náusea, vómito, movimiento involuntario transitorio de los músculos esqueléticos, dolor en el punto de inyección.

Interacciones medicamentosas Los efectos pueden potenciarse cuando se administra con otros depresores del SNC.

Dosis y administración *Adultos*: sedación para procedimientos:[7] administrar 0.2 a 0.4 mg/kg IV durante 30 a 60 segundos (la dosis típica en adultos es de 20 mg). *Pediatría*: sedación para procedimientos:[7] administrar 0.2 a 0.4 mg/kg IV/IO durante 30 a 60 segundos; dosis máxima de 20 mg.

Duración de la acción *Inicio:* 30 a 60 segundos. *Efecto máximo:* 1 minuto. *Duración*: de 5 a 10 minutos.

Consideraciones especiales Seguridad en el embarazo: categoría C. Utilizar con precaución, sopesando el riesgo fetal y el beneficio materno en mujeres embarazadas y en periodo de lactancia. No tiene propiedades analgésicas. Evitar la administración en venas pequeñas porque la solución es altamente irritante. Monitorizar con cuidado los signos vitales. El etomidato puede suprimir la producción de hormonas esteroideas y cortisol de la glándula suprarrenal después de una dosis única, provocando de manera temporal una falla de la glándula. Considere disminuir la dosis en pacientes de edad avanzada y pacientes con afecciones cardíacas.

Famotidina (Pepcid®)

Clase Antiulcerosa, bloqueador H_2.

Mecanismo de acción Inhibe el volumen y la concentración de las secreciones gástricas.

Indicaciones Úlcera GI, sospecha de hemorragia digestiva alta, ERGE, como coadyuvante en el tratamiento de la urticaria o prurito en pacientes que experimentan una reacción alérgica que no responde a un bloqueador H_1 solo (p. ej., difenhidramina).

Contraindicaciones Hipersensibilidad conocida a la famotidina o a otros bloqueadores H_2.

Reacciones adversas/efectos secundarios Estreñimiento, diarrea, rabdomiólisis, convulsiones, neumonía, agitación, vómito, cefalea, mareos, deficiencia de vitamina B_{12}; se ha notificado prolongación del intervalo QT en pacientes con insuficiencia renal de moderada a grave. Se han notificado confusión, alucinaciones, desorientación, agitación y convulsiones en adultos mayores.

Interacciones medicamentosas Disminución de la absorción del hierro; disminución de los efectos de ketoconazol, naproxeno, seudoefedrina; aumento de la acción de metformina.

Dosis y administración *Adultos:* 20 mg IV, 20 mg por vía oral dos veces al día. *Pediatría:* 0.25 mg/kg/dosis cada 12 horas IV (máximo 20 mg/dosis), 0.5 mg/kg por vía oral (máximo 40 mg/dosis).

Duración de la acción *Inicio*: 60 minutos. *Efecto máximo:* de 1 a 3 horas. *Duración*: 10 a 12 horas.

Consideraciones especiales Seguridad en el embarazo: categoría B. Bloqueador H_2 más potente, con menos efectos adversos e interacciones farmacológicas y mayor duración de acción que la cimetidina.[3] Puede administrarse por vía oral o IV junto con difenhidramina para la urticaria.

Fenilefrina (Neo-Synephrine®)

Clase Adrenérgico, agonista alfa, vasoconstrictor nasal.

Mecanismo de acción Estimula los receptores alfa adrenérgicos en las arteriolas de la mucosa nasal para producir vasoconstricción.

Indicaciones Epistaxis; para reducir la hemorragia durante la intubación nasotraqueal.

Contraindicaciones Hipersensibilidad conocida. Utilizar con extrema precaución en pacientes geriátricos con enfermedad cardiovascular preexistente.

Reacciones adversas/efectos secundarios Temblores, palpitaciones, hipertensión.

Interacciones medicamentosas Efectos adrenérgicos exagerados si se administra con, o hasta 21 días después de, la administración de IMAO. Los efectos hipertensivos pueden ser potenciados por ATC, guanetidina, metildopa y fármacos similares a la atropina.

Dosis y administración *Adultos:* dos pulverizaciones en el orificio nasal seleccionado antes de la inserción del tubo nasotraqueal.

Duración de la acción *Inicio:* segundos. *Efecto máximo:* 30 minutos. *Duración:* de 30 minutos a 4 horas.

Consideraciones especiales Seguridad en el embarazo: categoría C. Cada frasco es para uso en un solo paciente.

Medicamentos comunes recetados y de venta libre (OTC)

Fenitoína (Dilantin®)

Clase Anticonvulsivo.

Indicaciones Profilaxis y tratamiento de las convulsiones motoras mayores.

Contraindicaciones Hipersensibilidad conocida, embarazo, lactancia, bradicardia sinusal, bloqueo cardíaco de segundo y tercer grado, síndrome de Stokes-Adams. Debe utilizarse con precaución en cualquier paciente con enfermedad cardíaca (p. ej., arritmias cardíacas, insuficiencia cardíaca, EAC) porque los síntomas pueden ser potenciados o exacerbados.

Reacciones adversas/efectos secundarios Ataxia, agitación, mareo, cefalea, somnolencia, depresión del SNC, depresión respiratoria, hipotensión, arritmias, náusea, vómito, alteración del gusto, erupción cutánea, síndrome de Stevens-Johnson, nistagmo.

Interacciones medicamentosas Numerosas. Los niveles séricos de fenitoína aumentan con los anticoagulantes, la cimetidina, las sulfonamidas y los salicilatos. El consumo crónico de alcohol aumenta el metabolismo. La lidocaína, el propranolol y otros betabloqueadores aumentan los efectos depresores cardíacos. Puede producirse precipitación cuando se mezcla con D_5W. Incompatible con muchas soluciones y medicamentos.

Consideraciones especiales Seguridad en el embarazo: categoría D.

Fosfato sódico de dexametasona (Decadron®)

Clase Corticoesteroide, glucocorticoide suprarrenal, agente antiinflamatorio.

Mecanismo de acción Suprime la inflamación aguda y crónica; efectos inmunosupresores.

Indicaciones Anafilaxia, exacerbación aguda del asma bronquial, MAM, ECGA, lesión medular, crup, PIC elevada (prevención y tratamiento), como coadyuvante en el tratamiento de shock, COVID-19 con síntomas respiratorios graves.

Contraindicaciones Hipersensibilidad documentada, infección fúngica sistémica, recién nacidos prematuros.

Reacciones adversas/efectos adversos Dolor de cabeza, inquietud, nerviosismo, aumento del apetito, insomnio, retención de sodio y agua. Ninguno con una sola dosis.

Interacciones medicamentosas Muchas. El uso simultáneo con AAS y AINE aumenta el riesgo de hemorragia digestiva y ulceración. El uso simultáneo con diuréticos aumenta la pérdida de potasio y puede producir hipopotasemia. La equinácea puede reducir su eficacia.

Dosis y administración *Adultos:* tratamiento del MAM:[2,4] administrar 4 mg por vía IM, IV u oral cada 6 horas hasta la resolución de los síntomas. ECGA:[2,4] administrar 8 mg IM, IV u oral, seguidos de 4 mg IM, IV u oral cada 6 horas hasta la resolución de los síntomas. Broncoespasmo:[2] administrar 0.6 mg/kg IM, IV u oralmente (dosis máxima 16 mg). *Pediatría:* MAM, tratamiento ECGA:[2,4] administrar 0.15 mg/kg IM, IV u oral cada 6 horas; máximo: 4 mg/dosis. Para crup:[2,7] administrar 0.6 mg/kg por vía oral, IM, IV o IO una vez; dosis máxima: 16 mg. Para asma:[7] administrar 0.6 mg/kg IM, IV o IO cada 24 horas (dosis máxima: 16 mg).

Duración de la acción *Inicio:* 4 a 8 horas. *Efecto máximo:* de 6 a 12 horas. *Duración:* de 24 a 72 horas.

Consideraciones especiales Seguridad en el embarazo: categoría C. Utilizar con precaución en mujeres en periodo de lactancia. Administrar dosis IV/IO lento. Los corticoides pueden enmascarar la infección porque suprimen tanto el sistema inmunológico como el inflamatorio. Pueden aumentar los niveles de glucosa en sangre, por lo que puede ser necesario ajustar las dosis de fármacos antidiabéticos. Si está disponible, se prefiere el succinato de hidrocortisona a la metilprednisolona y la dexametasona en pacientes con insuficiencia suprarrenal debido a su doble efecto glucocorticoide y mineralocorticoide.[2] Las dosis altas de glucocorticoides o su uso prolongado pueden causar muchas reacciones adversas y efectos secundarios. La dexametasona no debe utilizarse para la *prevención* de la MMA o la ECGA en niños.[5]

Medicamentos comunes recetados y de venta libre (OTC)

Furosemida (Lasix®)

Clase Diurético de asa.

Indicaciones Insuficiencia cardíaca, hipertensión.

Contraindicaciones Hipersensibilidad a la furosemida o a las sulfonamidas, hipovolemia, anuria, coma hepático, sospecha de desequilibrios electrolíticos.

Reacciones adversas/efectos secundarios Mareos, cefalea, cambios en el EKG, visión borrosa, hipotensión ortostática, arritmias, náusea, vómito, diarrea, sequedad de boca; puede exacerbar la hipovolemia y la hipopotasemia, acúfenos, hiperglucemia (debido a la hemoconcentración).

Interacciones medicamentosas La toxicidad del litio puede verse potenciada por la depleción de sodio. La toxicidad por digitálicos puede verse potenciada por la depleción de potasio.

Consideraciones especiales Seguridad en el embarazo: categoría C. Puede producirse ototoxicidad si se toma una dosis demasiado alta o si el paciente tiene una disfunción renal grave.

Glucagón (GlucaGen®)

Clase Agente hiperglucemiante, hormona pancreática, antagonista de la insulina.

Mecanismo de acción Aumenta el nivel de glucosa en sangre al estimular la descomposición del glucógeno almacenado en glucosa (glucogenólisis) e inhibir la síntesis de glucógeno a partir de glucosa (glucogénesis). Mecanismo desconocido de estabilización del ritmo cardíaco en sobredosis de betabloqueadores. Respuestas inotrópicas y cronotrópicas positivas mínimas. Disminuye la motilidad y las secreciones GI.

Indicaciones Alteración del estado mental cuando se sospeche hipoglucemia. Antídoto para la bradicardia sintomática causada por sobredosis de betabloqueadores o antagonistas del calcio.

Contraindicaciones Hipersensibilidad conocida, feocromocitoma, hiperglucemia, insulinoma.

Reacciones adversas/efectos secundarios Mareo, cefalea, hipotensión, taquicardia, náusea, vómito, hipoglucemia de rebote.

Interacciones medicamentosas Incompatible en solución con la mayoría de las otras sustancias. No hay interacciones farmacológicas significativas con otros medicamentos de emergencia.

Dosis y administración *Adultos:*[2] hipoglucemia: administrar 1 mg IM/IN. Puede repetir la dosis hasta que los síntomas se hayan resuelto. Sobredosis de antagonistas del calcio o betabloqueadores: administrar 5 mg lento por vía IV; puede repetirse en 5 a 10 minutos para una dosis total de 10 mg. *Pediatría:*[5] hipoglucemia: administrar 1 mg IM/IN si el peso es igual o superior a 20 kg (o la edad es igual o superior a 5 años); 0.5 mg IM/IN si el peso es inferior a 20 kg o la edad es inferior a 5 años. Sobredosis de antagonistas del calcio o betabloqueadores: administrar 1 mg lento vía IV (25 a 40 kg) cada 5 minutos según sea necesario. Administrar 0.5 mg lento por vía IV (menos de 25 kg) cada 5 minutos según sea necesario.

Duración de la acción *Inicio:* 1 minuto. *Efecto máximo:* de 5 a 20 minutos. *Duración:* de 60 a 90 minutos.

Consideraciones especiales Seguridad en el embarazo: categoría B. Utilizar en el embarazo solo si está indicado con claridad. No se recomienda su uso en mujeres lactantes. Ineficaz si las reservas de glucógeno están agotadas. Documentar reevaluación de signos vitales y estado mental después de la administración.

Gluconato de calcio

Clase Electrólito.

Mecanismo de acción Componente mineral de huesos y dientes; cofactor en reacciones enzimáticas y afecta a la actividad secretora de glándulas endocrinas y exocrinas; esencial para la neurotransmisión, la coagulación sanguínea y la contracción de músculos cardíacos, lisos y esqueléticos.

Indicaciones Uso tópico en el tratamiento de quemaduras por ácido fluorhídrico,[2] hipocalcemia, hiperpotasemia, toxicidad por betabloqueadores y antagonistas del calcio.

Contraindicaciones Hipersensibilidad conocida, toxicidad por digoxina, hipercalcemia, sospecha de hipopotasemia grave.

Reacciones adversas/efectos secundarios Síncope, paro cardíaco, arritmias, hipotensión, asistolia, vasodilatación periférica, náusea, vómito, sabor metálico, necrosis tisular en el punto de inyección, espasmo de las arterias coronarias y cerebrales.

Interacciones medicamentosas Puede causar bradicardia grave en pacientes que toman digitálicos. Puede antagonizar los efectos de los antagonistas del calcio. Incompatible con la mayoría de los medicamentos; enjuagar la vía IV/IO antes y después de su administración.

Dosis y administración *Adultos:* sobredosis de antagonistas del calcio e hiperpotasemia:[6,7] administrar 1.5 a 3 g (15 a 30 ml de solución a 10%) por vía IV/IO lenta durante 5 minutos. *Pediatría:*[7] sobredosis de antagonistas del calcio, hipocalcemia e hiperpotasemia: 60 mg/kg por vía IV/IO lenta durante 10 minutos. Puede repetirse si persiste la indicación clínica documentada o con sospecha. *Adultos y pediatría:* manejo de quemaduras por ácido fluorhídrico: aplicar cantidades generosas de gel tópico de gluconato de calcio en las zonas de piel quemada expuestas, dejar actuar durante al menos 20 minutos y volver a evaluar.[2,11] Si no se dispone de gel de gluconato de calcio fabricado comercialmente, se puede hacer una preparación tópica de gel de gluconato de calcio combinando 150 ml (5 onzas) de un gel hidrosoluble estéril (p. ej., Surgilube® o KY jelly®) con uno de los siguientes: 35 ml de solución de gluconato de calcio a 10%, 10 g de tabletas de gluconato de calcio (p. ej., Tums®) o 3.5 g de gluconato de calcio en polvo.[2]

Duración de la acción *Inicio:* 1 a 3 minutos. *Efecto máximo:* inmediato. *Duración:* de 30 minutos a 2 horas.

Consideraciones especiales Seguridad en el embarazo: categoría C. Es esencial la monitorización constante del EKG y de los signos vitales. En niños, se prefiere el gluconato de calcio para la sobredosis de bloqueadores de calcio, ya que el cloruro de calcio se asocia con mayor riesgo de daño tisular.[2] La administración venosa central es la vía preferida en pediatría, si se dispone de ella. Vigilar con cuidado el punto de administración IV; la infiltración local puede producir necrosis tisular grave y descamación. No administrar por vía IM ni subcutánea porque este medicamento es muy irritante para los tejidos.

Glucosa oral (Insta-Glucose®)

Clase Hiperglucémica, hidratos de carbono.

Mecanismo de acción Después de su absorción en el tracto GI, la glucosa se distribuye a los tejidos, aumentando los niveles de glucosa en sangre circulante.

Indicaciones Pacientes conscientes con sospecha de hipoglucemia.

Contraindicaciones Hipersensibilidad conocida, disminución del nivel de conciencia, náusea, vómito.

Reacciones adversas/efectos secundarios Náusea, vómito.

Interacciones medicamentosas Ninguna.

Dosis y administración[2] *Adultos:* 25 g por vía oral en pacientes con reflejo nauseoso intacto y capacidad para manejar sus secreciones. *Pediatría:* 0.5 a 1 g/kg por vía oral (dosis máxima: 25 g) en pacientes con reflejo nauseoso intacto y capacidad para manejar sus secreciones.

Duración de la acción *Inicio:* 10 minutos. *Efecto máximo:* variable. *Duración:* variable.

Consideraciones especiales Debe tragarse. La glucosa no se absorbe por vía sublingual ni oral. Comprobar la lectura del glucómetro antes de administrar la glucosa oral y repetir la lectura al menos 10 minutos después de la administración. Son frecuentes náusea y vómito después de la administración. Documentar la reevaluación de los signos vitales y del estado mental después de la administración.

Haloperidol (Haldol®)

Clase Tranquilizante, antipsicótico.

Mecanismo de acción Antagoniza los receptores de dopamina-1 y dopamina-2 en el cerebro; deprime el sistema activador reticular e inhibe la liberación de hormonas hipotalámicas e hipofisarias.[2]

Indicaciones Episodios psicóticos agudos o comportamiento agitado/violento refractario a intervenciones no farmacológicas, ansiedad (cuidados paliativos).

Contraindicaciones Hipersensibilidad documentada, depresión grave del SNC (incluyendo coma), síndrome neuroléptico maligno, trastorno convulsivo mal controlado, enfermedad de Parkinson, agitación secundaria a shock e hipoxia.

Reacciones adversas/efectos adversos Convulsiones, sedación, confusión, inquietud, reacciones extrapiramidales, distonía, depresión respiratoria, hipotensión, taquicardia, hipotensión ortostática, estreñimiento, sequedad de boca, náusea, vómito, babeo, visión borrosa. Riesgo de prolongación del intervalo QT, TdP y muerte súbita por administración IV no autorizada de dosis superiores a las recomendadas.[2]

Interacciones medicamentosas Aumento de la depresión del SNC e hipotensión en combinación con alcohol. Efecto aditivo con medicamentos antihipertensivos. Antagoniza anfetaminas y epinefrina. Otros depresores del SNC pueden potenciar sus efectos.

Dosis y administración (Datos disponibles limitados; dosis óptima no establecida). *Adulto:* restricción química:[2] administrar 5 mg IV o 10 mg IM. Ansiedad (cuidados paliativos):[2] administrar 5 mg IV. *Pediatría:* restricción química:[2] edades de 6 a 12 años: 1 a 3 mg IM (dosis máxima: 0.15 mg/kg).

Duración de la acción *Inicio:* 5 a 10 minutos IV, 10 a 20 minutos IM. *Efecto máximo:* 30 a 45 minutos. *Duración:* variable (por lo general de 12 a 24 horas).

Consideraciones especiales Seguridad en el embarazo: categoría C. Utilizar durante el embarazo sólo si el beneficio materno supera el riesgo fetal, en especial durante el tercer trimestre. Se requiere monitorización cardíaca continua si se administra por vía IV. Monitorizar el intervalo QT con un EKG de 12 derivaciones si es factible. Documentar el intervalo QT y comunicar los resultados al personal del centro receptor.[2]

Hidralazina (Apresoline®)

Clase Antihipertensivo, vasodilatador.

Mecanismo de acción Relaja el músculo liso arteriolar, pero no el venoso. Se cree que interfiere con el movimiento del calcio en el músculo liso vascular, responsable de la vasoconstricción, lo que provoca una disminución de la PA.

Indicaciones Hipertensión inducida por el embarazo (PAS superior a 160 mm Hg o PAD superior a 110 mm Hg) de más de 15 minutos de duración, con síntomas de preeclampsia asociados.[2]

Contraindicaciones Hipersensibilidad conocida, EAC, cardiopatía reumática de la válvula mitral. Utilizar con precaución en pacientes con accidente cerebrovascular, enfermedad renal conocida o hipotensión.

Reacciones adversas/efectos adversos Dolor de cabeza, náusea, sofocos, hipotensión, palpitaciones, taquicardia, mareos y angina (resultado de la estimulación simpática). También pueden producirse parestesias, entumecimiento y hormigueo.

Interacciones medicamentosas IMAO; efectos sinérgicos si se administra al mismo tiempo con otros antihipertensivos. Los AINE pueden disminuir los efectos antihipertensivos.

Dosis y forma de administración *Adultos:* 5 mg IV; puede repetirse 10 mg a los 20 minutos en caso de hipertensión grave persistente con síntomas de preeclampsia (el objetivo es reducir la PAM entre 20 y 25%).[2] *Pediatría:* no suele estar indicado en el ámbito prehospitalario.

Duración de la acción *Inicio:* 5 a 20 minutos. *Efecto máximo:* de 10 a 80 minutos. *Duración:* de 2 a 12 horas.

Consideraciones especiales Seguridad en el embarazo: categoría C. No se recomienda su uso a largo plazo durante el embarazo. Suele reducir la PAD más que la PAS.[3]

Hidromorfona (Dilaudid®)

Clase Analgésico opiáceo sintético; fármaco de clase II.

Mecanismo de acción Agonista opioide-analgésico de los receptores opioides; inhibe las vías ascendentes del dolor, alterando así la respuesta al dolor; aumenta el umbral del dolor; produce analgesia, depresión respiratoria y sedación.[2]

Indicaciones Tratamiento del dolor agudo de moderado a intenso.

Contraindicaciones Hipersensibilidad conocida, uso de IMAO durante los 14 días anteriores, obstrucción GI. Administrar con precaución en adultos mayores; en pacientes con una puntuación EKG inferior a 15 y en pacientes con hipotensión, hipoxia después de la terapia de oxígeno suplementario máximo, signos de hipoventilación, lesión en la cabeza o el uso concomitante de depresores del SNC.

Reacciones adversas/efectos secundarios Mareo, somnolencia, cefalea, debilidad, hipotensión, síncope, apnea.

Interacciones medicamentosas IMAO, ISRS; el uso simultáneo con otros depresores del SNC puede inducir depresión respiratoria o del SNC grave.

Dosis y administración *Adultos y pediatría:*[2] administrar 0.015 mg/kg por vía IM, IV o IO. Dosis máxima inicial: 2 mg; dosis máxima acumulativa: 4 mg.

Duración de la acción *Inicio:* variable IM; 5 minutos IV, 15 a 30 minutos oral. *Efecto máximo:* variable IM; 10 a 20 minutos IV, 30 a 60 minutos oral. *Duración:* 2 a 3 horas.

Consideraciones especiales Seguridad en el embarazo: categoría C. Utilizar con precaución durante el embarazo, sopesando el riesgo fetal frente al beneficio materno. Según los informes, es de 5 a 7 veces más potente que la morfina, con una duración más corta de la analgesia.[16] La depresión respiratoria se controla con naloxona. Documentar la intensidad del dolor utilizando una escala de 0 a 10 antes y después de la administración y a la llegada al centro receptor.[2]

Hidroxocobalamina (Cyanokit®)

Clase Antídoto, complemento de la intoxicación por cianuro.

Mecanismo de acción Forma sintética inyectable de vitamina B_{12} (cobalamina) que se une al cianuro para formar cianocobalamina no tóxica, evitando sus efectos tóxicos; se excreta por vía renal.

Indicaciones Intoxicación por cianuro conocida o sospechada.

Contraindicaciones Hipersensibilidad documentada.

Reacciones adversas/efectos secundarios Hipertensión, reacciones alérgicas, hemorragia digestiva, náusea, vómito, dispepsia, disnea, mareos, cefalea, reacciones en el lugar de inyección.

Interacciones medicamentosas No administrar en la misma vía IV con diazepam, dobutamina, dopamina, fentanilo, NTG, propofol, nitrito de sodio o tiosulfato de sodio.

Dosis y administración[2] Cada frasco de 5 g de hidroxocobalamina inyectable debe reconstituirse con 200 ml de solución de Ringer lactato, NS o D_5W (25 mg/ml). *Adultos:* dosis inicial 5 g administrados durante 15 minutos a una velocidad de 10 a 15 ml/min. Dosis única máxima: 5 g. Puede administrarse una dosis adicional de 5 g previa consulta médica. *Pediatría:* administrar 70 mg/kg IV a una velocidad de 10 a 15 ml/min. Dosis única máxima: 5 g.

Duración de la acción *Inicio:* rápido. *Efecto máximo:* 8 a 10 minutos. *Duración:* variable.

Consideraciones especiales Seguridad en el embarazo: categoría C. Puede causar daño fetal, aunque el riesgo de intoxicación por cianuro puede ser mayor que el riesgo fetal. La lactancia debe interrumpirse después de la administración del medicamento. Agente preferido en intoxicación por cianuro conocida o sospechada.[2] Tener un alto índice de sospecha de intoxicación por cianuro en un paciente con una puntuación Glasgow deprimida, dificultad respiratoria y colapso cardiovascular en el contexto de un incendio en un espacio cerrado.[2] Revaluar la vía aérea, la oxigenación y la hidratación del paciente durante la administración. La administración causa decoloración de la piel y la orina, haciendo que los valores de pulsioximetría sean inexactos. Debido a que interfiere con algunos análisis de sangre diagnósticos, es mejor realizar una flebotomía prehospitalaria antes de administrar este medicamento.[2] El uso de hidroxocobalamina está sustituyendo al paquete de antídotos contra el cianuro por su facilidad de uso y su presunta mayor seguridad en víctimas de incendios intoxicadas por monóxido de carbono. Además, no provoca metahemoglobinemia y es menos desestabilizante hemodinámicamente.

Ibuprofeno (Advil®, Motrin®)

Clase AINE, analgésico no opioide.

Mecanismo de acción Inhibe la síntesis de prostaglandinas, reduciendo así el edema, el dolor y la fiebre.

Indicaciones Tratamiento del dolor agudo, antipirético.

Contraindicaciones Hipersensibilidad conocida a AAS/AINE, asma sensible a AAS, alteración significativa de la función renal, embarazo, úlcera péptica conocida, hemorragia intracraneal activa o hemorragia GI, trombocitopenia, defectos de coagulación, enterocolitis necrotizante probada o sospechada, dolor perioperatorio en el contexto de cirugía de *bypass* aorto-coronario.

Reacciones adversas/efectos adversos Dolor de cabeza, mareo, somnolencia, fatiga, sueño intranquilo, sed, sudoración, hormigueo o entumecimiento de manos y pies, tinnitus, visión borrosa e irritación ocular, retención de líquidos, náusea, vómito, micción frecuente.

Interacciones medicamentosas Riesgo aditivo de hemorragia si se administra en combinación con otros agentes que afectan a la hemostasia (p. ej., AAS y otros antiagregantes plaquetarios, anticoagulantes, ISRS, IRSN y otros AINE). La alfalfa, el anís y el arándano pueden potenciar los efectos adversos. Puede disminuir el efecto antihipertensivo de la hidralazina. Puede disminuir el efecto diurético de los diuréticos de asa, tiazídicos y similares. Los ATC pueden potenciar los efectos antiagregantes plaquetarios de los AINE. Puede aumentar el tiempo de hemorragia en pacientes que toman anticoagulantes.

Dosis y administración *Adultos:*[2] administrar 10 mg/kg por vía oral a pacientes mayores de 6 meses (dosis máxima: 800 mg). *Pediatría:* convulsiones febriles:[2] administrar 10 mg/kg por vía oral, si es capaz de tragar; dosis máxima: 600 mg.

Duración de la acción *Inicio:* 30 a 60 minutos. *Efecto máximo:* 1 a 2 horas. *Duración:* de 6 a 8 horas.

Consideraciones especiales Los AINE pueden aumentar el riesgo de infarto del miocardio o accidente cerebrovascular en pacientes con o sin cardiopatía o factores de riesgo de cardiopatía.[17] También existe un mayor riesgo de insuficiencia cardíaca con el uso de AINE.

Medicamentos comunes recetados y de venta libre (OTC)

Inhibidores de la bomba de protones

Los inhibidores de la bomba de protones bloquean el sistema enzimático hidrógeno/potasio ATPasa (es decir, la bomba gástrica de protones) en la pared del estómago, inhibiendo la etapa final de la producción de ácido gástrico y limitando la cantidad de ácido producido. En el **CUADRO 12-10** se enumeran los inhibidores comunes de la bomba de protones.

CUADRO 12-10 Inhibidores de la bomba de protones

Ejemplos	esomeprazol (Nexium®), lansoprazol (Prevacid®), omeprazol (Prilosec®)
Indicaciones	Prevención y tratamiento de los trastornos relacionados con el ácido gástrico, incluidas úlceras pépticas, úlceras duodenales, esofagitis por reflujo y ERGE. También puede utilizarse en combinación con antibióticos para el tratamiento de la infección por *Helicobacter pylori*.
Contraindicaciones	Hipersensibilidad conocida, enfermedad hepática, cáncer gástrico, deficiencia de vitamina B_{12}, hipomagnesemia, síndrome de QT largo. Utilizar con precaución en pacientes con fracturas óseas, osteoporosis o lupus eritematoso sistémico.
Reacciones adversas/efectos secundarios	Dolor de cabeza, diarrea, náusea, vómito, dolor abdominal, estreñimiento, mareos, deficiencia de hierro y vitamina B_{12}. Puede aumentar el riesgo de infección por *Clostridioides difficile*.
Interacciones medicamentosas	Diversas, pero varían en función del fármaco. Utilizar con precaución en pacientes en tratamiento con antiagregantes plaquetarios, sales de hierro o digoxina. El ginkgo, la hierba de San Juan y el regaliz pueden disminuir el nivel sérico de omeprazol.[a]
Consideraciones especiales	Los inhibidores de la bomba de protones tienden a inhibir la secreción ácida gástrica hasta 90% más que los bloqueadores H_2.[a] Se requiere una bomba de infusión cuando la medicación se administra por infusión intravenosa continua.

Abreviaturas: ERGE, enfermedad por reflejo gastroesofágico; H_2, histamina; IV, intravenoso.

[a]McCuistion LE, DiMaggio KV, Winton MB, Yeager JJ. *Pharmacology: A Patient-Centered Nursing Process Approach*, 10th ed., St. Louis, MO: Elsevier; 2021.

Inhibidores de la glucoproteína IIb/IIIa

Los inhibidores de la glucoproteína (GP) IIb/IIIa bloquean la unión del fibrinógeno a los receptores de la glucoproteína IIb/IIIa en la superficie de las plaquetas, inhibiendo así la agregación plaquetaria. En el **CUADRO 12-11** se enumeran los inhibidores de la GP IIb/IIIa más utilizados.

CUADRO 12-11 Inhibidores de la glucoproteína IIb/IIIa

Ejemplos	eptifibatida (Integrilin®), tirofibán (Aggrastat®)
Indicaciones	Prevención de la trombosis en pacientes sometidos a ICP, angina inestable de alto riesgo e IAMSEST.
Contraindicaciones	Hipersensibilidad conocida a cualquier componente del producto. Hemorragia interna activa o trastorno hemorrágico en los últimos 30 días, recuento de plaquetas inferior a 150 000/mm^3, hipersensibilidad y uso concomitante de otro inhibidor de la glucoproteína IIb/IIIa, intervención quirúrgica o traumatismo en el plazo de 1 mes, antecedentes de hemorragia intracraneal u otras hemorragias.[a]
Reacciones adversas/efectos secundarios	Mareo, dolor, sudoración, bradiarritmia, dolor abdominal, hemorragia grave (cerebrovascular, pulmonar), hipotensión, dolor en el lugar de inyección, anafilaxia, trombocitopenia.
Interacciones medicamentosas	Riesgo agregado de hemorragia si se administra en combinación con otros agentes que afectan a la hemostasia (p. ej., aspirina y otros antiagregantes plaquetarios, anticoagulantes, agentes fibrinolíticos, ISRS, IRSN y AINE).
Consideraciones especiales	Requiere bomba de infusión. Evitar procedimientos invasivos (p. ej., inicios IV, inyecciones, sonda NG o intubación nasotraqueal) debido al riesgo de hemorragia espontánea grave. El abciximab (ReoPro®), otro inhibidor de la glucoproteína IIb/IIIa, ya no está disponible en EU.

Abreviaturas: AINE, antiinflamatorios no esteroideos; IAMSEST, infarto de miocardio sin elevación del segmento ST; ICP, intervención coronaria percutánea; IRSN, inhibidores de la recaptación de serotonina y norepinefrina; IRSS, inhibidores selectivos de la recaptación de serotonina.

[a]American Heart Association. *2020 Handbook of Emergency Cardiovascular Care for Healthcare Providers.* Dallas, TX: American Heart Association; 2020.

Medicamentos comunes recetados y de venta libre (OTC)

Insulina

Clase Antidiabético, hormona.

Indicaciones Cetoacidosis diabética u otro estado hiperglucémico, hiperpotasemia (insulina y D_{50} se utilizan en conjunto para la hiperpotasemia), coma hiperosmolar no cetósico.

Contraindicaciones Hipersensibilidad, hipoglucemia, hipopotasemia.

Reacciones adversas/efectos secundarios Debilidad, fatiga, confusión, cefalea, convulsiones, coma, taquicardia, náusea, hipopotasemia, hipoglucemia, diaforesis, ardor, edema, enrojecimiento.

Interacciones medicamentosas Incompatible en solución con todos los demás medicamentos. Los glucocorticoides y los inmunosupresores pueden aumentar las necesidades de insulina. Algunos antibióticos (p. ej., fluoroquinolonas, sulfonamidas) pueden disminuir las necesidades de insulina. Puede ser necesario ajustar la dosis de insulina si el paciente está tomando betabloqueadores. El alcohol y los salicilatos pueden potenciar los efectos de la insulina.

Consideraciones especiales No se utiliza en el entorno prehospitalario de emergencia, pero puede ser administrada por paramédicos durante los transportes entre centros. Las dosis varían mucho en función del nivel de glucosa en sangre del paciente, la ingesta de alimentos, la indicación y el tipo de insulina. La absorción más rápida se produce si la insulina se inyecta en la pared abdominal; la siguiente más rápida si se inyecta en el brazo; y la más lenta si se inyecta en el muslo.

Ketamina (Ketalar®)

Clase Analgésico, anestésico general, anestésico disociativo; fármaco de clase III.

Mecanismo de acción Bloquea los receptores del dolor y minimiza la actividad de la médula espinal, afectando a las vías cerebrales de asociación entre el tálamo y el sistema límbico.

Indicaciones Sedación de procedimiento, manejo de comportamiento agitado o violento, control del dolor.

Contraindicaciones Hipersensibilidad conocida, lactantes menores de 3 meses, embarazo, angina, insuficiencia cardíaca, hipertiroidismo sintomático, esquizofrenia conocida o sospechada, condiciones en las que la hipertensión sería peligrosa para el cuidado del paciente. Utilizar con precaución en cualquier paciente con posibilidad de aumento de la PIC, incluidos aquellos con traumatismo craneal, lesiones masivas intracraneales, hemorragia intracraneal o hidrocefalia.[5]

Reacciones adversas/efectos secundarios Hipertensión, alucinaciones, náusea/vómito, nistagmo, broncodilatación, taquicardia, aumento de secreciones, hipersalivación, laringoespasmo, depresión respiratoria, elevaciones de leves a moderadas de la PA y la frecuencia cardíaca.

Interacciones medicamentosas La ketamina puede potenciar los efectos depresores del SNC del alcohol, el cannabis, los opioides, los barbitúricos y los bloqueadores neuromusculares no despolarizantes (p. ej., pancuronio, rocuronio, vecuronio). La hierba de San Juan puede reducir su eficacia.

Dosis y administración *Adultos:* sedación de procedimiento:[7] administrar 1 a 2 mg/kg IV durante 1 a 2 minutos. Control del dolor:[2] Malestar moderado: 0.5 mg/kg IN (dosis inicial máxima: 55 mg; dosis total máxima: 100 mg). Molestias graves a insoportables: 0.25 mg/kg IM/IV/IO (dosis inicial máxima: 25 mg; dosis total máxima: 100 mg). Restricción química:[2] administrar 2 mg/kg IV o 4 mg/kg IM. *Pediatría:* sedación de procedimiento:[7] administrar 1 a 2 mg/kg IV/IO durante 1 a 2 minutos. Restricción química:[2] administrar 1 mg/kg IV o 3 mg/kg IM.

Duración de la acción *Inicio:* 30 segundos. *Efecto máximo:* de 30 segundos a 5 minutos. *Duración:* de 10 a 15 minutos.

Consideraciones especiales Seguridad en el embarazo: categoría N (no clasificado). Contraindicado durante el embarazo y la lactancia. La ketamina se denomina anestésico disociativo porque el paciente puede permanecer consciente, pero insensible al dolor y experimentar amnesia de corta duración. Su composición química es similar a la de la fenciclidina (PCP), pero su acción es más corta y menos tóxica.[2] Algunos pacientes pueden experimentar una reacción de emergencia (p. ej., estado onírico, confusión, imágenes vívidas, excitación, alucinaciones, delirio, comportamiento irracional) tras la duración completa del efecto de la medicación, que puede durar unas horas.

Ketorolaco trometamina (Toradol®)

Clase AINE, analgésico no opioide.

Mecanismo de acción Potente analgésico que inhibe la síntesis de prostaglandinas; no tiene propiedades sedantes ni ansiolíticas.

Indicaciones Tratamiento agudo del dolor moderado a intenso.

Contraindicaciones Alergia a AINE o AAS; asma sensible a AAS; insuficiencia renal; embarazo; úlcera péptica conocida; hipotensión (debida a toxicidad renal); mujeres en trabajo de parto activo o en periodo de lactancia; insuficiencia renal significativa, en particular cuando se asocia con depleción de volumen; hemorragia GI previa o actual; hemorragia intracraneal; defectos de coagulación; pacientes con alto riesgo de hemorragia. Utilizar con precaución en pacientes de edad avanzada debido a un mayor riesgo de reacciones adversas renales y GI mortales.

Reacciones adversas/efectos secundarios Somnolencia, mareo, cefalea, sedación, broncoespasmo, disnea, edema, vasodilatación, hipotensión, hipertensión, hemorragia digestiva, diarrea, dispepsia, náusea.

Interacciones medicamentosas Puede aumentar el tiempo de hemorragia en pacientes que toman anticoagulantes. Los ATC pueden potenciar los efectos antiplaquetarios de los AINE.

Dosis y administración[2] (dosis única) *Adultos:* molestias moderadas: 30 mg IM en mujeres no embarazadas. Molestias de graves a insoportables: 15 mg IV en mujeres no embarazadas. *Geriatría:* molestias moderadas: 1 mg/kg IM (dosis máxima: 30 mg). *Pediatría (2 a 16 años):* molestias moderadas: 1 mg/kg IM (dosis máxima: 30 mg). Molestias de graves a insoportables *(2 a 16 años):* 0.5 mg/kg IV (dosis máxima: 15 mg). Convulsiones febriles: 1 mg/kg IV (dosis máxima: 15 mg) si no puede tragar.

Duración de la acción *Inicio:* 10 minutos. *Efecto máximo:* 1 a 2 horas. *Duración:* de 2 a 6 horas.

Consideraciones especiales Seguridad en el embarazo: categoría C. Contraindicado durante el embarazo. Tener precaución si el dolor es posible que sea de origen traumático. Documentar la intensidad del dolor utilizando una escala de 0 a 10 antes y después de la administración y a la llegada al centro receptor.[2]

Levalbuterol (Xopenex®)

Clase Simpaticomimético, broncodilatador, agonista adrenérgico beta-2 de acción corta.

Mecanismo de acción Estimula los receptores beta-2 causando relajación del músculo liso del árbol bronquial y de la vasculatura periférica.

Indicaciones Tratamiento del broncoespasmo agudo en pacientes con enfermedad obstructiva reversible de la vía aérea (EPOC/asma). Profilaxis del broncoespasmo en pacientes con asma.

Contraindicaciones Hipersensibilidad conocida al medicamento, a otros simpaticomiméticos o a los cacahuetes; uso de IMAO en los 14 días siguientes. Angioedema, taquiarritmias y enfermedad cardíaca grave. Evitar la administración con otros fármacos que prolonguen el intervalo QT (p. ej., amiodarona, clorpromazina, droperidol, haloperidol, sotalol, macrólidos, fluoroquinolonas, procainamida, prometazina). Utilizar con precaución en pacientes con arritmias cardíacas y trastornos cardiovasculares.

Reacciones adversas/efectos secundarios Cefalea, ansiedad, mareo, inquietud, alucinaciones, irritación de garganta, taquicardia, hipertensión, hipotensión, arritmias, angina, náusea, vómito, dispepsia, temblores, hipopotasemia, hiperglucemia.

Interacciones medicamentosas Aumento de la acción de broncodilatadores, ATC, IMAO y otros fármacos adrenérgicos. Aumento del riesgo de prolongación del QT cuando se administra con otros fármacos que prolongan el QT.

Dosis y administración *Adultos:* 1.25 mg en 3 ml de solución salina administrada por nebulizador durante 5 a 15 minutos y repetida según sea necesario. *Pediatría:* 0.63 a 1.25 mg en 3 ml NS administrado por nebulizador durante 5 a 15 minutos y repetido según sea necesario.

Duración de la acción *Inicio:* 5 a 15 minutos. *Efecto máximo:* 60 a 90 minutos. *Duración:* de 6 a 8 horas.

Consideraciones especiales Seguridad en el embarazo: categoría C.

Lorazepam (Ativan®)

Clase Benzodiacepina, sedante-hipnótico, anticonvulsivo; fármaco de clase IV.

Mecanismo de acción Efecto ansiolítico, anticonvulsivo y sedante; suprime la propagación de la actividad convulsiva producida por focos en la corteza, el tálamo y las áreas límbicas; inhibe los receptores GABA en el SNC, reduciendo la excitabilidad neuronal.

Indicaciones Escalofríos incontrolados asociados con hipertermia/exposición al calor, convulsiones activas, ansiedad/sedación, restricción química.

Contraindicaciones Hipersensibilidad documentada, depresión neurológica o respiratoria, glaucoma agudo de ángulo estrecho, apnea del sueño, shock, sospecha de abuso de drogas.

Reacciones adversas/efectos secundarios Mareo, somnolencia, depresión del SNC, cefalea, sedación, depresión respiratoria, apnea, hipotensión, bradicardia.

Interacciones medicamentosas El uso concomitante con otros depresores del SNC puede causar depresión respiratoria, hipotensión, sedación profunda y muerte. Las personas que toman pasiflora o hierba de San Juan pueden experimentar temblores en las manos, mareos y fatiga muscular. La agripalma puede potenciar los efectos sedantes y provocar el coma.[8]

Dosis y administración Cuando se administra por vía IV/IO, debe diluirse con un volumen igual de agua estéril o solución salina estéril. *Adultos:* ansiedad/sedación: 0.1 mg/kg IV lento durante 2 minutos (dosis única máxima: 4 mg); 4 mg IM. Escalofríos asociados con hipertermia/exposición al calor:[2] administrar 1 mg IV/IO, puede repetirse una vez en 5 minutos, o 2 mg IM, puede repetirse una vez en 10 minutos. Restricción química:[2] administrar 2 mg IV o 4 mg IM. *Pediatría:* convulsiones:[2] si hay acceso vascular, 0.1 mg/kg IV/IO lento durante 2 minutos (dosis única máxima: 4 mg). Escalofríos asociados con hipertermia/exposición al calor:[2] administrar 0.1 mg/kg IV/IM/IO (dosis única máxima: 1 mg). Restricción química:[2] administrar 0.05 mg/kg IV (dosis máxima: 2 mg) o 0.05 mg/kg IM (dosis máxima: 4 mg).

Duración de la acción *Inicio:* 2 a 5 minutos IV; 15 a 30 minutos IM. *Efecto máximo:* menos de 15 minutos IV, 2 a 3 horas IM. *Duración:* 6 a 8 horas IV/IM.

Consideraciones especiales Seguridad en el embarazo: categoría D. Debe considerarse el riesgo fetal y el beneficio materno antes de usar lorazepam. Monitorizar la frecuencia respiratoria y la PA durante la administración. Disponer de equipo avanzado de vía aérea. Considerar disminuir la dosis 50% en pacientes mayores de 60 años.

Manitol (Osmitrol®)

Clase Diurético osmótico.

Mecanismo de acción Favorece el movimiento del líquido del espacio intracelular al espacio extracelular. Disminuye el edema cerebral y la PIC. Favorece la excreción urinaria de toxinas.

Indicaciones Reducción de la PIC en el tratamiento de emergencias neurológicas; favorece la diuresis para la excreción de sustancias tóxicas y metabolitos.

Contraindicaciones Hipersensibilidad conocida, hipotensión, edema pulmonar o congestión pulmonar grave, anomalías electrolíticas, deshidratación grave, hemorragia intracraneal, insuficiencia cardíaca. Utilizar con precaución en pacientes con función renal alterada (puede producirse sobrecarga de líquidos).

Reacciones adversas/efectos secundarios Cefalea, confusión, visión borrosa, taquicardia, dolor torácico, insuficiencia cardíaca, hipotensión/hipertensión, hipopotasemia/hiperpotasemia, hiponatremia/hipernatremia, náuseas, vómitos, enmascaramiento o empeoramiento de la deshidratación, aumentos de rebote de la PIC, reacción en el lugar de inyección.

Interacciones medicamentosas Muchas. Puede precipitar la toxicidad digitálica cuando se administra simultáneamente. Evitar el uso de otros diuréticos en combinación con manitol, si es posible. La administración concomitante puede potenciar la toxicidad renal del manitol. Evitar su uso con salicilatos y AINE (aumenta el riesgo de insuficiencia renal). El uso con nitratos puede causar hipotensión.

Dosis y administración *Adultos:*[7] administrar 0.5 a 1 g/kg en infusión IV durante 5 a 10 minutos a través de un filtro en línea. Se pueden administrar dosis adicionales de 0.25 a 2 g/kg cada 4 a 6 horas según sea necesario. *Pediatría:* consultar a la dirección médica.

Duración de la acción *Inicio:* 1 a 3 horas para el efecto diurético; 15 minutos para la reducción de la PIC. *Efecto máximo:* variable. *Duración:* 4 a 6 horas para el efecto diurético; 3 a 8 horas para la reducción de la PIC.

Consideraciones especiales Seguridad en el embarazo: categoría C. Puede cristalizar a bajas temperaturas; conservar a temperatura ambiente. El uso y las dosis en emergencias son controvertidos. Asegúrese de disponer de soporte ventilatorio.

Metoclopramida (Reglan®)

Clase Antiemético, agonista colinérgico de acción directa, agente procinético.

Mecanismo de acción Bloquea los receptores de dopamina (a dosis altas) y los receptores de serotonina en la zona desencadenante de los quimiorreceptores del SNC; sensibiliza los tejidos a la acetilcolina; aumenta la motilidad del tracto GI superior, pero no las secreciones; aumenta el tono del esfínter esofágico inferior.

Indicaciones Náusea, vómito.

Contraindicaciones Hipersensibilidad conocida a la metoclopramida o procainamida; hemorragia GI, obstrucción mecánica o perforación; antecedentes de convulsiones, discinesia tardía o reacción distónica; feocromocitoma; enfermedad de Parkinson; administración con otros fármacos que pueden causar síntomas extrapiramidales (p. ej., fenotiazinas, butirofenonas).

Reacciones adversas/efectos secundarios Náusea, vómito, cefalea, fatiga, erupción cutánea, reacción distónica, confusión, bloqueo AV, bradicardia, alucinaciones, laringoespasmo.

Interacciones medicamentosas Aumento del riesgo de sedación cuando se utiliza con depresores del SNC, antihistamínicos, anticolinérgicos, IMAO. Puede disminuir los efectos de los agonistas dopaminérgicos. Puede aumentar la velocidad o extensión de la absorción de AAS debido a la aceleración del vaciado gástrico.

Dosis y administración[2] *Adultos:* 10 mg IV/IM. *Pediatría:* mayores de 2 años y peso superior a 12 kg: 0.1 mg/kg IM o 0.1 mg/kg IV; puede repetirse una vez en 20 a 30 minutos si no hay alivio (máximo 10 mg/dosis IV).

Duración de la acción *Inicio:* 1 a 3 minutos (IV), 30 a 60 minutos. *Efecto máximo:* inmediato (IV). *Duración:* 1 a 2 horas.

Consideraciones especiales Seguridad en el embarazo: categoría B. Los pacientes geriátricos deben recibir la dosis más baja que sea efectiva; los adultos mayores tienen mayor riesgo de presentar efectos adversos como discinesia tardía, confusión o sobresedación y efectos adversos de tipo parkinsoniano.[5]

Mezcla de gas helio (Heliox®)

Clase Gas medicinal.

Mecanismo de acción Reduce la resistencia al flujo aéreo dentro del árbol bronquial en pacientes con enfermedad pulmonar obstructiva; también puede reducir el trabajo respiratorio y mejorar la eficacia del intercambio gaseoso pulmonar.[14]

Indicaciones Broncoespasmo persistente o grave en pacientes no intubados con enfermedad obstructiva de las vías respiratorias o pacientes pediátricos con crup que no responden a todas las demás intervenciones médicas basadas en la evidencia.[2]

Contraindicaciones Ninguna.[2]

Reacciones adversas/efectos secundarios Puede reducir la eficacia de la tos.

Interacciones medicamentosas Desconocidas.

Dosis y administración *Adultos y pediatría:* a los pacientes normóxicos se les suele administrar una mezcla de 80% de helio y 20% de oxígeno utilizando una mascarilla sin respiración bien ajustada con una bolsa reservorio; a los pacientes hipoxémicos se les administra 70% de helio y 30% de oxígeno o 60% de helio y 40% de oxígeno.[15] Asegúrese de que la bolsa reservorio esté llena con la mezcla de helio y oxígeno antes de colocar la mascarilla al paciente. Una vez colocada la mascarilla, asegúrese de que el reservorio no se colapse más de un tercio durante la inspiración. Si es así, aumente el flujo.[15]

Duración de la acción *Inicio:* inmediato. *Efecto máximo:* minutos. *Duración:* se elimina en pocas respiraciones.

Consideraciones especiales Seguridad en el embarazo: no clasificada. Cuanto menor sea el porcentaje de helio, menor será la eficacia de Heliox® para reducir el trabajo respiratorio del paciente.[15] Vigilar de manera estrecha el trabajo respiratorio del paciente durante la administración. Heliox® no debe administrarse de rutina a niños con dificultad respiratoria.

Milrinona (Primacor®)

Clase Inotrópico.

Mecanismo de acción Aumenta la contractilidad miocárdica; tiene un efecto dilatador directo sobre el músculo liso vascular; no posee propiedades betaadrenérgicas.

Indicaciones[7] Insuficiencia cardíaca en pacientes posquirúrgicos cardiovasculares, shock con resistencia vascular sistémica elevada.

Contraindicaciones Hipersensibilidad conocida. Reducir la dosis en pacientes con disfunción renal.

Reacciones adversas/efectos adversos Cefalea, náusea, vómito, hipotensión (en especial en pacientes con déficit de volumen), hipopotasemia, broncoespasmo, taquicardia supraventricular, arritmias ventriculares.

Interacciones medicamentosas Sinérgico con catecolaminas.

Dosis y administración Consultar a la dirección médica o seguir la dosis ordenada por el médico remitente.

Duración de la acción *Inicio:* 5 a 15 minutos. *Efecto máximo:* desconocido. *Duración:* de 3 a 6 horas.

Consideraciones especiales Seguridad en el embarazo: categoría C. Se requiere monitorización hemodinámica. Vigilar estrechamente la PA y la frecuencia cardíaca.

Nifedipino (Procardia®, Adalat®, Nifedical®)

Clase Bloqueador de los canales de calcio.

Mecanismo de acción Inhibe el movimiento de los iones de calcio a través de las membranas celulares; inhibe la contracción del músculo liso cardíaco y vascular, dilatando así las principales arterias coronarias y sistémicas, reduciendo la precarga y la poscarga, y disminuyendo la demanda miocárdica de oxígeno; no prolonga la conducción nodal AV.

Indicaciones Prevención y tratamiento de la EPGA,[4] hipertensión inducida por el embarazo (PAS superior a 160 mm Hg o PAD superior a 110 mm Hg) de más de 15 minutos de duración con síntomas de preeclampsia asociados.[2]

Contraindicaciones Hipersensibilidad conocida al nifedipino o a otros antagonistas del calcio; shock cardiogénico; preparación de liberación inmediata (sublingual u oral) para hipertensión urgente o de emergencia.

Reacciones adversas/efectos secundarios Dolor de cabeza, mareos, nerviosismo, debilidad, cambios de humor, disnea, tos, sibilancias, insuficiencia cardíaca, IM, arritmias ventriculares, hipotensión, síncope, náusea, molestias abdominales, diarrea.

Interacciones medicamentosas Los betabloqueadores pueden potenciar los efectos de nifedipino. Los efectos de la teofilina pueden verse aumentados. Los antihipertensivos pueden potenciar los efectos hipotensores.

Dosis y administración *Adultos:* prevención y tratamiento de la EPGA:[4] administrar 30 mg del preparado de liberación prolongada por vía oral cada 12 horas o 20 mg del preparado de liberación prolongada por vía oral cada 8 horas. Hipertensión inducida por el embarazo:[2] administrar 10 mg por vía oral. Puede repetirse la administración de 10 a 20 mg por vía oral cada 20 minutos, dos veces, en caso de hipertensión grave persistente con síntomas de preeclampsia. El objetivo es reducir la PAM entre 20 y 25%. *Pediatría:* no se dispone de datos.

Duración de la acción *Inicio:* 15 a 30 minutos. *Efecto máximo:* de 1 a 3 horas. *Duración:* de 6 a 8 horas.

Consideraciones especiales Seguridad en el embarazo: categoría C. Puede utilizarse para el tratamiento de EPGA cuando el descenso es imposible o se retrasa y no se dispone de acceso fiable a oxígeno suplementario o terapia hiperbárica portátil.[4] La hipotensión es menos frecuente cuando se utiliza la preparación de liberación prolongada, pero puede desarrollarse cuando se administra nifedipino a pacientes con depleción del volumen intravascular.[4] Revaluar los signos vitales cada 10 minutos durante el transporte.

Nitroglicerina (Nitrostat®, Nitrolingual Pumpspray®, NitroQuick®, Nitro-Bid®, Tridil®)

Clase Vasodilatador, nitrato, antianginoso.

Mecanismo de acción Relajante del músculo liso, que actúa sobre la vasculatura, el músculo liso bronquial, uterino e intestinal. Dilata las arteriolas y venas periféricas. Reduce la resistencia vascular periférica, la precarga y la poscarga, disminuyendo la carga de trabajo del corazón y la demanda miocárdica de oxígeno.

Indicaciones Dolor torácico de tipo isquémico, hipertensión aguda y sintomática, insuficiencia cardíaca, edema pulmonar.

Contraindicaciones Hipersensibilidad conocida, hipotensión (PAS inferior a 90 mm Hg o 30 mm Hg o más por debajo del valor basal), hipovolemia, hemorragia intracraneal o traumatismo craneal, taponamiento pericárdico, bradicardia o taquicardia graves, infarto del VD, administración previa de sildenafilo (Viagra®) o vardenafilo (Levitra®) en las 24 horas siguientes o de tadalafilo (Cialis®) en las 48 horas siguientes. Utilizar con precaución en pacientes con enfermedad hepática, anemia, diabetes mellitus, embarazo o lactancia.

Reacciones adversas/efectos secundarios Cefalea, mareo, debilidad, taquicardia refleja, síncope, hipotensión, náusea, vómito, sequedad de boca, fasciculaciones musculares, diaforesis.

Interacciones medicamentosas Aumento del efecto hipotensor con alcohol, betabloqueadores, bloqueadores de los canales del calcio, antihipertensivos, benzodiacepinas, fenotiazinas y otros vasodilatadores. Incompatible con otros fármacos administrados por vía IV. El espino blanco aumenta los niveles de NTG.[3]

Dosis y administración *Adultos:*[7] SL: 0.3 a 0.4 mg; puede repetirse en 3 a 5 minutos hasta un máximo de 3 dosis. Aerosol: 1 o 2 pulverizaciones; puede repetirse en 3 a 5 minutos hasta un máximo de 3 dosis. NTG IV: bolo de 12.5 a 25 mcg (si no se administra SL o aerosol), luego iniciar infusión de 10 mcg/min; aumentar 10 mcg/min cada 3 a 5 minutos hasta respuesta sintomática o efecto deseado. Dosis máxima: 200 mcg/min. *Pediatría:* no se recomienda.

Duración de la acción *Inicio:* 1 a 3 minutos. *Efecto máximo:* 5 a 10 minutos. *Duración:* 20 a 30 minutos SL, 1 a 10 minutos después de interrumpir la infusión IV.

Consideraciones especiales Seguridad durante el embarazo: categoría C. Se ha utilizado con seguridad durante el embarazo. Utilizar con precaución en mujeres en periodo de lactancia y vigilar a los lactantes por si aparecen efectos adversos. La hipotensión es más frecuente en pacientes de edad avanzada. Si un EKG de 12 derivaciones muestra un infarto de la pared inferior, descartar infarto del VD mediante EKG de 12 derivaciones del lado derecho antes de administrar NTG. La NTG se descompone cuando se expone a la luz o al calor, por lo que debe conservarse en recipientes herméticos. La NTG IV solo debe administrarse con una bomba de infusión directo del frasco con un equipo IV ventilado y un tubo sin cloruro de polivinilo. El principio activo puede tener efecto urticante cuando se administra.

Nitroprusiato (Nitropress®)

Clase Antihipertensivo, vasodilatador.

Mecanismo de acción Vasodilatador arterial y venoso que reduce la poscarga, lo que provoca una disminución de la PA y un aumento del gasto cardíaco.

Indicaciones Insuficiencia cardíaca, hipertensión aguda y sintomática.

Contraindicaciones Hipersensibilidad conocida, hipotensión, disminución de la perfusión cerebral, insuficiencia cardíaca con reducción de la resistencia vascular periférica.

Reacciones adversas/efectos adversos Confusión, inquietud, rubor, mareo, cefalea, palpitaciones, arritmias, hipotensión, metahemoglobinemia, cerebrovasodilatación con aumento de la PIC.

Interacciones medicamentosas Efectos aditivos con agentes bloqueadores ganglionares, anestésicos generales, otros antihipertensivos y simpaticomiméticos.

Dosis y administración Consultar a la dirección médica o seguir la dosis ordenada por el médico remitente.

Duración de la acción *Inicio:* inmediato. *Efecto máximo:* rápido. *Duración:* de 1 a 10 minutos.

Consideraciones especiales Seguridad durante el embarazo: categoría C. Utilícese con precaución durante el embarazo. Contraindicado su uso en mujeres en periodo de lactancia. Sensible a la luz; mantener el depósito del fármaco y el tubo cubiertos con un material opaco. Puede causar toxicidad por cianuro.

Octreotida (Sandostatin®)

Clase Hormona sintética, antidiarreica.

Mecanismo de acción Imita las acciones de la hormona natural somatostatina, disminuyendo el flujo sanguíneo visceral e inhibiendo la liberación de serotonina, gastrina, péptido intestinal vasoactivo, secretina, motilina y polipéptido pancreático.

Indicaciones Tratamiento de la hemorragia digestiva activa durante el transporte.

Contraindicaciones Hipersensibilidad conocida.

Reacciones adversas/efectos secundarios Náusea, vómito, distensión abdominal, mareos, dolor de cabeza, arritmias, dolor e irritación en el lugar de la inyección.

Interacciones medicamentosas Disminuye los niveles de ciclosporina.

Dosis y administración Consultar a la dirección médica o seguir la dosis ordenada por el médico remitente.

Duración de la acción *Inicio:* 30 minutos. *Efecto máximo:* 30 minutos. *Duración:* hasta 12 horas.

Consideraciones especiales Seguridad en el embarazo: categoría B.

Olanzapina (Zyprexa®)

Clase Antipsicótico de segunda generación, agente antimaniaco.

Mecanismo de acción No se ha determinado el mecanismo exacto; puede actuar mediante una combinación de antagonismo de los sitios receptores de dopamina y serotonina tipo 2.

Indicaciones Pacientes agitados o violentos que experimentan una emergencia conductual; contención química.

Contraindicaciones Hipersensibilidad documentada. Utilícese con precaución en pacientes que hayan realizado ejercicio extenuante, presenten deshidratación o exposición al calor, o estén tomando medicamentos con efectos anticolinérgicos; puede producirse alteración de la regulación de la temperatura corporal central. Utilizar con precaución en pacientes con antecedentes de convulsiones o retención urinaria.

Reacciones adversas/efectos secundarios Somnolencia, sequedad de boca, dificultad para hablar, habla arrastrada, marcha inestable, cefalea, depresión, insomnio, síntomas extrapiramidales (dosis dependiente).

Interacciones medicamentosas Muchas. Efectos aditivos con el alcohol y otros depresores del SNC. No se recomienda el uso concomitante de benzodiacepinas IM/IV y olanzapina IM, ya que se han notificado casos mortales.[2] El ginkgo puede potenciar los efectos de la olanzapina.

Dosis y administración[2] *Adultos:* restricción química: 10 mg IM. *Pediatría:* se dispone de datos limitados para uso pediátrico. Contención química: edades de 6 a 11 años: 5 mg IM. De 12 a 18 años: 10 mg IM.

Duración de la acción *Inicio:* 15 a 30 minutos IM. *Efecto máximo:* de 15 a 45 minutos IM. *Duración:* variable.

Consideraciones especiales Seguridad en el embarazo: categoría C. Las pacientes presentan riesgo de sedación grave (incluyendo coma) o delirio después de cada inyección, y deben ser observadas durante al menos 3 horas en un centro registrado con fácil acceso a servicios de respuesta a emergencias.[2] Los pacientes presentan un riesgo significativo de sedación grave cuando la olanzapina se administra concomitantemente con benzodiacepinas o a pacientes que toman benzodiacepinas.[2]

Óxido nitroso 50:50 (Nitronox®)

Clase Analgésico y anestésico gaseoso.

Mecanismo de acción Se desconoce el mecanismo exacto; se cree que la acción analgésica se produce al potenciar la liberación de endorfinas endógenas que reaccionan con los receptores opioides en el SNC y alteran el umbral del dolor.

Indicaciones Analgesia en el paciente capaz de autoadministrarse este medicamento.[2]

Contraindicaciones Hipersensibilidad conocida, alteración del nivel de conciencia, traumatismo craneal, incapacidad para seguir o cumplir las instrucciones, enfermedad por descompresión (narcosis por nitrógeno, embolia gaseosa), compromiso respiratorio significativo, sospecha de cavidades anormales llenas de aire (p. ej., neumotórax, obstrucción intestinal, embolia gaseosa), traumatismo maxilofacial o quemaduras faciales (pueden interferir con la autoadministración).[19] Las contraindicaciones relativas incluyen antecedentes de accidente cerebrovascular, hipotensión, embarazo, afecciones cardíacas conocidas y deficiencia conocida de vitamina B_{12}.[2]

Reacciones adversas/efectos secundarios Mareo, dolor de cabeza, vértigo, confusión, náusea, vómito, alucinaciones.

Interacciones medicamentosas Puede potenciar los efectos de los depresores del SNC (p. ej., opioides, sedantes, hipnóticos, alcohol).

Dosis y administración *Adultos:* autoadministración. Evaluar la capacidad del paciente para autoadministrarse después de la dosis inicial. *Pediatría:* igual que en adultos.

Duración de la acción *Inicio:* 2 a 5 minutos. *Efecto máximo:* de 2 a 5 minutos. *Duración:* de 2 a 5 minutos.

Consideraciones especiales Seguridad en el embarazo: categoría C. Algunos servicios de emergencias prohíben el uso de óxido nitroso en el interior de las ambulancias debido al riesgo de exposición del paramédico, y optan por utilizarlo solo en el exterior, en el lugar de los hechos o en el domicilio del paciente.[19] El óxido nitroso no es inflamable ni explosivo. Es ineficaz en 20% de la población. Documente la intensidad del dolor utilizando una escala de 0 a 10 antes y después de la administración y a la llegada al centro receptor.[2]

Oxígeno

Clase Gas atmosférico natural.

Mecanismo de acción Revierte la hipoxemia.

Indicaciones Cualquier sospecha de emergencia cardiopulmonar (p. ej., shock, sepsis, traumatismo grave, paro respiratorio, paro cardíaco y posresucitación, anafilaxia, intoxicaciones por monóxido de carbono y cianuro), quejas de falta de aire y molestias torácicas isquémicas, todas las demás causas de disminución de la oxigenación tisular.

Contraindicaciones Observar con atención cuando se utilice con pacientes con afecciones pulmonares que se sepa que dependen del impulso respiratorio hipóxico (muy poco frecuente).[7]

Reacciones adversas/efectos secundarios Disminución del nivel de conciencia (pacientes con EPOC), disminución del impulso respiratorio en pacientes con EPOC, sequedad de mucosas.

Interacciones medicamentosas Ninguna.

Dosis y administración *Adultos:* paro respiratorio y cardíaco e intoxicación por monóxido de carbono: 100%. Después del retorno de la circulación espontánea, el objetivo es un SpO_2 de 92 a 98%.[7] Para la mayoría de los pacientes que no están en paro respiratorio o cardíaco, el objetivo es una SpO_2 de 95 a 98%. SCA: el objetivo es un SpO_2 de 90%.[7] MAM, ECGA, EPGA: objetivo un SpO_2 superior a 90%.[4] *Pediatría:* paro respiratorio y cardíaco: 100%. Después del retorno de la circulación espontánea, el objetivo es un SpO_2 de 94 a 99%.[7]

Duración de la acción *Inicio:* inmediato. *Efecto máximo:* no aplicable. *Duración:* menos de 2 minutos.

Consideraciones especiales Familiarícese con los caudales de los litros y con cada tipo de dispositivo de suministro utilizado.

Oximetazolina (Afrin®, Dristan-12-Hour®, Vicks Sinus-12 Hour®)

Clase Descongestionante intranasal, vasoconstrictor, simpaticomimético tópico.

Mecanismo de acción Estimula los receptores alfa-adrenérgicos en las arteriolas de la mucosa nasal para producir vasoconstricción.

Indicaciones Epistaxis en un paciente con traumatismo facial.

Contraindicaciones Hipersensibilidad conocida, hipertensión grave.

Reacciones adversas/efectos secundarios Congestión nasal de rebote, irritación de la mucosa nasal.

Interacciones medicamentosas Puede disminuir los efectos vasoconstrictores de los agonistas alfa-1. Puede potenciar los efectos hipertensivos de los simpaticomiméticos.

Dosis y administración *Adultos:* 2 a 3 pulverizaciones en cada orificio nasal. *Pediatría:* 1 a 2 pulverizaciones en cada orificio nasal.

Duración de la acción *Inicio:* inmediato. *Efecto máximo:* 5 minutos. *Duración:* hasta 5 horas.

Consideraciones especiales Seguridad en el embarazo: categoría B.

Oxitocina (Pitocin®)

Clase Hormona hipofisaria, vasoconstrictora uterina.

Mecanismo de acción Se une a los receptores de oxitocina de la superficie del músculo liso uterino, aumentando la fuerza y la frecuencia de las contracciones uterinas. Provoca la dilatación del músculo liso vascular, aumentando así el flujo sanguíneo renal, coronario y cerebral.

Indicaciones Hemorragia posparto debida a atonía uterina después del parto y de la placenta.

Contraindicaciones Hipersensibilidad conocida, presencia de un feto remanente, posición fetal desfavorable, parto no vaginal anticipado, sufrimiento fetal cuando el parto no es inminente, uso prolongado en toxemia grave.

Reacciones adversas/efectos secundarios Coma, convulsiones, ansiedad, hipotensión, arritmias, náusea, vómito, anafilaxia, contracciones uterinas dolorosas, alteraciones electrolíticas, hemorragia intracraneal materna.

Interacciones medicamentosas Puede causar hipertensión grave y persistente si se administra con vasopresores. Efecto sinérgico con cohosh negro, raíz de algodón, *squaw vide* y canela.[3]

Dosis y administración *Adultos:* administración IM: 10 unidades IM después del alumbramiento de la placenta. Administración IV/IO: mezclar 10 a 40 unidades en 1 000 ml de una solución IV compatible infundida a 10 a 15 gotas/min, titulada según la gravedad de la hemorragia y la respuesta uterina. *Pediatría:* no aplicable.

Duración de la acción *Inicio:* 3 a 5 minutos IM, en 1 minuto IV/IO. *Efecto máximo:* 40 minutos IM, desconocido IV/IO. *Duración:* 2 a 3 horas IM, 1 hora después de interrumpir la infusión IV/IO.

Consideraciones especiales Seguridad en el embarazo: categoría C. Vigilar de manera estrecha los signos vitales, incluyendo la frecuencia cardíaca fetal y el tono uterino.

Paracetamol o acetaminofén (Tylenol®)

Clase Analgésico no opioide, antipirético.

Mecanismo de acción El mecanismo de acción exacto no se ha establecido por completo; puede actuar periféricamente para bloquear la generación del impulso del dolor e inhibir la síntesis de prostaglandinas en el SNC, lo que causa sus efectos analgésicos y antipiréticos.

Indicaciones Control del dolor, control de la fiebre.

Contraindicaciones Hipersensibilidad conocida, enfermedad hepática activa grave.

Reacciones adversas/efectos secundarios Náusea, dolor abdominal superior, erupción cutánea, prurito, pérdida de apetito; la sobredosis puede causar hepatotoxicidad.

Interacciones medicamentosas Aumento del efecto con cafeína; disminución del efecto con antiácidos, anticolinérgicos, carbamazepina, fenitoína. El alcohol puede aumentar el riesgo de hepatotoxicidad.

Dosis y administración *Adultos:*[2] administrar 15 mg/kg por vía oral; la dosis máxima es de 1 g. *Pediátrico:* convulsiones febriles:[2] administrar 15 mg/kg; la dosis máxima es de 650 mg; PR/IV/IO (si no puede tragar) o por vía oral si la puede ingerir.

Duración de la acción *Inicio:* 10 a 30 minutos. *Efecto máximo:* de 30 a 60 minutos. *Duración:* de 4 a 6 horas.

Consideraciones especiales Seguridad en el embarazo: categoría B. Aunque sus propiedades analgésicas y antipiréticas son similares a las de los AINE, el paracetamol no tiene efectos antiinflamatorios o antiagregantes plaquetarios significativos. El paracetamol se combina a menudo con medicamentos programados y de venta libre para alergia, tos y resfriado, medicamentos para dormir, analgésicos y otros productos. Desde 2011, la FDA ha limitado la dosis de paracetamol a 325 mg cuando se combina con otros medicamentos debido al potencial de daño causado con dosis altas o uso a largo plazo.[3] Documente la intensidad del dolor utilizando una escala de 0 a 10 antes y después de la administración y a la llegada al centro receptor.[2]

Pralidoxima (2-PAM®, Protopam®)

Clase Reactivador de la colinesterasa, antídoto.

Mecanismo de acción Se une a los organofosforados y rompe sus enlaces alquilfosfato-colinesterasa para restaurar la actividad de la acetilcolinesterasa.[2]

Indicaciones Antídoto en el tratamiento de la intoxicación por plaguicidas organofosforados y gases nerviosos relacionados (p. ej., tabún, sarín, somán).

Contraindicaciones Hipersensibilidad conocida; reducir la dosis en pacientes con deterioro de la función renal, adultos mayores con hipertensión y pacientes con miastenia grave.

Reacciones adversas/efectos adversos Mareo, somnolencia, cefalea, bloqueo neuromuscular, convulsiones, laringoespasmo, hiperventilación, apnea, taquicardia, parada cardíaca, náusea, rigidez muscular, debilidad muscular, erupción cutánea, dolor en el punto de inyección. En especial en pacientes geriátricos, dosis excesivas de cloruro de pralidoxima pueden causar hipertensión sistólica y diastólica grave, debilidad neuromuscular, cefalea, taquicardia y trastornos visuales.[2] Una sobredosis de cloruro de pralidoxima puede causar una profunda debilidad neuromuscular y la consiguiente depresión respiratoria en niños.[2]

Interacciones medicamentosas Evitar el uso simultáneo de pralidoxima con succinilcolina, morfina, aminofilina, teofilina y otros depresores respiratorios, incluyendo barbitúricos, analgésicos opioides y sedantes-hipnóticos.

Dosis y administración Consultar con la dirección médica; las recomendaciones de dosificación varían en función del grado de exposición y de la edad y peso del paciente. El cloruro de pralidoxima puede suministrarse en un frasco de monodosis, jeringas precargadas o autoinyectores.[2] Los autoinyectores disponibles comercialmente contienen 600 mg de cloruro de pralidoxima.

Duración de la acción *Inicio:* minutos. *Efecto máximo:* 10 a 20 minutos IM, 5 a 15 minutos IV. *Duración:* variable.

Consideraciones especiales Seguridad en el embarazo: categoría C. La infusión IV lenta previene la taquicardia, el laringoespasmo y la rigidez muscular. Considere la posibilidad de extraer una muestra de sangre antes de la administración para que el hospital pueda determinar los niveles de pretratamiento. Debe administrarse una dosis de cloruro de pralidoxima poco después de la exposición al agente nervioso o a la intoxicación por organofosforados, ya que su efecto clínico es mínimo si se retrasa la administración.[2] Debe considerarse la monitorización cardíaca en todos los casos de intoxicación grave por organofosforados.

Medicamentos comunes recetados y de venta libre (OTC)

Prednisona (Rayos®)

Clase Glucocorticoide suprarrenal, corticoesteroide sintético.

Indicaciones Asma, EPOC.

Contraindicaciones Hipersensibilidad conocida, infecciones fúngicas sistémicas.

Reacciones adversas/efectos secundarios Retención de líquidos y sodio, aumento de peso, náusea, diarrea, aumento del apetito, aumento de la glucosa en sangre, cambios de humor.

Interacciones medicamentosas El uso simultáneo con AAS y AINE aumenta el riesgo de hemorragia digestiva y ulceración. El uso simultáneo con digoxina aumenta el riesgo de arritmias. El uso simultáneo con diuréticos aumenta la pérdida de potasio y puede producir hipopotasemia. El nivel de la prednisona disminuye con el uso de efedra.[3]

Consideraciones especiales Los corticoides pueden enmascarar la infección porque suprimen tanto el sistema inmunológico como el inflamatorio. La prednisona puede aumentar los niveles de glucosa en sangre, por lo que puede ser necesario ajustar las dosis de fármacos antidiabéticos. Las dosis altas de glucocorticoides o su uso prolongado pueden ocasionar muchas reacciones adversas y efectos secundarios. La formulación pediátrica suele ser una suspensión, prednisolona.

Proclorperazina (Compazine®)

Clase Antiemético, antipsicótico de primera generación (típico), fenotiazina.

Mecanismo de acción Ejerce su efecto antiemético deprimiendo la zona desencadenante quimiorreceptora del cerebro; también tiene efectos anticolinérgicos moderados y de bloqueo de los receptores alfaadrenérgicos. El bloqueo de los receptores alfa-1 adrenérgicos produce sedación, relajación muscular y efectos cardiovasculares (p. ej., hipotensión, taquicardia refleja, cambios menores en el patrón del EKG).[5]

Indicaciones Náusea y vómito.

Contraindicaciones Hipersensibilidad documentada a las fenotiazinas, uso concomitante de grandes cantidades de depresores del SNC que produzcan sedación, uso concomitante de medicamentos anticolinérgicos, anomalías preexistentes de la conducción cardíaca, trastorno convulsivo mal controlado, glaucoma de ángulo estrecho, hipertrofia prostática, historia pasada o actual de discinesia tardía, daño cerebral subcortical, cirugía pediátrica, niños menores de 2 años.

Reacciones adversas/efectos secundarios Somnolencia, mareo, cefalea, visión borrosa, taquicardia, hipotensión, intervalo QT prolongado, síntomas extrapiramidales.

Interacciones medicamentosas Aumento del riesgo de depresión respiratoria cuando se utiliza con otros medicamentos que causan depresión respiratoria.

Dosis y administración[2] *Adultos:* 5 a 10 mg IV/IM. *Pediatría:* mayores de 2 años y peso superior a 12 kg: 0.1 mg/kg IV lenta o IM profunda; dosis máxima: 10 mg.

Duración de la acción *Inicio:* 10 a 20 minutos IM, rápido IV. *Efecto máximo:* 30 a 60 minutos IV. *Duración:* 3 a 4 horas IM/IV.

Consideraciones especiales Seguridad en el embarazo: categoría C. Utilizar durante el embarazo solo si el beneficio materno potencial supera el riesgo fetal. Contraindicado en mujeres en periodo de lactancia. La etiqueta lleva una advertencia de recuadro negro de la FDA para niños menores de 2 años.

Proparacaína oftálmica (Alcaine®, Ophthaine®)

Clase Anestésico oftálmico tópico.

Mecanismo de acción Produce anestesia local al bloquear los canales iónicos de sodio, deteniendo así la despolarización celular e impidiendo el desarrollo del potencial de acción de los impulsos nerviosos en la membrana celular del nervio doloroso oftálmico.

Indicaciones Inducción de anestesia tópica antes de la irrigación ocular en el tratamiento de una lesión química ocular.

Contraindicaciones Hipersensibilidad conocida, traumatismo conocido o sospechado que pueda haber producido lesión intraocular. Utilizar con precaución en pacientes con enfermedad cardíaca o hipertiroidismo.

Reacciones adversas/efectos secundarios Escozor, ardor y enrojecimiento conjuntival temporales.

Interacciones medicamentosas Datos no disponibles.

Dosis y administración *Adultos y pediatría*: 1 a 2 gotas en el (los) ojo(s) afectado(s).

Duración de la acción *Inicio:* 15 a 60 segundos. *Efecto máximo:* de 30 a 120 segundos. *Duración*: de 10 a 20 minutos.

Consideraciones especiales Seguridad en el embarazo: categoría C. Cada frasco es para uso en un solo paciente. El epitelio corneal puede secarse durante el uso porque se pierde temporalmente el reflejo del parpadeo. Indique al paciente que no se frote, toque ni limpie el ojo afectado, ya que este permanecerá insensible al tacto hasta 20 minutos después del uso.

Propofol (Diprivan®)

Clase Anestésico general de acción corta, sedante-hipnótico.

Mecanismo de acción Produce un rápido y breve estado de anestesia general.

Indicaciones Mantenimiento de la sedación en pacientes ventilados mecánicamente.

Contraindicaciones Hipovolemia; sensibilidades conocidas, incluyendo al aceite de soya, cacahuetes y huevos.

Reacciones adversas/efectos adversos Convulsiones, apnea, arritmias, hipotensión (en especial en pacientes con volumen vascular inadecuado), hipertensión, erupción cutánea, prurito, reacciones en el lugar de inyección (p. ej., ardor, escozor, dolor), movimientos musculares involuntarios.

Interacciones medicamentosas Aumento de los efectos anestésicos o sedantes cuando se combina con alcohol, antihistamínicos, opioides y combinaciones de opioides y sedantes. Evitar mezclar con medicamentos que no puedan atravesar los lípidos. El uso simultáneo con fentanilo puede causar bradicardia profunda en pacientes pediátricos.

Dosis y administración Consultar a la dirección médica o seguir la dosis ordenada por el médico remitente.

Duración de la acción *Inicio:* menos de 1 minuto. *Efecto máximo:* 1 minuto. *Duración:* mientras dure la infusión.

Consideraciones especiales Seguridad en el embarazo: categoría B. Contraindicado en mujeres embarazadas y en periodo de lactancia debido a la potencial depresión respiratoria fetal e infantil. El propofol no tiene propiedades analgésicas. Utilizar con precaución en pacientes con vía aérea difíciles; disponer de equipo de emergencia para vía aérea. Evitar la administración rápida en pacientes de edad avanzada para evitar hipotensión y obstrucción de la vía aérea. Controlar con cuidado los signos vitales y la oxigenación. Utilizar una vena grande y estable para evitar dolor en el punto de inyección. Puede ser necesario aumentar las infusiones durante el transporte porque los estímulos nocivos pueden despertar a los pacientes.

Sildenafil (Revatio®, Viagra®)

Clase Inhibidor de la enzima fosfodiesterasa-5.

Mecanismo de acción Inhibe la enzima fosfodiesterasa 5 en el tejido pulmonar, lo que provoca la relajación de las células musculares lisas vasculares pulmonares y la consiguiente vasodilatación de la vasculatura pulmonar.[5]

Indicaciones Prevención del EPGA.[4]

Contraindicaciones Hipersensibilidad conocida, coadministración con nitratos, enfermedad cardiovascular significativa.

Reacciones adversas/efectos secundarios Cefalea, congestión nasal, rubor, epistaxis, eritema, diarrea, erupción cutánea, tinnitus.

Interacciones medicamentosas Puede potenciar los efectos hipotensores de nitratos, alfabloqueadores, antihipertensivos o alcohol. Mayor riesgo de efectos secundarios cuando se toma con jugo de toronja y productos derivados de la toronja.

Dosis y administración *Adulto:* prevención de EPGA:[4] administrar 50 mg por vía oral cada 8 horas. *Pediatría:* datos no disponibles.

Duración de la acción *Inicio:* 20 minutos. *Efecto máximo:* de 30 a 120 minutos. *Duración:* 4 horas.

Consideraciones especiales Seguridad en el embarazo: categoría B.

Solución oftálmica de tetracaína (Pontocaine®)

Clase Anestésico oftálmico tópico.

Mecanismo de acción Produce anestesia local al bloquear los canales iónicos de sodio, deteniendo así la despolarización celular e impidiendo el desarrollo del potencial de acción de los impulsos nerviosos en la membrana celular del nervio doloroso oftálmico.

Indicaciones Inducción de anestesia tópica antes de la irrigación ocular en el tratamiento de una lesión química ocular.

Contraindicaciones Hipersensibilidad conocida, traumatismo conocido o con sospecha que pueda haber provocado una lesión intraocular.

Reacciones adversas/efectos secundarios Visión borrosa, escozor transitorio, ardor y enrojecimiento conjuntival.

Interacciones medicamentosas Vigilar de manera estrecha la aparición de signos de metahemoglobinemia si se coadministra con fármacos inductores de metahemoglobina (p. ej., paracetamol, NTG, nitroprusiato).

Dosis y administración *Adultos y pediatría:* 1 a 2 gotas en el (los) ojo(s) afectado(s).

Duración de la acción *Inicio:* inmediato. *Efecto máximo:* de 15 a 30 segundos. *Duración:* de 10 a 20 minutos.

Consideraciones especiales Seguridad en el embarazo: no clasificado. Cada frasco es para uso en un solo paciente. Indique al paciente que no se frote, toque ni limpie el ojo afectado, ya que este quedará insensible al tacto hasta 20 minutos después de su uso.

Succinato sódico de hidrocortisona (Solu-Cortef®)

Clase Corticoesteroide, glucocorticoide suprarrenal.

Mecanismo de acción Antiinflamatorio; inmunosupresor con acciones de retención de sales.

Indicaciones Shock con antecedentes de insuficiencia suprarrenal o dependencia prolongada de esteroides: anafilaxia, asma y EPOC.

Contraindicaciones Hipersensibilidad conocida, infecciones fúngicas sistémicas, neonatos prematuros (contiene alcohol bencílico, que se asocia con el "síndrome de jadeo fatal", caracterizado por depresión del SNC, acidosis metabólica y respiraciones jadeantes).

Reacciones adversas/efectos secundarios Cefalea, vértigo, insuficiencia cardíaca, hipertensión, retención de líquidos, náusea.

Interacciones medicamentosas El uso simultáneo con AAS y AINE aumenta el riesgo de hemorragia GI y ulceración. El uso al mismo tiempo con diuréticos aumenta la pérdida de potasio y puede producir hipopotasemia.

Dosis y administración *Adultos:*[2] administrar 2 mg/kg IV/IM (dosis máxima: 100 mg). Se prefiere la administración IM. *Pediatría:* consultar dirección médica.

Duración de la acción *Inicio:* 1 hora. *Efecto máximo:* variable. *Duración:* de 8 a 12 horas.

Consideraciones especiales Seguridad en el embarazo: categoría C. Utilizar con precaución en mujeres embarazadas y en periodo de lactancia. Los esteroides pueden enmascarar la infección porque suprimen tanto el sistema inmunológico como el inflamatorio. Pueden aumentar los niveles de glucosa en sangre, por lo que puede ser necesario ajustar las dosis de fármacos antidiabéticos. Las dosis altas de glucocorticoides o su uso prolongado pueden provocar muchas reacciones adversas y efectos secundarios. Si está disponible, el succinato de hidrocortisona es preferible a la metilprednisolona y la dexametasona para el paciente con insuficiencia suprarrenal debido a su doble efecto glucocorticoide y mineralocorticoide.[2] Los pacientes con insuficiencia suprarrenal pueden disponer de una dosis de emergencia de hidrocortisona que puede administrarse por vía IV o IM.[2]

Succinato sódico de metilprednisolona (Solu-Medrol®)

Clase Corticoesteroide, glucocorticoide sintético, agente antiinflamatorio.

Mecanismo de acción Glucocorticoide sintético altamente potente que suprime la inflamación aguda y crónica; potencia la relajación del músculo liso vascular por agonistas betaadrenérgicos; tiene pocas o ninguna propiedad mineralocorticoide.

Indicaciones Reacción alérgica, anafilaxia, tratamiento de la enfermedad broncoespástica aguda, shock con antecedentes de insuficiencia suprarrenal o dependencia prolongada de esteroides.

Contraindicaciones Hipersensibilidad conocida, infecciones graves no tratadas, niños prematuros. Utilizar con precaución en pacientes con hemorragia GI, insuficiencia cardíaca, hipertensión, IAM reciente, enfermedad renal, trastorno convulsivo, enfermedad de Cushing.

Reacciones adversas/efectos secundarios Depresión, euforia, cefalea, inquietud, convulsiones, aumento de la PIC, hipertensión, insuficiencia cardíaca, náusea, vómito, úlcera péptica, retención de líquidos, hipernatremia, hiperpotasemia.

Interacciones medicamentosas Las respuestas hipoglucémicas a la insulina y a los agentes hipoglucemiantes pueden verse atenuadas.

Dosis y administración *Adultos:* broncoespasmo:[2] administrar 2 mg/kg IV/IO/IM; dosis máxima: 125 mg. Shock con antecedentes de insuficiencia suprarrenal o dependencia prolongada de esteroides:[2] administrar 2 mg/kg IV; dosis máxima: 125 mg. *Pediátrico:*[7] para estado asmático, anafilaxia: 2 mg/kg IV/IO/IM dosis de carga; dosis máxima: 60 mg. Dosis de mantenimiento: 0.5 mg/kg IV cada 6 horas o 1 mg/kg IV cada 12 horas hasta 120 mg/día.

Duración de la acción *Inicio:* 1 a 2 horas. *Efecto máximo:* variable. *Duración:* de 8 a 24 horas.

Consideraciones especiales Seguridad en el embarazo: categoría C. Atraviesa la placenta y puede causar daño fetal. Utilizar con precaución en mujeres embarazadas y lactantes, sopesando los riesgos y beneficios potenciales. Los esteroides pueden enmascarar la infección porque suprimen tanto el sistema inmunológico como el inflamatorio. Pueden aumentar los niveles de glucosa en sangre, por lo que puede ser necesario ajustar las dosis de fármacos antidiabéticos. Si está disponible, se prefiere el succinato de hidrocortisona a la metilprednisolona y la dexametasona en pacientes con insuficiencia suprarrenal debido a su doble efecto glucocorticoide y mineralocorticoide.[2] Las dosis altas de glucocorticoides o su uso prolongado pueden dar lugar a muchas reacciones adversas y efectos secundarios.

Sulfato de atropina

Clase Agente anticolinérgico.

Mecanismo de acción Inhibe la acetilcolina en sitios neuroefectores parasimpáticos posganglionares; aumenta la frecuencia cardíaca en bradiarritmias sintomáticas; revierte los efectos muscarínicos de la intoxicación colinérgica.

Indicaciones Bradicardia hemodinámicamente inestable, intoxicación por inhibidores de la acetilcolinesterasa (carbamatos, agentes nerviosos, organofosforados), ISR en pediatría, sobredosis de betabloqueadores o antagonistas del calcio.

Contraindicaciones Hipersensibilidad conocida; las contraindicaciones relativas incluyen glaucoma de ángulo estrecho, obstrucción GI, colitis ulcerosa grave, megacolon tóxico, obstrucción de la salida de la vejiga, miastenia grave, hemorragia con inestabilidad cardiovascular, tirotoxicosis.[2]

Reacciones adversas/efectos secundarios Somnolencia; confusión; cefalea; palpitaciones; arritmias; náusea; vómito; dilatación pupilar; sequedad de boca/nariz/piel; visión borrosa; retención urinaria; estreñimiento; piel enrojecida, caliente y seca.

Interacciones medicamentosas Efectos adversos potenciales cuando se administra con digitálicos, colinérgicos, fisostigmina. Efectos potenciados por antihistamínicos, procainamida, quinidina, antipsicóticos, benzodiacepinas y antidepresivos.

Dosis y administración *Adultos:* bradicardia sintomática:[5,10] administrar 0.5 a 1 mg IV/IO cada 3 a 5 minutos según necesidad, hasta una dosis máxima de 3 mg. Intoxicación por inhibidores de la acetilcolinesterasa:[7] pueden ser necesarias dosis demasiado grandes (2 a 4 mg o superiores). *Pediatría:*[7] bradicardia sintomática: 0.02 mg/kg IV/IO. Dosis única máxima: 0.5 mg. Dosis total máxima para un niño: 1 mg; para un adolescente es de 3 mg. Dosis ET: 0.04 a 0.06 mg/kg. Intoxicación por inhibidores de la acetilcolinesterasa: niño menor de 12 años: 0.05 mg/kg de inicio, luego repetir y duplicar la dosis cada 5 minutos hasta que reviertan los síntomas muscarínicos. Niños mayores de 12 años: 1 mg IV/IO de inicio, luego repetir y doblar la dosis cada 5 minutos hasta que reviertan los síntomas muscarínicos. ISR: IV/IO: 0.01 a 0.02 mg/kg (dosis máxima: 0.5 mg). IM: 0.02 mg/kg.

Duración de la acción *Inicio:* inmediato. *Efecto máximo:* de 2 a 4 minutos. *Duración:* de 2 a 4 horas.

Consideraciones especiales Seguridad en el embarazo: categoría C. Puede producirse bradicardia paradójica con dosis inferiores a 0.1 mg. Ineficaz en bradicardia hipotérmica; puede ser ineficaz en pacientes sometidos a trasplante cardíaco o en bloqueos AV infranodales. Utilizar con precaución en presencia de isquemia miocárdica porque la atropina aumenta la demanda miocárdica de oxígeno.[7]

Sulfato de magnesio

Clase Electrolítica, clase V antidisrítmica.

Mecanismo de acción Deprime el SNC, bloquea la transmisión neuromuscular periférica y produce efectos anticonvulsivos; disminuye la cantidad de acetilcolina liberada en la placa terminal por los impulsos nerviosos motores, ralentiza la velocidad de formación del impulso del nodo SA en el miocardio y prolonga el tiempo de conducción.[2] Favorece la entrada y salida de calcio, potasio y sodio de las células y estabiliza las membranas excitables.[2] Induce la relajación uterina. Puede provocar broncodilatación después de la administración de betaagonistas y anticolinérgicos.

Indicaciones Tratamiento de la TdP, broncoconstricción grave con insuficiencia respiratoria inminente, convulsiones durante el tercer trimestre del embarazo o en la paciente puérpera.[2]

Contraindicaciones Hipersensibilidad conocida, bloqueo cardíaco, daño miocárdico, coma diabético, hipermagnesemia, hipercalcemia. Utilizar con precaución en pacientes con insuficiencia renal conocida.

Reacciones adversas/efectos secundarios Somnolencia, depresión del SNC, depresión respiratoria, parálisis de la vía aérea, vasodilatación, posible hipotensión y bradicardia con administración rápida, disminución de los reflejos tendinosos profundos.

Interacciones medicamentosas Puede potenciar los efectos de otros depresores del SNC. Con los glucósidos cardíacos pueden producirse alteraciones graves de la función cardíaca general.

Dosis y administración *Adultos:* hipertensión grave (PAS superior a 160 mm Hg o PAD superior a 110 mm Hg) de más de 15 minutos de duración con síntomas de preeclampsia asociados:[2] administrar 4 g de una solución a 20% IV/IO durante 20 minutos, seguido de 1 g/h IV/IO, si está disponible. Actividad convulsiva asociada con embarazo de más de 20 semanas de gestación:[2] administrar 4 g de una solución a 50% IV/IO durante 10 a 20 minutos, seguido de 1 g/h IV/IO, si está disponible. Ponerse en contacto con la dirección médica para obtener órdenes adicionales si la convulsión persiste a pesar de la dosis inicial de sulfato de magnesio. Paro cardíaco por hipomagnesemia o TdP:[7] administrar 1 a 2 g (2 a 4 ml de solución a 50% diluida en 50 a 100 ml de D_5W o NS durante 5 a 60 minutos) IV/IO. TdP con pulso o IAM con hipomagnesemia:[7] dosis de carga de 1 a 2 g en 50 a 100 ml de D_5W o NS durante 5 a 60 minutos IV. Seguir con 0.5 a 1 g/h IV (ajustar la dosis para controlar la TdP). Estado asmático: administrar 1 a 2 g IV durante 15 a 30 minutos. Broncoconstricción grave/insuficiencia respiratoria inminente:[2] administrar 40 mg/kg IV durante 10 a 15 minutos; dosis máxima: 2 g. *Pediatría:*[7] TV sin pulso con TdP: 25 a 50 mg/kg IV/IO en bolo de una solución a 50%. Dosis máxima: 2 g. TdP con pulsos o hipomagnesemia: 25 a 50 mg/kg IV/IO de una solución a 50% durante 10 a 20 minutos. Dosis máxima: 2 g. Estado asmático: 25 a 50 mg/kg IV/IO de una solución a 50% durante 15 a 30 minutos. Dosis máxima: 2 g.

Duración de la acción *Inicio:* IV/IO: inmediato. *Efecto máximo:* variable. *Duración:* IV/IO: 30 minutos.

Consideraciones especiales Seguridad en el embarazo: categoría D. Debido a la evidencia confirmada de riesgo para el feto humano, debe utilizarse con precaución, aunque su administración puede estar justificada. Los signos de toxicidad por magnesio incluyen hipotensión seguida de pérdida de reflejos tendinosos profundos, somnolencia o dificultad para hablar, parálisis respiratoria y, en última instancia, paro cardíaco.[2] Para tratar la toxicidad por magnesio, suspender la infusión de magnesio, administrar gluconato cálcico 1 g IV en caso de paro respiratorio inminente y apoyar el esfuerzo ventilatorio del paciente.[2] No abreviar el sulfato de magnesio; deletrearlo para evitar la confusión con el sulfato de morfina.

Sulfato de morfina (Roxanol®, MS Contin®)

Clase Analgésico opioide; fármaco de clase II.

Mecanismo de acción Alivia el dolor mediante la acción del SNC. Suprime los centros cerebrales del miedo y la ansiedad. Deprime los centros respiratorios del tronco encefálico. Aumenta la capacitancia venosa periférica y disminuye el retorno venoso. Disminuye la precarga y la poscarga, lo que reduce la demanda miocárdica de oxígeno.

Indicaciones Tratamiento del dolor agudo.

Contraindicaciones Hipersensibilidad conocida, pacientes que han tomado un IMAO durante los 14 días anteriores, íleo paralítico, diarrea mediada por toxinas, insuficiencia cardíaca debida a enfermedad pulmonar crónica, traumatismos craneoencefálicos, tumores cerebrales, *delirium tremens,* trastornos convulsivos, durante el parto cuando se prevé un nacimiento prematuro, asma bronquial aguda o grave, obstrucción de la vía aérea superior. Administrar con precaución a pacientes con una puntuación Glasgow inferior a 15, hipotensión, hipoxia después de una terapia suplementaria máxima de oxígeno o signos de hipoventilación.

Reacciones adversas/efectos secundarios Confusión, sedación, cefalea, depresión del SNC, depresión respiratoria, apnea, broncoespasmo, disnea, hipotensión, hipotensión ortostática, síncope, bradicardia, taquicardia, náusea, vómito, sequedad de boca.

Interacciones medicamentosas Efectos aditivos con otros depresores del SNC. Los IMAO pueden causar excitación paradójica.

Dosis y administración *Adultos:* molestias moderadas:[2] administrar 0.1 mg/kg IM (dosis máxima: 15 mg). Malestar grave a insoportable:[2] administrar 0.1 mg/kg IV/IO lenta (dosis máxima: 10 mg). IAMCEST:[7] dosis inicial: 2 a 4 mg IV lenta (durante 1 a 5 minutos). Dosis de repetición: 2 a 8 mg a intervalos de 5 a 15 minutos. IAMCEST/angina inestable:[7] administrar 1 a 5 mg IV lenta solo si los síntomas no se alivian con nitratos, siempre que se utilice terapia adicional para controlar la isquemia subyacente. *Pediatría:* 0.1 a 0.2 mg/kg por dosis IV/IO/IM (dosis máxima: 5 mg).

Duración de la acción *Inicio:* inmediato. *Efecto máximo:* 20 minutos. *Duración:* de 2 a 4 horas.

Consideraciones especiales Seguridad en el embarazo: categoría C. Utilizar con precaución en el embarazo, sopesando con cuidado los riesgos y beneficios. Utilizar con precaución en mujeres en periodo de lactancia. La morfina atraviesa con rapidez la placenta. No se ha establecido la seguridad en neonatos. Utilizar con precaución en pacientes de edad avanzada, asmáticos y susceptibles a la depresión del SNC. Los efectos son reversibles con naloxona. Documentar la intensidad del dolor utilizando una escala de 0 a 10 antes y después de la administración y a la llegada al centro receptor.[2] No abreviar el sulfato de morfina; deletrearlo para evitar confusiones con el sulfato de magnesio.

Tadalafil (Cialis®, Adcirca®)

Clase Inhibidor de la enzima fosfodiesterasa-5.

Mecanismo de acción Inhibe la enzima fosfodiesterasa-5 en el tejido pulmonar, lo que provoca la relajación de las células musculares lisas vasculares pulmonares y la consiguiente vasodilatación de la vasculatura pulmonar.[5]

Indicaciones Prevención del EPGA.[4]

Contraindicaciones Hipersensibilidad conocida, coadministración con nitratos, síndrome de Stevens-Johnson, dermatitis exfoliativa.

Reacciones adversas/efectos secundarios Cefalea, congestión nasal, dolor de espalda, rubor, epistaxis, eritema, diarrea, erupción cutánea, tinnitus.

Interacciones medicamentosas Puede potenciar los efectos hipotensores de nitratos, alfabloqueadores, antihipertensivos o alcohol. Mayor riesgo de efectos secundarios cuando se toma con jugo de toronja y productos derivados de la toronja.

Dosis y administración *Adultos:* prevención de EPGA:[4] Administrar 10 mg por vía oral dos veces al día. *Pediatría:* no se dispone de datos.

Duración de la acción *Inicio:* 30 a 45 minutos. *Efecto máximo:* 2 horas. *Duración:* hasta 36 horas.

Consideraciones especiales Seguridad en el embarazo: categoría B.

Tiosulfato de sodio (Nithiodote®)

Clase Antídoto de cianuro.

Mecanismo de acción Convierte el cianuro en tiocianato, menos tóxico, que se elimina por la orina.

Indicaciones Intoxicación por cianuro conocida o sospechada.

Contraindicaciones Hipersensibilidad documentada.

Reacciones adversas/efectos secundarios Diarrea.

Interacciones medicamentosas Ninguna.

Dosis y administración[2] *Adulto:* 12.5 g (50 ml de solución a 25%) IV/IO pulsación lenta durante 10 minutos. *Pediatría:* 0.5 g/kg IV/IO lenta (2 ml/kg de solución a 25%).

Duración de la acción *Inicio:* de 2 a 10 minutos. *Efecto máximo:* variable. *Duración:* de 30 minutos a 2 horas.

Consideraciones especiales Seguridad en el embarazo: categoría C. La hidroxocobalamina es el único agente que se considera seguro para el tratamiento de la intoxicación por cianuro en la paciente embarazada.[2]

Yoduro de potasio (Pima Syrup®, SSKI®, ThyroSafe®, ThyroShield®)

Clase Antídoto.

Mecanismo de acción El yoduro de potasio (KI) puede ayudar a impedir que el yodo radiactivo sea absorbido por la glándula tiroides, protegiendo así a esta glándula de las lesiones por radiación y reduciendo el riesgo de cáncer de tiroides. No impide que el yodo radiactivo penetre en el organismo y no puede revertir los efectos sobre la salud causados por el yodo radiactivo una vez dañado el tiroides.[20] La protección contra el yodo radiactivo proporcionada por el KI depende del tiempo transcurrido tras la contaminación, de la tasa de absorción de KI y de la dosis de yodo radiactivo.[20]

Indicaciones Emergencia radiológica ambiental para bloquear la captación de isótopos de yodo radiactivo en la tiroides y reducir el riesgo de cáncer de tiroides.[2]

Contraindicaciones Hipersensibilidad conocida al yodo (aunque la alergia a los medios de radiocontraste, la dermatitis de contacto por agentes antibacterianos que contienen yodo o la alergia a los mariscos no deben considerarse pruebas de alergia al KI), hipertiroidismo, insuficiencia respiratoria.[2]

Reacciones adversas/efectos adversos Erupción cutánea, inflamación de las glándulas salivales, "yodismo" (p. ej., sabor metálico, dolor de cabeza intenso, visión borrosa, ardor de boca y garganta, dolor de dientes y encías, síntomas de resfriado).

Interacciones medicamentosas Utilizar con precaución en pacientes que toman medicamentos que pueden aumentar los niveles séricos de potasio, como los inhibidores de la ECA. Los AINE pueden causar retención de potasio.

Dosis y administración Consultar dirección médica.

Duración de la acción *Inicio:* datos no disponibles. *Efecto máximo:* datos no disponibles. *Duración:* cada dosis tiene una duración de acción de alrededor de 24 horas.

Consideraciones especiales Seguridad en caso de embarazo: categoría D. Se puede pedir a los paramédicos que ayuden a los organismos de salud pública a distribuir y administrar yoduro de potasio en un incidente con víctimas masivas que implique liberación o exposición a radiación.[2] Los adultos mayores de 40 años no deben tomar KI a menos que los funcionarios de salud pública o de manejo de emergencias reconozcan que se espera una contaminación con una dosis muy grande de yodo radiactivo. Los adultos mayores de 40 años son los que tienen menos probabilidades de desarrollar cáncer de tiroides o lesiones tiroideas después de una contaminación con yodo radiactivo, y los mayores de 40 años tienen más probabilidades de presentar reacciones alérgicas o efectos adversos del KI.[20]

Ziprasidona (Geodon®)

Clase Antipsicótico de segunda generación.

Mecanismo de acción Bloquea la reabsorción sináptica de serotonina y norepinefrina, se une a receptores alfaadrenérgicos, receptores de dopamina y receptores de serotonina.

Indicaciones[2] Para el manejo de pacientes agitados o violentos que experimentan una emergencia conductual, ansiedad (cuidados paliativos).

Contraindicaciones Hipersensibilidad conocida, antecedentes de prolongación del intervalo QT, uso de cualquier fármaco que prolongue el intervalo QT, IAM reciente, insuficiencia cardíaca no compensada. Utilice con precaución en pacientes con función renal alterada.

Reacciones adversas/efectos secundarios Mareo, cefalea, síntomas extrapiramidales, hipotensión ortostática, intento de suicidio, bradicardia, intervalo QT prolongado.

Interacciones medicamentosas Evitar la administración simultánea con fármacos que prolonguen el intervalo QT (p. ej., sotalol, quinidina, otros antiarrítmicos de clase Ia y III, droperidol, dolasetrón). Los depresores del SNC aumentan sus efectos.

Dosis y administración[2] *Adultos:* restricción química: 10 mg IM. Ansiedad (cuidados paliativos): 20 mg IM. *Pediatría:* datos limitados disponibles para uso pediátrico. Restricción química: edades de 6 a 11 años: 5 mg IM. De 12 a 18 años: 10 mg IM.

Duración de la acción *Inicio:* 10 minutos IM. *Efecto máximo:* 60 minutos. *Duración:* desconocida.

Consideraciones especiales Seguridad en el embarazo: categoría C. El uso durante el tercer trimestre se asocia con síntomas extrapiramidales en el feto. El uso durante el embarazo debe estar claramente indicado después de sopesar los riesgos fetales y los beneficios maternos. Monitorizar el intervalo QT con un EKG de 12 derivaciones si es factible. Documentar el intervalo QT y comunicar los resultados al personal del centro receptor.

Soluciones IV (coloides y cristaloides)

Los coloides expanden el volumen plasmático aprovechando la presión osmótica coloidal. Estas soluciones se utilizan con mayor frecuencia en pacientes en estado de shock hipovolémico.

Los cristaloides son sustancias en solución que pueden difundirse a través del compartimiento intravascular. Las soluciones cristaloides se utilizan para la reposición de electrólitos, como vía para la medicación y para la expansión del volumen IV a corto plazo.

Agua bacteriostática

Clase Diluyente o disolvente.

Mecanismo de acción Funciona como disolvente o agente diluyente.

Indicaciones Se utiliza para diluir o disolver fármacos para inyecciones IV, IM o subcutáneas según las recomendaciones del fabricante del fármaco.

Contraindicaciones Hipersensibilidad al alcohol bencílico debido a su uso como conservador.

Reacciones adversas/efectos secundarios Ninguno observado si se utiliza según las recomendaciones del fabricante.

Interacciones medicamentosas No se ha observado ninguna.

Dosis y administración Según las recomendaciones del fabricante del medicamento.

Duración de la acción No procede.

Consideraciones especiales Categoría de embarazo: C. Debido a la presencia de un aditivo de alcohol bencílico, deben utilizarse otros agentes diluyentes si están disponibles. La solución debe ser aproximadamente isotónica antes de su uso.

Albúmina (Albumarc®, Albutein®, Flexbumin®)

Clase Coloide, agente modificador de la sangre, expansor de volumen.

Mecanismo de acción Oncóticamente similar al plasma humano; hace que el cuerpo desplace alrededor de 3.5 veces la cantidad administrada al espacio IV.

Indicaciones Hipovolemia.

Contraindicaciones Hipersensibilidad, pacientes con riesgo de hipervolemia. Utilizar con precaución en pacientes con insuficiencia renal o anemia.

Reacciones adversas/efectos secundarios Náusea, vómito, prurito, urticaria, dolor abdominal, angioedema, arritmias, broncoespasmo.

Interacciones medicamentosas Ninguna identificada en la actualidad.

Dosis y administración La velocidad de infusión se ajusta a las necesidades del paciente.

Duración de la acción *Inicio:* 15 a 30 minutos. *Efecto máximo:* desconocido. *Duración:* 24 horas.

Consideraciones especiales Seguridad en el embarazo: categoría C. Administrado con 0.9% NS D_5W, o lactato sódico.

Medicina basada en la evidencia

En 2022, la *National Association of State EMS Officials*, junto con la *National Association of EMS Physicians* y el *American College of Emergency Physicians*, dirigieron un proyecto para desarrollar guías basadas en la evidencia para el tratamiento farmacológico del dolor agudo en el ámbito prehospitalario. El objetivo de estas guías es garantizar un tratamiento seguro y eficaz del dolor para todos los pacientes prehospitalarios mediante el establecimiento de normas que puedan interpretarse y seguirse de manera objetiva; este marco objetivo ayuda a evitar los prejuicios y las disparidades sanitarias que se han documentado en estudios sobre la administración de analgésicos en el servicio de emergencias, como la administración desproporcionada de analgésicos a pacientes blancos frente a pacientes no blancos.[21] Reconociendo que los directores médicos y los clínicos de los SEM disponen de varias opciones eficaces para el tratamiento del dolor moderado a intenso, el grupo de expertos formuló las siguientes recomendaciones:[21]

1. Se recomienda el fentanilo IN frente a los opioides IV/IM para tratar el dolor moderado a intenso en pacientes pediátricos antes del acceso IV o en los que no se recomienda el acceso IV (recomendación fuerte, certeza de evidencia baja). El fentanilo IV o los opioides intravenosos se recomiendan condicionalmente una vez establecido el acceso IV (recomendación condicional, baja certeza de la evidencia).
2. Se sugiere el uso de paracetamol IV en lugar de opioides IV solos para el tratamiento inicial del dolor moderado a intenso en el ámbito prehospitalario si el paracetamol IV está disponible, es asequible y fácil de administrar (recomendación condicional, certeza de evidencia baja).
3. Se sugieren AINE IV u opioides IV para el tratamiento inicial del dolor moderado a intenso en el ámbito prehospitalario (recomendación condicional, certeza de evidencia moderada).
4. Se recomienda el uso de AINE por vía IV en lugar de paracetamol por vía IV para el tratamiento inicial del dolor moderado a intenso en el ámbito prehospitalario. Además, se recomiendan los AINE orales o el paracetamol oral para el tratamiento inicial del dolor en el ámbito prehospitalario si se considera un analgésico oral (recomendación condicional, certeza de evidencia baja).
5. Se recomienda el uso de ketamina intravenosa o de AINE intravenosos para el tratamiento inicial del dolor moderado a intenso en el ámbito prehospitalario (recomendación condicional, certeza de la evidencia moderada).
6. Se sugiere el uso de ketamina IV u opioides IV para el tratamiento inicial del dolor moderado a intenso en el ámbito prehospitalario (recomendación condicional, certeza de la evidencia muy baja).
7. Si se seleccionan opioides para el tratamiento del dolor, se sugiere morfina IV o fentanilo IV para tratar el dolor moderado a intenso en el ámbito prehospitalario (recomendación condicional, certeza de evidencia baja).
8. Para el tratamiento inicial del dolor moderado a intenso en el ámbito prehospitalario, se sugiere la administración de opioides IV basados en el peso solos, frente a la combinación de opioides IV basados en el peso más ketamina IV basada en el peso (recomendación condicional, certeza de la evidencia muy baja).
9. No se hizo ninguna recomendación al comparar la combinación de un opioide IV más ketamina IV, frente a la ketamina IV sola, para el tratamiento inicial del dolor moderado a intenso en el ámbito prehospitalario. La evidencia para esta comparación es incierta e incompleta.
10. No se formuló ninguna recomendación al comparar el óxido nitroso con los opioides IV para el tratamiento inicial del dolor moderado a intenso en el ámbito prehospitalario. La evidencia para esta comparación es incierta e incompleta.

Cloruro de sodio a 0.9% (solución salina normal)

Clase Solución cristaloide isotónica.
Mecanismo de acción Remplaza el agua y los electrólitos.
Indicaciones Problemas relacionados con el calor (agotamiento por calor, insolación), ahogamiento en agua dulce, hipovolemia, cetoacidosis diabética, mantener abierta la vía IV.
Contraindicaciones Evitar en pacientes con antecedentes de insuficiencia cardíaca o insuficiencia renal porque puede inducirse con facilidad una sobrecarga circulatoria.
Reacciones adversas/efectos secundarios Poco frecuentes con dosis terapéuticas.
Interacciones farmacológicas Pocas en emergencias.
Dosis y administración La velocidad de infusión dependerá de la situación específica que se esté tratando.
Duración de la acción Tratamiento a corto plazo.
Consideraciones especiales Ninguna.

Cloruro de sodio a 3% (solución salina hipertónica)

Clase Solución cristaloide hipertónica.
Mecanismo de acción El efecto osmótico permite que el líquido atraviese la barrera hematoencefálica, reduciendo la cantidad de líquido en la cavidad craneal y disminuyendo la PIC.
Indicaciones Lesiones cerebrales traumáticas, reanimación con líquidos en sepsis grave, hiponatremia.
Contraindicaciones Hipotensión. Utilizar con precaución en pacientes pediátricos porque sus niveles de sodio cambian con rapidez. Los aumentos rápidos pueden causar complicaciones neurológicas significativas.
Reacciones adversas/efectos secundarios Aumento de los niveles de sodio, convulsiones, déficit neurológico.
Interacciones medicamentosas Ninguna identificada en la actualidad.
Dosis y administración La velocidad de infusión dependerá de la situación específica que se esté tratando.
Duración de la acción *Inicio:* rápido. *Efecto máximo:* desconocido. *Duración:* desconocida.
Consideraciones especiales Debe administrarse a través de una vía central debido a su elevada osmolaridad y tonicidad.

Dextrano

Clase Coloide artificial.
Mecanismo de acción Coloide que contiene azúcar utilizado como expansor del volumen IV. Permanece en el compartimiento IV durante alrededor de 12 horas. Aumenta el volumen IV atrayendo agua de otros compartimientos de fluidos en virtud de su presión osmótica coloide.
Indicaciones Shock hipovolémico.
Contraindicaciones Hipersensibilidad conocida al medicamento; insuficiencia cardíaca, insuficiencia renal o trastornos hemorrágicos conocidos.
Reacciones adversas/efectos secundarios Erupción cutánea, prurito, disnea, opresión torácica, hipotensión leve. La incidencia de estos efectos secundarios es muy baja y las reacciones suelen ser leves. También se ha notificado un aumento del tiempo de hemorragia debido a la interferencia del dextrano con la función plaquetaria.
Interacciones medicamentosas No debe administrarse a pacientes que reciban anticoagulantes porque ralentiza significativamente la coagulación de la sangre.
Dosis y administración Valorar según la respuesta fisiológica del paciente.
Duración de la acción De 8 a 12 horas.
Consideraciones especiales En el tratamiento del shock por quemadura, es esencial seguir los regímenes estándar de reanimación con líquidos para evitar una posible sobrecarga circulatoria.

Dextrosa a 10% en agua

Clase Solución hipertónica que contiene dextrosa.
Mecanismo de acción Aporta nutrientes en forma de dextrosa, así como agua libre.
Indicaciones Reanimación neonatal, hipoglucemia.
Contraindicaciones No debe utilizarse como reposición de líquidos en estados hipovolémicos.
Reacciones adversas/efectos secundarios Poco frecuentes con dosis terapéuticas.
Interacciones medicamentosas No debe utilizarse con fenitoína (Dilantin®) o amrinona (Inocor®).
Dosis y administración La velocidad de infusión suele depender del estado del paciente.
Duración de la acción Tratamiento a corto plazo.
Consideraciones especiales Ninguna.

Dextrosa a 5% en agua

Clase Solución hipotónica que contiene dextrosa.
Mecanismo de acción Aporta nutrientes en forma de dextrosa, así como agua libre.

Indicaciones Acceso IV para fármacos de emergencia; dilución de fármacos concentrados para infusión IV.
Contraindicaciones No debe utilizarse como reposición de líquidos en estados hipovolémicos.
Reacciones adversas/efectos secundarios Poco frecuentes con dosis terapéuticas.
Interacciones medicamentosas No debe utilizarse con fenitoína (Dilantin®) o amrinona (Inocor®).
Dosis y administración Normalmente se administra a través de un *minidrip* (60 gotas/ml) ajustado a una tasa TKO.
Duración de la acción Tratamiento a corto plazo.
Consideraciones especiales D_5W no debe administrarse de forma simultánea con sangre a través del mismo equipo de administración IV debido a la posibilidad de hemólisis.

Dextrosa a 5% en cloruro de sodio a 0.45%

Clase Solución cristaloide hipertónica que contiene dextrosa.
Mecanismo de acción Sustituye el agua libre y los electrólitos y aporta nutrientes en forma de dextrosa.
Indicaciones Agotamiento por calor, trastornos diabéticos; solución KVO en pacientes con deterioro de la función renal o cardiovascular.
Contraindicaciones No debe utilizarse cuando esté indicada la reanimación rápida con líquidos.
Reacciones adversas/efectos secundarios Poco frecuentes con dosis terapéuticas.
Interacciones medicamentosas No debe utilizarse con fenitoína (Dilantin®) o amrinona (Inocor®).
Dosis y administración La velocidad de infusión dependerá de la situación específica que se esté tratando.
Duración de la acción Tratamiento a corto plazo.
Consideraciones especiales Ninguna.

Dextrosa a 5% en cloruro de sodio a 0.9%

Clase Solución cristaloide hipertónica que contiene dextrosa.
Mecanismo de acción Sustituye el agua libre y los electrólitos y aporta nutrientes en forma de dextrosa.
Indicaciones Trastornos relacionados con el calor, ahogamiento en agua dulce, hipovolemia, peritonitis.
Contraindicaciones No debe administrarse a pacientes con deterioro de la función cardíaca o renal.
Reacciones adversas/efectos secundarios Poco frecuentes con dosis terapéuticas.
Interacciones medicamentosas No debe utilizarse con fenitoína (Dilantin®) o amrinona (Inocor®).
Dosis y administración La velocidad de infusión dependerá de la situación específica que se esté tratando.
Duración de la acción Tratamiento a corto plazo.
Consideraciones especiales Ninguna.

Dextrosa a 5% en solución de Ringer lactato

Clase Solución cristaloide hipertónica que contiene dextrosa.
Mecanismo de acción Repone agua y electrólitos y aporta nutrientes en forma de dextrosa.
Indicaciones Shock hipovolémico, shock hemorrágico, algunos casos de acidosis.
Contraindicaciones No debe administrarse a pacientes con función renal o cardiovascular disminuida.
Reacciones adversas/efectos secundarios Poco frecuentes con dosis terapéuticas.
Interacciones medicamentosas No debe utilizarse con fenitoína (Dilantin®) o amrinona (Inocor®).
Dosis y administración La velocidad de infusión dependerá de la situación específica que se esté tratando.
Duración de la acción Tratamiento a corto plazo.
Consideraciones especiales Ninguna.

Fracción de proteínas plasmáticas (Plasmanate®)

Clase Coloide natural.
Mecanismo de acción Coloide proteico que permanece en el compartimiento IV. Aumenta el volumen IV atrayendo agua de otros compartimientos líquidos en virtud de su presión osmótica coloide.
Indicaciones Shock hipovolémico, en especial shock por quemaduras; hipoproteinemia (estados hipoproteicos).
Contraindicaciones No existen contraindicaciones significativas cuando se utiliza para tratar estados hipovolémicos potencialmente mortales.
Reacciones adversas/efectos secundarios Escalofríos, fiebre, urticaria, náusea, vómito.
Interacciones medicamentosas Las soluciones no deben mezclarse ni administrarse a través de los mismos equipos de administración que otros líquidos IV.
Dosis y administración Valorar según la respuesta hemodinámica del paciente. En el tratamiento del shock secundario a vómito, deben seguirse al pie

de la letra las órdenes del médico relativas a la velocidad de administración. Se han desarrollado fórmulas estándar para la administración de líquidos IV, y el médico de control las utilizará para determinar la velocidad correcta de administración IV.

Duración de la acción 24 a 36 horas.

Consideraciones especiales No utilizar si la solución está turbia o si se observa sedimentación.

Hetastarch (Hespan®)

Clase Coloide artificial.

Mecanismo de acción Coloide que contiene almidón utilizado como expansor del volumen IV. Después de su administración, el volumen plasmático se expande ligeramente más que el volumen de hetastarch administrado; este efecto se ha observado hasta 24 a 36 horas. El hetastarch aumenta el volumen IV en virtud de su presión osmótica coloide.

Indicaciones Shock hipovolémico, en especial en quemados; shock séptico.

Contraindicaciones No existen contraindicaciones significativas cuando se utiliza en el tratamiento de estados hipovolémicos potencialmente mortales.

Reacciones adversas/efectos adversos Náusea, vómito, reacciones febriles leves, escalofríos, prurito, urticaria; raramente se han notificado reacciones anafilácticas graves.

Interacciones medicamentosas No debe administrarse en pacientes que estén recibiendo anticoagulantes. Los pacientes alérgicos al maíz pueden ser alérgicos al hetastarch.

Dosis y administración Titulada según la respuesta fisiológica del paciente.

Duración de la acción 24 a 36 horas.

Consideraciones especiales Seguridad en el embarazo: categoría C.

Nutrición parenteral total (NPT; varía en función de la mezcla)

Clase Electrólito, nutrición.

Mecanismo de acción Repone electrólitos y nutrientes.

Indicaciones Pedidos y personalizados para cada paciente en función de las necesidades identificadas a partir de los análisis de laboratorio.

Contraindicaciones Varían en función de la mezcla específica.

Reacciones adversas/efectos secundarios Varían en función de la mezcla específica.

Interacciones medicamentosas Varían en función de la mezcla específica.

Dosis y administración Varían en función de la mezcla específica.

Solución lactato de Ringer (Hartmann®)

Clase Solución cristaloide isotónica.

Mecanismo de acción Remplaza el agua y los electrólitos.

Indicaciones Shock hipovolémico; mantener IV abierta, hipoperfusión.

Contraindicaciones Insuficiencia cardíaca o insuficiencia renal. Evitar su uso en pacientes con lesiones por aplastamiento/síndrome compartimental porque la solución de Ringer lactato contiene potasio.[2]

Reacciones adversas/efectos secundarios Poco frecuentes con dosis terapéuticas.

Interacciones medicamentosas Pocas en emergencias.

Dosis y administración Shock hipovolémico; valorar según la respuesta fisiológica del paciente. Hipoperfusión: 20 ml/kg IV/IO durante 15 minutos; repetir según sea necesario para hipoperfusión continua.[2]

Duración de la acción Tratamiento a corto plazo.

Consideraciones especiales Ninguna.

0.45% cloruro de sodio

Clase Solución cristaloide hipotónica.

Mecanismo de acción Remplaza el agua libre y los electrólitos.

Indicaciones Pacientes con función renal o cardiovascular disminuida para los que no está indicada la rehidratación rápida.

Contraindicaciones Casos en los que está indicada la rehidratación rápida.

Reacciones adversas/efectos secundarios Poco frecuentes con dosis terapéuticas.

Interacciones medicamentosas Pocas en emergencias.

Dosis y administración La situación específica y el estado del paciente dictarán la velocidad a la que se administre media solución salina normal.

Duración de la acción Tratamiento a corto plazo.

Consideraciones especiales Ninguna.

Kit de preparación

Listo para revisión

- Las letras mayúsculas se utilizan a veces para evitar la confusión de nombres de medicamentos con nombres similares. Las mayúsculas llaman la atención sobre las letras que diferencian el nombre de un medicamento de otros similares.
- Los elementos comunes de un perfil farmacológico incluyen el nombre genérico del medicamento, nombre(s) comercial(es), clase, mecanismo de acción, indicaciones, contraindicaciones, reacciones adversas/efectos secundarios, interacciones farmacológicas, dosis y administración (adultos y pediátrica), duración de la acción (inicio, efecto máximo, duración) y consideraciones especiales.

Referencias

1. FDA name differentiation project. US Food and Drug Administration website. https://www.fda.gov/drugs / medication-errors-related-cder-regulated-drug-products/ fda-name-differentiation-project. Actualizada abril 28, 2020. Consultada julio 16, 2021.
2. *National Model EMS Clinical Guidelines: Version 2.2*. National Association of State EMS Officials website. https:// nasemso.org/wp-content/uploads/National-Model-EMS -Clinical-Guidelines-2017-PDF-Version-2.2.pdf. Publicada enero 2019. Consultada julio 16, 2021.
3. McCuistion LE, DiMaggio KV, Winton MB, Yeager JJ. *Pharmacology: A Patient-Centered Nursing Process Approach*. 10th ed. St. Louis, MO: Elsevier; 2021.
4. Luks AM, Auerbach PS, Freer L, et al. Wilderness Medical Society clinical practice guidelines for the prevention and treatment of acute altitude illness: 2019 update. *Wilderness Environ Med*. 2019;30(4):S3-S18.
5. Prescriber's Digital Reference [página web]. https://www.pdr.net/. Consultada julio 16, 2021.
6. Panchal AR, Bartos JA, Cabañas JG, et al. Part 3: adult basic and advanced life support: 2020 American Heart Association guidelines for cardiopulmonary resuscitation and emergency cardiovascular care. *Circulation*. 2020;142(16 suppl 2):S366-S468.
7. American Heart Association. *2020 Handbook of Emergency Cardiovascular Care for Healthcare Providers*. Dallas, TX: American Heart Association; 2020.
8. Tachjian A, Maria V, Jahangir A. Use of herbal products and potential interactions in patients with cardiovascular diseases. *J Am Coll Cardiol*. 2010;55(6):515-525.
9. FDA recommends avoiding use of NSAIDs in pregnancy at 20 weeks or later because they can result in low amniotic fluid. US Food and Drug Administration website. https://www.fda.gov/drugs/drug-safety-and-availability/ fda-recommends-avoiding-use-nsaids-pregnancy-20 -weeks-or-later-because-they-can-result-low-amniotic. Actualizada noviembre 11, 2020. Consultada julio 16, 2021.
10. Kusumoto FM, Schoenfeld MH, Barrett C, et al. 2018 ACC/AHA/HRS guideline on the evaluation and management of patients with bradycardia and cardiac conduction delay. *Circulation*. 140(8);e382-e482:2018. https:// doi.org/10.1161/CIR.0000000000000628.
11. McKee D, Thoma A, Bailey K, Fish J. A review of hydrofluoric acid burn management. *Plast Surg*. 2014;22(2):95-98.
12. US National Library of Medicine. Dopamine hydrochloride and dextrose. DailyMed website. https://dailymed.nlm.nih.gov/dailymed/drugInfo.cfm?setid=cb97d4a0-89ed-407c-a763-209386b6f75c. Actualizada noviembre 11, 2020. Consultada julio 16, 2021.
13. Aziz K, Lee HC, Escobedo MB, et al. Part 5: neonatal resuscitation: 2020 American Heart Association guidelines for cardiopulmonary resuscitation and emergency cardiovascular care. *Circulation*. 2020;142(16 suppl 2):S524-S550.
14. Hashemian SM, Fallahian F. The use of Heliox in critical care. *Int J Crit Illn Inj Sci*. 2014;4(2):138-142.
15. Sills JR. Oxygen and medical gas therapy. *In The Comprehensive Respiratory Therapist Exam Review*. 7th ed. St. Louis, MO: Elsevier; 2020:193-224.
16. Kumar MG, Lin S. Hydromorphone in the management of cancer-related pain: an update on routes of administration and dosage forms. *J Pharmacy Pharm Sci*. 2007;10(4):504-518.
17. FDA Drug Safety Communication. FDA strengthens warning that non-aspirin nonsteroidal anti-inflammatory drugs (NSAIDs) can cause heart attacks or strokes. US Food and Drug Administration website. https://www.fda.gov/ drugs/drug-safety-and-availability/fda-drug-safety-communication-fda-strengthens-warning-non-aspirin-nonsteroidal-anti-inflammatory. Publicada julio 9, 2015. Consultada julio 16, 2021.
18. Pellegrini J, DeLoge J, Bennett J, Kelly J. Comparison of inhalation of isopropyl alcohol vs promethazine in the treatment of postoperative nausea and vomiting (PONV) in patients identified as at high risk for developing PONV. *AANA J*. 2009;77(4):293-299.
19. Oglesbee S. Using nitrous oxide to manage pain. *JEMS*. 39(4). https://www.jems.com/patient-care/using-nitrous-oxide-manage-pain/. Publicada abril 1, 2014. Consultada julio 16, 2021.
20. Radiation emergencies: potassium iodide (KI). Centers for Disease Control and Prevention website. https://www.cdc.gov/nceh/radiation/emergencies/ki.htm. Revisada abril 4, 2018. Consultada julio 16, 2021.

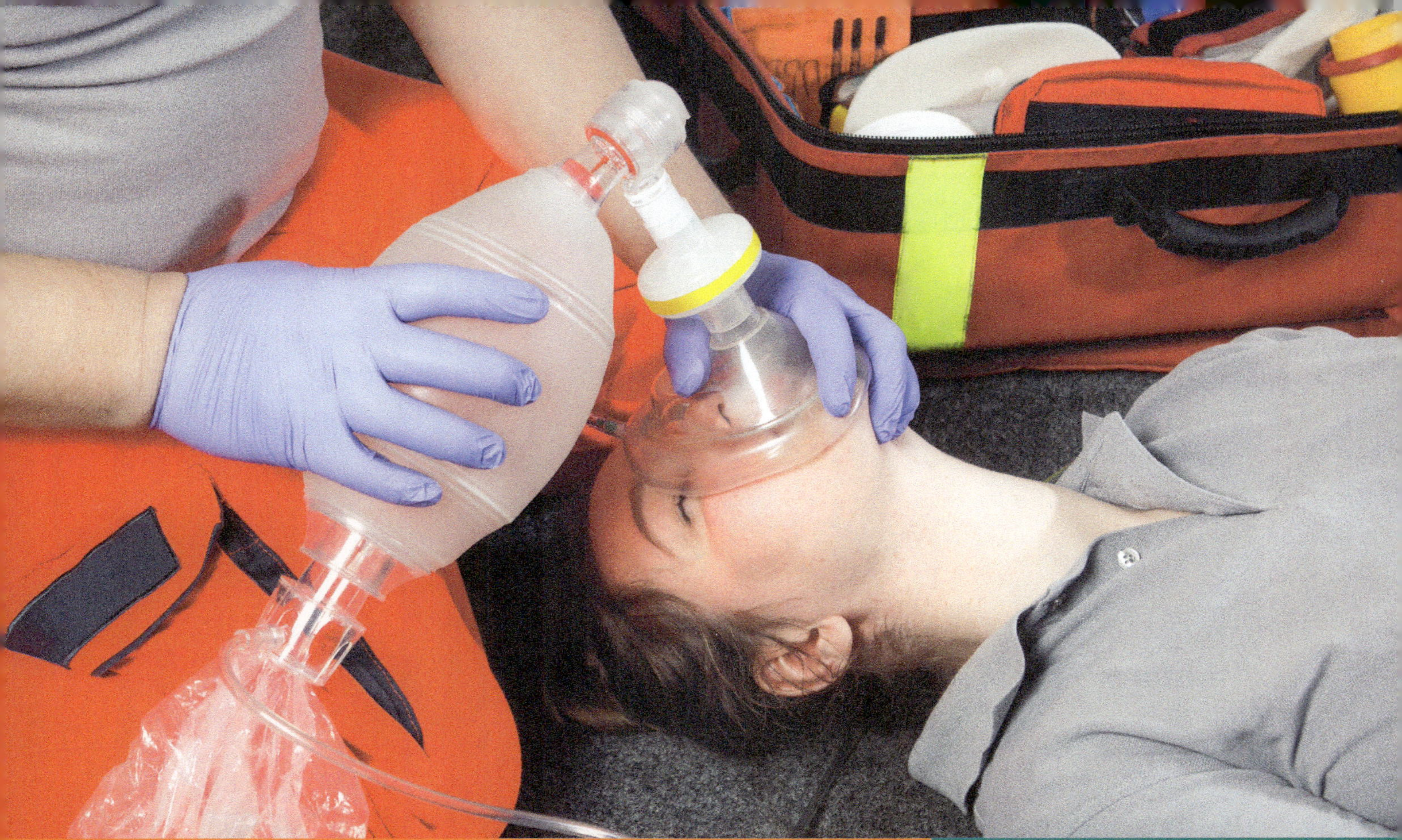

VOLUMEN 1

SECCIÓN

5

Manejo de la vía aérea

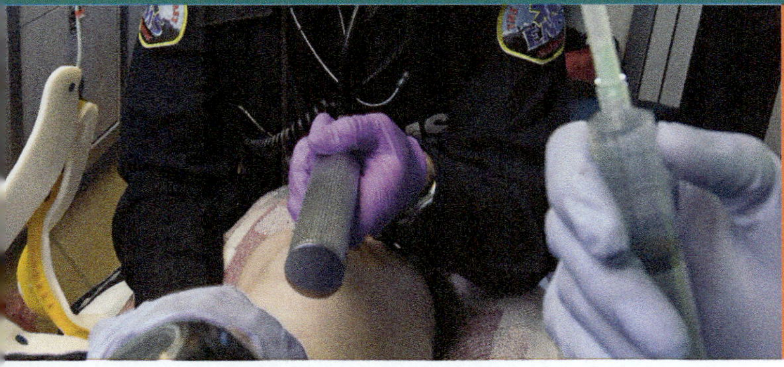

Capítulo 13

Manejo de la vía aérea

COMPETENCIAS DEL ESTÁNDAR NACIONAL DE EDUCACIÓN EN EL SEM

Manejo de la vía aérea, respiración y ventilación asistida

Integra el conocimiento complejo de la anatomía, fisiología y fisiopatología en la evaluación para desarrollar e implementar un plan terapéutico con el propósito de garantizar una vía aérea permeable, la ventilación asistida adecuada y la respiración de los pacientes de todas las edades.

Manejo de la vía aérea

- Anatomía de la vía aérea. (pp. 863-865)
- Evaluación de la vía aérea. (pp. 871-876)
- Técnicas para garantizar una vía aérea permeable. (p. 871)

Respiración

- Anatomía del aparato respiratorio. (p. 865)
- Fisiología y fisiopatología de la respiración. (pp. 865-870)
  - Ventilación pulmonar. (pp. 867-868)
  - Oxigenación. (pp. 865, 876-883)
  - Respiración. (pp. 865-870)
    - Externa (p. 865)
    - Interna (p. 865)
    - Celular (p. 865)
- Evaluación y tratamiento de las respiraciones adecuada e inadecuada. (pp. 871-876, 898-914)
- Tratamiento con oxígeno complementario. (pp. 898-899)

Ventilación asistida

Valoración y tratamiento de las ventilaciones adecuada e inadecuada:

- Ventilación asistida. (pp. 905-907)
- Ventilación minuto. (p. 866)
- Ventilación alveolar. (pp. 882-883)
- Efecto de la ventilación asistida sobre el gasto cardíaco. (p. 870)

OBJETIVOS COGNITIVOS

1. Revisar la anatomía del aparato respiratorio, incluyendo las estructuras principales de la vía aérea superior e inferior. (pp. 863-865)
2. Describir la fisiología de la respiración, con inclusión de ventilación, oxigenación y respiración. (p. 865)
3. Describir los factores relacionados con la fisiopatología de la respiración, con inclusión del desequilibrio del cociente de ventilación-perfusión, hipoventilación, hiperventilación y compromiso circulatorio. (pp. 865-870)
4. Describir los factores relacionados con la ventilación, como la presión parcial y los volúmenes. (pp. 867-868)
5. Explicar en forma comparativa las ventilaciones a presión positiva y negativa. (pp. 904-905)
6. Describir el desequilibrio ácido-base, en específico la acidosis y la alcalosis respiratorias. (pp. 869-870)
7. Explicar cómo evaluar una vía aérea permeable. (p. 871)
8. Enlistar los signos de una respiración adecuada. (p. 871)

9. Enlistar los signos de una respiración inadecuada. (pp. 871-873)
10. Describir los cinco patrones respiratorios anormales que se deben reconocer cuando se evalúa la respiración de un paciente. (p. 873)
11. Explicar cómo evaluar los ruidos respiratorios de un paciente. (pp. 873-876)
12. Explicar cómo evaluar las respiraciones adecuada e inadecuada, con inclusión de la oximetría de pulso. (pp. 876-878)
13. Describir los métodos para la evaluación del dióxido de carbono del volumen tidal terminal y su importancia. (pp. 879-884)
14. Explicar el uso de la posición de recuperación para mantener la vía aérea permeable. (p. 886)
15. Describir cómo hacer la maniobra de inclinación de cabeza-elevación del mentón. (p. 886)
16. Describir cómo hacer la maniobra de empuje o subluxación mandibular. (pp. 886-887)
17. Describir cómo hacer la maniobra de elevación de lengua-mandíbula. (p. 887)
18. Describir las técnicas de aspiración y su importancia. (pp. 889-890)
19. Explicar cómo medir e insertar una vía aérea orofaríngea. (pp. 890-891)
20. Explicar cómo medir e insertar una vía aérea nasofaríngea. (pp. 891-893)
21. Describir las causas de la obstrucción de la vía aérea por un cuerpo extraño. (pp. 893-894)
22. Describir el tratamiento de las obstrucciones leve y grave de la vía aérea por un cuerpo extraño en un adulto, un niño y un lactante. (pp. 894-896)
23. Describir la importancia de administrar oxígeno complementario a los pacientes con hipoxia. (p. 898)
24. Describir los aspectos básicos del almacenamiento del oxígeno y los diferentes riesgos vinculados con su uso. (pp. 898-899)
25. Explicar cómo usar una mascarilla sin recirculación, con inclusión de los requerimientos de flujo de oxígeno. (pp. 901-902)
26. Describir las indicaciones de uso de una cánula nasal, en lugar de una mascarilla sin recirculación. (p. 902)
27. Describir las indicaciones de uso de un humidificador durante el tratamiento con oxígeno complementario. (p. 903)
28. Explicar cómo hacer la ventilación de boca a mascarilla. (pp. 906-907)
29. Describir la evaluación y los cuidados de un paciente con apnea. (p. 912)
30. Describir el uso de un dispositivo de bolsa y mascarilla por una o dos personas. (pp. 907-910)
31. Describir los signos vinculados con las ventilaciones artificiales adecuada e inadecuada. (p. 910)
32. Describir los ventiladores automáticos para transporte y cómo usarlos. (pp. 911-912)
33. Describir las indicaciones, contraindicaciones y complicaciones del uso de la presión positiva continua en la vía aérea (PPCVA). (pp. 912-914)
34. Explicar las consideraciones concernientes a la distensión gástrica, con la inclusión de cómo hacer la descomprensión por las vías nasogástrica y orogástrica. (pp. 914-919)
35. Describir las consideraciones del tratamiento de la vía aérea en los pacientes con laringectomía, traqueotomía o una boca anastomótica. (pp. 920-924)
36. Enlistar los dispositivos de vía aérea avanzada y las técnicas disponibles para su uso por los paramédicos. (p. 926)
37. Describir los métodos usados para predecir una vía aérea difícil. (pp. 926-929)
38. Describir las ventajas y desventajas de la intubación endotraqueal (ET), y el equipo usado. (pp. 929-931)
39. Explicar cómo determinar las dimensiones correctas de un tubo ET. (p. 929)
40. Enlistar los factores por considerar cuando se determina la dimensión correcta de la hoja de laringoscopio. (p. 931)
41. Describir las indicaciones y contraindicaciones de la intubación orotraqueal. (p. 931)
42. Enlistar los métodos disponibles para confirmar la colocación correcta de un tubo ET y las ventajas y desventajas de cada uno. (p. 938)
43. Describir cómo asegurar un tubo ET. (pp. 938-939)
44. Describir las indicaciones, contraindicaciones, ventajas, desventajas y complicaciones de la intubación nasotraqueal. (pp. 943-947)
45. Explicar qué hacer cuando fracasa la intubación. (p. 951)
46. Explicar cómo hacer la aspiración traqueobronquial. (pp. 951-952)
47. Describir las consideraciones relacionadas con la extubación en el campo (pp. 952-954)
48. Enlistar los posibles adyuvantes farmacológicos para el tratamiento de la vía aérea y la ventilación, con inclusión de los sedantes y bloqueadores neuromusculares usados para la intubación de emergencia. (pp. 954-957)

49. Describir el procedimiento para la intubación en secuencia rápida. (pp. 958-960)
50. Describir los dispositivos de vía aérea King LT® con inclusión de cómo funcionan, sus indicaciones, contraindicaciones y complicaciones, así como el procedimiento de inserción. (pp. 961-962)
51. Describir el uso de la mascarilla laríngea, con inclusión de cómo funciona, sus indicaciones, contraindicaciones y complicaciones, así como el procedimiento de inserción. (pp. 964-965)
52. Describir el dispositivo de vía aérea supraglótica i-gel® con inclusión de cómo funciona y el procedimiento de inserción. (pp. 966-968)
53. Describir las indicaciones, contraindicaciones, ventajas, desventajas y complicaciones de una cricotiroidotomía quirúrgica. (pp. 970-971)
54. Describir las indicaciones, contraindicaciones, ventajas, desventajas y complicaciones de la cricotiroidotomía con aguja. (p. 976)

OBJETIVOS DE DESTREZA

1. Demostrar cómo usar la oximetría de pulso. (pp. 877-878)
2. Demostrar en qué posición colocar a un paciente que no responde. (p. 885)
3. Demostrar cómo colocar a un paciente en la posición de recuperación. (p. 885)
4. Demostrar cómo hacer la maniobra de inclinación de cabeza-elevación del mentón. (p. 886)
5. Demostrar cómo hacer la maniobra de impulso mandibular. (pp. 886-887)
6. Demostrar cómo hacer la maniobra de elevación de la lengua-mandíbula. (p. 887)
7. Demostrar cómo utilizar un equipo de aspiración. (pp. 887-889)
8. Demostrar cómo aspirar la vía aérea de un paciente. (pp. 889-890)
9. Demostrar cómo insertar una vía aérea orofaríngea. (p. 891)
10. Demostrar cómo insertar una vía aérea orofaríngea con el uso de un abatelenguas. (p. 891)
11. Demostrar cómo insertar una vía aérea nasofaríngea (nasal). (p. 893)
12. Demostrar cómo usar la pinza de Magill para retirar un objeto de la vía aérea. (p. 897, Práctica de destreza 13-1)
13. Demostrar cómo usar un tanque de oxígeno. (pp. 900-901)
14. Demostrar cómo usar las mascarillas de recirculación parcial y de no reinhalación para administrar oxígeno complementario a los pacientes. (pp. 901-902)
15. Demostrar cómo usar una mascarilla Venturi® para el tratamiento de los pacientes con oxígeno complementario. (p. 903)
16. Demostrar cómo usar un humidificador para el tratamiento con oxígeno complementario. (p. 903)
17. Demostrar la ventilación de boca a mascarilla. (p. 907)
18. Demostrar cómo asistir con ventilaciones a un paciente utilizando un dispositivo de bolsa y mascarilla por uno y dos rescatistas. (pp. 909-910)
19. Demostrar cómo usar un ventilador automático de transporte para ayudar a la ventilación asistida. (p. 911)
20. Demostrar cómo usar la PPCVA. (p. 915, Práctica de destreza 13-2)
21. Demostrar cómo insertar una sonda nasogástrica. (pp. 917-918, Práctica de destreza 13-3)
22. Demostrar cómo insertar una sonda orogástrica. (p. 919, Práctica de destreza 13-4)
23. Demostrar cómo aspirar un estoma. (p. 921, Práctica de destreza 13-5)
24. Demostrar la ventilación a través de una boca anastomótica con el uso de una mascarilla de reanimación. (pp. 922-923, Práctica de destreza 13-6)
25. Demostrar la ventilación con dispositivo de bolsa-mascarilla a boca anastomótica. (p. 923, Práctica de destreza 13-7)
26. Demostrar cómo sustituir un tubo de traqueotomía no funcional. (p. 925, Práctica de destreza 13-8)
27. Demostrar todo el procedimiento para la intubación orotraqueal por laringoscopia directa. (pp. 940-942, Práctica de destreza 13-9)
28. Demostrar cómo asegurar un tubo ET. (pp. 938-939)
29. Demostrar todo el procedimiento para la intubación orotraqueal por videolaringoscopia. (pp. 944-945, Práctica de destreza 13-10)
30. Demostrar cómo hacer la intubación nasotraqueal en a ciegas. (pp. 949-950, Práctica de destreza 13-11)
31. Describir cómo hacer la intubación cara a cara. (pp. 948-951)
32. Demostrar cómo hacer la aspiración traqueobronquial. (pp. 952-953, Práctica de destreza 13-12)

33. Demostrar cómo hacer la intubación en secuencia rápida. (pp. 958-960)
34. Demostrar la inserción del dispositivo King LT. (p. 963, Práctica de destreza 13-13)
35. Demostrar la inserción de la mascarilla laríngea. (pp. 966-967, Práctica de destreza 13-14)
36. Demostrar la inserción del dispositivo i-gel®. (pp. 968-969, Práctica de destreza 13-15)
37. Demostrar cómo hacer una cricotiroidotomía quirúrgica. (pp. 974-975, Práctica de destreza 13-16)
38. Demostrar cómo hacer la cricotiroidotomía con aguja y la ventilación con catéter translaríngeo. (pp. 977-979, Práctica de destreza 13-17)

Introducción

Establecer y mantener una vía aérea **permeable** (abierta) y asegurar la oxigenación y ventilación eficaces son aspectos vitales para la atención correcta de un paciente. El intento por estabilizar el estado de un paciente cuya vía aérea está comprometida puede ser infructuoso. El cuerpo humano necesita un aporte constante de oxígeno para realizar los procesos fisiológicos necesarios para el sostén de la vida; la vía aérea es donde todo empieza. Pocas situaciones causaran tal deterioro agudo y la muerte más rápido que un compromiso de la vía aérea o la ventilación. Para conservar la vida la vía aérea debe mantenerse permeable en todo momento, al margen de la situación.

La función del aparato respiratorio es simple: llevar oxígeno y eliminar el dióxido de carbono (el principal producto de desecho del **metabolismo** del oxígeno, el proceso químico que provee a las células de energía a partir de los nutrimentos). Si este proceso se interrumpe, los órganos del cuerpo no funcionarán de manera apropiada. Por ejemplo, las células cerebrales pueden sobrevivir solo durante 6 minutos, aproximadamente, sin oxígeno, antes de presentar un daño permanente.

El fracaso en el manejo y el tratamiento inapropiado de la vía aérea son causas importantes de una muerte prevenible en el contexto prehospitalario. Las técnicas básicas para el manejo de la vía aérea aprendidas en la instrucción inicial del PAP son de las más cruciales para usted como paramédico. El fracaso en su uso o el desempeño inapropiado en ellas (p. ej., sellado inadecuado de bolsa-mascarilla o la posición inapropiada de la vía aérea), el anticiparse por usar intervenciones avanzadas y el fracaso en la reevaluación de la condición del paciente, pueden aumentar la mortalidad y morbilidad. Por ello, una gran parte de este capítulo se dedica al reforzamiento de las destrezas básicas del tratamiento de la vía aérea. Como paramédico, usted debe comprender la importancia de la detección temprana de las alteraciones de la vía aérea, las intervenciones rápidas y eficaces para remediarlas y la reevaluación constante del paciente con compromiso de esta o de la respiración.

Este capítulo inicia con una revisión de la anatomía en relación con los procedimientos de tratamiento de la vía aérea, seguida por una descripción de los procesos de la ventilación, oxigenación y respiración. Se sigue un abordaje de lo básico a lo avanzado, al igual que cómo se realiza, por lo general, el tratamiento de la vía aérea en el campo de su ejercicio profesional, para recalcar la importancia de asegurar una vía aérea permeable, la ventilación, oxigenación y respiración adecuadas. En este capítulo se describen después las técnicas de abertura y mantenimiento de la vía aérea permeable, el reconocimiento y tratamiento de sus obstrucciones, la evaluación del estado de ventilación y oxigenación del paciente, la administración de

USTED es el Paramédico

PARTE 1

A las 21:25 horas se le despacha a una residencia por un hombre de 67 años que experimenta dificultad respiratoria. Usted y su compañero paramédico acuden a la escena con un tiempo de respuesta de casi 5 minutos. Todas las unidades de bomberos están trabajando en el incendio de una estructura y no pueden responder para ayudar.

1. ¿Cuál es la diferencia entre dificultad e insuficiencia respiratorias?
2. ¿Es posible que un paciente ventile, pero sin oxigenar? ¿Por qué sí o no?

oxígeno complementario y la provisión de asistencia ventilatoria. En un paciente que responde, usted tal vez no requerirá abrir la vía aérea en forma manual, sino proveer oxígeno complementario. Incluso en ese caso debe recordar el orden en que deben realizarse los pasos, evitando aquellos no aplicables a la situación particular. Por último, las técnicas avanzadas, incluidas las de los dispositivos y procedimientos de vía aérea correspondientes, se describen en forma detallada.

Revisión de la anatomía de la vía aérea

Para tratar de manera eficaz la vía aérea de un paciente, usted debe identificar las estructuras anatómicas clave y comprender cómo pueden requerir manipulación cuando se insertan diversos dispositivos auxiliares. En la siguiente sección se hace una breve revisión de la anatomía de la vía aérea. En el capítulo 6, *Anatomía y fisiología*, se incluye una descripción detallada de la vía aérea, la anatomía y fisiología respiratorias.

Vía aérea superior

A nivel anatómico, la vía aérea superior incluye todas las estructuras por arriba de la abertura glótica (glotis) que es el espacio entre las cuerdas vocales. Por lo tanto, cuando usted realiza maniobras como la intubación endotraqueal (ET), debe identificar la anatomía de la vía aérea superior mientras hace avanzar la hoja del **laringoscopio** dentro de la boca del paciente, **FIGURA 13-1A**. La intubación ET se describe con detalle más adelante en este capítulo.

La lengua es la primera y más voluminosa estructura anatómica que debe manipularse cuando se atiende la vía aérea de un paciente que no responde, porque tiende a caer hacia atrás, a la parte posterior de la faringe. En la base de la lengua, la úvula se proyecta desde el paladar blando en la parte posterior de la cavidad bucal; su manipulación suele ser innecesaria, aunque es un punto de referencia anatómico importante para identificar su avance hacia la parte posterior de la faringe. La úvula ayuda a evitar que los alimentos que se ingieren asciendan hacia la nariz. También puede desencadenar un reflejo nauseoso cuando es estimulada. Algunos pacientes son objeto de exéresis de la úvula, ya que no es una estructura indispensable.

La faringe es un tubo muscular que se extiende desde la nariz y boca hasta el nivel del esófago y la tráquea, constituida por la nasofaringe, la orofaringe y la laringofaringe (también llamada hipofaringe). Esta última es la porción más baja de la faringe y se abre hacia la laringe en la parte anterior y hacia el esófago en la posterior, **FIGURA 13-1B**.

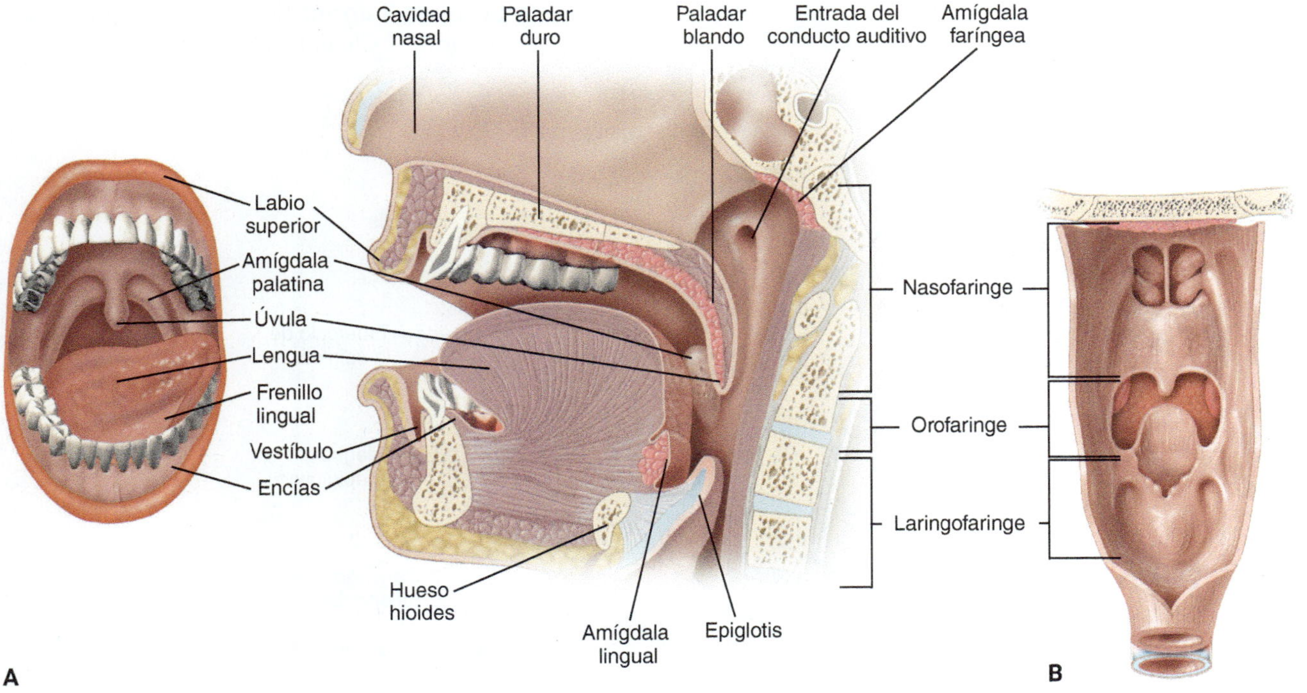

FIGURA 13-1 A. La cavidad bucal. **B.** La faringe.

Vía aérea baja

La vía aérea inferior se extiende desde la glotis hasta la membrana capilar pulmonar. La laringe es una estructura compleja formada por muchas otras independientes de tipo cartilaginoso. Marca el sitio donde terminan la vía aérea superior y se inicia la baja, **FIGURA 13-2**.

El cartílago tiroides es una estructura con forma de escudo, palpable en la cara anterior del cuello. Su porción superior toma una forma en V que se llama escotadura tiroidea. La prominencia laríngea conocida como manzana de Adán es de ubicación inmediatamente inferior, más prominente en los hombres que en las mujeres y difícil de palparla en los pacientes con obesidad o cuello corto. El cartílago tiroides se encuentra suspendido en el hueso hioides mediante los ligamentos tiroideos y se localiza justo por delante de la abertura glótica y las cuerdas vocales.

El cartílago cricoides o anillo cricoideo yace debajo del cartílago tiroides; forma la porción más baja de la laringe y es el único anillo completo de la tráquea (los otros son semicirculares). El cartílago cricoides es más prominente en las mujeres que en los hombres.

La membrana cricotiroidea se localiza entre los cartílagos tiroides y cricoides, sitio donde los proveedores de atención sanitaria pueden obtener acceso, quirúrgico y no quirúrgico, de emergencia a la vía aérea (Cricotiroidotomía). Puesto que está bordeada a los lados y debajo por la glándula tiroides, muy vascularizada, usted debe localizar con cuidado los puntos de referencia anatómicos cuando pretenda el acceso a la vía aérea a través de la membrana cricotiroidea.

La glotis es la porción más estrecha de la vía aérea del adulto, **FIGURA 13-3**, y las cuerdas vocales forman sus bordes laterales. La **epiglotis** (una estructura cartilaginosa en forma de hoja que a manera de tapa cierra la tráquea durante la deglución) se localiza en el borde superior de la glotis. Cuando usted realiza la intubación ET debe localizar la epiglotis, la glotis y las cuerdas vocales antes de insertar el tubo.

Apenas debajo de las cuerdas vocales, la tráquea desciende de inmediato hacia la cavidad torácica; no es un tubo recto, información crítica cuando usted prepara un tubo ET y lo coloca en su interior.

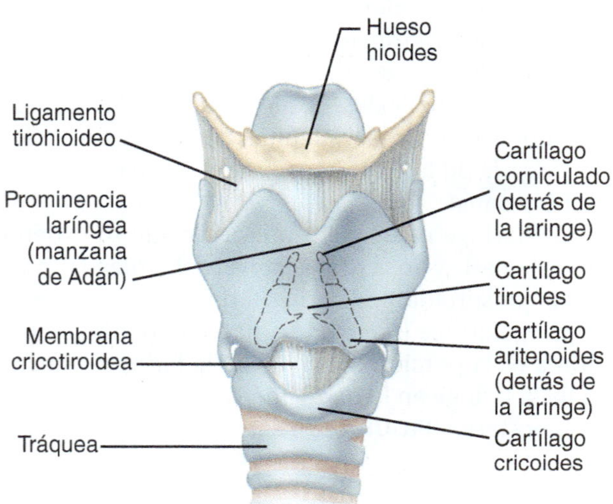

FIGURA 13-2 La laringe.

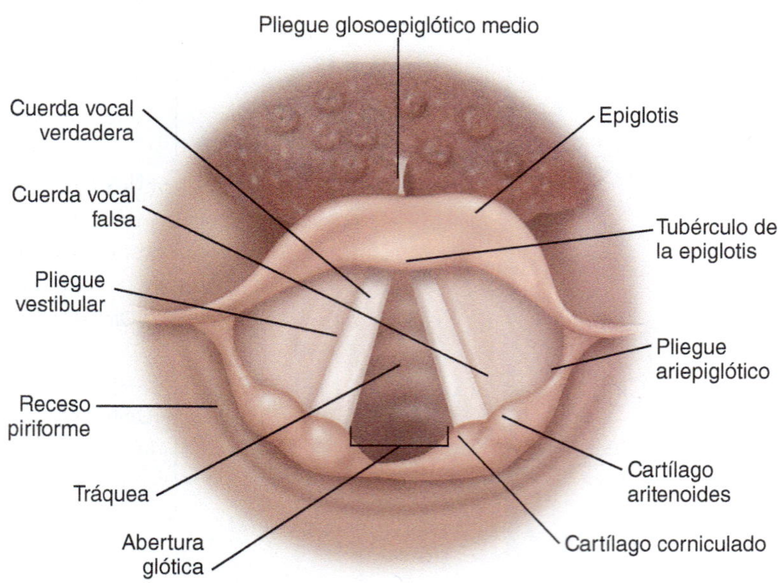

FIGURA 13-3 La glotis y sus estructuras circundantes.

CUADRO 13-1 Ventilación, oxigenación y respiración

Función	Definición
Ventilación	Acto físico de desplazar aire al interior y fuera de los pulmones
Oxigenación	Proceso de carga de moléculas de oxígeno a las de hemoglobina en la corriente sanguínea
Respiración	Intercambio de oxígeno y dióxido de carbono en los alvéolos y otros tejidos del cuerpo

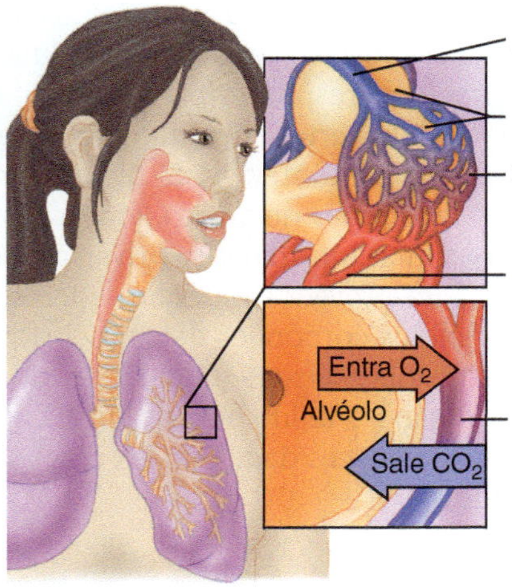

FIGURA 13-4 Respiración externa (pulmonar).

Ventilación, oxigenación y respiración

Los aparatos respiratorio y cardiovascular actúan juntos para asegurar el aporte constante de oxígeno y nutrimentos a cada célula del cuerpo, así como el retiro del dióxido de carbono y otros productos de desecho, **CUADRO 13-1**.

La ventilación es el acto físico de movilizar aire al interior y fuera de los pulmones. Su parte muscular activa se denomina inhalación. La exhalación, a diferencia, es un proceso pasivo y por lo regular no requiere esfuerzo muscular.

La oxigenación es un proceso de carga de moléculas de oxígeno a las de **hemoglobina** en la corriente sanguínea. Para que ocurra la oxigenación, el porcentaje de oxígeno inhalado durante la ventilación o fracción inspirada de oxígeno (FIO_2) debe ser adecuada. Aunque no puede ocurrir oxigenación sin ventilación, la ventilación es posible sin oxigenación.

La respiración es el proceso de intercambio de oxígeno y dióxido de carbono. La respiración externa (pulmonar) es el proceso de intercambio de oxígeno y dióxido de carbono entre los alvéolos y la sangre en los capilares pulmonares, **FIGURA 13-4**. La respiración interna (celular) es el intercambio de oxígeno y dióxido de carbono entre la circulación sistémica y las células del cuerpo, **FIGURA 13-5**. Se requiere una oxigenación adecuada para la respiración, sin embargo, no garantiza que ocurra.

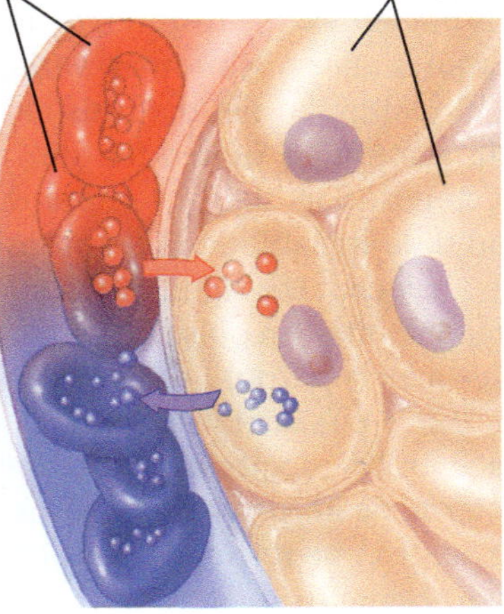

FIGURA 13-5 Respiración interna (celular).

Fisiopatología de la respiración

Múltiples circunstancias pueden inhibir la capacidad del cuerpo de proveer de manera eficaz oxígeno a las células. Las disrupciones de la ventilación, oxigenación y respiración pulmonares causarán efectos inmediatos en el organismo. Como paramédico debe reconocer esas alteraciones rápido y corregirlas de inmediato. Es indispensable distinguir un problema de ventilación primario de uno de oxigenación o respiración, también primario. Por ejemplo, una sobredosis de un fármaco depresor del sistema nervioso central (SNC) (p. ej., opioides, barbitúricos) deprime la frecuencia y profundidad (volumen tidal) de la respiración y causa, al menos de inicio, un problema ventilatorio. Si la ventilación se altera no se llevará la cantidad de oxígeno adecuada al interior de los pulmones ni se distribuirá a las células y los tejidos corporales. En contraste, una persona atrapada en un lugar carente de oxígeno puede desarrollar primero un problema de oxigenación; quizás esté ventilando, pero no respira cantidades adecuadas del gas. Como resultado, se compromete el aporte de oxígeno a las células y tejidos, con un problema respiratorio resultante.

Cada célula del cuerpo necesita un aporte constante de oxígeno para sobrevivir. Si bien algunos tejidos son más resistentes que otros, en un momento dado todas las células morirán si se privan de oxígeno, **FIGURA 13-6**. Para proveer cantidades adecuadas de oxígeno a los tejidos corporales deben ocurrir la respiración y perfusión externas (circulación de sangre dentro de un órgano o tejido en cantidades apropiadas para cubrir las necesidades de las células en un momento dado).

Hipoxia

El fracaso de cobertura de las necesidades corporales de oxígeno puede dar como resultado la **hipoxia**, una circunstancia peligrosa en la que los tejidos y células no lo reciben en cantidad suficiente y si no se corrige puede ocurrir rápido la muerte.

Los pacientes que respiran de forma inadecuada mostrarán signos y síntomas variables de hipoxia. El inicio y el grado del daño tisular causado por la hipoxia a menudo dependen de la calidad de las ventilaciones. Son signos tempranos de hipoxia, la inquietud, la irritabilidad, la aprensión, la taquicardia y la ansiedad. Los signos tardíos incluyen cambios del estado mental, un pulso débil (filante) y la **cianosis**, un color azul o púrpura de la piel (recuerde que, en los pacientes con piel oscura, la cianosis se aprecia más fácil en las membranas mucosas [labios, encías, cara interna de los párpados] y los lechos ungueales). Los pacientes que responden a menudo señalan que les falta el aliento (**disnea**) y pueden ser incapaces de hablar con oraciones completas. Usted debería administrar oxígeno complementario a un paciente con dificultad respiratoria antes de que aparezcan los signos y síntomas de hipoxia.

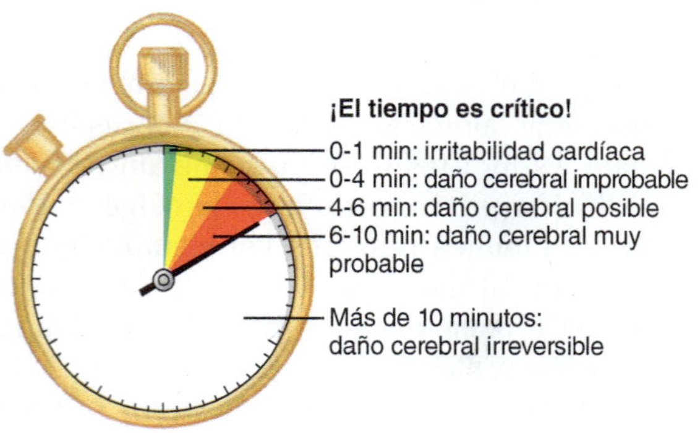

FIGURA 13-6 Las células necesitan un aporte constante de oxígeno para sobrevivir. Algunas de ellas (p. ej., las cerebrales) pueden dañarse de manera grave o permanente después de solo 4 a 6 minutos sin oxígeno.

Cociente de ventilación-perfusión y su desequilibrio

Los pulmones tienen una participación funcional en el traslado del aire ambiental (del ambiente) a la estrecha proximidad con la sangre circulante, lo cual permite el intercambio de gases por difusión simple. El aire y el flujo sanguíneo deben dirigirse al mismo lugar en el mismo momento para lograr esta tarea. En otras, la ventilación y la perfusión deben estar equilibradas. Un fracaso en el equilibrio de ventilación y perfusión o **desequilibrio $\dot{V}/\dot{Q}$** contribuye a la mayoría de las anomalías en el intercambio de oxígeno y dióxido de carbono.

En la mayoría de las personas la ventilación minuto normal en reposo es de casi 6 L/minuto. Casi 33% de ese volumen llena el espacio muerto; por lo tanto, el volumen alveolar en reposo es de casi 4 L/ minuto. Sin embargo, el flujo sanguíneo de la arteria pulmonar es de alrededor de 5 L/ min, lo que da un cociente total de ventilación respecto de la perfusión de 4:5 L/ minuto, o 0.8 L/minuto. Puesto que la ventilación y la perfusión no se distribuyen de manera equivalente, ambas se dirigen a regiones declives de los pulmones en reposo. Sin embargo, es más notorio un aumento del flujo dependiente de la fuerza de gravedad en la perfusión (sanguínea) que en la ventilación (aire). Por lo tanto, el cociente de ventilación-perfusión es máximo en el ápice (la parte más alta del pulmón) y mínimo en la base (la parte más baja).

Cuando la ventilación está comprometida pero la perfusión continúa, la sangre pasa por algunas membranas alveolares sin que ocurra intercambio de gases. Por lo tanto, no todos los alvéolos se enriquecen con oxígeno. El resultado es una falta de difusión del oxígeno a través de la membrana, y así, al sistema circulatorio. En este mismo sentido, el dióxido de carbono no puede difundirse a través de la membrana y recircula hacia la corriente sanguínea, circunstancia que da como resultado un desequilibrio $\dot{V}/\dot{Q}$ y pudiese llevar a la hipoxia grave si no se reconoce y trata la causa.

Pueden ocurrir problemas similares cuando se afecta la perfusión a través de la membrana alveolar. Incluso con los alvéolos llenos de oxígeno fresco, una disrupción del flujo sanguíneo no permite el intercambio óptimo de los gases a través de la membrana. El resultado de la perfusión inadecuada es una menor absorción de oxígeno hacia la corriente sanguínea y un menor retiro del dióxido de carbono. Este desequilibrio $\dot{V}/\dot{Q}$ puede también llevar a la hipoxia y el paciente requiere intervención inmediata para prevenir un daño adicional o la muerte.

Factores que afectan la ventilación

Mantener la vía aérea permeable es crítico para la provisión de oxígeno a los tejidos corporales. Muchos factores intrínsecos (internos) y extrínsecos (externos) pueden causar obstrucción de esta vía. Los primeros, como infección, reacciones alérgicas y ausencia de respuesta (que tal vez lleve a la obstrucción por la lengua), pueden restringir de manera significativa la capacidad de mantener la vía aérea permeable. El edema por infecciones y reacciones alérgicas puede ser fatal si no se trata de manera intensiva con medicamentos y tal vez técnicas avanzadas de la vía aérea. La lengua es la causa más frecuente de obstrucción de vía aérea en un paciente que no responde, y si bien puede corregirse rápido, quizá cause hipoxia y dificulte una perfusión adecuada de los tejidos. Las ventilaciones con ronquido y una posición inapropiada de la cabeza o cuello son buenos indicadores de que la lengua puede estar obstruyendo la vía aérea y es necesaria su corrección rápida para la ventilación y oxigenación adecuadas.

Algunos factores que afectan la ventilación pulmonar no necesariamente son parte directa del aparato respiratorio. Los sistemas nervioso central y periférico tienen actividades clave en la regulación de la respiración, cuyas interrupciones pueden tener efectos drásticos sobre la capacidad de ventilar de manera eficaz. Los medicamentos que deprimen el SNC (p. ej., opioides y benzodiacepinas), cuando son tomados con exceso disminuirán la frecuencia ventilatoria y el volumen tidal, lo que a continuación lleva a un decremento del volumen alveolar y el volumen minuto total. Como resultado, la cantidad de dióxido de carbono en los aparatos respiratorio y circulatorio aumenta, con un incremento total resultante en su contenido sanguíneo.

Los traumatismos de la cabeza y la médula espinal pueden también interrumpir la regulación de la ventilación por el sistema nervioso, con una disminución de la función respiratoria e incluso su insuficiencia. Las alteraciones neuromusculares, como la distrofia muscular y la poliomielitis, pueden también afectar la capacidad del sistema nervioso de dominar la respiración. La distrofia muscular causa degeneración de las fibras musculares, desarrollo motor lento y pérdida de la contractilidad muscular. El encorvamiento de la columna vertebral también es probable en los pacientes con distrofia muscular y puede alterar la función pulmonar. La poliomielitis es una afección neuromuscular viral que afecta los nervios, incluidos los que regulan la ventilación, y dar origen a una parálisis. Los agentes bloqueadores neuromusculares (que causan parálisis), como los usados para facilitar la intubación, inmovilizan de manera eficaz a un paciente e inducen apnea (descrita más adelante en este capítulo).

Los pacientes con reacciones alérgicas pueden presentar una obstrucción potencial de la vía aérea por edema (angioedema) y decremento de la ventilación pulmonar por broncoconstricción. Conforme se constriñen los bronquiolos, el aire debe desplazarse a través de una luz más pequeña; la restricción del desplazamiento del aire causa disminución de la ventilación. La broncoconstricción también se vincula con alteraciones como la enfermedad pulmonar obstructiva crónica (EPOC) y el asma.

Los factores extrínsecos que modifican la ventilación pulmonar pueden inducir traumatismos y obstrucción de la vía aérea por cuerpos extraños. Los traumatismos de la vía aérea y el tórax requieren evaluación e intervención inmediatas. Los traumatismos penetrantes, contusiones y las quemaduras pueden alterar el flujo de aire a través de la tráquea y hacia los pulmones, con deficiencia rápida de la oxigenación resultante. Además, los traumatismos de la pared del tórax pueden causar daño estructural de este segmento corporal, que lleva a la ventilación pulmonar inadecuada. Por ejemplo, un paciente con numerosas fracturas de costillas o un tórax inestable puede ventilar en forma poco profunda a propósito para aliviar el dolor causado por las lesiones. Esta práctica denominada ferulización, puede causar disminución de la ventilación pulmonar. Es crucial un respaldo ventilatorio apropiado para un buen resultado en los pacientes con tales lesiones o condición.

Si la producción de dióxido de carbono rebasa la capacidad del cuerpo de eliminarlo por ventilación, aumenta su presión parcial ($Paco_2$), con el resultado de **hipoventilación** (respiración lenta o poco profunda). En teoría puede ocurrir hipoventilación en dos formas: producción de dióxido de carbono que rebasa la capacidad del cuerpo de eliminarlo, o disminución de su eliminación hasta el grado de que ya no se corresponde con el metabolismo normal.

En el otro extremo se encuentra la **hiperventilación** (respiración rápida o profunda), que se presenta cuando la eliminación del dióxido de carbono rebasa a su producción. Por ejemplo, un paciente que experimenta una crisis de ansiedad tiende a ventilar de manera muy profunda y rápida, por lo que se elimina dióxido de carbono a una mayor velocidad que la de su producción por el cuerpo. El nivel de dióxido de carbono en la sangre desciende entonces por debajo de lo normal y el paciente experimenta síntomas, como mareo y entumecimiento en la cara y las extremidades.

La hipoventilación y la hiperventilación en ocasiones representan un intento del cuerpo por compensar diversas condiciones anormales. Por ejemplo, si el pH sanguíneo es muy alto (alcalosis), la respiración del paciente puede hacerse lenta o poco profunda, en un intento por retener dióxido de carbono (y, por lo tanto, hidrogeniones [H^+]) con el propósito de disminuir el pH. Por el contrario, la hiperventilación pudiese ser una respuesta compensatoria del cuerpo ante un decremento en el pH de la sangre (acidosis), como el que ocurre con las cetoacidosis por hiperglucemia o la sobredosis de ácido acetilsalicílico.

Además de los factores descritos hasta ahora, los decrementos o aumentos del volumen minuto pueden llevar a concentraciones anormales de dióxido de carbono en la sangre, **CUADRO 13-2**. Un decremento en el volumen minuto disminuye la eliminación del dióxido de carbono, con su acumulación resultante en sangre (**hipercapnia**). Por el contrario, un aumento del volumen minuto incrementa la eliminación de dióxido de carbono, lo que disminuye su contenido sanguíneo (**hipocapnia**).

Factores que afectan la oxigenación y respiración

Elementos externos en el ambiente pueden afectar el proceso total de la respiración que, para que ocurran la oxigenación y perfusión en el ámbito celular (procesos afectados por factores internos), debe funcionar de manera eficaz.

Factores externos

La respiración adecuada requiere de la ventilación y oxigenación apropiadas. Los factores externos, como la presión atmosférica y la presión parcial de oxígeno (Pao_2) en el ambiente, tienen participación clave en el proceso total de la respiración. A grandes altitudes, el porcentaje de oxígeno se mantiene igual, pero su presión parcial disminuye, porque también lo hace la presión atmosférica total. La Pao_2 baja puede dificultar o hacer imposible la oxigenación adecuada de los tejidos, lo que así interrumpe la respiración interna. Además, en los ambientes cerrados, como minas y trincheras, puede haber cifras disminuidas de oxígeno ambiental, con oxigenación y respiración ineficaces resultantes.

El monóxido de carbono, junto con otros gases tóxicos, desplaza al oxígeno en el ambiente y dificulta la oxigenación y respiración apropiadas. En particular, el monóxido de carbono tiene una afinidad mucho mayor por la hemoglobina que el oxígeno (250 veces más). Por lo tanto, la unión de las moléculas de monóxido de carbono y de hemoglobina, que origina la carboxihemoglobina (COHb), inhibe el transporte apropiado de oxígeno a los tejidos y puede causar lecturas falsas de la oximetría de pulso, método que se describe con mayor detalle en este capítulo.

CUADRO 13-2 Equilibrio del dióxido de carbono

	Hipoventilación	Hiperventilación
Volumen minuto	↓	↑
Eliminación de CO_2	↓	↑
$Paco_2$	↑ (hipercapnia)	↓ (hipocapnia)

Abreviaturas: CO_2, dióxido de carbono; $Paco_2$, presión parcial de dióxido de carbono.

Factores internos

Las circunstancias que reducen la superficie para el intercambio de gases también lo hacen con el aporte de oxígeno corporal, lo que lleva a una perfusión inadecuada de los tejidos. Además, las alteraciones médicas como neumonía, edema pulmonar y EPOC pueden también causar alteraciones en el metabolismo celular, pues disminuyen la superficie de los alvéolos al dañarlos u originan la acumulación de líquido en los pulmones.

Los alvéolos no funcionales crean una barrera para la difusión del oxígeno y el dióxido de carbono. Como resultado, la sangre que ingresa a los pulmones desde las cavidades cardíacas derechas evade a los alvéolos y retorna a las cavidades cardíacas izquierdas en un estado no oxigenado, una afección conocida como **derivación intrapulmonar**.

Los pacientes sumergidos en agua y aquellos con edema pulmonar pueden presentar líquido en sus alvéolos, acumulación que inhibe el intercambio adecuado de gases en la membrana alveolar y da como resultado la oxigenación y respiración disminuidas. Además, la exposición a ciertas condiciones ambientales (p. ej., grandes altitudes) o riesgos ocupacionales (p. ej., resinas epóxicas) pueden causar acumulación de líquido en los alvéolos con el transcurso del tiempo, lo que lleva a un decremento global en la respiración. Estas alteraciones pueden causar una respiración anaeróbica y la acumulación más alta de ácido láctico, cuyo exceso en sangre disminuye el pH y puede causar numerosas alteraciones que ponen en riesgo la vida, como arritmias cardíacas, coma y estado de choque.

Otras alteraciones de las células corporales incluyen hipoglucemia, desequilibrio hormonal e infección. Conforme disminuyen la concentración de oxígeno y glucosa, el cuerpo ya no puede mantener el equilibrio hemostático con respecto a la producción de energía. Si no se pueden cubrir las necesidades metabólicas corporales es probable la muerte de las células. La infección también aumenta las necesidades metabólicas corporales y altera la homeostasia (tendencia a la inestabilidad en el ambiente interno del cuerpo) y si no se corrige también mueren las células. Si la cifra de insulina disminuye en el cuerpo, la captación de glucosa por las células disminuye. Sin una glucosa suficiente, las células fragmentan los ácidos grasos, con cetoacidosis resultante, una forma de acidosis metabólica.

Compromiso circulatorio

El aparato circulatorio debe funcionar de manera eficaz para que pueda ocurrir la respiración. Cuando se afecta el aparato circulatorio la perfusión se torna inadecuada y no se cubren las demandas de oxígeno corporales.

La obstrucción del flujo sanguíneo de células y tejidos individuales por lo regular tienen relación con las emergencias traumatológicas. Las alteraciones que usted pudiese enfrentar en pacientes de traumatología incluyen un hemotórax simple o a tensión, un hemotórax abierto (herida de tórax con aspiración), hemotórax, hemoneumotórax y embolia pulmonar. Estos procesos patológicos inhiben el intercambio de gases a nivel tisular con sus efectos adversos sobre los aparatos respiratorio y circulatorio. Además, las alteraciones como la insuficiencia y el taponamiento cardíacos inhiben la capacidad del corazón para bombear de forma eficaz sangre oxigenada hacia los tejidos.

Ambas, la pérdida sanguínea y la anemia (una deficiencia de eritrocitos), disminuyen la capacidad de acarrear oxígeno de la sangre. Sin eritrocitos circulantes suficientes no se dispone de moléculas bastantes de hemoglobina para unirse con el oxígeno.

Cuando el cuerpo se encuentra en un estado de choque no se provee eficazmente a las células de oxígeno. El choque hemorrágico (una forma del hipovolémico) corresponde a un decremento del volumen sanguíneo causado por hemorragia externa o interna, que lleva al aporte inadecuado de oxígeno a los tejidos corporales. En contraste, el estado de choque por vasodilatación no es producto de un decremento del volumen sanguíneo, sino de un aumento de las dimensiones de los vasos sanguíneos. Conforme aumenta el diámetro de los vasos sanguíneos, la presión arterial (PA) y el flujo sanguíneo disminuyen; no se provee oxígeno a los tejidos de modo eficaz. Ambas formas de choque causan una deficiente perfusión tisular, que lleva al metabolismo anaeróbico. Usted debería tratar de manera intensiva a cualquier paciente con sospecha de estado de choque para prevenir interrupciones adicionales de la perfusión tisular.

Equilibrio ácido-base

La hipoventilación y la hiperventilación, junto con la hipoxia, pueden causar disrupción del equilibrio ácido-base en el cuerpo, que lleva a un deterioro clínico rápido y la muerte. El aparato respiratorio y los riñones tienen actividades para mantener la homeostasis, que requiere un equilibrio entre los ácidos y las bases, entre otros mecanismos corporales.

Cuando hay un exceso de ácido en el cuerpo, la vía más rápida de eliminarlo es por el aparato respiratorio. El exceso de ácido se puede expulsar como dióxido de carbono desde los pulmones, al aumentar el gasto ventilatorio. Por el contrario, las ventilaciones más lentas incrementan las concentraciones de dióxido de carbono. Los riñones regulan el pH por filtrado de más hidrogeniones (o su retención) y la retención (o filtrado) al exterior del bicarbonato, cuando se requiere. Por lo tanto, la forma más rápida por la que el cuerpo puede eliminar iones H^+ en exceso es la de crear agua y dióxido de carbono, que después se expulsan en forma de gas desde los pulmones.

Cualquier cosa que inhiba la función respiratoria puede llevar a la retención de ácidos y la acidosis, que se desarrolla con rapidez en cualquier momento que un paciente se encuentre en dificultad respiratoria y se puede desarrollar como resultado de la función ventilatoria anormal (p. ej., ante bradipnea, respiración laboriosa o poco profunda [disminución del volumen corriente o tidal]). Se presenta alcalosis cuando la frecuencia respiratoria es muy alta (o el volumen es demasiado).

Las alteraciones ácido-base tienen cuatro cuadros clínicos principales:

- **Acidosis respiratoria**
- **Alcalosis respiratoria**
- Acidosis metabólica
- Alcalosis metabólica

Las fluctuaciones en el pH por la cantidad de bicarbonato disponible en el cuerpo dan lugar a la acidosis o alcalosis metabólica. Las variaciones en el pH por alteraciones respiratorias que causan retención o eliminación en exceso del dióxido de carbono

Perlas de sabiduría

Los efectos de la ventilación sobre el gasto cardíaco

Durante la respiración normal, la presión negativa creada por cada inhalación aumenta el retorno venoso al corazón. Así como la presión negativa intratorácica dirige aire al interior de la cavidad a través de la vía aérea (**ventilación a presión negativa**), la misma presión lleva la sangre venosa de retorno al corazón desde las partes altas (a través de la vena cava superior) y bajas (a través de la vena cava inferior) del cuerpo.

Cuando los pacientes pasan de una ventilación a presión negativa a una **ventilación a presión positiva** (por forzado de aire al interior de los pulmones [p. ej., con bolsa y mascarilla]) pierden este estímulo para el retorno venoso y algunos quizás experimenten disminución del gasto cardíaco e hipotensión como resultado. La presión intratorácica más alta causada por la ventilación a presión positiva crea un gradiente de presión contra el cual debe bombear el corazón, proceso que aumenta la **poscarga** (cantidad de resistencia contra la cual debe contraerse el ventrículo) y puede disminuir aún más el gasto cardíaco. Ante la presión más alta usada para ventilar a un paciente con apnea o hipoventilación, más importante será el decremento de la **precarga** (el volumen de sangre al final de la diástole), que ocurre cuando el corazón es literalmente comprimido por el aumento de la presión intratorácica.

Los pacientes con hipotensión, en estado de choque, o desde otros puntos de vista hemodinámicamente inestables, pueden experimentar cambios intensos en la PA, por los efectos hemodinámicos de la ventilación a presión positiva. La mejor forma de disminuir al mínimo esta complicación es ventilar al paciente durante un segundo con la fuerza apenas suficiente para causar una elevación visible de la pared torácica y evitar hacerlo muy rápido. La ventilación a presión positiva y negativa se describe con mayor detalle más adelante en este capítulo.

producen acidosis o alcalosis respiratorias, respectivamente, a las que aquí se dirige la atención.

Las alteraciones ácido-base que no son corregibles de inmediato por los sistemas de amortiguación corporales causan el inicio de la respuesta compensatoria del organismo para ayudar a retornar las cifras a lo normal. Por ejemplo, la acidosis metabólica puede crear una alcalosis respiratoria como respuesta compensatoria. La atención del paciente con frecuencia implica atender más de una forma de desequilibrio ácido-base.

Inteligencia en la calle

Usted debe saber *cómo* realizar el procedimiento de vía aérea requerido y *por qué* está usted efectuando ese en particular. El comprender por qué se realiza un procedimiento le permite seleccionar la intervención correcta en el momento oportuno. El conocimiento de la anatomía y fisiopatología respiratorias es crucial para tal determinación.

USTED es el Paramédico

PARTE 2

Usted arriba a la escena, entra a la residencia y encuentra al paciente sentado en una silla de su sala. Se encuentra en una posición de trípode, con dificultad obvia y ansiedad. Su piel muestra diaforesis. Su compañero se prepara para administrarle oxígeno complementario conforme usted inicia la evaluación primaria.

Tiempo de registro:	1 minuto
Aspecto	Dificultad respiratoria obvia, cianosis facial; diaforesis
Nivel de conciencia	Consciente y alerta, pero con ansiedad
Vía aérea	Permeable
Respiración	Laboriosa
Circulación	Pulso radial rápido y fuerte; los labios y las encías se muestran grises (el paciente tiene piel oscura)

3. ¿Cómo difiere la oxigenación de la respiración?

4. ¿Cuáles son algunos signos clínicos de una respiración inadecuada?

Atención del paciente: evaluación de la vía aérea

Nunca se insistirá lo suficiente en la importancia de la evaluación cuidadosa de la vía aérea y el estado ventilatorio de un paciente. En el campo de su desempeño profesional usted encontrará pacientes con una diversidad de alteraciones de la vía aérea. Algunas son fácilmente corregibles; otras requieren tratamiento intensivo. La atención medica de emergencia que usted provee a un paciente con un problema de vía aérea o ventilación es solo tan buena como la evaluación que realice.

Evaluación de la permeabilidad de la vía aérea

Cuando atienda a un paciente que experimenta un problema respiratorio, determine primero si la vía aérea está permeable. Un adulto que responde, está consciente y puede hablar con oraciones completas y voz normal no tiene un problema inmediato de la vía aérea. Sin embargo, debido a que su estado puede cambiar con rapidez, manténgase alerta.

Un paciente que no responde se considera con afección de la vía aérea hasta que la evaluación cuidadosa los descarte. Los signos de compromiso de la vía aérea en un paciente que no responde incluyen el ronquido (causado por obstrucción parcial de la vía aérea por la lengua), vómito (de contenido gástrico), a través de la boca y un sonido burbujeante durante la respiración (que indica la presencia de secreciones en la vía aérea. La acumulación de secreciones en la boca del paciente es un indicio claro de un reflejo nauseoso notoriamente deprimido o ausente. El **reflejo nauseoso** es un estímulo espástico de faringe y esófago, desencadenado por la estimulación de la úvula o la parte posterior de la faringe; impide que los cuerpos extraños ingresen a la tráquea. La ausencia de reflejo nauseoso aumenta de manera significativa el riesgo de una aspiración.

Detección de una respiración adecuada

En un adulto en reposo la frecuencia de las respiraciones es de entre 12 y 20/min, **CUADRO 13-3**, con profundidad adecuada (volumen tidal), un patrón regular de inhalación y exhalación, y ruidos respiratorios claros y equivalentes a ambos lados. La respiración en reposo debería parecer sin esfuerzo y los cambios en su frecuencia y regularidad, sutiles (no obvios).

CUADRO 13-3 Rangos de frecuencia respiratoria normal

Edad	Rango (respiraciones/min)
Adultos	12 a 20
Niños	12 a 37
Infantes (de 1 mes a 1 año)	30 a 53

Nota: rangos de adulto adaptados de la National Association of EMS Official (NASEMSO). *National Model EMS Clinical Guidelines; Version 2.2.* NASEMSO website: http://nasemso.org/wp-content/uploads/National-Model-EMS-Clinical-Guidelines-2017-PDF-Version-2.2.pdf Publicado en enero de 2019. Consultado el 16 de julio de 2021. Rangos pediátricos adaptados de la American Association of Critical-Care Nurses, American Heart Association. *PALS: Vital Signs in Children*. Dallas, TX: American Heart Association; 2020.

Detección de una respiración inadecuada

Cualquier paciente que usted atienda, en especial aquel con una manifestación respiratoria, debería ser objeto de evaluación de lo adecuado de su respiración. El hecho de que respire no garantiza que lo haga adecuadamente. *Hablando en general, si usted puede ver u oír a un paciente respirar, hay un problema.*

Perlas de sabiduría

Se define a la **hipoxemia** como una concentración baja de oxígeno en la sangre arterial. La hipoxia, como se describió antes, es una deficiencia de oxígeno en los ámbitos tisular y celular. Aunque estas denominaciones se usan a menudo como sinónimos, se trata de procesos diferentes. La hipoxemia puede a menudo revertirse por la administración de oxígeno complementario, en tanto la hipoxia requiere una oxigenación más intensiva y, en algunos casos, respaldo ventilatorio. Sin tratamiento, la hipoxia llevará a la **anoxia**: carencia de oxígeno, que da como resultado las muertes tisular y celular.

Un paciente adulto que presenta dificultad respiratoria y una frecuencia menor de 12 respiraciones/min, o de más de 20 debe ser evaluado respecto de otros signos de ventilación inadecuada, como las respiraciones poco profundas (disminución del volumen tidal), un patrón irregular, la alteración mental o la presencia de ruidos ventilatorios **adventicios** (anormales). La cianosis es un indicio claro de un contenido bajo de oxígeno en la sangre; sin embargo, tal vez no la encuentre como signo temprano.

Los pacientes con dificultad respiratoria a menudo la compensan con una posición preferencial, como la posición de olfateo (en la que se encuentran sentados con la cabeza inclinada hacia adelante hasta que las orejas se ubican en el mismo plano vertical que el manubrio del esternón), o la de trípode (en la que se encuentran sentados, inclinados hacia adelante con los codos flexionados) y evitarán la posición supina, porque los empeora.

Hay numerosas causas potenciales de dificultad respiratoria y ventilación inadecuada, que incluyen una infección grave (septicemia), un traumatismo, una lesión del tronco encefálico o un ambiente nocivo (venenoso) o de poco oxígeno, así como la insuficiencia renal. La dificultad respiratoria puede ser resultado de una obstrucción de vía aérea superior o baja, una alteración de los músculos respiratorios (p. ej., lesión de la médula espinal) o del SNC (p. ej., lesión cefálica, sobredosis de fármacos).

Si la vía aérea de un paciente no está permeable o la respiración es inadecuada o ausente, todos los tratamientos que usted intente serán inútiles y el apropiado manejo de la vía aérea implica (en ese orden), abrirla, despejarla, evaluar la ventilación y proveer una o varias intervenciones apropiadas.

La evaluación de un paciente con una manifestación respiratoria incluye observación visual, auscultación y palpación. Utilice técnicas visuales, literalmente desde la puerta cuando usted ingresa al cuarto en que se encuentra. Determine las respuestas a las siguientes preguntas cuando usted evalúe a un paciente con dificultad respiratoria:

- ¿En qué posición se encuentra? ¿En una de trípode (con los codos hacia afuera)?
- ¿Experimenta **ortopnea** (disnea de posición)?
- ¿Son adecuados la elevación y el descenso de la pared torácica (volumen tidal apropiado)?
- ¿Está jadeando el paciente (disnea)?
- ¿Cuál es el color de su piel? ¿Cómo se compara este color con el propio basal? ¿La piel está húmeda o pegajosa (diaforética)?
- ¿Observa usted aleteo nasal?
- ¿El paciente está respirando con los labios fruncidos?
- ¿Nota usted alguna **retracción** (hundimiento de la piel entre y alrededor de las costillas durante la inhalación)
  - intercostal?
  - en la escotadura supraesternal?
  - en la fosa supraclavicular?
  - subcostal?
- ¿El paciente está usando músculos accesorios para respirar?
- ¿La pared del tórax del paciente se mueve en forma simétrica? (**movimiento asimétrico de la pared torácica**, cuando una parte se mueve menos que la otra, indica que disminuyó el flujo de aire al interior de un pulmón)
- ¿El paciente está realizando una serie de ventilaciones rápidas, seguidas por una fase exhalatoria prolongada?

Un paciente con ventilación inadecuada puede parecer con mucha dificultad para realizarla (ventilación laboriosa), que requiere esfuerzo y puede implicar el uso de **músculos accesorios**. Estos incluyen a los esternocleidomastoideos (del cuello), los pectorales mayores y los abdominales, que no se utilizan durante la respiración normal.

Los siguientes signos indican una ventilación inadecuada en los adultos:

- Frecuencia respiratoria menor a 12/min o mayor de 20, en presencia de disnea
- Ritmo respiratorio irregular, como al tomar una serie de inhalaciones profundas seguidas por periodos de apnea
- Auscultación de ruidos respiratorios disminuidos, ausentes o intensos
- Respiración abdominal
- Disminución del flujo de aire exhalado por la nariz y la boca
- Expansión desequilibrada o inadecuada del tórax, con un volumen tidal disminuido resultante
- Mayor esfuerzo respiratorio (uso de músculos accesorios)
- Respiración a poca profundidad (disminución del volumen tidal)
- Piel más pálida que el color basal, con cianosis, fría, húmeda (pegajosa o moteada)
- Retracciones
- Patrones de habla entrecortada (disnea de una o dos palabras)

Cuando valore a un paciente con dificultad respiratoria, considere el ambiente externo (p. ej., gran altitud y espacios cerrados), que podría vincularse con una alteración de la oxigenación. Garantice su seguridad personal si el ambiente es inseguro.

Perciba el desplazamiento del aire en la nariz o la boca del paciente. Observe el tórax respecto de su simetría y señale cualquier **movimiento paradójico**: todo aquel segmento torácico que va en sentido contrario en la inhalación y la exhalación de manera anormal podría sospechar de un tórax inestable. Valore en cuanto al **pulso paradójico**, un dato clínico en el que la PA sistólica desciende más de 10 mm Hg durante la inhalación. Puede también detectarse un cambio en la calidad del pulso, o incluso su desaparición durante la inhalación. El pulso paradójico, en general, se presenta en los pacientes con EPOC descompensada, taponamiento pericárdico grave u otras alteraciones que causan aumento de la presión intratorácica (p. ej., neumotórax a tensión, crisis grave de asma).

La historia de la enfermedad actual es parte vital de la evaluación de un paciente con dificultad respiratoria. Haga las siguientes preguntas para determinar la evolución del problema actual:

- ¿El inicio del problema fue súbito o gradual?
  - Algunas personas pueden percibir dificultad respiratoria que ocurrió 2 días antes como de origen gradual, cuando de hecho fue súbito; el paciente pudo haber esperado 2 días antes de pedir ayuda.
- ¿Se conoce alguna causa o "desencadenante" del problema?
  - El asma suele exacerbarse por el estrés, un clima frío o los alérgenos ambientales.
  - Una obstrucción de vía aérea por un cuerpo extraño suele ser precedida por un inicio súbito de dificultad respiratoria durante una comida o, en los niños, mientras manipulaban juguetes u otros objetos pequeños.
- ¿Cuál es la duración (el problema es constante o recurrente)?
- ¿Hay algo que alivie o exacerbe el problema?
- ¿Hay algún otro síntoma vinculado, como la tos productiva (en caso afirmativo, ¿de qué color es el esputo?), hay dolor o sensación de presión en el tórax o fiebre?
- ¿Se intentó alguna intervención antes del arribo del SEM?
- ¿El paciente ha sido evaluado por un médico o ingresado en el hospital por este trastorno en el pasado? En caso afirmativo, ¿cuál fue el diagnóstico?
  - Determinar de manera específica si el paciente se hospitalizó o se atendió en el departamento de emergencias (DE) y después se envió a casa. En el primer caso, pregunte si el ingreso fue a una unidad de cuidados intensivos (UCI) o a un piso hospitalario regular sin vigilancia estrecha. Una afección que justifica el ingreso a una UCI es clínicamente significativa.
- ¿Está el paciente tomando algún medicamento en la actualidad?
  - No solo pregunte qué medicamento tomó hoy. En vez de eso, determine el cumplimiento adecuado, al indagar si tomó los medicamentos como se prescribieron: "¿ha podido usted tomar todas sus píldoras como se le indicó?". "¿Algo le ha impedido tomar sus píldoras como se le indicó, como el que se le haya acabado alguna? ¿Algo le molesta en cuanto a tomar cierta píldora?". Verifique esta información con la revisión de las fechas de la prescripción en los frascos de medicamentos y por la lectura de las indicaciones de la receta.
  - Pregunte si el paciente presentó algún cambio en las prescripciones, como un nuevo medicamento o la modificación de las instrucciones de prescripción de uno que ya tomaba.
- ¿El paciente presenta algún factor de riesgo que pudiese causar o exacerbar su afección (p. ej., uso de alcohol o drogas ilícitas, tabaquismo de cigarrillos, alimentación inadecuada)?

Valore al paciente respecto de los reflejos de protección de la vía aérea, que incluyen tos, estornudos y arcadas. Un paciente cuyo mecanismo de tos está suprimido, ya sea por fármacos, dolor, traumatismo o cualquier otra cosa, tiene un riesgo grave de aspirar material extraño. Suele inducirse el estornudo por la irritación de la cavidad nasal.

El suspiro es una inhalación lenta profunda, seguida por una exhalación prolongada y, a veces, audible, por el que se hiperinflan periódicamente los pulmones, lo que así reexpande a los alvéolos con atelectasia (colapsados). La persona promedio suspira casi una vez por minuto. El hipo es una inhalación súbita causada por la contracción espasmódica del diafragma, que se interrumpió por el cierre de la glotis, no tiene propósito fisiológico, aunque cuando es persistente puede ser importante en la clínica.

Los pacientes con lesiones o enfermedades graves pueden acudir con cambios de sus patrones respiratorios. En el **CUADRO 13-4** se identifican diversos patrones respiratorios anormales y sus causas.

Evaluación de los ruidos ventilatorios

Mientras usted valora la respiración de un paciente, ausculte con un estetoscopio los ruidos respiratorios, que deberían ser claros y equivalentes a ambos lados del tórax (bilaterales), en las partes anterior y posterior. Compare cada ápice (parte alta) del pulmón con el del opuesto, así como cada base.

Los ruidos respiratorios se crean conforme el aire se desplaza a través del árbol traqueobronquial. Las dimensiones de la vía aérea determinan el tipo de ruido que se producirá. Hay diferencias significativas en la vía aérea de adultos, niños y lactantes, con el resultado de diferentes ruidos respiratorios. La tráquea y los bronquios tienen diámetros grandes; por lo tanto, el ruido producido es de tono más alto y se escucha durante la inspiración y la exhalación. Los ruidos respiratorios se

CUADRO 13-4 Patrones respiratorios anormales

Respiraciones de Cheyne-Stokes	Frecuencia y profundidad respiratorias crecientes en forma gradual, seguidas por un decremento escalonado de las respiraciones y periodos intermitentes de apnea; se asocia con lesiones del tronco encefálico, **FIGURA 13-7**.
Respiraciones de Kussmaul	Respiraciones profundas rápidas que se presentan en los pacientes con cetoacidosis diabética.
Respiraciones bióticas (atáxicas)	Frecuencia y profundidad irregulares de la respiración, con periodos intermitentes de apnea; es resultado de una presión intracraneal aumentada.
Respiraciones apnéusticas	Inhalación prolongada con jadeo, seguida por una exhalación en extremo breve e ineficaz, asociada con una lesión del tronco encefálico.
Jadeos agónicos	Respiraciones lentas, poco profundas, irregulares y en ocasiones con jadeo, resultado de anoxia cerebral. El jadeo agónico puede observarse poco después de que el corazón se detuvo, pero el cerebro continúa enviando señales a los músculos de la respiración.
Hiperventilación neurogénica central	Hiperpnea taquipneica; respiraciones rápidas profundas causadas por aumento de la presión intracraneal o lesión encefálica directa, disminuye la concentración de dióxido de carbono y eleva el pH, con una alcalosis respiratoria resultante.

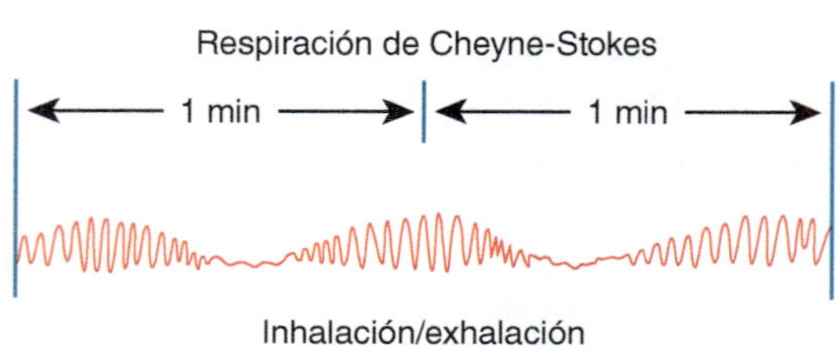

FIGURA 13-7 La respiración de Cheyne-Stokes muestra un aumento-decremento de respiraciones seguido por periodos de apnea.

escuchan sobre la mayor parte del tórax y representan el ingreso de aire a los alvéolos. Los **ruidos respiratorios traqueales**, también llamados bronquiales, se escuchan colocando el diafragma del estetoscopio sobre la tráquea o el esternón. Evalúe los ruidos en cuanto a su duración, tono e intensidad. Los **ruidos respiratorios vesiculares** son atenuados, más suaves, y han sido descritos como "el aire que sopla a través de los árboles". La fase exhalatoria es poco audible. Los **ruidos broncovesiculares** son una combinación de los dos previos y se escuchan en lugares donde se encuentran la vía aérea y los alvéolos; la parte superior del esternón y entre las escápulas. Sus ubicaciones se muestran en la **FIGURA 13-8**. En la **FIGURA 13-9** se describen los ruidos respiratorios normales. Evalúe los ruidos broncovesiculares en cuanto a su duración, tono e intensidad.

La duración se refiere al tiempo en que se llevan a cabo las fases de inspiración y exhalación de la respiración. Por lo regular, la exhalación tiene el doble de duración que la inspiración, y su relación se expresa como **cociente inspiratorio/exhalatorio (I/E)**; que cuando es normal es de 1:2. Cuando la vía aérea inferior del paciente está obstruida y tiene dificultad para expulsar el aire (como ocurre con el asma), la fase exhalatoria puede ser de cuatro a cinco veces más prolongada que la de inspiración. En el caso de un paciente con asma, el cociente I/E debería ser de 1:4 o 1:5. En uno con taquipnea, la fase exhalatoria es breve y se acerca a la de la inspiración: el cociente I/E puede resultar de 1:1.

Se define al tono como la intensidad del sonido que es mayor o menor de la normal, como en el estridor o las sibilancias (que se describen más adelante en esta sección). La intensidad del ruido depende de la velocidad del flujo de aire, su constancia durante la inspiración, la posición del paciente y el sitio elegido para la auscultación; el grosor de la pared del tórax puede modificarla. Se dice que los ruidos menos intensos están disminuidos. Un error común en la evaluación de la intensidad de los ruidos respiratorios ocurre cuando se hace auscultación sobre la ropa de los pacientes. Siempre debe realizarse directamente sobre la piel.

Los ruidos que pudiesen clasificarse como normales, pero están presentes en una zona inesperada, tal vez indiquen una condición anormal. Por ejemplo, los ruidos traqueales en zonas donde deberían obtenerse ruidos vesiculares quizás indiquen una neumonía.

Los ruidos respiratorios adventicios (anormales) suelen clasificarse como continuos o discontinuos. Las **sibilancias** corresponden al ruido continuo conforme ocurre el flujo de aire a través de una vía aérea inferior constreñida, como ante el asma o la bronquiolitis. Este ruido de tono alto puede escucharse durante la inspiración, la exhalación o ambas. Los **roncos** son también ruidos continuos, aunque de tono bajo; indican

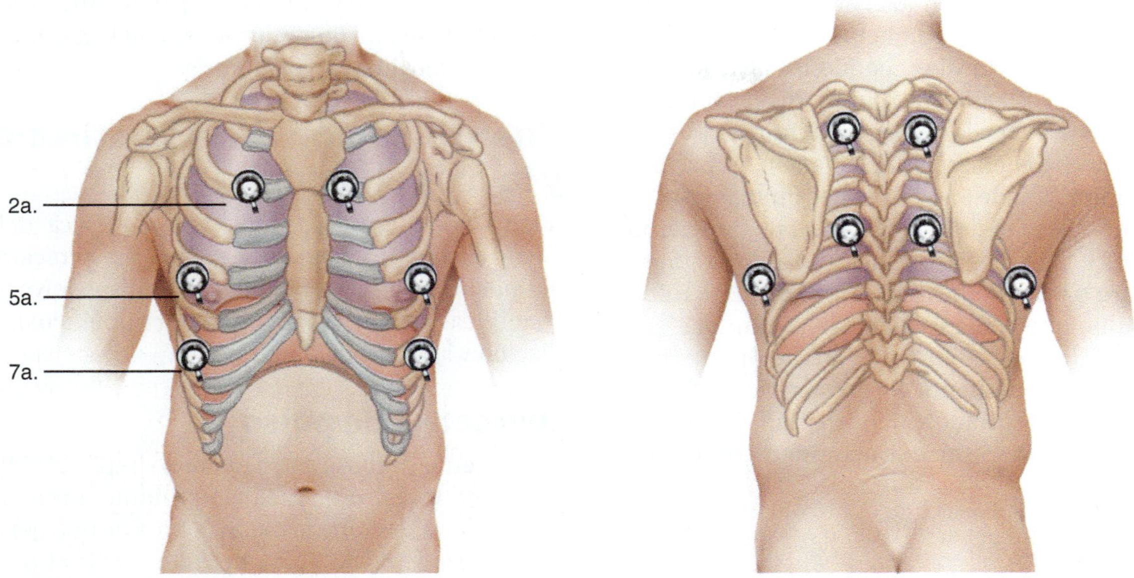

FIGURA 13-8 Sitios usuales de la auscultación, que incluyen el segundo, el quinto y el séptimo espacios intercostales, como se muestra.

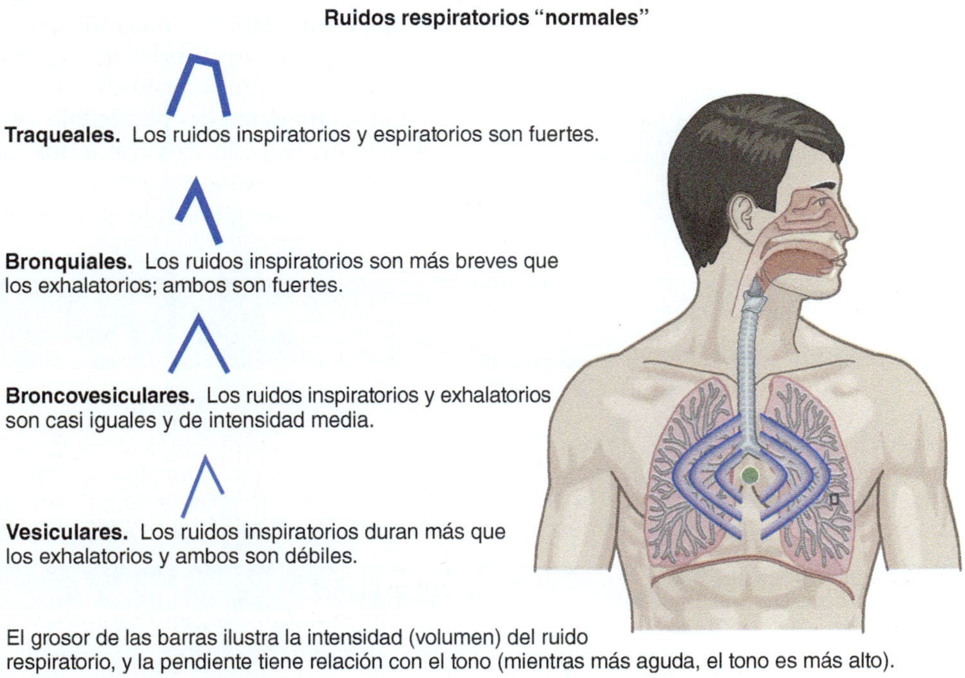

FIGURA 13-9 Los ruidos respiratorios normales se auscultan sobre diferentes partes del tórax. Se tornan más suaves conforme se aleja el estetoscopio de la vía aérea más grande. También cambian sus características durante la inspiración en comparación con la exhalación.

la presencia de moco o fluido en la vía aérea baja más grande (p. ej., en el edema pulmonar y la bronquitis).

Los **estertores** (antes conocidos como crepitaciones) se presentan cuando el flujo de aire causa movimiento del moco o líquido en la vía aérea hacia la de menor tamaño y tienden a eliminarse con la tos. Son ruidos que también pueden escucharse cuando la vía aérea o los alvéolos colapsados emiten un chasquido de abertura. Los estertores se clasifican como discontinuos y pueden ocurrir temprana o tardíamente en el ciclo inspiratorio. Los tempranos suelen presentarse cuando se abren los bronquios proximales, más grandes, y son comunes en los pacientes con EPOC; tienden a no desaparecer con la tos. Se presentan estertores inspiratorios tardíos cuando los alvéolos y la vía aérea periféricos emiten un chasquido de abertura y son más frecuentes en las regiones pulmonares declives. Estos ruidos a menudo se detectan en los pacientes con disminución de los volúmenes pulmonares.

El **estridor** resulta de la inspiración de un cuerpo extraño, infección, edema, enfermedad o traumatismo dentro o justo por arriba de la glotis. Este ruido fuerte de tono alto suele escucharse durante la fase inspiratoria. Un **frote de fricción pleural** ocurre por inflamación, que aumenta el grosor de las hojas pleurales. Como resultado, puede disminuir el espacio pleural, lo que permite que las superficies de sus porciones visceral y parietal se froten entre sí, lo que a menudo crea un dolor punzante con la respiración y cualquier movimiento del tórax.

Perlas de sabiduría

Cuando usted ausculta ruidos respiratorios en casos de emergencia (p. ej., cuando confirma la colocación apropiada de un tubo ET, confirma [o descarta] un neumotórax o corrobora una ventilación adecuada a presión positiva) hágalo a ambos lados; en el tercero o cuarto espacio intercostales sobre la línea media axilar. Se necesita una acción correctiva inmediata si no hay ruidos respiratorios o si están disminuidos o ausentes en forma unilateral.

Cuantificación de la ventilación y la oxigenación

Además de sus valoraciones visual y física del paciente con un problema de vía aérea o respiración, usted puede aplicar varios métodos o dispositivos para cuantificar (esto es, asignar un valor numérico) la ventilación y la oxigenación.

Oximetría de pulso

La oximetría de pulso es un método simple, rápido, seguro y no invasivo de medición minuto a minuto de qué tan bien se satura la hemoglobina de una persona.

Un **oxímetro de pulso** permite medir el porcentaje de hemoglobina saturada en la sangre arterial, **FIGURA 13-10**. Bajo circunstancias normales, la hemoglobina se satura con oxígeno (Spo_2). En la oximetría de pulso se coloca el sensor en el dedo o el lóbulo de la oreja con una sonda que utiliza un diodo de emisión de luz para transmitirla a través del lecho vascular hacia un detector fotosensible. La cantidad de luz transmitida depende del porcentaje de hemoglobina saturada con oxígeno. Los oxímetros de pulso están diseñados para evaluar solo los vasos sanguíneos pulsátiles, para asegurar que el instrumento mida la

USTED es el paramédico

PARTE 3

A pesar de recibir oxígeno a flujo alto a través de una mascarilla de no reinhalación, el paciente se mantiene con hipoxemia, cianótico y con dificultad respiratoria grave. Una valoración adicional revela estertores gruesos a ambos lados en la auscultación del tórax. El paciente le expresa con oraciones interrumpidas que tiene "problemas cardíacos", pero que no ha visitado a su cardiólogo por casi 2 años. Su compañero acopla el monitor cardíaco y obtiene los signos vitales basales.

Tiempo de registro:	4 minutos
Respiraciones	28/min; laboriosas
Pulso	120/min; fuerte y regular
Piel	Labios y encías de color gris
Presión arterial	176/96 mm Hg
Saturación de oxígeno (Spo_2)	76%
Pupilas	PIRRL (**P**upilas **I**guales **R**edondas y **R**eactivas a la **L**uz)
$ETCO_2$	60 mm Hg
EKG	Taquicardia sinusal

5. ¿Qué problema subyacente sospecharía usted que altera la capacidad de oxigenación de este paciente?

6. Con base en su estado clínico actual del paciente, ¿cómo procedería usted para su tratamiento?

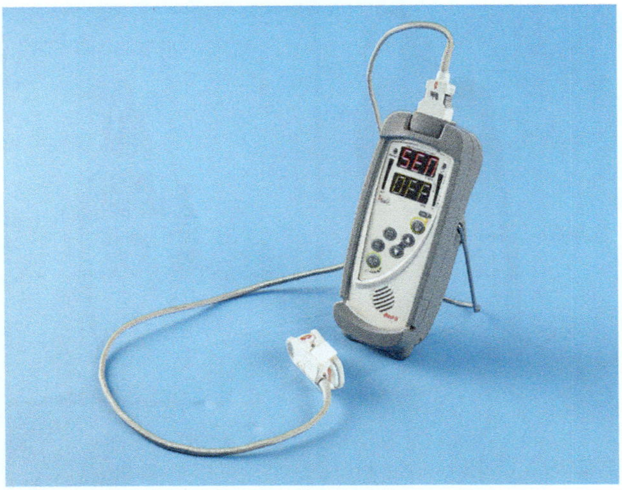

FIGURA 13-10 La oximetría de pulso es un método no invasivo de valoración de la saturación arterial de la hemoglobina.

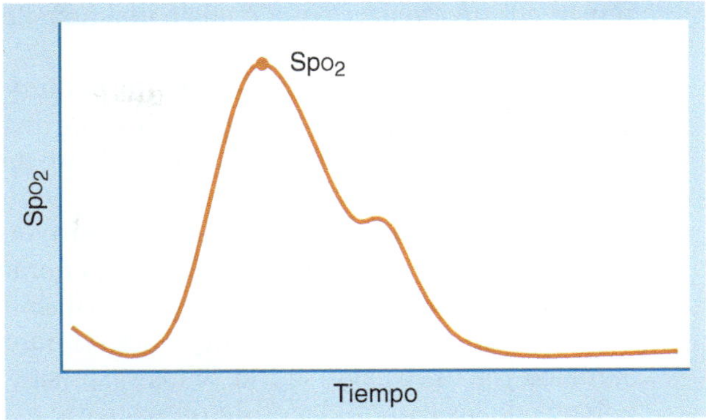

FIGURA 13-11 La forma de onda característica del oxímetro de pulso confirma que el dispositivo está funcionando de manera apropiada.

saturación arterial (no la venosa) de oxígeno. Como consecuencia, los oxímetros de pulso también determinan este último.

Una forma de verificar el funcionamiento de un oxímetro de pulso es comparar la lectura de la frecuencia del pulso con su medición por palpación. Cuando usted usa el oxímetro de pulso acoplado al monitor cardíaco/desfibrilador, puede seleccionar la opción de ver la forma de Spo_2 para confirmar que el dispositivo tiene la sensibilidad apropiada, **FIGURA 13-11**. Revise las instrucciones del fabricante.

Una persona con oxigenación y perfusión normales debería tener una cifra de Spo_2 mayor de 95% en aire ambiental. Una lectura menor de 95 en un no fumador sugiere hipoxemia; una menor de 90% acompañada por dificultad respiratoria señala la necesidad de oxigenoterapia de inmediato.

Las situaciones en las que los oxímetros de pulso pueden ser útiles para la atención médica de emergencia prehospitalaria incluyen las siguientes:

- **Para vigilar el estado de oxigenación de un paciente durante un intento de intubación o aspiración.** La alarma de saturación baja en el oxímetro de pulso puede sonar si usted detiene el intento de intubación y ventila al paciente.
- **En la identificación del deterioro de la condición de un paciente de traumatología.** En un paciente con traumatismos múltiples, los signos de un neumotórax a tensión en desarrollo tal vez no se hagan evidentes hasta que el proceso esté avanzado. Una cifra descendente de Spo_2 puede alertarle de un problema y dar lugar a la búsqueda de su causa.
- **En la identificación del deterioro de la condición del paciente con enfermedad cardíaca.** La oximetría de pulso puede permitir la identificación temprana de los pacientes que experimentan insuficiencia cardíaca durante un infarto miocárdico agudo.
- **En la identificación de pacientes de alto riesgo con alteraciones respiratorias.** Por ejemplo, la oximetría de pulso pudiese identificar aquellos con asma que sufren crisis graves o con enfisema y una descompensación importante.
- **En la evaluación del estado cardiovascular en la traumatología ortopédica.** La oximetría de pulso se realiza de manera sistemática cuando se evalúa a un paciente con una extremidad fracturada o su circulación distal. La pérdida del pulso significa que la extremidad está en riesgo y puede requerir de una acción emergente en el campo si el tiempo de transporte resulta prolongado. Un oxímetro de pulso acoplado a un dedo u ortejo de una extremidad fracturada podría proveer información crítica en cuanto a la circulación presente.

La utilidad de un oxímetro de pulso depende de su capacidad de proveer información precisa. Aquel que da una lectura de 99% cuando el paciente en realidad presenta hipoxemia grave no brindará información útil y podría llevar a intervenciones inadecuadas y erróneas. Esté alerta de circunstancias que podrían producir lecturas erróneas:

- La **luz ambiental brillante** puede ingresar al espectrofotómetro del oxímetro de pulso y crear una lectura incorrecta. Proteja la pinza del sensor cubriéndola con una toalla o una hoja de aluminio.

- El **movimiento de un paciente** podría confundirse con el pulso arterial al oxímetro y dar una lectura de saturación de oxígeno proveniente de una vena, más que de una arteria.
- La **mala perfusión** dificulta al oxímetro de pulso percibir el pulso y, por lo tanto, generar una lectura inadecuada. Ocurre una perfusión deficiente en estados como el de shock, el paro cardíaco y la exposición al frío. Si los vasos sanguíneos de las extremidades de un paciente están constreñidos y su temperatura es baja, puede ser necesario colocar el sensor del oxímetro de pulso en el lóbulo de la oreja o la nariz.
- El **barniz de uñas** evitará que el sensor funcione de manera adecuada. Lleve consigo cojinetes con acetona (removedor de barniz de uñas) para retirarlo rápido.
- Pueden presentarse **pulsaciones venosas** en algunos pacientes con insuficiencia cardíaca derecha por el retorno sistémico de sangre. Si una vena "pulsa", entonces el oxímetro de pulso puede considerarla arteria y dar una medida de la saturación de oxígeno venosa.
- La **hemoglobina anormal** (p. ej., como en la intoxicación por monóxido de carbono) puede dar lugar a una cifra falsamente normal de Spo_2.

Los dos tipos de hemoglobina normales son la **oxihemoglobina (Hbo_2)**, aquella cargada con oxígeno, y la **hemoglobina reducida**, desde la que se envió el oxígeno a las células. Sin embargo, en presencia de **metahemoglobina (metHb)** (un compuesto formado por la oxidación del hierro en la hemoglobina) y la **carboxihemoglobina (COHb)**, aquella cargada con monóxido de carbono, se pueden observar cifras normales de Spo_2 incluso si el cuerpo no recibe suficiente oxígeno. Como se mencionó antes, el monóxido de carbono se une a la hemoglobina de manera 250 veces más fácil que el oxígeno. Un **oxímetro de monóxido de carbono**, también llamado monitor de monóxido de carbono es un dispositivo que mide la absorción en varias longitudes de onda para distinguir a la Hbo_2 de la COHb y determinar la saturación de Hbo_2 (porcentaje de Hb oxigenada en comparación con su cantidad total), e incluye a COHb, MetHb, Hbo_2 y Hb reducida, **FIGURA 13-12**. Cuando un paciente presenta intoxicación por monóxido de carbono, el oxímetro correspondiente detectará la Hb, expresada como Spco, y revelará una saturación notoriamente disminuida de Hbo_2. Recuerde, no tome decisiones con base solo en el oxímetro de pulso y esté al tanto de sus limitaciones.

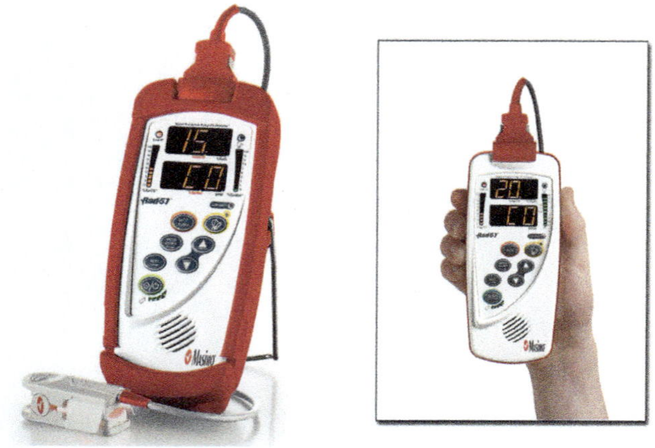

FIGURA 13-12 Un oxímetro de monóxido de carbono tiene la capacidad de distinguir entre oxihemoglobina y carboxihemoglobina.

The Masimo Rad-ST Pulse CO-Oximeter: cortesía de la Masimo Corporation (www.masimo.com).

Perlas de sabiduría

Cuando haya duda, ¡haga la inspección del paciente!

Siempre correlacione la información provista por el oxímetro de pulso (o cualquier otro dispositivo) con las observaciones clínicas. Si el paciente se está tornando cianótico y con dificultad respiratoria, usted debería ignorar aquella lectura del oxímetro de pulso que sugiere que está bien oxigenado.

Medición del flujo exhalatorio máximo

En los pacientes con ciertas enfermedades reactivas de la vía aérea (como el asma) usted puede evaluar la broncoconstricción al determinar la frecuencia máxima de la exhalación forzada con un flujómetro de exhalación máxima, **FIGURA 13-13**. Un **flujo exhalatorio máximo** creciente sugiere que el paciente responde al tratamiento (p. ej., broncodilatadores inhalados). Un flujo exhalatorio máximo decreciente pudiese ser indicio temprano de que su condición se está deteriorando.

El flujo exhalatorio máximo varía con base en el género, la talla y la edad y en los adultos sanos es de 350 a 750 mililitros. Para evaluarlo, coloque al paciente sentado con las piernas colgando. Ensamble el flujómetro y asegúrese de que su lectura sea de cero. Pida al paciente que haga una respiración profunda,

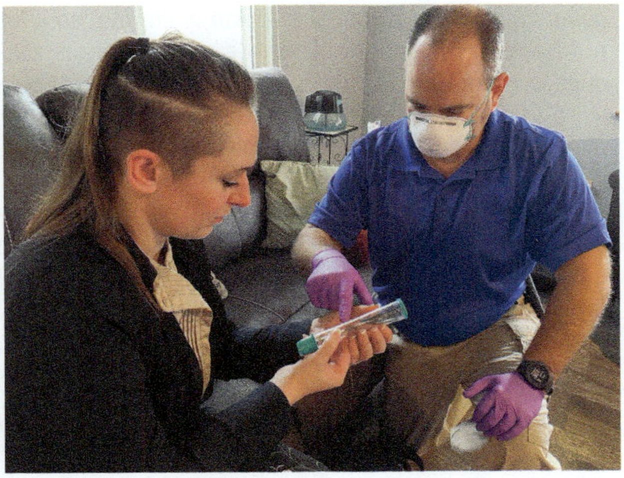

FIGURA 13-13 Los flujómetros de exhalación máxima se usan para cuantificar el grado de broncoconstricción.

Cortesía de Rhonda Hunt.

CUADRO 13-5 Valores normales de los gases sanguíneos arteriales

pH	De 7.35 a 7.45
Pa_{O_2}	80 a 100 mm Hg
Pa_{CO_2}	35 a 45 mm Hg
HCO_3^-	21 a 28 mEq/L
Base (exceso o déficit)	De −2 a 3 mEq/L
Sa_{O_2}	> 95%

Abreviaturas: HCO_3^-, Concentración de iones bicarbonato; Pa_{CO_2}, presión parcial del dióxido de carbono; Pa_{O_2}, presión parcial de oxígeno; Sa_{O_2}, Saturación de oxígeno.

Datos de: Fontanarosa PB, Christiansen S. Units of measure. Table 2: selected laboratory tests, with reference ranges and conversion factors. En: American Medical Association, ed. *AMA Manual of Style: A Guide for Authors and Editors*. 10th ed. New York, NY: Oxford University Press; 2007:798-815.

coloque la boquilla en la boca y exhale tan fuerte como le sea posible (asegúrese de que no haya escape de aire alrededor del dispositivo o proveniente de su nariz). Realice la prueba tres veces y registre la mejor cifra obtenida.

Análisis de los gases sanguíneos arteriales

Los paramédicos no suelen contar con el entrenamiento para obtener muestras de sangre arterial y no portan el equipo necesario para hacer análisis sanguíneos del paciente. Como resultado, dependerán de métodos no invasivos para la determinación de la ventilación y la oxigenación (p. ej., oximetría de pulso, capnografía/capnometría).

El análisis de los gases sanguíneos arteriales (GSA) brinda la información cuantitativa más amplia del aparato respiratorio. En este procedimiento se obtiene sangre de una arteria superficial, como la radial o la femoral. A continuación, se analiza en cuanto a pH, Pa_{CO_2}, Pa_{O_2}, HCO_3^-(concentración de iones bicarbonato) exceso de base (que indica acidosis o alcalosis) y Sa_{O_2}. En el **CUADRO 13-5** se resumen los valores normales de los GSA.

Con las mediciones de GSA se usan los valores de pH y HCO_3^- para evaluar el estado ácido-base del paciente. La cifra de Pa_{CO_2} es un indicio de la eficacia de la ventilación y las de Pa_{O_2} y Sa_{O_2} lo son de la oxigenación. Para mantener normales los valores de GSA debe lograrse un equilibrio entre el volumen alveolar y la perfusión de los capilares alveolares.

Valoración del volumen de dióxido de carbono al final de la espiración

Se puede describir al dióxido de carbono como "desecho del metabolismo". El cuerpo utiliza oxígeno para el metabolismo energético (glucosa) y forma dióxido de carbono como producto de desecho. En presencia de oxígeno, el metabolismo aeróbico obtiene 38 moléculas de ATP (trifosfato de adenosina, o "energía") a partir de cada molécula de glucosa. Sin oxígeno, el metabolismo anaeróbico produce solo dos moléculas de ATP por cada una de glucosa. En tanto se provea oxígeno a las células y tejidos, la producción de dióxido de carbono continúa. Una analogía útil es la de un motor de un vehículo: en tanto siga quemándose la gasolina se producen gases de escape, que en el cuerpo humano corresponden al dióxido de carbono.

El volumen del dióxido de carbono al final de la espiración ($ETCO_2$) es la máxima cantidad de dióxido de carbono que deja el cuerpo al final de la exhalación. La cifra normal de $ETCO_2$ es de 35 a 45 mm Hg.

La valoración del $ETCO_2$ tiene muchas aplicaciones en la medicina de emergencia y se pueden identificar varios procesos anormales utilizándola. Por ejemplo, puede proveer información acerca de lo adecuado de la ventilación y es el método recomendado para vigilar la colocación inicial y continua de una vía aérea avanzada. La capnografía puede también indicar lo adecuado de la perfusión, la eficacia de las compresiones torácicas y el retorno de la circulación espontánea (RCE). Esta información se puede obtener porque la sangre debe circular a través de los pulmones para que se exhale y mida dióxido de carbono.

Cuantificación de la ventilación con el $ETCO_2$

Incluso si se produce una cantidad adecuada de dióxido de carbono en el ámbito celular y retorna a los pulmones, el paciente con ventilación inadecuada tal vez no pueda eliminarlo de manera eficaz y, como resultado, el paramédico esperaría observar un aumento en la cifra de $ETCO_2$ (de más de 45 mm de Hg). Por ejemplo, en un paciente con sobredosis de opioides el problema más importante es la ventilación inadecuada. El paciente continúa formando dióxido de carbono en el ámbito celular, pero no puede eliminarlo de forma adecuada del cuerpo por la depresión de su aparato respiratorio.

En contraste, cuando un paciente tiene buena perfusión y forma suficiente dióxido de carbono en el ámbito celular, una frecuencia respiratoria rápida (hiperventilación) puede llevar a su eliminación más rápida por el aparato respiratorio que su producción en las células, condición que llevará a una cifra baja (menor de 35 mm Hg) de $ETCO_2$.

Debido a que el dióxido de carbono se equilibra rápido dentro de los gases alveolares, su concentración en los gases exhalados, en particular los presentes al final del proceso, se aproxima mucho a la cifra arterial de $Paco_2$ normal, de entre 35 y 45 mm Hg. Por lo general, la cifra de $ETCO_2$ es de casi 2 a 5 mm de Hg menos que la $Paco_2$ arterial. Debido a que el dióxido de carbono está presente solo en concentraciones mínimas (de 0.5% o menos) en el esófago, el uso de un detector de $ETCO_2$ (capnografía de forma de onda cuantitativa) constituye un método confiable (y esencial) para confirmar y vigilar la colocación de una vía aérea avanzada.

Cuantificación de la perfusión por $ETCO_2$

Si el aporte de oxígeno a las células y los tejidos disminuye, como por pérdida sanguínea, choque séptico o cualquier condición que cause una perfusión tisular inadecuada, entonces se produce menos dióxido de carbono en las células y se retorna a los pulmones. Como resultado, el paramédico esperaría observar una lectura baja de $ETCO_2$ (menos de 35 mm Hg).

Si un paciente se encuentra en paro o, la perfusión cesa, junto con la detención de la producción de dióxido de carbono celular. Si no se produce dióxido de carbono en las células, no hay nada que retornar a los pulmones; por lo tanto, no habría dióxido de carbono exhalado detectable. Sin embargo, conforme se genera perfusión por las compresiones de tórax, se reinicia la producción de dióxido de carbono (y su retorno a los pulmones) con aumento de la $ETCO_2$. Mientras más eficaces sean las compresiones de tórax, mayor será la $ETCO_2$. Cuando ocurre RCE se regresan grandes cantidades de dióxido de carbono a los pulmones, con el resultado de un aumento *abrupto y sostenido* de $ETCO_2$.

En un paciente con paro o un $ETCO_2$ persistentemente bajo (menor de 10 mm Hg) debería asumirse que es resultado de compresiones inadecuadas en el tórax y efectuar una acción correctiva de inmediato. Sin embargo, en un paciente con paro o prolongado, un $ETCO_2$ bajo a pesar de las compresiones adecuadas en el tórax indica la presencia de acidosis grave y un retorno mínimo de dióxido de carbono a los pulmones.

Aparatos de vigilancia de $ETCO_2$

Los **monitores del dióxido de carbono al final de la espiración ($ETCO_2$)** detectan la presencia de dióxido de carbono en el aire exhalado, y sus tipos incluyen a los digitales y a los digitales/de forma de onda.

Un **capnómetro** provee información cuantitativa al instante al mostrar una lectura numérica de la concentración de dióxido de carbono exhalado. Utiliza un adaptador especial que se acopla entre los dispositivos de vía aérea avanzada y ventilación, **FIGURA 13-14**.

Un **capnógrafo** es un dispositivo que provee la representación gráfica de la concentración de dióxido de carbono exhalado. Realiza la misma función y se

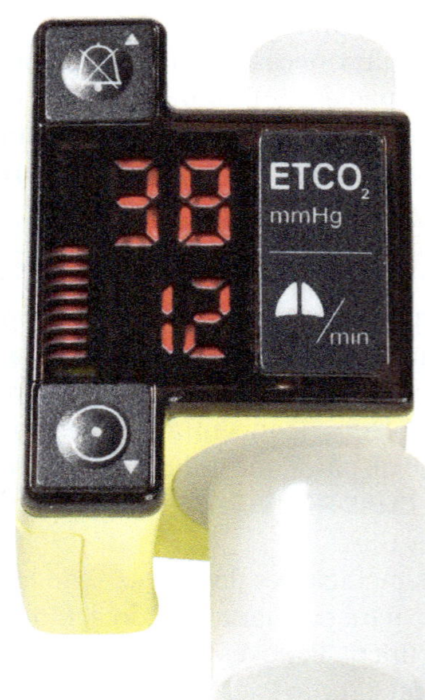

FIGURA 13-14 Un capnómetro.

acopla de la misma forma que el capnómetro. Los dos tipos de capnógrafos son de forma de onda y digital/de forma de onda.

La **capnografía de forma de onda** provee información cuantitativa al instante acerca de la concentración de CO_2 exhalada por el paciente. A diferencia de la capnometría, sin embargo, en la capnografía de forma de onda se muestra esta en forma gráfica. En la mayoría de los casos los aparatos portátiles/desfibriladores proveen una lectura numérica y una forma de onda (la también llamada capnografía digital/de forma de onda y la cuantitativa de forma de onda).

La capnografía de forma de onda se puede usar en los pacientes con ventilación espontánea y vía aérea adecuada mediante la aplicación de un dispositivo de cánula nasal especial y la conexión de la línea de toma de muestras al monitor/desfibrilador, **FIGURA 13-15**. En los pacientes que requieren ventilación a presión positiva se coloca un adaptador en línea entre la bolsa y la mascarilla, la bolsa y el tubo ET o la bolsa y el dispositivo de vía aérea supraglótica. La línea de toma de muestras se conecta entonces al monitor/desfibrilador, **FIGURA 13-16**.

Forma de onda de capnografía normal

Es importante comprender las características de una forma de capnografía normal, incluidos el contorno,

Perlas de sabiduría

Un **detector colorimétrico de dióxido de carbono** provee información cualitativa acerca de la presencia de dióxido de carbono en el gas exhalado por el paciente; o sea, un valor no numérico, y se acopla entre el tubo ET y el dispositivo de ventilación. El papel con tratamiento especial dentro del detector debería cambiar de púrpura a amarillo durante la exhalación, lo que indica la presencia de dióxido de carbono. El aire exhalado a través de un tubo ET bien colocado en la tráquea de un paciente con perfusión adecuada debería contener de 4 a 5% de dióxido de carbono, lo que hace que el papel cambie a amarillo. Si ocurre una intubación esofágica inadvertida, habrá una cantidad mínima (menor de 0.5%) de dióxido de carbono en los gases exhalados; lo que hace que el papel se mantenga de color púrpura durante la exhalación.

Hay diversas limitaciones del uso del detector colorímetro de dióxido de carbono. El dispositivo pudiese dar una lectura falsa positiva si el paciente presenta atrapamiento de dióxido de carbono en el estómago por la ingestión de bebidas carbonatadas. Además, es sensible a los extremos de temperatura y humedad; puede ser menos confiable con la entrada de vómito u otras secreciones y el papel interno se degrada con el transcurso del tiempo, lo que da una lectura menos confiable. *El detector colorimétrico de dióxido de carbono debería usarse* ***solo*** *cuando no se dispone de capnografía de forma de onda cuantitativa.*

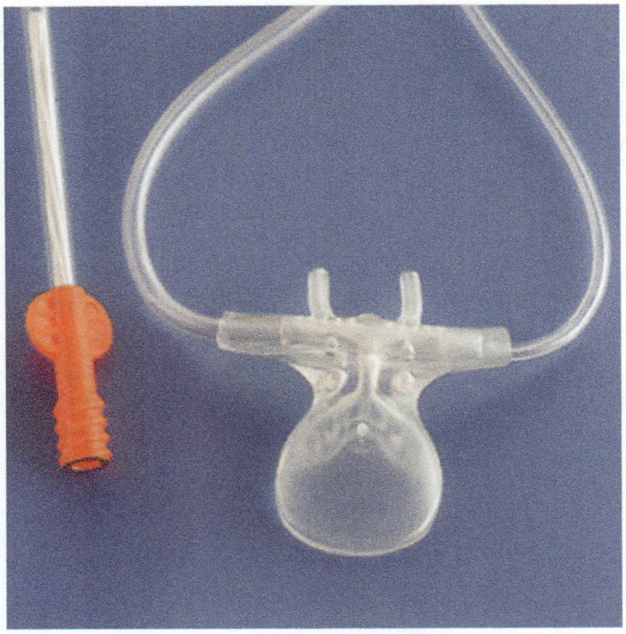

FIGURA 13-15 Dispositivo de cánula nasal FilterLine® para vigilar volumen de ventilación de dióxido de carbono terminal en un paciente con ventilación espontánea.

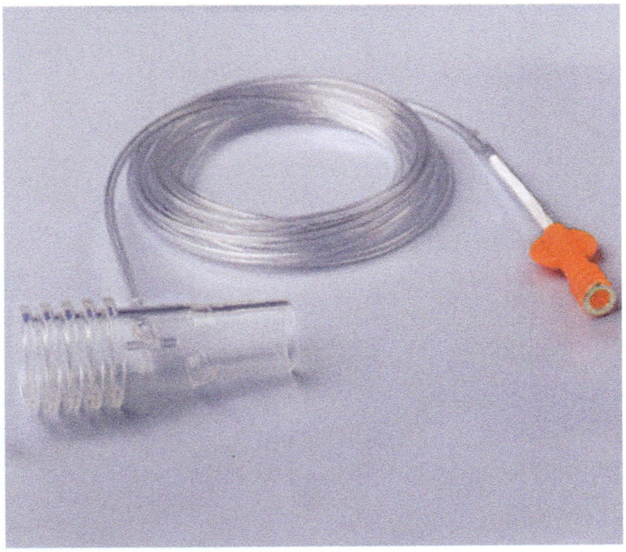

FIGURA 13-16 Dispositivo FilterLine® para el volumen de ventilación de dióxido de carbono terminal en línea, que se usa en pacientes intubados.

la cifra basal, la velocidad y el aumento de la concentración de dióxido de carbono. Una forma de onda normal tiene cuatro fases distintivas, **FIGURA 13-17**. La fase I (A-B) también conocida como basal, es la etapa inicial de la exhalación; la muestra de gas consta de gas de espacio muerto libre de dióxido de carbono. La fase II (B-C) se denomina ascendente exhalatoria. En el punto B el gas alveolar se mezcla con el del espacio muerto y da como resultado un incremento abrupto de la concentración detectada de dióxido de carbono. La meseta alveolar se representa en la fase III (C-D) y el gas del que se toma la muestra es todo alveolar. El punto D corresponde a la cifra máxima de $ETCO_2$, el mejor reflejo de la concentración del dióxido de carbono alveolar. La altura de la forma de onda en el punto D se correlaciona con el valor numérico del dióxido de carbono exhalado, que también se muestra en el monitor/desfibrilador. Durante la fase IV se introduce gas fresco, que corresponde al descenso inspiratorio (D-E) que desplaza al dióxido de carbono y causa que la forma de onda retorne a la basal, de alrededor de 0 mm Hg de dióxido de carbono. La duración (ancho) de cada forma de onda corresponde a la de la ventilación, y el espacio entre las formas de onda, a la frecuencia ventilatoria del paciente.

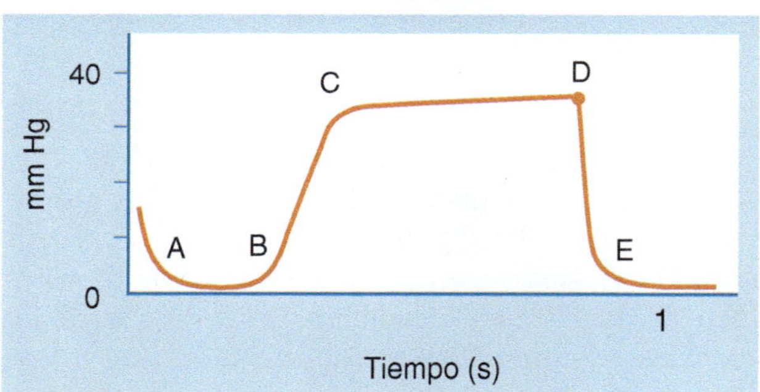

FIGURA 13-17 Forma de onda de capnografía normal, donde se muestran los puntos de A a E.

Medicina basada en evidencia

Los estudios de capnografía de forma de onda cuantitativos como medio de verificación de la posición de una vía aérea avanzada en los pacientes con paro mostraron que esta tecnología tiene alta sensibilidad y especificidad para identificar las colocaciones correcta e incorrecta de una vía aérea. Además de la evaluación clínica, usted debería considerar a la capnografía de forma de onda cuantitativa continua como el método más confiable para confirmar la colocación inicial y continua de una vía aérea avanzada.

Formas de onda de capnografía anormales

Además de cuantificar el dióxido de carbono exhalado, la forma de onda de capnografía puede proveer información acerca de los procesos de respiración anormales (p. ej., hipoventilación, hiperventilación, broncoespasmo, recirculación respiratoria). También se puede detectar una **extubación** inadvertida (proceso de retiro del tubo de un paciente intubado) por capnografía de forma de onda.

La hipoventilación es una condición en la que la producción de dióxido de carbono rebasa a su eliminación. Debido al aumento de la concentración de dióxido de carbono (hipercapnia), las formas de onda de capnografía son altas y la cifra de $ETCO_2$ correspondiente también (de más de 45 mm Hg). La bradipnea, una manifestación frecuente de la hipoventilación, produce una meseta alveolar prolongada (fase III [C-D]) e intervalos mayores del normal entre las formas de onda, **FIGURA 13-18**. Las causas de hipoventilación incluyen la depresión ventilatoria (p. ej., sobredosis de opioides) y una frecuencia ventilatoria que es muy lenta en un paciente intubado.

La hiperventilación es una afección en la que la eliminación de dióxido de carbono rebasa a su producción. En este caso las formas de onda de capnografía son pequeñas y la cifra de $ETCO_2$ correspondientemente baja (de menos de 35 mm Hg) por decremento

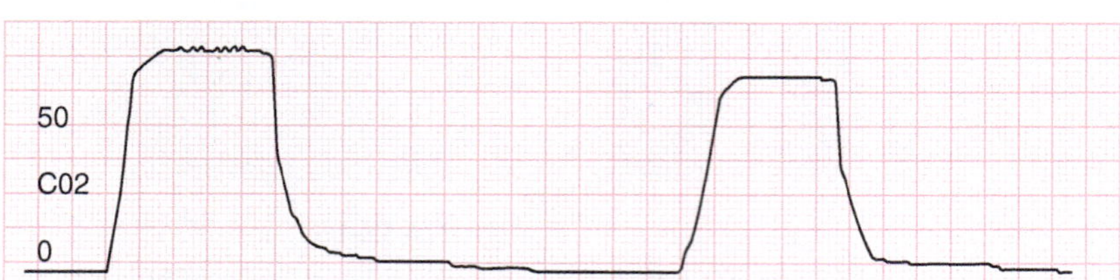

FIGURA 13-18 Formas de onda de capnografía causadas por la hipoventilación.

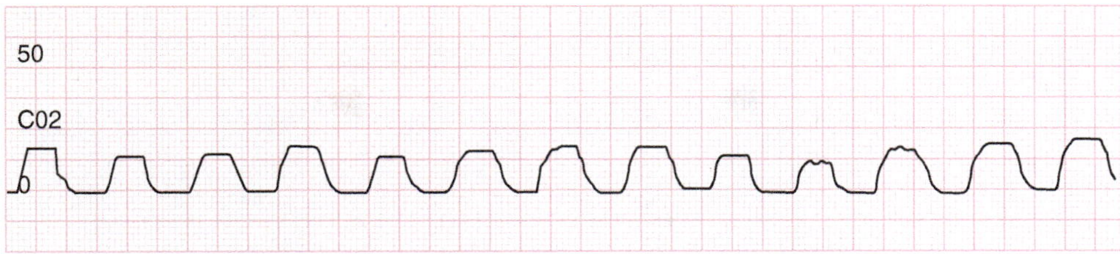

FIGURA 13-19 Formas de onda de capnografía causadas por la hiperventilación.

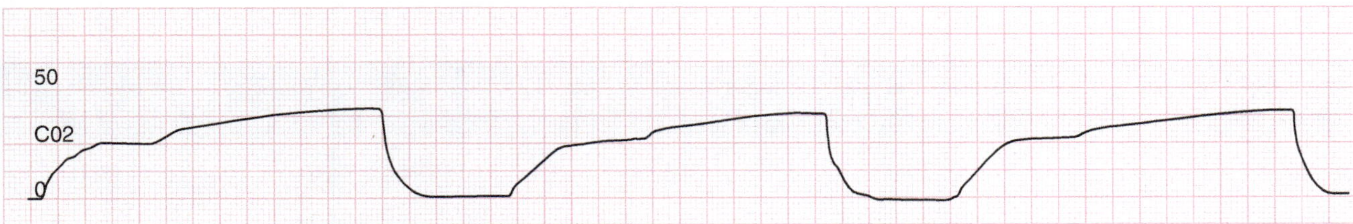

FIGURA 13-20 Una imagen de aleta de tiburón en la forma de onda de capnografía indica broncoespasmo y vaciamiento alveolar incompleto.

de la concentración de dióxido de carbono (hipocapnia). La taquipnea, un signo clínico de la hiperventilación, produce una meseta alveolar corta (fase III [C-D]) e intervalos más breves de los normales entre las formas de onda, **FIGURA 13-19**. Las numerosas causas de hiperventilación incluyen ansiedad/crisis de pánico, acidosis metabólica, lesión cefálica y embolia pulmonar.

La capnografía de forma de onda en el paciente no intubado es una forma excelente de evaluar la gravedad del asma, la EPOC y cualquier proceso patológico que cause atrapamiento de aire en los pulmones; también se puede usar para determinar la eficacia del tratamiento. La "aleta de tiburón" característica del broncoespasmo aparece como una fase de curva ascendente gradual (más bien que abrupta II) (B-C); señala la dificultad durante la fase de exhalación combinada con un vaciamiento alveolar incompleto, **FIGURA 13-20**.

Si el paciente está respirando de forma repetida, exhaló antes dióxido de carbono, por lo que la cifra de $ETCO_2$ aumenta y las formas de onda se elevan y nunca retornan a la basal (0 mm de Hg) al final del descenso inspiratorio (fase IV [D-E]). Las causas de respiración repetida incluyen un tiempo de exhalación inadecuado, un funcionamiento defectuoso de la válvula de inspiración en el ventilador mecánico y una frecuencia de flujo inspiratorio insuficiente, **FIGURA 13-21**.

Si ocurre una extubación inadvertida, se esperaría ver una pérdida completa de la forma de onda de capnografía y la lectura del $ETCO_2$, **FIGURA 13-22**. Este dato requiere atención inmediata. Más adelante en este capítulo se describen los numerosos métodos para confirmar la colocación apropiada de una vía aérea avanzada. A pesar de que la capnografía de forma de onda cuantitativa mostró ser el método más confiable, usted debería emplear todos los métodos de confirmación.

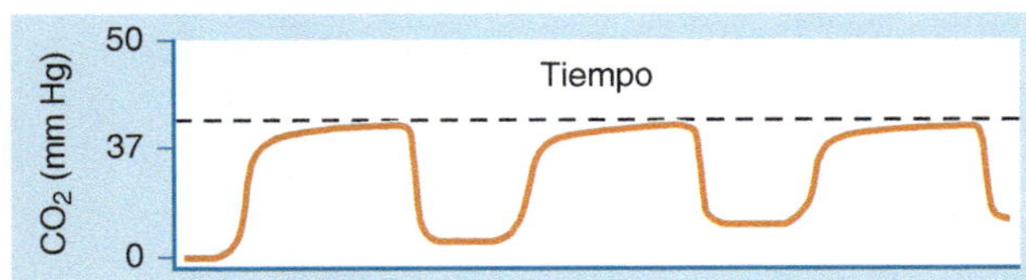

FIGURA 13-21 Formas de onda de capnografía causadas por la respiración repetida.

En ocasiones el tubo de toma de muestras del adaptador en línea con el monitor/desfibrilador se obstruye con sangre u otros detritos, lo que impide el flujo de gas hacia el sensor y "lecturas de cero" de la forma de onda del $ETCO_2$. Si se presenta esta complicación, sustituya el adaptador en línea para restablecer la forma de onda y la lectura del $ETCO_2$.

Cuando usted valora el estado de la ventilación de cualquier paciente, ya sea que la ventilación se presente de manera espontánea, de apnea con o sin pulso, es fundamental comprender y reconocer las causas de aumento y disminución de las cifras del $ETCO_2$ para hacer el ajuste apropiado del tratamiento, **CUADRO 13-6**.

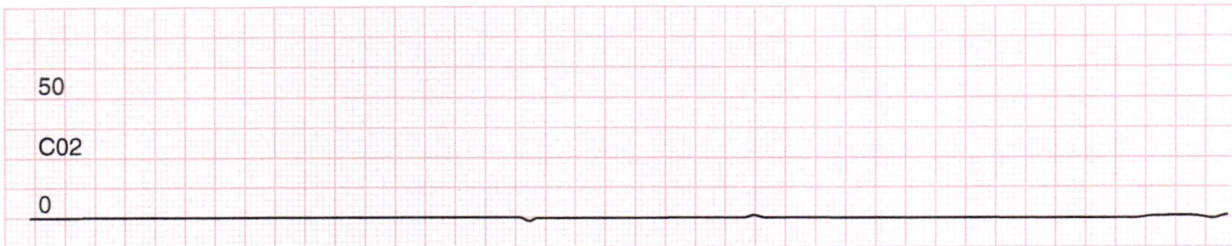

FIGURA 13-22 La pérdida completa de la forma de onda de capnografía y la lectura del volumen de ventilación del dióxido de carbono terminal en un paciente intubado requieren atención inmediata.

CUADRO 13-6 Causas de aumento y disminución de la cifra del $ETCO_2$

	↑ $ETCO_2$	↓ $ETCO_2$
Respiración espontánea	Hipoventilación	Hiperventilación
Apneica con pulso	Ventilación a presión positiva muy lenta	Ventilación a presión positiva muy rápida
Apneica sin pulso	Ventilación a presión positiva muy lenta. Pudiese indicar RCE[b]	Colocación inapropiada del tubo[a] ET Disminución del retorno de CO_2 a los pulmones (paro prolongado) Compresiones torácicas inadecuadas en cuanto a frecuencia o profundidad Ventilación a presión positiva muy rápida[c]

Abreviaturas: CO_2, dióxido de carbono; ET, endotraqueal; $ETCO_2$, volumen de ventilación del dióxido de carbono terminal; RCE, retorno de la circulación espontánea.

[a] No se muestra lectura de $ETCO_2$ del diodo emisor de luz y la forma de onda de capnografía es plana.
[b] Con el RCE ocurre un aumento abrupto y sostenido del $ETCO_2$ (por lo general > 40 mm Hg).
[c] En paro o de corta duración.

SEGURIDAD

Una consideración relacionada con la seguridad del paciente es la disponibilidad del equipo apropiado, que haya tenido un mantenimiento y una revisión adecuados. Por ejemplo, las bombas intravenosas (IV) y los ventiladores cuentan con respaldos de energía eléctrica y es crítico asegurarse de que todos estén en buen funcionamiento con baterías por completo cargadas antes de iniciar la atención de un paciente. La capnografía de forma de onda es crítica para vigilar a los pacientes intubados durante el transporte, y debe considerarse un estándar de atención mínimo. De manera similar, las alarmas del monitor son críticas para vigilar cambios inesperados en la condición del paciente. Usted debe establecer de manera correcta los límites y volúmenes de la alarma antes del transporte, para asegurar que se informe de inmediato cuando cualquier parámetro se salga del rango esperado.

Manejo de la vía aérea

El aire llega a los pulmones solo si viaja a través de la tráquea, por lo que es indispensable que esté permeable, lo que es obvio en un paciente que responde y puede hablar. Sin embargo, en uno con alteración del nivel de conciencia (NC) la vía aérea a menudo no está permeable y usted necesitará ejecutar maniobras para abrirla. Además, quizá requiera un adyuvante de vía aérea para ayudarle a mantener la permeabilidad de esta. En un paciente con compromiso de la vía aérea, es vital limpiarla y mantener su permeabilidad. Limpiar la vía aérea significa retirar el material, tejido o líquidos de la nariz, que obstruyen boca y garganta. El mantenimiento de la vía aérea significa que se mantenga permeable, de modo que pueda ingresar y salir aire de los pulmones libremente, **FIGURA 13-23**.

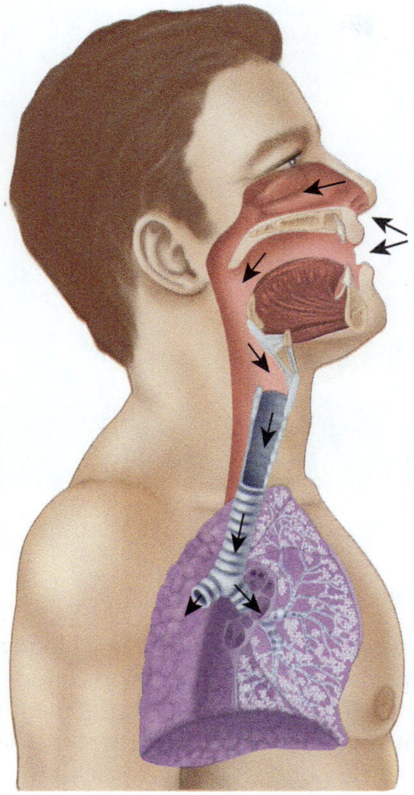

FIGURA 13-23 El aire puede alcanzar los pulmones solo si viaja a través de la tráquea. Mantener la vía aérea permeable significa que el aire pueda entrar y salir de los pulmones libremente.

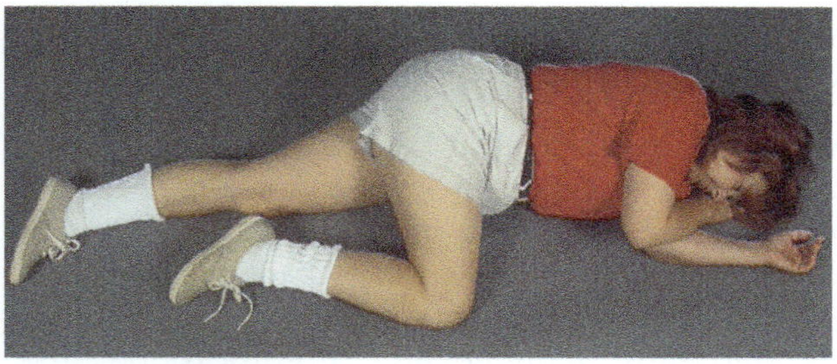

FIGURA 13-24 La posición de recuperación.

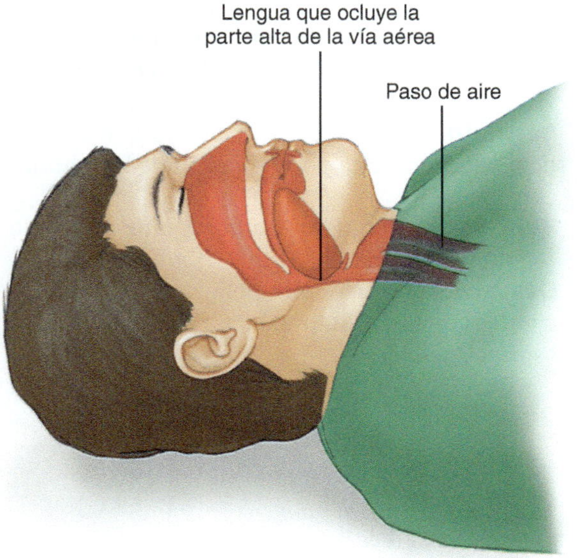

FIGURA 13-25 Cuando la lengua cae hacia atrás y ocluye la faringe posterior, podría obstruir la vía aérea.

Posicionamiento del paciente

En un mundo perfecto todos los pacientes estarían en posición supina, de manera que usted pudiera evaluarlos rápido e intervenir sin moverlos. Sin embargo, si atiende a uno que no responde en decúbito prono, cámbielo a la posición apropiada, de manera que pueda valorar su necesidad de ventilaciones o reanimación cardiopulmonar (RCP).

Para movilizar a un paciente a la posición supina, hágalo rodar como un tronco de una pieza. Después de colocarlo en posición supina, valore rápido su respiración al visualizar los movimientos del tórax.

Ubique al paciente que respira de forma adecuada y no tiene lesión en la **posición de recuperación**, que implica colocarlo en decúbito lateral izquierdo, y está indicada si hay disminución del NC; no se sospecha de un traumatismo de la columna vertebral, la cadera o la pelvis, y puede mantener la permeabilidad de su vía aérea de manera espontánea, **FIGURA 13-24**.

Maniobras de vía aérea

Si un paciente que no responde presenta pulso, pero no respira o lo hace en forma anormal (p. ej., bloqueo agónico) usted debe abrir la vía aérea en forma manual para proveer la respiración de rescate. Como se señaló antes, la causa más frecuente de obstrucción de la vía aérea en un paciente que no responde es la lengua, **FIGURA 13-25**. Para corregir esta obstrucción, manipule la cabeza del paciente para impulsar la lengua hacia adelante, y abra la vía aérea con la maniobra de inclinación de cabeza-elevación del mentón, o la de impulso mandibular (sin inclinación de la cabeza).

Maniobra de inclinación de cabeza-elevación del mentón

A menudo se puede abrir la vía aérea de manera rápida y fácil con tan solo inclinar la cabeza del paciente hacia atrás y levantar su mentón. Esta **maniobra de inclinación de cabeza-elevación del mentón** es la preferida para abrir la vía aérea de un paciente sin traumatismo de la columna cervical. En ocasiones esta simple maniobra es todo los que se requiere para que reinicie su respiración normal. Considere los siguientes puntos cuando utilice la maniobra de inclinación de cabeza-elevación del mentón:

- **Indicaciones.** Un paciente que no responde, uno sin mecanismo de lesión de la columna cervical o el que no puede proteger su vía aérea.
- **Contraindicaciones.** Un paciente que responde o aquel con una posible lesión de la columna cervical.
- **Ventajas.** No requiere equipo alguno; es simple, segura y no invasiva.
- **Desventajas.** Puede ser peligrosa para los pacientes con lesión raquídea; no protege contra la aspiración.

Medicina basada en evidencia

De acuerdo con las *Guidelines for CPR and Emergency Cardiovascular Care* de 2020,[1] debería abrirse la vía aérea después de que ocurre cualquiera de las siguientes circunstancias: el paciente se encuentra sin pulso y se administraron 30 compresiones de tórax, o tiene pulso, pero no respira o lo hace en forma anormal. Para valorar la respiración en un paciente que no responde, visualice el tórax en cuanto al movimiento obvio y a la vez verifique el pulso. Esta valoración no debería durar más de 10 segundos. Se cubren estos tópicos con detalle en el capítulo 36, *Respuesta al código de campo*.

Para realizar la maniobra de inclinación de cabeza-elevación del mentón, ubíquese al lado del paciente. Coloque una mano en su frente y haga presión hacia atrás con la palma para inclinar la cabeza. Esta extensión del cuello impulsará la lengua hacia adelante, alejándola de la faringe posterior, y abrirá la vía aérea. Coloque las puntas de los dedos de su otra mano bajo la parte inferior de la mandíbula, cerca de la porción ósea del mentón. No comprima el tejido blando bajo el mentón, porque esto pudiese impulsar la lengua contra el techo de la boca y bloquear la vía aérea. Eleve el mentón, con inclusión de toda la mandíbula. No use su pulgar para elevar el mentón. Haga la elevación de manera que los dientes casi se junten, pero evite cerrar por complejo la boca. Continúe sujetando la frente para mantener la inclinación de la cabeza hacia atrás, **FIGURA 13-26**.

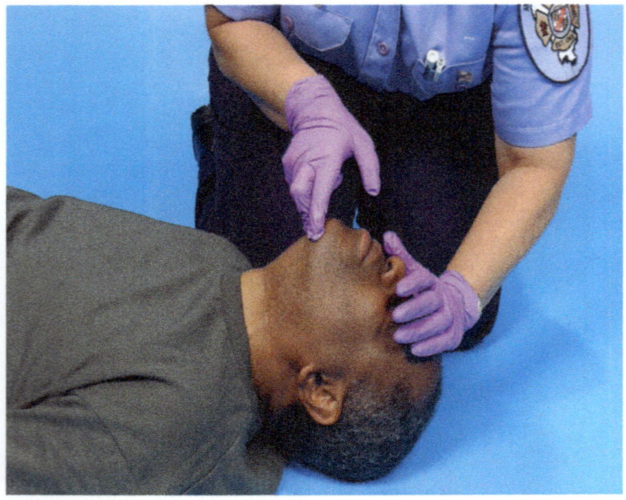

FIGURA 13-26 Maniobra de inclinación de cabeza-elevación del mentón.

Maniobra de empuje o subluxación mandibular

Si usted sospecha que el paciente sufrió una lesión de la columna cervical, abra la vía aérea con la **maniobra de impulso mandibular**, en la que coloca sus dedos detrás del ángulo de la mandíbula y la eleva hacia adelante, que, como resultado, se desplaza hacia adelante. Considere los siguientes puntos cuando utilice la maniobra de impulso mandibular:

- **Indicaciones.** Un paciente sin respuesta; uno sin mecanismo de lesión de la columna cervical o el que no puede proteger su vía aérea.
- **Contraindicaciones.** Un paciente que responde con resistencia a la abertura de la boca. Puede requerirse la maniobra de impulso mandibular en un paciente que responde y sufrió una fractura de la mandíbula para mantener la lengua lejos de la parte posterior de la garganta.
- **Ventajas.** Se puede usar en pacientes con lesión de la columna cervical; también con un collar puesto, y no requiere de equipo especial.
- **Desventajas.** No puede mantenerse la maniobra de impulso mandibular si el paciente presenta respuesta o se torna combativo; difícil de

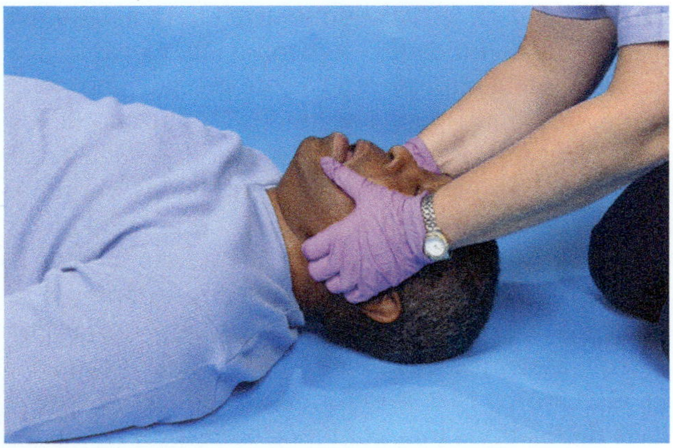

FIGURA 13-27 La maniobra de impulso mandibular.

mantener por un tiempo prolongado; muy difícil de usar junto con la ventilación con bolsa y mascarilla; el pulgar debe permanecer en su lugar para mantener el desplazamiento de la mandíbula; requiere de un segundo rescatista para la ventilación con bolsa-mascarilla y no protege contra la aspiración.

Para ejecutar la maniobra de impulso mandibular, colóquese a la cabeza del paciente. Ponga la porción carnosa de sus pulgares sobre los arcos cigomáticos y enganche la punta de sus índices bajo el ángulo de la mandíbula, debajo de cada oreja. Mientras sujeta la cabeza del paciente en forma alineada, desplace la mandíbula hacia arriba y abra la boca del paciente con la punta de sus pulgares, **FIGURA 13-27**. Debido a que abrir y mantener una vía aérea permeable es crítico, usted debería hacer con cuidado la maniobra de inclinación de cabeza-elevación del mentón si no puede lograrlo de manera adecuada con el uso de la maniobra de impulso mandibular.

Maniobra de elevación de lengua-mandíbula

La **maniobra de elevación de lengua-mandíbula** se usa más a menudo para abrir la vía aérea con el propósito de aspirar o insertar una vía aérea orofaríngea o supraglótica. No se puede usar para ventilar a un paciente, porque no permite el sellado adecuado de la mascarilla sobre la cara.

Para hacer la maniobra de elevación de lengua-mandíbula, ubíquese a un lado del paciente. Ponga su mano lo más cerca de la cabeza sobre la frente. Con la otra mano, alcance el interior de la boca y enganche su primer nudillo bajo los incisivos (dientes frontales) o la línea de la encía. Mientras sujeta la cabeza

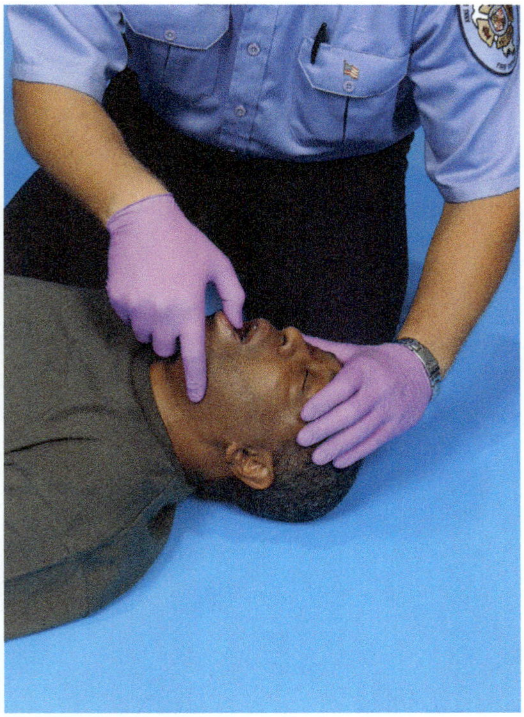

FIGURA 13-28 La maniobra de elevación de mandíbula y lengua.

del paciente y mantiene su mano en la frente, eleve la mandíbula en forma recta, **FIGURA 13-28**.

Aspiración

Cuando la boca o garganta del paciente se llenan de vómito, sangre o secreciones, un equipo de aspiración le permite retirar el material de forma rápida y eficaz, lo que así también facilita ventilarlo. El ventilar a un paciente con secreciones en la boca forzará materiales hacia los pulmones, con el resultado de una obstrucción de la vía aérea superior o aspiración. Por lo tanto, si es necesario, el limpiar la vía aérea del paciente por aspiración es su siguiente prioridad después de abrirla con las maniobras antes descritas. Recuerde, si escucha borboteo, el paciente necesita aspiración.

Equipo de aspiración

Las ambulancias deberían contar con una unidad fija de aspiración (que funciona por vacío desde un motor) y una unidad de aspiración portátil (de baterías o manual), **FIGURA 13-29**. Al margen de la localización (en la residencia del paciente, a la mitad de un campo o en la parte trasera de la ambulancia) usted debe tener rápido acceso al equipo de aspiración,

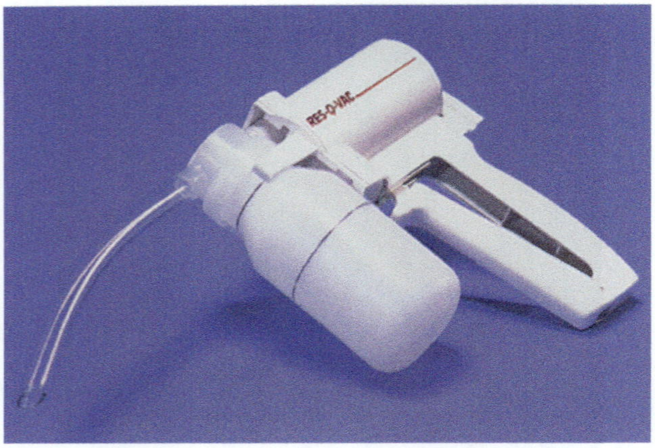

A

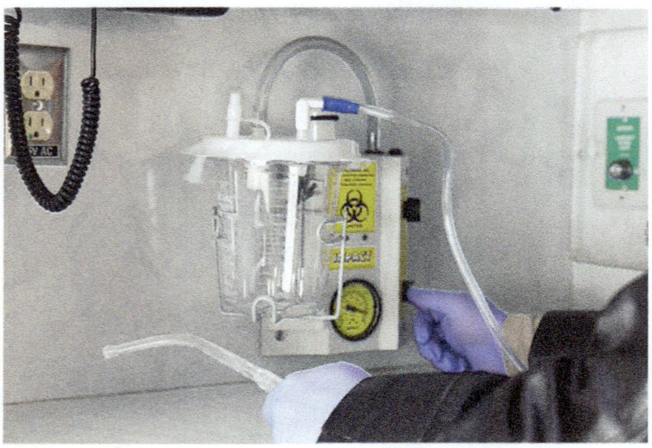

B

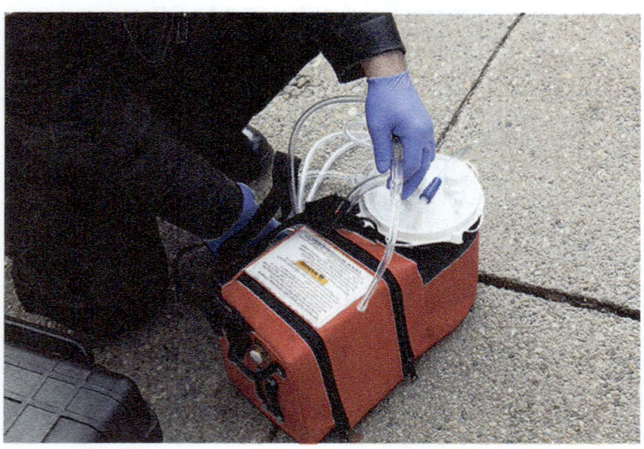

C

FIGURA 13-29 Es indispensable el equipo de aspiración eficaz para un buen tratamiento de la vía aérea. **A.** Dispositivo de funcionamiento manual. **B.** Unidad fija. **C.** Unidad portátil.

pues es indispensable para el tratamiento eficaz de la vía aérea.

Las unidades de aspiración de funcionamiento manual con recipientes desechables son confiables, eficaces y relativamente baratas; pueden acomodarse con facilidad en la maleta que usted lleva al lado del paciente. Las unidades de aspiración mecánicas o por vacío deberían ser capaces de generar uno de al menos 300 mm Hg en 4 segundos de pinzado de los tubos. La cantidad de aspiración debería ser ajustable para usarse en niños y pacientes intubados. Verifique el vacío de la unidad de aspiración mecánica al inicio de cada turno por la toma del dispositivo, el pinzamiento de los tubos y que la válvula de presión registre al menos 300 mm Hg. Con las unidades cargadas por batería, asegúrese de que esté por completo cargada. En el **CUADRO 13-7** se enlistan las ventajas y desventajas de los tipos más comunes de dispositivos para aspiración.

Al margen del tipo de unidad de aspiración que usted use, debe generar suficiente presión de vacío para retirar materiales de la boca y orofaringe del paciente. Además de la unidad de aspiración, debería contar con las siguientes provisiones fácilmente accesibles a la cabecera del paciente:

- Tubos de calibre ancho y pared gruesa sin pliegues
- Puntas de aspiración faríngea rígidas de plástico (punta de amígdala, de Yankauer® o DuCanto®)
- Catéteres de plástico no rígidos (French® o con punta de silbato)
- Un tubo de colección desechable e irrompible
- Agua para enjuagar los catéteres

Un catéter de aspiración es un dispositivo cilíndrico hueco que se usa para retirar líquidos y secreciones de la vía aérea del paciente. Un **catéter con punta de amígdala** es una buena opción para la aspiración de la orofaringe en los adultos; también se puede usar en niños y lactantes. Estos catéteres de punta de plástico tienen un diámetro grande y son rígidos, de modo que no se colapsen y con capacidad para absorber grandes volúmenes de líquido con rapidez. Las puntas curvas permiten su colocación fácil y rápida en la orofaringe, **FIGURA 13-30**.

Los catéteres de plástico blandos, a veces llamados **catéteres con punta de silbato** o French®, pueden colocarse en la orofaringe o la nasofaringe, o a través de un tubo ET. Se fabrican en diversos tamaños y tienen un diámetro más pequeño en comparación con los rígidos. Los catéteres blandos pueden usarse para aspirar la nariz y las secreciones líquidas del fondo bucal y en situaciones en las que no se puede usar uno rígido, como en un paciente con un estoma, **FIGURA 13-31**. (Las consideraciones del tratamiento de la vía aérea para tales pacientes se cubren más adelante en este capítulo). Por ejemplo, un catéter rígido pudiese romper un diente en un paciente que los tiene apretados, en tanto uno flexible puede dirigirse por

CUADRO 13-7 Comparación de los dispositivos de aspiración de uso frecuente

Tipo de dispositivo	Ventajas	Desventajas
Portátil-manual	• Ligero • Portable • De mecánica simple • Barato	• Volumen limitado • No automático • De contacto con los líquidos corporales • Componentes no desechables
Portátil eléctrico con administración de oxígeno	• Ligero • Pequeño	• Potencia de aspiración limitada • Usa demasiado oxígeno para una potencia de aspiración limitada
Portátil de baterías	• Ligero • Portátil • Excelente potencia de aspiración • Se pueden identificar y resolver la mayoría de los problemas en el campo	• Mecánica más complicada • Puede perder la integridad de la batería con el transcurso del tiempo • Algún contacto con los líquidos corporales
Eléctrico, de vacío, montado en la estructura de la ambulancia	• Vacío en extremo intenso • Potencia ajustable • Componentes desechables	• No portátil • De contacto con los líquidos corporales • No se puede fijar en el campo • No puede sustituirse la fuente de energía eléctrica

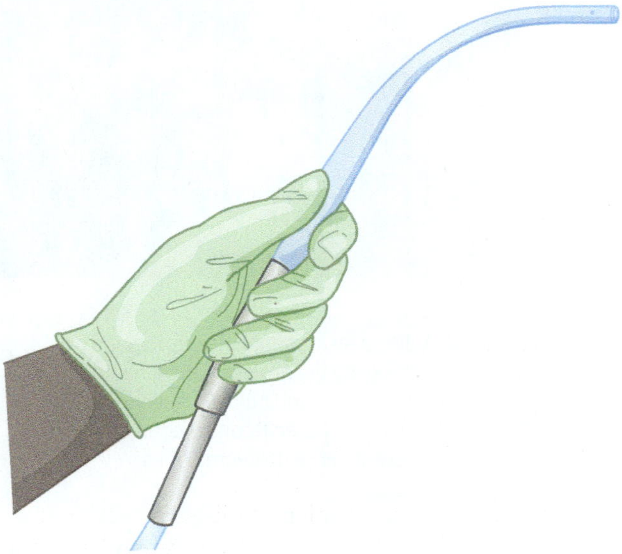

FIGURA 13-30 Los catéteres de gran calibre son una buena opción para aspirar la orofaringe, porque tienen puntas de diámetro ancho, son rígidos y permiten retirar de la vía aérea secreciones espesas copiosas y otros detritos.

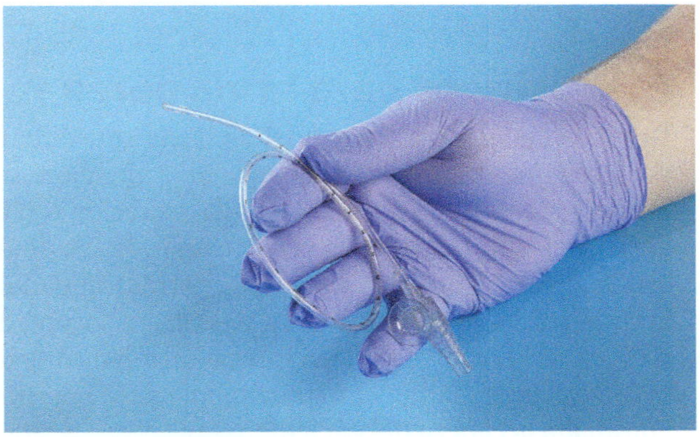

FIGURA 13-31 Los catéteres con punta de silbato (French®) se usan en situaciones en las que no se pueden utilizar los rígidos, como cuando un paciente presenta una boca anastomótica o sus dientes están apretados. Los catéteres flexibles pueden también hacerse pasar dentro de un tubo endotraqueal.

dentro de los carrillos sin causar lesiones. Los tubos de aspiración sin catéter acoplado facilitan la recuperación de detritos grandes en la orofaringe y permiten el acceso al dorso de la faringe en un paciente con dientes apretados.

Técnicas de aspiración

La mortalidad aumenta de manera significativa si un paciente aspira; por lo tanto, es crítico evitar este suceso potencialmente fatal cuando se hace el retiro de secreciones. Aspire la vía aérea del paciente hasta que ya no contengan líquidos u otros detritos. Recuerde que ventilar a un paciente cuya vía aérea está llena de sangre, vómito u otras secreciones casi asegura su aspiración.

Tenga cuidado de no estimular el dorso de la faringe, en especial en un niño pequeño o un lactante, porque esto puede inducir una respuesta vagal y causar bradicardia. Después de concluir la aspiración, continúe la ventilación y oxigenación.

Los catéteres de punta blanda se utilizan mejor cuando se hacen pasar a través de un tubo ET. Lubrique el catéter con un gel hidrosoluble cuando aspire la nasofaringe. Insértelo y aplique aspiración durante su extracción para limpiar la vía aérea. Después de que se hizo la aspiración del paciente, revalúe la permeabilidad de la vía aérea y continúe la ventilación y oxigenación, según sea necesario.

Antes de insertar cualquier catéter de aspiración a un paciente, mida sus dimensiones apropiadas: de la comisura bucal al lóbulo de la oreja o el ángulo de la mandíbula, **FIGURA 13-32A**. Nunca inserte un catéter más allá de la base de la lengua, porque eso producirá náusea o vómito en el paciente. Gire su cabeza hacia un lado o su cuerpo a manera de un tronco, e inserte la sonda de aspiración hasta la profundidad determinada. Aplique aspiración en forma circular mientras retira el catéter, **FIGURA 13-32B**. Repita, según sea necesario, hasta que la vía aérea quede libre de secreciones.

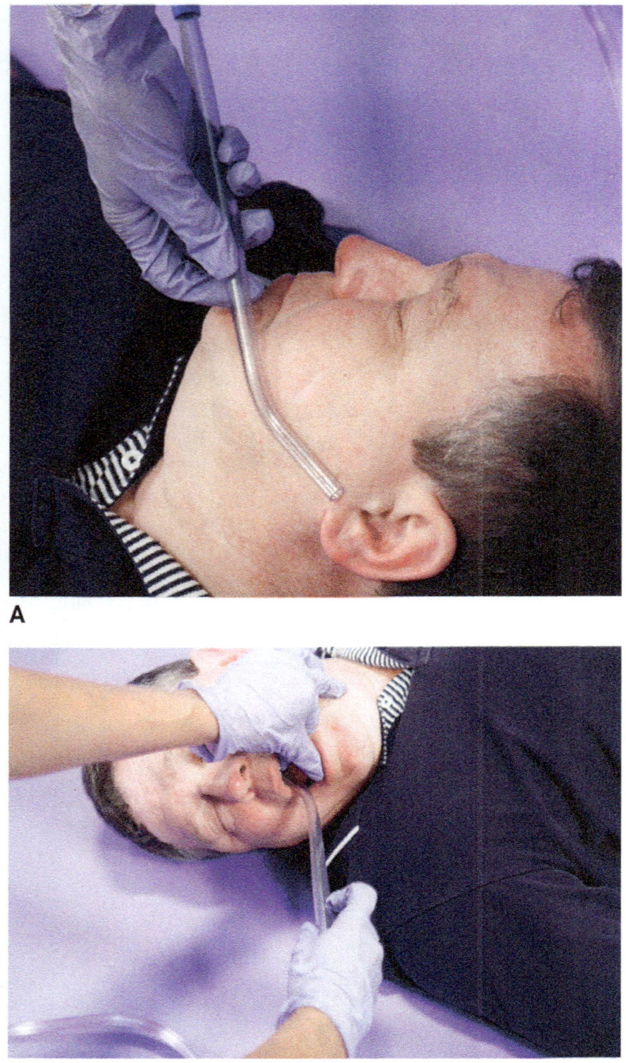

A

B

FIGURA 13-32 **A.** Mida las dimensiones apropiadas del catéter de aspiración desde la comisura bucal hasta el lóbulo de la oreja o el ángulo de la mandíbula. **B.** Aplique aspiración mientras está retirando el catéter. Repita, según se requiera, hasta que la vía aérea esté libre de secreciones.

Dispositivos para la vía aérea

Después de la abertura manual de la vía aérea de un paciente que no responde y el uso de aspiración, según se necesite para retirar cualquier secreción o sangre, usted quizá requiera un adyuvante de vía aérea artificial para ayudar a mantener la permeabilidad de la vía aérea, lo que no sustituye a la posición apropiada de la cabeza. Incluso si usted inserta un adyuvante de vía aérea, debe mantener manualmente en la posición apropiada la cabeza del paciente.

Cánula orofaríngea

La **cánula orofaríngea** es un dispositivo de plástico rígido curvo que se acopla sobre el dorso de la lengua con la punta en la cara posterior de la faringe, **FIGURA 13-33**, diseñado para mantener la lengua lejos de dicha pared y cuyo uso facilita mucho la ventilación de pacientes con un **dispositivo de bolsa-mascarilla** (descrito más adelante en este capítulo). La cánula orofaríngea puede también servir para bloquear la mordida, lo que impide que cualquier paciente mastique el tubo ET.

Inserte rápido una vía aérea oral en los pacientes que no responden, ventilen o no, sin reflejo nauseoso. Puesto que su extremo distal se aloja en el dorso de la faringe, este dispositivo estimulará el arqueo y el reflejo nauseoso en un paciente que responde, motivo por el cual usted debería usarlo solo en aquellos sin respuesta ni reflejo nauseoso. Si el paciente presenta arcadas durante la inserción de cánula orofaríngea, retírela de inmediato y prepárense para aspirar la orofaringe. Considere los siguientes puntos cuanto utilice una vía área bucal:

- **Indicaciones.** Pacientes que no responden o presentan reflejo nauseoso
- **Contraindicaciones.** Pacientes que responden y con reflejo nauseoso

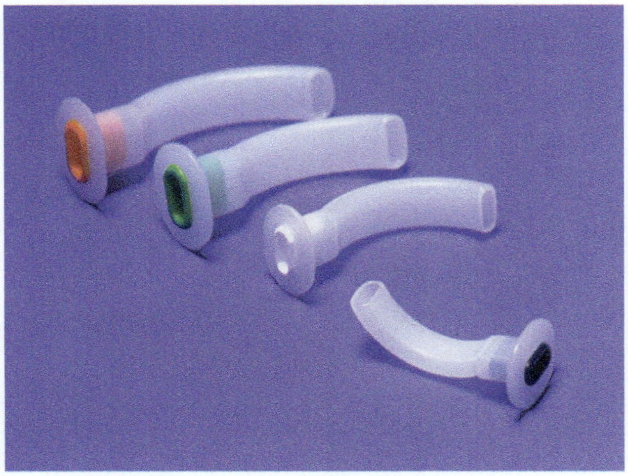

FIGURA 13-33 Se usa una vía aérea oral en los pacientes que no responden o presentan reflejo nauseoso, lo que evita que la lengua bloquee la vía aérea.

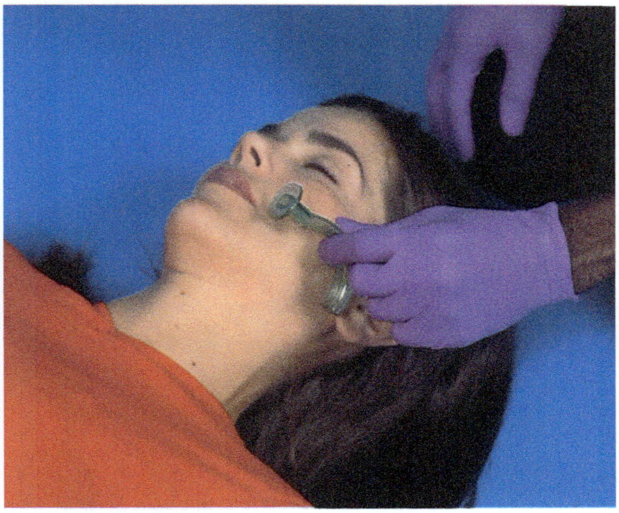

FIGURA 13-34 Determine las dimensiones de la vía oral al medir de la comisura bucal al lóbulo de la oreja o el ángulo de la mandíbula.

- **Ventajas.** No invasiva, de fácil colocación que impide el bloqueo de la glotis por la lengua
- **Desventajas.** No protege contra la aspiración
- **Complicaciones.** Un reflejo nauseoso inesperado puede causar vómito, o la técnica inapropiada producir traumatismos faríngeos o dentales

Perlas de sabiduría

Muchas técnicas de tratamiento de la vía aérea son procedimientos que generan aerosoles, por lo que es importante usar una mascarilla apropiada (p. ej., N95) y protección ocular con un escudo facial completo siempre que manipule la vía aérea de un paciente. Los líquidos corporales pueden convertirse en aerosoles y las membranas mucosas de su boca, nariz y ojos fácilmente entrarán en contacto con esos contaminantes.

Si la cánula orofaríngea es de tamaño inapropiado o se inserta de manera incorrecta, pudiese impulsar la lengua del paciente hacia atrás en dirección de la faringe y crear una obstrucción. Además, la inserción brusca de la cánula orofaríngea puede lesionar el paladar blando, con hemorragia bucal resultante y el riesgo de vómito y aspiración. Antes de insertar una vía aérea oral, aspire la orofaringe, según sea necesario, para asegurar que la boca del paciente esté libre de sangre u otros fluidos.

Para seleccionar una vía aérea oral del tamaño correcto para el paciente, mida la distancia desde la comisura bucal hasta el lóbulo de la oreja o el ángulo mandibular, **FIGURA 13-34**. Usted puede insertar la cánula orofaríngea en una de dos formas:

- Abra la boca del paciente adulto con la técnica de dedo cruzado o la maniobra de levantamiento de la lengua-mandíbula, sostenga la cánula orofaríngea volteada hacia arriba con su otra mano e insértela en la boca con la punta dirigida hacia el paladar duro, **FIGURA 13-35A**. Haga avanzar la vía bucal hasta que alcance al paladar blando y después rótela a 180°, lo que permite que siga la curvatura de la lengua hasta que el reborde descanse sobre los labios del paciente, **FIGURA 13-35B**.
- Use un abatelenguas para hacer descender la lengua del adulto o niño y asegurar que se mantenga dirigida hacia adelante, **FIGURA 13-36A**. Inserte la cánula orofaríngea con la punta dirigida hacia abajo y siga la curvatura de la lengua hasta que el reborde descanse sobre los labios del paciente, **FIGURA 13-36B**.

Cánula nasofaríngea

La **cánula nasofaríngea** es un tubo de hule blando que se inserta a través de la nariz en la faringe posterior, detrás de la lengua, lo que así permite el paso de aire hasta la vía aérea inferior. La cánula nasofaríngea, por lo general, se mide utilizando una escala de catéter French® (Fr) y van del 12 al 36 Fr; la longitud de la cánula nasofaríngea depende de su tamaño. Una vía aérea nasal se tolera mucho mejor que una bucal en los pacientes con reflejo nauseoso intacto, pero que

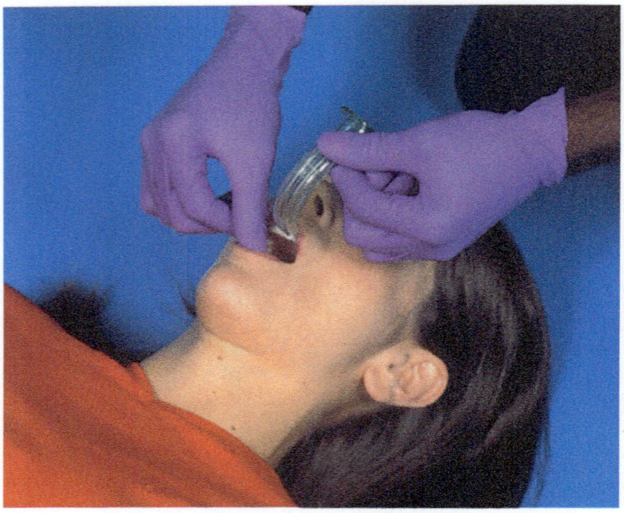

A

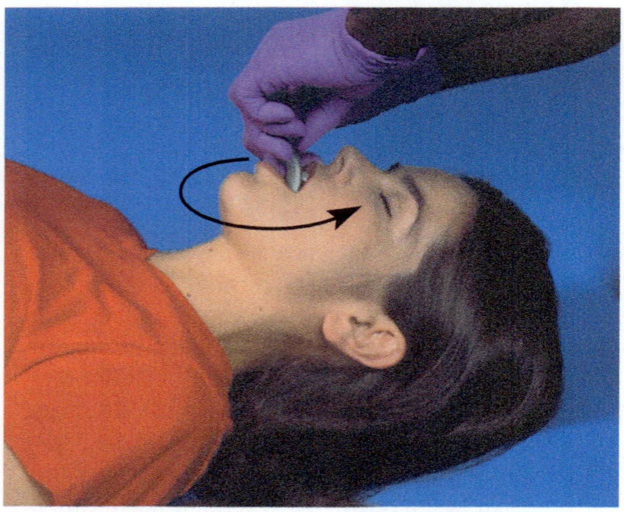

B

FIGURA 13-35 **A.** Abra la vía aérea del paciente adulto e inserte la vía aérea artificial con la punta dirigida hacia el paladar duro. **B.** Rote la cánula orofaringea 180° hasta que alcance el paladar blando, lo que permite seguir la curvatura de la lengua hasta que el reborde se apoye sobre los labios del paciente.

presentan alteración del NC, **FIGURA 13-37**. No use este dispositivo si el paciente experimentó un traumatismo nasal o facial, o si hay motivo para sospechar una fractura de cráneo (p. ej., escurrimiento de líquido cefalorraquídeo [LCR] por la nariz). Aunque es un suceso raro, la inserción de una vía aérea en tales casos puede causar su ingreso a la bóveda craneana a través del orificio causado por la fractura.

Inserte la cánula nasofaríngea con suavidad para evitar la epistaxis (hemorragia nasal). Lubríquela con un gel hidrosoluble, de preferencia uno que contenga

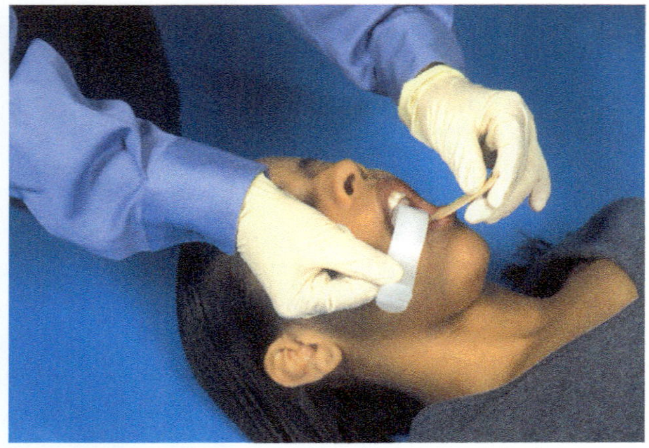

A

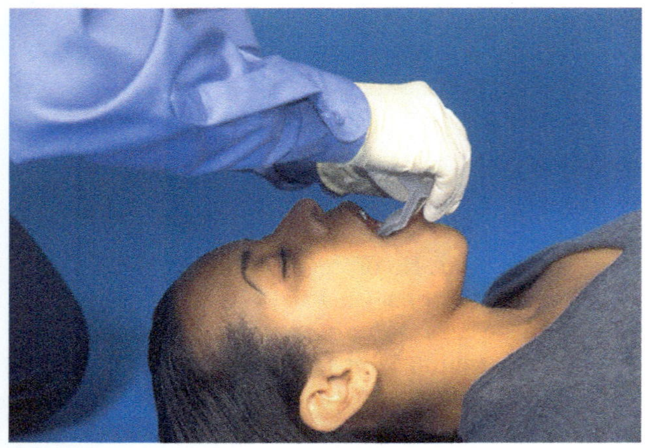

B

FIGURA 13-36 **A.** Use un abatelenguas para hacer descender la lengua y asegurar que se mantenga dirigida hacia adelante. **B.** Inserte la cánula orofaringea con la punta señalando hacia abajo y deje que siga la curvatura de la lengua hasta que el reborde descanse sobre los labios del paciente.

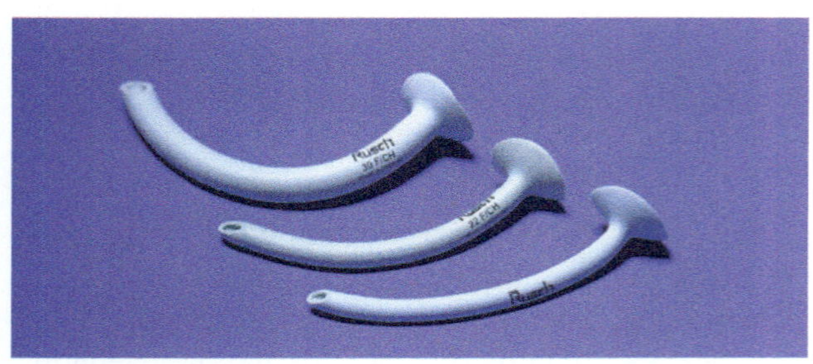

FIGURA 13-37 Los pacientes con reflejo nauseoso intacto toleran mejor una cánula nasofaringea.

un anestésico local, y deslícela con suavidad con la punta hacia abajo a través de la narina. No la fuerce. Si encuentra resistencia, trate de hacerla pasar por la otra narina.

Si la cánula nasofaríngea es demasiado grande puede obstruir la vía aérea del paciente. Si este no la tolera, retírela con suavidad de la nariz. Aunque es menos probable que una vía aérea nasal artificial cause vómito que una bucal, usted debería tener disponible con facilidad un método de aspiración. Considere los siguientes puntos cuando utilice una vía aérea nasal artificial:

- **Indicaciones.** Pacientes que no responden y aquellos con alteración del estado mental y un reflejo nauseoso intacto.
- **Contraindicaciones.** Intolerancia del paciente; presencia de fractura facial (es específico de la nariz) o de cráneo.
- **Ventajas.** Se puede aspirar a través de ella; provee una vía aérea permeable; puede ser tolerada por los pacientes que responden y colocarse con seguridad "de manera ciega" (p. ej., sin visualización directa de la vía aérea del paciente); no es necesario abrir la boca.
- **Desventajas.** Una técnica inapropiada puede causar hemorragia importante (la epistaxis resultante puede ser en extremo difícil de controlar); no protege contra la aspiración.

Poblaciones especiales

En los niños, utilizar un abatelenguas o bajalenguas para mantener la lengua abajo mientras se inserta la vía bucal artificial es el método preferido. Puesto que su paladar duro es más frágil que el del adulto, el rotar dicha vía puede lacerarlo o incluso fracturarlo.

Para seleccionar la cánula nasofaríngea de tamaño correcto para el paciente, mida la distancia de la punta de la narina al lóbulo de la oreja o el ángulo mandibular, **FIGURA 13-38A**. Inserte la vía aérea prelubricada en la narina más grande, con el bisel dirigido hacia el tabique, hasta que el reborde descanse sobre ella, **FIGURA 13-38B**.

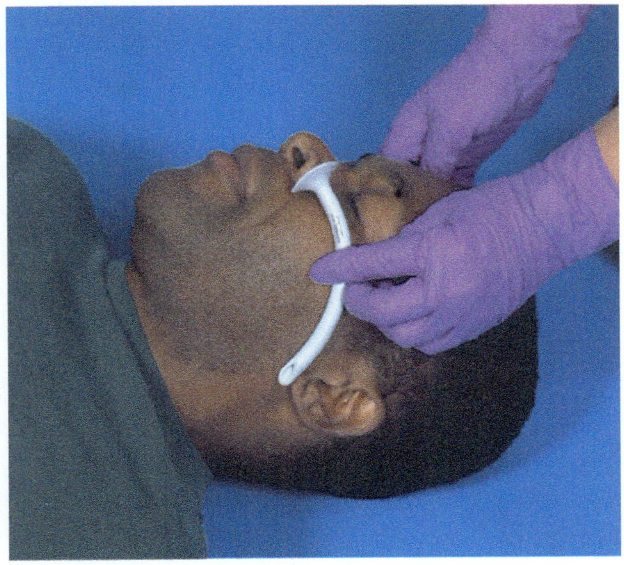

A

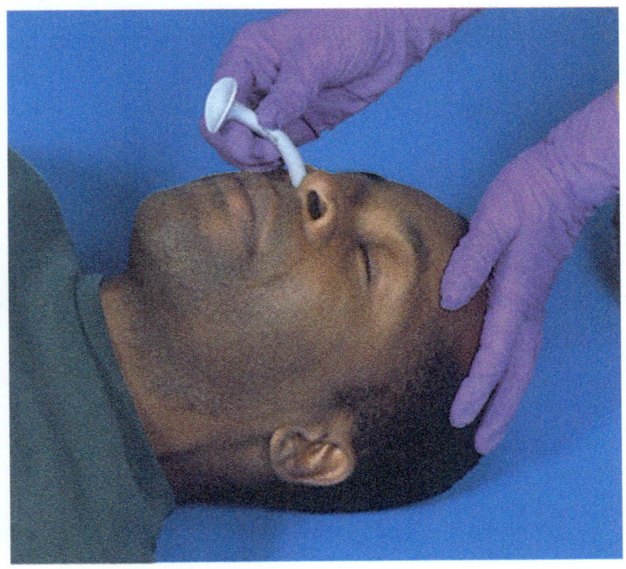

B

FIGURA 13-38 **A.** Determine las dimensiones de la cánula nasofaríngea por medición desde la punta de la narina hasta el ángulo de la mandíbula o el lóbulo auricular. **B.** Insértela en la narina más grande con el bisel dirigido hacia el tabique hasta que el reborde se apoye sobre ella.

Obstrucciones de la vía aérea

La vía aérea conecta al cuerpo con el oxígeno vital presente en la atmósfera. Si se obstruye se interrumpe la conexión y el paciente fallece, a menudo en minutos. Como paramédico, usted debe reconocer los signos de una vía aérea obstruida y efectuar de inmediato la acción correctiva.

Causas de obstrucción de la vía aérea

En un adulto, la obstrucción súbita de la vía aérea por un cuerpo extraño suele ocurrir durante una comida. En los niños, suele suceder mientras comen o juegan con juguetes pequeños. En personas desde otros puntos de vista sanas, que presentan dificultad súbita de la respiración, en especial en ausencia de fiebre, debería sospecharse una obstrucción de la vía aérea por un cuerpo extraño. Sin embargo, la obstrucción puede tener muchas otras causas, incluidas la lengua, el edema o espasmo laríngeos, los traumatismos y la aspiración.

Cuando la vía aérea se obstruye por un proceso infeccioso o una reacción alérgica grave, los repetidos intentos de limpiarla como si estuviese obstruida por un cuerpo extraño no tendrán éxito y son potencialmente mortales. Estas alteraciones requieren un tratamiento específico y acelerar el transporte del paciente a una instalación medica apropiada. La infección de la vía aérea se cubre en el capítulo 14, *Emergencias respiratorias*; las reacciones alérgicas en el capítulo 22, *Emergencias inmunológicas*.

Lengua

En un paciente con alteración del NC, la mandíbula se relaja y la lengua tiende a retroceder hacia la pared posterior de la faringe, lo que bloquea la vía aérea. Un paciente con obstrucción parcial por la lengua hará un ruido de ronquido (respiración sonora) cuando respira; aquel cuya vía aérea está por completo obstruida no puede desplazar aire alguno. Por fortuna, la obstrucción de la vía aérea es de corrección simple mediante una maniobra (como la de inclinación de cabeza-elevación del mentón o la de impulso mandibular).

Cuerpo extraño

Cada año un número significativo de personas muere por una obstrucción de la vía aérea por un cuerpo extraño, a menudo como resultado de la asfixia por un fragmento de alimento. El paciente usual es de edad madura o mayor y utiliza dentadura postiza. La persona por lo general consumió alcohol, el cual deprime los reflejos protectores del cuerpo y afecta el juicio de qué tan grande puede ser un bocado. Además, las personas con alteraciones que disminuyen sus reflejos de vía aérea (p. ej., accidente vascular cerebral) tienen mayor riesgo de su obstrucción por un cuerpo extraño.

Los signos incluyen asfixia, arcadas, estridor, disnea, **disfonía** (dificultad para hablar) y **afonía** (incapacidad de hablar). El tratamiento depende de que el paciente esté movilizando de manera eficaz el aire. La técnica para el retiro de un cuerpo extraño por una obstrucción de la vía aérea se describe más adelante en este capítulo.

Espasmo laríngeo y edema

El espasmo laríngeo (laringoespasmo) es resultado del cierre espasmódico de las cuerdas vocales que obstruyen por completo la vía aérea. A menudo es producto de un traumatismo durante un intento demasiado agresivo de intubación o que se presenta de inmediato con la extubación, en especial cuando el paciente sufre alteración del NC.

El edema laríngeo causa que la abertura glótica se haga en extremo estrecha o se cierre por completo. Las alteraciones que suelen causar este problema incluyen epiglotitis, anafilaxia, o lesiones por inhalación (p. ej., quemaduras de la vía aérea superior).

La obstrucción de la vía aérea causada por espasmo o edema laríngeos se puede aliviar mediante la ventilación intensiva que fuerza al aire a pasar a través de la zona estenosada o un impulso forzado de la mandíbula hacia arriba en un intento por cambiar la posición de la vía aérea. En ciertos pacientes, los relajantes musculares pueden ser eficaces para aliviar el espasmo laríngeo. No baje la guardia después de que parece haber desaparecido el laringoespasmo; la resolución de la crisis inmediata no significa que no haya recurrencias. Transporte al paciente a un hospital para su evaluación.

Lesiones laríngeas

La permeabilidad de la vía aérea depende de un buen tono muscular para mantener abierta la tráquea. La fractura de laringe aumenta la resistencia de la vía aérea por su disminución de sus dimensiones, debido a un tono muscular, edema laríngeo y esfuerzo ventilatorio menores. Se puede requerir una vía aérea artificial avanzada para mantener permeable la del paciente. Las lesiones penetrantes o por aplastamiento de la laringe comprometen la vía aérea, en forma secundaria a hemorragia y edema. Como con las fracturas laríngeas, se puede requerir el tratamiento con una vía aérea avanzada artificial.

Aspiración

Como se señaló antes, la aspiración de sangre u otro fluido aumenta de manera significativa la mortalidad. Además de potencialmente obstruir la vía aérea, la aspiración destruye el tejido bronquial delicado, introduce microorganismos patógenos a los pulmones y aminora la capacidad del paciente de ventilar (o de ser ventilado).

Debería disponerse con facilidad de un dispositivo de aspiración para cualquier paciente que no pueda mantener permeable su propia vía aérea. Siempre asuma que quien requiere atención médica de emergencia puede presentar un estómago lleno.

Reconocimiento de una obstrucción de la vía aérea

Un cuerpo extraño alojado en la vía aérea superior puede causar su obstrucción leve (parcial) o grave (completa), dependiendo del tiempo, del objeto y su localización en la vía. Se requiere una evaluación rápida, pero cuidadosa, para determinar la gravedad de la obstrucción puesto que cuando es leve su tratamiento difiere significativamente de cuando es grave.

Un paciente con una obstrucción leve de la vía aérea tiene respuesta y puede intercambiar aire, pero podría mostrar diversos grados de dificultad respiratoria. Por lo general mostrará ventilaciones ruidosas y puede toser y quizá presentar sibilancias entre las tosiduras, pero sin llegar a la cianosis. Debería recomendarse toser a aquellos con una obstrucción leve de la vía aérea, y tranquilizarlos en el sentido de que usted está ahí para ayudar si empeoran. Una tosidura fuerte es el medio más eficaz de desalojar un objeto que produzca obstrucción leve de la vía aérea. Los intentos por retirar de forma manual el objeto pudieran forzarlo más hacia el interior y causar una obstrucción grave. Vigile de manera estrecha la condición general del paciente y prepárese para intervenir si nota signos de gravedad.

Un paciente con una obstrucción grave de la vía aérea suele experimentar una incapacidad súbita para respirar o hablar. Puede presentar jadeo (signo universal de la asfixia) y hacer intentos frenéticos exagerados por inspirar aire, **FIGURA 13-39**. Un paciente con una obstrucción grave de la vía aérea presenta una tos débil, ineficaz, o su ausencia, y tiene dificultad respiratoria notoria, a menudo con estridor inspiratorio y cianosis.

Atención médica de emergencia para la obstrucción de vía aérea por un cuerpo extraño

Si un paciente con sospecha de obstrucción de la vía aérea muestra respuesta, pregúntele "¿se atragantó?" Si mueve la cabeza en el sentido de "sí" y no puede hablar, empiece su tratamiento de inmediato. Si no se elimina rápido la obstrucción, la cantidad de oxígeno en su sangre disminuirá de manera notoria, con el resultado de hipoxia grave y la muerte. Si la obstrucción no se resuelve, el paciente al inicio con respuesta se puede tornar inconsciente.

Si después de obtener la permeabilidad de la vía aérea usted no puede ventilar al paciente (no hay elevación visible de la pared torácica) o siente resistencia cuando lo hace (mala distensibilidad pulmonar), recoloque el dispositivo de la vía aérea y haga otro intento de ventilación. La **distensibilidad pulmonar** es la capacidad de los alvéolos de expandirse cuando ingresa aire a los pulmones durante la ventilación a presión negativa, o se impulsa hacia ellos por aquella a presión positiva. Una mala distensibilidad pulmonar se caracteriza por el aumento de la resistencia durante los intentos de ventilación asistida.

Si usted encuentra fragmentos grandes de material vomitado, moco, dentaduras sueltas o coágulos sanguíneos en la vía aérea, impúlselos hacia adelante fuera de la boca con su dedo índice enguantado. Los recorridos digitales ciegos en el interior de la boca, sin importar la edad del paciente, deberían evitarse pues pueden causar más daño; intente retirar solo los cuerpos extraños que pueda ver y extraer con facilidad. Una vez que logre la permeabilidad de la vía aérea del paciente, inserte su dedo índice por el interior del carrillo hacia la garganta en la base de la lengua y trate de enganchar el cuerpo extraño para desalojarlo y extraerlo. Tenga cuidado de no forzarlo más profundo en la vía aérea. No inserte de manera ciega algún objeto diferente a su dedo en la boca del paciente para extraer un cuerpo extraño, debido a que uno que golpee la garganta puede dañar las delicadas estructuras de la faringe y complicar la obstrucción con una hemorragia. Use aspiración para limpiar de secreciones la vía aérea, según se requiera. Si el

FIGURA 13-39 El signo universal de la asfixia.

Perlas de sabiduría

Causas de obstrucción de la vía aérea

- Relajación de la lengua en un paciente que no responde
- Objetos extraños (p. ej., alimento, juguetes pequeños, globos, dentaduras)
- Coágulos sanguíneos, dientes rotos o tejido bucal dañado después de un traumatismo
- Edema tisular (p, ej., infección, reacción alérgica, lesión por inhalación)
- Vómito aspirado

paciente presenta dificultad ventilatoria, considere la administración de oxígeno, incluso ante una saturación mayor de 94% si esto es compatible con sus protocolos locales.

La **maniobra de compresión abdominal** (también llamada de Heimlich) es el método más eficaz para desalojar un objeto extraño y forzarlo a salir de la vía aérea de un paciente adulto o niño con respuesta. Con ella se pretende producir una tos artificial al forzar el aire residual fuera de los pulmones, lo que así expulsa el objeto. Usted debería continuar realizando la maniobra de Heimlich en cualquier niño o adulto con respuesta y una obstrucción grave de la vía aérea hasta que el paciente expulse el objeto causal o deje de responder. Si una paciente con obstrucción grave de la vía aérea se encuentra en etapas iniciales del embarazo o presenta obesidad mórbida, realice las compresiones en el tórax, en lugar del abdomen.

Controversias

En algunas organizaciones se sugirió el uso inicial de palmadas en la espalda para los adultos con una obstrucción de vía aérea por un cuerpo extraño y una tos ineficaz. Sin embargo, esta recomendación es débil y respaldada solo por evidencias débiles. Algunos expertos arguyen en contra de las palmadas en la espalda para los pacientes con mayores dimensiones, por lo impráctico del procedimiento. El proveedor de atención sanitaria puede sostener a un lactante con la cabeza hacia abajo mientras aplica palmadas en su espalda, lo que permite que la gravedad ayude a expulsar el objeto de la vía aérea. En contraste, no puede colocar a un adulto en posición invertida mientras le aplica las palmadas; por lo tanto, si estas desalojan el objeto, la gravedad puede conducirlo hacia abajo, más profundo en la vía aérea.

Siga siempre los protocolos locales y entre en contacto con el supervisor médico para su instrucción, cuando sea necesaria.

Si el paciente con respuesta que presenta una obstrucción grave de la vía aérea deja de responder, colóquelo con cuidado en la posición de decúbito supino sobre el piso e inicie las compresiones de tórax. Haga 30 compresiones (15 si dos rescatistas están presentes y si se trata de un lactante o un niño) y después, abra la vía aérea y busque al interior de la boca. Intente retirar el cuerpo extraño solo si lo puede ver. Si puede extraer el objeto, intente ventilar al paciente. Si no puede verlo, reinicie las compresiones de tórax.

Perlas de sabiduría

No inserte ciegamente instrumento alguno, ya sea improvisado o de diseño especial, en la faringe de un paciente. ¡Es una práctica en extremo peligrosa!

Si usted no puede aliviar una obstrucción grave de la vía aérea con las técnicas básicas antes descritas, proceda con la **laringoscopia directa** (visualización de la vía aérea con un laringoscopio) para retirar el cuerpo extraño. Inserte la hoja de laringoscopio en la boca del paciente. Si puede ver el objeto extraño, retírelo con cuidado de la vía aérea superior con una **pinza de Magill**, de tipo especial, curva, **FIGURA 13-40**. Más adelante en este capítulo se describen los laringoscopios y sus hojas.

Para aliviar la obstrucción de la vía aérea superior con la pinza de Magill, siga los pasos que se muestran en la **PRÁCTICA DE DESTREZA 13-1**.

Perlas de sabiduría

Un paciente con obstrucción grave de la vía aérea superior cuenta con muy poco tiempo antes de sufrir una hipoxia grave. Si fracasan varios intentos por aliviar la obstrucción con métodos de soporte vital básico (SVB), procédase por laringoscopia directa sin retraso. Mientras usted realiza las maniobras de SVB su compañero debería preparar el laringoscopio con una hoja de dimensiones apropiadas y la pinza de Magill.

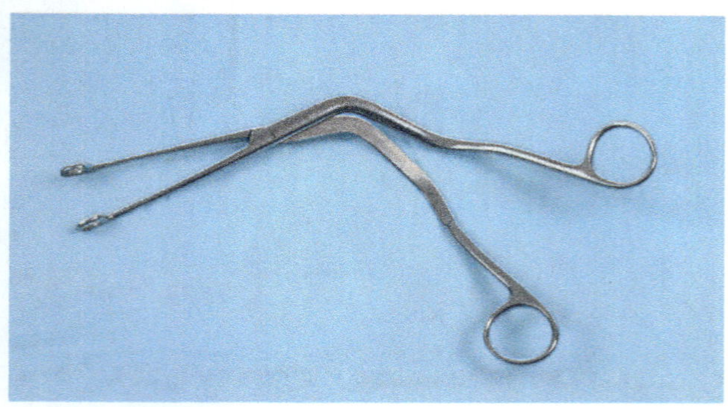

FIGURA 13-40 Pinza de Magill.

Práctica de destreza 13-1 Eliminación de una obstrucción de vía aérea superior con pinzas de Magill

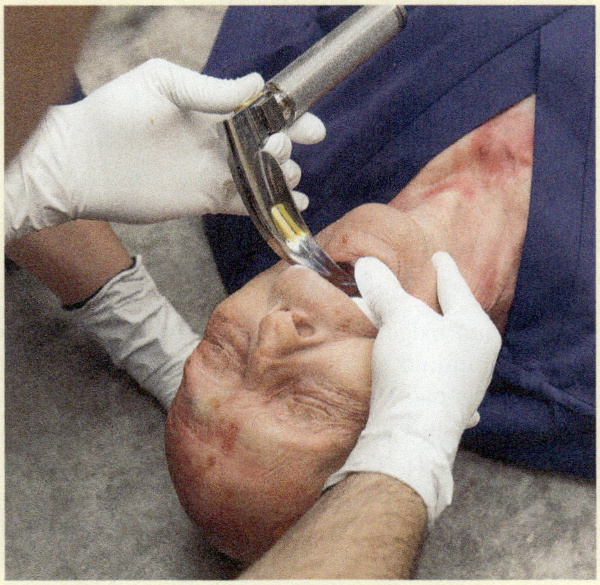

Paso 1

Con la cabeza del paciente en posición de olfateo abra su boca e inserte la hoja de laringoscopio.

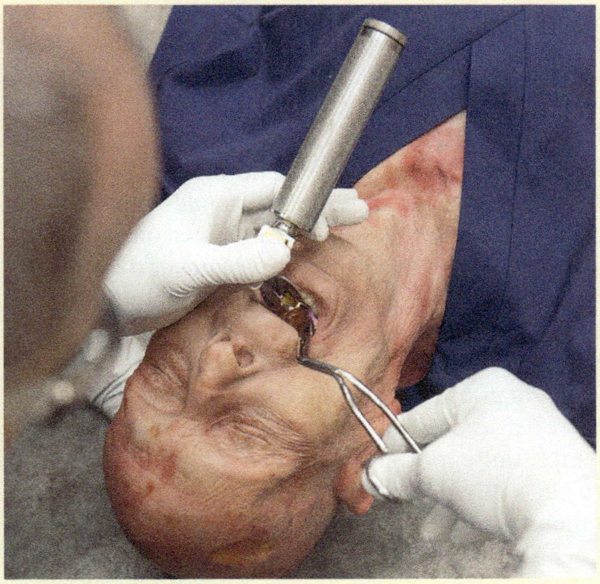

Paso 2

Visualice la obstrucción y retire el objeto con la pinza de Magill.

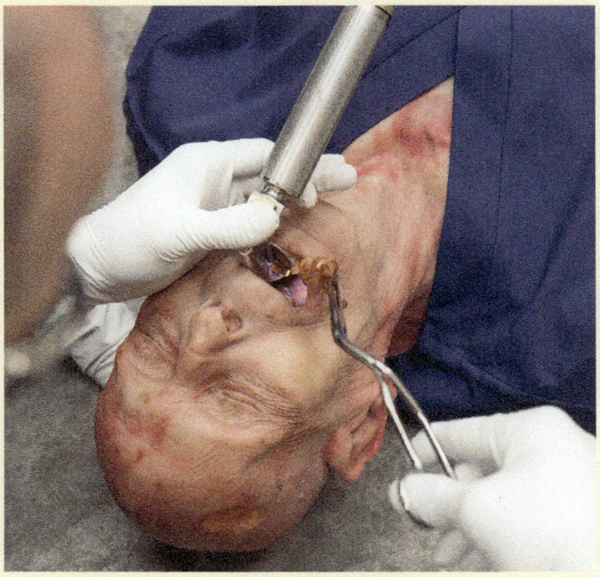

Paso 3

Retire el objeto con la pinza de Magill.

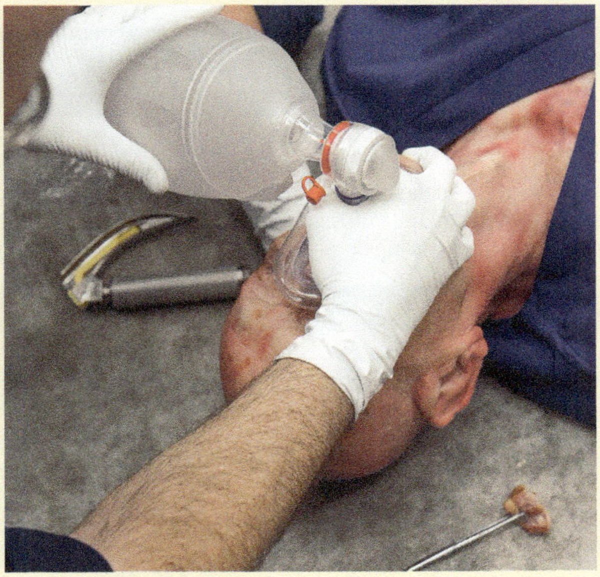

Paso 4

Intente ventilar al paciente.

Tratamiento con oxígeno complementario

El uso de oxígeno complementario está indicado en los pacientes con dificultad respiratoria y en aquellos con hipoxemia demostrada (p. ej., una saturación de oxígeno de 94% o menos) o que se sospecha. Además, en los protocolos de su sistema del SEM se puede recomendar el uso de oxígeno complementario en otros casos seleccionados.

Antes se administraba oxígeno a los pacientes cuya condición clínica no indicaba su uso desde otros puntos de vista; esto es, sin datos de afección respiratoria, con una saturación de oxígeno mayor de 94%. Las pruebas sugieren que el oxígeno complementario en un paciente bien oxigenado puede no estar indicado por aspectos que preocupan, como el estrés oxidativo y la lesión por hiperoxia. Sin embargo, la evidencia de que el oxígeno es útil para un paciente con hipoxia es importante, por lo que, si usted duda respecto de su estado de oxigenación, adminístrele oxígeno complementario.[1-3]

El método de provisión de oxígeno debe ser apropiado para el estado ventilatorio del paciente. Revalúe con frecuencia el estado clínico del paciente y lo adecuado de su respiración para hacer su ajuste de manera acorde.

Medicina basada en evidencia

En las guías actuales de la *American Heart Association* se establece que, si el paciente no experimenta dificultad respiratoria y tiene una saturación de oxígeno mayor de 94% con aire ambiental, no está indicado el uso de oxígeno complementario.[4] Siga sus protocolos locales acerca de su administración.

Fuentes de oxígeno

Tanques de oxígeno

Se almacena oxígeno puro (al 100%) en tanques de acero o aluminio sin fisuras, cuyos colores pueden variar del plateado al crómico, al verde o alguna combinación. Asegúrese de que ostente la marca "oxígeno médico". Además, busque las letras y los nombres estampados en el collar, **FIGURA 13-41**. Son de particular importancia las marcas del mes y año que indican cuándo se hizo la última prueba hidrostática.

Los tanques de oxígeno están disponibles en diversos tamaños. Usted con máxima frecuencia utilizará uno D, que contiene 350 L y, por lo general, se lleva de la ambulancia al paciente. El tanque M con-

USTED es el Paramédico

PARTE 4

El paciente se encuentra en extremo inquieto y agitado y resiste a sus intentos de aplicar presión positiva continua a la vía aérea (PPCVA). Cuando trata de administrar de nuevo oxígeno con la mascarilla sin recirculación, él de inmediato la aleja de su cara. Su compañero hace un comentario en cuanto a realizar la intubación en secuencia rápida (ISR).

Tiempo de registro:	7 minutos
Nivel de conciencia	Consciente, pero en extremo inquieto y agitado
Respiraciones	28/min; laboriosas
Pulso	140 latidos/min; débil y regular
Piel	Labios y encías de color gris
Presión arterial	182/94 mm Hg
Saturación de oxígeno (Spo_2)	74%
Pupilas	PIRRL
$ETCO_2$	63 mm Hg
EKG	Taquicardia sinusal

7. ¿Es la ISR la mejor opción para el paciente en este momento? ¿Por qué sí o no?

FIGURA 13-41 Los tanques de oxígeno para uso médico tienen una serie de letras y números estampados en el metal del cuello.

tiene 3 000 L de oxígeno y permanece a bordo de la ambulancia como depósito principal de suministro.

La provisión de oxígeno se mide en litros por minuto (L/min). Para evitar quedarse sin oxígeno en un momento inconveniente, usted debería sustituir el tanque con uno lleno siempre que la presión descienda hasta 200 libras por metro cuadrado (psi, por sus siglas en inglés) o menos. Ese nivel, llamado de **presión residual segura**, indica que es *inseguro* continuar utilizando ese tanque. En algunos sistemas del SEM la presión residual de seguridad de un tanque de oxígeno es de 500 psi, y con base en su presión interna y la velocidad de administración, se puede calcular cuánto durará el contenido, o sea, su semivida, **CUADRO 13-8**.

CUADRO 13-8 Tanques de oxígeno: duración del flujo

Fórmula	
(Presión del tanque en psi – 200 psi [la presión residual segura]) × constante del tanque/flujo en L/min = duración del flujo en minutos	
Constante del tanque	
D = 0.16	G = 2.41
E = 0.28	H = 3.14
M = 1.56	K = 3.14
Pasos	
Determine la semivida de un cilindro M con una presión de 2 000 psi y una velocidad de flujo de 10 L/min	
$\frac{(2\,000-200)\times 1.56}{10}=\frac{2\,808}{10}=281 \text{ min o } 4\text{ h }41\text{ min}$	

Abreviatura: psi, libras por pulgada cuadrada.

Avisos de seguridad

Cualquier cilindro que contenga un gas comprimido bajo alta presión tiene el potencial, en condiciones específicas, de mostrar las propiedades de un misil. Además, el oxígeno presenta el riesgo adicional de incendio, porque respalda al proceso de la combustión, motivo por el cual son necesarias las siguientes precauciones de seguridad cuando se manejan tanques:

- Mantener los materiales combustibles, como aceite o grasa, lejos del contacto con el tanque, sus reguladores, ajustes, válvulas y tubos.
- No permitir fumar en cualquier zona donde se estén usando tanques de oxígeno o se encuentren en reserva.
- Almacenar los tanques de oxígeno en una zona fresca, bien ventilada y sin someterlos a temperaturas mayores de 50 °C.
- Use solo un tanque que cuente con un regulador de ajuste apropiado, seguro. Las válvulas de regulación de un gas nunca deberían modificarse para usarse con otro.
- Cierre las válvulas cuando el tanque no esté en uso, incluso si está vacío.
- Asegure los tanques de manera que no se vuelquen. Durante el transporte manténgalos en un estante o soporte apropiado, o sujételos con correas a la camilla del paciente.
- Cuando trabaje con un tanque de oxígeno siempre ubíquese a su lado. Nunca ponga parte alguna de su cuerpo sobre la válvula. Un regulador de ajuste laxo puede expulsarse con suficiente fuerza para causarle una lesión grave.
- Haga pruebas hidrostáticas del cilindro cada 10 años, para asegurarse que aún mantiene las presiones altas requeridas. La fecha de prueba original está estampada en el tanque, junto con el número de serie.

Reguladores y flujómetros de oxígeno

Hay reguladores de alta presión acoplados al cuerpo del tanque para proveer el gas bajo alta presión. Dichos reguladores se usan para transferir el oxígeno de un tanque a otro, como cuando usted hace rellenar uno portátil.

La presión del gas en un tanque de oxígeno lleno es de casi 2 000 psi, demasiada para dirigirla hacia la vía aérea de un paciente. En su lugar, el flujo de gas de un tanque de oxígeno se modula por un **regulador terapéutico**, al que se acopla, y disminuye la presión hasta un rango seguro (de casi 50 psi).

Los flujómetros que suelen acoplarse de manera permanente al regulador terapéutico permiten ajustar la administración de oxígeno al paciente dentro de un rango de 1 a 25 L/minuto. Los dos tipos de flujómetros de uso más frecuente son: el de presión compensada y el flujómetro con válvula de Bourdon.

Un **flujómetro de presión compensada** incorpora una esfera flotante dentro de un tubo cónico calibrado que asciende o desciende con base en el flujo en su interior, que es regulado por una válvula de aguja localizada detrás de la esfera; debido a que este tipo de flujómetro es afectado por la gravedad, debe mantenerse en una posición vertical para asegurar una lectura precisa, **FIGURA 13-42**. El flujómetro de presión compensada se usa con máxima frecuencia con la fuente principal de oxígeno en la ambulancia,

Por el contrario, el **flujómetro con válvula de Bourdon** no se afecta por la gravedad y puede colocarse en cualquier posición, calibrado para registrar la velocidad de flujo, **FIGURA 13-43**. La principal ventaja de este tipo de flujómetro es que no compensa la contrapresión. Como resultado, suele registrar una velocidad de flujo más alta cuando hay alguna obstrucción posterior.

Preparación de un tanque de oxígeno para su uso

Antes de administrar oxígeno complementario, usted debe preparar el tanque y el regulador del tratamiento. Haga la inspección del tanque y sus marcas y, después, retire el sello de plástico que cubre la abertura del cuerpo de la válvula (si el cilindro se llenó en forma comercial). Inspeccione la abertura para asegurarse de que esté libre de polvo y otros detritos. Con el tanque dirigido alejándose de usted y otras personas, utilice una llave de oxígeno para "abrirlo"; abra y cierre rápido la válvula para asegurarse de que se eliminen de su estructura las partículas de polvo y otros contaminantes y no ingresen al tanque de oxígeno.

Acople el regulador/flujómetro al cuerpo de la válvula, asegurándose que se alinee de forma correcta al sistema de pernos índice. Se coloca un anillo O de metal o plástico alrededor del puerto del oxígeno para hacer óptimo el sellado hermético entre el collar del regulador y el cuerpo de la válvula. Coloque el collar del regulador sobre la válvula del tanque con el puerto del oxígeno y los pernos índice en el lado del cuerpo de la válvula con tres orificios. Alinee el regulador de manera que el puerto del oxígeno y los pernos se ajusten en los orificios correspondientes

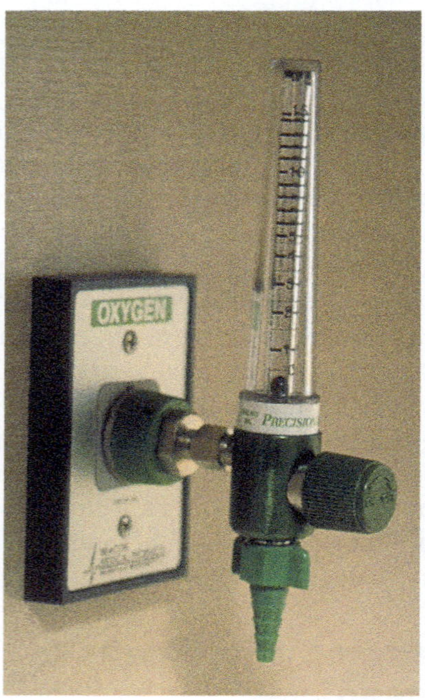

FIGURA 13-42 Los flujómetros de presión compensada contienen una esfera flotante que asciende o desciende con base en el flujo del gas dentro del tubo. Deben mantenerse en posición vertical para asegurar una lectura precisa.

FIGURA 13-43 El flujómetro con válvula de Bourdon no es afectado por la gravedad y se puede colocar en cualquier posición.

del cuerpo de la válvula; alinee el perno roscado en el lado opuesto con orificio y apriételo hasta que el regulador quede firmemente acoplado al tanque. En este punto, usted no deberá ver ningún espacio entre los lados del cuerpo de la válvula y las paredes internas del collar, **FIGURA 13-44A**.

Con el regulador acoplado con firmeza, abra el tanque y lea la presión en el medidor. Un segundo medidor o selector en el flujómetro indica la velocidad del flujo de oxígeno. Acople el tubo conector de oxígeno a la boquilla “árbol de navidad” en el flujómetro y seleccione la velocidad del flujo de oxígeno apropiada para el estado clínico del paciente, **FIGURA 13-44B**.

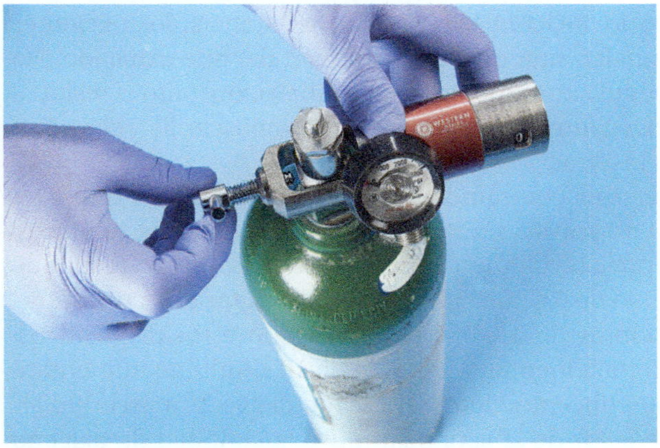

A

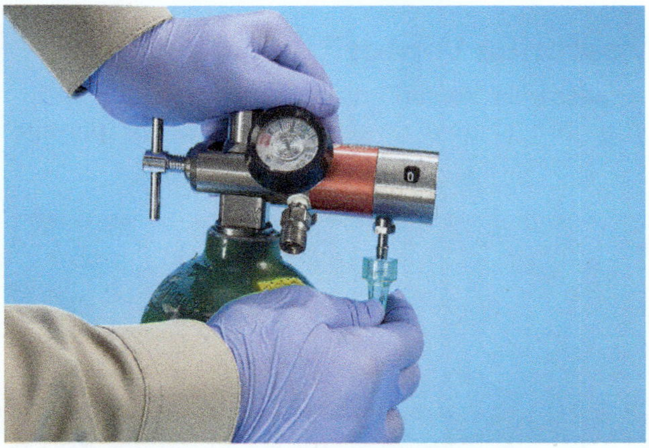

B

FIGURA 13-44 A. Acople el regulador de oxígeno asegurándose de que el sistema de pernos índice esté alineado de manera adecuada y apriete el perno roscado hasta que quede seguro. **B.** Acople el dispositivo de provisión de oxígeno y seleccione la velocidad de flujo apropiada para el estado clínico del paciente.

Dispositivo de administración de oxígeno complementario

En general, el equipo de administración de oxígeno que se usa en el contexto prehospitalario se limita a las mascarillas sin recirculación, los dispositivos de bolsa-mascarilla y las cánulas nasales, dependiendo de los protocolos locales. Sin embargo, usted podría encontrar otros dispositivos durante los transportes entre instalaciones médicas.

Mascarillas sin recirculación

Las **mascarillas sin recirculación** se usan para administrar oxígeno a flujo alto a los pacientes con hipoxemia significativa que desde otros puntos de vista respiran de manera adecuada. Con un buen sellado de la mascarilla a la cara y la velocidad de flujo de 15 L/min, pueden proveer una fracción de oxígeno inspirado (FIO_2) de hasta 90%.

La mascarilla sin recirculación es un sistema combinado de mascarilla y reservorio. El oxígeno llena una bolsa reservorio acoplada a la mascarilla por una válvula unidireccional, que permite que el paciente inhale desde ella, pero no que exhale a su interior. El único gas que puede ingresar al reservorio, por lo tanto, es oxígeno al 100%, que proviene del tanque. Los gases exhalados se escapan a través de válvulas unidireccionales de tipo aleta, localizadas en el lado de la mascarilla, **FIGURA 13-45**.

Antes de administrar oxígeno a un paciente con una mascarilla sin recirculación, debe asegurarse que la bolsa reservorio esté por completo llena. La velocidad de flujo de oxígeno, en general, se ajusta de 12 a

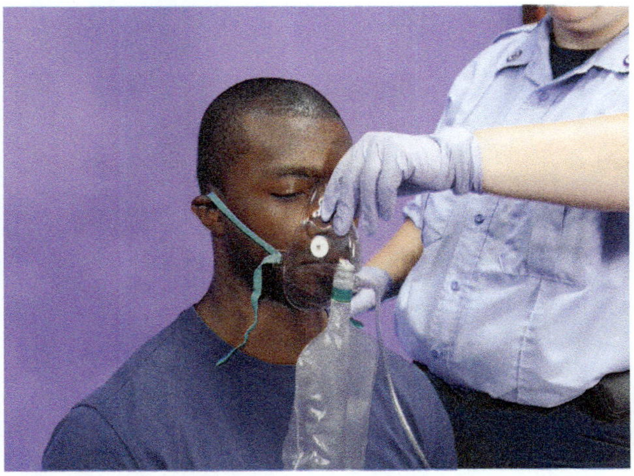

FIGURA 13-45 Mascarilla sin recirculación.

15 L/min para prevenir el colapso de la bolsa durante la inhalación. Use una mascarilla sin recirculación pediátrica, que tiene una bolsa reservorio de menores dimensiones para lactantes o niños más pequeños, pues inhalan volúmenes más reducidos de aire.

La mascarilla sin recirculación está indicada en pacientes con respiración espontánea adecuada que requieren concentraciones de oxígeno de flujo alto (p. ej., aquellos en estado de shock o con hipoxemia significativa) y respiran de manera adecuada (p. ej., volumen tidal con frecuencia y regularidad normales). Sus contraindicaciones incluyen a pacientes con apnea y esfuerzo respiratorio deficiente. Debido a que la mascarilla sin recirculación provee oxígeno de manera pasiva, las respiraciones del paciente deben ser de profundidad adecuada para abrir la válvula unidireccional y así colapsar un poco la bolsa reservorio, con ingreso de aire a los pulmones. Un paciente con una disminución notoria del volumen tidal (cuando es poco profunda) se beneficiará poco, si acaso, del uso de una mascarilla sin recirculación.

Cánula nasal

Con la **cánula nasal** se administra oxígeno a través de dos puntas pequeñas que se ajustan a las narinas del paciente, **FIGURA 13-46** y con una velocidad de flujo de 1 a 6 L/min se logra una concentración de oxígeno de 24 a 44%. Utilice un humidificador de oxígeno (descrito más adelante en esta sección) cuando se administre este gas a través de cánula nasal por un periodo prolongado, porque ayudará a prevenir la resequedad y la irritación de las mucosas.

La cánula nasal provee un enriquecimiento bajo a moderado de oxígeno y es de beneficio máximo para los pacientes con hipoxemia leve (saturación de oxígeno entre 90 y 93%) y para quienes requieren tratamiento a largo plazo (p. ej., para EPOC). Es ineficaz en el paciente con apnea, esfuerzo respiratorio débil e hipoxia grave, o aquel que respira por la boca. En el contexto prehospitalario, la cánula nasal se usa sobre todo cuando los pacientes que necesitan oxígeno no pueden tolerar una mascarilla sin recirculación o requieren solo pequeñas concentraciones de oxígeno para mantener una saturación mayor de 94%.

La cánula nasal en general es bien tolerada, en especial por pacientes con claustrofobia e intolerantes a una mascarilla sobre la cara. Sin embargo, no provee volúmenes o concentraciones altos de oxígeno.

Mascarilla con recirculación parcial

Una **mascarilla con recirculación parcial** es similar a aquella sin recirculación, excepto porque carece de la válvula unidireccional entre la mascarilla y el reservorio, **FIGURA 13-47**. En consecuencia, los pacientes inhalan una pequeña cantidad del aire exhalado. No circula aire ambiente en la inhalación, pero el residual exhalado se mezcla dentro de la mascarilla y se vuelve a inspirar.

Sus contraindicaciones son las mismas que para la mascarilla sin recirculación: cualquier paciente con apnea o volumen tidal inadecuados. A velocidades de flujo de 6 a 10 L/min es posible lograr una concentración de 35 a 60% de oxígeno con estos dispositivos. El incrementarla más allá de 10 L/min no aumentará su concentración y el escape desde la mascarilla alrededor de la cara disminuye la cantidad de oxígeno inhalada.

Mascarilla Venturi®

La **mascarilla Venturi®** dirige aire ambiente a su interior con el flujo de oxígeno, lo que así permite

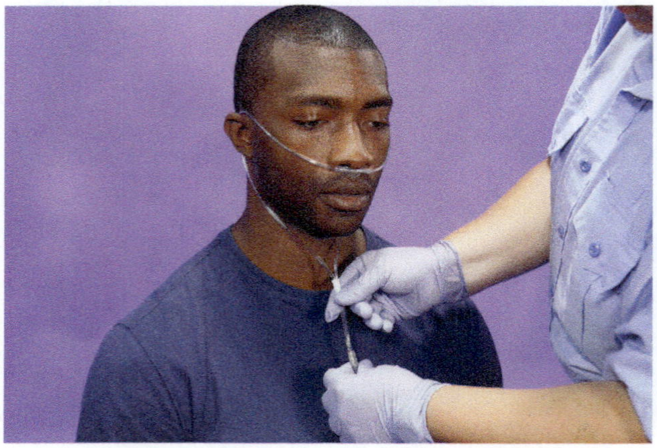

FIGURA 13-46 Cánula nasal.

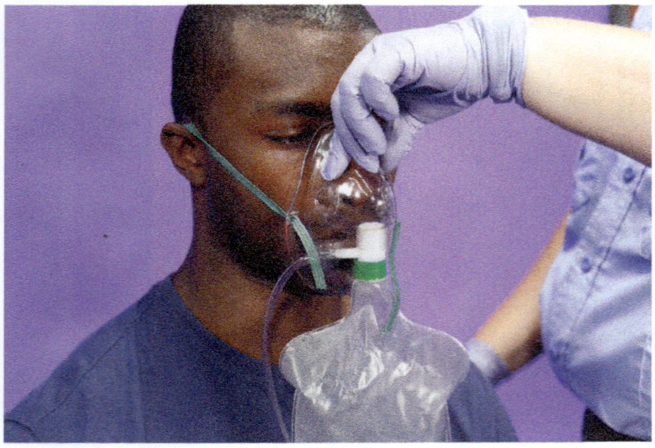

FIGURA 13-47 Mascarilla de recirculación parcial.

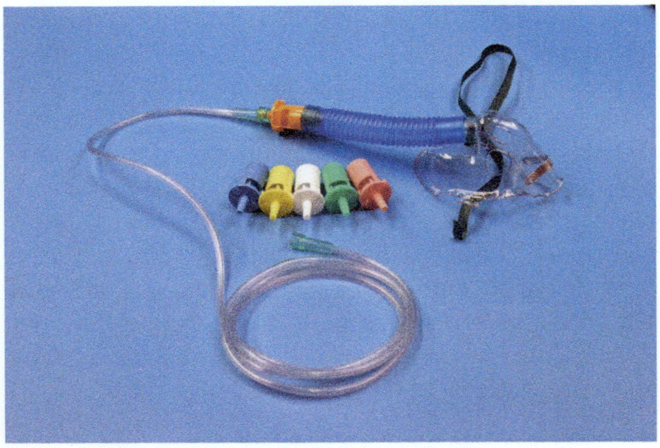

FIGURA 13-48 Mascarilla Venturi®.

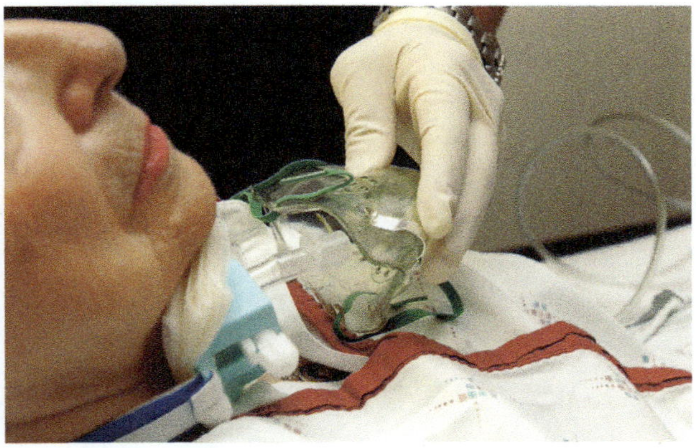

FIGURA 13-49 Si no hay disponible una mascarilla de traqueotomía, entonces use una máscara facial en su lugar.

administrarlo en concentraciones muy específicas, FIGURA 13-48. Dependiendo del adaptador usado, la mascarilla Venturi puede proveer 24, 28, 35 o 40% de oxígeno. El dispositivo es útil en especial para la atención de pacientes con EPOC y otras enfermedades respiratorias crónicas en un contexto intrahospitalario. Puede también beneficiar a quienes requieren concentraciones precisas de oxígeno durante el transporte prolongado entre instalaciones hospitalarias.

Mascarilla de traqueotomía

Los pacientes con traqueotomía no respiran a través de nariz y boca y, por lo tanto, una mascarilla facial o una cánula nasal serían ineficaces para proveerles oxígeno. Las mascarillas diseñadas de manera específica para estos pacientes cubren el orificio de la traqueotomía (boca anastomótica) y cuentan con una cinta que se ubica alrededor del cuello, suelen estar disponibles en las UCI donde muchos pacientes tienen traqueotomía y tal vez no ocurra así en el contexto de las emergencias. Si usted no cuenta con una mascarilla de traqueotomía puede improvisarla colocando una mascarilla facial sobre la boca anastomótica. Aunque está conformada para adaptarse a la cara, usted, por lo general, puede mantener su buen acoplamiento sobre el cuello del paciente ajustando la cinta, FIGURA 13-49.

En el CUADRO 13-9 se comparan los dispositivos para la administración de oxígeno.

Humidificador de oxígeno

El oxígeno almacenado en tanques tiene cero humedad y no es una buena idea administrar gases secos a la vía aérea de un paciente durante periodos prolongados. De hecho, el oxígeno carente por completo de humedad secará con rapidez sus membranas mucosas.

CUADRO 13-9 Dispositivos para la administración de oxígeno

Dispositivo	Velocidad de flujo	Oxígeno administrado
Cánula nasal	1-6 L/min	De 24-44%
Mascarilla de recirculación parcial	6-10 L/min	De 35-60%
De bolsa-mascarilla	15 L/min	De casi 55%
Mascarilla sin recirculación	15 L/min	Hasta de 90%
De bolsa-mascarilla con reservorio de oxígeno	15 L/min	De casi 100%

Un **humidificador de oxígeno** consta de un frasco pequeño con agua estéril a través del cual el oxígeno que sale del tanque la capta antes de llegar al paciente, FIGURA 13-50. Debido a que el humidificador debe mantenerse en posición vertical solo es de uso práctico con la unidad fija de oxígeno en la ambulancia. Además, los humidificadores de oxígeno pueden ser una fuente de infección para los pacientes, motivo por el cual debería usarse un frasco desechable para el efecto.

Respaldo ventilatorio

Es obvio que un paciente que no respira necesita ventilación asistida y oxígeno complementario con flujo alto. La ventilación asistida es de las destrezas

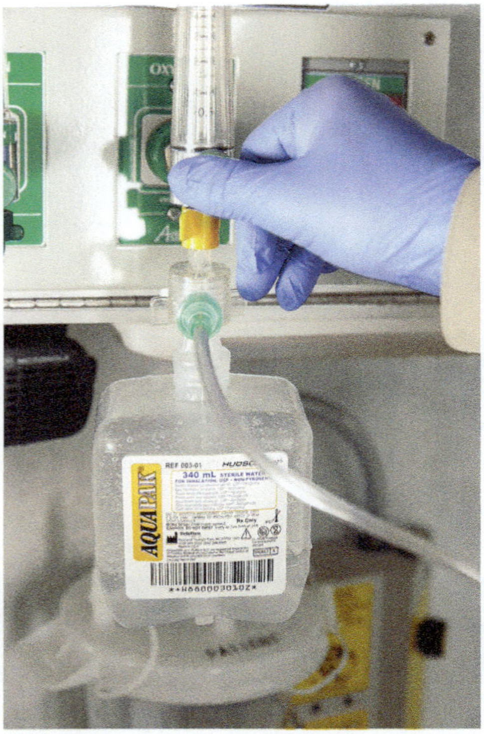

FIGURA 13-50 Se prefiere la administración de oxígeno humidificado para el transporte a gran distancia, con el fin de evitar el secado de las membranas mucosas del paciente.

más importantes en los SEM de cualquier nivel. Corresponde a la capacidad para proveer la ventilación artificial a un paciente que respira de manera espontánea, o uno que no lo hace en absoluto. Las técnicas de ventilación asistida son en extremo eficaces cuando son aplicadas de manera apropiada. Es imperativo su dominio.

Los pacientes que respiran de modo inadecuado, en forma muy rápida o lenta, con disminución del volumen tidal (de poca profundidad) a menudo no pueden hablar con oraciones completas. Un patrón de respiración regular también puede requerir de la ventilación asistida para ayudar a mantener un volumen minuto adecuado. La respiración rápida y poco profunda puede ser tan peligrosa como la muy lenta, pues dirige el aire sobre todo hacia la vía aérea más grande (espacio muerto) y no permite el adecuado intercambio de oxígeno y dióxido de carbono en los alvéolos. La presencia de signos de depresión del estado mental y un volumen minuto inadecuado es indicación de la ventilación asistida. Además, el uso excesivo de los músculos accesorios y la fatiga o la respiración laboriosa son signos de insuficiencia respiratoria potencial, por lo que los pacientes afectados requieren tratamiento inmediato.

Se dispone de dos opciones terapéuticas para los pacientes con dificultad respiratoria grave o insuficiencia respiratoria: (1) ventilación con presión positiva continua (PPCVA) con un dispositivo de bolsa y mascarilla, o (2) de dos niveles (PPDN) en la vía aérea. El propósito de la ventilación asistida es mejorar el estado de oxigenación y ventilación totales del paciente. Más adelante en este capítulo se describen PPCVA y PPDN; esta sección se dedica a la ventilación asistida con dispositivo de bolsa-mascarilla.

Ventilación normal frente a la ventilación con presión positiva

El acto de desplazar aire al interior y fuera de los pulmones se basa en los cambios de presión dentro de la cavidad torácica. Durante la ventilación normal, el diafragma se contrae y los músculos intercostales expanden al tórax, con la generación de una presión negativa en su cavidad, que lleva aire hacia el interior a través de boca/nariz y tráquea, en un intento por equilibrar la presión intratorácica con la atmosférica externa (ventilación a presión negativa). Sin embargo, la ventilación a presión positiva generada por un dispositivo como uno de bolsa-mascarilla, fuerza aire al interior de la cavidad torácica desde el ambiente externo. Es importante comprender las diferencias entre la ventilación normal y aquella a presión positiva, porque cuando esta última es muy intensa puede alterar la hemodinámica del paciente y llevar aire al estómago, **CUADRO 13-10**.

El acto físico de expansión de la pared del tórax y su retracción durante la respiración ayuda al aparato circulatorio al retorno de sangre hacia el corazón. Durante la ventilación normal, el movimiento de la pared torácica actúa de manera similar a una bomba. Los cambios de presión dentro de la cavidad torácica ayudan a dirigir la sangre venosa de retorno al corazón, lo que mejora la precarga. Sin embargo, cuando se inicia la ventilación a presión positiva se desplaza más aire para alcanzar los mismos efectos de oxigenación y ventilación de la respiración normal. Este aumento de presión sobre la vía aérea causa que las paredes de la cavidad torácica se expandan y salgan de su forma anatómica normal, con el resultado de un aumento de la presión intratorácica. La presión positiva también afecta el retorno venoso al corazón, lo que disminuye la precarga. El flujo sanguíneo disminuye por el aumento de la presión intratorácica y da como resultado un retorno insuficiente de sangre al corazón

CUADRO 13-10 Ventilación normal frente a la ventilación a presión positiva

	Ventilación normal	Ventilación a presión positiva
Desplazamiento del aire	Se aspira aire hacia los pulmones por la presión intratorácica negativa que se crea cuando se contrae el diafragma.	Se fuerza aire hacia los pulmones por la ventilación mecánica.
Desplazamiento de la sangre	Facilita el retorno venoso y, por lo tanto, mantiene la precarga.	La presión intratorácica aumenta, lo que altera el retorno venoso (y la precarga); como resultado, el volumen sistólico y el gasto cardíaco disminuyen.
Presión sobre la pared de la vía aérea	No se modifica	Se requiere más volumen para tener los mismos efectos que la respiración normal. Como resultado, las paredes se expanden y salen de su forma anatómica normal.
Presión de abertura del esófago	No se modifica	Se fuerza aire hacia el estómago, lo que causa su distensión, que puede causar vómito y aspiración.
Sobre ventilación	No es usual	El volumen y la frecuencia forzados causan aumento de la presión intratorácica, distensión gástrica y disminución del gasto cardíaco (hipotensión).

y, en consecuencia, la cantidad de sangre bombeada disminuye.

Por lo tanto, es *imperativo* que usted regule la velocidad y el volumen de las ventilaciones artificiales para ayudar a prevenir este descenso del gasto, o que es función del volumen sistólico multiplicado por la frecuencia del pulso y se cuantifica como la cantidad de sangre expulsada por el ventrículo izquierdo en un minuto.

Otra diferencia entre la ventilación normal y aquella a presión positiva tiene relación con la regulación del flujo de aire. Cuando una persona ventila, ingresa aire a la tráquea y, en general, no al esófago. Sin embargo, la fuerza generada por la ventilación a presión positiva permite que ingrese aire no solo a la tráquea, sino también al esófago. Las ventilaciones demasiado fuertes pueden abrir el esófago (por lo regular un tubo plano) e introducir aire en el estómago. Esta complicación potencial, llamada **distensión gástrica**, se describe más adelante en este capítulo.

Ventilación asistida

Siga los pasos que se indican a continuación para ayudar a las ventilaciones de un paciente consciente mediante un dispositivo de bolsa-mascarilla. Recuerde explicarle primero el procedimiento y siga las precauciones acostumbradas (que se describen más adelante en este capítulo) según se requiera, cuando se trata la vía aérea:

1. Coloque la mascarilla sobre la nariz y boca.
2. Comprima la bolsa cada vez que el paciente inhale, manteniendo la misma frecuencia, con su instrucción para lograrlo, según se requiera.
3. Después de las cinco a 10 ventilaciones iniciales, ajuste en forma lenta la velocidad y provea el volumen tidal apropiado.
4. Ajuste la frecuencia y el volumen tidal para mantener un volumen minuto adecuado.

Ventilación asistida

Sin tratamiento inmediato, los pacientes en paro respiratorio morirán. El acto de respirar por un paciente, o ventilación asistida, es una destreza que debe practicarse con frecuencia y no tomarse a la ligera. Después de que usted determina que un paciente no está respirando, inicie de inmediato la ventilación asistida. Los métodos que podría usar para proveerla incluyen las técnicas de boca a mascarilla y la de bolsa-mascarilla, por una y dos personas.

Ventilación de boca a mascarilla

Como usted aprendió en su curso de RCP, la ventilación se realiza de manera sistemática con un dispositivo de barrera, como una mascarilla con válvula unidireccional o un escudo facial de plástico, **FIGURA 13-51**, un artículo de protección que cuenta con una hoja de plástico que se coloca sobre la cara del paciente y tiene una válvula unidireccional para evitar el reflujo de las secreciones, vómito y gases, para quien realiza la ventilación de boca a mascarilla.

La ventilación de boca a mascarilla (o aquella con uso de otro dispositivo de barrera) debería hacerse solo si no se dispone de uno de bolsa y mascarilla. Las ventajas de usar una mascarilla durante la ventilación de un paciente incluyen colocar una barrera física entre su boca y la de quien lo asiste. La mayoría de las mascarillas cuenta con una válvula unidireccional para evitar a quien realiza la ventilación, la exposición a sangre y otros líquidos corporales del paciente. También es más fácil para obtener un sellado eficaz con la mascarilla porque quien la usa puede utilizar ambas manos y le permite proveer un volumen tidal adecuado al paciente.

Una mascarilla con una entrada de oxígeno lo provee durante la ventilación de boca a mascarilla como complemento para el aire presente en los pulmones. Recuérdese que el gas que usted exhala contiene 16% de oxígeno, que es adecuado para mantener la vida de un paciente durante un periodo limitado. Con la técnica de boca a mascarilla, sin embargo, el paciente recibe el beneficio adicional de un enriquecimiento significativo de oxígeno del aire inspirado: hasta de 55%. Considere contar con un dispositivo de mascarilla facial con válvula unidireccional en su vehículo para el caso de que atienda a un paciente con apnea durante sus actividades.

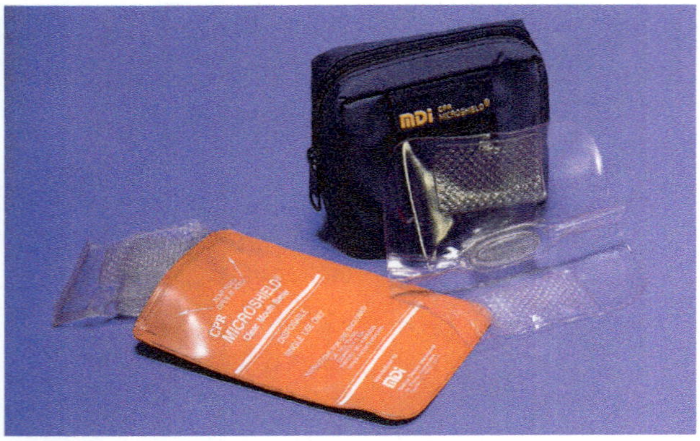

FIGURA 13-51 Escudo facial de plástico.

La mascarilla debería tener forma similar a un triángulo o una rosquilla, cuyo ápice (parte alta) se coloca sobre el puente nasal. La base (parte baja) se coloca en el surco entre el labio inferior y el mentón. En el centro de

USTED es el Paramédico

PARTE 5

Después de administrar una dosis apropiada de ketamina por vía intramuscular, encuentra que el paciente está menos agitado y ahora aceptará el tratamiento de PPCVA. Usted revalora su estado clínico mientras su compañero trae la camilla de la ambulancia y en ese momento, también establece un acceso IV.

Tiempo de registro: 11 minutos	
Nivel de conciencia	Consciente pero sedado
Respiraciones	24/min; menos laboriosas
Pulso	De 122 latidos/min; fuerte y regular
Piel	Tibia y húmeda; color de labios y encías en retorno al basal
Presión arterial	176/92 mm Hg
Saturación de oxígeno (Spo_2)	87%
Pupilas	PIRRL
$ETCO_2$	51 mm Hg
EKG	Taquicardia sinusal

8. ¿Por qué mejora el estado del paciente, aunque usted le administró un sedante?
9. ¿Qué utilidad tiene la capnografía para evaluar el estado ventilatorio del paciente?

la mascarilla hay un receptáculo con un conector de 16 milímetros.

Técnica de ventilación de boca a mascarilla

Para ventilar a un paciente con una mascarilla facial de bolsa, abra su vía aérea con las maniobras de inclinación de cabeza-elevación del mentón o impulso mandibular. Inserte una vía aérea oral o nasal para ayudar a mantener la permeabilidad. Conecte la válvula unidireccional a la mascarilla facial y coloque esta sobre la cara del paciente. Asegure la parte alta de la mascarilla sobre el puente de la nariz y la parte baja entre el labio inferior y el mentón. Sujete la mascarilla en posición correcta colocando sus pulgares en la parte alta y los índices sobre la baja. Sujete la mandíbula del paciente con los tres dedos restantes de cada mano. Coloque sus pulgares sobre la cúpula de la mascarilla y haga un sello hermético aplicando presión entre estos y los demás dedos. Mantenga un impulso ascendente y anterógrado de la mandíbula del paciente con sus dedos para conservar abierta la vía aérea, **FIGURA 13-52A**. Sople despacio durante un periodo de un segundo, apenas suficiente para producir una elevación visible de la pared torácica, y después, retire su boca de la válvula unidireccional y deje que el paciente exhale en forma pasiva, **FIGURA 13-52B**.

La eficacia de la ventilación se determina mejor al observar la elevación de la pared torácica del paciente y su descenso, así como la percepción de resistencia en los pulmones conforme se expanden. Usted también escuchará y percibirá el escape de aire conforme el paciente exhala de manera pasiva. Asegúrese de proveer el número correcto de respiraciones por minuto, de acuerdo con la edad del paciente, **CUADRO 13-11**.

El dispositivo de bolsa-mascarilla

Con un dispositivo de bolsa y mascarilla con reserva de oxígeno, una velocidad de flujo de 15 L/min y un sellado adecuado, se puede proveerlo casi a 100%, **FIGURA 13-53**. La mayoría de los dispositivos de bolsa-mascarilla incluye modificaciones o accesorios (y reservorios) que permiten la provisión de oxígeno a concentraciones que se acercan a 100%. Sin embargo, solo puede proveer tanto volumen como el que se impulsa al comprimir la bolsa con la mano. Aunque el dispositivo de bolsa-mascarilla suministra menos volumen tidal que la técnica de boca a mascarilla, aporta oxígeno a concentraciones mucho más altas.

El dispositivo de bolsa-mascarilla es el de uso más frecuente para ventilar pacientes en el contexto prehospitalario. Como paramédico experto, usted podrá proveer un volumen tidal adecuado con un dispositivo de bolsa-mascarilla. Sin embargo, su uso puede constituir una destreza difícil de dominar, en especial si no se tienen muchas oportunidades para practicarla. El sellado de la mascarilla sobre un paciente puede ser difícil de mantener por solo un rescatista. Debido a que se requieren dos manos para hacer la maniobra de impulso mandibular, son necesarios dos rescatistas para usar el dispositivo de bolsa-mascarilla en un paciente de traumatología, a menos que ya se haya insertado una vía aérea avanzada. La cantidad del volumen tidal y la concentración de oxígeno provistas al paciente dependen de mantener la integridad del sellado de la mascarilla. Usted debería practicar esta destreza con frecuencia al ventilar a un maniquí con el dispositivo de bolsa-mascarilla.

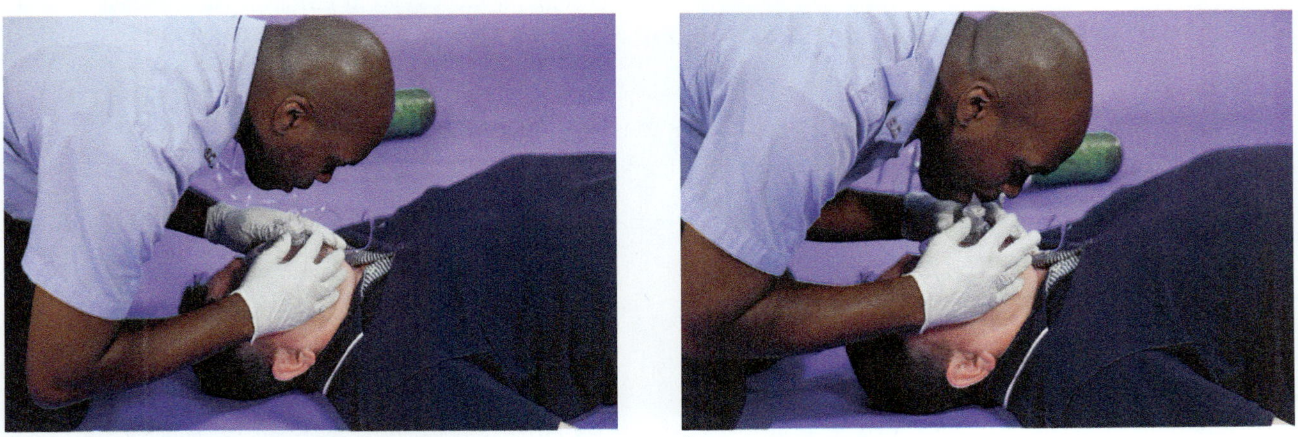

A B

FIGURA 13-52 A. Abra la vía aérea del paciente y coloque de manera apropiada la mascarilla sobre su cara. **B.** Administre cada ventilación durante un periodo de un segundo, observe la elevación de la pared torácica y deje que el paciente exhale en forma pasiva.

CUADRO 13-11 Frecuencias de ventilación de acuerdo con la edad

Desde el inicio de la pubertad (de 12 a 14 años) y después	Apneico con pulso: una ventilación cada 6 segundos (10/min) • Con o sin una vía aérea avanzada colocada (p. ej., tubo ET, ML, vía aérea supraglótica i-gel®). Apneico y sin pulso (después de la inserción de una vía aérea avanzada): una ventilación cada 6 segundos (10/min) con compresiones continuas de tórax
Lactante (de 1 mes a 1 año) y niño (de un año hasta el inicio de la pubertad	Esfuerzo respiratorio inadecuado o apnea con pulso: una ventilación cada 2 a 3 segundos (20 a 30/min). • Con o sin una vía aérea avanzada colocada (p. ej., tubo ET, ML, vía aérea supraglótica i-gel®). Apneico y sin pulso (después de la inserción de una vía aérea avanzada): una ventilación cada 2 a 3 segundos (20 a 30/min)

Abreviaturas: ET, endotraqueal; ML, mascarilla laríngea.

Evite hiperventilar al paciente; eso puede "comprimir" el corazón e impedir así el retorno venoso y el gasto cardíaco subsiguiente. La hiperventilación también aumenta los riesgos de regurgitación y aspiración.

Datos de: Panchal AR, Bartos JA, Cabañas JG, et al. Part 3: adult basic and advanced life support. *Circulation*. 2020;142(suppl 2):S366-S468; Topjian AA, Raymond TT, Atkins D, et al. Part 4: pediatric basic and advanced life support. *Circulation*. 2020;142(suppl 2):S469-S523.

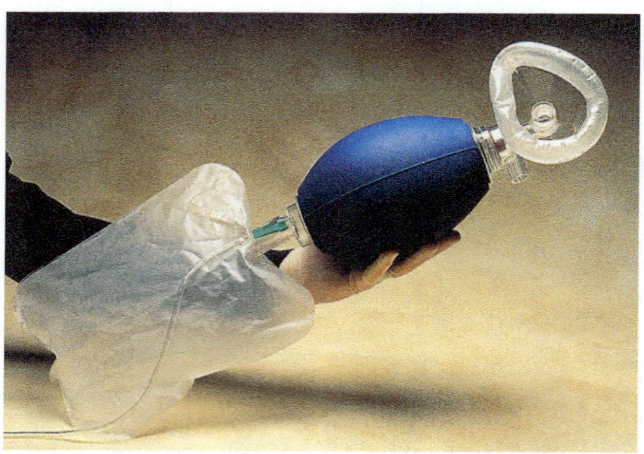

FIGURA 13-53 Un dispositivo de bolsa-mascarilla con reservorio de oxígeno puede suministrarlo casi a 100% si se mantiene un buen sellado entre la cara y la mascarilla y se le acopla el oxígeno complementario.

Componentes del dispositivo de bolsa-mascarilla

Todos los dispositivos de bolsa-mascarilla de adultos deberían tener los siguientes componentes y características:

- Una bolsa desechable de autoinflado
- Sin válvula removible, o si está presente una, con la capacidad para deshabilitarla
- Una válvula de salida que de verdad no permita la recirculación
- Un reservorio de oxígeno que permita aportarlo en gran concentración
- Un sistema de válvula de entrada unidireccional sin atascos que provea el flujo de ingreso de oxígeno a un máximo de 15 L/min, con ajuste estándar de 15/22 mm para una mascarilla facial y una vía aérea avanzada (p. ej., tubo ET, mascarilla laríngea [ML]), King LT®, i-gel®)
- Una mascarilla transparente
- La capacidad de desempeñarse bajo condiciones ambientales extremas, que incluyen las de frío y las de calor

La bolsa reservorio de un dispositivo de bolsa-mascarilla de adulto suele contener un máximo de

SEGURIDAD

Los procedimientos de tratamiento de la vía aérea y ventilación a menudo exponen a quienes los aplican a sangre, vómito, secreciones bucales y gotas respiratorias en aerosol. Aunque la sangre es el de máxima potencia infectante, usted debería tener gran precaución para evitar el contacto con todos los líquidos corporales. Utilice guantes para todos los procedimientos de vía aérea y ventilación pues manipula equipos de vía aérea que pudiesen haberse contaminado con líquidos corporales. Para disminuir el riesgo de que las salpicaduras o gotitas en aerosol de un líquido corporal entren en contacto con su boca, nariz y ojos, utilice una mascarilla y gafas de protección o un escudo facial cuando realice un procedimiento de tratamiento de la vía aérea. Cuando asista a las ventilaciones en el caso de una pandemia o cuando atienda a un paciente con una enfermedad muy contagiosa, coloque un filtro de partículas de aire de alta eficacia (FPAAE) para virus y bacterias entre la mascarilla o el dispositivo de vía aérea avanzada y la bolsa, para disminuir la cantidad de material infeccioso que pasa al aire. En casos que implican salpicaduras significativas de sangre o en el paciente que se sospecha sufre una infección respiratoria (p. ej., SARS [SRG]-CoV-2 [síndrome respiratorio grave por coronavirus-2], tuberculosis), debería también usar una bata de protección.

1 200 a 1 600 ml de gas. Una bolsa pediátrica contiene de 500 a 700 ml y una de lactante, de 150 a 240.

El volumen de aire (oxígeno) por proveer al paciente se basa en una observación clave: la elevación visible de la pared torácica. Un volumen tidal de 500 a 600 ml (de 6 a 7 ml/kg) por respiración proveerá una elevación visible de la pared torácica en la mayoría de los adultos. Cuando se utiliza un dispositivo de bolsa-mascarilla, provéase cada respiración durante un periodo de un segundo (apenas suficiente para producir una elevación visible de la pared torácica) a la frecuencia apropiada. Las respiraciones muy fuertes o rápidas pueden tener dos efectos negativos: distensión gástrica (vinculada con el riesgo de vómito y aspiración) y disminución del retorno venoso al corazón (disminución de la precarga), por el aumento de la presión intratorácica.

Una técnica inapropiada, un sellado ineficaz de mascarilla-cara o la presencia de distensión gástrica pueden causar el suministro de un volumen tidal y oxígeno inadecuados. El entrenamiento y la práctica son clave para asegurar el uso apropiado de un dispositivo de bolsa-mascarilla.

Técnica del dispositivo de bolsa-mascarilla

Siempre que sea posible, usted y su compañero deberían trabajar juntos para proveer ventilación con un dispositivo de bolsa-mascarilla. Un paramédico puede mantener el buen sellado de la mascarilla asegurándola contra la cara del paciente con las dos manos, en tanto el otro comprime la bolsa. La ventilación con el uso de un dispositivo de bolsa-mascarilla constituye una destreza difícil; puede ser arduo para usted mantener un sellado apropiado entre la mascarilla y la cara con una mano mientras a la vez comprime la bolsa lo suficiente para suministrar un volumen de aire adecuado al paciente. Como se mencionó antes, la ventilación eficaz con bolsa-mascarilla requiere práctica y experiencia considerables. Además, el dominio de esta destreza depende de contar con suficiente personal para realizar otras acciones simultáneas, como las compresiones de tórax, la colocación de la camilla en su lugar o el ayudar al paciente a subir a esta.

Siga estos pasos para usar la técnica con el dispositivo de bolsa y mascarilla por dos personas:

1. Arrodíllese por arriba de la cabeza del paciente. De ser posible su compañero debería estar al lado. Seleccione el tamaño apropiado de mascarilla.
2. Mantenga el cuello del paciente en posición neutral. Abra la vía aérea y aspire la orofaringe, según se requiera. Inserte una vía aérea oral o nasal para ayudar a mantener la permeabilidad de la vía aérea.
3. Conecte el dispositivo de bolsa-mascarilla con el sistema de oxígeno complementario.
4. Coloque la mascarilla sobre la cara del paciente. Asegúrese de que la parte alta se ubique sobre el puente de la nariz y la baja esté sobre el surco entre el labio inferior y la mandíbula. Si la mascarilla tiene un cojinete grande redondo alrededor del puerto de ventilación, céntrelo sobre la boca del paciente. Infle (o desinfle) el collarín para obtener un mejor ajuste y sellado con la cara del paciente, de ser necesario.
5. Lleve la mandíbula del paciente hacia arriba en dirección de la mascarilla con sus últimos tres dedos, un paso que ayudará a mantener abierta la vía aérea. Asegúrese de no asir la parte carnosa del cuello, ya que esto puede comprimir estructuras y crear una obstrucción de la vía aérea. Si usted cree que el paciente puede tener una lesión raquídea, asegúrese de que su compañero estabilice en forma manual la columna cervical conforme usted moviliza la mandíbula.
6. Conecte la bolsa con la mascarilla, si no lo hizo antes.
7. Sujete la mascarilla en su lugar mientras su compañero comprime la bolsa con dos manos hasta que se eleve de manera visible la pared torácica del paciente, **FIGURA 13-54**. Si se sospecha una lesión raquídea, estabilice la cabeza y el cuello del paciente con sus antebrazos mientras mantiene un sellado adecuado de mascarilla-cara con sus manos. Continúe comprimiendo la bolsa una vez cada 6 segundos en los adultos y una cada 2 a 3 segundos en los lactantes y niños.

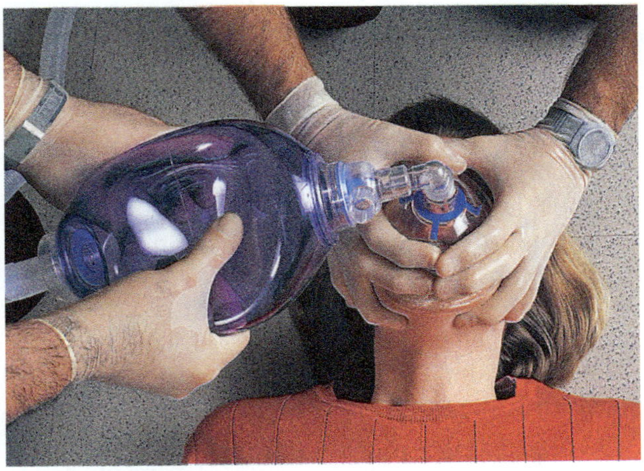

FIGURA 13-54 En la ventilación con bolsa-mascarilla por dos personas, sujete la mascarilla en su lugar mientras su compañero comprime la bolsa con las dos manos hasta que la pared torácica del paciente se eleve en forma visible.

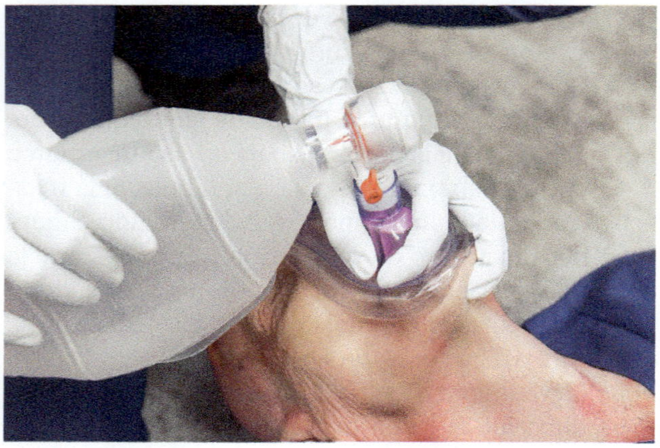

FIGURA 13-55 Mantenga el sellado de la mascarilla sobre la cara con uso de la técnica de pinza EC si se encuentra ventilando al paciente usted solo.

8. Si usted está solo, coloque sus dedos pulgar e índice tan alto como pueda sobre la mascarilla para formar una C, mantenga la vía aérea permeable elevando la prominencia ósea del mentón con los dedos restantes formando una E. No empuje la mascarilla hacia la cara del paciente; en vez de eso, haga tracción de la mandíbula hacia la mascarilla. Esta práctica, llamada de pinza EC, mantendrá un sellado eficaz de mascarilla-cara, **FIGURA 13-55**. Utilice la maniobra de inclinación de cabeza-elevación del mentón para asegurar que la vía aérea esté abierta. Comprima la bolsa con su otra mano en forma rítmica una vez cada 6 segundos en los adultos, y cada 2 a 3 segundos en lactantes y niños.
9. Observe en busca de distensión gástrica, cambios en la distensibilidad de la bolsa con las ventilaciones y la mejoría o el deterioro del estado clínico del paciente.

Cuando use el dispositivo de bolsa-mascarilla para ayudar a la ventilación, debería comprimir la bolsa conforme el paciente inhala. Después, durante las siguientes cinco a 10 ventilaciones ajuste de manera lenta la velocidad y el volumen tidal hasta alcanzar un volumen minuto adecuado.

Para ayudar a las ventilaciones de un paciente consciente que ventila muy rápido (hiperventilación) con un volumen tidal disminuido, si es coherente, explíquele primero el procedimiento. Al principio ayude a las ventilaciones con la frecuencia que el paciente ha estado respirando, comprimiendo la bolsa cada vez que inhala. En las siguientes cinco a 10 respiraciones, ajuste poco a poco la velocidad y el volumen tidal hasta lograr un volumen minuto adecuado.

Conforme usted ventile a un paciente con un dispositivo de bolsa-mascarilla, evalúe la eficacia de su accionar. Las ventilaciones artificiales son inadecuadas si la pared torácica del paciente no sube y baja con cada una, si no puede oír ruidos respiratorios cuando ausculta el tórax, si la velocidad de ventilación es muy lenta o rápida para la edad del paciente, o si la frecuencia del pulso o la saturación de oxígeno no mejoran. Cuando la pared del tórax del paciente no asciende o desciende, usted tal vez requiera cambiar la posición de la cabeza o insertar una vía aérea oral o nasal.

Si parece que el abdomen del paciente asciende y desciende, más bien que la pared del tórax cambie la posición de la cabeza. En alguien con probable lesión raquídea usted debería cambiar la posición de la mandíbula, más que de la cabeza. Si está escapando demasiado aire debajo de la mascarilla, reajuste sus manos y cambie su posición para un mejor sellado. Si la pared torácica del paciente aún no asciende o desciende después de hacer estas correcciones, busque una obstrucción de la vía aérea. Si no la hay, intente la ventilación con otro dispositivo.

Las técnicas avanzadas de vía aérea son de beneficio cuando la ventilación como medio básico es ineficaz, el paciente presenta una lesión de la columna cervical o su estado lo justifica desde otros puntos de vista.

Perlas de sabiduría

Indicios de que la ventilación asistida es adecuada[a]

- Elevación y descenso adecuados de la pared torácica con la ventilación
- Se pueden auscultar ruidos respiratorios en el tórax
- Se administran ventilaciones a una frecuencia apropiada:
  - 10/min en adultos
  - 20 a 30/ min en lactantes y niños
- La frecuencia del pulso retorna al rango normal
- Mejora la saturación de oxígeno

Indicios de que la ventilación asistida es inadecuada

- Ascenso y descenso nulos de la pared torácica
- No pueden auscultarse en el tórax los ruidos ventilatorios
- Ventilaciones demasiado rápidas o muy lentas para la edad del paciente
- La frecuencia del pulso no retorna a un rango normal
- La saturación de oxígeno no mejora

[a] En los pacientes con apnea y pulso (p. ej., no en paro cardíaco).

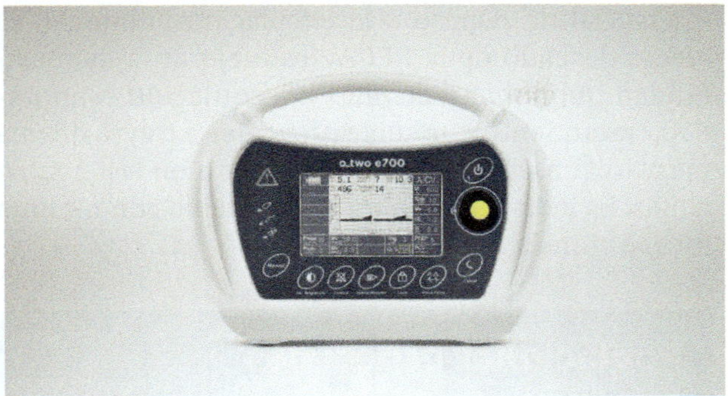

FIGURA 13-56 Ventilador automático de transporte.

Usada con autorización de O-Two Medical Technologies, Inc.

Ventiladores automáticos de transporte

El **ventilador automático de transporte (VAT)** permite ajustar de manera precisa las variables de la ventilación (frecuencia, volumen tidal y tiempo inspiratorio máximo), lo que permite una ventilación consistente, **FIGURA 13-56**. Hay muchos tipos de VAT disponibles. Algunos difieren solo en los ajustes básicos, otros incluyen ajustes y características más avanzados, como la titulación de FIO_2, el cociente de inspiración-exhalación (I:E) y la presión exhalatoria terminal positiva (PETP). Además, se pueden ajustar diferentes modos de ventilación con un VAT más complejo, que incluye la ventilación obligatoria intermitente sincronizada (VOIS), la asistencia/regulación (AR) y el respaldo de la presión.

En el modo AR, el ventilador garantiza una frecuencia ventilatoria mínima. El paciente puede respirar con mayor frecuencia que la establecida en el aparato, pero cada respiración es con el volumen tidal o la presión preajustados. Por lo tanto, en el modo AR se regula el trabajo ventilatorio, pero se permite que el paciente establezca la frecuencia respiratoria.

En el modo VOIS se provee una frecuencia y un volumen ventilatorio o una presión establecidos y que se sincronizan con cada respiración iniciada por el paciente. El aparato proveerá un cierto número de respiraciones obligatorias; todas las demás son espontáneas, con la frecuencia y profundidad propias del paciente. El modo VOIS permite al paciente asumir algo o la mayor parte del trabajo respiratorio, dependiendo de la frecuencia obligada.

El respaldo de la presión corresponde a una cantidad seleccionada por el proveedor de atención y que se utiliza para aumentar las respiraciones espontáneas del paciente. La presión rebasa a la resistencia impuesta de la vía aérea y el circuito del ventilador y mejora la distensibilidad de los pulmones. Esta forma de ventilación requiere que el paciente pueda iniciar una respiración.

Los pasos para usar un VAT son los siguientes:

1. Acople el VAT a la fuente de oxígeno montada en la pared.
2. Ajuste la frecuencia ventilatoria, el volumen tidal y el tiempo inspiratorio máximo en el aparato, según sea apropiado para la edad y el estado del paciente. Si está disponible e indicado por la clínica, ajuste el modo de ventilación y el cociente I:E de manera acorde.
3. Conecte el VAT con ajuste del tubo ET de 15/22 mm u otro dispositivo de vía aérea avanzada.
4. Ausculte los ruidos ventilatorios del paciente y observe en busca de una elevación de la pared torácica para asegurar la ventilación adecuada.

Aunque el VAT carece de los mandos complejos de un ventilador hospitalario, libera sus manos para realizar otras tareas no relacionadas con la vía aérea; sin embargo, aunque el VAT es útil para los paramédicos, siempre deben tener consigo un dispositivo de bolsa y mascarilla para el caso de que el aparato funcione de forma inadecuada.

En la mayoría de los casos se ajusta la frecuencia respiratoria en el punto medio o promedio para la edad del paciente. Usted puede calcular el volumen tidal utilizando una fórmula basada en 6 a 7 ml/kg de peso corporal ideal, que se ajusta con base en la elevación de la pared torácica y la respuesta fisiológica del paciente. Los VAT se consideran cíclicos con respecto al volumen y regulados por la frecuencia, lo que significa que suministran un volumen preestablecido con una frecuencia ventilatoria también preestablecida, aunque esto no garantiza que se esté aportando todo el volumen a los pulmones, a menos que el paciente esté intubado. Cuando se usa el VAT en el paciente intubado en paro o, es crítico ajustar la frecuencia y el volumen tidal de manera acorde, para disminuir el riesgo de hiperventilación.

La mayoría de los VAT es impulsada por el oxígeno, aunque algunos modelos pudieran requerir una

Perlas de sabiduría

Los pulmones de un adulto no aumentan de dimensiones o sostienen un volumen más alto solo porque su peso corporal sea mayor. Ese es el motivo por el que el volumen tidal con un ventilador mecánico, como un VAT, se ajusta con base en el peso corporal ideal (PCI) del paciente —*no* el peso corporal real—. Calcule el PCI de un paciente como sigue:

Hombres: PCI = 50 kg + 2.3 kg por cada 2.54 cm por arriba de 1.50 m de talla

Mujeres: PCI = 45.5 kg + 2.3 kg por cada 2.54 cm por arriba de 1.50 m de talla fuente externa de energía. Este tipo de ventilador en general consume 5 L/min de oxígeno, en tanto un dispositivo de bolsa-mascarilla utiliza de 15 a 25 L/m. Además, el VAT tiene una válvula de alivio de la presión que puede llevar a la hipoventilación en los pacientes con distensibilidad inadecuada de los pulmones, aumento de la resistencia u obstrucción de la vía aérea. Hay probabilidad de **baro traumatismo** (traumatismo resultante de una presión excesiva) si la válvula de alivio de la presión falla o si esta es muy rápida o intensa.

Presión positiva continua en la vía aérea

La **presión positiva continua en la vía aérea (PPCVA)** es un medio no invasivo de proveer respaldo ventilatorio para los pacientes que experimentan dificultad respiratoria. Muchas personas con apnea obstructiva del sueño usan una unidad de PPCVA para mantener su vía aérea permeable durante el sueño, **FIGURA 13-57**. El uso de la PPCVA en el contexto prehospitalario mostró ser un dispositivo excelente para tratar la dificultad respiratoria causada por edema pulmonar agudo, enfermedad pulmonar obstructiva y broncoespasmo agudo (como en el asma), en especial cuando se usa en conjunto con agonistas β-2. Por lo general, muchos pacientes con estas alteraciones se tratan con técnicas de vía aérea avanzada, como la intubación ET. La intervención temprana por PPCVA es una medida alternativa de proveer asistencia ventilatoria y puede evitar la necesidad de intubación. Debido a lo simple que es y su gran beneficio para los pacientes, los paramédicos usan mucho la PPCVA.

La PPCVA aumenta la presión dentro de los pulmones, abre los alvéolos colapsados y evita cualquier colapso adicional (atelectasia), impulsa más oxígeno a través de la membrana alveolar y fuerza al líquido intersticial de regreso a la circulación pulmonar. El efecto deseado de la PPCAV es mejorar la distensibilidad pulmonar y facilitar la ventilación espontánea, tratamiento que suele proveerse a través de una mascarilla asegurada a la cabeza con un sistema de cintas. Es indispensable un buen sellado con mínimo escape entre la cara y la mascarilla.

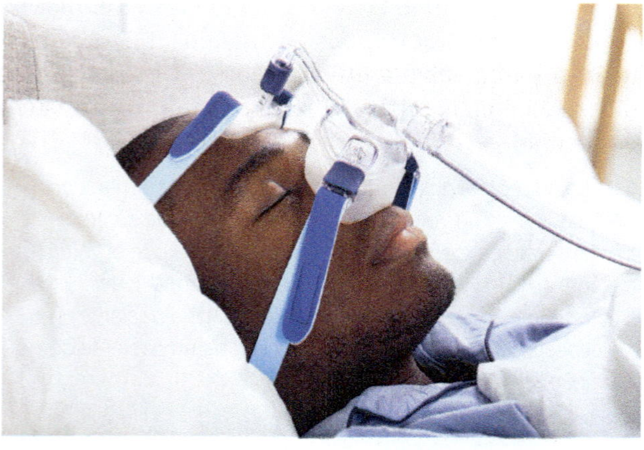

FIGURA 13-57 Muchas personas con apnea del sueño utilizan una unidad de PPCVA durante la noche para mantener permeable su vía aérea.

Poblaciones especiales

Ventilación asistida en los pacientes pediátricos

El puente nasal plano de los pacientes pediátricos dificulta un sellado eficaz entre mascarilla y cara, en comparación con los adultos. Además, la compresión de la mascarilla sobre la cara del paciente pediátrico para mejorar su sellado puede causar una obstrucción. Se logra el mejor sellado de la mascarilla por la técnica de ventilación con bolsa-mascarilla por dos personas y el desplazamiento de la mandíbula.

Use un dispositivo de bolsa-mascarilla pediátrico con un volumen tidal mínimo de 450 ml para los neonatos de término y lactantes. En los niños (de un año hasta el inicio de la pubertad [de 12 a 14 años]) considere sus dimensiones cuando determine las de la bolsa. Usted puede usar un dispositivo de bolsa-mascarilla de tamaño adulto con un volumen de 1 500 ml, pero se prefiere uno pediátrico. Los niños mayores de 12 a 14 años requieren un dispositivo de bolsa-mascarilla de adulto para su ventilación adecuada. Elija un tamaño que asegure un ajuste apropiado de la mascarilla, que debería ir desde el puente de la nariz hasta la hendidura de la barbilla. También puede usarse cinta para calcular las dimensiones más apropiadas de un dispositivo de bolsa-mascarilla para la reanimación con base en la longitud de los pacientes pediátricos de hasta 34 kg de peso.

Cuando usted ventile a un paciente pediátrico, asegure el sellado apropiado de la mascarilla utilizando la técnica de pinzamiento EC (descrita antes). Evite hacer presión sobre región blanda bajo el mentón, porque puede causar una obstrucción de la vía aérea, además, no haga presión sobre los ojos del paciente con la mascarilla porque el hacerlo estimula el reflejo óculo o que implica disminución de la frecuencia cardíaca o PA. Además, cuando la mascarilla se ubica muy alta en la cara, presentará fugas alrededor de las órbitas.

Provea cada ventilación durante un segundo: solo lo suficiente para producir una elevación visible de la pared torácica. No infle de manera excesiva. Administre una ventilación cada 2 a 3 segundos (20 a 30/min) y dé tiempo adecuado para la exhalación. Mientras hace la ventilación, observe una elevación adecuada de la pared torácica. Ausculte los ruidos respiratorios en el tercero o cuarto espacios intercostales sobre la línea media axilar a ambos lados. También evalúe mejoramientos en el color de la piel, la frecuencia del pulso, la saturación de oxígeno y el $ETCO_2$.

La mascarilla facial se acopla con una válvula de alivio de la presión que determina la que se provee al paciente (como 5 cm de agua [cm H_2O]), y como resultado origina un flujo inspiratorio alto y la necesidad de abrir una válvula de presión con la exhalación. Aunque se requiere a menudo mucho esfuerzo para lograr este resultado, en especial cuando el paciente presenta dificultad respiratoria, muchos mejoran de manera espectacular cuando se aplica la PPCVA.

Indicaciones de la PPCVA

La PPCVA está indicada en pacientes que experimentan dificultad respiratoria cuyos mecanismos de compensación propios no pueden ayudar a cubrir sus demandas de oxígeno. Aunque el estado general de la mayoría mejora después de aplicar la PPCVA, es importante recordar que tan solo trata los síntomas, no necesariamente la alteración patológica subyacente.

Las siguientes circunstancias son indicaciones generales para el uso de PPCVA:

- Paciente alerta y que puede seguir órdenes
- Signos obvios de dificultad respiratoria moderada a grave (p. ej., uso de músculos accesorios, posición de trípode, retracciones) por una enfermedad subyacente, como la insuficiencia con edema pulmonar, la enfermedad pulmonar obstructiva (p. ej., EPOC), el broncoespasmo agudo (p. ej., en el asma aguda) y la sospecha de neumonía
- Dificultad respiratoria después de un incidente de sumersión
- Respiración muy rápida que afecta al volumen minuto total
- Lectura de la oximetría de pulso menor de 90%

Aunque usted debería considerar estas directrices cuando evalúe la necesidad de PPCVA, es importante que siga sus guías y protocolos locales.

Contraindicaciones de la PPCVA

La PPCVA puede ser de beneficio inmenso para los pacientes que experimentan dificultad respiratoria por edema pulmonar y broncoespasmo agudos, y enfermedad pulmonar obstructiva; sin embargo, en ocasiones no es apropiada.

Las siguientes son contraindicaciones generales del uso de PPCVA:

- Paciente sin respuesta o que desde otros puntos de vista no puede seguir órdenes verbales
- Paro respiratorio o respiración agónica
- Paciente con incapacidad para hablar
- Paciente con incapacidad para proteger la vía aérea
- Hipoventilación (frecuencia respiratoria lenta o disminución del volumen tidal)
- Hipotensión (PA sistólica menor de 90 mm Hg)
- Signos y síntomas de neumotórax o traumatismo torácico (contuso o penetrante)
- Lesión cefálica cerrada
- Traumatismo facial
- Choque cardiogénico
- Traqueotomía
- Hemorragia digestiva activa, náusea o vómito
- Antecedente de un procedimiento quirúrgico gastrointestinal reciente
- Paciente que no puede sentarse
- Incapacidad para ajustarse apropiadamente a la mascarilla y la cinta del sistema de PPCVA
  - Exceso de vello facial o características de dimorfismo de la cara que impidan asegurar un ajuste apropiado y un sellado hermético de la mascarilla
- Paciente que no puede tolerar la mascarilla

Además, siempre revalore al paciente en cuanto a signos de deterioro clínico o insuficiencia respiratoria. Aunque la PPCVA es un recurso excelente para ayudar con la ventilación, no todos los pacientes experimentarán mejoría con su uso. Después de que se hacen aparentes los signos de insuficiencia respiratoria o el paciente ya no puede seguir órdenes, usted debería retirar el dispositivo de PPCVA e iniciar la ventilación a presión positiva con un dispositivo de bolsa-mascarilla acoplado a un aporte de oxígeno de flujo alto. En algunos pacientes se requerirá la intubación.

Aplicación de la PPCVA

Se dispone de diversas unidades de PPCVA para los sistemas del SEM; sin embargo, deben seguirse las mismas guías generales para su uso y ajuste. Cada PPCVA consta, por lo general, de un generador, una mascarilla, un circuito con tubos corrugados, un filtro bacteriano y una válvula unidireccional. Durante la fase de exhalación, el paciente exhala contra una resistencia llamada presión positiva exhalatoria de vía aérea (PPEVA), que genera la **presión exhalatoria terminal positiva (PETP)**. Dentro del generador de PPCVA, una válvula determina la intensidad de la PETP; sin embargo, algunos modelos cuentan con válvulas de PETP que se conectan de manera separada. Dependiendo del aparato, la PETP se regula por ajuste manual con un manómetro o se modula por un ajuste fijo en la válvula correspondiente. En general, una PETP de 5 a 10 cm de H_2O se encuentra en el rango terapéutico aceptable para un paciente, si bien puede ajustarse (en ascenso o descenso, de ser necesario). Siempre consulte el manual de operaciones de su dispositivo de PPCVA particular, para las instrucciones de ensamblaje apropiadas.

Debido a que la mayoría de las unidades de PPCVA es impulsada por el oxígeno, es importante contar con un tanque lleno disponible y uno de repuesto cuando se usa. Algunas utilizan un flujo continuo de oxígeno, en tanto otras actúan más de acuerdo con la demanda. Debe vigilarse en forma continua la cantidad de oxígeno disponible en el tanque. Algunas unidades de PPCVA vaciarán un tanque D en tan poco como 5 a 10 minutos, por lo que es necesaria una planeación rápida apropiada del consumo de oxígeno cuando se planea aplicar la PPCVA. Además, algunos dispositivos más recientes de PPCVA permiten ajustar la FIO_2. La mayoría de los aparatos se ajusta para proveer una FIO_2 fija de 30 a 35%; sin embargo, algunos pueden aportar cifras tan altas como de 95%.

Siga los pasos que se muestran en la **PRÁCTICA DE DESTREZA 13-2**, para el uso de la PPCVA.

Complicaciones de la PPCVA

La aplicación y administración de la PPCVA es un proceso relativamente fácil. No obstante, algunos pacientes pueden considerarla claustrofóbica y se resistirán a su aplicación, y muchos tan solo porque ya están experimentando dificultad respiratoria. Conforme un paciente presenta más hipoxia, la aplicación de una mascarilla en ocasiones se percibe como sofocante, más bien que un intento de ayudar con la ventilación. Es indispensable explicar el uso de la PPCVA a los pacientes y dirigirlos durante el proceso, lo cual les permite adaptarse a la situación. No fuerce la mascarilla en el paciente, ya que creará un grado más alto de ansiedad en alguien que ya tiene una demanda de oxígeno aumentada. El entrenamiento de los pacientes para aceptar una PPCVA no siempre es fácil; requiere práctica y el deseo de trabajar de manera estrecha con ellos durante un periodo difícil.

Debido al volumen y la presión altos generados por la PPCVA, es posible que surja un neumotórax por barotraumatismo. Manténgase alerta de este riesgo, y evalúe de forma continua al paciente en cuanto a los signos y síntomas correspondientes.

Además del neumotórax, una presión más alta dentro de la cavidad torácica puede causar hipotensión. Conforme aumenta la presión intratorácica, el retorno venoso (el cual modifica la precarga) encuentra resistencia, lo que puede causar hipotensión. Aunque esta es rara con las cifras más bajas de PPCVA, es indispensable vigilar de forma continua la PA del paciente.

Como con cualquier forma de ventilación a presión positiva en una vía aérea sin protección, el aire puede ingresar al estómago, lo que aumenta el riesgo de aspiración si se presenta vómito.

SEGURIDAD

Los sistemas de PPCVA deben estar equipados con un filtro viral, para disminuir la dispersión de secreciones en aerosol durante la exhalación.

Distensión gástrica

Cualquier forma de ventilación asistida que lleve aire al interior de la boca de un paciente, en lugar de hacerlo directo a la tráquea por un tubo ET, puede inflar el estómago con aire. La distensión gástrica, definida como la inflamación del estómago del paciente con aire, es en especial probable cuando se usa una presión excesiva para inflar los pulmones, si se realizan ventilaciones muy rápidas o de manera muy forzada, o si la vía aérea tiene obstrucción parcial durante los intentos de ventilación. En tales casos, la presión excesiva sobre la vía aérea fuerza la abertura del esófago, lo que permite el ingreso de aire al estómago. Ocurre distensión gástrica con frecuencia máxima en los niños, pero también es frecuente en los adultos.

Perlas de sabiduría

Presión positiva de dos niveles en la vía aérea (BiPAP), otra forma de ventilación a presión positiva no invasiva, también se usa para tratar a los pacientes con enfermedad pulmonar obstructiva, broncoespasmo y edema pulmonar agudos. En tanto la PPCVA aporta una sola presión (que es de beneficio máximo para el paciente durante la exhalación), la BiPAP aporta dos: una más alta, la presión inspiratoria positiva de vía aérea (IPAP), que abre la vía aérea baja, y una PPEVA, más baja, que ayuda a mantenerlas abiertas. Los ajustes de BiPAP de uso frecuente proveen 10 cm de H_2O durante la inhalación y 5 cm de H_2O durante la exhalación; la diferencia entre IPAP y PPEVA se denomina respaldo de la presión. Las indicaciones, contraindicaciones y precauciones respecto de la BiPAP son las mismas que para PPCVA. Siga sus protocolos del sistema del SEM acerca del uso de la BiPAP y los ajustes deseados de IPAP y PPEVA.

Práctica de destreza 13-2 Uso de la PPCVA

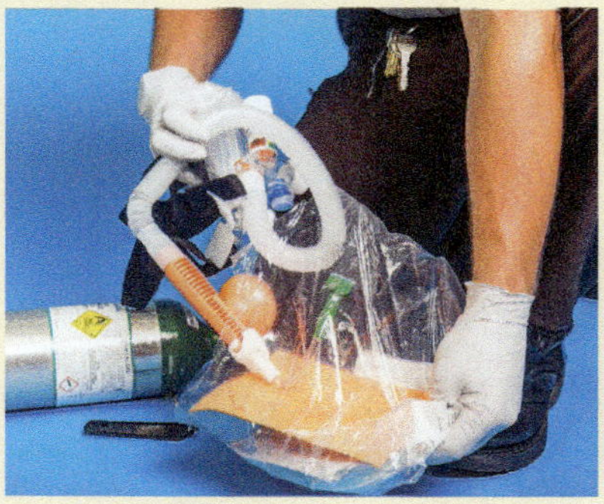

Paso 1

Tome las precauciones estándar. Evalúe al paciente en cuanto a las indicaciones y contraindicaciones de la PPCVA. Confirme su PA y explíquele el procedimiento. Revise su equipo y después conecte el circuito de PPCVA al generador.

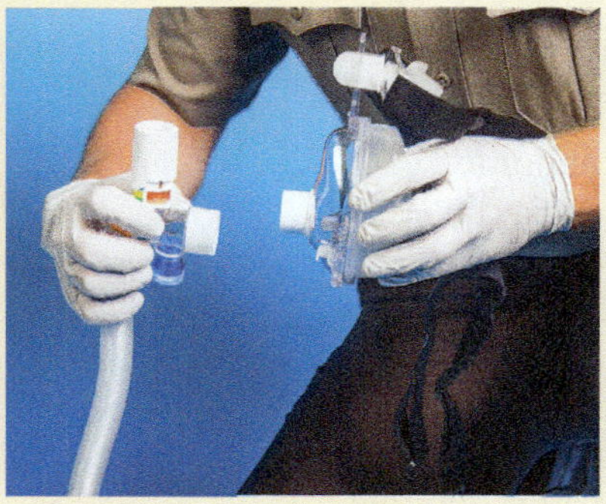

Paso 2

Conecte la mascarilla a los tubos del circuito. Después de que se conecte el sistema, busque un botón de encendido/apagado o interruptor (algunos modelos cuentan con esta característica). Confirme si el dispositivo está en estado funcional antes de aplicar la PPCVA al paciente.

Paso 3

Conecte los tubos al tanque de oxígeno.

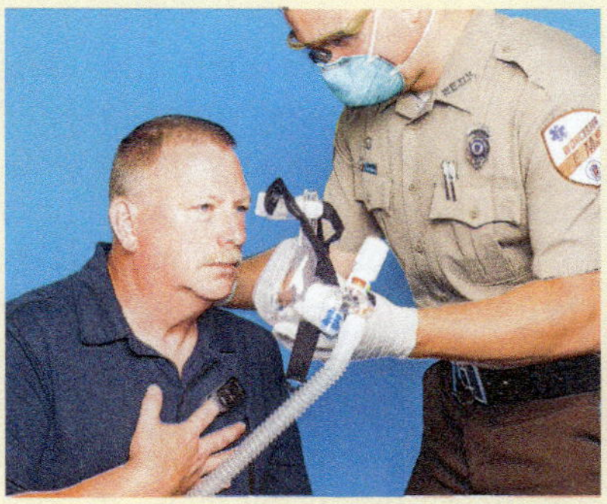

Paso 4

Coloque al paciente en una posición de Fowler alta para facilitar la respiración, y entrénelo a través de la aplicación inicial de la mascarilla. Coloque esta sobre nariz y boca del paciente, con la creación del sellado hermético más alto posible. Para disminuir algo del estrés y la ansiedad vinculados con la aplicación de PPCVA, puede ser de beneficio al inicio permitir que el paciente sostenga la mascarilla en su cara para que se acostumbre a usarla.

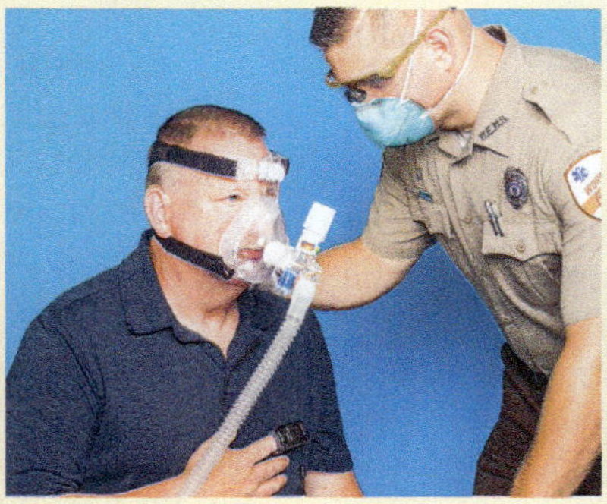

Paso 5

Después de que se coloca la mascarilla en la cara y el paciente se acostumbra a ella, utilice el mecanismo de cintas para asegurarla en su cabeza. Cerciórese que el sellado entre la mascarilla y la cara se mantenga intacto. Consulte las guías del fabricante para instrucciones específicas sobre el uso de las cintas.

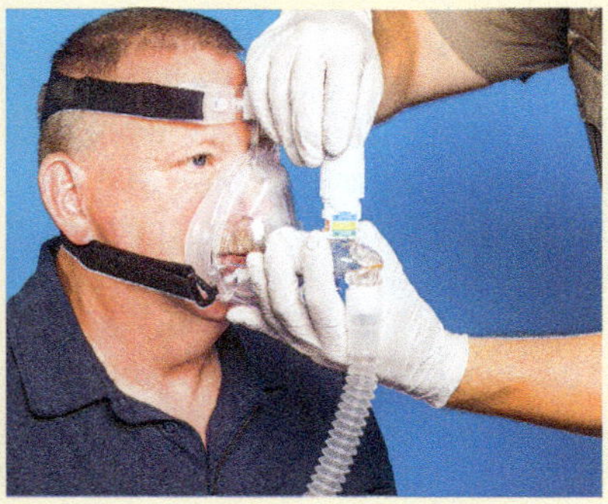

Paso 6

Ajuste la válvula de PETP y el nivel de FIO_2 de acuerdo con las recomendaciones del fabricante para mantener una oxigenación y ventilación apropiadas. Con el aparato de PPCVA colocado, deberá mejorar la saturación de oxígeno y la capacidad de hablar, así como disminuir el esfuerzo ventilatorio. Revalore de forma constante al paciente en cuanto a signos de deterioro clínico o complicaciones (p. ej., neumotórax, hipotensión).

Un estómago distendido es perjudicial por al menos dos motivos. Primero, promueve la regurgitación de su contenido, lo que puede llevar a su aspiración. Segundo, impulsa el diafragma hacia arriba en el tórax y disminuye el espacio en el que se pueden expandir los pulmones.

Los signos de distensión gástrica incluyen un aumento del diámetro del estómago, un abdomen cada vez más distendido, y una mayor resistencia a las ventilaciones con bolsa-mascarilla. Si usted observa estos signos, revalore y cambie la posición de la vía aérea artificial, según se necesite, y observe el tórax del paciente en cuanto al ascenso y descenso adecuados de la pared torácica conforme se continúa la ventilación. Además, limite el tiempo de ventilación a 1 segundo, o el necesario para producir un ascenso adecuado de la pared torácica.

Descompresión gástrica

La descompresión invasiva del estómago del paciente implica la inserción de una **sonda gástrica** y el retiro de su contenido por aspiración. Esta sonda es un recurso eficaz para retirar tanto aire como líquido del estómago, porque esto disminuye la presión sobre el diafragma y casi elimina el riesgo de regurgitación y aspiración.

Usted puede insertar la sonda gástrica en el estómago del paciente a través de la boca (**sonda orogástrica [BG]**) o la nariz (**sonda nasogástrica [NG]**). Considere su uso en cualquier paciente que requiera ventilación a presión positiva durante un periodo prolongado, en especial si no está intubado. Usted también debería insertar una sonda NG o BG cuando la distensión del estómago interfiere con las ventilaciones: por ejemplo, cuando los niños reciben ventilación a presión positiva o han ingerido grandes volúmenes de aire por el mayor esfuerzo de respiración.

Tenga precaución extrema cuando inserte sondas NG o BG en pacientes con enfermedades esofágicas conocidas (p. ej., tumores, várices, estenosis). Nunca las use en aquellos cuyo esófago no está permeable. Después de su inserción, asegúrese de que se colocaron en el estómago. En ocasiones pueden mantenerse en el esófago sin ingresar al estómago (ubicación supragástrica), o quizás, insertarse en la tráquea.

Sonda nasogástrica

Una sonda NG se inserta a través de la nariz, hacia la nasofaringe y hasta esófago y estómago, **FIGURA 13-58**. Cuando se hace como parte del tratamiento de la vía aérea y la ventilación, descomprime al estómago y así disminuye la presión sobre el diafragma y limita el riesgo de regurgitación.

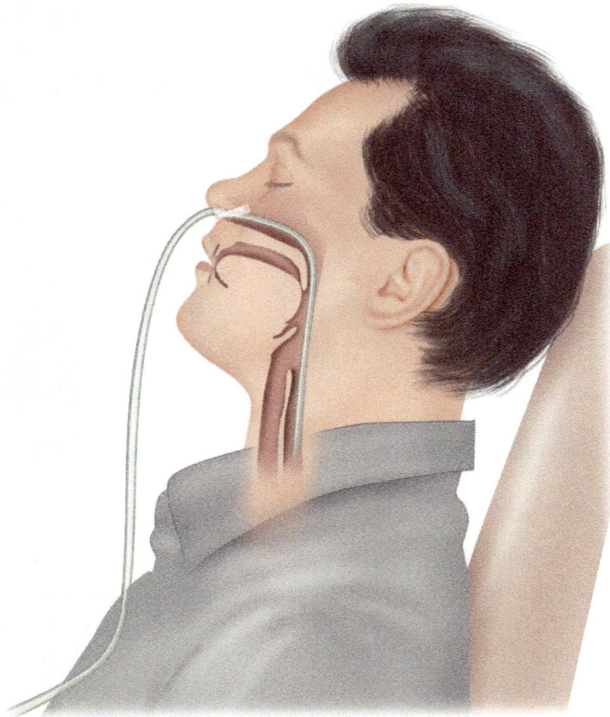

FIGURA 13-58 Sonda nasogástrica.

La sonda NG es relativamente bien tolerada, incluso por pacientes con respuesta, quienes pueden aún hablar con una sonda colocada y la mayoría se acostumbra después de unas cuantas horas. Por esos motivos, se prefiere la inserción de una sonda NG para los pacientes con respuesta.

Durante la inserción de una sonsa NG, la mayoría de los pacientes presentará náusea y quizá vomite, incluso cuando su reflejo nauseoso está suprimido. En un paciente con disminución del NDC, el vómito puede poner en riesgo importante su vía aérea.

Está contraindicada la inserción de una sonda NG en los pacientes con lesiones faciales graves, en particular fracturas medio faciales y del cráneo. Aunque tales sucesos son raros, la sonda NG pudiese insertarse de manera inadvertida a través de la fractura hacia la bóveda craneana. Para los pacientes en estas condiciones, úsese la vía de inserción BG.

Una técnica inapropiada durante la inserción de una sonda NG puede causar traumatismo de la vía aérea nasal, el esófago o el revestimiento gástrico, por lo que debe tenerse precaución y delicadeza cuando se realiza.

El uso de una sonda NG en pacientes no intubados puede interferir con el sellado del dispositivo de bolsa-mascarilla. Si usted no puede ventilar de manera eficaz a un paciente, por una distensión gástrica importante, no obstante, debe sopesar el beneficio de la descompresión gástrica con el riesgo de un sellado deficiente de la máscara y determinar qué es prioritario. Por supuesto, si el paciente no tiene respuesta y requiere la intubación ET, usted puede con facilidad introducir el tubo alrededor de la sonda NG.

En la **PRÁCTICA DE DESTREZA 13-3** se muestran los pasos para la inserción de una sonda NG.

Práctica de destreza 13-3 Inserción de una sonda nasogástrica en un paciente que responde

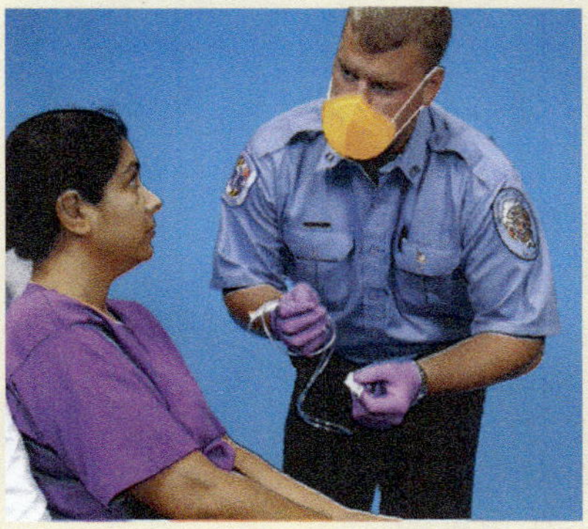

Paso 1

Explique el procedimiento al paciente y provéale oxígeno, si es necesario y factible. Asegure que la cabeza se encuentre alineada o en ligera flexión. Suprima el reflejo nauseoso con un anestésico local nebulizado.

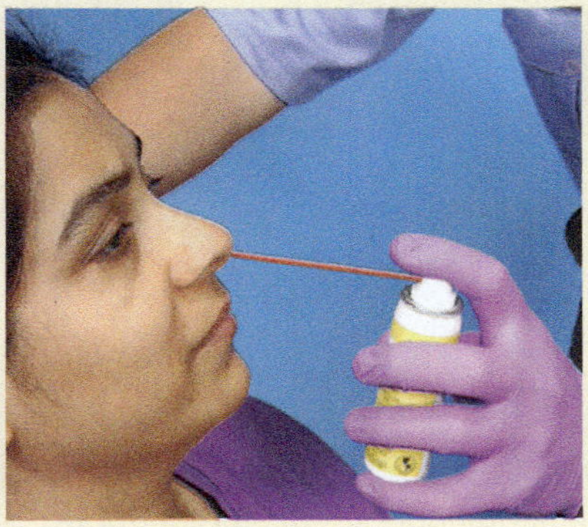

Paso 2

Constriña los vasos sanguíneos de las narinas con un agonista α tópico, si está disponible.

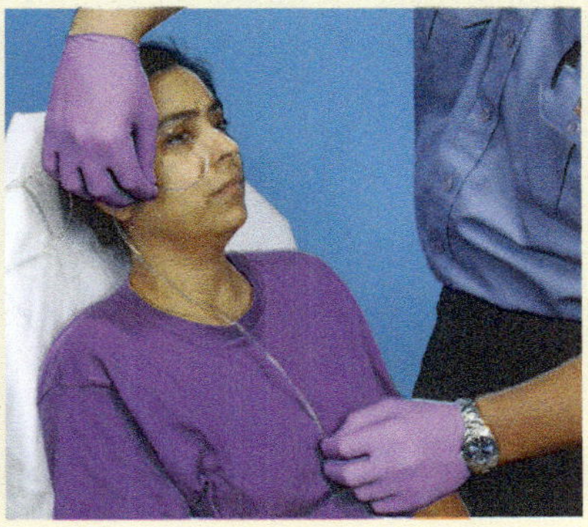

Paso 3

Mida la sonda para definir la profundidad correcta de su inserción (de la nariz al oído y el apéndice xifoides).

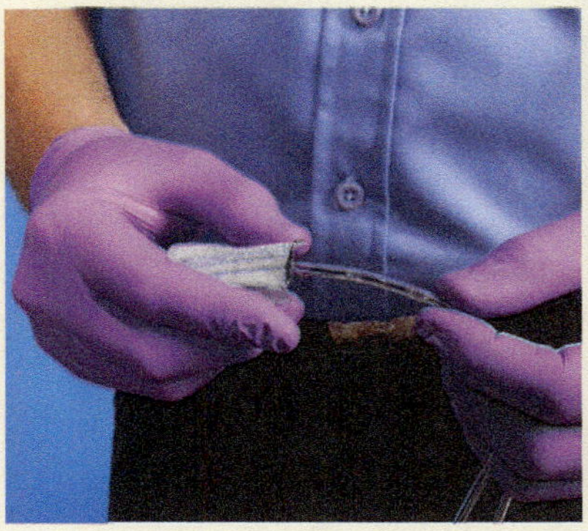

Paso 4

Lubrique la sonda con un gel hidrosoluble. Considere administrar un anestésico tópico.

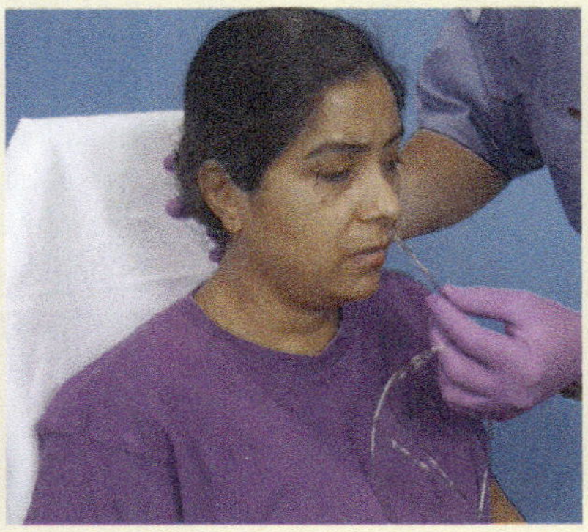

Paso 5

Haga avanzar la sonda suavemente por el piso nasal.

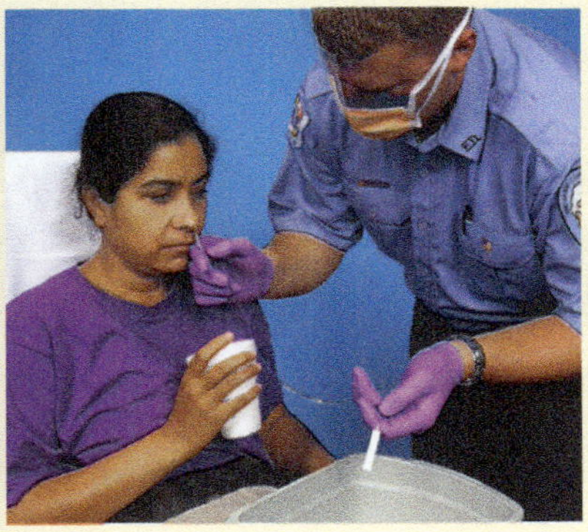

Paso 6

Anime al paciente para deglutir o beber, con el propósito de facilitar el paso de la sonda hacia el esófago.

(continúa)

Práctica de destreza 13-3 Inserción de una sonda nasogástrica en un paciente que responde (continuación)

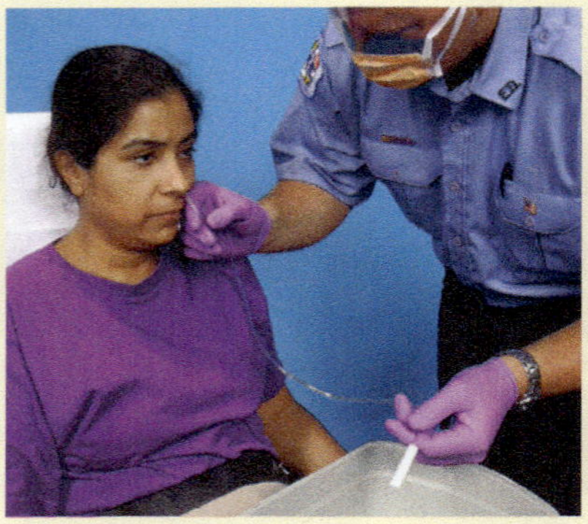

Paso 7

Haga avanzar la sonda hacia el estómago.

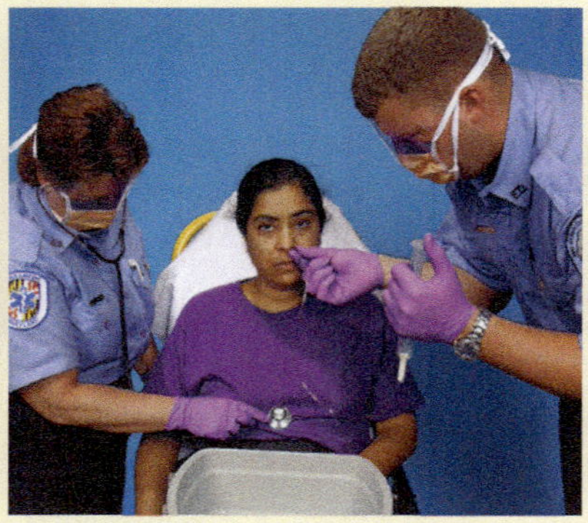

Paso 8

Confirme la colocación apropiada de la sonda: ausculte sobre el epigastrio mientras inyecta de 20 a 30 ml de aire en la sonda, o visualice el contenido gástrico. No debería haber reflujo alrededor de la sonda.

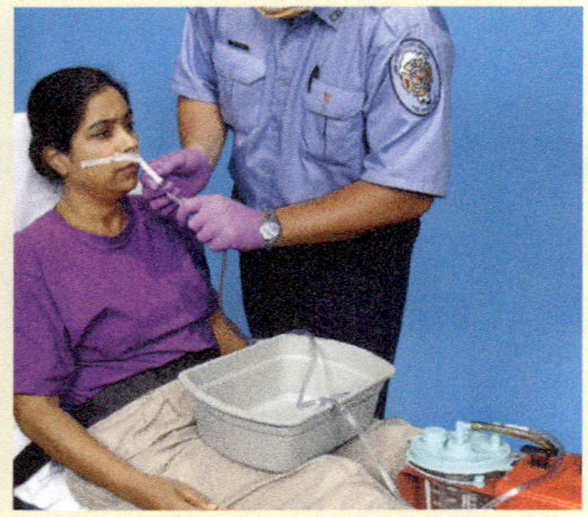

Paso 9

Aplique aspiración a la sonda para extraer el contenido gástrico y asegurar que se encuentra en el lugar correcto. La extensión azul de la sonda debería permanecer abierta al aire.

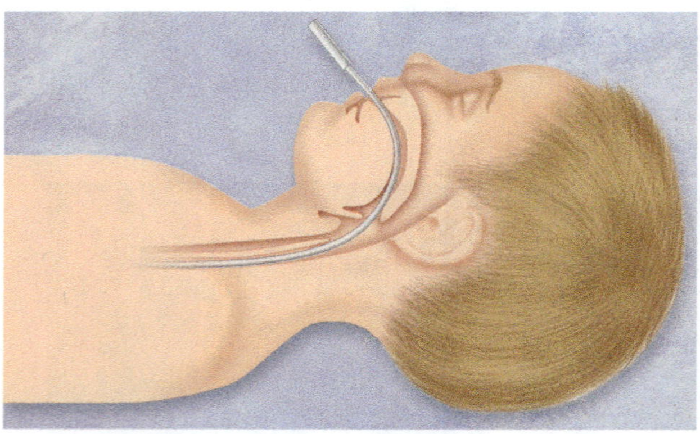

FIGURA 13-59 Sonda orogástrica.

Perlas de sabiduría

Después de instalar un dispositivo de vía aérea avanzado, considere insertar una sonda gástrica (oral o nasal) si no hay contraindicaciones. Esto lleva al máximo su capacidad para ventilar al paciente al retirar el aire que pudo haber ingresado al estómago por la ventilación con bolsa-mascarilla antes de insertar dicha vía aérea. Es en particular importante el sondeo gástrico en incidentes de sumersión (ahogamiento) sobre todo de niños pequeños, en quienes implica la ingestión e inhalación de agua, que llena el estómago y los pulmones.

Sonda orogástrica

Una sonda BG sirve para lo mismo que una NG, pero se inserta a través de la boca en lugar de la nariz, **FIGURA 13-59**. Las ventajas y desventajas de la sonda BG son en esencia las mismas que para la NG. Las principales diferencias son que la primera no conlleva riesgo de hemorragia nasal y es más segura en los pacientes con traumatismos faciales graves. Además, se pueden usar sondas más grandes, lo que es útil para el paciente que requiere un lavado gástrico, también llamado irrigación gástrica, que es el proceso de limpieza del contenido del estómago por extracción; por lo general, se realiza en el DE a los pacientes que ingirieron sustancias tóxicas.

Sin embargo, la sonda BG es menos cómoda para los pacientes que responden, provoca náusea con mucha mayor frecuencia e incrementa la posibilidad de vómito. Estos pacientes también tienden a morderla a su paso por la cavidad bucal. Se prefiere vía BG, en general, para aquellos sin respuesta, que carecen del reflejo nauseoso.

En la **PRÁCTICA DE DESTREZA 13-4** se muestran los pasos de la inserción de una sonda BG.

Práctica de destreza 13-4 Inserción de una sonda orogástrica en un paciente sin respuesta

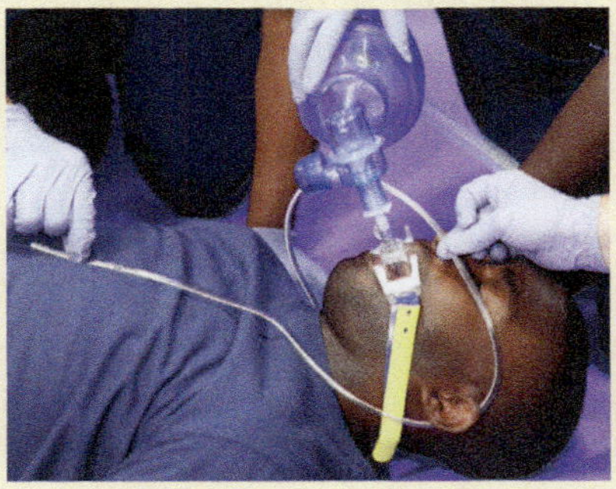

Paso 1

Coloque la cabeza del paciente en posición alineada o de flexión ligera. Mida la longitud de la sonda para la profundidad de inserción correcta (de la boca al oído y el apéndice xifoides).

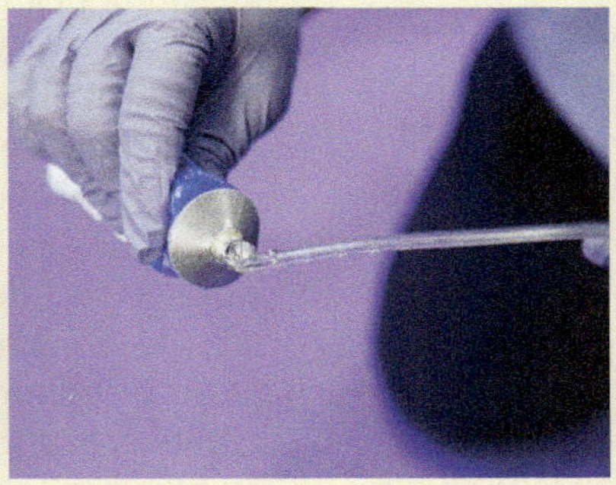

Paso 2

Lubrique la sonda con un gel hidrosoluble.

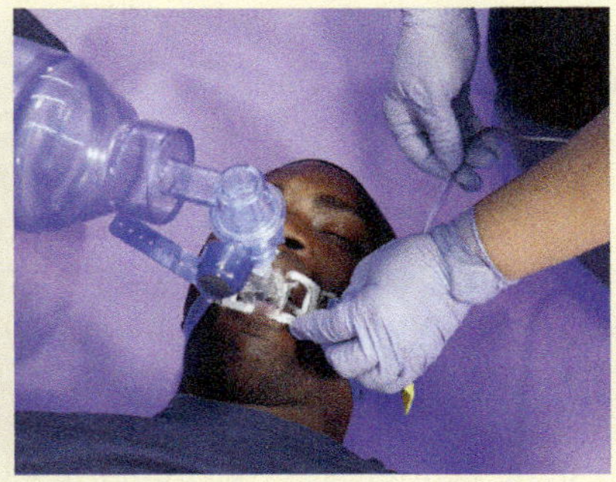

Paso 3

Introduzca la sonda en la línea media y hágala avanzar con suavidad hacia la orofaringe, para después llevarla al interior del estómago.

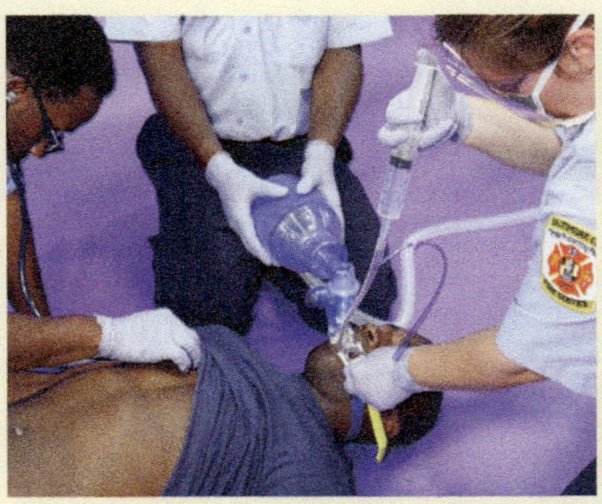

Paso 4

Confirme la colocación apropiada: ausculte sobre el epigastrio mientras inyecta de 20 a 30 ml de aire u observa en cuanto a la presencia de contenido gástrico en la sonda. No debería haber reflujo alrededor de la misma. Después ausculte sobre los campos pulmonares para confirmar que no se desalojó el tubo ET.

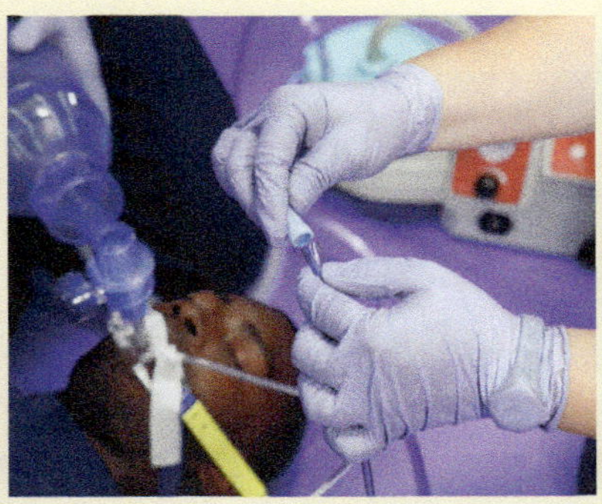

Paso 5

Aplique aspiración a la sonda para retirar el contenido gástrico.

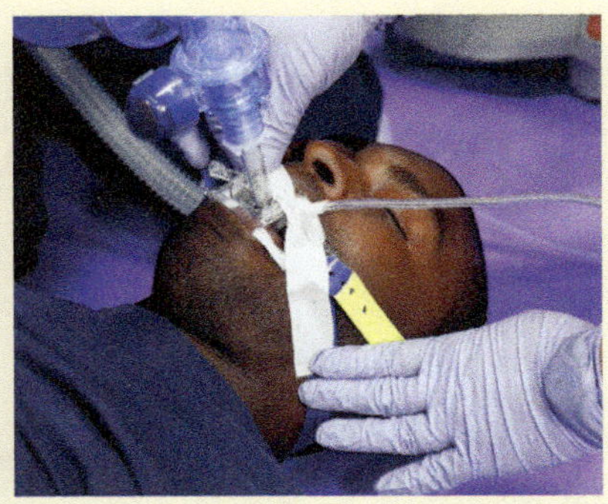

Paso 6

Asegure la sonda en su lugar.

Consideraciones especiales de los pacientes

Laringectomía, traqueotomía, boca anastomótica y sondas de traqueotomía

Una **laringectomía** es un procedimiento quirúrgico en el que se extrae la laringe, y se hace mediante una **traqueotomía** (abertura quirúrgica de la tráquea), lo que así crea una **boca anastomótica**, un orificio que conecta la tráquea al aire exterior. La boca anastomótica se localiza en la línea media de la cara anterior del cuello, debajo del cartílago cricoides. La exéresis quirúrgica de toda la laringe se denomina **laringectomía total**. Una persona que haya tenido esta operación en ocasiones recibe el adjetivo de laringectomizada o que respira por el cuello, ya que lo hace a través de esa boca anastomótica. Debido a que ya no hay conexión entre la faringe y la vía aérea baja del paciente, no se le puede ventilar a través de nariz y boca con un dispositivo de bolsa-mascarilla u otra mascarilla. El aire que se impulsa al interior de la boca o nariz puede solo descender al esófago y el estómago no alcanzará la vía aérea inferior.

Una **laringectomía parcial** implica la exéresis quirúrgica de una porción de la laringe. Las personas sometidas a esta operación se conocen como respiradores parciales por el cuello, debido a que respiran a través de la boca anastomótica y la nariz o boca. En la práctica, usted tal vez no pueda ser capaz de decir si una persona fue objeto de laringectomía total o parcial hasta que intente la ventilación asistida.

Aspiración de una boca anastomótica

Usted puede encontrar pacientes que requieren aspiración de las secreciones espesas de la boca anastomótica. El no reconocer e identificar esta necesidad pudiese dar lugar a la hipoxia. Es frecuente que la boca anastomótica de un paciente se ocluya con tapones mucosos. Aquellos con laringectomía presentan una tos menos eficaz y, por lo tanto, dificultad para la eliminación de secreciones.

Usted debe hacer aspiración de la boca anastomótica del paciente con cuidado extremo, en especial si sospecha edema laríngeo. Incluso la irritación más leve de la pared traqueal puede causar un laringoespasmo violento y el cierre completo de la vía aérea. Limite la aspiración de la boca anastomótica a 10 segundos por ocasión.

En la **PRÁCTICA DE DESTREZA 13-5** se muestran los pasos para la aspiración de una boca anastomótica.

Ventilación de los pacientes con una boca anastomótica

No se requieren las maniobras de inclinación de cabeza-elevación del mentón o de impulso mandibular

USTED es el Paramédico

PARTE 6

Con la continuación del tratamiento por PPCVA, se asegura al paciente a la camilla y se sube a la ambulancia. Usted obtiene un EKG de 12 derivaciones, que no muestra dato alguno de un infarto miocárdico agudo. Inicia el transporte al hospital y revalúa el estado general del paciente.

Tiempo de registro:	15 minutos
Nivel de conciencia	Consciente, pero con sedación
Respiraciones	22 ventilaciones/min; ligeramente laboriosas
Pulso	114 latidos/min; fuerte y regular
Piel	Tibia y húmeda; el color de labios y encías retornó al basal
Presión arterial	169/88 mm Hg
Saturación de oxígeno (Spo_2)	95%
Pupilas	PIRRL
$ETCO_2$	46 mm Hg
EKG	Taquicardia sinusal

10. ¿Cómo procedería usted para el tratamiento de este paciente?

Práctica de destreza 13-5 Aspiración de una boca anastomótica

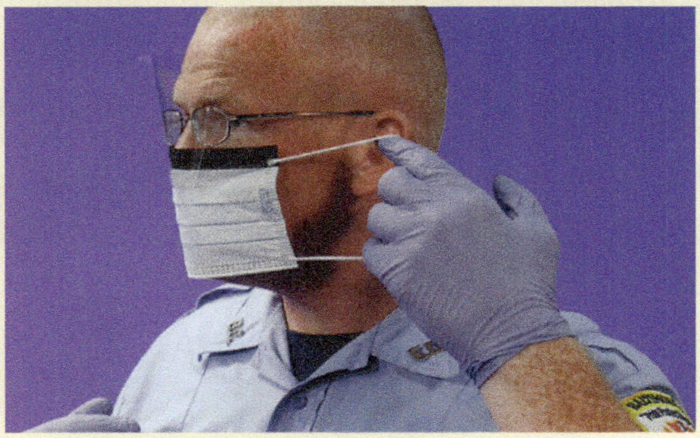

Paso 1

Tome las precauciones estándar.

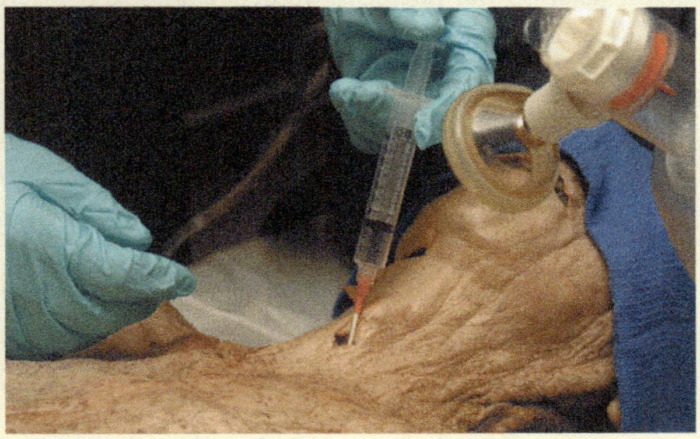

Paso 2

Inyecte 3 ml de solución salina estéril al interior de la tráquea a través de la boca anastomótica.

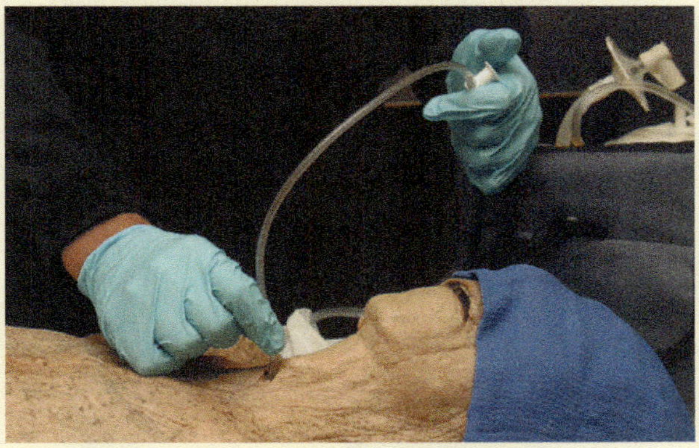

Paso 3

Instruya al paciente para que exhale (si tiene respuesta), e inserte la sonda sin aspirar hasta que se perciba resistencia (no más de 12 cm).

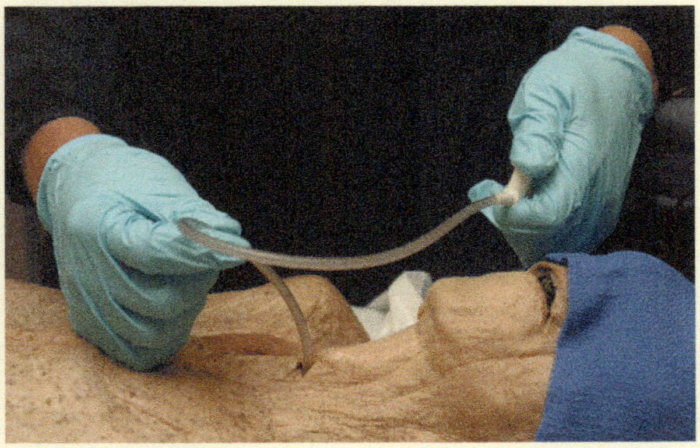

Paso 4

Aspire mientras extrae parcialmente la sonda.

para ventilar a un paciente con una boca anastomótica. Si el paciente presenta esta última sin sonda de traqueotomía (se describe a continuación) colocada, entonces puede usted hacer las ventilaciones utilizando la técnica de boca a boca anastomótica (con una mascarilla de reanimación) o con un dispositivo de bolsa-mascarilla. Al margen de la técnica usada, usted debería utilizar una mascarilla para lactante o niño con el propósito de lograr un sellado adecuado sobre la boca anastomótica. Selle la nariz y boca del paciente con una mano para evitar el escape de aire hacia la tráquea; libere este sellado después de cada ventilación y deje que se presente la exhalación a través de la vía aérea superior. Se requieren dos rescatistas para hacer las ventilaciones de dispositivo de bolsa-mascarilla a boca anastomótica; uno para sellar la nariz y la boca, y el otro para comprimir la bolsa.

Si usted no puede ventilar a un paciente con una boca anastomótica, trate de aspirar esta y la boca con una sonda de punta suave (French) y provea ventilación asistida a través de nariz y boca. Tenga en consideración que esta técnica funcionará solo si el paciente fue objeto de una laringectomía parcial, no una total. Si usted sella la boca anastomótica durante la ventilación, mejora la capacidad de lograr la ventilación asistida del paciente de esta manera, o puede ayudar a eliminar cualquier obstrucción.

En la **PRÁCTICA DE DESTREZA 13-6** se muestran los pasos para realizar la ventilación de boca a boca anastomótica con una mascarilla de reanimación.

En la **PRÁCTICA DE DESTREZA 13-7** se incluyen los pasos para la ventilación de dispositivo de bolsa-mascarilla a boca anastomótica.

Práctica de destreza 13-6 Ventilación a través de una boca anastomótica con una mascarilla de reanimación

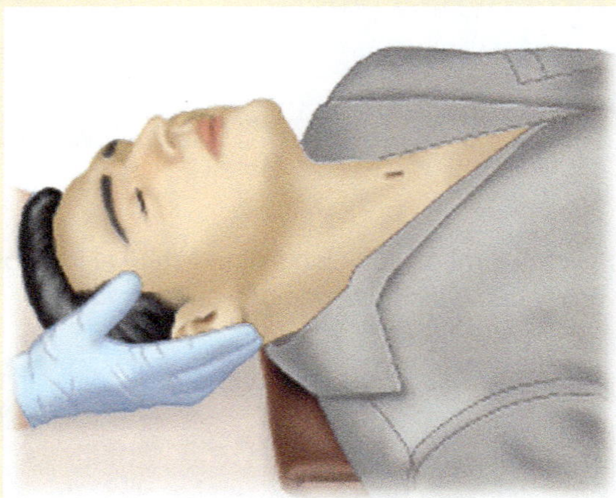

Paso 1

Coloque la cabeza de la paciente alineada, con los hombros ligeramente elevados.

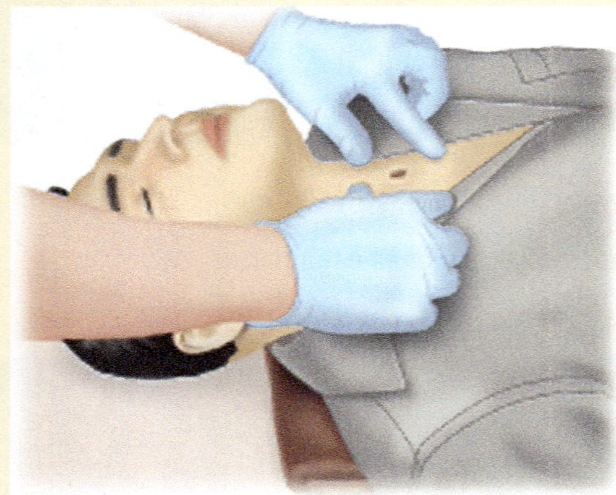

Paso 2

Localice y exponga el sitio de la boca anastomótica.

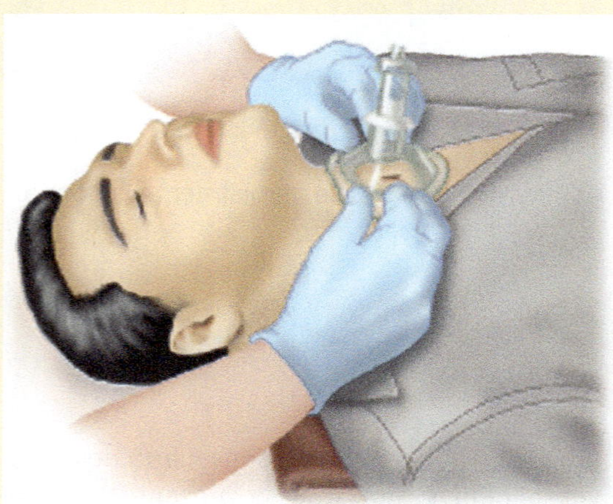

Paso 3

Coloque la mascarilla de reanimación sobre la boca anastomótica y asegure un sellado adecuado. Para mejores resultados, utilice una mascarilla pediátrica.

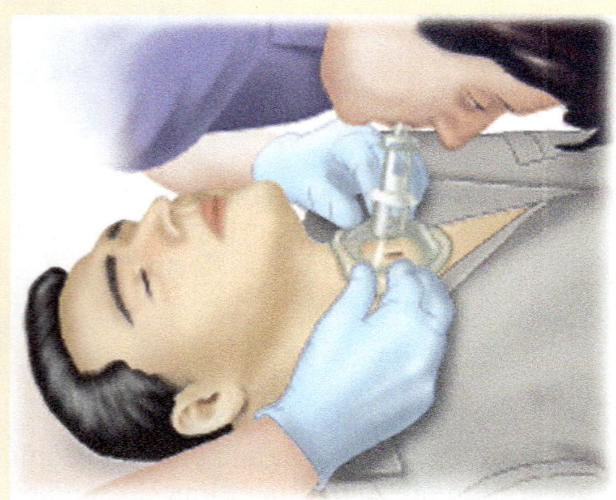

Paso 4

Mantenga la cabeza de la paciente alineada y ventílelo por exhalación directa a la mascarilla de reanimación. Valore la ventilación adecuada al observar la elevación de la pared torácica y percibir escapes de aire alrededor de la mascarilla.

Práctica de destreza 13-6 Ventilación a través de una boca anastomótica con una mascarilla de reanimación (continuación)

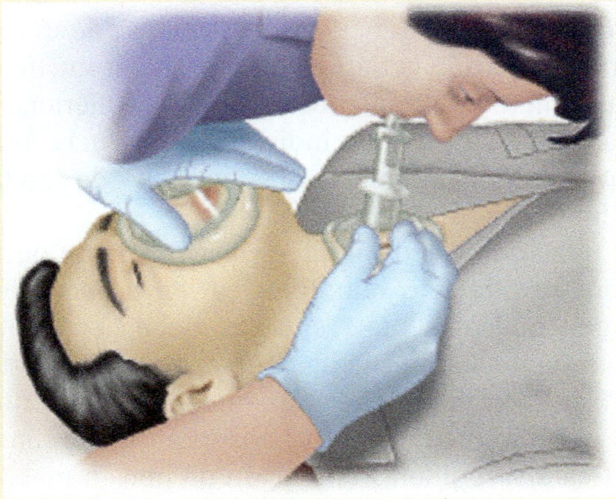

Paso 5

Si es evidente un escape de aire, selle boca y nariz del paciente, y después, ventílelo.

Práctica de destreza 13-7 Ventilación a través de una boca anastomótica con un dispositivo de bolsa-mascarilla

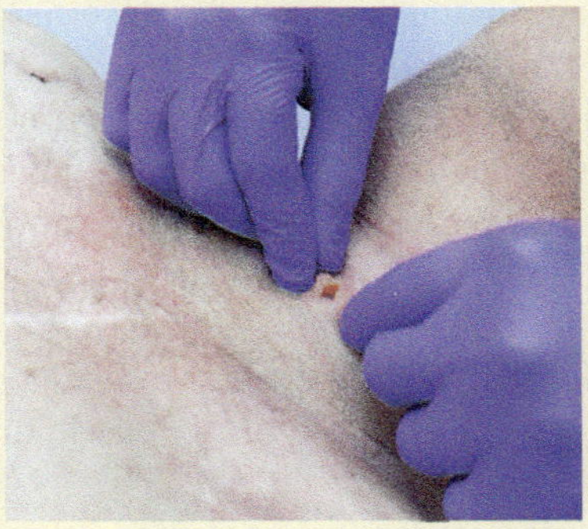

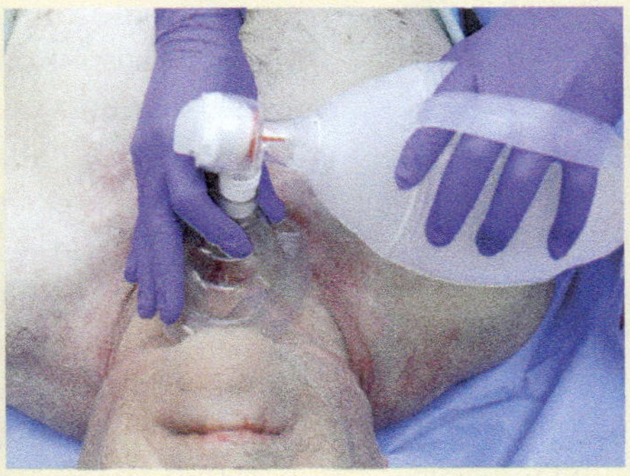

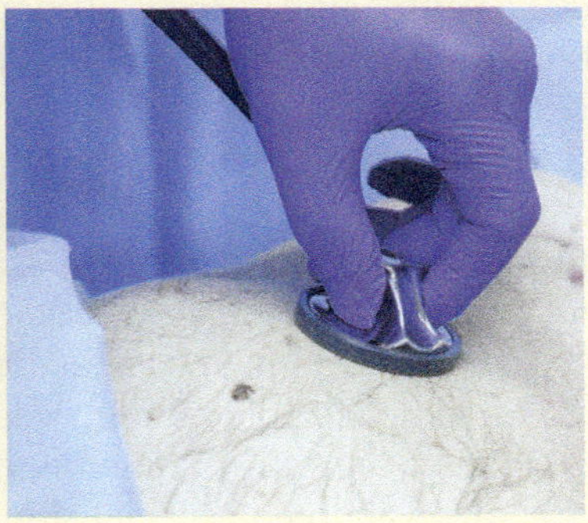

Paso 1

Con la cabeza del paciente en posición neutral, localice y exponga la boca anastomótica.

Paso 2

Coloque el dispositivo de bolsa-mascarilla (con una mascarilla pediátrica) sobre la boca anastomótica y asegure un sellado adecuado. Ventile al paciente al comprimir la bolsa y valore si es adecuado el procedimiento al observar el ascenso de la pared torácica y percibir algún escape de aire. Selle boca y nariz si es evidente el escape de aire de la vía aérea superior.

Paso 3

Ausculte sobre los pulmones para confirmar la ventilación adecuada.

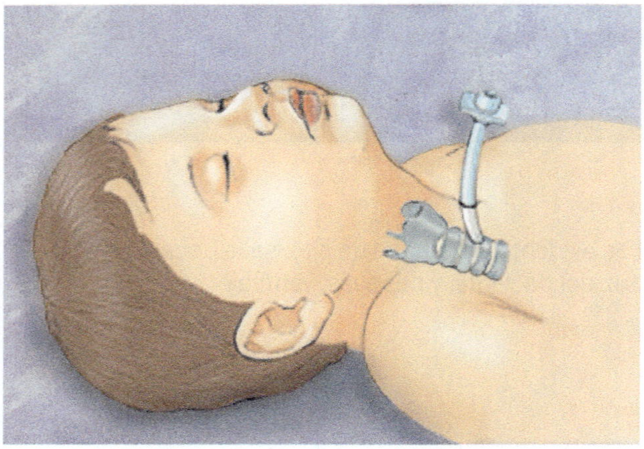

FIGURA 13-60 Un tubo de traqueotomía.

Tubos de traqueotomía

Un **tubo de traqueotomía** es de plástico y se coloca a través de una boca anastomótica en la tráquea, **FIGURA 13-60**. Requiere un adaptador 15/22 mm para ser compatible con dispositivos de ventilación, como el mecánico o el de bolsa-mascarilla. Los pacientes con un tubo de traqueotomía colocado pueden recibir oxígeno complementario, pues está diseñado para ajustarse o colocar la mascarilla encima. La ventilación se logra al acoplar el dispositivo de bolsa-mascarilla al adaptador de 16 mm sobre el tubo de traqueotomía.

Los pacientes con tubo de traqueotomía instalado que experimentan disnea en forma súbita a menudo presentan secreciones espesas en su interior, en cuyo caso, debe hacerse aspiración a través de este como se haría por una boca anastomótica.

Si un tubo de traqueotomía se desaloja, puede ocurrir **estenosis** (estrechamiento) de la boca anastomótica; algo válido en especial si fue de reciente ejecución. La estenosis es un suceso que potencialmente pone en riesgo la vida, porque el edema de los tejidos blandos disminuye el diámetro de la boca anastomótica y altera la capacidad ventilatoria del paciente. En tales casos, quizá sea imposible sustituir el tubo de traqueotomía y usted tiene que insertar un tubo ET antes de que se ocluya por completo. Debido a que un paciente con una boca anastomótica ya presenta una alteración patológica significativa subyacente (p. ej., lesión encefálica, insuficiencia respiratoria crónica), puede ser menos tolerante incluso de breves periodos de hipoxia.

En la **PRÁCTICA DE DESTREZA 13-8** se muestran los pasos para sustituir un tubo de traqueotomía que se desalojó.

Aparatos odontológicos

Con frecuencia se encuentran aparatos odontológicos en la población geriátrica. Pueden tener muchas formas diferentes: dentaduras (superior, inferior o ambas), puentes y dientes individuales. Además, muchos jóvenes quizá porten frenos, otro tipo de artefactos odontológicos.

Cuando usted valora la vía aérea de un paciente con un artefacto odontológico, en especial en alguien que presenta respuesta, debe determinar si está suelto o se ajusta bien. En el último caso, déjese en su lugar pues ayuda a mantener la estructura de la cara, lo que facilita un sellado eficaz de mascarilla-cara si requiere ventilación de boca a mascarilla o de bolsa-mascarilla. Si está suelto, no obstante, con facilidad podría causar una obstrucción de la vía aérea y se debe retirar.

Si un paciente sin respuesta presenta una obstrucción de la vía aérea causada por un artefacto odontológico, síganse los pasos usuales para eliminarla, como las compresiones de tórax, la laringoscopia directa o el uso de la pinza de Magill. Si la obstrucción es causada por un puente, usted debe tener mucho cuidado cuando la resuelva pues a menudo estos artefactos tienen extremos metálicos agudos que pueden lacerar la pared posterior de la faringe o laringe.

A menudo no es el dispositivo odontológico mismo el que dificulta su capacidad de tratar la vía aérea de un paciente, sino más bien los intentos por identificarlo y retirarlo. No se preocupe demasiado por su presencia; en su lugar, concéntrese en el tratamiento de la vía aérea. Además, la anatomía orofaríngea puede estar algo distorsionada por la presencia de un dispositivo odontológico.

En general, es mejor retirar los artefactos odontológicos (si está indicado) antes de intubar a un paciente. Después de que se coloca y asegura el tubo ET, su retiro será en extremo difícil y peligroso, porque puede causar su desalojo o un traumatismo orofaríngeo innecesario.

Traumatismo facial

El tratamiento eficaz de la vía aérea de un paciente con lesiones faciales puede constituir un gran reto, **FIGURA 13-61**. Debido a que la cara está muy vascularizada, sus traumatismos pueden causar edema im-

Práctica de destreza 13-8 Sustitución de un tubo de traqueotomía no funcional con un tubo ET temporal

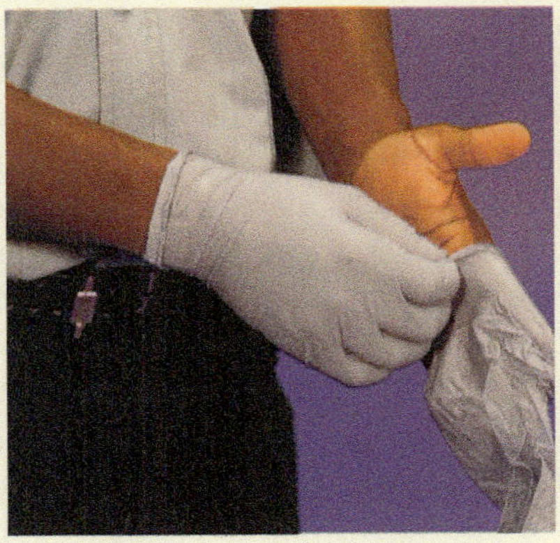

Paso 1

Siga las precauciones estándar. Prepare el equipo.

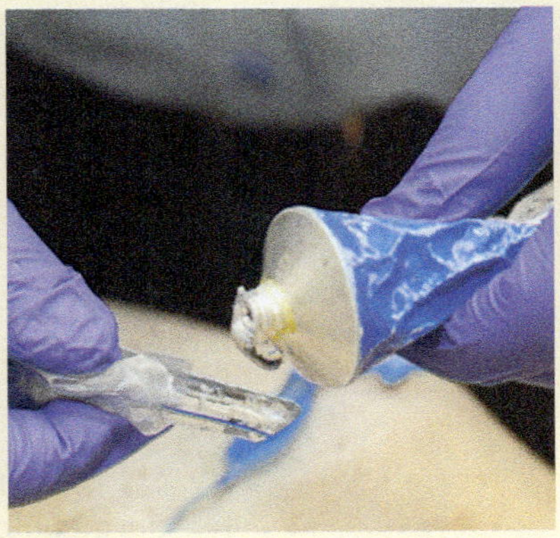

Paso 2

Lubrique un tubo de traqueotomía o ET del mismo tamaño (de al menos 5.0 mm) con un gel hidrosoluble.

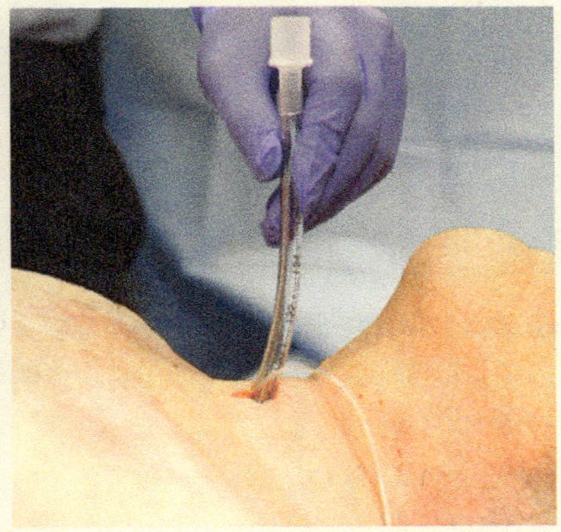

Paso 3

Indique al paciente que exhale, e inserte con suavidad el tubo de 1 a 2 cm más allá del manguito de globo.

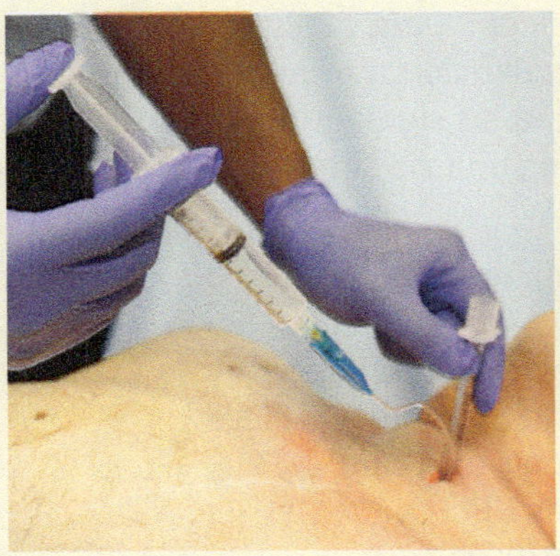

Paso 4

Infle el manguito de globo.

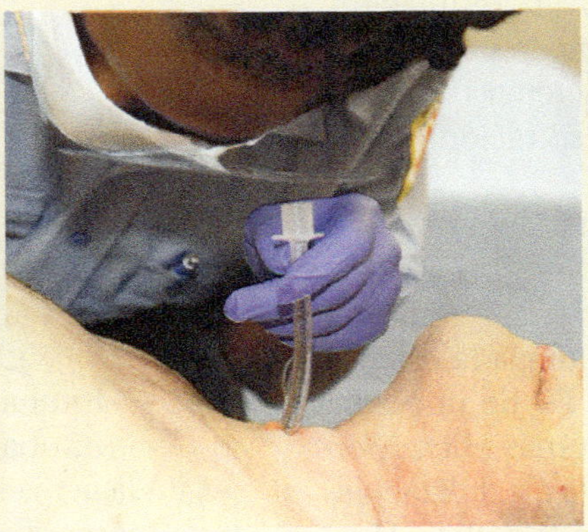

Paso 5

Asegúrese de que el paciente esté cómodo y confirme la permeabilidad y ubicación apropiada del tubo al observar la elevación de la pared torácica, auscultar el desplazamiento de aire desde el tubo y verificar su estado clínico. Asegúrese de que no se creó una falsa luz (colocación del tubo dentro de los tejidos blandos del cuello, más bien que en la tráquea).

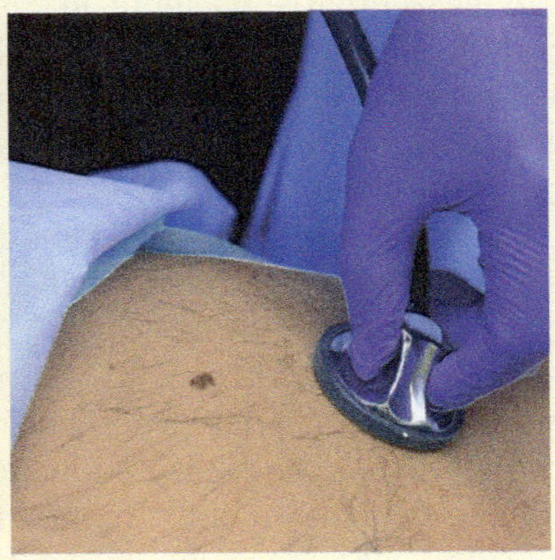

Paso 6

Ausculte los pulmones para confirmar la colocación correcta del tubo.

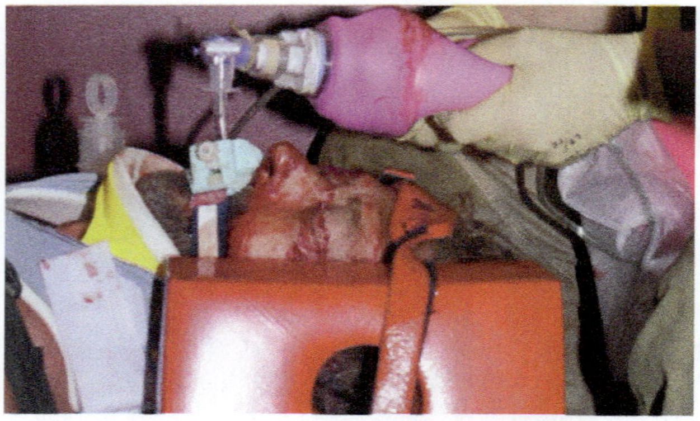

FIGURA 13-61 El tratamiento de la vía aérea puede constituir un reto importante en los pacientes con lesiones faciales.

© Eddie M. Sperling.

portante de los tejidos y hemorragia hacia la vía aérea. Controle la hemorragia por compresión directa y aspire la vía aérea, según se requiera. Usted puede encontrarse ante un paciente con un traumatismo facial grave que ventila de forma inadecuada y presenta hemorragia orofaríngea importante; ambos problemas ponen en riesgo la vida. En esas circunstancias, debe aspirar la vía aérea hasta que esté permeable, y después, ventilar al paciente. Recuerde, la ventilación de un paciente cuya vía aérea está llena de sangre casi asegura su aspiración. Si no puede detener la fuente de la hemorragia orofaríngea, haga aspiración continua e intube la tráquea.

Las lesiones faciales también deberían aumentar su índice de sospecha de una de la columna cervical. Por lo tanto, cuando trate la vía aérea, utilice la maniobra de impulso mandibular y mantenga la cabeza del paciente alineada. La intubación ET de uno con un traumatismo se realiza de manera más eficaz por dos paramédicos: uno que mantiene la estabilización alineada de la cabeza, en tanto el otro la realiza. Una técnica alternativa, en especial si usted es el único paramédico que atiende la vía aérea del paciente, es estabilizar su cabeza en posición alineada con los muslos, y después, realizar la intubación.

Mientras usted ventila un paciente con lesiones faciales, esté alerta de los cambios en la distensibilidad durante la ventilación o los ruidos que pudiesen indicar un edema laríngeo (p. ej., estridor). Si usted no puede ventilar o intubar por vía bucal de manera eficaz a un paciente con lesiones faciales graves, haga una cricotiroidotomía (ya sea quirúrgica o con aguja). A continuación, se describen las técnicas de manejo de vía aérea avanzada, que incluyen intubación ET, dispositivos supraglóticos y cricotiroidotomía con aguja y quirúrgica.

Manejo avanzado de la vía aérea

Uno de los errores más frecuentes cuando se atiende a un paciente con paro respiratorio es proceder demasiado pronto al tratamiento con una vía aérea avanzada con abandono de las técnicas básicas para establecer y mantener la permeabilidad de la vía aérea en un paciente ya hipóxico. Nunca abandone las bases del tratamiento de la vía aérea; no proceda de inmediato con técnicas avanzadas simplemente porque puede. Si bien las técnicas usadas para tratar la vía aérea de un paciente pueden variar, el objetivo es el mismo: hacer óptimas la oxigenación y ventilación.

Si los intentos por establecer y mantener vía aérea permeable y asegurar la oxigenación y ventilación apropiadas con las técnicas y maniobras básicas no tienen éxito, debería considerarse el uso de una vía aérea avanzada artificial, con la que los pacientes requieren el tratamiento principalmente por dos motivos: (1) fracaso del mantenimiento de vía aérea permeable o (2) fracaso de la oxigenación y ventilación adecuadas. El tratamiento con una vía aérea avanzada artificial implica la inserción de diversos dispositivos diseñados para facilitar la oxigenación y ventilación adecuadas. En el resto del capítulo se describen e ilustran los siguientes dispositivos y técnicas para el uso de una vía aérea avanzada artificial:

- Tubo ET
  - Intubación orotraqueal
    - Laringoscopia directa
    - Videolaringoscopia
  - Intubación nasotraqueal ciega
  - Intubación cara a cara
- Vía aérea King LT®
- Mascarilla laríngea
- Vía aérea i-gel®
- Cricotiroidotomía quirúrgica y con aguja

Predicción de la dificultad de la vía aérea

Como paramédico, usted debe decidir cómo manejar la vía aérea. Pregúntese, "¿puedo hacerlo con técnicas SVB? ¿Puedo (o debería) intubar la tráquea de este paciente?". En esta sección se describen los factores por considerar cuando se atiende un paciente con dificultad de la vía aérea.

La historia constituye un factor. Los hallazgos anatómicos que la sugieren pueden incluir anomalías congénitas (p. ej., dismorfismo facial), operaciones quirúrgicas recientes, traumatismos, infecciones o enfermedades neoplásicas (como el cáncer).

Para guiar la evaluación de una vía aérea difícil, es común el uso de las siglas nemotécnicas LEMON, que significan:

La inspección
Evaluación 3-3-2
Clasificación de **M**allampati
Obstrucción
Movilidad del cuello (del inglés ***N**eck*)

Como se indica por la *L* de esas siglas, el solo observar al paciente puede indicar la dificultad relativa que se encontrará para tratar su vía aérea. Aquellos con cuellos cortos gruesos quizás sean difíciles de intubar. La obesidad mórbida complica de manera significativa la intubación. Las condiciones odontológicas como una sobremordida o dientes "de conejo" (salientes), pueden también dificultar la intubación.

La *E* hace referencia a la a evaluación 3-3-2, de tres mediciones anatómicas con uso de la **regla 3-3-2**, **FIGURA 13-62**. El primer *3* se refiere a la abertura de la boca, que, de modo ideal, debe al menos ser de el ancho de tres dedos (unos 5 cm), pues una menor indica vía aérea potencialmente difícil. Por supuesto si el paciente puede abrir la boca al ordenársele, entonces usted debería reconsiderar su decisión de intubación. El segundo *3* se refiere a la longitud de la mandíbula, que es óptima de al menos el ancho de tres dedos, medida desde la punta del mentón hasta el hueso hioides. Los pacientes con mandíbulas más pequeñas cuentan con menor espacio para el desplazamiento de la lengua y la epiglotis, lo que puede dificultar más el tratamiento de la vía aérea. Por último, el *2* se refiere a la distancia desde el hueso hioides hasta la escotadura tiroidea; debería ser de al menos dos dedos de ancho.

La *M* en las siglas LEMON se refiere a la **clasificación de Mallampati**, un anestesiólogo de nombre SeshagiriRao Mallampati, que la desarrolló en 1985 para predecir la dificultad relativa de la intubación, **FIGURA 13-63**, en la que se señalan las estructuras orofaríngeas visibles en un paciente sentado derecho, consciente y alerta, que puede abrir por completo la boca. Si bien esta evaluación es útil para predecir la dificultad de la intubación de manera precisa, no lo es en los pacientes que no responden o que no pueden seguir órdenes. *Si un paciente coopera y puede colaborar con esta evaluación, entonces tal vez no esté indicada la intubación prehospitalaria de emergencia.* Sin embargo, la valoración es importante porque puede proveer información útil en caso de que se hiciera necesaria la intubación.

En comparación con la de Mallampati, la **clasificación de Cormack-Lehane** tiene más aplicabilidad en un contexto de emergencia. Se refiere a las vistas obtenidas por laringoscopia con base en las estructuras anatómicas, **FIGURA 13-64**.

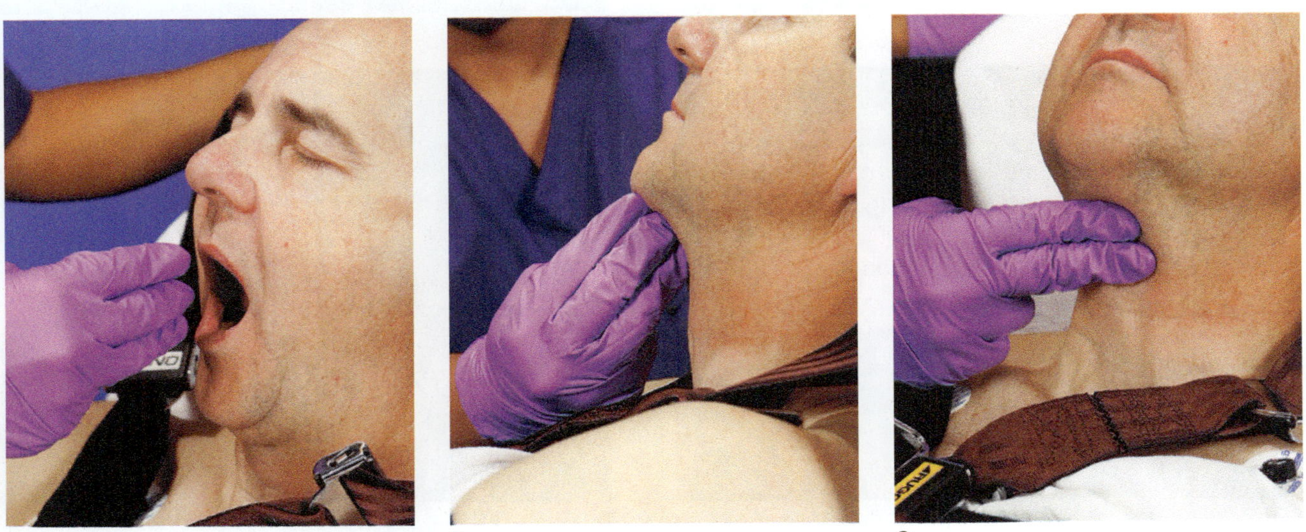

A B C

FIGURA 13-62 La regla de 3-3-2. **A.** La boca debería abrirse al menos el ancho de tres dedos. **B.** El espacio del mentón al hueso hioides debería ser de al menos el ancho de tres dedos. **C.** La distancia del hueso hioides a la escotadura tiroidea debería ser del ancho de dos dedos al menos.

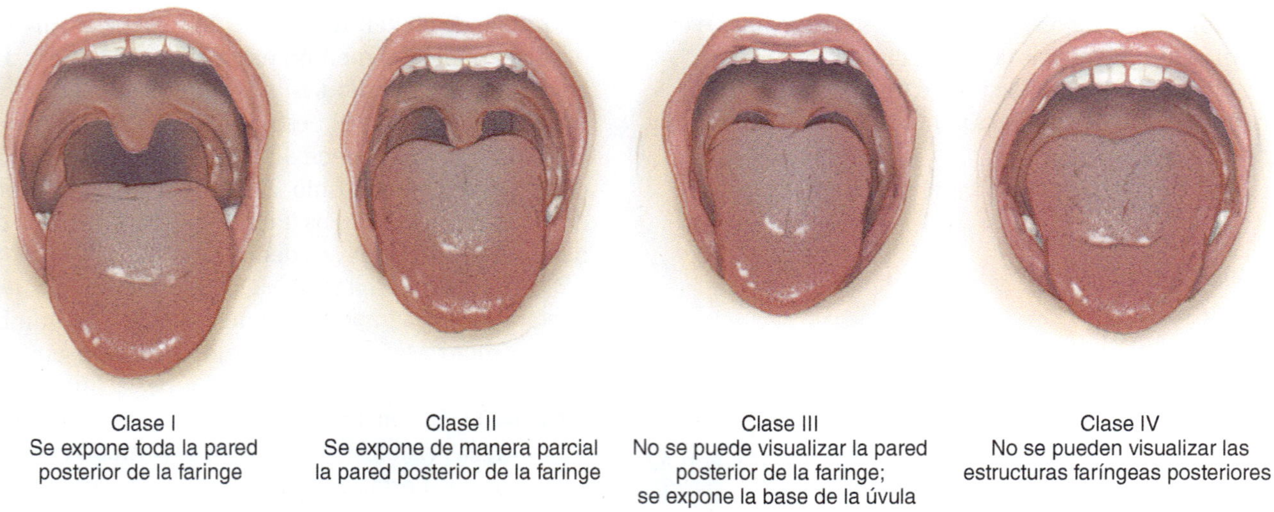

FIGURA 13-63 Clasificación de Mallampati.

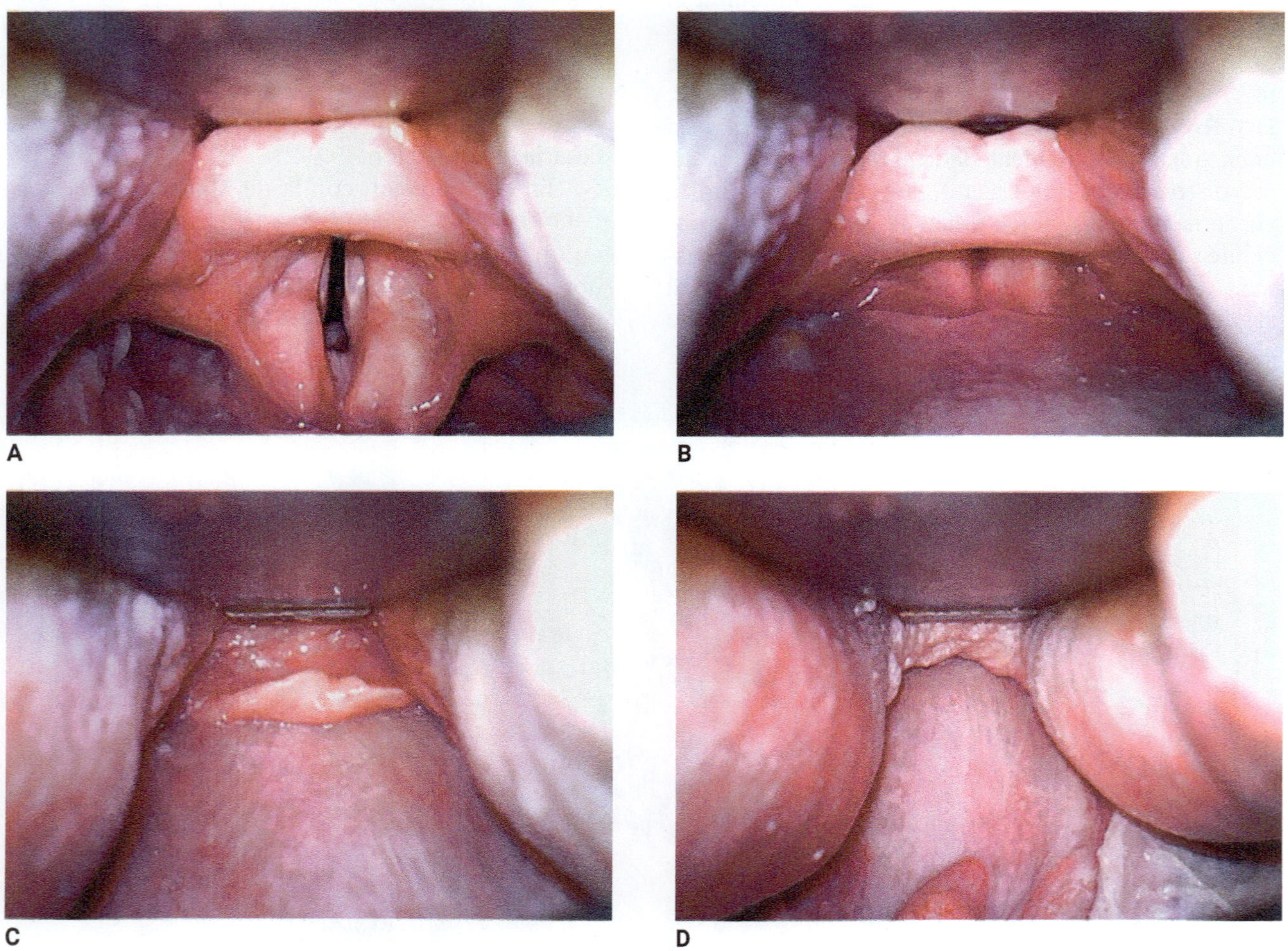

FIGURA 13-64 Vistas de la vía aérea por laringoscopia que muestran la clasificación de Cormack-Lehane. **A.** Clase 1: visualización completa de la epiglotis, el cartílago aritenoides y las cuerdas vocales. **B.** Clase 2: la epiglotis se visualiza completa, pero solo se puede ver una porción de la glotis o del cartílago aritenoides; la Clase 2a indica una vista parcial de la glotis, y la Clase 2b, visibilidad escasa del cartílago aritenoides y la parte posterior de las cuerdas vocales. **C.** Clase 3: solo se puede visualizar la epiglotis. No son visibles la glotis ni el cartílago aritenoides. **D.** Clase 4: no se visualiza la epiglotis o la glotis.

La *O* de las siglas se refiere a obstrucción. Note cualquier cosa que pudiese interferir con la visualización o la colocación del tubo ET. La obstrucción por un cuerpo extraño, obesidad, un hematoma y masas tumorales, son todas ejemplos de circunstancias que pueden crear dificultad con la vía aérea.

Por último, la *N* (del inglés *neck*) se refiere a la movilidad del cuello. La posición ideal para la visualización y la intubación es la de olfateo (pabellones auriculares alineados con la escotadura esternal). Los problemas de movilidad del cuello están con frecuencia máxima vinculados con pacientes con traumatismos (por collares o lesiones cervicales) y los de edad avanzada (por osteoporosis o artritis). La incapacidad de colocar al paciente en la posición de olfateo puede disminuir de manera significativa la capacidad de visualización de la vía aérea.

Intubación ET

En la **intubación endotraqueal (ET)**, se hace pasar un tubo a través de la abertura glótica, que después se sella con un manguito que se infla en dirección de la pared traqueal. Cuando se introduce el tubo a la tráquea por la boca, el procedimiento se denomina **intubación orotraqueal** y cuando se hace a través de la nariz, **intubación nasotraqueal**.

La intubación de la tráquea es el único medio definitivo de lograr un dominio completo de la vía aérea. Usted necesita un conocimiento sólido de las bases de esta técnica al tomar decisiones emergentes en cuanto a cuándo intubar a un paciente (o no). Considere los siguientes puntos cuando realice la intubación ET:

- **Ventajas.** Provisión de una vía aérea segura y protección contra la aspiración
- **Desventajas.** Se requiere equipo especializado; se evaden las funciones fisiológicas de la vía aérea superior (entibiado, filtrado, humidificación)
- **Complicaciones.** Hemorragia; hipoxia; edema laríngeo; laringoespasmo; lesión de las cuerdas vocales; necrosis de la mucosa; barotraumatismo

Tubos ET

La estructura básica de un **tubo endotraqueal (ET)**, **FIGURA 13-65**, incluye el extremo proximal, el cuerpo, el manguito y el globo piloto, así como la punta distal. El extremo proximal está equipado con un adaptador estándar de 15/22 mm, que permite acoplarlo con cualquier dispositivo de ventilación. También incluye un puerto de inflado con un globo piloto. El manguito distal se infla con una jeringa acoplada a su puerto, que tiene una válvula unidireccional. El globo piloto indica si el manguito distal está inflado o desinflado después de que se insertó el tubo en la boca.

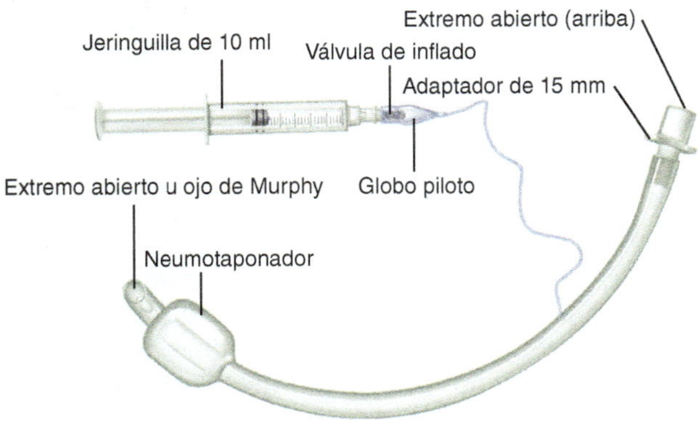

FIGURA 13-65 Tubo endotraqueal.

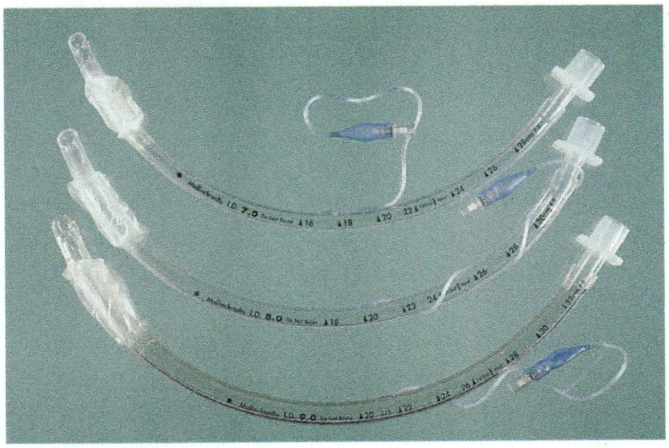

FIGURA 13-66 Los tubos endotraqueales se encuentran disponibles en una variedad de tamaños.

Las marcas en centímetros en la longitud del tubo ET proveen una medida de su profundidad. El extremo distal tiene una punta biselada para facilitar su inserción y una abertura lateral llamada **ojo de Murphy**, que permite que ocurra la ventilación incluso si se ocluye la punta por sangre, moco o la pared de la tráquea.

Los tubos ET varían en dimensiones de 2.0 a 10.0 mm de diámetro interno y de 12 a 32 cm de longitud, **FIGURA 13-66**. Aquellos con diámetro interno entre 5.0 y 10.0 mm están equipados con un manguito distal que, cuando se infla, hace un sellado hermético con la pared torácica. Es posible obtener tubos más pequeños con manguito para cumplir con las guías neonatales del 2020. Un tubo demasiado pequeño para el paciente llevará a una mayor resistencia al flujo de aire y la dificultad de ventilación. Aquel demasiado grande puede dificultar la inserción y causar traumatismos. Por lo general, la mujer requerirá un tubo de 7.0 a 7.5 mm, en tanto el hombre, uno de 7.5 a 8.0 mm.

El **estilete**, un alambre semirrígido que se inserta dentro del tubo ET para moldearlo y mantener la forma, le permite guiar la punta sobre el cartílago aritenoides y a través de las cuerdas vocales. Lubrique este dispositivo con un gel hidrosoluble para facilitar su retiro, y doble su extremo para formar una curva como de "bastón de jockey". El extremo del estilete debería yacer al menos 1 cm detrás del extremo del tubo ET; si protruye más allá, puede dañar las cuerdas vocales y las estructuras circundantes. Doble el otro extremo del estilete sobre el conector proximal del tubo, de modo que no pueda deslizarse más al interior.

En los pacientes pediátricos, use tubos ET de 2.5 a 5.0 mm (de diámetro interno). En los niños, una porción cónica del anillo cricoideo (la porción más estrecha de la vía aérea artificial pediátrica) forma un sellado anatómico con el tubo ET, lo que elimina la necesidad de manguito distal en la mayoría de los pacientes. El extremo proximal del tubo cuenta con un adaptador de 15/22 mm para usarlo con dispositivos de ventilación estándar y el extremo distal, con una punta biselada y marcada. Sin embargo, debido a que no tiene manguito de globo, no se incluye un globo piloto.

Varias claves anatómicas le pueden ayudar a determinar las dimensiones apropiadas del tubo ET para adultos y niños. El diámetro interno de la narina constituye una buena aproximación al correspondiente de la abertura glótica. El diámetro del meñique o las dimensiones de la uña del pulgar constituyen también una buena aproximación al tamaño de la vía aérea. No obstante, debido a que todos los intentos por predecir las dimensiones del tubo ET requerido para un paciente determinado son cálculos, usted debería siempre contar con tres de ellos listos: uno del tamaño que usted piensa apropiado, uno mayor y uno menor. Una forma más precisa de determinar las dimensiones del tubo en los pacientes pediátricos es utilizar una cinta longitudinal, una tarjeta de referencia pediátrica de bolsillo u otros recursos de fácil acceso, que permiten calcular el tamaño del tubo con base en los kilogramos de peso corporal y la edad.

Laringoscopios y hojas

Se requiere un laringoscopio para hacer la intubación endotraqueal, en un procedimiento denominado laringoscopia, por el que se visualizan las cuerdas vocales para colocar el tubo ET. El instrumento consta de mango y hojas intercambiables, **FIGURA 13-67**. El mango incluye una fuente de potencia para la luz dirigida a la hoja del laringoscopio. La mayoría de los laringoscopios cuenta con baterías desechables, pero algunos son recargables. El mango es una barra diseñada para conectarse con la muesca de la hoja, **FIGURA 13-68**. Cuando se desplaza la hoja a la posición perpendicular, la luz brilla cerca de su punta. Los laringoscopios más recientes incluyen una fuente de luz dentro del mango que se acopla con una hoja fibroóptica.

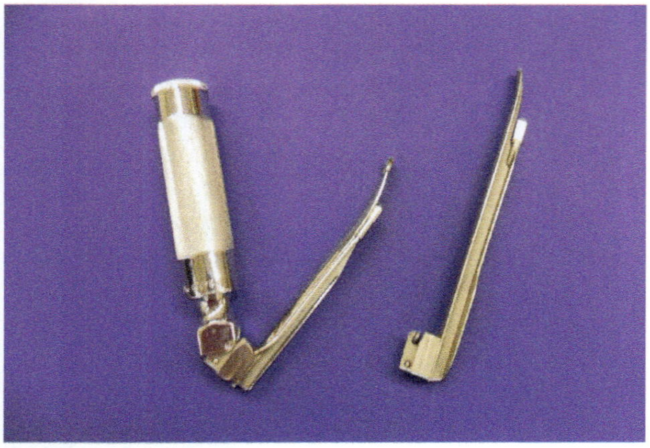

FIGURA 13-67 Un laringoscopio con hoja recta.

FIGURA 13-68 El mango del laringoscopio tiene una barra diseñada para conectarse con una muesca en la hoja.

Las opciones de hojas de laringoscopio incluyen la recta (de Miller) y la curva (de Macintosh). La **hoja recta de laringoscopio** está diseñada para que su punta se extienda más allá de la epiglotis y directamente la eleve, **FIGURA 13-69**, una característica en particular útil en lactantes y niños pequeños, que a menudo tienen una epiglotis larga, blanda, que puede ser difícil de elevar con una hoja curva en todo su trayecto. En un adulto, el uso de una hoja recta

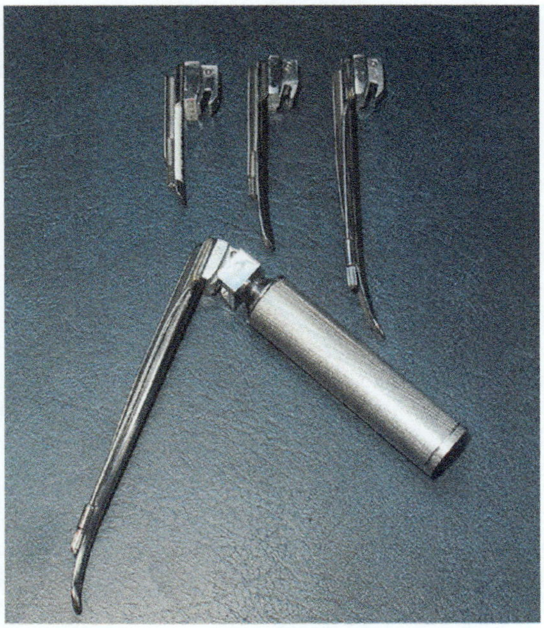

FIGURA 13-69 Un laringoscopio y su juego de hojas rectas (de Miller).

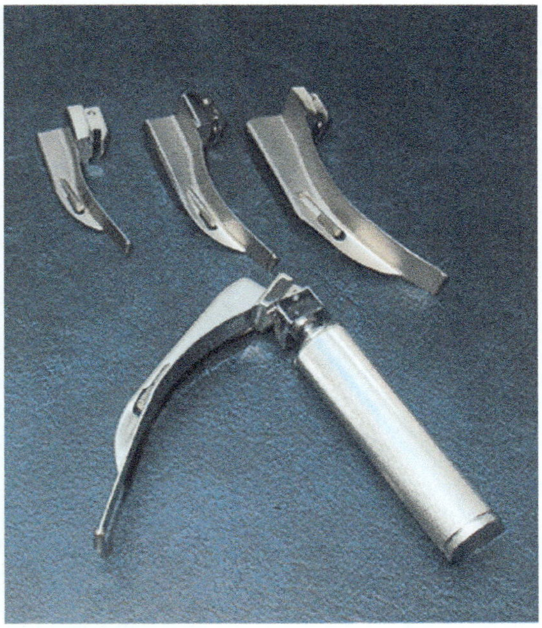

FIGURA 13-70 Un laringoscopio y su juego de hojas curvas (de Macintosh).

requiere gran cuidado; si se hace de manera inapropiada y hace palanca con el maxilar superior, tiene más probabilidad de dañar los dientes del paciente. La **hoja curva de laringoscopio** tiene menos probabilidad de hacer palanca con los dientes cuando es usada por un paramédico inexperto, **FIGURA 13-70**. La dirección de la curva se corresponde con las de la lengua y la faringe, de modo que sigue el contorno de la faringe con relativa facilidad. La punta de la hoja curva se coloca en la vallecula (espacio entre la epiglotis y la base de la lengua) más bien que detrás de la lengua; eleva de forma indirecta la epiglotis para exponer las cuerdas vocales. Durante un intento de intubación orotraqueal usted debería contar con hojas tanto curvas como rectas.

Las dimensiones de las hojas van de 0 a 4; 0, 1 y 2 son apropiadas para lactantes y niños, en tanto 3 y 4 lo son para adultos. Para los pacientes pediátricos, a menudo se recomiendan los tamaños de hoja con base en la edad o talla del niño. Elija la de adultos con base en su experiencia y las dimensiones del paciente (3 para los de constitución promedio y 4 para los más grandes).

Intubación orotraqueal por laringoscopia directa

La intubación orotraqueal por laringoscopia directa implica la inserción de un tubo ET a través de la boca hacia la tráquea, mientras se visualiza directamente la abertura glótica con un laringoscopio. Sus indicaciones y contraindicaciones son las siguientes:

- **Indicaciones**
  - Requerimiento del dominio de la vía aérea por coma, paro respiratorio o paro cardíaco
  - Respaldo ventilatorio antes de una insuficiencia respiratoria inminente
  - Requerimiento de respaldo ventilatorio prolongado
  - Lesión traumática encefálica
  - Ausencia de respuesta
  - Afección de la vía aérea que la imposibilita (como ante quemaduras o traumatismos)
- **Contraindicaciones**
  - Reflejo nauseoso íntegro
  - Incapacidad del paciente de abrir la boca por un traumatismo, dislocación mandibular u otra afección patológica
  - Incapacidad de visualizar la abertura glótica
  - Secreciones copiosas, vómito o sangre en la vía aérea

En el **CUADRO 13-12** se resumen el equipo y la preparación requeridos antes de hacer una intubación endotraqueal. Obtenga una copia de este cuadro y fíjela en su equipo de intubación, de manera que pueda verificarlo de manera sistemática al inicio de cada turno.

CUADRO 13-12 Preparación del equipo para intubación

Equipo	¿Qué revisar, preparar y ensamblar?
De ventilación	Haga que su compañero ventile al paciente mientras usted ensambla, revisa y prepara el equipo. Asegúrese de que el paciente reciba la ventilación con oxígeno a 100% y la lectura del oxímetro de pulso sea mayor de 95%.
Tubo ET	Seleccione el de tamaño apropiado (7.0-7.5 para adultas, 7.5-8.0 para adultos). Inyecte 10 ml de aire en el manguito y asegúrese de que lo retiene. Confirme que el adaptador de 15/22 mm está insertado con firmeza en el interior del tubo. Introduzca el estilete y asegúrese de que la punta tenga una ubicación proximal al ojo de Murphy. Enderece por completo el tubo ET y haga una pequeña flexión (en forma de un bastón de jockey) apenas proximal al manguito, **FIGURA 13-71**. Aumente el ángulo del doblez, según sea necesario, para facilitar la colocación del tubo a través de las cuerdas vocales.
Laringoscopio y hojas	Tenga a la mano un juego de hojas (rectas y curvas), porque algunos pacientes son más fáciles de intubar con una que con la otra. Confirme que la que usted seleccione no presente muescas, que pudiesen causar traumatismos de tejidos blandos en la vía aérea superior. Asegúrese de que la luz sea brillante, blanca y constante, lo suficientemente intensa para que sea incómodo visualizarla en forma directa. Su color deberá ser blanco, no amarillo tenue. Tampoco deberá parpadear, en especial si se moviliza sobre el mango. Con las hojas de laringoscopio más antiguas, el bulbo se atornilla y usted debe asegurarse de que esto se haya hecho firmemente para prevenir que se aspire hacia los pulmones. Las hojas modernas utilizan fibra óptica para proveer la luz y la fuente de potencia se localiza en el mango de laringoscopio; no obstante, confirme que las baterías tienen la necesaria para proveer una luz suficiente.
Toallas	Quizá las necesite para el posicionamiento apropiado de la cabeza del paciente.
Aspiración	Puede requerirse para limpiar la vía aérea de sangre u otras secreciones y así obtener una vista laringoscópica adecuada de la abertura glótica y las cuerdas vocales.
Pinza de Magill	Téngala disponible para el caso de que encuentre un cuerpo extraño oclusivo durante la laringoscopia.
Dispositivos de confirmación	Estetoscopio y un detector de $ETCO_2$ (use la capnografía de forma de onda cuantitativa para confirmar la ubicación inicial y constante del tubo ET). Use un detector colorimétrico de dióxido de carbono *solo* si no se dispone de capnografía.
Dispositivo de aseguramiento del tubo ET	Cuente con el dispositivo apropiado fácilmente disponible para fijar el tubo ET. Se recomienda uno comercial en específico diseñado para el efecto.

Abreviaturas: $ETCO_2$, dióxido de carbono tidal terminal; ET, endotraqueal.

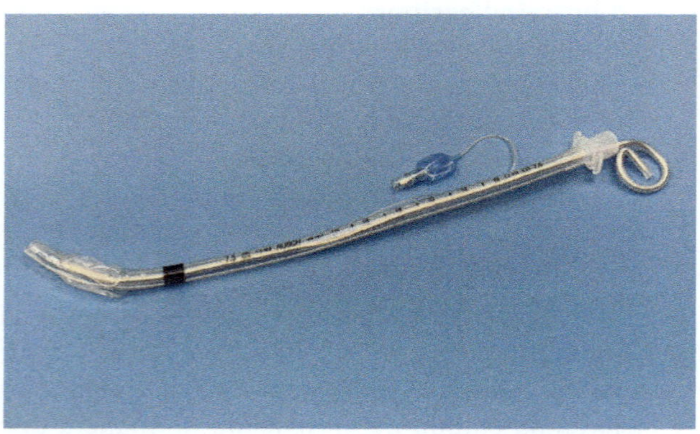

FIGURA 13-71 Antes de usar el tubo endotraqueal, enderécelo en combinación con el estilete y haga un ligero doblez apenas proximal al manguito.

Cortesía de Steve Rahm.

Precauciones estándar

Como el tratamiento de la vía respiratoria en general, la intubación puede exponerle a sangre, secreciones o gotitas en aerosol. En particular, las enfermedades como COVID-19 (enfermedad por coronavirus del 2019) y la tuberculosis, se diseminan por esas gotitas. Por lo tanto, las precauciones estándar durante la intubación deberían incluir una mascarilla N95, gafas de seguridad o un escudo facial completo, guantes, y de ser necesario, una bata.

Preoxigenación

La preoxigenación adecuada con un dispositivo de bolsa-mascarilla y oxígeno a 100% es un paso crítico antes de la intubación de un paciente. Usted debería

Perlas de sabiduría

Haga ventilaciones con un dispositivo de bolsa-mascarilla y oxígeno a 100% durante al menos 2 a 3 minutos antes de intentar la intubación. El paciente requiere una reserva de oxígeno para tolerar el periodo sin ventilación durante la inserción de una vía aérea artificial avanzada. Usted también necesita tiempo para revisar de manera apropiada su equipo.

preoxigenar por 2 a 3 minutos al paciente con apnea o hipoventilación. Durante el intento de intubación, el paciente presentará un periodo de la llamada apnea forzada, durante el cual no se ventila. El propósito de la preoxigenación es prevenir la hipoxia durante ese periodo. Por desgracia, usted no podrá realizar una evaluación amplia previa a la intubación del paciente (como la obtención de cifras de hemoglobina y hematócrito), y aquellos en contextos prehospitalarios suelen estar en una condición fisiológicamente inestable.

Vigile la cifra de Spo_2 del paciente y llévela tan cerca de la saturación a 100% como sea posible durante el periodo de preoxigenación de 2 a 3 minutos. Durante el intento de intubación usted debe vigilar de manera continua la cifra de Spo_2 y mantenerla por arriba de 94%.

Las consecuencias de incluso periodos breves de hipoxia pueden ser desastrosas. No confíe solo en el oxímetro de pulso para cuantificar el estado de oxigenación del paciente; puede dar lecturas falsamente altas, incluso en presencia de hipoxia grave. Si bien, algunas secuelas de la hipoxia son espectaculares y ocurren de inmediato, la mayoría es sutil y se presenta de manera gradual. Algunos de los malos resultados neurológicos después de un tratamiento intensivo de la vía aérea se deben a la hipoxia inducida por la intubación, también conocida como hipoxia periintubación.

Perlas de sabiduría

Si el paciente experimentó una posible lesión del cuello, usted debe alinear la cabeza. No use la posición de olfateo o extienda la cabeza en forma alguna. La intubación de un paciente de traumatología se realiza de manera más eficaz por dos paramédicos.

Posicionamiento del paciente

La laringoscopia exitosa será en extremo difícil, si no imposible, sin una posición apropiada de la cabeza del paciente. La vía aérea tiene tres ejes: bucal, traqueal y faríngeo. Cuando la cabeza se encuentra alineada, los tres están en ángulo agudo, lo que facilita el ingreso de alimento al esófago, más que a la tráquea, **FIGURA 13-72**. Si bien esta posición es ventajosa para una persona consciente que respira de forma espontánea, los ángulos de estos ejes dificultan la laringoscopia.

Para facilitar la visualización de la vía aérea deben alinearse los tres ejes en el máximo grado posible, lo que se logra de la manera más eficaz al colocar al paciente en la posición de olfateo. En la mayoría de los pacientes esto se puede lograr al elevar el occipucio de 2.5 a 5 cm con toallas plegadas o pedir a su compañero que lo haga hasta que los lóbulos auriculares se encuentren a nivel del esternón, **FIGURA 13-73**. Cuando se usan toallas, se puede ajustar con facilidad su grosor cambiando el número de pliegues. En aquellos pacientes con obesidad, el solo acolchamiento bajo la cabeza quizá no dé lugar a la posición de olfateo; tal vez se necesite añadir acolchamiento bajo los hombros y el cuello también. Para confirmar que el paciente está en una verdadera posición de olfateo, visualícelo de lado para asegurar que los lóbulos auriculares y el esternón se encuentran en el mismo plano horizontal.

Inserción de la hoja de laringoscopio

Después de que usted posicionó la cabeza del paciente de manera apropiada y le brindó preoxigenación, indique a su compañero que deje de ventilar. Ubíquese arriba de la cabeza del paciente. Si el paciente se encuentra en una camilla, puede arrodillarse para colocar la cabeza a nivel de la cara de este.

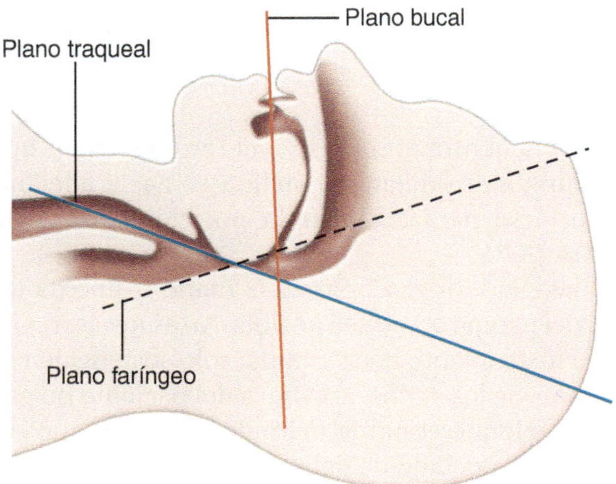

FIGURA 13-72 Cuando la cabeza está alineada, los tres ejes de la vía aérea (bucal, traqueal y faríngeo) se encuentran en ángulos agudos y dificultan la laringoscopia.

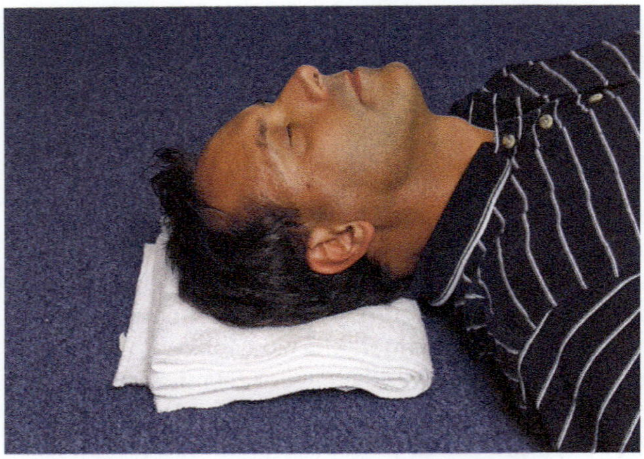

FIGURA 13-73 Posición de olfateo, que se logra elevando la cabeza hasta que los lóbulos auriculares se encuentran a nivel del esternón.

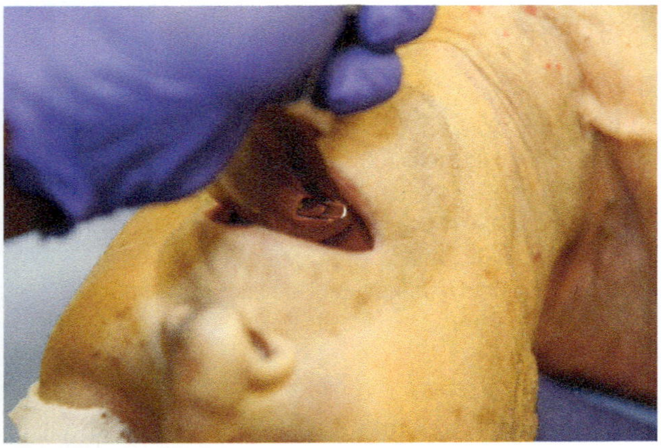

FIGURA 13-75 La lengua es una estructura amorfa gruesa que puede dificultar la visualización de la vía aérea. La manipulación apropiada de la hoja de laringoscopio dentro de la boca es crítica para evitarlo.

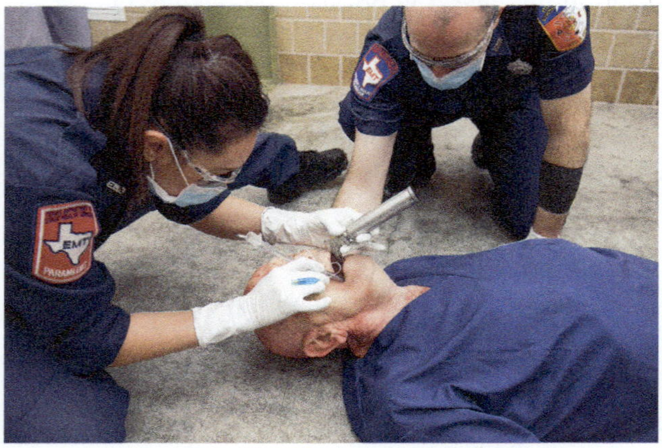

FIGURA 13-74 Si el paciente se encuentra en el piso o sobre el terreno, quizás usted requiera arrodillarse e inclinarse hacia adelante o recostarse en el piso para obtener la posición apropiada.

Si él se encuentra en el piso o el terreno, usted quizás requiera arrodillarse e inclinarse hacia adelante o recostarse para alcanzar la posición apropiada, **FIGURA 13-74**.

Sujete el laringoscopio en la mano izquierda tan abajo del mango como sea posible. No es necesario incluir el instrumento en su palma; solo sosténgalo con las puntas de los dedos. Si la boca del paciente no está abierta, coloque el borde del pulgar de su mano derecha apenas debajo del labio e impulse la boca para abrir o "separar" con su pulgar e índice entre los molares. Como alternativa, puede abrir la boca con la maniobra de elevación de lengua-mandíbula.

Inserte la hoja en el lado derecho de la boca del paciente. Utilice el borde de la hoja para movilizar la lengua con suavidad hacia la izquierda, mientras la desplaza hacia la línea media. Coloque el dedo meñique de su mano izquierda bajo el mentón del paciente; el hacerlo le ayudará a levantar la mandíbula y a prevenir que haga palanca con la hoja contra los dientes. Tenga cuidado de no incluir los labios entre la hoja del laringoscopio y los dientes. Es un paso crítico movilizar la lengua de derecha a izquierda. Si usted simplemente inserta la hoja en la línea media, la lengua colgará a ambos lados y es todo lo que visualizará, **FIGURA 13-75**.

Haga avanzar poco a poco la hoja mientras continúa deslizando la lengua a la izquierda hasta que identifique la úvula; usted ahora debería visualizar la pared posterior de la faringe. Continúe avanzando la hoja hasta que observe *la epiglotis, una estructura de identificación crítica durante la laringoscopia.* Manipule con suavidad la hoja hasta que pueda ver la epiglotis. No haga palanca sobre el laringoscopio; esto hará que use los dientes del paciente como fulcro, con el resultado de su posible rotura y aspiración, **FIGURA 13-76**. La laringoscopia *no* requiere fuerza bruta; es una técnica simple de manipulación fina y anatómica. Es crítico relajarse cuando se usa un laringoscopio; la mandíbula humana es fácil de manipular, a diferencia de la de un maniquí. El movimiento correcto es similar a sujetar un vaso para champaña (de tipo flauta) y ofrecer una rebanada de pan tostado, **FIGURA 13-77**.

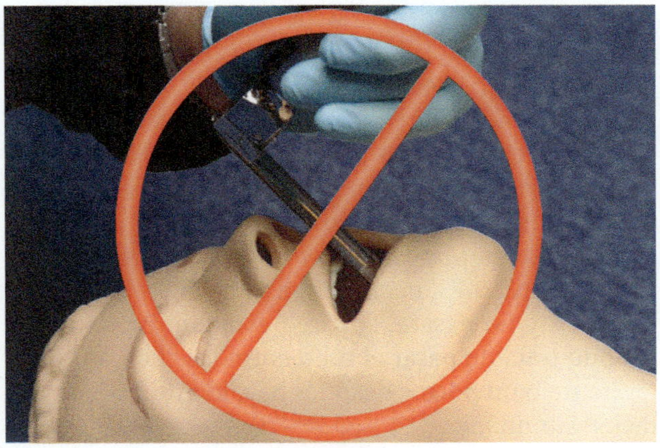

FIGURA 13-76 Evite apoyar el laringoscopio en los dientes superiores, lo que podría causar su rotura y aspiración.

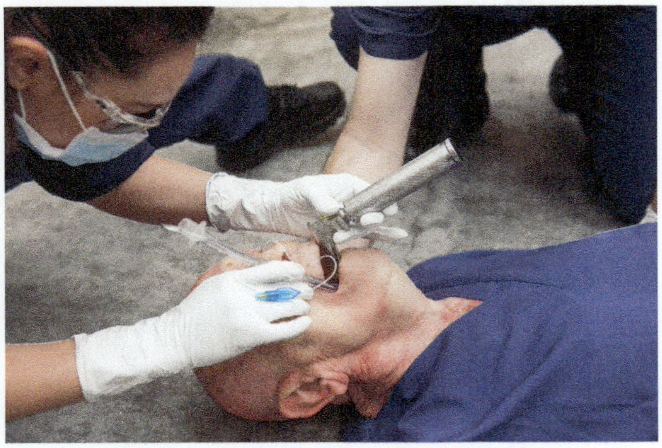

FIGURA 13-77 Relaje sus brazos y haga avanzar con suavidad la hoja del laringoscopio hasta poder visualizar las estructuras anatómicas.

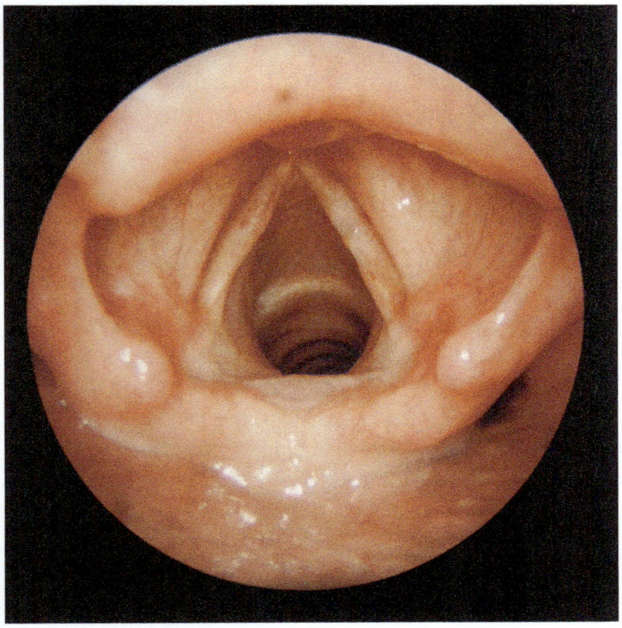

FIGURA 13-78 Vista laringoscópica de la epiglotis, las cuerdas vocales (bandas fibrosas blancas) y el cartílago aritenoides.

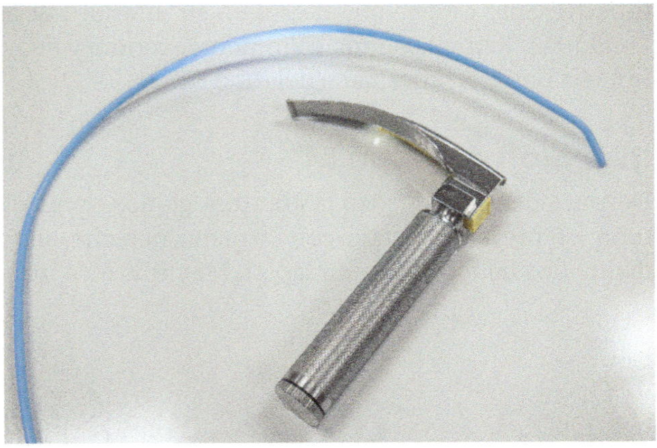

FIGURA 13-79 Se muestra una guía elástica bougie junto al laringoscopio.

Visualización de la abertura glótica

Después de que identifique la epiglotis, coloque la punta de la hoja curva en el espacio vallecular, de ubicación superior. Coloque la hoja recta directamente bajo la epiglotis y después elévela en forma lenta hasta que tenga una vista completa de la abertura glótica: debería visualizar las cuerdas vocales y el cartílago aritenoides. Las primeras son bandas fibrosas blancas de ubicación vertical dentro de la abertura glótica. El cartílago aritenoides se localiza debajo, a ambos lados, **FIGURA 13-78**. La identificación de esas estructuras le permite hacer pequeños ajustes en la posición de la hoja para asegurar la visualización máxima de la abertura glótica.

La **guía elástica bougie**, también llamada guía de eschmann, es un dispositivo flexible de 5 mm de diámetro o 15 Fr y casi 70 cm de longitud, en cuyo extremo distal presenta un doblez de 30°, **FIGURA 13-79**. Se dispone de versiones reutilizables y desechables, tanto para adultos como pediátricas. Se usa solo durante la visualización de la epiglotis para facilitar la intubación, pues puede posibilitarla en algunas circunstancias difíciles, en especial cuando la vista de la abertura glótica es limitada. La sonda calibradora es lo suficiente rígida para poderla dirigir con facilidad a través de la abertura glótica y, no obstante, también flexible para no dañar las paredes de la tráquea. Muchos paramédicos usan una sonda calibradora cuando intuban a los pacientes, incluso con una vista no obstruida de las cuerdas vocales.

Perlas de sabiduría

Cuando usted usa una guía de bougie para facilitar la intubación, la orientación anterior de su punta le permitirá sentir los anillos de la tráquea. Avánzela hasta encontrar resistencia, lo que indica que llegó al nivel de la carina. Además, recuerde que introducir algo en la tráquea más allá de la epiglotis requiere una técnica estéril. Es una consideración importante el riesgo de introducir una infección con una guía de bougie, por lo que sea cuidadoso cuando almacene el instrumento.

La sonda calibradora se inserta a través de la abertura glótica bajo laringoscopia. Su ángulo en el extremo distal facilita el ingreso a la abertura glótica y le permite "sentir" los anillos de la pared traqueal, **FIGURA 13-80**. Después de colocar la sonda calibradora profundo en la tráquea, sirve como guía para el tubo ET. Solo deslícelo con esta en su interior hacia la tráquea. Retire la sonda calibradora, ventile y confirme la posición apropiada del tubo ET.

Inserción del tubo ET

Después de que visualizó la abertura glótica, tome el tubo ET preseleccionado con la mano derecha, mediante dos dedos (como un lápiz). Mientras más bajo sujete el tubo, mayor será su dominio sobre él. Bajo visualización, inserte el tubo desde la comisura derecha de la boca del paciente.

Conforme observe el tubo pasar a través de las cuerdas vocales, rótelo a la derecha y dirija la punta hacia abajo, lo que permitirá descenderlo al interior de la tráquea. *La tráquea no es un tubo recto; desciende justo detrás de las cuerdas vocales.* Si se orienta la punta del tubo ET hacia arriba, golpeará el cartílago cricoides y no pasará. Si usted encuentra resistencia cuando trata de pasar el tubo entre las cuerdas vocales, retírelo un poco y después hágalo avanzar con rotación simultánea.

Haga avanzar el tubo ET hasta que el extremo proximal del manguito se encuentre de 1 a 2 cm más

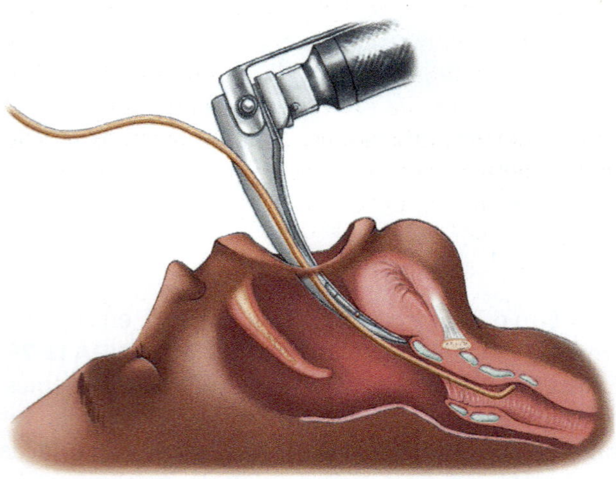

FIGURA 13-80 El ángulo en el extremo distal de la guía de bougie facilita el ingreso a la abertura glótica y permite sentir los anillos de la tráquea.

Perlas de sabiduría

Mejoramiento de su visualización por laringoscopia

Durante la laringoscopia, usted (quien realizará la intubación) puede acercarse con su mano derecha y manipular la laringe (manipulación laríngea externa) mientras observa directamente el efecto en su vista de las cuerdas vocales. Después de obtener la vista óptima, un ayudante puede mantener esta posición de la laringe mientras usted inserta el tubo ET con su mano derecha, procedimiento llamado **laringoscopia bimanual**, un método eficaz para mejorar la vista obtenida, **FIGURA 13-81**.

Durante la manipulación laríngea, quien realiza la intubación (o un ayudante) puede usar la **maniobra BURP** en la que se aplica presión. En esta maniobra la presión se aplica hacia atrás (*Backward*), arriba (*Upward*) y hacia la derecha (*Rightward*) Posterior al tercio inferior del cartílago tiroides.

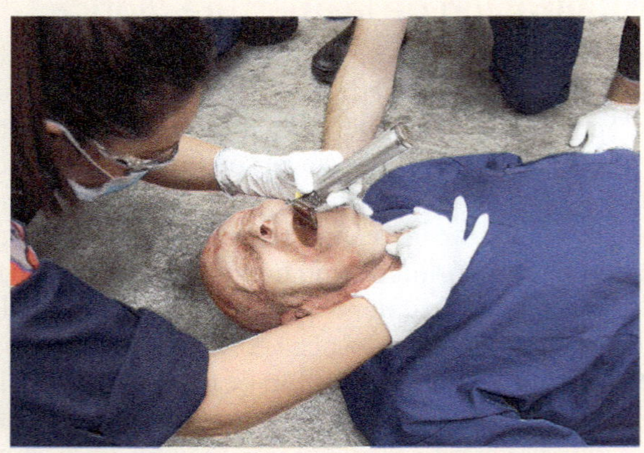

FIGURA 13-81 Laringoscopia bimanual con manipulación laríngea externa.

allá de las cuerdas vocales. Usted *debe* ver la punta del tubo ET pasar a través de las cuerdas vocales; de lo contrario ¡no lo inserte! Un tubo ET insertado en forma ciega por la garganta casi siempre se apoyará en el esófago, no en la tráquea; la única forma de asegurarse de que el tubo pasó por las cuerdas vocales es verlo. Si usted retira su vista de la punta del tubo (y de las cuerdas vocales), incluso durante un segundo, aumentará de manera significativa la probabilidad de intubar el esófago.

No trate de introducir el tubo ET hasta la muesca de la hoja del laringoscopio, en especial cuando está usando una recta, que no está diseñada como guía; es un recurso que se usa solo para visualizar la abertura glótica. La colocación del tubo más allá de la muesca de la hoja obstaculizará la visualización de la abertura glótica, **FIGURA 13-82**.

Ventilación

Después de que usted observó el paso del manguito del tubo ET de 1 a 2 cm más allá de las cuerdas vocales, retire con suavidad la hoja, ancle el tubo con seguridad a los dientes con su índice derecho o medio y retire el estilete con cuidado para evitar la extubación del paciente. *Retirar el estilete sin asegurar manualmente el tubo a los dientes puede causar una extubación inadvertida.*

Infle el manguito distal con 5 a 10 ml de aire y, después, desacople la jeringuilla del puerto de inflado. Si no hace esto justo después de inflar el manguito distal, pudiese escapar aire hacia la jeringuilla, con un sellado inadecuado resultante entre el manguito y la pared traqueal. Evite inflar el manguito distal con una presión excesiva, pues pudiese causar isquemia o necrosis de la pared de la tráquea; por último, esto pudiera llevar a la estenosis (estrechamiento) de la tráquea.

Verifique la profundidad del tubo ET (en centímetros) hasta los dientes del paciente, observación que le permitirá a usted y a otro personal de atención sanitaria involucrado en su tratamiento médico determinar si el tubo migró después de colocarse. Por ejemplo, si la profundidad del tubo ET al inicio era de 20 cm en los dientes, pero ahora es de 24 cm, usted sabe que avanzó 4 cm más al interior de la tráquea.

Pida a su asistente acoplar el dispositivo de bolsa-mascarilla al tubo ET y continuar la ventilación. Coloque un monitor de capnografía en línea, que está unido al monitor/desfibrilador o, entre el dispositivo de bolsa-mascarilla y el tubo ET. Mientras se proveen las primeras ventilaciones, visualice la pared torácica del paciente para asegurarse de que ascienda con cada una. Al mismo tiempo, ausculte el abdomen con un estetoscopio sobre el epigastrio y ambos pulmones en el tercero o cuarto espacio intercostales y la línea media axilar. Si el tubo ET está colocado de manera correcta, usted escuchará ruidos respiratorios equivalentes a ambos lados y un epigastrio en silencio. Sin embargo, los ruidos epigástricos pueden transmitirse a los pulmones en los pacientes con obesidad o en aquellos con distensión gástrica significativa, lo que le lleva a creer que de forma inadvertida intubó el esófago, uno de los múltiples motivos por los que la capnografía de

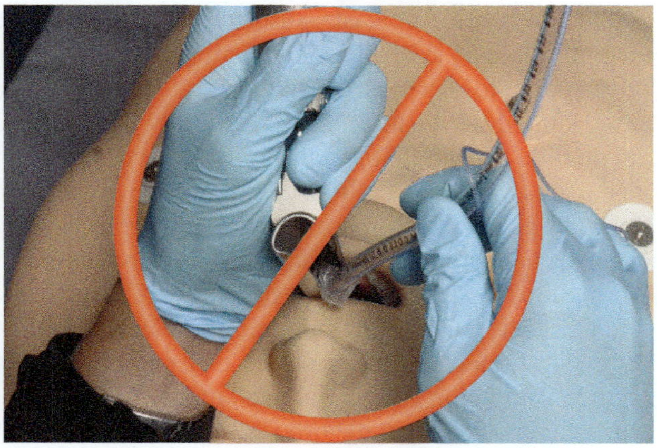

FIGURA 13-82 Evite colocar el tubo endotraqueal por debajo de la muesca de la hoja porque obstaculizaría su vista de la abertura glótica.

Perlas de sabiduría

No debe tardar más de 10 o 15 segundos en intubar a un paciente desde el momento en que introduce el laringoscopio en la boca. Sea delicado y trabaje con cierta velocidad, pero no se precipite. Durante el intento, controle la saturación de oxígeno y la frecuencia cardíaca del paciente. Si no puede intubarlo con éxito en poco tiempo, aborte el intento y reoxigene con oxígeno al 100% antes de volver a intentar la intubación. *¡No permita que la saturación de oxígeno del paciente descienda por debajo de 95% durante cualquier intento de intubación!* Si el paciente está en paro cardíaco, no interrumpa las compresiones torácicas para insertar un tubo ET. Si no puede intubar a un paciente con RCP en curso, elija otra estrategia de manejo de la vía aérea.

forma de onda cuantitativa es indispensable en esas circunstancias.

Continúe la ventilación de acuerdo con la edad del paciente. Recuerde del cuadro 13-11 que usted debe ventilar a un adulto con apnea y una frecuencia del pulso de 10 latidos/min (una cada 6 segundos), y a un lactante o niño con apnea y pulso, a razón de 20 a 30 ventilaciones/min (una cada 2 o 3 segundos). Si el paciente (adulto, niño o lactante) se encuentra en paro cardíaco, ventílelo a razón de 10 ventilaciones/min (una cada 6 segundos).[1,5-7] No detenga las compresiones de tórax para proveer ventilaciones (RCP asincrónica).

Confirmación de la colocación del tubo

Visualizar el tubo ET al pasar entre las cuerdas vocales es su primer y más confiable método de confirmar que ingresó a la tráquea; sin embargo, debe continuar buscando información para valorar y vigilar su localización. Un tubo mal colocado que no se detecta constituye un error fatal. Usted debe incorporar múltiples datos de valoración para hacer una determinación correcta de la localización del tubo.

La auscultación es el siguiente paso para confirmar la colocación apropiada del tubo. Los ruidos respiratorios no equivalentes o ausentes sugieren su ubicación en el esófago, en el bronquio principal, un neumotórax o una obstrucción bronquial.

Los ruidos respiratorios ausentes a ambos lados o el borboteo sobre el epigastrio cuando se ausculta durante la ventilación indican que se intubó el esófago, no la tráquea. Si se emite un vómito copioso a través del tubo ET ¡no lo retire! En su lugar, infle el manguito distal, gírelo a un lado y continúe la ventilación con un dispositivo de bolsa-mascarilla. Si no se emite vómito desde el tubo ET, retírelo y reinicie la ventilación con bolsa-mascarilla. Oxigene otra vez al paciente, esté preparado para aspirar la vía aérea, si se requiere, y considere otro intento de intubación.

Si usted percibe ruidos respiratorios solo en el lado derecho del tórax, entonces es probable que el tubo ET se avanzó demasiado e ingresó al bronquio principal derecho. Siga estos pasos para recolocarlo:

1. Desinfle el manguito distal.
2. Coloque su estetoscopio sobre el hemitórax izquierdo.
3. Mientras continúa la ventilación, retraiga con suavidad el tubo mientras ausculta de manera simultánea los ruidos respiratorios sobre el hemitórax izquierdo.
4. Deténgase en cuanto perciba ruidos ventilatorios equivalentes bilaterales.
5. Verifique la profundidad del tubo (en centímetros) al nivel de los dientes del paciente.
6. Infle de nuevo el manguito distal.
7. Asegure el tubo.
8. Reinicie las ventilaciones.

Si se colocó de forma apropiada el tubo ET dentro de la tráquea, deberá ser fácil comprimir el dispositivo de bolsa-mascarilla y usted observará la expansión correspondiente del tórax. La mayor resistencia (disminución de la distensibilidad ventilatoria) durante las ventilaciones puede indicar distensión gástrica, intubación esofágica o neumotórax a tensión. Cada una de estas circunstancias justifica la revaloración inmediata y la acción correctiva.

Perlas de sabiduría

Si surge alguna cuestión en cuanto a la colocación o posición del tubo ET, usted no debería dudar de volver a visualizar la vía aérea y confirmar que aún se encuentra entre las cuerdas vocales. En ocasiones, la línea de filtro del adaptador de capnografía se ocluye por sangre u otras secreciones e impide el flujo de gas hacia el monitor/desfibrilador, lo que causa la pérdida de la forma de onda. Si esto ocurre, sustituya el detector de $ETCO_2$ en línea. Cuando usted toma la decisión clínica de intubar a un paciente, debe seguir y documentar un protocolo riguroso de confirmación de la ubicación del tubo.

Además de una valoración clínica (como la auscultación sobre el epigastrio y los campos pulmonares a ambos lados y la verificación de una elevación visible de la pared torácica), la capnografía de forma de onda continua (descrita antes en este capítulo) se considera el método más confiable para confirmar y vigilar la colocación correcta del tubo ET. El momento inicial para acoplar el monitor de capnografía en línea es cuando se hace lo propio con el dispositivo de bolsa-mascarilla al tubo ET. Si no se dispone de capnografía de forma de onda, se puede usar un detector colorimétrico de $ETCO_2$ (también descrito antes en este capítulo), junto con la valoración clínica del paciente, para confirmar y vigilar la colocación del tubo ET.

Fijación del tubo

El último paso de la intubación orotraqueal por laringoscopia directa es fijar el tubo ET. La extubación inadvertida es relativamente frecuente y puede ser traumática para el paciente. Como paramédico, puede ser desalentador lograr una intubación difícil, solo para que el tubo se desplace fuera de la tráquea. La reintubación casi con certeza será todavía más difícil. Nunca retire su mano del tubo ET antes de fijarlo con un dispositivo apropiado. Incluso entonces, es una buena idea sostenerlo de forma manual mientras ventila al paciente para evitar la sacudida súbita del dispositivo de ventilación que impulsa el tubo fuera de la tráquea.

Se dispone de muchos dispositivos comerciales para fijar el tubo. Familiarícese con el específico que se usa en su sistema del SEM. Los pasos para asegurar un tubo ET son los siguientes:

1. Note la profundidad del tubo ET (en centímetros) a la altura de los dientes superiores del paciente o la encía correspondiente si no los presenta.
2. Retire el dispositivo de ventilación del tubo ET.
3. Coloque el tubo ET en el centro de la boca del paciente.
4. Coloque el dispositivo de fijación sobre el tubo ET. Apriete el tornillo para asegurarlo en su lugar. Sujete la cinta.
5. Reacople el dispositivo de ventilación, ausculte con suavidad sobre ambos pulmones y el epigastrio y observe la lectura y la forma de onda de capnografía.

Algunos dispositivos comerciales para la fijación del tubo ET presentan un bloqueador de mordedura integrado para evitar la oclusión del tubo si el paciente lo masca. Si usted no cuenta con un dispositivo comercial para la fijación del tubo ET, puede inmovilizarlo con cinta e insertar un bloqueador de mordedura o una vía aérea oral entre los molares para prevenir que el paciente lo masque.

Documentación y comunicación

En el reporte de atención del paciente, documente los medios de evaluación de la ubicación del tubo ET, como ruidos respiratorios, visualización y datos de capnografía de forma de onda, y también la profundidad del tubo, como se observa por la marca de centímetros a la altura de los dientes del paciente. Además, indique cuándo se confirmó la ubicación correcta y el (o los) método(s) por lo(s) que se hizo en el momento de colocar el tubo ET, y cualquier instante en que se movió al paciente (p. ej., del piso a la camilla, de carga a la ambulancia) y a su arribo al hospital.

También es importante disminuir al mínimo el movimiento de la cabeza de un paciente intubado. Con un tubo firmemente asegurado, la punta se puede desplazar hasta 5 cm durante la flexión y extensión

USTED es el Paramédico

PARTE 7

Durante el transporte, usted revalúa al paciente y nota que su estado clínico se deterioró. Su frecuencia respiratoria disminuyó de manera notoria, su respiración se tornó más superficial y está regresando el color gris de labios y encías. Usted informa a su compañero de ese cambio de estado y le pregunta si quiere que intervenga para poder intubarlo.

Tiempo de registro:	20 minutos
Nivel de conciencia	Con respuesta solo al dolor
Respiraciones	10/min; laboriosas y poco profundas
Pulso	122 latidos/min; débil y regular
Piel	Fría y húmeda; labios y encías de color gris
Presión arterial	144/76 mm Hg
Saturación de oxígeno (Spo_2)	79% (con PPCVA)
Pupilas	PIRRL
$ETCO_2$	58 mm Hg
EKG	Taquicardia sinusal

11. ¿Cómo debería usted ajustar el tratamiento del paciente?

cefálicas. Si se hace hiperflexión, el tubo ET puede impulsarse por completo fuera de la tráquea. Si hay hiperextensión, el tubo ET podría impulsarse más al interior de la tráquea, potencialmente hacia el bronquio derecho principal. Mantenga la cabeza del paciente en ubicación alineada para disminuir la probabilidad de desalojo del tubo durante el transporte. Considere aplicar bloques de cabeza o medidas equivalentes para disminuir al mínimo su movimiento.

En la **PRÁCTICA DE DESTREZA 13-9** se muestran los pasos de la intubación orotraqueal por laringoscopia directa.

Práctica de destreza 13-9 Intubación orotraqueal por laringoscopia directa

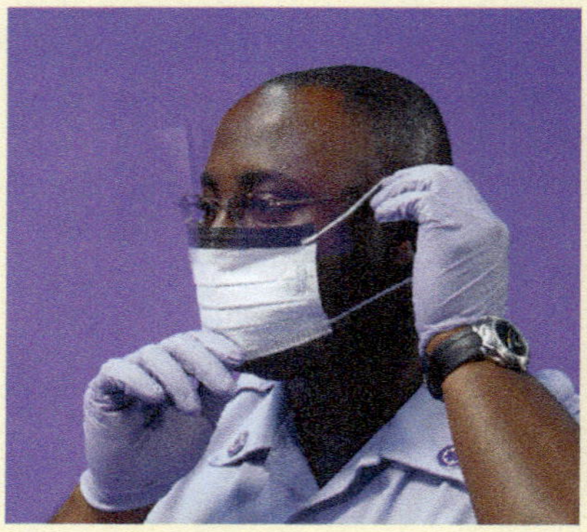

Paso 1

Tome las precauciones estándar. Si sospecha un traumatismo, mantenga la alineación manual de la cabeza.

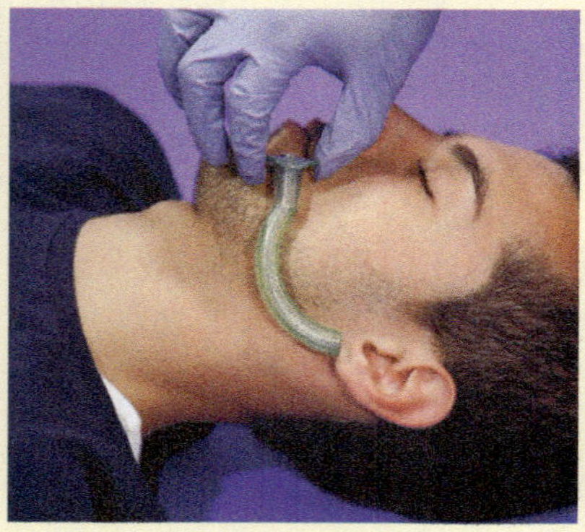

Paso 2

Mida para definir el tamaño apropiado de la cánula orofaríngea e insértela.

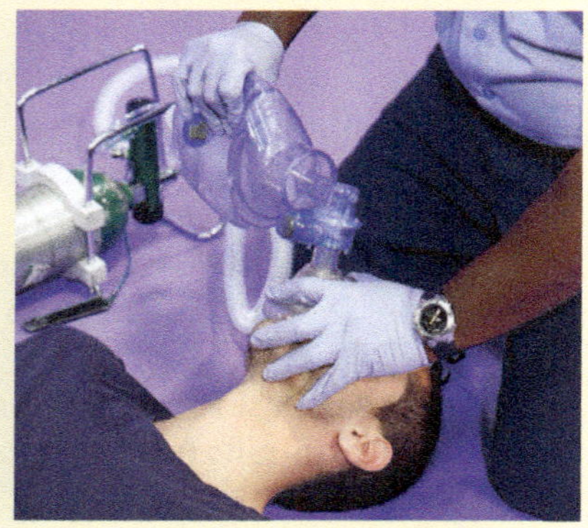

Paso 3

Ventile al paciente con un dispositivo de bolsa-mascarilla a razón de 10 ventilaciones/min con suficiente volumen para producir la elevación de la pared del tórax. Oxigene previamente al paciente durante 2 o 3 min con oxígeno a 100%.

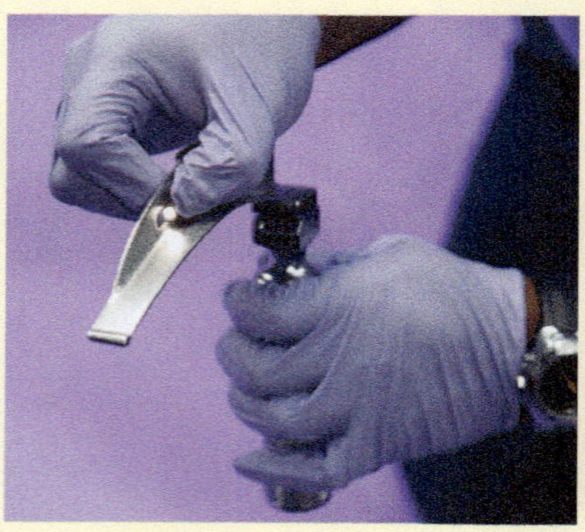

Paso 4

Revise, prepare y ensamble su equipo.

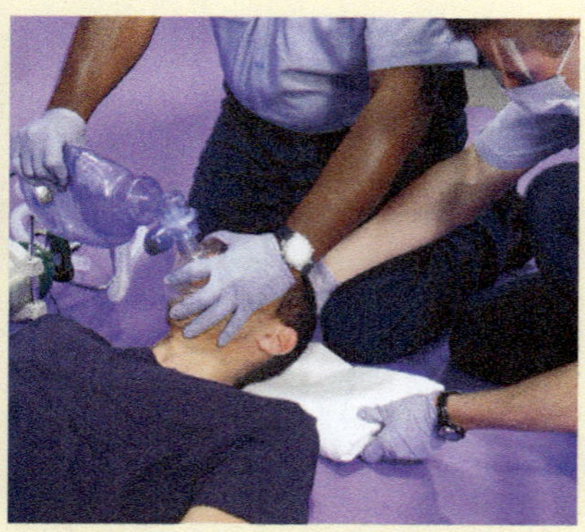

Paso 5

Coloque la cabeza del paciente en la posición de olfateo.

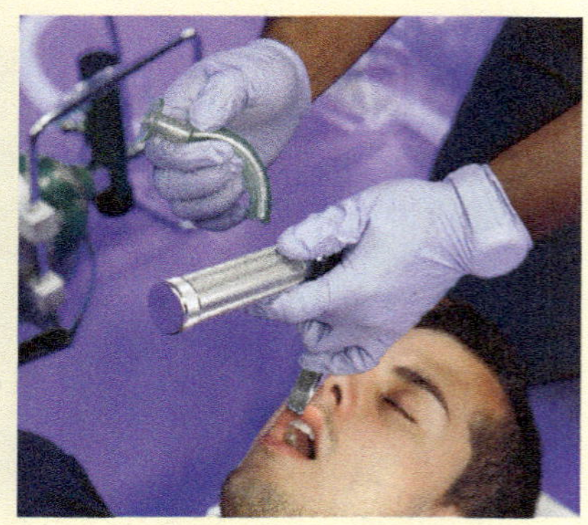

Paso 6

Retire la cánula orofaríngea, y después, inserte la hoja del laringoscopio en el lado derecho de la boca del paciente y desplace la lengua a la izquierda.

Práctica de destreza 13-9 Intubación orotraqueal por laringoscopia directa (continuación)

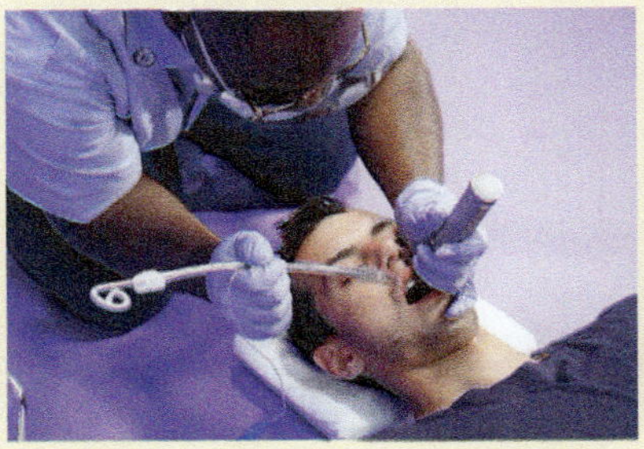

Paso 7

Eleve con suavidad el eje longitudinal del mango del laringoscopio hasta que pueda visualizar la abertura glótica y las cuerdas vocales.

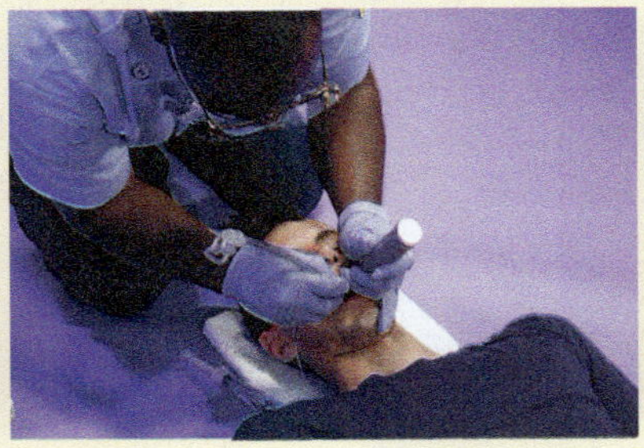

Paso 8

Inserte el tubo ET por la comisura derecha de la boca.

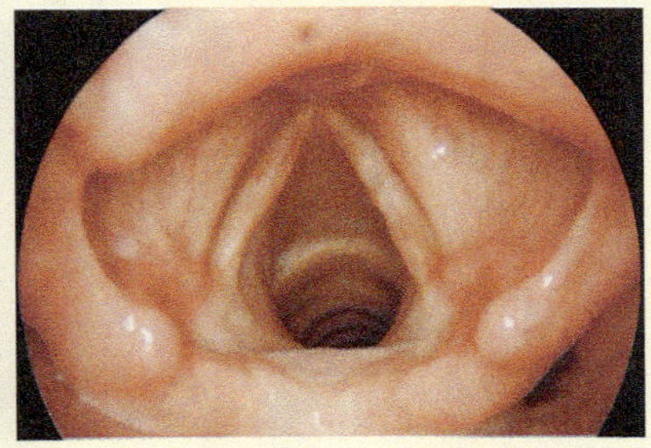

Paso 9

Visualice la entrada del tubo ET entre las cuerdas vocales.

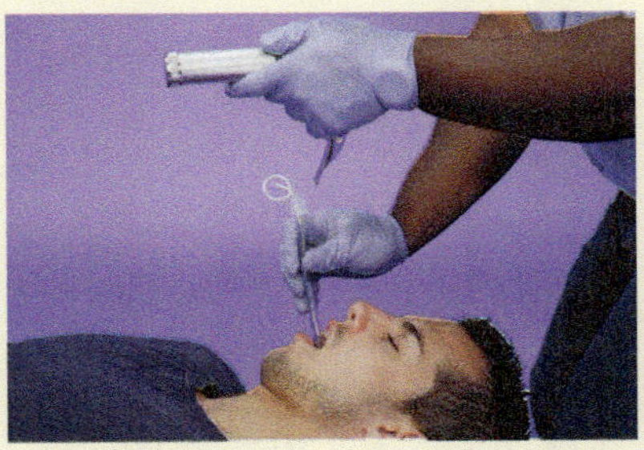

Paso 10

Retire el laringoscopio de la boca del paciente.

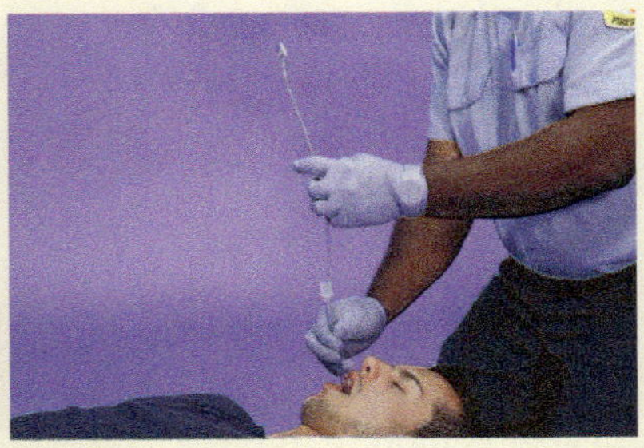

Paso 11

Note la profundidad del tubo ET (en centímetros) a la altura de los dientes del paciente y retire el estilete.

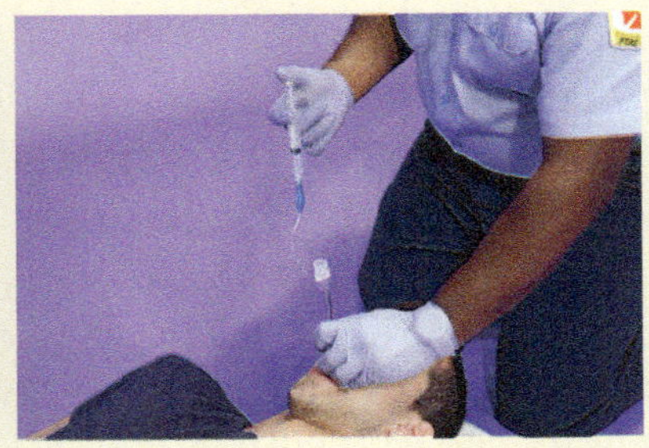

Paso 12

Infle el manguito distal del tubo ET con 5 a 10 ml de aire y, de inmediato, retire la jeringuilla del puerto de inflado.

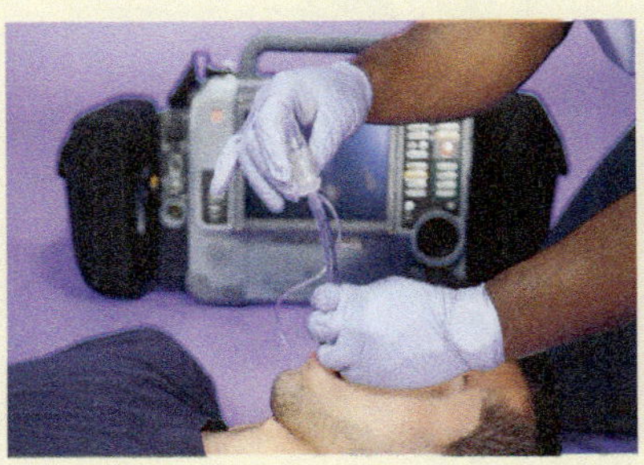

Paso 13

Acople el detector de $ETCO_2$ (se prefiere la capnografía de forma de onda) al tubo ET.

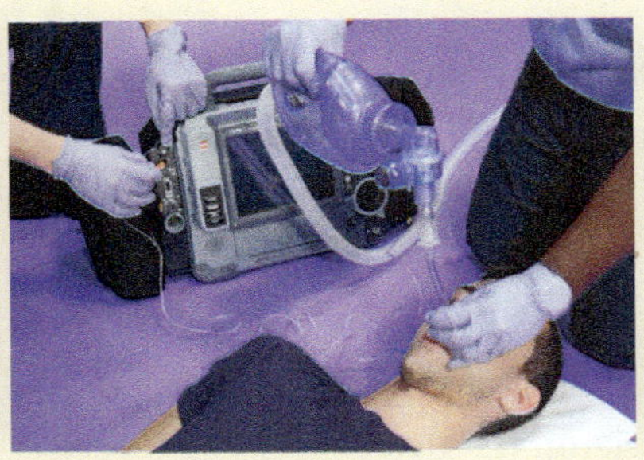

Paso 14

Acople el detector de $ETCO_2$ al monitor/desfibrilador cardíaco y observe la forma de onda de capnografía y la lectura numérica del dióxido de carbono.

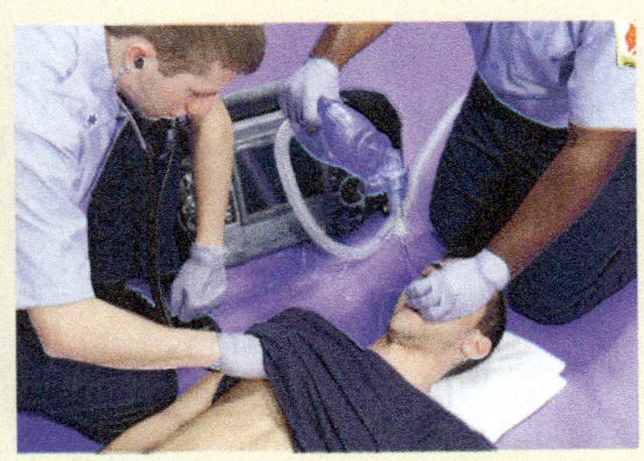

Paso 15

Acople el dispositivo de ventilación e iníciela. Ausculte sobre el epigastrio y ambos pulmones.

(continúa)

Práctica de destreza 13-9 Intubación orotraqueal por laringoscopia directa (continuación)

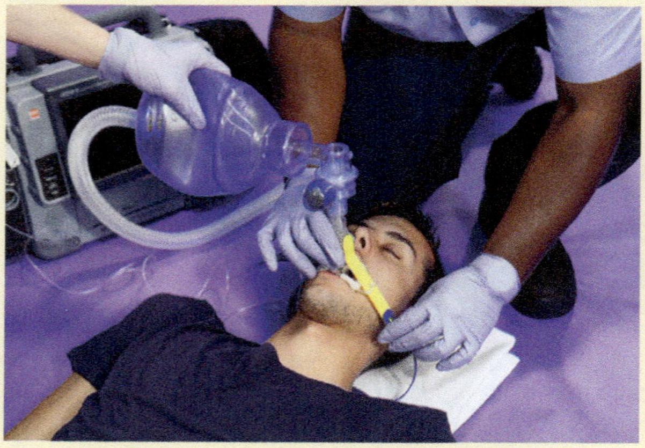

© Jones & Bartlett Learning. Cortesía de MIEMSS.

Paso 16

Fije el tubo ET con un dispositivo comercial o cinta. Ventile al paciente con la frecuencia apropiada mientras vigila la capnografía y la oximetría de pulso.

Intubación orotraqueal por videolaringoscopia

La **videolaringoscopia** es conocida en los contextos prehospitalario y hospitalario, porque facilita la visualización de la abertura glótica y las cuerdas vocales, incluso en los pacientes con la vía aérea más difícil. En lugar de tratar de visualizar las cuerdas vocales como en la laringoscopia directa, usted puede guiar la colocación del tubo ET utilizando el monitor de video. Sin embargo, la videolaringoscopia requiere una mejor coordinación manual-ocular que la laringoscopia directa.

Tipos de videolaringoscopios

Varios videolaringoscopios están disponibles en el comercio. Algunos con separación del instrumento y el monitor de video, **FIGURAS 13-83** y **13-84**, y otros donde se acopla el monitor de video con el laringoscopio, **FIGURA 13-85**. Todos cuentan con hojas de un solo uso de diversos tamaños.

Algunos videolaringoscopios requieren el desplazamiento de la lengua, como el de McGrath®. Otros se insertan en la línea media de la boca y solo siguen la curvatura de la lengua, como el KingVision®, **FIGURA 13-86**, un dispositivo sin desplazamiento que también incluye una hoja de conducto opcional a través de la cual se coloca el tubo ET, evitando así la necesidad de un estilete.

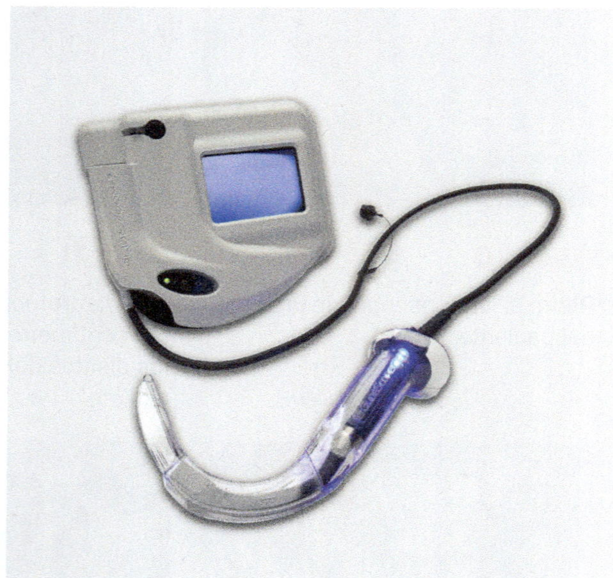

FIGURA 13-83 El videolaringoscopio GlideScope Ranger®.

Cortesía de Verathon®.

Ciertos videolaringoscopios, como el McGrath®, permiten visualizar directo las estructuras de la vía aérea si el monitor de video de pronto deja de funcionar.

La videolaringoscopia puede ser muy útil en una diversidad de ambientes. Consulte las guías del

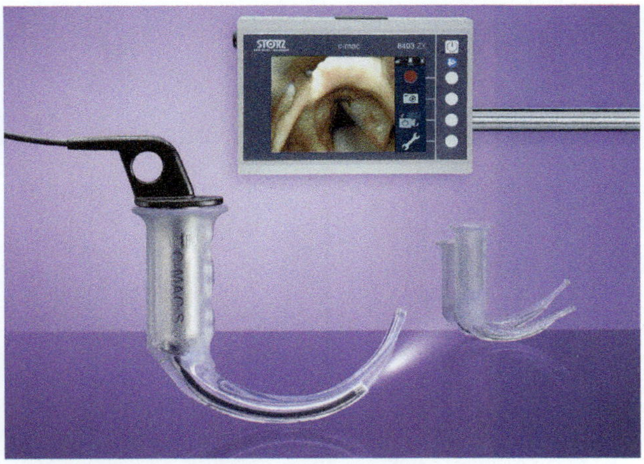

FIGURA 13-84 Videolaringoscopio C-MAC.

FIGURA 13-85 Videolaringoscopio de McGrath.

Medicina basada en evidencia

Los resultados de estudios de comparación de laringoscopia directa y la videolaringoscopia son variados. Sin embargo, una revisión sistemática de las publicaciones muestra que la videolaringoscopia lleva a tasas más altas de éxito en el primer paso, tiempos de intubación más breves y mejor éxito total, cuando es usada por quienes tienen menos experiencia.[8-10]

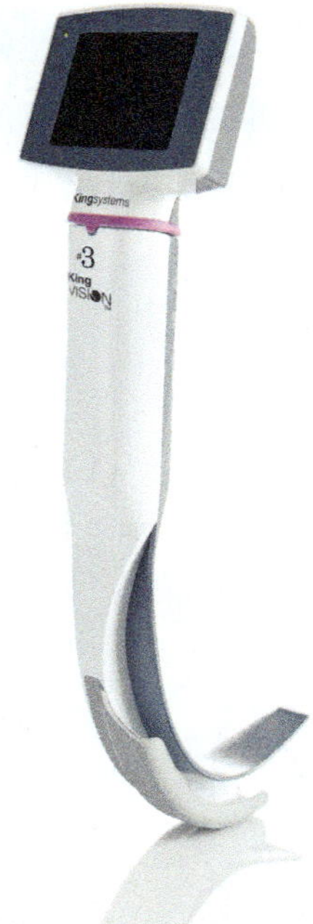

FIGURA 13-86 Videolaringoscopio KingVision.

Perlas de sabiduría

La cámara del videolaringoscopio se localiza en su extremo distal. No se podrá obtener una vista de la anatomía de la vía aérea si la cámara se ocluye por secreciones. Mantenga la cámara delante de cualquier secreción y utilice la aspiración para retirarla antes de hacer avanzar la hoja.

fabricante para la videolaringoscopia usada en su servicio. En la **PRÁCTICA DE DESTREZA 13-10** se muestran los pasos para la intubación orotraqueal por videolaringoscopia.

Intubación nasotraqueal

La intubación nasotraqueal es la inserción de un tubo ET en la tráquea a través de la nariz. Suele hacerse sin visualización directa de las cuerdas vocales, de ahí el término de intubación nasotraqueal "ciega".

Es una técnica excelente para establecer el dominio sobre la vía aérea en situaciones en la que es difícil o peligroso hacer la laringoscopia, o si no es por el mejor de los intereses del paciente administrar sedantes

Práctica de destreza 13-10 Intubación orotraqueal por videolaringoscopia

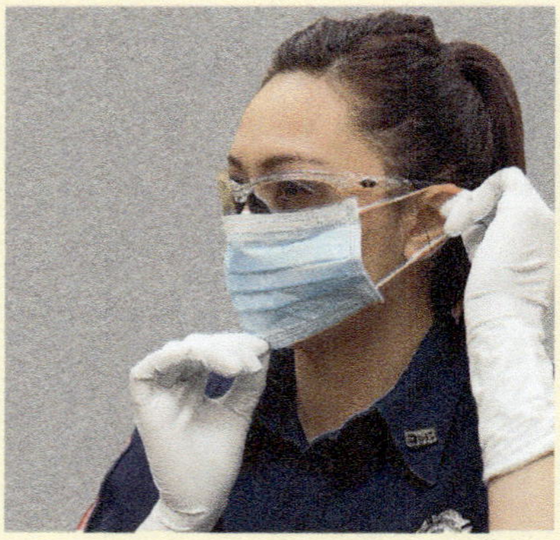

Paso 1

Tome las precauciones estándar. Si sospecha un traumatismo, mantenga la estabilización lineal de la cabeza del paciente.

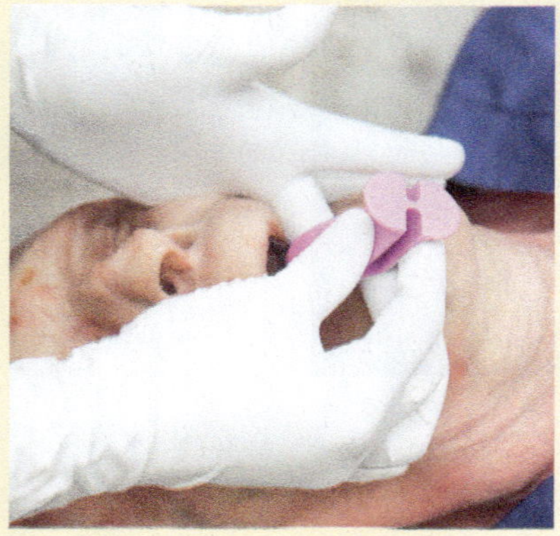

Paso 2

Mida una vía aérea oral artificial para definir el tamaño apropiado e insértela.

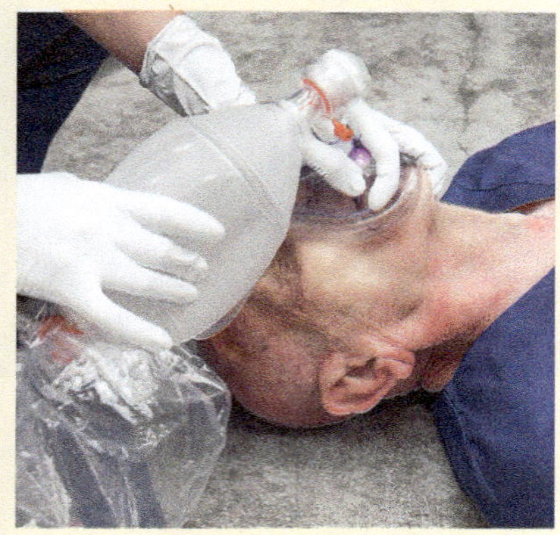

Paso 3

Ventile al paciente con un dispositivo de bolsa-mascarilla a razón de 10 respiraciones/min con suficiente volumen para producir elevación de la pared torácica. Durante 2 a 3 min previos administre oxígeno a 100%.

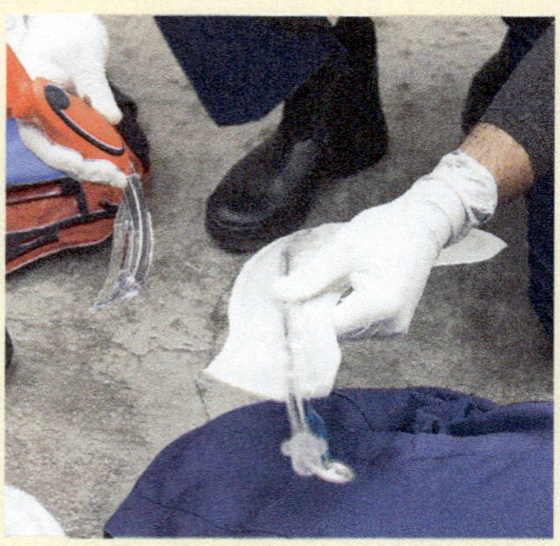

Paso 4

Revise, prepare y ensamble su equipo. Encienda el videolaringoscopio y asegúrese de que la luz y la cámara funcionan de forma correcta.

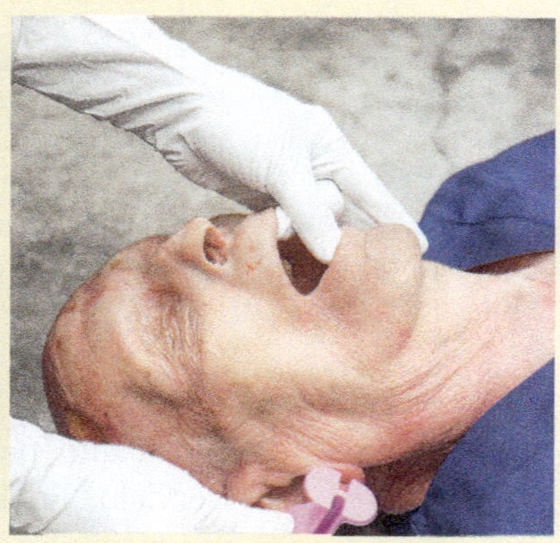

Paso 5

Retire la cánula orofaríngea y coloque la cabeza del paciente en posición de olfateo.

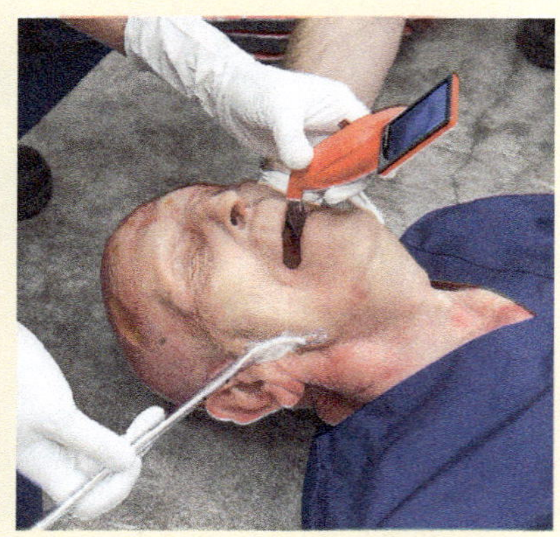

Paso 6

Inserte la hoja del videolaringoscopio por la comisura bucal derecha (laringoscopio que se desplaza) o por la línea media (laringoscopio sin desplazamiento) del paciente. Si usa el laringoscopio que se desplaza, mueva la lengua a la izquierda. Visualice la epiglotis, las cuerdas vocales y el cartílago aritenoides.

Práctica de destreza 13-10 Intubación orotraqueal por videolaringoscopia (*continuación*)

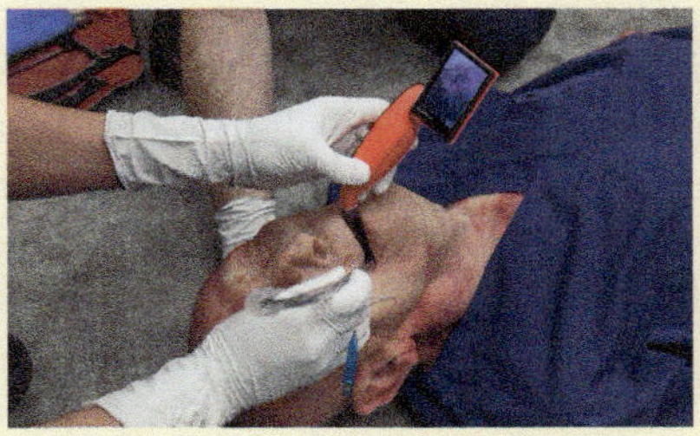

Paso 7

Visualice en el monitor la entrada del tubo ET entre las cuerdas vocales.

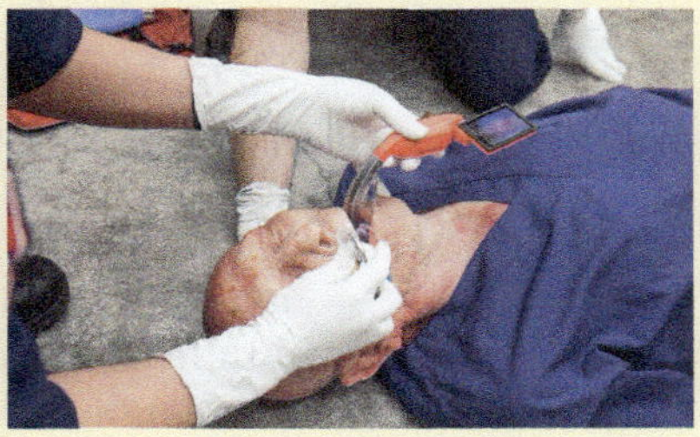

Paso 8

Ancle el tubo a los dientes del paciente con sus dedos y retire el laringoscopio de la boca.

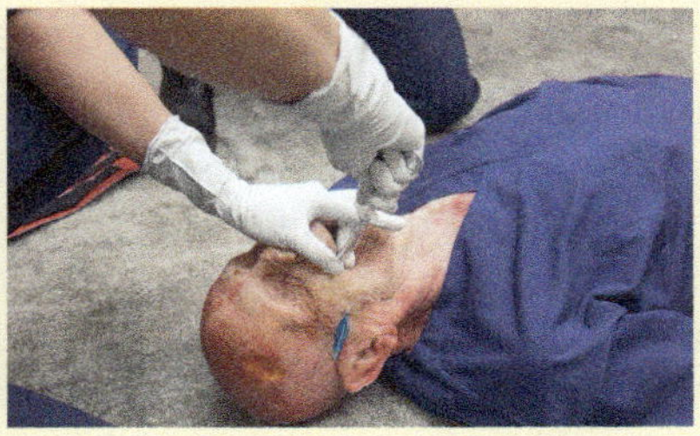

Paso 9

Retire el estilete del tubo ET (si se usó).

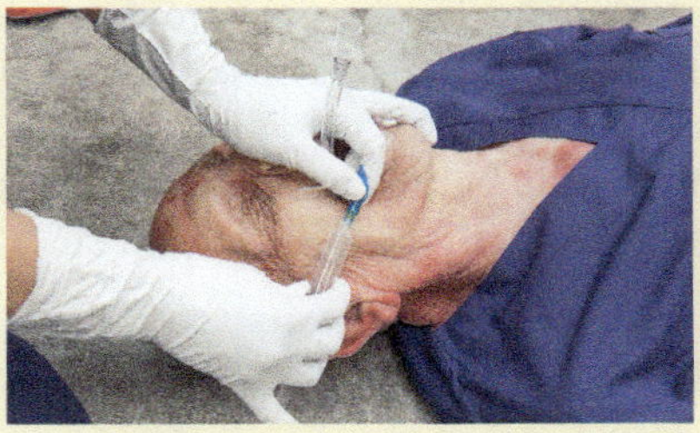

Paso 10

Infle el manguito distal del tubo ET con 5 a 10 ml de aire y de inmediato desacople la jeringuilla del puerto de inflado.

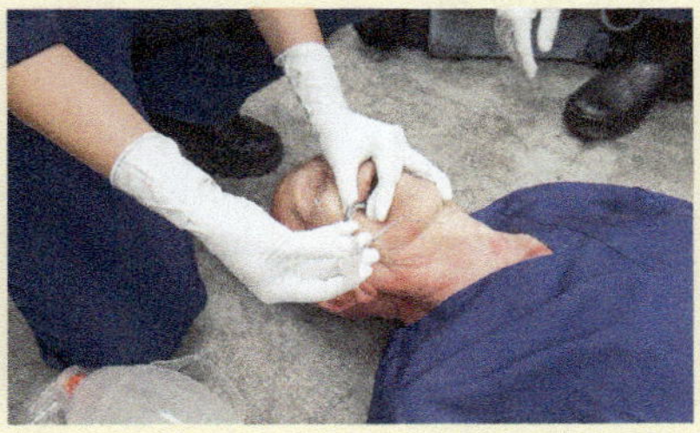

Paso 11

Acople el detector $ETCO_2$ (se prefiere la capnografía de forma de onda) al tubo ET.

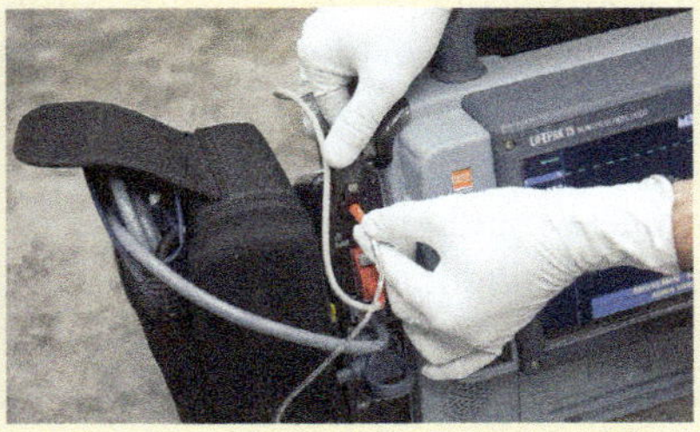

Paso 12

Acople el detector de $ETCO_2$ al monitor/desfibrilador cardíaco, y observe la forma de onda capnográfica y la lectura numérica del dióxido de carbono.

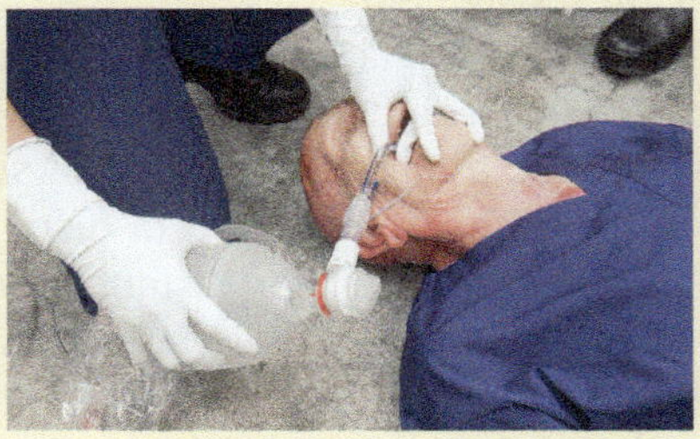

Paso 13

Acople el dispositivo de ventilación y aplíquelo al paciente. Ausculte sobre el epigastrio y ambos campos pulmonares.

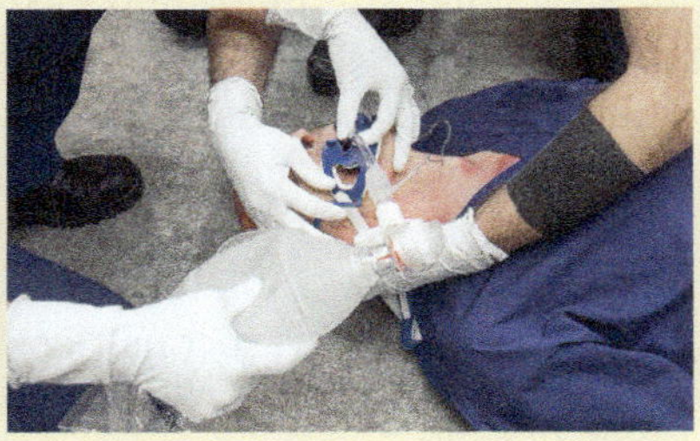

Paso 14

Asegure el tubo ET con un dispositivo comercial o cinta.

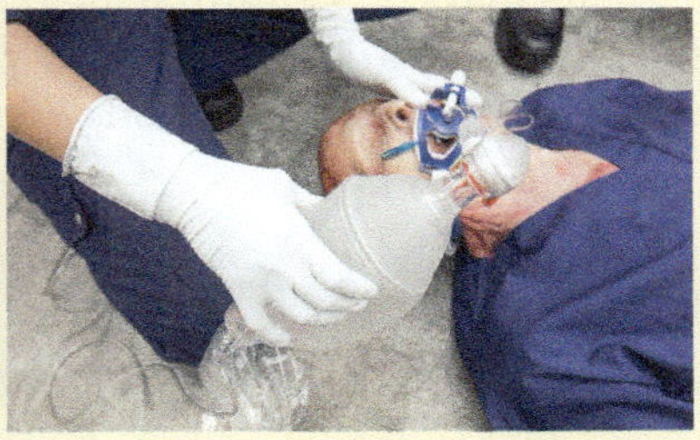

Paso 15

Ventile al paciente con la frecuencia apropiada mientras vigila la capnografía y la oximetría de pulso.

y otros fármacos para facilitar la intubación orotraqueal. Debido a que este procedimiento se hace solo en pacientes con ventilación espontánea, es menos probable que cause hipoxia.

Indicaciones y contraindicaciones

La intubación nasotraqueal está indicada en pacientes que respiran de manera espontánea, pero requieren un tratamiento definitivo de la vía aérea para prevenir mayor deterioro de su estado. Aquellos con respuesta y alteración del estado mental y un reflejo nauseoso intacto que se encuentran en insuficiencia respiratoria por alteraciones como EPOC, asma o edema pulmonar, son candidatos excelentes de la intubación nasotraqueal.

La intubación nasotraqueal está contraindicada en los pacientes con apnea; quienes deberían ser objeto de intubación orotraqueal. El primer procedimiento también está contraindicado en aquellos con traumatismo cefálico y posibles fracturas medio faciales, según se evidencia por el escape de LCR de la nariz después de una lesión cefálica. En los pacientes con esos tipos de lesiones, un tubo ET insertado por vía nasal puede ingresar a la bóveda craneal y penetrar el encéfalo; si bien esta complicación es rara, es factible. Otras contraindicaciones de la intubación nasotraqueal incluyen anomalías anatómicas, como un tabique nasal desviado o la presencia de pólipos, y el uso frecuente de cocaína. La inserción nasal de un tubo ET en los pacientes con estas contraindicaciones puede causar una epistaxis grave.

Evite la intubación nasotraqueal, de ser posible, en los pacientes con anomalías de la coagulación sanguínea y aquellos que toman anticoagulantes (como warfarina [Coumadin®], apixaban [Eliquis®], dabigatran [Pradaxa®] o rivaroxaban [Xarelto®]), lo que también aumenta la probabilidad y gravedad de la epistaxis después de la inserción de cualquier cosa por la nariz.

Ventajas y desventajas

La principal ventaja de la intubación nasotraqueal ciega es que se puede realizar en pacientes que no responden y respiran. Este procedimiento no requiere colocar algo en la boca (como un laringoscopio), por lo que la vía nasotraqueal se vincula con menos arqueo y un riesgo más bajo de vómito en aquellos con reflejo nauseoso intacto.

Otra ventaja importante de la intubación nasotraqueal es que no se necesita usar el laringoscopio, lo que elimina el riesgo de traumatismo de los dientes o los tejidos blandos de la boca. Debido a que no es necesario abrir la boca del paciente, esta técnica se adapta mejor a aquellos con movilidad limitada en la articulación temporomandibular, como los que presentan alambres colocados, fracturas, convulsiones o aprietan los dientes (**trismo**).

La intubación nasotraqueal no requiere que el paciente se coloque en posición de olfateo, lo que la hace una técnica ideal para intubar a aquellos con posible lesión raquídea, a menos que se sospeche una fractura medio facial. Por último, debido a que el tubo se inserta a través de la nariz, el paciente no puede morderlo. También se puede asegurar con más facilidad que un tubo que se inserta por vía bucal porque la nariz, en general, tiene menos secreciones que la boca.

En el lado negativo, debido que la intubación nasotraqueal es una técnica ciega, no se puede usar uno de los principales métodos para confirmar la colocación correcta del tubo: visualización de su paso a través de las cuerdas vocales. La confirmación de la posición apropiada del tubo es crítica, al margen del método de intubación usado; sin embargo, usted debería ser todavía más diligente cuando confirme la ubicación correcta de la intubación nasotraqueal.

Complicaciones

La hemorragia es una complicación con frecuencia máxima vinculada con la intubación nasotraqueal. Si esta tiene éxito, la vía aérea está protegida y se elimina el riesgo de aspiración. No obstante, puede ocurrir hemorragia importante, en especial con una técnica tosca, debido a que la hemorragia conlleva un riesgo adicional a una vía aérea ya comprometida, porque la deglución de sangre aumenta mucho la probabilidad de vómito y aspiración subsiguiente.

La incidencia de hemorragia vinculada con la intubación nasotraqueal puede disminuir con la inserción suave del tubo en la narina y la lubricación de su punta con un gel hidrosoluble. Si está disponible un anestésico que contenga una sustancia de vasoconstricción (como el clorhidrato de fenilefrina [Neo-Synephrine]) su uso para la lubricación disminuirá tanto las molestias del paciente como la probabilidad y gravedad de la hemorragia nasal por el procedimiento.

Equipo

Para hacer una intubación nasotraqueal ciega, se utiliza el mismo equipo que para la orotraqueal, menos el laringoscopio y el estilete. Los tubos estándar ET

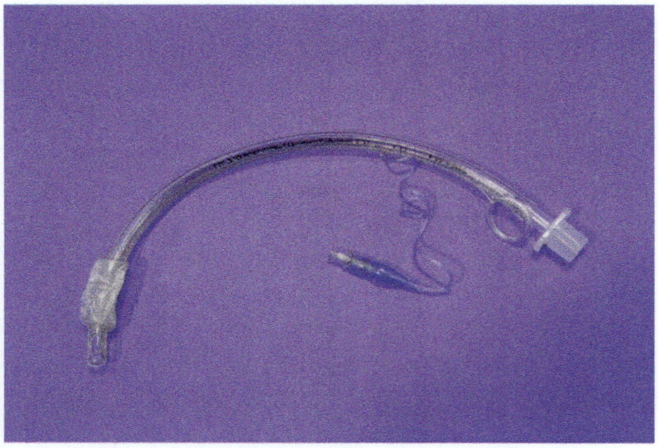

FIGURA 13-87 El tubo Endotraqueal da mayor seguridad, facilidad y eficacia a la intubación nasotraqueal.

deberían ser de 1.0 a 1.5 mm más pequeños cuando son insertados por vía nasal. Cuando se eligen las dimensiones del tubo, seleccione uno un poco más pequeño que la narina en la que se insertará.

Algunos tubos ET están diseñados en específico para la intubación nasotraqueal ciega. Por ejemplo, el Endotrol®, **FIGURA 13-87**, que es ligeramente más flexible que un ET estándar y está equipado con un "activador" acoplado a la pieza alineada que se encuentra en la punta del tubo. Al jalar el activador se mueve la punta del tubo hacia adelante y así aumenta su curvatura total, característica que hace la función del estilete.

El movimiento de aire a través del tubo ET ayuda a verificar su colocación apropiada después de la intubación nasotraqueal. Se han desarrollado varios dispositivos que permiten confirmar la intubación nasotraqueal útil sin necesidad de colocar la cara cerca del tubo, lo que aumenta el riesgo de contacto con contaminantes en los gases exhalados por el paciente, **CUADRO 13-13**.

CUADRO 13-13 Dispositivos usados para determinar el flujo máximo de aire durante la intubación nasotraqueal

Humid-Vent® 1	Un dispositivo que se acopla al adaptador de 15/22 mm en el extremo del tubo ET para prevenir la expulsión de secreciones
Monitor de flujo de aire de vía aérea de Beck® (MFAB)	Un pequeño silbato que se acopla al adaptador de 15/22 mm y emite un ruido de tono alto conforme el aire se moviliza al interior y fuera del tubo
Estetoscopio sin cápsula	Se coloca el tubo de estetoscopio dentro del extremo proximal (casi 2 a 3 cm) del tubo ET, lo que permite oír el movimiento de aire sin acercar la cara

Abreviatura: ET, endotraqueal.

Técnica de intubación nasotraqueal

Cuando usted hace una intubación nasotraqueal ciega, utiliza las respiraciones espontáneas del paciente para guiar el tubo hacia la tráquea y confirmar su colocación apropiada, que se hace avanzar mientras el paciente inhala. En ese punto, las cuerdas vocales se abren hasta lo más ancho posible, lo que facilita colocar el tubo dentro de la tráquea.

Después de preparar el equipo y preoxigenar al paciente, inserte el tubo en la narina con el bisel dirigido al tabique nasal. Por lo general, se usa la narina derecha porque así la curvatura del tubo se encuentra en orientación correcta con relación al bisel. Si la narina derecha está obstruida o se encuentra resistencia significativa, inserte el tubo en la izquierda, pero rótelo 180° conforme su punta ingrese a la nasofaringe.

El ángulo de inserción es crítico cuando se hace la intubación nasotraqueal. Dirija la punta del tubo de manera recta en dirección al oído, **FIGURA 13-88**. El propósito es seguir el piso de la cavidad nasal hasta que el tubo ingrese a la nasofaringe. No inserte el tubo con la punta dirigida hacia el ojo; esto pudiese dañar los cornetes y causar hemorragia significativa.

Conforme se hace avanzar el tubo en la nasofaringe, usted empezará a oír la corriente de aire al interior y fuera del tubo conforme el paciente respira. Su propósito es colocar el tubo apenas arriba de la abertura glótica, de manera que el paciente lo dirija a la tráquea durante la inhalación profunda. Manipule la cabeza del paciente para regular la posición de la punta del tubo. Forme un cono con su mano izquierda (si el tubo se insertó en la narina derecha) bajo el occipucio del paciente. Movilice la cabeza del paciente hasta encontrar la posición que dé como resultado el máximo

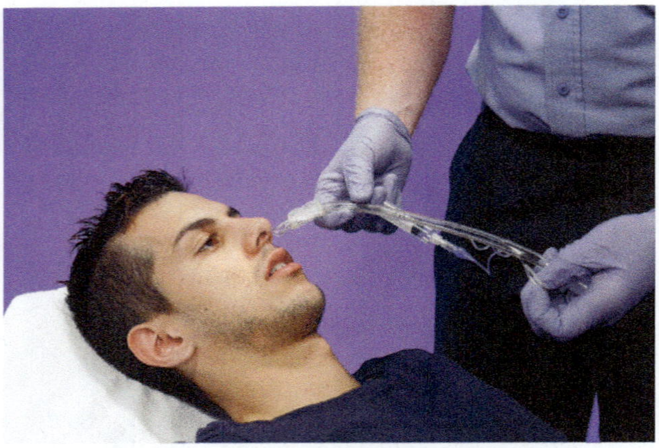

FIGURA 13-88 Dirija la punta del tubo en retroceso hacia el oído.

movimiento de aire a través del tubo, punto en el que debería posicionarse apenas arriba de la abertura glótica.

Conforme el paciente inhala, la presión negativa creada por el proceso facilita el movimiento del tubo a través de la abertura glótica. Instruya al paciente para hacer una inhalación profunda y haga avanzar con suavidad el tubo durante esta. La colocación del tubo en la tráquea será evidente por el aumento del desplazamiento de aire en su interior.

Si usted observa protrusión de tejido blando hacia cualquier lado de la vía aérea, tal vez el tubo se alojó en la fosa piriforme. Mantenga inmóvil la cabeza del paciente y retírelo un poco. Después de detectar el flujo máximo de aire, haga avanzar el tubo durante la inhalación. Si no observa tejido blando que se proyecte al exterior y no hay movimiento de aire a través del tubo, entonces ingresó al esófago. Retírelo hasta que detecte flujo de aire, y después, extienda la cabeza del paciente.

Perlas de sabiduría

Durante la intubación nasotraqueal ciega, mantenga el laringoscopio y la pinza de Magill al alcance, para que en el caso de que el paciente presente apnea durante el procedimiento, usted puede usar las pinzas para dirigir el tubo de laparoscopia a través de la abertura glótica.

Después de que se le colocó de manera apropiada el tubo, infle el manguito distal con la cantidad mínima de aire necesaria para lograr un sellado hermético. Acople el dispositivo de ventilación al tubo y actívelo con base en el estado clínico del paciente. Puesto que usted no cuenta con el beneficio de visualizar el tubo a su paso entre las cuerdas vocales, son críticas la confirmación (por técnicas múltiples) y la vigilancia continua de su posición apropiada. Aunque el movimiento de aire al interior y fuera del tubo durante la ventilación es un buen indicio de que está colocado dentro de la tráquea, esto no es definitivo. En algunos casos, solo la punta del tubo nasotraqueal pasó a través de la abertura glótica; incluso un movimiento leve del paciente puede desalojarlo hacia el esófago, lo que quizá no se detectaría. El movimiento del tubo puede también causar su desplazamiento al interior de un bronquio principal.

Limpie cualquier secreción o exceso de lubricante y asegure el tubo con cinta. Documente la profundidad de inserción en la narina y vigile con frecuencia para detectar movimientos del tubo. En la **PRÁCTICA DE DESTREZA 13-11** se muestran los pasos para la intubación nasotraqueal ciega.

Intubación cara a cara

Usted puede hacer la intubación con su cara al mismo nivel que la del paciente cuando no son posibles otras posiciones; por ejemplo, en una colisión de vehículos motores en la que el paciente está sentado en un espacio estrecho y no hay acceso arriba de la cabeza, o cuando de pronto presenta inconsciencia y apnea. Esta técnica es llamada **intubación cara a cara**. El procedimiento es en esencia el mismo que para la intubación orotraqueal con uso de laringoscopia directa y las siguientes excepciones:

- La cabeza del paciente no se puede ubicar en la posición de olfateo. Debería estabilizarse de forma manual por un segundo paramédico durante todo el procedimiento.
- El laringoscopio (con una hoja curva [de Macintosh]) se sostiene en la mano derecha con la hoja dirigida como hacha y el tubo ET en la mano izquierda. La hoja del laringoscopio se inserta por la comisura bucal derecha del paciente, cuya lengua se desplaza a la izquierda y así se visualizan las cuerdas vocales, **FIGURA 13-89**.
- Después de que colocó la hoja del laringoscopio, usted pudiese ajustar un poco la cabeza del paciente para asegurar una mejor visualización por el impulso de la mandíbula hacia adelante mientras hace presión descendente.

Práctica de destreza 13-11 Intubación nasotraqueal

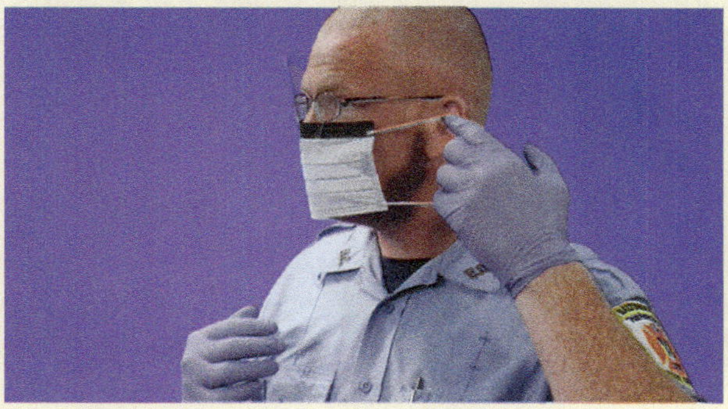

Paso 1

Tomar las precauciones estándar.

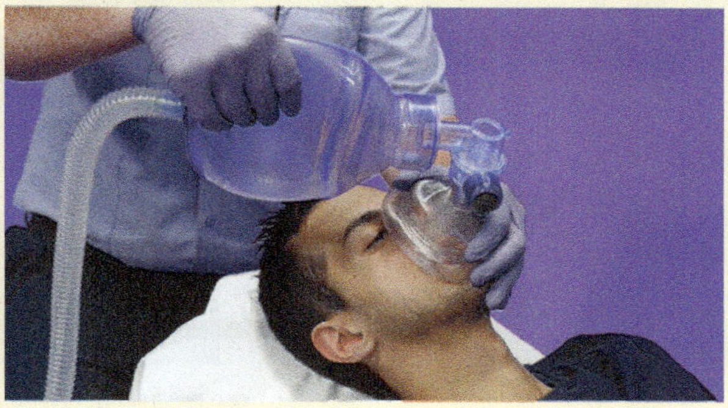

Paso 2

Preoxigene al paciente siempre que sea posible con un dispositivo de bolsa-mascarilla y oxígeno a 100%. Ausculte sus ruidos respiratorios para confirmar que la ventilación es apropiada.

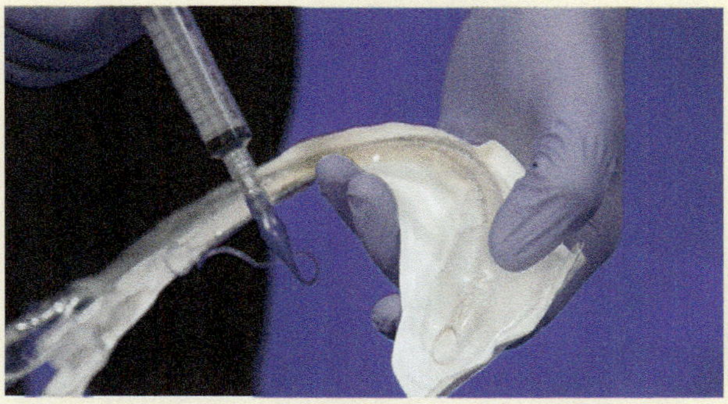

Paso 3

Revise, prepare y ensamble su equipo.

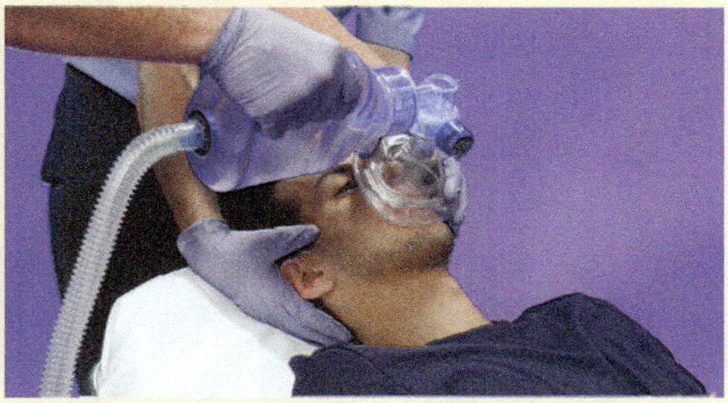

Paso 4

Coloque al paciente en posición alineada.

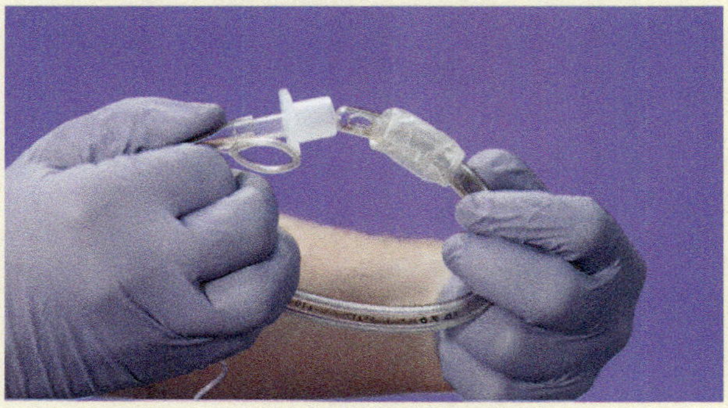

Paso 5

Acople el tubo nasotraqueal doblándolo en círculo.

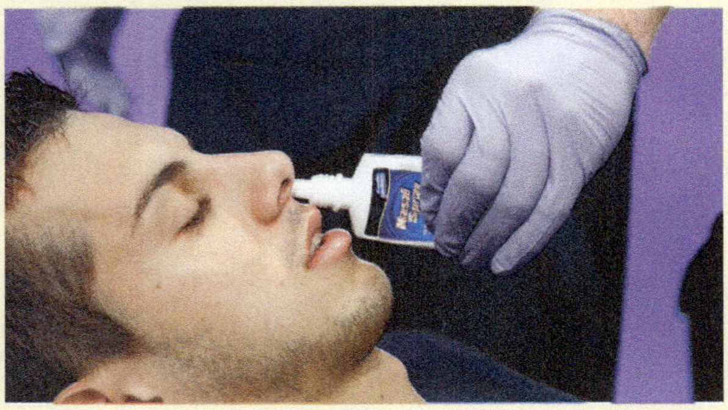

Paso 6

Administre un nebulizado nasal para producir vasoconstricción de la mucosa.

(continúa)

Práctica de destreza 13-11 Intubación nasotraqueal (continuación)

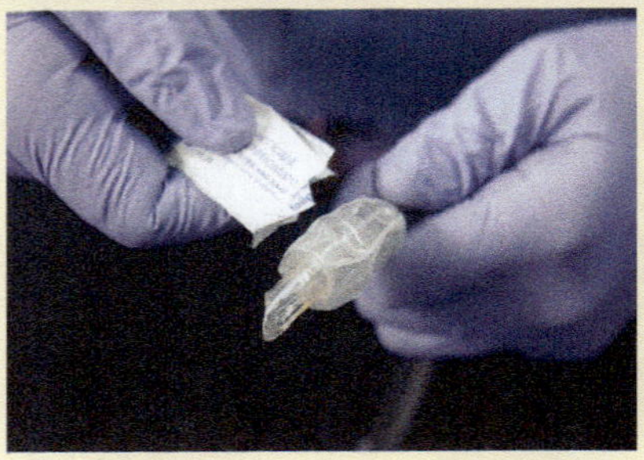

Paso 7

Lubrique la punta del tubo nasotraqueal con un gel hidrosoluble.

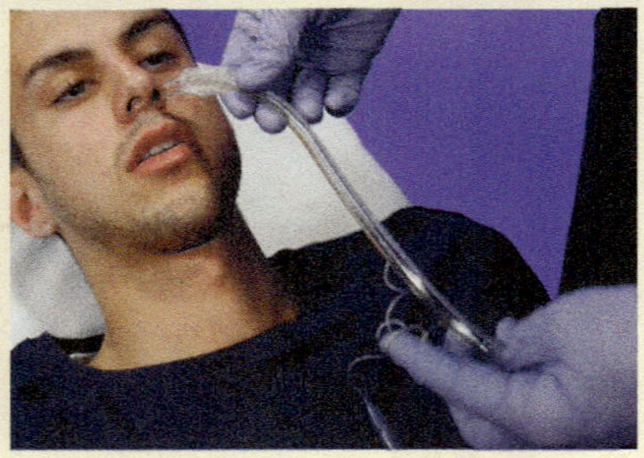

Paso 8

Inserte con suavidad el tubo nasotraqueal en la narina más distensible, con el bisel dirigido hacia el tabique y hágalo avanzar por el piso de la nariz. Haga pausas para asegurarse de que la punta del tubo se ubica apenas arriba de las cuerdas vocales. Observe la condensación dentro del tubo y perciba los ruidos respiratorios audibles desde su extremo proximal.

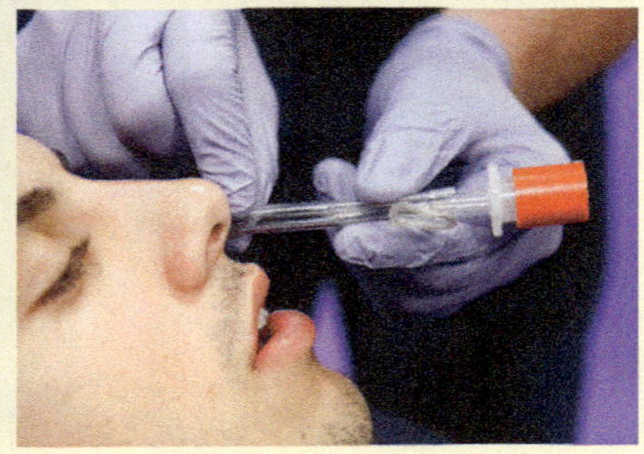

Paso 9

Haga avanzar el tubo nasotraqueal a través de las cuerdas vocales conforme el paciente inhala. El dispositivo Beck Airway Airflow Monitor® (Monitor de flujo de aire en la vía aérea de Beck) (MFAB) puede ser útil para este paso. Asegúrese de que el paciente esté afónico (sin voz).

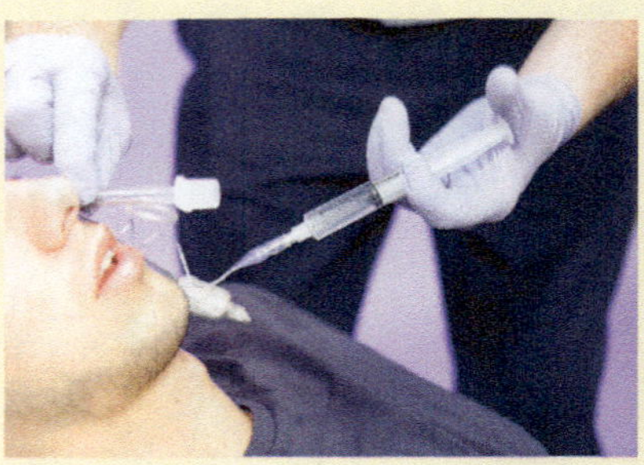

Paso 10

Infle el manguito distal con 5 a 10 ml de aire y de inmediato retire la jeringuilla.

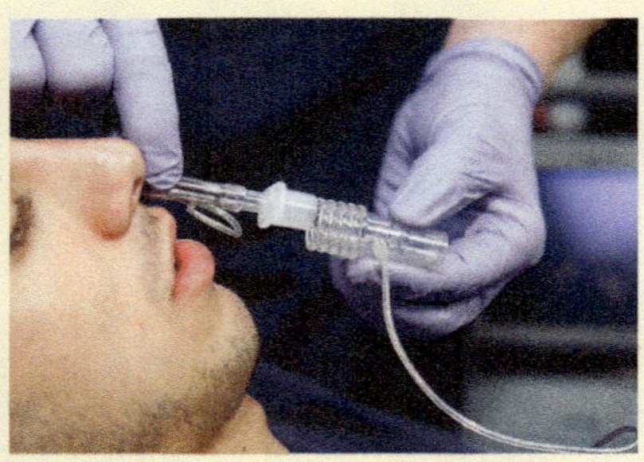

Paso 11

Acople el detector de ETCO$_2$ (se prefiere el de capnografía de forma de onda) al tubo nasotraqueal.

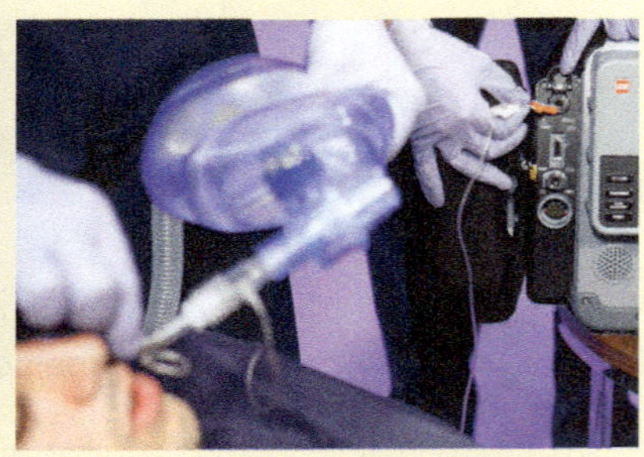

Paso 12

Acople el detector de ETCO$_2$ al monitor/desfibrilador cardíaco.

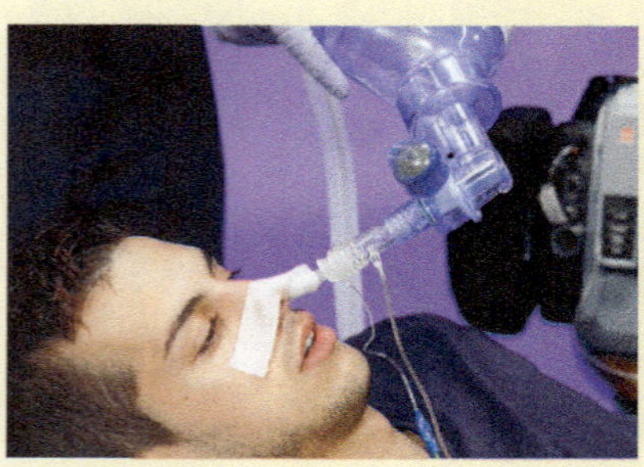

Paso 13

Acople el dispositivo de bolsa-mascarilla, ventile y ausculte al paciente sobre el epigastrio y ambos pulmones. Verifique la colocación apropiada del tubo por capnografía de forma de onda. Asegure el tubo nasotraqueal. Ventile al paciente con la frecuencia apropiada, mientras vigila la capnografía y la oximetría de pulso.

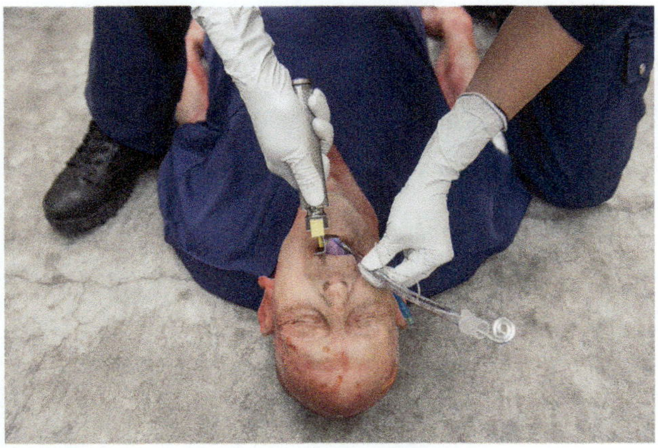

FIGURA 13-89 Para hacer la intubación cara a cara, mantenga el laringoscopio en su mano derecha y la hoja con el frente hacia abajo, y sujete el tubo endotraqueal (ET) en la mano izquierda. Inserte la hoja por la comisura bucal derecha del paciente y deslice su lengua hacia la izquierda. Ajuste la cabeza del paciente si es necesario, para mejorar su vista, y haga avanzar el tubo ET hasta que el manguito esté de 1 a 2 cm más allá de las cuerdas vocales.

Intubación fallida

En un estudio con datos de 40 estados de Estados Unidos se mostró una tasa de éxito total de 85.3% de la intubación ET prehospitalaria.[11] En los ámbitos de servicio y regional, las tasas de éxito de la intubación deberían vigilarse de manera estrecha como parte de los esfuerzos por el aseguramiento de la calidad del actuar médico, por las implicaciones de una intubación fallida —y de importancia máxima, una esofágica no detectada— que son significativas para el paramédico, el director médico de la agencia del SEM y el sistema regional. Además, la intubación fallida puede ser fatal para el paciente.

Se define una “vía aérea fallida” como la imposibilidad de mantener la ventilación y oxigenación adecuadas, al margen de la(s) técnica(s) de tratamiento de la vía aérea usada. Los métodos para disminuir al mínimo las complicaciones vinculadas con el tratamiento de la vía aérea se describieron ya en este capítulo. Sin embargo, con frecuencia usted no cuenta con opciones en el contexto prehospitalario. Si lo permite el protocolo local, considere usar una vía aérea quirúrgica (p. ej., cricotiroidotomía) en caso del fracaso de una vía aérea artificial.

Aspiración traqueobronquial

La **aspiración traqueobronquial** implica la introducción de un catéter de aspiración dentro del tubo ET para retirar las secreciones pulmonares. La primera regla por recordar al hacer la aspiración traqueobronquial es esta: ¡no la haga si no tienes que! Este tipo de aspiración requiere estricta atención a la técnica estéril, que es casi imposible de mantener en el ambiente prehospitalario. La aspiración de la tráquea puede causar también arritmias cardíacas; hay informes de paro cardíaco durante la aspiración traqueobronquial. Por estos motivos, usted debería evitar aspirar a través de un tubo ET, a menos que las secreciones sean tan abundantes que interfieran con la ventilación. Si debe hacer una aspiración traqueobronquial, utilice la técnica estéril (si es posible) y vigile el ritmo cardíaco del paciente y su saturación de oxígeno durante el procedimiento.

Perlas de sabiduría

Intubación ET: puntos que recordar

- Nunca intente la intubación ET antes de la preoxigenación adecuada del paciente.
- Ensamble y revise todo el equipo antes de empezar.
- ¡La posición es lo más importante! Asegure que la posición de la cabeza del paciente esté alineada con el eje de la vía aérea.
- ¡No se apresure! Actúe a una velocidad deliberada.
- Hágalo bien en primera instancia, porque el segundo intento probablemente será más difícil. Recuerde que es aceptable tratar la vía aérea con técnicas de SVB hasta contar con un proveedor de atención sanitaria más experimentado para la inserción de una vía aérea avanzada.
- Confirme que el tubo ET se encuentra en el lugar correcto. No dé *nada* por hecho.
- Asegure el tubo ET de manera apropiada, pues de otro modo pronto estaría tratando de reinsertarlo.
- Incluso cuando el tubo ET esté asegurado de forma apropiada, sujételo con la mano mientras ventila al paciente.
- Considere aplicar inmovilizadores cefálicos después de intubar al paciente, pues así disminuirá al mínimo el movimiento de la cabeza y el riesgo de extubación inadvertida.
- Reconfirme la ubicación apropiada del tubo ET después de cualquier movimiento importante del paciente (p. ej., del piso a la camilla, después de subirlo a la ambulancia o de pasarlo a la camilla hospitalaria).
- Realice maniobras simples de SVB de la vía aérea con una vía aérea artificial bucal o nasal y un dispositivo de bolsa-mascarilla. Con una buena técnica usted puede proveer oxigenación y ventilación adecuadas. El objetivo es ventilar y oxigenar, no intubar.
- Considere usar un dispositivo de vía aérea de rescate, como King LT, ML, o i-gel (descritos más adelante en este capítulo).

La preoxigenación del paciente es esencial antes de realizar la aspiración traqueobronquial. Lubrique un catéter de punta blanda (punta de silbato) y asegure la máxima preoxigenación. Puede ser necesario inyectar de 3 a 5 ml de agua estéril por el tubo ET para aflojar secreciones pulmonares muy espesas.

Introduzca con suavidad el catéter de aspiración por el tubo ET hasta que sienta resistencia. Aplique succión mientras extrae el catéter, teniendo cuidado de no exceder 10 segundos de succión en un adulto. Una vez finalizada la succión traqueobronquial, vuelva a colocar el dispositivo de ventilación, continúe con las ventilaciones y revalúe al paciente.

En la **PRÁCTICA DE DESTREZA 13-12** se muestran los pasos para realizar la aspiración traqueobronquial.

Extubación en campo

Como se mencionó antes, la extubación es el proceso del retiro del tubo ET de un paciente entubado, y rara vez se hace en el ambiente prehospitalario. En general, el único motivo para considerar la extubación en

Práctica de destreza 13-12 Aspiración traqueobronquial

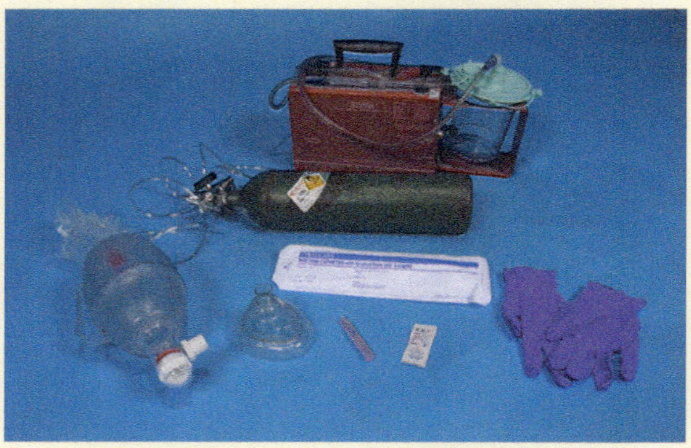

Paso 1

Revise, prepare y ensamble el equipo.

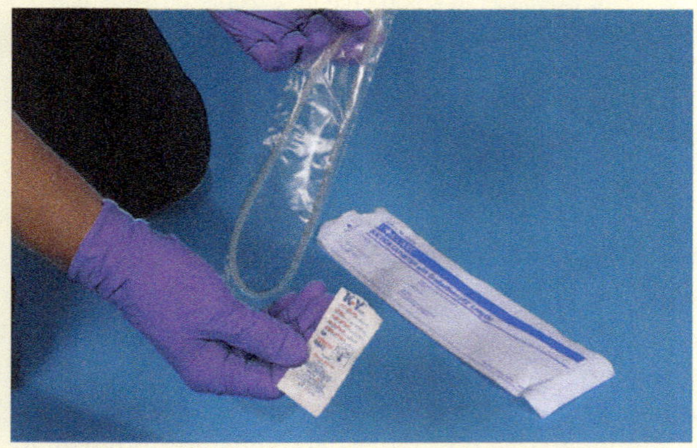

Paso 2

Lubrique el catéter de aspiración.

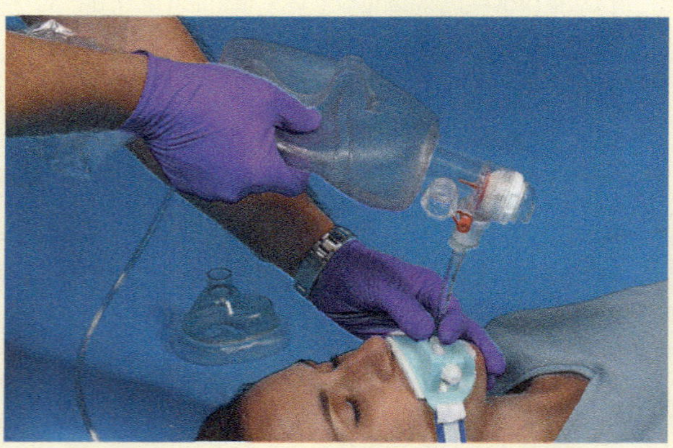

Paso 3

Preoxigene al paciente.

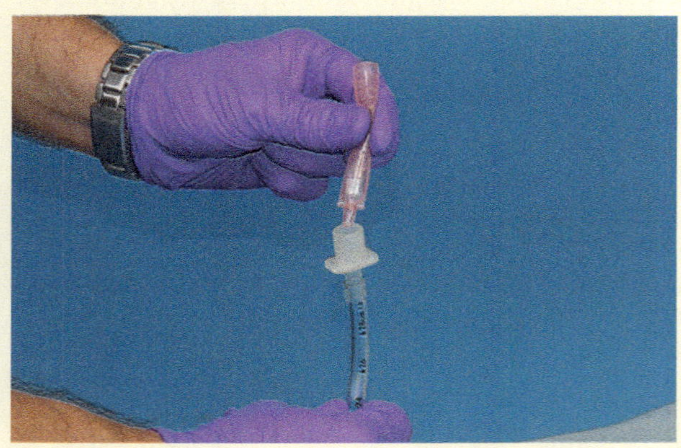

Paso 4

Retire el dispositivo de ventilación. Si es en absoluto necesario movilizar secreciones muy espesas, considere inyectar de 3 a 5 ml de agua estéril por el tubo ET con técnica estéril.

Práctica de destreza 13-12 Aspiración traqueobronquial (continuación)

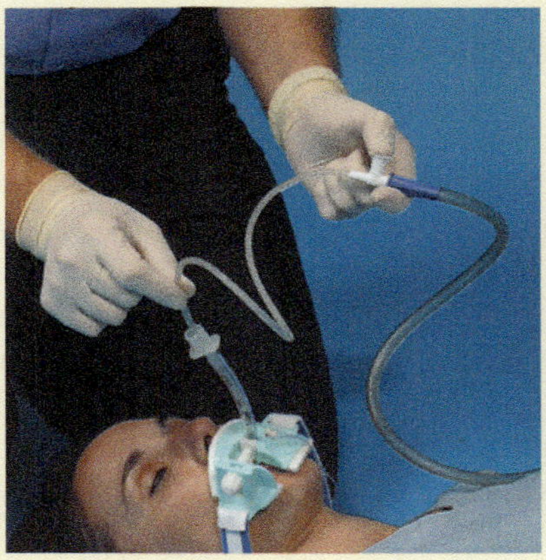

Paso 5

Inserte con delicadeza el catéter dentro del tubo ET hasta sentir resistencia.

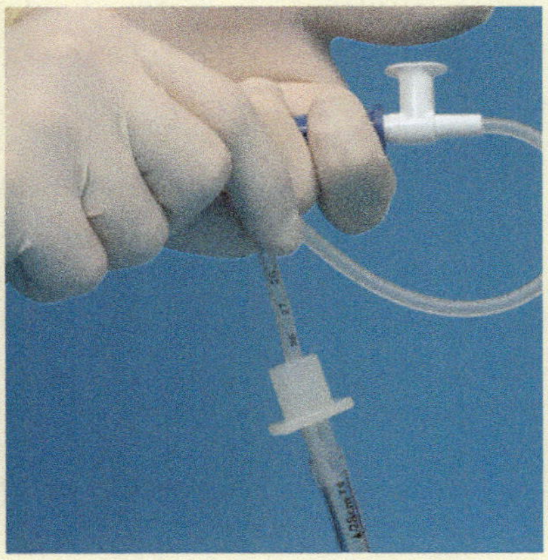

Paso 6

Aspire con giro del catéter mientras lo retira, durante no más de 10 segundos. Vigile el ritmo cardíaco y la saturación de oxígeno del paciente durante el procedimiento.

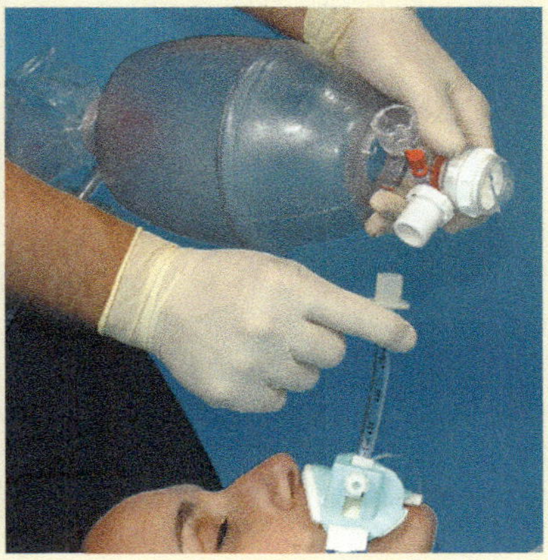

Paso 7

Reacople el dispositivo de ventilación y reiníciela con oxigenación.

campo es ante un paciente intolerante del tubo ET de manera irrazonable (p. ej., en extremo combativo, con náusea o que arquea). Por lo regular, por seguridad es mejor sedar al paciente, en vez de retirar el tubo ET, pero la sedación (descrita a continuación) puede no ser una opción en todos los sistemas del SEM o para aquellos en estado hemodinámicamente inestable. Antes de hacer una extubación en campo, usted debe entrar en contacto con el supervisor médico o seguir los protocolos locales establecidos.

El riesgo más obvio vinculado con la extubación es la sobrestimación de la capacidad del paciente de proteger su vía aérea. Además, cuando se hace extubación en pacientes que responden, hay un riesgo elevado de laringoespasmo, y la mayoría experimenta algún grado de edema de vía aérea superior dado el traumatismo por la presencia del tubo dentro de la tráquea. Estos dos hechos, junto con el siempre presente potencial de vómito, pueden convertir en un reto extremo la reintubación exitosa. Si usted no está por completo seguro de poder reintubar al paciente, no retire el tubo ET. En vez de eso, sede al paciente. Si usted usó un fármaco paralizante para facilitar la intubación, considere administrar dosis adicionales (si está indicado en la clínica y permitido por el protocolo local), en conjunción con un sedante. Está del todo contraindicada la extubación en campo si hay cualquier riesgo de insuficiencia respiratoria recurrente, o incertidumbre acerca de la capacidad del paciente de mantener la vía aérea permeable de manera espontánea.

Si se requiere extubación en campo, asegúrese primero de que el paciente tenga oxigenación adecuada. Discuta el procedimiento con él y explíquele lo que planea hacer. De ser posible, haga que se siente o se incline un poco hacia adelante hasta una posición segura en caso de ocurrir vómito después de la extubación. Ensamble y tenga disponible todo el equipo para la aspiración, ventile y reintube, si es necesario. Después de confirmar que el paciente se mantiene con respuesta suficiente para proteger su vía aérea, aspire la orofaringe para retirar cualquier secreción o detrito que pudiese ponerlas en riesgo después de retirar el tubo. Desinfle el manguito distal del tubo ET mientras el paciente empieza a exhalar, de manera que cualquier secreción acumulada proximal al manguito no se aspire hacia los pulmones. En la siguiente exhalación, retire el tubo con un movimiento constante siguiendo la curvatura de la vía aérea. Coloque una toalla o un recipiente para emesis frente a la boca del paciente para el caso de que se presente vómito.

Adyuvantes farmacológicos para el tratamiento de la vía aérea y la ventilación

Se usan fármacos para el tratamiento de la vía aérea con el objetivo de disminuir el malestar de la intubación, la incidencia de complicaciones relacionadas con la laringoscopia y la intubación, y facilitar el tratamiento intensivo de la vía aérea en pacientes que lo requieren pero que no pueden cooperar.

Sedación en la intubación de emergencia

Se usa **sedación** en el tratamiento de la vía aérea para disminuir la ansiedad del paciente, inducir amnesia y un menor reflejo nauseoso. Es útil para aquel ansioso, combativo o agitado y para quien necesita un tratamiento intensivo de la vía aérea, pero con respuesta exagerada para tolerar la intubación. Cuando se usa de modo apropiado y bajo condiciones correctas, la sedación aumenta de manera eficaz el cumplimiento y la comodidad del paciente, lo que facilita el tratamiento definitivo de la vía aérea y es más segura en su realización. Cuando es usada de forma inapropiada, sin embargo, pueden causar mayor daño.

Las complicaciones asociadas a la sedación en el manejo de la vía aérea están relacionadas sobre todo con la sedación insuficiente o excesiva. La primera puede causar cooperación inadecuada del paciente, las complicaciones del estado nauseoso (p. ej., traumatismo, taquicardia, hipertensión, vómito y aspiración) y la amnesia incompleta del suceso. Cuando la sedación es excesiva puede causar una anestesia general no regulada, la pérdida de los reflejos de protección de la vía aérea, depresión respiratoria, colapso completo de la vía aérea e hipotensión.

Perlas de sabiduría

La hipersensibilidad a los sedantes es la principal contraindicación de su uso. Obtenga una historia médica precisa y exhaustiva, hasta el grado en que sea posible, antes de administrar cualquier fármaco a un paciente.

USTED es el Paramédico

PARTE 8

Su compañero le expresa en su reporte radiofónico un tiempo estimado de arribo de 5 minutos. Después de su ajuste de tratamiento, usted determina que el estado del paciente mejoró y continúa ayudándolo con su ventilación mediante un dispositivo de bolsa-mascarilla y lo entrega al personal del DE.

Tiempo de registro:	25 minutos
Nivel de conciencia	Con respuesta a los estímulos verbales
Respiraciones	14/min (con asistencia mediante bolsa-mascarilla)
Pulso	100 latidos/min; fuerte y regular
Piel	Color basal, tibia y húmeda
Presión arterial	148/80 mm Hg
Saturación de oxígeno (Spo_2)	97%
Pupilas	PIRRL
$ETCO_2$	41 mm Hg
EKG	Taquicardia sinusal

12. ¿Por qué determinó usted no proceder con la intubación?

CUADRO 13-14 Sedantes usados para el tratamiento de la vía aérea

Tipos de fármaco	Ejemplos
Benzodiacepinas: sedantes-hipnóticas	Diazepam (Valium®) Midazolam (Versed®)
Anestésicos disociativos	Ketamina (Ketalar®)
Opioides: sedantes-analgésicos	Fentanilo (Sublimaze®) Alfentanilo (Alfenta®)
No opioides/ no barbitúricos: sedantes-hipnóticos	Etomidato (Amidate®)

El nivel de sedación deseado dicta la cantidad de medicamento por administrar. Las respuestas de los pacientes a los sedantes dependen de las dosis. Siga el protocolo local o entre en contacto con el supervisor médico para determinar las dosis apropiadas para un paciente determinado.

Suelen utilizarse dos clases importantes de los principales sedantes para el tratamiento de la vía aérea: analgésicos y sedantes-hipnóticos, **CUADRO 13-14**. Los analgésicos disminuyen la percepción del dolor. Los sedantes-hipnóticos inducen el sueño y disminuyen la ansiedad, pero no tienen efecto sobre el dolor.

Benzodiacepinas

Las **benzodiacepinas** son fármacos sedantes-hipnóticos. El diazepam (Valium®) y el midazolam (Versed) producen relajación muscular y sedación leve y se usan mucho como ansiolíticos y anticonvulsivos. También producen **amnesia anterógrada**, que es de beneficio para los pacientes que se someten a procedimientos invasivos o incómodos; ellos tal vez no recuerden el suceso.

El midazolam es dos a cuatro veces más potente que el diazepam, de más rápida acción y con una duración más breve. Algunos médicos usan midazolam para inducir la anestesia general antes de iniciar la intubación; sin embargo, la probabilidad de complicaciones aumenta con esta práctica por la gran dosis necesaria para inducir relajación muscular. En general, los bloqueadores neuromusculares (paralizantes) son el medio preferido para lograr la relajación del músculo, porque requieren dosis más pequeñas para alcanzar el efecto deseado.

La depresión respiratoria y la hipotensión son efectos secundarios potenciales de las benzodiacepinas. El flumazenilo (Romazicon®) es un antagonista de las benzodiacepinas que puede revertir los efectos del diazepam y midazolam; sin embargo, no suele incluirse en la maleta de los paramédicos. Por lo tanto, es importante administrar solo la cantidad suficiente de una benzodiacepina para producir el efecto deseado.

Anestésicos disociativos

Un **anestésico disociativo** es un medicamento que produce anestesia por distorsión de la percepción del paciente de imágenes y sonidos, y la inducción de un sentimiento de desapego (disociación) del ambiente y de sí mismo. A diferencia de las benzodiacepinas, que sobre todo producen sedación, los anestésicos disociativos inducen anestesia a través de efectos alucinógenos, amnésicos, analgésicos y sedantes.

La ketamina (Ketalar®) es un anestésico disociativo de uso frecuente en la medicina de emergencia; tiene acción rápida y una duración de acción relativamente breve. A dosis menores (subdisociativas) (0.2 a 0.3 mg/kg), suele usarse como analgésico. Las dosis más altas (2 mg/kg) inducen sedación y, por lo general, se administran antes de un bloqueador neuromuscular para facilitar la intubación. La ketamina tiene un efecto simpaticomimético, que la hace una opción hemodinámicamente estable entre los inductores de sedación para el tratamiento de emergencia de la vía aérea en los pacientes con hipotensión.

En algunos pacientes se puede presentar un **fenómeno de reemergencia** durante el final de la semivida de la ketamina, cuando están despertando. Este fenómeno puede variar desde sueños placenteros hasta pesadillas vívidas y delirio. Se mostró que las benzodiacepinas disminuyen la incidencia de fenómeno de reemergencia, y calman al paciente si ocurre en su forma grave.

Opioides

Los **opioides** son fármacos que actúan como depresores del SNC y producen insensibilidad o estupor. Puede tratarse de un producto natural derivado del opio o de la amapola (referidos más específicamente como opiáceos) o uno sintético diseñado para producir efectos similares. Los opioides se usan en el tratamiento de emergencia de la vía aérea como premedicación, durante la inducción y en el mantenimiento de la sedación o amnesia. Los dos opioides de más frecuente uso para el tratamiento de la vía aérea son fentanilo

(Sublimaze®) y alfentanilo (Alfenta®). El fentanilo es de 70 a 150 veces más potente que la morfina, tiene un inicio de acción rápido y una duración relativamente breve. El alfentanilo es menos potente, pero tiene un inicio más rápido con una duración más breve de acción. También se elimina del cuerpo más rápido.

Los opioides pueden causar depresión respiratoria y del SNC intensas, y producir hipotensión grave y bradicardia, en especial en los pacientes con un estado hemodinámicamente inestable. Dichos efectos negativos se pueden revertir con naloxona (Narcan®), un antagonista de opioides.

No opioides/no barbitúricos

El etomidato (Amidate®) es un fármaco no opioide, no barbitúrico, hipnótico-sedante que se usa con frecuencia en la inducción de la anestesia general, de acción rápida y corta duración. Tiene poco efecto sobre la frecuencia del pulso, la PA, y la PIC, y no causa liberación de histamina y broncoconstricción, que se pueden presentar con otros fármacos. Sin embargo, conlleva una incidencia alta de movimientos musculares mioclónicos incómodos. El etomidato es un agente de inducción útil en los pacientes con arteriopatía coronaria, aumento de la PIC o hipotensión/hipovolemia limítrofes.

Inteligencia en la calle

Considere a la combatividad, agresividad y beligerancia como signos de hipoxia cerebral, hasta que se demuestre lo contrario. Cuando se enfrente a un paciente con este cuadro clínico, sea firme y directo, pero, no obstante, trátelo con respeto y empatía. Tenga en mente que está luchando por su vida, no contra usted.

Bloqueo neuromuscular en la intubación de emergencia

La hipoxia cerebral puede hacer combativa, agresiva, beligerante, y no cooperadora, a una persona de ordinario calmada, con el resultado de una situación difícil y potencialmente peligrosa, tanto para el paciente como para el paramédico. Un paciente con hipoxia cerebral debe tratarse mediante oxigenación y ventilación intensivas, pero la combatividad y otras conductas de resistencia a menudo dificultan esta tarea, cuando no la imposibilitan. El paciente que aprieta los dientes con espasmo de los músculos mandibulares (trismo) y aquel con laringoespasmo, pueden también dificultar sus esfuerzos por obtener una vía aérea permeable definitiva.

Históricamente se usó con frecuencia la restricción física de un paciente combativo para permitir a los proveedores de atención sanitaria lograr una vía aérea permeable definitiva. Un método más seguro y eficaz de abordaje es la inmovilización química mediante sustancias **paralizantes**, colectivamente conocidas como bloqueadores neuromusculares. Cuando el paciente se encuentra químicamente sedado y paralizado, pierde sus reflejos de protección de la vía aérea; usted puede entonces realizar con eficacia la oxigenación y ventilación y este no presentará arqueo durante la inserción de un tubo ET.

Bloqueadores neuromusculares

Si bien los sedantes se pueden usar solos para facilitar la intubación, en especial en pacientes que ya tienen un reflejo nauseoso muy disminuido, a menudo es necesario administrar un fármaco en específico diseñado para inducir la parálisis; estos fármacos afectan a todo músculo esquelético del cuerpo, incluidos el diafragma y los intercostales. En 1 a 2 minutos después de recibir una dosis IV de un fármaco paralizante, el paciente se torna por completo inmóvil, esto es, dejará de respirar; los músculos mandibulares se relajan, y la base de la lengua cae hacia atrás sobre la pared posterior de la faringe y obstruye la vía aérea. Dicho sin rodeos, estos fármacos convierten a un paciente que ventila con vía aérea marginal en uno apneico sin esta. Antes de que usted produzca tal cambio, debe estar en absoluto seguro de que puede proteger la vía aérea del paciente y asegurar su oxigenación y ventilación adecuadas. Si bien es óptimo insertar un tubo ET, usted debe contar fácilmente con otros dispositivos de vía aérea artificiales (como King LT®, LMA, o i-gel®) por si no tiene éxito la intubación ET. Después de que paraliza un paciente, usted es por completo responsable de su ventilación y bienestar. Por fortuna, estos fármacos no afectan a los músculos cardíaco o liso.

Un paciente paralizado parece dormido o sin respuesta, ¡pero no es así! Se encuentra por completo

Perlas de sabiduría

Si bien se mostró que el uso de sedantes y bloqueadores neuromusculares mejora las condiciones para hacer una intubación, estos fármacos *no* mejoran de manera inherente una técnica de intubación deficiente. En pocas palabras, si su técnica es deficiente antes de paralizar al paciente, lo será también después. Asegúrese de que el paramédico más experimentado sea el que efectúe el procedimiento.

alerta y puede oír, sentir y pensar. Estos fármacos, a diferencia de los sedantes, no tienen efectos sobre el NC. ¡No administre un fármaco paralizante sin primero tratar de manera intensiva el dolor y sedar al paciente!

Farmacología de los bloqueadores neuromusculares

Para comprender cómo los medicamentos inducen parálisis, recuerde la forma en que se contraen los músculos esqueléticos. Todos los músculos esqueléticos (estriados) son voluntarios y requieren un impulso del sistema nervioso somático para iniciar el proceso. Conforme llega el estímulo contráctil a la placa terminal de un nervio motor, se libera **acetilcolina (ACh)** en la hendidura sináptica (la unión entre la célula nerviosa y la muscular). Este neurotransmisor se difunde en la breve distancia de esta hendidura y se une a los sitios receptores en la placa motora terminal. La ACh al ocupar los sitios receptores desencadena cambios en las propiedades eléctricas de la fibra muscular, un proceso llamado despolarización. Cuando se han despolarizado suficientes placas motoras terminales, se alcanza un umbral y la fibra muscular se contrae. La despolarización dura solo unos cuantos milisegundos por la presencia de acetilcolinesterasa, una enzima que rápidamente elimina la ACh de la hendidura sináptica y de los receptores en la placa motora terminal.

Los medicamentos paralizantes actúan en la unión neuromuscular y relajan el músculo al impedir la acción de la ACh. Se clasifican en dos categorías: despolarizantes y no despolarizantes. En el **CUADRO 13-15** se enlistan las dosis estándar de estos fármacos usados en el contexto prehospitalario.

Perlas de sabiduría

Parálisis frente a sedación

Imagine cómo debe ser estar por completo paralizado. No se puede parpadear, hablar, moverse o, de máxima importancia, ¡respirar! Se depende por completo de otros para conservarse vivo. Los fármacos paralizantes no inducen sedación o amnesia. Si usted administra un bloqueador neuromuscular solo, entonces el paciente tendrá una respuesta completa y recordará todo el suceso. Por lo tanto, a menos que esté contraindicado, usted debe tratar el dolor y sedar al paciente antes de administrar un fármaco paralizante. La parálisis sin sedación y alivio del dolor es ¡una forma de abuso de pacientes!

Bloqueadores neuromusculares despolarizantes

Un **bloqueador neuromuscular despolarizante** se une de manera competitiva con los sitios receptores de ACh, pero no se afecta tan rápido por la acetilcolinesterasa y, por lo tanto, produce despolarización del músculo e impide el efecto de las señales futuras de despolarización, porque todos los sitios receptores de ACh ya están ocupados.

El **cloruro de succinilcolina** (Anectine) es un bloqueador neuromuscular despolarizante. Puesto que la succinilcolina causa despolarización, se pueden observar **fasciculaciones**, que se caracterizan por descargas breves no coordinadas de pequeños grupos musculares de la cara, el cuello, el tronco y las extremidades

CUADRO 13-15 Dosis de los bloqueadores neuromusculares

Fármaco	Dosis estándar
Succinilcolina (despolarizante)	1-2 mg/kg como dosis IV de carga (inicial); se puede administrar una dosis repetida con base en la respuesta clínica del paciente.
Bromuro de vecuronio[a] (no despolarizante)	0.1-0.2 mg/kg por carga IV (dosis inicial de adulto); dosis de mantenimiento pasados 45-60 minutos: 0.8-1.2 mg/kg. La dosis pediátrica inicial: de 0.1-0.3 mg/kg IV/IO; dosis de mantenimiento pasados 20-40 minutos: 0.01-0.015 mg/kg en carga IV.
Bromuro de pancuronio[a] (no despolarizante)	0.06-0.1 mg/kg por vía IV en forma lenta (dosis inicial del adulto). Repítase cada 30-60 minutos, según se requiera. Pediátrica: 0.04-0.1 mg/kg IV/IO lenta.
Bromuro de rocuronio[a] (no despolarizante)	0.6-1.2 mg/kg IV/IO. Pediátrica (mayores de 3 meses): 0.6-1.2 mg/kg IV/IO.

Abreviaturas: IO, intraósea; IV, intravenosa.

[a]Considere administrar 10% de la dosis inicial (de desfasciculación) antes de administrar succinilcolina.

durante su administración. Estas fasciculaciones tienden a causar dolor muscular generalizado al concluir la parálisis (cuando desaparece el efecto de la succinilcolina).

Los bloqueadores neuromusculares despolarizantes se caracterizan por un inicio muy rápido (de 60 a 90 segundos) de parálisis total y una duración relativamente breve de acción (de 5 a 10 minutos). Por ese motivo, los paramédicos pueden elegir la succinilcolina como fármaco paralizante inicial. Con su uso, cuando no se puede asegurar la vía aérea del paciente, se tiene que respaldar la ventilación durante solo un breve periodo antes de que pueda de nuevo hacerla de manera independiente.

Use la succinilcolina con precaución. El fármaco está contraindicado en pacientes con quemaduras, lesiones por aplastamiento y traumatismos contusos: alteraciones que pueden causar hiperpotasemia. Además, debido a que su estructura química es similar a la de ACh, la succinilcolina puede causar bradicardia, en especial en los pacientes pediátricos. Debería considerarse la administración de sulfato de atropina, que puede prevenir la bradicardia inducida por la succinilcolina antes de administrarla a pacientes pediátricos; siga sus protocolos locales.

Perlas de sabiduría

No todos los pacientes requieren dosis adicionales de un fármaco paralizante después de la intubación. En muchos casos, las dosis adicionales de sedantes (p. ej., midazolam, ketamina) facilitan el cumplimiento del paciente y le permiten continuar con el respaldo de la oxigenación y ventilación. Sin embargo, dependiendo del estado clínico del paciente, usted quizá requiera administrarle dosis adicionales de un fármaco paralizante. Recuerde mantenerlo adecuadamente sedado.

Bloqueadores neuromusculares no despolarizantes

Los **bloqueadores neuromusculares no despolarizantes** también se unen a los receptores de ACh; sin embargo, a diferencia de los despolarizantes, no causan la despolarización de la fibra muscular. Cuando se administra en una dosis suficiente, la cantidad del fármaco no despolarizante rebasa a la de ACh en la hendidura sináptica, y no se puede alcanzar el umbral crítico de la despolarización. Por lo tanto, cuando se administran sustancias paralizantes no despolarizantes en pequeñas cantidades antes de una despolarizante, se evitan las fasciculaciones. La dosis de desfasciculación suele ser, por lo general, de 10% de la normal; no induce parálisis, pero causa debilidad.

Los bloqueadores neuromusculares no despolarizantes de uso más frecuente son los bromuros de vecuronio (Norcuron), pancuronio (Pavulon) y rocuronio (Zemuron), los tres con una duración de acción mayor que la de succinilcolina. El **vecuronio** tiene un inicio de acción rápido (2 minutos) con una duración de alrededor de 45 minutos. El **rocuronio** tiene un inicio similar y una duración de acción de 30 a 60 minutos. El **pancuronio** también tiene un inicio rápido de acción (de 3 a 5 minutos) y una duración de casi 60 minutos.

Los bloqueadores neuromusculares no despolarizantes, debido a la más prolongada duración de su acción, son opciones ideales cuando un paciente requiere periodos amplios de parálisis, como durante un transporte prolongado o cuando se aseguró la vía aérea y es necesario tratar otras lesiones o alteraciones. Sin embargo, no administre esos fármacos antes de que haya asegurado la vía aérea del paciente.

Intubación en secuencia rápida

La **intubación en secuencia rápida (ISR)**, también conocida como inducción en secuencia rápida o intubación asistida por fármacos, representa la culminación e integración de todas sus destrezas de resolución de problemas de la vía aérea y toma de decisiones en un procedimiento. La ISR consta de una inducción segura, suave y rápida de sedación y parálisis, seguida de inmediato por la intubación, procedimiento que se ha realizado con éxito en el quirófano durante años y cuyo uso prehospitalario es frecuente. En general se utiliza para pacientes con respuesta o combativos que necesitan intubación, pero que desde otros puntos de vista no pueden tolerar la laringoscopia.

Preparación del paciente y el equipo

La experiencia de ser intubado es atemorizante para los pacientes, usted les debe explicar lo que va a hacer y proveerles la tranquilidad de que estarán dormidos durante el procedimiento y no sentirán ni recordarán nada. Aplique un monitor/desfibrilador cardíaco y un oxímetro de pulso. Revise, prepare y ensamble su equipo, y asegúrese de que está en buenas condiciones de funcionamiento. En particular, tenga a la disposición la aspiración de inmediato.

SEGURIDAD

Cuando toma la decisión de una ISR, es crítico que todos los miembros del equipo estén al tanto exactamente de lo que ocurrirá. Deberán evitarse las conversaciones al lado, de manera que todo el equipo pueda centrarse en la ejecución del procedimiento con seguridad.

Preoxigenación

Todos los pacientes objeto de ISR deberían ser oxigenados de manera adecuada antes de iniciar el procedimiento. Si hay respiración espontánea con un volumen adecuado, aplique oxígeno a flujo alto a través de una mascarilla sin recirculación. Sin embargo, si el paciente presenta hipoventilación, tal vez sea necesario aplicar ventilaciones con un dispositivo de bolsa-mascarilla y oxígeno a flujo alto. Evite la ventilación con bolsa-mascarilla después de administrar un fármaco paralizante cuando sea posible para evitar la distensión gástrica y los riesgos vinculados de regurgitación y aspiración.

Premedicación

Si su fármaco elegido al inicio para parálisis es la succinilcolina, considere administrar una dosis de desfasciculación, por lo general de 10% de la normal, de un fármaco paralizante no despolarizante, si el tiempo lo permite. Usted también puede considerar administrar sulfato de atropina para disminuir el riesgo de bradicardia relacionado con la succinilcolina.

Sedación y parálisis

Administre un sedante para inducir amnesia y sedación. Si el paciente se encuentra hemodinámicamente inestable (PA sistólica menor de 90 mm Hg), debería considerarse el uso de ketamina o etomidato, más bien que una benzodiacepina, por su mínimo efecto sobre la PA. Tan pronto como el paciente esté bien sedado, administre el fármaco paralizante. El inicio de su acción debe ser rápido y concluir y estar completo en 2 minutos. Esté pendiente de la apnea y verifique la laxitud (relajación) de la mandíbula; ambos son signos de una parálisis adecuada.

Intubación

El proceso de intubación no es diferente con la ISR que en cualquier otra circunstancia. Por "secuencia rápida" se hace referencia a la administración rápida de medicamentos. Si usted no puede lograr la intubación en un periodo breve o la saturación de oxígeno del paciente disminuye, deténgase y ventílelo con un dispositivo de bolsa-mascarilla y oxígeno a 100%. Cuando la saturación de oxígeno retorne a una cifra aceptable, reintente la intubación. Si usted debe ventilarlo con un dispositivo de bolsa-mascarilla, hágalo lentamente (1 segundo por respiración, apenas suficiente para producir elevación visible de la pared torácica).

Después de colocar el tubo en la tráquea, infle el manguito, retire el estilete y verifique su ubicación correcta (por auscultación y capnografía de forma de onda continua). Asegure el tubo ET como se acostumbra y continúe las ventilaciones con la frecuencia apropiada.

Perlas de sabiduría

Usted debería intentar la ISR solo si confía en que podrá intubar y ventilar al paciente, o que lo podrá mantener oxigenado y ventilado si no tiene éxito la intubación. De otra manera, el paciente que ha sido sedado y paralizado morirá. Sobre todo, ¡no cause daño!

Mantenimiento de la parálisis y sedación

Cuando usted está por completo seguro de que intubó con éxito la tráquea, dependiendo de su tiempo de transporte y el estado clínico del paciente, puede requerirse la administración adicional de un fármaco paralizante. Si usa succinilcolina (que tiene una duración de acción breve) al inicio, utilice después un no despolarizante (como vecuronio o rocuronio) para mantener la parálisis a largo plazo. Si se administró al principio un fármaco paralizante de acción prolongada, por lo general, no suele requerirse una dosis adicional con un tiempo de transporte breve. Administre sedación adicional según sea necesario y vigile de manera continua la PA del paciente.

Medicina basada en evidencia

Muchos pacientes que requieren intubación ET presentan hipoxemia, pero usted no puede preoxigenarlos por su estado mental (p. ej., agitación, delirio, combatividad). En estos casos, debería realizarse un procedimiento llamado **intubación en secuencia diferida (ISD)**. Esta pretende facilitar el proceso de preoxigenación, que permite garantizar de manera segura la permeabilidad de la vía aérea del paciente en tanto se evita la desaturación de oxígeno. La ISD es en esencia un procedimiento de sedación que, en sí, es de preoxigenación.

Para iniciar la ISD, coloque al paciente en una posición con la cabeza elevada en al menos 15°, asegurándose de que los pabellones auriculares se alineen con el esternón. Es indispensable la vigilancia continua del EKG, saturación de oxígeno (Spo_2), $ETCO_2$ y PA.

Después de que usted preparó al paciente y cuenta con todos los parámetros de vigilancia, administre una dosis disociativa de ketamina (de 1 a 1.5 mg/kg), que es el fármaco de inducción de ISD ideal, porque conserva los reflejos de la vía aérea y no suprime el impulso respiratorio. Usted puede administrar pequeñas dosis adicionales (0.5 mg/kg) de ketamina, si se requieren, hasta alcanzar el efecto deseado. Pasados 10 a 15 segundos, administre oxígeno a 15 L/min por mascarilla sin recirculación y una cánula nasal, lo que inicia el proceso de **desnitrogenación**, con el que se pretende sustituir el nitrógeno alveolar con oxígeno y alcanzar una reserva intrapulmonar de este último que permita prolongar la apnea tanto como sea posible, con la menor desaturación posible. Si la cifra de Spo_2 del paciente es menor de 95%, utilice la ventilación a presión positiva no invasiva con PPCVA o un dispositivo de bolsa-mascarilla con una válvula de PETP.

Después de asegurar que se mantenga la cifra de Spo_2 del paciente por arriba de 94% durante 3 minutos, administre un fármaco paralizante (succinilcolina o rocuronio). Deje la cánula nasal con oxígeno a 15 L/min colocada. El paciente se intuba después de cerca de 90 segundos.

Si no se puede mantener la cifra de Spo_2 por arriba de 94% durante el intento de intubación, repita el proceso de desnitrogenación por otros 3 minutos. Si varios intentos de intubación antes de la desaturación no tienen éxito, abandone el procedimiento de ISD y permita que el paciente deje de estar disociado (p. ej., que desaparezca el efecto de la ketamina).

CUADRO 13-16 Lista de revisión de la intubación en secuencia rápida

Preoxigenación/planeación

- Vigilancia cardíaca, de signos vitales y saturación de oxígeno en proceso
  - Administración de soluciones IV o vasopresores, según se requiera, para respaldo de la PA
- Oxigenación pasiva
  - Mascarilla sin recirculación o cánula nasal con oxígeno a 15 L/min
  - Si la Spo_2 es de 94% o menos, use PPCVA o un dispositivo de bolsa-mascarilla con válvula de PETP
- Elevación de la cabecera de la cama de 15 a 30°, lo que asegura la posición del oído a la altura de la escotadura esternal

Equipo

- Aspiración funcionando y disponible de inmediato
- Revisión del laringoscopio para asegurar su apropiado funcionamiento
  - Si se usa un videolaringoscopio, actívelo de forma temprana para permitir que la luz alcance la temperatura deseada; esto ayuda a disminuir las nebulosidades de la pantalla de video
- Revisión y configuración apropiada del tubo ET
  - Se prueba el manguito
  - Se inserta el estilete
- Sedación y fármacos paralizantes y dosis confirmadas
- Guía elástica bougie y dispositivos alternativos de vía aérea disponibles de inmediato

Inducción/intubación

- Se administra un fármaco de inducción
- Se administra un fármaco paralizante
- Aspiración de la orofaringe, según sea necesario, para facilitar la vista laparoscópica de las cuerdas vocales
- Realizar la intubación mientras se vigila de manera continua la saturación de oxígeno
- Confirmación inmediata por capnografía de forma de onda cuantitativa y auscultación de los ruidos respiratorios
- Aseguramiento apropiado del tubo ET en su lugar

Después de la intubación

- Sedación adicional, según se requiera
- Colocación de sonda orogástrica o nasogástrica
- Se ajusta el ventilador, según sea necesario

Abreviaturas: PA, presión arterial; PPCVA, presión positiva continua de vía aérea; ET, endotraqueal; IV, intravenoso(a); PETP, presión exhalatoria terminal positiva; Spo_2, saturación oxígeno.

Cuando realizan la ISR, los proveedores de atención sanitaria deberían usar una lista de revisión para asegurar que el procedimiento se realiza con seguridad y eficacia. Se asignará a una persona para leer en voz alta la lista de revisión, lo que asegura que se cumpla cada paso antes de que el equipo pase al siguiente. En el **CUADRO 13-16** se incluye un ejemplo de lista de revisión de ISR.

Medicina basada en evidencia

La captación de oxígeno por los alvéolos continúa incluso si no se mueve el diafragma y no se expanden los pulmones. En un paciente con apnea se desplazan casi 250 ml/min de oxígeno de los alvéolos a la corriente sanguínea. Hay un movimiento de una cantidad mucho menor de dióxido de carbono (de solo 8 a 20 ml/min) al interior de los alvéolos; el resto es amortiguado en la corriente sanguínea. La diferencia en el desplazamiento de oxígeno y dióxido de carbono a través de la membrana alveolar refleja la correspondiente en la solubilidad del gas en la sangre, así como la afinidad de la hemoglobina por el oxígeno. Como resultado de este movimiento, la presión neta en los alvéolos se torna subatmosférica, lo que genera un flujo de gas desde la faringe, proceso llamado **oxigenación apneica**, que permite que continúe la captación de oxígeno, aunque el paciente esté apneico. Se mostró que la administración de oxígeno complementario por cánula nasal a razón de 15 L/min antes y después de que se sedó y paralizó químicamente al paciente, extiende la duración de la saturación normal de oxígeno, lo que así disminuye el riesgo de que ocurran sucesos hipóxicos durante el periodo de apnea forzada inducido por la ISR.[12]

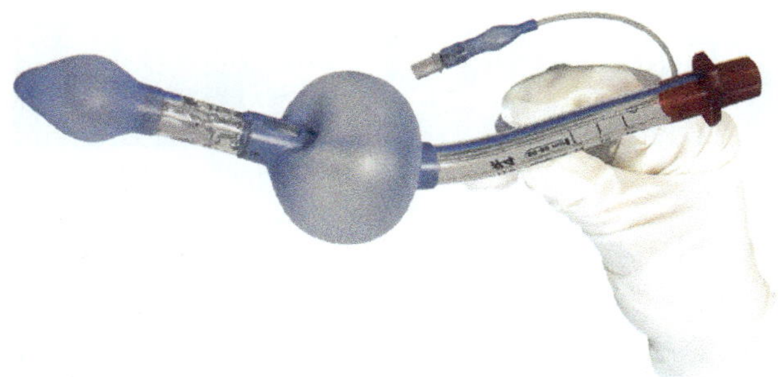

FIGURA 13-90 Dispositivo King LT es de una sola luz y se inserta en el esófago; aquí se muestra el modelo King LT-D.

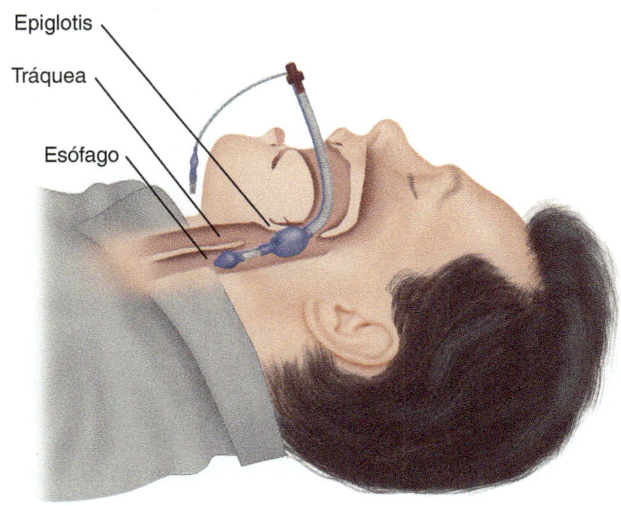

FIGURA 13-91 Colocación del dispositivo King LT. Cuando se coloca en la ubicación apropiada, el manguito distal sella el esófago, y el proximal, la orofaringe.

Dispositivos avanzados de vía aérea alternativos

Dispositivos de vía aérea supraglóticos

Vía aérea King LT®

Dispositivo King LT® es una sin látex de solo una luz y desechable, que se inserta en forma ciega al esófago, **FIGURA 13-90**. Se puede usar para proveer ventilación a presión positiva a los pacientes con apnea y para mantener una vía aérea permeable en aquellos que responden y respiran de manera espontánea, pero requieren tratamiento avanzado de vía aérea. La King LT está disponible en tamaños para adulto y pediátrico.

El dispositivo consta de un tubo curvo con puertos de ventilación localizados entre dos manguitos inflables, ambos que se llenan de aire de forma simultánea con el uso de una válvula única. Cuando la vía aérea está bien colocada en el esófago, el manguito distal lo sella y el proximal sella la orofaringe, **FIGURA 13-91**. Las aberturas localizadas entre los dos manguitos permiten la ventilación de los pulmones después de que se confirma su posición apropiada.

Se dispone de dos tipos de vía aérea King LT: la King LT-D y la King LTS-D, esta última la de uso más frecuente; disponible en siete tamaños, que se basan en la talla o el peso del paciente. Cada tamaño tiene color diferente del conector proximal y requiere presiones de inflado diversas del manguito. En el **CUADRO 13-17** se enlistan los tamaños y criterios respecto de los pacientes para la King LTS-D. Cada equipo contiene una King LT única, una jeringuilla para inflado del manguito, gel hidrosoluble y las instrucciones de uso.

Estas dos vías aéreas artificiales avanzadas (véase figura 13-90), comparten la mayoría de las características. Ambas cuentan con dos manguitos faríngeos, proximal y distal, así como varias salidas de ventilación en su extremo terminal. En ambas, el introductor del tubo ET (una guía elástica bougie) se puede insertar a través del tubo, de donde sale por una "rampa" entre los manguitos faríngeos proximal y distal. Si se necesita insertar el tubo ET, solo úsese su introductor al interior de la tráquea del paciente a través del dispositivo King. A continuación, retire esta y dirija el tubo

CUADRO 13-17 Tamaños y criterios respecto del paciente para la King LTS-D

Tamaño	Color del conector	Criterios del paciente: talla y peso[a]	Volumen del manguito
0	Transparente	< 5 kg	10 ml
1	Blanco	De 5-12 kg	20 ml
2	Verde	De 90-115 cm o 12-25 kg	35 ml
2.5	Naranja	De 105-130 cm o 25-35 kg	40-45 ml
3	Amarillo	De 122-155 cm	50-60 ml
4	Rojo	De 155-180 cm	70-80 ml
5	Púrpura	De > 180 cm	80-90 ml

[a]Los tamaños 0 y 1 se basan en el peso; los de 2 y 2.5, en el peso o la talla, y los de adulto (de 3 a 5), en la talla.

Datos de: Ambu King LTS-D laryngeal tube. Ambu USA website. https://www.ambuusa.com/Files/Files/Downloads/Ambu%20USA/AirwayManagement/Laryngeal_Tubes/King%20LTS-D%20Disposable%20Laryngeal%20Tube/Datasheets/Ambu%20King%20LTS-D%20Datasheet.pdf. Actualizados en agosto, 2018. Con acceso en agosto 24, 2021.

ET al interior de la tráquea colocándolo sobre el tubo introductor.

El extremo distal de la King LT-D es cerrado, en tanto el de la LTS-D es abierto, lo que permite la inserción de un catéter de aspiración (hasta de calibre 18F) a través de la luz de acceso gástrica en el extremo proximal para realizar la descompresión del estómago, **FIGURA 13-92**.

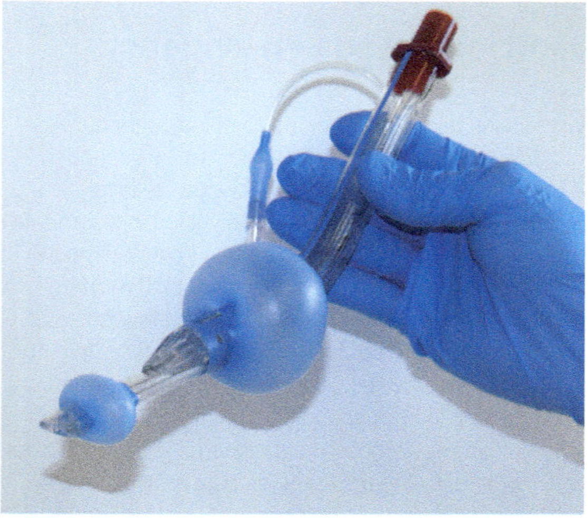

FIGURA 13-92 La King LTS-D.

Cortesía de Candice M. Thompson, NREMT-P.

Indicaciones de uso del dispositivo King LT

El dispositivo King LT® es una alternativa de la ventilación con bolsa-mascarilla o la intubación ET, con algunas ventajas, desventajas, complicaciones y consideraciones especiales, como otros dispositivos de ventilación que se insertan en el esófago.

Contraindicaciones de uso del dispositivo King LT

El dispositivo King LT no elimina el riesgo de vómito y aspiración. Las presiones altas de la vía aérea pueden causar escape de aire hacia el estómago o fuera de la boca. No utilice el dispositivo King LT en pacientes con un reflejo nauseoso intacto, aquellos con afección esofágica conocida (p. ej., tumores, várices, estenosis) o quienes ingirieron una sustancia tóxica. Como con otros dispositivos de vía aérea avanzados, se confirma su colocación apropiada al observar la elevación de la pared torácica, auscultar pulmones y epigastrio, y utilizar la capnografía en forma de onda cuantitativa.

Complicaciones del uso del dispositivo King LT

Es razonable asumir que pueden ocurrir laringoespasmo, vómito y una posible hipoventilación con la introducción del dispositivo King LT. Una técnica inapropiada de su inserción puede también causar traumatismo. La ventilación quizás resulte difícil si el globo faríngeo impulsa a la epiglotis sobre la abertura glótica. Cuando ocurre esta complicación, retírese con suavidad el dispositivo sin desinflar los manguitos, hasta que se facilite la ventilación.

Perlas de sabiduría

Es importante seguir las recomendaciones del fabricante con respecto al volumen de aire que se introduce a la King LT. El exceso de aire en el manguito orofaríngeo pudiese comprometer el flujo sanguíneo de las arterias carótidas y alterar el retorno venoso yugular interno, con el resultado de una perfusión cerebral inadecuada y aumento de la presión intracraneal.

Técnica de inserción

Como se señaló antes, el dispositivo King LT se presenta en siete tamaños; la talla y el peso del paciente determinarán aquel que se debería usar. En la **PRÁCTICA DE DESTREZA 13-13** se muestran los pasos para la inserción de una vía aérea King LT.

Práctica de destreza 13-13 Inserción de una vía aérea King LT

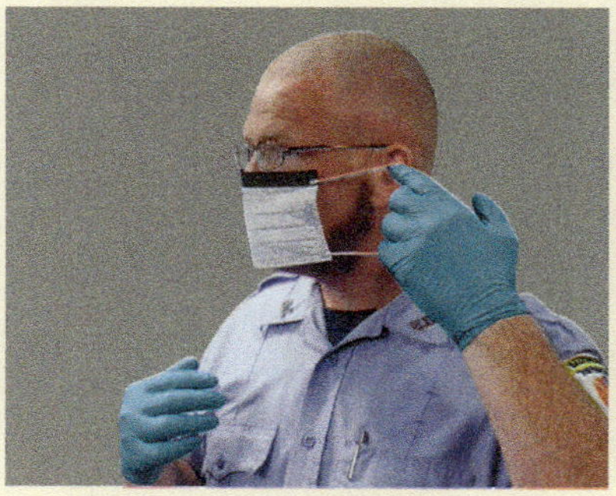

Paso 1

Tomar las precauciones estándar.

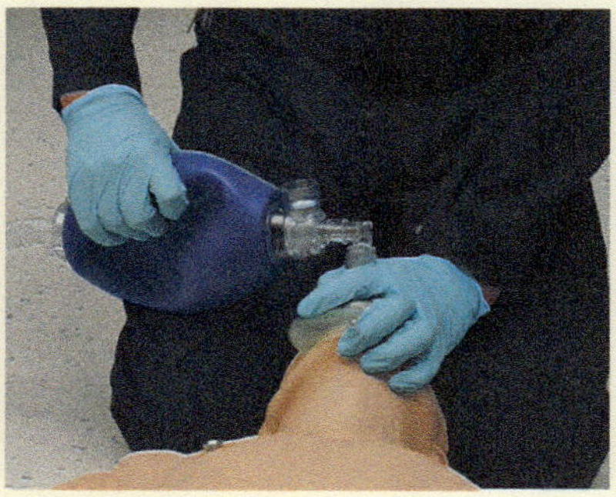

Paso 2

Preoxigenar al paciente con un dispositivo de bolsa-mascarilla y oxígeno a 100%.

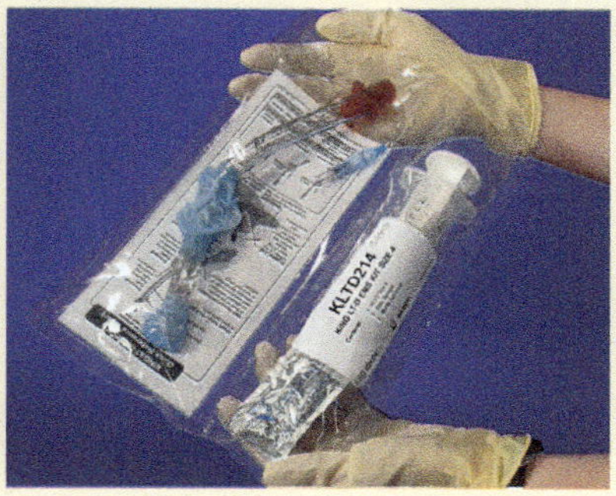

Paso 3

Obtenga su equipo. Elija el dispositivo King LT de tamaño apropiado para el paciente. Pruebe los manguitos en cuanto a su inflado adecuado y asegúrese de que se les retire todo el aire antes de insertarla. Lubrique la punta del dispositivo con un gel hidrosoluble para su fácil inserción y mínimo daño a la vía aérea.

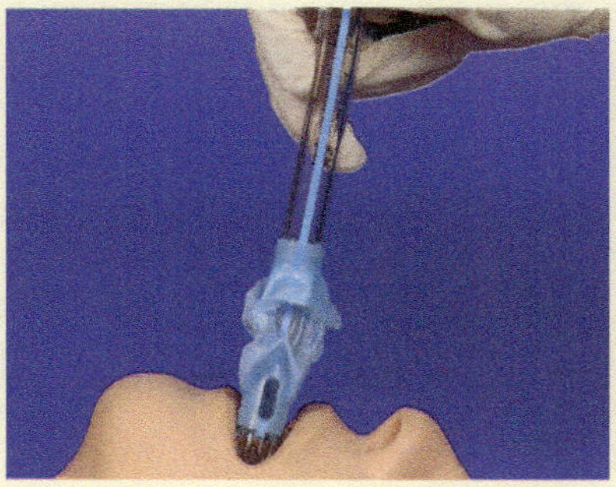

Paso 4

Coloque la cabeza del paciente alineada, a menos que esté contraindicado (utilice la maniobra de impulso mandibular si sospecha un traumatismo). Con su mano dominante sostenga el King LT en el conector. Con la otra, mantenga la boca del paciente abierta mientras da posición a la cabeza. Inserte la punta del King LT en la línea media de la boca.

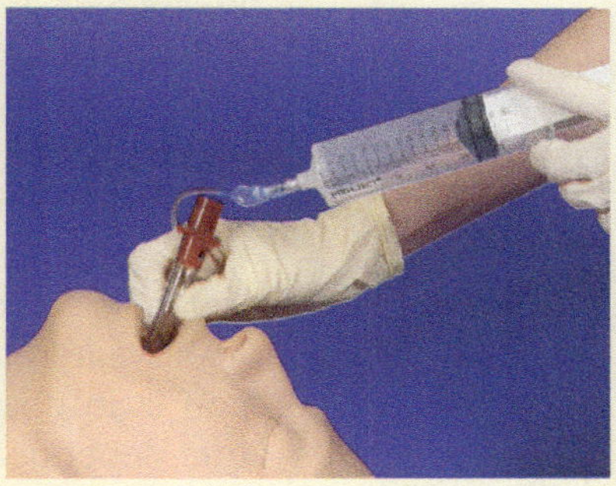

Paso 5

Haga avanzar la punta más allá de la base de la lengua. Si encuentra resistencia, rote un poco la vía aérea, cambie el ángulo, y hágala avanzar otra vez. Continúe haciéndola avanzar con suavidad hasta que la base del conector se alinee con los dientes o la encía del paciente. No use una fuerza excesiva. Infle los manguitos con la cantidad recomendada de aire o apenas la suficiente para sellar la vía aérea.

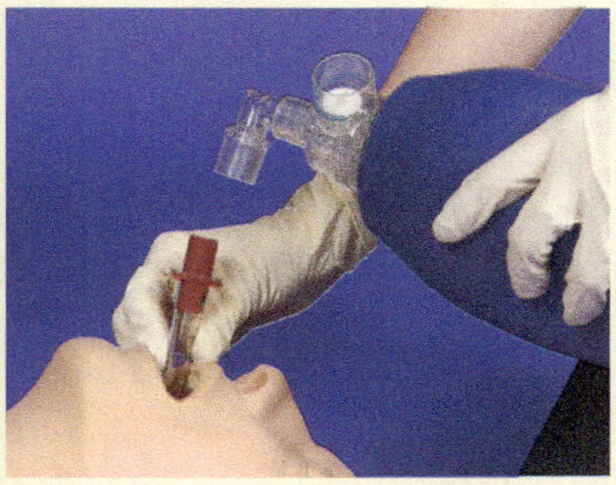

Paso 6

Acople el tubo al dispositivo de ventilación y confirme su colocación por auscultación de pulmones y epigastrio y la vigilancia de la forma de onda por capnografía. Añada aire adicional a los manguitos para hacer máximo el sellado de la vía aérea, si se requiere; sin embargo, evite rebasar la cantidad máxima recomendada por el fabricante. Después de confirmar la colocación correcta, continúe ventilando al paciente.

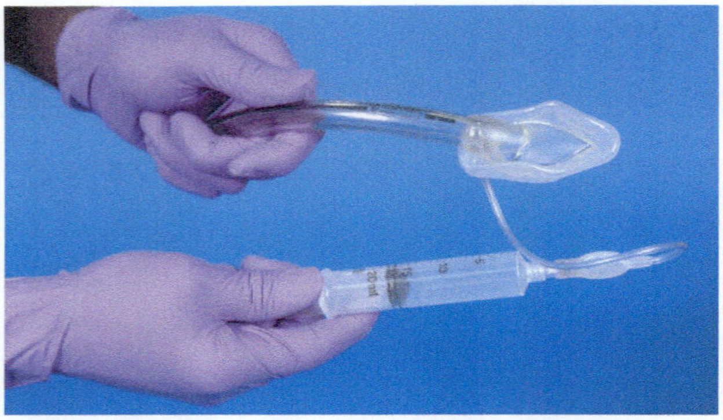

FIGURA 13-93 Mascarilla laríngea.

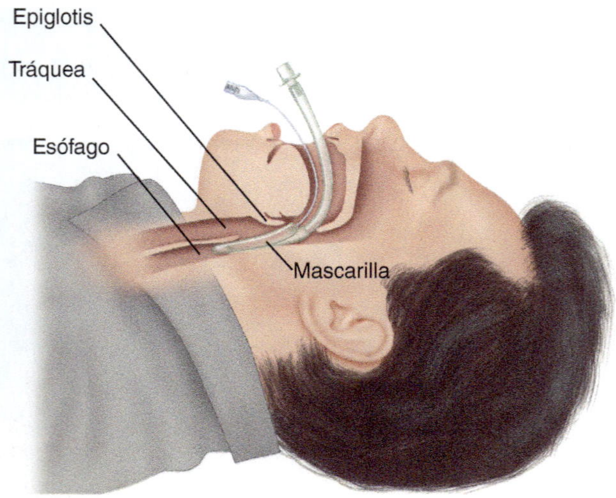

FIGURA 13-94 Cuando es posicionada de manera apropiada, la abertura de la mascarilla laríngea se encuentra en la abertura glótica, su punta en la entrada del esófago, sus porciones laterales en la fosa piriforme y el borde superior en la base de la lengua.

Mascarilla laríngea

La **mascarilla laríngea (ML)**, **FIGURA 13-93**, originalmente se perfeccionó para usarse en el quirófano. Representa una opción viable para los pacientes que requieren mayor respaldo de la vía aérea y ventilatorio que el que puede proveer el dispositivo de bolsa-mascarilla. Como el King LT, la ML no requiere de la visualización de la vía aérea.

Está diseñada para proveer un conducto desde la abertura glótica hasta el dispositivo de ventilación. Rodea la abertura de la laringe con un manguito de silicona inflable, que se coloca en la hipofaringe. Cuando es insertada de forma adecuada, la abertura de la ML se posiciona en la abertura glótica y la punta se inserta en la parte proximal del esófago, en tanto las porciones laterales en la fosa piriforme y el borde superior en la base de la lengua. El manguito inflable se acopla con el contorno de la vía aérea y forma un sellado relativamente hermético, **FIGURA 13-94**.

Indicaciones y contraindicaciones de uso de la ML

Considere a la ML como una alternativa posible de la ventilación con bolsa-mascarilla cuando el paciente no puede ser objeto de intubación ET, y no como principal vía aérea en situaciones de emergencia.

La ML es menos eficaz en los pacientes con obesidad y no debería usarse en aquellos en los que es mórbida. Las embarazadas y quienes sufren una hernia hiatal tienen un mayor riesgo de regurgitación con este dispositivo; evalúe a tales pacientes con cuidado si está considerando utilizar la ML. Es ineficaz para la ventilación de quienes requieren altas presiones pulmonares, como los enfermos que padecen EPOC o insuficiencia cardíaca.

Ventajas y desventajas de la ML

La ML tiene muchas ventajas en comparación con la ventilación de una vía aérea no protegida con un dispositivo de bolsa-mascarilla, pues puede proveer mejor ventilación que este último y una vía aérea oral o nasal, y no necesita el mantenimiento continuo del sellado de la mascarilla. En comparación con la intubación ET, la inserción de la ML es más fácil, porque no requiere laringoscopia. Hay un riesgo mucho menor de lesión de los tejidos blandos, las cuerdas vocales, la pared traqueal, y traumatismos dentales, que con la intubación ET y otras formas de intubación que dependen del bloqueo del esófago. Además, la ML provee protección respecto de las secreciones de la vía aérea superior y su punta, a manera de cuña, en la porción proximal del esófago con toda probabilidad brinda alguna obturación.

La principal desventaja de la ML, en especial en situaciones de emergencia, es que no protege contra la aspiración. De hecho, puede aumentar su riesgo si el paciente regurgita, porque con toda probabilidad el contenido gástrico se dirigirá al interior de la tráquea.

Durante la ventilación prolongada con la ML, se puede insuflar algo de aire al estómago, porque el sellado que logra no es hermético. Debido al riesgo de aspiración, es poco probable que la ML algún día sustituya a la intubación ET en los cuidados médicos prehospitalarios de emergencia.

Complicaciones de la ML

Las complicaciones más significativas relacionadas con el uso de la ML implican regurgitación y aspiración posterior. En las publicaciones acerca del producto, se declara que esta vía aérea debería usarse solo en pacientes con ayuno. Por desgracia, tal limitación eliminaría a aquellos en situaciones de emergencia, que siempre deben considerarse como un estómago lleno. Usted debe sopesar el riesgo de aspiración con el de hipoventilación cuando se hace la ventilación con bolsa-mascarilla en el contexto de la escena clínica.

Observe al paciente en cuanto a los indicios clínicos de una ventilación adecuada (p. ej., elevación de la pared torácica y ruidos respiratorios) durante aquella por ML. Puede también ocurrir hipoventilación de los pacientes que requieren altas presiones ventilatorias, y se les deberá vigilar en cuanto a datos de edema de vía aérea superior.

Equipo para el uso de la ML

Se dispone de varios tipos de ML, con tamaños que se basan en el peso del paciente. Cada uno consta de un tubo y un manguito inflable para la mascarilla, que provee un collar que se ubica en la abertura glótica cuando es inflado. Dos barras verticales en la abertura del tubo impiden la oclusión. El extremo proximal del tubo se acopla con un adaptador estándar de 15/22 mm compatible con cualquier dispositivo de ventilación. El manguito cuenta con una vía unidireccional y debería inflarse con un volumen predeterminado de aire (con base en el tamaño de la vía aérea), **FIGURA 13-95**.

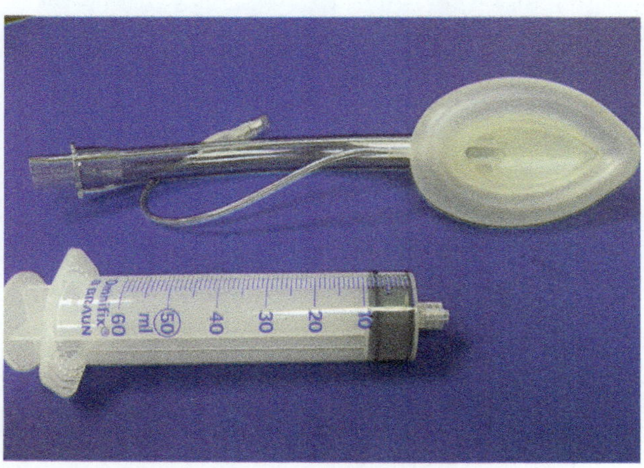

FIGURA 13-95 La mascarilla laríngea con el manguito inflado.

La ML ProSeal® tiene un tubo de drenaje interno que permite que el contenido gástrico expulsado evada la faringe, lo que así disminuye el riesgo de aspiración, **FIGURA 13-96**. La ML Supreme® es un dispositivo de forma anatómica que cuenta con un puerto de acceso gástrico y permite insertar el tubo gástrico sin interrumpir las ventilaciones, **FIGURA 13-97**.

Se puede introducir un tubo ET de 6.0 mm a través de una ML de tamaño 3 o 4, lo que así permite la intubación. Las barras verticales están diseñadas para permitir el paso de un tubo recto bien lubricado; de hecho, la investigación en el quirófano señaló una tasa elevada de éxito de la intubación ET después de usar esta técnica. La ML Fastrach® está diseñada para guiar un tubo ET a su destino y puede ser una alternativa viable de la laringoscopia directa, **FIGURA 13-98**.

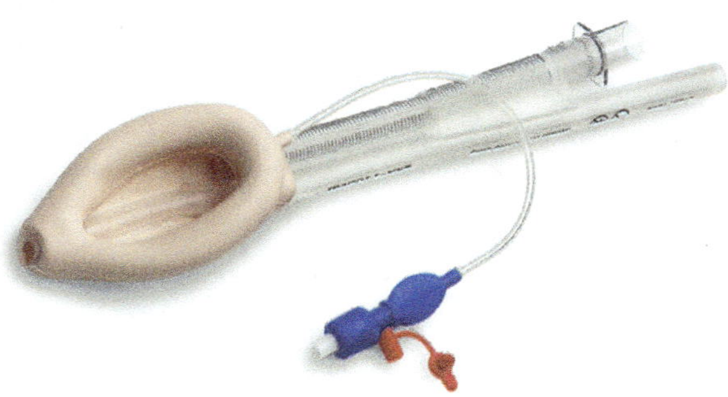

FIGURA 13-96 La mascarilla laríngea ProSeal.

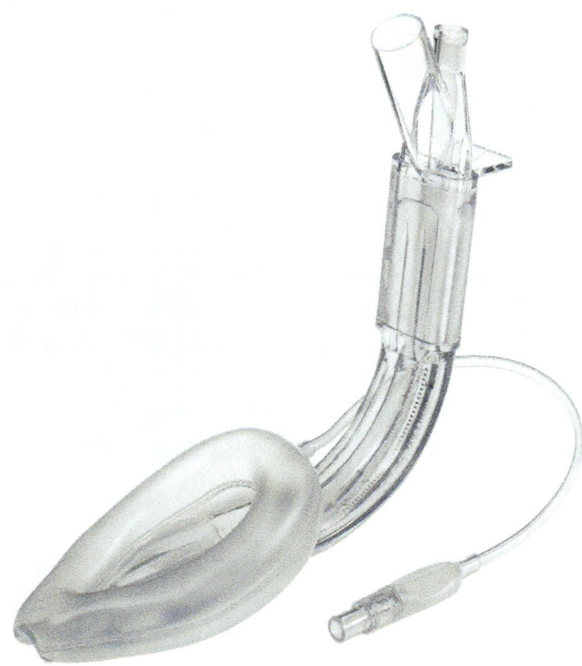

FIGURA 13-97 La mascarilla laríngea Supreme.

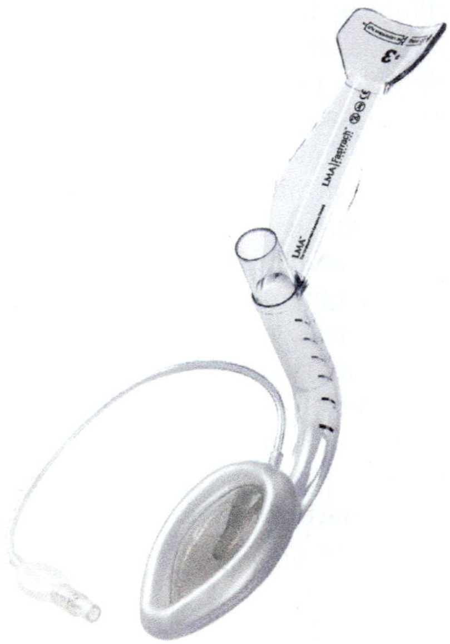

FIGURA 13-98 La mascarilla laríngea Fastrach puede utilizarse para intubar al paciente con tubos desde 6mm.

Técnica de inserción

Antes de iniciar la inserción de una ML, revise y prepare todo el equipo; los pasos para efectuarla se incluyen en la **PRÁCTICA DE DESTREZA 13-14**.

Vía aérea i-gel®

El dispositivo supraglótico **i-gel** se inserta de manera similar a la ML. Este dispositivo particular no inflable se diseñó para crear un sellado anatómico de la faringe, laringe y las estructuras perilaríngeas, que permite evitar los traumatismos de comprensión que pudiesen ocurrir con aquellos que tienen un manguito inflable, **FIGURA 13-99**. El i-gel es de uso frecuente y una alternativa razonable de intubación.

El dispositivo i-gel incluye un bloqueo integral de la mordida, un conducto de acceso gástrico que permite el paso de un tubo 10 Fr al estómago, un puerto de ingreso complementario de oxígeno para facilitar la oxigenación pasiva y una cinta de sostén que lo asegura en su posición. Un anillo con gancho proximal codificado por color indica su tamaño y sirve como ancla para la cinta de sostén. Además, el rango del tamaño y el peso del dispositivo i-gel están impresos directamente en él.

Práctica de destreza 13-14 Inserción de una ML

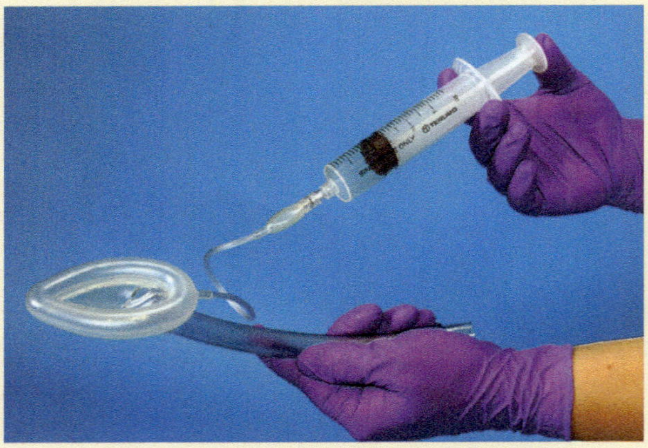

Paso 1

Tome las precauciones estándar. Revise el manguito de la ML inflándolo con 50% más aire que el requerido para el tamaño por usar.

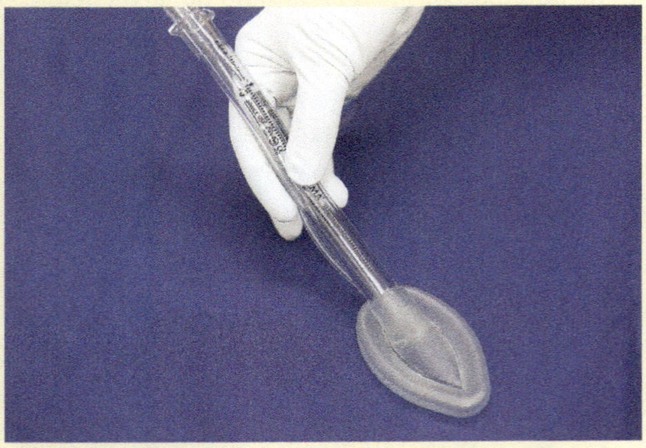

Paso 2

Desinfle el manguito por completo, de modo que no se aprecien pliegues cerca de la punta. El desinflado se logra mejor por compresión del dispositivo, con el manguito viendo hacia abajo sobre una superficie plana para retirar toda arruga.

Práctica de destreza 13-14 Inserción de una ML (continuación)

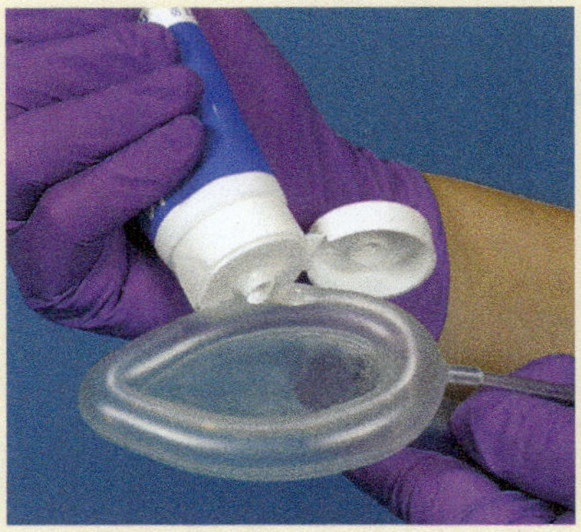

Paso 3

Lubrique el borde externo del dispositivo.

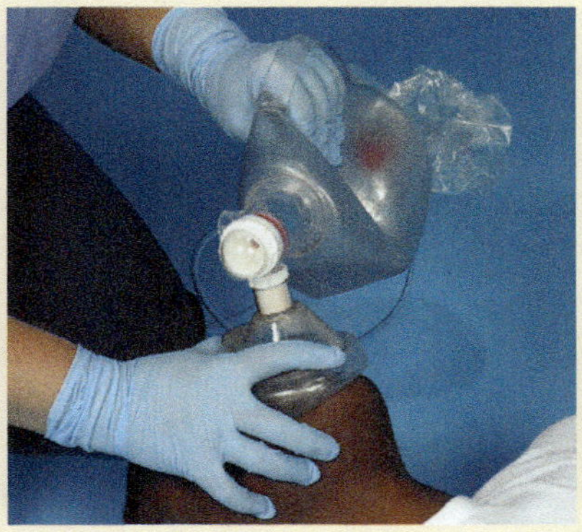

Paso 4

Preoxigene al paciente antes de iniciar el intento de inserción. Colóquelo en la posición de olfateo. Inserte la ML de manera tan rápida, segura y eficaz como sea posible.

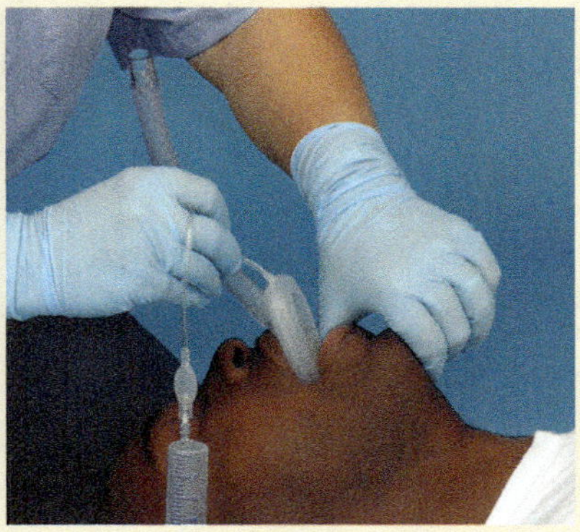

Paso 5

La inserción apropiada de la ML depende de sujetarla de manera adecuada. Coloque un dedo entre el manguito y el tubo, y el índice de su mano dominante en la escotadura entre el tubo y el manguito. Abra la boca del paciente. Eleve la mandíbula con una mano, y empiece a insertar el dispositivo con la otra.

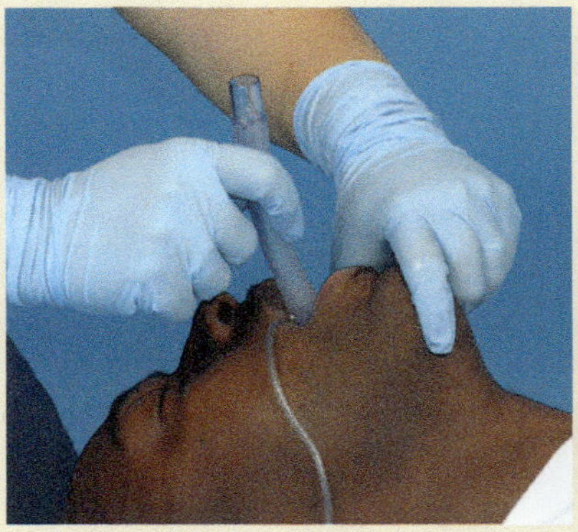

Paso 6

Inserte la ML a lo largo del techo bucal. La clave para hacerlo de forma apropiada es deslizar la superficie convexa de la vía aérea por el techo bucal. Utilice su dedo para impulsar la vía aérea contra el paladar duro. Después de que se deslice más allá de la lengua, la ML se desplazará con facilidad hasta su posición.

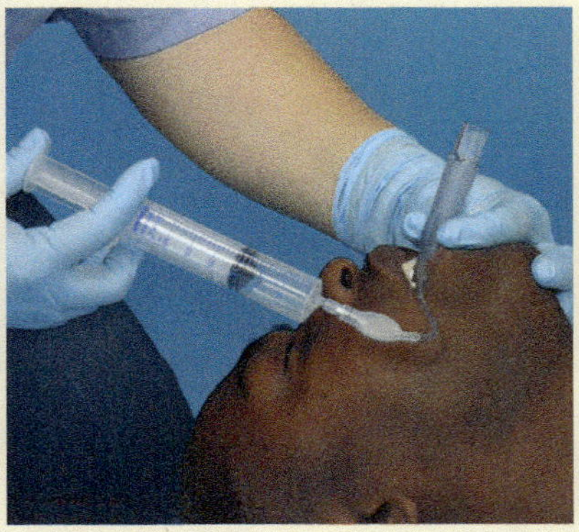

Paso 7

Infle el manguito con la cantidad de aire indicado para la vía aérea utilizada. Si esta tiene una posición apropiada, se desplazará un poco fuera de la vía aérea (de 1 a 2 cm) conforme alcanza su posición (un buen indicio de que es la correcta).

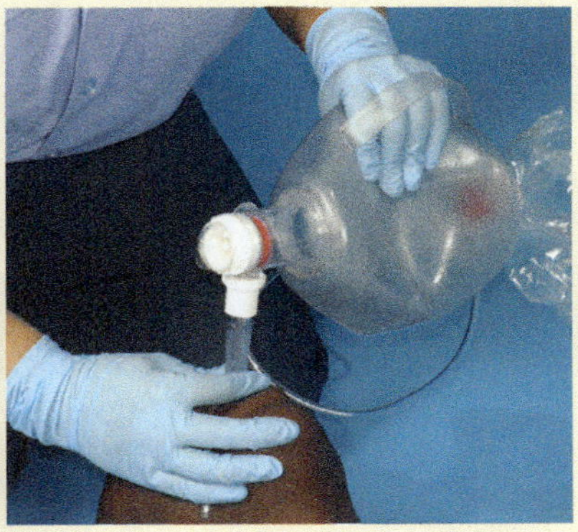

Paso 8

Empiece la ventilación del paciente. Confirme elevación de la pared torácica y la presencia de ruidos respiratorios. Asegure la colocación apropiada del tubo por capnografía de forma de onda. Vigile de manera continua y cuidadosa el estado del paciente.

Como con la ML, la punta del dispositivo i-gel está diseñada para acoplarse al interior de la porción proximal del esófago, en tanto sus lados y partes proximales forman un sellado alrededor de la hipofaringe, posición que facilita el ingreso de aire a la tráquea, **FIGURA 13-100**. En el **CUADRO 13-18** se enlistan tres vías aéreas supraglóticas i-gel de tamaños para adultos y los criterios respecto al peso del paciente.

En la **PRÁCTICA DE DESTREZA 13-15** se muestran los pasos para la inserción de una vía aérea supraglótica i-gel.

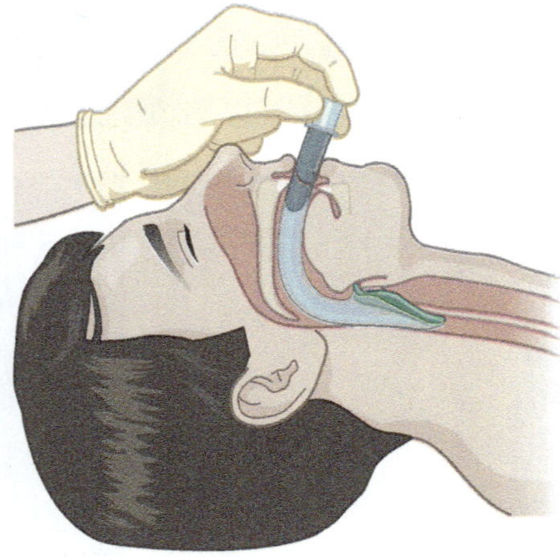

FIGURA 13-100 Posición correcta del dispositivo i-gel en la vía aérea.

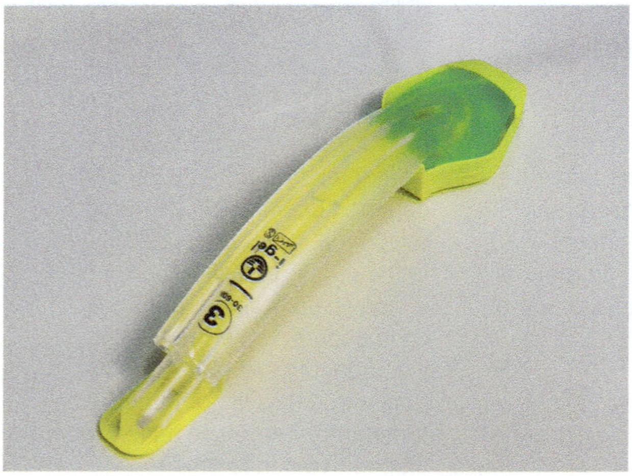

FIGURA 13-99 Supraglótico i-gel.

CUADRO 13-18 Tamaños y criterios del paciente para la vía aérea supraglótica de adulto i-gel

Tamaño	Color del conector	Criterios de peso
3	Amarillo	30-60 kg
4	Verde	50-90 kg
5	Naranja	> 90 kg

Datos de: i-gel information sheet (Issue 11). Intersurgical Ltd website. https://us.intersurgical.com/content/files/76110/183789915. Con acceso en agosto 16, 2021.

Práctica de destreza 13-15 Inserción de una vía aérea supraglótica i-gel

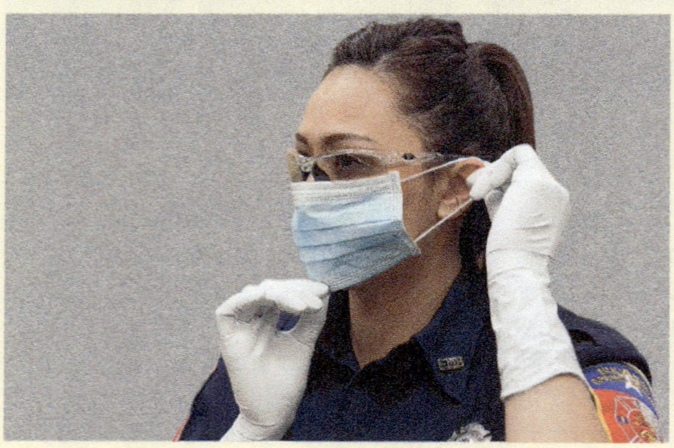

Paso 1

Tome las precauciones estándar.

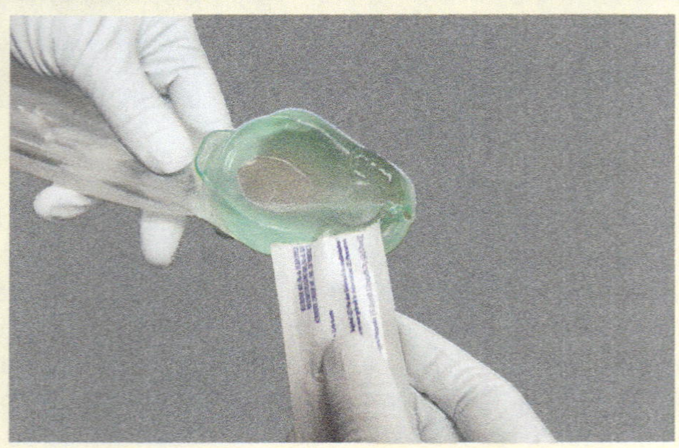

Paso 2

Lubrique el dorso, los lados y el frente del manguito con una capa delgada de gel hidrosoluble.

Práctica de destreza 13-15 Inserción de una vía aérea supraglótica i-gel (continuación)

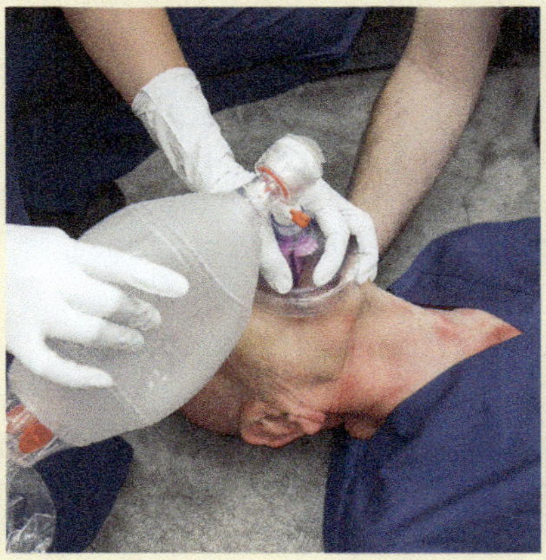

Paso 3

Preoxigene al paciente antes de la inserción. Colóquelo en la posición de olfateo. Inserte el dispositivo i-gel de manera tan rápida, segura y eficaz como sea posible.

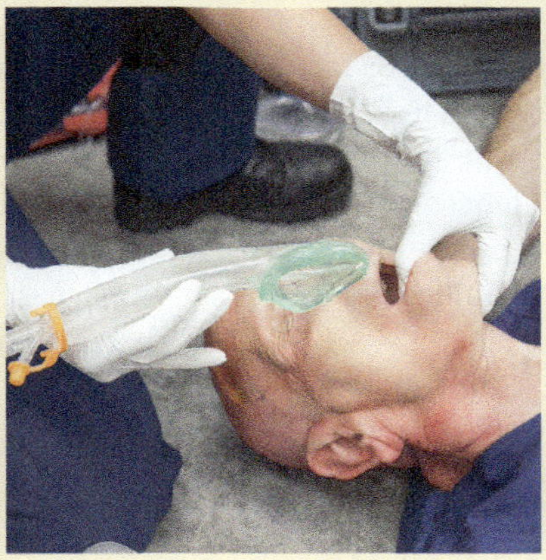

Paso 4

Abra la vía aérea con la maniobra de elevación de lengua-mandíbula y coloque el dispositivo i-gel de manera que la salida del manguito se dirija al mentón.

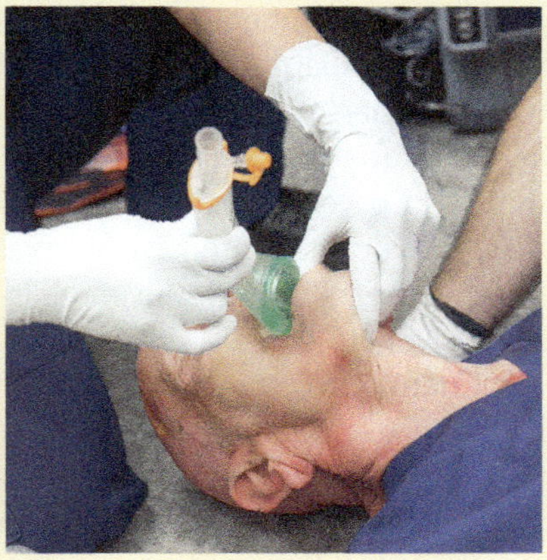

Paso 5

Introduzca la punta blanda más avanzada del dispositivo i-gel en la boca del paciente y diríjala hacia el paladar duro.

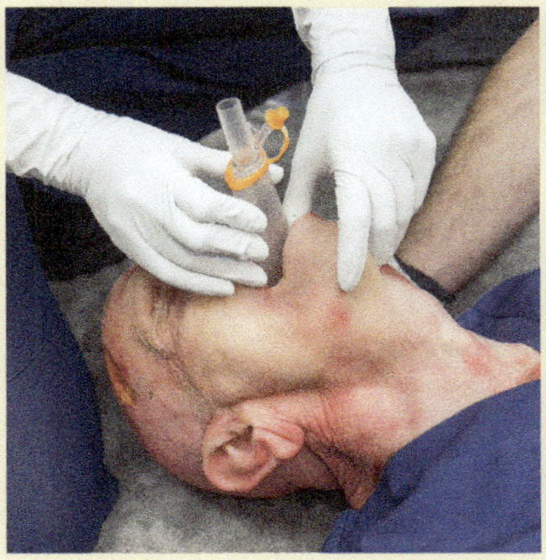

Paso 6

Guíe el dispositivo i-gel hacia abajo y atrás a lo largo del paladar duro con un impulso continuo, pero suave, hasta sentir una resistencia bien definida.

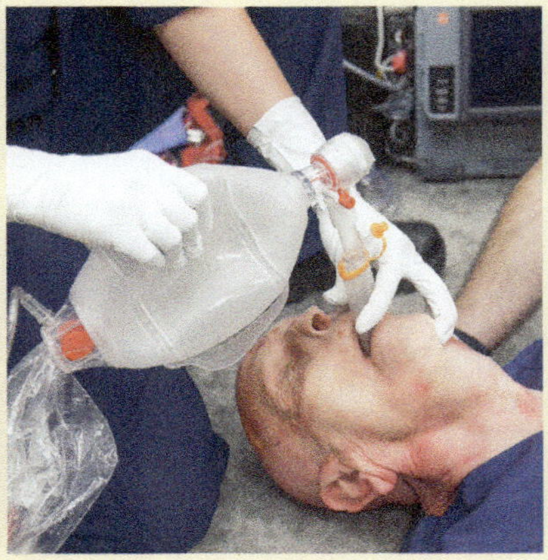

Paso 7

Empiece la ventilación del paciente. Confirme la elevación de su pared torácica y la presencia de ruidos respiratorios. Asegure la colocación apropiada del tubo por capnografía de forma de onda. Vigile de manera continua y cuidadosa el estado del paciente.

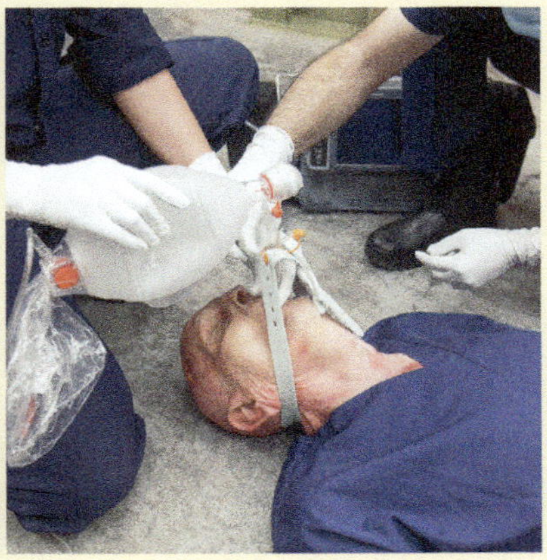

Paso 8

Fije en su sitio el dispositivo i-gel con la cinta provista.

Cricotiroidotomía

En la mayoría de los casos usted puede asegurar la vía aérea del paciente por medios básicos (p. ej., dispositivo de bolsa-mascarilla con vía aérea oral) o avanzados (p. ej., intubación ET, vía aérea supraglótica). A veces, sin embargo, el estado del paciente u otros factores impiden el uso de técnicas convencionales de vía aérea, lo que crea una situación en la que no puede intubarlo o ventilarlo. En esos casos debe recurrir a un abordaje más intensivo e invasivo para asegurar la vía aérea y llevar al máximo sus probabilidades de supervivencia.

Cuando las técnicas y los métodos convencionales fracasan, se dispone de dos métodos para asegurar una vía aérea permeable: la cricotiroidotomía quirúrgica y su variante con aguja, con ventilación con sonda translaríngea. Para realizar estos procedimientos, usted debe conocer los puntos de referencia anatómicos clave de la cara anterior del cuello, **FIGURA 13-101**.

Además, debe estar familiarizado con los importantes vasos sanguíneos de la región. Los vasos cricotiroideos superiores transcurren en ángulo transverso a través del tercio superior de la membrana cricotiroidea, a los lados de la cual las arterias carótidas lo hacen en forma vertical a través de su tercio superior. Para evitar dañar estos vasos usted debe tener mucho cuidado cuando incide la membrana.

Al realizar una cricotiroidotomía es importante saber que el paciente *sangrará* desde el tejido subcutáneo y los pequeños vasos sanguíneos de la piel al incidir la membrana cricotiroidea, lo que, si bien es un suceso menor, alterará su referencia visual y convierte a la intervención quirúrgica en un procedimiento táctil. Usted debería tener la capacidad de controlar con facilidad cualquier hemorragia mediante compresión ligera después de insertar el tubo en la tráquea.

Cricotiroidotomía quirúrgica

La **cricotiroidotomía quirúrgica** implica la incisión de la membrana cricotiroidea con un bisturí y la inserción de un tubo ET o de traqueotomía directamente en la región subglótica (debajo de las cuerdas vocales) de la tráquea. La membrana cricotiroidea es el sitio ideal para hacer la abertura quirúrgica en la tráquea porque no hay estructuras importantes debajo de la piel y la vía aérea, que en este nivel yace relativamente cerca de la superficie cutánea (excepto en los pacientes con obesidad) y es de fácil ingreso a través de la delgada membrana cricotiroidea. La pared posterior de la vía aérea en este nivel está formada por el resistente cartílago cricoides, lo que ayuda a prevenir la perforación

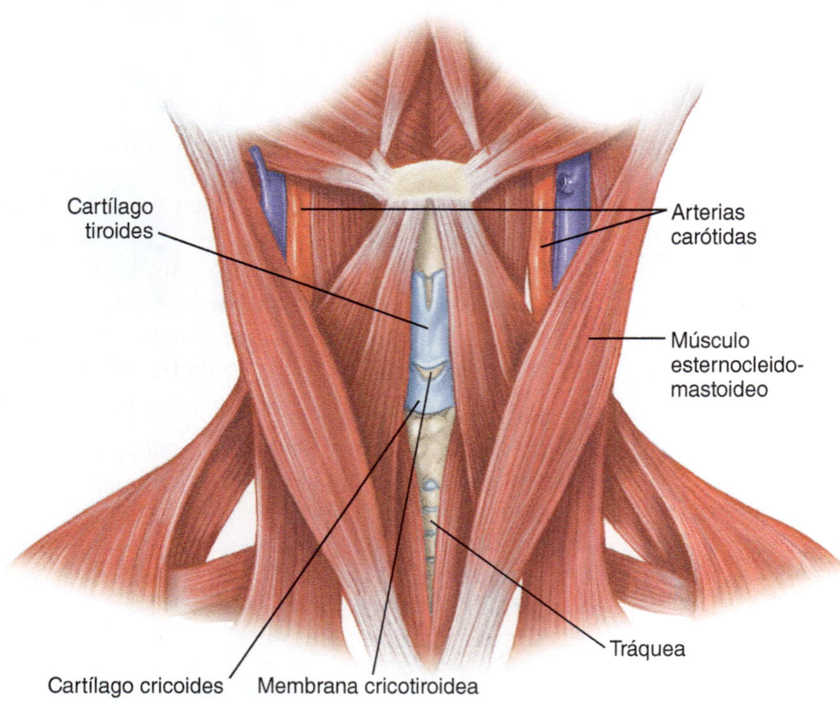

FIGURA 13-101 Anatomía de la cara anterior del cuello.

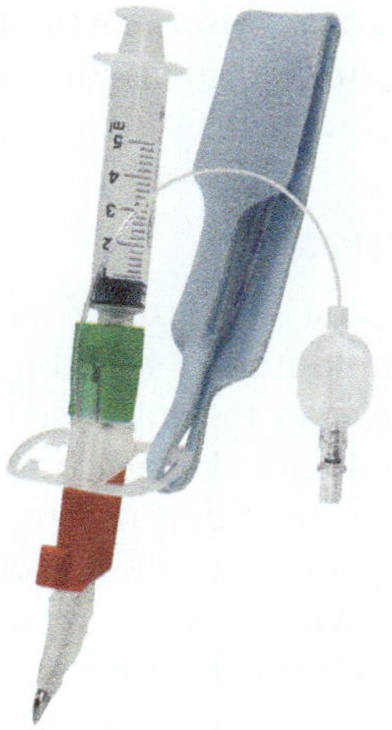

FIGURA 13-102 El equipo Quicktrach II®.

accidental de la pared dorsal de la vía aérea hacia el esófago.

Hay varios tipos de cricotiroidotomía quirúrgica. Como se mencionó antes, esta implica incidir la piel y la membrana cricotiroidea e insertar un tubo ET o de traqueotomía. Otro tipo corresponde a la cricotiroidotomía modificada, para la que en el comercio hay equipos como el Quicktrach®, que se puede usar en el contexto prehospitalario y cuenta con una cánula sobre una gran aguja de calibre 4.0 mm con la que se punciona la membrana cricotiroidea. Un tope impide insertar la aguja demasiado profunda, lo que reduce el riesgo de perforación de la pared traqueal posterior. El equipo Quicktrach II incluye esas características, pero también un manguito inflable en el extremo distal de la cánula que disminuye al mínimo el riesgo de aspiración, **FIGURA 13-102**. No se requiere incisión con bisturí cuando se usa el equipo Quicktrach.

Indicaciones y contraindicaciones

La cricotiroidotomía quirúrgica está indicada cuando no se puede asegurar la vía aérea permeable por *algún* otro método: la escena es de "no poder ventilar y oxigenar". No se trata del medio preferido para en un principio asegurar la vía aérea del paciente. Por ejemplo, si usted no puede intubar a uno, pero sí proveerle ventilaciones eficaces con bolsa-mascarilla, no está indicada la cricotiroidotomía.

Las circunstancias que pueden impedir el tratamiento convencional de la vía aérea incluyen una obstrucción grave por un cuerpo extraño de la vía aérea superior que no se puede extraer con pinzas de Magill y laringoscopia directa, la obstrucción por edema (p. ej., epiglotitis, anafilaxia y quemaduras de vía aérea

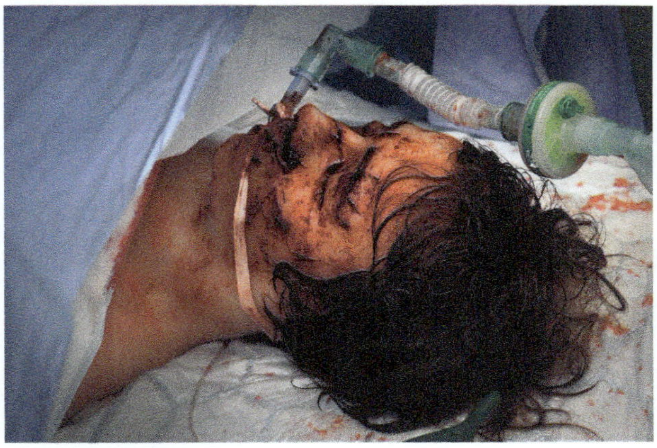

FIGURA 13-103 Los pacientes con un traumatismo maxilofacial masivo a menudo presentan fracturas de la mandíbula o hemorragia profusa en la orofaringe; ambas pueden dificultar en extremo, o incluso imposibilitar, la ventilación con bolsa-mascarilla y la intubación.

superior), un traumatismo maxilofacial masivo y la incapacidad de abrir la boca del paciente. Aquellos pacientes con traumatismos maxilofaciales masivos, **FIGURA 13-103**, a menudo presentan fracturas mandibulares vinculadas, lo que hace muy difícil mantener un sellado eficaz de mascarilla-cara con un dispositivo de bolsa-mascarilla y su intubación puede también ser en extremo difícil por la presencia de laceraciones posteriores de la lengua con hemorragia profusa y edema orofaríngeo y en ellos la aspiración frecuente para prevenir la aspiración, retrasa la intubación y aumenta la hipoxia.

Los pacientes con lesiones cefálicas y trismo (dientes apretados) pueden requerir una cricotiroidotomía, en especial si no se cuenta con los recursos o los protocolos para hacer una ISR. Además, la lesión cefálica que suele acompañarse de un traumatismo facial constituye una contraindicación de la intubación nasotraqueal y la colocación de una vía aérea artificial por vía nasal, en especial si está drenando líquido de la nariz del paciente, **FIGURA 13-104**, que cuando corresponde al LCR, es probable que indique una fractura de la lámina cribiforme del etmoides. Si bajo estas circunstancias se intenta la intubación nasotraqueal, el tubo ET o la cánula nasofaríngea pudiesen ingresar de manera inadvertida a la bóveda craneana a través de dicha fractura; como se mencionó antes, esta es una situación rara pero probable.

Como se señaló antes, la principal contraindicación de la cricotiroidotomía quirúrgica es la capacidad de asegurar la vía aérea de un paciente por cualquier otro medio. Otras contraindicaciones

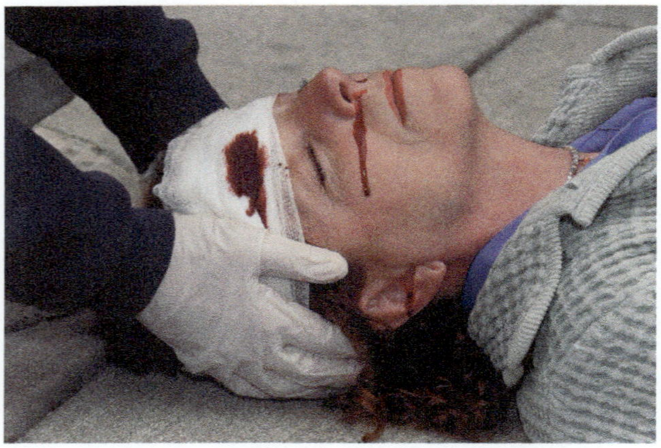

FIGURA 13-104 La intubación endotraqueal puede ser imposible en los pacientes con lesión cefálica y trismo. La intubación nasotraqueal está contraindicada en aquellos con lesiones cefálicas y drenaje de líquido por la nariz.

incluyen la incapacidad de identificar los puntos de referencia anatómicos correctos (membrana cricotiroidea), las lesiones por aplastamiento de la laringe y corte transverso de la tráquea, anomalías anatómicas subyacentes (p. ej., traumatismos, tumores, o estenosis subglótica) y la edad menor de 8 años. La laringe de un niño pequeño, en general, no puede soportar un tubo lo suficientemente grande para producir una ventilación eficaz sin causar daño a la laringe; para ellos sería más segura una cricotiroidotomía con aguja (que se describe más adelante en este capítulo).

En circunstancias en que la cricotiroidotomía está contraindicada, transporte rápido al paciente a la instalación apropiada más cercana, donde se pueda hacer una traqueotomía de emergencia.

Ventajas y desventajas

La cricotiroidotomía quirúrgica se puede hacer rápido y sin manipular la columna cervical. La última característica es en especial ventajosa, porque muchas de estas operaciones se hacen en pacientes con traumatismos faciales masivos.

Las desventajas de la cricotiroidotomía incluyen la dificultad para la realización del procedimiento en los niños, motivo por el que está contraindicada en los menores de 8 años. En comparación con la cricotiroidotomía con aguja, la quirúrgica es más difícil de llevar a cabo. Sin embargo, la inserción de un tubo de gran calibre (p. ej., uno ET o uno de traqueotomía) puede facilitar el manejo de un volumen tidal más grande, lo que a su vez permite la oxigenación y ventilación más eficaces.

Complicaciones

Es de esperar alguna hemorragia menor cuando se hace una cricotiroidotomía abierta. Una hemorragia más grave suele ser resultado de la laceración de una vena grande. Incidir la membrana cricotiroidea en sentido vertical, más que horizontal, disminuirá al mínimo el riesgo de esta complicación, así como el de dañar la glándula tiroides, muy vascularizada. Después de hacer la incisión, inserte el tubo con suavidad para disminuir al mínimo el riesgo de perforar el esófago y dañar los nervios laríngeos.

Perlas de sabiduría

La práctica frecuente de la cricotiroidotomía en cadáver, cuando está disponible, o un maniquí especial, llevará al máximo su capacidad de hacer la operación con rapidez. En general, las destrezas que no se llevan a cabo con frecuencia en campo deberían practicarse de manera sistemática para mantener la competencia.

La decisión de hacer una cricotiroidotomía quirúrgica y su ejecución deben ser rápidas. El dedicar demasiado tiempo para decidir que está indicada esta intervención se manifiesta con el retraso del procedimiento; como resultado, el paciente presentará más hipoxia, lo que pudiese dar lugar a arritmias cardíacas, lesión encefálica permanente o paro cardíaco.

Es posible crear una falsa vía si el tubo socava el tejido subcutáneo y nunca ingresa a la tráquea a través de la membrana cricotiroidea. Si bien esta complicación puede ocurrir en cualquier paciente, el riesgo es mayor en uno con obesidad. Sospeche la colocación errónea del tubo cuando se hace aparente un enfisema subcutáneo después de una cricotiroidotomía, que se presenta cuando el aire infiltra las capas subcutáneas (grasas) de la piel y se caracteriza por una percepción de "crepitación" a la palpación.

Cualquier procedimiento invasivo realizado en el contexto prehospitalario tiene relación con el riesgo de infección en los pacientes. Por lo tanto, mantenga la técnica aséptica hasta el grado que sea posible cuando realice una cricotiroidotomía abierta.

Equipo

Si no se dispone de un equipo de cricotiroidotomía comercial, usted debe preparar el siguiente y sus provisiones:

- Bisturí (con hoja núm. 10)
- Tubo ET o de traqueotomía (mínimo de 6.0 mm)
- Dispositivo comercial (o cinta) para fijar el tubo
- Aparato de aspiración
- Cojinetes de gasa estéril para controlar la hemorragia
- Dispositivo de bolsa-mascarilla acoplado con una fuente de oxígeno a 100%
- Detector de $ETCO_2$ (capnografía de forma de onda cuantitativa)

Técnica para la cricotiroidotomía quirúrgica

Después de que determine que se requiere una cricotiroidotomía quirúrgica, debe proceder con rapidez y, sin embargo, con cuidado. Identifique la membrana cricotiroidea por palpación de la escotadura V del cartílago tiroides, que se percibe como una protrusión alta aguda. Fije la laringe entre sus dedos pulgar y medio mientras palpa con el índice. Cuando ya localizó la escotadura V, deslice su dedo índice hacia abajo sobre la prominencia tiroidea (manzana de Adán) al interior de la depresión entre los cartílagos tiroides y cricoides: la membrana cricotiroidea.

Los hombres tienen una muesca tiroidea prominente de un cartílago que también lo es, en tanto las mujeres no. Debido a que el anillo cricoideo es más prominente en las mujeres que en los hombres, cuando se palpa la anatomía en ellas localice primero el anillo cricoideo, después la membrana cricotiroidea y, por último, el cartílago tiroides.

Mientras usted localiza y prepara el sitio, su compañero debería alistar el equipo y asegurarse de acoplar el monitor/desfibrilador cardíaco y el oxímetro de pulso.

Mantenga aséptica la técnica conforme limpia la región con una solución yodada; evite tocar la zona una vez limpia. Mientras fija la laringe con una mano, haga una incisión vertical (de casi 1 a 2 cm) sobre la membrana cricotiroidea; en los pacientes con obesidad, esta incisión vertical puede requerir ser más larga y profunda. Es ideal usar un bisturí con hoja núm. 10, porque tiene una punta aguda para puncionar y un borde biselado para la incisión.

Después de hacer la incisión, retire el bisturí y de inmediato coloque su dedo índice en la parte alta de la membrana cricotiroidea para confirmar su anatomía. Recuerde, el paciente tal vez sangre después de la primera incisión, por lo que su referencia visual puede disminuir o perderse. Por lo tanto, es crítico mantener la fijación de la laringe y la membrana cricotiroidea. Puncione la membrana cricotiroidea y haga una incisión horizontal (de casi 1 cm) en cada dirección desde la línea media; no demasiado lejos a los lados. Retire el bisturí y de inmediato coloque su dedo índice a través de la membrana cricotiroidea. En este momento usted puede usar un gancho o un dilatador traqueal de Trousseau (disponible en los equipos de cricotiroidotomía comerciales), **FIGURA 13-105**. Su compañero debe estar fácilmente disponible para controlar cualquier hemorragia que se presente.

Con la tráquea expuesta, inserte con suavidad un tubo ET o de traqueotomía de 6.0 mm con manguito, **FIGURA 13-106**, al interior de la tráquea. Después de colocar el tubo, fíjelo de modo manual e infle el manguito distal con el volumen apropiado de aire, de 5 a 10 ml por lo general. Acople el dispositivo de bolsa-mascarilla al adaptador estándar de 15/22 mm en el tubo y

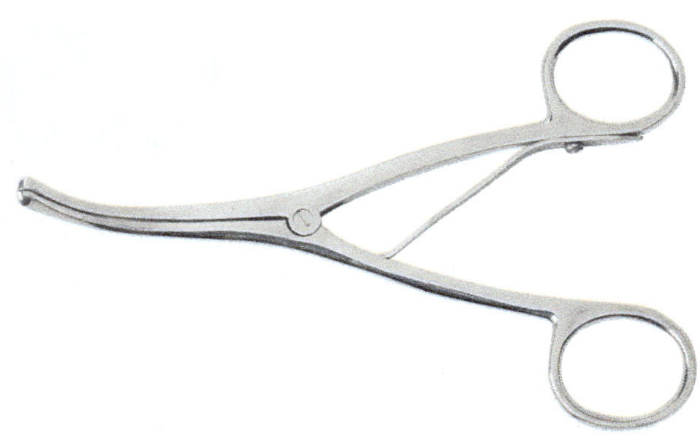

FIGURA 13-105 Dilatador traqueal de Trousseau.

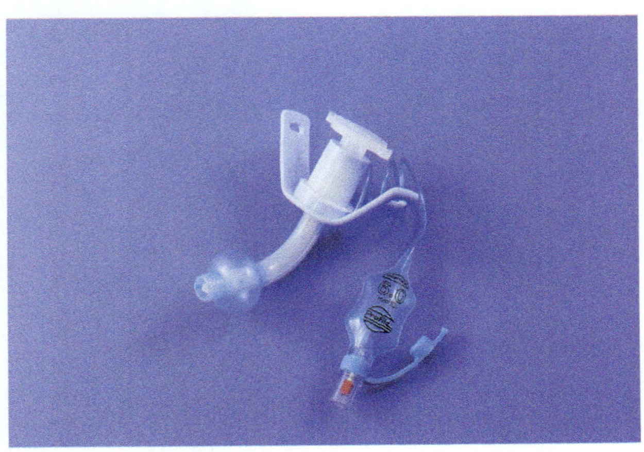

FIGURA 13-106 Tubo de traqueotomía con manguito.

ventile al paciente mientras su compañero lo ausculta para asegurar la presencia de ruidos respiratorios bilaterales claros y la ausencia de ruidos epigástricos. Si se perciben estos últimos, tal vez se perforó la tráquea e insertó el tubo en el esófago.

Se puede hacer una confirmación adicional de la colocación correcta del tubo al acoplar un detector de $ETCO_2$ entre este y el dispositivo de ventilación. A continuación, asegure la detención de cualquier hemorragia menor, fije de manera apropiada el tubo y continúe la ventilación apropiada del paciente con la frecuencia correcta.

En la **PRÁCTICA DE DESTREZA 13-16** se muestran los pasos para la cricotiroidotomía quirúrgica.

Práctica de destreza 13-16 Cricotiroidotomía quirúrgica

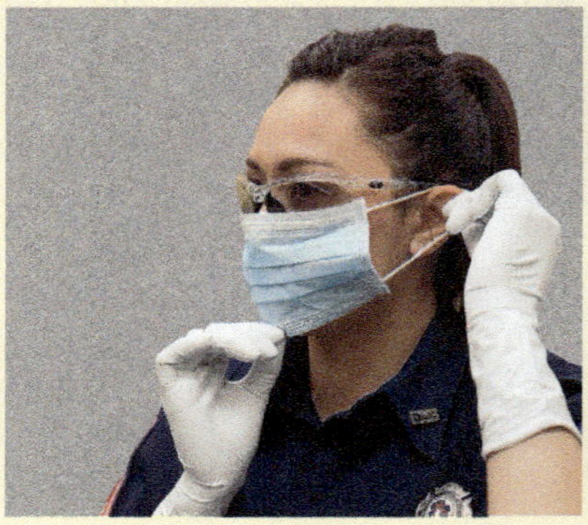

Paso 1

Tome las precauciones estándar.

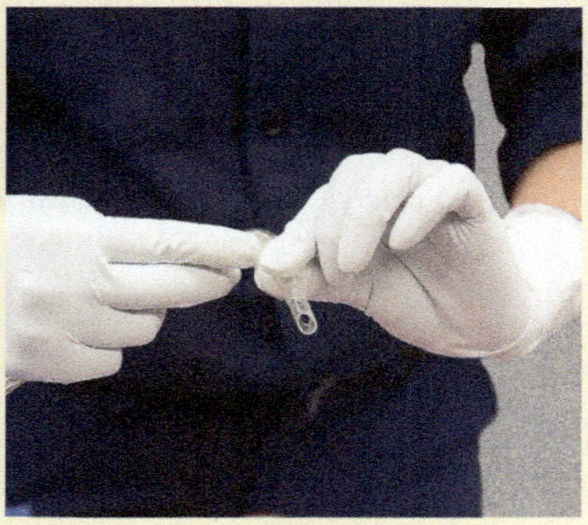

Paso 2

Revise, ensamble y prepare el equipo. Haga un doblez de 90° en un tubo ET de 6.0 mm (con estilete insertado), apenas proximal al manguito.

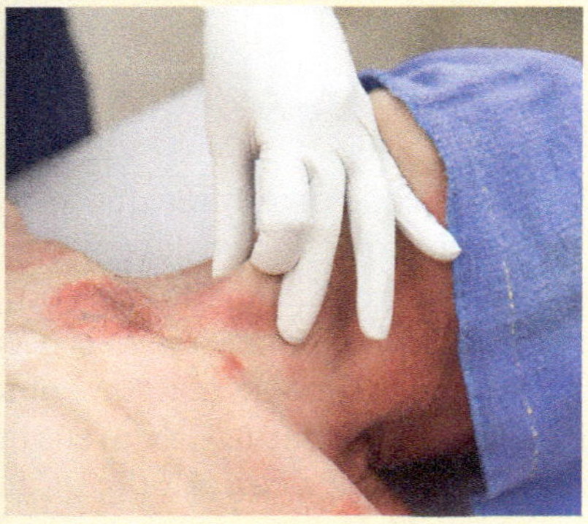

Paso 3

Con la cabeza del paciente alineada, palpe y localice la membrana cricotiroidea.

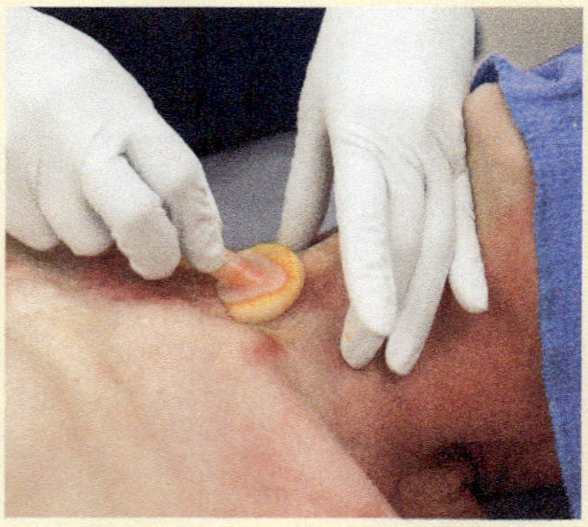

Paso 4

Limpie la zona con una solución yodada o de clorhexidina.

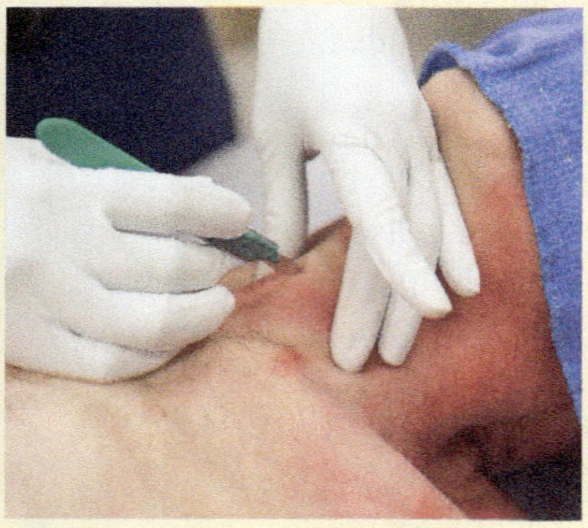

Paso 5

Estabilice la laringe, y haga una incisión vertical de casi 1 a 2 cm sobre la membrana cricotiroidea.

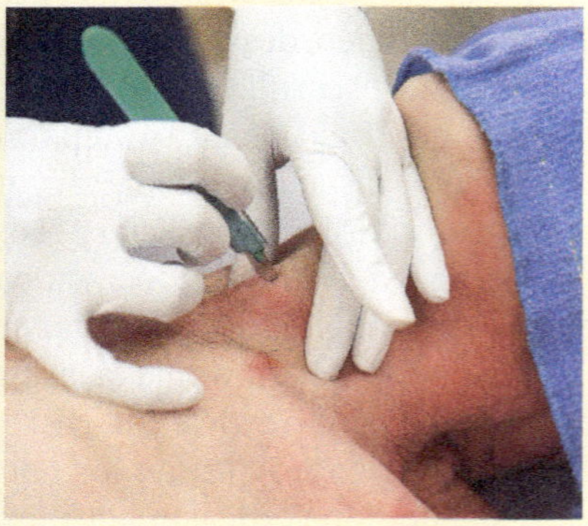

Paso 6

Puncione la membrana cricotiroidea.

Práctica de destreza 13-16 Cricotiroidotomía quirúrgica (continuación)

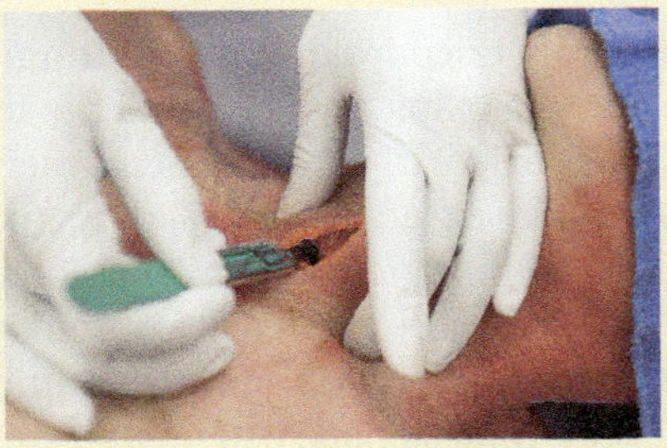

Paso 7

Haga una incisión horizontal (de casi 1 cm) a ambos lados de la línea media.

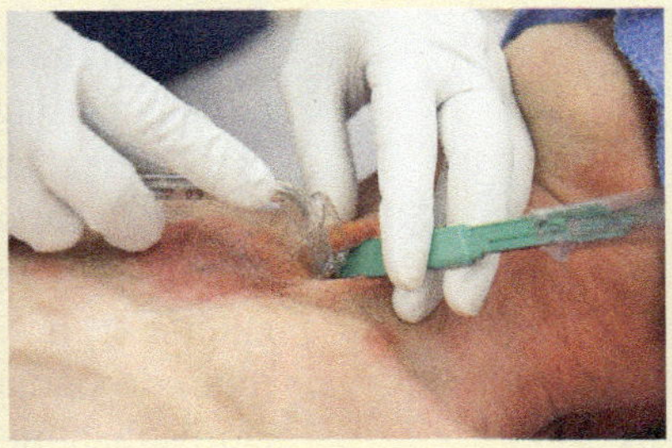

Paso 8

Inserte el tubo hasta que el manguito se encuentre por completo dentro de la tráquea y no más de 1 a 2 cm, para evitar atravesar la carina e ingresar al bronquio principal derecho. Para ayudar a la inserción del tubo, se puede introducir el mango del bisturí en la incisión horizontal y rotarlo 90° para mantener la abertura para el tubo.

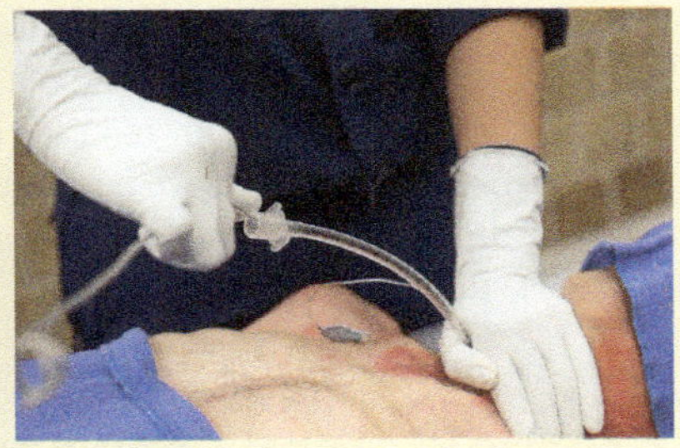

Paso 9

Estabilice de modo manual el tubo ET entre sus dedos pulgar e índice, retire con cuidado el estilete e infle el manguito distal.

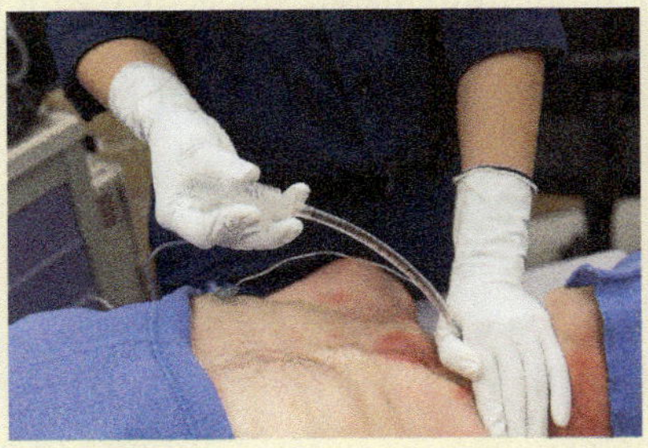

Paso 10

Acople un detector de $ETCO_2$ entre el tubo y el dispositivo de ventilación.

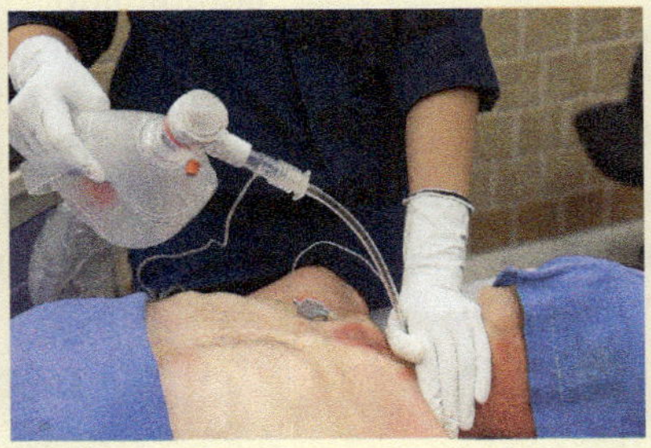

Paso 11

Asegure la colocación apropiada del tubo por capnografía de forma de onda. Acople el detector de $ETCO_2$ al monitor. Ventile al paciente.

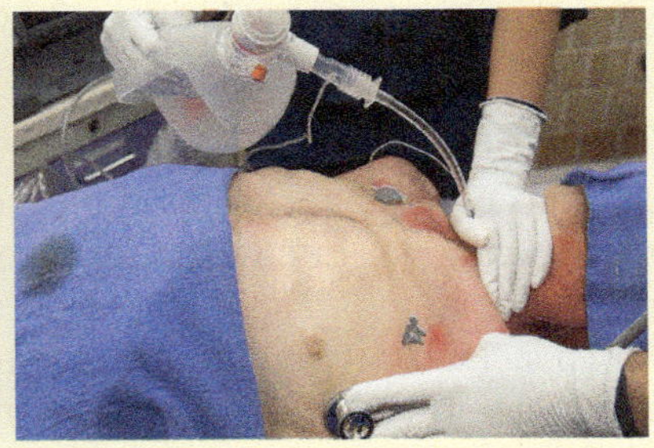

Paso 12

Confirme la ubicación correcta del tubo por auscultación de los ápices y las bases de ambos pulmones y del epigastrio.

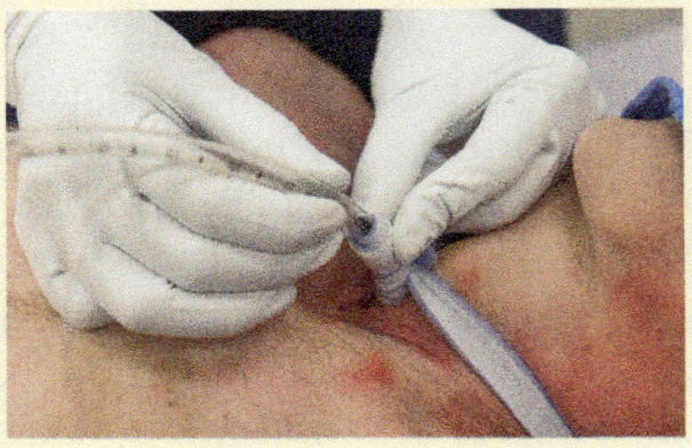

Paso 13

Asegure el tubo con un dispositivo comercial o cinta. Reconfirme su colocación correcta y reinicie las ventilaciones con la frecuencia apropiada.

Perlas de sabiduría

Para evitar crear una falsa vía, inserte una guía elástica bougie en la membrana cricotiroidea para confirmar la detección táctil de los anillos traqueales, y después, introduzca el tubo ET o de traqueotomía sobre ella. Esto se puede hacer con una sonda regular y un tubo ET de 6.0 mm, o con un dispositivo comercial que cuente con tubo de traqueotomía y una sonda calibradora preinsertada.

Cricotiroidotomía con aguja

En la **cricotiroidotomía con aguja** también se usa la membrana cricotiroidea como punto de ingreso a la vía aérea. En este procedimiento, se inserta una aguja de calibre 12 a 16 sobre el catéter IV a través de la membrana cricotiroidea hacia la tráquea. A continuación, se aplican oxigenación y ventilación apropiadas al acoplar un ventilador a chorro de alta presión al manguito del catéter. Este procedimiento, conocido como **ventilación con catéter translaríngeo**, suele usarse como medida temporal hasta poder obtener una vía aérea más definitiva (p. ej., por cricotiroidotomía o traqueotomía). Cuando se use un ventilador a chorro de alta presión vigile de manera estrecha al paciente para evitar el inflado excesivo de los pulmones.

Indicaciones y contraindicaciones

Las indicaciones para la cricotiroidotomía con aguja y la ventilación por catéter translaríngeo en esencia son las mismas que para la cricotiroidotomía quirúrgica: la incapacidad de ventilar al paciente por algún otro medio, el traumatismo maxilofacial masivo, la incapacidad de abrir la boca y una hemorragia orofaríngea no controlada.

La cricotiroidotomía con aguja está contraindicada en los pacientes con una obstrucción grave de la vía aérea por arriba del sitio de la inserción del catéter. No puede ocurrir exhalación a través del dispositivo de ventilación a chorro, por lo que debe hacerse por la abertura glótica. Si la vía aérea está por completo obstruida por arriba del sitio de inserción del catéter, no será posible la exhalación y como resultado el paciente presentará hipercapnia. El ventilador a chorro de alta presión usado con la cricotiroidotomía con aguja causa un aumento de la presión intratorácica que potencialmente da lugar al barotraumatismo y el riesgo de neumotórax. El sobreinflado de los pulmones también puede causar barotraumatismo por el ventilador a chorro, de manera que tenga cuidado de abrir la válvula de liberación solo hasta que la elevación de la pared torácica del paciente sea adecuada.

Si no se dispone de inmediato del equipo necesario para una ventilación por catéter translaríngeo, haga una cricotiroidotomía quirúrgica.

Ventajas y desventajas

En comparación con la cricotiroidotomía quirúrgica, aquella con aguja es más rápida y técnicamente más fácil de realizar. En particular, se vincula con menos riesgo de causar daño a estructuras adyacentes, porque se punciona la membrana cricotiroidea con un catéter IV, no se incide con bisturí. La cricotiroidotomía con aguja también permite intentos de intubación subsiguientes, porque se hace uso de un catéter de pequeño calibre, lo cual permite pasar un tubo ET a un lado con facilidad. Esta característica pudiese ser de beneficio particular si no se cuenta con el equipo o los protocolos para hacer una cricotiroidotomía quirúrgica. Además, el procedimiento no requiere manipulación de la columna cervical del paciente.

Sin embargo, hay desventajas para la realización de una cricotiroidotomía con aguja. El uso de un tubo de diámetro más pequeño (como el IV sobre la aguja) para ventilar al paciente no provee la misma protección de la aspiración como un tubo ET o uno de traqueotomía con manguito durante una cricotiroidotomía quirúrgica (un tubo de mayor calibre, combinado con manguito distal, llena el diámetro de la tráquea y la protege de la aspiración). Además, la cricotiroidotomía con aguja requiere un ventilador a chorro de alta presión especializado para obtener un volumen tidal adecuado, que gastará con rapidez grandes volúmenes de oxígeno.

Complicaciones

La colocación inapropiada del catéter durante la cricotiroidotomía con aguja puede dar lugar a una hemorragia grave si daña estructuras adyacentes. Incluso cuando se coloca de manera correcta, un escape excesivo de aire alrededor del sitio de introducción puede causar edema subcutáneo, en especial si el paciente sufrió un traumatismo laríngeo que no se detectó. Si hay demasiado aire que infiltra al espacio subcutáneo, puede ocurrir compresión de la tráquea y su obstrucción subsiguiente.

Tenga cuidado extremo cuando trate a un paciente con un ventilador a chorro. La válvula debería estar descendida u ocluida apenas lo suficiente para que haya elevación de la pared torácica. El inflado excesivo de los pulmones puede causar barotraumatismo, que aumenta el riesgo de neumotórax. Por el contrario, el descender u ocluir la válvula de ventilación por un periodo muy corto pudiese causar hipoventilación, con oxigenación y ventilación inadecuadas resultantes.

Equipo

Se requiere el siguiente equipo para hacer la cricotiroidotomía con aguja y ventilación por catéter translaríngeo:

- Catéter IV de gran calibre (12 a 16)
- Jeringuilla de 10 ml
- 3 ml de agua o solución salina estéril
- Fuente de oxígeno (a 50 psi)
- Dispositivo de ventilación a chorro de alta presión y tubos para oxígeno

Técnica de la cricotiroidotomía con aguja

Cuando prepare su equipo, obtenga casi 3 ml de agua o solución salina estéril con una jeringuilla de 10 ml y acóplela al catéter IV. A continuación, ubique la cabeza del paciente alineada y localice la membrana cricotiroidea. Limpie la región con una solución yodada.

Mientras estabiliza el cartílago tiroides del paciente, inserte con cuidado la aguja en línea media de la membrana cricotiroidea en un ángulo de 45° en dirección de los pies (caudal). Debería percibir un chasquido al penetrar la aguja a la membrana. A continuación, insértela 1 cm más, y después aspire con la jeringuilla. Si se colocó de manera correcta el catéter, entonces usted debería aspirar con facilidad aire y ver el burbujeo de solución salina o agua dentro de la jeringuilla. Si aspira sangre o si encuentra resistencia, revalúe la colocación del catéter, porque tal vez esté ubicado afuera de la tráquea.

Después de confirmar la colocación correcta, haga avanzar el catéter sobre la aguja hasta que su manguito alcance la piel, y después, retire la aguja y colóquela en un recipiente de artículos de peligro biológico por punción. A continuación, acople un extremo del tubo de oxígeno al catéter y el otro al ventilador a chorro.

Inicie las ventilaciones al abrir la válvula de liberación del ventilador a chorro y observar la elevación apropiada de la pared torácica. La auscultación de los ruidos respiratorios y epigástricos confirmará la colocación correcta del catéter. Para prevenir la sobreexpansión de los pulmones y el barotraumatismo subsiguiente, libere la válvula de ventilación tan pronto como vea elevarse la pared torácica del paciente. La exhalación ocurrirá de manera pasiva a través de la glotis. Ventile al paciente según dicte su estado clínico.

Asegure el catéter con una gasa de 10 × 10 cm plegada debajo del catéter y péguela con cinta. Continúe las ventilaciones con revaloración frecuente del paciente en cuanto a lo adecuado de estas y las complicaciones potenciales (p. ej., enfisema subcutáneo por su colocación incorrecta).

En la **PRÁCTICA DE DESTREZA 13-17** se incluyen los pasos para una cricotiroidotomía con aguja y ventilación con catéter translaríngeo.

Práctica de destreza 13-17 Cricotiroidotomía con aguja y ventilación con catéter translaríngeo

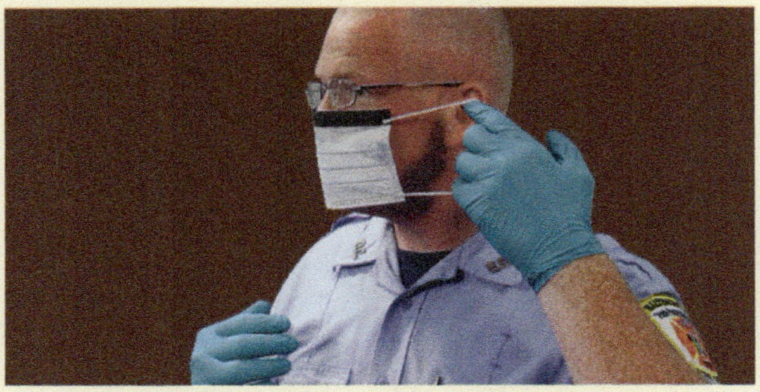

Paso 1

Tome las precauciones estándar.

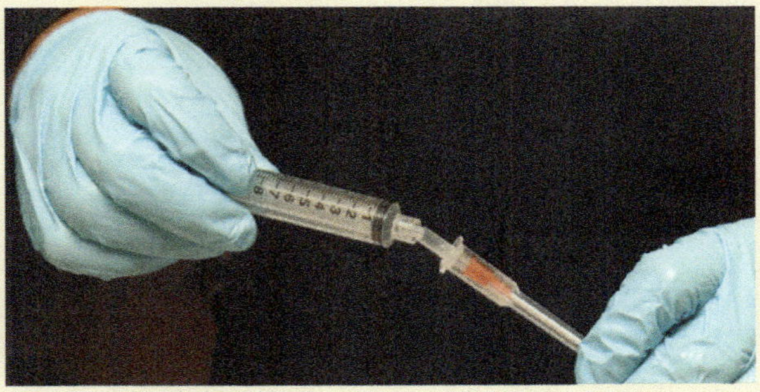

Paso 2

Acople un catéter IV de calibre 14 a 16 a una jeringuilla de 10 ml que contenga 3 ml de agua o solución salina estéril.

(continúa)

Práctica de destreza 13-17 Cricotiroidotomía con aguja y ventilación con catéter translaríngeo (continuación)

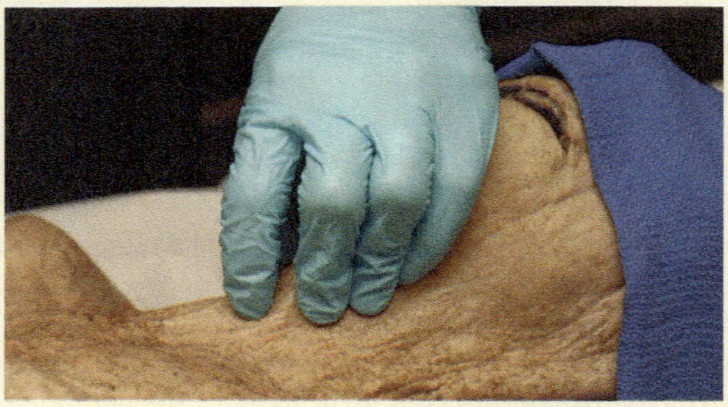

Paso 3

Con la cabeza del paciente alineada, estabilice el cartílago tiroides, palpe y localice la membrana cricotiroidea.

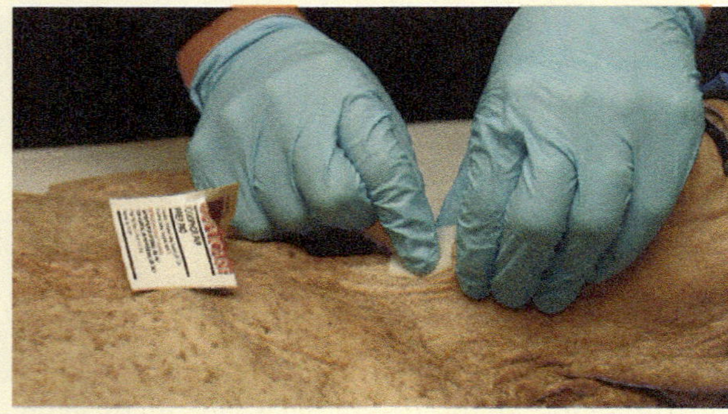

Paso 4

Limpie la región con una solución yodada.

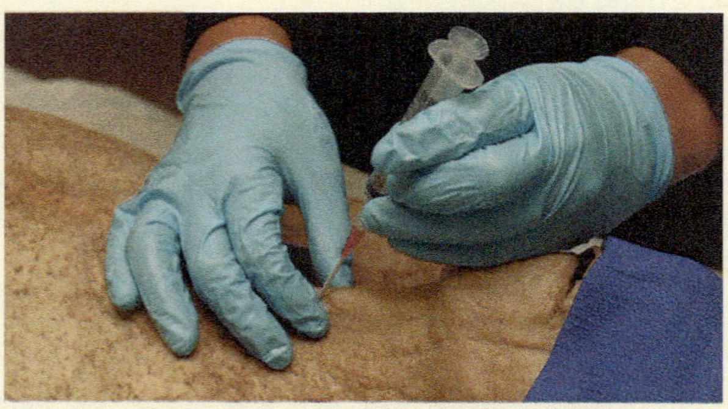

Paso 5

Mientras sujeta el cartílago tiroides, inserte la aguja en la membrana cricotiroidea en ángulo de 45° en dirección de los pies.

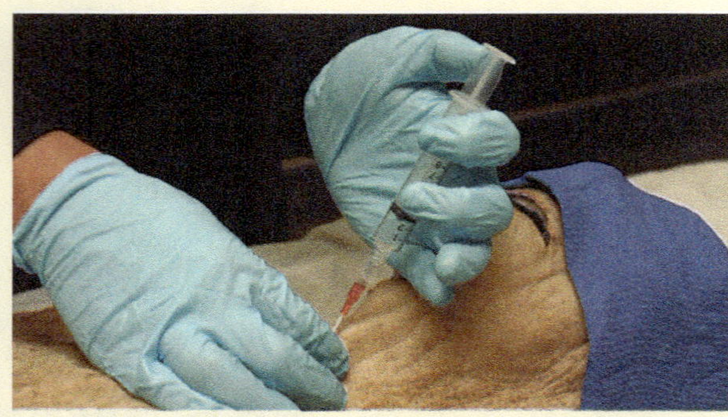

Paso 6

Aspire con la jeringuilla para determinar la colocación correcta del catéter.

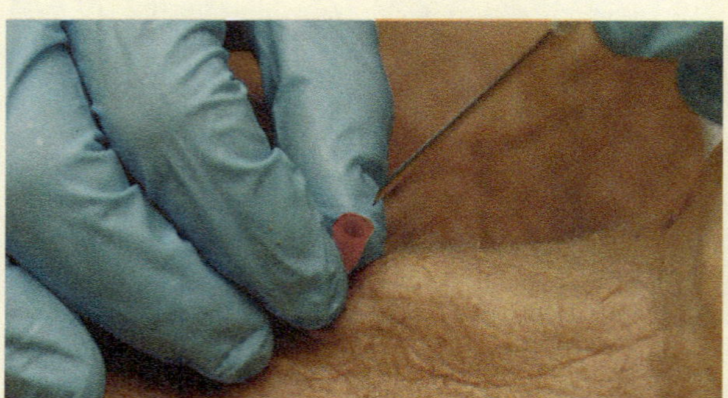

Paso 7

Deslice el catéter fuera de la aguja hasta que su manguito alcance la piel del paciente.

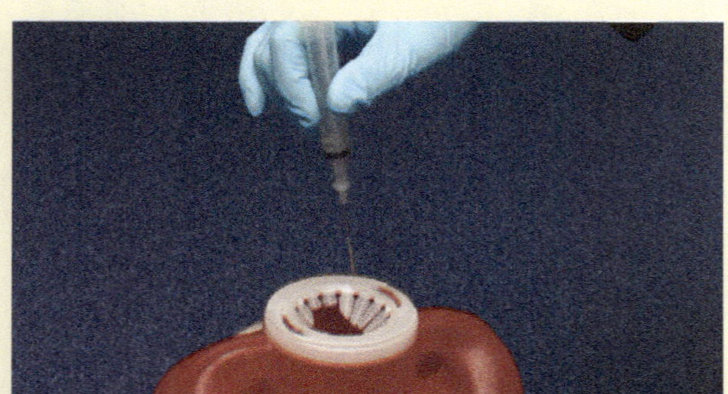

Paso 8

Coloque la jeringuilla y la aguja en un recipiente a prueba de punciones.

Práctica de destreza 13-17 Cricotiroidotomía con aguja y ventilación con catéter translaríngeo (continuación)

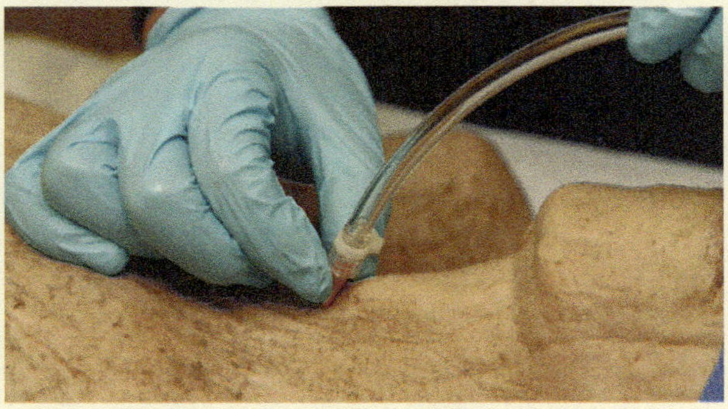

Paso 9

Conecte un extremo del tubo de oxígeno al catéter y el otro al ventilador a chorro. Mantenga la fijación manual del catéter hasta que se haya asegurado en su sitio para evitar su desalojo con la ventilación a chorro.

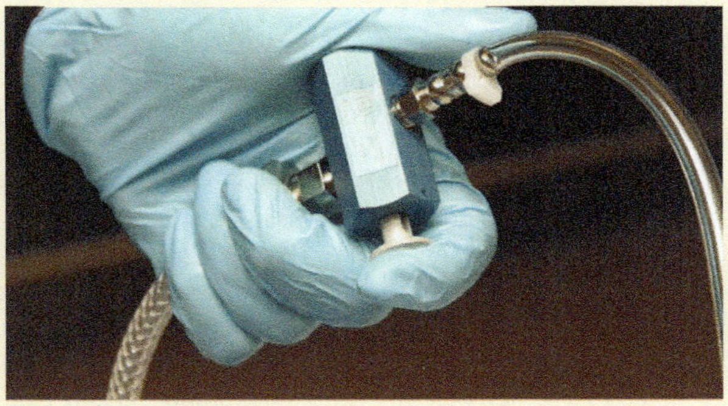

Paso 10

Oprima u ocluya la válvula de ventilación en el ventilador a chorro durante 1 segundo mientras observa la elevación de la pared torácica. Libere la válvula de ventilación durante 2 a 3 segundos para permitir la exhalación.

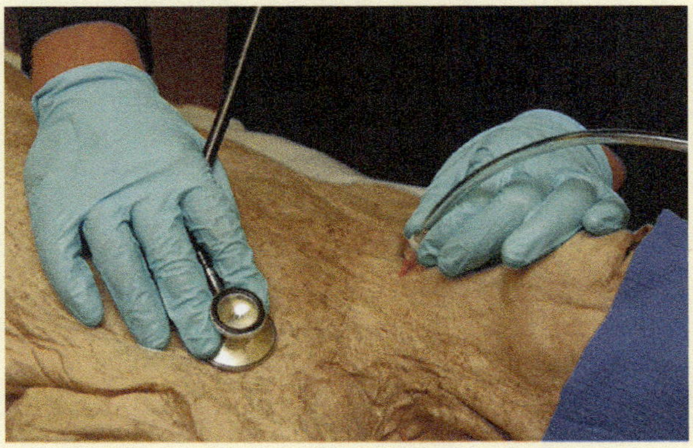

Paso 11

Ausculte los ápices, las bases de ambos pulmones y el epigastrio para confirmar la colocación correcta del catéter.

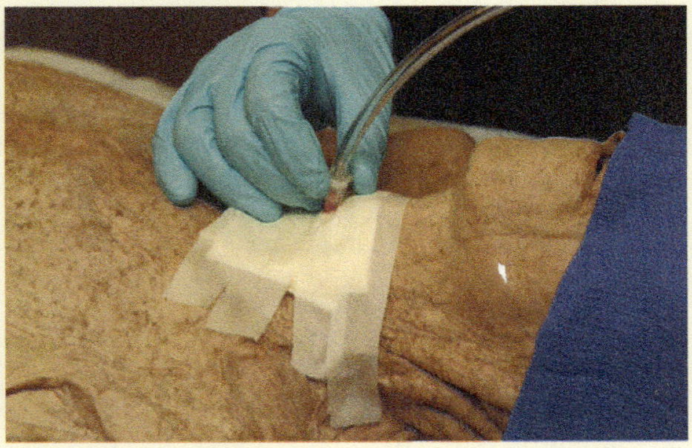

Paso 12

Asegure el catéter con una gasa de 10 × 10 cm y cinta. Continúe las ventilaciones con reevaluación frecuente de que sean adecuadas y de las potenciales complicaciones.

USTED es el Paramédico RESUMEN

1. ¿Cuál es la diferencia entre dificultad e insuficiencia respiratorias?

En la dificultad respiratoria, el paciente trata de compensar un problema respiratorio subyacente. Son signos fisiológicos de tal compensación las retracciones costales, que indican un mayor trabajo respiratorio; una frecuencia respiratoria o profundidad aumentadas, que ayuda a mantener el volumen minuto adecuado; uso de músculos accesorios para aumentar la eficacia de la respiración; posicionamiento preferencial (p. ej., como el de trípode) para facilitar la respiración, y taquicardia, que ayuda a una circulación más rápida del oxígeno. Los pacientes con dificultad respiratoria muestran aumento del trabajo respiratorio; si están compensando de forma eficaz su saturación de oxígeno y $ETCO_2$, que pueden ser cercanas a lo normal. Es importante identificar con rapidez a un paciente con dificultad respiratoria e iniciar el tratamiento apropiado. Si no se corrige la causa subyacente quizá desarrolle una insuficiencia respiratoria.

La insuficiencia respiratoria se presenta cuando el cuerpo ya no puede compensar sus problemas de respiración. Son signos de insuficiencia respiratoria el cansancio físico, la disminución del NC, la debilidad con respiración y retracciones ineficaces, un volumen tidal inadecuado, una saturación de oxígeno en extremo baja, el aumento del $ETCO_2$, pulso débil y bradicardia. Se requiere la intervención inmediata antes de que el paciente sufra un paro cardiopulmonar. La tasa de supervivencia del paro cardíaco por hipoxia es muy baja.

2. ¿Es posible que un paciente ventile, pero sin oxigenar? ¿Por qué sí o no?

La ventilación es el acto mecánico simple de introducir aire y expulsarlo de los pulmones. Por lo tanto, cuando usted observa la elevación y el descenso de la pared torácica de un paciente, puede concluir que presenta ventilación; sin embargo, no puede definir que se esté oxigenando. Si se encuentra atrapado en una zona carente de oxígeno (p. ej., trinchera, silo de granos, incendio estructural), la ventilación puede continuar, a pesar de la ausencia de oxígeno. Otro ejemplo sería una embolia pulmonar. El paciente continúa ventilando, pero la sangre no puede reoxigenarse por el bloqueo de la arteria pulmonar. Por lo tanto, es posible ventilar, pero no oxigenar. Por ese motivo, es crucial hacer una evaluación exhaustiva del paciente para asegurar que ocurran tanto ventilación como oxigenación.

3. ¿En qué difiere la oxigenación de la respiración?

La oxigenación es el proceso de carga de oxígeno a la hemoglobina cuando la sangre circula en los pulmones. La respiración es el proceso por el que ocurre el intercambio de gases. La respiración pulmonar (externa) se presenta cuando se intercambia dióxido de carbono por oxígeno en los pulmones. Ocurre la respiración celular (interna) cuando se intercambia oxígeno por dióxido de carbono en los ámbitos celular y tisular. Cualquier cosa que altere la oxigenación modificará la respiración. Por ejemplo, si un paciente presenta edema pulmonar o un colapso alveolar amplio (atelectasia), se altera la oxigenación; si no puede oxigenarse la sangre, no se proveerá de oxígeno a las células y los tejidos. Además, la oxigenación de los pulmones no garantiza el aporte de oxígeno a células y tejidos. Por ejemplo, si un paciente sangra gravemente, la sangre oxigenada escapará del espacio vascular antes de llegar a ellos.

4. ¿Cuáles son algunos signos clínicos de una respiración inadecuada?

Si no se conoce y trata una respiración inadecuada con rapidez, el paciente pronto experimentará insuficiencia respiratoria y potencialmente, un paro respiratorio. Son signos clínicos de respiración inadecuada una profundidad insuficiente de las respiraciones (volumen tidal disminuido); una frecuencia ventilatoria rápida o lenta; datos de fatiga física; NC decreciente; pulsos débiles (lentos o rápidos); aumento de $ETCO_2$ (de más de 45 mm Hg), y disminución de la saturación de oxígeno (menos de 90%). Nótese que un paciente, desde otros puntos de vista sano, puede mantener una saturación de oxígeno mayor de 90% durante varios minutos, aunque su respiración no sea apropiada. Además, el oxímetro de pulso no provee una lectura instantánea (tiene un tiempo de retraso de 90 a 120 segundos) y se diseñó para detectar anomalías gruesas, no cambios sutiles. Por el contrario, la vigilancia de $ETCO_2$ provee información instantánea del estado ventilatorio de un paciente. Su cifra aumentará en segundos cuando la ventilación se torna inadecuada. Por lo tanto, es indispensable correlacionar la saturación de oxígeno del paciente y su $ETCO_2$ con los datos de evaluación física cuando se determina el abordaje terapéutico más apropiado. No se base solo en los números.

5. ¿Qué problema subyacente sospecharía usted que altera la capacidad de oxigenación de este paciente?

Dados los antecedentes de "problemas cardíacos", así como el signo clínico de estertores gruesos pulmonares, usted debería sospechar que experimenta edema pulmonar. Cualquier cosa que cree una barrera para difusión en los pulmones alterará la oxigenación y respiración. En presencia de edema pulmonar, los alvéolos se llenan de líquido; cuando los gases intentan desplazarse a través de la membrana capilar pulmonar, encuentran resistencia. Como resultado, la sangre retorna a las cavidades cardíacas izquierdas en esencia

USTED es el Paramédico RESUMEN continuación

sin más oxígeno que cuando ingresó. Esta afección, conocida como derivación intrapulmonar, también se presenta cuando hay un colapso alveolar amplio (atelectasia).

6. Con base en el estado clínico actual del paciente, ¿cómo procedería usted para su tratamiento?

Es evidente que el esfuerzo respiratorio del paciente es inadecuado (p. ej., ventilación laboriosa, cianosis, baja saturación de oxígeno, aumento de $ETCO_2$) y no mejora con solo oxígeno complementario. Dada la presencia de estertores gruesos pulmonares, la mejor vía terapéutica en este momento sería de PPCVA, una forma de ventilación a presión positiva no invasiva, que constituye un tratamiento eficaz para los pacientes con dificultad respiratoria causada por alteraciones como el edema pulmonar o el broncoespasmo. En la PPCVA la exhalación del paciente encuentra resistencia, que el médico ajusta en un rango usual de 2.5 a 15 cm H_2O para lograr la mejor respuesta clínica. Cuando el paciente exhala en contra de esta resistencia, hay un aumento de la PETP, que es la presión residual de las paredes alveolares al final de la exhalación; es lo que "respalda" a los alvéolos para abrirse y evita que se colapsen entre las respiraciones. Por aumento de la PETP se reclutan más alvéolos cuando se fuerza líquido desde ellos, lo que da como resultado un mejor intercambio de gases en el pulmón. La PPCVA es también un tratamiento eficaz para los pacientes con dificultad respiratoria secundaria a broncoespasmo difuso. En conjunción con la administración de un broncodilatador nebulizado, la presión positiva redirigida expande los bronquiolos y así mejora el flujo de aire a través de ellos.

7. ¿Es la ISR la mejor opción para el paciente en este momento? ¿Por qué sí o no?

En una sola palabra, ¡no! Este paciente presenta hipoxia e hipercarbia graves y ya casi carece de reserva respiratoria. El sedarlo y después administrar un fármaco paralizante (que por supuesto detiene su respiración) pronto llevaría su reserva respiratoria a cero, lo que pudiese causar una rápida descompensación hasta el paro cardiopulmonar. El proceso de ISR implica dominar rápido y *con seguridad* la vía aérea del paciente y su respiración en caso de insuficiencia respiratoria, cuando no puede mantener su vía aérea o cuando se encuentra en alto riesgo de aspirar. Un componente crítico del procedimiento de ISR es asegurar que el paciente se oxigene de manera adecuada *antes* de administrar un fármaco paralizante. Mediante la preoxigenación del paciente, ya sea con oxígeno complementario a flujo alto, PPCVA o ventilación con bolsa -mascarilla, usted le brinda una reserva de oxígeno, lo que hace más seguro que se mantenga con apnea durante el procedimiento de intubación. Mientras más alta y prolongada se pueda mantener la saturación de oxígeno del paciente *antes* de administrar un fármaco paralizante, mayor será el tiempo de "apnea segura".

8. ¿Por qué mejora la condición del paciente, aunque usted le administró un sedante?

Cuando los pacientes están con hipoxia e hipercarbia significativas, a menudo no cooperan; algunos pueden incluso tornarse combativos. Aunque necesitan con desesperación oxígeno, se resistirán a cualquier todo intento por administrárselo. El usar un sedante disminuye su resistencia y, por lo tanto, los hace más tolerantes a la oxigenación. La ketamina es el fármaco ideal para la sedación porque no suprime el impulso respiratorio o causa que el paciente pierda sus reflejos de vía aérea. El proceso descrito es una sedación para el procedimiento, donde este, en sí, es de oxigenación. Si el paciente no está luchando con usted, puede oxigenarlo de manera eficaz. El aumento de la oxigenación explica por qué la condición del paciente mejoró. Las benzodiacepinas, como midazolam (Versed®), lorazepam (Ativan®) y diazepam (Valium®) no deberían usarse para sedar a un paciente con hipoxia, porque pueden suprimir el impulso ventilatorio.

9. ¿Qué utilidad tiene la capnografía para evaluar el estado ventilatorio del paciente?

La capnografía de forma de onda cuantitativa provee un indicio numérico y gráfico de la cantidad de dióxido de carbono detectado al final de la exhalación ($ETCO_2$). Se trata de un producto de desecho del metabolismo aeróbico (que ocurre en presencia de oxígeno) y se puede considerar como de escape corporal. La única manera de formar dióxido de carbono en el cuerpo es proveer oxígeno adecuado a las células. La capnografía provee información valiosa acerca del estado de ventilación y perfusión del paciente. Mientras menos oxígeno alcance las células, menos dióxido de carbono se produce y retorna a los pulmones; como resultado la cifra de $ETCO_2$ será baja. También lo será si el cuerpo elimina más rápido el dióxido de carbono que el que produce, lo que sucede en pacientes que hiperventilan. Sería de esperar una cifra alta de $ETCO_2$ si se produjo dióxido de carbono apropiado en las células y se retornó a los pulmones, pero un problema respiratorio inhibió la capacidad corporal de eliminarlo. El paciente en esta escena tiene una cifra de $ETCO_2$ alta porque su respiración pulmonar está alterada, con el resultado de cifras mayores de la normal de dióxido de carbono que persiste en los pulmones; esto se exacerba por la incapacidad de eliminar dióxido de carbono debido a una ventilación inadecuada.

USTED es el Paramédico RESUMEN continuación

10. ¿Cómo procedería usted para el tratamiento de este paciente?

En este punto, la decisión más prudente sería solo continuar vigilándolo. Su estado ha mejorado claramente con el tratamiento, según señalan su frecuencia y calidad respiratorias, la frecuencia cardíaca, la saturación de oxígeno y la cifra de $ETCO_2$. Además, se resolvió el color gris de sus labios y encías. Considere otros tratamientos específicos para su insuficiencia cardíaca, según se indica en sus protocolos locales. Sin embargo, en este momento no está indicado un respaldo adicional de vía aérea o ventilatorio, porque ya se alcanzó la meta de mejorar la oxigenación y ventilación.

11. ¿Cómo debería usted ajustar el tratamiento del paciente?

El deterioro agudo del paciente subraya la importancia de su vigilancia continua. Su propósito final es reestablecer la oxigenación y ventilación adecuadas; por lo tanto, debería retirar el dispositivo de PPCVA y empezar la asistencia de sus ventilaciones con uno de bolsa-mascarilla acoplado con una fuente de oxígeno a 100%. También debería considerar insertar una vía aérea nasofaríngea para ayudar a mantener la permeabilidad de la vía aérea, así como tener disponible de inmediato la aspiración. Si es posible, haga que su compañero se comunique al hospital por radio para informarles que están llevando a un paciente en estado crítico.

12. ¿Por qué determinó usted no proceder con la intubación?

Como se mencionó en la respuesta a la pregunta 7, es peligroso administrar un fármaco paralizante a un paciente con hipoxemia antes de que se haya asegurado la oxigenación y ventilación apropiadas. Además, en este momento usted está a una corta distancia del hospital. Como paramédico encontrará circunstancias como esta y tendrá que tomar una decisión. Incluso si piensa que el paciente será intubado en el DE, usted debe preguntarse, "¿necesita ser intubado ahorita?". Si usted tiene un tiempo de transporte prolongado *y* alcanzó una oxigenación y ventilación apropiadas, entonces sería razonable proceder con la ISR. Los pacientes con hipoxia mejoran porque se reestablece la oxigenación y ventilación eficaces; proceso que no siempre (y no debería) implica insertar un tubo ET.

Reporte de atención de paciente prehospitalario (RAPP)					
Fecha: 03 -11-22	**Núm. de incidente:** 21030211	**Naturaleza de la llamada:** dificultad respiratoria		**Ubicación:** 212 E. Ave. B	
Despacho: 21:25	**En camino:** 21:26	**En el escenario:** 21:31	**Transporte:** 21:46	**En el hospital:** 22:01	**En el servicio:** 22:15

Información del paciente	
Edad: 67 **Sexo:** M **Peso:** se calcula de 85 kg	**Alergias:** NCAF **Medicamentos:** se desconoce; información no disponible **Antecedentes médicos:** "problema cardíaco" **Principal manifestación:** dificultad respiratoria

Signos vitales						
Hora: 21:35	**PA:** 176/96	**Pulso:** 120	**Respiraciones:** 28	**Spo_2:** 76%	**$ETCO_2$:** 60	**EKG:** taquicardia sinusal
Hora: 21:38	**PA:** 182/94	**Pulso:** 140	**Respiraciones:** 28	**Spo_2:** 74%	**$ETCO_2$:** 63	**EKG:** taquicardia sinusal
Hora: 21:41	**PA:** 176/92	**Pulso:** 122	**Respiraciones:** 24 (con PPCVA)	**Spo_2:** 87%	**$ETCO_2$:** 51	**EKG:** taquicardia sinusal
Hora: 21:45	**PA:** 169/88	**Pulso:** 114	**Respiraciones:** 22 (con PPCVA)	**Spo_2:** 95%	**$ETCO_2$:** 46	**EKG:** taquicardia sinusal
Hora: 21:50	**PA:** 144/76	**Pulso:** 122	**Respiraciones:** 10 (con PPCVA)	**Spo_2:** 79%	**$ETCO_2$:** 58	**EKG:** taquicardia sinusal
Hora: 21:55	**PA:** 148/80	**Pulso:** 100	**Respiraciones:** 14 (con VPP)	**Spo_2:** 97%	**$ETCO_2$:** 41	**EKG:** taquicardia sinusal

USTED es el paramédico RESUMEN continuación

Tratamiento del SEM (circule todo lo aplicable)				
Oxígeno @ 15 L/min a través de (circular uno): NC (NRM) (Dispositivo de bolsa-mascarilla)		**Ventilación asistida:** (PPCVA MBV)	**Dispositivo de la vía aérea:** Bucal (Nasal)	**RCP**
Desfibrilación	**Control de la hemorragia**	**Vendaje**	**Tratamiento IV** **Hora:** 21:41 **Calibre:** 18 **Sitio:** brazo derecho **Solución:** salina normal **Frecuencia:** mantener abierta	**Otros:** vigilancia cardíaca, EKG de 12 derivaciones, $ETCO_2$, oximetría de pulso **Medicación:** ketamina **Hora:** 21:43 **Dosis:** 170 mg **Vía:** IM

Narrativa
Por llamada al 9-1-1 se despachó la ambulancia para un hombre de 67 años con dificultad respiratoria. Se arribó a la escena y se encontró al paciente en posición de trípode en la orilla de su sillón, consciente y alerta, pero inquieto. La vía aérea estaba permeable y él mostraba dificultad respiratoria notoria con diaforesis. Su piel estaba oscura; los labios y las encías de color gris. Se aplicó oxígeno a través de MSR a 15 L/min, se obtuvieron los SV basales y se continuó la evaluación. A pesar de la MSR, el paciente se mantuvo con hipoxemia e hipercarbia y agitación creciente. Expresó, en oraciones fragmentadas, que tenía "problemas cardíacos", pero no había acudido con su cardiólogo por casi 2 años. Los ruidos respiratorios revelaron estertores gruesos a ambos lados. Él se resistió al intento de aplicar PCPVA y de reaplicar una MSR. Se administraron 170 mg de ketamina IM y el paciente así toleró la PCPVA. Mejoró su oxigenación y ventilación y respondía a los estímulos verbales. A continuación, se estableció un acceso IV. Después de que se le aseguró a la camilla y se subió a la ambulancia, se obtuvo un EKG de 12 derivaciones que no mostró dato alguno de lesión o isquemia cardíacos. Se inició el transporte y continuó el tratamiento con PPCVA en el camino. Se observó deterioro agudo del paciente. La frecuencia respiratoria disminuyó de manera notoria y él respondía solo al dolor con respiraciones superficiales. Las cifras de Spo_2 y $ETCO_2$ indicaron empeoramiento de hipoxemia e hipercarbia. Se insertó una vía aérea nasal y se asistió a la ventilación con mascarilla de bolsa y válvula (MBV), que se continuó por el tiempo breve de transporte, y se entregó el reporte en el hospital. La reevaluación reveló mejora del trabajo respiratorio del paciente, de Spo_2, $ETCO_2$ y su estado mental. Los SV indicaron estabilidad hemodinámica. El paciente se llevó al DE y se entregó un reporte manual al médico a cargo. La ambulancia 72 salió del hospital y retornó al servicio.   **Fin del reporte**

Kit de preparación

Resumen rápido

- La vía aérea superior consta de todas las estructuras por arriba de las cuerdas vocales: laringe, orofaringe, nasofaringe y lengua. Sus funciones incluyen el calentamiento, el filtrado y la humidificación del aire inhalado.
- La vía aérea inferior consta de todas las estructuras inferiores a las cuerdas vocales; la tráquea, los bronquios principales, lo bronquiolos, los capilares pulmonares y los alvéolos. El intercambio de gases pulmonar ocurre en el ámbito alveolar.
- Ventilación, oxigenación y respiración son cruciales para que los tejidos reciban los nutrimentos necesarios.
- La ventilación es el acto de introducir y expulsar aire en los pulmones. Para que ocurra, deben

Kit de preparación continuación

funcionar de manera apropiada el diafragma y los músculos intercostales.

- La ventilación a presión negativa es el impulso de aire al interior de los pulmones por los cambios en la presión intratorácica. La ventilación a presión positiva implica forzar aire al interior de los pulmones y se provee mediante dispositivos de bolsa-mascarilla, mascarilla con bolsa o de ventilación mecánica a los pacientes que no respiran de manera espontánea (con apnea) o que lo hacen de manera inadecuada.
- En contraste con la ventilación a presión negativa, que favorece el retorno venoso al corazón, aquella a presión positiva puede alterarlo. No hiperventile a paciente alguno; el hacerlo puede causar aumento significativo de la presión intratorácica, que alterará aún más el retorno venoso y disminuirá el gasto cardíaco.
- La oxigenación es el proceso de carga de moléculas de oxígeno a las de la hemoglobina en la corriente sanguínea; no puede ocurrir si el ambiente carece de oxígeno o si contiene monóxido de carbono, que impide que aquel se una a la hemoglobina.
- La respiración es el intercambio de oxígeno y dióxido de carbono en los alvéolos y los tejidos corporales.
- Muchas alteraciones pueden alterar la capacidad corporal de proveer de manera eficaz oxígeno a las células. Con el desequilibrio de ventilación-perfusión ($\dot{V}/\dot{Q}$), se puede comprometer la ventilación, pero continúa la perfusión, lo que lleva a una carencia de difusión de oxígeno a la corriente sanguínea y puede causar hipoxemia grave.
- Otros factores que impiden el aporte de oxígeno a las células incluyen el edema de la vía respiratoria, su obstrucción, los medicamentos que deprimen el SNC, las alteraciones neuromusculares, las enfermedades respiratorias y cardíacas, el compromiso circulatorio, la sumersión y el traumatismo de cabeza, cuello, columna vertebral o tórax.
- La hipoventilación y la hiperventilación, junto con la hipoxia, pueden causar alteraciones en el equilibrio ácido-base del cuerpo que llevan a un deterioro rápido del estado del paciente y su muerte. Cuando hay un exceso de ácido en el cuerpo, la forma más rápida de eliminarlo es por el aparato respiratorio, por expulsión de dióxido de carbono de los pulmones. Por el contrario, la disminución de la frecuencia de la respiración aumentará la concentración de dióxido de carbono. Pueden ocurrir acidosis y alcalosis respiratorias por diversas alteraciones, que pueden poner en riesgo la vida.
- La respiración adecuada en el adulto se caracteriza por una frecuencia de entre 12 y 20 respiraciones/min, de profundidad adecuada (volumen tidal), un patrón regular de inhalación y exhalación, la elevación simétrica de la pared torácica y ruidos respiratorios claros y equivalentes a ambos lados.
- La ventilación inadecuada en el adulto se caracteriza por una frecuencia muy lenta (menos de 12 respiraciones/min) o muy rápida (más de 20 ventilaciones/min), una menor profundidad (volumen tidal disminuido), un patrón irregular de inhalación y exhalación, el movimiento asimétrico del tórax, ruidos respiratorios adventicios (anormales), cianosis y alteración del estado mental.
- Cuando se evalúa a un paciente es importante poder reconocer los patrones anormales de la respiración, que incluyen las respiraciones de Cheyne-Stokes, Kussmaul, Biot (atáxica), apnéusticas, de hiperventilación neurogénica central y el boqueo agónico.
- Mientras se evalúa la respiración, ausculte los ruidos resultantes con un estetoscopio, pues representan el flujo de aire al interior de los alvéolos. Deberían ser claros y equivalentes a ambos lados del tórax, en las caras anterior y posterior. Los ruidos respiratorios anormales incluyen sibilancias, roncus, estertores, estridores y frotes de fricción pleural.
- El oxímetro de pulso señala el porcentaje de la hemoglobina saturada con oxígeno (Spo_2). Este tipo de medición depende de la perfusión adecuada de los lechos capilares y puede ser imprecisa cuando el paciente se encuentra con frío, como en el estado de choque, o si se expuso al monóxido de carbono.

Kit de preparación continuación

- El flujo exhalatorio máximo es una valoración bastante confiable de la gravedad de la broncoconstricción. También se usa para evaluar la eficacia de los tratamientos, como la administración de agonistas β-2 inhalados (p. ej., albuterol).
- Los monitores del dióxido de carbono detectan su presencia en el aire exhalado y son adyuvantes importantes para determinar lo adecuado de la ventilación y la colocación de vía aérea avanzada. El detector colorímetro de dióxido de carbono es un dispositivo cualitativo que se acopla entre la vía aérea avanzada y el dispositivo de ventilación; un papel con tratamiento especial dentro del detector se torna amarillo durante la exhalación, indicio de la presencia de dióxido de carbono. El capnómetro es un dispositivo cuantitativo que provee una cifra numérica del dióxido de carbono de ventilación terminal ($ETCO_2$). El capnógrafo, también un dispositivo cuantitativo, provee datos objetivos instantáneos en cuanto al $ETCO_2$ al mostrar una forma de onda (capnografía de forma de onda) o esta y una cifra numérica (capnografía digital/de forma de onda). Se puede usar el capnógrafo para analizar especímenes de aire de un paciente con ventilación espontánea o cuando se insertó ya una vía aérea avanzada y se le está ventilando de manera manual o mecánica. La capnografía digital/de forma de onda cuantitativa es el método más preciso (y preferido) para vigilar la concentración de $ETCO_2$.
- Los pacientes con apnea o que no respiran de manera adecuada requieren alguna forma de ventilación a presión positiva, como aquella con bolsa-mascarilla. Quienes respiran de forma adecuada, pero muestran datos de hipoxemia (cifra de Spo_2 de 94% o menor) o dificultad respiratoria, deberían recibir una concentración apropiada de oxígeno por vía de una cánula nasal o mascarilla sin recirculación. Nunca evite la administración de oxígeno a paciente alguno con sospecha de hipoxemia.
- La respiración inadecuada no detectada llevará a la hipoxia, una circunstancia peligrosa en la que las células y los tejidos corporales no reciben el oxígeno suficiente.
- Al margen del estado del paciente, la vía aérea se debe mantener permeable en todo momento. Por ello, el primer paso en el tratamiento de la vía aérea es el posicionamiento del paciente. La posición de recuperación implica colocarlo en decúbito lateral izquierdo y es la preferida para mantener la vía aérea en quienes no responden con respiración adecuada y sin datos de lesión de columna vertebral, pelvis o cadera.
- Debe posicionarse de manera adecuada la cabeza del paciente. Las maniobras de vía aérea incluyen la de elevación de cabeza-mentón, la de impulso mandibular y la de elevación de lengua-mandíbula.
- Limpiar la vía aérea significa retirar materiales que la obstruyen; el mantenerla indica conservarla abierta, ya sea de manera manual o con dispositivos adyuvantes.
- Puede requerirse aspiración orofaríngea después de abrir la vía aérea de un paciente. Se prefieren los catéteres rígidos (con punta de amígdala, de Yankauer o DuCanto) cuando se aspira la faringe. Los de plástico suaves (con punta de silbato o French) se usan para la aspiración de secreciones de la nariz y pueden pasarse a través de un tubo ET para retirar las secreciones pulmonares.
- Los pacientes con secreciones en la vía aérea deberían colocarse de lado, y aspirar la orofaringe hasta que se eliminen las secreciones.
- La obstrucción de la vía aérea puede ser producto de atragantamiento con alimentos (o en los niños, con juguetes), epiglotitis, lesiones por inhalación, traumatismo de la vía aérea por edema y anafilaxia. Es crítico diferenciar entre una obstrucción leve (parcial) y una grave (completa) de la vía aérea.
- La secuencia recomendada de sucesos cuando se intenta retirar un cuerpo extraño porque obstruye la vía aérea en un adulto que no responde es de compresiones de tórax, barrido digital (solo si se puede ver y obtener con facilidad el objeto), retiro manual e intentos de ventilación. Realice compresiones abdominales continuas en un adulto o niño que responde con una obstrucción de la vía aérea, hasta que esta se alivie o él deje de responder.
- Si las maniobras de SVB no son exitosas para retirar un cuerpo extraño que obstruye la vía aérea en un paciente que no responde, visualícela con un laringoscopio. Si puede observar el cuerpo

Kit de preparación continuación

extraño, tómelo con cuidado con pinzas de Magill y retírelo con lentitud de la vía aérea.

- Son vías aéreas artificiales adyuvantes básicas la orofaríngea (bucal) y nasofaríngea (nasal). La primera mantiene la lengua fuera de la pared posterior de la faringe; se usa solo en pacientes que no responden, sin reflejo nauseoso. La cánula nasofaríngea se tolera mejor en aquellos con alteración del estado mental y reflejo nauseoso intacto.
- Administre oxígeno complementario a cualquier paciente con dificultad respiratoria o datos de hipoxemia (cifra de Spo_2 de 94% o menor). Familiarícese con las dimensiones de los tanques de oxígeno y la duración de su flujo y siempre tome precauciones estándar cuando use el gas.
- La mascarilla sin recirculación puede proveer hasta 90% de oxígeno cuando se ajusta a 15 L/min la velocidad de flujo. Debería usarse una cánula nasal si el paciente no puede tolerar la mascarilla sin recirculación; puede proveer oxígeno a concentraciones de 24 a 44% cuando el flujómetro se ajusta de 1 a 6 L/min. Otros tipos de dispositivos de administración de oxígeno incluyen la mascarilla de recirculación parcial y la Venturi.
- Los métodos para proveer ventilación asistida incluyen la técnica de bolsa-mascarilla por una o dos personas y la de boca-mascarilla con válvula unidireccional y oxígeno complementario acoplado. La ventilación asistida está indicada en los pacientes con apnea o que no ventilan de manera apropiada.
- Se mostró clínicamente que la PPCVA mejora la ventilación de los pacientes al forzar el líquido desde los alvéolos (en el edema pulmonar) o dilatar los bronquiolos (en las enfermedades obstructivas pulmonares y el asma). Implica que el paciente respire contra una cierta cantidad de presión positiva durante la exhalación. También se mostró que la CPAP disminuye la necesidad de intubación.
- Revise en busca de artefactos dentales sueltos en los pacientes antes de proveer la ventilación asistida, pues deberían retirarse para evitar que obstruyan la vía aérea; aquellos de ajuste fuerte deberían dejarse en su lugar durante la ventilación asistida.
- Si usted va a retirar un dispositivo odontológico del paciente, hágalo antes de la intubación, pues hacerlo después puede causar una extubación inadvertida.
- Los pacientes con traumatismo maxilofacial masivo tienen alto riesgo de compromiso de la vía aérea por hemorragia bucal. Asista las ventilaciones y provea aspiración de la boca, según se requiera.
- La ventilación muy forzada o rápida puede causar distensión gástrica, que a su vez produce regurgitación y aspiración. Administrar las ventilaciones durante 1 segundo —apenas lo suficiente para producir elevación visible de la pared torácica— disminuirá la incidencia de distensión gástrica y los riesgos vinculados de regurgitación y aspiración.
- La descompresión gástrica invasiva implica la inserción de una sonda gástrica en el estómago. Se inserta una sonda nasogástrica a través de la nariz, la orogástrica por la boca.
- Los pacientes con una boca anastomótica traqueal o tubo de traqueotomía pueden requerir ventilación, aspiración o sustitución del tubo. La ventilación a través de un tubo de traqueotomía se hace acoplando el dispositivo de bolsa-válvula al adaptador de 15/22 mm en el tubo; la ventilación de un paciente con una boca anastomótica sin tubo de traqueotomía se puede hacer con una mascarilla de bolsa o un dispositivo de bolsa-mascarilla. Use mascarillas de tamaño pediátrico cuando ventile a un paciente a través de una boca anastomótica.
- Los pacientes que no responden o aquellos que no pueden mantener su propia vía aérea deberían considerarse candidatos de la intubación ET. En la intubación orotraqueal se inserta el tubo en la tráquea a través de la boca; en la nasotraqueal (una técnica ciega), se hace por la nariz.
- La laringoscopia directa implica la visualización de las cuerdas vocales con un laringoscopio. La videolaringoscopia implica lograrla en una pantalla de video.
- Un paso crítico en la intubación es confirmar la colocación correcta del tubo. La capnografía de forma de onda continua, además de la evaluación clínica (como la auscultación de los ruidos

Kit de preparación continuación

respiratorios y sobre el epigastrio, y la valoración de la elevación visible de la pared torácica), se considera como el método más confiable para confirmar y vigilar la colocación correcta del tubo ET.

- Si un intento de intubación no da lugar a cifras aceptables de saturación de oxígeno, aplíquense las maniobras de SVB con una vía aérea oral o nasal y un dispositivo de bolsa-mascarilla, y considérese el uso de otro dispositivo de vía aérea.
- Está indicada la aspiración traqueobronquial si se deteriora el estado de un paciente intubado por la presencia de secreciones pulmonares dentro del tubo ET.
- No haga la extubación en el contexto prehospitalario, a menos que el paciente sea irrazonablemente intolerante del tubo. En general, es mejor sedar a un paciente intubado que se está tornando intolerante del tubo ET.
- La ISR implica el uso de fármacos para sedar y paralizar a un paciente para facilitar la colocación de un tubo ET. Debería considerarse cuando un paciente que responde o combativo requiere intubación, pero no puede tolerar la laringoscopia.
- Los fármacos usados para la ISR incluyen sedantes, como midazolam (Versed®), diazepam (Valium®) y ketamina (Ketalar®), así como bloqueadores neuromusculares (paralizantes) para inducir una inmovilización completa. Estos últimos se clasifican como despolarizantes (p. ej., succinilcolina) o no despolarizantes (p. ej., vecuronio, pancuronio y rocuronio).
- Los dispositivos alternativos de vía aérea, que pueden usarse cuando la intubación ET es imposible o no tiene éxito, incluyen al King LT, mascarilla laríngea y el i-gel.
- La cricotiroidotomía quirúrgica implica la incisión de la membrana cricotiroidea, la inserción de un tubo de traqueotomía o ET y la ventilación mecánica o manual del paciente. La cricotiroidotomía con aguja implica la inserción de un catéter de calibres 14 a 16 sobre aguja a través de la membrana cricotiroidea y la ventilación del paciente con un dispositivo a chorro de alta presión.
- La cricotiroidotomía está indicada en situaciones en las que no es posible la intubación y no se puede ventilar al paciente por otro medio.

Vocabulario esencial

Acetilcolina (Ach) Neurotransmisor químico del sistema nervioso parasimpático.

Acidosis respiratoria Afección patológica caracterizada por un pH sanguíneo menor de 7.35; provocada por la acumulación de ácidos por una causa respiratoria en el cuerpo.

Adventicio Anormal.

Afonía Incapacidad de hablar.

Alcalosis respiratoria Afección patológica caracterizada por un pH sanguíneo mayor de 7.45; resulta de la acumulación de bases por una causa respiratoria en el cuerpo.

Amnesia anterógrada Incapacidad de recordar sucesos después del inicio de la amnesia.

Anestésico disociativo Medicamento que distorsiona la percepción de vistas y ruidos e induce un sentimiento de desapego del paciente de su ambiente y de sí mismo.

Anoxia Ausencia de oxígeno.

Aoscarga Gradiente de presión contra el cual debe bombear el corazón; su aumento puede disminuir el gasto cardíaco.

Aspiración traqueobronquial Inserción de un catéter de aspiración al tubo endotraqueal para retirar las secreciones pulmonares.

Barotraumatismo Traumatismo resultante de una presión excesiva.

Benzodiacepinas Fármacos sedantes-hipnóticos que causan relajación muscular y sedación leve; son ejemplos el diazepam (Valium®) y el midazolam (Versed®).

Bloqueador neuromuscular despolarizante Fármaco que se une de manera competitiva con los sitios receptores de acetilcolina, pero no se afecta tan rápido por la acetilcolinesterasa; un ejemplo es el cloruro de succinilcolina.

Kit de preparación continuación

Bloqueadores neuromusculares no despolarizantes Fármacos que se unen a los sitios receptores de la acetilcolina; no causan despolarización de la fibra muscular; son ejemplos el vecuronio (Norcuron®) y el pancuronio (Pavulon®); también llamados paralizantes.

Boca anastomótica En el contexto de la vía aérea, el orificio de una traqueotomía que conecta la tráquea con el aire ambiente; localizada en la línea media de la cara anterior del cuello.

Cánula nasal Dispositivo que permite proveer oxígeno a través de dos puntas pequeñas que se ajustan a las narinas del paciente; con una velocidad de flujo de oxígeno de 1 a 6 L/min se puede aportar a una concentración de 24 a 44%.

Cánula nasofaríngea Tubo blando de hule de casi 15 cm de longitud que se inserta a través de la nariz en la parte posterior de la faringe detrás de la lengua, lo que así permite el paso de aire de la nariz a la vía aérea inferior.

Cánula orofaríngea Dispositivo de plástico duro curvado que se ajusta sobre la parte posterior de la lengua, con la punta en la parte posterior de la faringe.

Capnografía de forma de onda Representación de forma de onda del dióxido de carbono exhalado.

Capnógrafo Dispositivo que se acopla entre el tubo endotraqueal y el dispositivo de ventilación; provee información gráfica acerca de la presencia de dióxido de carbono exhalado.

Capnómetro Dispositivo que tiene la misma función y se aplica de la misma forma que un capnógrafo, pero provee una lectura digital del dióxido de carbono exhalado.

Carboxihemoglobina (COHb) Hemoglobina cargada con monóxido de carbono.

Catéter con punta de amígdala Un tubo delgado para aspiración, duro o rígido, también llamado cánula de Yankauer.

Catéteres con punta de silbato Aquellos de plástico blando, no rígidos; también llamados de French.

Cianosis Piel azul o púrpura; indica la presencia inadecuada de oxígeno en la sangre.

Clasificación de Cormack-Lehane Sistema usado para predecir la dificultad de intubación con base en las estructuras de la vía aérea observadas durante la laringoscopia.

Clasificación de Mallampati Un sistema para predecir la dificultad relativa de la intubación con base en la cantidad de estructuras orofaríngeas visibles en un paciente sentado en forma recta que puede abrir por completo la boca.

Cloruro de succinilcolina Bloqueador neuromuscular despolarizante que se usa con frecuencia como de inicio durante una intubación en secuencia rápida; causa fasciculaciones musculares.

Cociente inspiratorio/exhalatorio (I/E) Expresión para comparar la duración de la inspiración con la de la exhalación, por lo regular 1:2, que significa que la exhalación tiene doble de duración respecto de la inspiración (no medida en segundos).

Cricotiroidotomía con aguja Inserción de un catéter intravenoso de calibre 14 a 16 sobre aguja (como un Angiocath) a través de la membrana cricotiroidea en la tráquea.

Cricotiroidotomía quirúrgica Incisión de emergencia de la membrana cricotiroidea con un bisturí y la inserción de un tubo endotraqueal o de traqueotomía directamente a la región subglótica de la tráquea.

Derivación intrapulmonar Evitación del paso de sangre baja en oxígeno a través de alvéolos no funcionales.

Desequilibrio $\dot{V}/\dot{Q}$ Diferencia entre las porciones anatómicas del pulmón ventiladas (V) y las perfundidas (Q).

Desnitrogenación Proceso de sustitución con oxígeno del nitrógeno en los pulmones para mantener una saturación normal del primero durante la intubación.

Detector colorímetro de dióxido de carbono Dispositivo que se acopla entre el tubo endotraqueal y el dispositivo de ventilación; utiliza un papel especial que al cambiar de púrpura a amarillo durante la exhalación indica la presencia de dióxido de carbono.

Disfonía Dificultad para hablar.

Kit de preparación continuación

Disnea Dificultad para la respiración, o su realización laboriosa.

Dispositivo de bolsa-mascarilla Dispositivo de ventilación manual que consta de bolsa, mascarilla, reservorio y entrada de oxígeno; capaz de proveerlo hasta a 100%.

Dispositivo King LT Vía aérea artificial de una sola luz que se inserta de manera ciega en el esófago; cuando es colocada de manera apropiada, un manguito sella el órgano y el otro la orofaringe.

Distensibilidad pulmonar Capacidad de los alvéolos de expandirse cuando ingresa aire a los pulmones durante la ventilación a presión negativa o positiva.

Distensión gástrica Aumento de volumen o expansión del estómago, a menudo por aire; puede ser una complicación de la ventilación por el esófago en lugar de la tráquea.

Epiglotis Estructura cartilaginosa en forma de hoja que cierra la tráquea durante la deglución.

Estenosis Estrechamiento, como el de un vaso sanguíneo o una boca anastomótica.

Estertores Ruidos producidos por alvéolos llenos de líquido que se abren con chasquido bajo una presión inspiratoria creciente; pueden ser finos o gruesos; anteriormente llamados crepitaciones.

Estilete En el contexto de la intubación, un alambre semirrígido que se inserta dentro de un tubo endotraqueal para moldearlo y mantener su forma.

Estridor Ruido inspiratorio de tono alto que se crea por el movimiento de aire a través de una obstrucción dentro o justo arriba de la abertura glótica.

Extubación Proceso de retiro de un tubo endotraqueal de un paciente.

Fasciculaciones Descargas breves no coordinadas de pequeños grupos musculares en la cara, el cuello, el tronco y las extremidades; pueden presentarse después de la administración de bloqueadores neuromusculares despolarizantes (p. ej., cloruro de succinilcolina).

Fenómeno de reemergencia Aparición de sueños, pesadillas o delirio que experimenta una persona que recibió ketamina conforme esta alcanza el final de su semivida.

Flujo exhalatorio máximo Aproximación del grado de la broncoconstricción; se usa para determinar si el tratamiento (como un broncodilatador inhalado) es eficaz.

Flujómetro con válvula de Bourdon Flujómetro de oxígeno que suele usarse porque no se ve afectado por la fuerza de gravedad y se puede colocar en cualquier posición.

Flujómetro de presión compensada Aparato para medir el flujo de oxígeno que incorpora una esfera flotante en un tubo plano calibrado; asciende o desciende de acuerdo con el flujo del gas en su interior; es modificado por la fuerza de gravedad y debe mantenerse en posición vertical para su lectura exacta.

Frote de fricción pleural Resultado de una inflamación que causa engrosamiento de la pleura, lo que disminuye el espacio entre sus hojas y permite que se froten.

Guía elástica de bougie Dispositivo flexible que se inserta a través de la glotis bajo laringoscopia directa; el tubo endotraqueal se enrolla sobre el dispositivo y facilita su ingreso a la tráquea. También se llama introductor de tubo traqueal.

Hemoglobina Proteína que contiene hierro ubicada en los eritrocitos, con capacidad de combinarse con el oxígeno.

Hemoglobina reducida Hemoglobina de la que se liberó el oxígeno hacia las células.

Hipercapnia Aumento del contenido de dióxido de carbono en la sangre arterial.

Hiperventilación Circunstancia en la que ingresa una cantidad aumentada de aire a los alvéolos; la eliminación de dióxido de carbono rebasa a su producción.

Hipocapnia Disminución del contenido de dióxido de carbono en la sangre arterial.

Hipoventilación Circunstancia en la que ingresa una cantidad disminuida de aire a los alvéolos; la producción de dióxido de carbono rebasa a la capacidad corporal de eliminarlo por ventilación.

Hipoxemia Decremento de la cifra arterial de oxígeno.

Kit de preparación continuación

Hipoxia Carencia de oxígeno en células y tejidos.

Hoja curva del laringoscopio Aquella diseñada para ajustarse en la vallécula, con elevación indirecta de la epiglotis y exposición de las cuerdas vocales; también llamada hoja de Macintosh.

Hoja recta de laringoscopio Hoja diseñada para elevar la epiglotis y exponer las cuerdas vocales; también llamada hoja de Miller.

Humidificador de oxígeno Frasco pequeño de agua a través del cual el oxígeno que abandona el tanque se humedece antes de llegar al paciente.

i-gel Vía aérea supraglótica artificial en la que se usa una mascarilla no inflable de consistencia semejante a un gel para aislar la laringe y facilitar la ventilación.

Intubación cara a cara Realización de la intubación al mismo nivel que la cara del paciente; se usa cuando no es posible la posición estándar. En esta intubación el paramédico sostiene en la mano derecha el laringoscopio y el tubo endotraqueal en la izquierda.

Intubación en secuencia diferida (ISD) Procedimiento en el que un paciente se seda para fines de oxigenación antes de administrar un bloqueador neuromuscular y de la intubación.

Intubación en secuencia rápida (ISR) Conjunto específico de procedimientos que se hacen en serie con rapidez para inducir sedación y parálisis e intubar a un paciente.

Intubación endotraqueal (ET) Inserción de un tubo endotraqueal a través de la abertura glótica y su sellado con un manguito que se infla para alcanzar la pared de la tráquea.

Intubación nasotraqueal Inserción de un tubo endotraqueal en la tráquea a través de la nariz.

Intubación orotraqueal Inserción de un tubo endotraqueal a través de la boca.

Jadeos agónicos Ventilaciones lentas poco profundas e irregulares, o que en ocasiones resultan de la anoxia cerebral.

Laringectomía Procedimiento quirúrgico en el que se extirpa la laringe.

Laringectomía parcial Exéresis quirúrgica de una porción de la laringe.

Laringectomía total Retiro quirúrgico de toda la laringe.

Laringoscopia bimanual Técnica eficaz para mejorar la vista laringoscópica de las cuerdas vocales durante la manipulación externa de la laringe.

Laringoscopia directa Visualización de la vía aérea con un laringoscopio.

Laringoscopio Dispositivo que se usa junto con su hoja para hacer la observación directa de la laringe o laringoscopia.

Maniobra de BURP Presión retrógrada, ascendente y a la derecha que se usa durante la intubación para mejorar la vista laringoscópica de la abertura glótica y las cuerdas vocales; también se llama manipulación laríngea externa.

Maniobra de elevación de lengua-mandíbula Maniobra manual que implica sujetar la lengua y la mandíbula y elevarlas; se usa con frecuencia para aspirar la vía aérea y colocar ciertos dispositivos de vía aérea artificiales.

Maniobra de impulso abdominal Compresión del abdomen que se hace para aliviar una obstrucción de la vía aérea por un cuerpo extraño.

Maniobra de impulso mandibular Técnica para abrir la vía aérea al colocar los dedos detrás del ángulo mandibular y con impulso anterógrado de la mandíbula; se usa cuando un paciente tal vez presente una lesión cervical raquídea.

Maniobra de inclinación de cabeza-elevación del mentón Maniobra de vía aérea que implica inclinar la cabeza hacia atrás mientras se levanta el mentón; se usa para abrir la vía aérea de un paciente no traumatológico sin respuesta.

Mascarilla de recirculación parcial Mascarilla similar a aquella sin recirculación, pero sin la válvula unidireccional entre mascarilla y reservorio; no se lleva al interior aire ambiente durante la inspiración; el aire residual expulsado se mezcla en la mascarilla y se reintroduce.

Mascarilla laríngea (ML). Un dispositivo que rodea la abertura laríngea con un manguito de silicona

Kit de preparación continuación

inflable que se ubica en la hipofaringe; una alternativa de la ventilación con bolsa-mascarilla.

Mascarilla sin recirculación Sistema de combinación de mascarilla y bolsa reservorio en la que el oxígeno llena esta última, acoplada a la mascarilla por una válvula unidireccional que permite al paciente inhalar desde ella, pero no exhalar a su interior; con una velocidad de flujo de 15 L/min puede proveer oxígeno de 90 a 100% en la inspiración.

Mascarilla Venturi Mascarilla con cierto número de adaptadores intercambiables que llevan aire ambiente a su interior junto con el flujo de oxígeno; permite la administración de concentraciones altas específicas de oxígeno.

Metabolismo Proceso químico que provee a las células de energía y nutrimentos.

Metahemoglobina (metHb) Compuesto formado por la oxidación del hierro en la hemoglobina.

Monitores del dióxido de carbono de ventilación terminal ($ETCO_2$) Dispositivos que detectan la presencia de dióxido de carbono en el aire exhalado.

Movimiento asimétrico de la pared torácica Desplazamiento no equivalente de los dos hemitórax; indica disminución del flujo de aire a un pulmón.

Movimiento paradójico Movimiento del tórax al interior durante la inhalación y al exterior durante la exhalación; opuesto a los movimientos normales de la pared torácica durante la respiración.

Músculos accesorios Aquellos que por lo regular no se usan durante la respiración normal e incluyen al esternocleidomastoideo en el cuello, el pectoral mayor en el tórax y los abdominales.

Ojo de Murphy Abertura lateral de un tubo endotraqueal en su punta distal que permite hacer la ventilación incluso si se ocluye esta por sangre, moco o la pared traqueal.

Opioides Fármacos que actúan como depresores del sistema nervioso central y producen insensibilidad o estupor. Puede tratarse de un producto natural derivado del opio o la adormidera (referido más específicamente como opiáceo) o un producto sintético diseñado para producir efectos similares.

Ortopnea Disnea posicional.

Oxigenación apneica La captación continua de oxígeno alveolar, incluso cuando el paciente presenta apnea; se puede facilitar administrando oxígeno por cánula nasal durante la intubación.

Oxihemoglobina (Hbo_2) Hemoglobina ocupada por oxígeno.

Oxímetro de monóxido de carbono Dispositivo que permite medir la absorción a varias longitudes de onda para distinguir entre oxihemoglobina y carboxihemoglobina.

Oxímetro de pulso Dispositivo para medir el grado de saturación de oxígeno, Spo_2.

Pancuronio Bloqueador neuromuscular no despolarizante; se usa para mantener la parálisis después de la intubación facilitada por la succinilcolina.

Paralizante Fármaco que inmoviliza los músculos esqueléticos; se usa en circunstancias de emergencia para facilitar la intubación; también denominado bloqueador neuromuscular.

Permeable Abierto.

Pinza de Magill Tipo específico de pinza curva que permite a los paramédicos maniobrar dentro de la vía aérea.

Posición de recuperación Posición de decúbito lateral izquierdo; se usa en todos los pacientes sin respuesta que no sufren traumatismos y pueden mantener su propia vía aérea de manera espontánea y respirar de manera adecuada.

Precarga Presión sanguínea en el corazón al final de la diástole; se modifica por el retorno venoso.

Presión positiva al final de la espiración (PEEP) Mantenimiento mecánico de la presión dentro de la vía aérea al final de la exhalación para aumentar el volumen de gas que permanece dentro de los pulmones.

Presión positiva continua de la vía aérea (PPCVA) Método de ventilación que provee una sola presión; se usa principalmente en el tratamiento de pacientes en estado crítico con dificultad respiratoria y puede prevenir la necesidad de intubación endotraqueal.

Presión positiva de dos niveles en vía aérea (BiPAP) Forma no invasiva de ventilación a presión

Kit de preparación continuación

positiva que provee dos presiones (una inspiratoria más alta y una exhalatoria, más baja).

Presión residual segura La presión a la que un tanque de oxígeno debería sustituirse con uno lleno; se define como de 200 psi a menudo.

Pulso paradójico Descenso de la presión arterial sistólica de 10 mm Hg o más; suele presentarse en pacientes con taponamiento cardíaco o asma grave.

Reflejo nauseoso Reacción automática cuando alguien toca la región profunda de la cavidad bucal y ayuda a proteger la vía aérea inferior de la aspiración.

Regla 3-3-2 Método usado para predecir la intubación difícil. Una abertura bucal menor al ancho de tres dedos, una longitud mandibular menor al ancho de tres dedos y una distancia del hioides a la escotadura tiroidea menor de dos dedos de ancho indican una posible vía aérea difícil.

Regulador terapéutico Dispositivo que se acopla al cuerpo del tanque de oxígeno y disminuye la presión alta hasta un rango seguro (de casi 50 psi).

Respiraciones apnéusticas Inspiraciones de jadeo prolongado seguidas por exhalaciones en extremo breves e ineficaces; se relacionan con lesiones del tronco encefálico.

Respiraciones de Biot (atáxicas) Patrón irregular de la frecuencia y profundidad de las respiraciones con periodos intermitentes de apnea; resultado del aumento de la presión intracraneal.

Respiraciones de Cheyne-Stokes Ventilaciones con incremento gradual de la frecuencia y profundidad seguidas por un decremento gradual y periodos intermitentes de apnea; se vincula con una lesión de tronco encefálico.

Respiraciones de Kussmaul Patrón ventilatorio característico de la cetoacidosis diabética que incluye hiperpnea notoria y taquipnea; representa el intento del cuerpo para compensar la acidosis.

Retracciones Movimientos al interior de los músculos intercostales y los supraclaviculares, que pueden ocurrir ante la dificultad respiratoria.

Rocuronio Bloqueador neuromuscular no despolarizante que se usa para mantener la parálisis después de la intubación facilitada por la succinilcolina.

Roncos Ruido de tono bajo continuo que indica la presencia de moco o líquido en la vía aérea inferior más grande.

Ruidos broncovesiculares Combinación de ruidos traqueales y vesiculares de la respiración; se escuchan donde la vía aérea y los alvéolos se encuentran en la parte alta del esternón y entre las escápulas.

Ruidos respiratorios traqueales Los escuchados colocando el diafragma del estetoscopio sobre la tráquea o el esternón; también llamados ruidos bronquiales respiratorios.

Ruidos respiratorios vesiculares Ruidos respiratorios blandos amortiguados en los que la fase exhalatoria es apenas audible.

Sedación Disminución de la ansiedad de un paciente; inducción de amnesia y supresión del reflejo nauseoso, por lo general, por medios farmacológicos.

Sibilancia Sonido agudo de tono alto que se puede escuchar durante la inspiración, la exhalación o en ambas; indica el movimiento de aire a través de una vía aérea inferior constreñida, como en el asma.

Sonda gástrica Tubo que se inserta en el estómago para retirar su contenido.

Sonda nasogástrica (NG) Tubo que se inserta en el estómago a través de la nariz.

Sonda orogástrica (BG) Sonda gástrica que se inserta en el estómago a través de la boca.

Traqueotomía Abertura quirúrgica en la tráquea.

Trismo Cierre forzado de los dientes causado por espasmos de los músculos mandibulares.

Tubo de traqueotomía Tubo de plástico que se coloca dentro del sitio de la traqueotomía (boca anastomótica).

Tubo endotraqueal (ET) Uno que se inserta en la tráquea para el mantenimiento definitivo de la vía aérea, equipado con un manguito distal, un puerto de inflado proximal, un adaptador de 15/22 mm y marcas laterales en centímetros.

Vecuronio Bloqueador neuromuscular no despolarizante; usado para mantener la parálisis después de la intubación facilitada por la succinilcolina.

Ventilación a presión negativa Conducción de aire al interior de los pulmones; flujo de aire de una región de mayor presión (fuera del cuerpo) a una en la

Kit de preparación continuación

que es menor (pulmones); ocurre durante la respiración normal (sin asistencia).

Ventilación a presión positiva Introducción forzada de aire a los pulmones.

Ventilación con catéter translaríngeo Método usado en combinación con la cricotiroidotomía con aguja para ventilar a un paciente; requiere de un ventilador a chorro de alta presión.

Ventilador automático de transporte (VTA) Aparato mecánico portátil acoplado a una caja de dominio que permite al proveedor ajustar las variables de la ventilación (p. ej., frecuencia ventilatoria y volumen tidal).

Videolaringoscopia Visualización de la epiglotis y las cuerdas vocales a través de una pantalla de video acoplada con un laringoscopio.

Referencias

1. Panchal AR, Bartos JA, Cabanas JG, et al. Part 3: adult basic and advanced life support: 2020 American Heart Association Guidelines update for cardiopulmonary resuscitation and emergency cardiovascular care. *Circulation.* 2020;142(suppl 2):S366-S468.
2. Hofmman R, James SK. Routine oxygen supplementation in acute cardiovascular disease. The end of a paradigm? *Circulation.* 2018;137(4):320-322.
3. O'Gara PT, Kushner FG, Ascheim DD, et al. 2013 ACCF/AHA guideline for the management of ST-elevation myocardial infarction: executive summary: a report of the American College of Cardiology Foundation/American Heart Association Task Force on Practice Guidelines. *J Am Coll Cardiol.* 2013;61:485-510.
4. O'Connor RE, Al Ali AS, Brady WJ, et al. Part 9: acute coronary syndromes: 2015 American Heart Association guidelines update for cardiopulmonary resuscitation and emergency cardiovascular care. *Circulation*. 2015;132 (suppl 2):S483-S500.
5. Link MS, Berkow LC, Kudenchuk PJ, et al. Part 7: adult advanced cardiovascular life support: 2015 American Heart Association guidelines update for cardiopulmonary resuscitation and emergency cardiovascular care. *Circulation.* 2015;132(suppl 2):S444-S464.
6. Atkins DL, Berger S, Duff JP, et al. Part 11: pediatric basic life support and cardiopulmonary resuscitation quality: 2015 American Heart Association guidelines update for cardiopulmonary resuscitation and emergency cardiovascular care. *Circulation*. 2015;132(suppl 2):S519-S525.
7. de Caen AR, Berg MD, Chameides L, et al. Part 12: pediatric advanced life support: 2015 American Heart Association guidelines update for cardiopulmonary resuscitation and emergency cardiovascular care. *Circulation.* 2015;132(suppl 2):S526-S542.
8. Nouruzi-Sedah P, Schumann M, Groeben H. Laryngoscopy via Macintosh blade versus GlideScope: success rate and time for endotracheal intubation in untrained medical personnel. *Anesthesiology*. 2009;110(1):32-37.
9. Jarvis JL, McClure SF, Johns D. EMS intubation improves with King vision video laryngoscopy. *Prehosp Emerg Care*. 2015;19(4):482-489.
10. Naito H, Guyette FX, Martin-Gill C, Callaway CW. Video laryngoscopic techniques associated with intubation success in a helicopter emergency medical service system. *Prehosp Emerg Care*. 2016;20(3):333-342.
11. Diggs LA, Yusuf JE, De Leo G. An update on out-of-hospital airway management practices in the United States. *Resuscitation*. 2014;85(7):885-892.
12. Weingart SD, Levitan RM. Preoxygenation and prevention of desaturation during emergency airway management. *J Ann Emerg Med*. 2012;59(3):165-175.

Emergencias médicas

VOLUMEN 1

SECCIÓN 6

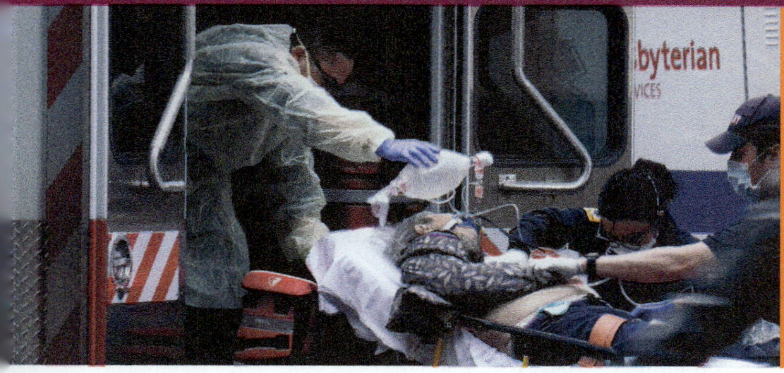

Capítulo 14

Emergencias respiratorias

COMPETENCIAS DEL ESTÁNDAR NACIONAL DE EDUCACIÓN EN EL SEM

Médico

Integra los resultados de la evaluación con los principios de epidemiología y fisiopatología para formular una impresión inicial e implantar un plan integral de tratamiento/disposición para un paciente con una dolencia médica.

Respiratorio

Anatomía, signos, síntomas y manejo de las emergencias respiratorias, incluidas las que afectan a:
- Vía aérea superior. (pp. 1034-1037)
- Vía aérea inferior. (pp. 1037-1038)

Anatomía, fisiología, fisiopatología, evaluación y tratamiento de la:
- Epiglotitis. (véase capítulo 40, *Emergencias pediátricas*)
- Neumotórax espontáneo. (p. 1049)
- Edema pulmonar. (pp. 1047-1048)
- Asma. (pp. 1038-1041)
- Enfermedad pulmonar obstructiva crónica. (pp. 1041-1044)
- Exposición ambiental/industrial. (p. 1047)
- Gases tóxicos. (p. 1047)
- Tos ferina. (véase capítulo 40, *Emergencias pediátricas*)
- Fibrosis quística. (véase capítulo 42, *Pacientes con necesidades especiales*)
- Embolia pulmonar. (pp. 1050-1051)
- Neumonía. (pp. 998, 1041-1042, 1044-1045)
- Infecciones respiratorias virales. (pp. 1006-1007, 1035)
- Enfermedad obstructiva/restrictiva. (pp. 1034-1038, 1041)

Anatomía, fisiología, epidemiología, fisiopatología, efectos psicosociales, presentaciones, pronóstico y manejo de:
- Infecciones agudas de la vía aérea superior. (pp. 1034-1037)
- Neumotórax espontáneo. (p. 1049)
- Enfermedades pulmonares obstructivas/restrictivas. (pp. 1037-1038, 1041)
- Infecciones pulmonares. (pp. 1044-1045)
- Neoplasias. (pp. 1046-1047)
- Tos ferina. (véase capítulo 40, *Emergencias pediátricas*)
- Fibrosis quística. (véase capítulo 42, *Pacientes con necesidades especiales*)

Shock y reanimación

Integra el conocimiento exhaustivo de las causas y la fisiopatología en el manejo del paro cardíaco y los estados previos al paro.

Integra un conocimiento exhaustivo de las causas y la fisiopatología en el manejo del shock, la insuficiencia o el paro respiratorio, haciendo énfasis en la intervención precoz para prevenir el paro.

OBJETIVOS COGNITIVOS

1. Discutir la morbilidad y mortalidad de las enfermedades respiratorias en Estados Unidos. (p. 1044)
2. Recordar las estructuras primarias del sistema respiratorio y su función en la respiración, la regulación cardiovascular y la función renal. (pp. 999-1004)
3. Definir la hipoventilación y la hiperventilación, incluyendo ejemplos de condiciones asociadas a cada una de ellas. (pp. 1004-1006)
4. Describir las medidas adecuadas para garantizar la seguridad en la escena cuando se llama para atender a un paciente con disnea. (pp. 1006-1007)

5. Describir los factores que contribuyen a una impresión general del estado del paciente y a una estimación precisa del grado de dificultad respiratoria. (pp. 1021-1022)
6. Explicar la presentación típica de un paciente con disnea y los signos y síntomas que indican un alto nivel de dificultad respiratoria. (pp. 1008-1009)
7. Identificar las alteraciones respiratorias que pueden indicar dificultad respiratoria y los signos de mayor trabajo respiratorio. (pp. 1009-1010)
8. Identificar los signos de consolidación pulmonar, incluidos los ruidos respiratorios anormales asociados a exceso de líquido en los pulmones. (pp. 1011-1012)
9. Explicar cómo evaluar la adecuada circulación de un paciente con disnea. (p. 1017)
10. Describir los patrones respiratorios anormales asociados a las alteraciones neurológicas que deprimen el centro respiratorio del cerebro. (pp. 1015-1017)
11. Discutir cómo se toman las decisiones de transporte en pacientes con dificultad respiratoria. (p. 1018)
12. Describir cómo investigar la queja principal de un paciente con dificultad respiratoria. (pp. 1018-1019)
13. Identificar cada componente de la historia clínica SAMPLE en su aplicación a pacientes con disnea. (pp. 1019-1021)
14. Describir los componentes de la exploración física de un paciente con disnea. (pp. 1021-1022)
15. Describir los dispositivos utilizados para monitorear a los pacientes con problemas respiratorios. (pp. 1022-1025)
16. Describir las intervenciones disponibles para dar tratamiento a los pacientes con disnea. (pp. 1025-1032)
17. Explicar la fisiopatología, evaluación y manejo de la inflamación de la vía aérea superior debido a una infección. (pp. 1035-1037)
18. Explicar la fisiopatología, evaluación y tratamiento de una enfermedad obstructiva de la vía aérea inferior. (pp. 1037-1038)
19. Explicar los tres rasgos que caracterizan el asma y cómo se trata cada uno de ellos. (pp. 1039-1040)
20. Comparar los signos y síntomas de asma, enfisema, bronquitis crónica y enfermedades pulmonares restrictivas. (pp. 1038-1039, 1041)
21. Discutir las complicaciones que puede causar la descompensación de un paciente con enfermedad pulmonar obstructiva crónica (EPOC). (pp. 1041-1043)
22. Explicar los conceptos de impulso hipóxico y auto-PEEP (presión positiva al final de la espiración) en su relación con la EPOC. (pp. 1043-1044)
23. Explicar la fisiopatología, evaluación y manejo de infecciones pulmonares, atelectasia, cáncer, inhalaciones tóxicas, edema pulmonar y síndrome de dificultad respiratoria aguda. (pp. 1044-1049)
24. Explicar la fisiopatología, evaluación y manejo del neumotórax, derrame pleural y embolia pulmonar. (pp. 1049-1051)

OBJETIVOS DE DESTREZA

1. Demostrar el proceso de una historia clínica de un paciente con disnea. (pp. 1018-1021)
2. Demostrar la aplicación de una unidad CPAP/BPAP. (pp. 1032-1034)

Introducción

Para llamar al 9-1-1 hay pocas razones más urgentes que la sensación de no poder respirar (disnea). En la mayoría de los casos, la dificultad respiratoria se origina en el propio sistema respiratorio.

Las enfermedades respiratorias son una de las condiciones patológicas más comunes, por lo que la dificultad respiratoria es uno de los casos más frecuentes en los servicios de emergencias médicas (SEM). Las enfermedades pulmonares crónicas, como el asma y la enfermedad pulmonar obstructiva crónica (EPOC), se encuentran entre las principales causas de muerte y discapacidad en Estados Unidos.[1] Aproximadamente 16 millones de estadounidenses padecen EPOC, lo que provocará 156 979 muertes en 2019.[2] Además, 25 millones de estadounidenses padecen asma,[3] lo que provocará 3 512 muertes en 2019, pero contribuirá a varios miles de muertes más.[4] La **neumonía**, descrita por primera vez por Hipócrates en el año 400 a. C., sigue siendo una de las enfermedades mortales más comunes en los países en desarrollo y representa 6% de las muertes de pacientes hospitalizados (50 000 al año) en Estados Unidos.[5] Se han identificado más de 30 causas de neumonía.[6]

Algunas enfermedades respiratorias, como la fibrosis quística, tienen una causa genética (o intrínseca). Otras, como las enfermedades pulmonares ocupacionales, se deben a factores externos (o extrínsecos). Algunas enfermedades respiratorias pueden ser a causa de factores intrínsecos o extrínsecos. Por ejemplo, aproximadamente 80% de los casos de EPOC están relacionados con el consumo de cigarros,[2] pero 3% de los casos pueden atribuirse a la ausencia genética de una enzima crítica (alfa-1 antitripsina).[7]

Los investigadores aún no han descifrado por completo el mecanismo multifactorial por el que se desarrollan muchas enfermedades respiratorias. Se cree que los factores intrínsecos, como la genética, las enfermedades cardíacas e incluso el estrés, se combinan con factores extrínsecos, como el tabaquismo y los contaminantes ambientales. Por ejemplo, el asma puede verse afectada por la genética, la raza, la ubicación geográfica, la dieta, las alergias, las enfermedades infantiles o alguna combinación de estos factores.

En este capítulo se estudian las afecciones respiratorias complejas y a veces desconcertantes. Al principio se analiza cómo evaluar a un paciente cuya queja principal es la disnea, con enfoque en los aspectos por destacar al obtener la historia clínica y llevar a cabo una exploración física. El capítulo concluye con un examen en profundidad de algunos de los trastornos que pueden afectar a cada componente del sistema respiratorio, desde los centros de control respiratorio en el cerebro hasta los alvéolos, las unidades funcionales más pequeñas de la respiración en el pulmón.

Repaso sobre anatomía y fisiología

Las estructuras primarias del sistema respiratorio a menudo se comparan con un árbol invertido, en el que la tráquea representa el tronco y los **alvéolos**, las diminutas unidades en forma de saco en las que se produce el intercambio gaseoso, las hojas. Es una analogía útil, pero en realidad, un árbol tendría que ramificarse 24 veces y tener casi mil millones de hojas para competir con la complejidad del sistema respiratorio (**FIGURA 14-1**). Imagine usted que intenta extraer líquido del suelo hacia las hojas ejerciendo una presión negativa en los extremos de las hojas, y las complejidades de la respiración se hacen evidentes.

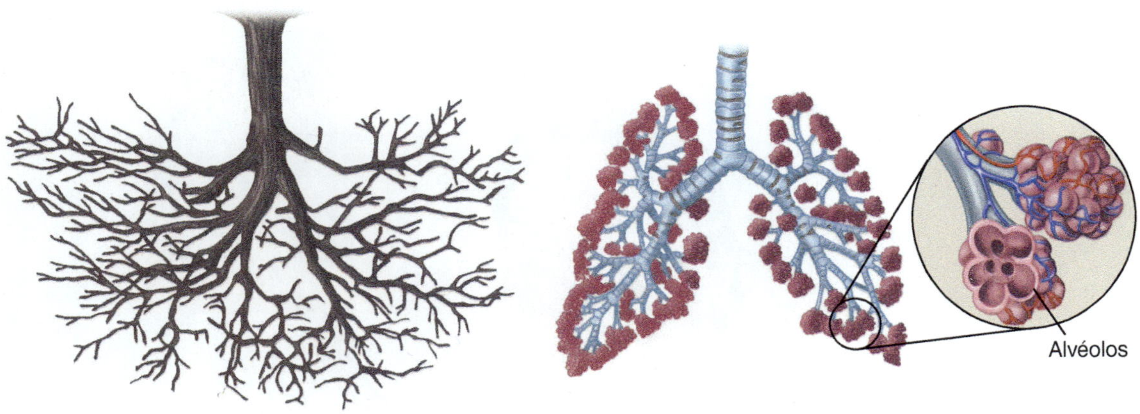

FIGURA 14-1 El árbol traqueobronquial se ramifica de forma muy parecida a la de un árbol real, salvo que incluso el árbol más magnífico solo tiene una pequeña fracción del número de ramas de un solo pulmón humano.

USTED es el Paramédico

PARTE 1

Le envían a una alarma médica en un gran complejo de departamentos. Cuando llega, usted y su compañero localizan el edificio correcto, toman su equipo y se dirigen a la entrada más cercana. Llegan hasta el departamento del quinto piso desde el que se originó la llamada. Allí encuentran a un hombre de 74 años, cuyo tono de piel es gris cenizo, diaforético y tiene dificultad para respirar. El paciente vive solo y habla con frases de una o dos palabras.

1. ¿Qué hallazgos iniciales, "desde la puerta", le hacen preocuparse de este paciente?
2. ¿Cuáles son sus prioridades para este paciente?

Árbol traqueobronquial

El tronco del árbol traqueobronquial es la tráquea, que transporta el aire a los pulmones. La tráquea cumple una sola función en el proceso respiratorio: actúa como vía para el intercambio de aire. Por este motivo, muchos pacientes intubados que permanecen hospitalizados durante un periodo prolongado reciben una traqueostomía. El Colegio Americano de Médicos Torácicos (*American College of Chest Physicians*) recomienda la transición a la traqueostomía a las 3 semanas para facilitar la higiene bucal, reducir la duración total de la estancia en la unidad de cuidados intensivos y disminuir la tasa de complicaciones.[8] La tráquea se extiende entre 10 y 13 cm, desde la laringe hasta los bronquios principales derecho e izquierdo. El punto en forma de cresta en el que se bifurca el cartílago traqueal se denomina **carina**. Esta se encuentra aproximadamente al nivel del quinto espacio intercostal (**FIGURA 14-2**). En los adultos, el bronquio principal derecho se ramifica normalmente en un ángulo menos agudo que el izquierdo. Esta peculiaridad anatómica explica por qué un tubo endotraqueal (TE) que avanza demasiado lejos casi siempre entra en el bronquio principal derecho en un adulto. Del mismo modo, los cuerpos extraños aspirados suelen acabar en el bronquio principal derecho.

Bronquios

Los bronquios del tronco principal derecho e izquierdo continúan ramificándose en los lóbulos pulmonares. El pulmón derecho tiene tres lóbulos y el izquierdo, dos. Estos bronquios secundarios o lobares se dividen en bronquios terciarios o segmentarios y luego en bronquios subsegmentarios antes de convertirse finalmente en bronquiolos. Esta vía aérea conductora sirve como vía de acceso a las partes del pulmón en las que se produce el intercambio gaseoso. En conjunto, toda vía aérea que no participa en el intercambio gaseoso representa espacio muerto. Los pacientes con enfermedades respiratorias crónicas pueden tener un mayor espacio muerto (espacio muerto fisiológico), lo que indica que una proporción aún mayor de cada respiración no contribuye a la respiración.

Bronquiolos

La transferencia de gases es más eficaz en los alvéolos, pero también se intercambia una cantidad significa-

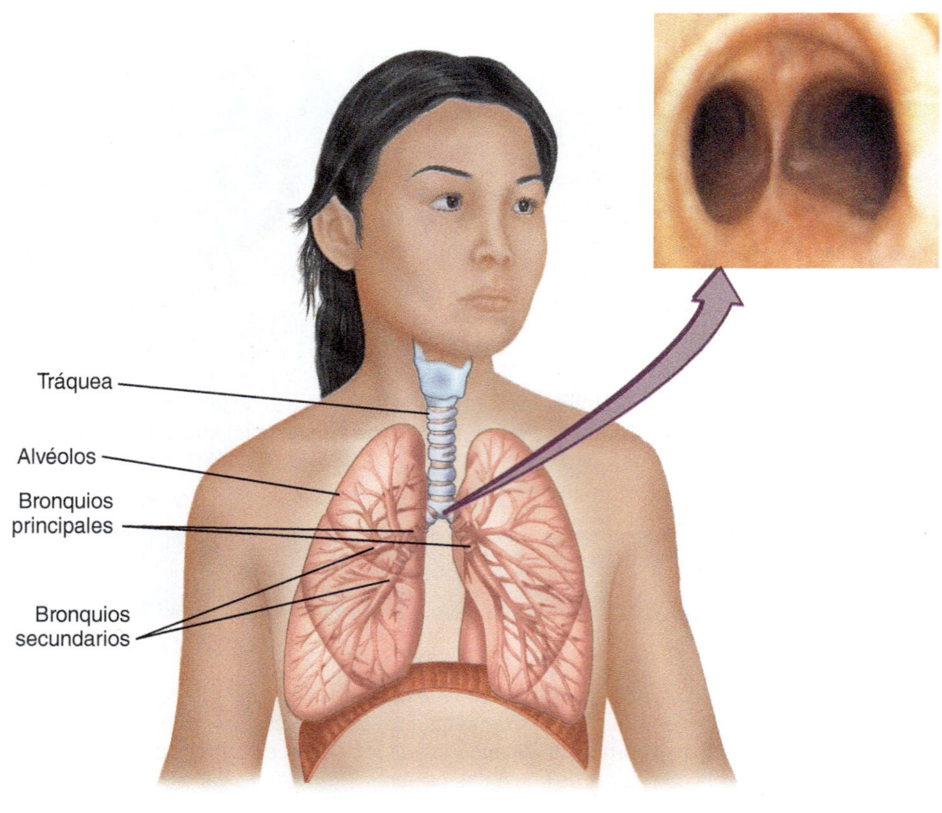

FIGURA 14-2 Los bronquios derecho e izquierdo del tronco principal se bifurcan, o dividen, en la carina. En un adulto, este punto se encuentra aproximadamente en el quinto espacio intercostal.

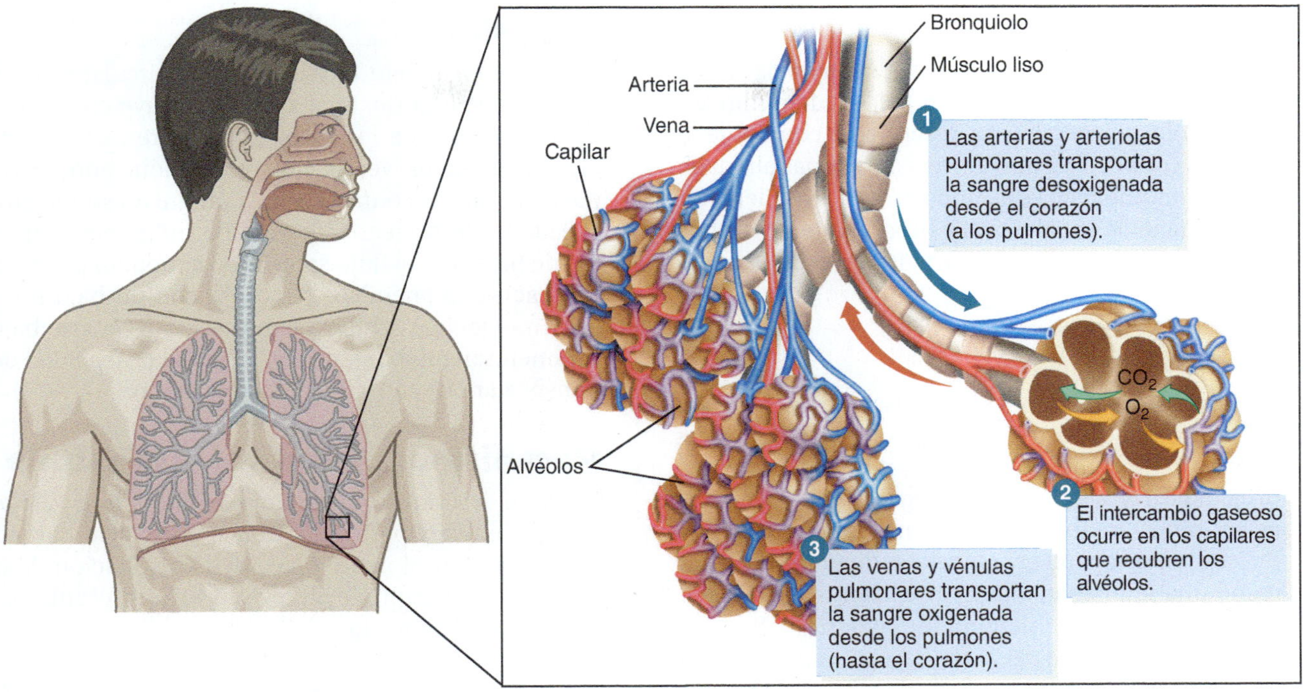

FIGURA 14-3 Los bronquiolos respiratorios, a veces denominados bronquiolos terminales, incluyen los alvéolos y las últimas ramas del árbol traqueobronquial. El intercambio gaseoso se produce en toda esta zona.

tiva de gas a través de los bronquiolos respiratorios (**FIGURA 14-3**). Los bronquiolos terminales son delgados y tienen poca estructura celular. Este diseño anatómico es útil para el intercambio gaseoso, pero también significa que estos bronquiolos carecen de cilios, no tienen una capa protectora de moco y no están protegidos por músculo liso o estructuras más rígidas.

Con un flujo de aire laminar, las partículas de aproximadamente 5 micrómetros de diámetro suelen ser transportadas a lo profundo de los pulmones (las partículas más pequeñas a menudo se exhalan sin adherirse). Es posible que, una vez que el material extraño alcanza los bronquiolos terminales y los alvéolos, partes del pulmón conocidas colectivamente como **parénquima pulmonar**, nunca salga. Entre las sustancias comunes que se descomponen en partículas de este tamaño se encuentran el polvo de carbón, las fibras de asbesto y los contaminantes del humo de los cigarros. Todos inhalamos pequeñas partículas a lo largo de nuestra vida. La mayoría de las personas presentan en una autopsia muchas manchas pequeñas negras en los pulmones por el simple hecho de vivir en una sociedad industrializada. Los fumadores y las personas que trabajan rodeadas de polvo de carbón u otras partículas pueden tener zonas significativas de decoloración o incluso pulmones completamente ennegrecidos (**FIGURA 14-4**).

El **músculo liso** rodea la vía aérea conductora hasta el nivel subsegmentario. La broncoconstricción se produce cuando el músculo liso estrecha esta vía aérea mayor. Los broncodilatadores tienen poco efecto por debajo del nivel subsegmentario. Las sibilancias que se resuelven con la administración de broncodilatadores probablemente se deban a la constricción del músculo liso. Las sibilancias que no se resuelven con estos medicamentos pueden deberse a una patología más profunda en el árbol traqueobronquial.

FIGURA 14-4 Los fumadores y las personas que trabajan cerca de polvo de carbón u otras partículas pueden tener grandes áreas de decoloración en los pulmones.

Alvéolos

La vía aérea termina y los alvéolos incluyen las ramas 16 a 24 del árbol traqueobronquial, los denominados bronquiolos terminales. La descripción común de los alvéolos como un racimo de uvas agrupadas alrededor de un bronquiolo no es del todo exacta; más bien, toda la superficie de los alvéolos y bronquiolos terminales está cubierta de capilares y participa en el intercambio gaseoso.

Mediastino

El corazón y los grandes vasos sanguíneos ocupan un espacio en el centro del tórax, entre los pulmones. La mayor vía aérea conductora (tráquea y bronquios principales) y algunos otros órganos, como el timo en los niños, también se encuentran en este espacio. En conjunto, aparecen en una radiografía de tórax como una gran zona blanca en el centro de la placa. Esta zona central se denomina *mediastino*. Si el paciente sangra debido a una rotura aórtica se puede ensanchar el mediastino, o puede quedar aire atrapado por una lesión traumática, una afección denominada *neumomediastino*.

Flujo sanguíneo pulmonar

La sangre fluye del corazón a los pulmones a través de la arteria pulmonar, que se ramifica en arterias más pequeñas, las arteriolas y, por último, los capilares. Las bases pulmonares tienen mayor número de capilares que los ápices, por lo que se produce más intercambio de gases entre las bases pulmonares y el sistema circulatorio que entre los ápices, la parte superior de los pulmones, y el sistema circulatorio. Por lo tanto, los problemas en la base de los pulmones (donde se producen la mayoría de los procesos infecciosos y puede acumularse líquido) afectan más a la **ventilación** que los problemas que dañan a los ápices.

Al igual que todos los capilares del cuerpo, los capilares pulmonares son estrechos y normalmente sólo permiten el paso de glóbulos rojos en una sola fila. Las personas con enfermedad pulmonar crónica e **hipoxia** crónica con frecuencia generan con el tiempo un exceso de eritrocitos, lo que hace que su sangre sea espesa. Por ejemplo, los pacientes con **policitemia** tienen sangre viscosa. El esfuerzo para hacer pasar esta sangre a través de los diminutos capilares pulmonares puede suponer una carga importante para el lado derecho del corazón. Cuando los alvéolos se distienden debido a la EPOC, empujan contra el lecho capilar, estrechando aún más los capilares y forzando el lado derecho del corazón. La insuficiencia cardíaca derecha debida a una enfermedad pulmonar crónica se conoce como ***cor pulmonale***.

Perfusión

La *perfusión* refiere el componente circulatorio del sistema respiratorio. Si la sangre no fluye constantemente a través de los vasos pulmonares, se desperdicia una buena ventilación y difusión, porque no puede entrar en contacto con la sangre un suministro adecuado de oxígeno. Un émbolo pulmonar grande puede bloquear el flujo sanguíneo a todo un pulmón. Los pacientes anémicos (es decir, con un bajo nivel de **hemoglobina**) o hipovolémicos (es decir, con bajo volumen sanguíneo) también afectan la capacidad de transportar oxígeno y dióxido de carbono.

Mecanismos de control respiratorio

Como se describe en el capítulo 6, *Anatomía y fisiología*, la médula y partes del tronco encefálico participan en el control neurológico de la respiración. Más adelante en el capítulo se revisan otros mecanismos de control respiratorio.

Regulación cardiovascular

Los pulmones están estrechamente relacionados con la función cardíaca, hasta el punto de que algunos describen los pulmones de forma caprichosa como un órgano situado entre los lados derecho e izquierdo del corazón. Aunque esta descripción no es anatómicamente correcta, *es cierto* que los cambios en el lado derecho o izquierdo del corazón pueden tener consecuencias pulmonares dramáticas. Si se tiene en cuenta la prevalencia de los trastornos cardíacos agudos y el número total de pacientes con trastornos respiratorios, es fácil comprender por qué los despachos por disnea son tan frecuentes como difíciles de diagnosticar.

La insuficiencia cardíaca izquierda normalmente progresa mucho más deprisa que la derecha. La insuficiencia cardíaca derecha puede empeorar lentamente durante muchos días, mientras que la insuficiencia cardíaca izquierda resultante de un infarto agudo de miocardio masivo puede matar a una persona en cuestión de minutos. Pensar en los pulmones como si estuvieran situados entre el lado derecho y el izquierdo del corazón (en términos de función) nos ayuda a entender por qué: el lado derecho del corazón bombea sangre a los pulmones, mientras que el lado izquierdo del corazón recibe sangre de los pulmones y la bombea por todo el cuerpo para perfundir órganos y tejidos.

La respuesta inmediata del organismo a la hipoxemia leve es aumentar la frecuencia cardíaca, a veces por encima de 130 latidos/min, una frecuencia que constituye taquicardia. La hipoxia grave con frecuencia provoca bradicardia. Cualquier agresión hipóxica no corregida puede desencadenar una disritmia cardíaca mortal, como fibrilación ventricular (FV) o taquicardia ventricular (TV). Los cambios en el equilibrio de líquidos, la presión de bombeo del lado derecho del corazón o la presión de bombeo del lado izquierdo pueden causar diversas formas de insuficiencia cardíaca. Debido a estas muchas posibilidades, es fundamental contar con una evaluación exhaustiva del sistema cardiovascular para la evaluación adecuada de un paciente con una condición respiratoria.

Control muscular

El cuerpo está diseñado para aspirar aire mediante presión negativa. Imagine una aspiradora en la base de los pulmones que aspira aire durante la inhalación: este aire es inhalado a través de la boca y la nariz, sobre los cornetes y alrededor del complejo terreno de la epiglotis y la glotis. Por lo general, el aire no entra en el esófago ni en el estómago porque es aspirado preferentemente hacia la tráquea (**FIGURA 14-5**).

Este efecto de vacío de presión negativa se produce porque el tórax es básicamente una caja hermética, con el diafragma flexible en la parte inferior y un tubo abierto, la tráquea, en la parte superior. Durante la respiración tranquila, a medida que se aplana el diafragma, el tamaño total del recipiente aumenta, y el aire es aspirado a través del tubo de la parte superior, llenando el espacio cada vez mayor dentro del tórax. La cantidad de aire que se mueve cada minuto se denomina *volumen minuto*. El volumen minuto puede aumentar al respirar profundo, lo que hace descender el diafragma de forma más agresiva, o ventilar con mayor rapidez. La ventilación rápida se denomina *taquipnea*.

Cualquier apertura traumática del tórax produce una vía alterna para la entrada de aire. Este aire termina en el espacio pleural, dando lugar a una herida torácica por succión (**FIGURA 14-6**). Cuando se rompen varias costillas en más de un lugar (tórax inestable), las secciones del tórax que flotan libremente se retraen cuando el paciente respira, lo que limita la cantidad de aire que puede aspirarse a través de la tráquea.

Estado renal

Los riñones controlan parcialmente el equilibrio de líquidos, el equilibrio ácido-base y la presión arterial (PA), los cuales reciben alrededor de 25% del gasto cardíaco. Cada uno de estos factores afecta también

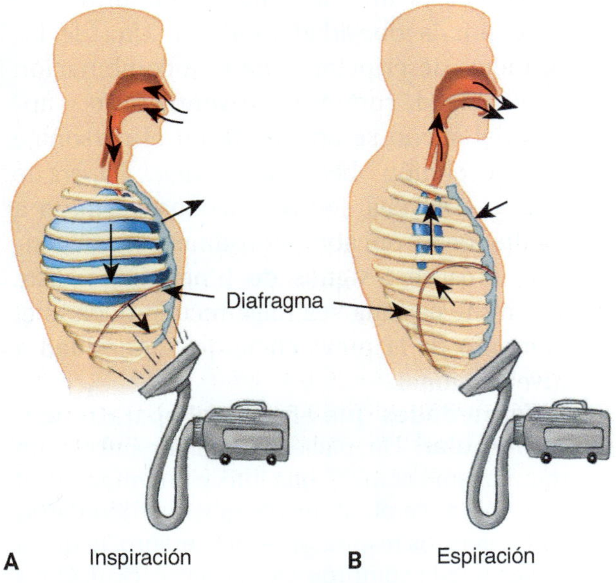

FIGURA 14-5 La ventilación normal es una ventilación de presión negativa, lo que significa que el aire es aspirado hacia los pulmones, de forma parecida a como lo hace una aspiradora. Cuando el diafragma se contrae, tira del abdomen hacia abajo, expandiendo la cavidad torácica y aspirando aire **(A)**. Cuando se libera la presión, el diafragma se relaja y los pulmones se vacían **(B)**. Compare con la ventilación con presión positiva que se presenta en la figura 14-22.

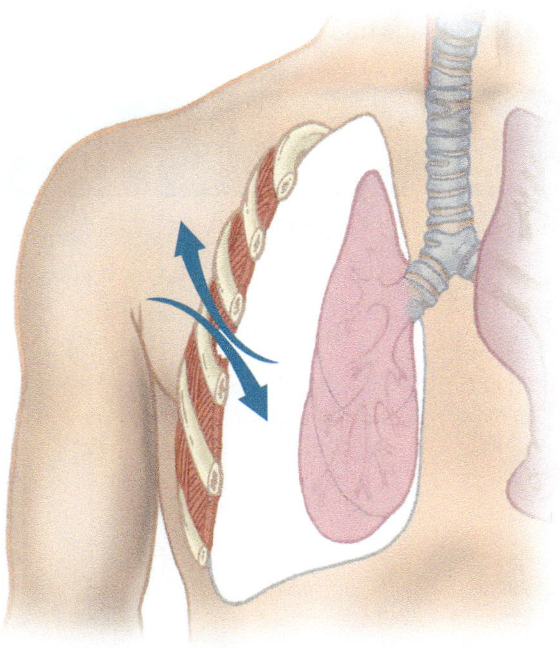

FIGURA 14-6 Una herida torácica por succión puede comprometer la ventilación al permitir la entrada de aire en el tórax durante la fase inspiratoria o de presión negativa de la ventilación.

a la mecánica pulmonar y, por lo tanto, al aporte de oxígeno a los tejidos. Los pacientes con enfermedad renal grave a menudo presentan signos y síntomas respiratorios, por lo que los paramédicos siempre deben tener en cuenta los signos de enfermedad renal grave al evaluar el estado de un paciente. El estado de los pacientes cuya insuficiencia cardíaca está asociada a una enfermedad renal puede ser difícil de tratar porque la **diuresis**, es decir la producción renal de grandes cantidades de orina, puede ser difícil o imposible. Los pacientes con enfermedad renal también pueden presentar alteraciones ácido-base que les hacen hiperventilar, dando la apariencia errónea de padecer trastornos respiratorios. En muchas ocasiones, la necesidad urgente de diálisis de un paciente puede influir en las decisiones de traslado y opciones de tratamiento.

Hipoventilación

Cuando el funcionamiento de los pulmones no es correcto, el cuerpo no puede eliminar con eficacia el dióxido de carbono, por lo que este último se acumula en la sangre. Este exceso de dióxido de carbono se combina con el agua para formar iones de bicarbonato y de hidrógeno (H^+), también conocidos como *ácido carbónico*, lo que provoca acidosis.

La acidosis puede producirse si no se reconoce la hipoventilación. Como se muestra en el **CUADRO 14-1**, el deterioro de la ventilación puede atribuirse a una serie de factores. Más adelante en este capítulo se estudia en detalle cada uno de estos factores.

CUADRO 14-1 Causas seleccionadas de alteración de la ventilación

Categoría	Condiciones
Obstrucción de la vía aérea superior	Obstrucción por cuerpo extraño Infección Traumatismo
Obstrucción de la vía aérea inferior	Traumatismo Enfermedad obstructiva Aumento de la producción de moco Hinchazón de la vía aérea (edema)
Deterioro de la pared torácica	Neumotórax Tórax inestable Derrame pleural Enfermedad restrictiva (escoliosis, cifosis)
Alteración neuromuscular	Sobredosis Enfermedad de Lou Gehrig (esclerosis lateral amiotrófica) Narcosis por dióxido de carbono

Cabe recordar que el pH es una expresión del número de iones de hidrógeno libres (H^+) presentes en una solución. Por lo tanto, el nivel de dióxido de carbono de la sangre está directamente relacionado con el pH (equilibrio ácido-base). Los pacientes hipoventilados normalmente presentan acidosis respiratoria. A medida que aumenta el nivel de dióxido de carbono, disminuye el nivel de pH.

Muchas enfermedades subyacentes que pueden provocar **hipoventilación** en los pacientes son:

- **Condiciones que alteran la función pulmonar.** Cuando un paciente ventila, pero el intercambio gaseoso está alterado, el nivel de dióxido de carbono en la sangre aumenta. Esta situación puede darse en pacientes con atelectasia grave, neumonía, edema pulmonar, asma o EPOC.
- **Condiciones que alteran la mecánica de la ventilación.** Un tórax inestable, una ruptura diafragmática, **retracciones** graves, un abdomen lleno de aire o sangre, una unión abdominal o torácica (como puede ocurrir durante una restricción de movimiento espinal) o cualquier otra situación que restrinja los cambios de presión que facilitan la ventilación pueden suprimir el flujo de gases.

  El síndrome de hipoventilación por obesidad (también conocido como síndrome de Pickwick) es un trastorno respiratorio causado por la obesidad mórbida. Una de las primeras descripciones de esta combinación de obesidad, compromiso ventilatorio y apnea del sueño se encuentra en el personaje de "Joe, el niño obeso" de *Pickwick Papers* de Charles Dickens. Joe se quedaba dormido a media frase, roncaba ruidosamente y, en general, mostraba signos de hipercapnia. Este síndrome es cada vez más frecuente, dado el aumento de la prevalencia de la obesidad a nivel nacional.
- **Enfermedades que afectan al aparato neuromuscular.** Un paciente que ha sufrido un traumatismo craneal, una infección intracraneal o un tumor cerebral puede haber sufrido daños en los centros respiratorios del cerebro, lo que a su vez puede comprometer la ventilación. Otras condiciones que también pueden dañar el aparato neuromuscular son:
  - Una lesión grave de la médula espinal por encima del nivel de la quinta vértebra cervical (C5) puede bloquear los impulsos nerviosos que estimulan la respiración. El dicho "C3, 4 y 5 mantienen vivo el diafragma" hace referencia al nervio frénico, que se origina en los nervios raquídeos de estas zonas y controla el diafragma, que a su vez controla la ventilación.

- **El síndrome de Guillain-Barré**, que se caracteriza por debilidad muscular progresiva y parálisis que asciende por el cuerpo desde los pies, puede provocar una ventilación ineficaz si la parálisis alcanza el diafragma.
- La esclerosis lateral amiotrófica (ELA; también conocida como enfermedad de Lou Gehrig) también causa debilidad muscular progresiva. Esta enfermedad es mortal y normalmente se debe a una insuficiencia respiratoria, ya que los músculos a cargo son incapaces de mantener una ventilación adecuada.
- El **botulismo** está causado por la bacteria *Clostridium botulinum.* Esta enfermedad poco frecuente por lo regular es a causa de una intoxicación alimentaria o por dar a los lactantes miel cruda (no pasteurizada), que puede estar contaminada con esporas de la bacteria. El botulismo puede causar parálisis muscular y suele ser mortal cuando alcanza los músculos de la ventilación.

- **Condiciones que reducen el impulso ventilatorio.** En muchas ocasiones, el estímulo para respirar se denomina *impulso ventilatorio.* En pacientes sin enfermedades ventilatorias, el impulso ventilatorio es estimulado por quimiorreceptores que detectan un aumento de los niveles de dióxido de carbono. El *impulso hipóxico,* por el contrario, se refiere a la estimulación de la ventilación por niveles bajos de oxígeno en pacientes con enfermedad pulmonar crónica debido al aumento crónico de los niveles de dióxido de carbono. Cualquier cosa que interrumpa o disminuya el estímulo involuntario para respirar puede provocar hipoventilación o incluso apnea. Quizás la crisis de hipoventilación más comúnmente vista por los paramédicos es la sobredosis aguda de heroína. La intoxicación con alcohol, narcóticos o cualquier otra droga o toxina puede reducir el impulso ventilatorio. Los traumatismos craneoencefálicos, la hipoxia y la asfixia se asocian a una frecuencia y volumen respiratorios muy bajos. La máxima expresión de la hipoventilación es el paro respiratorio seguida de un paro cardíaco.

En estas circunstancias, se debe iniciar un tratamiento agresivo para ayudar al paciente en sus esfuerzos ventilatorios.

Hiperventilación

La hiperventilación se produce cuando las personas respiran por arriba de sus necesidades metabólicas al aumentar la frecuencia o la profundidad de la ventilación, o ambas, y expulsar más dióxido de carbono de lo normal. El resultado es la alcalosis. A medida que desciende el nivel de dióxido de carbono del paciente, aumenta el nivel de pH. Cuando este ciclo se desencadena por angustia emocional o un ataque de pánico, se puede denominar *hiperventilación histérica* o *síndrome de hiperventilación.* El descenso del nivel de dióxido de carbono puede provocar que la persona sienta que le falta el aire, lo que causa aún más ansiedad y una ventilación más rápida y profunda. En el síndrome de hiperventilación aguda, los pacientes suelen tener la sensación de que no pueden ventilar. La hiperventilación que no se debe a una crisis metabólica normalmente es autolimitante.

La alcalosis respiratoria provoca entumecimiento u hormigueo en manos y pies y alrededor de la boca. Si persiste, los pacientes pueden quejarse de dolor torácico y, finalmente, experimentar **espasmo carpo pedal**, en el que las manos y los pies se aprietan en forma de garra. Estos síntomas pueden asustar aún más al paciente y normalmente provocan hiperventilación adicional. Un paciente histérico puede llegar a perder el conocimiento, pero no antes de experimentar una angustia extrema. Si el paciente empieza a hiperventilar al despertar, el proceso podría repetirse.

La terapia tradicional para la hiperventilación consistía en que los pacientes volvieran a respirar su propio dióxido de carbono de una bolsa de papel o de una máscara de ventilación parcial ajustada al 21% de oxígeno (no conectada a oxígeno suplementario). Esta práctica puede ser peligrosa por dos razones importantes:

1. Los pacientes agotan rápidamente el oxígeno del gas que respiran (y vuelven a respirar). La hiperventilación no significa que el paciente tenga demasiado oxígeno, sino que exhala demasiado dióxido de carbono. La reinhalación de dióxido de carbono puede causar hipoxia, lo que es contraproducente cuando se intenta poner fin a un episodio de hiperventilación relativamente benigno.
2. La hiperventilación en un paciente con acidosis puede representar un intento del organismo de normalizar el nivel de pH. Por ejemplo, en un paciente con cetoacidosis diabética, el organismo produce demasiado ácido debido a un metabolismo inadecuado de la glucosa. El organismo intenta compensar la acidosis mediante hiperventilación o **respiraciones de Kussmaul**. Diversas sobredosis, exposiciones tóxicas y anomalías metabólicas, incluidos el shock y la sepsis, también pueden producir acidosis e hiperventilación compensatoria, y *ninguna de ellas debe tratarse*

con reinhalación de dióxido de carbono. Nunca concluya que un paciente "sólo está hiperventilando" hasta que se hayan descartado todas las posibles causas de la presentación, lo cual es difícil o quizás imposible en campo. La hiperventilación es un diagnóstico de exclusión; no se puede presumir un síndrome de hiperventilación hasta que se hayan descartado todas las demás causas médicas.

Por último, el tratamiento puede incluir sedar a una persona que está realmente histérica y que esté hiperventilando, pero una medida tan extrema rara vez se toma en campo. La hiperventilación por lo regular se desencadena debido a un factor de estrés emocional, como una discusión familiar, un accidente de tráfico o una mala noticia. Considere la posibilidad de alejar al paciente del entorno y del factor estresante. En la mayoría de los casos, ayuda tener apoyo psicológico. Una parte importante de la atención consiste en ayudar al paciente a comprender que si vuelve el comportamiento que precipitó la hiperventilación, esta probablemente se repetirá.

Otras técnicas útiles de apoyo psicológico son respirar con el paciente, pedirle que cuente hasta dos entre ventilaciones (aumentando gradualmente el número de ventilaciones) y distraerle de diversas maneras, por ejemplo, pidiéndole que le platique de su vida. Cantar una canción con el paciente puede hacer que este tenga suficiente control de la respiración para terminar el fragmento.

Evaluación del paciente

La evaluación de los órganos ventilatorios sin duda es un componente fundamental de la evaluación durante una emergencia ventilatoria. Sin embargo, el trabajo que lleva a cabo el sistema respiratorio afecta tan dramáticamente a otros sistemas del cuerpo que una evaluación ventilatoria completa incluye mucho más que simplemente escuchar los pulmones del paciente.

Como siempre, identificar y dar tratamiento a las condiciones que sean una amenaza para la vida, incluida la hemorragia potencialmente mortal, es la prioridad durante el reconocimiento primario y a lo largo de la evaluación. Debido a que muchas condiciones ventilatorias son potencialmente mortales, la evaluación respiratoria es siempre un primer paso en la evaluación del paciente.

Evaluación de la escena

Los paramédicos siempre deben pensar primero en la seguridad, incluyendo la toma de precauciones estándar. El uso de equipo de protección personal (EPP) adecuado es vital en el caso de que exista la posibilidad de exposición a sangre, fluidos corporales o secreciones respiratorias. Además, el paciente puede tener una infección respiratoria que podría ser transmisible por esputo, gotitas exhaladas o partículas transportadas

USTED es el Paramédico

PARTE 2

Para usted es evidente que a este paciente le cuesta mucho ventilar. Le dice que se ha despertado de repente con dificultad para respirar y debilidad. Su compañero se prepara para obtener las constantes vitales y administrar oxígeno al 100% mediante mascarilla no ventilatoria. Cuando escucha usted al inicio los pulmones del paciente, oye crepitaciones en los ápices y ruidos pulmonares disminuidos en las bases. No hay frascos de medicación a la vista.

Tiempo de registro:	1 minuto
Aspecto	Gris ceniciento, débil
Nivel de conciencia	Alerta (orientado a persona, lugar y tiempo)
Vía aérea	Permeable
Ventilación	Rápida y superficial con crepitaciones
Circulación	Pulso radial débil y rápido

3. ¿Cuál es su diagnóstico de trabajo en este momento?
4. ¿Qué pasos de evaluación y tratamiento debe seguir en el lugar de los hechos?

por el aire (véase el capítulo 23, *Enfermedades infecciosas*). Al tratar a un paciente con una afección ventilatoria, el EPP mínimo consiste en una exploración con equipo desechable como guantes, mascarilla o cubrebocas y protección para los ojos. Asimismo, si se sospecha o se sabe que el paciente tiene una infección ventilatoria transmisible, como el *Staphylococcus aureus* resistente a la meticilina (SARM), que podría transmitirse en el esputo, puede utilizar una bata.

Las afecciones pulmonares están asociadas a una amplia variedad de situaciones y toxinas peligrosas. El paramédico puede acudir a una escena donde la atmósfera tiene una menor concentración de oxígeno, como un laboratorio de metanfetamina, un silo u otro espacio cerrado con ventilación inadecuada. La atmósfera del lugar puede contener óxido de carbono o gases irritantes, o el paciente puede tener una enfermedad respiratoria muy contagiosa. Por lo tanto, es esencial evaluar la seguridad de la escena en cada llamada, incluso en una que parezca ser un despacho de rutina por dificultad ventilatoria.

Las enfermedades respiratorias pueden afectar la ventilación, la difusión, la perfusión o una combinación de las tres. La queja más común de los pacientes con una enfermedad respiratoria es la disnea. La causa más común de disnea es la hipercapnia, o exceso de dióxido de carbono en la sangre. Esta condición se debe a una ventilación inadecuada. Aunque la disnea normalmente se asocia a la hipoxia, algunos pacientes pueden presentar hipoxia sin disnea asociada. Evalúe siempre la saturación de oxígeno del paciente, incluso en ausencia de quejas de disnea.

La disnea de aparición rápida puede ser a causa de un **broncoespasmo** agudo, anafilaxia, embolia pulmonar o neumotórax. La **disnea paroxística nocturna** es una disnea que aparece repentinamente en mitad de la noche y puede ser un signo ominoso de insuficiencia cardíaca izquierda.

Los factores que limitan la capacidad de movimiento del diafragma (como el embarazo avanzado, la obesidad y la presencia de aire o sangre en el abdomen), las condiciones que restringen el movimiento de la pared torácica (como las lesiones por aplastamiento, los dispositivos de inmovilización aplicados firmemente y una curvatura anormal de la columna vertebral, como la asociada a la escoliosis o la cifosis) y las lesiones que alteran la integridad de la caja torácica (como el tórax inestable) dificultan la capacidad del paciente para mover un suministro adecuado de aire para la ventilación.

Perlas de sabiduría

Las enfermedades respiratorias son padecimientos "menores" comunes adquiridos en la comunidad a las que todos estamos sujetos. Los paramédicos no son inmunes a los virus y al resfriado común. Desafortunadamente, una enfermedad menor en un paramédico joven y sano puede representar una enfermedad mortal en pacientes muy jóvenes, muy mayores o inmunocomprometidos. Por ejemplo, la inmunidad conferida por la vacuna de la tos ferina dura de 5 a 10 años, por lo que un adulto que fue vacunado de niño aún puede contraer esta enfermedad. Un adulto infectado puede transmitir la infección a un niño no vacunado. Como paramédico, debe prestar atención a su propia salud, incluidos sus antecedentes de vacunación y su estado de inmunidad. Probablemente estará expuesto a la tuberculosis, la tos ferina, la hepatitis B, el COVID-19 (enfermedad por coronavirus 2019) y varios otros patógenos y enfermedades contagiosas durante su carrera (consulte el capítulo 23, *Enfermedades infecciosas*).

Evaluación primaria

La prioridad en la evaluación y el tratamiento de cualquier condición respiratoria es establecer y mantener abierta la vía aérea. Deben retirarse de la boca del paciente los alimentos, chicles, tabaco de mascar y similares. De ser necesario, se debe aplicar succión y mantener la vía aérea en la posición óptima, que suele ser aquella en la que el paciente se siente más cómodo. Véase el capítulo 13, *Manejo de la vía aérea*, para estudiar a fondo las técnicas de manejo de la vía aérea.

En las páginas siguientes se tratan los signos asociados a la dificultad respiratoria potencialmente mortal. Es posible que usted observe muchos otros signos, tanto evidentes como sutiles, durante los primeros momentos de cada encuentro con el paciente.

Un vistazo a un paciente puede sugerir un tipo de cuerpo asociado con una condición patológica particular. La presentación clásica de un paciente con **enfisema** incluye un tórax inestable (un tórax que es más grande en diámetro de adelante hacia atrás que de lado a lado como resultado de años de tener aire atrapado en el tórax), desgaste muscular (como resultado de la canibalización de la masa muscular por obtener energía) y respiración con los labios fruncidos (como resultado de la enfermedad obstructiva). Los pacientes con enfisema con frecuencia son taquipneicos y normalmente no presentan hipoxia profunda ni cianosis.

Los pacientes con enfermedades graves del sistema inmunológico, cáncer u otras enfermedades terminales se identifican fácilmente por su aspecto enfermizo. Pueden presentar rigores y neumonía con escalofríos. Los adultos jóvenes altos y delgados están predispuestos al neumotórax espontáneo, y las mujeres que fuman y toman anticonceptivos orales están predispuestas a sufrir una embolia pulmonar.

Los pacientes con **bronquitis crónica** tienden a ser más sedentarios y, como consecuencia, pueden ser obesos. Es probable que se encuentre con un paciente de este tipo en una silla o sillón reclinable, en el que el paciente duerme en posición erguida. Posiblemente un bote de basura cercano esté lleno de pañuelos desechables y que vea un cenicero lleno de colillas o un vaso en el que el paciente escupe las copiosas secreciones. Un paciente varón puede tener un orinal cerca de la silla para evitar tener que ir con frecuencia al baño. En una mesa junto a la silla, puede observar varios frascos con medicamentos, inhaladores o un nebulizador de aerosol. Esta escena puede revelar gran cantidad de información sobre el paciente y sus antecedentes mucho antes de que coloque el estetoscopio en el tórax del paciente.

Los indicios de diversas condiciones patológicas pueden ser evidentes de inmediato, pero tenga en cuenta que sólo son indicios. Evite crearse una impresión inicial precipitada basada en una información mínima. Los pacientes con EPOC a menudo contraen neumonía, un ataque de asma puede ser consecuencia de una infección en curso, y un paciente con cáncer puede desarrollar insuficiencia cardíaca. En otras palabras, la presentación del paciente puede sugerir una condición concreta, pero una evaluación exhaustiva debe confirmar esta sospecha.

Perlas de sabiduría

En la década de 1950, el Dr. John Hickam, de la Universidad de Duke, acuñó la frase que pasó a conocerse como el *dictum de Hickam*. Le pareció necesario recordar a los estudiantes de medicina que los pacientes a menudo presentan múltiples patologías, las cuales se deben tener en cuenta durante la evaluación. Al evaluar la dificultad respiratoria, recuerde la frase de Hickam: "Los pacientes pueden tener tantas enfermedades como les dé la gana".

Evaluación de la demanda de oxígeno y el trabajo respiratorio

La demanda de oxígeno aumenta con cualquier tipo de esfuerzo. Si el estado del paciente es estable en reposo, observe su estado durante un esfuerzo habitual. Pregunte si el paciente se vuelve disneico al pasar de la silla a la camilla, al ir al baño o al comer. Observe la saturación de oxígeno del paciente en reposo y durante cualquier esfuerzo sencillo.

El aumento del trabajo respiratorio, la ansiedad, la hipoxia o la fiebre pueden desencadenar una respuesta del sistema nervioso simpático caracterizada por taquicardia, diaforesis y palidez. Este efecto puede ser tan pronunciado que la frecuencia cardíaca suele disminuir a medida que los pacientes responden al tratamiento, incluso si se les trata con estimuladores simpáticos que normalmente aumentan la frecuencia cardíaca.

Observar la posición y determinar el grado de dificultad

Los pacientes con dificultad respiratoria tienden a evitar la posición supina y, en su lugar, buscan la posición sentada. Por ejemplo, una persona en posición de trípode se inclina hacia delante y gira las escápulas hacia fuera colocando los brazos sobre una mesa, con los codos hacia fuera, o apoyando las manos en las rodillas (**FIGURA 14-7**). Esta posición abre un poco más de espacio para el flujo de aire en los ápices pulmonares y

FIGURA 14-7 La posición de trípode (codos afuera) mejora el movimiento diafragmático al apartar el abdomen del camino y girar lateralmente las escápulas, lo que permite que fluya un poco más de aire hacia los ápices. Desgraciadamente, esta posición requiere trabajo, lo que exige más oxígeno, y final no es necesariamente un beneficio para el paciente.

aleja las estructuras abdominales del diafragma. Dado que la perfusión es considerablemente menor en el ápice del pulmón que en la base, el esfuerzo que debe realizar una persona para adoptar la posición de trípode puede compensar el modesto aumento de la oxigenación. Tenga cuidado si un paciente con dificultad respiratoria se quiere recostar, ya que hacerlo podría significar un deterioro súbito de su estado.

Un paciente puede intentar maximizar el flujo de aire a través de la vía aérea superior mediante una hiperextensión intencionada, que se consigue manteniendo la cabeza en posición de inclinación del mentón, o la llamada posición de olfateo. Esta posición también puede indicar inflamación de la vía aérea superior. Mantener esta posición consume una energía valiosa. Un paciente con una enfermedad respiratoria grave que se siente fatigado puede mantener la cabeza en esta posición sólo durante la inhalación, dejando que la cabeza y el cuello caigan en flexión durante la exhalación. Este "balanceo de la cabeza" es un signo ominoso de descompensación inminente y puede ser un indicio de la gravedad de la situación.

Alteraciones respiratorias

Las alteraciones respiratorias pueden afectar a cualquiera de los siguientes elementos:

- La vía aérea conductora (tráquea, bronquios y bronquiolos), como ocurre con el asma o la bronquitis.
- Los alvéolos, como ocurre en la neumonía o el enfisema.
- Los músculos y nervios que controlan la respiración, como en el síndrome de Guillain-Barré o una lesión medular.
- La estructura rígida del tórax, que dificulta los cambios de presión que facilitan el proceso respiratorio, como ocurre en el tórax inestable.

Aumento del trabajo respiratorio

Los pacientes que dependen de los músculos accesorios para respirar corren el riesgo de cansarse, por lo que es esencial detectar el uso de dichos músculos. Por ejemplo, ¿utiliza el paciente los músculos abdominales para expulsar el aire (como en el asma o la EPOC) o los músculos del tórax y el cuello para aspirarlo? Los lactantes y los niños pequeños tienen una gran elasticidad en la pared torácica; cuando utilizan músculos accesorios para respirar, a menudo se colapsa el cartílago flexible del esternón o las costillas, provocando retracciones óseas (**FIGURA 14-8**).

A través del mismo mecanismo, un paciente de cualquier edad puede tirar de los tejidos blandos entre las costillas, por encima o por debajo del esternón o las clavículas, causando retracciones de los tejidos blandos. En adultos y niños, los cambios producidos

Perlas de sabiduría

Mantener la vía aérea y respirar no es lo mismo para un paciente. Muchos pacientes necesitan ayuda para establecer una vía aérea permeable. Sin embargo, tener una vía aérea abierta no garantiza que entre y salga un volumen adecuado de gas de los pulmones. Se necesita una ventilación adecuada para eliminar el dióxido de carbono y mantener el equilibrio ácido-base. Aumentar la cantidad de oxígeno disponible garantiza que incluso un paciente que no está moviendo un volumen adecuado de gas (es decir, un paciente que está hipoventilando) pueda mantener una saturación de oxígeno adecuada. Si la ventilación sigue siendo inadecuada en un paciente hipoventilado, el paciente se volverá hipercápnico (la sangre contiene demasiado dióxido de carbono) y acidótico (el pH de la sangre arterial es demasiado bajo). Estas condiciones alteran el equilibrio de importantes sistemas corporales y, si no se corrigen, serán mortales. Aunque es importante mantener un nivel adecuado de saturación de oxígeno, una oxigenación adecuada no siempre equivale a una ventilación adecuada. Aunque están estrechamente relacionadas, realizar el mantenimiento de una vía aérea, mantener una ventilación adecuada y mantener una oxigenación adecuada son tres cosas diferentes, ¡y el paramédico debe atender a cada una de ellas!

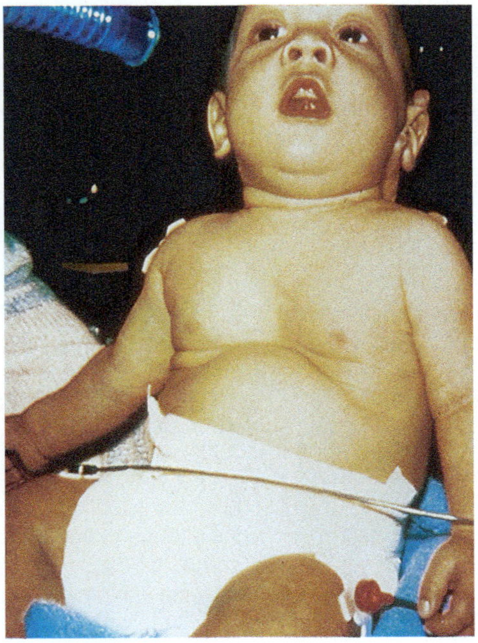

FIGURA 14-8 Las retracciones óseas no solo indican una dificultad grave y aumento del trabajo respiratorio, sino que también contribuyen a la insuficiencia respiratoria. Con la inhalación, la parte inferior del esternón se introduce en los pulmones. Cada centímetro cúbico de espacio desplazado por la retracción representa un centímetro cúbico de aire que no puede llegar a la vía aérea.

Cortesía de *Health Resources and Services Administration, Maternal and Child Health Bureau, Emergency Medical Services for Children Program* de EU.

en la presión intratorácica pueden hacer que el pulso periférico sea débil o imperceptible durante la inspiración, pero más fácil de palpar durante la espiración, un estado conocido como **pulso paradójico**, que es característico de condiciones como el taponamiento cardíaco y el asma grave. Los pacientes que utilizan los músculos accesorios para respirar pueden presentar cambios drásticos en la presión torácica y mostrar estos y otros signos de aumento del trabajo respiratorio, que se presentan en un resumen en el **CUADRO 14-2**. Estos signos pueden indicar una dificultad respiratoria potencialmente mortal para el paciente.

Frecuencia y profundidad respiratoria de la respiración

La evaluación de la frecuencia y la profundidad de la respiración es un componente obvio de la evaluación ventilatoria. Desgraciadamente, tanto la frecuencia como la profundidad se miden a veces de forma imprecisa. El paramédico diligente observará la frecuencia y profundidad respiratoria del paciente sin que sea obvio (los pacientes pueden respirar más rápido o más profundo si son conscientes de que usted está contando). Cuente la frecuencia ventilatoria mientras parece estar haciendo otra cosa, como tomar el pulso o la presión. La frecuencia puede ser un signo vital a menudo "adivinado", pero es muy común que la profundidad respiratoria se juzgue erróneamente. El monitoreo continuo del dióxido de carbono al final de la espiración ($ETCO_2$) documenta las respiraciones del paciente y facilita la determinación precisa de la frecuencia y la profundidad. Un paciente con una frecuencia adecuada pero un volumen bajo seguirá teniendo un volumen minuto inadecuado, el cual se calcula de la siguiente manera:

Frecuencia respiratoria × Volumen corriente = Volumen minuto

La frecuencia respiratoria puede variar en gran medida de un minuto a otro. Asegúrese de controlar las tendencias de la frecuencia respiratoria, si aumenta o disminuye, en lugar de concentrarse en una frecuencia específica desde el principio de la evaluación. Al

CUADRO 14-2 Signos de aumento del trabajo respiratorio

Signo	Descripción
Retracciones óseas	Durante la inspiración, el esternón o las costillas tiran hacia atrás o retroceden (se retraen) en el tórax, creando una deformidad visible con cada respiración.
Retracciones de los tejidos blandos	El tejido blando se retrae alrededor de los huesos durante la inspiración. Se pueden observar retracciones espectaculares en las zonas supraclavicular, intercostal y subxifoidea.
Aleteo nasal	Las fosas nasales se abren en abanico durante la inhalación.
Tirón traqueal	Durante la inhalación, el cartílago tiroides es atraído hacia arriba y la zona situada justo por arriba del hueco del esternón crea una tracción hacia adentro.
Movimiento respiratorio paradójico	Durante la inhalación, el epigastrio es atraído hacia adentro mientras que el abdomen es empujado hacia fuera, creando un efecto de vaivén al moverse ambos en direcciones opuestas.
Pulso paradójico	Los pulsos periféricos son débiles o inexistentes durante la inhalación, debido a los cambios extremos de presión en el tórax.
Respiración con labios fruncidos	Los pacientes con enfermedades obstructivas (como EPOC y asma aguda) tienen problemas para expulsar el aire. Es más eficaz exhalar lentamente durante un periodo más largo que intentar expulsar el aire con fuerza. Muchos pacientes aprenden a fruncir los labios (como un beso) y exhalar lentamente a través de este orificio restringido. Esta técnica permite una espiración más eficaz y proporciona una pista diagnóstica de la enfermedad.
Gruñidos	En los lactantes y niños pequeños con enfermedades de la vía aérea baja, la glotis se cierra al final de la espiración y se emite un gruñido al final de cada respiración. El gruñido ejerce una pequeña presión que ayuda a mantener abiertos los alvéolos (como ocurre con la presión positiva al final de la espiración). Los gruñidos pueden ser audibles o tal vez sea necesario un estetoscopio para escucharlos. Los gruñidos son un signo clásico de dificultad respiratoria en los lactantes.

Abreviatura: EPOC, enfermedad pulmonar obstructiva crónica.

evaluar la respiración del paciente, observe el patrón (véase el Cuadro 14-5) y la relación inspiratoria-espiratoria (I:E). ¿Se esfuerza el paciente al inspirar, exhalar o ambas cosas? ¿Tiene el aliento un olor peculiar (como el olor a acetona asociado a la cetoacidosis diabética)? ¿Hay ruidos respiratorios anormales? Por regla general, es anormal *cualquier* ruido respiratorio audible sin estetoscopio.

Ruidos respiratorios anormales

Siempre que sea posible, ausculte sistemáticamente los pulmones. Aunque los examinadores tienden a comparar los lados izquierdo y derecho, recuerde que los pulmones no son simétricos. Por esta razón, el paramédico debe comprender dónde escuchar para oír cada lóbulo (**FIGURA 14-9**).

Muchas condiciones patológicas dependen de la gravedad, lo que significa que la mayoría de los tipos de neumonía e insuficiencia cardíaca afectan a las

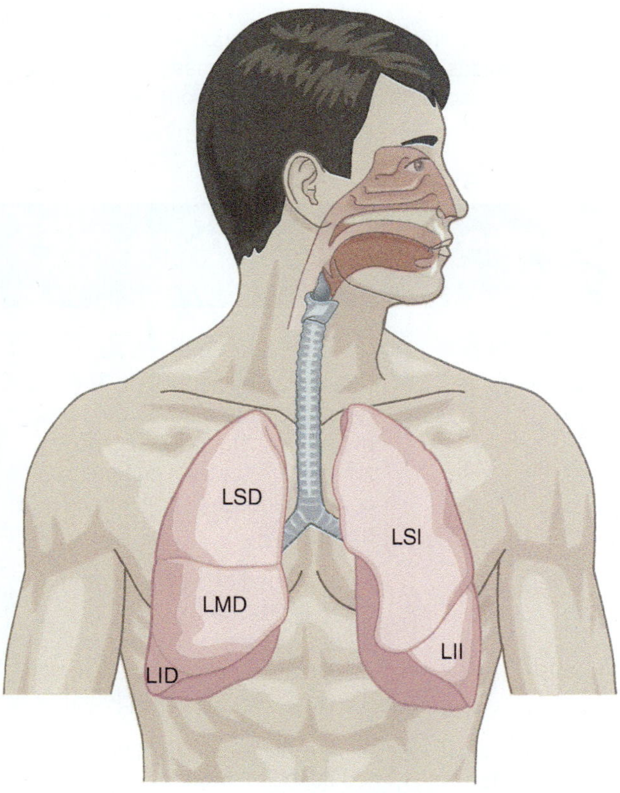

FIGURA 14-9 Los pulmones no son simétricos. La mayoría de las condiciones patológicas agudas se auscultan mejor en las bases pulmonares, por lo que es necesario colocar el estetoscopio en la espalda del paciente. El lóbulo medio derecho se ausculta mejor bajo el seno derecho o justo lateral a él.

Abreviaturas: LSI, lóbulo superior izquierdo; LI, lóbulo inferior izquierdo; LSD, lóbulo superior derecho; LMD: lóbulo medio derecho; LID: lóbulo inferior derecho.

bases pulmonares. Las sibilancias por lo regular son difusas y se extienden por los campos pulmonares. Las sibilancias limitadas a un solo punto pueden indicar un cuerpo extraño o un tumor. Las bases se auscultan casi exclusivamente con el estetoscopio en la espalda del paciente.

Los lóbulos superiores, que tienen menos probabilidades de presentar anomalías, se auscultan en la parte anterior del tórax. El lóbulo medio derecho se escucha mejor justo debajo o al lado del seno derecho. La mejor diferenciación izquierda-derecha puede observarse en la línea axilar media; este es el mejor lugar para auscultar a fin de confirmar la colocación del tubo endotraqueal. La auscultación de la parte anterior del tórax permite al paramédico oír el emisor de ruidos (el tubo endotraqueal), tanto si está en la tráquea como en el esófago.

Los ruidos respiratorios se producen por el flujo de aire turbulento en la vía aérea mayor. Con un estetoscopio, escuchará estos ruidos a medida que se transmiten a través del tejido pulmonar. Los ruidos respiratorios traqueales no suelen auscultarse, pero hay que tener en cuenta que suenan ásperos y tubulares. Los ruidos respiratorios bronquiales también son bastante fuertes, pero tenga en cuenta que predomina la espiración. Más hacia la periferia, los ruidos broncovesiculares son más suaves y se mantienen constantes con la inspiración y la espiración. Los ruidos respiratorios más comunes son los vesiculares, suaves y ventosos, que se oyen en la periferia y tienen un componente inspiratorio mucho más evidente. Escuchar muchos pulmones sanos puede ayudarle a familiarizarse con estos cuatro tipos diferentes de ruidos respiratorios (**FIGURA 14-10**). Sin embargo, algunas condiciones patológicas hacen que los ruidos respiratorios normales se escuchen en lugares anormales.

El sonido se mueve mejor a través del líquido que a través del aire. Por lo tanto, cuanto más aire haya en el tórax del paciente, más distantes o disminuidos serán los ruidos respiratorios en la periferia, si es que son audibles. Los pacientes con EPOC y asma, por ejemplo, pueden tener sonidos respiratorios disminuidos. Por el contrario, cuanto más húmedos estén los pulmones del paciente, por así decirlo, más fuertes serán los sonidos en la periferia. Entre los pacientes con pulmones húmedos se incluyen los que padecen neumonía, insuficiencia cardíaca y **consolidación pulmonar**, que se produce cuando la acumulación de líquido hace que los pulmones se vuelvan firmes. La neumonía en el lóbulo medio derecho produce ruidos broncovesiculares (iguales durante la inspiración y la espiración). En la periferia, incluso pueden oírse ruidos bronquiales (más fuertes durante la espiración que durante la inspiración) en lugar de los ruidos vesiculares esperados (más fuertes durante la inspiración que la espiración).

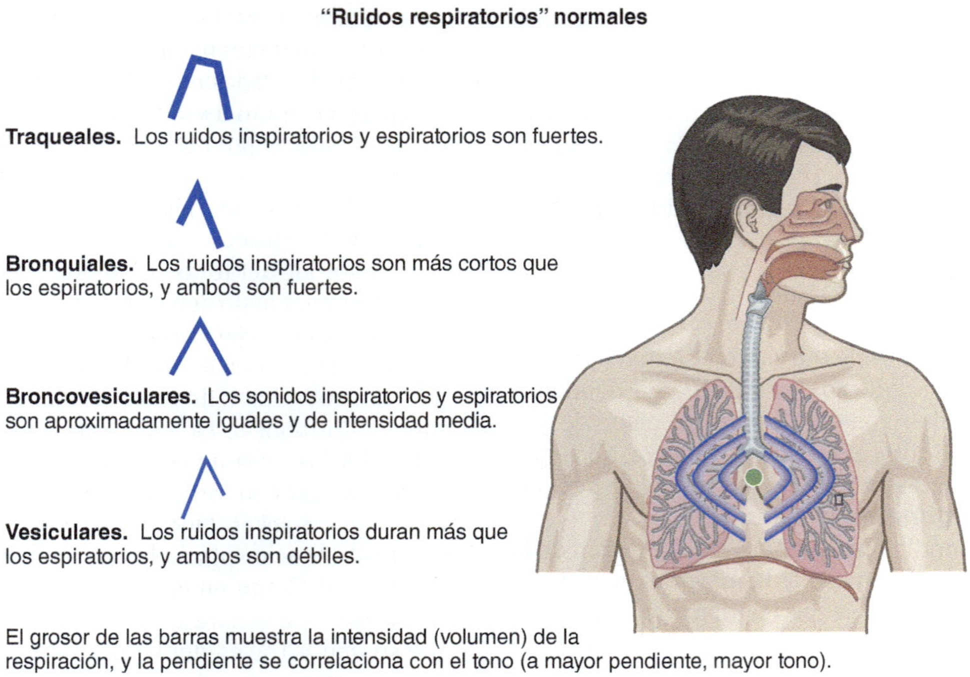

FIGURA 14-10 Los ruidos respiratorios normales se escuchan en diferentes partes del tórax. A medida que el estetoscopio se aleja de la vía aérea mayor, los ruidos respiratorios se hacen más suaves. Asimismo, cambia el carácter de los sonidos durante la inspiración frente a la espiración.

La calidad de los sonidos respiratorios también depende de la cantidad de tejido adicional que separa el estetoscopio y las estructuras respiratorias del paciente. Por lo mismo, muchas veces ayuda comparar los ruidos respiratorios del lado derecho con los que se producen aproximadamente al mismo nivel en el lado izquierdo (teniendo en cuenta que los pulmones no son simétricos). En un paciente con una patología unilateral, como una neumonía, los ruidos respiratorios pueden ser *más fuertes* en el lado con la anomalía que en el lado sano.

Los sonidos respiratorios y las vocalizaciones viajan de forma más eficaz a través de un pulmón firme y lleno de líquido que a través de un pulmón sano, pero viajan peor a través de un pulmón hiperinflado. Si un paciente habla durante la auscultación torácica, el médico normalmente no entiende lo que dice a través del estetoscopio. Si las palabras del paciente son audibles, entonces puede significar que el paciente tiene consolidación de neumonía o atelectasia. Estos sonidos son más claramente audibles directamente sobre el lóbulo consolidado. En el **CUADRO 14-3** se enumeran los signos de consolidación.

CUADRO 14-3 Signos de consolidación pulmonar

Signo	Prueba
Broncofonía	Cuando un paciente dice "99" repetidamente a través de un pulmón normal, suena como un zumbido. A través de un pulmón consolidado, se puede entender la palabra "99".
Egofonía	El paciente dice "iiiiii" mientras usted le ausculta, y usted oye "Eeeeeey" (como en "maguey"). El sonido puede oírse especialmente bien sobre un derrame pleural.
Pectoriloquia susurrada	El paciente susurra mientras usted ausculta, y usted puede entender lo que dice.

Los ruidos respiratorios **adventicios** (anormales) son los ruidos adicionales que pueden oírse además de los ruidos respiratorios descritos anteriormente. Los ruidos continuos (p. ej., las sibilancias) pueden oírse a lo largo de una parte de cada respiración. Los sonidos discontinuos consisten en golpeteos, chasquidos y clics intermitentes conocidos como **crepitaciones** (**FIGURA 14-11**).

Las sibilancias son sonidos silbantes agudos que se producen cuando se fuerza el aire a través de una vía aérea estrecha, haciéndola vibrar, de forma muy parecida

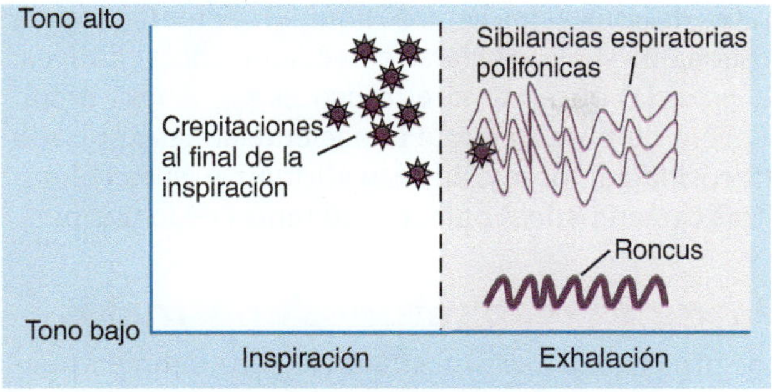

FIGURA 14-11 Los ruidos adventicios se pueden describir como continuos (sibilancias y roncus) o discontinuos (crepitaciones). También pueden caracterizarse por su tono (como agudo o grave), por el momento en que se producen en el ciclo respiratorio (final de la inspiración o exhalación forzada) y por su complejidad (monofónicos frente a polifónicos).

a la lengüeta de un instrumento musical. Las sibilancias pueden ser difusas, como en el asma y la insuficiencia cardíaca, o localizadas, como cuando un cuerpo extraño obstruye parcialmente un bronquio. Las condiciones patológicas como el asma rara vez causan sibilancias unilaterales. Haga toser al paciente y escuche de nuevo. Si el sonido parece originarse en un solo lado, podría deberse al movimiento de secreciones. Si vibra un solo bronquio, las sibilancias producirán una sola nota, conocida como sonido **monofónico**. Si vibran muchos bronquios, las sibilancias pueden tener muchas notas, como una gaita; esto se denomina sonido **polifónico**.

Observe también en qué momento del ciclo respiratorio se oye el sonido. Por ejemplo, ¿las sibilancias se producen durante la inspiración y la exhalación? ¿Sólo durante la espiración? ¿O sólo al final de la exhalación?

Durante la auscultación de los pulmones, es posible que escuche crepitaciones (antes conocidas como estertores), sonidos discontinuos que se oyen principalmente durante la inspiración. Las crepitaciones finas son sonidos débiles o de baja intensidad producidos por la apertura brusca de la vía aérea menor, mientras que las crepitaciones gruesas son sonidos más pronunciados y graves producidos por la apertura brusca de la vía aérea mayor. Los *roncus* son sonidos fuertes y graves, sobre todo durante la exhalación, causados por secreciones atrapadas en la vía aérea mayor.

Algunos sonidos, como el estridor de la obstrucción de la vía aérea superior y los gruñidos de la obstrucción de la vía aérea inferior, son audibles sin estetoscopio. A veces se oye un gorgoteo grave (a veces denominado "estertor") cuando el paciente es incapaz de eliminar las secreciones. Las sibilancias y crepitaciones que se oyen al entrar en una habitación son más impresionantes que los sonidos que requieren un estetoscopio para escucharlos. A medida que el estado del paciente empeora, las distintas emisiones se hacen más fuertes y adquieren un carácter musical. Conforme empeora la dificultad respiratoria, los ruidos pueden volver a disminuir. Los ruidos respiratorios más ominosos son la ausencia total de ruidos respiratorios. La ausencia de ruidos respiratorios indica que el paciente no mueve suficiente aire para ventilar los pulmones. *El silencio significa peligro.*

Una respiración ruidosa es una respiración obstruida. Los **ronquidos** indican una obstrucción parcial de la vía aérea superior por la lengua: una forma de obstrucción que se corrige fácilmente con maniobras de inclinación de la cabeza. Los gorgoteos indican la presencia de líquido en la vía aérea superior. El **estridor**, un sonido áspero y agudo que se escucha durante la inhalación, indica estrechamiento, generalmente como resultado de una inflamación (edema laríngeo).

La respiración tranquila también puede ser indicativa. Un paciente con taquipnea y ruidos respiratorios claros puede tener un síndrome de hiperventilación, pero también puede estar respirando rápidamente debido a una acidosis. La taquipnea tranquila sugiere un posible shock. En ocasiones, los paramédicos asumen que la condición primaria del paciente es taquipnea causada por dolor, ansiedad o un trastorno metabólico, cuando en realidad la causa real es la cetoacidosis diabética o la sepsis.

Esputo

Normalmente, un manto mucoso recubre el árbol traqueobronquial superior. A medida que el moco sube y sale de la tráquea, suele tragarse. La vía aérea irritada segrega más mucosidad, que puede expulsarse en forma de esputo. Existe una diferencia entre la saliva de la boca (secreciones orales) y el esputo de los pulmones, más espeso y a veces teñido de color. Este moco puede estar mezclado con sangre, líquido de edema pulmonar, partículas de alimentos aspirados o restos de organismos infecciosos muertos. El esputo puede ser de diversos colores, lo que a veces proporciona pistas sobre la naturaleza de la infección. El nivel de hidratación del paciente puede afectar al grosor del esputo, ya que las secreciones muy espesas obstruyen la vía aérea de los pacientes deshidratados.

Observe si el paciente expulsa esputo descolorido **CUADRO 14-4**. Muchos fumadores y personas con enfermedades respiratorias crónicas expectoran esputo todos los días (especialmente a primera hora de la mañana). En estos casos, intente determinar si cambió el color o la cantidad del esputo.

CUADRO 14-4 Tipos clásicos de esputo

Tipo	Causas
Espumoso, a veces con un tinte rosado	Insuficiencia cardíaca
Espeso	Deshidratación o uso de antihistamínicos
Purulento	Proceso infeccioso (porque el pus contiene leucocitos muertos)
Amarillo, verde, marrón	Secreciones más antiguas en varios estados de descomposición
Claro o blanco	Bronquitis
Manchado de sangre	Tumor, tuberculosis, edema pulmonar o traumatismo al toser

El aumento de la producción de esputo junto con fiebre y escalofríos es una presentación clásica de una infección como la neumonía. El esputo teñido de sangre puede ser un signo de advertencia de **tuberculosis**, lo cual puede significar que el paciente ha tosido con suficiente fuerza como para romper pequeños vasos sanguíneos de la vía aérea. Cuando se fuerza el aire a través de la vía aérea llena de líquido, se crea la espuma rosada que suele asociarse con insuficiencia cardíaca. Es esencial observar si el moco es **purulento**, o con aspecto de pus. Pregunte al paciente si ha expulsado mucosidad al toser y, en caso afirmativo, si su color u otras características parecen diferentes de lo normal.

Patrones respiratorios anormales

Los principales trastornos neurológicos también pueden manifestarse como patrones respiratorios alterados específicos. Un traumatismo cerebral o cualquier acontecimiento que altere la función cerebral puede deprimir los centros de control respiratorio de la médula. Por ejemplo, el aumento de la presión intracraneal que se produce en pacientes con traumatismo craneoencefálico cerrado puede apretar ligeramente la médula, produciendo diversas anomalías respiratorias, incluida la apnea. Un accidente cerebrovascular puede tener un efecto similar al privar a partes del cerebro de circulación y, por lo tanto, de sangre oxigenada (véase el capítulo 15, *Emergencias cardiovasculares*). La sobredosis con un depresor del sistema nervioso central, como un opiáceo o barbitúrico, también puede deprimir gravemente la actividad del centro respiratorio.

Las lesiones cerebrales traumáticas graves dan lugar a patrones respiratorios extraños cuando uno o más de los centros respiratorios del cerebro están dañados o privados de flujo sanguíneo adecuado. En el **CUADRO 14-5** se incluye un resumen con diversos patrones respiratorios.

USTED es el Paramédico

PARTE 3

Ha administrado oxígeno al paciente mediante una mascarilla sin reinhalación, pero esta intervención no parece mejorar su estado. Su nivel de saturación de oxígeno sigue estando por debajo de los 80, por lo que decide aplicar presión positiva continua en la vía aérea (CPAP). El paciente está visiblemente ansioso y le pide que le ayude. Su compañero le ayuda a montar el equipo de CPAP mientras usted comienza el monitoreo continuo del electrocardiograma (EKG). El EKG de 12 derivaciones muestra elevación del ST en las derivaciones 2 y 3. Usted vuelve a preguntar al paciente si tiene dolor o molestias en el tórax, lo cual él niega.

Tiempo de registro:	5 minutos
Respiraciones	34 respiraciones/min; superficiales y rápidas
Pulso	110 latidos/min; débil
Piel	Gris y húmeda
Presión arterial	140/100 mm Hg
Saturación de oxígeno (Spo_2)	80% con oxígeno por mascarilla sin reinhalación
Pupilas	Pupilas iguales, redondas y reactivas a la luz (PIRRL)

5. ¿Este paciente tiene una afección de la vía aérea o un trastorno respiratorio?

6. ¿La ausencia de dolor o molestias torácicas indica que el paciente no está sufriendo un infarto de miocardio?

CUADRO 14-5 Patrones respiratorios

Patrón	Descripción
Agónico	Respiraciones lentas, superficiales, irregulares u ocasionalmente jadeantes; son el resultado de una anoxia cerebral. Pueden observarse jadeos agonales cuando el corazón se ha detenido pero el cerebro sigue enviando señales a los músculos de la respiración.
Apnéustico	Inhalación jadeante prolongada seguida de una exhalación extremadamente corta e ineficaz; asociada a una lesión del tronco encefálico; signo ominoso de lesión cerebral grave.
Atáxico	Respiraciones caóticamente irregulares que indican una lesión cerebral grave o una hernia del tronco encefálico.
Respiraciones de Biot	Patrón, frecuencia y profundidad irregulares de la respiración con periodos intermitentes de apnea; es el resultado de un aumento de la presión intracraneal e indica una lesión cerebral grave o una hernia del tronco encefálico.
Bradipnea	Respiración inusualmente lenta.
Hiperventilación neurogénica central	Respiraciones rápidas y profundas causadas por un aumento de la presión intracraneal o una lesión cerebral directa; disminuye el nivel de dióxido de carbono y aumenta el pH, lo que provoca alcalosis respiratoria.
Respiraciones de Cheyne-Stokes	Aumento gradual de la frecuencia y profundidad de las respiraciones, seguido de una disminución gradual de las respiraciones con periodos intermitentes de apnea; asociado a lesión del tronco encefálico; no se considera ominoso a menos que sea muy exagerado o se presente en un paciente con traumatismo cerebral.
Tos	Exhalación forzada contra una glotis cerrada; maniobra para despejar la vía aérea; también se produce cuando sustancias extrañas irritan la vía aérea; controlada por el centro de la tos en el cerebro (los medicamentos antitusígenos actúan sobre el centro de la tos para reducir esta respuesta fisiológica a veces molesta).
Eupnea	Respiración normal; ritmo y patrón regulares; la inspiración y la espiración son iguales.
Hipo	Contracción espasmódica del diafragma que provoca exhalaciones cortas con un sonido característico; a veces se observa en casos de irritación del nervio diafragmático (o frénico) por infarto agudo de miocardio, enfermedad ulcerosa o intubación endotraqueal.
Hiperpnea	Aumento anormal de la frecuencia y profundidad de la respiración; se observa en diversos trastornos neurológicos y químicos, incluida la sobredosis de ciertos fármacos.
Hipopnea	Disminución anormal de la frecuencia y profundidad de la respiración.
Respiraciones de Kussmaul	Respiraciones profundas y jadeantes; causadas por el intento del cuerpo, durante la acidosis metabólica, de deshacerse de la acetona de la sangre a través de los pulmones; observadas en la cetoacidosis diabética; acompañadas de un aliento con olor afrutado (acetona) y, normalmente, boca y labios agrietados y secos.
Suspiros	Respiración profunda periódica de aproximadamente el doble del volumen normal; fuerza la apertura de los alvéolos que se cierran rutinariamente de vez en cuando.
Taquipnea	Respiración excesivamente rápida y superficial; no refleja la profundidad de la respiración y no significa que el paciente esté hiperventilando (respira demasiado rápido y profundamente, lo que provoca una reducción del nivel de dióxido de carbono); a menudo implica mover sólo pequeños volúmenes de aire, o hipoventilación (como un perro jadeante).
Bostezo	Apertura un tanto involuntaria de la boca e inhalación profunda, seguida de una exhalación lenta; a menudo estimulado por la somnolencia o la fatiga.

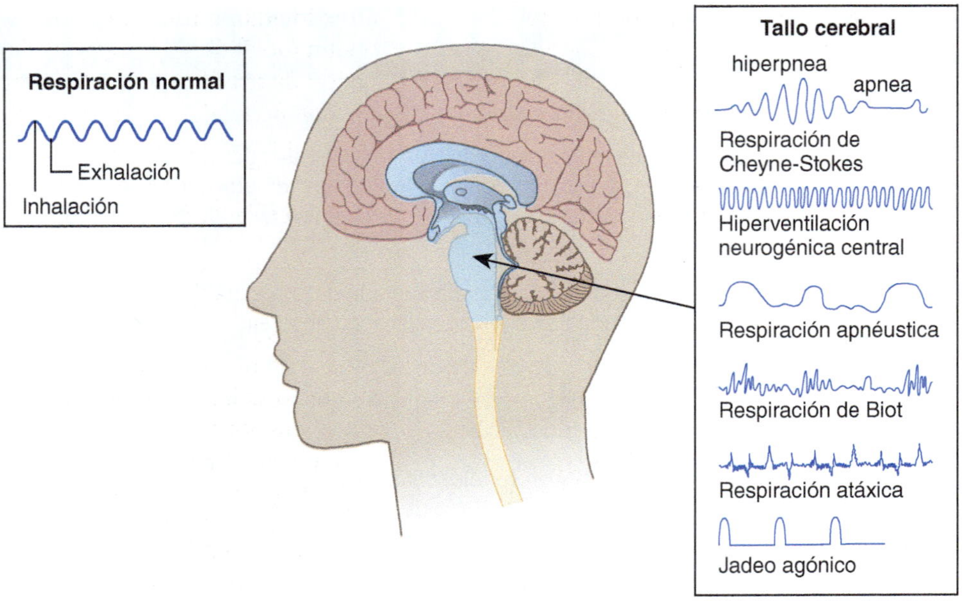

FIGURA 14-12 El control neurológico de la respiración es complejo, y en un paciente con lesión cerebral pueden producirse muchas variaciones en el patrón respiratorio. Se documentaron los patrones respiratorios que se muestran aquí, cada uno registrado durante 1 minuto, utilizando un detector de dióxido de carbono al final de la espiración. Obsérvese que el tronco encefálico controla la mayoría de los patrones respiratorios irregulares.

La mayoría de los centros respiratorios del cerebro se localizan en el tronco encefálico y alrededor de él (**FIGURA 14-12**). Los pacientes con traumatismos graves en los hemisferios cerebrales superiores, como un traumatismo penetrante por herida de bala, con frecuencia siguen respirando a pesar de tener heridas mortales. La respiración apnéustica se debe a los daños en el centro neumotáxico del cerebro, que regula la pausa inspiratoria. En un paciente con respiración apnéustica, cada inhalación breve y enérgica va seguida de una larga pausa antes de la exhalación. Este patrón indica una presión severa dentro del cráneo o un traumatismo directo en el cerebro. De igual modo, las respiraciones de Biot se observan cuando el centro que controla el ritmo respiratorio presenta daños. Este patrón respiratorio es muy irregular y a veces incluye largos periodos de apnea.

Las respiraciones de Cheyne-Stokes son más bien una función cerebral superior. Muchas personas con sueño profundo o intoxicadas presentan este patrón respiratorio. La profundidad de la respiración (o el volumen de los ronquidos) aumenta gradualmente y luego disminuye (*crescendo-decrescendo*), seguido de un periodo apneico. Por lo regular, el periodo apneico es breve en una persona relativamente sana. Las respiraciones exageradas de Cheyne-Stokes, en las que el ciclo crescendo-decrescendo es mucho más pronunciado, se pueden observar en pacientes con lesiones cerebrales graves.

Perlas de sabiduría

La respiración de Cheyne-Stokes se define clínicamente por aspectos específicos de tiempo y ciclo. La Academia Americana de Medicina del Sueño (*American Academy of Sleep Medicine*) recomienda calificar un evento respiratorio como respiración de Cheyne-Stokes siempre y cuando se cumplan los dos criterios siguientes:[9]

1. Episodios de por lo menos tres apneas centrales y/o hipopneas centrales consecutivas separadas por un cambio in crescendo y decrescendo en la amplitud respiratoria con una longitud de ciclo de al menos 40 segundos (normalmente de 45 a 90 segundos).
2. Cinco o más apneas y/o hipopneas centrales por hora asociadas al patrón respiratorio *crescendo-decrescendo* registrado durante un mínimo de 2 horas de monitoreo.

Una lesión en la parte alta de la médula espinal puede paralizar los músculos intercostales e incluso el diafragma. Mientras que la infección por poliomielitis ataca los nervios que irrigan los músculos respiratorios, ciertas enfermedades crónicas, como la miastenia gravis, debilitan los propios músculos respiratorios. El efecto neto de estas condiciones es la incapacidad de los músculos de trabajar con normalidad en respuesta al impulso respiratorio. Como consecuencia, el volumen corriente es bajo y se acompaña de la correspondiente disminución del volumen minuto. Los pacientes con estas condiciones a menudo necesitan ventilación asistida para aumentar su volumen corriente, incrementando así su volumen minuto.

Evaluación de la circulación en el contexto de las emergencias respiratorias

La evaluación del color de la piel es una forma rápida de determinar la adecuación de la circulación del paciente (**FIGURA 14-13**). Aunque es importante observar la cianosis generalizada de la desaturación de oxígeno o la palidez del shock, se puede obtener información más sutil evaluando las membranas mucosas. El tejido del interior de la boca, debajo de los párpados e incluso en el lecho ungueal normalmente es del mismo color rosado en todos los pacientes sanos. Algunas variaciones notables son las siguientes:

- **Cianosis.** Los adultos sanos tienen un nivel de hemoglobina de 12 a 14 g/dl. Con un nivel de hemoglobina en este rango, la decoloración asociada a la cianosis —por lo regular de tono azuloso en pacientes con tono de piel claro, gris verdoso en aquellos con tono de piel amarillo, y cenizo o gris en pacientes con tono de piel más oscuro— se hace evidente cuando se desaturan aproximadamente 5 g/dl de hemoglobina (no tienen moléculas de oxígeno adheridas). La saturación de oxígeno de una persona así sería aproximadamente de 65%. Si el nivel de hemoglobina de una persona fuera solo de 10 g/dl, 50% de las moléculas de hemoglobina (5 g/dl de los 10 g/dl) tendrían que desaturarse para que el paciente pareciera cianótico. Del mismo modo, en pacientes con niveles altos de hemoglobina, como los que padecen enfermedades respiratorias crónicas, la cianosis se puede desarrollar antes que en personas con niveles normales de hemoglobina. Por supuesto, existen ligeras variaciones en lo que se considera normal. Además, algunos pacientes con problemas respiratorios crónicos que tienen una saturación de oxígeno baja también pueden tener un nivel bajo de cianosis crónica. Por ejemplo, los pacientes con bronquitis crónica suelen tener niveles de oxígeno crónicamente bajos y niveles de hemoglobina relativamente altos, lo que provoca cianosis periférica crónica.
- **Piel marrón oscura.** Los niveles elevados de metahemoglobina derivada de nitratos y exposiciones tóxicas específicas pueden volver de color marrón las membranas mucosas. Esta transformación normalmente es más evidente en la sangre venosa del paciente que en la piel y las mucosas.
- **Palidez.** La palidez de la piel y las mucosas se puede deber a varias causas, como hipoxia, shock, congelación, falta de exposición al sol, anemia o liberación de catecolaminas, como epinefrina o norepinefrina. Debido a que la palidez de la piel puede ser difícil de detectar en pacientes de piel oscura, compruebe si las membranas mucosas del interior del párpado inferior o la mucosa oral están pálidas. En pacientes con tono de piel oscuro, la palidez puede tener un aspecto ceniciento o grisáceo. La palidez se puede presentar como un tono amarillento en pacientes de piel morena y como un color blanquecino en pacientes de piel clara. Es importante reconocer que la palidez no siempre es un signo de enfermedad. Por ejemplo, el albinismo es un trastorno genético que hace que la piel tenga poco o ningún color.

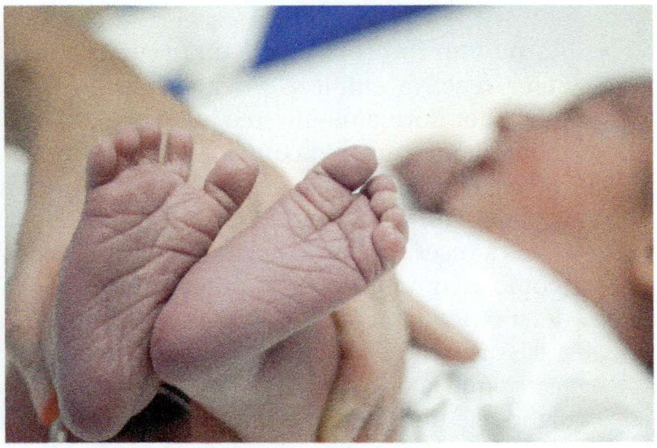

FIGURA 14-13 Los cambios en el color de la piel pueden ser un indicador precoz de varios procesos patológicos. Los cambios en el color de la piel, como la cianosis que se observa aquí en un lactante con tono de piel claro, pueden ser un indicador precoz del proceso de varias enfermedades.

Observe si las mucosas del paciente están húmedas o secas. La deshidratación se puede observar en las membranas mucosas de la boca y los ojos. Signos evidentes de deshidratación son los labios secos y agrietados, la lengua seca y surcada y los ojos secos y hundidos. La piel de un paciente mayor puede parecer siempre seca debido a la disminución de la humedad.

Decisión de traslado

El tratamiento de los trastornos cardíacos y respiratorios agudos es un componente fundamental de la atención prestada en prácticamente todos los servicios de emergencias (SE). Los pacientes con condiciones respiratorias por lo regular son trasladados al centro médico más cercano. Los pacientes cuya dificultad respiratoria está relacionada con una insuficiencia renal se beneficiarían de ser trasladados a un centro que pueda proporcionar diálisis de emergencia. (No todos los centros que ofrecen diálisis rutinaria la ofrecen los fines de semana o por la noche).

A veces hay varios servicios de emergencias, separados por solo unos minutos de viaje adicional. En estos casos, debe sopesar las ventajas de llevar a un paciente a un centro preferente, donde pueden estar disponibles los resultados previos de laboratorio y radiografías y el propio médico del paciente, frente a las ventajas de ir al centro más cercano. Por lo general, los pacientes con descompensación aguda deben ser trasladados al centro más cercano, pero la mayoría de los pacientes con condiciones respiratorias pueden tolerar unos minutos más durante el transporte si el retraso facilita su atención después de la llegada.

Poblaciones especiales

En algunas zonas, los centros pediátricos especializados son una opción para los niños, sobre todo los que tienen traqueostomías, ventiladores domiciliarios u otro tipo de soporte ventilatorio sofisticado.

Historia clínica

Pida a los pacientes que expliquen con sus propias palabras lo que sienten. Muchos pacientes pueden identificar sus afecciones y explicar la mejor forma de tratarlas. Un paciente con una enfermedad respiratoria crónica con frecuencia conoce bien la enfermedad o el trastorno y es posible que haya probado varias opciones de tratamiento antes de su llegada o que le cuente cosas útiles sobre episodios pasados, como haber sido intubado y conectado a un respirador por un ataque anterior. Muchos pacientes con enfermedades respiratorias crónicas tienen algunos síntomas todo el tiempo. La pregunta pertinente, entonces, es la siguiente: "¿qué ha cambiado que le hizo llamar hoy al 911?" El aumento de la tos, un cambio en la cantidad o el color del esputo, fiebre o sibilancias pueden ser algunas de las principales quejas, además de la disnea habitual. El dolor torácico también es una queja principal frecuente. Su origen puede variar desde una isquemia miocárdica que provoque una insuficiencia cardíaca izquierda aguda hasta una neumonía o una infección pleural.

Uno de los retos de la evaluación de los pacientes con condiciones respiratorias es que quizá no puedan hablar debido a su dificultad para respirar. Aunque normalmente sea mejor hacer preguntas abiertas y permitir que los pacientes cuenten sus propias historias, es posible los pacientes disneicos solo tengan la capacidad de hablar con frases cortas y entrecortadas. Algunos no pueden hacer más que asentir o mover la cabeza en respuesta a una serie de preguntas con respuesta sí o no. En algunos casos, la mayor parte de la historia clínica se debe obtener cuanto antes de un miembro de la familia o a partir de las pocas pistas disponibles, como los medicamentos prescritos en el hogar. Muchas veces se deben instaurar intervenciones (como la oxigenoterapia o la terapia por nebulización) antes de obtener la historia completa del paciente. A veces, hay que intubar inmediatamente a un paciente, lo que a partir de ese momento excluye la posibilidad de obtener una historia directa.

Cuando los pacientes le pueden hablar de sus principales molestias, muchas veces le pueden decir exactamente qué enfermedad padecen. Si presentan una de las enfermedades respiratorias comunes (p. ej., asma, EPOC o insuficiencia cardíaca), es posible que estén sufriendo un brote agudo (denominado exacerbación). En otros casos, podrían tener uno de los siguientes trastornos comunes:

- **Asma con fiebre.** Cuando un paciente con vía aérea reactiva empieza a tener sibilancias, un inhalador normalmente solo les ayuda de forma momentánea antes de que reaparezcan los síntomas. El típico ataque de asma que responde al tratamiento, pero vuelve a aparecer a las pocas horas a veces se debe a una infección subyacente (como neumonía o bronquitis), que desencadena repetidamente los síntomas asmáticos. La crisis asmática solo remite cuando se trata el factor que la desencadena. Preste atención a los signos de infección respiratoria. ¿Tiene fiebre o escalofríos? ¿Tose con esputo? ¿De qué color es el esputo?
- **Falta de administración del medicamento.** Algunos inhaladores indican para cuántos accionamientos (inhalaciones) están diseñados y cuántas dosis quedan en el envase. Si no se

dispone de un contador automático, la mayoría de los pacientes no tienen un control exhaustivo de su consumo. Muchas veces el medicamento se agota, aunque quede algo de propelente en el envase. Un paciente puede llevar días inhalando solo propelente, lo que explica por qué las sibilancias no mejoran. Cuando los pacientes utilizan medicamentos caducados o que se han sobrecalentado o almacenado de forma inadecuada (p. ej., en un automóvil caliente o en un entorno similar) se pueden producir dificultades similares. En dichos casos, el broncodilatador de su botiquín puede ser eficaz, aunque el medicamento del paciente no haya dado resultados. Otro posible escenario es que un paciente no entienda del todo cómo utilizar el dispositivo y no inhale en el punto adecuado, en lugar de rociar el medicamento en el interior de la boca. Este posible error es una de las razones por las que los médicos normalmente prescriben un dispositivo espaciador para su uso con un inhalador.

- **Afecciones relacionadas con los viajes.** Los avances tecnológicos han dado a los pacientes con enfermedades respiratorias crónicas mucha más libertad para salir de casa y viajar. Algunos pacientes presentan un edema pulmonar importante después de un viaje largo. El culpable: no querer tomar diuréticos durante el viaje. Recuerde preguntar lo obvio ("¿qué medicamentos usa?"), y seguir con "¿los tomó durante el viaje?"

  Además, pueden llamar a los paramédicos para asistir a alguien cuyo tanque de oxígeno se agotó, cuyo ventilador portátil de repente dejó de funcionar o cuyos medicamentos olvidaron o se perdieron con el equipaje.
- **Factores que detonan la disnea.** El hecho de que una persona conozca los factores detonantes de una vía aérea reactiva, como la caspa de los animales domésticos, los perfumes, el humo de cigarros o el esmog, el polen o el calor, la humedad o el frío excesivos, no significa que siempre se puedan evitar estos factores desencadenantes. Una situación social o familiar puede ser lo suficientemente importante como para ser un riesgo de tener un episodio de disnea, y nadie puede evitar todo contacto con todos los detonantes, muchos de los cuales están presentes en lugares públicos.
- **Condiciones estacionales.** Las bacterias, el moho y los hongos pueden crecer en los conductos de calefacción o en las unidades de aire acondicionado durante sus respectivas temporadas de baja utilización. Cuando el tiempo cambia repentinamente y se empiezan a utilizar los sistemas de calefacción o aire acondicionado, puede esperar un mayor número de llamadas de personas con enfermedades respiratorias crónicas.
- **Incumplimiento del tratamiento.** Algunas personas con enfermedades respiratorias crónicas se niegan a la terapia en un intento por recuperar el control de su vida. Otros pacientes no comprenden la naturaleza del tratamiento a largo plazo e intentan dejar de tomar el medicamento, usar el oxígeno o los dispositivos de asistencia respiratoria. Por desgracia, estos intentos pueden detonar una crisis. A otros pacientes se les ha prescrito oxígeno a domicilio, terapia con aerosoles, CPAP, presión positiva binivel en la vía aérea (BPAP) o una serie de medicamentos que no utilizan o que solo toman esporádicamente. Pueden ocurrir complicaciones peligrosas si ciertos medicamentos se suspenden bruscamente, como los corticoesteroides orales.

La mnemotecnia en inglés SAMPLE (Signos y síntomas, Alergias, Medicamentos, historia clínica relevante Pasado, última ingesta oral, Eventos anteriores al inicio de la dolencia) ayuda a los paramédicos a obtener sistemáticamente información sobre la historia de la enfermedad actual y la historia médica del paciente.

- **Signos y síntomas.** La dificultad respiratoria siempre se debe evaluar teniendo en cuenta el estado cardiovascular y renal del paciente. Por ejemplo, muchos infartos agudos de miocardio se presentan como insuficiencia cardíaca, al igual que las crisis renales. La taquicardia puede indicar ansiedad, diabetes o shock. Además, la gran mayoría de los pacientes con enfermedad crónica tienen en su padecimiento un componente respiratorio. Una amplia variedad de condiciones patológicas puede disfrazarse tras una dificultad respiratoria, especialmente en pacientes con enfermedades respiratorias subyacentes. No se precipite a concluir que la *única* condición del paciente es un trastorno respiratorio relativamente sencillo. Siempre hay que profundizar para determinar qué más puede estar desencadenando o empeorando la dificultad respiratoria del paciente.
- **Alergias.** Una persona puede conocer los factores que desencadenan dificultad respiratoria, aunque puede no tener la capacidad de evitarlos. Durante su evaluación, pregunte si el paciente ha estado expuesto a un factor detonante conocido.

- **Medicamentos.** Una parte de la historia clínica completa consiste en revisar los medicamentos prescritos y de venta libre del paciente. Muchos pacientes toman varios medicamentos. Una combinación común podría incluir un **agonista beta-2** de acción rápida (inhalador de rescate), un corticoesteroide y un broncodilatador de acción lenta.

  Los pacientes con disnea pueden recurrir al uso (y a veces al abuso) de medicamentos de venta libre además de los recetados. A continuación, se presenta una lista de medicamentos de venta libre que el paciente puede utilizar junto con los recetados:
  - Los antihistamínicos secan las secreciones y son un ingrediente común en muchos medicamentos sin receta para la tos y el resfriado.
  - Los antitusivos se utilizan para suprimir la tos. Debido a que la tos ayuda a eliminar las secreciones de la vía aérea, suprimir la tos puede no ser útil. La tos puede ser molesta, sobre todo si interrumpe el sueño. Sin embargo, la necesidad de comodidad debe sopesarse con la necesidad de eliminar el exceso de secreciones de la vía aérea. El uso excesivo de antitusivos puede causar sedación, reducir el impulso respiratorio y obstruir parcialmente la vía aérea con secreciones. Muchos jarabes para la tos de venta libre también contienen antihistamínicos que pueden causar síntomas respiratorios si no se utilizan de forma adecuada.
  - Algunos broncodilatadores están disponibles para venta libre. A menudo producen una respuesta inespecífica, lo que significa que el medicamento también puede tener un efecto significativo sobre el corazón y las venas sanguíneas, sobre todo cuando se utiliza junto con un broncodilatador de venta con receta. Los broncodilatadores de venta libre más comunes son simplemente formas atenuadas (diluidas) de epinefrina.
  - Los expectorantes diluyen las secreciones pulmonares para que puedan expulsarse al toser, y la mayoría de estos medicamentos se pueden adquirir sin receta. Muchos productos combinan expectorantes con antitusivos o antihistamínicos. Estas combinaciones en muchas ocasiones son contradictorias. Las personas con mayor producción de mucosidad deben evitar los productos antihistamínicos, tomando únicamente productos que contengan el expectorante guaifenesina.

  Si sigue una entrevista sencilla, podría determinar qué medicamentos debe tomar el paciente (lo que a menudo proporciona valiosas pistas sobre otras condiciones del paciente), si el paciente está tomando los medicamentos correctamente y si el paciente es alérgico a algún medicamento.
- **Historia clínica relevante pasado.** Un ataque de asma, una insuficiencia cardíaca, una neumonía en un paciente inmunodeprimido e incluso un neumotórax espontáneo son condiciones patológicas que se repiten con frecuencia. La experiencia del paciente con este tipo de acontecimientos puede servir de referencia para evaluar su estado actual. Pregúntese: ¿Se siente mejor o peor que la última vez? ¿Con qué frecuencia le ocurre? ¿Qué le dijo el médico que era? ¿Qué le ayudó o qué ocurrió la última vez?

  Además, pregunte a los pacientes sobre el consumo de tabaco, la exposición pasiva al humo de y otras posibles exposiciones tóxicas.
- **Última ingesta oral.** La razón más común para averiguar la última ingesta oral del paciente es la preocupación por tener el estómago lleno en caso de que sea necesaria la intubación endotraqueal. Los pacientes con enfermedades respiratorias crónicas también tienden a comer y beber menos cuando enferman de gravedad, lo cual puede sumar deshidratación, hipoglucemia o desnutrición al ya de por sí complejo cuadro de su enfermedad.
- **Acontecimientos previos al inicio de la enfermedad.** Es importante determinar qué estaba ocurriendo justo antes o cuando el paciente empezó a tener síntomas. Asimismo, la rapidez con la que empeore el malestar del paciente es una consideración importante para determinar la causa subyacente. ¿Los síntomas aparecieron de repente o empeoraron con el tiempo? ¿Desde cuándo son tan graves los síntomas? La postura cómoda y la dificultad para hablar también pueden indicar el grado de angustia. Se puede suponer que un paciente que está recostado de forma cómoda y que habla con frases completas no tienen dificultad para respirar. Un paciente que está sentado en una **posición de Fowler** (sentado erguido) y que solo habla en frases de dos o tres palabras probablemente tiene una gran dificultad para respirar, incluso es posible que se encuentre en peligro de muerte. La condición de este paciente podría describirse como "disnea de tres palabras".

Cuando los trastornos respiratorios son crónicos o recurrentes, es posible que los pacientes ya hayan desarrollado estrategias para manejar la crisis. Determine qué puede haber intentado ya el paciente y si ha tenido algún efecto (positivo o negativo). Pregúntele qué estaba haciendo cuando empezó la disnea. Los pacientes con frecuencia saben exactamente lo que desencadenó el episodio.

Evaluación secundaria

Para el momento en que haya obtenido los antecedentes del paciente, debería haber ya recopilado información importante sobre sus signos físicos, como el nivel de consciencia, la posición y el grado de dificultad respiratoria. En esta sección se presentan los componentes de la exploración física en secuencia, señalando en cada paso los puntos de especial relevancia para un paciente con disnea.

La evaluación del nivel de consciencia en pacientes con disnea es primordial. Aunque la gasometría arterial del paciente no se puede medir en campo, el cerebro del paciente hace justo eso de forma constante. Cualquier disminución de la presión parcial de oxígeno (Pao_2) constituye una hipoxemia y se manifiesta inicialmente como inquietud y confusión. En el peor de los casos, puede evolucionar a un comportamiento combativo. Por el contrario, un aumento de la presión parcial de dióxido de carbono ($Paco_2$) por lo regular tienen efectos sedantes, lo cual provoca que el paciente presente somnolencia y sea difícil despertarlo.

El funcionamiento inadecuado de los pulmones puede afectar el suministro de oxígeno y la eliminación de dióxido de carbono, mientras que la ineficacia en el suministro de oxígeno produce hipoxia celular. La hipoxia mata a las células al imposibilitarles producir suficiente energía para realizar su trabajo; además de provocar acidosis. Debido a que el cerebro es muy sensible a los niveles reducidos de oxígeno, cualquier alteración del nivel de conciencia podría representar algún grado de compromiso respiratorio. La ansiedad puede ser un signo temprano de hipoxia, mientras que la confusión, el letargo y el coma normalmente son signos tardíos. Muchas veces, una convulsión breve suele acompañar a un episodio hipóxico o a un paro cardíaco. Los mareos y el hormigueo en las extremidades pueden indicar hiperventilación.

Cuando el paciente esté en posición semisentada busque en el cuello la **distensión venosa yugular (DVY)**. La DVY es una condición en la que las venas yugulares están llenas de sangre. Los adultos jóvenes sanos a menudo presentan DVY en decúbito supino, y es frecuente observar una DVY macroscópica cuando las personas se ríen o cantan (**FIGURA 14-14**).

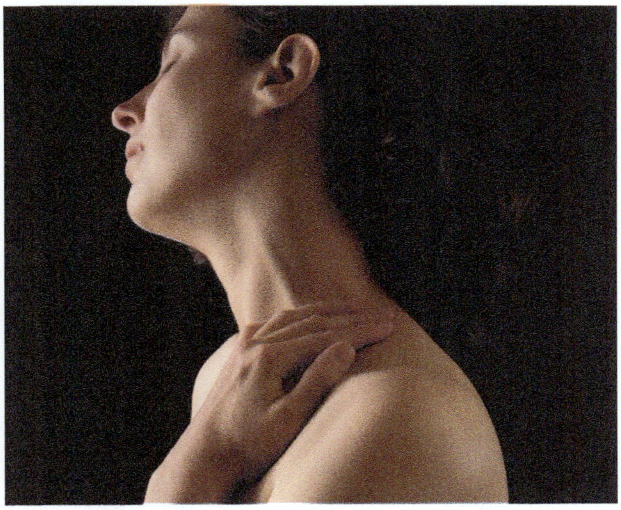

FIGURA 14-14 La distensión venosa yugular puede ser un hallazgo normal en un adulto joven sano que está en decúbito supino o riendo. Sin embargo, en un adulto que está sentado en posición erguida, la distensión puede indicar que la sangre está retrocediendo al intentar entrar en el tórax o en la aurícula derecha.

El taponamiento cardíaco, el neumotórax, la insuficiencia cardíaca y la EPOC pueden causar una DVY. Las venas del cuello distendidas pueden implicar una insuficiencia cardíaca como origen de la disnea. La DVY también puede indicar que la presión elevada en el tórax impide que la sangre drene fuera de la cabeza y el cuello. En los pacientes con un flujo sanguíneo normal, la sangre desoxigenada vuelve al lado derecho del corazón desde las venas cavas y continúa hacia los pulmones para oxigenarse. Las condiciones que afectan a la funcionalidad del lado derecho del corazón o de los pulmones pueden impedir el drenaje de la vena cava superior debido al aumento de la presión. A medida que la sangre retrocede, la vena yugular se congestiona, lo que provoca distensión.

La DVY se debe interpretar teniendo en cuenta la posición del paciente y otros signos vitales. La presencia de DVY en un paciente sentado en posición erguida proporciona una medida aproximada de la presión en la aurícula derecha del corazón. Unas venas yugulares distendidas en demasía a pesar de una PA de 80/40 mm Hg en un paciente traumatizado deberían ser motivo de gran preocupación; por el contrario, la DVY en una persona sana de 20 años que está tendida (mas no sentada) es poco preocupante.

Mientras examina el cuello, observe la posición de la tráquea. La desviación traqueal es un signo clásico, aunque tardío, de un neumotórax a tensión **FIGURA 14-15**. La desviación se produce detrás del esternón, por lo que este signo es difícil de palpar excepto en casos extremos. Considere palpar la tráquea

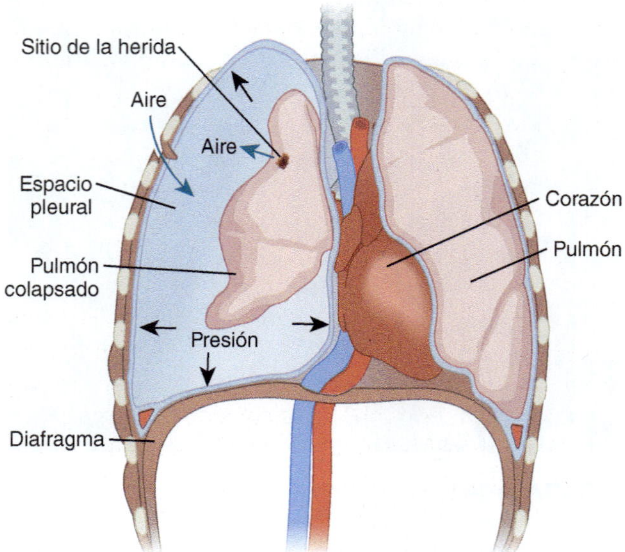

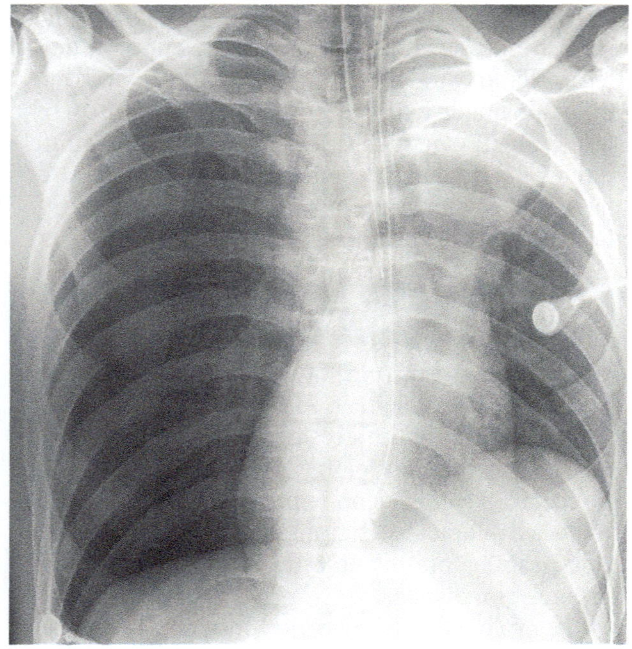

FIGURA 14-15 El neumotórax se produce cuando se filtra aire en el espacio pleural entre el pulmón y la pared torácica **(A)**; la radiografía **(B)** muestra un pulmón derecho colapsado, que aparece más oscuro.

A: © Jones & Bartlett Learning; **B:** Cortesía del Dr. Stuart Mirvis.

en la escotadura supraesternal. La desviación traqueal causada por el neumotórax a tensión se identifica claramente en una radiografía.

A continuación, examine el tórax y el abdomen. Cuando el ventrículo derecho no bombea con eficacia, la sangre se acumula, lo que dificulta el drenaje de las venas yugulares y el gran depósito de sangre del hígado hacia el tórax. Como resultado, en los pacientes con insuficiencia cardíaca derecha puede darse la combinación de DVY y hepatomegalia (hígado distendido). El **reflujo hepatoyugular** es la distensión de las venas yugulares cuando se presiona suavemente el hígado; es específico de la insuficiencia cardíaca derecha. Evalúe el reflujo hepatoyugular presionando suavemente el hígado mientras el paciente está en posición semi-Fowler (ángulo de 45°).

Palpe el tórax en busca de vibraciones mientras el paciente respira. Las secreciones de la vía aérea mayor produce vibraciones evidentes, denominadas **fremitus táctil**, que suelen ser fáciles de sentir y escuchar. Algunas fuentes recomiendan llevar a cabo una percusión torácica. El paramédico con experiencia puede tener la capacidad de distinguir entre el sonido de un tórax normal y el de uno lleno de sangre (hemotórax) o aire (neumotórax), que será hipertimpánico a la percusión. Un tumor torácico será sordo a la percusión. La percusión sigue siendo un procedimiento difícil de utilizar sobre el terreno debido al ruido ambiental.

Los traumatismos torácicos o abdominales pueden causar dificultad respiratoria por diversos mecanismos (véase el capítulo 32, *Traumatismos torácicos*, y el capítulo 33, *Traumatismos abdominales y genitourinarios*).

Al examinar las extremidades del paciente, observe cualquier cosa inusual. ¿Tiene edema en los tobillos o en la espalda baja? En caso afirmativo, ¿se forma un hoyo al introducir un dedo en el tejido edematoso, **FIGURA 14-16**? ¿Hay cianosis periférica? Compruebe el pulso. ¿Presenta el paciente taquicardia profunda como consecuencia de un esfuerzo o hipoxia? ¿Existe un pulso periférico débil o imperceptible en la inspiración (conocido como pulsus paradoxus)? Observe la temperatura de la piel del paciente y compruebe si hay fiebre evidente. ¿La piel del paciente está fría y húmeda debido al shock? ¿Hay palidez distal como resultado de la hipoxia crónica (**FIGURA 14-17**)?

Signos vitales y dispositivos de monitoreo

Además de la frecuencia respiratoria y la calidad de las respiraciones, los signos vitales proporcionan indicios evidentes de la carga de trabajo respiratorio. Se espera que los pacientes sometidos a estrés puedan presentar taquicardia debido a la hipoxemia, el uso de fármacos simpaticomiméticos y el estrés por disnea. Asimismo, con frecuencia suelen tener hipertensión

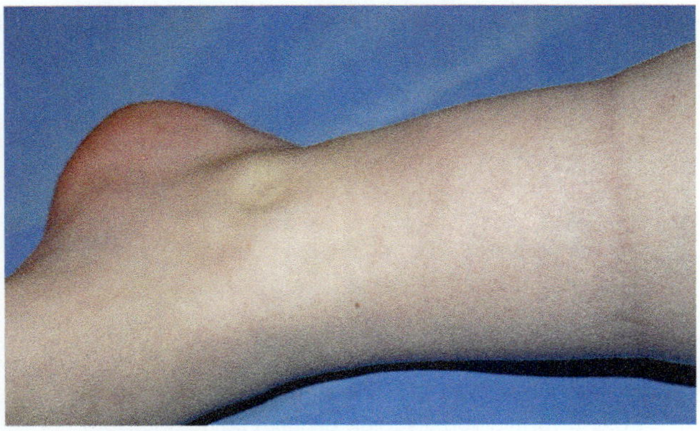

FIGURA 14-16 El edema con fóvea se presenta cuando los dedos dejan una depresión temporal en el tejido.

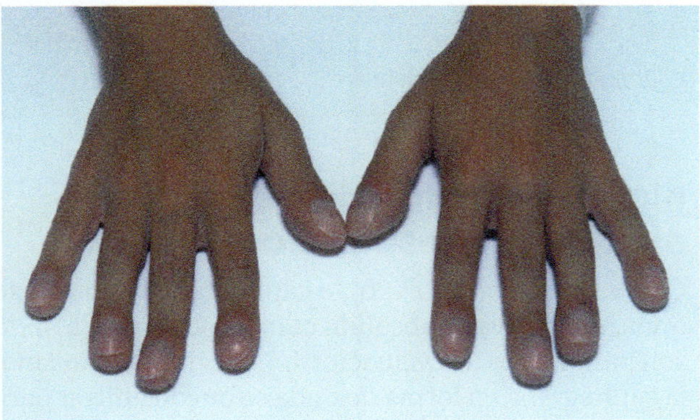

FIGURA 14-17 El hipocratismo digital es un signo de hipoxia crónica. Se observa en personas jóvenes con cardiopatías congénitas y en personas mayores con enfermedad pulmonar crónica grave.

por las mismas razones. La bradicardia, la hipotensión y el descenso de la frecuencia respiratoria son signos ominosos de un paro inminente en pacientes con enfermedades respiratorias.

Según convenga al plan de cuidados del paciente, aplique los monitores que estén inmediatamente disponibles. Los datos que se recogen con mayor frecuencia son los signos vitales, el EKG y la pulsioximetría. En algunas situaciones, dependiendo del equipo disponible, también se pueden registrar el flujo espiratorio máximo, la $ETCO_2$ y los niveles transcutáneos de monóxido de carbono.

Estetoscopio

El estetoscopio es una de las herramientas más importantes y utilizadas que tiene a su disposición. Elija uno que se ajuste a sus necesidades y, desde luego, a su presupuesto. Acostúmbrese a limpiar el estetoscopio entre cada contacto con el paciente. Compruebe que los auriculares estén limpios y sin cerumen, y limpie con regularidad la longitud del tubo principal con un limpiador multiusos para disminuir la descomposición del tubo por los aceites recogidos cuando se coloca el fonendoscopio alrededor del cuello.

Pulsioxímetro

Un pulsioxímetro es un dispositivo no invasivo que mide el porcentaje de hemoglobina del paciente al que están unidas las moléculas de oxígeno. Una saturación de oxígeno superior al 94% se considera normal.

Un pulsioxímetro debe "ver" un lecho capilar pulsátil para proporcionar una lectura precisa. Una perfusión periférica inadecuada, extremidades frías o el movimiento del paciente (temblores o escalofríos) pueden hacer que la lectura sea inexacta. Existen diversas sondas de pulsioximetría que permiten realizar lecturas en el lóbulo de la oreja, la frente u otras zonas del cuerpo. La mayoría de los pulsioxímetros también muestran la frecuencia del pulso del paciente; esta lectura debe coincidir con la frecuencia cardíaca palpada.

Si el nivel de hemoglobina del paciente es bajo, por ejemplo, como consecuencia de un traumatismo o una hemorragia, el resultado de la pulsioximetría por correspondencia será alto. Si la hemoglobina de un paciente es de solo 6 g/dl (lo normal es de 12 a 14 g/dl), la saturación de oxígeno será probablemente de 100%. Este paciente necesita más hemoglobina en forma de sangre completa o concentrado de hematíes; proporcionarle oxígeno adicional tendría poco valor. Algunas personas, como las que viven a gran altitud o sufren hipoxia crónica (p. ej., pacientes con EPOC), tienen niveles de hemoglobina anormalmente altos, junto con una saturación de oxígeno baja. Por ejemplo, un paciente con una combinación de hipoxia moderada y policitemia (exceso de producción de glóbulos rojos) puede tener un nivel de saturación de oxígeno que por lo regular ronda 90%.

Aunque es un tanto fácil medir la saturación de oxígeno, un resultado favorable no significa necesariamente que todo vaya bien. Un pulsioxímetro no puede diferenciar entre una molécula de oxígeno unida a la hemoglobina y una molécula de monóxido de carbono unida a esa misma hemoglobina. La mayoría de las personas que viven en una sociedad industrializada tienen un nivel de monóxido de carbono de 1 a 2% todo el tiempo. Fumadores pueden tener un nivel tan alto como de 3 a 4%. Así, una lectura de pulsioximetría de

97% puede representar en realidad una saturación de oxígeno de 95% y una saturación de monóxido de carbono de 2%. No obstante, un paciente cuya hemoglobina tiene un nivel tóxico o incluso mortal de monóxido de carbono unido a ella puede presentar un valor de pulsioximetría normal o alto. Los dispositivos portátiles que miden en específico los niveles de monóxido de carbono permiten a los paramédicos evaluar fácilmente la intoxicación por monóxido de carbono en campo (**FIGURA 14-18**). Estos dispositivos están disponibles en algunos sistemas.

La curva de disociación de la oxihemoglobina ilustra la relación entre la saturación de oxígeno y la cantidad de oxígeno disuelto en el plasma (Pao_2), **FIGURA 14-19**. Demuestra que cuando las moléculas de oxígeno son escasas, se unen fácilmente a la hemoglobina, de modo que incluso pequeños cambios en la PaO_2 provocan cambios relativamente grandes en la saturación de oxígeno. A medida que los receptores de hemoglobina comienzan a llenarse de moléculas de oxígeno, se requieren cambios mayores en la PaO_2 (mostrados en el eje horizontal de la curva) para producir cambios en la saturación de oxígeno.

La colocación de una mascarilla sin reinhalación en un paciente sano puede aumentar el nivel de saturación de 96 a 99%, mientras que la administración de oxígeno mediante una cánula nasal a 2 L/min a un paciente hipóxico puede generar un cambio significativo al aumentar la saturación de oxígeno de 80 a 92%. Por el contrario, cuanto más hipóxico se vuelva un paciente, más rápidamente se producirá la desaturación después de que el paciente caiga de la parte empinada de la curva de disociación de oxígeno-hemoglobina. Otros factores, como el equilibrio ácido-base y la temperatura corporal, también pueden afectar a todo el sistema, desplazando la curva hacia la izquierda o la derecha.

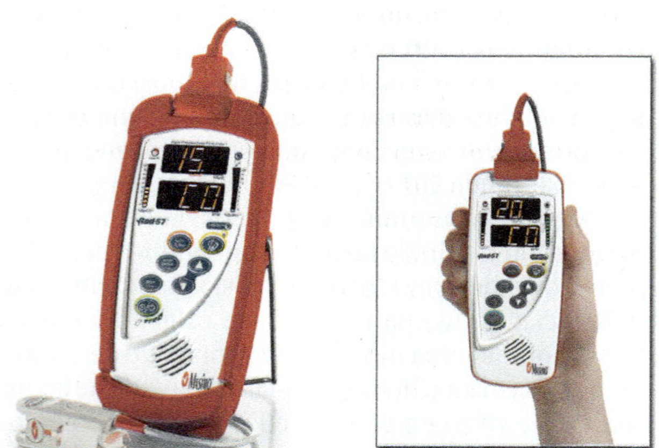

FIGURA 14-18 Existen dispositivos que pueden medir la saturación de oxígeno y los niveles de monóxido de carbono.

Perlas de sabiduría

Al considerar las diferencias entre la pulsioximetría y la capnografía de ondas, tome en cuenta que la oxigenación y la ventilación son procesos separados. La pulsioximetría mide con precisión la saturación de oxígeno, pero no proporciona directamente información sobre la ventilación alveolar. El hallazgo de una oxigenación disminuida puede sugerir una anomalía de la ventilación, pero cuando se utiliza la capnografía, la evaluación de la ventilación es inmediata e inequívoca. Los proveedores deben recordar que, aunque la pulsioximetría es actualmente la técnica estándar para medir la saturación de oxígeno, no proporciona una alerta precoz de hipoventilación, apnea u obstrucción de la vía aérea en los pacientes.[10]

Monitor de dióxido de carbono al final de la espiración

Con la detección de $ETCO_2$, o capnografía de forma de onda, tanto el valor absoluto como la forma de la onda son parámetros de evaluación importantes. Asimismo, la capnografía en forma de onda se puede utilizar para documentar patrones respiratorios inusuales y evaluar

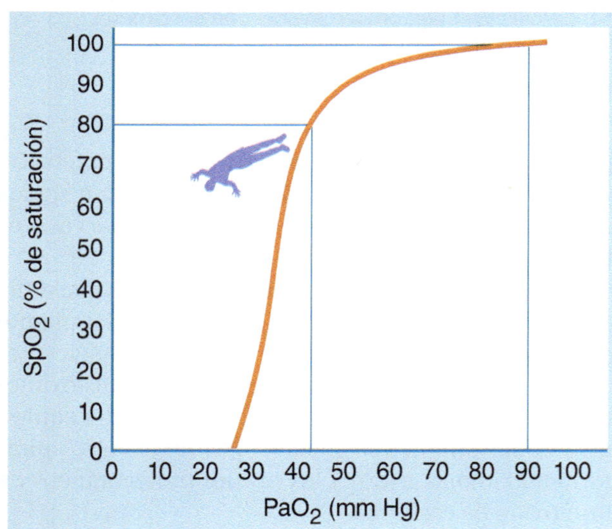

FIGURA 14-19 Curva de disociación de la oxihemoglobina. A medida que un paciente se vuelve cada vez más hipoxémico (PaO_2 [presión parcial de oxígeno] más baja), el paciente puede salirse de la curva conforme la saturación disminuye rápidamente.

la eficacia del tratamiento. Esta tecnología se describe en detalle en el capítulo 13, *Manejo de la vía aérea*.

Flujómetro espiratorio máximo

El flujo espiratorio máximo es la velocidad máxima a la que un paciente puede expulsar aire de los pulmones. (En el capítulo 13, *Manejo de la vía aérea*, se describe el uso de un flujómetro espiratorio máximo). Un valor bajo indica que la vía aérea mayor del paciente se estrecha por broncoespasmo. Muchos pacientes con enfermedades pulmonares comprueban su flujo espiratorio máximo dos veces al día y anotan los resultados. Pueden presentar este gráfico cuando llegue el personal del SEM. Los valores normales de flujo máximo varían en función de la edad, el sexo y la estatura, aunque en general oscilan aproximadamente entre 350 y 700 L/min. Un flujo máximo inferior a 150 L/min se considera inadecuado y es señal de malestar importante, aunque algunas personas con asma crónica tienen un flujo máximo que nunca supera los 100 L/min. Tanto la broncoconstricción como el edema de la vía aérea puede reducir el flujo máximo. Si se administra un broncodilatador, pero el flujo máximo no mejora, la causa puede ser un edema de la vía aérea, en cuyo caso se pueden indicar corticoides.

Reevaluación

Póngase en contacto con el control médico para informar de cualquier cambio en el nivel de consciencia del paciente o de cualquier aumento de la dificultad respiratoria. Documente cualquier cambio, anotando el momento en que se produjo, y documente cualquier orden dada por el control médico.

Atención de emergencias médicas

En esta sección se explica cómo atender a un paciente con disnea. Más adelante en el capítulo, consideraremos cómo tratar enfermedades y condiciones específicas.

Los paramédicos tienen una lista relativamente corta de herramientas para tratar el compromiso respiratorio. En el nivel más básico, su objetivo es brindar cuidados de apoyo, administrar oxigenoterapia suplementaria y proporcionar monitoreo y transporte. De hecho, poco puede hacer en campo para alterar el curso de una condición patológica (p. ej., EPOC, neumonía o contusión pulmonar).

La principal excepción es el tratamiento de la broncoconstricción. Existen numerosos broncodilatadores que ayudan a relajar el músculo liso bronquial. Esta terapia puede ser de beneficio si la condición primaria del paciente es un espasmo del músculo bronquial causado por anafilaxia o asma. La terapia con broncodilatadores también puede ser útil para muchos otros pacientes.

En el otro extremo del espectro asistencial se encuentran los pacientes con insuficiencia respiratoria manifiesta. El enfoque principal de su tratamiento consiste en hacerse cargo por completo del trabajo respiratorio intubando y ventilando manualmente al paciente. También se ha demostrado que la CPAP y BPAP son estrategias eficaces y pueden ayudar a evitar la intubación en muchos pacientes.

Realizar intervenciones estándar

Antes de que el paramédico administre los medicamentos discutidos en las siguientes secciones, ya se deben haber implementado varias intervenciones. La administración de oxígeno para mantener la saturación mayor o igual al 94%[10] y el establecimiento de una vía intravenosa (IV) son intervenciones comunes para cualquier paciente que necesite soporte vital avanzado. El apoyo psicológico también es una consideración importante para un paciente con disnea. Sus esfuerzos por reducir la ansiedad del paciente con una actitud tranquila, profesional y cariñosa pueden ayudar a reducir la frecuencia cardíaca y la PA del paciente y fomentar la máxima eficacia respiratoria. Por último, permita que el paciente adopte una posición cómoda. La mayoría de los pacientes con disnea prefieren sentarse erguidos o inclinarse hacia delante, lo que también puede ayudar a aliviar su angustia.

Reducir el trabajo respiratorio

Incluso en circunstancias normales, los músculos deben trabajar para permitir la ventilación, y esforzarse mucho más durante la dificultad ventilatoria. Este trabajo adicional tiene un costo. Por ejemplo, las personas con asma a menudo pueden compensar la dificultad ventilatoria dedicando una energía considerable a la respiración. Pueden mantener sus niveles de oxígeno y dióxido de carbono en un rango aceptable mientras sigan reclutando sus músculos para este esfuerzo. Por desgracia, la tremenda carga de trabajo que ello supone consume grandes cantidades de energía, que debe alimentarse con aún más oxígeno y ventilación. Por lo general, un paciente en estas condiciones no puede comer ni beber normalmente, por lo que cada vez está más deshidratado, desnutrido y fatigado. En algún momento, el paciente se cansará y será incapaz de continuar con el trabajo respiratorio necesario; parecerá somnoliento, la frecuencia y la profundidad de la respiración aumentarán lentamente y se producirá una descompensación (falla respiratoria). Algunos pacientes con asma pueden compensar durante días, con la esperanza de que los esteroides y broncodilatadores resuelvan un ataque. Para cuando se dan cuenta de que esos métodos no funcionan, la dificultad respiratoria puede ser bastante grave como para buscar atención médica, salvo llamar al 9-1-1.

Las posiciones de Trendelenburg y supina, especialmente en pacientes con sobrepeso, hacen que los órganos abdominales compriman el diafragma. Con cada respiración, el paciente debe apartar el contenido abdominal para expandir el tórax y respirar. La distensión abdominal con aire o sangre complica aún más esta situación. La dificultad respiratoria inducida por la posición horizontal se denomina **ortopnea**. Explica por qué la mayoría de las personas se mantienen sentadas cuando les falta el aire. Para reducir el trabajo respiratorio, ayude al paciente a sentarse, si le resulta más cómodo. Quítele la ropa que le oprima, como cinturones y cuellos ajustados. *No haga caminar al paciente.* Alivie la distensión gástrica, quizás con una sonda nasogástrica. No sujete el tórax ni haga que el paciente se recueste sobre el lado del pulmón no afectado.

Suministro de oxígeno suplementario

Es fundamental proporcionar oxígeno suplementario a cualquier paciente que lo necesite. Al igual que con cualquier otro medicamento, debe administrar oxígeno en las concentraciones necesarias para que sea eficaz. Los pacientes que no respiran adecuadamente deben recibir ventilación con bolsa y mascarilla y oxígeno suplementario, o técnicas más avanzadas de manejo de la vía aérea. Reevalúe atentamente el estado respiratorio del paciente y ajuste el tratamiento en consecuencia. La pulsioximetría es una guía útil para la oxigenación si es precisa (es decir, si la frecuencia del pulso en el oxímetro coincide con el pulso palpado) y si el nivel de hemoglobina del paciente es relativamente normal.

Es seguro administrar oxígeno en concentraciones inferiores al 50% a casi todo el mundo, y es adecuado hacerlo cuando existe una posibilidad razonable de que el paciente se beneficie de ello. Reserve las concentraciones de oxígeno superiores al 50% para los pacientes con hipoxia que no respondan a concentraciones inferiores, y limite el uso de oxígeno al 100% al periodo más breve que sea necesario.

De la cantidad total de oxígeno en el cuerpo, aproximadamente 97% está unido a la hemoglobina; el restante 3% está disuelto en el plasma. Una vez que toda la hemoglobina de la sangre se ha saturado de oxígeno, una mayor exposición a altas concentraciones de oxígeno comienza a dañar el tejido pulmonar.

Como paramédico, tratará a muchos pacientes que requieren oxígeno suplementario para mantener una saturación de oxígeno aceptable. No dude en administrar oxígeno a aquellos pacientes que lo necesiten; sin embargo, la mayoría de los pacientes con una buena saturación de oxígeno (al menos de 94%) no se beneficiarán del oxígeno suplementario.[12-14] Incluso los pacientes con traumatismos, accidentes cerebrovasculares y síndrome coronario agudo no se benefician de la oxigenoterapia suplementaria si su saturación de oxígeno ya es igual o superior al 94%.[10] Se debe evitar la **hiperoxia** (exceso de oxígeno). De igual modo, se debe evitar una saturación de oxígeno de 100%, ya que es imposible predecir cuánto puede aumentar el nivel de oxígeno en sangre una vez que se satura por completo la hemoglobina.

En unas pocas situaciones, el pulsioxímetro puede no proporcionar una imagen exacta de la oxigenación, como en los casos de intoxicación por monóxido de carbono. En una paciente embarazada, podría hiperoxigenar a la embarazada en un intento de suministrar oxígeno a un feto potencialmente comprometido. En emergencias así, asegúrese de seguir el protocolo local y de consultar a control médico.

Perlas de sabiduría

El médico renacentista Paracelso observó que la dosis de una sustancia, y no su composición, es lo que la hace venenosa. Incluso el agua, la más inocua de todas las sustancias, puede ser tóxica si una persona la ingiere en exceso.

Así como cualquier medicamento administrado en dosis elevadas puede matar a una persona, también puede hacerlo el uso excesivo de oxígeno. Utilice la moderación y el sentido común a la hora de decidir si administrar o continuar con el oxígeno suplementario.

Administración de un broncodilatador

Muchos pacientes con dificultad respiratoria responderán positivamente a la broncodilatación, y algunos pacientes pueden obtener un beneficio sustancial. Los broncodilatadores en aerosol de hoy en día rara vez dañan a los pacientes, por lo que los paramédicos tienden a usarlos con mucha frecuencia en campo. Sin embargo, el beneficio de los broncodilatadores en aerosol en pacientes sin broncoespasmo es reducido, y la concentración de oxígeno administrada con frecuencia disminuye durante un tratamiento común con aerosol. En estas circunstancias, la aplicación de una mascarilla sin reinhalación es una opción mejor que el tratamiento con aerosol. Siga el protocolo local, pero recuerde que los broncodilatadores tienen poco valor en el tratamiento de condiciones como la neumonía, el edema pulmonar y las cardiopatías.

Los broncodilatadores relajan el músculo liso que rodea los bronquios mayores y son una terapia importante para la broncoconstricción. Los broncodilatadores de acción rápida, que se administran mediante los llamados inhaladores de rescate, proporcionan un alivio casi instantáneo: una propiedad que a veces conduce a su uso indebido. En sentido estricto, los broncodilatadores no reducen la inflamación, no eliminan las bacterias, no expulsan líquido de los pulmones ni abren los alvéolos cerrados. Sin embargo, los pacientes con neumonía, insuficiencia cardíaca o atelectasia pueden presentar una pequeña broncoconstricción secundaria que podría revertirse con un broncodilatador.

En la actualidad, existe un medicamento diseñado específicamente para su uso en aerosol, el ipratropio. También está disponible en inhalador. Además, la combinación de salbutamol (un agonista beta-2) e ipratropio (un anticolinérgico) está disponible en forma de aerosol o inhalador dosificador. Cuando se utilizan de manera correcta, los broncodilatadores más comunes de acción prolongada han mejorado drásticamente la calidad de vida de muchos pacientes con enfermedades respiratorias.

Terapia con aerosol

Un tratamiento con aerosol es un método simple de administrar medicamentos, como los broncodilatadores. Los nebulizadores de aerosol administran medicamentos líquidos en forma de niebla fina. Partículas de aproximadamente 5 micrómetros recorren el flujo de aire laminar hacia el tracto respiratorio inferior, **FIGURA 14-20**. Las partículas más grandes llueven en la boca y la faringe y se tragan, por lo que tienen poco efecto final. Las partículas significativamente más pequeñas de 5 micrómetros se exhalan con la siguiente respiración. La mayoría de los nebulizadores necesitan un flujo de gas de por lo menos 6 L/min para generar partículas de tamaño óptimo. Si el gas fluye más despacio que ese caudal, se generan partículas demasiado grandes; si fluye mucho más deprisa, las partículas son más pequeñas y el tratamiento es más rápido, con la posibilidad de que se administren menos medicamentos. Aunque la administración en aerosol es rápida y cómoda, sólo una pequeña cantidad del medicamento llega finalmente a los receptores previstos. Se debe esforzar por maximizar la administración del medicamento enseñando al paciente la técnica adecuada.

En el hogar, la mayoría de las personas utilizan sus tratamientos de aerosol con un pequeño compresor de aire; en la ambulancia, esta terapia normalmente funciona con una botella de oxígeno o una unidad de

USTED es el Paramédico

PARTE 4

Mientras su compañero prepara al paciente para el transporte, usted transmite el EKG de 12 derivaciones al centro médico y administra una dosis de pasta de nitroglicerina. El estado del paciente sigue empeorando. Le pide a su compañero que inicie la ventilación con presión positiva con un dispositivo de bolsa y mascarilla y establece una vía intravenosa. El paciente se resiste al principio, pero al final se encuentra más cómodo y tolera el tratamiento. En cuanto el paciente esté en la ambulancia, inicie el transporte de prioridad 1 al centro médico. Se pone en contacto con el control médico y solicita el uso de más pasta de nitroglicerina. El médico accede a la petición y también da la orden de administrar al paciente 162 mg de ácido acetilsalicílico masticable. Durante el traslado, la saturación de oxígeno del paciente aumenta progresivamente con el tratamiento.

Tiempo de registro:	10 minutos
Respiraciones	28 respiraciones/min; asistida
Pulso	100 latidos/min
Piel	Palidez y diaforesis
Presión arterial	130/100 mm Hg
Saturación de oxígeno (Spo_2)	85% con oxígeno por mascarilla a 15 L/min y aumentando
Pupilas	PIRRL

7. ¿Cuál es la justificación para administrar nitroglicerina si el paciente no tiene dolor ni molestias torácicas?

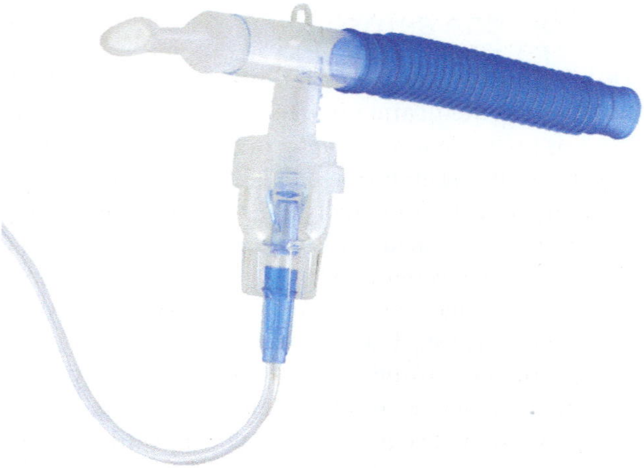

FIGURA 14-20 Los nebulizadores de aerosol se utilizan a menudo para administrar medicamento directo a la vía aérea. Lamentablemente, solo pueden suministrar entre 30 y 40% de oxígeno durante un tratamiento. La velocidad de flujo es un factor importante en la cantidad de medicamento que llega a los pulmones. No confunda la velocidad de flujo con la concentración de oxígeno. Los dispositivos que funcionan según el principio de Venturi proporcionan una velocidad de flujo elevada, pero concentraciones bajas o medias.

pared conectada al suministro principal de oxígeno. Como resultado, el paciente podría recibir solo entre 30 y 40% de oxígeno a través de un tratamiento con aerosol; aunque esta cantidad sigue siendo superior a 21% de oxígeno contenido en el aire ambiente, puede ser inferior a la cantidad de oxígeno suplementario que necesita un paciente con hipoxia significativa. La caída relativa de la fracción de oxígeno inspirado que se produce cuando se retira la mascarilla sin reinhalación de un paciente para administrar un tratamiento con aerosol puede ser una contraindicación para este procedimiento, especialmente si es poco probable que la terapia con aerosol mejore el estado del paciente.

Un nebulizador se puede acoplar a una boquilla (tubo), mascarilla facial o collarín de **traqueotomía**, o simplemente se puede sostener delante de la cara del paciente: la denominada técnica de soplado. Sin embargo, cuanto menor sea la cantidad de vapor que inhale el paciente, menor será el medicamento que reciba. Los tratamientos por soplado y con boquilla son ineficaces si los pacientes giran continuamente la cabeza o se quitan la boquilla para responder a preguntas. Una vez tomada la decisión de administrar un tratamiento respiratorio, intente detener la conversación y deje que el paciente se centre en inhalar el medicamento.

Los broncodilatadores en aerosol más recientes causan taquicardia con mucha menos frecuencia que los medicamentos más antiguos, menos específicos de la beta-2. Como resultado, es posible administrar tratamientos repetidos a pacientes con broncoespasmo. El albuterol (Proventil, Ventolin), que actualmente es el agonista beta-2 más utilizado, se administra de forma rutinaria cada 4 horas, pero se pueden administrar tratamientos más frecuentes e incluso una terapia continua durante horas sin que se produzca taquicardia. Existen nebulizadores continuos que contienen hasta 10 veces las dosis habituales del medicamento y funcionan durante una hora o más. Sin embargo, conllevan la posibilidad de cierta estimulación beta-1, causando taquicardia, por lo que a algunos médicos les preocupa que los broncodilatadores en aerosol puedan empeorar la taquicardia en un paciente con enfermedad cardíaca subyacente. La taquicardia casi siempre está presente en pacientes con disnea, por lo que se debe consultar al control médico o los protocolos locales para obtener orientación. Los pasos para administrar medicamentos mediante un nebulizador de pequeño volumen se muestran en el capítulo 11, *Administración de medicamentos*.

Controversias

En algunos sistemas del SEM, los tratamientos con aerosol se administran a cualquier paciente que presente disnea bajo la creencia de que podrían ayudar y normalmente son inofensivos. En otros sistemas, el uso de broncodilatadores en aerosol se restringe a situaciones en las que están claramente indicados. Consulte a la dirección médica y los protocolos locales para mantenerse al corriente de cómo se utiliza esta clase de medicamentos en su región.

Inhaladores dosificadores

Cuando se utiliza correctamente, un inhalador dosificador administra la misma cantidad de medicamento que un tratamiento en aerosol. Debido a que no requiere equipo adicional (como un nebulizador o compresor de aire), el inhalador dosificador por lo regular es el método de administración de elección para broncodilatadores y corticoesteroides en el hogar (**FIGURA 14-21**). Dado que los pacientes utilizan (y pueden utilizar mal) sus propios inhaladores en el hogar, asegúrese de documentar con qué frecuencia el paciente ha estado tomando una inhalación adicional. De requerirse en su sistema, no olvide consultar a control médico antes de administrar dosis adicionales.

Lo ideal es que los inhaladores dosificadores de su botiquín o del vehículo de emergencias estén equipados con **espaciadores**. Un espaciador es un dispositivo que recoge el medicamento a medida que se libera del envase, permitiendo que llegue más a los pulmones y que se pierda menos en el ambiente. Recuerde que el rocío que sale del inhalador no es lo que llega a los alvéolos del paciente, sino que las partículas de 5 micrómetros, que permanecen suspendidas en el espaciador

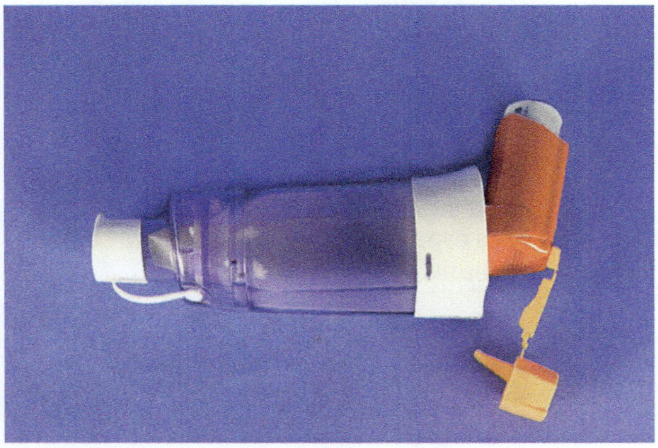

FIGURA 14-21 Los inhaladores dosificadores son un sistema habitual de administración de medicamentos respiratorios. Su eficacia aumenta en gran medida si se utiliza un dispositivo espaciador (mostrado aquí), que regula la liberación de medicamento en el inhalador.

durante varios minutos, son arrastradas a las profundidades de los pulmones por un flujo laminar suave. Cuando se utiliza un espaciador, el paciente no tiene que programar la inhalación para que coincida con la descarga del inhalador. Los espaciadores también reducen la deposición del medicamento en la boca y la orofaringe, que puede producirse en usuarios inexpertos.

Además de mejorar la administración del medicamento, el espaciador permite a los paramédicos utilizar el mismo (costoso) inhalador para varios pacientes. Cada paciente recibe un nuevo espaciador, pero el inhalador en sí se utiliza en repetidas ocasiones. Asegúrese de establecer un sistema para llevar la cuenta de cuántas veces se ha utilizado un inhalador, de modo que los pacientes reciban la cantidad adecuada de medicamento, y no solo el propelente.

La técnica correcta al usar un inhalador dosificador no es difícil de dominar, pero requiere de refuerzo constante. En el capítulo 11, *Administración de medicamentos,* se muestran los pasos para administrar medicamento con un inhalador dosificador. Los siguientes consejos pueden ayudar a evitar errores comunes al usar o administrar un inhalador dosificador:

- **El rocío de un inhalador dosificador debe entrar en los pulmones.** Por lo tanto, los pacientes deben inhalar profundo mientras descargan el inhalador para que el medicamento penetre profundamente en sus pulmones. Colocar el inhalador directo en la boca (sin espaciador) a menudo hace que gran parte del medicamento caiga en la faringe posterior, donde es tragado y posteriormente digerido, anulando así su efecto deseado.
- **Algunos pacientes soplan por error en el espaciador.** Dígales que piensen en el espaciador como en un popote grande, del que deben intentar succionar el medicamento por la parte inferior.
- **Muchos espaciadores emiten un sonido armónico si el paciente aspira con demasiada fuerza.** La mejor deposición de partículas se produce con un flujo laminar suave y a baja presión. Inhalar con demasiada fuerza provoca un flujo turbulento, lo que hace que muchas de las partículas se adhieran a la tráquea y a los bronquios mayores, donde no son tan eficaces.
- **Los pacientes deben intentar inhalar el medicamento profundamente y luego aguantar la respiración durante unos segundos.** Esto es mucho pedir a alguien que está disneico, y no siempre es posible. A veces la inhalación hace que el paciente tosa inmediatamente después de inhalar el medicamento, lo que impide administrar una dosis completa pero tal vez sea inevitable.
- **Asegúrese de que el inhalador contenga medicamento.** En las etiquetas de la mayoría de los inhaladores se indica el número de inhalaciones que contiene el envase. Se debe animar a los pacientes a que lleven la cuenta de cuántas veces han utilizado el inhalador y a que lo desechen cuando alcancen el número de usos recomendado. El sonido del líquido al agitar el envase no es un indicador confiable de que todavía contenga medicamento.
- **Mantenga limpios el espaciador y el soporte del envase.** Aclare de vez en cuando el espaciador y el soporte del envase para evitar inhalar polvo y otras partículas. Además, los dispositivos respiratorios deben secarse después de limpiarlos para evitar la proliferación de microorganismos.
- **Después de utilizar un inhalador de corticoesteroides, los pacientes deben enjuagarse la boca con agua o enjuague bucal.** Los restos de corticoesteroides en la faringe pueden predisponer a los pacientes a contraer aftas, una molesta infección fúngica de la faringe o la boca.

Falla de un inhalador dosificador

Los inhaladores dosificadores presentan algunos inconvenientes. El uso de un dispositivo de este tipo requiere un paciente que coopere, esté dispuesto y sea capaz de realizar la maniobra correctamente. Debido a que toda la dosis se administra en una o dos respiraciones, poco o ningún medicamento llegará a los pulmones si se utiliza una técnica incorrecta para administrar la dosis. Es posible que el uso del inhalador se contraindique a pacientes que no mueven el aire lo suficiente como para que el medicamento llegue eficazmente a los pulmones. Además, el paciente debe tener la capacidad de reconocer cuándo está vacío el inhalador (cuando el envase contiene algo de propelente, mas no medicamento).

Un paciente que no entienda bien cómo utilizar el dispositivo puede inhalar en un punto inadecuado y acabar pulverizando el medicamento en el interior de la boca. Este posible error es una de las razones por las que los médicos con frecuencia prescriben un dispositivo espaciador para su uso con un inhalador dosificador.

Inhaladores de polvo seco

Algunos medicamentos respiratorios son más estables en forma de polvo fino. En particular, algunos corticoesteroides y broncodilatadores de acción lenta con frecuencia se dispensan por este medio. Por ejemplo, el tiotropio (Spiriva®), un medicamento anticolinérgico que se toma una vez al día para el tratamiento de la EPOC, se administra mediante un inhalador de polvo seco.

Un inhalador de polvo seco es un disco de plástico que contiene suficiente medicamento para aproximadamente un mes. Cada vez que se abre el dispositivo, el pequeño blíster de plástico que contiene la siguiente dosis gira hasta su posición. A continuación, el paciente empuja una pequeña palanca para perforar el blíster, presiona el disco contra los labios sobre la abertura e inhala profundamente para aspirar el polvo del dispositivo. Otros dispositivos de polvo seco requieren que el paciente introduzca una cápsula de medicamento en polvo, que se perfora cuando el paciente aprieta un botón o palanca del dispositivo. El paciente succiona el polvo utilizando una técnica similar a la antes descrita.

Los inhaladores de polvo seco son razonablemente cómodos y fáciles de usar, pero rara vez se utilizan durante la atención de emergencias. Suministran medicamentos relativamente caros, por lo cual hay que evitar abrir y cerrar el dispositivo en repetidas ocasiones: se puede desperdiciar el medicamento de varios días, ya que los blísteres giran hasta la posición en la que se pueden perforar y luego la sobrepasan.

Modificadores de leucotrienos

En algunos pacientes, durante la insuficiencia respiratoria se liberan unas sustancias químicas broncoconstrictoras denominadas leucotrienos, en particular durante una respuesta alérgica. En estos casos, puede ser eficaz un bloqueador de leucotrienos, como el Montelukast (Singulair®), que suele tomarse por vía oral.

Electrólitos

Es posible que, en las crisis asmáticas graves, en los protocolos estándar ordenen o incluyan sulfato de magnesio IV. Si el magnesio intravenoso se administra demasiado rápido puede causar hipotensión, aunque puede favorecer la relajación del músculo liso en el asma grave y es especialmente útil para evitar la intubación en pacientes con asma aguda.

Inteligencia en la calle

Enseñe a los pacientes a utilizar sus inhaladores de rescate antes de tomar corticoesteroides, broncodilatadores de acción lenta u otros medicamentos. Un inhalador de rescate dilata los bronquios para que los medicamentos que se administren posteriormente sean más eficaces.

Corticoesteroides

Los corticoesteroides se utilizan para reducir la hinchazón bronquial (edema). Estos corticoesteroides son diferentes de los corticoesteroides anabolizantes de los que abusan algunos atletas. Los corticoesteroides utilizados en medicamentos respiratorios tienen varios efectos adversos, y su uso a largo plazo puede causar el síndrome de Cushing, que se caracteriza por la clásica cara de luna y edema generalizado. Además, los corticoesteroides desencadenan cambios rápidos en los niveles de glucosa en sangre y pueden debilitar la acción del sistema inmunológico, permitiendo el desarrollo de infecciones. El uso de corticoesteroides como la prednisona se debe interrumpir gradualmente. Debido a los efectos adversos a largo plazo, normalmente se prescribe un tratamiento con corticoesteroides que dura solo 1 o 2 semanas.

Corticoesteroides inhalados

Los corticoesteroides inhalados no parecen tener los mismos efectos adversos que sus homólogos orales. Por ese motivo, los corticoesteroides inhalados se están convirtiendo en complementos estándar para tratar el asma y la EPOC. Dos de los componentes de la tríada del asma se pueden corregir administrando un broncodilatador de acción lenta para reducir el broncoespasmo y un corticoesteroide inhalado para reducir el edema de la vía aérea. (El tercer componente de la tríada es el aumento de la producción de moco. El asma se trata con más detalle más adelante en el capítulo).

Corticoesteroides intravenosos

En caso de emergencia médica, la práctica habitual es administrar corticoesteroides IV. Un solo bolo de corticoesteroides IV no parece tener consecuencias negativas a largo plazo y es razonablemente seguro. La metilprednisolona y la hidrocortisona son preparados de corticoesteroides intravenosos que se administran en forma de bolo intravenoso, por lo regular para las exacerbaciones agudas de la EPOC o los ataques agudos de asma. Su inicio de acción se mide en horas, por lo que no se observarán resultados sobre el terreno. Como siempre, consulte los protocolos locales y el control médico antes de administrar estos agentes.

Administración de un vasodilatador

Las opciones de tratamiento para el edema pulmonar incluyen estrategias para promover la vasodilatación, que sella más líquido en la circulación venosa y disminuye la precarga. Los nitratos, en forma de comprimidos de nitroglicerina sublingual o goteros de nitroglicerina, se pueden administrar siempre y cuando el paciente tenga una PA adecuada y no tome un inhibidor de la fosfodiesterasa como sildenafilo (Viagra) o tadalafilo (Cialis). El sulfato de morfina disminuye la ansiedad, pero probablemente no aumenta la capacitancia venosa tanto como se pensaba. Ya no se utiliza con tanta frecuencia como antes para tratar el edema pulmonar.

Restablecer el equilibrio de líquidos

La rehidratación es un tratamiento complementario para los pacientes con condiciones respiratorias que están deshidratados (p. ej., algunos pacientes con neumonía o asma). Es habitual administrar un bolo de líquido a los pacientes más jóvenes deshidratados. En cualquier adulto mayor u otro paciente con disfunción cardíaca, administrar demasiado líquido podría causar edema pulmonar. Siempre evalúe los ruidos respiratorios antes y después de administrar un bolo de líquido para asegurarse que el paciente no se está sobrehidratando. Deje que el personal del centro médico rehidrate al paciente cuando disponga de más información, resultados de laboratorio y radiografías. Debido a que el estado de un paciente con un síntoma respiratorio se puede deteriorar precipitadamente, una precaución prudente es colocar una vía intravenosa.

Administración de un diurético

No todos los pacientes con crepitaciones tienen edema pulmonar. Administrar diuréticos a pacientes con neumonía o asma puede empeorar su estado general al deshidratarlos y hacer que las secreciones obstruyan aún más la vía aérea menor.

Los diuréticos se utilizan para ayudar a reducir la PA y mantener el equilibrio de líquidos en pacientes con insuficiencia cardíaca. Un diurético ayuda a pacientes con edema pulmonar para eliminar el exceso de líquido de la circulación, lo que en última instancia lo mantiene fuera de los pulmones. Los diuréticos de asa (bumetanida [Bumex] y furosemida) son los más utilizados en emergencias. Los diuréticos tiazídicos se suelen tomar por vía oral para tratar la hipertensión arterial y la insuficiencia cardíaca.

Muchos diuréticos provocan la pérdida no solo de líquido, sino también de potasio. Los pacientes que no toman suplementos de potasio pueden tener niveles bajos de potasio y una predisposición resultante a disritmias cardíacas y calambres musculares crónicos.

No administre diuréticos a pacientes con neumonía o a los que ya estén deshidratados; reserve estos agentes para los pacientes que presenten claramente un edema pulmonar. Algunos sistemas del SEM permiten el uso de furosemida solo en órdenes permanentes para pacientes con pulmones húmedos y edema periférico, y otros han eliminado por completo este medicamento de su formulario prehospitalario.

Es posible que los pacientes con algún grado de insuficiencia renal necesiten dosis considerables de diuréticos o no respondan a ellos. Si un paciente requiere diálisis por insuficiencia renal, es poco probable que el intento de inducir la diuresis sea eficaz. Aunque el tratamiento para insuficiencia respiratoria es una atención rutinaria en prácticamente todos los sistemas de emergencias médicas, un paciente sometido a diálisis y con edema pulmonar puede recibir mejor atención en un centro médico con capacidad para realizar diálisis de emergencia. Esta es una de las pocas circunstancias en las que un paramédico puede decidir transportar a un paciente con dificultad respiratoria a un centro especializado en lugar de al servicio de emergencias local.

Ventilación de soporte o asistida

Si el paciente se fatiga, es posible que sea necesario apoyar su respiración de forma más agresiva. La terapia con CPAP y BPAP es cada vez más común y puede evitar la necesidad de intubación en muchos pacientes. Algunos pacientes pueden necesitar simplemente ventilación con bolsa y mascarilla durante un breve periodo para reoxigenar, mejorar la saturación de hemoglobina y reducir el nivel de $PaCO_2$.

Una de las intervenciones más difíciles es intentar asistir la respiración de un paciente que ya respira de forma independiente. Para evitar que empeore la condición del paciente, debe confiar en su técnica de ventilación con bolsa y mascarilla. La distensión gástrica y el vómito provocados por una ventilación demasiado agresiva pueden complicar una situación ya de por sí deteriorada. Como siempre, *no haga daño.* Lo mismo ocurre cuando se administra sedación a pacientes ansiosos y posiblemente combativos. Se debe ponderar la necesidad de controlar el comportamiento del paciente con la posibilidad de deprimir aún más la respiración. Casi siempre es contraproducente sedar a un paciente en campo para tratar un comportamiento errático asociado a la disnea.

Presión positiva continua en la vía aérea

La presión respiratoria positiva continua (CPAP, por sus siglas en inglés) se utiliza de dos formas distintas: para el tratamiento de apnea obstructiva del sueño y de la insuficiencia respiratoria. Muchas personas con apnea obstructiva del sueño utilizan una unidad de CPAP por la noche para mantener la vía aérea abierta durante el sueño. Este tipo de CPAP se puede aplicar mediante almohadillas nasales, una mascarilla nasal, una mascarilla facial que se asemeja a una mascarilla típica utilizada para la ventilación con bolsa o una mascarilla que cubre toda la cara. *No* es el mismo tipo de CPAP que se utiliza para ayudar a respirar a los pacientes críticos. En personas que no están gravemente enfermas, la presión positiva suministrada mantiene la estabilidad de la faringe posterior, evitando así la obstrucción de la vía aérea superior mientras la persona duerme. Esta presión limita los episodios de hipoxia y los ronquidos.

La CPAP que se utiliza como terapia para la insuficiencia ventilatoria casi siempre se administra a través de una mascarilla sujeta a la cara mediante algún tipo de correa. Con la ventilación de presión positiva (es decir, con una mascarilla de bolsillo o ventilación con mascarilla de bolsa), el aire es forzado hacia la vía aérea superior y fluye hacia la tráquea y el esófago, a menos que se tomen medidas para ayudar a dirigirlo hacia la tráquea (**FIGURA 14-22**). De hecho, la ventilación con presión positiva con ventilación con bolsa y mascarilla o máscara de bolsillo es fisiológicamente lo contrario a la ventilación normal (presión negativa).

El uso de un dispositivo de bolsa y mascarilla para la ventilación produce una presión positiva en el tórax. Cuanto más se apriete la bolsa, mayor será la presión. Una presión demasiado alta puede ser perjudicial: un neumotórax simple se puede convertir en un neumotórax a tensión, las fugas de aire pueden producir grandes cantidades de aire subcutáneo y el retorno venoso se puede afectar o incluso bloquear por completo. En los últimos años, el personal prehospitalario ha empezado a comprender las ramificaciones del uso de la ventilación a presión positiva en pacientes con estados de bajo flujo, como el shock y el paro cardíaco. Este conocimiento ha conducido a que las directrices de RCP hagan hincapié en velocidades de ventilación más bajas, volúmenes más pequeños y presiones más bajas. La RCP se basa en principios hemodinámicos, y la frecuencia, el volumen y la presión de las respiraciones administradas pueden perjudicar mucho más rápido que beneficiar durante la reanimación si no se calibran correctamente.

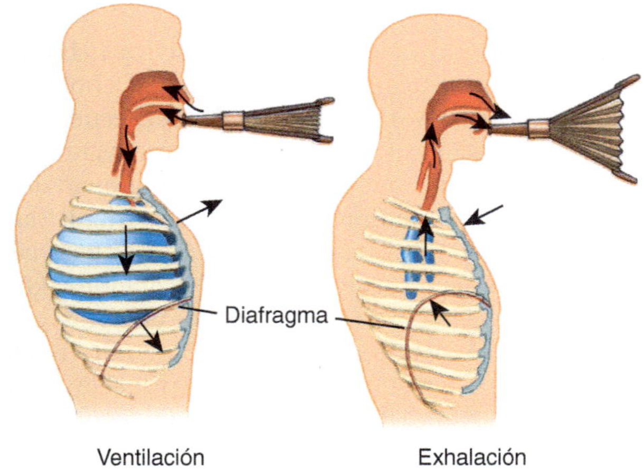

FIGURA 14-22 La ventilación con presión positiva es fisiológicamente lo contrario de la ventilación normal. El aire es empujado hacia el tracto respiratorio con la ventilación de bolsa y mascarilla y puede entrar en el esófago, abriendo el tubo normalmente plano y permitiendo que el aire entre en el estómago, a menos que se utilice una técnica cuidadosa. Compare con la ventilación con presión negativa, que se presenta en la figura 14-5.

Del mismo modo, la administración de CPAP aumenta la presión en el tórax. Si la PA del paciente ya es baja, un exceso de CPAP puede reducir el retorno venoso al corazón y provocar un descenso repentino de la PA. Esta circunstancia es poco frecuente con niveles bajos de CPAP, pero se debe controlar la PA del paciente siempre que se utilice CPAP (en especial a niveles superiores a 10 cm H_2O). La CPAP puede convertir un neumotórax simple en un neumotórax a tensión en solo unas respiraciones.

Al administrar CPAP, recuerde garantizar un buen sellado con fugas mínimas (**FIGURA 14-23**). Sobre el terreno, el oxígeno suplementario al 100% es el gas más común que impulsa la presión positiva. Vigile atentamente el suministro de gas; dependiendo del caudal y de la frecuencia respiratoria del paciente, algunas unidades de CPAP pueden vaciar una botella D en tan solo 5 a 10 minutos. La mascarilla está equipada con una válvula de alivio de presión que determina la cantidad de presión suministrada (p. ej., 5 cm de H_2O). El efecto es similar al de estar bajo un viento huracanado (flujo inspiratorio alto) y tener que empujar una válvula de presión para abrirla al exhalar. Esto parece requerir un gran esfuerzo y cansar a un paciente que presenta una insuficiencia respiratoria descompensada, pero muchos pacientes en estado crítico dan un giro espectacular cuando se aplica la CPAP.

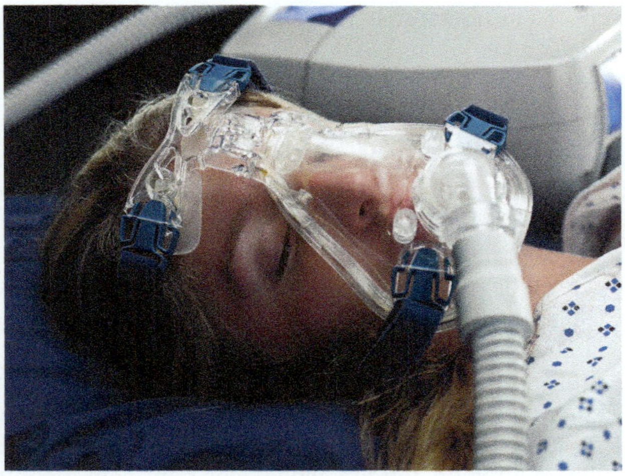

FIGURA 14-23 La presión positiva continua en la vía aérea que se utiliza en el entorno agudo normalmente se administra mediante una mascarilla facial, que debe lograr un sellado hermético para que funcione de manera correcta.

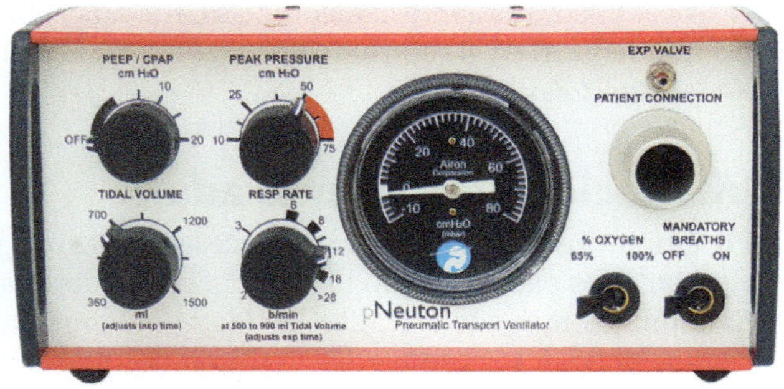

FIGURA 14-24 Las versiones portátiles del ventilador de transporte automático se pueden utilizar en campo para marcar frecuencias y volúmenes de ventilación específicos. Esta funcionalidad puede ser útil para garantizar una ventilación adecuada en un paciente con paro cardíaco una vez que se ha insertado una vía aérea avanzada.

A veces los pacientes encuentran la mascarilla de CPAP claustrofóbica y se resisten a su aplicación. A algunos pacientes se les puede explicar la aplicación de la mascarilla con buenos resultados, pero otros simplemente no toleran este proceso. No luche con un paciente que no está dispuesto a usar la mascarilla; si lo hace, aumentará la ansiedad del paciente, la carga de trabajo y el consumo de oxígeno cardíacos.

Cuando la CPAP funciona según lo previsto, puede proporcionar un alivio espectacular y evitar la necesidad de intubación. Cuando falla, debe reconocer el estado de deterioro del paciente y estar preparado para pasar al siguiente paso (normalmente la intubación). Después de varios minutos de aplicación, debería aumentar la saturación de oxígeno del paciente y disminuir la frecuencia respiratoria. El resultado de la CPAP está inversamente relacionado con la frecuencia respiratoria del paciente poco después de su aplicación: si esta frecuencia *aumenta*, es probable que la terapia fracase; si *disminuye*, entonces posiblemente la terapia tenga éxito.

Las indicaciones, contraindicaciones, aplicación y complicaciones de la administración de CPAP se describen en el capítulo 13, *Manejo de la vía aérea*.

Presión positiva binivel en la vía aérea

En la BPAP se puede administrar un nivel de presión durante la inspiración (presión positiva inspiratoria en la vía aérea) y otro nivel de presión durante la espiración (presión positiva espiratoria en la vía aérea). En lugar de suministrar 20 cm de H_2O como en la CPAP, la BPAP ajustada a 20/8 suministra una presión de 20 cm de H_2O durante la inhalación y de 8 cm de H_2O durante la exhalación. Como este tipo de presión positiva en la vía aérea es más parecida a la respiración normal, con frecuencia es más cómoda para los pacientes. Provoca una variación de la presión en el tórax, lo que permite un flujo sanguíneo más normal. El dispositivo BPAP también es más complejo y costoso, y normalmente no se utiliza en campo.

Ventiladores de transporte automatizados

Los ventiladores de transporte automatizados son esencialmente dispositivos de ventilación con restricción de flujo y accionados por oxígeno con temporizadores incorporados. Se pueden configurar para el suministro de un volumen concreto de oxígeno a una velocidad determinada, lo que puede resultar útil cuando se necesita un par de manos adicionales (**FIGURA 14-24**). Estos dispositivos son un sustituto especialmente bueno de la ventilación con bolsa y mascarilla para pacientes en paro cardíaco o respiratorio. Es posible que los ventiladores de transporte automáticos básicos no ofrezcan funciones avanzadas, como alarmas, controles de velocidad de flujo y una selección de modos ventilatorios. Es fundamental tener en cuenta que *no* son pequeños ventiladores y que *no* están diseñados para ventilar a pacientes sin la observación y atención directas de un paramédico calificado.

Los pacientes conscientes necesitan hasta 150 L/min de flujo para respirar cómodamente. Algunos ventiladores de transporte automáticos están configurados de manera permanente para suministrar 40 L/min, lo que sería inadecuado para un paciente que respira de forma espontánea. Los dispositivos de ventilación con restricción de flujo y los ventiladores de transporte están preajustados a 40 L/min, que es el flujo óptimo para ventilar a un paciente en paro cardiorrespiratorio: mediante mascarilla facial y sin provocar distensión gástrica. Encontrará información más detallada sobre los ventiladores en el capítulo 42, *Pacientes con necesidades especiales.*

Intubación del paciente adulto

En última instancia, tal vez sea necesario intubar y ventilar a los pacientes con insuficiencia respiratoria. La intubación puede salvarles la vida, y muchos pacientes pueden ser extubados en uno o dos días con un resultado excelente. Sin embargo, hay que tener en cuenta algunos factores a la hora de intubar a un paciente. Los paramédicos deben ponderar estos factores junto con los protocolos establecidos, las indicaciones médicas y cualquier expresión de los deseos del paciente. Recuerde las siguientes directrices:

- **Los pacientes con asma son extremadamente difíciles de ventilar y son susceptibles de sufrir neumotórax.** Debido a estos riesgos, la intubación debe ser la última opción para estos pacientes.
- **Sea proactivo: ventile a los pacientes *antes* de que se produzca un paro cardíaco.** En caso de duda, intente ventilar. Un paciente combativo puede no estar preparado para la intubación. Si un paciente permite la intubación, probablemente era necesaria. En los pacientes conscientes, pero con dificultad respiratoria, se necesita el uso de sedación y bloqueadores neuromusculares (mediante intubación asistida farmacológicamente) para facilitar la intubación.
- **Considere la posibilidad de intubar a un paciente que tenga poco o ningún reflejo nauseoso, por ejemplo, un paciente que haya sufrido un accidente cerebrovascular o esté gravemente intoxicado.** La ausencia de reflejo nauseoso supone una grave amenaza si el paciente vomita. En este caso, considere la posibilidad de intubar al paciente para proteger la vía aérea, aunque la ventilación sea adecuada.
- **Considere la ventilación con bolsa y mascarilla.** Algunos pacientes diabéticos o con sobredosis tienen una necesidad evidente de intubación. Sin embargo, si es probable que una ampolla de dextrosa al 50% o de naloxona (Narcan) cambie por completo la situación, tal vez sea mejor utilizar ventilación con bolsa durante unos minutos para controlar el efecto del medicamento inicial, suponiendo que el paciente pueda ser ventilado sin provocar distensión gástrica ni vómito. Ventile lentamente (más de 1 segundo) y utilice solo la ventilación suficiente para producir una elevación visible del tórax.

La intubación se trata en el capítulo 13, *Manejo de la vía aérea.*

Inyección subcutánea de una beta agonista

Los métodos de administración en los que se requiere que el paciente inhale el medicamento pueden ser poco confiables o ineficaces cuando el esfuerzo respiratorio del paciente es inadecuado, como lo demuestra la disminución del volumen corriente. En algunas circunstancias, puede ser beneficioso intentar la estimulación con agonistas beta (beta-2) como se hacía con anterioridad, administrando terbutalina o epinefrina por vía subcutánea o intramuscular. Estos medicamentos no son tan específicos para beta-2 como sus primos en aerosol, por lo que también causarán más taquicardia (estimulación beta-1) e hipertensión (estimulación alfa), pero cuando la vía aérea de un paciente está muy restringida, estos agentes son a veces el método más eficaz. Tenga especial cuidado al utilizar agonistas beta en pacientes adultos de edad avanzada, que pueden no tolerar fácilmente la estimulación cardíaca adicional.

Fisiopatología, evaluación y tratamiento de las enfermedades obstructivas de la vía aérea superior

Obstrucción anatómica

Fisiopatología

La fuente más común de obstrucción de la vía aérea superior en un paciente que no responde es la lengua. La obstrucción causada por la lengua provoca al año la muerte de algunos pacientes traumatizados, pacientes en shock insulínico, pacientes que han sufrido una convulsión o pacientes intoxicados.

Evaluación

La evaluación de la vía aérea es una de las habilidades más fundamentales de los paramédicos. Cualquier persona con un menor nivel de conciencia, especialmente una persona en posición supina, corre el riesgo de sufrir una obstrucción de la vía aérea superior. La respiración sonora (ronquidos) es un signo evidente de una obstrucción, al menos parcial, de la respiración. Otros signos incluyen gorgoteos, chirridos o sonidos burbujeantes durante la respiración. El estridor puede estar asociado al uso de músculos accesorios o a retracciones si el paciente está intentando respirar a través de una vía aérea obstruida.

Manejo

Los transeúntes con frecuencia colocan una almohada bajo de la cabeza de una persona que no responde, lo que agrava la obstrucción de la vía aérea. Si el paciente ronca, retire la almohada y reposicione su vía aérea.

El exceso de tejido blando en la vía aérea es una de las causas de la apnea obstructiva del sueño, y algunas personas llegan a extirpar quirúrgicamente dicho tejido de la faringe para limitar la obstrucción anatómica. Afortunadamente, el tejido blando de la vía aérea superior puede desplazarse manualmente con una serie de maniobras básicas, como se explica en el capítulo 13, *Manejo de la vía aérea.* Si no es necesario restringir el movimiento de la columna, coloque al paciente inconsciente en posición de recuperación para evitar la obstrucción de la vía aérea. La posición de recuperación es la más segura para muchos pacientes que han sufrido convulsiones o están hipoglucémicos o intoxicados. Asimismo, reduce el riesgo de que el paciente se aspire en caso de vómito.

Inflamación causada por infección

Fisiopatología

Diversas infecciones pueden causar inflamación en la vía aérea superior. La infección puede provocar **laringotraqueobronquitis**, o inflamación de la laringe, la tráquea y los bronquios. Una forma aguda de laringotraqueobronquitis es una causa frecuente de **crup**, una afección caracterizada por estridor, ronquera y tos perruna que suele presentarse en lactantes y niños pequeños. (Algunos autores consideran que la laringotraqueobronquitis y el crup son lo mismo). La ley de Poiseuille sostiene que a medida que disminuye el diámetro de un tubo, la resistencia al flujo aumenta exponencialmente. Esta ley explica por qué los niños, que tienen una vía aérea estrecha, a menudo padecen crup cuando una infección provoca inflamación de la vía aérea superior, mientras que los adultos con la misma infección no lo hacen (**FIGURA 14-25**). La infección viral es una causa subyacente más común de crup que la infección bacteriana. El crup también puede ser a causa de alergias que provocan hinchazón y obstrucción de la vía aérea, o por obstrucción con un cuerpo extraño.

Las **amígdalas palatinas** también se pueden inflamar de forma importante en los niños, aunque esta condición rara vez pone en peligro su vida. Cuando se coloca correctamente a un niño para intubarlo, las amígdalas inflamadas no suelen obstruir la visión de la glotis. Sin embargo, hay que tener cuidado de no lesionar las amígdalas con el laringoendoscopio, ya que pueden hincharse y sangrar si se traumatizan.

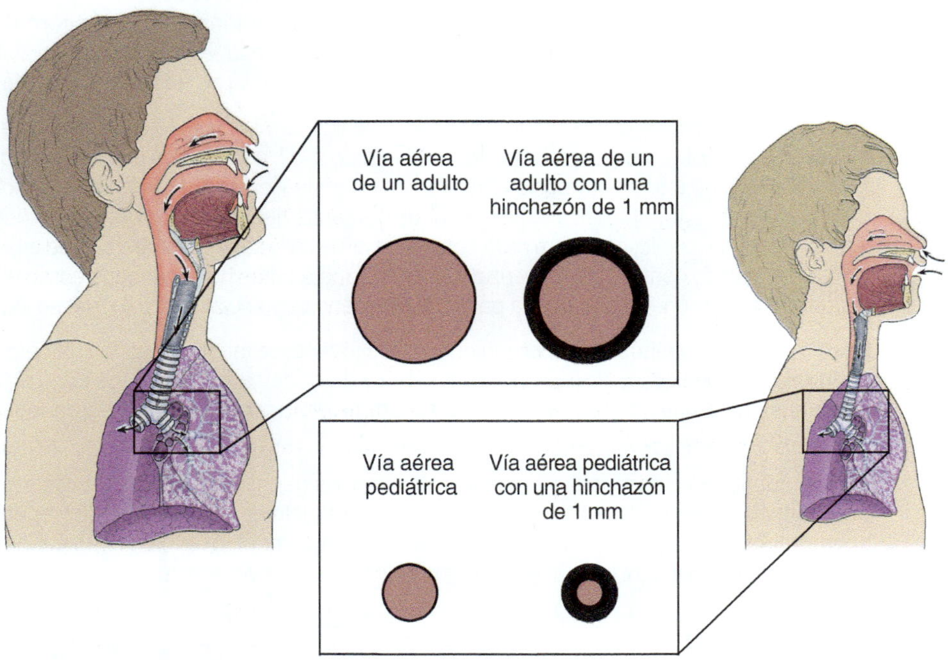

FIGURA 14-25 Cualquier constricción de la vía aérea (p. ej., en una afección como el asma) puede reducir gravemente el volumen del flujo de aire, en especial en los niños. La ley de Poiseuille establece que a medida que disminuye el diámetro de un tubo, la resistencia al flujo aumenta exponencialmente.

Evaluación

En las últimas décadas, muchas enfermedades mortales de la vía aérea superior, como la epiglotitis, se han vuelto poco frecuentes gracias a los esfuerzos generalizados de inmunización. Desafortunadamente, la tasa de inmunización infantil ha empezado a disminuir a medida que el público en general se vuelve complaciente respecto a dichas enfermedades. Por lo tanto, los paramédicos deben permanecer atentos a estas condiciones patológicas. En el **CUADRO 14-6** se incluyen los signos y síntomas de condiciones inflamatorias seleccionadas que pueden afectar a la vía aérea superior.

El crup y la amigdalitis son comunes, especialmente entre los niños, pero las otras afecciones mencionadas en el Cuadro 14-6 son raros. Cuando se presentan estas condiciones patológicas, son emergencias críticas, porque la inflamación puede obstruir rápidamente la vía aérea, haciendo que la intubación orotraqueal sea extremadamente difícil o imposible. *Evite manipular la vía aérea* a menos que sea absolutamente necesario. Normalmente, la ventilación se obtiene con una técnica cuidadosa de bolsa y mascarilla.

Perlas de sabiduría

La inmunización ha reducido en gran medida la incidencia de muchas enfermedades infecciosas, como la difteria; sin embargo, un número cada vez mayor de personas en Estados Unidos no se pueden vacunar (debido a la pobreza, la falta de acceso a la atención médica o el aislamiento geográfico, por ejemplo) o se niegan a vacunarse (porque temen que las vacunas causen otras enfermedades o creen que las vacunas son innecesarias). Falta de inmunidad entre los adultos y niños no vacunados ha provocado la reaparición de ciertas enfermedades. Además, como la inmunización no dura para siempre, se pueden observar condiciones como la epiglotitis (aunque es poco común) entre adultos de 20 y 30 años.

Tratamiento

Si la intubación es esencial porque el paciente no puede ser ventilado eficazmente con la técnica de bolsa-mascarilla, entonces es probable que la vía aérea

CUADRO 14-6 Afecciones inflamatorias que pueden deteriorar la vía aérea superior

Condición	Comentarios
Crup	Condición que se encuentra con mucha más frecuencia en niños de entre 6 meses y 6 años, pero puede aparecer a cualquier edad; en las zonas septentrionales, es más común entre octubre y marzo; se caracteriza por estridor, ronquera y tos seca; es angustiosa pero no suele ser mortal; la causa subyacente por lo regular es una infección viral. No manipule la vía aérea.
Epiglotitis	Inflamación grave y rápidamente progresiva de la epiglotis y los tejidos circundantes, normalmente a causa de una infección (mucho más común debido a la *Haemophilus influenzae* tipo B); puede ser mortal debido a una obstrucción respiratoria repentina; es una emergencia potencialmente mortal; los signos y síntomas incluyen dolor de garganta, fiebre, babeo, ronquera e hiperextensión intencionada del cuello; antes era más común en niños, pero ahora es rara debido a la inmunización generalizada contra el *H. influenzae*, dejando a los adultos no vacunados como el grupo susceptible más común. Por fortuna, la patología es menos potencialmente mortal en los adultos.
Absceso periamigdalino	Poco frecuente en niños, más común en adultos jóvenes; el absceso se forma cerca de una amígdala faríngea; los síntomas incluyen fiebre y dolor de garganta; puede confundirse con epiglotitis hasta que se observa un absceso lateral (en lugar de epiglotis agrandada) en la garganta. No manipule la vía aérea.
Absceso retrofaríngeo	Más frecuente en niños; causado por infección en los ganglios linfáticos retrofaríngeos y por traumatismo faríngeo directo; los signos y síntomas incluyen fiebre y estridor repentino; puede confundirse con epiglotitis hasta que el examen laringoscópico revela un absceso retrofaríngeo (en lugar de epiglotis de color rojo cereza). No manipule la vía aérea.
Difteria	La bacteria causante ataca y mata una capa de tejido epitelial, creando una **pseudomembrana**, con frecuencia en la zona amigdalar; esta membrana (y la inflamación de la vía aérea superior asociada a la enfermedad) puede obstruir la vía aérea superior; ya no es frecuente debido a la vacunación contra la difteria, el tétanos y la tos ferina (DTP). No manipule la vía aérea.
Amígdalas agrandadas	Las amígdalas palatinas se pueden hinchar excesivamente, a veces hasta alcanzar el tamaño de una pelota de golf; se asocia a fiebre, dificultad para tragar y dolor de garganta; el agrandamiento de las amígdalas rara vez obstruye la vía aérea, pero puede provocar ronquidos y estridor. No manipule la vía aérea.

esté ya totalmente obstruida por el edema. Los intentos de laringoscopia pueden empeorar esta inflamación. Pida a un compañero que presione el tórax del paciente mientras usted busca un flujo de burbujas que salgan de la vía aérea. Utilice un tubo endotraqueal al menos dos tallas más pequeño de lo que normalmente sería apropiado para ese paciente. Si este esfuerzo fracasa luego de solo un intento, será necesario realizar una cricotirotomía con aguja o quirúrgica. Es preferible aplazar los intentos quirúrgicos de crear una vía aérea hasta que haya personal del centro médico más cercano, pero si está permitido en su sistema, el tiempo puede obligarle a utilizar un abordaje invasivo de la vía aérea.

Aspiración

La inhalación de cualquier cosa que no sean gases respirables se denomina **aspiración**. Los pacientes pueden aspirar agua dulce o salada, sangre, vómito o alimentos y bebidas. También se puede presentar la aspiración de cuerpos extraños, como nueces o dientes rotos.

En los pacientes de edad avanzada, la aspiración crónica de alimentos es una causa frecuente de neumonía por las bacterias presentes en el material aspirado. La aspiración del contenido del estómago conlleva el riesgo adicional de **neumonitis** por aspiración, en la que el ácido gástrico irrita el tejido pulmonar.

Fisiopatología

La mayoría de los adultos se atragantan solo cuando están intoxicados o traumatizados, o cuando el reflejo nauseoso ha disminuido luego de un accidente cerebrovascular, como resultado de otra disfunción neurológica o como consecuencia del envejecimiento. Muchos pacientes adultos mayores tienen problemas para tragar. Los pacientes que reciben alimentación por sonda corren riesgo de aspiración, sobre todo si se les coloca en posición supina inmediatamente después de recibir una alimentación abundante.

La aspiración se asocia a una elevada tasa de mortalidad. Es una complicación frecuente pero muy peligrosa en pacientes que han sufrido un paro cardíaco y en pacientes que no responden como consecuencia de un traumatismo o una sobredosis. Estos pacientes corren el riesgo de aspirar vómito.

Evaluación

Al evaluar a un paciente con disnea súbita, debe tener en cuenta las circunstancias. ¿Se produjo la dificultad respiratoria inmediatamente después de comer? ¿Tiene el paciente una sonda de alimentación gástrica y, de ser así, cuándo fue la última vez que comió y qué cantidad? ¿El material succionado de la vía aérea del paciente es del mismo color que la sonda de alimentación? ¿Hay partículas en el material succionado? La fiebre y la tos pueden presentarse varias horas después de un acontecimiento asociado con mayor riesgo de aspiración, como una convulsión o un episodio de falta de respuesta. Algunos pacientes aspiran crónicamente y pueden tener antecedentes de neumonía por aspiración.

Tratamiento

Siga estas pautas cuando trate a pacientes con riesgo de aspiración o que hayan aspirado:

1. Reducir de manera importante el riesgo de aspiración evitando la distensión gástrica al ventilar y descomprimir el estómago con una sonda nasogástrica siempre que sea apropiado.
2. Vigilar activamente la capacidad del paciente para proteger la vía aérea, y proteger la vía aérea del paciente con una vía aérea avanzada cuando sea necesario.
3. Tratar enérgicamente la aspiración con succión y control de la vía aérea si fallan los pasos 1 y 2.

Los pacientes con riesgo de aspiración no deben comer cuando tengan dificultad para ventilar. Si las maniobras de soporte vital básico no consiguen despejar la vía aérea obstruida, utilice laringoscopia y pinzas de Magill y, si es necesario y lo permite el protocolo local, realice una cricotiroidotomía con aguja o quirúrgica. Aunque actualmente la cricotiroidotomía con aguja es cada vez más cuestionada.

Fisiopatología, evaluación y tratamiento de enfermedades obstructivas de la vía aérea inferior

Las enfermedades obstructivas de la vía aérea inferior se caracterizan por una obstrucción difusa del flujo de aire dentro de los pulmones. Las enfermedades obstructivas más comunes de la vía aérea inferior son el enfisema, la bronquitis crónica y el asma, un síndrome episódico agudo; estas tres condiciones representan en conjunto una gran parte de las llamadas usuales del proveedor por disnea. El asma y la bronquitis crónica se clasifican colectivamente como EPOC porque los cambios en la estructura y función pulmonares que se producen con estas enfermedades son crónicos, progresivos e irreversibles. El asma se considera una entidad independiente, al menos en sus fases iniciales, porque el estrechamiento de la vía aérea es reversible.

La enfermedad obstructiva se produce cuando la presión positiva de la espiración provoca que la

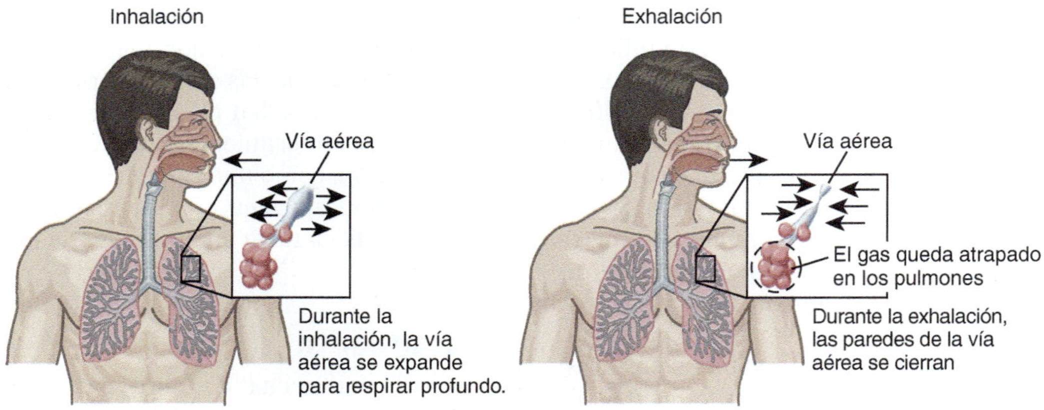

FIGURA 14-26 La enfermedad obstructiva se caracteriza por cambios en la vía aérea menor, lo cual provoca que se cierren durante la exhalación, atrapando el aire dentro de los pulmones. La vía aérea sana se estrecha durante la exhalación, pero no lo suficiente como para atrapar aire u obstruir el flujo de aire.

vía aérea menor se cierre, y el gas quede atrapado en los alvéolos. Cuanto más se esfuerza el paciente por expulsar el aire, más aire queda atrapado en los alvéolos (**FIGURA 14-26**). Los pacientes con enfermedad obstructiva aprenden que exhalar lentamente a baja presión es más eficaz que exhalar rápidamente a alta presión.

Los pacientes con enfermedad obstructiva de la vía aérea pueden presentar diversos hallazgos físicos que sugieren la naturaleza de su enfermedad:

- **Respiración con los labios fruncidos.** Esta respiración permite a los pacientes exhalar lentamente a presión controlada.
- **Aumento de la relación I:E.** La relación I:E (inspiratorio a espiratorio) suele ser de 1:2 en personas sanas que respiran con tranquilidad. En otras palabras, se tarda el doble de tiempo en exhalar que en inhalar. Los pacientes graves con enfermedades obstructivas pueden tener una relación I:E de hasta 1:6 o 1:8.
- **Uso de los músculos abdominales.** Los músculos abdominales ayudan a expulsar el aire (durante la exhalación). Los pacientes con enfermedades obstructivas se deben esforzar para expulsar el aire con cada respiración. Por ejemplo, las personas con asma se pueden quejar de dolor abdominal después de un ataque porque es igual a cientos de abdominales mientras luchan por respirar.
- **DVY.** El aire atrapado en los pulmones aumenta la presión en el tórax. La sangre que drena hacia la vena cava superior desde la cabeza y el cuello puede retroceder hasta las venas yugulares, provocando la DVY.

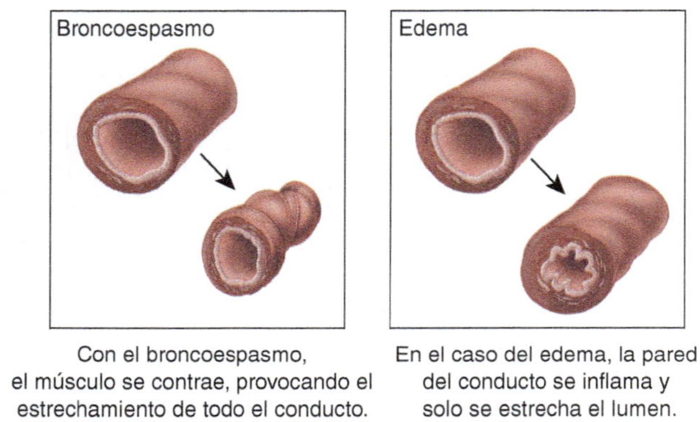

FIGURA 14-27 El broncoespasmo es una constricción o estrechamiento de los diámetros de las porciones interior y exterior de la vía aérea. Por el contrario, en el edema bronquial solo se estrecha el diámetro de la porción interna (la luz bronquial). Ambas condiciones reducen el diámetro funcional de la vía aérea.

Asma

Fisiopatología

El nombre *asma* (de una palabra griega que significa "jadeo") lo utilizó por primera vez para esta enfermedad el médico griego del siglo II Areatus "porque en los paroxismos [de un ataque de asma], los pacientes también jadean para respirar". El asma bronquial se caracteriza por un aumento de la reactividad de la tráquea y los bronquios a diversos estímulos. Esta hiperreactividad da lugar a un estrechamiento generalizado y reversible de la vía aérea, o broncoespasmo (**FIGURA 14-27**). El asma dificulta la exhalación. El aire queda atrapado en las porciones distales del pulmón, de modo que el aire de la siguiente inhalación no puede entrar en los alvéolos.

De acuerdo con los Centros para el Control y la Prevención de Enfermedades, más de 24 millones de personas en Estados Unidos declararon tener asma en 2018, y la prevalencia parece ir en aumento.[15] Cada año, 1.5 millones de personas visitan un servicio de emergencias debido al asma, y aproximadamente 11% de ellas serán ingresadas a un centro médico.[15]

Las cada vez más crecientes tasas de asma se observan en niños menores de 5 años. Las tasas globales de mortalidad por asma también son más altas en personas menores de 35 años.[16] Esta enfermedad es más común en los hombres, pero tiende a ser más grave en las mujeres. Los afroamericanos, especialmente los que viven en grandes zonas urbanas, tienen tres veces más probabilidades de que se les diagnostique asma y sus tasas de mortalidad son cinco veces superiores a las observadas en otros grupos raciales.[4]

Los pacientes con asma potencialmente mortal en todo momento tienen una ventilación gravemente comprometida. Si se desencadena un broncoespasmo agudo o si padecen una infección, corren un grave riesgo. Un paciente con asma corre un alto riesgo de sufrir un paro respiratorio si sus antecedentes incluyen alguno de los factores incluidos en el **CUADRO 14-7**. No seguir el esquema de medicamentos y/o tener un trastorno psiquiátrico grave también aumenta la probabilidad de que un paciente con asma sufra un ataque mortal. Aproximadamente 10 personas mueren cada día en Estados Unidos debido al asma.[4]

En ocasiones, el asma se denomina **enfermedad reactiva de la vía aérea**, una etiqueta que indica que el paciente experimenta broncoespasmo cuando se expone a determinados desencadenantes, como el polvo, el frío o el humo. Además, el edema y la inflamación de la vía aérea y el aumento de la producción de moco pueden causar una obstrucción significativa de la vía aérea. El asma suele provocar crisis agudas de duración variable. Entre los ataques, la persona puede estar relativamente asintomática.

CUADRO 14-7 Factores asociados a mayor riesgo de muerte relacionada con el asma

- Intubación previa por insuficiencia o paro respiratorios
- Acidosis respiratoria
- Dos o más admisiones en un centro médico a pesar del uso de corticoesteroides orales
- Dos o más episodios de neumotórax

Perlas de sabiduría

El término *asma* describe una tríada de alteraciones de la vía aérea: broncoespasmo, aumento de la producción de moco y edema periférico de la vía aérea. Puede presentarse de forma diferente en distintas personas, pero es una condición patológica común.

El **estado asmático** es un ataque de asma grave y prolongado que no se puede detener con el tratamiento convencional. *Se trata de una verdadera emergencia médica.* Del mismo modo que los pacientes con EPOC no suelen pedir ayuda al SEM a menos que su condición haya cambiado notablemente, los pacientes con asma no suelen llamar al 9-1-1 a menos que el ataque sea mucho peor de lo habitual. Es razonable asumir que *cualquier persona con asma que se sienta lo bastante mal como para llamar al 9-1-1 se encuentra en estado asmático hasta que se demuestre lo contrario.*

Evaluación

Cuando los pacientes empiezan a tener sibilancias, los inhaladores suelen ayudarles durante poco tiempo antes de que vuelvan los síntomas. El típico ataque de asma que responde al tratamiento pero que vuelve a producirse al cabo de unas horas se debe a veces a una infección subyacente, como neumonía o bronquitis, que desencadena continuamente los síntomas asmáticos. El ataque de asma no remitirá hasta que se elimine el desencadenante o se mitigue por otros medios. Considere los posibles detonantes de cada paciente. ¿Tiene fiebre o escalofríos? ¿Tose con esputo de color?

En la exploración, un paciente en estado asmático luchará desesperadamente por mover el aire a través de la vía aérea obstruida. Observará un uso prometedor de los músculos accesorios de la respiración. El tórax estará hiperinflado al máximo. Es posible que no se escuchen los ruidos respiratorios y las sibilancias porque el movimiento del aire es insignificante, y el paciente por lo regular está agotado, gravemente acidótico y deshidratado.

Broncoespasmo

El broncoespasmo es el resultado de la constricción del músculo liso que rodea los bronquios más grandes de los pulmones (**FIGURA 14-28**). Un alergeno o irritante como el polvo, el perfume, la caspa animal o el aire frío, u otros estímulos como el ejercicio o el estrés pueden provocar un broncoespasmo. Cuando el

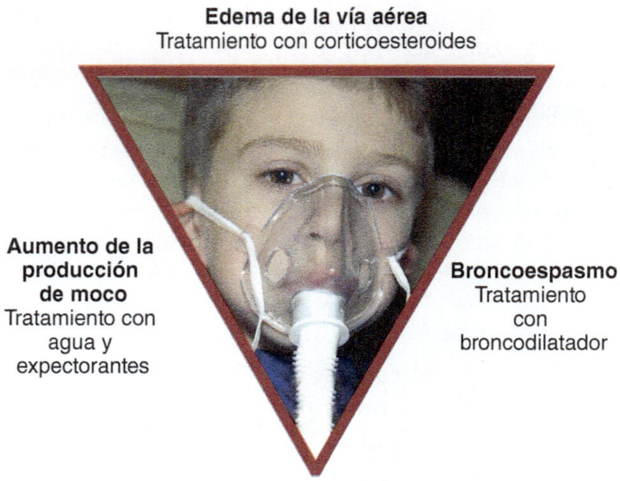

FIGURA 14-28 La tríada del asma consta de los tres componentes principales del asma y los tratamientos respectivos para cada uno de ellos. El asma se presenta de forma diferente en cada persona, por lo que también debe variar el tratamiento individual.

aire es forzado a pasar por la vía aérea restringida, ocasiona que estas vibren, lo que provoca sibilancias. El broncoespasmo también puede reducir el flujo espiratorio máximo al provocar un flujo de aire turbulento.

Edema bronquial

La inflamación de los bronquios y bronquiolos también crea un flujo de aire turbulento y atrapamiento de aire. Los medicamentos broncodilatadores contribuyen poco a reducir el edema bronquial. Si un paciente toma un medicamento de este tipo y el flujo máximo no mejora drásticamente, es probable que exista cierto grado de edema bronquial.

Aumento de la producción de moco

Las secreciones espesas pueden obstruir la vía aérea distal y contribuir al atrapamiento de aire. Las personas con asma pueden estar significativamente deshidratadas como resultado de una mayor pérdida de líquidos por la taquipnea y la ingesta inadecuada de líquidos. La deshidratación hace que las secreciones sean aún más espesas, empeorando el atrapamiento de aire.

Tratamiento

La mayoría de las personas con asma presentan una combinación de estas tres condiciones patológicas, aunque su predominio varía entre los distintos pacientes:

- **Broncoespasmo.** El broncoespasmo se caracteriza principalmente por la broncoconstricción, que suele responder bien a los broncodilatadores en aerosol. Así pues, el tratamiento principal del broncoespasmo es el medicamento broncodilatador nebulizado. Es posible que, a los pacientes que no responden a los broncodilatadores nebulizados, se les indiquen medicamentos adicionales. Si se sospecha la existencia de broncoespasmos graves, indicados por el aspecto de "aleta de tiburón" en la capnografía de ondas, se puede considerar usar sulfato de magnesio para relajar el músculo liso. El uso de epinefrina puede ser apropiado *in extremis* debido a sus potentes propiedades agonistas beta-2.[17]
- **Edema bronquial.** Los medicamentos anticolinérgicos como el bromuro de ipratropio pueden administrarse con medicamentos broncodilatadores nebulizados para secar el líquido en la vía aérea mayor.[17] El edema bronquial responde mucho menos a los broncodilatadores en aerosol y normalmente muestra una mejoría significativa solo después de haberse administrado los corticoesteroides y que hayan hecho efecto. Los corticoesteroides pueden o no administrarse en campo porque, a diferencia de los broncodilatadores que pueden mejorar la respiración inmediatamente, los corticoesteroides tardan unas horas en reducir la inflamación.
- **Secreción excesiva de moco.** El enfoque principal para tratar las secreciones en un paciente con asma es mejorar la hidratación. A veces también se utilizan mucolíticos, que descomponen la mucosidad espesa, y expectorantes, que aflojan las secreciones espesas para que puedan expulsarse al toser.

Consideraciones sobre el traslado

Muchos pacientes controlan habitualmente su asma en casa y pueden resistirse a ser trasladados a un centro médico una vez aliviados los síntomas más agudos. Intente determinar el factor desencadenante de un ataque. Si el paciente tiene una infección subyacente, indicada por fiebre, aumento de la producción de mucosidad o mucosidad de color verde, amarillo o marrón, o si la persona va a estar expuesta continuamente a un factor desencadenante (como alguien que lleva una fragancia fuerte o fuma), retire al paciente del entorno para realizar una evaluación adicional. Si un paciente cuyas sibilancias desaparecen, pero cuyo flujo máximo no mejora, posiblemente requiera corticoesteroides. Un paciente desnutrido o deshidratado puede necesitar más líquidos por vía intravenosa.

EPOC: enfisema y bronquitis crónica

Fisiopatología

La EPOC comprende al menos dos entidades clínicas distintas: el enfisema y la bronquitis crónica. Se cree que el enfisema daña o destruye la frágil estructura de los bronquiolos terminales. En esta enfermedad, los grupos de alvéolos se fusionan en grandes bultos, o burbujas, que son mucho menos eficaces en el intercambio de gases que el tejido pulmonar normal porque tienen menos superficie disponible. Esta parte del árbol traqueobronquial se debilita tanto que sus ramas se colapsan durante la exhalación, atrapando el aire en los alvéolos.

Enfermedad restrictiva

Las **enfermedades pulmonares restrictivas** comprenden patologías que limitan la capacidad del paciente para expandir los pulmones dentro de la cavidad torácica. Algunos ejemplos son la cifosis y la escoliosis graves (**FIGURA 14-29**), la sarcoidosis (una enfermedad autoinmune), la enfermedad pulmonar intersticial, la obesidad y las enfermedades neuromusculares (p. ej., distrofia muscular, esclerosis lateral amiotrófica). Estos trastornos ponen a los pacientes en riesgo de infección y pueden limitar gravemente su capacidad para compensar cualquier ataque. Las enfermedades pulmonares restrictivas por sí mismas no generan muchas llamadas de respuesta del SEM. Se mencionan para compararlas con las enfermedades obstructivas, que los paramédicos encontrarán con frecuencia.

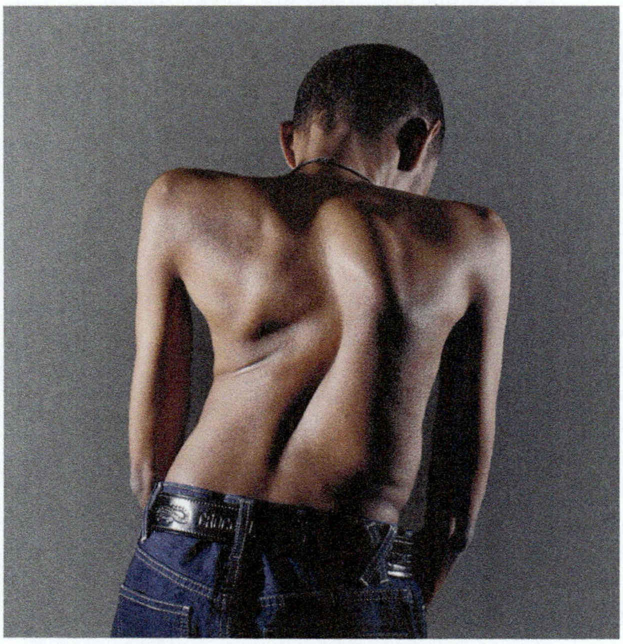

FIGURA 14-29 Las enfermedades de los huesos, como la escoliosis, pueden perjudicar la capacidad del paciente para mover el aire debido a la compresión torácica.

La bronquitis crónica se define como la producción de esputo casi todo el mes, durante 3 o más meses al año en más de 2 años. El sello distintivo de esta enfermedad es la producción excesiva de moco en el árbol bronquial, que casi siempre va acompañada de una tos productiva crónica o recurrente (tos que produce flema). Un paciente típico con bronquitis crónica es casi siempre un fumador empedernido, suele tener sobrepeso y estar congestionado, y a veces tiene la tez azulada. Los niveles de gases en sangre tienden a ser anormales, con niveles elevados de $Paco_2$ (hipercapnia) y disminuidos de PaO_2 (hipoxemia). A menudo, el paciente presenta cardiopatía asociada e insuficiencia cardíaca derecha (*cor pulmonale*).

Evaluación

El enfisema y la bronquitis crónica representan dos extremos del espectro de la EPOC. En realidad, a medida que la EPOC progresa, la mayoría de los pacientes se sitúan en algún punto entre estos dos extremos clínicos, mostrando signos y síntomas de ambos procesos de la enfermedad.

Muchos pacientes con enfisema presentan un tórax en tonel causado por la hiperinsuflación pulmonar crónica. Estos pacientes con frecuencia están taquipneicos porque intentan mantener un nivel normal de dióxido de carbono a pesar de sus pulmones disfuncionales. Pueden consumir cantidades extremas de energía al intentar respirar, utilizando su propia masa muscular como fuente de energía en el proceso.

Entre las causas de las sibilancias difusas se encuentran la insuficiencia cardíaca izquierda aguda ("asma cardíaca"), la inhalación de humo, la bronquitis crónica y la embolia pulmonar aguda. Las sibilancias localizadas sugieren una obstrucción, por cuerpo extraño o tumor, en una zona específica. Solo una anamnesis y una exploración física cuidadosas revelarán el diagnóstico correcto.

A continuación, se presentan algunos factores comunes que causan descompensación en un paciente con EPOC.

EPOC con neumonía

Debido a que los pacientes con EPOC padecen una enfermedad crónica, tienen una deficiencia en la eliminación de secreciones y, en ocasiones, una producción excesiva de mucosidad (que actúa como medio de cultivo para microorganismos patógenos), con frecuencia presentan infecciones pulmonares. En la evaluación debe comprobarse si hay fiebre, si ha cambiado el color o la cantidad de esputo producido, si aparecen otros signos de infección (p. ej., dolores corporales, malestar general o dolor al respirar) o si los ruidos respiratorios auscultados (p. ej., crepitantes localizados o unilaterales) son compatibles con neumonía. Un paciente que evidentemente padece EPOC también podría tener otra afección, incluida otra condición respiratoria.

Perlas de sabiduría

Con los años, las personas con EPOC aprenden cuánto esfuerzo pueden tolerar, en qué posición es posible dormir, etc. Por ello, cuando una persona con EPOC pide ayuda al SEM, casi siempre significa que algo empeoró.

EPOC con insuficiencia cardíaca derecha

Empujar la sangre espesa (debido a la policitemia) por parte del lado derecho del corazón a través de los capilares comprimidos por los alvéolos hiperinsuflados es una actividad laboriosa. Esta situación suele causar insuficiencia cardíaca derecha como consecuencia de una enfermedad pulmonar (*cor pulmonale*). Si los pacientes ingieren demasiada sal o líquido o no excretan suficiente cantidad de líquido (por insuficiencia renal o por no utilizar diuréticos según prescripción), pueden sufrir un episodio de insuficiencia cardíaca. Durante la evaluación se debe buscar edema periférico, DVY con reflujo hepatoyugular, crepitantes al final de la inspiración, aumento progresivo de la disnea durante varios días, ingesta de líquidos superior a la habitual y uso inadecuado de los diuréticos. Tenga en cuenta que puede ser difícil diferenciar los crepitantes de la insuficiencia cardíaca de los crepitantes siempre presentes debido a la EPOC.

Perlas de sabiduría

En la década de 1930, Chevalier Jackson, famoso laringoscopista y pionero en el tratamiento de la vía aérea, acuñó la frase "No todo lo que produce sibilancias es asma".[18,19] Es especialmente importante distinguir las sibilancias del asma de las causadas por la insuficiencia cardíaca izquierda porque los tratamientos de ambas afecciones son considerablemente diferentes.

EPOC con insuficiencia cardíaca izquierda

Los pacientes con EPOC corren un alto riesgo de sufrir un paro cardíaco súbito. Cualquier disfunción brusca del ventrículo izquierdo, como un infarto agudo de miocardio o una alteración del ritmo cardíaco (disritmia), puede causar una insuficiencia cardíaca izquierda de inicio rápido. No permita que una impresión inicial de EPOC impida la rápida identificación de un infarto agudo de miocardio.

Exacerbación aguda de la EPOC

En una exacerbación aguda de la EPOC, ninguna comorbilidad, como la insuficiencia cardíaca o la neumonía, explica claramente la descompensación súbita. Más bien, el estado del paciente empeora repentinamente, a menudo debido a algún cambio ambiental, como un cambio repentino del clima, la humedad o la reciente activación estacional del sistema de calefacción o refrigeración. Una exacerbación aguda también puede deberse a la inhalación de sustancias detonantes, como polvo, moho, caspa de animales o pintura fresca.

Los avances tecnológicos han permitido que las personas con enfermedades respiratorias crónicas tengan mucha más libertad para salir de casa y viajar. Los paramédicos pueden ser llamados para asistir a una persona que tiene una exacerbación aguda de EPOC cuando se agota un tanque de oxígeno o un ventilador portátil funciona mal, cuando los medicamentos se dejan en casa o se empacan en el equipaje documentado a un destino incorrecto, o cuando el tratamiento se interrumpe deliberadamente porque la persona quiere recuperar cierta autonomía o no entiende la importancia de la terapia.

EPOC terminal

Los pacientes con EPOC grave llegan a un punto en el que sus pulmones ya no pueden soportar la oxigenación y la ventilación. Sus llamadas al 9-1-1 se hacen más frecuentes a medida que su estado se deteriora. Algunos estarán en cuidados paliativos. En las fases finales de la enfermedad, puede ser difícil determinar si un paciente tiene una exacerbación que puede resolverse o si ha llegado al final del proceso de la enfermedad. La intubación endotraqueal puede imposibilitar que un paciente manifieste sus deseos. Además, cuanto más frecuente sea la intubación y la ventilación mecánica, más difícil será retirar el tubo del ventilador. El temor ante estas sombrías perspectivas aumenta la ansiedad del paciente, lo que incrementa la carga de trabajo cardíaco y el consumo de oxígeno cardíaco, una serie de acontecimientos potencialmente letales para un paciente con EPOC en fase terminal.

Cada sistema del SEM tiene sus propias formas de tratar las órdenes de no reanimación. Es importante documentar los deseos del paciente cuando comienza la fase terminal de la enfermedad. Siga el protocolo local o, de ser necesario, póngase en contacto con el control médico en relación con estas cuestiones.

Documentación y comunicación

Solicite orientación al director médico y siga los protocolos locales cuando trate a un paciente con EPOC grave o asma que se encuentre en paro o casi paro cardíaco.

EPOC y traumatismos

Las personas con EPOC son tan susceptibles a los traumatismos como el resto de la población, pero su enfermedad disminuye su capacidad para tolerarlos. Muchos pacientes con EPOC deben sentarse para respirar, por lo que atarlos a una tabla larga puede provocar una descompensación. Cualquiera que haya realizado compresiones de RCP en un paciente con enfisema crónico sabe lo mal que tolera el traumatismo la pared torácica. Incluso cuando un paciente con EPOC sobrevive al traumatismo inicial, es susceptible de sufrir embolias pulmonares e infecciones durante la recuperación. Los pacientes con EPOC rara vez tienen una saturación de oxígeno "normal"; su valor normal puede ser inferior a 90%. La administración de oxígeno suplementario para lograr una saturación de 98% no es realista y puede ser perjudicial.

Tratamiento

Aunque poco se puede hacer en campo para aliviar a largo plazo a los pacientes con EPOC, a menudo se puede aliviar el broncoespasmo, el edema, el líquido o la hipoxia asociados, lo que ayuda a mejorar la situación inmediata del paciente.

Los pacientes con EPOC a menudo están debilitados por la enfermedad y tienen poca o ninguna reserva respiratoria que les ayude a hacer frente a otros problemas respiratorios. Los paramédicos deben tratar activamente de determinar las circunstancias que inclinaron el precario equilibrio desde la estabilidad relativa hasta el estado de insuficiencia respiratoria que motivó la llamada al 9-1-1. El tratamiento eficaz de la EPOC requiere la comprensión de los conceptos de impulso hipóxico y auto-PEEP (presión positiva al final de la espiración).

Impulso hipóxico

El **impulso hipóxico** es un estado en el que el estímulo de una persona para respirar procede de una disminución de la Pao_2 en lugar del estímulo normal, un aumento de la $Paco_2$. Cuando un paciente tiene hipoventilación crónica, los iones de bicarbonato (HCO_3^-) migran al líquido cefalorraquídeo, engañando al cerebro para que piense que el ácido y la base están equilibrados. El centro respiratorio del paciente puede entonces cambiar a un impulso hipóxico.

Este fenómeno sólo afecta a un pequeño porcentaje de pacientes: los que padecen las formas más implacables de enfermedad pulmonar. El impulso hipóxico se produce durante la fase final del proceso de la enfermedad. En tal caso, debe decidir si la administración de oxígeno es adecuada para un paciente determinado. Al tomar esta decisión, tome en consideración los siguientes puntos:

1. Solo un pequeño subgrupo de pacientes con EPOC respira debido al impulso hipóxico, pero es imposible saber quiénes son con solo mirarlos. Los pacientes con oxígeno domiciliario a valores muy específicos (como 1.5 L/min) deben despertar su sospecha.
2. Los pacientes que respiran debido a un impulso hipóxico no se vuelven apneicos de repente después de respirar oxígeno. Los niveles altos de oxígeno reducen lentamente el impulso respiratorio, y la frecuencia respiratoria desciende despacio a un solo dígito antes de que el paciente se vuelva apneico. Es probable que un paramédico reconozca este fenómeno durante un traslado; la preocupación real es en el caso de un paciente en un centro médico o en un centro de cuidados prolongados al que se le administra oxígeno suplementario al 100% y se le deja solo durante un periodo prolongado.
3. La estimulación verbal y física puede estimular la respiración. Si la frecuencia respiratoria empieza a descender, sacuda suavemente al paciente y grite "¡Respire!" Esta técnica funciona bien en las primeras fases.
4. Si un paciente se vuelve apneico debido a una oxigenación incrementada, la piel puede seguir pareciendo perfundida.
5. Si el paciente entra en apnea, proporcione ventilación artificial y considere la intubación.
6. Aunque las lecturas de saturación de oxígeno (SpO_2) pueden ser un valioso complemento para

decidir si el paciente está apneico o no, se debe considerar la intubación; los valores de SpO_2 son menos útiles en casos de EPOC porque no arrojan luz sobre el nivel de dióxido de carbono.

El oxígeno suplementario forma parte de la terapia de muchos pacientes, por lo que no tiene sentido retirar el oxígeno a alguien que lo necesita por miedo a que disminuya el impulso respiratorio en los pocos pacientes que podrían tener esta complicación. Recuerde que una saturación de oxígeno de 93% es aceptable, y muchos pacientes con EPOC tienen habitualmente valores incluso más bajos. No es necesario ni deseable oxigenar a estos pacientes hasta niveles de saturación de oxígeno de 99% o 100%.

Auto-PEEP

No todo el mundo debe ser ventilado de la misma manera. Al ventilar a un paciente con enfermedad obstructiva grave, como asma descompensada o EPOC, recuerde que la persona tiene dificultad para exhalar. Debe permitirse la exhalación completa antes de administrar la siguiente respiración o, de lo contrario, la presión en el tórax seguirá aumentando. Este fenómeno, denominado auto-PEEP, puede acabar provocando un neumotórax o un paro cardíaco. Si la presión en el tórax supera la presión a la que la sangre regresa al corazón, el retorno venoso será limitado y puede producirse un paro cardíaco.

Los pacientes en quienes la auto-PEEP es un problema deben recibir ventilación a una frecuencia de tan solo 4 a 6 respiraciones/min. Esta restricción es difícil, pero es absolutamente necesaria para evitar las nefastas consecuencias de elevar la presión torácica con cada respiración. Recuerde que la frecuencia respiratoria estándar para adultos en paro cardíaco es de solo 10 respiraciones/min en pacientes sin EPOC.

Fisiopatología, evaluación y manejo de las condiciones respiratorias comunes

Infecciones pulmonares

Fisiopatología

Bacterias, virus, hongos, protozoos y muchos otros organismos pueden causar infecciones. El tracto respiratorio es especialmente vulnerable a diversos agentes transportados por el aire y a agentes que residen en la nariz o la garganta y pueden migrar a los pulmones.

En general, las enfermedades infecciosas provocan inflamación de los tejidos respiratorios, aumento de la producción de moco y producción de pus. La inflamación de los tejidos respiratorios bien perfundidos puede ser espectacular, especialmente en la vía aérea superior. Esta inflamación es problemática debido a la ley de Poiseuille: La resistencia al flujo de aire aumenta exponencialmente cuando se estrecha el diámetro de la vía aérea. Los alvéolos también pueden dejar de ser funcionales si se llenan de líquido o pus, como ocurre en la neumonía (consolidación).

La neumonía puede ser debido a una gran variedad de agentes bacterianos, víricos y fúngicos. La neumonía bacteriana con frecuencia es a causa del *Streptococcus pneumoniae*, para el que ya existen vacunas eficaces. (Se recomienda a los pacientes de riesgo mayores de 50 años que se vacunen anualmente contra dos neumonías diferentes). La neumonía es la segunda causa más frecuente de ingreso en centros médicos en Estados Unidos, y 50 000 personas mueren anualmente de neumonía. En muchos otros países, la neumonía es la principal causa de muerte infantil.[20]

Los adultos mayores, las personas con enfermedades crónicas y los fumadores corren mayor riesgo de padecer neumonía. Cualquier persona que no ventile eficazmente, que tenga secreciones excesivas (como una persona con EPOC o asma, un paciente posoperatorio o una persona encamada o sedentaria) o que esté inmunodeprimida (por el virus de la inmunodeficiencia humana, otras enfermedades, inmunosupresión postrasplante o quimioterapia) corre el riesgo de desarrollar neumonía. Los pacientes con síndrome de inmunodeficiencia adquirida son especialmente susceptibles a la neumonía por *Pneumocystis jirovecii*, que es una de las principales causas de morbilidad y mortalidad. Se recomienda mucho a todos los pacientes de alto riesgo que se vacunen anualmente contra la neumonía.

Otra consideración importante es que los organismos resistentes a los antibióticos pueden colonizar la vía aérea. Estos organismos incluyen, por ejemplo, el SARM y los enterococos resistentes a la vancomicina, analizados en el capítulo 23, *Enfermedades infecciosas*. La aerosolización de estos organismos cuando un paciente tose o durante procedimientos avanzados en la vía aérea podría ser más peligrosa para los paramédicos que cuando existen infecciones causadas por estos organismos en una úlcera por presión cubierta con un apósito. Cuando se presente a un paciente en aislamiento debido a una infección por SARM (o un organismo similar), siempre pregunte *dónde* se encontró el organismo y use protección respiratoria adecuada si el organismo está presente en el tracto respiratorio del paciente.

Evaluación

Un paciente con neumonía normalmente refiere varias horas o días de debilidad, tos productiva, fiebre y, a veces, dolor torácico que empeora al toser. La enfermedad puede haber empezado bruscamente, con escalofríos (rigores), o puede haber aparecido de forma más gradual, con debilidad progresiva. Cuando obtenga los antecedentes de enfermedad reciente del paciente, preste especial atención a comentarios como "Hace una semana tuve gripe". La neumonía suele ser una infección secundaria que sigue a un ataque de gripe y es una de las principales causas de muerte en esas circunstancias.

La exploración física de un paciente con neumonía por lo regular revela un aspecto gravemente enfermo o tóxico. El paciente puede toser o no. Al auscultar el tórax pueden oírse crepitaciones, y el paciente puede presentar un aumento del frémito táctil y de la producción de esputo. Es posible que se observen ruidos respiratorios bronquiales o broncovesiculares sobre las áreas de consolidación; en casos avanzados, los ruidos respiratorios pueden disminuir o faltar. El esputo puede ser espeso (debido a la deshidratación) o purulento. Si la infección también provoca inflamación de las membranas pleurales, el paciente puede experimentar un dolor importante al respirar, especialmente al respirar profundo o toser. Quizá se escuche un roce pleural en la zona afectada.

La neumonía con frecuencia se produce en las bases pulmonares, normalmente en un solo lado. Por ello, los pacientes pueden tener un "ataque de tos" al girarse de un lado a otro. A veces, la saturación de oxígeno de los pacientes es significativamente más baja cuando se recuestan de un lado que de otro. Cuando el "pulmón bueno" está arriba, el estado respiratorio puede parecer mucho mejor que cuando ese pulmón está comprimido por el peso corporal.

Los pacientes con neumonía por lo regular están deshidratados. La rehidratación puede empeorar temporalmente su estado, ya que las secreciones espesas se licuan y se expanden en el tórax. Los cuidados de apoyo incluyen oxigenación, manejo de secreciones (aspiración) y transporte al centro receptor más cercano. Los broncodilatadores no ayudarán a la neumonía en sí, pero pueden mejorar ligeramente la capacidad de ventilación del paciente.

> **Perlas de sabiduría**
>
> Los adultos a veces presentan inflamación y taponamiento de los bronquiolos, lo que provoca neumonía distal a las obstrucciones. Esta condición, conocida como bronquiolitis obliterante con neumonía organizativa, se denomina "BOOP."

Tratamiento

Las infecciones de la vía aérea superior pueden requerir un tratamiento agresivo de la vía aérea. Las infecciones de la vía aérea inferior se tratan normalmente con cuidados de apoyo y transporte a un centro médico.

Atelectasia

Fisiopatología

Los alvéolos son vulnerables a varios trastornos. Pueden colapsarse por obstrucción en algún punto de la vía aérea proximal o por presión externa producida, por ejemplo, por neumotórax o hemotórax. Pueden llenarse de pus en caso de neumonía, de sangre en caso de contusión pulmonar o de líquido en caso de ahogamiento o insuficiencia cardíaca. Además, el humo o los gases tóxicos pueden desplazar el aire fresco que debería haber en los alvéolos.

En condiciones normales, la mayor parte del aire que entra y sale de los pulmones (aproximadamente 79%) está formado por el gas nitrógeno, un tanto inerte, que mantiene abiertos los alvéolos. Si a un paciente se le administra oxígeno al 100%, cualquier alvéolo que se obstruya se colapsará una vez que todo el oxígeno se difunda al exterior. Los pacientes que reciben altas concentraciones de oxígeno tienen mayor riesgo de sufrir este tipo de atelectasia.

El cuerpo humano tiene miles de millones de alvéolos y es habitual que algunos de ellos se colapsen de vez en cuando. Los seres humanos (y la mayoría de los mamíferos) suspiran, tosen, estornudan y cambian de posición periódicamente, acciones todas ellas que se cree que ayudan a abrir los alvéolos cerrados y evitan que disminuya la ventilación en una parte concreta del pulmón. Cuando las personas no llevan a cabo estas acciones —por ejemplo, porque están sedadas o en coma, o porque respirar profundamente o moverse les causa dolor— es posible que un número creciente de alvéolos se colapsen y no vuelvan a abrirse. Al igual que los globos, los alvéolos son más difíciles de abrir una vez que se han colapsado por completo; con el tiempo, pueden colapsarse segmentos pulmonares enteros. Esta condición, denominada **atelectasia**, aumenta las probabilidades de que se desarrolle una neumonía en las zonas afectadas.

Evaluación

Aunque la atelectasia puede ser una enfermedad importante por sí misma, la mayor preocupación es que las zonas afectadas se conviertan en caldo de cultivo para patógenos, lo que provocaría una neumonía. Este riesgo es preocupante en cualquier paciente que tenga fiebre en los días siguientes a una intervención quirúrgica torácica o abdominal, sobre todo si los ruidos respiratorios son decrecientes o se produce un esputo de color anormal.

Tratamiento

A los pacientes posquirúrgicos se les anima a toser, respirar profundo y levantarse de la cama con ayuda, aunque resulte doloroso. Las personas que no pueden levantarse de la cama pueden desarrollar atelectasia, que puede causar hipoxia o predisponer al paciente a infecciones pulmonares y neumonía.

En el centro médico se anima constantemente a los pacientes a respirar profundo. Un dispositivo denominado espirómetro de incentivo ayuda a los pacientes a cuantificar la profundidad de sus respiraciones (**FIGURA 14-30**). Estos dispositivos a menudo se envían a casa con los pacientes para que los sigan utilizando después de ser dados de alta del centro médico (p. ej., después de una fractura costal o una intervención quirúrgica torácica). Los paramédicos pueden reforzar la respiración profunda en pacientes que se beneficiarían de ella y pueden estar atentos a la atelectasia en pacientes sedentarios o que toman medicamentos con efectos sedantes, incluidos algunos analgésicos.

Cáncer

Fisiopatología

El cáncer de pulmón es una de las formas más comunes de cáncer, especialmente entre las personas que fuman cigarros y las expuestas a riesgos pulmonares ocupacionales, como el amianto, el polvo de carbón o el humo pasivo. De acuerdo con la Asociación Americana del Pulmón (*American Lung Association*), el tabaquismo contribuye entre 80 y 90% de los nuevos casos de cáncer de pulmón.[21] Los fumadores tienen entre 13 y 23 veces más probabilidades de padecer cáncer de pulmón que los no fumadores, y los no fumadores tienen entre 20 y 30% más de riesgo de cáncer si están expuestos al humo pasivo en casa o en el trabajo.[21] Aunque, por tradición, se consideraba que el cáncer de pulmón era una enfermedad predominantemente masculina, en la actualidad 45% de los nuevos casos de cáncer de pulmón se producen en mujeres, muy probablemente debido al aumento del tabaquismo entre las mujeres.[21]

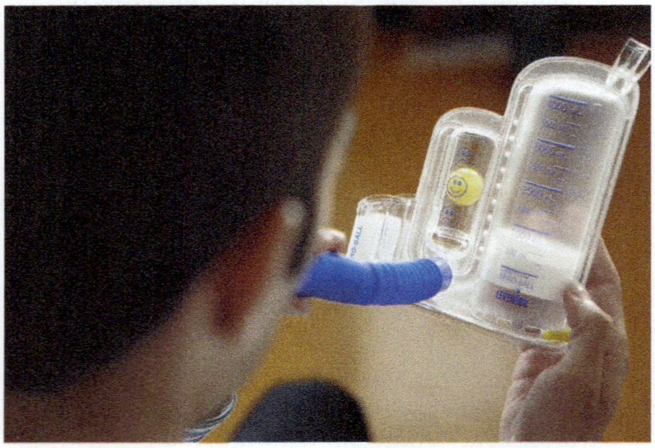

FIGURA 14-30 Un espirómetro de incentivo ayuda a los pacientes a cuantificar lo profunda que es su respiración. Les ayuda a respirar profundamente para evitar la atelectasia.

Evaluación

El cáncer de pulmón con frecuencia se identifica cuando los tumores de la vía aérea mayor sangran, provocando **hemoptisis** (expectoración de sangre en el esputo) y tos incontrolable. Muchas veces se acompaña de EPOC y deterioro de la función pulmonar. El pulmón también es un lugar habitual de **metástasis** del cáncer procedente de otras partes del cuerpo.

Otros tipos de cáncer pueden invadir los ganglios linfáticos del cuello y producir tumores que amenazan con ocluir la vía aérea superior. Los pacientes con diversos tipos de cáncer pueden presentar complicaciones pulmonares derivadas de la quimioterapia o la radioterapia. La irradiación pulmonar, por ejemplo, puede asociarse a cierto grado de edema pulmonar. Los tumores o el tratamiento también pueden causar **derrame pleural**, que puede cursar con disnea de evolución rápida.

Tratamiento

Los paramédicos pueden apoyar la oxigenación y la ventilación y proporcionar cierto grado de manejo del dolor, pero hay poco tratamiento prehospitalario específico para el derrame pleural o la hemoptisis aparte del transporte a un centro médico. A veces se llama a los paramédicos para que ayuden con atención al final de la vida de los pacientes con cáncer. Los pacientes hospitalizados, por ejemplo, pueden presentar una respiración deprimida causada por las grandes cantidades de narcóticos utilizados para aliviar el dolor, la ansiedad u otros síntomas. En este tipo de sobredosis de narcóticos, se debe titular naloxona *solo* lo suficiente para mejorar la respiración; no se debe revertir por completo el control primario del dolor del paciente, o el paciente puede caer abruptamente en una condición que le haga sufrir. Es posible que antes se haya hecho demasiado hincapié en los efectos depresores respiratorios de los narcóticos y ansiolíticos, pero ahora estos agentes están ganando popularidad en el tratamiento del dolor crónico, tos crónica y ansiedad en situaciones al final de la vida. Por ejemplo, el citrato de fentanilo (Sublimaze®), un potente narcótico, se administra a veces a través de un aerosol para suprimir la tos crónica en pacientes con cáncer de pulmón terminal.

Inhalaciones tóxicas

Fisiopatología

Muchas sustancias potencialmente tóxicas pueden ser inhaladas en los pulmones. El tipo de daño de tal evento depende en gran medida de la solubilidad en agua del gas tóxico. En el **CUADRO 14-8** se muestra cómo se clasifican los gases tóxicos.

Evaluación

Los gases altamente hidrosolubles, como el amoníaco, reaccionarán con las membranas mucosas húmedas de la vía aérea superior, causando hinchazón e irritación. Si la sustancia entra en los ojos del paciente, éstos arderán y se sentirán inflamados e irritados.

Los gases menos hidrosolubles pueden penetrar profundamente en la vía aérea inferior, donde pueden causar daños con el tiempo. Estos gases tóxicos se han utilizado en las guerras para incapacitar al enemigo, porque no causan angustia inmediata, sino que provocan edema pulmonar hasta 24 horas después. Los gases fosgeno y dióxido de nitrógeno se comportan de esta manera.

Algunos gases comunes, como el cloro, son moderadamente solubles en agua y producen signos y síntomas intermedios entre los extremos de irritación y edema pulmonar. La exposición grave puede presentar una inflamación de la vía aérea superior, mientras que la exposición de menor nivel puede darse con el clásico daño de aparición retardada de la vía aérea inferior. Un error común es verter limpiador doméstico para tuberías y cloro en un desagüe intentando eliminar un taponamiento, lo que puede producir un gas de cloro irritante que puede enfermar a la persona y a todos los demás en el hogar o edificio. Los entornos industriales con frecuencia utilizan productos químicos irritantes formadores de gas en grandes cantidades y en concentraciones más altas que las disponibles para uso doméstico, lo que crea un posible escenario en el que un mayor número de personas están expuestas o se produce un gas más tóxico. Los paramédicos deben tener en cuenta los entornos industriales en sus áreas que presentan un alto riesgo de este tipo de incidente.

CUADRO 14-8 Categorización de gases tóxicos

Categoría	Ejemplo	Efectos
Altamente soluble en agua	Amoníaco	Irritación aguda de la vía aérea superior
Moderadamente soluble en agua	Cloro	Los efectos dependen de la concentración y la cantidad de exposición, y van desde tos, sibilancias y crepitaciones hasta edema pulmonar y quemaduras químicas
Mínimamente soluble en agua	Fosgeno	Aparición retardada de edema pulmonar

Tratamiento

Un paciente expuesto a un gas tóxico debe ser retirado inmediatamente del contacto con esta sustancia y, si la respiración está deteriorada, se le debe suministrar oxígeno suplementario al 100% o ventilación asistida, como lo demuestra la reducción del volumen corriente. Si la vía aérea superior está comprometida, tal vez sea necesario un manejo invasivo de la vía aérea (como intubación o cricotiroidotomía).

Los pacientes expuestos a gases ligeramente hidrosolubles posiblemente se sientan bien al principio, y horas después presentar disnea aguda. Cuando se sospecha una exposición de este tipo, los pacientes deben ser trasladados al servicio de emergencias más cercano para su observación y posterior evaluación.

Edema pulmonar

Fisiopatología

La acumulación de líquido en el tejido pulmonar y en los espacios aéreos se produce cuando el líquido del plasma sanguíneo migra al parénquima pulmonar. Este edema pulmonar compromete el intercambio gaseoso mucho antes de que aparezcan signos manifiestos.

El edema pulmonar puede clasificarse como de alta presión (cardiogénico) o de alta permeabilidad (no cardiogénico). El edema pulmonar cardiogénico (a menudo denominado insuficiencia cardíaca) puede ser consecuencia de una disfunción del ventrículo derecho o izquierdo, hipertensión crónica, disritmias como taquicardia ventricular y taquicardia supraventricular, o enfermedades cardíacas como la miocardiopatía. (Estas condiciones se detallan en el capítulo 15, *Emergencias cardiovasculares*).

El edema pulmonar no cardiogénico se produce en casos de hipoxemia aguda, como en el caso de inhalación de toxinas o una inmersión cercana dañan el tejido alveolar, provocando la filtración de líquido a los pulmones. Las toxinas o drogas en el torrente sanguíneo (como las toxinas cuando un paciente está en estado de shock o consume heroína) pueden dañar los capilares pulmonares y tener el mismo efecto. En ocasiones, un traumatismo, un shock grave, un paro cardíaco o incluso los cambios de altitud pueden dañar los alvéolos y los capilares, provocando un síndrome de dificultad respiratoria aguda o un edema pulmonar de gran altitud. Consulte el capítulo 35, *Emergencias ambientales*, para obtener más información sobre el edema agudo pulmonar de altura.

Evaluación

Algunos pacientes presentan un edema pulmonar significativo después de un viaje prolongado, porque no tomaron diuréticos mientras viajaban. Si un paciente ha estado viajando, pregúntele si tomó regularmente los medicamentos prescritos durante ese tiempo.

Al principio del edema pulmonar se aprecian pocos signos. Cuando se escuchan suaves sonidos crepitantes en la base de los pulmones al final de la inspiración, el líquido ya ha salido de los capilares, ha aumentado el espacio de difusión entre los alvéolos y los capilares, ha hinchado las paredes alveolares y ha empezado a filtrarse en los alvéolos. Este sonido se debe a los campos de alvéolos húmedos que se abren cuando los pulmones alcanzan su inflado máximo. Escuche siempre los lóbulos inferiores de los pulmones a través de la espalda del paciente, pero nunca a través de la ropa.

A medida que el edema pulmonar empeora, los sonidos crepitantes se originan más arriba en los campos pulmonares del paciente, a menudo descritos como "crepitaciones hasta el nivel subescapular" o "crepitaciones hasta los ápices". A medida que el líquido migra a la vía aérea mayor y se mezcla con el moco, los ruidos crepitantes gruesos se harán audibles durante la inspiración y la exhalación, y puede identificarse un frémito táctil. Finalmente, el paciente empezará a expulsar esputo blanquecino, a menudo teñido de rosa por la presencia de glóbulos rojos. A medida que el aire entra y sale de los pulmones llenos de líquido, éste puede burbujear y formar espuma. La expectoración de esputo rosado, espumoso o teñido de sangre es un signo clásico de edema pulmonar grave.

Tratamiento

Debe identificar y tratar la causa subyacente del edema pulmonar. En todos los casos, es esencial controlar con eficacia la vía aérea del paciente y administrar oxígeno según proceda para mantener los niveles de saturación de oxígeno recomendados. Es posible que se indique la ventilación a presión positiva no invasiva, como la CPAP o la BPAP, para contener la vía aérea y permitir que los alvéolos se inflen. La ventilación con presión positiva también proporcionará alivio al reducir la precarga y la poscarga. Además, se puede considerar el uso de nitratos para reducir la poscarga y aumentar el volumen sistólico, mejorando así el gasto cardíaco.

Síndrome de dificultad respiratoria aguda

Fisiopatología

Rara vez se observa el síndrome de dificultad respiratoria aguda (SDRA; también conocido como pulmón de choque, pulmón de Da Nang y, en neonatos, enfermedad de la membrana hialina) en campo. Sin embargo, los paramédicos pueden desempeñar un papel vital en la prevención de esta devastadora patología. Este síndrome se presenta debido a un daño difuso de los alvéolos, quizá como resultado de un shock, aspiración de contenido gástrico, edema pulmonar, barotrauma (por una ventilación demasiado agresiva) o un evento hipóxico. Parece ser peor cuando el paciente tiene algún daño directo en los pulmones, como en los pacientes traumatizados con contusiones pulmonares graves.

Imagine los alvéolos como una playa rodeada por el mar del torrente sanguíneo. Durante una crisis cercana a la muerte, los cambios en la permeabilidad permiten que la marea entre y bañe la playa. Cuando la marea se retira, arrastra el tensioactivo de los alvéolos y deja restos, como células muertas y bacterias, en la orilla. Los alvéolos se vuelven rígidos y difíciles de ventilar. En última instancia, se necesita una ventilación mecánica a una presión extraordinariamente alta, lo que causa aún más daños. La administración de altas concentraciones de oxígeno durante periodos prolongados provoca una destrucción adicional.

Evaluación

Normalmente, el SDRA no se observa en campo, pero se puede pedir a los paramédicos que trasladen a un paciente con SDRA de un centro a otro. El proceso de evaluación es similar al de cualquier paciente con un trastorno respiratorio. Documente la saturación de oxígeno, los ruidos respiratorios y cualquier cambio repentino en el estado del paciente. Los pulmones de los pacientes con SDRA normalmente están rígidos (es decir, con un bajo cumplimiento). Durante la ventilación manual, controle la presión de ventilación para evitar la sobreventilación y un mayor daño pulmonar. Entre las diversas estrategias de protección pulmonar se incluyen el volumen corriente bajo, la relación I:E inversa y la hipercapnia permisiva.

Fisiopatología, evaluación y tratamiento de condiciones fuera del parénquima pulmonar

Neumotórax

Fisiopatología

Cuando un paciente tiene un neumotórax simple, el aire se acumula entre la pleura visceral y la pleura parietal que recubre la cavidad torácica. El aire entra en la cavidad torácica a través de mecanismos traumáticos (p. ej., lesión torácica abierta) y no traumáticos. Algunas personas tienen hemorragias en el parénquima pulmonar congénitas o causadas por la EPOC, lo que les predispone a padecer esta enfermedad. Las ampollas son puntos débiles que se rompen bajo tensión, provocando un neumotórax espontáneo. El estrés que rompe la ampolla puede ser tan simple como toser o tan grave como una ventilación agresiva con bolsa y mascarilla. Las personas con asma grave son propensas a sufrir hemorragias, al igual que las personas altas y delgadas, en especial los fumadores.

Si la cantidad de aire es pequeña y no se producen más complicaciones, los neumotórax simples se pueden resolver por sí solos. Sin embargo, si se sigue acumulando el aire, podría producirse un neumotórax a tensión, un neumotórax más grave en el que aumenta la presión intratorácica, lo que provoca una disminución del gasto cardíaco debido a la reducción del retorno venoso causada por el aumento de la presión.

Evaluación

Algunos pacientes que han tenido varios neumotórax simples anteriormente pueden decir: "estoy teniendo otro neumotórax". Los pacientes pueden describir una sensación de dolor agudo después de toser, seguida de disnea creciente durante los minutos u horas siguientes.

Tratamiento

La mayoría de los pacientes con neumotórax no requieren de una intervención aguda, como la descompresión torácica con aguja, pero al menos deben recibir oxígeno y se debe vigilar estrechamente su estado respiratorio de camino al centro médico. Si se identifica un neumotórax a tensión, normalmente se indica la intervención inmediata con descompresión con aguja para aliviar la presión intratorácica. Consulte el capítulo 32, *Traumatismos torácicos*, para obtener más información sobre el tratamiento del neumotórax a tensión.

Derrame pleural

Fisiopatología

Cuando se acumula líquido entre la pleura visceral y la pleura parietal, se produce un derrame pleural (**FIGURA 14-31**). El saco de líquido que se forma es similar a una ampolla, y los traumatismos repetidos de los tejidos hacen que se acumule allí aún más líquido. Los derrames pueden ser a causa de infecciones, tumores o traumatismos.

Para visualizar cómo aparece esta condición, imagine que se forma una ampolla en la base del pulmón. Los tejidos se rozan entre sí respiración tras respiración, provocando inflamación y acumulación de líquido en el espacio. Algunos derrames pleurales pueden contener varios litros de líquido. Un derrame grande disminuye la capacidad pulmonar y causa disnea.

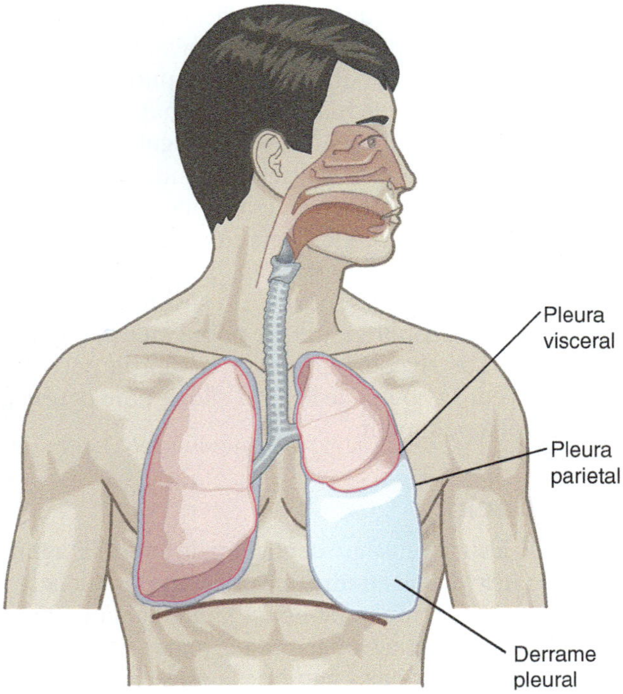

FIGURA 14-31 Un derrame pleural es una acumulación de líquido entre la pleura visceral y la pleura parietal.

Evaluación

Puede ser difícil oír los ruidos respiratorios a través del derrame. Debido a que el derrame está lleno de líquido, la posición del paciente puede afectar su capacidad para respirar.

Tratamiento

El cambio de posición puede causar más disnea, y los pacientes normalmente se resisten a que se les coloque en otra posición que no sea la de Fowler. Deben proporcionarse cuidados de apoyo, incluyendo una posición adecuada y la administración agresiva de oxígeno suplementario, hasta que el paciente pueda ser trasladado a un centro en el que pueda tratarse definitivamente el derrame. Los derrames de gran tamaño se pueden drenar en el centro médico mediante un procedimiento denominado *toracocentesis.* Este procedimiento proporciona un alivio inmediato de los síntomas.

Embolia pulmonar

Fisiopatología

Un coágulo sanguíneo (embolia), una embolia grasa de un hueso roto, una embolia de líquido amniótico de una fuga de líquido amniótico durante el embarazo, o una embolia de aire resultante de la entrada de aire en la circulación a través de una laceración en el cuello o un equipo de administración intravenosa que se ha purgado incorrectamente o no se ha purgado pueden comprometer la circulación pulmonar. Una embolia grande, del tipo que sea, por lo regular se aloja en una rama principal de la arteria pulmonar e impide el flujo sanguíneo a través de esa rama. El intercambio adecuado de gases en los pulmones requiere alvéolos funcionales que proporcionen oxígeno y absorban dióxido de carbono, junto con vasos pulmonares intactos que transporten sangre pobre en oxígeno a los alvéolos. Los alvéolos normales sirven de poco si la sangre venosa no puede llegar a ellos, como ocurre en la embolia pulmonar.

Evaluación

Debido a su confusa presentación, la embolia pulmonar es una de las condiciones que con frecuencia se diagnostican erróneamente en la medicina de emergencias. La presentación temprana puede revelar ruidos respiratorios normales con buena aireación periférica, desviando la atención de una patología pulmonar. La presentación clásica es una disnea y cianosis repentinas y, quizás, un dolor agudo en el tórax. Una característica de la embolia pulmonar es que la cianosis no se resuelve con oxigenoterapia.

La embolia pulmonar con frecuencia se inicia en las grandes venas de la pierna, sobre todo en la safena mayor. En esa zona se puede formar un coágulo y posteriormente migrar a través de la circulación venosa, pasando por el lado derecho del corazón y hacia la circulación pulmonar (**FIGURA 14-32**). Los pacientes con tromboflebitis (inflamación de las venas de las piernas) tienen un alto riesgo de embolia pulmonar. Pueden presentar el signo de Homan (dolor en la pantorrilla durante la dorsiflexión del pie causado por tromboflebitis en la pierna).

Los coágulos también tienden a formarse cuando una persona está inmóvil durante un periodo prolongado, como durante un viaje largo en coche o un vuelo largo en avión, después de retirar un yeso de las extremidades inferiores o de una intervención quirúrgica importante.

Tratamiento

A los pacientes postrados en cama a menudo se les prescriben anticoagulantes, medias especiales u otros dispositivos para reducir la formación de coágulos en las piernas. En pacientes con antecedentes de

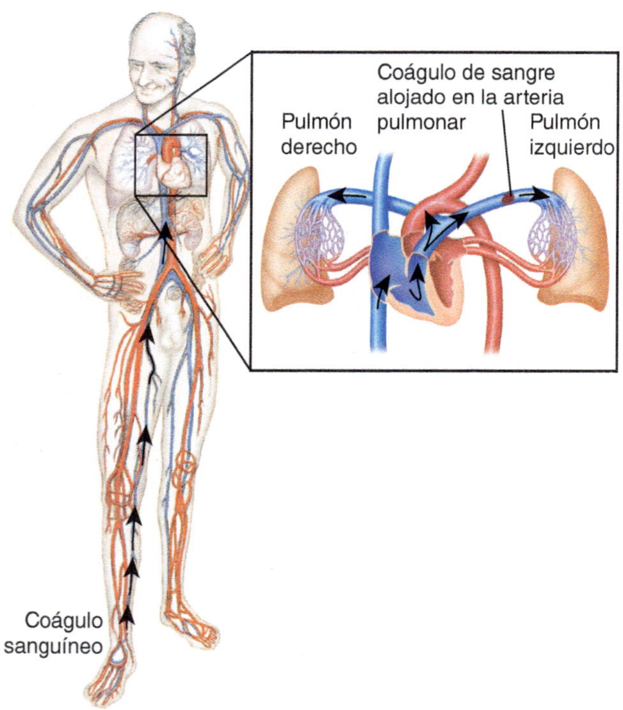

FIGURA 14-32 La embolia pulmonar es más frecuente en personas sedentarias, en las que se suele formar un coágulo en las piernas o la pelvis. El coágulo atraviesa el lado derecho del corazón y se aloja en la arteria pulmonar, bloqueando el flujo sanguíneo a una porción del pulmón.

trombosis venosa profunda en particular, el médico puede insertar un **filtro de vena cava inferior**. Este dispositivo, que se abre como una malla en la vena principal que devuelve la sangre al corazón, tiene como finalidad atrapar los coágulos que se desprenden y viajan desde las piernas hasta la circulación pulmonar. La evidencia reciente de que estos dispositivos pueden erosionar la pared del vaso sanguíneo ha provocado un cambio hacia filtros recuperables que pueden retirarse cuando el paciente ya no corre un alto riesgo de desarrollar un coágulo.

Un émbolo pulmonar excepcionalmente grande alojado en la bifurcación de las arterias pulmonares derecha e izquierda se denomina *embolia en silla de montar* y puede ser mortal de inmediato. El paro cardíaco causado por una embolia pulmonar de gran tamaño es una situación peligrosa a la que pocos pacientes sobreviven. Los pacientes con una embolia de este tipo suelen presentar **cianosis en capa** —un color azul intenso de la cara, el cuello, el tórax y la espalda en pacientes con un tono de piel claro— a pesar de una RCP de buena calidad y ventilación con oxígeno suplementario al 100%. La cianosis en capa puede tener un aspecto gris verdoso en los pacientes de piel amarilla y ceniciento o gris en los de piel más oscura.

De hecho, una característica distintiva de la embolia pulmonar es la cianosis que no responde al oxígeno. Estos pacientes y los que se quejan de dolor torácico deben ser trasladados al centro de emergencias más cercano.

USTED es el Paramédico RESUMEN

1. ¿Qué hallazgos iniciales, "desde la puerta" le preocupan de este paciente?

El aspecto inicial del paciente debe ser una señal de advertencia porque su piel gris ceniza indica hipoxia. El hecho de que el paciente solo hable con frases de una o dos palabras indica que su saturación de oxígeno es baja y que tiene dificultades para ingerir suficiente oxígeno. Su impresión inicial de este paciente debería indicarle que se encuentra en una situación grave y que necesita una atención rápida y decisiva.

2. ¿Cuáles son sus prioridades para este paciente?

El oxígeno es su máxima prioridad. Asimismo, con una evaluación y técnicas de entrevista adecuadas, debe averiguar por qué el paciente no recibe suficiente oxígeno para poder tratar la causa. Lo primordial en este paciente es un cuidado agresivo de la vía aérea y de la respiración.

3. ¿Cuál es su diagnóstico de trabajo en este momento?

Con base en la información que tiene hasta ahora, el diagnóstico de trabajo más preciso es el edema pulmonar, aunque la causa del edema no está clara. A pesar de que no encontró medicamentos en la escena, es posible que el paciente esté tomando o debería estar tomando medicamentos recetados. La insuficiencia cardíaca aguda puede causar edema pulmonar, por lo que también debe descartar en este paciente un infarto de miocardio.

4. ¿Qué pasos de evaluación y tratamiento querrá seguir en el lugar?

El estado de este paciente es grave, por lo que no querrá pasar mucho tiempo en el lugar del accidente; sin embargo, debe llevar a cabo ciertas técnicas en la escena, ya que son difíciles de realizar en ruta. Por ejemplo, debe obtener un EKG de 12 derivaciones antes de iniciar el transporte, ya que hacerlo en movimiento con frecuencia produce demasiadas alteraciones como para permitir una interpretación precisa. Además, el ruido de la carretera puede dificultar la medición de los signos vitales mientras se conduce hasta el centro médico, por lo que desde el punto de vista clínico tiene sentido obtener un conjunto de referencia. La administración de nitroglicerina podría considerarse, en consulta con el control médico, como una ayuda diagnóstica para este paciente. Si mejora el estado del paciente, es probable que se trate de un infarto o una falla miocárdica. Si no tiene efecto, entonces debe considerar otra condición, como una embolia pulmonar.

5. ¿Este paciente tiene una condición de la vía aérea o un trastorno respiratorio?

Se trata de un trastorno respiratorio. El paciente tiene la capacidad de hablar y mover aire, aunque con cierta dificultad; sin embargo, los pulmones del paciente no están expulsando aire adecuadamente porque están llenos de líquido. Disminuir la cantidad de líquido en los pulmones favorecerá el intercambio de gas y permitirá que el oxígeno llegue a todas las células del cuerpo.

6. ¿La ausencia de dolor o molestias torácicas indican que el paciente no está sufriendo un infarto?

No necesariamente. Un paciente puede estar sufriendo un infarto incluso en ausencia de dolor o molestias en el tórax. Nunca descarte la posibilidad de un infarto en presencia de edema pulmonar. El centro médico deberá realizar una serie de pruebas de diagnóstico para determinar si el paciente está sufriendo un infarto de miocardio. En ese momento, debe ponerse en contacto con el control médico con un informe y solicitar permiso para administrar aspirina.

USTED es el Paramédico RESUMEN continuación

7. ¿Cuál es la razón para administrar nitroglicerina si el paciente no tiene dolor o molestias en el tórax?

La nitroglicerina tiene algunos efectos vasodilatadores, que ayudan a eliminar líquido de los pulmones del paciente y ayudan a liberar las superficies necesarias para el intercambio de gas, lo que permite que el oxígeno llegue a las células y los tejidos. Sin embargo, al expandir la vasculatura también disminuye la PA del paciente y puede reducir la precarga cardíaca.

Reporte de atención de paciente prehospitalario (RAPP)					
Fecha: 5-05-22	**Incidente núm.:** 550	**Naturaleza de la llamada:** Alarma médica		**Ubicación:** Calle 5 núm. 222, Depto. 506	
Despacho: 09:00	**En camino:** 09:01	**En el escenario:** 09:03	**Transporte:** 09:15	**En el hospital:** 09:22	**En servicio:** 09:35

Información del paciente	
Edad: 74 **Sexo:** M **Peso:** 100 kg	**Alergias:** Ninguna conocida **Medicamentos:** Se desconoce **Antecedentes médicos:** Se desconoce **Principal manifestación:** Dificultad para respirar

Signos vitales				
Hora: 09:08	**PA:** 140/100	**Pulso:** 110	**Respiraciones:** 34	**Spo_2:** 80%
Hora: 09:13	**PA:** 130/100	**Pulso:** 100	**Respiraciones:** 28	**Spo_2:** 85%
Hora:	**PA:**	**Pulso:**	**Respiraciones:**	**Spo_2:**

Tratamiento en el SEM (circule todo lo aplicable)				
Oxígeno @ 15 L/min por (circular uno): **NC** **(NRM)** **Dispositivo de bolsa y mascarilla**		(**Ventilación asistida:** CPAP)	**Dispositivo de la vía aérea**	**RCP**
Desfibrilación	**Control de la hemorragia**	**Vendaje**	**Inmovilización**	(**Otro:** Nitroglicerina, aspirina)

Narrativa

Llega y encuentra a un hombre de 74 años con dificultad respiratoria grave. El paciente dice en frases de una o dos palabras que así despertó y siente que se va a morir. El paciente es incapaz de hacer una historia clínica debido a la grave dificultad respiratoria. El paciente está en posición de trípode, el tono de piel es gris ceniciento y está diaforético. Se le administra oxígeno al 100% mientras se obtienen sonidos respiratorios. Los sonidos respiratorios revelan crepitaciones en los ápices y sonidos disminuidos en las bases. El paciente niega antecedentes de presencia de líquido en los pulmones. Se cambia la administración de oxígeno a CPAP. El paciente se torna más ansioso. El monitor mostró taquicardia sinusal mientras se obtenía la VS. El paciente no tolera la CPAP y la saturación de oxígeno disminuye; se decide asistir la respiración con ventilación de bolsa y mascarilla y no intubar en la escena debido al corto tiempo de traslado. Se continuó con la ventilación mientras se obtenía un EKG de 12 derivaciones, que mostró una elevación del ST en las derivaciones V2 y V3. Se transporta al paciente al centro médico de destino. Se traslada al paciente a una camilla y se le coloca en posición vertical. Se le administró 2.5 cm de pasta de nitroglicerina y toleró bien la ventilación asistida. Se traslada al paciente a la ambulancia, se repite la VS y se inicia el transporte. Se colocó una vía intravenosa durante el trayecto. Se contactó con el MD 413 del *Mercy Medical Center*; se dio un informe completo y se solicitó permiso para administrar más pasta de nitroglicerina. El MD 413 accedió a la petición y ordenó 162 mg de aspirina masticable. Se confirmaron las órdenes; se aplicó 2.5 cm de pasta de nitroglicerina y se administró aspirina a las 09:13 horas. Poco después, el paciente empezó a sentirse mejor y no necesitó más asistencia respiratoria. Se reanudó la CPAP y el paciente pudo responder adecuadamente a las preguntas. La saturación de oxígeno aumentó progresivamente con el tratamiento durante el transporte. La llegada al *Mercy Medical Center* fue a las 09:22 horas y se ingresó al paciente en la habitación 5 con informe a la enfermera. Se mantuvo la CPAP hasta que llegó el terapeuta respiratorio con el dispositivo. El paciente mejoró significativamente en el momento del traslado. La vía intravenosa permaneció permeable; se infundieron menos de 150 ml.

Fin del reporte

Kit de preparación

Resumen rápido

- La enfermedad respiratoria es una de las condiciones patológicas más comunes; en consecuencia, la dificultad respiratoria es una de las razones más frecuentes para el despacho del SEM.
- Los componentes primarios del sistema respiratorio son como un árbol invertido, en el que la tráquea representa el tronco y los alvéolos las hojas.
- La tráquea se bifurca en los bronquios principales izquierdo y derecho de los pulmones en una proyección en forma de cresta del cartílago traqueal denominada carina.
- La circulación pulmonar se inicia en el ventrículo derecho, donde la arteria pulmonar se ramifica en vasos cada vez más pequeños hasta alcanzar el lecho capilar pulmonar, que rodea los alvéolos y los bronquiolos terminales. El intercambio de gas se produce en la interfase de los alvéolos y los capilares pulmonares.
- El sistema respiratorio está estrechamente relacionado con la regulación cardíaca y la función renal.
- El sistema respiratorio suministra oxígeno al organismo y elimina el dióxido de carbono, el principal producto de desecho del metabolismo. Si los pulmones no trabajan correctamente, cualquiera de estas funciones vitales puede verse afectada y producirse hipoxia, muerte celular y acidosis.
- La insuficiencia respiratoria, o hipoventilación, puede deberse a una multitud de patologías, desde lesiones pulmonares, cardíacas o neurológicas hasta sobredosis de fármacos. Los cuidados pueden incluir la administración de oxígeno suplementario.
- El deterioro de la ventilación puede ser el resultado de una enfermedad obstructiva de la vía aérea superior o inferior, a una alteración de la pared torácica o a una alteración neuromuscular, entre otras causas.
- En el síndrome de hiperventilación, la ventilación es excesiva. Si continúa, el paciente puede experimentar dolor torácico, espasmo carpo pedal y alcalosis.
- Las enfermedades respiratorias pueden alterar la ventilación, la difusión, la perfusión o una combinación de las tres.
- Ciertas enfermedades respiratorias tienen presentaciones clásicas. Los indicios encontrados durante el reconocimiento primario pueden hacer sospechar al paramédico de una determinada enfermedad.
- Los pacientes con lesión cerebral traumática pueden mostrar patrones respiratorios anormales, incluyendo jadeos agónicos; patrones apnéusticos y atáxicos; respiraciones de Biot, Cheyne-Stokes y Kussmaul, e hiperventilación neurogénica central, bradipnea, hiperpnea, hipopnea o taquipnea.
- El cerebro es sensible a los niveles reducidos de oxígeno. Por lo tanto, una alteración del nivel de conciencia podría representar un compromiso respiratorio.
- Es fundamental evaluar el esfuerzo que realiza el paciente para respirar mediante la valoración de la frecuencia y la profundidad respiratorias y la auscultación de ruidos respiratorios anormales.
- Evaluar la posición de confort del paciente y el nivel de dificultad para hablar puede ayudar a determinar el grado de sufrimiento del paciente. Por ejemplo, un paciente sentado en posición de Fowler y que solo habla en frases de dos o tres palabras probablemente tenga una dificultad respiratoria considerable.
- Los pacientes con dificultad respiratoria tienden a buscar la posición de trípode. Si un paciente con dificultad respiratoria está dispuesto a recostarse, esto puede indicar que su estado se está deteriorando rápidamente. El balanceo de la cabeza también es un signo ominoso.
- Otros signos de dificultad respiratoria potencialmente mortal son las retracciones óseas, las retracciones de tejidos blandos, el aleteo nasal, los tirones traqueales, los movimientos respiratorios paradójicos, el pulso paradójico, la respiración con los labios fruncidos y los gruñidos.
- Observe cualquier ruido respiratorio anormal audible. La respiración ruidosa es una respiración obstruida.
- Los ronquidos indican una obstrucción parcial de la vía aérea superior por la lengua. El estridor indica un estrechamiento de la vía aérea superior, generalmente como resultado de una inflamación (edema laríngeo).

Kit de preparación continuación

- Ausculte los pulmones siempre que sea posible. Los ruidos respiratorios adventicios son ruidos adicionales que son audibles durante la auscultación; incluyen las sibilancias y las crepitaciones.
- Las crepitaciones son ruidos discontinuos que se oyen durante la auscultación pulmonar. Se producen al abrirse los espacios de aire y normalmente se asocian a un aumento de líquido en los pulmones.
- Las sibilancias son silbidos agudos que se producen cuando se fuerza el aire a través de la vía aérea estrecha, haciéndolas vibrar. Las sibilancias pueden ser difusas en afecciones como el asma y la insuficiencia cardíaca o localizadas cuando son a causa de un cuerpo extraño que obstruye un bronquio.
- *¡El silencio significa peligro!* Si los ruidos respiratorios son inaudibles con un estetoscopio, el paciente no está moviendo suficiente aire para ventilar los pulmones.
- La vía aérea irritada segrega más mucosidad, que puede ser expulsada en forma de esputo.
- Evalúe las membranas mucosas del paciente para detectar la presencia de cianosis (color azul, oscuro o ceniciento), palidez y humedad.
- Los pacientes con disnea normalmente son trasladados al centro más cercano.
- Los pacientes con enfermedades respiratorias crónicas por lo regular conocen bien su enfermedad y es posible que ya hayan probado varias opciones de tratamiento. Pregúnteles sobre estos esfuerzos y los resultados obtenidos, si los hubo.
- Es posible que un paciente con una enfermedad respiratoria no pueda hablar debido a la dificultad para respirar. Quizá se tenga que obtener el historial de un miembro de la familia o solo de algunos indicios en el lugar de los hechos.
- La falta de cumplimiento a los medicamentos indicados podría desencadenar un ataque de asma. Pregunte al paciente qué estaba pasando cuando empezó el ataque de asma. Pregunte si el paciente tomó hoy todos los medicamentos prescritos. Pregunte si el movimiento empeora la disnea.
- El inicio y la duración de la angustia son consideraciones importantes para determinar la causa subyacente de la disnea. Averigüe si los síntomas empezaron de repente o empeoraron gradualmente.
- Averigüe si la condición del paciente es una recurrencia de una afección pasada. De ser así, pida al paciente que compare la situación actual con otros episodios.
- Evaluar el nivel de consciencia es extremadamente importante en pacientes con disnea.
- Busque distensión de la vena yugular en el cuello, con el paciente en posición semisentada. La distensión de las venas del cuello puede deberse a una insuficiencia cardíaca.
- Palpe el tórax en busca de vibraciones cuando el paciente respira. Compruebe si hay edema en los tobillos y la zona lumbar. Compruebe si hay cianosis periférica. Compruebe el pulso y anote la temperatura de la piel del paciente. Aplique el equipo de monitoreo disponible.
- Un pulsioxímetro indica el porcentaje de la hemoglobina del paciente que tiene oxígeno unido (excepto en casos de inhalación de monóxido de carbono, hipotermia e hipertermia que desplazan la saturación de oxígeno). Un nivel de saturación de oxígeno superior a 94% se considera normal.
- El flujo máximo es la velocidad de flujo máxima a la que el paciente puede expulsar aire de los pulmones. El flujo máximo normal oscila entre 350 y 700 L/min. Un flujo máximo inferior a 150 L/min es insuficiente y señala que el paciente presenta una dificultad respiratoria importante.
- Los nebulizadores de aerosol administran medicamentos líquidos a la vía aérea en forma de rocío fino. Sopese los beneficios potenciales del aerosol terapia frente a la reducida fracción de oxígeno inspirado suministrado durante el tratamiento.
- Los inhaladores dosificadores administran broncodilatadores o corticoesteroides en forma de aerosol. Los inhaladores de polvo seco administran una dosis medida de medicamento en forma de polvo fino. Si se utiliza una técnica inadecuada con cualquiera de los dos tipos de inhaladores, el medicamento que llega a los pulmones puede ser escasa o nula.

Kit de preparación continuación

- La atención de emergencia médica para pacientes con disnea puede incluir asegurar la vía aérea, disminuir el trabajo respiratorio, administrar oxígeno suplementario, broncodilatadores, modificadores de leucotrienos, electrólitos, corticoesteroides inhalados o intravenosos, o vasodilatadores; restablecer el equilibrio de líquidos; administrar diuréticos; apoyar o asistir la ventilación; intubar al paciente, y/o inyectar un agonista del receptor betaadrenérgico por vía subcutánea.
- Cuando trate a un paciente con dificultad respiratoria, empiece por establecer y mantener abierta la vía aérea. Aspire si es necesario y mantenga la vía aérea en una posición óptima. Retire la ropa que le restrinja. Reduzca el esfuerzo del paciente para respirar.
- Los métodos de administración que requieren que el paciente inhale el medicamento pueden resultar poco confiables o ineficaces cuando la vía aérea del paciente está gravemente comprometida. Algunos casos pueden justificar la administración de medicamentos por vía subcutánea.
- En última instancia, tal vez sea necesario intubar a los pacientes con insuficiencia respiratoria. La intubación de pacientes en campo representa importantes inconvenientes y riesgos, pero esta intervención también puede salvar vidas. Pondere estos factores junto con los protocolos, la dirección médica y los deseos del paciente.
- Las obstrucciones anatómicas o por cuerpos extraños de la vía aérea superior, incluida la aspiración del contenido del estómago, pueden causar convulsiones o la muerte. Evite provocar distensión gástrica al administrar ventilación con bolsa y máscara, y controle la capacidad del paciente para proteger la vía aérea. Si el paciente no puede proteger la vía aérea, realice la intubación.
- Las enfermedades obstructivas comunes de la vía aérea son el enfisema, la bronquitis crónica y el asma. El enfisema y la bronquitis crónica se clasifican colectivamente como enfermedad pulmonar obstructiva crónica (EPOC).
- La causa del asma se debe a alergenos o irritantes y se caracteriza por estrechamiento generalizado y reversible de la vía aérea (broncoespasmo), edema de la vía aérea y aumento de la producción de moco. Puede causar una obstrucción importante de la vía aérea.
- El estado asmático es un ataque de asma grave y prolongado que no puede detenerse con el tratamiento convencional. *Se trata de una emergencia médica grave.* Cualquier persona asmática que se sienta lo suficientemente mal como para llamar al 9-1-1 debe considerarse en estado asmático hasta que se demuestre lo contrario.
- El tratamiento primario del broncoespasmo es el medicamento broncodilatador. El tratamiento primario del edema bronquial son los corticoesteroides; la administración de estos medicamentos puede o no iniciarse en campo.
- El enfisema es un debilitamiento y destrucción crónicos de las paredes de los bronquiolos terminales y los alvéolos. Un paciente con enfisema clásico presenta tórax en tonel, atrofia muscular y respiración con los labios fruncidos. A menudo presenta taquipnea.
- Las enfermedades pulmonares restrictivas limitan la capacidad del paciente para expandir los pulmones dentro de la cavidad torácica, ponen a los pacientes en riesgo de infección y pueden limitar gravemente su capacidad para compensar cualquier crisis respiratoria.
- La bronquitis crónica se caracteriza por una producción excesiva de moco en el árbol bronquial, casi siempre acompañada de una tos productiva crónica o recurrente. Un paciente con bronquitis crónica tiende a ser sedentario y obeso, dormir en posición vertical, utilizar muchos pañuelos, tener secreciones copiosas y estar cianótico.
- Al evaluar a los pacientes que padecen EPOC, procure encontrar la causa del empeoramiento del estado que motivó la llamada al 9-1-1. Busque signos de infección, edema periférico, distensión de la vena yugular con reflujo hepatoyugular y crepitaciones. Averigüe si el inicio de la disnea fue repentino o gradual.
- El impulso hipóxico es un fenómeno en el que altos niveles de oxígeno disminuyen el impulso respiratorio del paciente. No obstante, no se debe suspender el oxígeno suplementario a los pacientes a menos que se confirme específicamente el impulso hipóxico.

Kit de preparación continuación

- No todos los pacientes deben ventilarse de la misma manera. Permita que el paciente exhale completamente antes de administrar la siguiente respiración. Si no se permite que el paciente lo haga, la presión del tórax aumentará y acabará provocando un neumotórax o un paro cardíaco, un fenómeno denominado auto-PEEP (presión positiva al final de la espiración). Si la auto-PEEP es un riesgo, se debe administrar ventilación a una frecuencia de 4 a 6 respiraciones/min. La frecuencia de ventilación estándar para adultos sin EPOC es de 8 a 10 respiraciones/min.
- La neumonía puede ser a causa de diversos agentes bacterianos, víricos o fúngicos. Los pacientes con neumonía normalmente presentan debilidad, tos productiva, fiebre y, en ocasiones, dolor torácico que empeora al toser. Los cuidados de apoyo incluyen oxigenación, aspiración y traslado a un centro adecuado.
- La atelectasia es el colapso alveolar como consecuencia de una obstrucción proximal de la vía aérea, neumotórax, hemotórax, inhalación de tóxicos u otras causas. Aumenta la probabilidad de que se desarrolle una neumonía en el segmento pulmonar afectado.
- El cáncer de pulmón se ha incrementado entre las mujeres y es una de las formas más comunes de cáncer, especialmente entre las personas que fuman cigarros y las expuestas a riesgos pulmonares ocupacionales.
- El edema pulmonar se produce cuando el líquido migra a los pulmones. Un paciente que expulsa secreciones espumosas de color rosa probablemente tenga un edema pulmonar grave.
- El síndrome de dificultad respiratoria aguda es provocado por un daño alveolar difuso como resultado de aspiración, edema pulmonar o algún otro problema alveolar.
- Cuando un paciente tiene un neumotórax, el aire se acumula entre la pleura visceral y la pleura parietal. Administre oxígeno suplementario y vigile de cerca el estado respiratorio del paciente.
- El derrame pleural causará disnea. A los pacientes con esta afección se les deben proporcionar cuidados de apoyo, incluyendo una posición adecuada y una administración agresiva de oxígeno.
- Se produce embolia pulmonar cuando un coágulo de sangre se desprende en la circulación y se desplaza hasta el pulmón, bloqueando el flujo sanguíneo y el intercambio de nutrientes. Se trata de un trastorno frecuentemente mal diagnosticado en medicina de emergencias, ya que la presentación temprana puede revelar ruidos respiratorios normales con buena aireación periférica, desviando la atención de una patología pulmonar. El sello distintivo de una embolia pulmonar es la disnea súbita, la cianosis que no se resuelve con oxigenoterapia y, a veces, el dolor torácico.

Vocabulario esencial

Adventicio Se refiere a ruidos respiratorios anormales o ruidos que se producen además de los ruidos respiratorios normales; por ejemplo, crepitaciones y sibilancias.

Agonista beta-2 Agente farmacológico que estimula los receptores beta-2 del músculo liso; incluye broncodilatadores comunes como el albuterol y el levalbuterol.

Alvéolos (singular, alvéolo) Unidades en forma de saco situadas al final de los bronquiolos en las que tiene lugar el intercambio gaseoso.

Amígdalas palatinas Uno de los tres conjuntos de órganos linfáticos que constituyen las amígdalas; situadas en la parte posterior de la garganta, a cada lado de la abertura posterior de la cavidad bucal; ayudan a proteger el organismo de las bacterias y otros agentes patógenos introducidos en la boca y la nariz.

Aspiración Paso hacia dentro o hacia fuera. En los pulmones, la aspiración de alimentos, líquidos, sangre u objetos extraños puede producirse cuando un paciente no es capaz de proteger la vía aérea.

Kit de preparación continuación

Atelectasia Colapso de los espacios aéreos alveolares de los pulmones.

Botulismo Envenenamiento caracterizado por una parálisis muscular grave y generalmente a causa de la ingesta de alimentos que contienen la toxina botulínica.

Broncoespasmo Fuerte constricción del músculo liso que rodea el árbol bronquial.

Bronquitis crónica Enfermedad inflamatoria crónica que afecta a los bronquios y se caracteriza por una producción excesiva de mucosidad como consecuencia del crecimiento excesivo de las glándulas mucosas de la vía aérea.

Carina Proyección en forma de cresta del cartílago traqueal situada donde la tráquea se bifurca en los bronquios principales derecho e izquierdo.

Cianosis en capa Cianosis profunda de la cara y el cuello que se extiende por el tórax y la espalda; asociada a un flujo sanguíneo escaso o nulo; un signo particularmente ominoso.

Consolidación pulmonar Reafirmación de los pulmones por acumulación de líquido.

Cor pulmonale Enfermedad cardíaca que se desarrolla a causa de una enfermedad pulmonar crónica y afecta principalmente al lado derecho del corazón.

Crepitaciones Ruidos respiratorios anormales que tienen una calidad fina y crepitante; anteriormente se denominaban estertores.

Crup Enfermedad común de la infancia y la niñez debido a la obstrucción de la vía aérea superior y caracterizada por estridor, ronquera y tos seca.

Derrame pleural Acumulación excesiva de líquido en el espacio pleural.

Disnea paroxística nocturna Dificultad respiratoria grave que se produce repentinamente por la noche tras varias horas de decúbito, al acumularse líquido en los pulmones.

Distensión venosa yugular (DVY) Abombamiento visible de las venas yugulares cuando un paciente se encuentra en posición de semi-fowler o Fowler completa; indica un movimiento sanguíneo inadecuado a través del corazón y/o los pulmones.

Diuresis Producción de grandes cantidades de orina por el riñón.

Enfermedad reactiva de la vía aérea Cualquier condición que provoque bronquiolos hiperreactivos y broncoespasmos en respuesta a determinados factores desencadenantes.

Enfermedades pulmonares restrictivas Enfermedades que limitan la capacidad de los pulmones para expandirse adecuadamente. Las anomalías esqueléticas como la cifosis y la escoliosis son ejemplos comunes de condiciones que pueden causar estas enfermedades.

Enfisema Infiltración de aire o gas en cualquier tejido; enfermedad pulmonar obstructiva crónica caracterizada por distensión de los alvéolos y cambios de estructura en el parénquima pulmonar.

Espaciadores Dispositivos que recogen la medicación a medida que se libera del envase de un inhalador dosificador, permitiendo que llegue más medicación a los pulmones y que se pierda menos en el medio ambiente.

Espasmo carpo pedal Posición torcida de la mano o el pie en la que los dedos se flexionan en forma de garra, que puede ser a causa de la hiperventilación.

Estado asmático Ataque de asma grave y prolongado que no puede detenerse con el tratamiento convencional, como la administración de epinefrina.

Estridor Sonido inspiratorio áspero y agudo que representa el movimiento del aire más allá de una obstrucción dentro o inmediatamente por encima de la abertura glótica; asociado a una obstrucción grave de la vía aérea superior, como la causada por un edema laríngeo.

Filtro de vena cava inferior Filtro de malla que se coloca en la vena cava inferior para atrapar los coágulos sanguíneos en pacientes con alto riesgo de embolia pulmonar.

Fremitus táctil Vibraciones en el tórax que pueden sentirse con una mano sobre el tórax mientras el paciente respira.

Hemoglobina Proteína que contiene hierro y se encuentra en los glóbulos rojos; tiene la capacidad de combinarse con el oxígeno.

Hemoptisis Tos con sangre en el esputo.

Hiperoxia Exceso de oxígeno.

Hipoventilar Mover volúmenes inadecuados de aire a los pulmones.

Kit de preparación continuación

Hipoxia Estado peligroso en el que se reduce el aporte de oxígeno a los tejidos.

Impulso hipóxico Estado en el que el estímulo para respirar procede de una disminución de la PaO_2, en lugar del estímulo normal, un aumento de la $PaCO_2$.

Laringotraqueobronquitis Inflamación de la laringe, la tráquea y los bronquios.

Metástasis Transferencia de una enfermedad de un órgano o parte del cuerpo a otra que no está directamente conectada con el lugar original; a menudo se utiliza para describir un cáncer que se ha extendido a otra parte del cuerpo.

Monofónico Sonido de una sola nota durante las sibilancias, causado por la vibración de un solo bronquio.

Músculo liso Músculo involuntario no estriado que se encuentra en las paredes de los vasos, las glándulas y el tracto gastrointestinal.

Neumonía Inflamación del pulmón causada por un agente infeccioso.

Neumonitis Inflamación pulmonar causada por un irritante, como un producto químico, polvo o radiación, o por aspiración, como la aspiración del contenido gástrico.

Ortopnea Disnea grave que se experimenta cuando se está tumbado y que se alivia al sentarse o levantarse.

Parénquima Partes funcionales de una glándula u órgano sólido.

Policitemia Producción de demasiados glóbulos rojos a lo largo del tiempo, lo que espesa la sangre; característica de las personas con enfermedad pulmonar crónica e hipoxia crónica.

Polifónico Sonido de múltiples notas durante las sibilancias; causado por las vibraciones de múltiples bronquios.

Posición de Fowler Posición sentada con la cabeza elevada en un ángulo de 90° (sentado erguido).

Pseudomembrana Falsa membrana formada por una capa de tejido muerto; se observa en la faringe posterior de pacientes con difteria.

Pulso paradójico Debilitamiento o pérdida de un pulso palpable durante la inspiración; característico de afecciones que provocan profundos cambios de presión en el tórax, como el taponamiento cardíaco y el asma grave.

Purulento Lleno de pus; con carácter de pus.

Reflujo hepatoyugular Engrosamiento de las venas yugulares cuando se presiona suavemente el hígado; este hallazgo es específico de la insuficiencia cardíaca derecha.

Respiraciones de Kussmaul Patrón respiratorio característico de la cetoacidosis diabética, con marcada hiperpnea y taquipnea; representa el intento del organismo de compensar la acidosis.

Retracciones La retracción de los músculos intercostales y de los músculos situados por encima de las clavículas, que puede producirse en caso de dificultad respiratoria.

Ronquido Ruido que se produce durante la inhalación cuando la lengua obstruye parcialmente la vía aérea superior.

Síndrome de Guillain-Barré Enfermedad de causa desconocida que se caracteriza por una parálisis progresiva que va de los pies a la cabeza (parálisis ascendente); si la parálisis alcanza el diafragma, el paciente puede necesitar asistencia respiratoria.

Traqueostomía Abertura creada durante una traqueotomía.

Tuberculosis Enfermedad bacteriana crónica causada por *Mycobacterium tuberculosis* que normalmente afecta a los pulmones, aunque también puede afectar a otros órganos, como el cerebro y los riñones.

Ventilación Proceso de intercambio de aire entre los pulmones y el entorno; incluye la inhalación y la exhalación.

Kit de preparación continuación

Referencias

1. National Center for Chronic Disease Prevention and Health Promotion. Chronic diseases in America. Centers for Disease Control and Prevention website. https://www.cdc.gov/chronicdisease/resources/infographic/chronic-diseases.htm. Revisada el 12 de enero de 2021. Consultada el 1 de marzo de 2021.
2. Chronic obstructive pulmonary disease (COPD) includes: chronic bronchitis and emphysema. Centers for Disease Control and Prevention website. https://www.cdc.gov/nchs/fastats/copd.htm. Revisada el 13 de septiembre de 2021. Consultada el 1 de diciembre de 2021.
3. Office of Surveillance, Epidemiology and Laboratory Services (OSELS). Asthma in the US. Centers for Disease Control and Prevention website. https://www.cdc.gov/vitalsigns/asthma/. Actualizada el 3 de mayo de 2011. Consultada el 1 de marzo de 2021.
4. Asthma facts and figures. Asthma and Allergy Foundation of America website. http://www.aafa.org/page/asthma-facts.aspx. Revisada en agosto de 2015. Consultada el 1 de marzo de 2021.
5. National Center for Immunization and Respiratory Diseases, Division of Bacterial Diseases. Pneumonia can be prevented—vaccines can help. Centers for Disease Control and Prevention website. https://www.cdc.gov/Features/Pneumonia/. Revisada el 22 de octubre de 2020. Consultada el 1 de marzo de 2021.
6. Pneumonia. Johns Hopkins Medicine website. https://www.hopkinsmedicine.org/health/conditions-and-diseases/pneumonia/. Consultada el 1 de marzo de 2021.
7. Alpha-1 Foundation website. https://www.alpha1.org/Newly-Diagnosed/Learning-about-Alpha-1/Lung-Disease. Consultada el 1 de marzo de 2021.
8. Mahafza T, Batarseh S, Bsoul N, Massad E, Qudaisat I, Elmon'em Al-Layla A. Early vs. late tracheostomy for the ICU patients: experience in a referral hospital. *Saudi J Anaesth.* 2012;6(2):152-154.
9. Rudrappa M, Modi P, Bollu PC. Cheyne Stokes respirations. *StatPearls*. https://www.ncbi.nlm.nih.gov/books/NBK448165/. Actualizada el 9 de agosto de 2021. Consultada el 22 de octubre de 2021.
10. Pandya NK, Sharma S. Capnography and pulse oximetry. *StatPearls*. https://www.ncbi.nlm.nih.gov/books/NBK539754/. Actualizada el 7 de mayo de 2021. Consultada el 12 de agosto de 2021.
11. 2020 Heart Association Guidelines for CPR and ECC. American Heart Association website. https://cpr.heart.org/en/resuscitation-science/cpr-and-ecc-guidelines. Consultada el 1 de marzo de 2021.
12. Hale KE, Gavin C, O'Driscoll BR. Audit of oxygen use in emergency ambulances and in a hospital emergency department. *Emerg Med J.* 2008;25:773-776.
13. O'Driscoll BR, Howard LS, Bucknall C, et al. British Thoracic Society emergency oxygen audits. *Thorax.* 2011;66:734-735.
14. Kane B, Decalmer S, O'Driscoll BR. Emergency oxygen therapy: from guideline to implementation. *Breathe.* 2013;9:246-253. European Respiratory Society website. http://breathe.ersjournals.com /content/9/4/246. Consultada el 1 de marzo de 2021.
15. National Center for Environmental Health. Most recent asthma data. Centers for Disease Control and Prevention website. http://www.cdc.gov/asthma/most_recent_data.htm. Revisada el 26 de octubre de 2020. Consultada el 1 de marzo de 2021.
16. Asthma statistics. American Academy of Asthma, Allergy, and Immunology website. http://www.aaaai.org/about-aaaai/newsroom/asthma-statistics. Consultada el 1 de marzo de 2021.
17. National Model EMS Clinical Guidelines. Version 2.0. National Association of State EMS Officials website. https://nasemso.org/wp-content/uploads/National-Model-EMS-Clinical-Guidelines-2017-PDF-Version-2.2.pdf. Publicada en noviembre de 2019. Consultada el 31 de julio de 2021.
18. Taylor RB. *White Coat Tales: Medicine's Heroes, Heritage, and Misadventures*. New York, NY: Springer; 2010.
19. Jackson C. *The Life of Chevalier Jackson: An Autobiography*. New York, NY: Macmillan; 1938.
20. Top 20 pneumonia facts—2019. American Thoracic Society website. https://www.thoracic.org/patients/patient-resources/resources/top-pneumonia-facts.pdf. Consultada el 1 de marzo de 2021.
21. Lung cancer fact sheet. American Lung Association website. http://www.lung.org/lung-health-and-diseases/lung-disease-lookup/lung-cancer/learn-about-lung-cancer/lung-cancer-fact-sheet.html?referrer=https://www.google.com/. Actualizada el 27 de mayo de 2020. Consultada el 1 de marzo de 2021.

Capítulo 15

Emergencias cardiovasculares

COMPETENCIAS DEL ESTÁNDAR NACIONAL DE EDUCACIÓN EN EL SEM

Medicina

Integrar los resultados de la evaluación con los principios de epidemiología y fisiopatología para generar un diagnóstico inicial e implementar un plan integral de tratamiento/disposición para un paciente con una afección médica.

Cardiovascular

Anatomía, signos, síntomas y manejo de:

- Dolor torácico (pp. 1067-1069, 1183)
- Paro cardíaco (pp. 1064, 1125-1132)

Anatomía, fisiología, epidemiología, fisiopatología, impacto psicosocial, presentaciones, pronóstico y manejo de:

- Alteraciones del ritmo cardíaco (pp. 1078-1080)
- Condiciones que predisponen a las alteraciones del ritmo cardíaco (pp. 1152-1153)
- Síndrome coronario agudo (pp. 1067, 1154-1166)
  - Angina de pecho (pp. 1067- 1156-1157)
  - Infarto del miocardio (pp. 1157-1160)
- Insuficiencia cardíaca (pp. 1156-1173)
- Taponamiento cardíaco no traumático (p. 1174)
- Shock cardiogénico (pp. 1175-1176)
- Emergencias hipertensivas (pp. 1176-1179)
- Enfermedades infecciosas del corazón (pp. 1179-1182)
  - Endocarditis (pp. 1179-1180)
  - Pericarditis (pp. 1180-1181)
  - Miocarditis (pp. 1181-1182)
- Trastornos vasculares (pp. 1182-1186)
  - Aneurisma aórtico (pp. 1182-1184)
  - Oclusión arterial aguda (pp. 1184-1186)
  - Isquemia aguda de las extremidades (pp. 1184-1186)
  - Trombosis venosa (p. 1186)
- Cardiopatías congénitas (véase capítulo 39, *Cuidados neonatales*)
- Miocardiopatía hipertrófica (véase capítulo 40, *Emergencias pediátricas*)

Shock y reanimación

Integrar el conocimiento exhaustivo de las causas y la fisiopatología en el tratamiento del paro cardíaco y los estados previos al paro.

OBJETIVOS COGNITIVOS

1. Repasar las principales estructuras anatómicas, sus funciones y la fisiología. (pp. 1064-1066)
2. Resumir la evaluación general de un paciente con una emergencia cardiovascular. (pp. 1066-1071)
3. Explicar las fases que componen el potencial de acción cardíaco. (pp. 1071-1075)
4. Identificar la estructura y el transcurso de las divisiones y ramificaciones del sistema de conducción cardíaco. (pp. 1075-1077)

5. Explicar la importancia de las vías de conducción accesorias. (pp. 1076-1077)
6. Recordar cómo influye el sistema nervioso autónomo en la presión arterial. (pp. 1077-1078)
7. Describir las limitaciones de la monitorización de EKG de 3 derivaciones. (pp. 1079-1080)
8. Indicar la colocación de los electrodos de EKG de 12 derivaciones. (p. 1087)
9. Definir las derivaciones contiguas y las derivaciones precordiales; incluir ejemplos de cada una. (pp. 1084-1085)
10. Indicar la colocación de las derivaciones precordiales derechas y de los electrodos de derivación posteriores. (pp. 1085, 1087)
11. Indicar la colocación de electrodos de EKG de 15 y 18 derivaciones. (pp. 1085-1086)
12. Esbozar los componentes de una tira de ritmo EKG. (pp. 1088-1092)
13. Esbozar un enfoque sistemático para el análisis y la interpretación de las disritmias cardíacas. (pp. 1092-1095)
14. Explicar el ritmo sinusal normal y las características del EKG, las posibles causas, los signos y síntomas y la atención inicial de emergencia de las disritmias originadas en el nódulo sinoauricular. (pp. 1095-1101)
15. Explicar la atención médica de emergencia al paciente adulto sintomático con bradicardia. (pp. 1096-1097)
16. Explicar las características del EKG, las posibles causas, los signos y síntomas y la atención médica de emergencia inicial para las disritmias originadas en las aurículas. (pp. 1101-1111)
17. Explicar la atención médica de emergencia al paciente adulto sintomático con taquicardia. (pp. 1103-1106)
18. Explicar las características del EKG, las posibles causas, los signos y síntomas y los cuidados iniciales de emergencia de las disritmias originadas en la unión auriculoventricular (AV). (pp. 1111-1112)
19. Explicar las características del EKG, las posibles causas, los signos y síntomas y los cuidados iniciales de emergencia de las disritmias originadas en los ventrículos. (pp. 1112-1118)
20. Evaluar las disritmias observadas en el paro cardíaco. (p. 1117)
21. Comparar las indicaciones y el procedimiento para realizar una desfibrilación manual operando un desfibrilador externo automático (DEA). (pp. 1117-1124)
22. Explicar la atención médica de emergencia al paciente adulto con paro cardíaco. (1125-1129)
23. Describir los componentes de los cuidados después de un paro cardíaco. (pp. 1129-1132)
24. Explicar las características del EKG, las posibles causas, los signos y síntomas y los cuidados iniciales de emergencia para los bloqueos AV. (pp. 1132-1135)
25. Describir las características del EKG de los ritmos de marcapasos artificiales. (pp. 1135-1136)
26. Dar ejemplos de indicaciones para utilizar un EKG de 12 derivaciones. (pp. 1136-1137)
27. Explicar un enfoque sistemático para la interpretación del EKG de 12 derivaciones. (pp. 1137-1145)
28. Reconocer los cambios característicos del EKG asociados con isquemia, lesión e infarto del miocardio. (pp. 1144-1150)
29. Explicar la etiología, los antecedentes, los hallazgos físicos y el tratamiento de los síndromes coronarios agudos. (pp. 1154-1155)
30. Describir los factores de riesgo relacionados con las enfermedades cardiovasculares. (p. 1156)
31. Explicar la angina de pecho, incluidas sus causas y tipos. (pp. 1156-1157)
32. Explicar los procedimientos de evaluación de pacientes con problemas cardiovasculares. (pp. 1157-1160)
33. Resumir la preparación para la terapia de reperfusión en pacientes con infarto del miocardio con elevación del segmento ST. (pp. 1162-1164)
34. Discutir la fisiopatología de la insuficiencia cardíaca y sus signos, síntomas y tratamiento. (pp. 1166-1173)
35. Discutir la fisiopatología del taponamiento cardíaco y sus signos, síntomas y tratamiento. (pp. 1173-1175)
36. Discutir la fisiopatología del shock cardiogénico y sus signos, síntomas y tratamiento. (pp. 1175-1176)
37. Discutir la fisiopatología de una emergencia hipertensiva y sus signos, síntomas y tratamiento. (pp. 1176-1179)
38. Explicar la etiología, los antecedentes, los hallazgos físicos y el tratamiento de la endocarditis, la pericarditis y la miocarditis, así como de otras enfermedades infecciosas del corazón. (pp. 1154-1155, 1179-1182)
39. Explicar la etiología, los antecedentes, los hallazgos físicos y el tratamiento del aneurisma aórtico, la oclusión arterial aguda, la trombosis venosa profunda aguda y otros trastornos vasculares. (pp. 1154-1155, 1172-1186)

OBJETIVOS DE DESTREZA

1. Demostrar cómo realizar una monitorización cardíaca. (pp. 1081-1082, Práctica de destrezas 15-1)
2. Demostrar cómo proporcionar atención médica de emergencia al paciente adulto sintomático con bradicardia. (p. 1096)
3. Demostrar cómo realizar la estimulación transcutánea (ETC). (pp. 1098-1099, Práctica de destrezas 15-2)
4. Demostrar cómo proporcionar atención médica de emergencia al paciente adulto sintomático con taquicardia. (pp. 1103-1104)
5. Demostrar cómo realizar una cardioversión sincronizada. (pp. 1106-1107, Práctica de destrezas 15-3)
6. Demostrar cómo realizar una desfibrilación manual. (pp. 1120-1122, Práctica de destrezas 15-4)
7. Demostrar cómo tratar un paro cardíaco en un adulto. (pp. 1125-1128)
8. Demostrar cómo realizar una desfibrilación con un DEA. (pp. 1123-1124, Práctica de destrezas 15-5)
9. Demostrar cómo realizar cuidados inmediatos después de un paro cardíaco. (pp. 1129-1130)
10. Demostrar cómo obtener un EKG de 12 derivaciones. (pp. 1138-1139, Práctica de destrezas 15-6)
11. Demostrar cómo evaluar y proporcionar atención médica de emergencia a un paciente con un síndrome coronario agudo. (p. 1161)

Introducción

El término **enfermedad cardiovascular (ECV)** hace referencia a un grupo de afecciones del corazón y los vasos sanguíneos.[1] Algunos ejemplos son la **hipertensión** (presión arterial [PA] alta), la enfermedad vascular periférica, la insuficiencia cardíaca, las miocardiopatías y las cardiopatías congénitas. La **cardiopatía coronaria (CC)** es un tipo de ECV que incluye la enfermedad de las arterias coronarias y sus signos, síntomas y complicaciones asociadas, como la angina de pecho y el **infarto agudo de miocardio (IAM)**, que es un ataque al corazón. Un IAM se produce cuando el estrechamiento repentino o la obstrucción completa de una arteria coronaria causa la muerte del tejido miocárdico. Se calcula que en Estados Unidos una persona tiene un IAM cada 40 segundos aproximadamente.[2]

El **paro cardíaco** es el cese de la actividad mecánica cardíaca, confirmado por la ausencia de signos de circulación.[2] Un **paro cardíaco súbito (PCS)** es un paro cardíaco inesperado que da lugar a intentos de restablecer la circulación. Si los intentos de reanimación no fueron exitosos, esta situación se denomina **muerte cardíaca súbita (MCS)**.[2] En Estados Unidos, la mayoría de los paros cardíacos extrahospitalarios se producen en el hogar o en una residencia, seguidas de los lugares públicos y, a continuación, las residencias de adultos mayores.[2] Debido a la prevalencia de la ECV, es fácil entender por qué la formación de los paramédicos sigue haciendo tanto hincapié en el reconocimiento y manejo de las emergencias cardiovasculares.

Este capítulo lo preparará para integrar los principios fisiopatológicos y los hallazgos de la evaluación para formular una impresión general e implementar un plan de tratamiento para pacientes con ECV. Después de una breve revisión de la anatomía y función del sistema cardiovascular, aprenderá sobre la electrofisiología del corazón. Se hace especial hincapié

USTED es el Paramédico

PARTE 1

Usted y su equipo reciben una llamada para acudir a un domicilio privado donde un hombre refiere dolor torácico. Cuando llegan, encuentran a un hombre de 32 años que dice tener un dolor torácico punzante desde hace 1 o 2 horas. Le informa de que el dolor apareció en reposo, se ha ido intensificando y ahora va acompañado de falta de aire. Califica su malestar actual de 9/10. El paciente niega antecedentes cardíacos.

1. ¿Cuál es su impresión inicial sobre el estado de este paciente?
2. ¿Cuáles son las posibles causas de los síntomas del paciente?
3. Aunque sin duda es posible, este paciente es relativamente joven para estar presentando un IAM. ¿Qué factores podrían estar asociados con un evento cardíaco en un paciente de esta edad?
4. ¿Qué datos de evaluación adicionales serán necesarios al evaluar a este paciente?

en la interpretación de las **disritmias** cardíacas (alteraciones del ritmo cardíaco) y su tratamiento en el contexto del estado clínico general del paciente. También aprenderá sobre las modalidades de tratamiento farmacológico y de otro tipo que rodean el soporte vital cardíaco avanzado (SVCA). Por último, conocerá la fisiopatología, los antecedentes y los hallazgos físicos relacionados con la ECV, y cómo tratar los trastornos cardiovasculares. Como parte del estudio de este capítulo, repase el capítulo 5, *Terminología médica*, para conocer la terminología, los acrónimos y las abreviaturas relacionados con las emergencias cardiovasculares.

Repaso de anatomía y fisiología

En esta sección repasamos la anatomía y la fisiología del sistema cardiovascular. En el capítulo 6, *Anatomía y fisiología*, se analiza el sistema cardiovascular con más detalle.

- El sistema cardiovascular está compuesto por el corazón y los vasos sanguíneos. Su función principal es llevar sangre oxigenada y nutrientes a todas las células del cuerpo. El sistema cardiovascular también es responsable de transportar mensajeros químicos (hormonas) dentro del cuerpo y de transportar los productos de desecho del metabolismo desde las células hasta los lugares de reciclaje o eliminación.
- El corazón tiene cuatro cavidades, **FIGURA 15-1**. Las dos cavidades superiores son las aurículas derecha e izquierda. Las aurículas tienen paredes finas. La aurícula derecha recibe sangre desoxigenada de la vena cava superior, la vena cava inferior y el seno coronario. El seno coronario es un confluente de venas de gran calibre situada en la

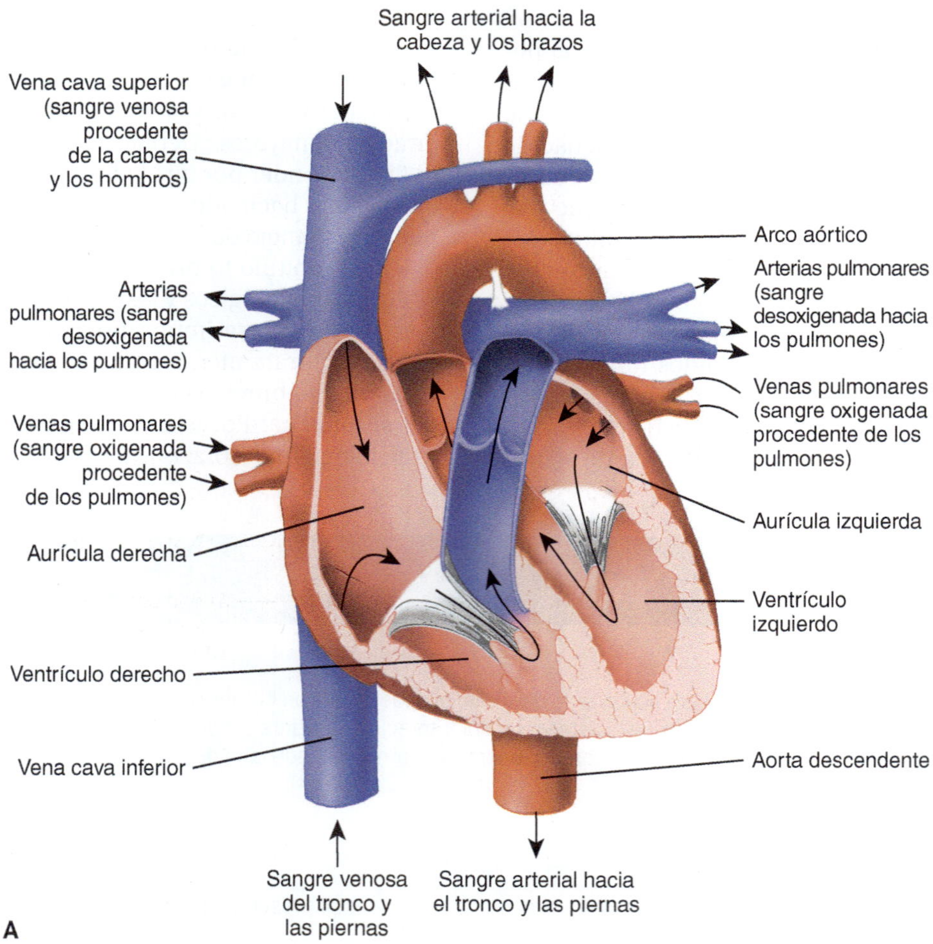

FIGURA 15-1 A. Flujo sanguíneo a través del corazón. **B.** Arterias coronarias (vista anterior). **C.** Arterias coronarias (vista posterior).

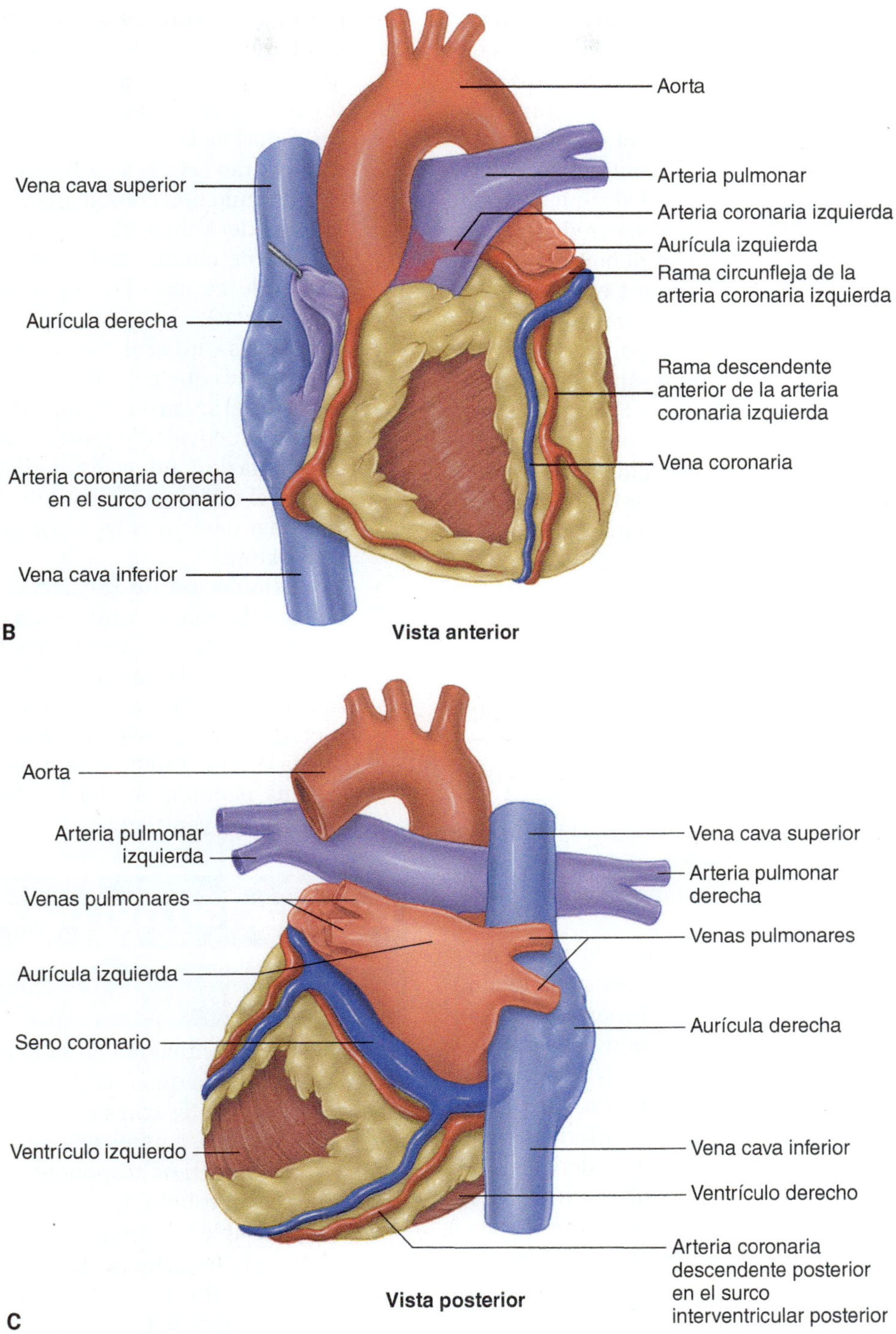

FIGURA 15-1 *Continuación.*

parte posterior del corazón que capta la sangre de la gran vena cardíaca y de varias venas coronarias más pequeñas y la drena hacia la aurícula derecha. La aurícula izquierda recibe sangre recién oxigenada de los pulmones a través de las venas pulmonares derecha e izquierda. A continuación, las aurículas se contraen y bombean la sangre a los ventrículos a través de la válvula auriculoventricular (AV).

- Las dos cavidades inferiores del corazón son los ventrículos derecho e izquierdo. Las paredes de los ventrículos son mucho más gruesas que las de las aurículas. El ventrículo derecho bombea sangre desoxigenada a los pulmones. El ventrículo izquierdo bombea sangre oxigenada a todo el cuerpo. Cuando el ventrículo izquierdo se contrae, por lo general produce un impulso que puede palparse en el ápex del corazón (impulso apical), que se produce porque el ventrículo izquierdo gira hacia delante al contraerse. En un corazón normal, esta rotación hace que el ápex del ventrículo izquierdo golpee la pared torácica. El impulso apical también se denomina **punto máximo de impulso (PMI)** porque es el lugar en el que el latido se siente con mayor intensidad. El PMI suele estar situado en la parte anterior izquierda del tórax, en el quinto espacio intercostal (EIC) a lo largo de la línea medioclavicular.

- Una pared interna de tejido conjuntivo denominada **tabique** (también conocido como *septo*) separa los lados derecho e izquierdo del corazón. Se compone de dos partes: el tabique interauricular, que separa las aurículas derecha e izquierda, y el tabique interventricular, que separa los ventrículos derecho e izquierdo.
- Los tabiques separan el corazón en dos bombas funcionales. La aurícula derecha y el ventrículo derecho constituyen una bomba. La aurícula izquierda y el ventrículo izquierdo constituyen la otra. El lado derecho del corazón (a veces denominado "corazón derecho") es un sistema de baja presión (circulación pulmonar). El lado izquierdo del corazón (a veces denominado "corazón izquierdo") es una bomba de alta presión (circulación sistémica).
- El miocardio es la capa media de la pared del corazón. Se compone principalmente de tejido muscular cardíaco grueso y es responsable de la contracción cardíaca y la eyección eficiente de la sangre del corazón.
- Las **arterias coronarias** suministran sangre a los tejidos del corazón. Existen dos arterias coronarias principales: la izquierda y la derecha. La arteria coronaria principal izquierda (ACPI) es la de mayor diámetro y la más corta de los vasos sanguíneos miocárdicos. Se divide rápido en la **arteria descendente anterior izquierda (DAI)** y la **arteria circunfleja (Cx)**. Aunque las zonas irrigadas por las arterias coronarias pueden variar de un paciente a otro, la DAI irriga la superficie anterior del ventrículo izquierdo, parte de la superficie lateral del ventrículo izquierdo y una porción del tabique interventricular en la mayoría de los pacientes. La arteria Cx irriga la aurícula izquierda, parte de la superficie lateral del ventrículo izquierdo, la superficie inferior del ventrículo izquierdo en cerca de 15% de las personas, la superficie posterior del ventrículo izquierdo en 15% de las personas, el **nódulo sinoauricular (SA)** en alrededor de 40% de las personas y el haz AV en 10 a 15% de las personas. Las ramas de la **arteria coronaria derecha (ACD)** suministran sangre a las paredes de la aurícula y el ventrículo derechos, a una porción de la parte inferior del ventrículo izquierdo y a zonas del sistema de conducción (el nódulo SA en cerca de 60% de las personas y el haz AV en 85 a 90% de las personas).
- Las células cardíacas tienen cuatro propiedades importantes que contribuyen al buen funcionamiento del corazón: automaticidad, excitabilidad, conductividad y contractilidad.
- El sistema de conducción cardíaco consta de seis partes: el nódulo SA, el nódulo AV, el haz de His, las ramas derecha e izquierda del haz y las fibras de Purkinje.
- La estimulación de los nervios simpáticos refuerza la fuerza de contracción y aumenta la frecuencia cardíaca. La estimulación de las fibras nerviosas parasimpáticas (inhibidoras) ralentiza el ritmo de descarga del nódulo SA, ralentiza la conducción a través del nódulo AV, debilita la fuerza de la contracción auricular y puede causar una pequeña reducción de la fuerza de la contracción ventricular.

Evaluación del paciente

Evaluación de la escena

Una afección relacionada con el corazón es una razón frecuente por la que una persona busca atención médica. Los pacientes con síntomas cardiovasculares pueden ser jóvenes, adultos de mediana edad o adultos mayores. Pueden no responder, estar despiertos y alerta o tener un estado mental alterado. El paciente puede estar estable o inestable y tener o no pulso. Independiente a la situación, es esencial un enfoque sistemático de la evaluación del paciente. Este enfoque, incluida la evaluación física cardíaca, se trata en el capítulo 8, *Evaluación del paciente*. Cuando se utiliza de forma sistemática, este tipo de enfoque le ayudará a no pasar por alto los hallazgos físicos o las preguntas clave pertinentes para el plan de tratamiento del paciente. En esta sección, nos centraremos en las áreas de la evaluación que requieren una atención especial para el paciente que tiene una afección cardiovascular o que está experimentando una emergencia cardiovascular.

Evaluación primaria

El orden de los pasos para realizar una evaluación primaria difiere de acuerdo con el tipo de paciente cardíaco. Mientras que el orden de los pasos en el reconocimiento primario suele ser ABCDE (evaluar la vía aérea, respiración y, a continuación, circulación, discapacidad y exposición), si el paciente no responde y se sospecha que está en paro cardíaco, el orden cambia a CABDE (evaluar primero la circulación y, a continuación, vía aérea, respiración, discapacidad y exposición). En esta sección asumimos que el paciente responde, respira y tiene pulso.

Historia clínica

Los **síndromes coronarios agudos (SCA)** son una serie de afecciones cardíacas causadas por una reducción brusca del flujo sanguíneo a través de una arteria coronaria. Existen tres tipos principales de SCA: la **angina inestable**, el infarto del miocardio sin elevación del segmento ST (IMSEST) y el infarto del miocardio con elevación del segmento ST (IMEST). Los síntomas principales más frecuentes en los pacientes con un SCA son: molestias torácicas, disnea, desmayos, palpitaciones y fatiga.

El dolor o malestar torácico suele ser el síntoma de presentación en un paciente con un SCA. La descripción de las molestias por parte del paciente es importante para evaluar su gravedad. Puede utilizar la nemotecnia OPQRST (inicio [*Onset*], Provocación/paliación, calidad [*Quality*], Región/radiación, gravedad [*Severity*], momento [*Timing*]) para identificar y clasificar la afección principal del paciente.

Algunos pacientes pueden tener más de una afección principal. Por ejemplo, un paciente puede referir dolor torácico y dificultad para respirar o palpitaciones y dolor torácico. Si se presenta cualquiera de estos síntomas, hay que preguntar al paciente qué síntoma empezó primero y cuál le molesta más. Por ejemplo, un interrogatorio más detallado del paciente que refiere palpitaciones y dolor torácico puede revelar que el paciente sintió que el corazón se le aceleraba durante unos minutos y luego empezó a tener dolor torácico.

O ¿Cuál es el *inicio* (*Onset*) u origen del malestar? Entre las preguntas que hay que plantearse están: ¿cómo empezó (de repente o progresivo)? ¿Había ocurrido antes algo parecido? ¿Examinó y trató un profesional sanitario al paciente por los síntomas referidos? En caso afirmativo, ¿cuál fue el diagnóstico? ¿En qué se parecen las molestias que siente el paciente en este momento?

P ¿Qué *provocó* el malestar? Las preguntas que hay que plantearse son las siguientes: ¿qué ha provocado las molestias? ¿Se trata de un esfuerzo o no? ¿Qué estaba haciendo el paciente en ese momento? ¿Estaba sentado en una silla? ¿Cambiando una llanta? ¿Palear la nieve? ¿Discutiendo? La **angina de pecho** es una molestia torácica que se produce cuando el músculo cardíaco no recibe suficiente oxígeno (**isquemia** miocárdica). Algunos ejemplos de actividades que aumentan la demanda de oxígeno del corazón son experimentar un trastorno emocional, fumar un cigarrillo, ingerir una comida copiosa, caminar por una pendiente o contra el viento, trabajar con los brazos por encima de la cabeza o exponerse al frío. Un IAM puede producirse cuando el paciente está en reposo, después de una enfermedad grave o un ejercicio inusualmente intenso, junto con un estrés emocional grave, o sin previo aviso. Las circunstancias que provocan los síntomas del paciente pueden dar una clave sobre la causa del dolor o las molestias. Por ejemplo, un dolor que empeora con el esfuerzo y desaparece con el reposo puede estar relacionado con una isquemia miocárdica. El dolor que empeora después de comer puede tener una causa gastrointestinal (GI). El dolor que empeora cuando el paciente respira profundo puede deberse a una causa respiratoria o musculoesquelética. ¿Hay algo que empeore el dolor? ¿Qué atenúa el dolor? Es decir, ¿hay algo que lo mejore? Los pacientes con **enfermedad arterial coronaria (EAC)** pueden tomar nitroglicerina (NTG) para los episodios de dolor torácico. Pregunte si el paciente tomó NTG. En caso afirmativo, ¿qué cantidad tomó y si le ayudó?

Q ¿Cuál es la *calidad* (*Quality*) de la molestia? Entre las preguntas que se deben formular figuran las siguientes: ¿qué se siente? Obtenga la descripción narrativa del paciente. ¿Sordo? ¿Agudo? ¿Aplastante? ¿Pesado? ¿Apretado? Anote las palabras exactas que utiliza el paciente para describir la molestia y observe su lenguaje corporal mientras lo hace. Intente no dirigir las respuestas del paciente a menos que no pueda describir el dolor. En estos casos, ofrezca alternativas, como "¿Es agudo, sordo o con calambres?". Utilice la palabra "molestia" en lugar de "dolor" en estas preguntas. Aunque muchos pacientes con un episodio cardíaco le dirán que tienen dolor torácico, algunos no sentirán verdadero dolor. Algunos pacientes con un episodio relacionado con el corazón presentan signos y síntomas distintos del dolor o malestar torácico, como debilidad generalizada, sudoración, mareo, falta de aire, dolor de espalda o náusea y vómito.

R ¿*Se Irradia* el malestar? ¿De dónde a dónde? ¿Hacia la mandíbula? ¿Bajo el brazo izquierdo? ¿Hacia la espalda? Las molestias torácicas asociadas con isquemia miocárdica suelen comenzar en la parte central o izquierda del tórax. Luego se irradia al brazo (en especial al lado del dedo meñique [cubital] del brazo izquierdo), la muñeca, la mandíbula, el epigastrio, el hombro izquierdo o entre los omóplatos. También puede producirse un patrón similar en la **pericarditis** (inflamación del saco pericárdico). La isquemia grave puede producir irradiación al tórax derecho, brazo derecho o espalda. En un paciente con un evento relacionado con el corazón, síntomas como dolor epigástrico, náusea y vómito pueden confundirse con los síntomas de un paciente que tiene un trastorno GI, como una úlcera péptica. La **disección** aórtica o el agrandamiento de un **aneurisma aórtico** pueden producir dolor que comienza en el centro del tórax y se irradia a la espalda.

S ¿Cuál es la *gravedad* (*Severity*) de las molestias? Las preguntas que hay que plantearse son: ¿es muy intenso? Evalúe el malestar del paciente utilizando una escala de calificación del dolor de 0 a 10, siendo 10 el peor. Aunque los signos físicos de dolor pueden ser evidentes en muchos pacientes, algunos pueden sentir un dolor intenso y no mostrar signos visibles de malestar. Recuerde que el paciente es la autoridad con respecto a su dolor. El uso de una escala de valoración del dolor le permite evaluar la eficacia de la atención de emergencia que presta. Documente la valoración inicial del dolor o malestar por parte del paciente. Reevalúe (y documente) la gravedad del malestar después de cada tratamiento que realice y antes de transferir la atención al centro receptor. Si el paciente tiene angina crónica, pídale que compare el dolor con su dolor de angina "habitual".

T ¿Cuál fue el *momento* (*Timing*) del suceso? Preguntas como ¿cuándo empezó? ¿Cuánto duró? ¿A qué hora empeoró o mejoró? ¿Fue continuo o intermitente? Es esencial determinar cuándo empezaron los síntomas del paciente, sobre todo si es candidato a un **tratamiento de reperfusión** (es decir, medicamentos o procedimientos para abrir una arteria coronaria obstruida). Los síntomas anginosos suelen durar menos de 20 minutos. Las molestias torácicas asociadas con IAM suelen durar entre 20 minutos y varias horas. Las molestias torácicas que duran horas también pueden observarse en pacientes con pericarditis y disección aórtica.

Otra de las principales quejas de los pacientes con SCA es la disnea (respiración dificultosa o entrecortada). La disnea puede variar en intensidad, desde la sola percepción de la respiración hasta la dificultad respiratoria grave. Debido a que la disnea no es un signo sino un síntoma, resulta difícil evaluar su gravedad. Pida al paciente que valore la gravedad de la dificultad respiratoria en una escala de 0 a 10 o que la compare con experiencias anteriores.

La disnea que aparece de forma repentina sugiere **embolia pulmonar**, neumotórax, **edema pulmonar** agudo, neumonía u obstrucción de la vía aérea. La disnea de esfuerzo o en reposo sugiere la presencia de enfermedad pulmonar obstructiva crónica (EPOC) o insuficiencia ventricular izquierda. La **insuficiencia ventricular izquierda (IVI)** provoca la acumulación de líquido en los pulmones. En los pacientes con IVI crónica, la disnea suele desarrollarse progresivamente a lo largo de semanas o meses. Los pacientes con insuficiencia cardíaca crónica pueden tener disnea cuando descansan en posición horizontal porque la sangre se acumula en los pulmones cuando se recuestan. La disnea que se alivia con un cambio de posición (sentado erguido o de pie) se denomina **ortopnea**. Para evitar la disnea, los pacientes con ortopnea suelen dormir sobre dos o más almohadas para conseguir una posición erguida o semierguida.

La **disnea paroxística nocturna (DPN)** es una aparición súbita de dificultad respiratoria en la que el paciente se despierta de manera repentina del sueño. La DPN suele estar asociada con fibrilación ventricular izquierda. La DPN suele comenzar entre 2 y 4 horas después del inicio del sueño y acompañada de tos, sibilancias y sudoración. El paciente puede despertarse con sensación de ahogo. El estado del paciente suele mejorar después de sentarse o levantarse durante 15 a 30 minutos.

Si el paciente tiene tos, averigüe si es seca o productiva. La tos seca es una tos no productiva. Una tos productiva (o húmeda) limpia la vía aérea de mucosidad (esputo) y material extraño. Las características del esputo producido pueden ayudarle a determinar la causa de la tos. Por ejemplo, el edema pulmonar suele ir acompañado de esputo espumoso de color rosado.

El desmayo (**síncope**) es una breve pérdida de conciencia causada por una disminución temporal del flujo sanguíneo al cerebro. En el síncope inminente (también llamado presíncope), aparecen signos y síntomas de síncope inminente, como mareo con o sin desmayo (llamado "apagón gris"), ansiedad, palidez de las mucosas, sudoración, pulso filiforme y PA baja. Los desmayos pueden producirse estando sentado, de pie, caminando y, en ocasiones, haciendo ejercicio. Como parte de la anamnesis de un paciente que se ha desmayado, hay que intentar determinar si lo ha hecho por causas cardíacas o no cardíacas. Las causas cardíacas de síncope incluyen disritmias, aumento del tono vagal y lesiones cardíacas. Considere la posibilidad de una causa cardíaca si el desmayo se produce en decúbito, es provocado por el ejercicio o se asocia con dolor torácico, o si existen antecedentes familiares de desmayo o muerte súbita. Las causas no cardíacas de síncope se tratan en el capítulo 16, *Emergencias neurológicas*.

Los pacientes con problemas cardíacos pueden presentar palpitaciones como queja principal. Las **palpitaciones** se refieren a la sensación de latidos anormalmente rápidos o irregulares. Excepto después de un esfuerzo extremo, una persona suele ser inconsciente de los latidos de su corazón. Las palpitaciones pueden deberse a ansiedad, falta de sueño, algunos medicamentos, cafeína, estrés, consumo de cocaína o anfetaminas, fumar mucho o enfermedades metabólicas como hipertiroidismo. Los cambios en el ritmo o la frecuencia cardíacos, incluidos los ritmos rápidos (taquicardias) y los latidos anticipados, también pueden causar palpitaciones. Es posible que un paciente no utilice la palabra palpitaciones, pero sí que diga que siente que el corazón "se salta latidos", "da bandazos", "aletea" o "se acelera", o utilice palabras similares. En este caso, pregunte por el inicio, la frecuencia y la duración de este síntoma y de episodios anteriores de palpitaciones. Pregunte sobre la presencia de síntomas asociados como molestias torácicas, mareos, síncope y disnea.

La fatiga es una queja común en pacientes con funciones cardiovasculares alteradas y es uno de los síntomas más vagos. Muchas enfermedades pueden causar fatiga. Los trastornos electrolíticos, como niveles de potasio inusualmente altos o bajos, son una causa frecuente de debilidad generalizada y fatiga. La fatiga puede preceder o acompañar a otros síntomas asociados con el SCA. Los medicamentos como los betabloqueadores, los diuréticos o los antihipertensivos también pueden causar fatiga. Intente determinar cuándo empezó la fatiga del paciente y cuánto tiempo lleva presente. Pregunte por síntomas asociados como molestias torácicas, náusea, disnea, síncope o palpitaciones.

Los pacientes pueden referir otros síntomas relacionados a medida que usted explora la historia de su enfermedad actual. Pueden tener sentimientos de fatalidad inminente o la sensación de que pronto experimentarán un acontecimiento que les cambiará la vida. Algunos pacientes dicen tener náusea o vómito. Escuche con atención a los pacientes en busca de indicios de traumatismos o de que sus niveles de actividad se han visto limitados por su enfermedad. Observe sus rostros mientras los escucha contar sus historias. ¿Ve una expresión de miedo o angustia? ¿Se agarran el pecho? La mayoría de las demás molestias asociadas que puedan presentar sus pacientes estarán relacionadas con la hipoxia o la mala perfusión resultante de un gasto cardíaco (GC) inadecuado, como disminución del nivel de respuesta, diaforesis, inquietud y ansiedad, cefalea, cambios de comportamiento y síncope.

Después de explorar la queja principal del paciente, pregunte de manera breve sobre los aspectos pertinentes del resto de la historia clínica del paciente. La anamnesis ofrece una excelente oportunidad para preguntar sobre los medicamentos prescritos y si se están tomando según las instrucciones; pregunte cuándo tomó el paciente sus medicamentos por última vez y si está tomando medicamentos prescritos para otra persona (prestados). Entre los medicamentos cardíacos más comunes se incluyen los siguientes:

- Antiarrítmicos como digoxina (Lanoxin®), procainamida (Procan®, Pronestyl®), amiodarona (Cordarone®) y verapamilo (Calan®, Isoptin®, Verelan®)
- Anticoagulantes como enoxaparina (Lovenox®), clopidogrel (Plavix®) y warfarina (Coumadin®)
- Inhibidores de la enzima convertidora de angiotensina como captopril (Capoten®), enalapril (Vasotec®) y lisinopril (Prinivil®, Zestril®)
- Betabloqueadores como atenolol (Tenormin®), metoprolol (Lopressor®) y propranolol (Inderal®)
- Hipolipemiantes como gemfibrozilo (Lopid®), atorvastatina (Lipitor®), fluvastatina (Lescol®), lovastatina (Mevacor®), pravastatina (Pravachol®), rosuvastatina cálcica (Crestor®) y simvastatina (Zocor®)
- Diuréticos como furosemida (Lasix®) o hidroclorotiazida (HCTZ®)
- Vasodilatadores como la nitroglicerina (Nitrostat®) o la isosorbida (Isordil®)

Además de preguntar por los medicamentos recetados, pregunte por cualquier medicamento de venta libre o suplemento de hierbas que tome el paciente. Los suplementos de hierbas pueden causar interacciones graves, e incluso mortales, cuando se toman con determinados medicamentos cardíacos. También puede ser apropiado preguntar sobre el consumo de drogas recreativas. Pregunte al paciente si ha tomado un inhibidor de la fosfodiesterasa como sildenafilo (Viagra®) en las últimas 24 horas o tadalafilo (Cialis®) o vardenafilo (Levitra®) en las últimas 48 horas. Cuando se toman en combinación con vasodilatadores como NTG o isosorbida, estos medicamentos pueden causar un descenso repentino y significativo de la PA.

Los medicamentos más comunes prescritos a pacientes con enfermedades cardiovasculares se tratan en el capítulo 10, *Principios de farmacología.*

Pregunte en específico si al paciente se le ha diagnosticado alguna de las siguientes enfermedades:

- Aneurisma
- Cardiopatía ateroesclerótica: angina de pecho, IM previo, hipertensión, insuficiencia cardíaca
- Anomalías congénitas
- EAC
- Diabetes
- Enfermedad cardíaca inflamatoria
- Cirugía cardíaca previa (injerto de derivación coronaria o sustitución valvular)
- Enfermedad pulmonar
- Enfermedad renal
- Enfermedad valvular
- Enfermedad vascular

Evaluación secundaria

La exploración física durante una evaluación secundaria es similar para muchos pacientes con padecimientos clínicos. No obstante, algunos aspectos merecen mayor atención en el paciente cuya queja principal sugiere un problema cardíaco.

Un nivel bajo de GC provoca una perfusión tisular inadecuada, que a menudo se traduce en palidez o piel de aspecto moteado o cianótico. La piel de un paciente con infarto puede estar fría y sudorosa. La piel de un paciente en shock cardiogénico puede estar fría y sudorosa. Este hallazgo es una respuesta simpática en la que la sangre de los vasos periféricos se desvía a los órganos vitales para mantener una perfusión adecuada. La piel caliente y enrojecida puede ser un signo de infección, como pericarditis. La respuesta del organismo al dolor puede incluir inquietud, enrojecimiento de la piel, aumento de la frecuencia cardíaca, incremento de la frecuencia respiratoria o elevación de la PA.

Perlas de sabiduría

La palabra *palidez*, tal como se utiliza en este texto, puede aplicarse a cualquier paciente cuya presentación cutánea sugiera una reducción del flujo sanguíneo o de la oxigenación. Se distingue de presentaciones similares, como hipopigmentación (falta o pérdida de pigmento cutáneo) o simplemente una tez clara. En general, las membranas mucosas del interior del párpado inferior interno y la mucosa oral tendrán una coloración rosada en todos los pacientes sanos, independiente al color de la piel; por lo tanto, un aspecto blanco o pálido de estas zonas en cualquier paciente sugiere una reducción del flujo sanguíneo o de la oxigenación.

Inspeccione el cuello y la posición traqueal. ¿Está la tráquea en línea media y es móvil a una manipulación suave? Presione con el dedo en la escotadura supraesternal del paciente para verificar que la tráquea está en línea media. Inspeccione las venas del cuello en busca de distensión venosa yugular (DVY). Las venas yugulares externas reflejan la presión dentro de la circulación sistémica del paciente. Por lo general, estas venas están colapsadas cuando una persona está sentada o de pie y están ligeramente distendidas cuando el paciente está en decúbito supino. La presión venosa aumenta con un incremento significativo del volumen sanguíneo cuando falla el ventrículo derecho o cuando el aumento de presión en el saco pericárdico dificulta el retorno de la sangre a la aurícula derecha. La presión venosa disminuye cuando el volumen sanguíneo disminuye de manera significativa o se produce la eyección de sangre del ventrículo izquierdo. Para estimar la presión venosa yugular del paciente, colóquelo en posición semi-Fowler (ángulo de 45°) con la cabeza ligeramente girada alejándose de la vena yugular que está examinando; observe la altura de la columna de sangre distendida dentro de la vena y observe hasta dónde se extiende la distensión por encima del ángulo esternal.

Continúe su evaluación inspeccionando y palpando el tórax. Busque cicatrices quirúrgicas que puedan indicar una intervención cardíaca previa. Busque otros signos que sugieran que el paciente tiene antecedentes de enfermedad cardíaca. Por ejemplo, la presencia de un parche de NTG en la piel del paciente sugiere antecedentes de angina. Una ligera protuberancia bajo la piel de la parte superior derecha o izquierda del tórax o de la pared abdominal del paciente es probable un marcapasos o un desfibrilador implantable. ¿Está aumentado el diámetro anteroposterior del tórax? Este hallazgo de un tórax expandido que se asemeja a la forma de un barril se denomina *tórax en tonel* y puede observarse en pacientes con EPOC. La palpación del tórax puede revelar zonas de sensibilidad o crepitación. Por ejemplo, la costocondritis es una afección que puede causar dolor torácico debido a la inflamación del cartílago y los huesos de la pared torácica.

Escuche con atención el tórax con el estetoscopio. La presencia de crepitaciones o sibilancias puede sugerir la presencia de fibrilación ventricular izquierda con edema pulmonar. Un paciente con edema pulmonar puede presentar esputo espumoso teñido de sangre en la boca o la nariz.

Inspeccione y palpe con ligereza el abdomen del paciente en busca de distensión y pulsaciones. Las pulsaciones fuertes en la zona epigástrica pueden ser un signo de aneurisma aórtico abdominal. Examine brazos, manos, piernas, pies y tobillos del paciente en busca de edema. Si el paciente está confinado en una cama, compruebe si hay edema en la zona lumbar (sacro), ya que el edema se produce en las zonas corporales más dependientes. El edema con fóvea bilateral puede ser un signo de **insuficiencia ventricular derecha (IVD)**. El edema con fóvea limitado a un lado del cuerpo sugiere una obstrucción en una vena principal.

Cuando obtenga los signos vitales, evalúe con cuidado el pulso del paciente. Un pulso débil y filiforme sugiere una reducción del GC. Un pulso muy rápido (más de 150 latidos por minuto [latidos/min]), muy lento (menos de 40 latidos/min) o irregular puede ser uno de los primeros indicadores de una disritmia cardíaca y requiere una evaluación adicional. Coloque a todos los pacientes que presenten un síntoma relacionado con el corazón en un monitor cardíaco. Documente el ritmo inicial del paciente y cualquier cambio en el ritmo.

Una de las herramientas más importantes y utilizadas por los paramédicos es el monitor-desfibrilador cardíaco. Esta máquina le permite monitorizar y registrar trazos de EKG de 3 derivaciones y registrar EKG de 12 derivaciones en el campo. También le permite identificar rápido una sospecha de IAM, transmitir los resultados electrónicamente al centro receptor y tomar decisiones de transporte acertadas sobre el destino del paciente con base en los resultados del EKG. Un monitor-desfibrilador también le permite tratar las disritmias cardíacas mediante terapia eléctrica, como la **desfibrilación**, la **cardioversión sincronizada** o la **estimulación transcutánea (ETC)**, cuando estos procedimientos están justificados.

Mientras obtiene los signos vitales, conecte el monitor cardíaco, la capnografía de ondas y el pulsioxímetro si aún no lo ha hecho. Utilice el EKG y la medición de la saturación de oxígeno (SpO_2) del mismo modo que utiliza otros signos vitales, es decir, como herramientas de ayuda en la evaluación y no como única guía para el tratamiento (trate al paciente, no al monitor).

Hallazgos de pulso en pacientes cardíacos

Por lo general, la frecuencia del pulso apical es la misma que la frecuencia del pulso en una localización periférica, como el pulso radial. Evalúe el pulso apical con un estetoscopio. Coloque el estetoscopio sobre el ápex del corazón, que se encuentra entre la quinta y la sexta costillas del lado izquierdo del tórax en los adultos. Para evaluar el déficit de pulso, palpe el pulso periférico mientras escucha el pulso apical. Una diferencia entre el pulso apical y el periférico indica un déficit de pulso. Por ejemplo, si la frecuencia del pulso apical de un paciente es de 100 latidos/min y la frecuencia del pulso radial es de 75 latidos/min, existe un déficit de pulso de 25 latidos/min. El déficit de pulso se produce con muchos ritmos cardíacos anormales o cuando las contracciones del corazón son demasiado débiles para impulsar la sangre a través de las arterias periféricas.

Cuando el cuerpo está en reposo, la PA fluctúa normalmente durante el ciclo respiratorio, disminuye con la inspiración y aumenta con la espiración. El límite superior aceptado para una caída de la presión arterial sistólica (PAS) con la inspiración es de 10 mm Hg. El pulso paradójico se produce cuando la PAS desciende más de 10 mm Hg con la inspiración. Las afecciones cardíacas en las que puede presentarse este hallazgo son el IAM, el shock cardiogénico, el **taponamiento cardíaco** y la pericarditis constrictiva.

Por último, puede reconocer una diferencia entre latidos en la intensidad del pulso. Este hallazgo, denominado *alternancia del pulso*, puede ser un signo de insuficiencia ventricular grave. Se cree que los cambios de intensidad del pulso de un latido a otro se deben a una disminución del número de células miocárdicas que se contraen durante los latidos alternos, lo que provoca una disminución de la contractilidad miocárdica.

Hallazgos de PA en pacientes cardíacos

Una PAS normal es inferior a 120 mm Hg y una presión arterial diastólica (PAD) normal es inferior a 80 mm Hg (estos valores también se identificaron en el capítulo 8, *Evaluación del paciente*). Existe hipertensión en estadio 2 cuando la PAS es igual o superior a 140 mm Hg o la PAD es igual o superior a 90 mm Hg.[3] En pacientes de 30 años o más, los valores más altos de PAS y PAD se asocian con mayor riesgo de incidencia de ECV y de angina, IAM, insuficiencia cardíaca, enfermedad vascular cerebral, arteriopatía periférica y aneurisma de aorta abdominal.[3]

En situaciones de emergencia, una PA elevada puede reflejar la ansiedad o el dolor del paciente. Una PAS inferior a 90 mm Hg puede sugerir hipotensión y shock, dependiendo del estado general del paciente y de su afección principal. Los valores de PA marcadamente elevados pueden contribuir a la disección aórtica, la insuficiencia cardíaca o el evento cerebrovascular. La presión del pulso refleja el volumen sistólico y la elasticidad de las paredes arteriales. La presión de pulso normal es de 30 a 40 mm Hg. Una presión de pulso ensanchada (alta) (más de 40 mm Hg) puede observarse en afecciones como las últimas fases del shock. Una presión de pulso estrecha (inferior a 30 mm Hg) puede observarse en afecciones como la taquicardia y el taponamiento cardíaco.

Puede resultar benéfico obtener lecturas de la PA en ambos brazos y compararlas. Algunas enfermedades, como los eventos cerebrovasculares o los aneurismas aórticos, pueden hacer que los valores de PA varíen del lado derecho al izquierdo.

Evaluación de los ruidos cardíacos

La evaluación de los ruidos cardíacos requiere un entorno relativamente tranquilo. En consecuencia, la evaluación detallada de los ruidos cardíacos no siempre resulta práctica en el entorno prehospitalario. Sin embargo, la capacidad de reconocer los ruidos cardíacos normales puede ser útil. El propósito de escuchar los ruidos cardíacos es identificar el "*lub-dub*" que indica que las válvulas cardíacas funcionan de manera correcta. En el capítulo 6, *Anatomía y fisiología*, se tratan los ruidos cardíacos. En el capítulo 8, *Evaluación del paciente*, se explica cómo auscultar los ruidos cardíacos.

Los ruidos cardíacos S_1 se producen cerca del inicio de la contracción ventricular (sístole), cuando se cierran las válvulas tricúspide y mitral. El cierre de la válvula tricúspide puede ser más fuerte en pacientes con hipertensión pulmonar debido al aumento de presión que existe más allá de la válvula. En pacientes con anemia, fiebre o hipertiroidismo, pueden oírse sonidos S_1 más fuertes debido a que las válvulas se abren cuando los ventrículos se contraen. Un paciente con una válvula mitral estenosada también tendrá un S_1 más fuerte. Los pacientes con válvulas mitrales sujetas a fibrosis o calcificadas pueden presentar una disminución de los ruidos cardíacos S_1. Otras afecciones como la obesidad, el enfisema y el taponamiento cardíaco (líquido alrededor del corazón) también pueden disminuir los ruidos cardíacos S_1. Cualquier retraso en el cierre de estas dos válvulas, que se escucha como un sonido dividido, se considera anormal.

Los ruidos cardíacos S_2 se producen cerca del final de la contracción ventricular (sístole), cuando se cierran las válvulas pulmonar y aórtica. Los pacientes con PA alta crónica o hipertensión pulmonar pueden experimentar una mayor presión de cierre de estas válvulas, lo que hace que la válvula aórtica emita un sonido más fuerte al cerrarse. Los pacientes con hipotensión producirán un sonido S_2 disminuido. El sonido S_2 puede dividirse si el paciente tiene una rama derecha del haz de His, lo que provoca un retraso en el cierre de la válvula pulmonar. Los bloqueos de rama izquierda pueden hacer que la válvula aórtica se cierre más lento que la válvula pulmonar.

Cuando se escucha una secuencia S_1, S_2, S_3 en adultos, se denomina ritmo de galope porque suena como un caballo galopando. S_3 se escucha en la diástole ventricular temprana. Este sonido es causado por la vibración de las paredes ventriculares durante el llenado ventricular rápido y suele asociarse con insuficiencia cardíaca.

S_4 es un sonido cardíaco poco frecuente que se oye justo antes de S_1. Es causado por el llenado turbulento de un ventrículo rígido, como se observa en la hipertrofia y quizá en el infarto del miocardio (IM).

Un soplo es un sonido anormal similar a un silbido que se asocia con un flujo sanguíneo turbulento a través de las válvulas cardíacas. Este flujo sanguíneo turbulento puede deberse a un aumento del flujo sanguíneo a través de una válvula normal, un flujo a través de una válvula irregular o constreñida, un flujo sanguíneo hacia una cámara agrandada del corazón o un flujo sanguíneo que retrocede a través de una válvula comprometida.

Reevaluación

Una vez obtenidos la historia clínica y los signos vitales y completado el examen físico, se continúa tratando al paciente y se inicia el transporte al destino más apropiado. La reevaluación se realiza de camino al hospital. Comienza con la repetición de la encuesta primaria (nivel de consciencia y ABCDE). Obtenga los signos vitales cada 5 minutos para los pacientes críticos o cada 15 minutos para los pacientes en situación estable. Repita el examen físico para ver si se ha producido algún cambio o si se ha pasado por alto alguna afección en el examen físico inicial.

Evaluar la eficacia de todas las intervenciones aplicadas. Por ejemplo, ¿sigue fluyendo el líquido intravenoso? ¿Ha disminuido el dolor después de la administración de NTG?

Preparar la documentación adecuada de la llamada. Notificar al centro receptor los resultados de la historia clínica, la exploración física y la monitorización cardíaca o los resultados del EKG. Por último, parte de la atención al paciente con IMEST debe incluir la transmisión del EKG de 12 derivaciones al laboratorio de cateterismo para acortar el intervalo desde el momento de la llegada hasta el momento del tratamiento.

Electrofisiología

La acción mecánica de bombeo del corazón sólo puede producirse en respuesta a un estímulo eléctrico. Este impulso hace que el corazón lata debido a complejos cambios químicos en el interior de las células miocárdicas.

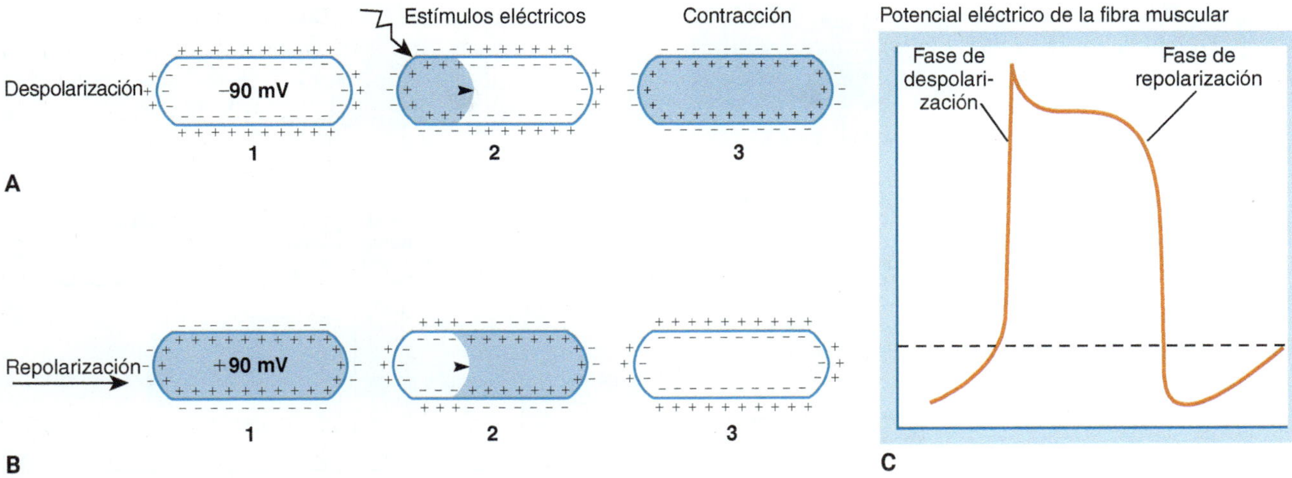

FIGURA 15-2 Movimiento de iones para producir un flujo neto de corriente. **A.** Despolarización. (1) En reposo, el interior de la célula tiene una carga neta de −90 mV. (2) La onda de despolarización comienza cuando los iones de sodio entran en la célula. (3) Célula despolarizada. **B.** Repolarización. (1) Célula despolarizada. (2) La onda de repolarización comienza cuando los iones de potasio abandonan la célula. (3) Célula repolarizada. **C.** Cambios en el potencial eléctrico de la fibra muscular asociados con la contracción.

Despolarización y repolarización

Un potencial de acción es una secuencia de cambios en el potencial de membrana que se produce cuando se estimula una célula excitable. En el corazón, la **despolarización** es el proceso de descarga de las fibras musculares cardíacas en reposo mediante un impulso eléctrico que estimula la contracción **FIGURA 15-2A**.

Como todas las células del cuerpo, las del miocardio están bañadas en una solución electrolítica. Las bombas químicas del interior de la célula mantienen la concentración de iones en su interior, creando un gradiente eléctrico a través de la membrana celular. En consecuencia, una célula en reposo (polarizada) tiene por lo general una carga interna neta de −90 milivoltios (mV) con respecto al exterior de la célula (Figura 15-2, parte A1). Cuando una célula miocárdica recibe un estímulo del sistema de conducción (Figura 15-2, parte A2), la pared celular se vuelve más permeable a medida que se abren canales especializados, permitiendo que los iones de sodio (Na^+) penetren en la célula. De este modo, el interior de la célula se vuelve más positivo. Los iones de calcio (Ca^{+2}) también entran en la célula, aunque más lento y a través de un conjunto diferente de canales especializados. Estos iones ayudan a mantener el estado despolarizado de la membrana celular y permiten que el tejido muscular cardíaco se contraiga. Esta inversión de la carga eléctrica de la célula comienza en un punto de la pared celular y se propaga en una onda hasta que la célula se ha despolarizado por completo (figura 15-2, parte A3). A medida que la célula se despolariza y entran los iones de calcio, se produce la contracción mecánica.

Si la célula permanece despolarizada, ¡nunca podrá volver a contraerse! Sin embargo, la célula puede recuperarse de la despolarización mediante un proceso denominado *repolarización* **FIGURA 15-2B**. La repolarización comienza cuando los canales de sodio y calcio se cierran, deteniendo la rápida entrada de estos iones. A continuación, los canales especiales de potasio se abren, permitiendo el escape rápido de iones de potasio (K^+) de la célula, lo que ayuda a restaurar una carga negativa dentro de la célula; la distribución adecuada de electrólitos se restablece entonces a medida que los iones de sodio son bombeados fuera de la célula y los iones de potasio vuelven a entrar. Una vez que los canales de potasio se cierran, esta bomba de sodio-potasio ayuda a que los iones de sodio y potasio vuelvan a sus respectivos lugares. Por cada tres iones de sodio que esta bomba expulsa de la célula introduce dos iones de potasio, manteniendo así la polaridad de la membrana celular.

El **CUADRO 15-1** resume el papel de los distintos electrólitos en la función cardíaca.

Potencial de acción cardíaca

El potencial de acción de una célula miocárdica típica puede dividirse en cinco fases: fase 0 a fase 4 **FIGURA 15-3**:

- **Fase 0.** Esta fase comienza cuando la célula muscular cardíaca recibe un impulso. El sodio entra en la célula a través de los canales de sodio, haciendo que el interior de la célula se vuelva eléctricamente positiva con respecto

CUADRO 15-1 Papel de los electrólitos en la función cardíaca

Electrólito	Papel en la función cardíaca
Sodio (Na^+)	Entra en la célula para iniciar la despolarización
Potasio (K^+)	Sale de la célula para iniciar la repolarización La disminución o el aumento de los niveles de potasio provocan lo siguiente: • Hipopotasemia → aumento de la irritabilidad miocárdica • Hiperpotasemia → disminución de la automaticidad/conducción
Calcio (Ca^{+2})	Desempeña un papel fundamental en la despolarización de las células marcapasos (mantiene la despolarización) y en la contractilidad miocárdica (interviene en la contracción del tejido muscular del corazón) La disminución o el aumento de los niveles de calcio provocan lo siguiente: • Hipocalcemia → disminución de la contractilidad y aumento de la irritabilidad miocárdica • Hipercalcemia → aumento de la contractilidad
Magnesio (Mg^{+2})	Estabiliza la membrana celular; actúa en conjunto con el potasio y se opone a las acciones del calcio La disminución o el aumento de los niveles de magnesio provocan lo siguiente: • Hipomagnesemia → disminución de la conducción • Hipermagnesemia → aumento de la irritabilidad miocárdica

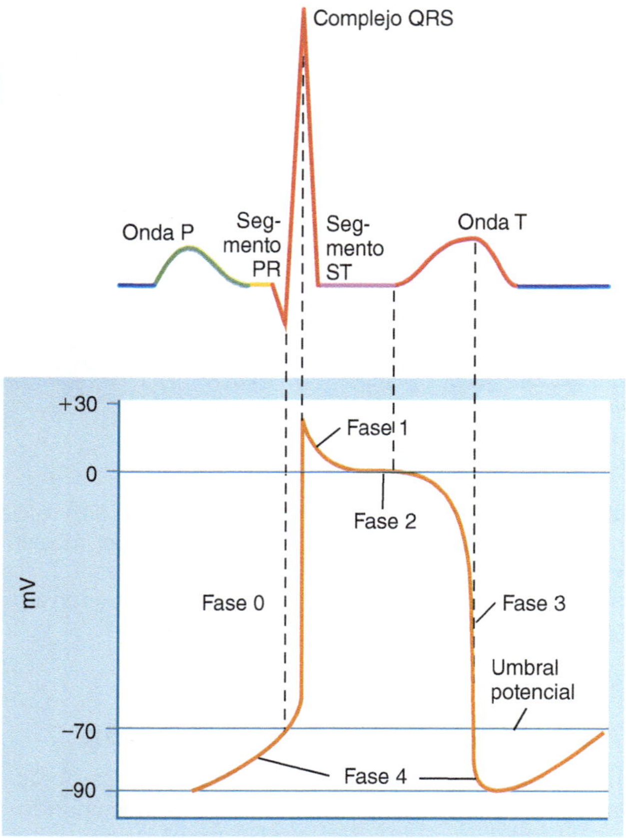

FIGURA 15-3 Los componentes del ritmo de un electrocardiograma corresponden a las fases de estimulación de los miocitos.

Reproducida de *12-Lead ECG: The Art of Interpretation*, cortesía de Tomas B. Garcia, MD.

a su exterior, lo que provoca un cambio en el potencial transmembrana (PTM) de −90 mV a alrededor de −70 mV. Todavía se abren más canales de sodio en el umbral, lo que permite una rápida entrada de sodio y un rápido aumento del voltaje de membrana a unos +30 mV. Al mismo tiempo, el calcio entra más lento a través de los canales de calcio. La entrada de calcio hace que el retículo sarcoplásmico libere calcio para la contracción muscular. La célula se despolariza y comienza a contraerse. En un EKG, el complejo QRS representa la fase 0.

- **Fase 1.** Durante esta fase, los canales de entrada de sodio se cierran y la célula comienza a repolarizarse. Los iones de cloruro cargados negativamente entran en la célula. Los canales de potasio de salida se abren de manera breve, lo que permite que el potasio salga de la célula y se produzca una disminución de la PTM.
- **Fase 2.** Denominada fase de meseta, es la fase más larga del potencial de acción. Durante esta fase, el sodio y el calcio entran lento en la célula, mientras que el potasio sale de la célula.[4] La presencia de calcio prolonga la despolarización de la membrana, creando una meseta. La contracción finaliza cuando el flujo de salida de potasio supera el flujo de entrada de sodio y calcio. La fase 2 corresponde al segmento ST en el EKG.

- **Fase 3.** Es la fase final de la repolarización. Los canales lentos de calcio se cierran de forma gradual y el calcio es transportado fuera de la célula. Los canales de potasio se abren y el rápido movimiento del potasio fuera de la célula hace que el PTM sea cada vez más negativo. Al final de esta fase, el potencial de membrana ha vuelto a su valor de reposo. Una vez completada la repolarización, la célula puede responder a un nuevo estímulo. En un EKG, la onda T representa la fase 3.
- **Fase 4.** Esta fase, denominada fase de reposo, representa la célula miocárdica normal en su potencial de membrana en reposo de −90 mV.[4] El exceso de sodio se intercambia por potasio mediante la bomba de sodio-potasio, que restablece las concentraciones intracelulares de sodio y potasio en preparación para la siguiente despolarización.

Periodos refractarios

Una célula miocárdica no puede responder de forma normal a un estímulo eléctrico procedente del sistema de conducción a menos que esté por completo polarizada. El periodo durante el cual la célula está despolarizada o en proceso de repolarización, el denominado **periodo refractario (PR)**, consta de dos fases. En el **periodo refractario absoluto (PRA)**, también denominado periodo refractario efectivo, las células cardíacas no pueden responder a ningún estímulo. Este periodo dura desde la fase 0 hasta la mitad de la fase 3 del potencial de acción cardíaco. Una analogía útil es la descarga de un inodoro. Si se tira de la cadena e inmediatamente después se intenta tirar de nuevo, ¿se descarga el tanque de agua? No, porque aún no se ha llenado de agua.

El **periodo refractario relativo (PRR)** se extiende desde la mitad de la fase 3 hasta el comienzo de la fase 4 del potencial de acción cardíaco. Durante este tiempo, el músculo cardíaco se ha repolarizado de forma parcial y puede despolarizarse en respuesta a un estímulo eléctrico. El PRR indica que algunas células se han repolarizado lo suficiente como para despolarizarse de nuevo. Volviendo a nuestra analogía de la descarga del inodoro, si esperara 15 segundos antes de volver a tirar de la cadena, ¿qué ocurriría? El resultado sería una descarga parcial porque el tanque se habría llenado de agua hasta la mitad. Así pues, durante el PRA, nada puede estimular a los ventrículos a contraerse de nuevo. Sin embargo, durante el PRR, un estímulo fuerte puede iniciar la despolarización de aquellas células que han tenido tiempo suficiente para repolarizarse.

El sistema de conducción

La red de tejido cardíaco que inicia y conduce los impulsos eléctricos se denomina **sistema de conducción eléctrica**. El sistema de conducción está compuesto por células marcapasos especializadas. Estas células se encuentran en los tejidos del nódulo SA, las vías de conducción internodal, el nódulo AV, el haz de His y las fibras de Purkinje. El tejido en el que surge la actividad eléctrica del corazón en un momento determinado se denomina marcapasos porque marca el ritmo (es decir, la frecuencia) de la contracción cardíaca.

En teoría, cualquier célula del sistema de conducción eléctrica del corazón puede actuar como marcapasos. En el corazón normal, sin embargo, el marcapasos dominante es el nódulo SA **FIGURA 15-4**. Por lo general se dispara a una frecuencia intrínseca de 60 a 100 veces por minuto (veces/min). El nódulo SA se encuentra en la unión de la vena cava superior y la aurícula derecha y, en la mayoría de los pacientes, la ACD le suministra sangre.

En cerca de 0.08 segundos, los impulsos eléctricos generados en este nódulo se propagan por las aurículas y avanzan a través de tres **vías internodales** en la pared auricular:

1. **Vía interauricular anterior.** El haz de Bachmann es la vía interauricular que conecta las aurículas derecha e izquierda. Una rama del haz de Bachmann forma la vía internodal anterior entre los nódulos SA y AV.
2. **Tracto internodal medio.** El tracto de Wenckebach constituye el tracto internodal medio.
3. **Tracto de Thorel.** El tracto de Thorel es la última de las vías internodales y está representado por la vía internodal posterior.

El **nódulo auriculoventricular (AV)** es un grupo de células situado en el suelo de la aurícula derecha, detrás de la válvula tricúspide, cerca de la apertura del seno coronario. En la mayoría de las personas, su irrigación sanguínea procede de una rama de la ACD; en otras, de una rama de la arteria Cx. Cuando el impulso del nódulo SA entra en el nódulo AV, se retrasa cerca de 0.12 segundos antes de ser transmitido por el resto del sistema de conducción. Este retraso permite a las aurículas vaciar la sangre en los ventrículos. Entre 70 y 80% de la sangre de las aurículas llena los ventrículos por gravedad; 20 o 30% restante procede de la contracción auricular (patada auricular). La **unión auriculoventricular (AV)**, que incluye el nódulo AV y la porción no ramificada del **haz de His**, también denominada *haz AV*, conduce los impulsos a las ramas derecha e izquierda del haz. En el corazón normal, la unión AV puede considerarse un centinela ya que es la única conexión eléctrica entre las aurículas y los ventrículos.

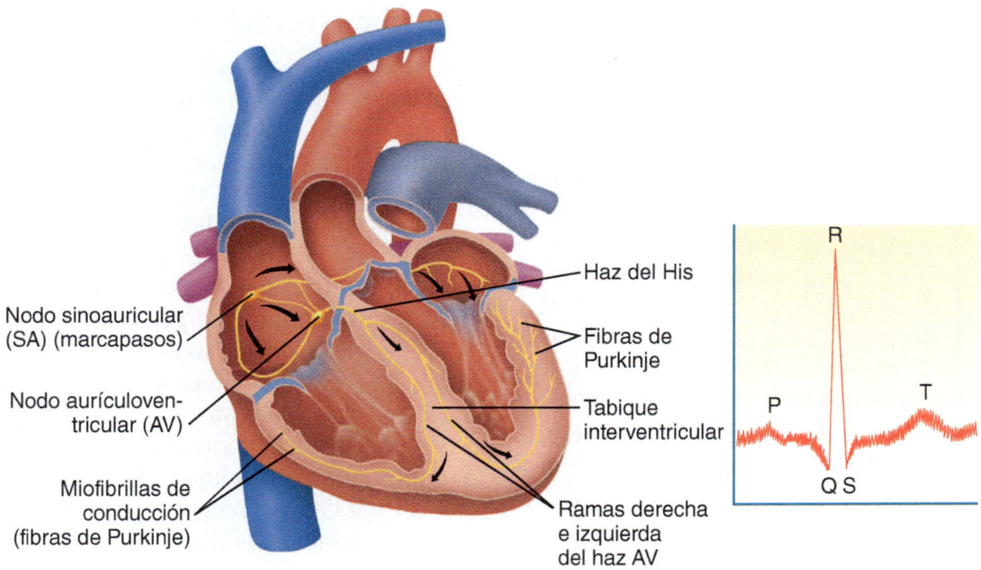

FIGURA 15-4 El sistema de conducción eléctrica del corazón.

Por lo general, los impulsos pasan a través de la unión AV al haz de His y luego se desplazan rápido a las ramas derecha e izquierda del haz a ambos lados del tabique interventricular. Si la frecuencia auricular es muy rápida, la unión AV puede regular el número de impulsos que llegan a los ventrículos. Los impulsos que sí llegan se propagarán desde las ramas del haz hasta las **fibras de Purkinje**, fibras musculares cardíacas distribuidas por las superficies internas de las paredes ventriculares. Un impulso eléctrico tarda alrededor de 0.08 segundos en propagarse por los ventrículos, tiempo durante el cual estos se contraen.

CUADRO 15-2 Tasas intrínsecas del marcapasos

Marcapasos	Frecuencia (latidos/min)
Nodo SA	60-100
Unión AV	40-60
Red de Purkinje	20-40

Abreviaturas: AV, auriculoventricular; SA, sinoauricular.

Marcapasos secundarios

Si el nódulo SA está dañado o suprimido, cualquier componente del sistema de conducción puede actuar como marcapasos secundario. Sin embargo, cuanto más alejado esté el tejido de conducción del nódulo SA, más lenta será su frecuencia de disparo intrínseca. Supongamos que el nódulo SA estuviera dañado por isquemia (lesión tisular causada por hipoxemia) y, en consecuencia, no pudiera disparar. Si el nódulo AV no recibiera un impulso del nódulo SA, entonces la unión AV debería empezar a disparar a su propio ritmo de 40 a 60 latidos/min. Si tanto el nódulo SA como la unión AV no iniciaran un impulso, entonces las fibras de Purkinje deberían iniciar un impulso, generando un ritmo ventricular a una frecuencia de 20 a 40 latidos/min. (**CUADRO 15-2**).

Vías de conducción accesorias

Algunas personas nacen con tejido muscular cardíaco adicional que conecta las aurículas y los ventrículos, evitando el nodo AV. Este tejido anómalo se denomina *vía accesoria* o tracto de derivación:

- **Fibras de James.** Las fibras de James de las vías internodales auriculares se extienden a los ventrículos sin pasar por el nodo AV.
- **Fibras de Mahaim.** El nódulo AV, el haz de His y las ramas del haz contienen fibras de Mahaim que se extienden a los ventrículos y proporcionan una vía común para las disritmias reentrantes.
- **Haz de Kent.** El haz de Kent es una vía accesoria situada normalmente entre la aurícula izquierda y el ventrículo izquierdo, aunque a veces

se encuentra entre la aurícula derecha y el ventrículo derecho. El haz de Kent permite que la onda de despolarización eluda el nodo AV y desencadene la despolarización temprana de una sección del tejido ventricular. Al mismo tiempo, la despolarización viaja a través del nodo AV y el haz de His hasta las ramas del haz. Estos eventos de despolarización simultáneos crean una característica única en el trazado del EKG denominada **onda delta**.

En algunos casos, las vías accesorias pueden desencadenar frecuencias cardíacas anormalmente rápidas (taquidisritmias). A menudo es necesaria la intervención médica para poner fin a estos ritmos.

El sistema nervioso autónomo y el corazón

Tanto la división simpática como la parasimpática del sistema nervioso autónomo (SNA) afectan al corazón **FIGURA 15-5**. Los nervios simpáticos (excitadores) irrigan zonas específicas del sistema eléctrico del corazón, el músculo auricular y el miocardio ventricular. Los nervios simpáticos transmiten órdenes liberando norepinefrina. La norepinefrina viaja hasta el nódulo SA, el nódulo AV y los ventrículos, propagando la señal de los nervios simpáticos. El corazón se acelera para evitar la acumulación de ácido láctico, aumentando así el GC y distribuyendo más oxígeno y nutrientes por todo el organismo.

Una frecuencia cardíaca acelerada acorta todas las fases del **ciclo cardíaco**, es decir, el periodo que va de una contracción cardíaca a la siguiente. Cuando los ventrículos tienen menos tiempo para relajarse, estas cámaras disponen de menos tiempo para llenarse de forma adecuada de sangre. Si los ventrículos no se llenan por completo, se envía menos sangre a las arterias coronarias, se bombea menos sangre fuera de los ventrículos, disminuye el GC y pueden aparecer signos de isquemia miocárdica. La *isquemia* es la anoxia causada por la disminución del flujo sanguíneo a los tejidos, por lo general a causa del estrechamiento o la obstrucción de una arteria.

Las fibras nerviosas parasimpáticas (inhibitorias) irrigan el nódulo SA del corazón, el músculo auricular y la unión AV a través del nervio vago. El nervio vago, también denominado nervio craneal X (NC X), inerva áreas funcionales que van desde el paladar blando

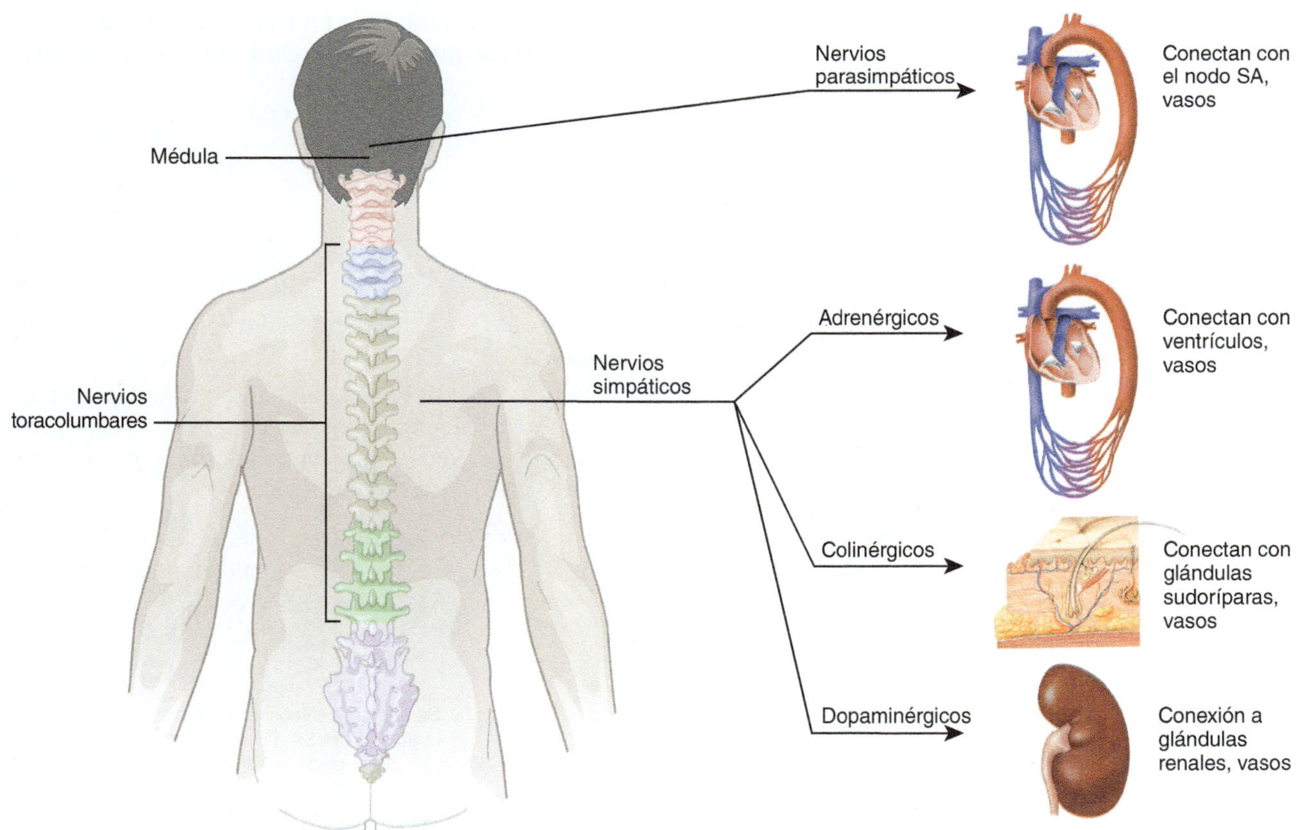

FIGURA 15-5 Fibras nerviosas simpáticas y parasimpáticas, y sus órganos terminales (SA, sinoauricular).

hasta los órganos torácicos. También es responsable de la disminución de la frecuencia cardíaca. El nervio vago puede estimularse de varias formas, como aumentando la presión sobre el seno carotídeo, haciendo un esfuerzo o una espiración forzada contra una glotis cerrada (**maniobra de Valsalva**) o distendiendo un órgano hueco, como la vejiga o el estómago.

Cuando se aplica presión sobre el seno carotídeo o una persona hace un esfuerzo al defecar, el cerebro puede percibir que el corazón debe disminuir su ritmo. Un mensaje en forma de impulso eléctrico viajará por el nervio vago hasta el punto donde el nervio hace contacto con el nódulo SA del corazón **FIGURA 15-6**. Ahí, el impulso eléctrico estimula la liberación de acetilcolina. Allí, el impulso eléctrico estimula la liberación de acetilcolina (ACh). Esta ACh cruza al nódulo SA, indicando que el cerebro está solicitando que disminuya la frecuencia cardíaca. Otra molécula de ACh viaja hasta el nódulo AV para asegurarse de que el mensaje se recibe y se actúa en consecuencia. En efecto, esta acción recuerda al nódulo SA que debe desacelerar, asegurando que no lleguen impulsos adicionales a los ventrículos. A continuación, la acetilcolinesterasa (AChE), una enzima que descompone la ACh para que pueda reciclarse, la aleja de los nódulos SA y AV. La atropina es un bloqueador parasimpático de uso común que se opone a la acción de la ACh, acelerando así la frecuencia cardíaca.

Barorreceptores y quimiorreceptores

Los barorreceptores, o presorreceptores, son sensores compuestos por tejido nervioso especializado, que se encuentran en las arterias carótidas internas y en el cayado aórtico, y que detectan cambios en la PA. Cuando se estimulan, generan una respuesta refleja en la división simpática o parasimpática del SNA. Por ejemplo, si la PA desciende, el organismo intentará compensarlo contrayendo los vasos sanguíneos periféricos, aumentando la frecuencia cardíaca e incrementando la fuerza de contracción miocárdica. La división simpática orquesta estas respuestas compensatorias, que se denominan de forma colectiva *respuesta simpática* o *adrenérgica.* Si la PA aumenta, el organismo disminuirá la estimulación simpática y aumentará la respuesta de la división parasimpática, lo que dará lugar a una *respuesta parasimpática* o *colinérgica.*

Los quimiorreceptores de las arterias carótidas internas, el cayado aórtico y la médula detectan cambios en la concentración de iones de hidrógeno (pH), oxígeno y dióxido de carbono en la sangre. El SNA puede dar una respuesta simpática o parasimpática a estos cambios.

Causas de la disritmia cardíaca

Una disritmia cardíaca es una alteración del ritmo cardíaco normal, que puede ser clínicamente significativa

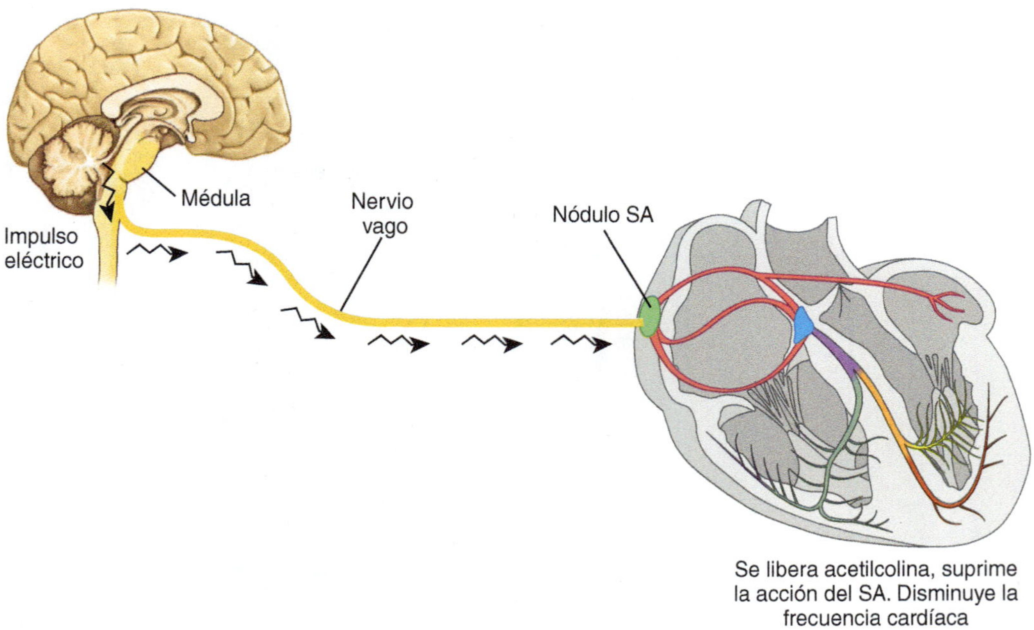

FIGURA 15-6 Ejemplo de un impulso eléctrico que estimula la liberación de una sustancia química. En este ejemplo, un impulso eléctrico viaja desde el cerebro por el nervio vago, provocando la liberación de acetilcolina (ACh) cerca del nódulo sinoauricular (SA). La ACh suprime la acción del nódulo SA, disminuyendo la frecuencia cardíaca.

Perlas de sabiduría

La siguiente parábola (legado de la Dra. Nancy Caroline) demuestra el efecto de la atropina sobre el sistema nervioso parasimpático.

"Hoy disparas un poco despacio, ¿verdad?", dice Atropina.

"Sólo sigo instrucciones", responde el nodo SA. "El vago me dijo que me lo tomara con calma".

"Vago, vago, ¿por qué siempre intentas ralentizarlo todo?".

"Oye, solo sigo órdenes del cerebro", explica el nervio vago. "Sabes que un trabajo no se puede hacer bien si te precipitas".

"Sí, bueno, *chop chop*, SA. No tenemos tiempo para holgazanear por aquí", dice atropina.

"Pero ¿y el vago?", protesta el nodo SA.

"Si sigues prestando atención al vago, antes de que te des cuenta, ¡habrás ralentizado tanto que el cerebro tendrá que apagarse por falta de sangre y oxígeno! Entonces, ¿dónde estarás? Sigue mi consejo, amigo, y abre las puertas de par en par. Deja pasar todos los impulsos, sin hacer preguntas".

"¿Estás seguro de que es una buena idea? El vago me dijo..."

"Olvídate del vago. Es solo un viejo obstruccionista".

"De acuerdo, si tú lo dices", dice el nódulo SA, siempre deseoso de complacer cuando hay atropina cerca. Así que el nodo SA se acelera.

La atropina bloquea el nervio vago para que no pueda interferir.

"Ratas", dice el vago. "Supongo que me han desautorizado".

o no. La alteración del ritmo cardíaco o disritmia puede deberse a diversas causas **CUADRO 15-3**. Siempre es necesario evaluar la disritmia en el contexto del estado clínico general del paciente. Es el estado clínico del paciente, y no las líneas o trazados de una pantalla o un papel, lo que debe determinar en última instancia si es necesario un tratamiento. ¡Trate al paciente, no al monitor!

El electrocardiograma

Un EKG es un registro gráfico de los cambios de voltaje que se producen en el músculo cardíaco durante la despolarización y la repolarización. El monitor de EKG cumple varias funciones en el entorno prehospitalario **FIGURA 15-7**. Puede utilizarlo para monitorizar de forma continua el ritmo cardíaco del paciente durante el transporte, imprimir una tira de ritmo para su interpretación o imprimir un EKG de 12 derivaciones para el diagnóstico de enfermedades específicas.

La monitorización continua del EKG suele realizarse utilizando tres **derivaciones de las extremidades**: derivaciones I, II y III. Puede utilizar la monitorización continua de EKG durante el transporte para identificar cambios en el ritmo cardíaco del paciente. Al analizar los EKG de monitorización cardíaca, el trazado de la derivación II suele ser el más útil.

Debido a que el corazón es un órgano tridimensional, el uso de solo tres derivaciones limita las zonas del corazón que pueden visualizarse. Un EKG de 12 derivaciones proporciona información detallada sobre el sistema de conducción del corazón y registra su actividad eléctrica desde 12 ángulos distintos. Prácticamente en todos los casos, cuando se registra un EKG de 3 derivaciones, es porque se sospecha

USTED es el Paramédico

PARTE 2

Usted y su compañero comienzan la evaluación. El paciente está alerta y orientado, pero tiene la piel diaforética, la parte interna de los párpados inferiores está pálida y presenta una marcada dificultad respiratoria. Sus signos vitales iniciales son: pulso, 150 latidos/min; PA, 96/40 mm Hg; respiraciones, 20 respiraciones/min y profundas; SpO_2 con aire ambiente, 88%. El paciente niega cualquier cirugía o trauma reciente.

Tiempo de grabación:	5 minutos
Apariencia	Despierta; piel húmeda; mucosas pálidas
Nivel de conciencia	Alerta y orientación × 4
Vía aérea	Abierta
Respiración	Inadecuado; dificultad respiratoria visible
Circulación	Inadecuada; taquicárdica

5. ¿Qué intervenciones debe iniciar en este momento?

CUADRO 15-3 Causas de las disritmias cardíacas

Algunos venenos (p. ej., insecticidas organofosforados)
Alteración ácido-base
Alteraciones electrolíticas, en especial del potasio, calcio o magnesio
Aumento del gasto simpático
Aumento del tono vagal (parasimpático)
Cardiopatía reumática
Cor pulmonale (insuficiencia ventricular derecha causada por una enfermedad pulmonar)
Daños en el sistema nervioso central
Desequilibrio SNA
Distensión de las cavidades cardíacas (como en la insuficiencia cardíaca)
Efectos de fármacos (fenotiazinas, antidepresivos tricíclicos y fármacos utilizados para tratar las disritmias).
Hipotermia
Hipoxemia por cualquier causa
Isquemia o infarto del miocardio
Trastornos endocrinos (hipertiroidismo, hipotiroidismo)
Traumatismos (p. ej., contusión cardíaca)
Variación normal

Abreviatura: SNA, sistema nervioso autónomo.

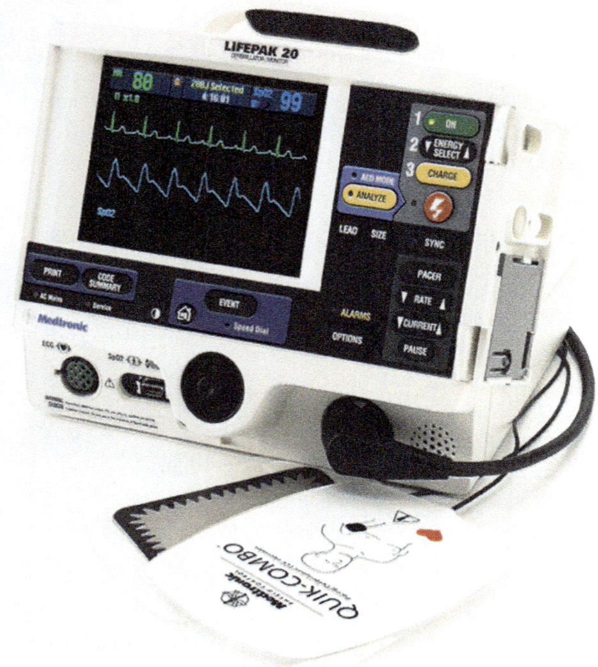

FIGURA 15-7 Un monitor-desfibrilador de uso común.

que el paciente está experimentando un evento cardíaco; por lo tanto, también debe obtenerse un EKG de 12 derivaciones.

Los monitores cardíacos están equipados con cables conductores que se conectan a electrodos colocados en el paciente. Cada **derivación** ofrece una vista instantánea eléctrica de una parte específica del corazón. El monitor cardíaco registra un trazado de EKG para cada derivación utilizada; los profesionales sanitarios capacitados para interpretar los resultados pueden revisar los trazos.

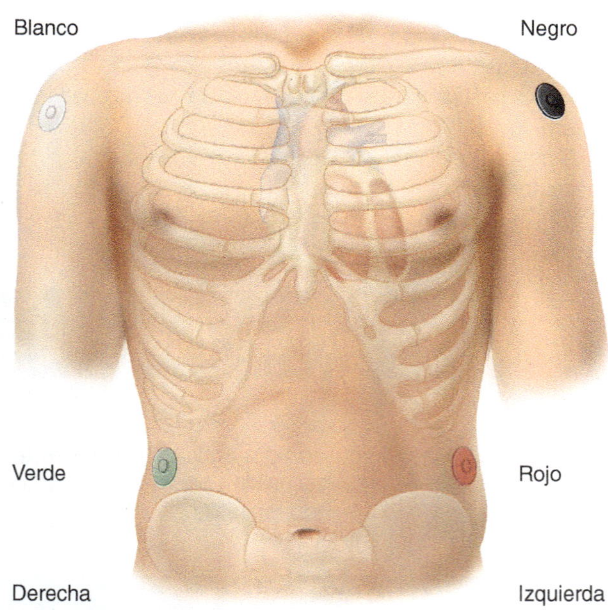

FIGURA 15-8 Colocación de electrodos para monitorización cardíaca.

Colocación de electrodos

Los electrodos deben colocarse en posiciones consistentes y predeterminadas en el cuerpo de cada paciente para obtener un EKG fiable y útil **FIGURA 15-8**.

Los electrodos utilizados en el ámbito prehospitalario suelen ser adhesivos y tienen un centro de gel para facilitar el contacto con la piel. Algunos fabricantes ofrecen electrodos especiales para pacientes diaforéticos que se adhieren con firmeza a su piel. Sea cual sea el tipo que utilice, seguir ciertos principios básicos le ayudará a conseguir el mejor contacto con la piel y a minimizar la distorsión de la señal. La distorsión de un trazado de EKG causada por interferencias, como el movimiento del paciente, se denomina **artefacto**.

- Puede ser necesario afeitar el vello corporal del paciente para mantener la colocación correcta del electrodo. No se deje engañar por un pecho con abundante vello. Al principio puede parecer que el electrodo tiene un buen contacto con la piel, pero el electrodo puede despegarse de la piel y pegarse al vello del paciente.
- Para eliminar la grasa y el tejido muerto de la superficie de la piel, frote con fuerza la zona del electrodo con una gasa seca.
- Conecte los electrodos a los cables de EKG antes de colocarlos en el cuerpo del paciente. Confirme que el electrodo ahora conectado al cable está colocado en el lugar correcto del tórax o las extremidades del paciente. Cada cable está marcado y codificado por colores para indicar el lugar correcto para su colocación.
- Una vez colocados todos los electrodos, encienda el monitor e imprima una tira de ritmo de muestra. Si la tira muestra alguna interferencia (artefacto), verifique que los electrodos estén adheridos con firmeza a la piel y que el cable del monitor esté conectado de forma correcta.

La **PRÁCTICA DE DESTREZA 15-1** muestra los pasos para realizar una monitorización cardíaca.

Perlas de sabiduría

Los artefactos en el monitor pueden ser complicados. Una línea de base ondulada que parezca fibrilación ventricular (FV) puede deberse al movimiento del paciente o a un temblor muscular. Antes de tomar las paletas del desfibrilador, ¡mire al paciente! Si el paciente está alerta y no parece inestable, vuelva a comprobar las derivaciones y el equipo. Recuerde, trate al paciente, no al monitor.

Práctica de destreza 15-1 Realización de monitorización cardíaca

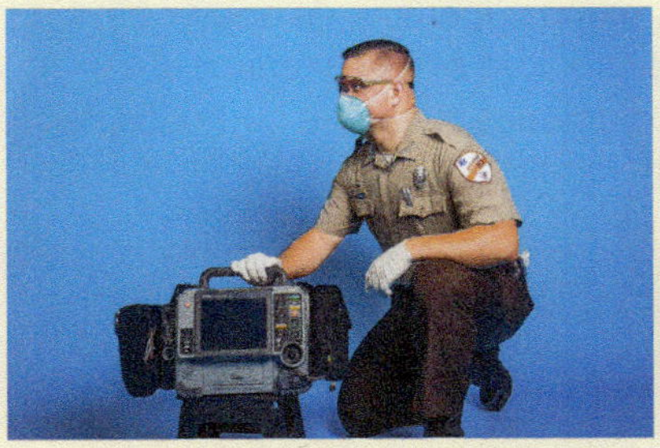

Paso 1

Tome las precauciones habituales. Compruebe su equipo. Asegúrese de que no haya desconexiones en el extremo del cable de EKG y de que el cable o los electrodos estén intactos. Asegúrese de que el monitor dispone de un suministro de papel adecuado. Conecte el cable de EKG al aparato. Conecte los electrodos al cable de EKG (si aún no están conectados). Encienda el monitor. Ajuste el contraste de la pantalla si es necesario.

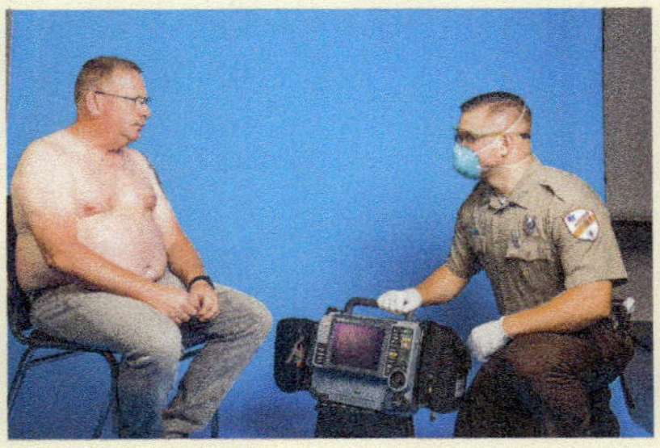

Paso 2

Explique el procedimiento al paciente. Para minimizar la distorsión del trazo del EKG, prepare la piel para la colocación de los electrodos frotándola con fuerza con una gasa seca para eliminar la grasa de la piel y mejorar la transmisión del impulso. Si coloca los electrodos en el tórax del paciente, en lugar de en las extremidades, asegure un buen contacto afeitando pequeñas cantidades de vello del tórax si es necesario.

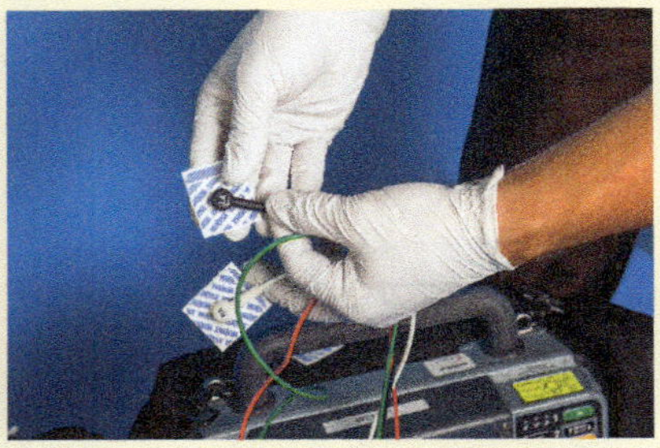

Paso 3

Fije los electrodos a los cables conductores antes de colocárselos al paciente.

(continúa)

Práctica de destreza 15-1 Realización de monitorización cardíaca (continuación)

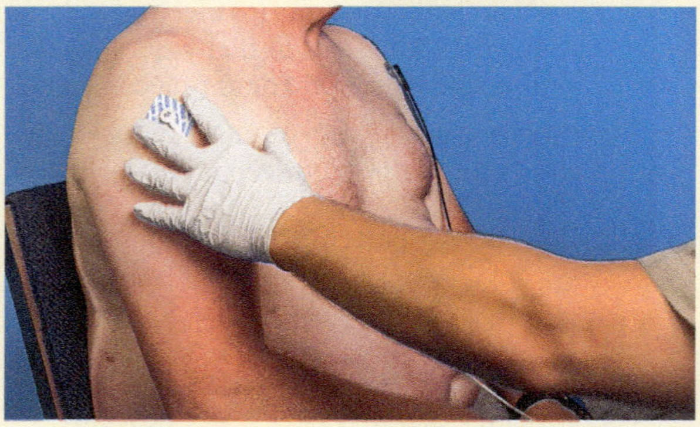

Paso 4

De uno en uno, retire la cubierta de cada electrodo y aplíquelo al paciente.

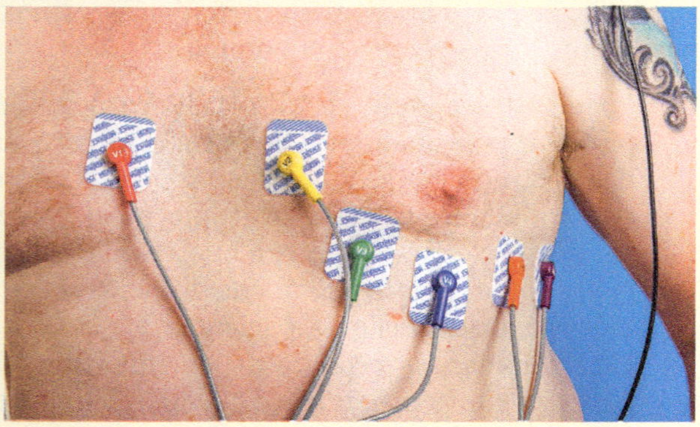

Paso 5

Si tiene previsto obtener también un trazo de 12 derivaciones, coloque entonces las derivaciones de las extremidades. Los electrodos de las extremidades suelen colocarse en las muñecas y los tobillos, pero pueden colocarse en cualquier parte de la extremidad indicada. Para reducir la tensión muscular y minimizar los artefactos, asegúrese de que las extremidades del paciente descansen sobre una superficie de apoyo. No aplique electrodos sobre zonas óseas, piel lastimada, articulaciones, pliegues cutáneos, tejido cicatrical o erupciones cutáneas.

Paso 6

Seleccione la derivación deseada, que suele ser la derivación II. Ajuste el tamaño del EKG si es necesario para asegurarse de que el equipo detecta los complejos QRS del paciente. Palpe el pulso del paciente y compárelo con el indicador de frecuencia cardíaca del monitor. Si aún no están preconfiguradas, configure las alarmas de frecuencia cardíaca en el monitor de acuerdo con la política de su sistema de emergencias.

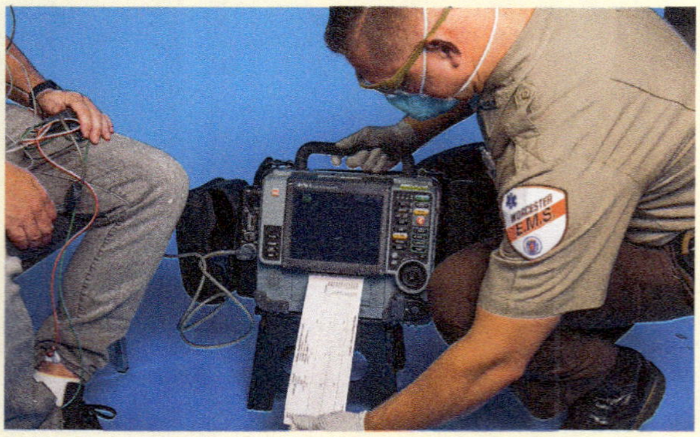

Paso 7

Registre los trazos y etiqueta cada tira.

Las derivaciones

Existen dos grupos principales de derivaciones: las derivaciones de las extremidades y las **derivaciones precordiales**, es decir, las derivaciones torácicas. Las derivaciones I, II y III se denominan derivaciones de las extremidades, o derivaciones estándar de las extremidades (unipolares), y las derivaciones aVR, aVL y aVF se denominan **derivaciones aumentadas de las extremidades** (bipolares). Las derivaciones de extremidades aumentadas contienen solo un polo verdadero; el otro extremo es una combinación de información de otras derivaciones. Un EKG estándar de 12 derivaciones comprende las tres derivaciones estándar de las extremidades, las tres derivaciones aumentadas de las extremidades y las seis derivaciones precordiales.

Una derivación es un cable eléctrico que conecta un electrodo al monitor de EKG. Una derivación es una imagen del corazón, tomada desde un punto de vista específico, que mide la diferencia de potencial eléctrico entre dos electrodos. La línea imaginaria que une los polos positivo y negativo de una derivación se denomina *eje de la derivación*. La posición del electrodo positivo determina qué zona del corazón es visualizada por cada derivación. Supongamos que desea inspeccionar el estado de un vehículo usado que está pensando en comprar. Si solo necesita saber si el motor está en marcha, puede colocarse cerca del coche y escuchar. Del mismo modo, podría utilizar cualquier derivación para observar el ritmo cardíaco. Sin embargo, si quisiera conocer el estado de la carrocería del vehículo, tendría que rodearlo y mirarlo por todos los lados. El lado del conductor puede estar en perfecto estado, pero el marco de la puerta del lado del pasajero puede estar hundido por un accidente. Del mismo modo, para localizar el lugar de la lesión en el músculo cardíaco e identificar otras anomalías cardíacas, es necesario observar el corazón desde varios ángulos. Una derivación puede detectar daños importantes que son invisibles en otra.

Las derivaciones I, II y III ven el corazón desde la parte frontal del cuerpo, por lo que se denominan *derivaciones de plano frontal*. Las derivaciones precordiales (V_1 a V_6) se denominan *derivaciones torácicas unipolares* o *derivaciones V*. Estas derivaciones ven el corazón en el plano horizontal, por lo que proporcionan imágenes del corazón desde delante (pared anterior del corazón) y desde el lado izquierdo (vista anterolateral).

Extremidades

Willem Einthoven es el médico y fisiólogo que descubrió que cada vez que el corazón se contrae, emite una pequeña cantidad de energía eléctrica que viaja por la superficie de la piel. Einthoven descubrió que estas ondas de energía podían registrarse y trazarse en un trozo de papel cuadriculado; asignó las letras P, Q, R, S y T a las desviaciones del EKG que observaba. En un inició registró tres derivaciones: la derivación I, conectada a los brazos derecho e izquierdo; la derivación II, entre el brazo derecho y la pierna izquierda; y la derivación III, entre el brazo izquierdo y la pierna izquierda **FIGURA 15-9**.

Las derivaciones I, II y III son **derivaciones bipolares**. Las derivaciones bipolares contienen un polo positivo y un polo negativo. Con las derivaciones estándar para extremidades, cada derivación mide la diferencia de potencial eléctrico entre los electrodos colocados en dos extremidades.

El electrodo del brazo izquierdo es el terminal positivo de la derivación I. Esta derivación visualiza la superficie lateral del ventrículo izquierdo. El electrodo de la pierna izquierda es el terminal positivo de la derivación II. El electrodo de la pierna izquierda es el terminal positivo de la derivación III **FIGURA 15-10**. Las derivaciones II y III observan la superficie inferior del ventrículo izquierdo.

Las derivaciones de tensión aumentada (aV) (derivaciones aVR, aVL y aVF) se crean combinando dos de las derivaciones de las extremidades, formando así una nueva derivación, y utilizando la derivación restante como el otro polo. Por ejemplo, la derivación aVR se crea entre el brazo derecho y la combinación de los electrodos del brazo y la pierna izquierdos **FIGURA 15-11**. Las derivaciones aumentadas son unipolares: contienen un polo verdadero, mientras que el

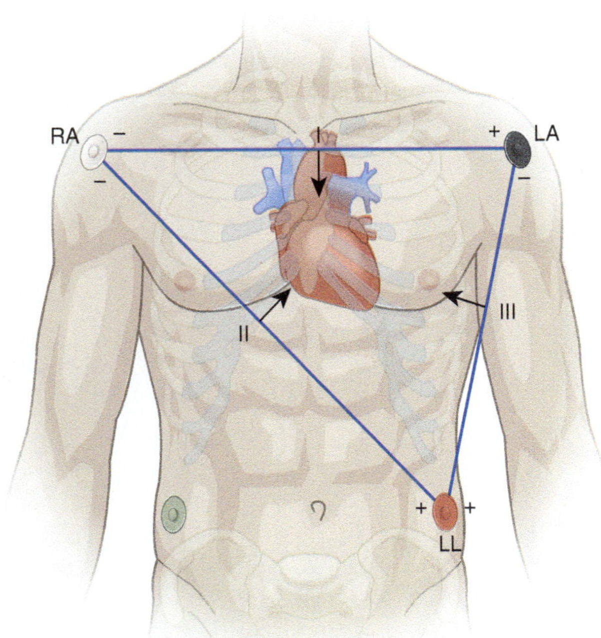

FIGURA 15-9 El triángulo de Einthoven. BD, brazo derecho; BI, brazo izquierdo; PI, pierna izquierda.

otro extremo de la derivación está referenciado contra una combinación de otras derivaciones. Por ejemplo, la derivación aVR está en el brazo derecho, referenciada contra una combinación del brazo izquierdo y la pierna izquierda. La derivación aVL visualiza la superficie lateral del ventrículo izquierdo. La derivación aVF visualiza la superficie inferior del ventrículo izquierdo.

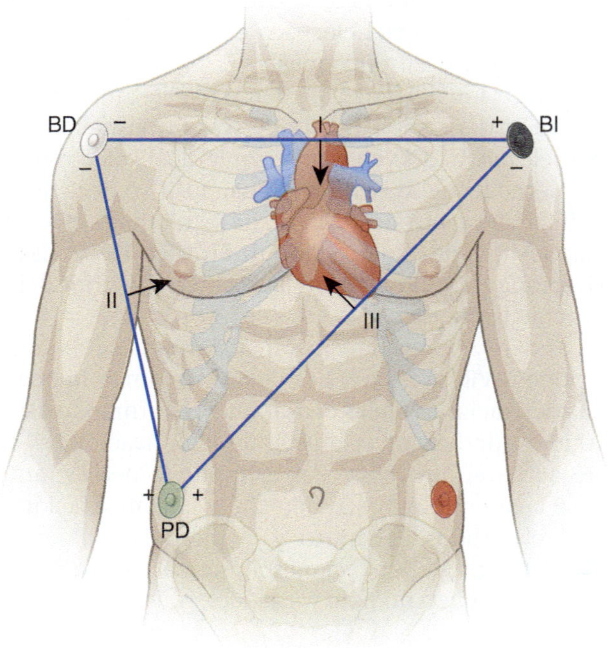

FIGURA 15-10 Cada derivación bipolar tiene un extremo positivo y un extremo negativo.

Reproducida de *12-Lead ECG: The Art of Interpretation*, cortesía de Tomas B. Garcia, MD.

Si está realizando una monitorización cardíaca continua, coloque cuatro electrodos en el torso del paciente:

Blanco: parte superior derecha del pecho, cerca del hombro
Negro: parte superior izquierda del pecho cerca del hombro
Rojo: abdomen inferior izquierdo
Verde: derecha bajo vientre

Si está realizando un EKG de 12 derivaciones, coloque los cuatro electrodos en las extremidades del paciente:

Muñeca: blanca derecha
Negro: muñeca izquierda
Rojo: Tobillo izquierdo
Verde: Tobillo derecho

La colocación de estos cuatro electrodos en el paciente permite que el equipo de EKG registre las seis derivaciones de las extremidades utilizando la teoría de Einthoven. La derivación verde sirve de referencia en todos los casos y es eléctricamente neutra.

Derivaciones precordiales

Las derivaciones precordiales V_1 a V_6 son unipolares. Estas derivaciones se referencian con respecto a un punto calculado conocido como *terminal central de Wilson* (**FIGURA 15-12**). La terminal central de Wilson se crea bisecando las derivaciones de las extremidades en el triángulo de Einthoven.

El electrodo de cada derivación unipolar es la terminal positiva de dicha derivación. Las derivaciones V_1 y V_2 observan el tabique, las derivaciones V_3 y V_4 observan la pared anterior del ventrículo izquierdo y las derivaciones V_5 y V_6 observan la pared lateral del ventrículo izquierdo.

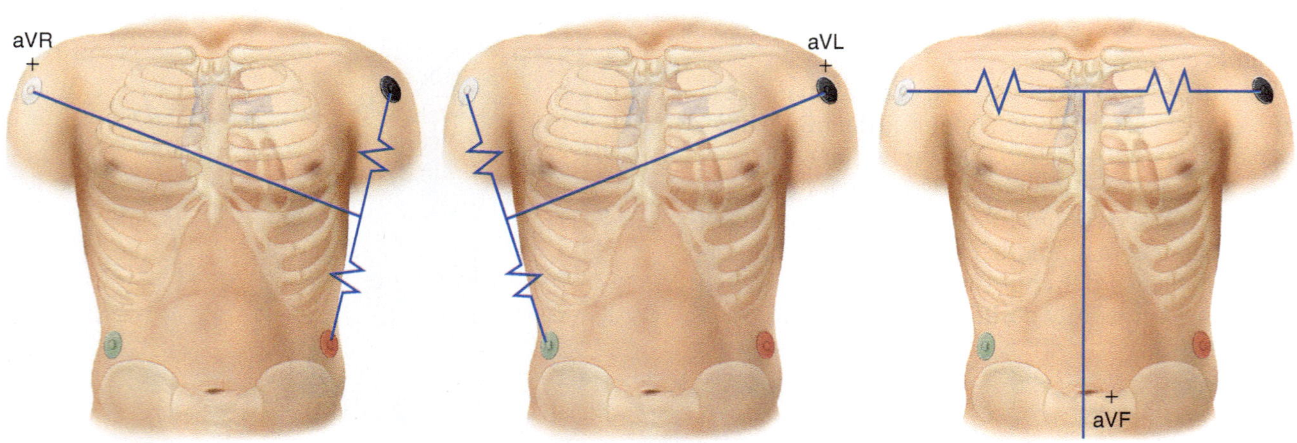

FIGURA 15-11 Las derivaciones de tensión aumentada analizan las derivaciones de las extremidades, tomando los datos de una derivación y sintetizando la información de las otras dos.

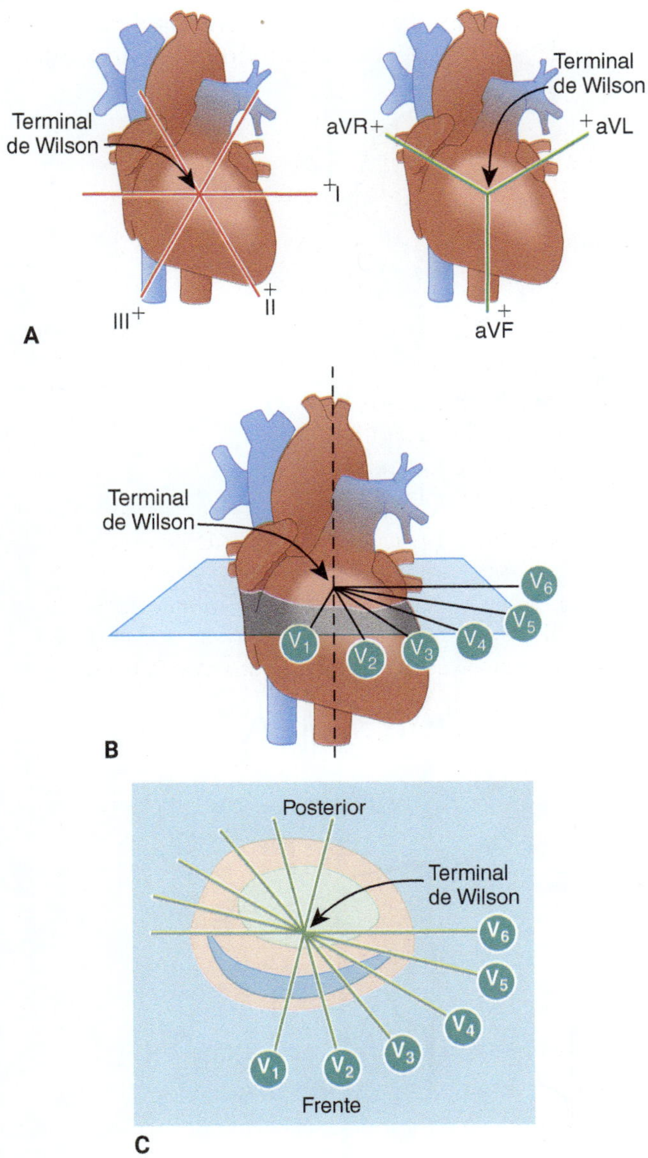

FIGURA 15-12 La terminal central de Wilson, mostrada en relación con tres tipos de derivaciones: **A.** Derivaciones bipolares. **B.** Derivaciones unipolares aumentadas. **C.** Derivaciones precordiales.

Reproducida de *12-Lead ECG: The Art of Interpretation*, cortesía de Tomas B. Garcia, MD.

La colocación correcta del electrodo precordial es esencial para garantizar que el electrodo vea el corazón desde el ángulo deseado cada vez que se registra un EKG. Los EKG suelen compararse con EKG anteriores. Para que esta comparación sea fiable a la hora de identificar cualquier anomalía, los electrodos precordiales deben colocarse de forma coherente **FIGURA 15-13** y **15-14**:

1. V_1: derecha del esternón, cuarto EIC
2. V_2: izquierda del esternón, cuarto EIC
3. V_3: precisamente entre las derivaciones V_2 y V_4
4. V_4: línea medioclavicular izquierda, quinto EIC
5. V_5: línea axilar anterior izquierda a nivel del plomo V_4
6. V_6: línea axilar media izquierda a nivel del plomo V_4

Contactos contiguos

Las **derivaciones contiguas** visualizan zonas geográficamente similares del miocardio, lo que puede ayudar a localizar zonas de isquemia, lesión o **infarto**. Las derivaciones II, III y aVF son contiguas. Las derivaciones V_1 y V_2, V_2 y V_3 , V_3 y V_4, V_4 y V_5, y V_5 y V_6 son pares de derivaciones contiguas. Las derivaciones I y aVL, y aVL y V_5, también son pares contiguos.

Derivación derecha

Algunas condiciones requieren que registre un EKG del lado derecho para evaluar la actividad eléctrica del ventrículo derecho. En ese caso, coloque las derivaciones precordiales en el tórax anterior derecho del paciente. Coloque los electrodos para el EKG derecho de la siguiente forma, **FIGURA 15-15**:

1. V_1 D: izquierda del esternón, cuarto EIC
2. V_2 D: derecha del esternón, cuarto EIC
3. V_3 D: precisamente entre V_2 D y V_4 D
4. V_4 D: línea medioclavicular derecha, quinto EIC
5. V_5 D: línea axilar anterior derecha a la altura de la derivación V_4 D
6. V_6 D: línea axilar media derecha a nivel de la derivación V_4 D

Obsérvese que la derivación V_4 D es la más sensible y específica para el IAM ventricular derecho y a menudo es la única derivación registrada en un EKG del lado derecho.

Derivaciones posteriores

El EKG posterior se utiliza para evaluar la actividad eléctrica de la pared posterior del ventrículo izquierdo. En ese caso, coloque tres de las derivaciones precordiales en la parte posterior izquierda del tórax, **FIGURA 15-16**:

1. V_7: entre V_6 y V_8 , quinto EIC
2. V_8: medioescapular, quinto EIC
3. V_9: justo a la izquierda de la columna vertebral, quinto EIC

EKG de 15 y 18 derivaciones

Debido a que un EKG estándar de 12 derivaciones no permite ver el ventrículo derecho ni la superficie posterior del ventrículo izquierdo, se necesitan derivaciones

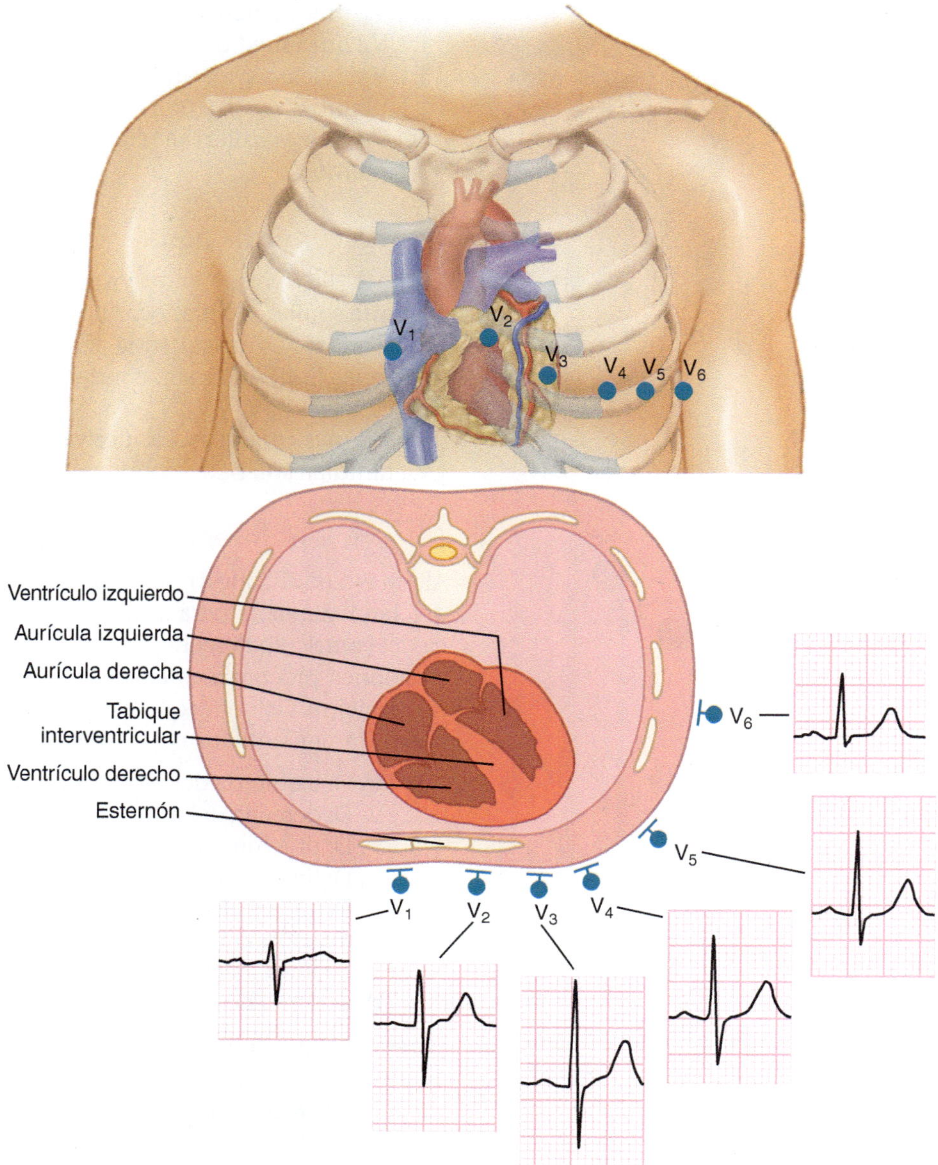

FIGURA 15-13 Las derivaciones precordiales (derivaciones torácicas) representan el corazón en el plano horizontal. Inserción: V_1 y V_2 ven el tabique interventricular. V_3 y V_4 representan la pared anterior del ventrículo izquierdo. V_5 y V_6 representan la pared lateral baja. El ventrículo derecho no puede verse en un trazo estándar.

adicionales para detectar isquemia o infarto en esas zonas. Un EKG de 15 derivaciones utiliza el EKG estándar de 12 derivaciones, más las derivaciones V_4 D, V_7 y V_8. La obtención de un EKG de 15 derivaciones implica registrar primero un EKG estándar de 12 derivaciones y, a continuación, registrar un segundo trazo que contenga las derivaciones adicionales.

Un EKG de 18 derivaciones utiliza el trazo del EKG estándar de 12 derivaciones más las derivaciones V_4 D a V_6 D y V_7 a V_9. Para obtener un EKG de 18 derivaciones, (1) registre un EKG estándar de 12 derivaciones, (2) registre las derivaciones precordiales del lado derecho y (3) registre las derivaciones posteriores.

Conceptos de EKG

Como ya se ha mencionado, el EKG utiliza electrodos colocados en el cuerpo para detectar diminutas ondas eléctricas que viajan por la superficie de la piel. La línea de base del EKG es por lo general una línea plana, recta y horizontal que refleja un periodo de silencio eléctrico en el miocardio, **FIGURA 15-17**. Aunque la línea de base no sea ni positiva ni negativa, sigue

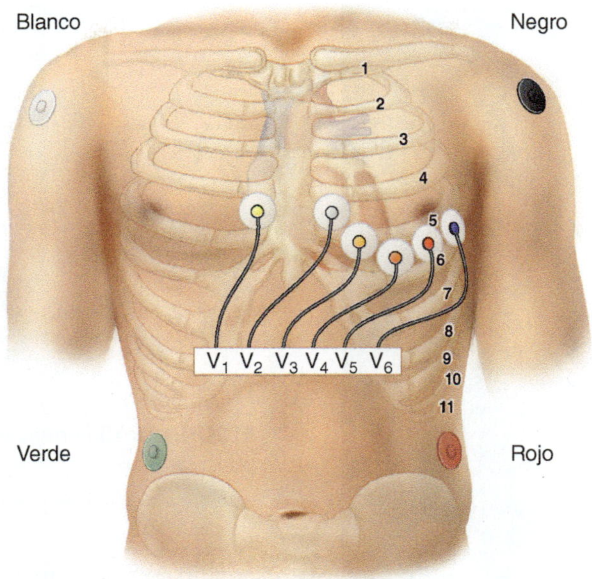

Derivación	Localización	Vista
V_1	4º espacio intercostal, borde esternal derecho	Tabique ventricular
V_2	4º espacio intercostal, borde esternal izquierdo	Tabique ventricular
V_3	Entre V_2 y V_4	Pared anterior del ventrículo izquierdo
V_4	5º espacio intercostal, línea medioclavicular	Pared lateral del ventrículo izquierdo
V_5	Lateral a V_4 en la línea axilar anterior	Pared lateral del ventrículo izquierdo
V_6	Lateral a V_5 en la línea axilar media	Pared anterior del ventrículo izquierdo

FIGURA 15-14 Colocación de electrodos de 12 derivaciones.

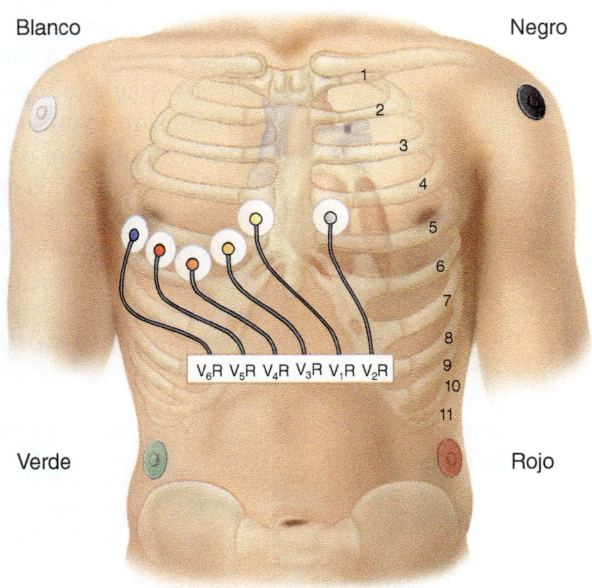

Derivación	Localización	Vista
V_1D	Izquierda del esternón, 4º espacio intercostal (EIC)	Tabique ventricular
V_2D	Esternón derecho, 4.º EIC	Tabique ventricular
V_3D	Precisamente entre V_2 y V_4	Ventrículo derecho
V_4D	Medioclavicular derecho, 5º EIC	Ventrículo derecho
V_5D	Precisamente entre V_4 y V_6	Ventrículo derecho
V_6D	Media axilar derecha, 5º EIC	Ventrículo derecho

FIGURA 15-15 Colocación de los electrodos del lado derecho.

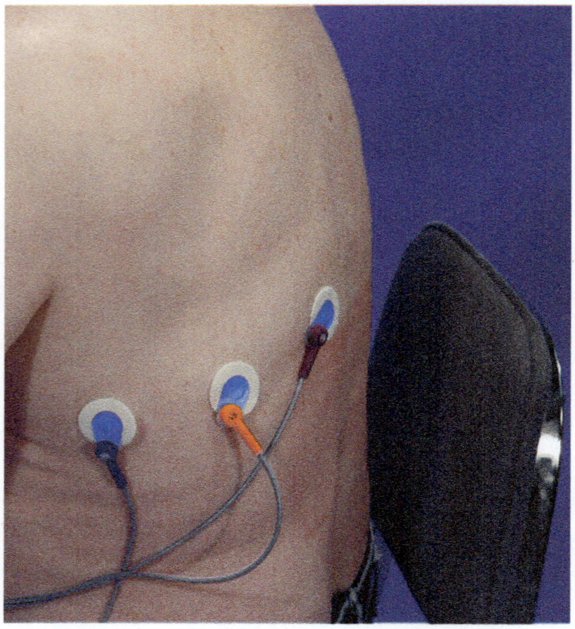

Derivación	Localización	Vista
V_7	Entre V_6 y V_8, 5° espacio intercostal	Pared posterior del ventrículo izquierdo
V_8	Medioescapular, 5° espacio intercostal	Pared posterior del ventrículo izquierdo
V_9	Justo a la izquierda de la columna vertebral, 5° espacio intercostal	Pared posterior del ventrículo izquierdo

FIGURA 15-16 Colocación de electrodos posteriores.

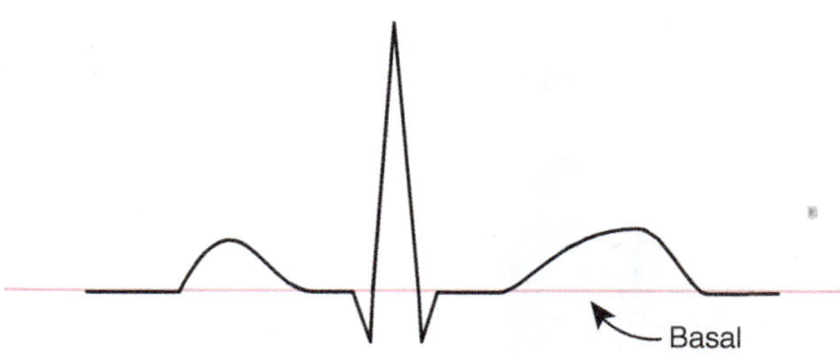

FIGURA 15-17 La línea de base del electrocardiograma.

habiendo actividad eléctrica (movimiento de iones) en el miocardio. Tal vez sería más exacto describir la línea de base como un periodo de neutralidad eléctrica. La línea de base también se conoce como **línea isoeléctrica**, *segmento TP* y *línea isomérica.*

Un impulso eléctrico que se mueve en dirección a un electrodo negativo produce una desviación por debajo de la línea de base. A la inversa, un impulso eléctrico que se mueve hacia un electrodo positivo produce una desviación por encima de la línea de base, **FIGURA 15-18**. El movimiento perpendicular de un impulso hacia un electrodo positivo produce una línea perfectamente plana o una forma de onda

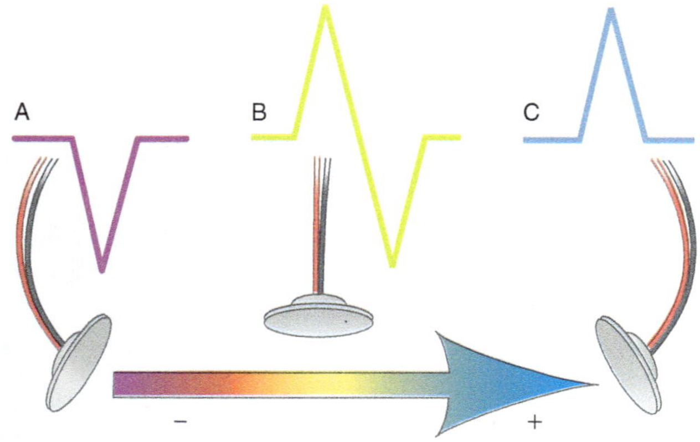

FIGURA 15-18 Formas de onda negativas, bifásicas y positivas.

con un componente positivo y otro negativo. Estas formas de onda se denominan *ondas bifásicas.*

Papel del EKG

Los EKG se registran en un papel cuadriculado que pasa por delante de un estilete a una velocidad constante (25 mm/s). Así, la distancia horizontal en el papel cuadriculado representa un periodo determinado. En concreto, un recuadro pequeño (1 mm) equivale a 0.04 segundos (1/25 de segundo) o 40 milisegundos, y un recuadro grande (formado por cinco recuadros pequeños) equivale a 0.20 segundos o 200 milisegundos ($0.04 \times 5 = 0.20$), **FIGURA 15-19**. El eje vertical del papel cuadriculado representa la amplitud o "ganancia" de deflexión, expresada en mV. La calibración estándar para la amplitud es de 10 milímetros por mV. Al principio de todos los EKG de 12 derivaciones se imprime un cuadro de calibración. El cuadro de calibración le informa de la velocidad del papel y de la amplitud. Mide 5 mm de ancho por 10 mm de alto, lo que representa la velocidad estándar del papel de 25 mm/s y la ganancia de 10 mm/mV, **FIGURA 15-20**.

Componentes de EKG

Los eventos de conducción eléctrica del corazón pueden registrarse en un EKG como una serie de ondas, segmentos, intervalos y complejos, **FIGURA 15-21**.

Onda P

La **onda P**, la primera onda de un complejo EKG, representa la despolarización auricular y se caracteriza por una forma suave, redonda y vertical. La duración normal de una onda P es inferior a 0.11 segundos (110 milisegundos), y su amplitud es inferior a 2.5 mm de altura.

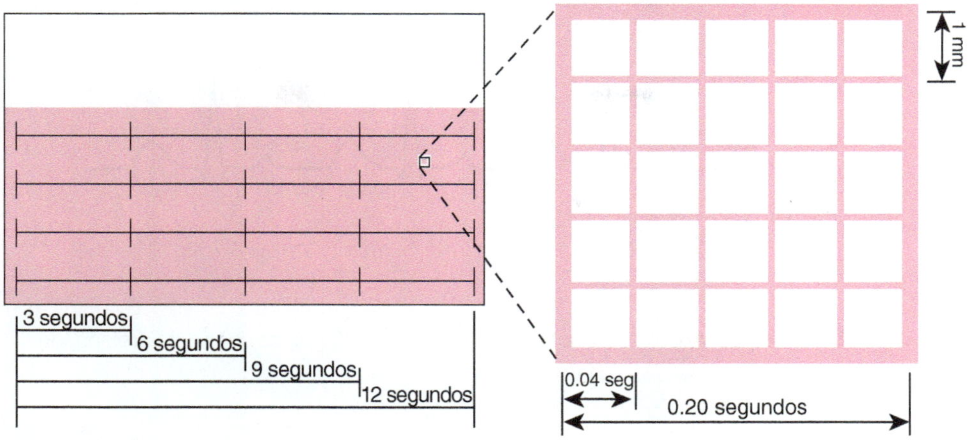

FIGURA 15-19 Papel de electrocardiograma. La altura, que indica la amplitud, se mide en milímetros (mm), y la anchura se mide en milisegundos (ms) (0.04 segundos = 40 ms; 0.20 segundos = 200 ms).

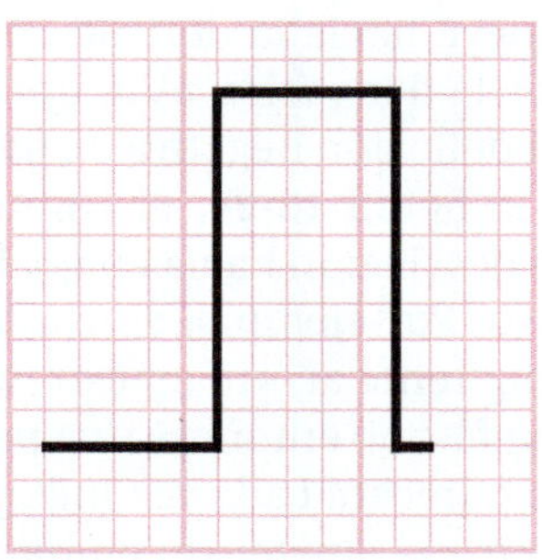

FIGURA 15-20 Por lo general se imprime un cuadro de calibración al principio del electrocardiograma.

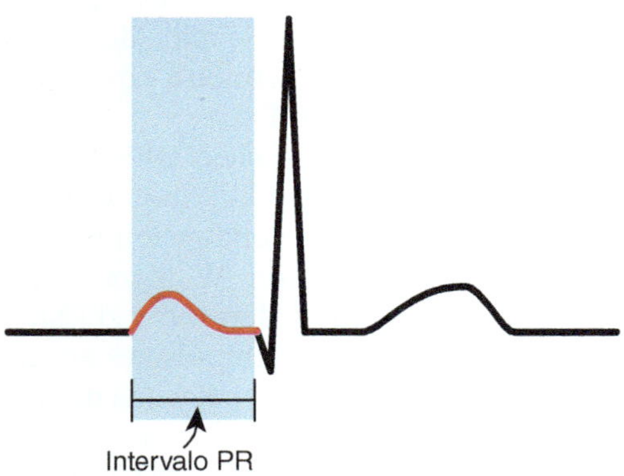

FIGURA 15-22 El intervalo PR normal es de 0.12 a 0.20 segundos (120 a 200 milisegundos).

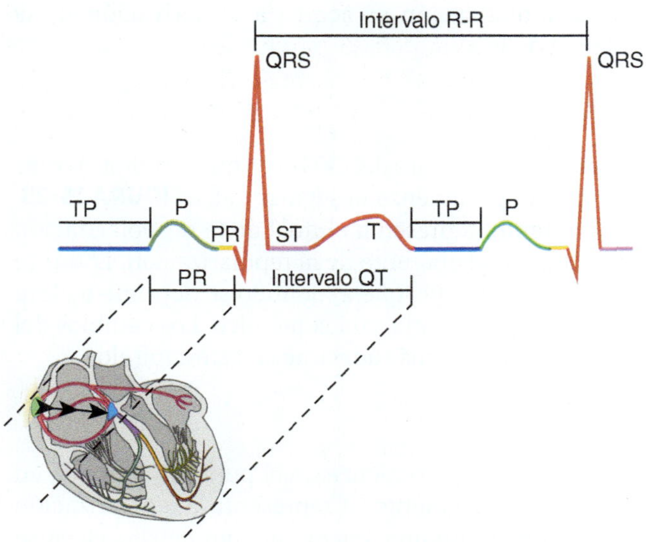

FIGURA 15-21 El electrocardiograma y los eventos cardíacos.

Intervalo PR

El **intervalo PR (IPR)** es la distancia entre el inicio de la onda P y el inicio del complejo QRS. Esta distancia representa el tiempo necesario para que un impulso atraviese las aurículas y la unión AV, que por lo general oscila entre 0.12 y 0.20 segundos (120 a 200 milisegundos). Ese periodo equivale a entre tres y cinco recuadros pequeños en la tira de EKG, **FIGURA 15-22**. El segmento PR representa el tiempo que el nodo AV retrasa la transmisión de la actividad auricular a los ventrículos. La onda producida por la repolarización de las aurículas es demasiado pequeña para verse en el EKG, pero se produce durante el segmento PR. Cuando el nodo AV está afectado o hipóxico, el segmento PR puede alargarse, **FIGURA 15-23**. Los PR prolongados

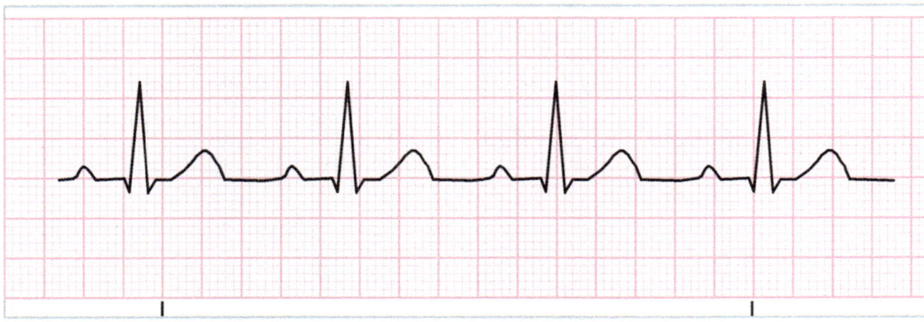

FIGURA 15-23 Un intervalo PR superior a 0.20 segundos (200 ms) se considera prolongado.

se tratan más adelante en el capítulo, cuando se introducen los bloqueos AV.

Complejo QRS

El **complejo QRS**, que consta de tres ondas, representa la despolarización ventricular. Se mide desde el inicio de la onda Q hasta el final de la onda S y debe seguir de forma coherente a cada onda P.

En adultos sanos, el complejo QRS es estrecho, con una duración normal de 0.11 segundos o menos.[5] Este complejo indica que la conducción del impulso ha proseguido desde la unión AV, a través del haz de His, los haces izquierdo y derecho y el sistema de Purkinje. Si la conducción del impulso es anormal, el complejo tiene un aspecto anormal y una duración de 0.12 segundos (120 milisegundos) o más.

La primera desviación negativa del complejo QRS, la *onda Q*, representa la conducción a través del tabique interventricular. El impulso eléctrico se propaga de derecha a izquierda a través del tabique. Una onda Q normal no debe durar más de 0.04 segundos (40 milisegundos) y debe ser inferior a un tercio de la altura total del complejo QRS. Las ondas Q se consideran anormales o patológicas si tienen una amplitud superior a 0.03 segundos (30 milisegundos) o superior a 30% de la altura de la onda R siguiente en esa derivación, o ambas cosas.[6] El IAM es una posible causa de ondas Q patológicas.

La primera desviación hacia arriba del complejo QRS se denomina *onda R*. La onda S es cualquier desviación hacia abajo después de la onda R. La onda S es cualquier desviación hacia abajo después de la onda R. Una segunda desviación hacia arriba se denomina onda R-prima (R′). Las ondas R y S representan la despolarización de los ventrículos derecho e izquierdo.

Como se ha comentado antes, cuando una corriente se desplaza hacia una derivación, crea una desviación positiva (vertical) en el trazo del EKG de la derivación. Así, en la **FIGURA 15-24**, la corriente que despolariza los ventrículos se mueve hacia la derivación II, por lo que lo que se ve en la derivación II es un complejo QRS vertical. Si la corriente despolarizante se mueve hacia la derivación II, entonces debe alejarse de la derivación aVR, por lo que se esperaría ver una deflexión negativa en esa derivación. De hecho, en la figura 15-24, el complejo QRS en aVR revela una desviación hacia abajo. Esto tiene un sentido intuitivo. Por ejemplo, si usted y un amigo están de pie uno frente al otro en extremos opuestos de un campo de fútbol, entonces una pelota lanzada hacia su amigo parecerá cada vez más grande a medida que se acerca al amigo; sin embargo, la misma pelota le parecerá a usted cada vez más pequeña. Del mismo modo, las derivaciones II y aVR, al estar casi opuestas entre sí, presentarán imágenes casi opuestas de la misma onda de despolarización eléctrica. Como en la analogía del balón de fútbol, si una onda de despolarización se acerca a la derivación II, se alejará de la aVR.

Punto J

El punto J es el punto del EKG en el que termina el complejo QRS y comienza el segmento ST **FIGURA 15-25**. Por lo tanto, representa el final de la despolarización y el comienzo aparente de la repolarización. El punto J es importante porque a menudo se deprime o eleva cuando el miocardio está isquémico. Los cambios del punto J se tratan más adelante en este capítulo.

Segmento ST

El **segmento ST** comienza en el punto J y termina en la onda T. El segmento ST representa la repolarización ventricular temprana. Puede caer por debajo, elevarse

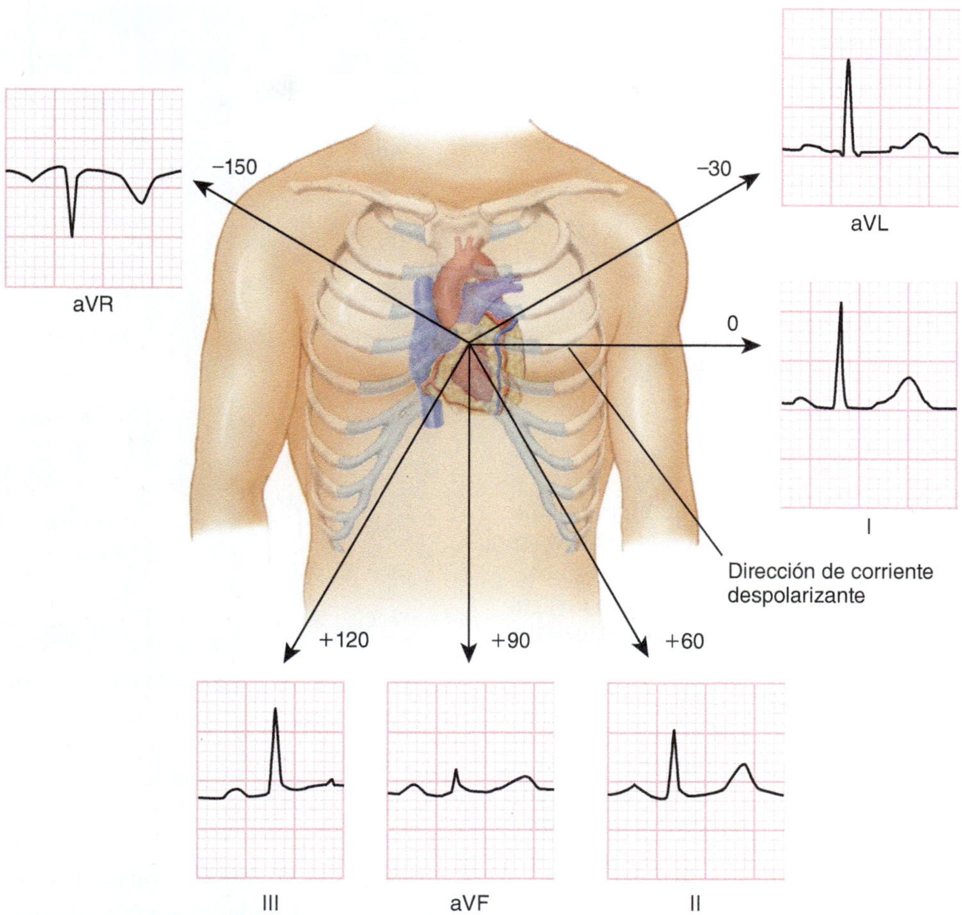

FIGURA 15-24 La morfología del complejo QRS depende de la posición de la derivación y de la dirección en la que se mueve el impulso eléctrico dentro del corazón. Si el impulso eléctrico se desplaza principalmente hacia la derivación II, estará en posición vertical, como se muestra. Sin embargo, la derivación aVR estará invertida porque el impulso se está alejando de ella.

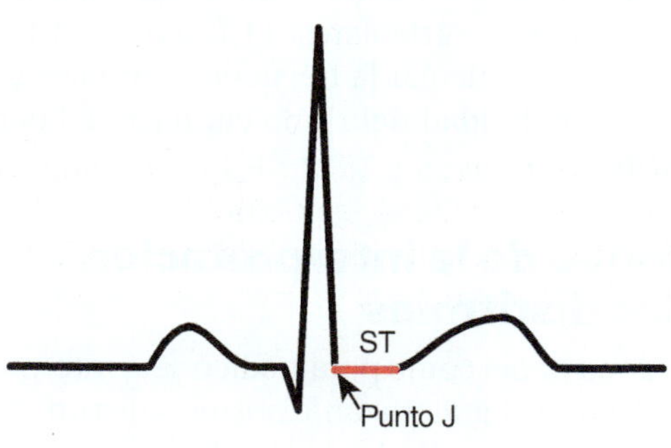

FIGURA 15-25 El punto J.

Reproducida de *Arrhythmia Recognition: The Art of Interpretation*, cortesía de Tomas B. Garcia, MD.

por encima o permanecer en la línea de base durante un evento miocárdico. Un segmento ST elevado puede indicar lesión miocárdica. Un segmento ST deprimido puede indicar isquemia miocárdica.

Onda T

Una **onda T** es una onda vertical, plana o invertida que sigue al complejo QRS y representa la repolarización ventricular. La onda T debe ser asimétrica, tener menos de la mitad de la altura total del complejo QRS y estar orientada en la misma dirección general, **FIGURA 15-26**. Por ejemplo, si el complejo QRS es predominantemente vertical, la onda T también debe ser predominante de forma vertical.

La onda T consta de dos mitades. La primera mitad (la más cercana al complejo QRS) representa la PRA. La segunda mitad representa la PRR.

Durante la isquemia, la lesión y el infarto del miocardio, la onda T se vuelve muy grande (hiperaguda), con forma de pico o de tienda de campaña, simétrica y ancha. Es esencial buscar estos cambios en el EKG

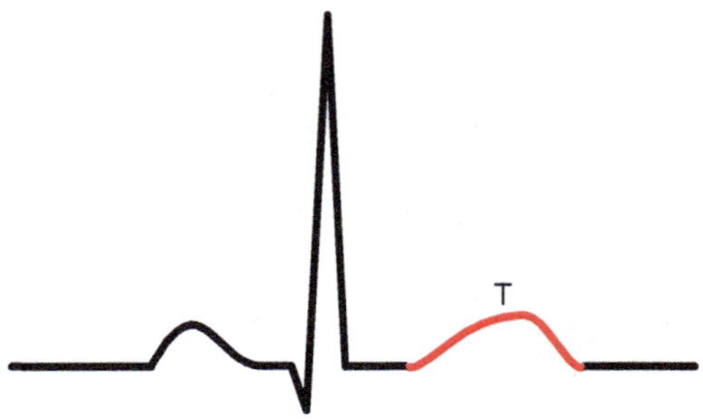

FIGURA 15-26 La onda T.

Reproducida de *Arrhythmia Recognition: The Art of Interpretation*, cortesía de Tomas B. Garcia, MD.

para no pasar por alto un episodio isquémico. Las ondas T altas y puntiagudas (en pico) pueden observarse con **hiperpotasemia** (concentración excesiva de potasio en la sangre). Las ondas T profundamente invertidas pueden observarse en eventos agudos del sistema nervioso central (SNC), como una hemorragia intracraneal o un evento cerebrovascular masivo.[7]

En ocasiones, puede observarse una **onda U** después de una onda T y antes de la siguiente onda P. Los expertos consideran que la onda U representa con probabilidad la fase final de la repolarización ventricular. Cuando se observa, la dirección de la onda U suele ser la misma que la de la onda T precedente en la derivación II. Una onda U superior a 2 mm se considera anormal y puede ser un signo de **hipopotasemia** (baja concentración de potasio en la sangre) o miocardiopatía, entre otras afecciones. Cuando se producen ondas U, a menudo se confunden con ondas P adicionales o se interpretan de manera errónea como alguna otra anomalía desconocida.

Intervalo QT

El intervalo QT representa toda la actividad eléctrica de un ciclo ventricular completo (es decir, la despolarización y repolarización ventricular). Comienza con la aparición de la onda Q y termina cuando la onda T vuelve a la línea de base. Si no hay onda Q, la medición comienza con la onda R. El intervalo QT suele medir entre 0.40 y 0.44 segundos, pero varía con edad, sexo y frecuencia cardíaca. Debido a esta variabilidad, el intervalo QT puede medirse con mayor precisión si se corrige (es decir, se ajusta) en función de la frecuencia cardíaca del paciente. El intervalo QT corregido (QTc) se considera prolongado en adultos si mide 0.47 segundos o más en hombres y 0.48 segundos o más en mujeres.[8,9] Un intervalo QT prolongado puede provocar disritmias ventriculares y paro cardíaco súbito.

CUADRO 15-4 Componentes del EKG

Representación EKG	Evento cardíaco
Onda P	Despolarización de las aurículas
Intervalo PR	Despolarización de las aurículas y retraso en la unión AV
Complejo QRS	Despolarización de los ventrículos
Segmento ST	Periodo entre la despolarización ventricular y el inicio de la repolarización
Onda T	Repolarización ventricular
Intervalo R-R	Tiempo entre dos despolarizaciones ventriculares sucesivas

Abreviaturas: AV, auriculoventricular; EKG, electrocardiograma.

Segmento TP

El segmento TP comienza al final de la onda T y termina al inicio de la onda P. Esta porción del trazo del EKG es por lo general una línea plana, recta y horizontal que se utiliza como línea de base. La línea de base es el punto de referencia con el que comparamos el punto J.

Intervalo R-R

El **intervalo R-R** es el periodo entre dos complejos QRS sucesivos. Representa el intervalo entre dos despolarizaciones ventriculares. El intervalo R-R puede utilizarse para calcular la frecuencia cardíaca y determinar la regularidad del ritmo cardíaco del paciente, **CUADRO 15-4**.

Enfoque de la interpretación de las disritmias

Parte de su papel como paramédico será interpretar tiras de EKG y estar alerta ante posibles disritmias. Aquí presentamos un método de cinco pasos para realizar esta interpretación:

1. Identifique las ondas (P-QRS-T)
2. Mida el IPR
3. Mida la duración del complejo QRS
4. Determine la regularidad del ritmo
5. Mida la frecuencia cardíaca

Es crucial seguir este método siempre para no pasar por alto ningún hallazgo crítico en el trazo del EKG. Por lo general, utilizará de forma exclusiva la derivación II para la interpretación de las disritmias.

Ya hemos explicado dónde aparecen las ondas P, QRS y T; hemos definido el IPR y hemos examinado la duración del QRS. Si puede identificar las ondas P, observe si están en posición vertical y dentro de los parámetros normales. ¿Hay sólo una onda P por cada complejo QRS? A continuación, explicaremos cómo determinar la regularidad del ritmo y cómo medir la frecuencia cardíaca.

Ritmo regularidad

El ritmo cardíaco puede ser regular, regularmente irregular o irregularmente irregular. Determinar la regularidad del ritmo puede ser tan sencillo como medir la distancia entre las ondas R. Si la distancia es la misma, entonces el ritmo es regular, **FIGURA 15-27**. Si no hay dos ondas R equidistantes, entonces el ritmo es irregularmente irregular, **FIGURA 15-28**. Si las ondas R son irregulares pero parecen seguir un patrón, entonces el ritmo es regularmente irregular, **FIGURA 15-29**. Por ejemplo, suponga que obtiene los siguientes datos al medir la distancia entre ondas R: 25, 27, 30, 25, 27 y 30 mm. Este patrón representa un ritmo regularmente irregular. También puede utilizar calibradores de EKG para medir la distancia entre las ondas R, o utilizar el borde de un trozo de papel como regla improvisada.

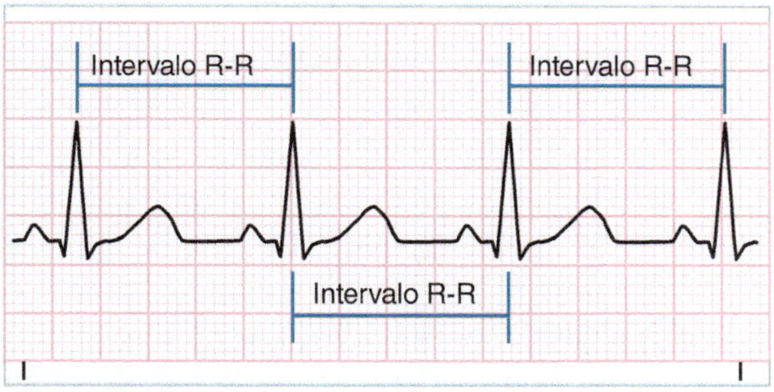

FIGURA 15-27 Cuando el ritmo ventricular es regular, los intervalos R-R son iguales.

Reproducida de *Arrhythmia Recognition: The Art of Interpretation*, cortesía de Tomas B. Garcia, MD.

Determinar la frecuencia cardíaca

En esta sección se describen algunas de las formas más habituales de utilizar una tira de ritmo cardíaco para determinar la frecuencia cardíaca.

El método de los 6 segundos

El método de los 6 segundos es la forma más rápida de medir la frecuencia cardíaca a partir del EKG. Utilice este método para ritmos regulares o irregulares. De hecho, es el mejor método para calcular la frecuencia cardíaca cuando el ritmo es irregular.

- Cuente el número de complejos QRS en una tira de 6 segundos y multiplique ese número por 10 para obtener la frecuencia por minuto, **FIGURA 15-30**.

El método secuencial

Utilice el método secuencial, **FIGURA 15-31**, para determinar la frecuencia cardíaca solo cuando el ritmo sea regular:

- Primero, memorice la siguiente secuencia: 300, 150, 100, 75, 60, 50.
- Busque una onda R en una línea gruesa (recuadro grande) y cuente "300, 150, 100, 75, 60, 50" por cada recuadro grande en el que caiga hasta llegar a la siguiente onda R. (Calcule la tasa si la segunda onda R no cae precisamente sobre una línea negra pesada).
- Si el intervalo R-R abarca menos de tres casillas grandes, la frecuencia es superior a

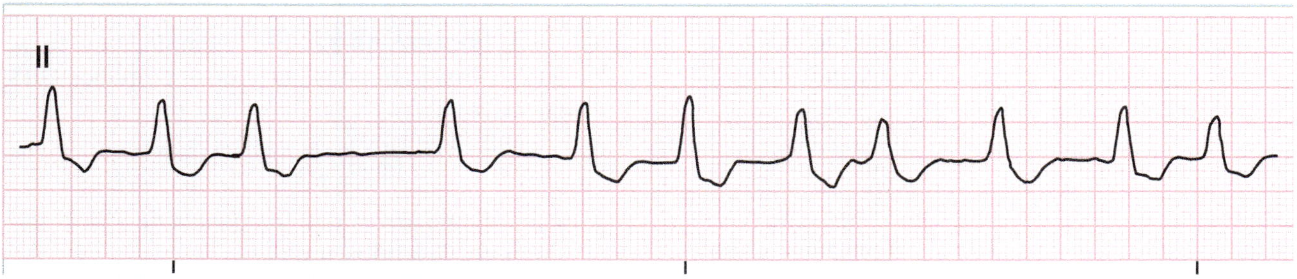

FIGURA 15-28 En un ritmo irregular, no hay dos intervalos R-R iguales. Nota: El "II" en la esquina superior izquierda indica que esta tira es de la derivación II.

Reproducida de *Arrhythmia Recognition: The Art of Interpretation*, cortesía de Tomas B. Garcia, MD.

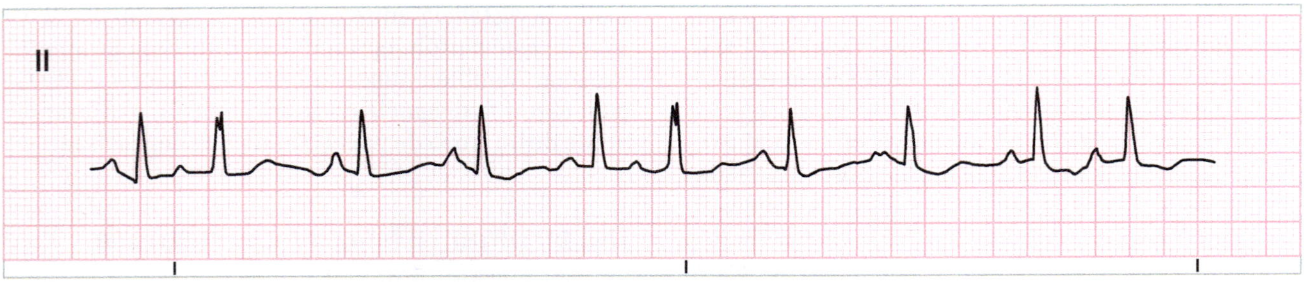

FIGURA 15-29 En un ritmo irregular regular, los intervalos R-R siguen un patrón discernible.

Reproducida de *Arrhythmia Recognition: The Art of Interpretation*, cortesía de Tomas B. Garcia, MD.

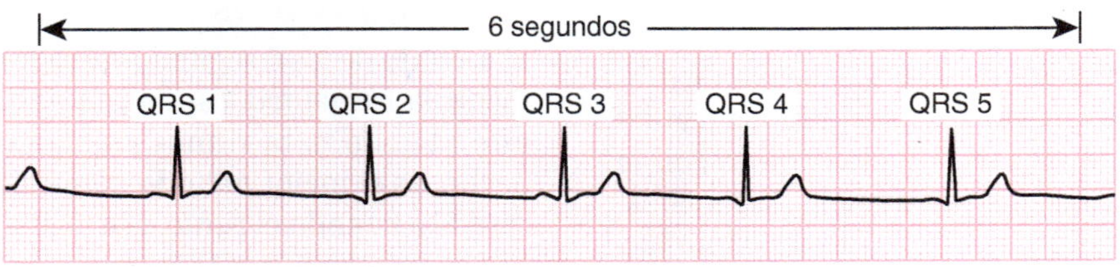

FIGURA 15-30 Cálculo de la frecuencia cardíaca. Para calcular la frecuencia, cuente el número de complejos QRS en una franja de 6 segundos y multiplique por 10.

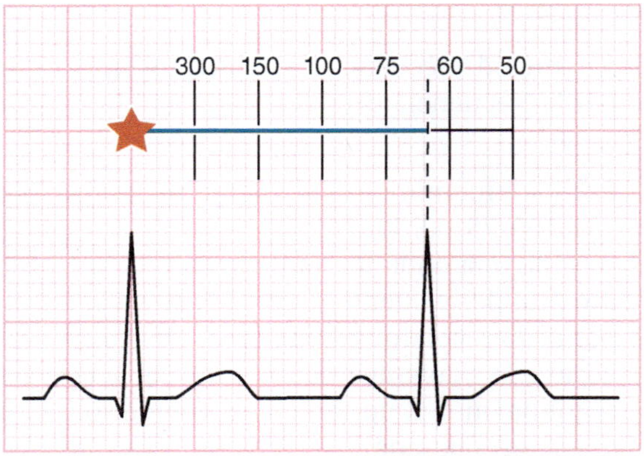

FIGURA 15-31 El método de secuencia.

Reproducida de *12-Lead ECG: The Art of Interpretation*, cortesía de Tomas B. Garcia, MD.

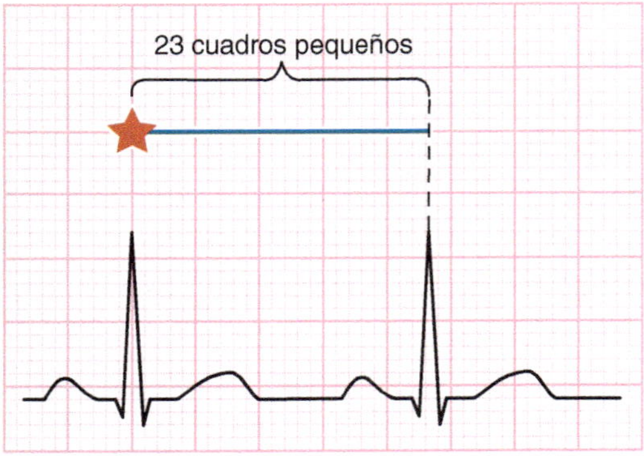

FIGURA 15-32 El método 1 500.

Reproducida de *12-Lead ECG: The Art of Interpretation*, cortesía de Tomas B. Garcia, MD.

100 (taquicardia). Si abarca más de cinco casillas grandes, la frecuencia es inferior a 60 (bradicardia).

El método 1 500

El método 1 500 es la forma más precisa de calcular la frecuencia cardíaca a partir del EKG. Se suele utilizar cuando la frecuencia cardíaca supera los 150 latidos/min, y sólo cuando el ritmo es regular:

- Calcule la frecuencia contando el número de cualquiera de los cuadros pequeños entre dos complejos QRS (el intervalo R-R); a continuación, divida 1 500 por ese número.
- En la **FIGURA 15-32**, por ejemplo, hay unos 23 cuadros pequeños entre dos complejos QRS sucesivos:

$$1\,500 \div 23 = 65$$

- Este cálculo arroja una frecuencia de aproximadamente 65 latidos/min.

Disritmias cardíacas específicas

Muchos acontecimientos diferentes pueden inducir disritmias cardíacas. El flujo de electricidad a través de un tejido dañado o falto de oxígeno es diferente del flujo a través de un tejido normal y bien oxigenado, y esta alteración del flujo aparece a veces como una irregularidad en el EKG. Muchas de estas irregularidades pueden atribuirse a la isquemia, en especial en las zonas del corazón responsables de la conducción. La isquemia suele provocar una despolarización espontánea, generando un complejo prematuro. Estos complejos prematuros interfieren con la conducción normal del impulso e inducen la disritmia. En otras situaciones, la isquemia se produce dentro del sistema de conducción y es la causa directa de su mal funcionamiento.

Muchas disritmias cardíacas son bien toleradas y no producen síntomas graves, por lo que resulta difícil calcular el número de personas afectadas por ellas. Sin embargo, está bien documentado que las disritmias cardíacas son la causa más frecuente de paro cardíaco.

Existen casi tantas formas de clasificar las disritmias cardíacas como libros sobre el tema. Las disritmias pueden caracterizarse como alteraciones del automatismo o alteraciones de la conducción. Pueden separarse en ritmos demasiado rápidos (taquidisritmias) o demasiado lentos (bradidisritmias), o clasificarse como potencialmente mortales o no mortales. En esta sección, las disritmias cardíacas se clasifican según el lugar del que surgen (y tal y como aparecen en la derivación II). Después de observar un ritmo sinusal a modo de comparación, trataremos las disritmias que surgen en el nódulo SA, el tejido auricular, la unión AV y los ventrículos. Por último, exploraremos los ritmos marcados.

Ritmos originados en el nódulo SA

Ritmo sinusal normal

El nódulo SA es el marcapasos primario del corazón. Un **ritmo sinusal normal** **FIGURA 15-33** surge en el nódulo SA y tiene una frecuencia intrínseca de 60 a 100 latidos/min. El ritmo es regular, con una variación mínima entre los intervalos R-R. Una onda P vertical precede a cada latido. Una onda P vertical precede a cada complejo QRS. El IPR mide de 0.12 a 0.20 segundos (de 120 a 200 milisegundos). El complejo QRS mide 0.11 segundos (110 milisegundos) o menos.

Bradicardia sinusal

El marcapasos sigue siendo el nodo SA con **bradicardia sinusal**, pero la frecuencia es inferior a 60 latidos/min, **FIGURA 15-34**. El ritmo es regular y la onda P vertical

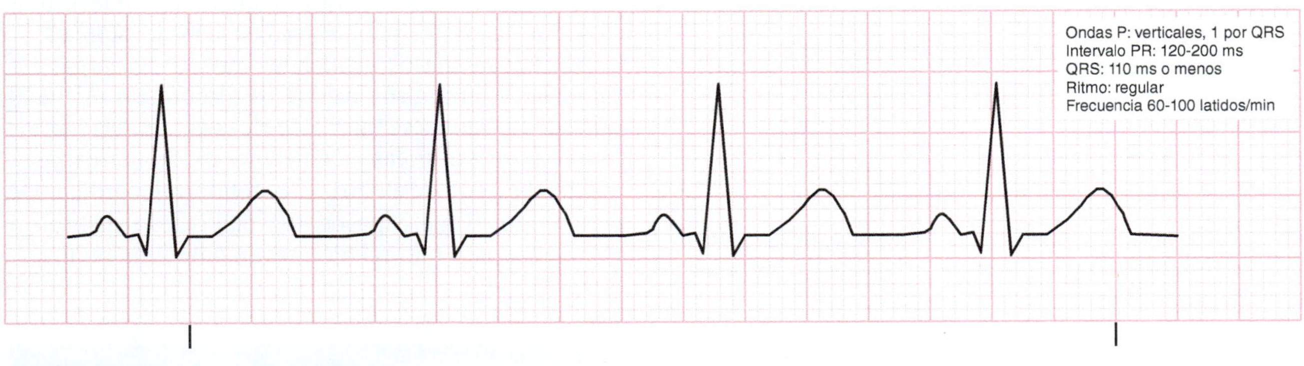

FIGURA 15-33 Ritmo sinusal normal.

Reproducida de *Arrhythmia Recognition: The Art of Interpretation*, cortesía de Tomas B. Garcia, MD.

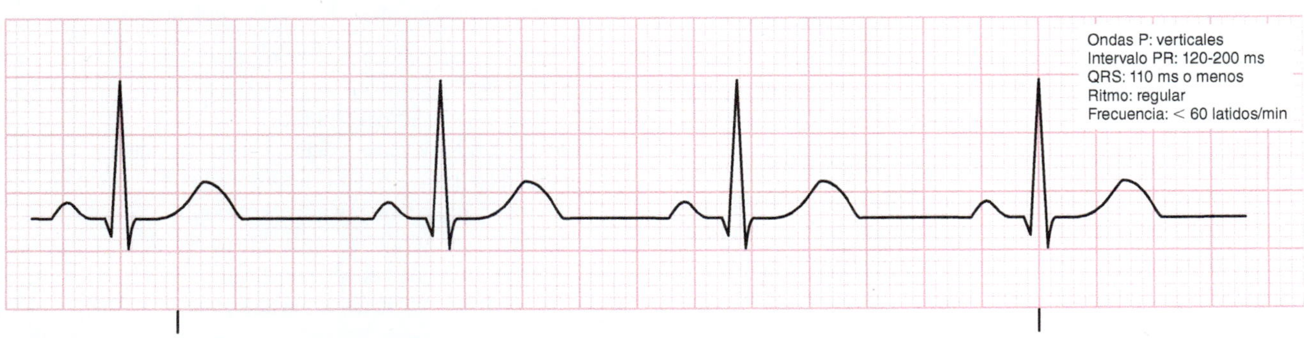

FIGURA 15-34 Bradicardia sinusal.

Reproducida de *Arrhythmia Recognition: The Art of Interpretation*, cortesía de Tomas B. Garcia, MD.

precede a cada complejo QRS. El ritmo es regular y una onda P vertical precede a cada complejo QRS. El IPR es de 0.12 a 0.20 segundos (120 a 200 milisegundos). El complejo QRS es de 0.11 segundos (110 milisegundos) o menos.

En muchos pacientes, una frecuencia cardíaca muy lenta (normalmente inferior a 50 latidos/min) ocasiona un GC inadecuado y a menudo precipita la inestabilidad eléctrica del corazón. Además, cuando la frecuencia sinusal se vuelve muy lenta, pueden dispararse marcapasos ectópicos en la unión AV o los ventrículos, produciendo latidos de escape para ayudar a mantener el GC. El término **ectópico** se refiere a un impulso o ritmo originado en un lugar distinto del nódulo SA.

En los adultos sanos, en especial en los deportistas bien acondicionados, la bradicardia sinusal puede ser un fenómeno asintomático y producirse durante el sueño. Sin embargo, en otros adultos, la bradicardia puede causar alteraciones del estado mental, molestias torácicas isquémicas, insuficiencia cardíaca aguda, convulsiones, síncope o indicios de inestabilidad hemodinámica, como diaforesis o hipotensión.[10] El tratamiento está indicado cuando estos signos y síntomas persisten a pesar de una oxigenación y ventilación adecuadas.

Tratamiento de la bradicardia sintomática

La atención médica de emergencia de un paciente adulto con bradicardia sintomática se centra en los siguientes objetivos:

- Mantener una oxigenación, ventilación y perfusión adecuadas.
- Corregir la alteración del ritmo y restablecer un ritmo perfusor estable.
- Buscar la causa subyacente, que puede ser hipoxia, hipotermia, hipoglucemia, shock, SCA, bloqueo AV, exposición a toxinas (betabloqueadores, antagonistas del calcio, antagonistas del sodio/antidepresivos, organofosforados, digoxina, clonidina), un trastorno electrolítico, aumento de la presión intracraneal u otros factores.[10]

Siga estos pasos para administrar atención médica de emergencia a un adulto con bradicardia sintomática:

1. Mantenga abierta la vía aérea. Ayude a regular la respiración si es necesario. Administrar oxígeno suplementario según sea necesario para alcanzar una Spo_2 de 95 a 98%. Consiga una saturación de oxígeno de 90% en los pacientes con SCA y de 92 a 98% en los cuidados posteriores a un paro cardíaco.[11]
2. Coloque un monitor cardíaco, un monitor de PA y un pulsioxímetro. Obtenga un EKG de 12 derivaciones, pero no retrase la atención de emergencia para realizar este paso.
3. Establecer una infusión IV de solución salina normal. Obtener un nivel de glucosa en sangre por punción digital. Tratar la hipoglucemia si existe.
4. Administrar un bolo IV de atropina para la bradicardia sinusal sintomática o un bloqueo de conducción a nivel del nodo AV. Repetir la atropina cada 3 a 5 minutos hasta que se alcance la frecuencia cardíaca deseada (por lo general 60 latidos/min o más rápido) o se haya alcanzado el límite de dosis de 3 mg. Los pacientes que han recibido un trasplante cardíaco no responden a la atropina porque carecen de inervación nerviosa vagal. Los medicamentos relacionados con el corazón se tratan en detalle en el capítulo 10, *Principios de farmacología.*
5. Si la atropina es ineficaz y persisten los síntomas o la inestabilidad hemodinámica del paciente, entonces considere la ETC o la administración de una infusión de dopamina o epinefrina. En casos de colapso hemodinámico inminente, proceder directo a la ETC.[10]
6. Transportar al paciente para atención definitiva.

Las guías de tratamiento recomendadas para la bradicardia en adultos se muestran en la **FIGURA 15-35**.

Los marcapasos artificiales envían descargas repetitivas de impulsos eléctricos al corazón. Al igual que las diminutas señales eléctricas generadas por los marcapasos naturales, la corriente de un marcapasos artificial puede despolarizar el tejido miocárdico. De este modo, el marcapasos artificial puede sustituir a un marcapasos natural bloqueado o no funcional.

Documentación y comunicación

Los elementos de documentación clave para el paciente con bradicardia sintomática son los siguientes:[10]

- Ritmo y frecuencia cardíacos iniciales
- Hora, dosis y respuesta del paciente a los medicamentos administrados
- Hora a la que se inicia o detiene la estimulación, frecuencia (pulsos estimulados por minuto), ajuste de energía, captura y respuesta del paciente
- Historia de un acontecimiento que apoya el tratamiento de las causas subyacentes
- Tiras de monitorización obtenidas antes y durante la estimulación y en el momento del traslado

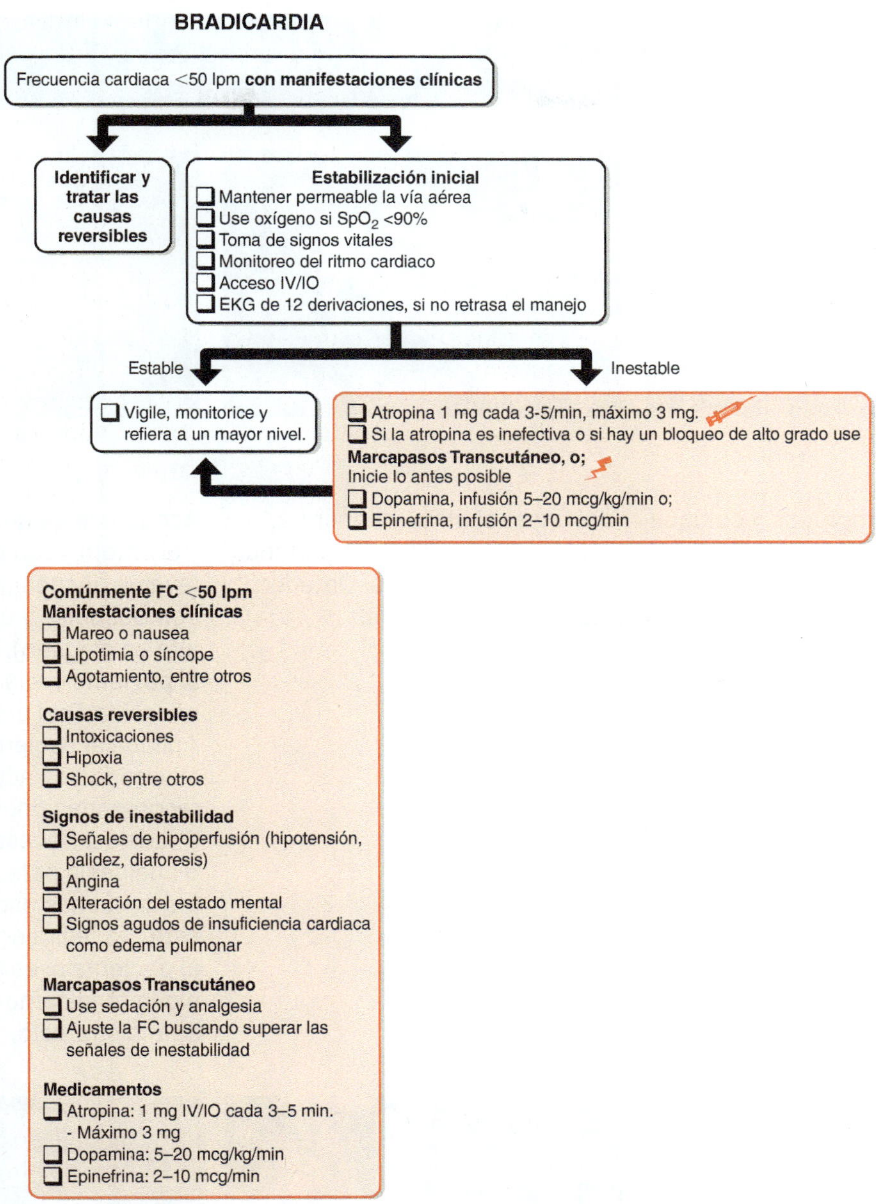

FIGURA 15-35 Algoritmo para bradicardia.

Un **marcapasos transcutáneo** despolariza el miocardio suministrando energía eléctrica a través de la piel del tórax y su uso está muy recomendado. Con una ETC, una pequeña carga eléctrica pasa a través de la piel del paciente entre un parche con electrodo externo de marcapasos y otro, propagando la señal por todo el corazón. El marcapasos se ajusta a una frecuencia específica y se aumenta la energía hasta que el corazón empieza a reaccionar al estímulo. Esta respuesta, que se denomina "captura", suele asociarse con la despolarización ventricular. Se caracteriza por un complejo QRS ancho en el EKG y debe dar lugar al pulso palpable correspondiente.

En cualquiera de las siguientes circunstancias, la ETC puede dar tiempo suficiente para que el paciente llegue a un centro médico en un estado de perfusión óptimo, en lugar de paro cardíaco o cerca de este:

- Un paciente con una bradidisritmia que reduce el GC de gravedad y no responde a la atropina
- Un paciente que requiere traslado interhospitalario para la implantación de un marcapasos permanente
- Paciente sintomático con falla de marcapasos artificial

Existen muchas marcas de ETC, por lo que debe familiarizarse con el dispositivo específico utilizado en su sistema local de SEM. Los pasos para iniciar la ETC se muestran en la **PRÁCTICA DE DESTREZA 15-2**.

Práctica de destreza 15-2 Realización de ETC

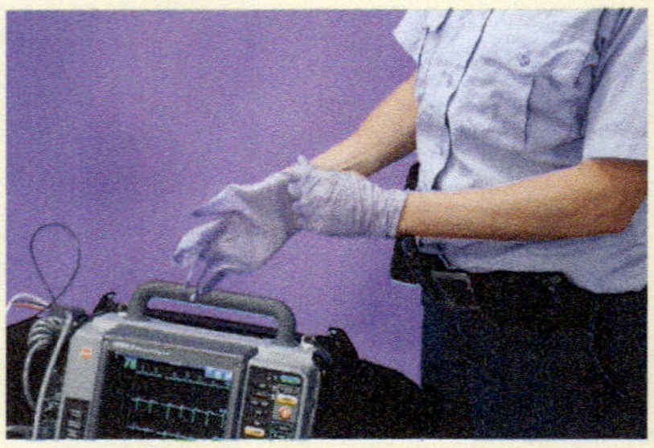

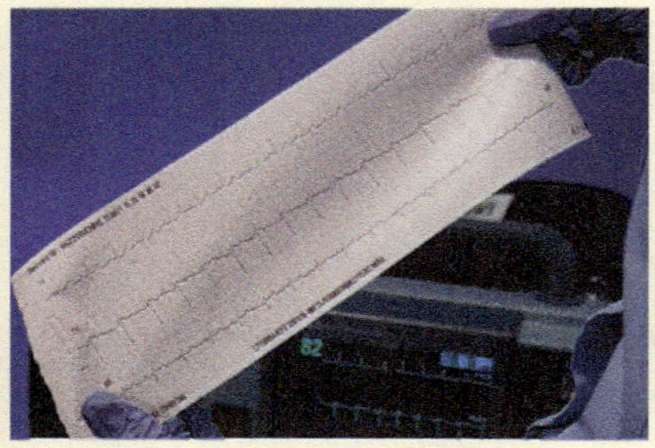

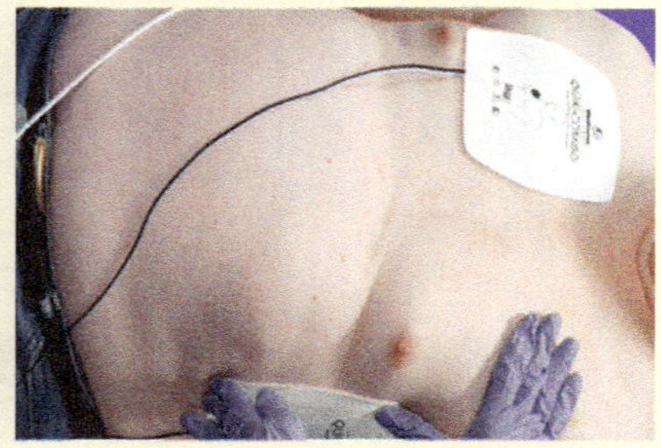

Paso 1

Seleccione, compruebe y coloque todo el equipo necesario, incluido un monitor-desfibrilador con capacidad de marcapasos, electrodos de EKG, electrodos de marcapasos, medicación para el dolor o sedación (que se utilizará en caso necesario), oxígeno y un dispositivo adecuado de administración de oxígeno. Tome las precauciones habituales. Coloque los electrodos de EKG y evalúe los signos vitales del paciente. Asegúrese de que el paciente está oxigenado de manera adecuada y establezca una vía intravenosa permeable.

Paso 2

Identificar el ritmo y confirmar que la estimulación transcutánea (ETC) está justificada. Obtener una tira de ritmo basal.

Paso 3

Asegúrese de que el lugar y el entorno son seguros (evalúe riesgos como chispas, combustibles y una atmósfera alta en oxígeno). Explique al paciente y a la familia la necesidad del procedimiento. Aplique al paciente los electrodos de acuerdo con las recomendaciones del fabricante. Puede ser necesaria la sedación o analgesia para minimizar las molestias asociadas con este procedimiento. Pregunte al paciente si es alérgico a algún medicamento antes de administrárselo.

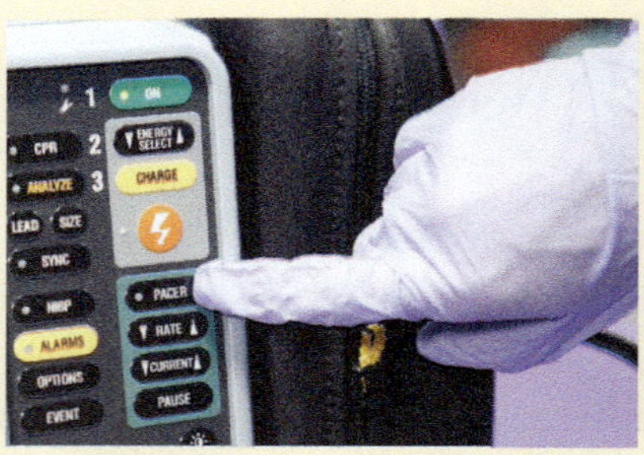

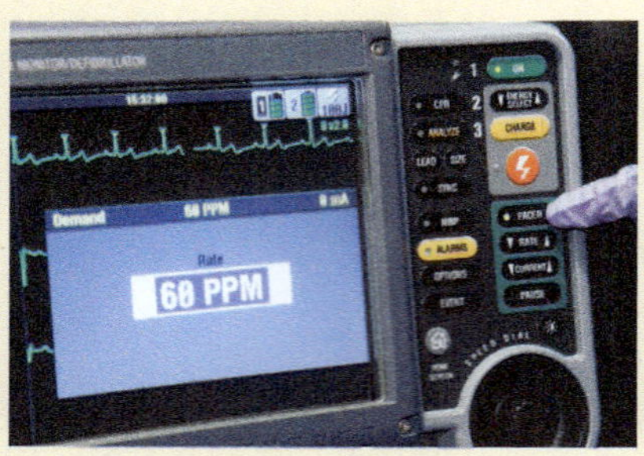

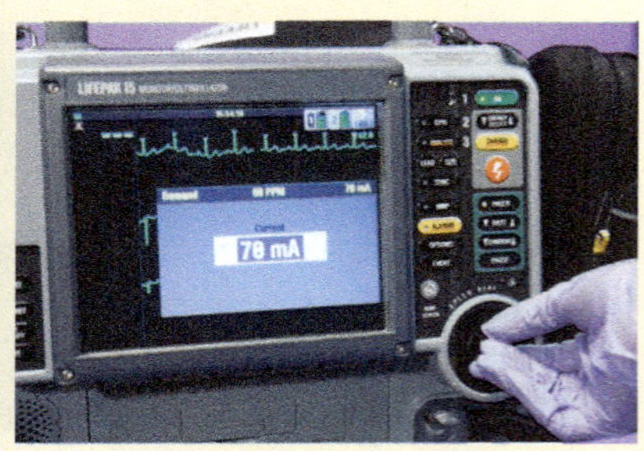

Paso 4

Conecte la alimentación del marcapasos.

Paso 5

Ajuste la frecuencia de estimulación al número deseado de pulsaciones por minuto (ppm). Por lo general se selecciona una frecuencia entre 60 y 80 latidos/min.

Paso 6

Ajuste la corriente (miliamperios) al mínimo. Mientras observa la pantalla del monitor, aumente lenta pero de manera constante la corriente hasta que logre la captura eléctrica (es decir, un complejo QRS ancho sigue a cada pico del marcapasos).

Práctica de destreza 15-2 Realización de ETC (continuación)

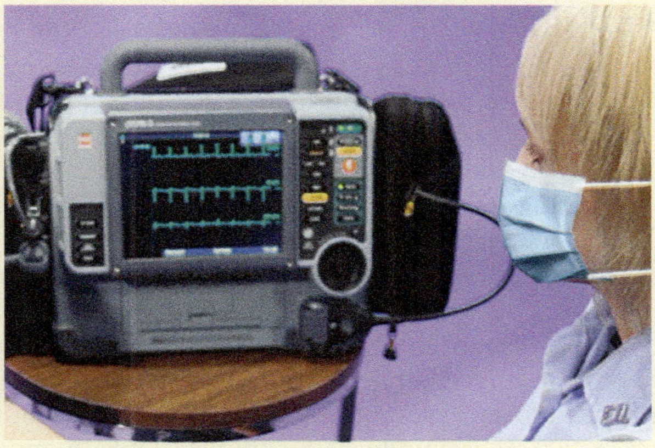

Paso 7

Evalúe la captura mecánica tomando el pulso y la PA del paciente. Vuelva a evaluar el estado mental del paciente, SpO_2, color y nivel de malestar.

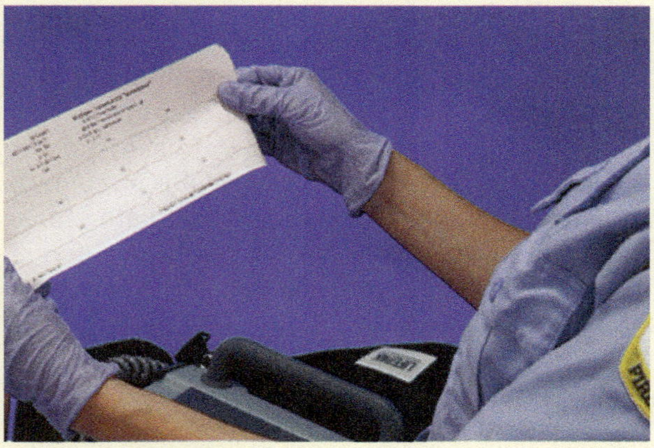

Paso 8

Obtener tiras de ritmo para su documentación y monitorizar de manera continua el estado del paciente.

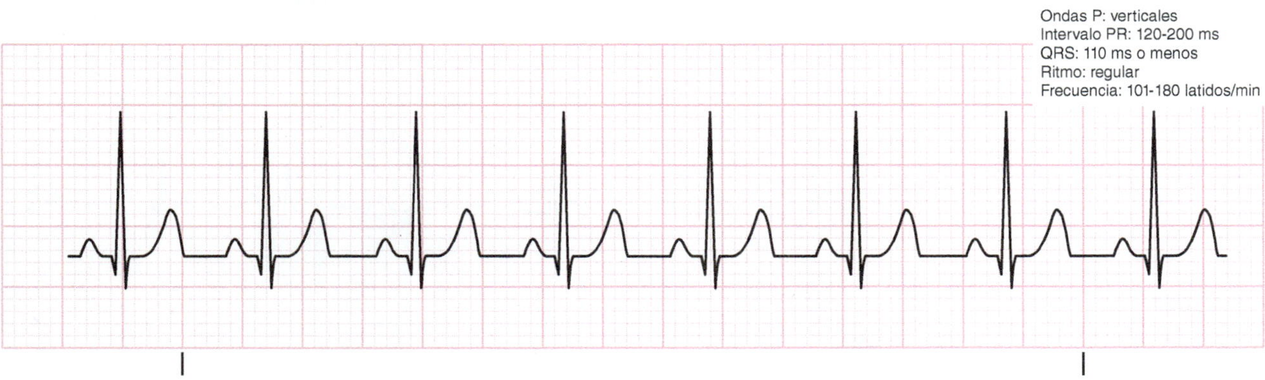

FIGURA 15-36 Taquicardia sinusal.

Reproducida de *Arrhythmia Recognition: The Art of Interpretation*, cortesía de Tomas B. Garcia, MD.

Taquicardia sinusal

Por definición, una taquicardia tiene una frecuencia ventricular superior a 100 latidos/min. El nodo SA sigue siendo el marcapasos en la **taquicardia sinusal**, pero la frecuencia cardíaca suele ser de 101 a 180 latidos/min en un adulto en reposo **FIGURA 15-36**. La frecuencia superior de la taquicardia sinusal está relacionada con la edad y puede calcularse como alrededor de 220 latidos/min menos la edad del paciente en años. El ritmo es regular, y una onda P vertical precede a cada complejo QRS (aunque a veces es difícil de ver si está parcialmente enterrada en la onda T del latido precedente). El IPR es de 0.12 a 0.20 segundos (120 a 200 milisegundos), y el complejo QRS es de 0.11 segundos (110 milisegundos) o menos.

La taquicardia sinusal tiene varias causas, como dolor, fiebre, hipoxia, hipovolemia, ejercicio, estimulación del sistema nervioso simpático (causada por estrés, susto o ansiedad), IAM, falla de la bomba o anemia. Además, cafeína, nicotina, alcohol y algunos fármacos, como atropina, epinefrina, anfetamina y cocaína, pueden provocar taquicardia. La hipoxia, alcalosis metabólica, hipopotasemia e **hipocalcemia** pueden provocar inestabilidad eléctrica, provocando el disparo de células que por lo general no generan impulsos.

La taquicardia persistente aumenta el trabajo del corazón, lo que causa mayor isquemia durante un IAM. Además, el GC puede reducirse de forma significativa cuando la frecuencia cardíaca supera los 150 latidos/min porque los ventrículos no tienen tiempo suficiente para llenarse por completo entre contracciones.

El tratamiento de la taquicardia sinusal depende de su causa subyacente.

Disritmia sinusal

La **disritmia sinusal** es una ligera variación en el ciclo de un ritmo sinusal, por lo general superior a 0.12 segundos (120 milisegundos) entre los ciclos más largo y más corto, que suele asociarse con fluctuaciones del ciclo respiratorio **FIGURA 15-37**. En concreto, la frecuencia aumenta durante la inspiración y disminuye durante la espiración. El nodo SA sigue siendo el marcapasos, y una onda P vertical precede a cada complejo QRS. El IPR de 0.12 a 0.20 segundos (120 a 200 milisegundos) y el complejo QRS de 0.11 segundos (110 milisegundos) o menos son los mismos que en un ritmo sinusal normal. La disritmia sinusal suele ser un hallazgo normal en niños y adultos jóvenes y tiende a disminuir con la edad.

Paro sinusal

El paro sinusal se produce cuando el nodo SA no inicia un impulso, eliminando la onda P, el complejo QRS y la onda T durante un ciclo cardíaco, **FIGURA 15-38**. Después de este conjunto de ondas perdidas, el nodo SA reanuda su funcionamiento normal como si nunca hubiera ocurrido nada. En el paro sinusal, las frecuencias auricular y ventricular suelen estar dentro de los límites normales y el ritmo es regular excepto por los complejos ausentes. Las ondas P están presentes y erguidas, precediendo a cada complejo QRS, y el IPR, cuando está presente, es de 0.12 a 0.20 segundos (120 a 200 milisegundos). El complejo QRS, cuando está presente, es de 0.11 segundos (110 milisegundos) o menos.

Entre las posibles causas de paro sinusal se incluyen la isquemia del nodo SA, el aumento del tono vagal, el masaje del seno carotídeo (comentado más adelante en este capítulo) y el uso de fármacos como los digitálicos y la quinidina. Los episodios ocasionales de paro sinusal no son significativos; sin embargo, si la frecuencia cardíaca desciende por debajo de 60 latidos/min, el GC puede caer y un foco ectópico

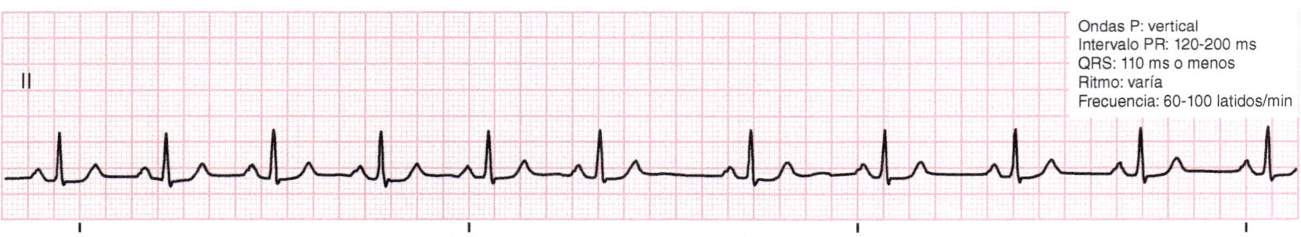

FIGURA 15-37 Disritmia sinusal.

Reproducida de *Arrhythmia Recognition: The Art of Interpretation*, cortesía de Tomas B. Garcia, MD.

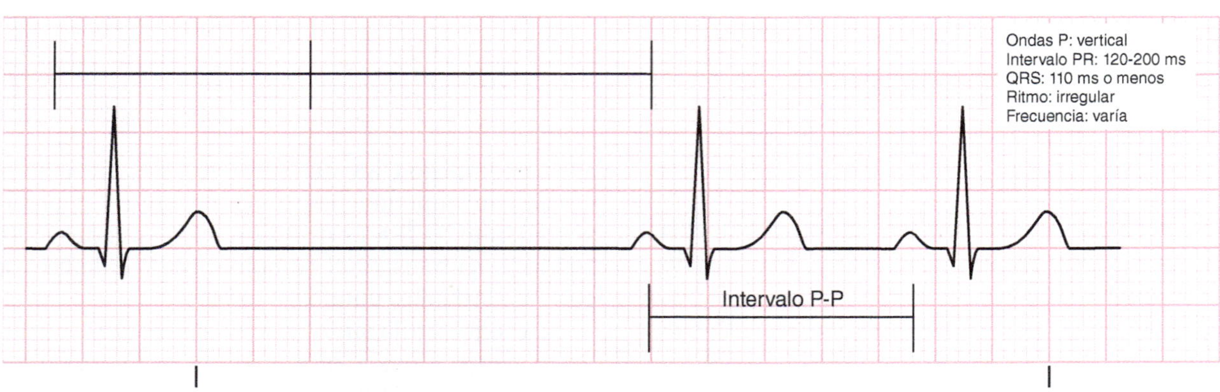

FIGURA 15-38 Con una parada sinusal, falta al menos un ciclo PQRST. El intervalo P-P resultante no es un múltiplo exacto del intervalo P-P normal.

Datos de *Arrhythmia Recognition: The Art of Interpretation*, cortesía de Tomas B. Garcia, MD.

procedente de la unión AV o de los ventrículos puede tomar el control. En estas circunstancias, el tratamiento se basa en la frecuencia cardíaca global y la tolerancia del paciente. El paciente puede beneficiarse de un marcapasos temporal (ETC sobre el terreno) o de un marcapasos permanente después de su ingreso en el centro médico.

Síndrome del seno enfermo

El síndrome del seno enfermo (SSE) engloba una serie de ritmos caracterizados por un mal funcionamiento del nódulo SA. Esta afección es frecuente entre los adultos mayores. Los pacientes pueden permanecer asintomáticos o presentar episodios sincopales o casi sincopales, mareos y palpitaciones. En un EKG, el SSE puede evidenciarse por bradicardia sinusal, paro sinusal, bloqueo SA y patrones alternantes de bradicardia y taquicardia extremas (síndrome de bradicardia-taquicardia).

Ritmos originados en las aurículas

Aunque el nódulo SA suele ser el marcapasos del corazón, cualquier zona de las aurículas puede originar un impulso, suplantando así la autoridad marcapasos del nódulo SA. Algunos ritmos originados en las aurículas producen ondas P verticales que preceden a cada complejo QRS, pero no son tan redondeadas como las generadas por el nódulo SA.

Complejo auricular prematuro

Un complejo auricular prematuro (CAP) no es, estrictamente hablando, una disritmia, sino un complejo ectópico que aparece dentro de otro ritmo, **FIGURA 15-39**. Un CAP se produce antes que el siguiente complejo sinusal esperado, produciendo un intervalo R-R anormalmente corto entre este y el complejo anterior. La presencia de un CAP hará que el ritmo sea irregular. Una onda P vertical precede a cada complejo QRS; sin embargo, su forma difiere de las ondas P originadas en el nodo SA, lo que indica su lugar de origen diferente. El IPR mide de 0.12 a 0.20 segundos (de 120 a 200 milisegundos), pero puede variar ligeramente en función del origen del complejo prematuro. El complejo QRS mide 0.11 segundos (110 milisegundos).

Los CAP no siempre se conducen a los ventrículos. Una onda P que aparece pronto en el EKG y no va seguida de un complejo QRS se denomina *CAP no conducido*. Este fenómeno no debe confundirse con el bloqueo AV. Los dos se diferencian con facilidad porque, a diferencia del bloqueo AV, los CAP no conducidos se producen con poca frecuencia, sin un patrón particular, produciendo una onda P que aparece pronto en el EKG. Si se mide el intervalo P-P, la onda P asociada con un CAP no conducido será más corta que los demás intervalos P-P. Sin embargo, en el bloqueo AV, el intervalo P-P es constante.

Los CAP son muy frecuentes y pueden estar causados por el estrés, estimulantes como la cafeína o afecciones como la insuficiencia cardíaca o el desequilibrio electrolítico. Cuando los CAP son frecuentes, el tratamiento se centra en corregir la causa subyacente.

Taquicardia supraventricular

La taquicardia supraventricular (TSV) es un ritmo que se origina en un lugar situado por encima de los ventrículos con una frecuencia ventricular superior a 100 latidos/min en reposo.[12] En pacientes con una

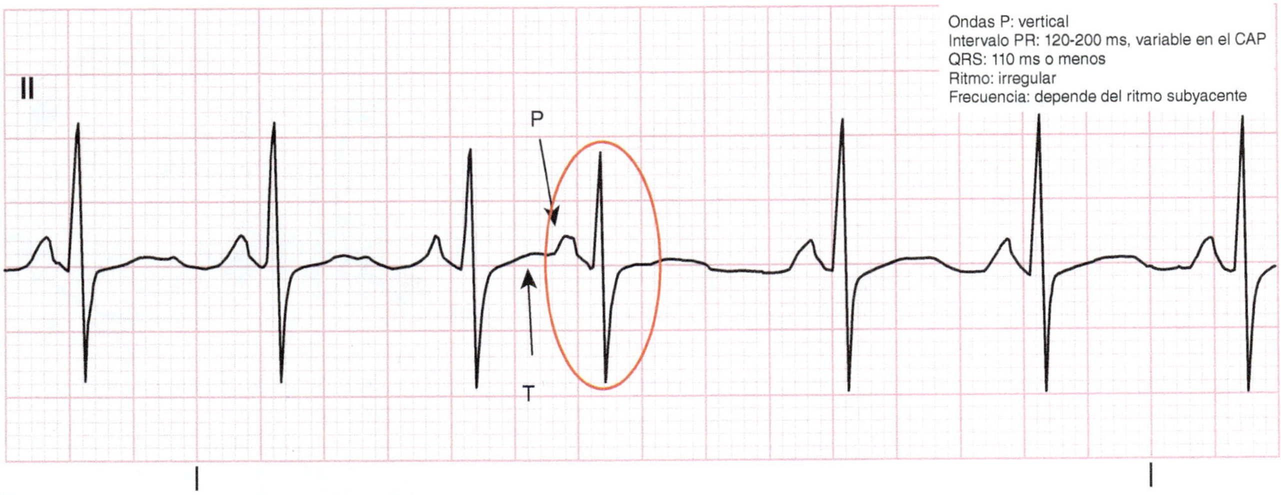

FIGURA 15-39 Complejo auricular prematuro.

Reproducida de *Arrhythmia Recognition: The Art of Interpretation*, cortesía de Tomas B. Garcia, MD.

función ventricular normal, la taquicardia con una frecuencia inferior a 150 latidos/min rara vez causa signos y síntomas graves. Sin embargo, cuando la frecuencia ventricular supera los 150 latidos/min, se reduce el tiempo de llenado ventricular, lo que a su vez puede reducir el GC. Cuando la frecuencia ventricular alcanza de 150 a 180 latidos/min, las ondas P (si están presentes) con TSV tienden a quedar por completo oscurecidas por la onda T del latido precedente, **FIGURA 15-40**, lo que hace imposible medir el IPR. A una frecuencia cardíaca inferior, pueden identificarse las ondas P. El ritmo es regular, prácticamente sin variación entre los intervalos R-R. Los complejos QRS miden 0.5 µm. Los complejos QRS miden 0.11 segundos (110 milisegundos) o menos, lo que indica que el ritmo se origina por encima de los ventrículos.

El tipo más común de TSV se denomina *taquicardia por reentrada nodal AV*. Como su nombre indica, este tipo de TSV se asocia con la **reentrada**, que es la propagación de un impulso a través de un tejido ya estimulado por ese mismo impulso, **FIGURA 15-41**. Taquicardia reentrante nodal AV. En las condiciones adecuadas, como cuando hay isquemia miocárdica, un impulso prematuro puede desencadenar una serie de latidos rápidos. El nodo AV puede ser bombardeado por más de un impulso, lo que puede bloquear la vía de una señal y permitir que otra estimule células cardíacas que ya se han despolarizado. El peligro viene cuando estos impulsos se atascan en un patrón repetitivo, generando múltiples latidos ectópicos o un ritmo muy rápido.

Perlas de sabiduría

A medida que aprenda los criterios de las disritmias cardíacas, observará que los intervalos de frecuencia ventricular de varias disritmias se solapan. Examine con cuidado el EKG, identificando las formas de onda y calculando las mediciones, para ayudarle a identificar de manera correcta la disritmia. Si no está seguro del origen de un ritmo, la obtención de un EKG de 12 derivaciones puede ser útil porque puede observar el ritmo en múltiples derivaciones.

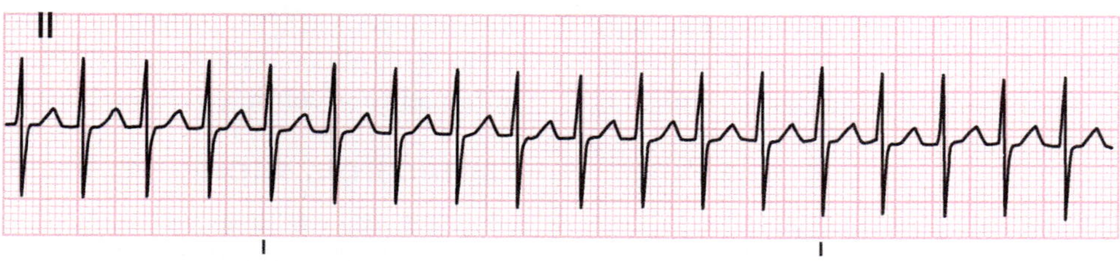

FIGURA 15-40 Taquicardia supraventricular.

Reproducida de *Arrhythmia Recognition: The Art of Interpretation*, cortesía de Tomas B. Garcia, MD.

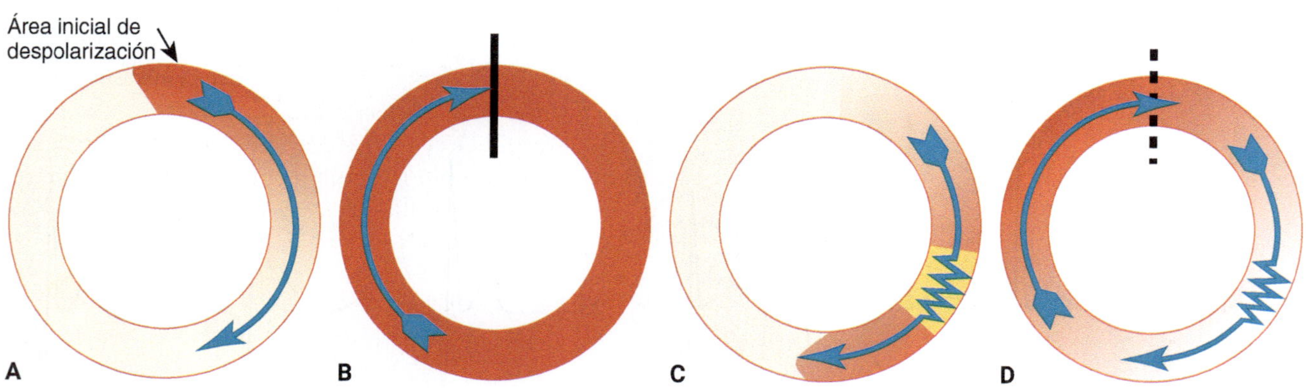

FIGURA 15-41 Reentrada. **A.** El sitio original del impulso se dispara, desencadenando una onda de despolarización que se propaga sobre las células restantes en la dirección mostrada. **B.** Cuando la onda de despolarización regresa al sitio original (representado por la línea negra), el sitio sigue siendo refractario y no puede responder al nuevo impulso. En este punto, la onda prácticamente desaparece. **C.** La parte amarilla representa una zona de conducción lenta. La onda de despolarización se ralentiza al atravesar esta zona. **D.** En el momento en que la onda de despolarización alcanza el sitio original, representado por la línea negra punteada, el sitio está listo para recibir un nuevo impulso. El resultado es un movimiento cíclico que se autoperpetúa.

Reproducida de *Arrhythmia Recognition: The Art of Interpretation*, cortesía del Dr. Tomas B. Garcia, MD.

La TSV se denomina a veces *TSV paroxística* (*TSVP*), lo que refleja su tendencia a comenzar y terminar bruscamente (*paroxística* significa "que se produce en espasmos"). Técnicamente, para identificar una disritmia como TSVP, sería necesario presenciar la aceleración del ritmo en el EKG.

Los pacientes que presentan TSV a veces tienen un hallazgo físico conocido como *ondas "A" de cañón.* Las ondas "A" de cañón se crean por una disociación entre las aurículas y los ventrículos. Este signo también puede producirse con la contracción de la aurícula derecha contra una válvula tricúspide cerrada. Unas ondas "A" más grandes pueden indicar un deterioro de la funcionalidad del ventrículo derecho o un aumento de la presión telediastólica del ventrículo derecho. Se puede encontrar un signo físico correspondiente donde se encuentran las venas yugulares: Durante la onda "A" de cañón, se produce una depresión de las venas yugulares, formando una "A".

Los síntomas asociados con la taquicardia supraventricular varían. El tratamiento de las TSV depende de la gravedad de los síntomas del paciente y puede incluir medicación o terapia eléctrica para reducir la frecuencia cardíaca.

Tratamiento de la taquicardia con pulso

Tratar a un paciente que presenta o desarrolla taquicardia es más complicado que tratar a un paciente con bradicardia. La taquicardia puede originarse en un sitio de marcapasos supraventricular o puede tener un origen ventricular. En general, se asume que los complejos QRS anchos son de origen ventricular, mientras que los complejos QRS estrechos (0.11 segundos [110 milisegundos] o menos) son de origen supraventricular. (En ocasiones, un latido de origen supraventricular sigue una vía de conducción aberrante, lo que dificulta la determinación de si la taquicardia es ventricular o supraventricular. En la mayoría de los casos, el ritmo es ventricular y no supraventricular, y debe tratarse como tal.

La atención médica de emergencia de un paciente con taquicardia con pulso se centra en los siguientes objetivos:[10,11]

- Identificar y tratar rápido a los pacientes con signos o síntomas de inestabilidad hemodinámica (p. ej., dolor torácico isquémico, alteración del estado mental, shock, hipotensión, insuficiencia cardíaca aguda) o a los que están sintomáticos debido a la disritmia.
- Mantener una oxigenación, ventilación y perfusión adecuadas.
- Controlar la frecuencia ventricular.
- Restablecer el ritmo sinusal en un paciente inestable.
- Busque las causas subyacentes, como medicamentos (cafeína, píldoras dietéticas, agentes tiroideos o descongestionantes), drogas ilícitas (cocaína, anfetaminas), insuficiencia cardíaca o antecedentes de disritmia.

Debido a las muchas variaciones posibles en los pacientes con taquicardia, debe hacer varias valoraciones antes de iniciar el tratamiento. En primer lugar, determine la gravedad de los signos o síntomas del paciente, y determine si la taquicardia los causó o si la taquicardia y sus signos y síntomas asociados se produjeron en respuesta a otra afección. Por ejemplo, un paciente que está teniendo un IM puede estar ligeramente taquicárdico, pero el IM es el evidente responsable de los signos y síntomas, no la taquicardia. Sin embargo, si un paciente estaba previamente asintomático pero los síntomas aparecieron después de la aparición de la taquicardia, es probable que sus síntomas puedan atribuirse a esta afección. En segundo lugar, determinar si el complejo QRS es estrecho o ancho. En tercer lugar, determinar si el ritmo ventricular es regular o irregular. Si el tiempo lo permite, obtenga un EKG de 12 derivaciones.

Las terapias conservadoras, como las maniobras vagales y los medicamentos, son adecuadas para un adulto con signos vitales estables y una taquicardia regular de complejo estrecho que presenta síntomas relacionados con la taquicardia, como mareo o palpitaciones. Sin embargo, supongamos que un adulto con taquicardia presenta signos y síntomas más graves, como alteración aguda del estado mental, molestias torácicas isquémicas, insuficiencia cardíaca aguda, hipotensión u otros signos de shock. En ese caso, debe considerar al paciente inestable, y se recomienda el uso de terapia eléctrica con cardioversión sincronizada.

Siga este procedimiento para atender de emergencia a un adulto con taquicardia con pulso:

1. Mantener abierta la vía aérea. Ayude a regular la respiración si es necesario. y administre oxígeno suplementario cuando sea preciso para mantener una saturación de SpO_2 entre 95 y 98%. Procure una saturación de oxígeno de 90% en los pacientes con SCA, y de 92 a 98% en los cuidados posteriores a un paro cardíaco.[11]
2. Coloque un monitor cardíaco, un monitor de PA y un pulsioxímetro. Obtenga un EKG de 12 derivaciones, pero no retrase la atención de emergencia.
3. Establecer una infusión IV de solución salina normal y obtener una medición de glucosa en sangre capilar. Tratar la hipoglucemia, si la hay.
4. Si el QRS es estrecho y regular, el paciente está estable y no hay contraindicaciones, realizar maniobras vagales. Si el ritmo persiste, administrar adenosina por vía intravenosa. Cada dosis debe

ir seguida de un bolo de líquido de 20 ml. La dosificación y administración de adenosina se tratan en el capítulo 12, *Medicamentos de emergencia.*

5. Si el QRS es estrecho y regular y el paciente está inestable, considere la sedación antes de realizar la cardioversión sincronizada.
6. Transportar al paciente para atención definitiva.

En la **FIGURA 15-42** se muestran las pautas de tratamiento recomendadas para la taquicardia en adultos con pulso.

Las maniobras vagales se intentan en pacientes estables con taquicardia regular de QRS estrecho antes de iniciar el tratamiento farmacológico. Las maniobras vagales estimulan los barorreceptores, que envían una señal a los centros del tronco encefálico para que estimulen el nervio vago, lo que ralentiza la frecuencia cardíaca.

Existen muchos tipos de maniobras vagales, incluido el masaje del seno carotídeo, también conocido como *presión del seno carotídeo.* Recordemos que el seno carotídeo está situado en el cuello, **FIGURA 15-43**. Antes de realizar este procedimiento, evalúe la presencia de **soplos** carotídeos auscultando cada arteria carótida con un estetoscopio, **FIGURA 15-44**. Un soplo es un ruido anormal en la arteria carótida. Un soplo es un sonido silbante anormal que indica un flujo sanguíneo turbulento dentro de un vaso estrecho. Si oye un

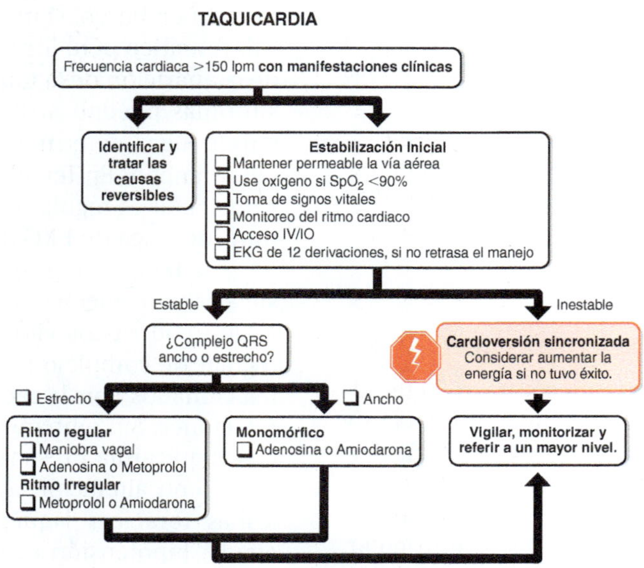

Comúnmente FC >150 lpm
Manifestaciones clínicas
- ❑ Mareo o nausea
- ❑ Lipotimia o síncope
- ❑ Agotamiento, entre otros

Causas reversibles
- ❑ Intoxicaciones
- ❑ Hipoxia
- ❑ Shock, entre otros

Signos de inestabilidad
- ❑ Señales de hipoperfusión (hipotensión, palidez, diaforesis)
- ❑ Angina
- ❑ Alteración del estado mental

Cardioversión sincronizada
- ❑ Considere sedación y analgesia
- ❑ Consulte el nivel de energía recomendado por el fabricante, caso contrario considere:
  - QRS estrecho regular 50–100 J
  - Fibrilación auricular de respuesta ventricular rápida 120–200 J
  - QRS ancho monomórfico 100 J
  - QRS ancho polimórfico desfibrilación 200–360 J

Medicamentos
- ❑ Adenosina:
  - 6 mg IV/IO, bolo (1ª dosis)
  - 12 mg IV/IO, bolo (2ª dosis)

  Complejo QRS ≥0,12 seg. se considera ancho.
- ❑ Metoprolol:
  - 5 mg (1a dosis), hasta 15 mg
- ❑ Amiodarona:
  - 150 mg IV en 10 minutos (1a dosis)
  - Repita de ser necesario 1 mg/min en las primeras 6 horas (dosis de infusión)

FIGURA 15-42 Algoritmo para taquicardia.

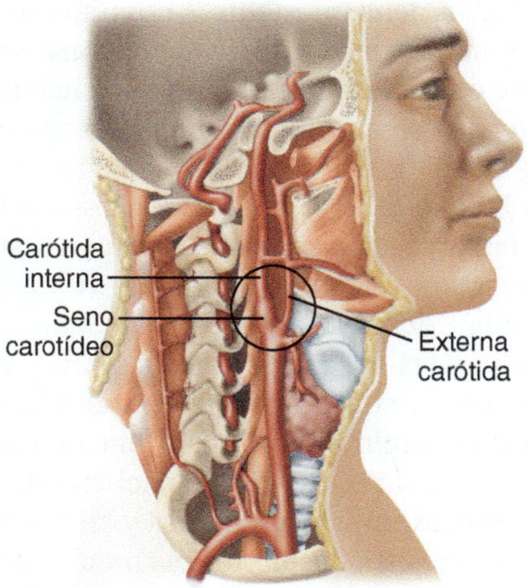

FIGURA 15-43 Localización del seno carotídeo.

soplo, no realice la intervención. Si no oye un soplo y no hay contraindicaciones, gire la cabeza del paciente hacia un lado. A continuación, localice el pulso carotídeo y aplique una presión firme en la arteria carótida durante 5 a 10 segundos. Un paciente adulto de edad avanzada con antecedentes de evento cerebrovascular, estenosis conocida de la arteria carótida o EAC y un nivel elevado de colesterol no sería un buen candidato para el masaje carotídeo debido al alto riesgo de **tromboembolia**. Debido a que el masaje del seno carotídeo se ha asociado con muchas complicaciones, como enfermedad vascular cerebral, síncope (desmayo) y disritmias (incluida la **asistolia**), no está permitido en todos los sistemas de SEM. Consulte su protocolo local sobre la realización de este procedimiento.

La maniobra de Valsalva es una maniobra vagal de uso más común en la que el paciente empuja hacia abajo contra una glotis cerrada durante alrededor de 15 segundos. A menudo se indica al paciente que puje como si intentara defecar. Las maniobras de Valsalva no deben intentarse en pacientes con IAM reciente, estenosis aórtica, estenosis de la arteria carótida, glaucoma o retinopatía. Las investigaciones han demostrado que la realización de un masaje del seno carotídeo o una maniobra de Valsalva con modificaciones posturales, como la posición supina y la elevación pasiva de las piernas durante el procedimiento, puede aumentar la probabilidad de éxito de la conversión del ritmo.[13,14]

Si las maniobras vagales son ineficaces y el paciente con una taquicardia regular de QRS estrecho permanece estable, administrar adenosina. Este medicamento se utiliza para inducir transitoriamente el bloqueo del nódulo AV, interrumpiendo así la taquidisritmia. Antes de iniciar este tratamiento, vuelva a comprobar si

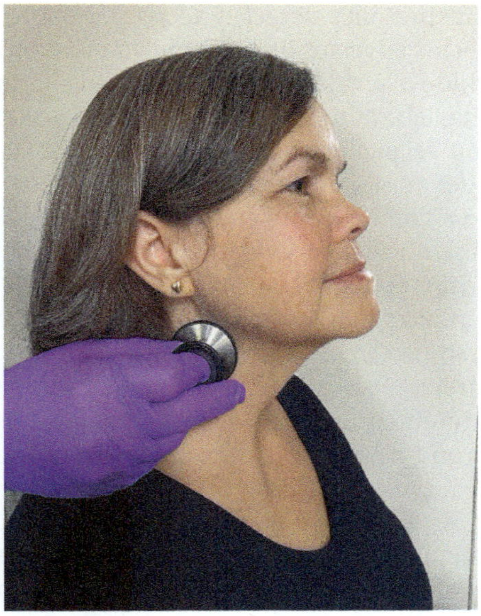

A

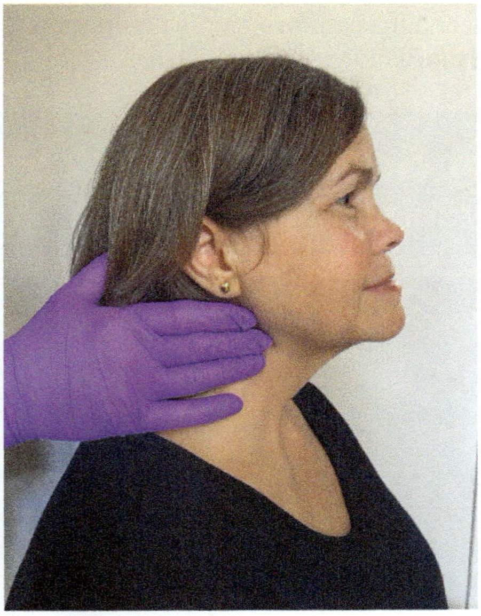

B

FIGURA 15-44 Presión del seno carotídeo. **A.** Escuche si hay soplos. **B.** Aplique presión en la arteria carótida durante 5 a 10 segundos.

Cortesía de Rhonda Hunt.

Perlas de sabiduría

Asegúrese de que el paciente está conectado a un monitor cardíaco y de que se ha establecido un acceso vascular antes de realizar maniobras vagales. Además, nunca masajee las arterias carótidas derecha e izquierda al mismo tiempo, ya que al hacerlo puede provocar bradicardia significativa, accidente cerebrovascular o asistolia.

el paciente presenta alergias y aconséjele sobre los posibles efectos adversos de la administración de adenosina. Debido a la vida media muy corta del fármaco, la adenosina debe administrarse en la vía IV más cercana al corazón del paciente. Después de cerrar la vía IV por encima del punto, inyecte la adenosina lo más rápido posible y, a continuación, enjuague con 20 ml de solución salina normal en cuanto el émbolo de la jeringa de adenosina toque fondo. Esté preparado para ver un breve periodo de asistolia, aunque esta respuesta no siempre se produce. Si la taquicardia persiste, puede administrarse una dosis doble de adenosina después de 1 o 2 minutos. Si es necesario, la dosis doble puede repetirse en 1 o 2 minutos. Si la adenosina no convierte el ritmo, traslade al paciente al centro médico.

Si el estado de un paciente con taquicardia supraventricular se vuelve inestable en cualquier momento, debe pasar al brazo inestable del algoritmo de taquicardia. Un paciente taquicárdico en estado inestable requiere terapia eléctrica con cardioversión sincronizada. La cardioversión sincronizada es el uso de un desfibrilador para poner fin a una taquidisritmia hemodinámicamente inestable. A diferencia de la desfibrilación, un proceso en el que la energía puede administrarse en cualquier momento del ciclo cardíaco, la cardioversión sincronizada administra ráfagas temporizadas de energía eléctrica. El dispositivo identifica las ondas R en el EKG. Al mantener pulsados los controles de descarga, el aparato descarga con la siguiente onda R detectada, evitando el periodo vulnerable durante la onda T del ciclo cardíaco.

La cardioversión está indicada para TV y TSV asociadas con un compromiso grave del GC. Cuando se realiza una cardioversión en un paciente que responde, primero *debe* sedarse al paciente; la cardioversión es una experiencia dolorosa y aterradora para un paciente que está despierto. Las benzodiacepinas, como el diazepam (Valium®) y el midazolam (Versed®), se administran de manera habitual para la sedación en estas circunstancias (siga su protocolo).

El procedimiento de cardioversión se muestra en la **PRÁCTICA DE DESTREZA 15-3**. Asegúrese de que el paciente está en decúbito supino; prepárese para la posibilidad de que el paciente entre en paro cardíaco.

Práctica de destreza 15-3 Realización de una cardioversión sincronizada

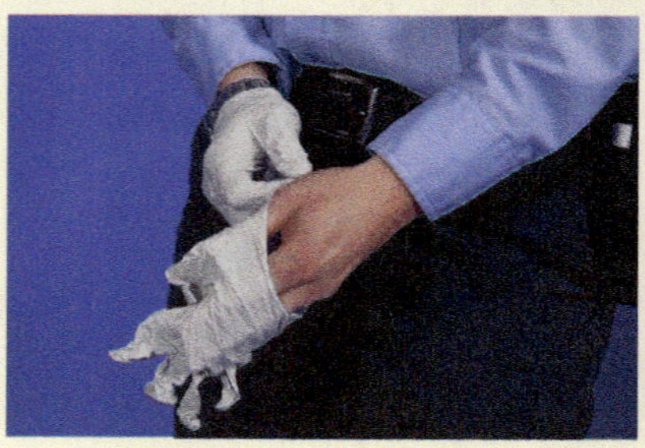

Paso 1

Seleccione, compruebe y monte todo el equipo necesario, incluido un monitor-desfibrilador con parches de desfibrilación, electrodos de EKG, medicación para el dolor o sedación (que se utilizará en caso necesario), oxígeno y un dispositivo adecuado de administración de oxígeno. Tome las precauciones habituales. Evalúe los signos vitales del paciente. Asegúrese de que el paciente está oxigenado de forma adecuada y establezca una vía IV permeable.

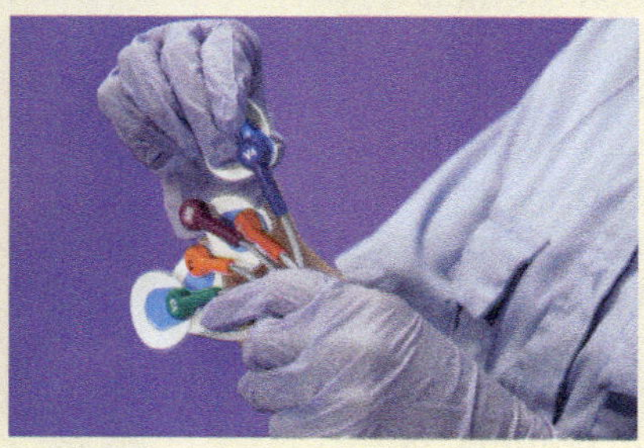

Paso 2

Coloque los electrodos de EKG en la misma posición que lo haría al realizar una monitorización cardíaca. Obtenga una tira de ritmo basal. Identifique el ritmo y confirme que la cardioversión está justificada. Si el paciente responde, considere la medicación adecuada para sedarlo. Pregunte por las alergias a la medicación antes de administrar la sedación.

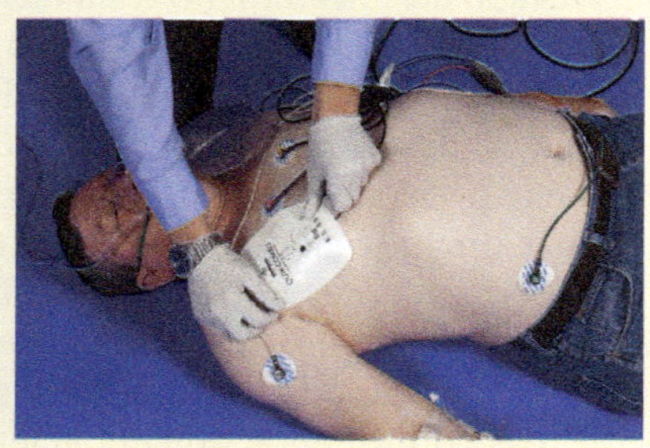

Paso 3

Garantizar que el entorno sea seguro (evaluar riesgos como chispas, combustibles y una atmósfera rica en oxígeno). Explique al paciente y a la familia la necesidad del procedimiento. Aplique los parches de desfibrilación al paciente siguiendo las recomendaciones del fabricante. Encienda el desfibrilador.

Práctica de destreza 15-3 Realización de una cardioversión sincronizada (continuación)

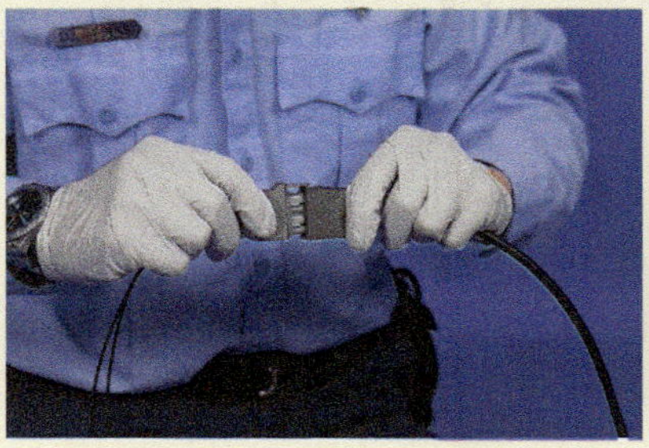

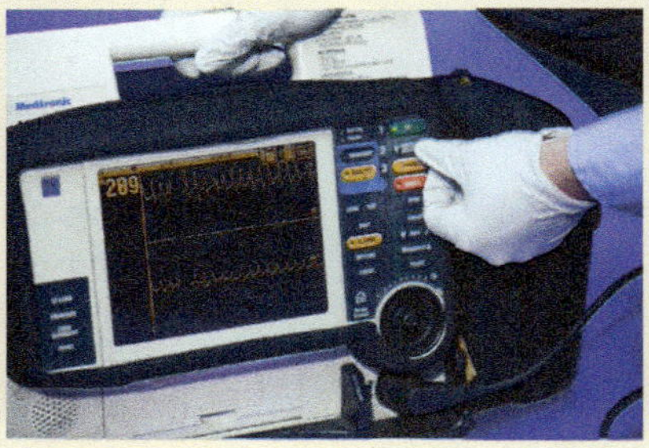

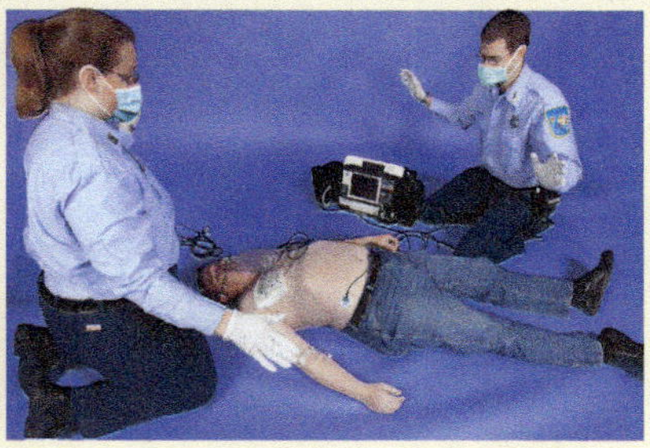

Paso 4
Conecta los electrodos al monitor.

Paso 5
Seleccione el ajuste de energía adecuado. Gire el control de sincronización de la máquina a la posición de encendido.

Paso 6
Observe el ritmo del EKG. Confirme que aparece un marcador de sentido cerca del centro de cada complejo QRS. Si los marcadores de sentido no son visibles o aparecen en una ubicación incorrecta (p. ej., en la onda T), ajuste el tamaño del EKG o seleccione otra derivación hasta que la máquina lea los complejos QRS de forma adecuada. Despeje la zona anunciando "¡Todo despejado!" y asegúrese de que todo el mundo se aleja del paciente.

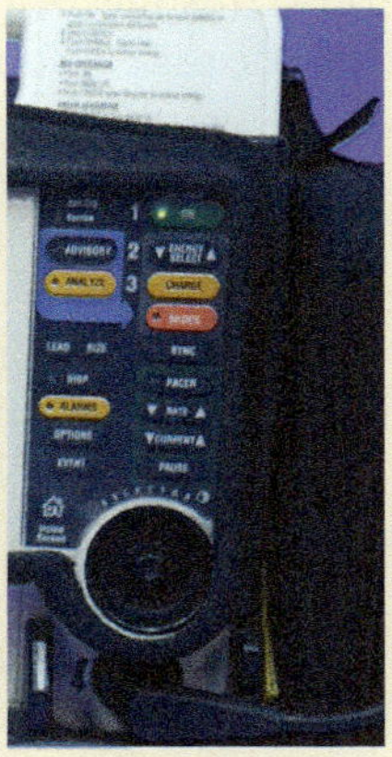

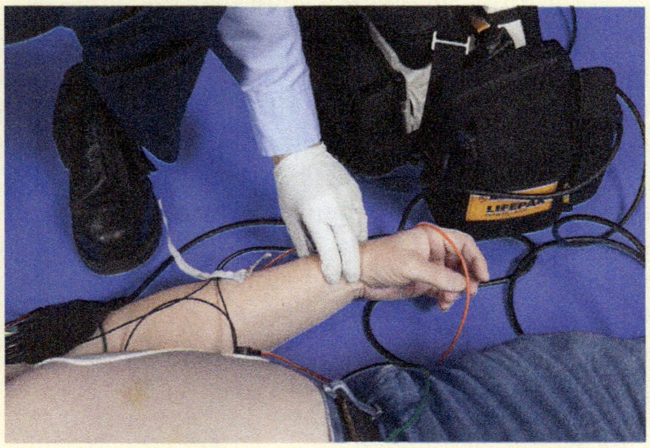

Paso 7
Pulse el botón de *descarga*. Manténgalo pulsado hasta que el desfibrilador se descargue.

Paso 8
Vuelva a evaluar el ritmo del EKG y al paciente (pulso y PA). Si la taquicardia persiste, asegúrese de que la máquina está en modo sincronizado antes de administrar otra descarga. Si el ritmo cambia a fibrilación ventricular, asegúrese de que el paciente no tiene pulso. Si no hay pulso, asegúrese de que el control de sincronización está desactivado y proceda con la desfibrilación.

Documentación y comunicación

Los elementos de documentación clave para el paciente adulto con taquicardia y pulso son los siguientes:[10]

- Ritmo inicial y todos los cambios de ritmo
- Tiempo, dosis y respuesta del paciente a los medicamentos administrados
- Tiempos de cardioversión, número de intentos, ajustes de energía y respuesta del paciente
- Tiras de monitorización obtenidas antes y después de cada intervención y en el momento del traslado de la atención al paciente
- Historia de un acontecimiento que apoya el tratamiento de las causas subyacentes

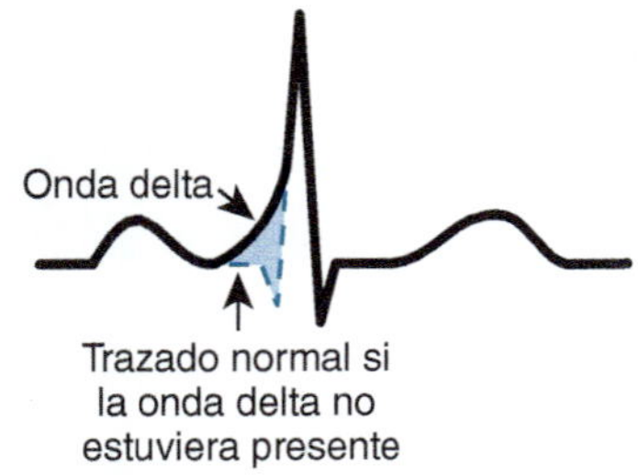

FIGURA 15-45 Onda Delta: síndrome de Wolff-Parkinson-White.

Reproducida de *12-Lead ECG: The Art of Interpretation*, cortesía de Tomas B. Garcia, MD.

Preexcitación

La **preexcitación** hace referencia a la despolarización temprana del tejido ventricular a través de una vía accesoria entre las aurículas y los ventrículos; una vía accesoria es un haz adicional de tejido miocárdico que forma una conexión entre las aurículas y los ventrículos fuera del sistema de conducción normal. Los pacientes con síndromes de preexcitación son susceptibles de presentar taquidisritmias. Una TSV por reentrada en la que intervienen el nódulo AV y una vía accesoria se denomina *taquicardia por reentrada AV (TRVA)*.

El trastorno de preexcitación más frecuente es el **síndrome de Wolff-Parkinson-White (WPW)**. El síndrome WPW se caracteriza por un IPR corta (duración inferior a 0.12 segundos [120 milisegundos]), cambios inespecíficos de la onda ST-T, un complejo QRS ensanchado y la aparición de una *onda delta* en el EKG. La onda delta, un enlentecimiento de la carrera ascendente de la primera parte del complejo QRS, indica una salida temprana del segmento PR como resultado de la conducción a través de la vía accesoria (haz de Kent) y la posterior despolarización precoz del tejido ventricular **FIGURA 15-45**.

El **síndrome de Lown-Ganong-Levine** es otro trastorno que causa preexcitación del tejido ventricular. La característica en el EKG de este síndrome es un IPR corto y una duración normal del complejo QRS. Los pacientes con síndrome de WPW y los que tienen síndrome de Lown-Ganong-Levine están predispuestos a las taquidisritmias.

Busque la recomendación de un médico cuando atienda a un paciente sintomático con un síndrome de preexcitación. Si los síntomas son atribuibles a la frecuencia ventricular rápida, su tratamiento dependerá de la gravedad de la inestabilidad del paciente, la amplitud del complejo QRS y la regularidad del ritmo ventricular. No administre medicación que ralentice o bloquee la conducción a través del nódulo AV (p. ej., adenosina, bloqueadores de los canales de calcio, betabloqueadores) porque puede acelerar la conducción a través de la vía accesoria, aumentando aún más la frecuencia cardíaca.

Fibrilación auricular

La fibrilación auricular (FA) es un ritmo en el que las aurículas ya no se contraen, sino que fibrilan o tiemblan, sin una contracción organizada **FIGURA 15-46**. Este trastorno se produce cuando múltiples células de las aurículas se despolarizan de forma independiente, en lugar de hacerlo en respuesta a un impulso del nódulo SA. El resultado de esta despolarización aleatoria en todas las aurículas es una línea de base fibrilante o caótica. En la FA, no hay ondas P identificables con claridad en la tira de EKG y, por lo tanto, no hay IPR que medir. En cambio, una de las características distintivas de esta afección es su aspecto irregular. Debido a que el nodo AV es bombardeado con impulsos procedentes de las aurículas fibrilantes, permite que los impulsos pasen aleatoriamente a los ventrículos, lo que produce un ritmo ventricular muy irregular. El complejo QRS suele medir 0.11 segundos (110 milisegundos) o menos.

La FA es un ritmo frecuente entre los pacientes adultos mayores. Uno de los principales peligros asociados con esta disritmia es que la sangre dentro de las aurículas fibrilantes tiende a coagularse. Estos coágulos pueden convertirse en émbolos que bloqueen la circulación en otras partes del cuerpo. Así pues, la FA aumenta el riesgo de evento cerebrovascular. Debido a este riesgo, a muchos pacientes adultos mayores con FA se les prescriben medicamentos anticoagulantes

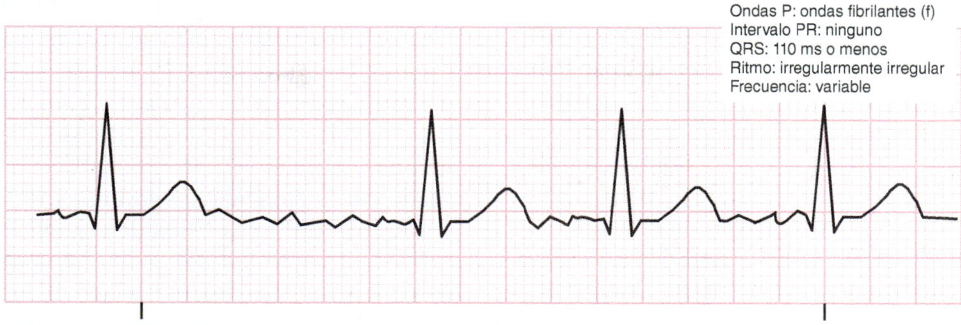

FIGURA 15-46 Fibrilación auricular.

Reproducida de *Arrhythmia Recognition: The Art of Interpretation*, cortesía de Tomas B. Garcia, MD.

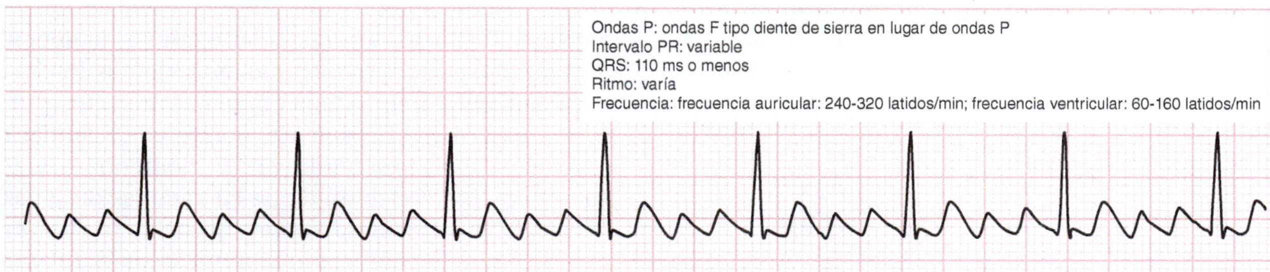

FIGURA 15-47 Aleteo auricular (ondas de aleteo en diente de sierra).

como la warfarina (Coumadin®). También puede recetarse un betabloqueador, un antagonista del calcio o digoxina para regular la frecuencia de respuesta ventricular. La FA acompañada de una respuesta ventricular rápida se considera una taquicardia irregular. Si el paciente está estable pero sintomático, la FA con respuesta ventricular rápida puede tratarse con un betabloqueador o un antagonista del calcio. Si el paciente está inestable, puede ser necesaria una cardioversión sincronizada, aunque esto rara vez se hace sobre el terreno debido al riesgo de un acontecimiento tromboembólico.

Aleteo o Flutter auricular

El aleteo o flutter auricular es un ritmo en el que un impulso auricular se dispara a una velocidad demasiado rápida para que los ventrículos puedan seguirlo, **FIGURA 15-47**. Los complejos auriculares en el aleteo auricular se conocen como *ondas de aleteo* u *ondas F* en lugar de ondas P. Las ondas F tienen una forma distintiva de diente de sierra parecida a una estaca. Las ondas F tienen una distintiva forma de diente de sierra que recuerda a una valla.

En el aleteo auricular, el nódulo AV bloquea una o varias ondas F, generando varias ondas de aleteo antes de cada complejo QRS. El ritmo suele ser regular, con una conducción constante (normalmente 2:1). El ritmo puede ser irregular si varía la conducción de los impulsos auriculares a los ventrículos. El complejo QRS mide 0.11 segundos (110 milisegundos) o menos.

La hipoxia, la neumonía, la enfermedad pulmonar crónica, los trastornos endocrinos, la cardiopatía isquémica, la valvulopatía y otras afecciones se asocian con el aleteo auricular, que puede degenerar en FA. Es frecuente que el aleteo auricular y la FA coexistan en el mismo paciente.[12] A los pacientes con aleteo auricular se les suelen prescribir medicamentos anticoagulantes porque se cree que tienen el mismo riesgo de tromboembolia que los pacientes con FA.[12]

Al igual que la FA, el aleteo auricular acompañado de una respuesta ventricular rápida se considera una taquicardia irregular. Puede administrarse un betabloqueador o un antagonista del calcio si el paciente está estable pero sintomático, aunque el tratamiento prehospitalario del aleteo auricular es raro en pacientes estables. La cardioversión sincronizada puede ser necesaria si el paciente está inestable y por lo general requiere menos energía que la utilizada para la FA.[11]

Marcapasos auricular errante

Como su nombre indica, en el marcapasos auricular errante, el sitio del marcapasos del corazón se desplaza desde el nódulo SA a varias zonas dentro de las aurículas o la unión AV, **FIGURA 15-48**. Esta disritmia suele tener una frecuencia de 60 a 100 latidos/min. El ritmo es ligeramente irregular, con intervalos R-R que varían dependiendo del sitio del marcapasos para ese complejo en particular. Una onda P precede a cada complejo QRS; sin embargo, su forma varía, lo que indica múltiples sitios de origen. La definición de marcapasos auricular errante requiere al menos tres formas de onda P diferentes dentro de una misma tira de EKG. El IPR mide de 0.12 a 0.20 segundos (de 120 a 200 milisegundos) y varía ligeramente en función del origen de un complejo determinado. El complejo QRS mide 0.11 segundos (110 milisegundos) o menos.

El marcapasos auricular errante se observa con mayor frecuencia en niños y atletas, es posible que debido al aumento del tono vagal. El tratamiento no suele estar indicado en el ámbito prehospitalario, a menos que la disritmia se asocie con una frecuencia lenta y el paciente esté sintomático. En esas circunstancias, el tratamiento es el mismo que para la bradicardia sinusal sintomática.

Taquicardia auricular multifocal

En la taquicardia auricular multifocal (TAM), múltiples sitios ectópicos dentro de las aurículas se despolarizan a ritmos diferentes pero rápidos, **FIGURA 15-49**. La TAM se caracteriza por un ritmo de más de 100 latidos/min y es, en efecto, un marcapasos auricular taquicárdico errante. El ritmo es irregular, con intervalos R-R que varían dependiendo del sitio del marcapasos para ese complejo en particular. Una onda P precede a cada complejo QRS; sin embargo, su forma varía, lo que indica múltiples sitios de origen. El IPR mide de 0.12 a 0.20 segundos (120 a 200 milisegundos) y varía ligeramente en función del origen de un complejo determinado. Si la TAM aumenta a una frecuencia superior a 150 latidos/min, es posible que la onda P ya no sea visible; por lo tanto, la única indicación del ritmo puede ser la irregularidad asociada con los distintos lugares de origen dentro de las aurículas. El complejo QRS mide 0.11 segundos (110 milisegundos) o menos.

La TAM se ve más a menudo en pacientes con enfermedad pulmonar significativa, hipertensión pulmonar, enfermedad coronaria, enfermedad cardíaca valvular, o hipomagnesemia, y en pacientes bajo terapia de teofilina.[12] Debido a que las terapias dirigidas a corregir la taquicardia supraventricular suelen ser ineficaces con la TAM, el tratamiento se suele aplazar hasta la llegada al SEM.

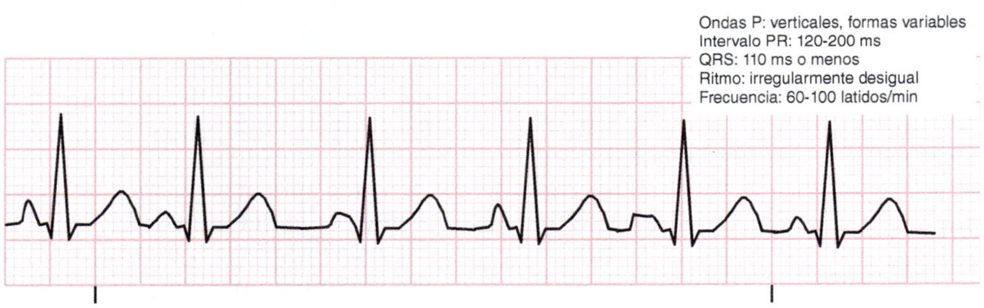

FIGURA 15-48 Marcapasos auricular errante.

Reproducida de *Arrhythmia Recognition: The Art of Interpretation*, cortesía de Tomas B. Garcia, MD.

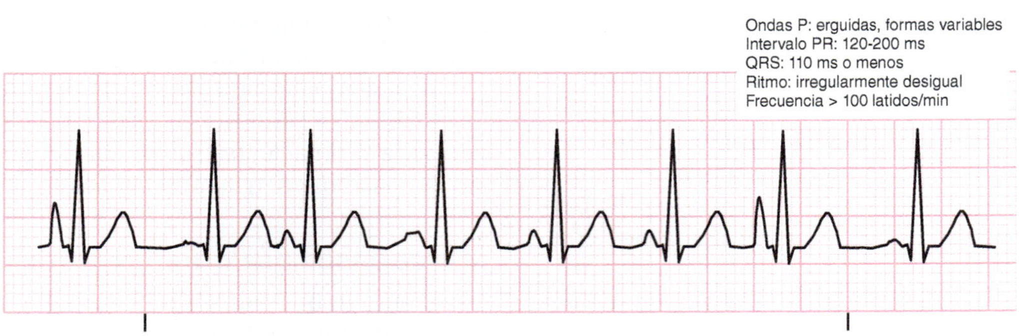

FIGURA 15-49 Taquicardia auricular multifocal.

Reproducida de *Arrhythmia Recognition: The Art of Interpretation*, cortesía de Tomas B. Garcia, MD.

Ritmos originados en la unión AV

Si el nódulo SA, el marcapasos dominante del organismo, no consigue iniciar un impulso, la unión AV debe tomar el relevo como marcapasos del corazón. Debido a que la unión AV es un marcapasos secundario, su ritmo intrínseco es más lento que el del nódulo SA. Como resultado, los ritmos de la unión tienen por lo general una frecuencia de 40 a 60 latidos/min.

Cuando se genera un impulso en la unión AV, este desciende por el sistema de conducción hasta los ventrículos como si procediera del nódulo SA, dando lugar a complejos QRS normales. El impulso también viaja hacia arriba a través de las aurículas y las vías internodales hacia el nodo SA. Existen tres posibles circunstancias, ninguna de ellas asociada con una onda P vertical, en las que el complejo QRS parece normal:

- Si el impulso comienza a moverse hacia arriba a través de las aurículas antes de que la otra parte entre en los ventrículos, se verá una onda P invertida. (Está invertida porque el impulso se desplaza en dirección opuesta a la que genera las ondas P normales, verticales). Esta onda P suele ir seguida de inmediato por un complejo QRS.
- Si el impulso se desplaza por las aurículas al mismo tiempo que por los ventrículos, una onda P invertida quedará enterrada dentro del complejo QRS. Como resultado, la onda P parecerá ausente; es decir, la línea de base permanecerá plana hasta que comience el siguiente complejo QRS.
- El impulso puede comenzar tarde a través de las aurículas, dando lugar a una onda P invertida que aparece después del complejo QRS.

Complejo de unión prematuro

Un complejo de unión prematuro (CUP) no es, estrictamente hablando, una disritmia (como tampoco lo es el CAP), sino un complejo prematuro que aparece dentro de otro ritmo, **FIGURA 15-50**. Los CUP también se conocen como *complejos ectópicos*, lo que significa que surgen de un lugar distinto del nódulo SA.

La frecuencia depende del ritmo subyacente. Dado que un PUC es, por definición, un latido temprano, el ritmo subyacente es irregular. Si está presente, la onda P estará invertida y puede preceder o seguir al complejo QRS. El IPR, si está presente, medirá menos de 0.12 segundos (120 milisegundos). El complejo QRS mide 0.11 segundos (110 milisegundos) o menos.

Los PUC pueden estar causados por muchos de los mismos factores que provocan los CAP. Por lo general, los PUC no requieren tratamiento, ya que la mayoría de las personas que los tienen son asintomáticas. Sin embargo, algunas personas con PUC pueden percibir latidos saltados. Si los PUC son frecuentes, pueden producirse mareos, vértigos y otros signos de disminución del GC. Los PUC frecuentes pueden ser un factor predictivo de futuras disritmias cardíacas.

Ritmo de escape de la unión

Un **ritmo de escape de la unión**, también llamado *ritmo de unión*, puede producirse cuando el nodo SA deja de funcionar y la unión AV toma el relevo como marcapasos del corazón a una frecuencia de 40 a 60 latidos/min, **FIGURA 15-51**. El ritmo ventricular suele ser regular. La onda P puede estar ausente o invertida antes o después del complejo QRS. Si hay una onda P invertida antes del complejo QRS, el IPR medirá menos de 0.12 segundos (120 milisegundos). El complejo QRS mide 0.11 segundos (110 milisegundos) o menos.

El ritmo de unión suele acompañar a la enfermedad del nódulo SA, el aumento del tono vagal, la valvulopatía, el IM de la pared inferior y algunas otras afecciones cardíacas, o puede producirse tras la reanimación de un paro cardíaco. Debido a la lentitud de la frecuencia, el tratamiento de los pacientes sintomáticos depende de la causa subyacente y puede requerir la implantación quirúrgica de un marcapasos. En

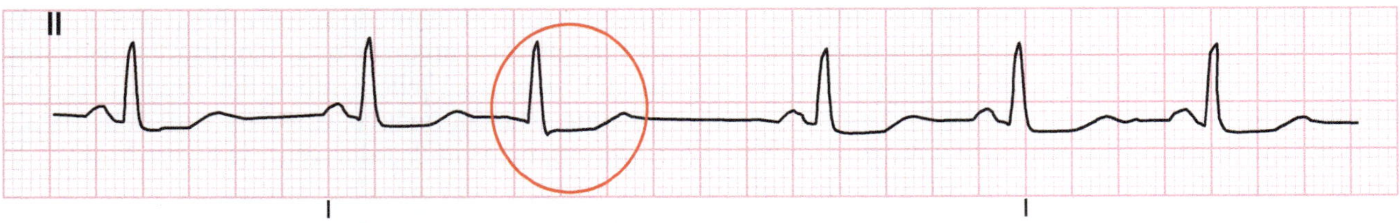

FIGURA 15-50 Ritmo sinusal con un complejo de unión prematuro.

Reproducida de *Arrhythmia Recognition: The Art of Interpretation*, cortesía de Tomas B. Garcia, MD.

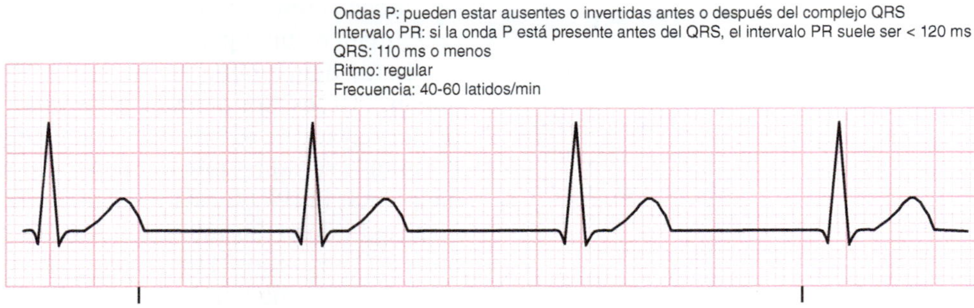

FIGURA 15-51 Ritmo de escape de la unión.

Reproducida de *Arrhythmia Recognition: The Art of Interpretation*, cortesía de Tomas B. Garcia, MD.

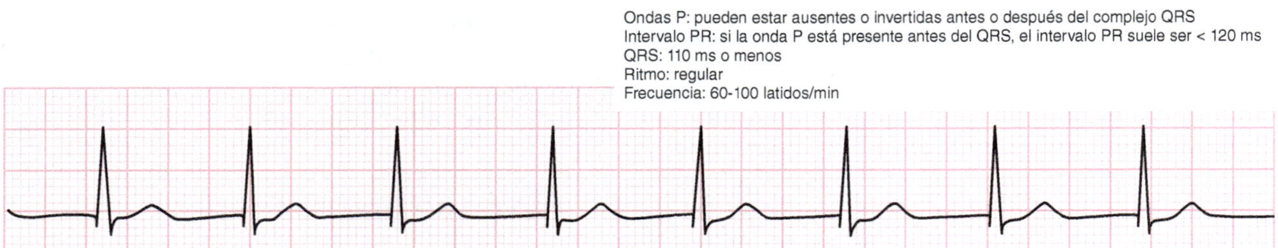

FIGURA 15-52 Ritmo de la unión acelerado.

Reproducido de *Arrhythmia Recognition: The Art of Interpretation*, cortesía de Tomas B. Garcia, MD.

la escena , debe considerarse la atropina, y puede ser necesaria la ETC si el estado del paciente está comprometido de gravedad (véase la Figura 15-35).

Ritmo acelerado de la unión

En ocasiones, un ritmo de la unión va acompañado de una frecuencia cardíaca que supera la frecuencia superior normal de 60 latidos/min, pero se mantiene por debajo de 100 latidos/min. Este ritmo se denomina *ritmo acelerado de la unión*. El ritmo ventricular es regular, **FIGURA 15-52**. La onda P puede estar ausente o, si está presente, puede estar invertida antes o después del complejo QRS. Si hay una onda P invertida antes del complejo QRS, el IPR mide menos de 0.12 segundos (120 milisegundos). El complejo QRS mide 0.11 segundos (110 milisegundos) o menos.

Los ritmos acelerados de la unión pueden estar asociados con toxicidad por digoxina (la causa más frecuente), hipoxia, IM de la pared inferior, **fiebre reumática**, cirugía cardíaca reciente o un desequilibrio electrolítico, como hipopotasemia. Ya que la frecuencia es lo suficientemente rápida como para mantener un GC razonable, el paciente suele ser asintomático. No obstante, los pacientes con ritmos acelerados de la unión deben ser vigilados de manera estrecha.

Taquicardia de la unión

En ocasiones, un ritmo de unión se acompaña de una frecuencia superior a 100 latidos/min. Este ritmo se denomina *taquicardia de unión*. Sus características EKG son las mismas que las de un ritmo de unión acelerado, pero la frecuencia es superior a 100 latidos/min, **FIGURA 15-53**.

La taquicardia de la unión es rara en adultos, pero puede estar asociada con un SCA, insuficiencia cardíaca, administración de teofilina o toxicidad por digoxina. Dado que la frecuencia es lo suficientemente rápida como para mantener un GC razonable, rara vez requiere tratamiento en el ámbito prehospitalario. Sin embargo, si la frecuencia supera los 150 latidos/min, el GC podría verse afectado. Con una frecuencia ventricular rápida, a menudo resulta difícil distinguir la taquicardia de la unión de otras taquicardias regulares de QRS estrecho. Dicho ritmo se denomina *TSV*. Si el paciente está sintomático, el tratamiento debe seguir el algoritmo de taquicardia (véase la Figura 15-42).

Ritmos originados en los ventrículos

Si el nódulo SA no consigue iniciar un impulso, la unión AV suele asumir la función de marcapasos del corazón. Si la unión AV no puede desempeñar esta

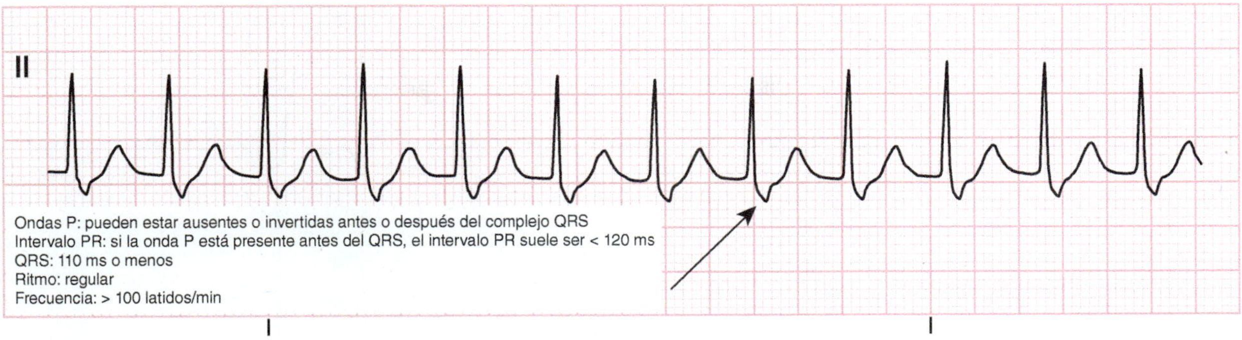

FIGURA 15-53 Taquicardia de unión. La flecha señala una onda P invertida tras el complejo QRS.

Reproducida de *Arrhythmia Recognition: The Art of Interpretation*, cortesía de Tomas B. Garcia, MD.

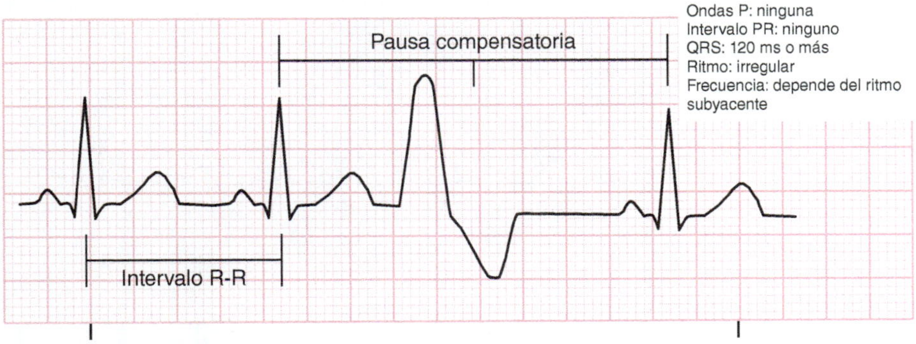

FIGURA 15-54 Ritmo sinusal con una contracción ventricular prematura (CVP). Una pausa compensatoria completa suele seguir a un CVP. Una pausa es compensatoria si el intervalo R-R que incluye el CVP mide el doble que el del ritmo subyacente.

Datos de *Arrhythmia Recognition: The Art of Interpretation*, cortesía de Tomas B. Garcia, MD.

función, los ventrículos pueden asumir la responsabilidad del marcapasos. Una onda P ausente y un complejo QRS ancho (de 0.12 segundos [120 milisegundos] o más de duración) son rasgos característicos de estos latidos o ritmos ventriculares.

Contracción ventricular prematura

Una contracción ventricular prematura (CVP) no es, estrictamente hablando, una disritmia (como no lo son los complejos auriculares prematuros ni los complejos de la unión), sino un complejo prematuro que aparece dentro de otro ritmo, **FIGURA 15-54**. Los CVP se consideran complejos ectópicos porque se originan en un lugar distinto del nódulo SA. Las CVP se consideran complejos ectópicos porque se originan en un lugar distinto del nódulo SA. Una CVP se produce antes que el siguiente complejo sinusal esperado, produciendo un ritmo ventricular irregular. Debido a que no hay onda P asociada con la CVP, tampoco hay IPR. El complejo QRS asociado con el CVP mide 0.12 segundos (120 milisegundos) o más. La onda T suele ser opuesta en la dirección del QRS.

Una pausa compensatoria completa suele seguir a un CVP. Una pausa compensatoria da tiempo a restablecer el ritmo subyacente; es decir, la pausa compensa la CVP. Para determinar si existe tal pausa, mida un intervalo R-R del ritmo subyacente. A continuación, mida desde la onda R del complejo QRS antes del CVP hasta la onda R del complejo QRS después del CVP. Se ha producido una pausa compensatoria completa si el intervalo R-R que incluye el CVP mide el doble que el del ritmo subyacente.

Los CVP pueden distinguirse además como unifocales o multifocales. Los CVP **unifocales** se originan en la misma zona o "foco" dentro del ventrículo y tienen el mismo aspecto en el EKG, **FIGURA 15-55**. Los CVP de aspecto variado son **multifocales**, lo que significa que más de un lugar está generando los impulsos ventriculares, **FIGURA 15-56**.

A veces se producen dos CVP consecutivos, sin pausa intermedia. Estos CVP emparejados constituyen

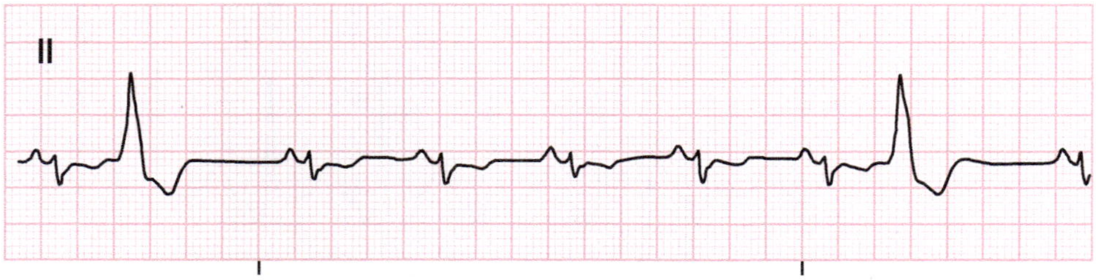

FIGURA 15-55 Complejos ventriculares prematuros unifocales.

Reproducida de *Arrhythmia Recognition: The Art of Interpretation*, cortesía de Tomas B. Garcia, MD.

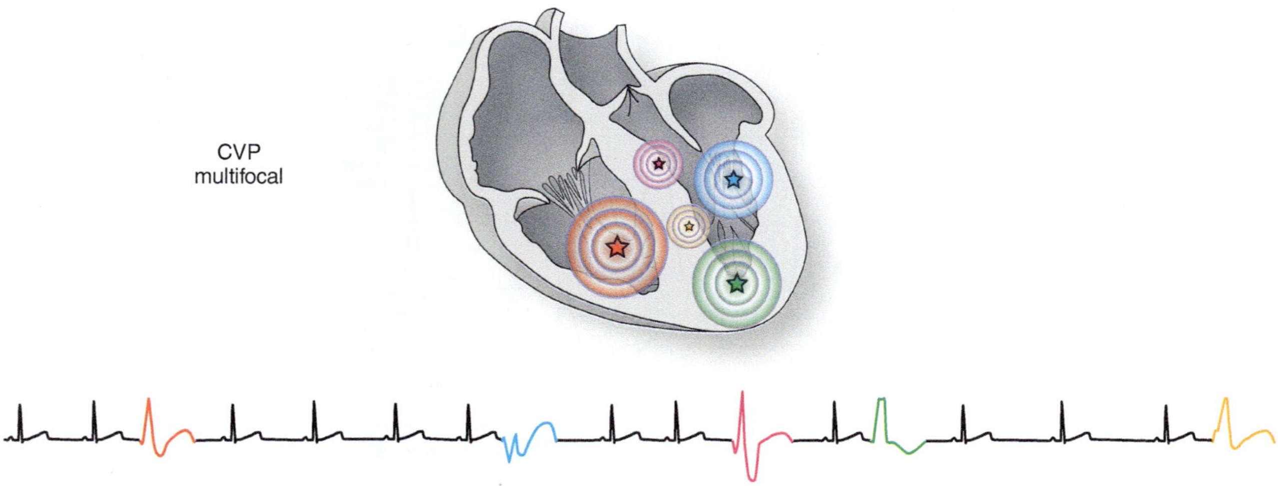

FIGURA 15-56 Complejos ventriculares prematuros multifocales (CVP).

Reproducida de *Arrhythmia Recognition: The Art of Interpretation*, cortesía de Tomas B. Garcia, MD.

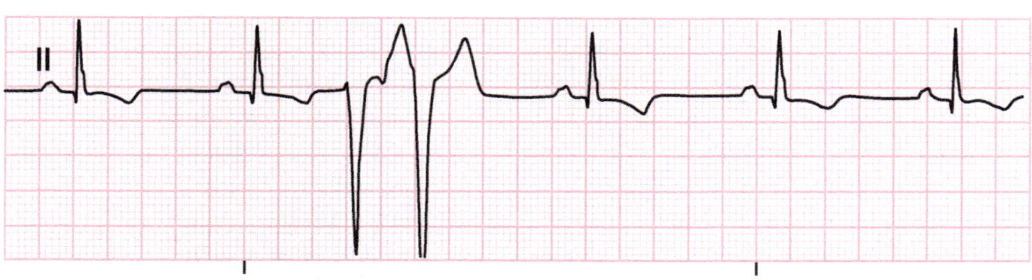

FIGURA 15-57 Par ventricular (complejos ventriculares prematuros pareados).

Reproducida de *Arrhythmia Recognition: The Art of Interpretation*, cortesía de Tomas B. Garcia, MD.

un **pareado** ventricular **FIGURA 15-57**. La aparición de tres o más CVP consecutivos se denomina "serie" de TV; estas oleadas también se denominan *salvas* o *estallidos*. En ocasiones, los complejos se hacen tan frecuentes que empiezan a alternar con complejos normales, generando un patrón de CVP *normal-CVP normal-CVP*, denominado **bigeminismo** ventricular, **FIGURA 15-58**. Si cada tercer latido es un CVP (*normal-normal-CVP*), el patrón se denomina **trigeminismo** ventricular.

Los CVP pueden surgir en muchas de las mismas circunstancias asociadas con los complejos auriculares y de unión prematuros, pero en la mayoría de los casos se originan por isquemia en el tejido ventricular. Estos complejos suelen considerarse más graves que los complejos auriculares o de unión prematuros. En particular, los CVP multifocales, los pareados y el bigeminismo ventricular se consideran alteraciones del ritmo más graves que los CVP unifocales.

Cuando una onda R de un CVP se produce durante la onda T del complejo precedente, el evento se denomina CVP R-en-T. Aunque este tipo de CVP es raro, puede causar TV o FV porque los ventrículos

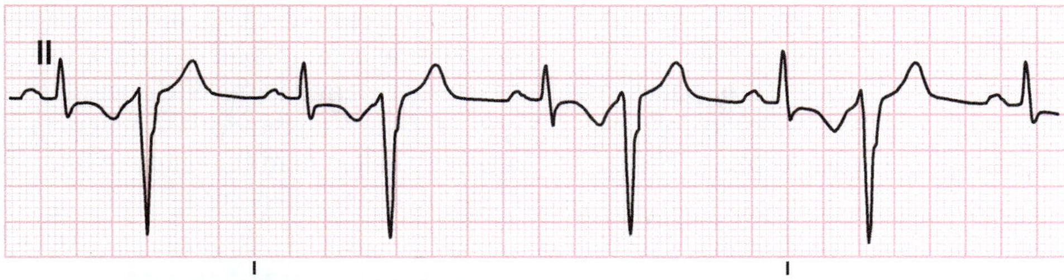

FIGURA 15-58 Bigeminismo ventricular.

Reproducida de *Arrhythmia Recognition: The Art of Interpretation*, cortesía de Tomas B. Garcia, MD.

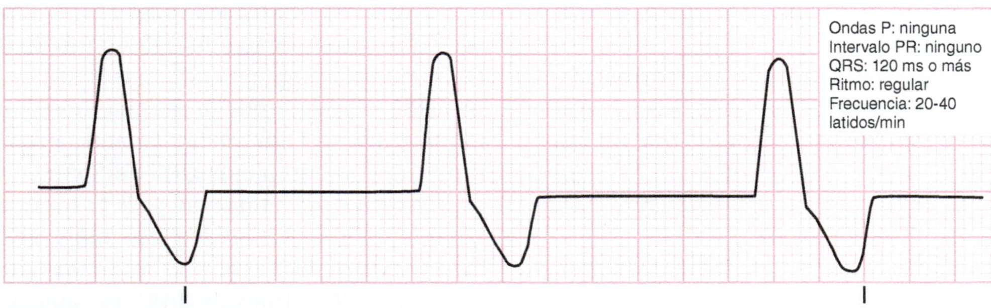

FIGURA 15-59 Ritmo idioventricular.

Reproducida de *Arrhythmia Recognition: The Art of Interpretation*, cortesía de Tomas B. Garcia, MD.

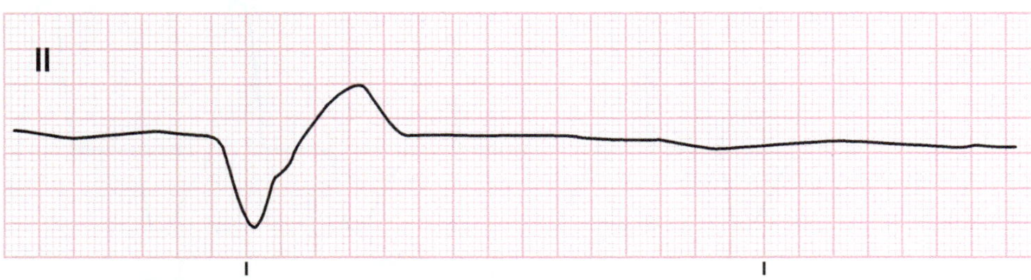

FIGURA 15-60 Ritmo agónico. .

Reproducida de *Arrhythmia Recognition: The Art of Interpretation*, cortesía de Tomas B. Garcia, MD.

se estimulan antes de que se hayan repolarizado por completo (es decir, durante la RRP).

Los CVP ocasionales son frecuentes y no suelen requerir tratamiento en pacientes sanos. Los CVP que se producen en pacientes con cardiopatías requieren una estrecha vigilancia y la búsqueda de la causa subyacente.

Ritmo idioventricular

El término **idioventricular** significa "sólo los ventrículos" o "producido por los ventrículos". Un ritmo idioventricular (RIV), por lo tanto, es el que se produce cuando fallan los nódulos SA y AV y los ventrículos asumen la responsabilidad de estimular el corazón, **FIGURA 15-59**. Un IRV suele ser regular, con poca variación entre los intervalos R-R. Las ondas P están ausentes debido a la ausencia de ondas de choque. Las ondas P están ausentes debido a la falla de los nódulos SA y AV. Como no hay onda P, tampoco hay RIV. El complejo QRS medirá 0.12 segundos (120 milisegundos) o más porque se origina en los ventrículos. Un RIV tiene una frecuencia de 20 a 40 latidos/min, que es la frecuencia intrínseca de los ventrículos. Cuando la frecuencia ventricular disminuye a menos de 20 latidos/min, el patrón se denomina **ritmo agonal**, **FIGURA 15-60**. **Agonal** significa "perteneciente al periodo de la muerte".

Debido a la lentitud de la frecuencia, el paciente con una RIV suele ser sintomático. El RIV puede ir acompañado o no de pulso palpable. El tratamiento se orienta a mejorar el GC aumentando la frecuencia y, si es posible, tratando la causa subyacente, como la isquemia miocárdica o los desequilibrios electrolíticos.

Si la RIV está asociada con un pulso, trate el ritmo utilizando el algoritmo de bradicardia (véase la figura 15-35). Si no hay pulso asociado con el RIV, el paciente se encuentra en paro cardíaco. El tratamiento del paro cardíaco se trata más adelante en este capítulo.

RIV acelerado

En ocasiones, un RIV supera el límite superior normal de 40 latidos/min, pero sigue siendo inferior a 100 latidos/min. Debido a que la frecuencia es superior a la intrínseca de los ventrículos, pero inferior a 100 latidos/min, se denomina *ritmo idioventricular acelerado (RIVA).*

El RIVA suele comenzar y terminar de forma gradual y es regular, con poca variación entre los intervalos R-R. Las ondas P están ausentes, por lo que no hay IRR **FIGURA 15-61**. El complejo QRS mide 0.12 segundos (120 milisegundos) o más. El complejo QRS mide 0.12 segundos (120 milisegundos) o más.

El RIVA puede observarse en pacientes con toxicidad digitálica, desequilibrios electrolíticos, miocardiopatías o cardiopatías, como los pacientes con IAM; después de la terapia de reperfusión; o durante los esfuerzos de reanimación. Suele ser un ritmo transitorio, que se resuelve cuando la frecuencia sinusal supera a la ventricular. Rara vez requiere intervención porque la frecuencia se tolera bien.

Taquicardia ventricular

La TV es una serie de tres o más latidos ventriculares secuenciales a una frecuencia superior a 100 latidos/min. La TV suele ser regular, pero puede haber una ligera variación entre los intervalos R-R. Las ondas P están ausentes, por lo que el IPR también está ausente. Dado que el complejo QRS en la TV mide 0.12 segundos (120 milisegundos) o más, la TV se considera una taquicardia de QRS ancho. Cuando esta disritmia se presenta con complejos QRS que parecen uniformes, se denomina *TV monomórfica* porque la forma del complejo QRS permanece constante **FIGURA 15-62**. En ocasiones, la TV se presenta con complejos QRS irregulares de altura y anchura variadas en un patrón

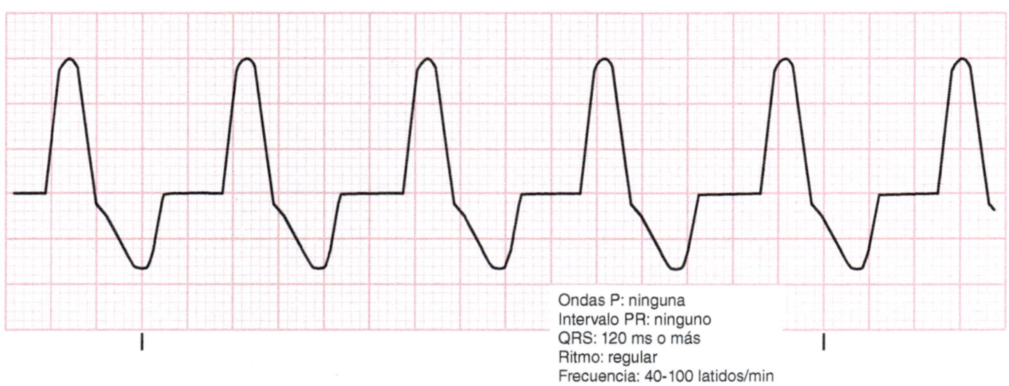

FIGURA 15-61 Ritmo idioventricular acelerado.

Reproducida de *Arrhythmia Recognition: The Art of Interpretation*, cortesía de Tomas B. Garcia, MD.

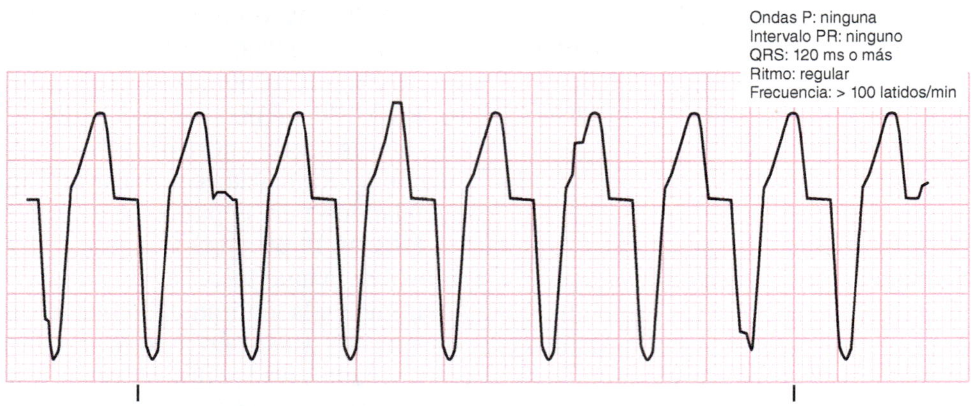

FIGURA 15-62 Taquicardia ventricular monomórfica.

Reproducida de *Arrhythmia Recognition: The Art of Interpretation*, cortesía de Tomas B. Garcia, MD.

alternante, en cuyo caso se denomina *TV polimórfica*, **FIGURA 15-63**. La TV polimórfica es una taquicardia amplia e irregular.

La TV polimórfica con un intervalo QT prolongado se denomina *torsades de pointes*. Un intervalo QT prolongado puede ser congénito o adquirido (es decir, inducido por medicación). Algunos ejemplos de medicamentos que prolongan el intervalo QT son amiodarona (Cordarone®), quinidina (Quinidex®, Quinora®), procainamida (Pronestyl®), sotalol (Betapace®), las fenotiazinas y los antidepresivos tricíclicos. La TV polimórfica puede convertirse de manera espontánea en un ritmo normal o puede degenerar en fibrilación ventricular. El síndrome de QT largo se trata con más detalle más adelante en este capítulo.

Debido a que la frecuencia suele ser demasiado rápida para mantener un GC adecuado, la TV es demasiado grave y requiere tratamiento. La reducción del GC asociada con esta afección puede conducir a insuficiencia ventricular o fibrilación si no se trata con prontitud. Si el paciente está sintomático pero hemodinámicamente estable, la atención de emergencia debe centrarse en el tratamiento con fármacos antiarrítmicos (véase figura 15-42). Si el paciente está inestable y el monitor cardíaco muestra TV monomórfica, puede ser necesaria la terapia eléctrica mediante cardioversión sincronizada. Si el paciente está inestable y el monitor cardíaco muestra TV polimórfica, debe realizarse una desfibrilación porque la máquina no puede sincronizar complejos QRS de amplitud variable. Si el monitor cardíaco muestra TV, pero el paciente no tiene pulso, se trata de un paro cardíaco. La TV sin pulso se trata igual que la FV.

Fibrilación ventricular

La FV se produce cuando muchas células diferentes de los ventrículos se despolarizan de forma independiente, en lugar de hacerlo en respuesta a un impulso del nodo SA. Como resultado, los ventrículos ya no se contraen, sino que fibrilan o tiemblan sin un patrón discernible. De hecho, si se observara un corazón fibrilante, se vería un movimiento parecido al de una bolsa de gusanos vivos moviéndose enérgicamente. El resultado de esta despolarización aleatoria es una línea de base fibrilante o caótica sin evidencia de actividad eléctrica organizada: sin ondas P, sin IPR, sin complejos QRS. Cuando las ondas fibrilatorias tienen más de 3 mm de amplitud, la disritmia se denomina a veces FV "gruesa", **FIGURA 15-64**. Cuando las ondas fibrilatorias tienen más de 3 mm de amplitud, la disritmia se denomina FV "gruesa". Cuando las ondas fibrilatorias tienen menos de 3 mm de amplitud, la disritmia se denomina a veces FV "fina", **FIGURA 15-65**.

Perlas de sabiduría

El verapamilo, un antagonista del calcio, puede utilizarse para controlar la frecuencia de una taquidisritmia. Este medicamento ralentiza la conducción del impulso eléctrico a través del nodo AV, protegiendo a los ventrículos de las taquidisritmias auriculares y ralentizando la frecuencia cardíaca global. Los complejos QRS anchos en el EKG pueden indicar un bloqueo de rama, una disritmia ventricular o una preexcitación. La administración de verapamilo a un paciente con preexcitación puede provocar fibrilación ventricular o taquicardia ventricular y muerte súbita. Por lo tanto, este agente debe reservarse para pacientes que presenten taquiritmias de complejo QRS estrecho y nunca debe administrarse en taquicardias de complejo ancho.

Desfibrilación

La fibrilación ventricular y la taquicardia ventricular sin pulso son ritmos de paro cardíaco desfibrilables, lo que significa que es probable que respondan a la desfibrilación. La desfibrilación es el proceso mediante el cual se administra al corazón una descarga de energía eléctrica de corriente continua no sincronizada para poner fin a la fibrilación ventricular. El objetivo de

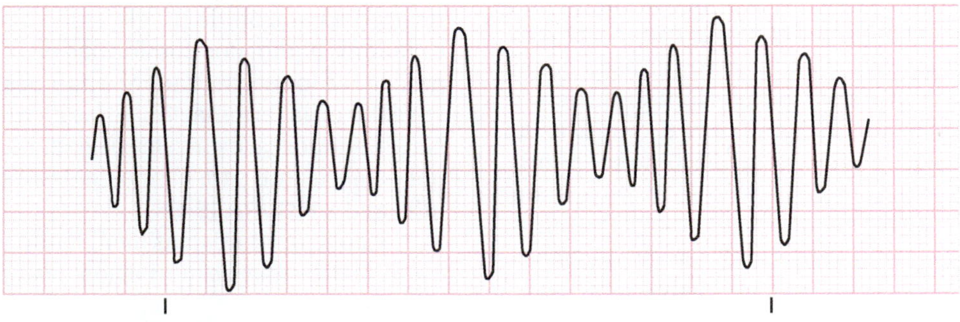

FIGURA 15-63 Taquicardia ventricular polimórfica.

Reproducida de *Arrhythmia Recognition: The Art of Interpretation*, cortesía de Tomas B. Garcia, MD.

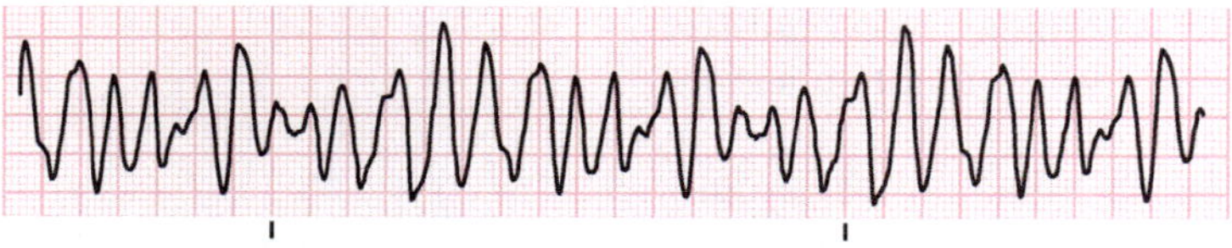

FIGURA 15-64 Fibrilación ventricular gruesa.

Reproducida de *Arrhythmia Recognition: The Art of Interpretation*, cortesía de Tomas B. Garcia, MD.

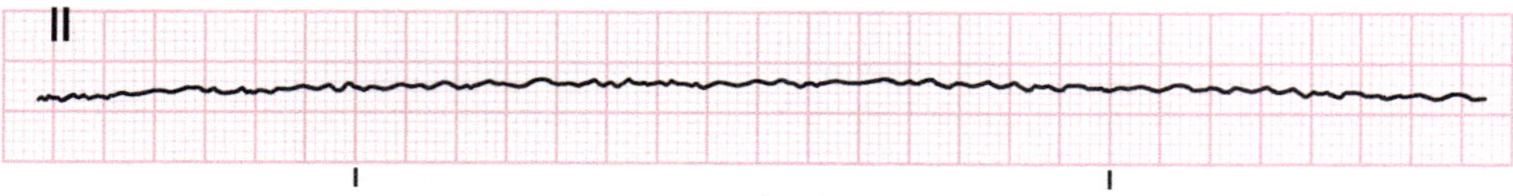

FIGURA 15-65 Fibrilación ventricular fina.

Reproducida de *Arrhythmia Recognition: The Art of Interpretation*, cortesía de Tomas B. Garcia, MD.

la desfibrilación es administrar una corriente lo bastante potente como para despolarizar todas las células musculares que componen el corazón; lo ideal es que, cuando esas células se repolaricen después de la descarga, respondan a un impulso del nódulo SA y reanuden la despolarización organizada, lo que dará lugar a la contracción cardíaca. La desfibrilación también se denomina *contrachoque no sincronizado* o *contrachoque asincrónico* porque, a diferencia de la cardioversión sincronizada, el momento en que se administra la corriente no guarda relación con el ciclo cardíaco. Cuando se identifica un ritmo desfibrilable, la desfibrilación debe realizarse lo antes posible porque la probabilidad de éxito disminuye con rapidez.

Un **desfibrilador externo automático (DEA)** interpreta el ritmo cardíaco, determina si es necesaria la desfibrilación y guía al usuario durante la reanimación con indicaciones auditivas. Un DEA por completo automatizado administra una descarga automáticamente si es necesaria la desfibrilación. Un **desfibrilador manual** es un dispositivo que requiere que usted, como usuario capacitado, interprete el ritmo cardíaco y determine si es necesaria la desfibrilación. Algunos desfibriladores pueden realizar la desfibrilación de forma manual o automática, a selección del usuario. Independientemente del tipo de desfibrilador que utilice, debe asegurarse de que se está realizando una RCP de alta calidad mientras el desfibrilador está preparado para su uso. Si presencia paro cardíaco de un paciente, inicie la RCP con compresiones torácicas y conecte el desfibrilador en cuanto esté disponible. En el caso de adultos con un paro cardíaco no monitorizada o en situaciones en las que no se disponga con facilidad de un desfibrilador, inicie la RCP mientras se recupera el dispositivo y, a continuación, realice la desfibrilación, si está indicada, en cuanto el dispositivo esté listo para su uso.

Los electrodos adhesivos se colocan en la pared torácica del paciente para maximizar el flujo de corriente a través del corazón. Se colocan sobre el tórax desnudo del paciente y se conectan al desfibrilador, lo que permite evaluar con rapidez el ritmo cardíaco del paciente y administrar una descarga eléctrica, si está indicado. Es fundamental seguir la colocación recomendada por el fabricante en el tórax. A partir de ahora, utilizaremos el término *parches de desfibrilación* para referirnos a los parches adhesivos utilizados para la desfibrilación.

Poblaciones especiales

Recuerde anotar de inmediato la edad del paciente. Utilice parches de desfibrilación pediátricos cuando proceda.

Los DEA y los desfibriladores manuales suministran energía en formas de onda. Las formas de onda monofásicas, utilizadas en los desfibriladores más antiguos, suministran energía a través del corazón de un electrodo de desfibrilación a otro en una sola dirección. Con las formas de onda bifásicas, la energía recorre el corazón de un electrodo de desfibrilación al otro y luego invierte la dirección, fluyendo de nuevo a través del corazón de un electrodo al otro. Los desfibriladores equipados con formas de onda bifásicas se prefieren a los desfibriladores monofásicos por su mayor éxito en la terminación de las disritmias.[11] Es esencial que conozca los niveles de energía recomendados por el fabricante para el tipo de desfibrilador que esté utilizando, **FIGURA 15-66**.

Se aplican las mismas medidas de seguridad cuando se realiza una desfibrilación manual y cuando se utiliza un DEA:

- Asegúrese de que nadie toca al paciente.
- No desfibrile a un paciente que esté tumbado en un charco de agua; hacerlo sería peligroso tanto

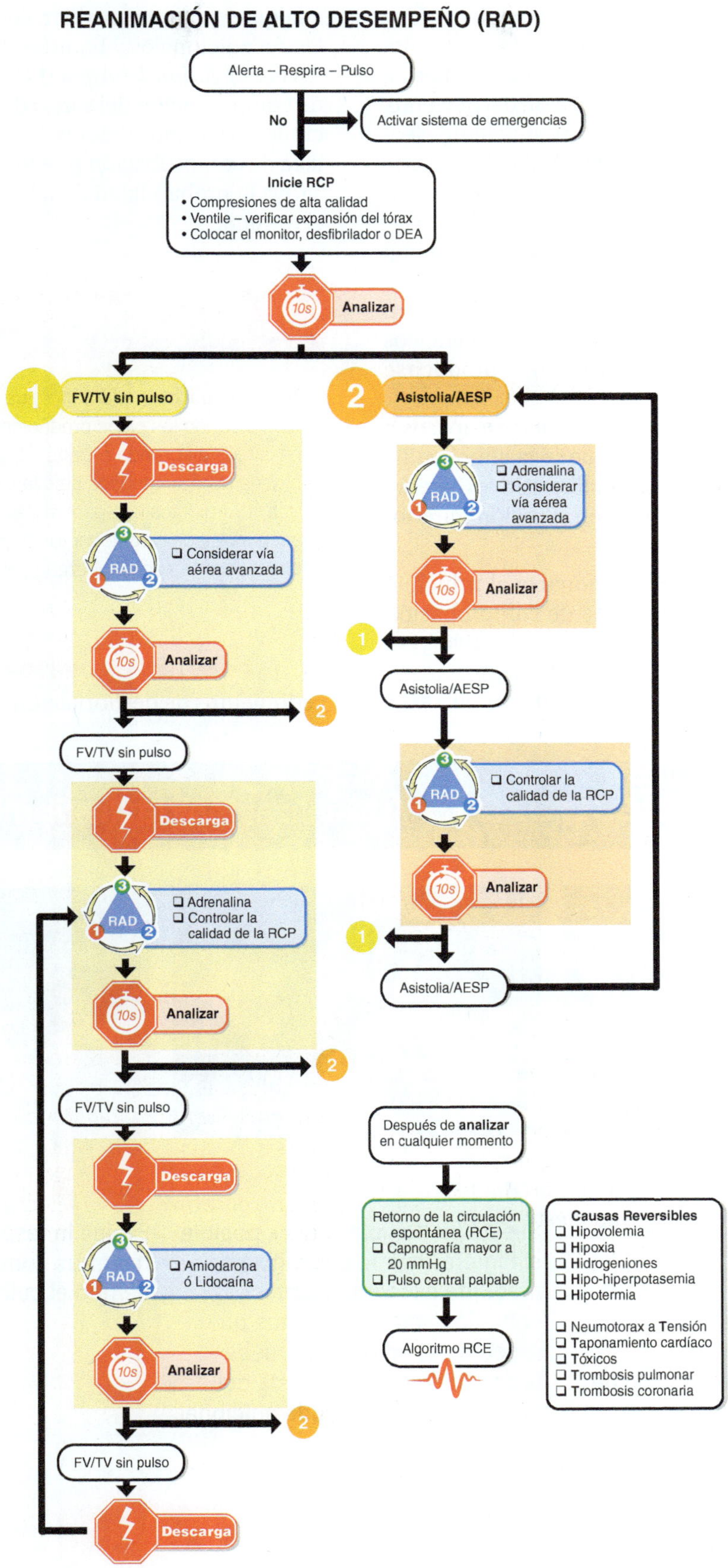

FIGURA 15-66 Algoritmo de soporte vital cardiaco avanzado para paro cardiaco.

para el paciente como para el paramédico que se encuentre en el agua. La electricidad se difundirá en el agua en lugar de viajar entre los parches de desfibrilación y a través del corazón del paciente, por lo que el corazón no recibirá suficiente electricidad para provocar la desfibrilación. Puede desfibrilar a un paciente empapado, pero primero intente secarle el pecho.

- No desfibrilar a alguien que está tocando metal que otros están tocando.
- No coloque un parche de desfibrilación sobre un parche de medicación ni sobre objetos metálicos como joyas. De lo contrario, podrían producirse quemaduras.
- Si el paciente tiene implantado un marcapasos o un desfibrilador interno, coloque la almohadilla de desfibrilación debajo del dispositivo/batería, o coloque las almohadillas en posición anterior y posterior.

El desfibrilador debe inspeccionarse al principio de cada turno, utilizando una lista de comprobación que abarque todos los aspectos del dispositivo y su equipo: parches de desfibrilación, cables y conectores, fuente de alimentación, monitor, registrador de EKG y cualquier material auxiliar, como parches de desfibrilación adicionales y baterías de repuesto. La *US Food and Drug Administration* (FDA) ha elaborado una lista de comprobación del turno del operador para inspeccionar los desfibriladores. El uso concienzudo de esta lista de comprobación puede reducir de forma significativa la probabilidad de fallas del desfibrilador sobre el terreno.

Perlas de sabiduría

Un marcapasos implantado, que puede detectarse identificando los picos producidos por el marcapasos en el EKG o notando el bulto donde se ha implantado la batería del marcapasos bajo la piel del paciente, no es una contraindicación para la desfibrilación. Solo debe asegurarse de no colocar los parches de desfibrilación directamente sobre la batería del marcapasos.

La **PRÁCTICA DE DESTREZA 15-4** resume los procedimientos de desfibrilación manual.

Práctica de destreza 15-4 Realización de desfibrilación manual

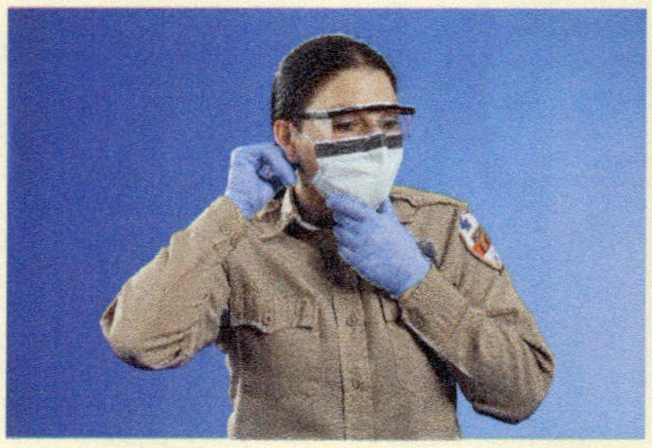

Paso 1

Seleccione, compruebe y monte todo el equipo necesario, incluido un monitor-desfibrilador con parches de desfibrilación, oxígeno y un dispositivo adecuado de administración de oxígeno. Tome las precauciones estándar y asegúrese de que el lugar y el entorno son seguros (evalúe riesgos como chispas, combustibles y una atmósfera rica en oxígeno).

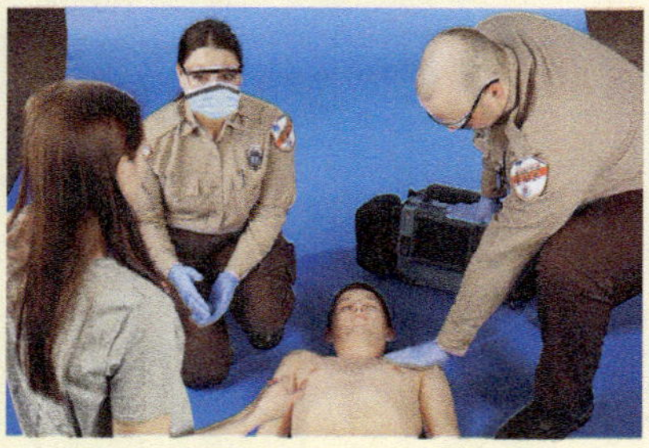

Paso 2

Si está disponible (y si es posible sin interrumpir la asistencia), pregunte a los transeúntes sobre los acontecimientos que rodearon el paro. Compruebe la capacidad de respuesta del paciente. Solicite ayuda adicional, si es necesario.

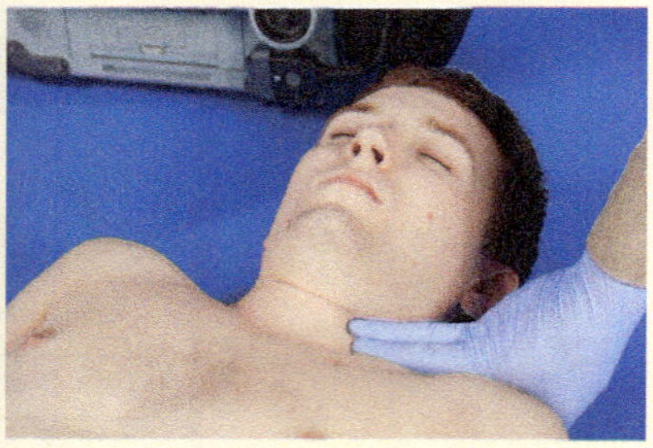

Paso 3

Evalúe la respiración del paciente mientras comprueba al mismo tiempo el pulso carotídeo.

Práctica de destreza 15-4 Realización de desfibrilación manual (continuación)

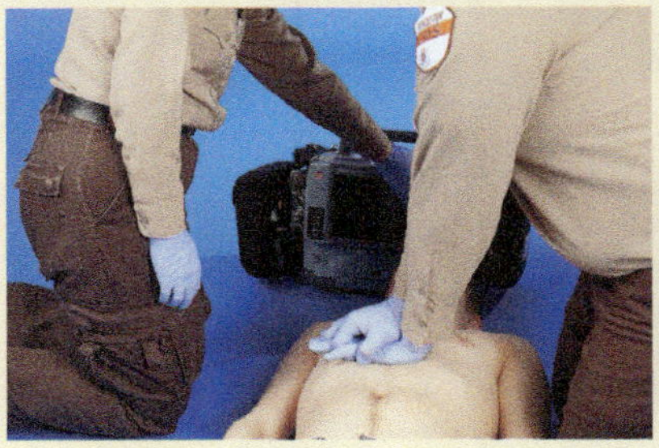

Paso 4

Comience las compresiones torácicas si el paciente no respira o solo jadea y no tiene pulso. Garantice una profundidad y frecuencia adecuadas, utilice la relación correcta entre compresión y ventilación, deje que el tórax retroceda por completo, administre un volumen adecuado para cada respiración y mantenga la interrupción de las compresiones torácicas en 10 segundos o menos durante todo el esfuerzo de reanimación.

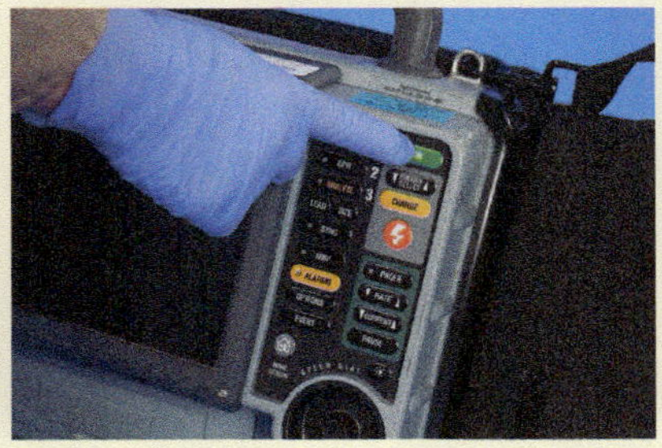

Paso 5

Encienda el desfibrilador. Si las personas que auxiliaban han estado utilizando el dispositivo en modo DEA antes de su llegada, póngalo en modo manual.

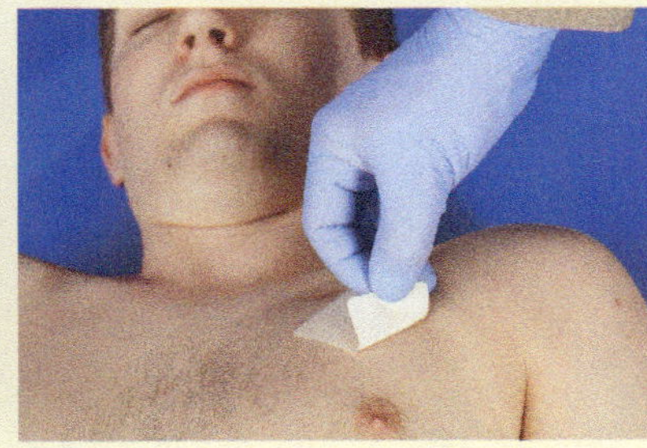

Paso 6

Retire la ropa de la parte superior del cuerpo del paciente. Con guantes, retire el exceso de medicamento o los parches del pecho del paciente y limpie cualquier residuo.

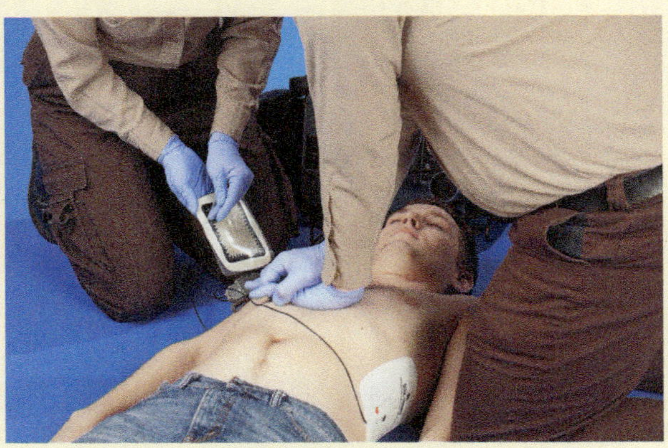

Paso 7

Coloque los electrodos de desfibrilación sobre el tórax desnudo del paciente siguiendo las recomendaciones del fabricante. No coloque los electrodos encima del tejido mamario. Si es necesario, levante el pecho y coloque el electrodo debajo.

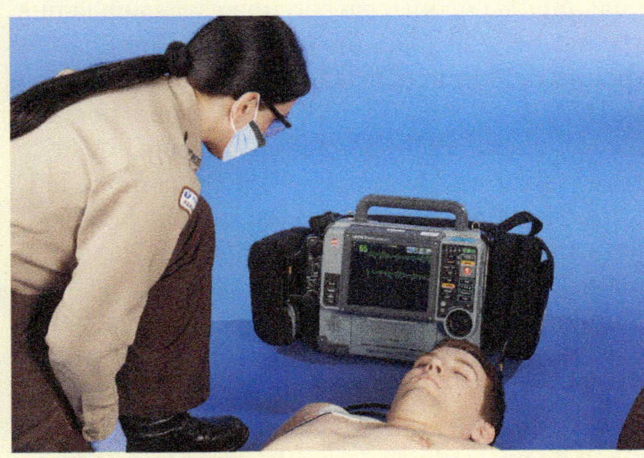

Paso 8

Interrumpa un momento la RCP, identifique el ritmo y confirme que la desfibrilación está justificada. Nota: algunos desfibriladores nuevos no requieren la interrupción de la RCP para identificar el ritmo. Una vez comprobado que existe un ritmo desfibrilable, ajuste el desfibrilador al nivel de energía adecuado.

(continúa)

Práctica de destreza 15-4 Realización de desfibrilación manual (continuación)

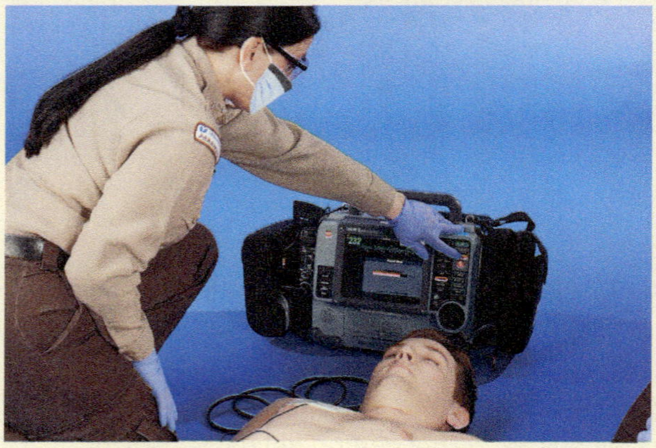

Paso 9

Carga el desfibrilador.

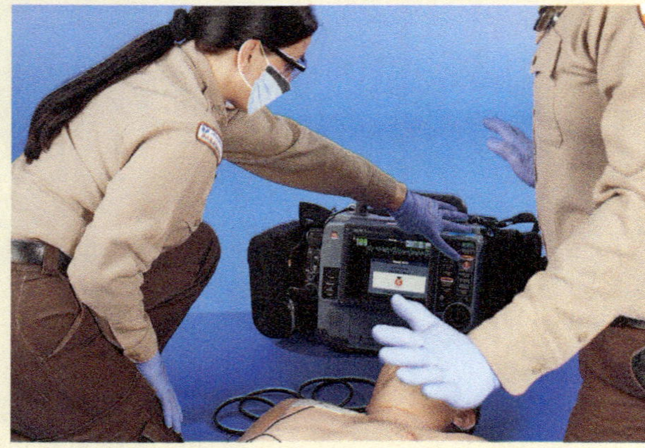

Paso 10

Despeje la zona. Anuncie "¡Todo despejado!" y asegúrese de que nadie toque al paciente. Pulse *Descarga* en la máquina y mantenga pulsado este botón hasta que el desfibrilador se descargue. Reanude de inmediato la RCP.

Aunque por lo general realizará la desfibrilación manual, puede encontrarse con una escena en la que las fuerzas de seguridad, los primeros respondientes o el público ya hayan colocado al paciente un DEA en modo DEA. En tales casos, utilice el DEA, pero póngalo en modo manual. El modo manual permite el uso de todas las funciones de terapia eléctrica (como la ETC y la cardioversión sincronizada), así como la monitorización cardíaca de múltiples derivaciones y la adquisición de EKG de 12 derivaciones.

También es posible que llegue a un lugar en el que no se esté utilizando un DEA, pero el paciente presente un paro cardíaco. En ese caso, seleccione el modo manual en la unidad desfibriladora. A continuación, puede mirar el monitor y determinar si el ritmo es desfibrilable. En caso afirmativo, proceda a cargar la unidad y a aplicar la descarga al paciente. De este modo se ahorra tiempo, ya que la RCP puede continuar hasta el momento en que el desfibrilador esté listo para proporcionar una descarga; no es necesario esperar a que el modo DEA analice el ritmo y haga una recomendación. Recuerde que es esencial reducir al mínimo la interrupción de las compresiones torácicas con pacientes en paro cardíaco.

SEGURIDAD

El *US FDA Adverse Event Reporting System* (FAERS) se utiliza para notificar fallas adversas de medicamentos o dispositivos. Por ejemplo, si un desfibrilador no se carga o no emite una descarga durante una llamada, el proveedor o la agencia pueden notificar el suceso directamente a la FDA o al fabricante. Si un fabricante recibe un informe adverso, está obligado a comunicarlo a la FDA.

Un DEA por completo automático (de uso poco frecuente) puede evaluar el ritmo del paciente y, si hay FV o TV, cargar los electrodos y desfibrilar, sin intervención del reanimador. Sin embargo, un DEA semiautomático (de uso común) detecta la FV y la TV y utiliza indicaciones visuales y verbales para indicar cuándo es aconsejable una descarga. A continuación, el reanimador debe pulsar el botón de *descarga* para desfibrilar al paciente. Los pasos para utilizar un DEA se muestran en la **PRÁCTICA DE DESTREZA 15-5**.

Después de que el DEA administre una descarga, la atención al paciente dependerá de su ubicación y

Práctica de destreza 15-5 Desfibrilación con un DEA

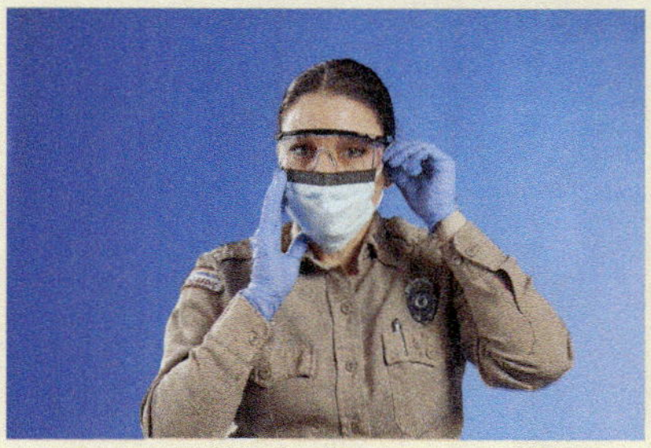

Paso 1

Seleccione, compruebe y monte todo el equipo necesario, incluidos el DEA, los electrodos del DEA, el oxígeno y un dispositivo adecuado de administración de oxígeno. Tome las precauciones estándar y asegúrese de que el lugar y el entorno son seguros (evalúe riesgos como chispas, combustible y una atmósfera rica en oxígeno).

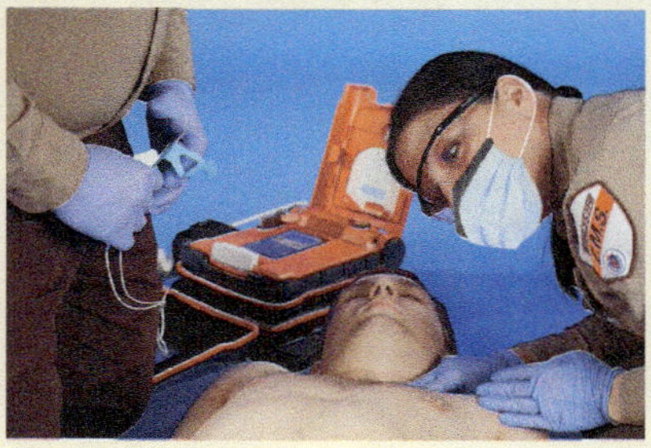

Paso 2

Si hay transeúntes presentes, pregúnteles sobre los acontecimientos que rodearon el paro (si es posible hacerlo sin interrumpir la asistencia). Compruebe la capacidad de respuesta del paciente. Solicite ayuda adicional, si es necesario. Compruebe la respiración y, al mismo tiempo, el pulso carotídeo.

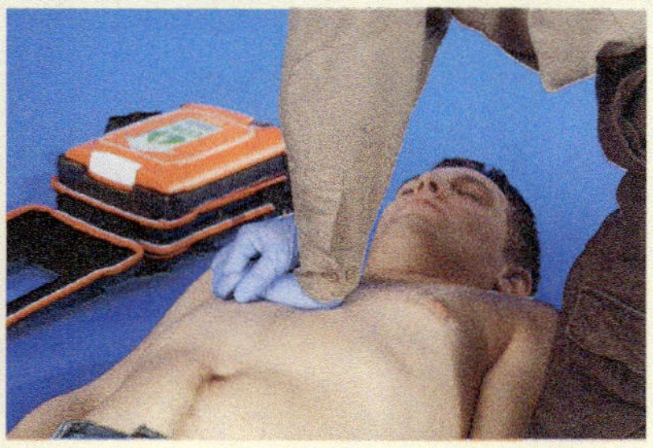

Paso 3

Si ya se está practicando la RCP, evalúe la eficacia de las compresiones torácicas. Si el paciente no respira o solo jadea y no tiene pulso, y no se ha iniciado la RCP, comience las compresiones torácicas y las respiraciones artificiales de rescate. Asegúrese de que la profundidad y la frecuencia sean adecuadas, utilice la relación correcta entre compresiones y ventilaciones, deje que el tórax retroceda por completo, administre un volumen adecuado en cada respiración y mantenga la interrupción de las compresiones torácicas en 10 segundos o menos durante todo el esfuerzo de reanimación. Continúe hasta que llegue el DEA y esté listo para su uso.

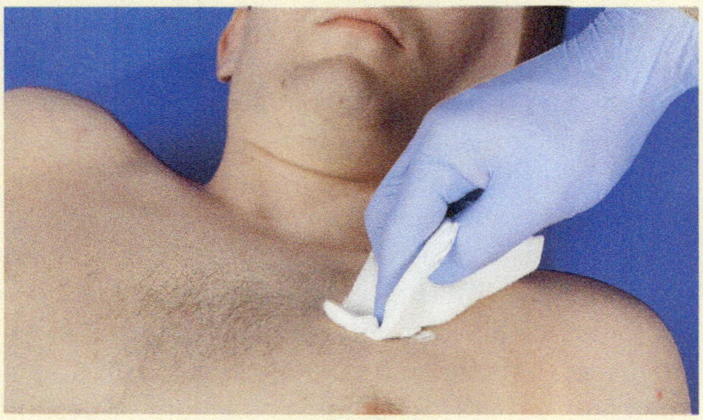

Paso 4

Encienda el DEA. Retire la ropa de la parte superior del cuerpo del paciente. Con guantes, retire la pasta de medicación o los parches del pecho del paciente, si los hubiera, y limpie cualquier residuo.

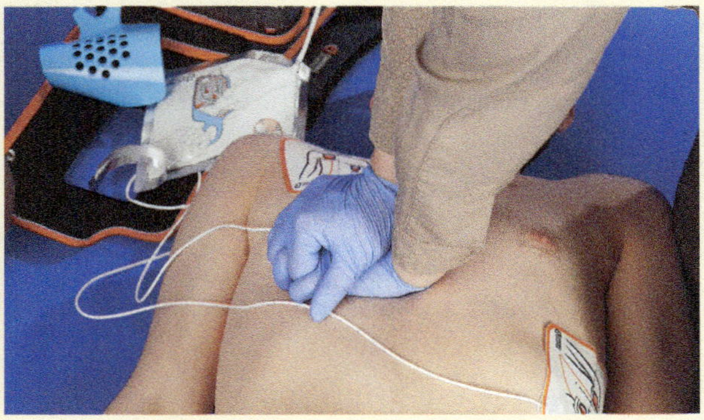

Paso 5

Siga las indicaciones del dispositivo; aplique los electrodos del DEA sobre el tórax desnudo del paciente de acuerdo con las recomendaciones del fabricante. Conecte los electrodos al DEA.

(continúa)

Práctica de destreza 15-5 Desfibrilación con un DEA (continuación)

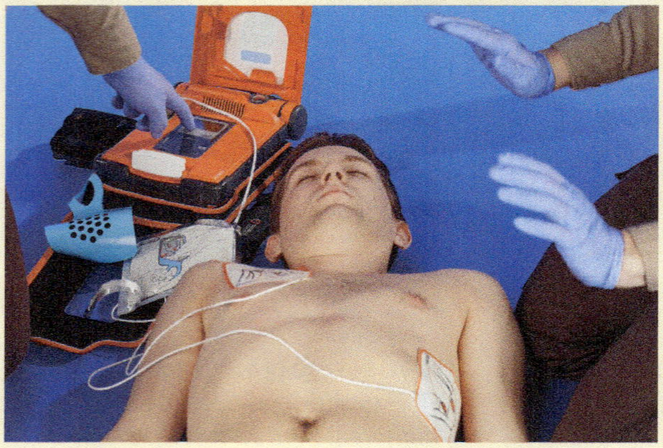

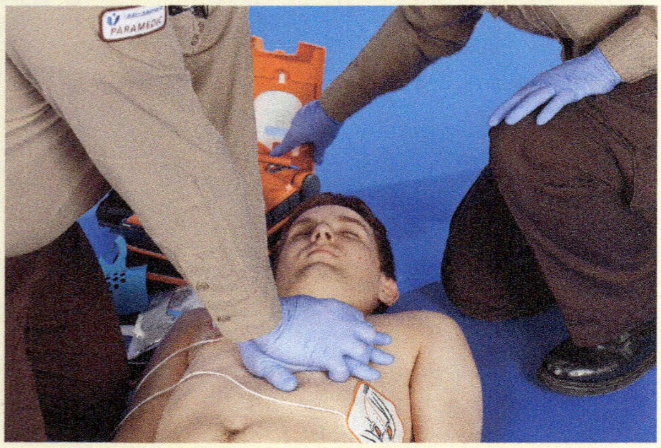

Paso 6

Detenga la RCP y pulse el botón *analizar* (algunos DEA comenzarán a analizar automáticamente el ritmo del paciente). Asegúrese de que todo el mundo se aleja del paciente. Espere a que el DEA analice el ritmo cardíaco. Si no se recomienda ninguna descarga, reanude la RCP, empezando por las compresiones torácicas. Realice cinco ciclos (unos 2 minutos) de RCP y vuelva a analizar el ritmo cardíaco. Si se aconseja una descarga, vuelva a comprobar que todos los paramédicos están bien y pulse el botón de *descarga*.

Paso 7

Una vez administrada la descarga, reanude de inmediato la RCP, comenzando con las compresiones torácicas. No interrumpa las compresiones torácicas durante más de 10 segundos. No apague el DEA durante la RCP. Siga las indicaciones del DEA. Para reducir las probabilidades de fatiga del reanimador, rote a la persona que realiza las compresiones torácicas cada 2 minutos.

del SEM; por lo tanto, deberá seguir el protocolo local. Deberá evaluar si el paciente tiene pulso, teniendo en cuenta que es probable que se produzca una de las siguientes situaciones:

- Se recupera el pulso.
- No se recupera el pulso y el DEA indica que no se aconseja una descarga.
- No se recupera el pulso y el DEA indica que se aconseja una descarga.

Para cada una de estas situaciones, la secuencia de compresiones y desfibrilación es la misma que la descrita en la sección anterior sobre desfibrilación manual. La única diferencia es que el DEA determina si el ritmo es desfibrilable.

Desfibriladores cardioversores portátiles

Es posible que se encuentre con un paciente con un desfibrilador cardioversor portátil (DCP). Este dispositivo, cuyo uso fue aprobado por primera vez en 2002 por la FDA, se utiliza en pacientes con alto riesgo de MCS, pero que no son candidatos inmediatos a tratamiento con un desfibrilador cardioversor implantable; en pacientes con disfunción ventricular izquierda después de un IAM, y en pacientes con miocardiopatía no isquémica recién diagnosticada.[15] El chaleco LifeVest, fabricado por ZOLL, es en la actualidad el único desfibrilador cardioversor implantable disponible en el mercado. Consiste en una prenda ligera con un cinturón y correas para los hombros y un monitor-desfibrilador alimentado por batería; los electrodos no adhesivos de monitorización del ritmo y los electrodos de desfibrilación están incrustados en el dispositivo. El DCP se lleva bajo la ropa del paciente para garantizar un contacto adecuado de los electrodos con la piel. El monitor lee y registra de manera continua el EKG del paciente. Se indica a los pacientes que lleven el dispositivo continuamente, excepto cuando se bañen o duchen.

Cuando se detecta una taquicardia ventricular o una fibrilación ventricular, se alerta al paciente mediante el sistema de alarma del desfibrilador cardioversor, a través de vibración, alertas sonoras de volumen creciente y una advertencia verbal que indica que es posible que se produzca una descarga eléctrica. Si el paciente es receptivo, puede responder pulsando dos botones para detener la secuencia de tratamiento. Si el paciente no pulsa estos botones, el dispositivo se carga, los electrodos de desfibrilación exudan gel, una alerta a un transeúnte dice: "No toque al paciente", y se administra una descarga.[16] Se puede administrar un máximo de cinco descargas de energía bifásica de hasta 150 julios para un solo evento. El chaleco LifeVest vuelve al modo de monitorización si se detecta un ritmo normal después de la descarga. Si la disritmia persiste después de la primera desfibrilación, se repite el ciclo.

El DCP debe sustituirse después de cada serie de desfibrilaciones. El hecho de que el paciente no cumpla con el uso de la prenda (en especial debido a la incomodidad del paciente o a problemas dermatológicos) y la falta de capacidad de estimulación para las bradidisritmias son limitaciones del DCP.[15,16]

Asistolia

La asistolia ("línea plana"), la única **arritmia** verdadera, es un ritmo en el que el corazón ya no se contrae y no muestra signos de actividad organizada, **FIGURA 15-67**. La asistolia también se conoce como *paro cardíaco*. Este ritmo se presenta con una ausencia completa de actividad eléctrica ventricular. En ocasiones puede observarse actividad auricular, representada por ondas P, pero no se acompañan de complejos QRS u ondas T cuando están presentes. Los términos *asistolia con ondas P, asistolia ventricular* o *paro ventricular* se utilizan cuando se observan ondas P en ausencia de actividad eléctrica ventricular.

Una línea plana en un monitor de EKG puede indicar o no asistolia. Por lo tanto, una de las primeras cosas que hay que hacer cuando se observa un EKG de línea plana es descartar otras causas distintas de la asistolia. Las posibles causas de un EKG de línea plana incluyen cables que no están conectados al paciente, cables sueltos, cables que no están conectados al monitor-desfibrilador, un ajuste incorrecto del monitor, fibrilación ventricular de muy bajo voltaje y asistolia verdadera.

La asistolia se considera un ritmo de paro cardíaco no desfibrilable (véase la figura 15-66). Recordemos que el objetivo de la desfibrilación es administrar una descarga de intensidad suficiente para despolarizar las células miocárdicas, lo que permite al nódulo SA reanudar la responsabilidad del marcapasos cuando las células se repolarizan. En asistolia, sin embargo, no hay actividad eléctrica que restablecer.

Actividad eléctrica sin pulso

Hasta ahora hemos hablado de tres de los cuatro posibles ritmos de paro cardíaco: la TV sin pulso, la FV y la asistolia. El último ritmo de paro cardíaco es la **actividad eléctrica sin pulso (AEP)**, un ritmo cardíaco organizado (distinto de la TV) en el monitor que no se acompaña de un pulso detectable. En el pasado, la AEP se denominaba *disociación electromecánica*. Con la AEP, o bien no hay actividad ventricular mecánica o bien la actividad ventricular mecánica es simplemente demasiado débil para producir un pulso palpable. Esto puede ocurrir, por ejemplo, en pacientes con shock cardiogénico o hipovolémico, taponamiento cardíaco, embolia pulmonar masiva, desequilibrio electrolítico (incluida la hiperpotasemia en la insuficiencia renal) o sobredosis de fármacos. Por lo tanto, el tratamiento adecuado de la AEP depende de la identificación de su causa. La AEP es un ritmo de paro cardíaco no desfibrilable (véase la figura 15-66). El tratamiento del paro cardíaco se trata en detalle en la siguiente sección.

Tratamiento del paro cardíaco en adultos

Nada hace que la adrenalina este más presente (en los paramédicos, no en los pacientes) que un "código" o paro cardíaco. Aunque las cardiopatías previas son un importante factor de riesgo de paro cardíaco, también

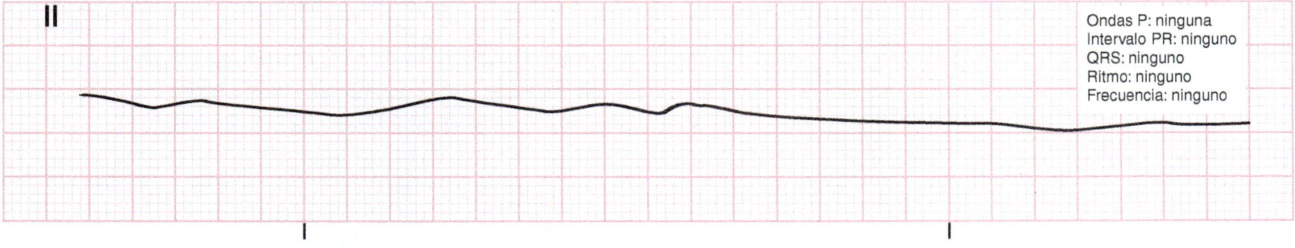

FIGURA 15-67 Asistolia.

Reproducida de *Arrhythmia Recognition: The Art of Interpretation*, cortesía de Tomas B. Garcia, MD.

puede producirse un paro cardíaco súbita secundaria a electrocución, inmersión, otros traumatismos o afecciones no cardíacas como sobredosis de fármacos, asma o anafilaxia. Muchas personas que presentan paro cardíaco no tienen signos de alarma antes de que se produzca. Sea cual sea la causa, el paro cardíaco es estresante para todos los implicados. La mejor forma de reducir el estrés entre los profesionales y aumentar la probabilidad de que el paciente recupere la circulación espontánea es practicar, practicar y practicar, para que su equipo trabaje con la misma fluidez y eficacia que el equipo de pits de un coche de carreras. Este concepto se trata con más detalle en el capítulo 36, *Respuesta al código de campo.*

El manejo de un paro cardíaco requiere que ponga en práctica muchas de las técnicas de soporte vital avanzado (SVA) que ha aprendido y que lo haga en circunstancias en las que unos minutos pueden significar la diferencia entre la vida y la muerte. Es difícil pensar con claridad en circunstancias tan tensas, sobre todo cuando hay otras personas angustiadas y presas del pánico en el lugar de los hechos (p. ej., la familia del paciente). Por estas razones, es necesario seguir un enfoque ordenado y sistemático de las emergencias de paro cardíaco que debe ensayarse de manera exhaustiva, en equipo, hasta que se convierta en algo casi automático.

Lleve los siguientes dispositivos y equipos cuando se acerque inicialmente al lugar de los hechos:

- Desfibrilador
- Tanque de oxígeno portátil
- Equipo de manejo de la vía aérea, incluido un kit de intubación
- Equipo IV
- Caja de medicamentos

Si no dispone de personal suficiente, no pierda tiempo transportando cada pieza del equipo desde el vehículo de emergencias hasta el paciente. Puede enviar a alguien al vehículo más tarde para que recupere otros equipos, como la camilla y la tabla.

Los objetivos de la atención médica de emergencia a un paciente en paro cardíaco incluyen el retorno de la circulación espontánea (RCE) y la preservación de la función neurológica. La fase de "ausencia de flujo" de un paro cardíaco surge cuando se ha producido un paro, pero no se han iniciado las compresiones torácicas. Para reducir al mínimo la duración de esta fase, inicie la atención médica de emergencia de inmediato después de descubrir la ausencia de pulso.

La *National Association of State EMS Officials* afirma que la reanimación debe iniciarse en todos los pacientes que se encuentren apneicos y sin pulso, a menos que se dé una de las siguientes condiciones (no se aplica a las víctimas de caída de rayo, ahogamiento o hipotermia):[10]

- Una causa médica o lesión traumática o afección corporal indica con claridad la muerte biológica (muerte cerebral irreversible), limitada a:
  - Decapitación
  - Descomposición o putrefacción
  - Transección del torso
  - Incineración
  - Lesiones incompatibles con la vida (p. ej., aplastamiento masivo, desangramiento completo, desplazamiento grave de la masa encefálica)
  - Intentos fútiles e inhumanos según lo determinado por la política/protocolo de la agencia en relación con las "razones imperiosas" para retener la reanimación
  - Traumatismo contuso o penetrante en el que el paciente está apneico, sin pulso y sin otros signos de vida a la llegada del SEM, incluidos, entre otros, el movimiento espontáneo, la actividad del EKG o la respuesta pupilar
  - Paro no traumático con signos evidentes de muerte, incluida la lividez dependiente o el rigor mortis

o

- Se presenta al proveedor una orden de no reanimar (DNR, por sus siglas en inglés) válida (p. ej., formulario, tarjeta, brazalete) u otra orden médica procesable (p. ej., formulario de orden médica de tratamiento para mantener la vida [POLST, por sus siglas en inglés], formulario de orden médica de tratamiento para mantener la vida [MOLST, por sus siglas en inglés]) que cumpla las especificaciones estatales de color y estructura, que esté intacta (es decir, que no haya sido cortada, rota o reparada de forma evidente) y que muestre el nombre del paciente y el nombre del médico.

Perlas de sabiduría

Retención de los esfuerzos de reanimación

En situaciones en las que el estado del paciente no esté claro y no se sepa con certeza si es apropiado suspender las maniobras de reanimación, inicie la RCP y póngase en contacto con el control médico.[10] Si se le presenta una directiva anticipada válida de no intubar (DNI, MOLST o POLST), administre el tratamiento completo según los protocolos, excepto cualquier intervención prohibida de forma explícita en la directiva anticipada del paciente. Póngase en contacto con control médico si se está considerando una intervención prohibida por una directiva anticipada.[10]

Si los transeúntes han administrado compresiones torácicas ininterrumpidas adecuadas antes de su llegada, o si el paro ha sido presenciado por el personal del SEM, proceda al análisis del ritmo. Si no se han realizado compresiones o el personal del SEM no ha presenciado el paro, comience a realizar compresiones torácicas mientras un segundo paramédico prepara el DEA o el desfibrilador. Proceda al análisis del ritmo. Sus esfuerzos iniciales deben centrarse en crear un estado de "flujo bajo", en el que se inicie la administración de RCP de alta calidad y se continúe durante todo el esfuerzo de reanimación, o en crear un estado de "flujo normal" durante la RCP mediante desfibrilación u otras intervenciones. Los componentes de la RCP de alta calidad en adultos son los siguientes:

- Realice compresiones torácicas a un ritmo de al menos 100/min y menos de 120/min.
- Comprima el pecho hasta una profundidad de al menos 5 cm (2 pulgadas) y menos de 6 cm (2.4 pulgadas).
- Permita un retroceso completo del tórax después de cada compresión y evite apoyarse en el tórax entre compresiones.
- Reduzca al mínimo las pausas en las compresiones y consiga una **fracción de compresión torácica** de al menos 60%.[11]
- Evite una ventilación excesiva.
- Rote a la persona que realiza las compresiones torácicas cada 2 minutos para minimizar la fatiga.

Lo que vea en el monitor determinará qué lado del algoritmo de paro cardíaco debe seguir a continuación (véase la figura 15-66). Recuerde que hay cuatro ritmos posibles de paro cardíaco: TV sin pulso, FV, asistolia y AEP. La taquicardia ventricular sin pulso y la fibrilación ventricular son ritmos desfibrilables, mientras que la asistolia y la AEP no lo son. Los puntos clave que hay que tener en cuenta son los siguientes:

- Si está indicada la desfibrilación, el reanimador que realiza las compresiones torácicas debe continuar mientras un segundo reanimador carga el desfibrilador. A continuación, interrumpa la RCP, despeje al paciente y administre la descarga. Reanude de inmediato las compresiones torácicas, sin hacer pausas para comprobar el ritmo o el pulso.
- Después de 2 minutos o cinco ciclos de RCP, interrumpa los esfuerzos de reanimación y compruebe el ritmo en el monitor. Si el ritmo es FV o TV, reanude la RCP mientras carga el desfibrilador. Despeje al paciente y luego desfibrile. Si aparece un ritmo organizado en el monitor, identifique este nuevo ritmo y compruebe si hay pulso. Si no hay pulso, desplácese por el algoritmo hasta la vía asistolia-AEP y reanude de inmediato la RCP. Si hay pulso, pase al algoritmo adecuado para el nuevo ritmo.
- La fatiga del paramédico puede reducir la eficacia de las compresiones torácicas. Minimice la fatiga de los paramédicos rotándolos al final de cada sesión de 2 minutos de RCP.
- Para maximizar el número de compresiones administradas por minuto, las interrupciones no deben superar los 10 segundos.
- Utilizando solución salina normal, intente establecer el acceso vascular sólo después de iniciar la RCP y, cuando haya un ritmo desfibrilable, después de intentar la desfibrilación. Si no puede iniciar un acceso IV, establezca un acceso intraóseo (IO) utilizando un sistema IO para adultos. El acceso vascular debe lograrse sin interrumpir las compresiones torácicas. En los paros asociados con ritmos desfibrilables, administre epinefrina intravenosa o intraósea después de administrar una segunda descarga. En los paros asociados con ritmos no desfibrilables, administre epinefrina lo antes posible. En todos los eventos, repita la administración de epinefrina cada 3 o 5 minutos hasta que recupere el pulso. Cuando administre medicación IV o IO durante la reanimación cardiopulmonar, aplique de inmediato 20 ml de solución salina normal para facilitar la llegada de la medicación a la circulación central.
- Existen varias opciones para el manejo de la vía aérea. En algunos sistemas de SEM, la ventilación pasiva con mascarilla sin respiración se utiliza de inicio durante tres o cuatro ciclos de compresiones torácicas ininterrumpidas, después de lo cual se considera la ventilación con bolsa-máscara o una vía aérea avanzada. Otra opción es utilizar un dispositivo de bolsa-mascarilla durante todo el esfuerzo de reanimación. En adultos en paro cardíaco sin vía aérea avanzada, utilice una proporción de compresiones y ventilaciones de 30:2. Ventile con el volumen justo para producir una elevación visible del tórax. Administre cada respiración durante alrededor de 1 segundo. Si se decide insertar una vía aérea avanzada, verifique su colocación por varios métodos, incluida la capnografía de ondas, y fije el tubo. Administre una respiración cada 6 segundos (10 respiraciones/min) sin interrumpir las compresiones torácicas.
- La FV o TV sin pulso que persiste o reaparece después de una o más descargas se denomina FV/TV refractaria. Se puede considerar el uso de

un medicamento antiarrítmico, como la amiodarona, en pacientes con FV/TV que no responden a la RCP, la desfibrilación y la epinefrina. La lidocaína puede considerarse una alternativa a la amiodarona en pacientes con FV/TV. Los fármacos antiarrítmicos se tratan con más detalle en el capítulo 10, *Principios de farmacología.*
- Durante el paro, considere las Hs y T para identificar posibles causas reversibles de paro y factores que puedan complicar el esfuerzo de reanimación, **CUADRO 15-5**.
- Si se produce una RCE en cualquier momento, evalúe los signos vitales del paciente, mantenga la vía aérea y la respiración según sea necesario y administre la medicación indicada para controlar las disritmias cardíacas y mantener la PA.

Los pacientes que no recuperan el pulso en el lugar del paro no suelen sobrevivir. El transporte de estos pacientes depende de su sistema del SEM y del protocolo local.

La administración de RCP mientras se traslada o transporta a un paciente no suele ser eficaz. Un paciente tiene más posibilidades de sobrevivir si se le reanima en el lugar de los hechos, a menos que el lugar no sea seguro. Durante el transporte, lo ideal es que los paramédicos den asistencia en el compartimiento del paciente mientras conduce un tercer paramédico. No es seguro desfibrilar a un paciente en una ambulancia en movimiento; por lo tanto, el vehículo debe detenerse por completo si se necesitan descargas adicionales. Asegúrese de seguir el protocolo local establecido por su sistema del SEM.

Circunstancias especiales en el paro cardíaco

Algunos paros cardíacos se producen en circunstancias que requieren consideraciones, tratamientos o procedimientos especiales más allá de los que se suelen aplicar o proporcionar durante un esfuerzo de reanimación.

CUADRO 15-5 H y T: causas y tratamiento de los ritmos de paro cardíaco

Posible causa reversible	Claves	Tratamiento*
Hipovolemia	Historia, venas aplanadas en el cuello	Sustitución de volumen
Hipoxemia	Cianosis, compromiso de la vía aérea	Ventilación con oxígeno al 100%; considerar la inserción de una vía aérea avanzada
Hipotermia	Antecedentes de exposición al frío	Véase el algoritmo de hipotermia en el capítulo 35, *Emergencias ambientales*
Hiperpotasemia, hipopotasemia	Historia, cambios en el EKG	Considere el transporte inmediato
Iones de hidrógeno (acidosis)	Historia	Considerar bicarbonato de sodio si hay certeza de acidosis
Neumotórax a tensión	Antecedentes (traumatismo, asma, EPOC), dificultad para ventilar, ruidos respiratorios desiguales con hiperresonancia a la percusión en el lado afectado	Descompresión con aguja del lado afectado del tórax
Taponamiento cardíaco	Historia, distensión venosa yugular	Transporte inmediato para pericardiocentesis
Toxinas (sobredosis de fármacos)	Historia	Considere el transporte inmediato, naloxona (Narcan®) para la sobredosis de opioides
Trombosis (IM masivo, embolia pulmonar)	Historia	Transporte inmediato para posible angiografía emergente o fibrinólisis

* Más allá del manejo del paro cardíaco.

Abreviaturas: EKG, electrocardiograma; EPOC, enfermedad pulmonar obstructiva crónica; RCP, reanimación cardiopulmonar; IM, infarto del miocardio.

Documentación y comunicación

Los sistemas del SEM evalúan de manera periódica la atención de emergencia brindada a los pacientes que han tenido un paro cardíaco. Los elementos clave que deben documentarse son los siguientes[10]

- Intentos de reanimación y todas las intervenciones realizadas
- Testigos del paro cardíaco
- Localización del paro cardíaco
- Primer ritmo encontrado
- Esfuerzos de RCP antes de la llegada del SEM
- Resultado o disposición (incluida cualquier RCE)
- Etiología posible (presuntamente cardíaca, traumatismo, sumersión, respiratoria, otra no cardíaca, desconocida)

Por ejemplo, puede que tenga que modificar técnicas específicas para adaptarse a un paciente con obesidad mórbida.

Si el paciente tiene una anafilaxia que provoca un paro cardíaco, entre las prioridades asistenciales se encuentran las medidas de reanimación estándar y la administración inmediata de epinefrina.[11] La monitorización estrecha es esencial, y puede ser necesario el manejo avanzado de la vía aérea, incluida la planificación de una posible vía aérea quirúrgica.

Los pacientes en los que se sabe o se sospecha que se ha producido un paro cardíaco con opioides se trata según las prácticas estándar del ACLS. Sin embargo, puede ser necesario administrar naloxona durante el periodo posterior al paro cardíaco para revertir los efectos de los opioides de acción prolongada.

Cuando se produce un paro cardíaco en un paciente con asma aguda y resulta difícil ventilarle, hay que estar atento y preparado para tratar un neumotórax a tensión.

El paro cardíaco asociado con alteraciones electrolíticas graves o sobredosis específicas (p. ej., betabloqueadores, bloqueadores de los canales del calcio, antidepresivos tricíclicos) puede requerir la administración de medicamentos que los paramédicos no administran con frecuencia durante un esfuerzo de reanimación, como bicarbonato de sodio, calcio o magnesio.

Cuando el paro cardíaco esté asociado con un ahogamiento, practique la reanimación cardiopulmonar, incluida la respiración artificial, en cuanto se saque del agua a la víctima que no responde. Todas las víctimas de ahogamiento que requieran cualquier forma de reanimación (incluida la respiración artificial) deben ser trasladadas al hospital para su evaluación y seguimiento.[11]

El paro cardíaco en pacientes embarazadas se trata en el capítulo 38, *Obstetricia*. El paro cardíaco en pacientes pediátricos se trata en el capítulo 40, *Emergencias pediátricas*.

Perlas de sabiduría

La reanimación cardiopulmonar extracorpórea (RCPe) es una técnica en la que se canulan una vena y una arteria grandes del paciente. Se utiliza una máquina para bombear la sangre del paciente a través de ella y luego devolverle la sangre oxigenada. En la actualidad, no hay pruebas suficientes para recomendar el uso rutinario de la reanimación cardiopulmonar en pacientes en paro cardíaco. Sin embargo, puede considerarse la RCPe si el paciente tiene una causa potencialmente reversible de paro cardíaco (p. ej., oclusión arterial coronaria aguda, embolia pulmonar, fibrilación ventricular refractaria, hipotermia profunda, toxicidad farmacológica) que se beneficiaría de una asistencia cardiorrespiratoria mecánica temporal.[10,11]

Perlas de sabiduría

Los dispositivos mecánicos de RCP proporcionan compresiones torácicas automáticas, lo que elimina la necesidad de que los reanimadores realicen compresiones torácicas manuales. Aunque la *American Heart Association* (AHA) no recomienda su uso sistemático, los dispositivos mecánicos de RCP pueden considerarse en entornos específicos en los que la administración de compresiones manuales de alta calidad puede resultar difícil o peligrosa para el reanimador (p. ej., cuando no se dispone de un número suficiente de reanimadores, durante una RCP prolongada, durante un paro cardíaco hipotérmico, en una ambulancia en movimiento, en la sala de angiografía, durante la preparación para la RCP electrónica), siempre que los paramédicos limiten estrictamente las interrupciones de la RCP durante el despliegue y la retirada del dispositivo.[11] También debe considerarse el uso de un dispositivo mecánico de RCP en un paciente en paro cardíaco del que se sepa o sospeche que tiene COVID-19.

Cuidados después de un paro cardíaco

Los cuidados posteriores a un paro cardíaco son un componente esencial de la atención global a los pacientes con un paro cardíaco. Los objetivos de estos cuidados son optimizar la función cardiopulmonar y la perfusión de los órganos vitales. Si se restablece un ritmo cardíaco efectivo en la escena, hay que trasladar al paciente de inmediato, a ser posible a un centro con tratamiento integral después del paro cardíaco, que incluya intervenciones coronarias agudas, monitorización y cuidados neurológicos avanzados, cuidados críticos dirigidos a **control de la temperatura y objetivo (CTO)**.

Comience por optimizar la oxigenación y ventilación del paciente. Evalúe los ruidos respiratorios (también conocidos como ruidos pulmonares). Después de la RCE, la mayoría de los pacientes necesitan asistencia ventilatoria. Si aún no se ha hecho, considere la colocación temprana de un tubo endotraqueal. Asegúrese de utilizar la capnografía de ondas o la capnometría para confirmar y supervisar la colocación del tubo. Ajuste la oxigenoterapia para conseguir y mantener una SpO_2 de 92 a 98%. Proporcione 10 respiraciones/min si el paciente requiere ventilación asistida y evite la hiperventilación.

Obtener un EKG de 12 derivaciones lo antes posible para determinar si existe elevación aguda del segmento ST. Evaluar la PA del paciente y tratar de mantener una PAS de al menos 90 mm Hg y una presión arterial media de al menos 65 mm Hg.[11] La hipotensión marcada debe corregirse rápido porque el cerebro del paciente no se perfundirá de manera adecuada si la PA es muy baja. Administre bolos de suero salino normal o solución Lactato de Ringer según su protocolo local. Si el paciente presenta hipotensión marcada y el tiempo de transporte al centro médico va a ser prolongado, considere la posibilidad de administrar una infusión de vasopresor. Si el ritmo es bradicárdico o taquicárdico, siga el algoritmo de bradicardia o taquicardia.

Realizar una evaluación neurológica y determinar si el paciente puede seguir órdenes. Si el paciente no sigue las órdenes, se recomienda CTO, una terapia iniciada en el hospital, durante al menos 24 horas.

Independientemente de la causa de un paro cardíaco, la hipoxemia, la isquemia y la reperfusión que se producen durante el paro y el esfuerzo de reanimación pueden dañar múltiples sistemas orgánicos. Durante el periodo posterior al paro cardíaco, los pacientes suelen ser hemodinámicamente inestables, y muchos de ellos volverán a presentar un paro. Por lo tanto, el paciente requiere una estrecha vigilancia después del paro cardíaco. En la **FIGURA 15-68** se muestra el algoritmo de cuidados después de un paro cardíaco en adultos.

Cuándo detener la RCP

En algunas llamadas, puede que tenga que determinar si es probable que un paciente se beneficie de los esfuerzos de reanimación en curso o si dichos esfuerzos son inútiles. Estas decisiones suelen guiarse por el protocolo local o la comunicación directa con el control médico.

Cuando el paciente no responde al tratamiento prehospitalario del paro cardíaco, es aceptable y a menudo preferible cesar los esfuerzos fútiles de reanimación sobre el terreno. Esta decisión puede tomarse por varias razones:[10]

- En la mayoría de las situaciones, los paramédicos pueden realizar una reanimación inicial equivalente a un intento de reanimación en el hospital. En la mayoría de los casos, la reanimación en el SEM no aporta ningún beneficio adicional.
- La RCP realizada durante el embalaje y transporte del paciente es mucho menos eficaz que la RCP administrada en el lugar de los hechos.
- Los paramédicos tienen el riesgo de presentar lesiones físicas al intentar realizar una RCP en una ambulancia en movimiento sin estar sujetos.
- Continuar con la reanimación en casos inútiles pone en peligro a otros conductores y peatones, aumenta el tiempo durante el cual el personal del SEM no está disponible para otras llamadas, impide la atención de otros pacientes en emergencias e incurre en gastos médicos innecesarios.

La AHA ha publicado criterios para la finalización de la reanimación con SVB y SVA en caso de PCEH en adultos (**CUADRO 15-6**).[11]

En algunas jurisdicciones, la legislación estatal no permite a los paramédicos declarar la muerte en el lugar de los hechos. Si se promulgara una ley que permitiera estas declaraciones en estas jurisdicciones, cada sistema del SEM tendría que formular sus propios criterios para finalizar la RCP en el entorno prehospitalario.

Recibir permiso para detener la RCP en el campo no facilita necesariamente la vida. Hay cuestiones complejas que deben tratarse con delicadeza, como las expectativas de la familia del paciente y la correcta disposición del cadáver. Además, puede verse sometido a

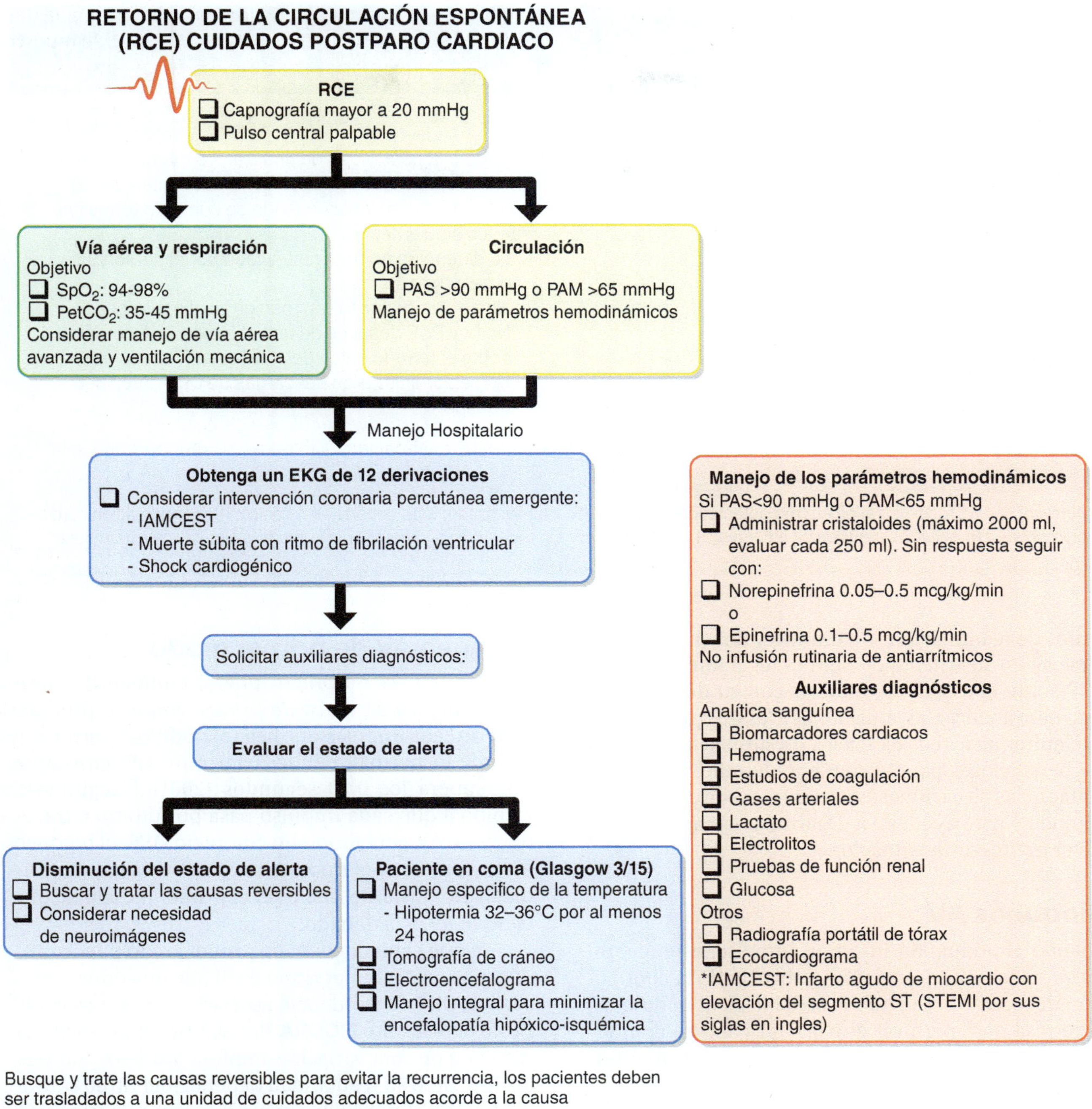

FIGURA 15-68 Algoritmo para Retorno de la Circulación Espontánea

una enorme presión por parte de los transeúntes para que continúe con los esfuerzos de reanimación mucho después de que exista cualquier justificación médica para hacerlo. Detener la reanimación cardiopulmonar también puede resultarle difícil; es posible que no esté acostumbrado a explicar a la familia que la persona ha muerto y que no se puede hacer nada más. Es mucho más fácil trasladar a la persona al centro médico y dejar al personal de emergencias la desagradable tarea de dar la mala noticia.

Muchas jurisdicciones han adoptado protocolos para ayudar a los proveedores a decidir cuándo los in-

CUADRO 15-6 Reglas de la *American Heart Association* para finalizar la reanimación en adultos con paro cardíaco hipertrófico

Norma SVB	Norma SVA
Considere la posibilidad de finalizar los intentos de reanimación SVB en adultos con paro cardíaco hipertrófico antes de trasladarlos a la ambulancia cuando se cumplan todos los criterios siguientes: 1. El paro no fue presenciado por el SEM 2. No hay RCE antes del transporte 3. No se administraron descargas de DEA antes del transporte	Considere la posibilidad de finalizar los intentos de reanimación con SVA en adultos con PCEH antes de trasladarlos a la ambulancia cuando se cumplan todos los criterios siguientes: 1. La detención no fue presenciada por el personal de emergencias 2. No se proporcionó reanimación cardiopulmonar 3. No hay RCE después de una atención SVA completa sobre el terreno antes del transporte 4. No se administraron descargas de DEA antes del transporte.
Si se cumplen *todos* los criterios, considere la posibilidad de finalizar la reanimación. Si falta *algún* criterio, continúe la reanimación y el transporte.	

Abreviaturas: DEA, desfibrilador externo automático; SVA, soporte vital avanzado; SVB, soporte vital básico; RCP, reanimación cardiopulmonar; SEM, servicios médicos de emergencia; PCEH, paro cardíaco extrahospitalario; RCE, retorno de la circulación espontánea.

Datos de: Panchal AR, Bartos JA, Cabañas JG, et al. Part 3: adult basic and advanced life support: 2020 American Heart Association guidelines for cardiopulmonary resuscitation and emergency cardiovascular care. *Circulation*. 2020;142(16 suppl 2): S366-S468.

tentos de reanimación son inútiles y deben interrumpirse. Si en su sistema de SEM es legal interrumpir la RCP sobre el escenario, reúnase con su director médico para analizar las situaciones a las que puede tener que enfrentarse. Los ejercicios de simulación pueden ser beneficiosos para ayudarle a identificar, por adelantado, las situaciones en las que puede sentirse incómodo y para ayudarle a desarrollar estrategias para hacer frente a estas situaciones.

Bloqueos AV

Cuando el nódulo SA inicia un impulso, este recorre las aurículas y los ventrículos, provocando la contracción del corazón. Cuando la señal llega al nódulo AV, se retrasa para permitir que las aurículas se contraigan y llenen los ventrículos. Este retraso es una función normal del nódulo AV y no suele causar signos ni síntomas. Sin embargo, en ocasiones, el impulso que viaja a través del nódulo AV se retrasa durante un periodo más prolongado de lo habitual o se bloquea por completo, lo que ocasiona un bloqueo AV, que es un tipo de bloqueo cardíaco. Este retraso prolongado o bloqueo en la conducción del impulso puede producirse a nivel del nodo AV o por debajo del haz de His (infranodal), y puede afectar a una o más de las ramas del haz y sus fascículos.

Los bloqueos AV se clasifican en distintos grados, en función de la gravedad del bloqueo y de la magnitud del daño miocárdico. El menos grave es el bloqueo AV de primer grado; el más grave, el de tercer grado. En medio, por supuesto, se encuentra el bloqueo de segundo grado.

Bloqueo AV de primer grado

Un **bloqueo AV de primer grado**, también denominado *bloqueo cardíaco de primer grado* se produce cuando cada impulso que llega al nódulo AV se retrasa más de lo normal, dando lugar a un IPR constante que supera los 0.20 segundos (200 milisegundos). Debido a que cada impulso pasa por último a través del nodo AV, generando un complejo QRS, el bloqueo AV se considera el tipo menos grave de bloqueo cardíaco. No obstante, suele ser el primer indicio de que el nodo AV está dañado.

Ya que el bloqueo AV de primer grado puede producirse con cualquier ritmo en el que una onda P preceda al QRS, la frecuencia asociada con este es la del ritmo subyacente **FIGURA 15-69**. Este ritmo suele ser regular, con una variación mínima entre los intervalos R-R, pero su regularidad depende del ritmo subyacente. Este ritmo suele ser regular, con una variación mínima entre los intervalos R-R, pero su regularidad depende del ritmo subyacente. Una onda P vertical precede a cada complejo QRS. Su tamaño y forma pueden variar, dependiendo del ritmo subyacente. El IPR mide más de 0.20 segundos (200 milisegundos) y su duración es constante. El complejo QRS mide 0.11 segundos (110 milisegundos) o menos. La principal diferencia entre el bloqueo AV de primer grado y el ritmo sinusal normal es la prolongación del IPR.

El bloqueo AV de primer grado no suele requerir tratamiento en el ámbito prehospitalario a menos que se asocie con bradicardia sintomática. En tales casos, la bradicardia se trata siguiendo el algoritmo de bradicardia comentado antes en este capítulo.

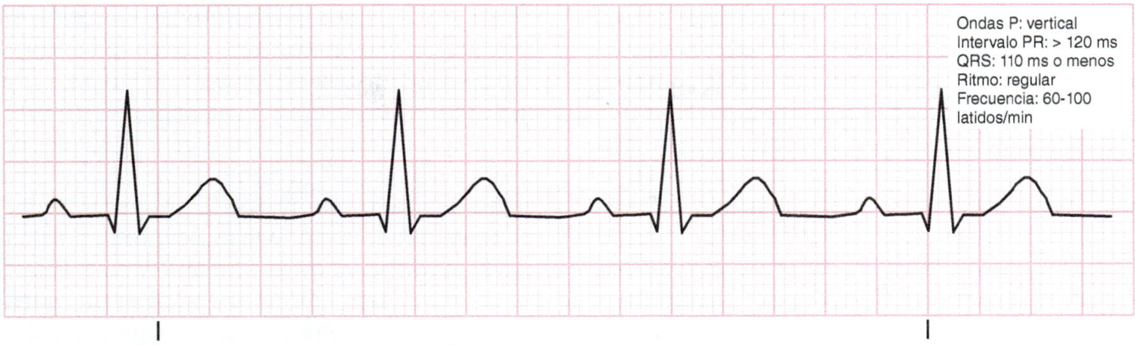

FIGURA 15-69 Bradicardia sinusal con bloqueo auriculoventricular de primer grado.

Reproducida de *Arrhythmia Recognition: The Art of Interpretation*, cortesía de Tomas B. Garcia, MD.

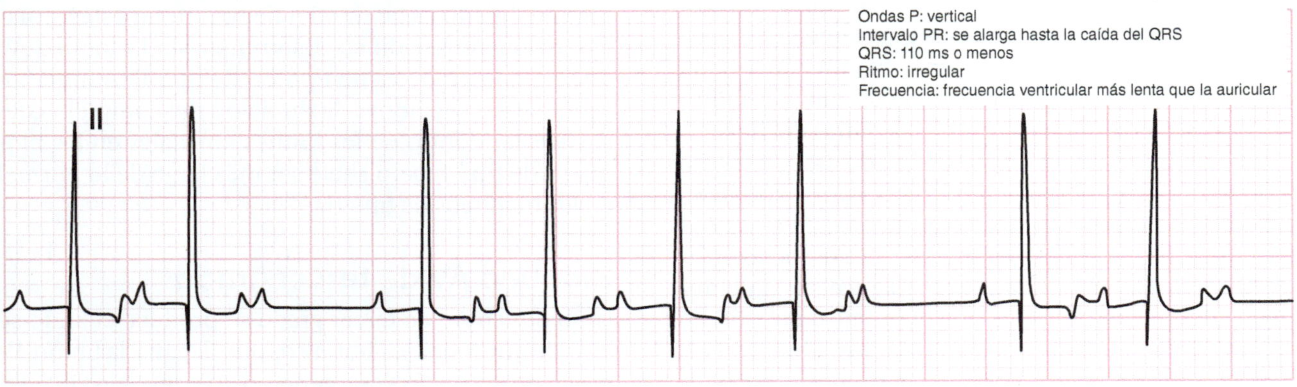

FIGURA 15-70 Bloqueo auriculoventricular de segundo grado tipo I.

Reproducida de *Arrhythmia Recognition: The Art of Interpretation*, cortesía de Tomas B. Garcia, MD.

Bloqueo AV de segundo grado tipo I

Un bloqueo AV de segundo grado se produce cuando hay una interrupción en la conducción del impulso dentro del nodo AV, el haz de His o el sistema His-Purkinje, impidiendo que el impulso se dirija a los ventrículos y genere un complejo QRS. El bloqueo AV de segundo grado tipo I, también denominado bloqueo de segundo grado tipo I de Mobitz o Wenckebach, se produce con mayor frecuencia debido a una alteración de la conducción a través del nodo AV; sin embargo, en ocasiones puede producirse por debajo del nodo AV dentro del haz de His o de las ramas del haz.

En el bloqueo AV de segundo grado tipo I, el intervalo entre ondas P es regular. Una onda P vertical precede a la mayoría de los complejos QRS. El ritmo ventricular es irregular, con un intervalo R-R prolongado entre el último complejo QRS antes de la onda P bloqueada y el complejo QRS después de la primera onda P desbloqueada, **FIGURA 15-70**. El IPR comienza dentro de los límites normales de 0.12 a 0.20 segundos (120 a 200 milisegundos), pero se alarga con cada onda P sucesiva. Por último, aparece una onda P que no va seguida de un complejo QRS, sino de otra onda P. Esta onda P va seguida de un complejo QRS. A esta onda P le sigue un complejo QRS con un IPR normal. Este patrón se repite una y otra vez en el mismo ritmo. El complejo QRS mide 0.11 segundos (110 milisegundos) o menos.

Las claves para reconocer el bloqueo AV de segundo grado tipo I incluyen (1) observar la presencia de más ondas P que complejos QRS, (2) notar ondas P que ocurren a intervalos regulares, (3) identificar que los IPR asociados con las ondas P conducidas se alargan cada vez más hasta que aparece una onda P que no es seguida por un complejo QRS y (4) notar que el ritmo ventricular es irregular.

Las afecciones en las que puede observarse un bloqueo AV de segundo grado tipo I incluyen cardiopatía isquémica, IM agudo de la pared inferior o del ventrículo derecho, aumento del tono vagal, toxicidad por digoxina y ciertos desequilibrios electrolíticos. La administración de amiodarona, betabloqueadores y antagonistas del calcio puede causar bloqueo AV de segundo grado tipo I.

El paciente con este tipo de bloqueo AV suele ser asintomático porque la frecuencia ventricular suele permanecer casi normal y el GC no se ve comprometido de forma significativa. Sin embargo, si la frecuencia ventricular disminuye y el paciente se vuelve sintomático debido a la lentitud de la frecuencia, la bradicardia debe tratarse según el algoritmo de bradicardia (véase la figura 15-35). Cuando este ritmo se produce junto con un IAM, se debe monitorizar de forma continua al paciente para detectar un aumento del bloqueo AV.

Bloqueo AV de segundo grado tipo II

El bloqueo AV de segundo grado tipo II, también denominado bloqueo de segundo grado tipo II de Mobitz o bloqueo AV tipo II, es más grave que el bloqueo AV de segundo grado tipo I. Con el bloqueo AV tipo II, el deterioro de la conducción suele producirse dentro del haz de His o, más común, en las ramas del haz.

El bloqueo AV de segundo grado tipo II es un bloqueo intermitente caracterizado por la aparición regular de ondas P y la aparición brusca de al menos una onda P que no va seguida de un complejo QRS, **FIGURA 15-71**. Una onda P que aparece sin un complejo QRS posterior indica que el impulso del nódulo SA no fue conducido a los ventrículos. Una onda P que se produce sin un complejo QRS posterior indica que el impulso del nodo SA no fue conducido a los ventrículos. El ritmo ventricular es irregular debido a la caída de los complejos QRS. El IPR es constante. El complejo QRS medirá 0.11 segundos (110 milisegundos) o menos si el bloqueo se produce por encima o dentro del haz de His. Si el bloqueo se produce por debajo del haz de His, el complejo QRS será superior a 0.11 segundos (110 milisegundos).

Las causas del bloqueo AV de segundo grado tipo II incluyen cardiopatía isquémica, IM agudo de pared anterior y cardiopatías infecciosas. El bloqueo AV de segundo grado tipo II también puede producirse como consecuencia de una intervención quirúrgica cardíaca. El bloqueo AV de segundo grado tipo II se asocia a menudo con una frecuencia ventricular lenta, y puede ser evidente una reducción significativa del GC. Los pacientes pueden experimentar mareos, fatiga, disnea de esfuerzo o síncope. Dado que la atropina suele ser ineficaz para revertir este tipo de bloqueo, la atención de emergencia puede requerir el uso de ETC (véase la figura 15-35). El bloqueo AV de segundo grado tipo II puede progresar a bloqueo AV de tercer grado sin previo aviso, por lo que la monitorización del paciente es fundamental.

Los bloqueos AV de segundo grado pueden presentarse en patrones. Cuando aparecen dos ondas P por cada complejo QRS, se trata de un bloqueo AV 2:1; cuando aparecen tres ondas P por un complejo QRS, se trata de un bloqueo AV 3:1. En estas situaciones, puede ser difícil determinar si el bloqueo AV de segundo grado es de tipo I o de tipo II. En estas situaciones puede ser difícil determinar si el bloqueo AV de segundo grado es de tipo I o de tipo II. Aunque se producen excepciones, la duración del complejo QRS suele estar dentro de los límites normales en los bloqueos de tipo I, pero suele ser más larga de lo normal en los bloqueos de tipo II.

Bloqueo AV de tercer grado

Un bloqueo AV de tercer grado se produce cuando se impide que todos los impulsos que llegan a la unión AV pasen a los ventrículos y generen un complejo QRS. En consecuencia, este bloqueo también se conoce como bloqueo cardíaco completo o bloqueo AV completo. Dado que todos los impulsos procedentes del nodo SA están bloqueados, un marcapasos secundario (ya sea de la unión o ventricular) debe asumir la responsabilidad de la conducción del impulso.

La forma tradicional de identificar un bloqueo AV de tercer grado es buscar ondas P no conducidas y la ausencia de relación entre las ondas P y los complejos QRS. No existe IPR porque los ritmos auricular y ventricular se producen de forma independiente. El ritmo suele ser regular, con intervalos P-P y R-R coherentes, **FIGURA 15-72**. La onda P está presente y en posición vertical. La frecuencia auricular es más rápida que la ventricular. La frecuencia ventricular, que depende

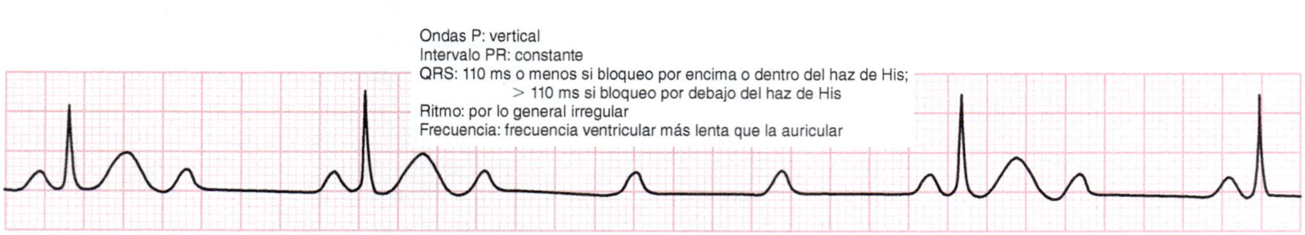

FIGURA 15-71 Bloqueo auriculoventricular de segundo grado tipo II.

Reproducida de *Arrhythmia Recognition: The Art of Interpretation*, cortesía de Tomas B. Garcia, MD.

de la actividad de un marcapasos secundario, es de 40 a 60 latidos/min si el marcapasos se origina en la unión AV y de 20 a 40 latidos/min si se origina en los ventrículos.

Los complejos QRS observados en el bloqueo AV de tercer grado pueden ser de duración normal si se originan en la unión AV. Suelen ser de 0.12 segundos (120 milisegundos) o más si el lugar del marcapasos se encuentra en los ventrículos.

Los bloqueos AV de tercer grado pueden producirse por IAM, cardiopatía isquémica, hiperpotasemia o dosis excesivas de algunos medicamentos de control de frecuencia. Los síntomas están relacionados con la localización del bloqueo dentro del sistema de conducción. El paciente puede ser asintomático si el bloqueo se localiza en el nodo AV y presenta un ritmo de unión, con una frecuencia ventricular razonable. Sin embargo, puede producirse fatiga, disnea o síncope si el lugar del bloqueo está por debajo del nodo AV, con un ritmo ventricular de escape lento.[17] Si el paciente está sintomático debido a la frecuencia lenta, trate la bradicardia según el algoritmo de bradicardia (véase la figura 15-35).

Ritmos de marcapasos artificiales

Muchos de los pacientes con los que se encuentran los paramédicos han tenido trastornos del sistema de conducción cardíaca para los que se implantó un marcapasos artificial. Un marcapasos artificial consta de un generador de impulsos, que es la fuente de energía alimentada con baterías, y de electrodos de alambre fijados a una o más cámaras del corazón. El generador de impulsos de un marcapasos permanente contiene un *hardware* programable. Se implanta en el tejido subcutáneo del tórax, debajo de la clavícula derecha o izquierda.

El disparo de un marcapasos artificial genera un pico vertical único en el trazo del EKG, **FIGURA 15-73**. Un marcapasos unicameral estimula solo una cámara cardíaca, ya sea la aurícula derecha o el ventrículo derecho. Un marcapasos de una sola cámara estimula solo una cámara cardíaca, la aurícula derecha o el ventrículo derecho. Un marcapasos bicameral, también llamado *marcapasos secuencial AV*, estimula tanto la aurícula derecha como el ventrículo derecho. Este tipo de dispositivo produce un pico de marcapasos

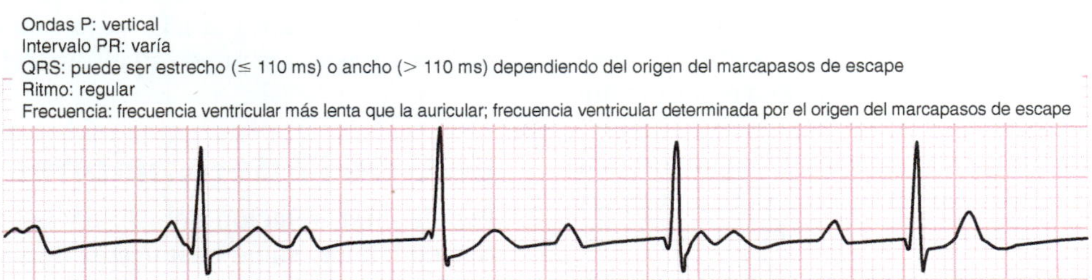

FIGURA 15-72 Bloqueo auriculoventricular de tercer grado.

Reproducida de *Arrhythmia Recognition: The Art of Interpretation*, cortesía de Tomas B. Garcia, MD.

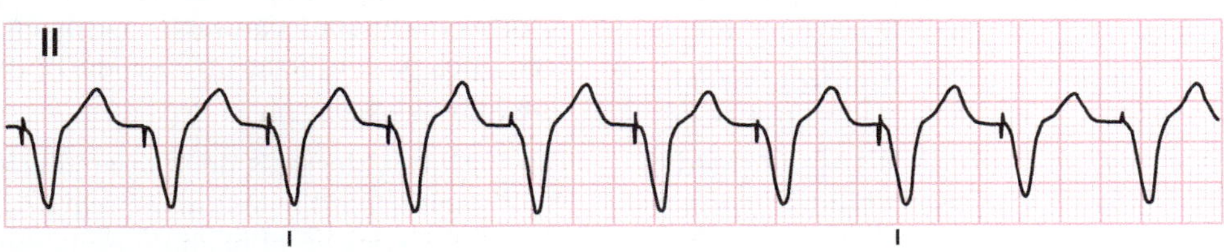

FIGURA 15-73 Ritmo de marcapasos ventricular.

Reproducida de *Arrhythmia Recognition: The Art of Interpretation*, cortesía de Tomas B. Garcia, MD.

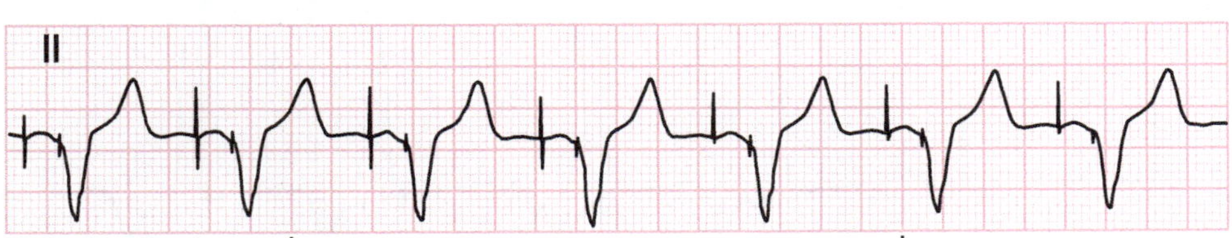

FIGURA 15-74 Ritmo de marcapasos de doble cámara (auriculoventricular secuencial).

Reproducida de *Arrhythmia Recognition: The Art of Interpretation*, cortesía de Tomas B. Garcia, MD.

seguido de una onda P y, a continuación, otro pico de marcapasos seguido de un complejo QRS ancho, **FIGURA 15-74**. Un marcapasos biventricular, que sincroniza la contracción de los ventrículos derecho e izquierdo, se utiliza para tratar a pacientes con insuficiencia cardíaca grave o moderadamente grave.

Existen dos tipos de marcapasos. Un marcapasos de frecuencia fija, poco utilizado en la actualidad, genera un impulso de estimulación a una frecuencia preprogramada. En cambio, un marcapasos a demanda está equipado con un sensor que detecta la frecuencia de la despolarización cardíaca espontánea. Genera un impulso de estimulación solo cuando detecta que la frecuencia cardíaca del paciente ha descendido por debajo de una frecuencia predeterminada (por lo general 60 latidos/min), **FIGURA 15-75**.

Mal funcionamiento del marcapasos implantado

En ocasiones, un marcapasos falla. Si el marcapasos del paciente está fallando, los picos del marcapasos pueden seguir siendo visibles, pero no les seguirá un complejo QRS. Esta falla de captura indica que el marcapasos no funciona de manera correcta. La falla de captura puede producirse si el cable que conecta el marcapasos al corazón del paciente se desplaza. También puede producirse por agotamiento de la batería o perforación ventricular.

La falla de marcapasos es un mal funcionamiento del marcapasos indicado en el EKG por la ausencia de picos de marcapasos en los momentos esperados. Entre las posibles causas de la falla de marcapasos se incluyen una falla del generador de impulsos, un cable roto o desprendido, un cable desconectado o el agotamiento de la batería.

La falla sensorial es una disfunción en la que el marcapasos compite con el ritmo intrínseco del paciente. Una falla en el generador de impulsos, un cable roto o desprendido, un ajuste de sensibilidad excesivamente alto o el agotamiento de la batería pueden causar infrasensibilidad. La infrasensibilidad se indica en el EKG mediante la aparición de picos de marcapasos dentro de la onda P, el complejo QRS o la onda T. Debido a que los picos del marcapasos se producen de forma inadecuada, este tipo de mal funcionamiento del marcapasos supone una amenaza de TV o FV causada por los picos del marcapasos que se producen durante el periodo vulnerable del ciclo cardíaco.

Cuando se produce sobre detección, el marcapasos no consigue generar un impulso porque ha detectado señales extrañas (a menudo musculares) y las ha interpretado de forma errónea como complejos QRS. Se indica en el EKG por la aparición de picos de marcapasos a una frecuencia inferior a la preestablecida por el marcapasos, o por la ausencia de latidos estimulados, aunque la frecuencia preestablecida por el marcapasos sea superior a la del paciente.

Otro tipo de falla del marcapasos es el denominado marcapasos fuera de control. Un marcapasos fuera de control se caracteriza por un ritmo muy taquicárdico que debe ralentizarse para preservar la función cardíaca del paciente. La colocación de un imán potente sobre el marcapasos suele restablecerlo. Esta recalibración la realizaría un cardiólogo en el SEM.

Si se produce alguna de estas disfunciones, el ritmo cardíaco del paciente dependerá de un marcapasos natural (por lo general los ventrículos), lo que provocará una reducción significativa del GC. En tales casos, puede ser necesaria la ETC para mantener el GC del paciente hasta que pueda sustituirse el marcapasos.

EKG de 12 derivaciones

Para la interpretación del ritmo y la identificación de ritmos letales, suele bastar con una sola derivación, por lo general la derivación II. Sin embargo, un EKG de 12 derivaciones resulta útil cuando se desean ver vistas del corazón desde varios ángulos para localizar el lugar de la lesión cardíaca o identificar disritmias y otras anomalías cardíacas. Otros ejemplos de indicaciones para utilizar un EKG de 12 derivaciones son los siguientes:

- Antes y después de la terapia eléctrica (desfibrilación, cardioversión, marcapasos)
- Molestias en el pecho o en la parte superior del abdomen

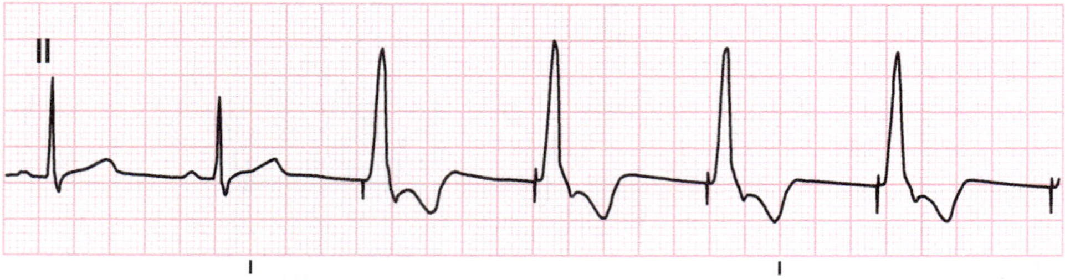

FIGURA 15-75 Ritmo del marcapasos a demanda ventricular.

Reproducido de *Arrhythmia Recognition: The Art of Interpretation*, cortesía de Tomas B. Garcia, MD.

- Desequilibrio electrolítico conocido o sospechado
- Sobredosis de medicamentos conocida o sospechada
- FVD o FVI
- Después de un síncope
- Evento vascular cerebral
- Síncope o casi síncope
- Inestabilidad hemodinámica de etiología desconocida

Los dispositivos capaces de registrar EKG de 12 derivaciones contienen un *software* de interpretación. Aunque este *software* es una herramienta útil y suele ser muy preciso en la medición de intervalos y duraciones, tiene muchas limitaciones. Al leer el EKG, lo mejor es confiar en su interpretación en lugar de en los resultados automatizados. Piense en el *software* de interpretación automatizada como un codazo o una pista sobre lo que puede estar ocurriendo en el corazón del paciente, más que como una conclusión definitiva. La mayoría de los dispositivos también pueden transmitir los EKG al centro médico, lo que permite a los médicos de emergencias revisar el EKG antes de su llegada y preparar los recursos especializados con antelación.

Modos de adquisición

El dispositivo de EKG puede registrar trazos utilizando varios rangos de frecuencia electromagnética en cualquiera de los dos modos de adquisición: modo monitor o modo diagnóstico. Para la interpretación del ritmo, el EKG se registra en modo monitor. Este modo emplea filtros electrónicos para eliminar los artefactos y otra información no deseada del trazado. Desafortunadamente, el modo monitor también puede sesgar la forma y la ubicación del segmento ST y la onda T. El modo monitor captura información eléctrica dentro del intervalo de 1 a 30, 40, 100 o 150 hercios (Hz).

El modo de diagnóstico, el otro modo de adquisición filtra muy poca información eléctrica, por lo que pueden aparecer más artefactos en el trazo. Se utiliza un ancho de banda de 0.05 a 150 Hz para los EKG de diagnóstico, y el análisis interpretativo de la máquina de EKG de 12 derivaciones se realiza utilizando este ancho de banda. El modo de diagnóstico es el modo predeterminado utilizado para registrar un EKG de 12 derivaciones, y no puede cambiarse. Muchos dispositivos permiten a los usuarios grabar EKG de 3 derivaciones también en modo de diagnóstico. Sin embargo, el EKG de 3 derivaciones suele adquirirse en los primeros minutos de contacto con el paciente, cuando suele haber mucho movimiento. La diafonía resultante puede crear artefactos sustanciales en el trazado, haciendo imposible interpretar el ritmo. Observe que el intervalo de frecuencias siempre se imprime cerca de la parte inferior del trazo del EKG. **FIGURA 15-76**.

FIGURA 15-76 El rango de frecuencia electromagnética está impreso cerca de la parte inferior del electrocardiograma (EKG). El modo de diagnóstico se utiliza siempre en los trazos de EKG de 12 derivaciones.

Colocación de derivación

La mejor forma de aprender a registrar un EKG de 12 derivaciones es practicar con el equipo real. Cuando coloque los electrodos, no permita que el paciente se enfríe porque los escalofríos producirán alteraciones en el trazo del EKG. La **PRÁCTICA DE DESTREZA 15-6** describe los pasos para la toma de un EKG de 12 derivaciones.

Aproximación a la interpretación del EKG de 12 derivaciones

Al igual que la interpretación de las disritmias, la interpretación del EKG de 12 derivaciones requiere un enfoque sistemático para garantizar que no se pasa nada por alto. Aquí se describe un método de siete pasos para la interpretación de EKG de 12 derivaciones:

1. Revise el trazo.
2. Interprete la disritmia.
3. Determine el eje.
4. Identifique las alteraciones del sistema de conducción.
5. Evalúe el tamaño de la cámara.
6. Revise en busca de zonas de isquemia, lesión e infarto.
7. Identifique las causas no cardíacas.

Revisar la instantánea

En primer lugar, observe el trazo para ver si hay algo que llame la atención. Por ejemplo, ¿la frecuencia cardíaca es demasiado lenta o rápida? Este paso consiste en dar un vistazo general rápido al EKG de 12 derivaciones para ver si todas las derivaciones están impresas, si hay artefactos y si la frecuencia está en alguno de los extremos.

Interpretar la disritmia

Esta interpretación se basa en el mismo proceso de cinco pasos presentado antes en el capítulo. Utilice estas reglas para identificar el ritmo subyacente:

1. Identifique las ondas (P-QRS-T).
2. Mida el IPR.
3. Mida la duración del QRS.
4. Determine la regularidad del ritmo.
5. Mida la frecuencia cardíaca.

Práctica de destreza 15-6 Adquisición de un EKG de 12 derivaciones

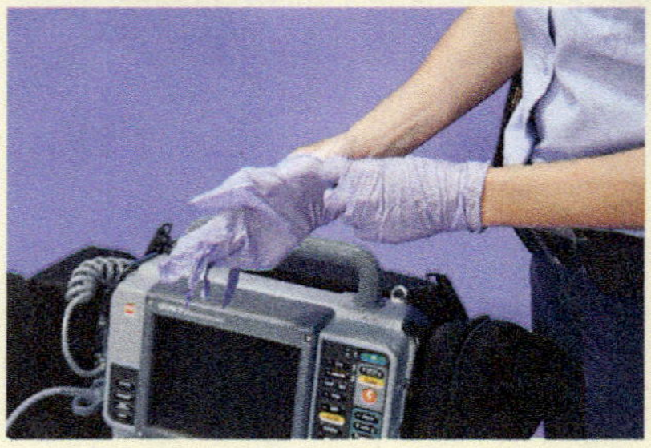

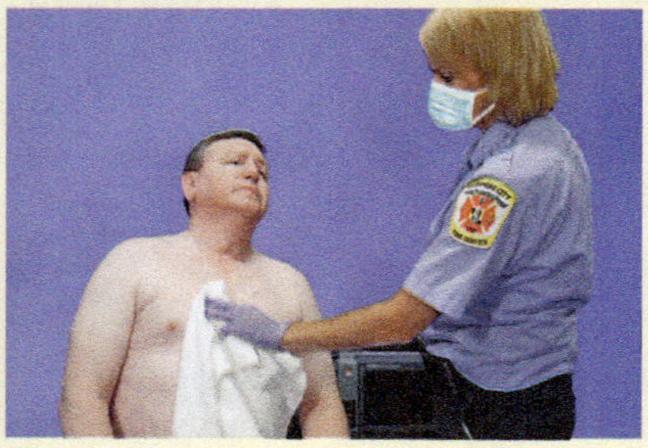

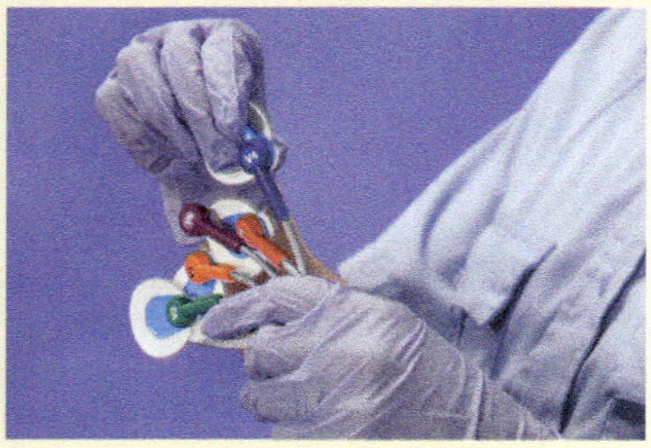

Paso 1

Tome las precauciones habituales. Compruebe su equipo. Asegúrese de que el extremo del cable de EKG no está desconectado y de que el cable o los electrodos estén intactos. Asegúrese de que el monitor dispone de un suministro de papel adecuado. Conecte el cable de EKG al equipo. Conecte los electrodos conductores al cable de EKG (si no están ya conectados).

Paso 2

Explique el procedimiento al paciente. Prepare la piel del paciente para la colocación de los electrodos; afeite y limpie la piel del paciente según sea necesario antes de colocar los electrodos de monitorización.

Paso 3

Conecte los electrodos a las derivaciones antes de colocárselas al paciente.

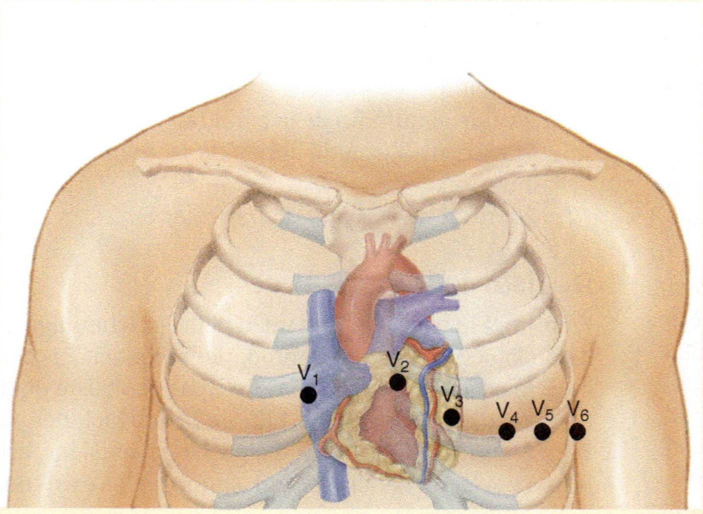

Paso 4

Coloque los electrodos en el paciente. Conecte los cuatro electrodos de las extremidades y colóquelos en los brazos y las piernas del paciente. No coloque los electrodos en el tronco del cuerpo, como se hace a veces para la monitorización del EKG. Compruebe dos veces que se ha colocado el electrodo correcto en cada extremidad (el electrodo AI en el brazo izquierdo, el electrodo AD en el brazo derecho, etcétera).

Una vez fijados los electrodos de las extremidades, conecte y aplique los electrodos para las derivaciones precordiales:

V_1: derecha del esternón, cuarto EIC
V_2: izquierda del esternón, cuarto EIC
V_3: justo entre las derivaciones V_2 y V_4
V_4: línea medioclavicular izquierda, quinto EIC
V_5: línea axilar anterior izquierda a nivel del plomo V_4
V_6: línea axilar media izquierda a nivel del plomo V_4

Práctica de destreza 15-6 Adquisición de un EKG de 12 derivaciones (continuación)

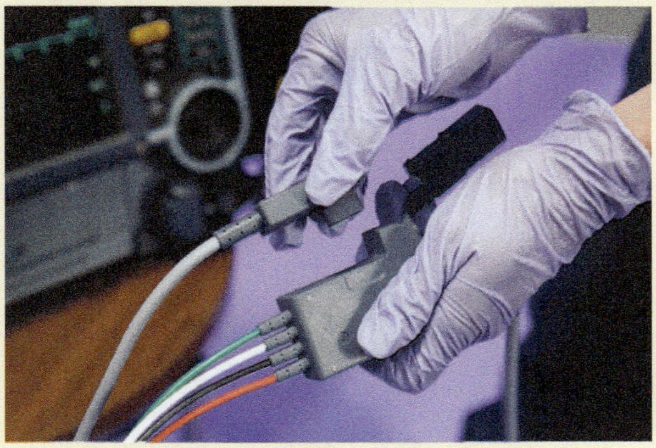

Paso 5

Conecte los cables al monitor. Asegúrese de que el paciente está sentado o acostado, de que no tiene las extremidades cruzadas y de que respira con normalidad y no habla. Encienda el monitor y ajuste el contraste de la pantalla si es necesario. Asegúrese de que todos los electrodos y cables siguen conectados y de que no aparece ningún mensaje de error.

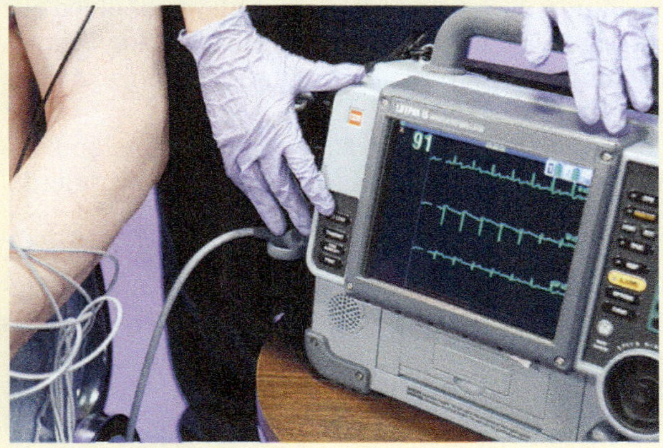

Paso 6

Pulse el botón *Analizar 12 derivaciones*.

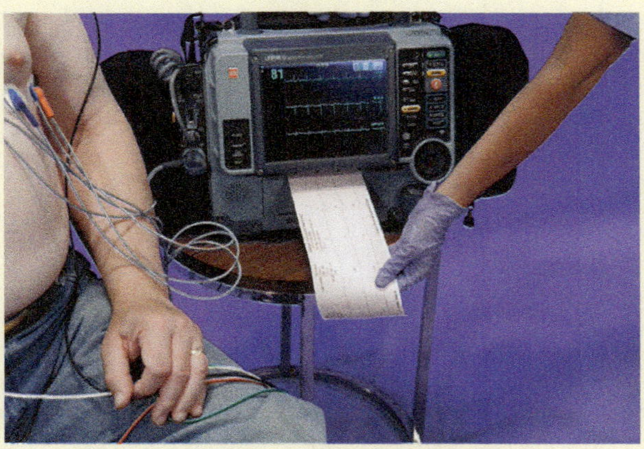

Paso 7

Obtenga la grabación del EKG de 12 derivaciones.

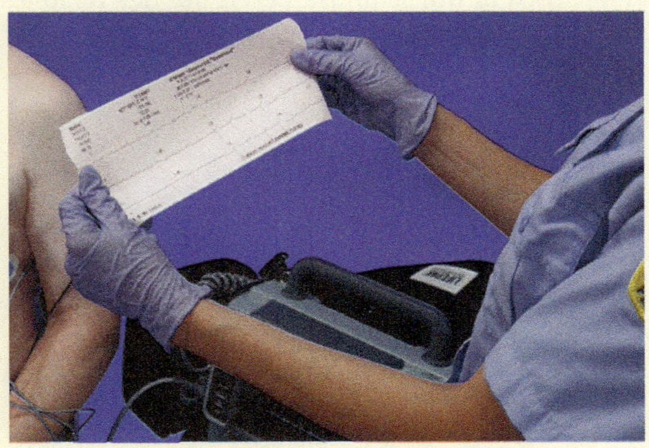

Paso 8

Examinar el trazo para comprobar si su calidad es aceptable. Interpretar el EKG de 12 derivaciones, etiquetarlo y determinar si se necesitan vistas adicionales de las paredes derecha y posterior (trazos de 15 o 18 derivaciones). Obtener un EKG de 12 derivaciones cada 5 a 10 minutos en pacientes de alto riesgo y después del tratamiento.

Determinar el eje

Cada miocito emite una pequeña carga eléctrica cuando se despolariza. Un vector, que a menudo se ilustra con una flecha, es una cantidad, como la fuerza, que tiene magnitud y dirección. El **eje QRS** es un vector único que representa la media (o promedio) de todos los vectores creados por los ventrículos durante la despolarización, **FIGURA 15-77**.

Una deflexión QRS positiva en la derivación I significa que el vector se dirige hacia el brazo izquierdo, mientras que una deflexión QRS negativa indica que el vector se dirige hacia el brazo derecho, **FIGURA 15-78**. Una deflexión QRS positiva en la derivación aVF significa que el vector se dirige hacia los pies, mientras que una deflexión QRS negativa indica que el vector se dirige hacia la cabeza, **FIGURA 15-79**.

La **desviación del eje** se refiere al movimiento del eje del QRS a la derecha o a la izquierda de su posición normal. Aunque la desviación del eje proporciona una pista importante sobre la actividad eléctrica del corazón, no es sensible ni específica para ningún diagnóstico concreto. En su lugar, los médicos la utilizan en combinación con otra información para determinar lo que está ocurriendo en el corazón.

Puede utilizar varios métodos para determinar el eje QRS. El método más sencillo y rápido consiste en crear un sencillo sistema de cuatro cuadrantes utilizando los complejos QRS de las derivaciones I y aVF, **FIGURA 15-80**. Se utilizan estas dos derivaciones porque son las únicas perfectamente horizontales y verticales, respectivamente. Los cuadrantes representan el espacio a través del cual puede viajar el impulso. El centro de los cuadrantes es el punto en el que se cruzan las dos líneas y representa el origen del

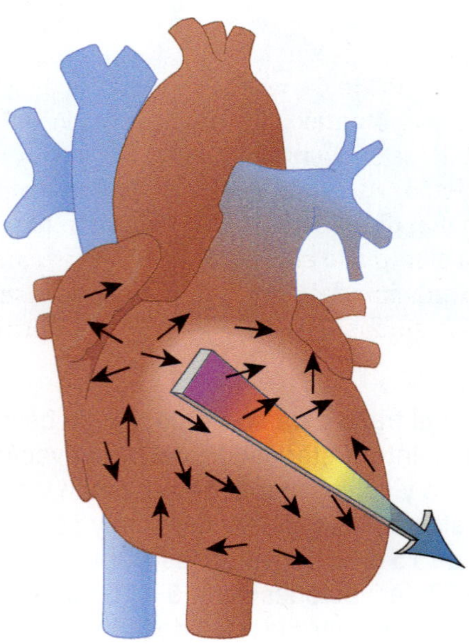

FIGURA 15-77 El eje QRS es la media de todos los vectores ventriculares.

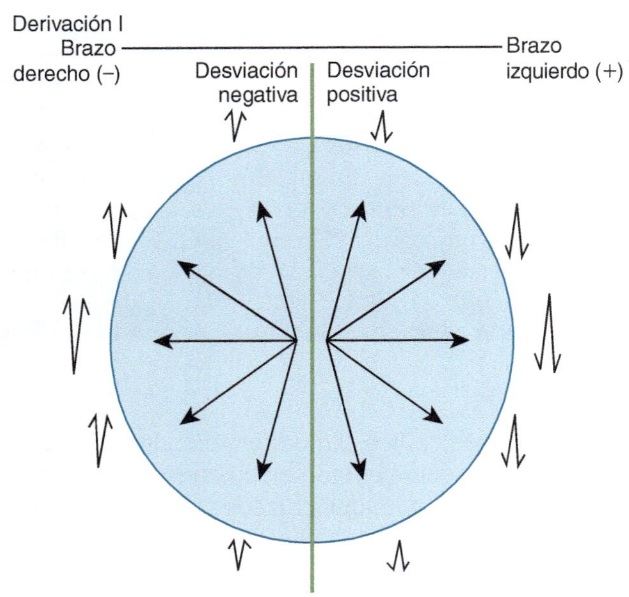

FIGURA 15-78 Vista desde la derivación I, el QRS tendrá una desviación positiva si se dirige hacia el brazo izquierdo y una desviación negativa si se dirige hacia el brazo derecho.

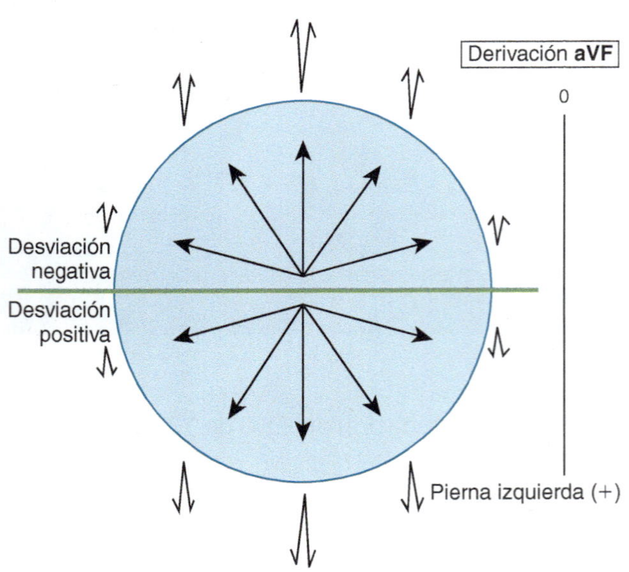

FIGURA 15-79 Vista desde la derivación aVF, el QRS tendrá una desviación positiva si se dirige hacia los pies del paciente y una desviación negativa si se dirige hacia la cabeza del paciente.

impulso. Para determinar el eje QRS, utilice la dirección de los complejos QRS en las derivaciones I y aVF.

En primer lugar, observe el complejo QRS en las derivaciones I y aVF y decida si es positivo o negativo. Si el complejo QRS es positivo en las derivaciones I y aVF, entonces el eje cae en el cuadrante 4 y se sitúa entre 0° y 90°. El eje QRS normal oscila entre −30° y +90°, no entre 0° y 90°. Sin embargo, esta estimación del eje del QRS es suficientemente aproximada. Existe desviación del eje izquierdo si el complejo QRS es positivo en la derivación I y negativo en la derivación aVF. Un QRS negativo en la derivación I y un complejo QRS positivo en la derivación aVF sugieren una desviación del eje derecho. Por último, existe una desviación extrema del eje derecho cuando el complejo QRS es negativo en las derivaciones I y aVF. El **CUADRO 15-7** resume cómo determinar el eje del QRS utilizando las derivaciones I y aVF.

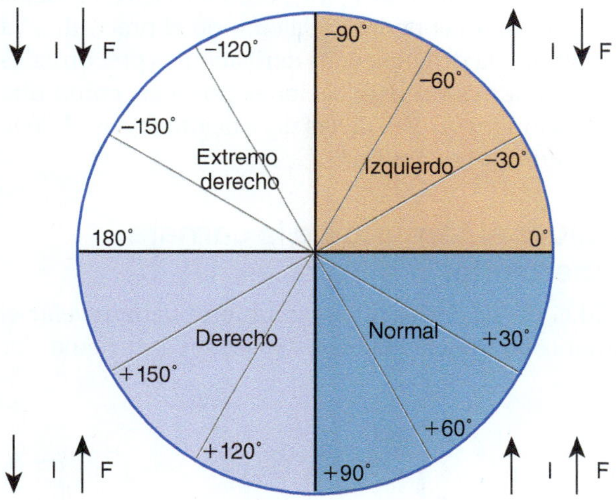

FIGURA 15-80 El sistema de cuatro cuadrantes puede utilizarse para determinar la dirección general de un vector eléctrico en la región ventricular del corazón. Este sistema de puntos de referencia imaginarios ayuda a determinar el eje del QRS.

Recordemos que la onda P representa la actividad eléctrica en el nodo SA, mientras que el complejo QRS indica la despolarización ventricular. Por lo tanto, la dirección del eje del QRS, o la desviación del eje, corresponde a la actividad eléctrica de los ventrículos. Si uno de los ventrículos está agrandado (hipertrófico), aporta más energía eléctrica de lo normal y el vector eléctrico resultante apunta en la dirección de la hipertrofia. Por el contrario, una zona infartada está compuesta por tejido muerto, que no emite ninguna señal eléctrica. Por lo tanto, si una parte del ventrículo está infartada, el vector se alejará de ella.

Identificar las alteraciones del sistema de conducción

A continuación, busque alteraciones del sistema de conducción en el EKG de 12 derivaciones. Entre ellas se incluyen los bloqueos AV y la preexcitación (comentados antes en este capítulo), los bloqueos de rama del haz y los hemibloqueos fasciculares.

Bloqueo de rama

Por lo general, los ventrículos derecho e izquierdo se despolarizan al mismo tiempo. Un complejo QRS con un aspecto extraño y una duración de 0.12 segundos (120 milisegundos) o más significa alguna anomalía en la conducción a través de los ventrículos. Un **bloqueo de rama del haz (BRH)** es un tipo de defecto de conducción intraventricular que implica una alteración de la conducción desde el haz de His hasta una o más de las ramas del haz. Un bloqueo a nivel de las ramas del haz afecta al orden en que éstas se activan, el haz bloqueado es el último en despolarizarse.

El bloqueo de la rama derecha del haz de His (BRDHH) y el bloqueo de rama izquierda del haz de His (BRIHH) se encuentran entre los hallazgos más frecuentes del EKG de 12 derivaciones. Los nombres de estas anomalías de la conducción eléctrica indican dónde se retrasa el impulso eléctrico. El BRIHH se caracteriza por una duración del complejo QRS de 0.12 segundos (120 milisegundos) o más y una onda R terminal en

CUADRO 15-7 Determinación del eje QRS con las derivaciones I y aVF

	Derivación I		Desviación aVF		Posición del eje QRS
Si	positivo	*y*	positivo	*entonces*	eje normal
Si	positivo	*y*	negativo	*entonces*	desviación del eje izquierdo
Si	negativo	*y*	positivo	*entonces*	desviación del eje derecho
Si	negativo	*y*	negativo	*entonces*	desviación extrema del eje derecho

la derivación V_1 (la segunda mitad del complejo QRS termina en una onda R), **FIGURA 15-81**. El complejo QRS en la derivación V_1 aparece por lo general como un complejo rSR′. (El símbolo ′ representa una onda R-prima. Una onda R-prima nunca es normal; indica problemas en el sistema de conducción ventricular). También aparece una onda S terminal en las derivaciones I, aVL y V_6.

El BRIHH se caracteriza por una duración del QRS de 0.12 segundos (120 milisegundos) o más y una onda S terminal en la derivación V_1 (la segunda mitad del complejo QRS termina en una onda S), **FIGURA 15-82**. También se observan ondas R terminales en las derivaciones I, aVL y V_6.

El término **aberración** BRDHH o BRIHH describe la forma del complejo QRS en latidos conducidos de forma aberrante (anormal). Por ejemplo, si un complejo concreto tiene una forma rSR′, se dice que tiene morfología BRDHH.

Bloqueo fascicular (hemibloqueo)

La rama izquierda del haz de His se divide en fascículos anterior y posterior. Cuando estos tejidos enferman o presentan isquemia, uno o ambos fascículos se vuelven incapaces de conducir impulsos eléctricos, lo que causa un **bloqueo fascicular (hemibloqueo)**. Un bloqueo fascicular anterior se caracteriza por complejos rS en las derivaciones II, III y aVF, y por complejos qR en las derivaciones I y aVL. El bloqueo fascicular posterior es poco frecuente y requiere un diagnóstico de exclusión. Este tipo de bloqueo se caracteriza por complejos qR en las derivaciones II, III y aVF, y por complejos rS en la derivación I.

Las descripciones de BRDHH, BRIHH, hemibloqueo anterior y hemibloqueo posterior mencionan a menudo el término *bloqueo bifascicular*. En un **bloqueo bifascicular**, dos de los fascículos o vías de conducción están bloqueados. Esta combinación puede variar, produciendo efectos diferentes en distintos pacientes. Las dos vías bloqueadas pueden ser BRDHH con hemibloqueo anterior, BRDHH con hemibloqueo posterior, o hemibloqueo anterior y hemibloqueo posterior (una combinación conocida como *BRIHH*). En un **bloqueo trifascicular**, los tres componentes del sistema de conducción ventricular están bloqueados o alterados, pero uno de ellos sigue funcionando de forma ocasional para proporcionar conducción AV.

Se dice que los complejos QRS en las derivaciones precordiales tienen un **patrón precordial concordante** cuando todos están en la misma dirección. Por ejemplo, si todos los complejos QRS están en posición vertical en las derivaciones V_1 a V_6, entonces los complejos QRS presentan concordancia en todo el precordio. La concordancia de QRS en las derivaciones precordiales puede tener varias explicaciones posibles, como una colocación incorrecta de las derivaciones, un IM de la pared anterior o una TV.

Evaluar el tamaño de la cámara (hipertrofia)

El EKG de 12 derivaciones también puede revelar el tamaño de las cavidades cardíacas. La aurícula de-

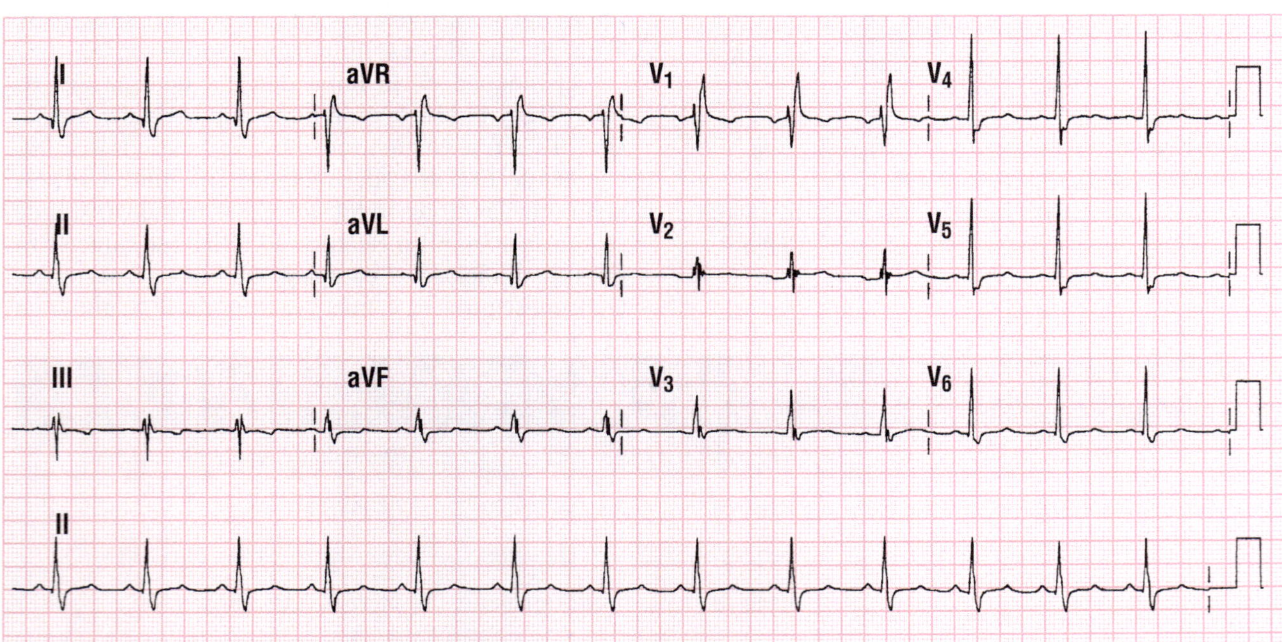

FIGURA 15-81 Electrocardiograma de 12 derivaciones que muestra un bloqueo de rama derecha del haz de His.

Reproducida de *12-Lead ECG: The Art of Interpretation*, cortesía de Tomas B. Garcia, MD.

recha es una estructura pequeña y delgada diseñada para funcionar de forma eficaz en un entorno de baja presión. Si la presión venosa de retorno es elevada, o si la presión pulmonar es alta, la aurícula derecha se dilatará. La **anomalía de la aurícula derecha**, antes denominada *dilatación de la aurícula derecha* o *hipertrofia de la aurícula derecha*, suele asociarse con trastornos pulmonares crónicos. Esta anomalía se caracteriza por una onda P con una amplitud superior a 2.5 mm en la derivación II o superior a 1.5 mm en la derivación V_1, **FIGURA 15-83**. La duración de la onda P suele ser normal.

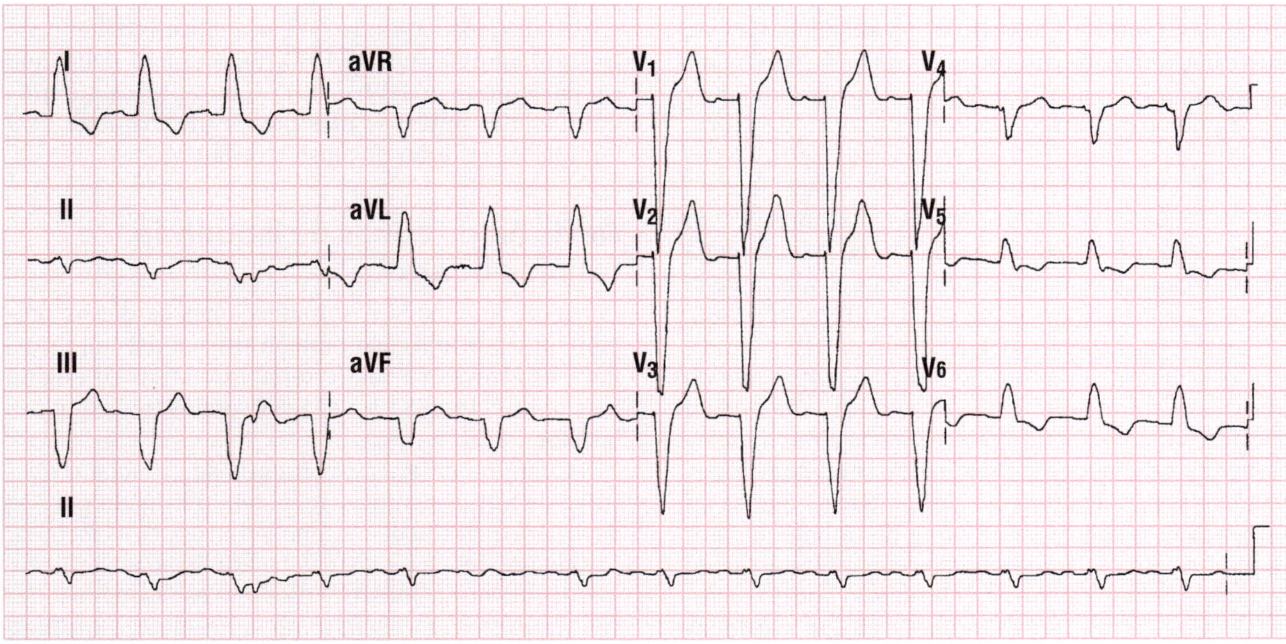

FIGURA 15-82 Electrocardiograma de 12 derivaciones que muestra un bloqueo de rama izquierda del haz de His.

Reproducida de *12-Lead ECG: The Art of Interpretation*, cortesía de Tomas B. Garcia, MD.

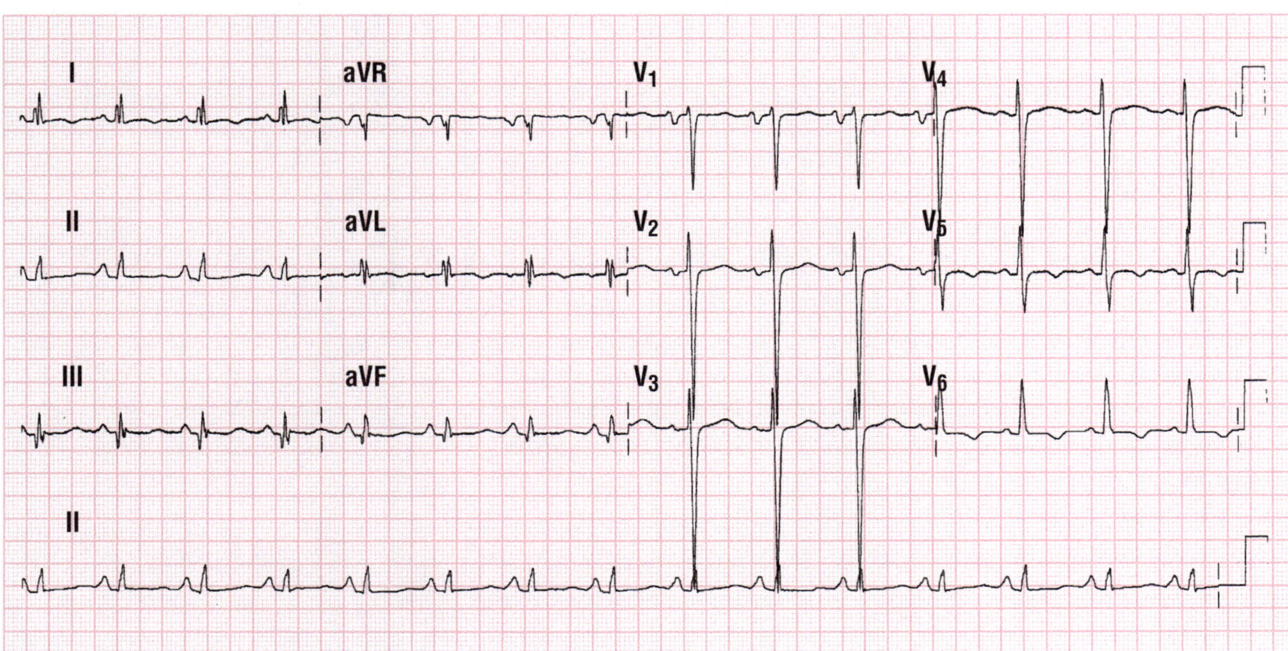

FIGURA 15-83 Electrocardiograma de 12 derivaciones que muestra una anomalía en la aurícula derecha.

Reproducida de *12-Lead ECG: The Art of Interpretation*, cortesía de Tomas B. Garcia, MD.

La **anomalía auricular izquierda** se caracteriza por una onda P de altura normal, pero de duración prolongada, que dura 0.12 segundos (120 milisegundos) o más en la derivación II. Puede haber o no una onda P ampliamente ancha **FIGURA 15-84**. La derivación V_1 puede mostrar una onda P bifásica con una pequeña desviación positiva inicial y una desviación terminal amplia y negativa. La anomalía de la aurícula izquierda puede observarse en pacientes con valvulopatías, en especial en aquellos con estenosis de la válvula mitral o aórtica, cardiopatía hipertensiva, miocardiopatía y EAC. También puede producirse en un corazón atlético.

En la **hipertrofia ventricular derecha (HVD)**, el ventrículo derecho aumenta de tamaño. Esta afección suele ser causada por la hipertensión pulmonar. Por lo general, la onda R en la derivación V_1 es más pequeña que la onda S. Una onda R que supere la altura de la onda S en esta derivación sugiere HVD, **FIGURA 15-85**.

En la **hipertrofia ventricular izquierda (HVI)**, el ventrículo izquierdo aumenta de tamaño, la mayoría de las veces debido a hipertensión sistémica, aunque esta afección también puede aparecer con algunas anomalías cardíacas. El ventrículo izquierdo se agranda a medida que la pared ventricular izquierda se engrosa en respuesta al aumento de la carga de trabajo. El ventrículo izquierdo pierde entonces elasticidad y puede dejar de bombear sangre con eficacia, lo que causa insuficiencia cardíaca. Los criterios del EKG para la identificación de la HVI suelen basarse en los voltajes QRS. Una pauta por lo común seguida en adultos mayores de 35 años es la siguiente: si la suma de la profundidad de la onda S en la derivación V_1 y la altura de la onda R en la derivación V_5 o V_6 supera los 35 mm, debe considerarse que existe HVI **FIGURA 15-86**. La HVI puede producir ondas R altas en la derivación aVL. Una onda R con una amplitud superior a 11 mm en esta derivación sugiere HVI.

El diagnóstico de la HVI se realiza mediante un ecocardiograma, no un EKG. Es inexacto decir que un paciente tiene HVI si su EKG cumple los criterios enumerados antes; es más preciso decir que el EKG cumple los criterios de tensión de la HVI.

Revisión de zonas de isquemia, lesión e infarto

Recuerde que los SCA son afecciones cardíacas precipitadas por una disminución brusca del flujo sanguíneo a través de una arteria coronaria. La angina inestable, el IMSEST y el IMEST son los tres principales SCA.

Cuando una arteria coronaria se estrecha u obstruye de forma significativa, el tejido irrigado por ese vaso se ve privado de oxígeno y nutrientes esenciales. Las células deben recurrir al metabolismo anaeróbico, lo que provoca acidosis. Si este proceso isquémico no se interrumpe, es decir, si no se restablece un flujo sanguíneo adecuado, los signos de lesión celular se

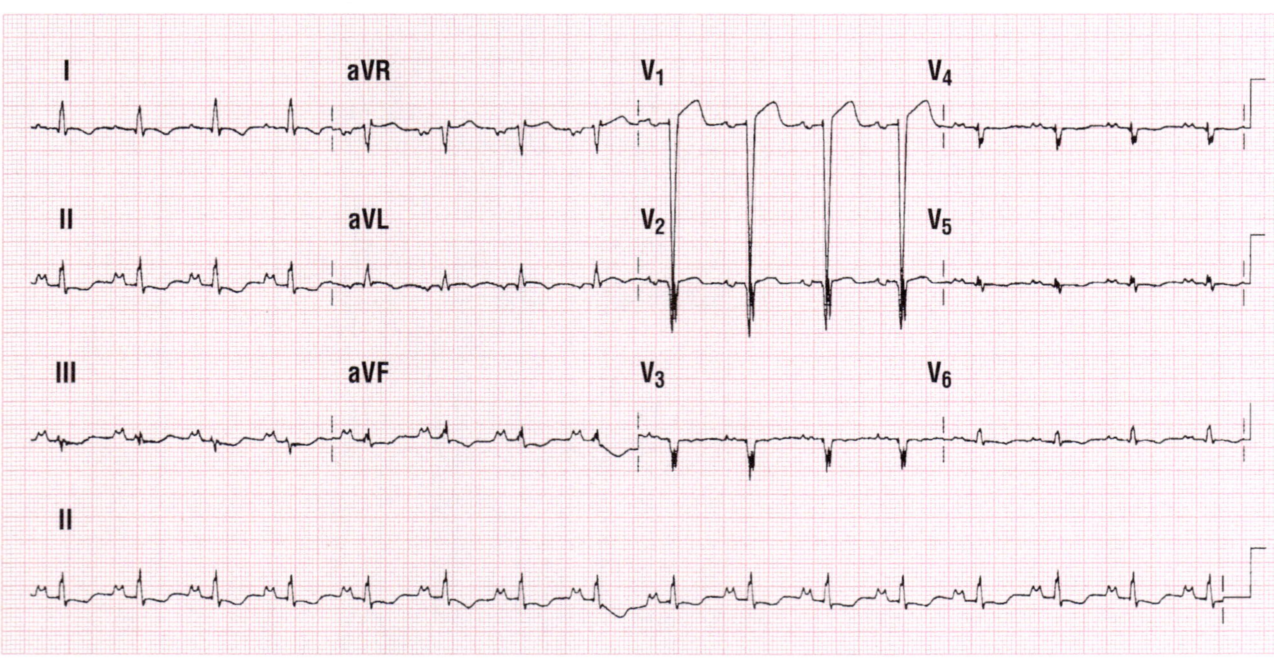

FIGURA 15-84 Electrocardiograma de 12 derivaciones que muestra una anomalía auricular izquierda.

Reproducida de *12-Lead ECG: The Art of Interpretation*, cortesía de Tomas B. Garcia, MD.

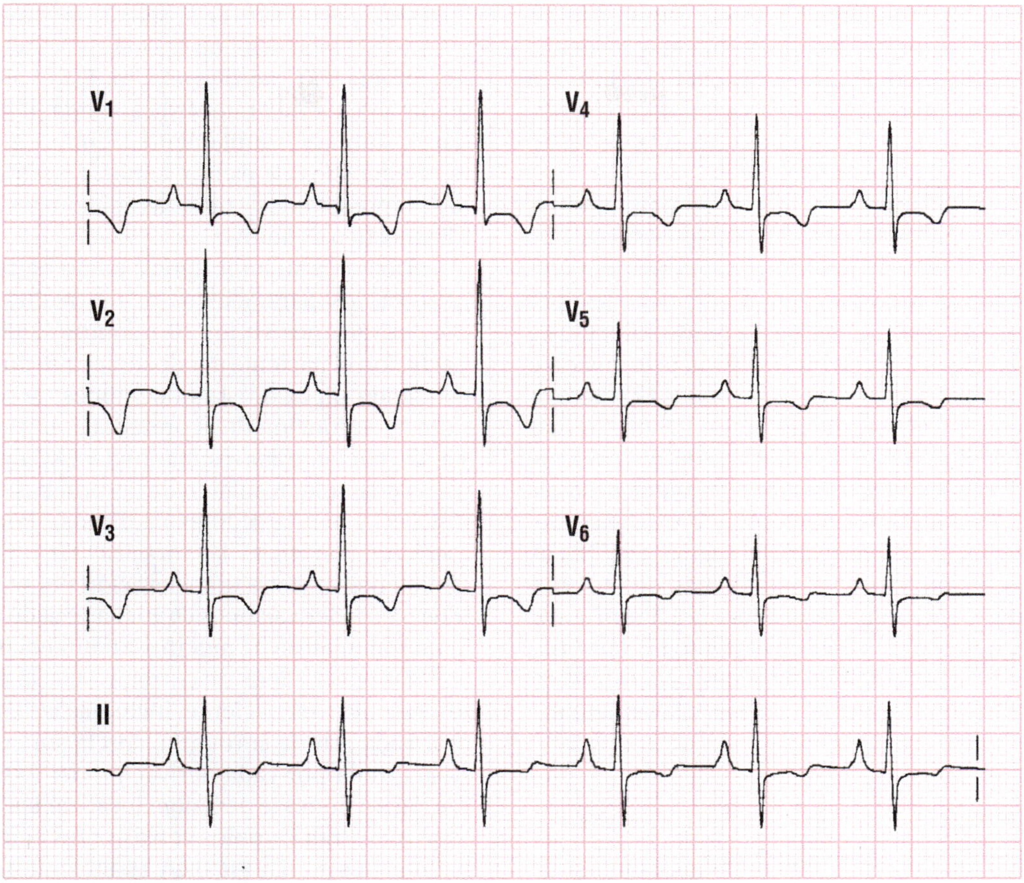

FIGURA 15-85 Electrocardiograma de 12 derivaciones que muestra hipertrofia ventricular derecha.

Reproducida de *12-Lead ECG: The Art of Interpretation*, cortesía de Tomas B. Garcia, MD.

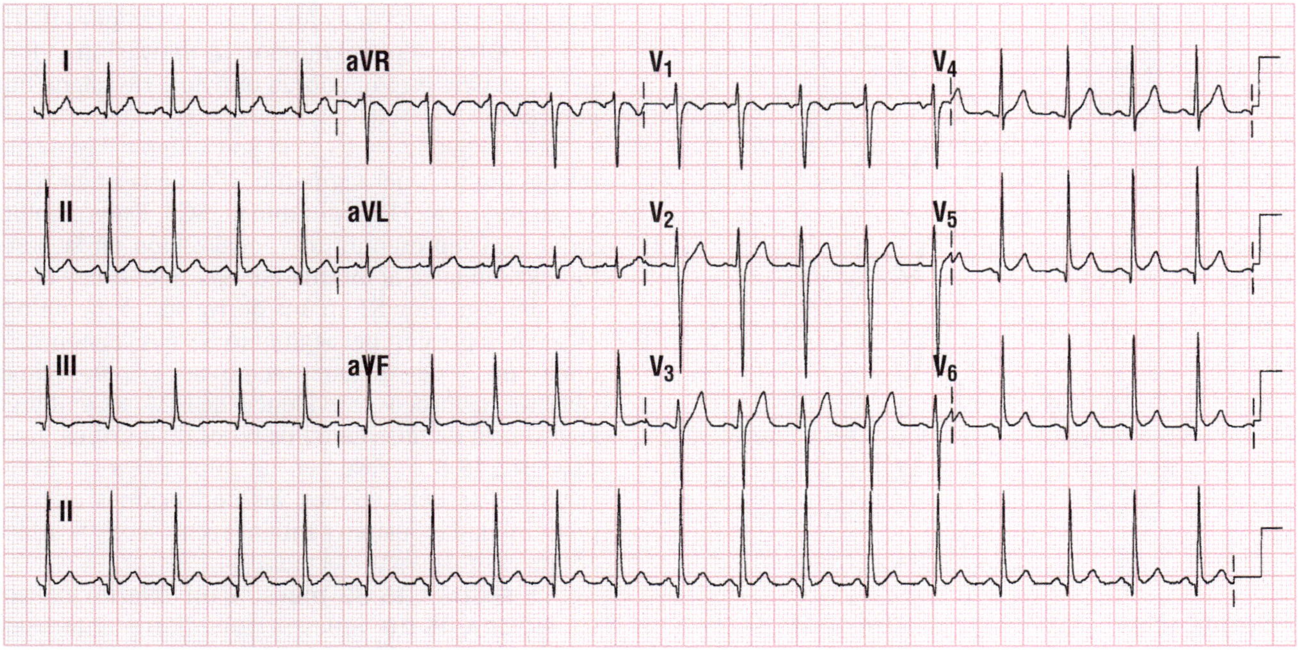

FIGURA 15-86 Electrocardiograma de 12 derivaciones que muestra hipertrofia ventricular izquierda.

Reproducida de *12-Lead ECG: The Art of Interpretation*, cortesía de Tomas B. Garcia, MD.

harán evidentes. Cuando este proceso isquémico no se interrumpe, se produce un *infarto* que provoca la muerte del tejido. Dado que la isquemia y la lesión son procesos reversibles, el reconocimiento oportuno del SCA es fundamental para limitar la pérdida de tejido cardíaco. El tiempo es músculo.

Cuando se obstruye una arteria coronaria, el tejido que irriga presenta cambios característicos que aparecen en el EKG en las derivaciones orientadas hacia el tejido afectado. La isquemia se evidencia por la depresión del segmento ST, y la lesión miocárdica por la elevación del segmento ST. El infarto puede o no demostrarse por la aparición de ondas Q patológicas. La depresión del segmento ST de 0.5 mm o más en dos o más derivaciones contiguas en un paciente con dolor o molestias torácicas indica angina inestable o IMSEST.[18] Para las derivaciones V_2 y V_3 , debe sospecharse un IMEST si la elevación del segmento ST es de 2 mm o más en hombres de 40 años o más, de 2.5 mm o más en hombres menores de 40 años, de 1.5 mm o más en mujeres, o de 1 mm o más en el punto J en las otras derivaciones.[18] La **FIGURA 15-87** muestra la evolución de un corazón desde su estado normal a la isquemia, a

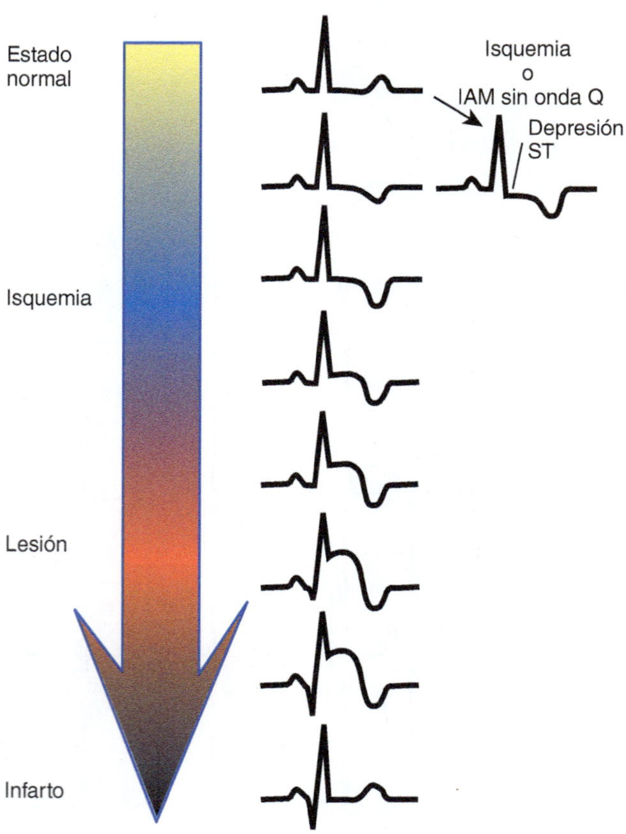

FIGURA 15-87 Patrón evolutivo del infarto agudo de miocardio.

Reproducida de *12-Lead ECG: The Art of Interpretation*, cortesía de Tomas B. Garcia, MD.

la lesión y al infarto. La ausencia de cambios en el segmento ST asociada con la presentación de un SCA se denomina *EKG no diagnóstico.* Este hallazgo no descarta la isquemia miocárdica aguda, la lesión o el infarto, sino que simplemente significa que el trazo no es diagnóstico de estos eventos. Se requieren análisis de sangre seriados y pruebas adicionales para hacer un diagnóstico definitivo.

Debido a su importancia como herramienta diagnóstica, los paramédicos deben realizar un EKG de 12 derivaciones en los 10 minutos siguientes al contacto con el paciente a todo aquel que pueda estar presentando un SCA.[10] Las decisiones de tratamiento se toman en función de la presentación y los antecedentes del paciente, los resultados del EKG de 12 derivaciones y cualquier resultado de las pruebas de laboratorio (es decir, biomarcadores cardíacos). Por ejemplo, un paciente con molestias torácicas cuyo EKG de 12 derivaciones muestre una elevación del segmento ST en dos o más derivaciones contiguas puede ser candidato a un tratamiento de reperfusión inmediato.

Debe ser capaz de correlacionar la anatomía cardiovascular del paciente, incluidas las zonas irrigadas por cada arteria coronaria, con la superficie cardíaca visualizada por cada derivación del EKG. Los grupos de derivaciones le permiten localizar las áreas del EKG que muestran cambios consistentes con isquemia, lesión o infarto. La **FIGURA 15-88** muestra los colores asociados con derivaciones específicas del EKG de 12 derivaciones; cada color corresponde a una superficie cardíaca específica. A partir de esta figura, puede ver qué derivaciones proporcionan vistas de la misma zona del corazón. Por ejemplo, las derivaciones II, III y aVF muestran la pared inferior. La derivación aVR no se utiliza para este fin, por lo que no se le asigna ningún color.

Los **cambios recíprocos** son cambios especulares del punto J, del segmento ST y de la onda T que se observan en el EKG durante un SCA. Estos cambios en el EKG representan una localización en la pared torácica opuesta al infarto. Por ejemplo, si hay elevación del segmento ST en una derivación, a menudo se observa depresión del segmento ST e inversión de la onda T en las derivaciones recíprocas. La presencia de cambios recíprocos es evidencia de IAM; sin embargo, la ausencia de tales cambios no es diagnóstica. En el **CUADRO 15-8** se resumen las superficies cardíacas, caras de las derivaciones, las derivaciones que con probabilidad muestren cambios recíprocos y la arteria coronaria quizá más afectada.

La **FIGURA 15-89** muestra un infarto inferior. La **FIGURA 15-90** muestra un infarto anteroseptal. La **FIGURA 15-91** muestra un infarto lateral, y la **FIGURA 15-92** ilustra un infarto inferior y ventricular

I Pared lateral alta VI Cx	**aVF**	**V_1** Tabique interventricular DAI	**V_4** Pared anterior VI DAI
II Pared inferior VI ACD o Cx	**aVL** Pared lateral alta VI Cx	**V_2** Tabique interventricular DAI	**V_5** Pared lateral baja VI Cx
III Pared inferior VI ACD o Cx	**aVF** Pared inferior VI ACD o Cx	**V_3** Pared anterior VI DAI	**V_6** Pared lateral baja VI Cx

FIGURA 15-88 Las superficies del corazón vistas por cada derivación de un EKG estándar de 12 derivaciones. También se indica la arteria coronaria que suele irrigar cada superficie. *Abreviaturas:* ACD, arteria coronaria derecha; Cx, arteria circunfleja; DAI, arteria descendente anterior izquierda; VI, ventrículo izquierdo.

CUADRO 15-8 Derivaciones y cambios recíprocos

Ubicación	Cara de las derivaciones	Derivaciones recíprocas	Arteria coronaria implicada
Pared inferior del ventrículo izquierdo	II, III, aVF	I, aVL	ACD o Cx
Tabique	V_1 y V_2	Ninguno	DAI
Pared anterior del ventrículo izquierdo	V_3 y V_4	Ninguno	DAI
Pared lateral del ventrículo izquierdo	I, aVL, V_5, V_6	II, III, aVF	Cx
Ventrículo derecho	V_4 D	Ninguno	ACD o Cx
Pared posterior	V_7-V_9	V_1, V_2	ACD o Cx

Abreviaturas: Cx: arteria circunfleja; DAI: arteria descendente anterior izquierda; ACD: arteria coronaria derecha.

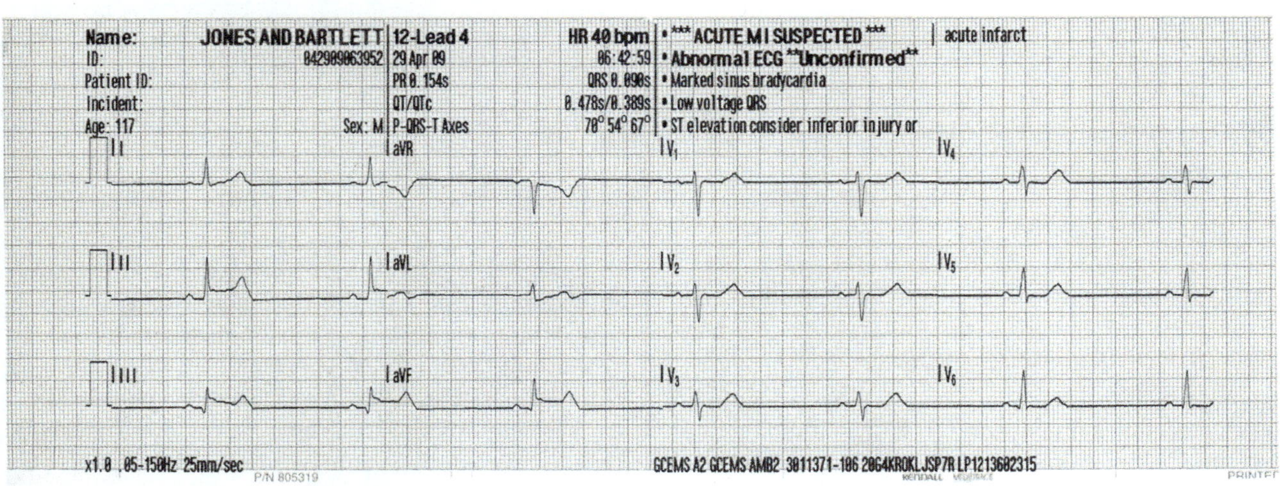

FIGURA 15-89 Electrocardiograma de 12 derivaciones que muestra un infarto inferior.

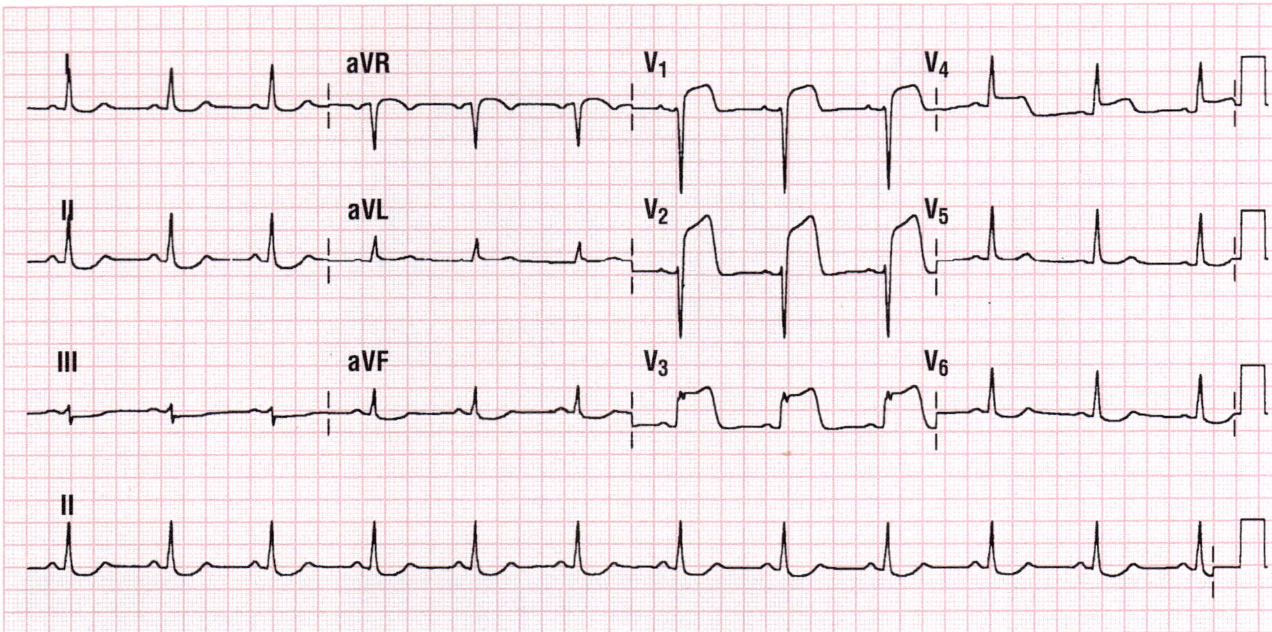

FIGURA 15-90 Electrocardiograma de 12 derivaciones que muestra un infarto anteroseptal.

Reproducida de *12-Lead ECG: The Art of Interpretation*, cortesía de Tomas B. Garcia, MD.

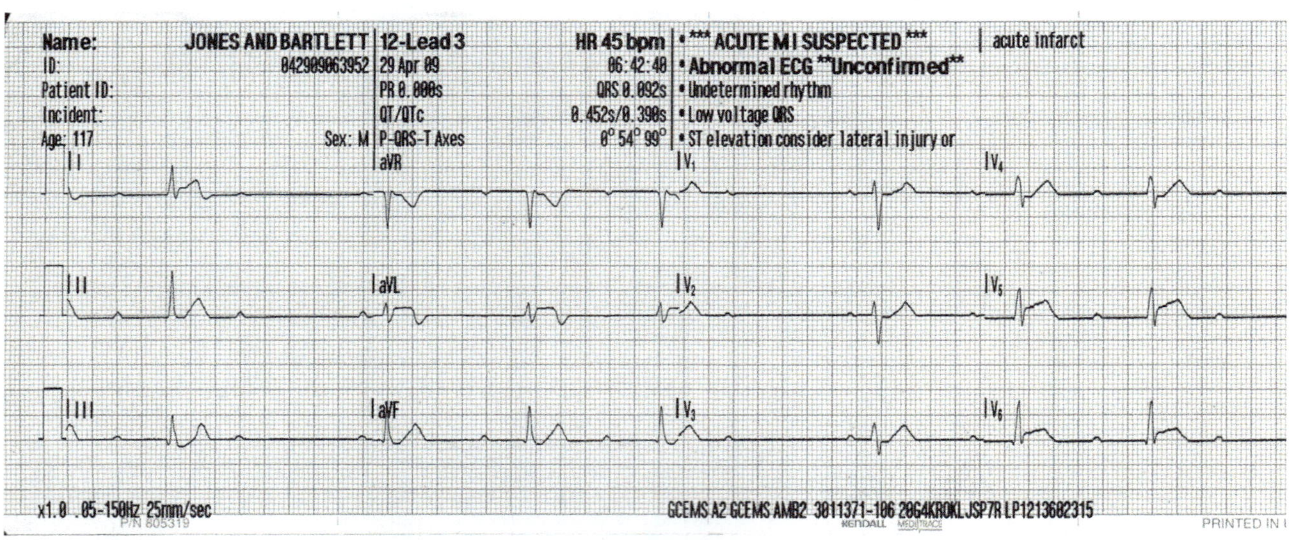

FIGURA 15-91 Electrocardiograma de 12 derivaciones que muestra un infarto lateral.

Cortesía de Brian J. Williams.

derecho. El tratamiento de los pacientes con un SCA se trata en detalle más adelante en este capítulo.

Otras afecciones cardiovasculares

La repolarización temprana benigna y la pericarditis son dos afecciones que pueden producir elevación del segmento ST, imitando un IAM. La repolarización temprana benigna se caracteriza por elevación del segmento ST, aspecto en J o en garfio en el punto J y morfología cóncava del segmento ST, **FIGURA 15-93**. Este patrón se considera una variante normal. Su diagnóstico es casi siempre un hallazgo casual que se produce al registrar un EKG durante una exploración física rutinaria o durante las pruebas de una enfermedad no relacionada. Los cambios suelen observarse de forma exclusiva en las derivaciones precordiales izquierdas (V_4 a V_6) o en las derivaciones inferiores. Los cambios recíprocos no se observan en la repolarización precoz benigna.

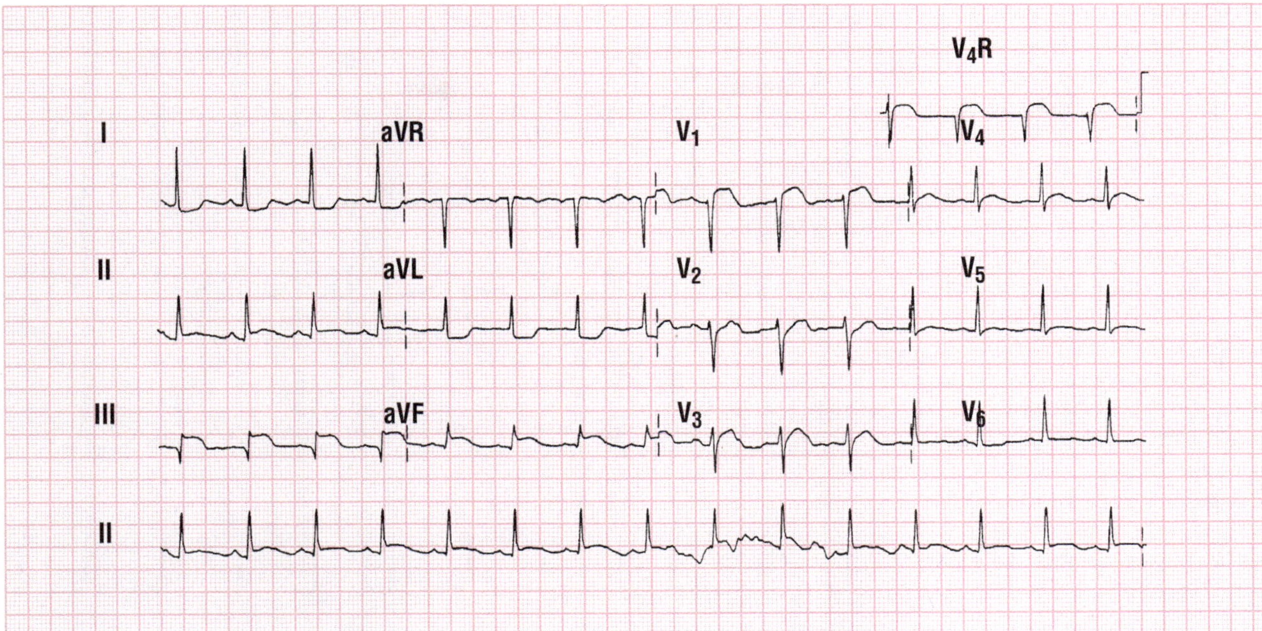

FIGURA 15-92 Electrocardiograma de 12 derivaciones que muestra infarto ventricular inferior y derecho.

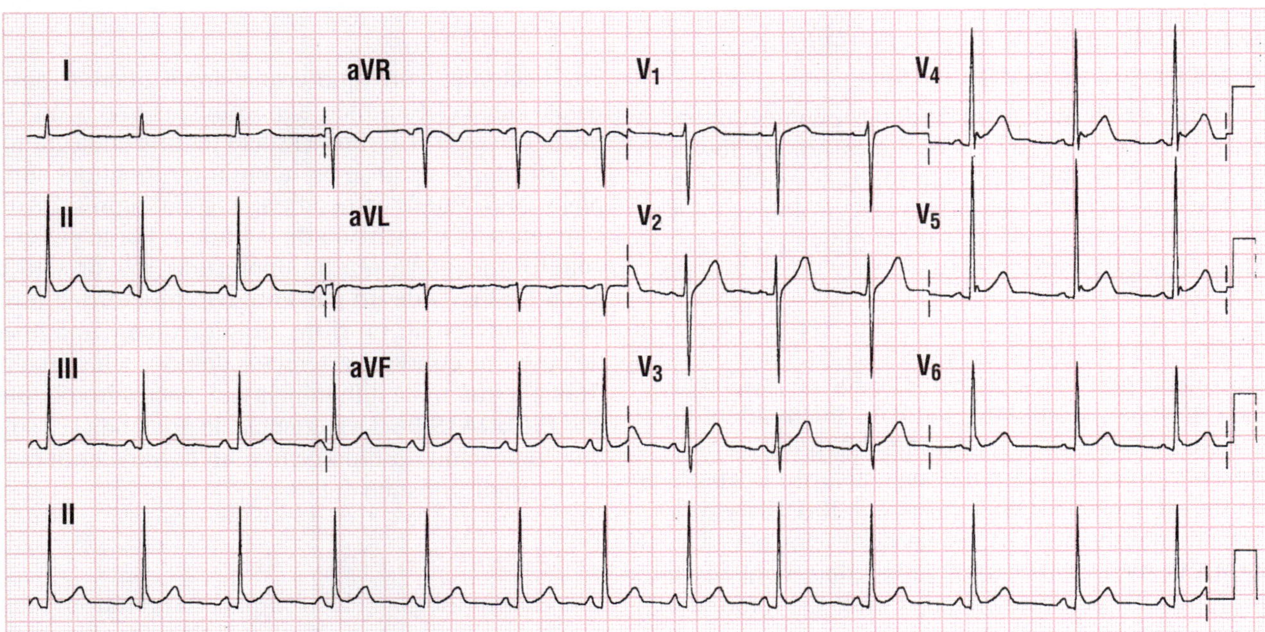

FIGURA 15-93 Electrocardiograma de 12 derivaciones que muestra una repolarización temprana benigna.

La pericarditis es la inflamación del saco pericárdico debida a una infección (bacteriana, viral o fúngica) o a un traumatismo. Los pacientes pueden presentar dolor torácico postural (que suele aliviarse sentándose hacia delante), dificultad respiratoria y antecedentes de infección reciente o fiebre. La enfermedad se caracteriza por elevación del segmento ST (no superior a 5 mm) en varias derivaciones, un segmento PR deprimido o inclinado hacia abajo, **FIGURA 15-94**, un segmento PR elevado o inclinado hacia arriba en la derivación aVR y un segmento ST cóncavo. No se observa depresión recíproca del segmento ST.

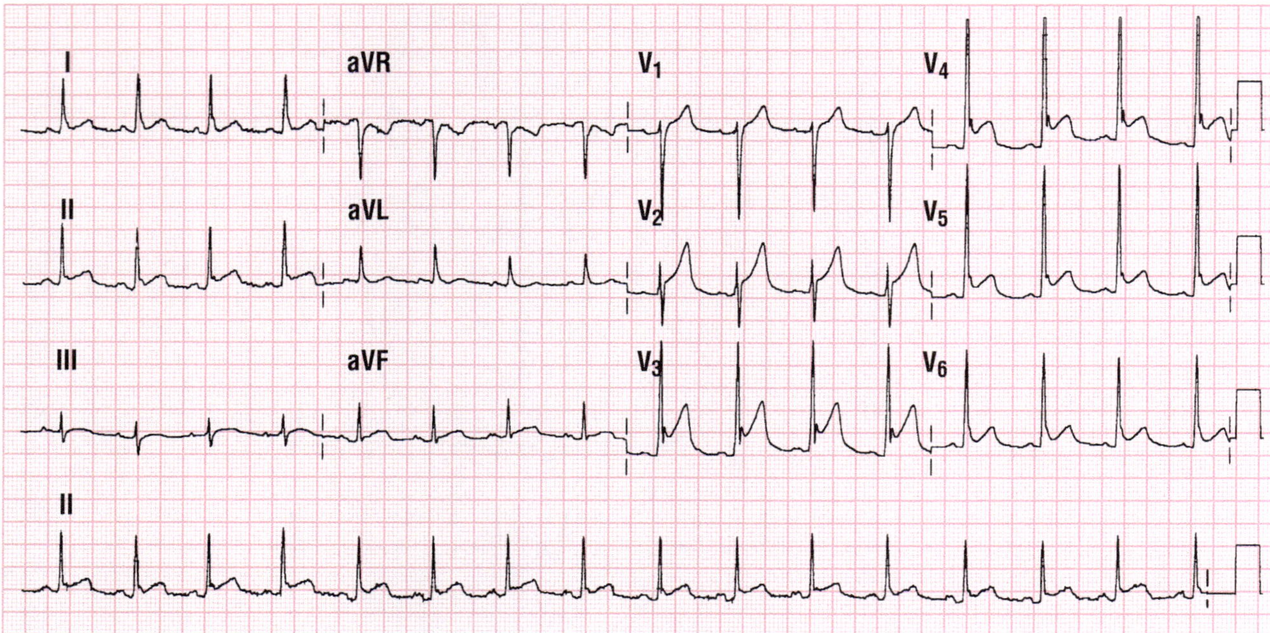

FIGURA 15-94 Electrocardiograma de 12 derivaciones que muestra pericarditis.

Reproducida de *12-Lead ECG: The Art of Interpretation*, cortesía de Tomas B. Garcia, MD.

Identificar las causas no cardíacas de las anomalías del EKG

El EKG de 12 derivaciones también puede proporcionar información sobre afecciones no cardiovasculares, como la embolia pulmonar, la hemorragia intracraneal aguda, las anomalías electrolíticas y los trastornos genéticos que afectan al tamaño o la función del corazón.

Embolia pulmonar

Una embolia pulmonar, una obstrucción en una o más de las arterias pulmonares, también puede identificarse en un EKG de 12 derivaciones. Los criterios para sospechar una embolia pulmonar incluyen la aparición de un patrón S1Q3T3, un nuevo BRDHH y una depresión del segmento ST en las derivaciones V_1 a V_3 **FIGURA 15-95**. El patrón S1Q3T3 se refiere a una onda S profunda en la derivación I; una onda Q profunda y estrecha en la derivación III, e inversión de la onda T en la derivación III. Este patrón se observa a veces en otras afecciones como neumonía grave, obstrucción de la vía aérea superior, EPOC, exacerbación del asma y neumotórax. La ausencia de S1Q3T3 y BRDHH en el EKG de superficie no descarta la embolia pulmonar, y sigue siendo una de las afecciones que se pasan por alto con más frecuencia. Es crucial realizar un examen físico completo y recopilar información pertinente sobre la historia clínica del paciente, incluyendo cualquier intervención quirúrgica o medicación, estado de salud actual y antecedentes familiares.

Hipotermia

Los pacientes con hipotermia grave pueden desarrollar ondas J (también denominadas ondas de Osborne) en el EKG. La onda J suele ser una onda grande y vertical que aparece en la onda terminal del complejo QRS. Puede ir acompañada de depresión del segmento ST e inversión de la onda T. Por lo general, cuanto más grave sea la hipotermia, mayor será la onda J. El EKG de un paciente con hipotermia también suele revelar un ritmo bradicárdico y una línea de base que contiene artefactos debidos a los escalofríos y a una mala adherencia del electrodo a la piel fría, **FIGURA 15-96**. La evidencia de una onda J es solo una indicación de hipotermia; no es suficiente para hacer un diagnóstico definitivo.

Desequilibrios electrolíticos

Los desequilibrios electrolíticos también pueden provocar alteraciones en el EKG. Los dos desequilibrios electrolíticos más frecuentes afectan al potasio y al calcio.

La hiperpotasemia provoca cambios específicos en el EKG. En primer lugar, se desarrollan ondas T altas, puntiagudas y asimétricas. Las ondas P pueden aplanarse y por último desaparecer del trazado. En casos graves, el complejo QRS se ensancha, **FIGURA 15-97**. Por el contrario, la hipopotasemia suele presentarse con ondas T planas o ausentes y una onda U, **FIGURA 15-98**.

La hipercalcemia puede producir un acortamiento del intervalo QT, mientras que la hipocalcemia puede

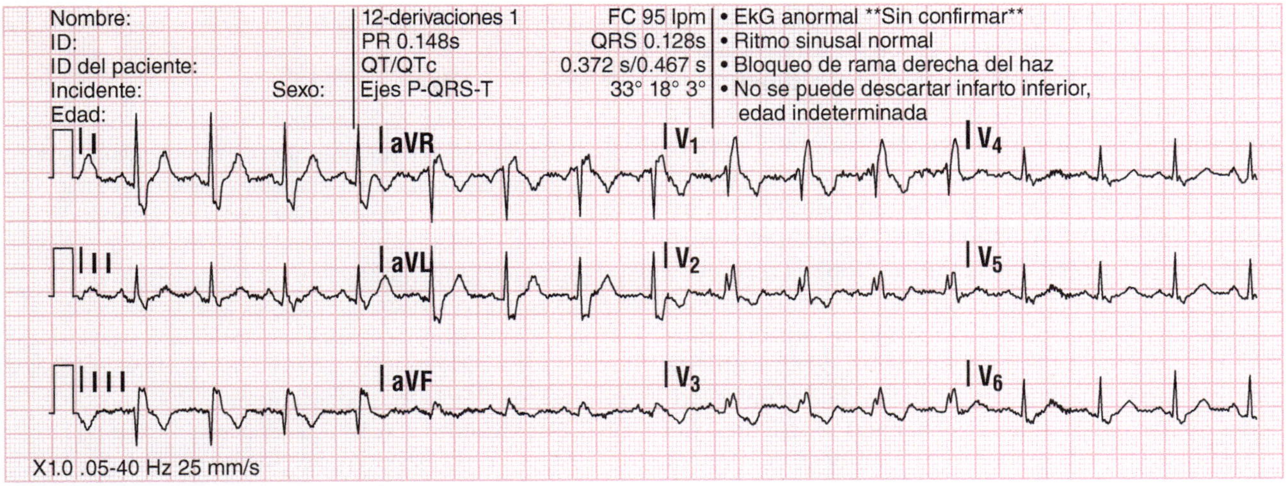

FIGURA 15-95 Electrocardiograma de 12 derivaciones que muestra una embolia pulmonar.

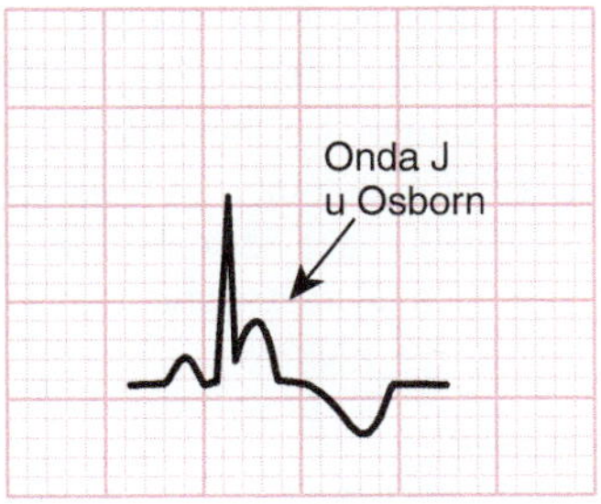

FIGURA 15-96 Onda de Osborne (J).

Reproducida de *12-Lead ECG: The Art of Interpretation*, cortesía de Tomas B. Garcia, MD.

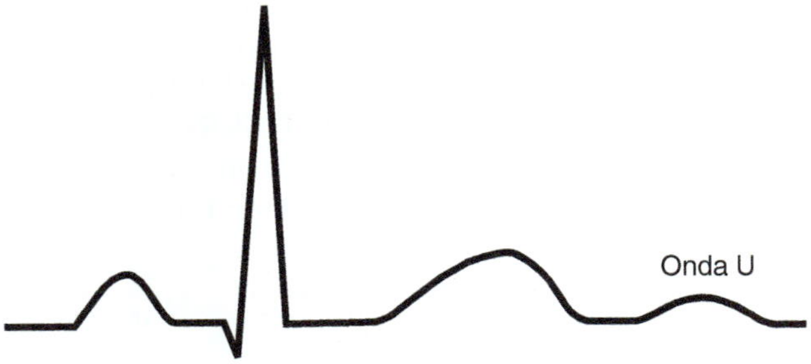

FIGURA 15-98 Hipopotasemia.

Reproducida de *12-Lead ECG: The Art of Interpretation*, cortesía de Tomas B. Garcia, MD.

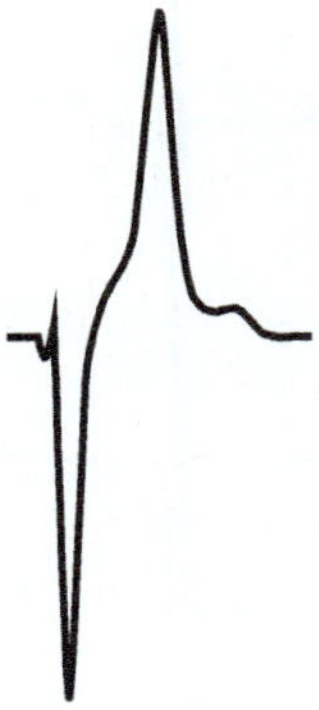

FIGURA 15-97 Hiperpotasemia.

Reproducida de *12-Lead ECG: The Art of Interpretation*, cortesía de Tomas B. Garcia, MD.

alargar ligeramente el intervalo QT. El acortamiento o el alargamiento del intervalo QT en la hipercalcemia o la hipocalcemia, respectivamente, es atribuible en su totalidad al cambio en la longitud del segmento ST. La onda T en sí no se ve afectada por los cambios en la concentración de calcio.

Cardiomiopatía

La miocardiopatía es una enfermedad del músculo cardíaco. Los principales tipos de miocardiopatía reciben su nombre de los tipos de daño muscular que causa cada uno: dilatada, hipertrófica y restrictiva. En la miocardiopatía dilatada, el músculo cardíaco se debilita y disminuye su capacidad de bombear suficiente sangre al resto del cuerpo. La presión de la sangre dentro del ventrículo izquierdo hace que el corazón se agrande y se estire. La **miocardiopatía hipertrófica** es una enfermedad genética en la que la pared miocárdica se vuelve muy gruesa. El mayor engrosamiento suele producirse en el ventrículo izquierdo. Las paredes cardíacas engrosadas son rígidas, lo que dificulta el llenado ventricular. Un llenado inadecuado puede provocar un agrandamiento de la aurícula izquierda y congestión pulmonar.

Los pacientes con miocardiopatía hipertrófica suelen experimentar dificultad respiratoria, dolor torácico o síncope. Estos signos y síntomas suelen asociarse con la actividad física. Los pacientes con esta enfermedad suelen ser diagnosticados entre los 30 y los 40 años. En la mayoría de los casos, la enfermedad es hereditaria; en el resto, la causa no está clara o se desconoce. En el EKG, la miocardiopatía hipertrófica se caracteriza por ondas Q profundas y estrechas en las derivaciones inferiores y las derivaciones laterales altas, y ondas R muy altas en las derivaciones precordiales izquierdas. Estos cambios son similares a los observados en HVI, **FIGURA 15-99**. Las paredes ventriculares se endurecen con la miocardiopatía restrictiva debido a sustancias anormales depositadas entre las células del músculo cardíaco en todo el corazón o porque la superficie interna del corazón está recubierta por una capa de tejido cicatricial. La rigidez de las paredes ventriculares dificulta el llenado ventricular, y el corazón pierde su capacidad de bombear de manera adecuada.

Síndrome de Brugada

El síndrome de Brugada es un trastorno hereditario poco frecuente que afecta a los canales de sodio del corazón. Se caracteriza por un patrón de BRDHH con elevación del segmento ST en las derivaciones V_1 y V_2 (y posiblemente en V_3), **FIGURA 15-100**. Las personas de ascendencia asiática son los que tienen mayor riesgo de presentar este trastorno, que es más

Perlas de sabiduría

La miocardiopatía de Takotsubo, también llamada miocardiopatía por estrés, es una afección temporal que puede simular un IAM. Los pacientes suelen presentar dolor o molestias torácicas, elevación del segmento ST y elevación de los biomarcadores cardíacos, lo que concuerda con un IAM. Sin embargo, cuando se les realiza una angiografía cardíaca, las arterias coronarias resultan ser en esencia normales. En algunos pacientes se ha observado debilitamiento y abombamiento del ápex ventricular izquierdo durante la sístole.

Esta enfermedad suele estar asociada, aunque no siempre, con el estrés emocional o físico. Algunos ejemplos de desencadenantes de miocardiopatía por estrés que se han identificado son pérdida de un ser querido, dificultades económicas, peleas en las relaciones, terremotos, caída de un rayo, cirugía no cardíaca, convulsiones, traumatismos, anestesia y abstinencia de alcohol. Aunque la etiología exacta sigue siendo desconocida, las posibles causas incluyen espasmos de múltiples arterias coronarias o liberación de catecolaminas inducida por el estrés, entre otras. En la mayoría de los pacientes, la función cardíaca normal se restablece al cabo de unas semanas de tratamiento de apoyo.

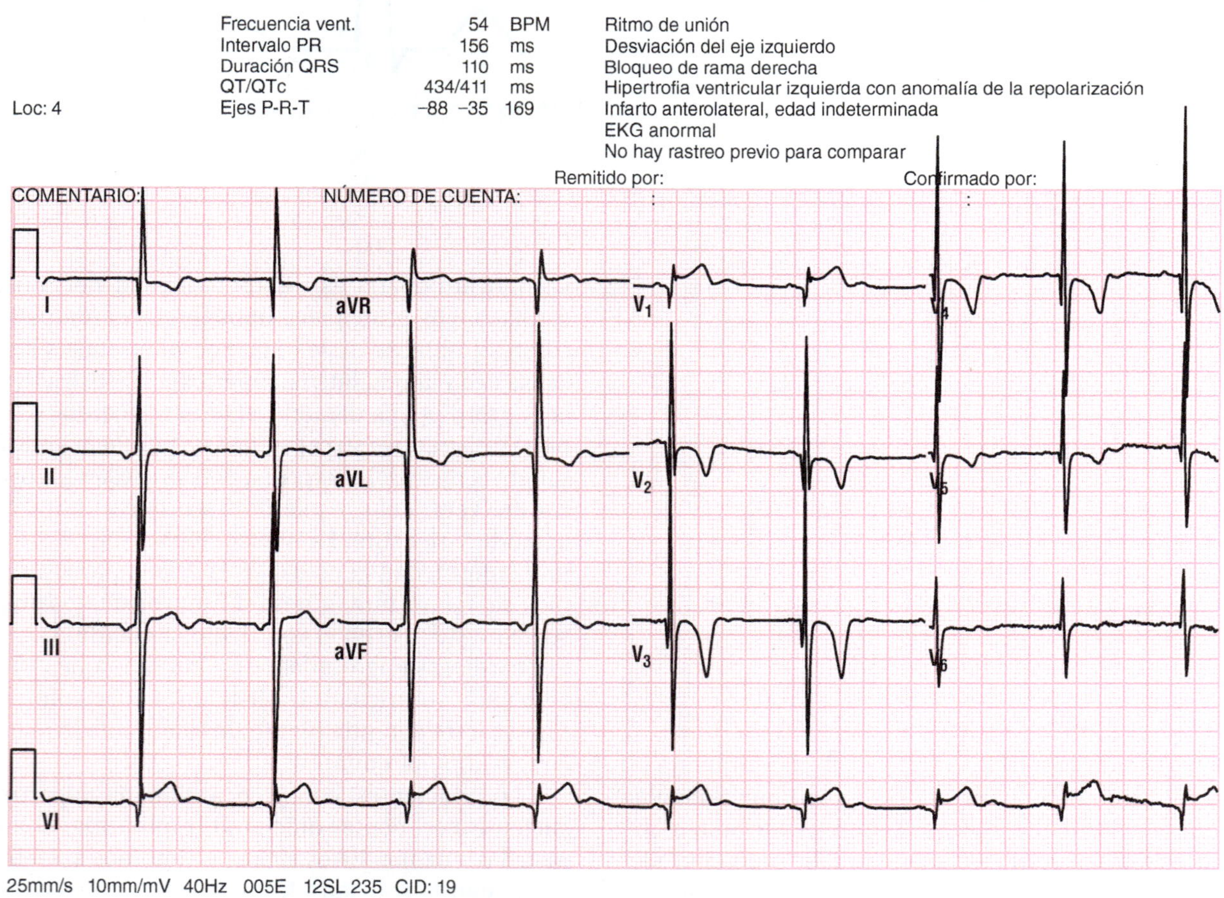

FIGURA 15-99 Electrocardiograma de 12 derivaciones que muestra indicios de miocardiopatía hipertrófica.

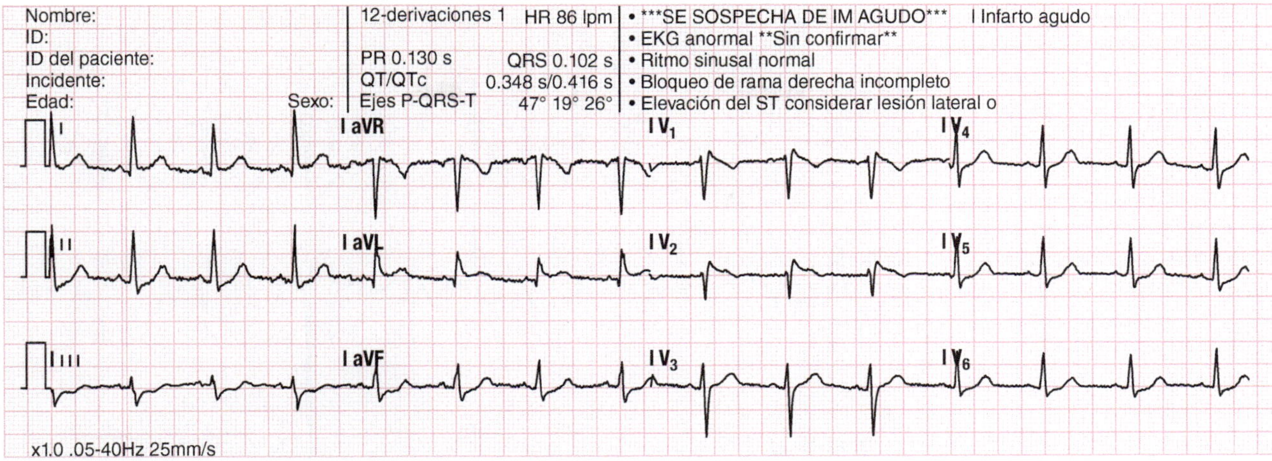

FIGURA 15-100 Electrocardiograma de 12 derivaciones que muestra indicios del síndrome de Brugada.

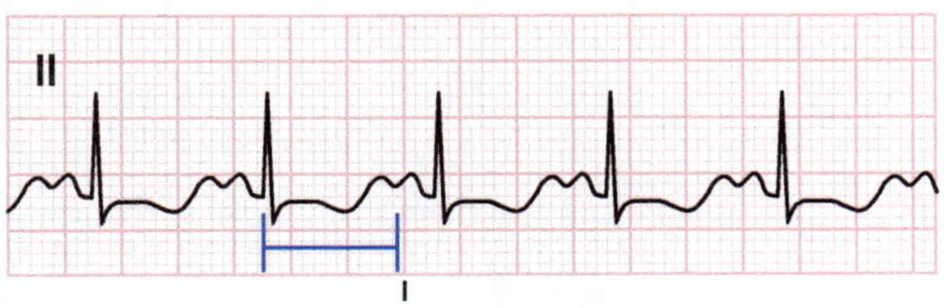

FIGURA 15-101 Un electrocardiograma de 12 derivaciones que muestra el síndrome de QT largo.

frecuente en hombres jóvenes y de mediana edad que en mujeres. Los signos y síntomas pueden aparecer a cualquier edad, pero suelen desarrollarse durante la edad adulta. Los síntomas que requieren atención médica pueden ser síncope, convulsiones, dificultad respiratoria o paro cardíaco súbito, que suele producirse durante el sueño. Aunque en la actualidad no existe cura para el síndrome de Brugada, las opciones de tratamiento pueden incluir el uso de medicamentos, la ablación con catéter o un desfibrilador cardioversor implantado para ayudar a prevenir la muerte súbita.

Síndrome de QT largo

El **síndrome de QT largo (SQTL)** es una anomalía de la repolarización caracterizada por un intervalo QT que supera los alrededor de 0.44 segundos (440 milisegundos), **FIGURA 15-101**. Los pacientes con SQTL tienen mayor riesgo de desarrollar disritmias ventriculares, como *torsades de pointes*, un tipo de taquicardia ventricular polimórfica. El SQTL puede ser genético, resultado de la mutación de varios genes, o adquirido. Las causas adquiridas incluyen IAM, trastornos electrolíticos, hipotiroidismo, lesión del SNC (con mayor frecuencia hemorragia subaracnoidea), hipotermia y pericarditis. El SQTL también puede ser causado por varios medicamentos, como antiarrítmicos (quinidina, procainamida), antipsicóticos (litio, fenotiazinas), antihistamínicos (difenhidramina), antibióticos (azitromicina), antidepresivos (fluoxetina) y antieméticos (ondansetrón, fenotiazinas). Los síntomas más frecuentes son síncope inexplicable, palpitaciones o convulsiones. Es fundamental registrar un EKG en todos los pacientes que experimenten un síncope, incluidos los más jóvenes.

Hemorragia intracraneal

La hemorragia intracraneal también puede causar cambios en el EKG, aunque el mecanismo por el que aparecen estos cambios no se conoce del todo. La hemorragia intracraneal puede provocar ondas T profundamente invertidas y simétricas en las derivaciones precordiales y un intervalo QT prolongado, **FIGURA 15-102**. Por regla general, los pacientes con cambios en el EKG debidos a una hemorragia intracraneal casi siempre presentan síntomas neurológicos o no responden.

Fisiopatología, evaluación y tratamiento de afecciones cardiovasculares específicas

Epidemiología del ECV

La cardiopatía coronaria es la principal causa de muerte por enfermedad cardiovascular (ECV) en Estados Unidos.[2] Ejemplos de enfermedades cardiovasculares son angina de pecho, IAM, insuficiencia cardíaca, hipertensión, ictus y enfermedades de las arterias.

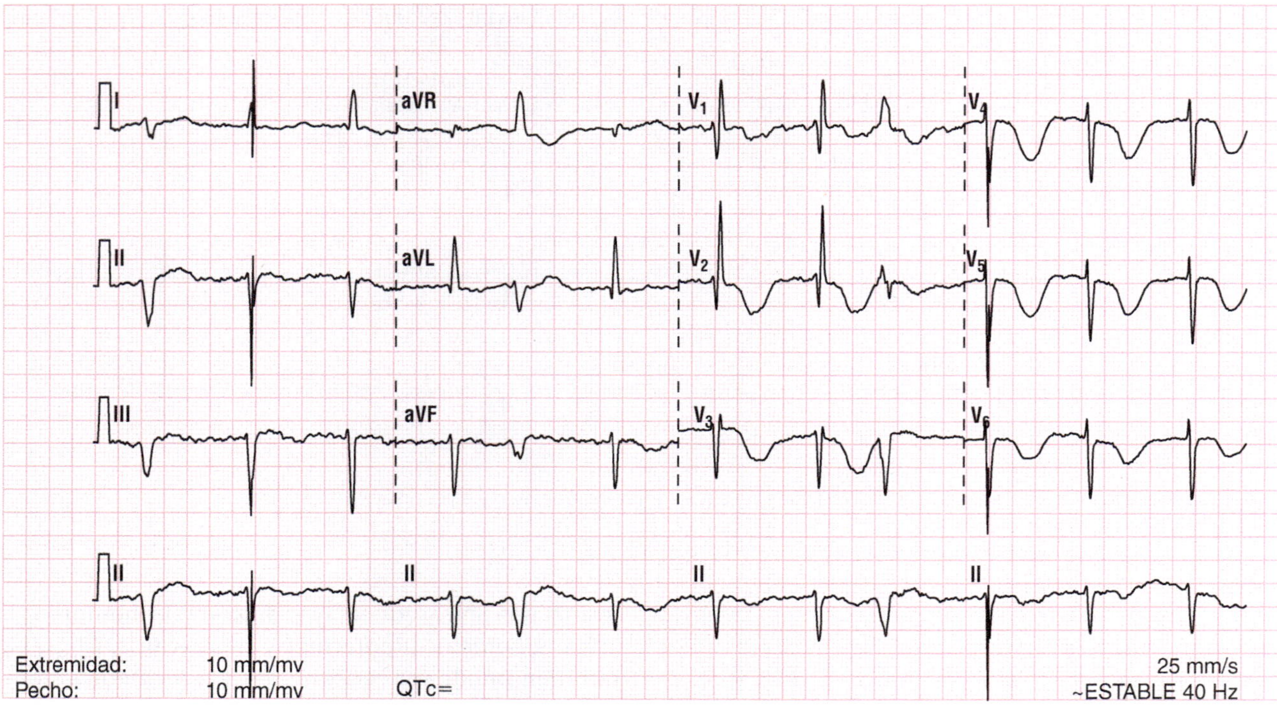

FIGURA 15-102 Electrocardiograma de 12 derivaciones que muestra ondas T profundamente invertidas en un paciente con una hemorragia intracraneal.

Síndromes coronarios agudos

Las arterias coronarias, por supuesto, suministran oxígeno y nutrientes al miocardio. Los SCA se caracterizan por una reducción brusca del flujo sanguíneo a través de una o varias arterias coronarias. Si uno de estos vasos sanguíneos se obstruye, el músculo al que irriga se verá privado de oxígeno, lo que se denomina *isquemia*. Si el suministro de oxígeno no se restablece con rapidez, la zona isquémica del músculo cardíaco morirá. Esta muerte tisular se conoce como *infarto*.

Etiología

La causa habitual del SCA es la rotura de una placa ateroesclerótica. La **ateroesclerosis** es en especial preocupante porque afecta al revestimiento interno de los vasos sanguíneos, estrechándolos y reduciendo el flujo sanguíneo a través de ellos. El proceso ateroesclerótico comienza con probabilidad en la infancia, cuando se depositan pequeñas cantidades de material graso a lo largo de la pared interna (íntima) de las arterias. Esto suele ocurrir en puntos de flujo sanguíneo turbulento, como donde las arterias se bifurcan o donde la pared arterial ha presentado daños. La placa de material graso se agranda de forma gradual, convirtiéndose en una masa de tejido graso denominada **ateroma** o *placa ateromatosa*. Esta masa acaba calcificándose, endureciéndose y convirtiéndose en una lesión que se infiltra en la pared arterial y disminuye su elasticidad. Al mismo tiempo, el ateroma en expansión estrecha la arteria, disminuyendo la cantidad de flujo sanguíneo a través del **lumen**, el espacio interior hueco dentro de la arteria. La zona estrecha y rugosa de la íntima arterial es un lugar ideal para la formación de un coágulo sanguíneo fijo, o **trombo**, que puede obstruir la arteria por completo. Cuando se forma un coágulo de este tipo en una arteria coronaria, se conoce como *trombosis coronaria*. Además, el calcio puede precipitarse desde el torrente sanguíneo a las paredes arteriales, provocando **arterioesclerosis**, una enfermedad en la que el engrosamiento y la rigidez de las paredes arteriales reducen de forma considerable la elasticidad de las arterias. En general, existe EAC obstructiva cuando una persona presenta una estenosis de 50% o más de un vaso coronario; no se considera que exista EAC si hay una estenosis inferior a 20% en todos los vasos.[19]

Aunque la ateroesclerosis coronaria obstructiva y la trombosis coronaria subsiguiente son las causas más frecuentes de isquemia miocárdica, las investigaciones demuestran que hasta 50% de los pacientes con angina estable que se someten a una angiografía coronaria diagnóstica y entre 10 y 15% de los que presentan un SCA muestran arterias coronarias normales o casi normales.[19,20] En estos pacientes, la disfunción de la microvasculatura coronaria (las arterias coronarias más pequeñas) puede desempeñar un papel importante en la causa de la isquemia miocárdica.

Factores de riesgo de cardiopatía coronaria

Los factores de riesgo son condiciones de salud, hábitos de vida y rasgos que pueden aumentar la probabilidad de que una persona desarrolle una enfermedad. Los *factores de riesgo modificables* pueden controlarse, modificarse o tratarse, mientras que los *no modificables* no pueden cambiarse.

Algunos ejemplos de enfermedades que aumentan el riesgo de cardiopatía coronaria son la diabetes, los niveles elevados de colesterol y otros lípidos en sangre, la hipertensión y la obesidad o el sobrepeso.

- La diabetes aumenta el riesgo de cardiopatía coronaria, enfermedad cerebrovascular, enfermedad vascular periférica e insuficiencia cardíaca.
- Una dieta rica en grasas saturadas, grasas *trans* y colesterol aumenta el riesgo de ateroesclerosis y cardiopatías. El nivel de colesterol sérico es, al menos en parte, consecuencia de la ingesta dietética de grasas saturadas. En poblaciones con un bajo consumo de grasas, la incidencia de cardiopatías isquémicas también es baja. Además, se ha demostrado que reducir el nivel de colesterol sérico disminuye el riesgo de presentar un infarto del miocardio. El colesterol también puede controlarse con medicación, si es necesario.
- La PA alta es un factor de riesgo de cardiopatías, accidentes cerebrovasculares y enfermedad renal terminal. La hipertensión no siempre puede prevenirse ni curarse, pero puede controlarse con dieta y medicación.
- La obesidad o el sobrepeso se asocian con un mayor riesgo de cardiopatía coronaria y de desarrollar otros factores de riesgo de cardiopatía coronaria, como hipertensión, diabetes y colesterol elevado. La reducción de peso, mediante una dieta sana y una mayor actividad física, puede aportar varios beneficios para toda la vida y prolongar la vida. En particular, mantener un peso corporal saludable puede reducir el riesgo de cardiopatía coronaria.

Entre los hábitos de vida que aumentan el riesgo de cardiopatía coronaria se encuentran la inactividad física, el consumo excesivo de alcohol y el tabaquismo.

- Las personas que no son físicamente activas tienen mayor riesgo de cardiopatía coronaria que las que practican una actividad física regular. Dicha actividad mejora la forma física general, la reserva cardíaca y la circulación coronaria colateral. También puede ayudar a reducir el estrés.
- El consumo excesivo de alcohol puede elevar tanto la PA como los niveles de triglicéridos. Según los US Centers for Disease Control and Prevention, las mujeres deben limitar su consumo de alcohol a no más de una bebida al día y los hombres a no más de dos.[21]
- El consumo de tabaco aumenta el riesgo de dañar el corazón y los vasos sanguíneos, incrementando así el riesgo de cardiopatía coronaria e IAM. Las sustancias químicas de los cigarrillos aumentan los niveles de fibrinógeno, favoreciendo la coagulación. Además, la nicotina aumenta la frecuencia cardíaca y la PA. La buena noticia es que los fumadores que dejan de fumar vuelven con rapidez al mismo nivel de riesgo que los no fumadores.

La genética y los antecedentes familiares, así como el aumento de la edad, el sexo y la raza, son factores de riesgo no modificables que pueden afectar a la probabilidad de que una persona desarrolle una cardiopatía coronaria.

- Los antecedentes familiares de cardiopatías aumentan el riesgo de que una persona desarrolle una cardiopatía coronaria, sobre todo si uno de los padres o hermanos desarrolla un problema cardíaco o circulatorio a una edad temprana (menos de 55 años en hombres y menos de 65 años en mujeres). La genética también influye en otros factores de riesgo de cardiopatía coronaria, como hipertensión, diabetes y obesidad, así como en otras enfermedades cardiovasculares, como insuficiencia cardíaca, accidente cerebrovascular y la fibrilación auricular.[2]
- El aumento de la edad incrementa el riesgo de desarrollar una cardiopatía coronaria. Por lo general, el riesgo de cardiopatía isquémica es mayor en los hombres que en las mujeres en la premenopausia, pero en las mujeres aumenta al llegar a la menopausia.
- En EU, las cardiopatías son la principal causa de muerte entre afroamericanos, indios americanos y nativos de Alaska, y caucásicos.[21] Los afroamericanos tienen mayor riesgo de IAM, insuficiencia cardíaca, accidente cerebrovascular y otros episodios cardiovasculares que los caucásicos, y las muertes relacionadas con ECV se producen antes en afroamericanos que en caucásicos.[22]

Se cree que los factores de riesgo contribuyen a aumentar el riesgo de cardiopatía y accidente cerebrovascular, pero aún no se ha definido su papel exacto. La geografía y el estatus socioeconómico, el estrés y algunas terapias contra el cáncer son ejemplos de estos factores de riesgo.

- La geografía y las circunstancias socioeconómicas contribuyen a las disparidades sanitarias en EU. Los comportamientos individuales, como la dieta, el ejercicio y la genética, pueden contribuir a estas disparidades. Otros factores son los ingresos, la educación, el acceso limitado a una atención sanitaria de calidad, la falta de cobertura de seguro y las barreras de comunicación. Las disparidades del sistema sanitario incluyen los prejuicios involuntarios de los proveedores de atención sanitaria y una sensibilidad variable a las necesidades y diferencias de los pacientes de orígenes distintos a los suyos.[22]

- Debido a que cada persona gestiona el estrés de forma diferente, los investigadores no están seguros de cómo el estrés aumenta el riesgo de cardiopatía. Sin embargo, está claro que en momentos de estrés se liberan hormonas como la epinefrina. La liberación de epinefrina acelera el ritmo cardíaco, eleva la PA y aumenta la necesidad de oxígeno del organismo. El estrés crónico expone al organismo a niveles persistentes de epinefrina y a un aumento de la PA. La respuesta del organismo al estrés también puede empeorar otros factores de riesgo. Por ejemplo, una persona estresada puede ser menos activa, comer en exceso, empezar a fumar o fumar más de lo habitual.
- Algunas terapias contra el cáncer, como la quimioterapia y la radioterapia, pueden aumentar el riesgo de ECV.

Prevención

La educación y el reconocimiento oportuno son estrategias esenciales para prevenir las ECV. Educar a la gente sobre los factores de riesgo de las enfermedades del corazón puede disminuir la mortalidad y es un área de interés para los paramédicos del SEM que participan en la promoción de la salud de la comunidad. El **CUADRO 15-9** enumera los métodos para reducir el riesgo de ECV.

CUADRO 15-9 Factores que reducen el riesgo de enfermedad cardiovascular

- Conocimiento
- Modificación del comportamiento
- Control de la presión arterial
- Manejo del colesterol
- Control de la diabetes
- Limitar el alcohol
- Manejo de lípidos
- Ejercicio regular
- Dejar de fumar
- Manejo del estrés
- Manejo del peso

Angina de pecho

El principal síntoma de la EAC es la angina de pecho (literalmente, "sensación de ahogamiento en el pecho"). La angina es el dolor repentino que se produce cuando el suministro de oxígeno al miocardio es insuficiente para satisfacer sus demandas. Como consecuencia, el músculo cardíaco se vuelve isquémico y pasa a un metabolismo anaeróbico. Este metabolismo alterado provoca la acumulación de ácido láctico y dióxido de carbono.

Comprender el concepto de "oferta y demanda" es crucial en este caso: en reposo, una persona con cardiopatía que permanece sedentaria puede tener un suministro adecuado de oxígeno al miocardio a pesar de cierto estrechamiento de las arterias coronarias. Sin embargo, cuando la misma persona hace ejercicio o experimenta algún otro estrés fisiológico, el flujo sanguíneo al miocardio puede no satisfacer la mayor demanda de oxígeno del corazón; en ese caso, puede producirse angina de pecho. Está claro, por lo tanto, que el paciente con angina en reposo, cuando las necesidades de oxígeno son mínimas, tiene una EAC más grave que una persona que refiere angina solo durante el ejercicio vigoroso.

Angina estable

La **angina estable** es una molestia torácica episódica de localización, intensidad y duración predecibles causada por una isquemia miocárdica. Los factores desencadenantes de los síntomas pueden ser estrés emocional, exposición a frío o calor extremos, comidas abundantes, tabaquismo, consumo excesivo de alcohol y actividad física, como subir un tramo de escaleras o caminar unas cuadras. El paciente puede referir, por ejemplo: "Cada vez que subo la calle hasta la parada del autobús, siento un dolor opresivo debajo del esternón, y tengo que sentarme durante 2 o 3 minutos hasta que desaparece".

Los pacientes con angina crónica estable suelen tomar NTG u otro agente de nitrato para aliviar los síntomas anginosos. La NTG se presenta en varias formas, como comprimidos sublinguales, cápsulas de liberación sostenida, un líquido que se pulveriza bajo la lengua, una solución en aerosol, un parche transdérmico y una pomada. Independientemente de su forma, la NTG tiene un efecto predecible en pacientes con angina estable, aliviando los síntomas en pocos minutos.

En el EKG puede observarse depresión del segmento ST u ondas T invertidas. Estos cambios en el EKG se solucionan cuando la demanda de oxígeno del corazón se reduce a un nivel que puede ser suministrado por la arteria coronaria (como con el reposo) o cuando aumenta el flujo sanguíneo dilatando las arterias coronarias con NTG.

Angina inestable

La angina inestable es más grave que la estable. Se caracteriza por cambios en la frecuencia, gravedad y duración del dolor y otros síntomas. Otros nombres de la angina inestable son *angina preinfarto, angina in crescendo, síndrome preoclusivo, síndrome coronario intermedio* y *SCA*. A diferencia de la angina estable, la angina inestable suele producirse de forma impredecible. El paciente puede referir que los ataques de angina se han vuelto más frecuentes y graves durante los últimos días o semanas, o los ataques pueden despertar al paciente del sueño o producirse cuando el paciente está en reposo. El dolor anginoso puede aliviarse o no con reposo o medicación. Estos ataques suelen ser señales de advertencia de un IM inminente.

Angina variante

La **angina variante**, también llamada angina de Prinzmetal, es un tipo de angina causada por el vasoespasmo de las arterias coronarias. Suele producirse en reposo, pero también puede aparecer por estrés emocional, esfuerzo o frío. Este tipo de angina puede producirse tanto en pacientes con arterias coronarias normales como en pacientes con EAC. A menudo se observa una elevación transitoria del segmento ST en el EKG. Los síntomas pueden desaparecer por sí solos o con la administración de NTG.

Angina microvascular

La **angina microvascular (AMV)** es un tipo de angina causada por la constricción o el espasmo de las paredes de las arterias coronarias más pequeñas del corazón. A menudo pasa desapercibida y no se trata porque la angiografía coronaria no muestra la EAC obstructiva o el espasmo de las arterias coronarias epicárdicas. La AMV es más frecuente en mujeres que en hombres y en personas con diabetes o hipertensión. Las molestias torácicas pueden ser más intensas y prolongadas con la AMV, y pueden tardar más en desaparecer después de que el paciente deje de hacer ejercicio o después de que tome nitratos, en comparación con otros tipos de angina.[20] La AMV puede ir acompañada de quejas de fatiga, falta de aliento y trastornos del sueño. La depresión del segmento ST suele observarse en el EKG cuando los episodios se producen durante el ejercicio.[20]

Infarto agudo del miocardio

Un IAM, o infarto del miocardio, se produce cuando una porción del músculo cardíaco se ve privada de flujo sanguíneo coronario el tiempo suficiente para que mueran partes del músculo, es decir, para que presente **necrosis** o infarto. La localización y el tamaño de un infarto del miocardio dependen de qué arteria coronaria esté obstruida y en qué punto de su recorrido se produzca la obstrucción. La mayoría de los infartos afectan al ventrículo izquierdo. Cuando la pared anterior, lateral o septal del ventrículo izquierdo está infartada, el origen suele ser la oclusión de la arteria coronaria izquierda o de una de sus ramas. Los infartos de la pared inferior suelen ser consecuencia de la oclusión de la ACD.

Cuando el proceso isquémico afecta solo a la capa interna del músculo, el infarto se denomina **infarto del miocardio subendocárdico**. Cuando el infarto se extiende por toda la pared del ventrículo, se describe como **infarto del miocardio transmural**. El tejido infartado está rodeado por un anillo de tejido isquémico, una zona relativamente privada de oxígeno, pero aún viable. Este tejido isquémico suele ser inestable desde el punto de vista eléctrico y suele ser el origen de las disritmias cardíacas. Cuanto más tiempo permanezca isquémico un segmento del miocardio, menor será la probabilidad de recuperar el tejido y restablecer su función normal. Así pues, cuanto antes pueda iniciarse la terapia de reperfusión después de la aparición del bloqueo, mayores serán las posibilidades de salvar el miocardio distal afectado.

Los pacientes con IMEST presentan elevación del segmento ST en el EKG. Como su nombre indica, el IMSEST no produce signos de lesión miocárdica (elevación del segmento ST) en el EKG del paciente. Distinguir a los pacientes con angina inestable de aquellos con IAM puede ser imposible durante su presentación inicial porque los signos, síntomas y hallazgos EKG asociados con estas dos condiciones pueden ser idénticos.

Perlas de sabiduría

A efectos de tratamiento fuera del centro médico, asuma que el paciente con dolor torácico está teniendo un IAM hasta que se demuestre lo contrario.

Evaluación

El tiempo es oro cuando se atiende a un paciente con un SCA, por lo que debe evaluar rápido y de manera sistemática al paciente y proporcionarle los cuidados de emergencia necesarios. Entre los objetivos de la atención al paciente se incluyen los siguientes:[10]

- Identifique con rapidez si existe un IMEST y, en caso afirmativo, notifíquelo al centro médico.

- Determine la hora de inicio de los síntomas.
- Vigile el ritmo cardíaco y los signos vitales del paciente; esté preparado para administrar RCP y desfibrilación, si es necesario.
- Administre la medicación adecuada.
- Transporte al paciente a un centro adecuado.

Síntomas

El síntoma más frecuente de un SCA es el malestar torácico. Aunque algunos pacientes tienen antecedentes de angina, en otros el SCA es la primera manifestación de EAC.[7] Una persona con un SCA suele sentir dolor justo debajo del esternón, descrito como pesado, aplastante u opresivo. Este dolor puede irradiarse a los brazos (con mayor frecuencia al brazo izquierdo) y a los dedos; también puede irradiarse al cuello, la mandíbula, la parte superior de la espalda o el epigastrio. El malestar torácico isquémico suele ser sordo, más que agudo, y no se ve afectado por la inspiración profunda, el movimiento o la posición. Pueden aliviarse o no con nitratos o reposo. Para transmitir la naturaleza opresiva de la molestia, el paciente puede apretar el puño y mantenerlo contra el esternón (signo de Levine). En ocasiones, un paciente puede confundir el dolor de un SCA con una indigestión y tomar antiácidos en un intento de aliviar las molestias.

No todos los pacientes con SCA experimentan molestias torácicas. Algunos no tienen dolor torácico, fenómeno conocido como "IM silente". Otros pueden presentar solo disnea o molestias en brazos, hombros, espalda, mandíbula, cuello, epigastrio u oídos.[7] Los síntomas de isquemia miocárdica distintos del dolor o las molestias torácicas se denominan *equivalentes anginosos*, **CUADRO 15-10**.

CUADRO 15-10 Equivalentes anginosos

- Dolor abdominal
- Cambio agudo del estado mental
- Diaforesis
- Mareos
- Disnea
- Disritmia
- Dolor epigástrico
- Fatiga
- Debilidad generalizada
- Indigestión
- Dolor aislado en el brazo o la mandíbula
- Mareo
- Palpitaciones
- Inquietud
- Síncope o casi síncope
- Náusea o vómito inexplicables

Los síntomas atípicos o inusuales son más frecuentes en mujeres, adultos mayores y pacientes con diabetes. Las mujeres con SCA suelen describir las molestias como dolor, tirantez, presión, agudeza, quemazón, plenitud u hormigueo. Las molestias suelen localizarse en espalda, hombros o cuello. Algunas mujeres experimentan molestias torácicas vagas que suelen aparecer y desaparecer, sin factores agravantes conocidos. Los síntomas agudos más frecuentes son dificultad para respirar, debilidad, fatiga inusual, sudores fríos, mareos y náusea o vómito. Los adultos mayores también pueden presentar síntomas atípicos, como compromiso del estado mental, debilidad generalizada, síncope, disnea, fatiga, náusea inexplicable y molestias abdominales o epigástricas. Del mismo modo, los pacientes con diabetes pueden presentar síntomas atípicos, como debilidad generalizada, síncope, mareo o disminución del estado mental.

Al obtener la anamnesis de un paciente la referencia principal es una molestia torácica, formule las preguntas habituales SAMPLE (Signos y síntomas, Alergias, Medicación, antecedentes médicos Pertinentes, Última [*Last*] ingesta oral, Eventos previos a la enfermedad o lesión) y OPQRST para profundizar en la queja principal. Además, pregunte si el paciente ha tomado algo para el dolor y, en caso afirmativo, si le ha ayudado. Si el paciente informa de que ha tomado NTG sin alivio, entonces es esencial establecer *por qué* no se alivió el dolor. Una de dos razones podría explicar este fracaso. En primer lugar, el paciente puede estar presentando un SCA, para el que la NTG no proporcionó un alivio completo del dolor. En segundo lugar, la NTG pudo haber caducado. Para distinguir entre las dos explicaciones, pregunte al paciente si las últimas dosis de NTG han tenido los efectos habituales. Los comprimidos de NTG terapéuticamente activos provocan una ligera sensación de ardor bajo la lengua y pueden hacer que el paciente se ruborice o desencadenar un dolor de cabeza punzante transitorio. Si el paciente confirma que sintió algunos de esos efectos, pero no se alivió su malestar torácico, usted sabe que no había nada malo con la NTG. Sin embargo, es posible que al paciente le ocurra algo muy grave.

Cuando evalúe la gravedad del malestar del paciente, utilice una escala de valoración del dolor. El uso de una escala de dolor le permite evaluar la eficacia de su atención de emergencia. Documente la valoración inicial del malestar del paciente. Reevalúe (y documente) el grado de malestar después de cada tratamiento que realice y antes de transferir la atención al centro receptor.

Inicie el tratamiento en cuanto obtenga una queja principal de naturaleza cardíaca; la anamnesis más detallada y la evaluación secundaria pueden esperar. Sin embargo, para los fines de esta sección, procederemos con la anamnesis y la evaluación secundaria. Además del dolor (o a veces en lugar del dolor), hay otros síntomas asociados con los SCA:

- La diaforesis (sudoración), a menudo profusa, es principalmente el resultado de una secreción masiva por el SNA. El sudor puede empapar la ropa del paciente, y este puede referir sudor frío.
- La disnea puede ser un signo de alerta de una inminente fibrilación ventricular izquierda.
- El IM suele ir acompañado de anorexia (pérdida de apetito), náusea, vómito o eructos. En ocasiones también puede aparecer hipo causado por la irritación diafragmática en un IM de la pared inferior.
- La debilidad puede ser profunda, y el paciente puede decir que se siente como "un muñeco de trapo" o algo similar.
- Si el GC disminuye de manera considerable, la reducción de la circulación cerebral puede provocar mareos o cambios agudos del estado mental.
- Los pacientes con disritmias cardíacas a veces perciben las palpitaciones como una sensación de que el corazón se ha saltado un latido.
- La sensación de fatalidad inminente es común entre los pacientes con IM. El paciente está asustado, parece asustado y expresa su miedo a los demás, todo lo cual contribuye a crear una atmósfera general de pánico y temor.

Perlas de sabiduría

Inicie de inmediato el tratamiento de cualquier paciente con molestias torácicas o un equivalente anginoso.

Señales

Aunque puede encontrar algunas anomalías en la exploración física de los pacientes con SCA, muchos presentan hallazgos relativamente normales, y su diagnóstico de campo dependerá principalmente de la historia clínica y de los hallazgos del EKG de 12 derivaciones. No obstante, algunos hallazgos específicos de la exploración física pueden ayudarle a detectar complicaciones del IAM, como insuficiencia cardíaca o shock cardiogénico.

- Preste atención al aspecto general del paciente. ¿Parece ansioso? ¿Asustado? ¿Tiene un dolor evidente? Por supuesto, no todos los dolores torácicos son causados por isquemia, lesión o infarto. Muchas otras afecciones pueden causar dolor torácico que puede simular una angina de pecho o un IAM.
- ¿Cuál es el nivel de respuesta del paciente? ¿Está totalmente alerta? ¿Está confuso? Recuerde que una mala perfusión crea confusión. Si el paciente no parece mentalmente sano, puede deberse a que el corazón está dañado y no llega suficiente sangre oxigenada al cerebro.
- ¿Presenta palidez en la piel? ¿Está fría y húmeda? Un paciente típico con un IAM es aprensivo, con palidez cenicienta y piel fría y húmeda.
- Evalúe los signos vitales del paciente. ¿El pulso es fuerte o débil? ¿Es regular o irregular? ¿La frecuencia respiratoria es anormalmente rápida? ¿La presión arterial es anormalmente alta o baja? En un paciente con IAM, la frecuencia cardíaca puede ser normal, rápida o lenta. La PA puede estar disminuida, reflejando una disminución del GC por el corazón dañado o elevada por el dolor y la ansiedad.
- ¿Hay signos de FVI (sibilancias o crepitaciones)? ¿Signos de FVD (venas del cuello distendidas, edema podal o presacro)?

Debe realizar una exploración física completa, incluida la anamnesis, para determinar si es probable

Perlas de sabiduría

Como regla general, es seguro suponer que cualquier paciente que haya solicitado asistencia médica por dolor torácico tiene, como mínimo, una angina inestable y quizá un IAM en evolución. Los pacientes con antecedentes de angina rara vez piden ayuda a menos que algo haya cambiado, a menudo de manera drástica, o peor. Debido a que es difícil diferenciar entre una angina y un IAM en la escena, el tratamiento de la angina debe ser el mismo que el de un IAM. Es mucho mejor sobretratar una angina como IAM que infratratar un IAM asumiendo que se trata de una angina.

que la causa de los signos y síntomas del paciente sea de origen cardíaco. El **CUADRO 15-11** muestra los diagnósticos diferenciales a tener en cuenta durante la evaluación.

Gestión de los SCA

Entre los pacientes con un SCA, los que presentan un IMEST tienen más probabilidades de beneficiarse del tratamiento de reperfusión, que consiste en restablecer el flujo sanguíneo por medios mecánicos (como la **intervención coronaria percutánea [ICP]**) o farmacológicos (como la **fibrinólisis** [proceso de disolución de los coágulos sanguíneos]). La ICP es un procedimiento mínimamente invasivo que se realiza bajo fluoroscopia para diagnosticar y tratar la obstrucción de las arterias coronarias. Con esta terapia, se pasa un balón, un *stent* u otro dispositivo a través de un catéter arterial periférico para reabrir una arteria coronaria obstruida comprimiendo la placa contra la pared del vaso.

CUADRO 15-11 Diagnóstico diferencial del dolor y malestar torácicos

Clasificación	Posibles diagnósticos
Causas cardiovasculares	• Aneurisma • Disección aórtica • Isquemia miocárdica • Miocarditis • Pericarditis
Causas gastrointestinales	• Colecistitis • Espasmo esofágico • Enfermedad por reflujo gastroesofágico • Hernia de hiato • Indigestión • Pancreatitis • Úlcera péptica
Causas musculoesqueléticas	• Enfermedad acromioclavicular • Traumatismo de la pared torácica • Tumor de la pared torácica • Costocondritis • Calambres musculares intercostales
Causas respiratorias	• Pleuresía • Neumonía • Neumotórax • Embolia pulmonar • Infección respiratoria
Otras causas	• Trastorno de ansiedad/ataque de pánico • Herpes zóster (culebrilla)

Debido a que los beneficios de la terapia de reperfusión son sensibles al tiempo, inicie el tratamiento de inmediato a la llegada al lugar de cualquier paciente con molestias torácicas, incluso antes de completar la historia clínica y la evaluación secundaria. El algoritmo del SCA se muestra en la **FIGURA 15-103**.

Colocar al paciente en reposo físico y apoyo emocional

La respuesta al estrés desencadena una oleada de catecolaminas (epinefrina y norepinefrina) procedentes de las glándulas suprarrenales, lo que acelera el corazón dañado. Al mismo tiempo, la descarga masiva en todo el sistema de lucha o huida pone la circulación periférica en un estado de vasoconstricción severa; por lo tanto, no solo se empuja al corazón a ir más rápido, sino que también debe trabajar más duro contra la creciente poscarga. Por lo tanto, la necesidad de oxígeno del corazón se dispara cuando ya se encuentra en un estado de marcada falta de oxígeno. Este ciclo puede conducir con rapidez a disritmias y a la muerte.

Perlas de sabiduría

Para el paciente con un SCA, los retrasos en la atención prehospitalaria pueden producirse durante el tiempo de respuesta, el tiempo en el lugar de los hechos o el tiempo de viaje hasta el centro receptor.[23] Estos retrasos prolongan el tiempo de tratamiento y, en última instancia, pueden perjudicar la evolución del paciente. Usted puede marcar la diferencia trabajando con rapidez y eficacia cuando atienda de emergencia a un paciente con sospecha de SCA.

Una forma de limitar el tamaño del infarto es reducir la cantidad de trabajo que debe realizar el corazón, lo que disminuye las necesidades miocárdicas de oxígeno del paciente. Comience sus cuidados permitiendo que el paciente adopte una posición cómoda. La mayoría de los pacientes prefieren una posición semi-Fowler. Desde el momento de su llegada, el paciente no debe realizar ningún esfuerzo, ni siquiera para caminar hasta la camilla.

Obtención de signos vitales y monitorización cardíaca

Obtenga los signos vitales, incluyendo pulso, respiración, PA y SpO_2. Medir la PA y repetir la medición al menos cada 5 minutos. Aunque el monitor de EKG proporciona información sobre la actividad eléctrica del corazón, no revela nada sobre su función

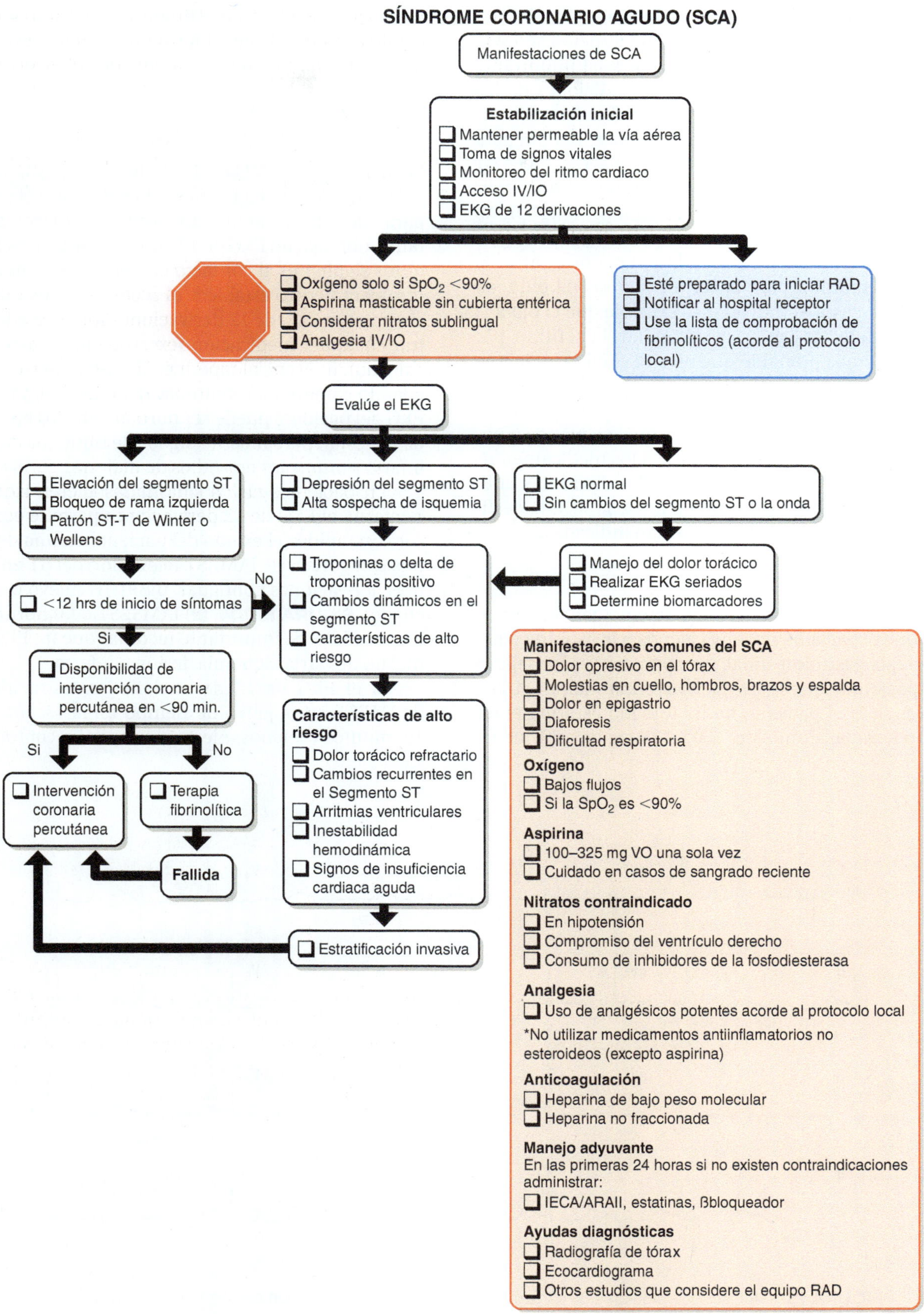

FIGURA 15-103 Lista de verificación para dolor en el pecho.

mecánica. Por lo tanto, debe palpar el pulso del paciente para evaluar el flujo sanguíneo periférico y la fuerza de los latidos. Esto es en especial importante durante el transporte, cuando las mediciones de los signos vitales pueden ser difíciles de obtener.

Aplique el monitor cardíaco. Realice una tira para documentar e identificar el ritmo inicial del paciente. Lo ideal es que el monitor emita un tono o pitido audible con cada complejo QRS (también llamado "pitido de sístole"), para que pueda seguir el ritmo cardíaco del paciente incluso cuando tenga que apartar la vista del monitor para hacer otras cosas. El oído, en cualquier caso, es mucho más sensible que el ojo a la hora de detectar ligeras irregularidades del ritmo, por lo que es más probable que oiga el comienzo de una disritmia cardíaca mucho antes de lo que lo vería en el monitor. Debido a que las disritmias son frecuentes en las primeras horas de un infarto, tenga a mano su botiquín para poder acceder rápido a los medicamentos si se produce una disritmia. Trate las disritmias utilizando el algoritmo adecuado e inicie la RCP, la desfibrilación o la cardioversión, si están indicadas.

Administrar aspirina y oxígeno

En la mayoría de los sistemas de emergencias, siempre que el paciente no tenga alergia a la aspirina o hemorragia gastrointestinal, los operadores aconsejan a los pacientes que mastiquen aspirina infantil (160 a 325 mg). Si el paciente no ha tomado aspirina antes de su llegada, administre 160 a 325 mg de aspirina no entérica para masticar. Administre oxígeno si el paciente presenta disnea, hipoxemia o signos evidentes de insuficiencia cardíaca. Procure que el nivel de Spo_2 sea de 90%.

Obtener un EKG de 12 derivaciones

Recuerde que el EKG de 12 derivaciones es la principal herramienta diagnóstica utilizada sobre el terreno para identificar rápido un evento cardíaco; por lo tanto, obtenga un EKG de 12 derivaciones en los 10 minutos siguientes al contacto con el paciente mientras otro paramédico establece el acceso vascular. Realice siempre un EKG de 12 derivaciones *antes* de administrar cualquier medicación (excepto, quizá, aspirina y oxígeno). Es esencial repetir el EKG de 12 derivaciones cuando cambien los síntomas del paciente, ya que el EKG del paciente puede ser normal *entre* los episodios de malestar, pero mostrar signos de isquemia, lesión o infarto *durante* los episodios de malestar.

En pacientes cuyos síntomas sugieren isquemia o infarto, el EKG de 12 derivaciones permite estratificar con rapidez el estado del paciente en una de estas tres categorías: (1) IAMEST (elevación del ST en dos o más derivaciones contiguas, o BRIHH nuevo o sospechado), **FIGURA 15-104**, (2) IAMSEST o (3) normal (no diagnóstico). Es importante recordar que un EKG normal no descarta isquemia, lesión o infarto.

Si el EKG de 12 derivaciones muestra indicios de IMEST, su objetivo de tiempo en la escena es de 10 minutos o menos. Alerte al hospital receptor y co-

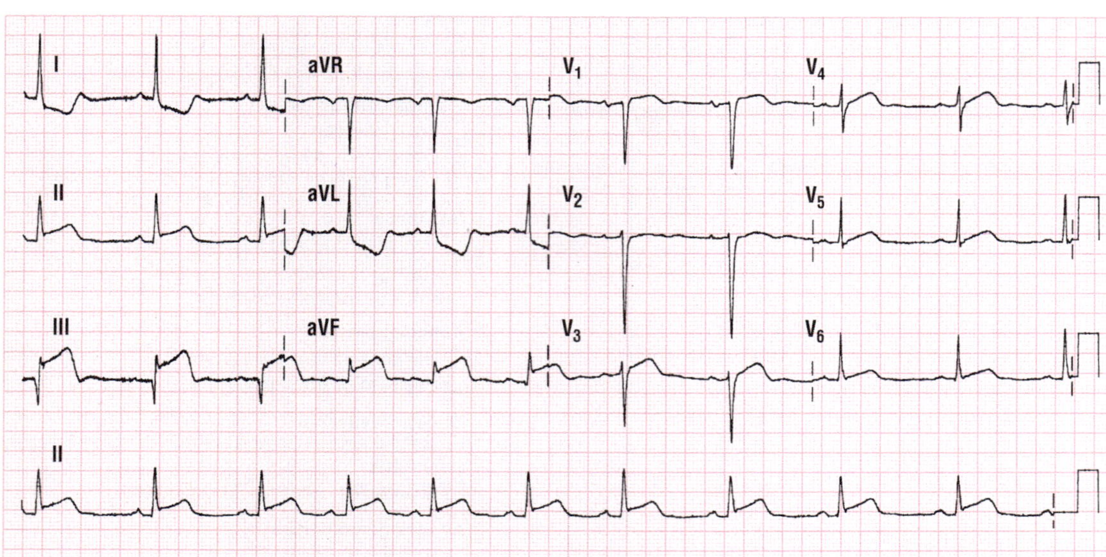

FIGURA 15-104 Electrocardiograma de 12 derivaciones que muestra elevación del segmento ST en las derivaciones II, III y aVF, con depresión del segmento ST e inversión de la onda T en las derivaciones recíprocas I y aVL.

Reproducida de *Arrhythmia Recognition: The Art of Interpretation*, cortesía de Tomas B. Garcia, MD.

mience a rellenar la lista de verificación fibrinolítica, **FIGURA 15-105**. La notificación previa permite al personal del centro médico reunirse y comenzar los preparativos mientras el paciente se encuentra en tránsito hacia el centro. Aunque varios estudios han demostrado que las intervenciones mecánicas producen mejores resultados cuando se realizan con prontitud, el tratamiento fibrinolítico desempeña un

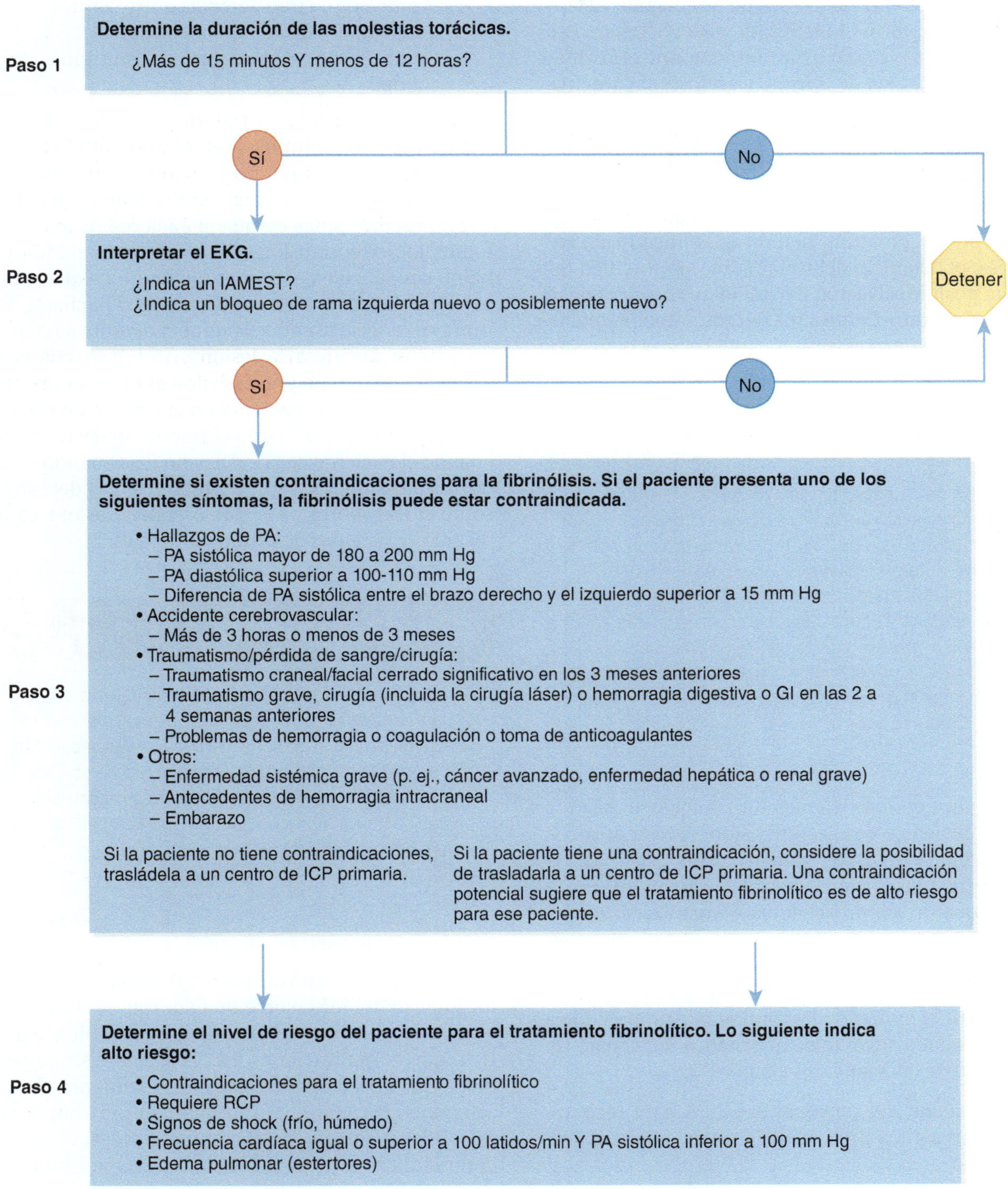

FIGURA 15-105 Lista de comprobación fibrinolítica prehospitalaria.
Abreviaturas: EKG, electrocardiograma; GI, gastrointestinal; GU, genitourinario; RCP, reanimación cardiopulmonar; PA, presión arterial; ICP, intervención coronaria percutánea; IAMEST, infarto del miocardio con elevación del segmento ST.

papel importante en el tratamiento del IMEST, ya que solo una minoría de los hospitales de EU dispone de capacidad para realizar ICP. Debe saber qué centros médicos de su zona están equipados para administrar **terapia fibrinolítica** o ICP. El tratamiento fibrinolítico consiste en la administración de un medicamento que convierte la enzima disolvente de coágulos del organismo de su forma inactiva, el **plasminógeno**, a su forma activa, la plasmina, que descompone el fibrinógeno y los coágulos de fibrina. Desafortunadamente, si se administra por vía intravenosa un medicamento capaz de favorecer la disolución de coágulos, sus efectos no pueden limitarse al coágulo de la arteria coronaria; el medicamento puede actuar en cualquier parte del cuerpo donde se estén formando coágulos, lo que puede provocar hemorragias incontroladas. Así pues, el beneficio del tratamiento fibrinolítico (es decir, la posible salvación del tejido miocárdico) debe sopesarse siempre frente a sus riesgos, principalmente el riesgo de hemorragia.

Medicina basada en evidencia

Hasta 20% de los pacientes con IMEST no presentan dolor o molestias torácicas.[24] Las investigaciones demuestran que más de 25% de los pacientes con IMEST que se presentan sin dolor torácico no reciben EKG prehospitalarios y tardan mucho más tiempo en recibir el balón del SEM.[24] Para evitar retrasos en la terapia de reperfusión al atender a un paciente con un posible SCA, tenga en cuenta los conceptos de presentación atípica y equivalentes anginosos. En caso de duda, obtenga un EKG de 12 derivaciones.

Al igual que los sistemas de atención utilizados para los pacientes con traumatismos, accidentes cerebrovasculares o paros cardíacos, los sistemas de atención para los pacientes con IMEST son esfuerzos coordinados de los proveedores y organizaciones de atención sanitaria para proporcionar a estos pacientes una gama completa de cuidados basados en la evidencia, con el objetivo de mejorar la rapidez de la reperfusión, reducir la mortalidad y aumentar la probabilidad de un resultado favorable. El sistema ideal para el IMEST incluye los siguientes elementos:

- Formación del personal del SEM para reconocer los signos probables de un evento cardíaco agudo
- Protocolos de triaje y destino del SEM bien establecidos
- Capacidad de adquisición, interpretación y transmisión de EKG de 12 derivaciones con alerta de IMEST
- Protocolos del DE
- Personal con experiencia en ACLS
- Capacidad de comunicación con la institución receptora
- Dirección médica con formación y experiencia en el tratamiento del IAMEST
- Protocolos de transferencia entre centros
- Capacidades de atención post aguda
- Garantía de calidad/mejora continua de la calidad

Cuando se habla de IMEST, es crucial comprender que se debe minimizar el tiempo del SEM al balón, el tiempo de la puerta al balón y el tiempo de la puerta a la aguja. Estos conceptos se refieren al tiempo que transcurre antes de que el paciente reciba el tratamiento de reperfusión. El tiempo entre el SEM y el balón comienza en el primer momento en que el personal del SEM entra en contacto con el paciente. Termina cuando se produce la terapia definitiva (cuando un catéter atraviesa la lesión en el vaso coronario afectado). El tiempo puerta-balón es el intervalo entre la presentación del paciente en el centro médico y la terapia definitiva. El tiempo puerta-aguja comienza cuando el paciente llega al DE y finaliza cuando se administra una medicación fibrinolítica. Las decisiones sobre el transporte y el destino deben basarse en los recursos y sistemas de asistencia locales.[10]

Perlas de sabiduría

Su capacidad para identificar a los candidatos a la terapia de reperfusión desempeña un papel decisivo a la hora de ayudar al personal del centro médico a iniciar el tratamiento lo suficientemente oportuno como para marcar la diferencia. Por este motivo, debe asegurarse de que conoce a fondo los principios de la terapia de reperfusión para el SCA. ¡El tiempo es músculo!

Aliviar el dolor

Es esencial algún tipo de alivio del dolor, ya que el dolor intenso del IAM ejerce una enorme presión sobre el SNA del paciente, lo que puede contribuir a la aparición de complicaciones. La NTG, que disminuye la demanda miocárdica de oxígeno y aumenta el flujo sanguíneo coronario, es un tratamiento habitual que se utiliza al principio del tratamiento del SCA si no hay contraindicaciones para su uso. La NTG se administra por vía sublingual en forma de comprimido o de aerosol dosificador.

La NTG está contraindicada en pacientes con una PAS inicial inferior a 90 mm Hg y en pacientes que hayan utilizado un inhibidor de la fosfodiesterasa en las últimas 48 horas. Ejemplos de estos medicamentos son sildenafilo (Viagra®, Revatio®), vardenafilo (Levitra®, Staxyn®) y tadalafilo (Cialis®, Adcirca®), que se utilizan para la disfunción eréctil y la hipertensión pulmonar. Asimismo, evite el uso de NTG en pacientes que reciben epoprostenol (Flolan®) o treporstenil (Remodulin®) por vía IV, que se utilizan para tratar la hipertensión pulmonar.[10] Los nitratos deben administrarse con extrema precaución, si acaso, a pacientes con IAMEST inferior o sospecha de infarto del ventrículo derecho (IVD). Cuando un infarto afecta a estas cámaras, la eficacia de la cámara cardíaca afectada disminuye y el corazón derecho se vuelve dependiente de la precarga. Puede producirse hipotensión si se reduce la precarga, lo que puede ocurrir con medicamentos que disminuyen la precarga (p. ej., NTG, morfina, diuréticos). Si el EKG de 12 derivaciones indica un IM inferior, aplique derivaciones torácicas derechas para evaluar la afectación ventricular derecha.

Si el malestar del paciente no se alivia con NTG y sus signos vitales permanecen estables, considerar la administración de sulfato de morfina. La morfina es el analgésico preferido para los pacientes con IMEST y se considera una opción razonable para los pacientes con angina inestable/IAMEST.[7] El fentanilo (Sublimaze®) es preferible a la morfina para las molestias torácicas isquémicas que no se alivian con NTG en algunos sistemas del SEM debido a su rápida aplicación, duración relativamente corta y menos efectos secundarios. Siga los protocolos locales.

Transporte del paciente

Debido a que el tiempo es músculo, obtenga un historial más detallado y realice la evaluación secundaria de camino al centro receptor. No hay motivo para permanecer en el lugar a menos que se trate de un paro cardíaco o una disritmia que requiera tratamiento inmediato.

Transporte al paciente en posición semi-Fowler (a menos que el paciente esté en estado de shock, en cuyo caso deberá estar en decúbito supino). Haga todo lo posible para que el paciente esté lo más relajado y cómodo posible. Dependiendo de su protocolo local, puede ser necesario realizar algunas medidas de tratamiento adicionales en tránsito para reducir el tiempo del paciente en el DE. Estas medidas pueden incluir el establecimiento de una segunda vía IV de gran calibre, la aplicación de parches de desfibrilación en el tórax del paciente, la realización de una lista de verificación fibrinolítica (si aún no se ha hecho) y el afeitado de las muñecas y las ingles del paciente.

En algunas llamadas, puede encontrarse con pacientes que rechazan el tratamiento o el traslado a pesar de presentar signos y síntomas compatibles con un SCA. Una persona con molestias torácicas que rechaza la atención es un ejemplo de "rechazo de alto riesgo", es decir, existe un alto riesgo de responsabilidad legal en estas circunstancias. Con calma y cuidado, intente persuadir al paciente para que acepte la atención que desea proporcionarle, incluido el transporte. Si cree que el paciente puede estar presentando un IM, comuníqueselo con palabras que puedan entender con facilidad. Por ejemplo, utilice la expresión "infarto del miocardio" en lugar de IM. Informe al paciente de los cuidados de emergencia que desea proporcionarle y de las ventajas de aceptarlos. Explíquele los riesgos de rechazar los cuidados que le ha ofrecido. Debido a que un infarto del miocardio puede ser mortal, debe señalar este posible desenlace al paciente. No se trata de asustar al paciente, sino de exponerle con claridad los peligros de rechazar el tratamiento, incluido el transporte. Puede ser útil ponerse en contacto con la dirección médica en estas situaciones. En algunos casos, el médico puede pedir hablar directamente con el paciente y ser capaz de persuadirle con éxito para que acepte el tratamiento y el transporte. Si no consigue convencer al paciente para que acepte la asistencia, documente con cuidado la negativa del paciente.

Perlas de sabiduría

El IAM tiene muchas complicaciones posibles. Familiarícese con ellas. Las complicaciones eléctricas incluyen bradicardia, bloqueo AV, bloqueos de rama y fasciculares, taquicardia y MSC. Las complicaciones isquémicas incluyen la extensión del infarto y el reinfarto. También pueden producirse complicaciones mecánicas, como insuficiencia ventricular izquierda, insuficiencia ventricular derecha, shock cardiogénico y aneurisma ventricular. La pericarditis puede ser una complicación inflamatoria del IAM. El accidente cerebrovascular, la trombosis venosa profunda (TVP) y la embolia pulmonar son posibles complicaciones embólicas.

Educación de pacientes y familiares

El tiempo que transcurre desde el inicio de los síntomas hasta la atención de emergencia puede acortarse si los pacientes, familiares y transeúntes reconocen pronto los síntomas de un infarto del miocardio y activan con prontitud el SEM. Enseñe a sus pacientes y familiares a reconocer los signos y síntomas de un infarto del miocardio. Indíqueles que llamen al 9-1-1 en los 5 minutos siguientes a la aparición de los síntomas. Explique que no todos los infartos van acompañados de un dolor torácico repentino y aplastante y de una pérdida de capacidad de respuesta. Los síntomas pueden empezar de forma gradual o aparecer y desaparecer. Advierta a los pacientes que hayan tenido un infarto del miocardio anterior que los signos y síntomas de un segundo infarto o de un infarto posterior pueden diferir de los del primero.

Documentación y comunicación

Los sistemas del SEM evalúan de forma periódica la atención prestada a los pacientes con SCA. Los elementos clave de la documentación son los siguientes:[10]

- Hora de inicio de los síntomas
- Tiempo de contacto del paciente por el SEM hasta el momento de la adquisición del EKG de 12 derivaciones
- Tiempo transcurrido desde el primer EKG diagnóstico de 12 derivaciones hasta la notificación de IMEST
- Momento en que se administró la aspirina (es decir, ¿se tomó antes de la llegada del SEM o la administró el SEM?); o motivo por el que no se administró, justificado por los negativos pertinentes
- Hora de llegada a la instalación receptora

Insuficiencia cardíaca

La **insuficiencia cardíaca** se produce cuando el corazón es incapaz, por cualquier motivo, de bombear con la suficiente potencia o rapidez para vaciar sus cavidades; como consecuencia, la sangre retrocede al circuito sistémico, al pulmonar o a ambos. La insuficiencia cardíaca es un síndrome, no una enfermedad, y se caracteriza por sobrecarga de volumen y perfusión tisular inadecuada. Los rasgos comunes incluyen fatiga, disnea, edema e intolerancia al ejercicio. Aunque la congestión pulmonar es frecuente, no siempre se oye, por lo que ya no se utiliza el término *insuficiencia cardíaca congestiva.*

La insuficiencia cardíaca puede deberse a varios trastornos que merman la capacidad de los ventrículos para llenarse o expulsar sangre, como la EAC, la hipertensión arterial de larga duración y la diabetes. Las disritmias, la miocardiopatía, las valvulopatías y las enfermedades genéticas también pueden provocar insuficiencia cardíaca. La cardiomiopatía se trata en el capítulo 40, *Emergencias pediátricas.* Entre los factores que pueden contribuir a la insuficiencia cardíaca se encuentran los trastornos tiroideos, el abuso de alcohol, cocaína y otras sustancias ilegales, los tratamientos contra el cáncer que dañan el miocardio (p. ej., radiación torácica, quimioterapia) y los agentes infecciosos que causan inflamación, como el virus de

USTED es el Paramédico

PARTE 3

Usted administra oxígeno suplementario y prepara al paciente para trasladarlo a la ambulancia para su evaluación y transporte. Mientras sube la camilla a la ambulancia, el paciente sufre una convulsión tónico-clónica que dura entre 30 y 45 segundos, seguida de una respiración agónica con una frecuencia de 4 a 6 respiraciones por minuto. No responde. Un paramédico de su equipo comienza la ventilación con bolsa-mascarilla mientras usted aplica el monitor cardíaco. El monitor muestra un bloqueo AV de tercer grado de QRS ancho, con una frecuencia ventricular de 36 latidos/min. Antes de partir hacia el centro médico, usted establece una vía IV mientras otro miembro de la tripulación obtiene una segunda serie de signos vitales.

Tiempo de grabación:	10 minutos
Respiraciones	6 respiraciones/min; 10 respiraciones/min con ventilación bolsa-mascarilla
Pulso	36 latidos/min, regular
Piel	Fresco, húmedo; mucosas pálidas
Presión arterial	62/40 mm Hg
Saturación de oxígeno (Spo_2)	99% con ventilación bolsa-mascarilla
Pupilas	Pupilas iguales, redondas y reactivas a la luz (PIRRL)

6. ¿Este es paciente de alta prioridad? ¿Por qué sí o por qué no?
7. Teniendo en cuenta lo que sabe en este momento, ¿cuál es la causa más probable de la actividad convulsiva?
8. ¿Cuál es la mayor amenaza para la vida de este paciente en este momento? ¿Cómo la tratará?
9. ¿Cómo va a controlar el ritmo cardíaco?

la inmunodeficiencia humana (VIH) o el coronavirus 2 del síndrome respiratorio agudo grave (SARS-CoV-2), que causa COVID-19.[25]

La insuficiencia cardíaca puede identificarse en función de la aparición de los síntomas (aguda o crónica) y del ventrículo afectado en un inicio (izquierdo o derecho). En la insuficiencia cardíaca aguda, los síntomas aparecen de repente. En la insuficiencia cardíaca crónica, los síntomas se desarrollan con mayor lentitud. Una persona con insuficiencia cardíaca crónica puede desarrollar insuficiencia cardíaca aguda. Aunque la insuficiencia de cualquiera de los dos ventrículos puede producirse por sí sola, a menudo la insuficiencia de ambos se produce de manera simultánea: la insuficiencia ventricular derecha suele ser consecuencia de la insuficiencia ventricular izquierda.

Recordemos que el GC es igual al volumen sistólico multiplicado por la frecuencia cardíaca. Tres factores principales afectan al volumen sistólico: la precarga, la poscarga y la contractilidad cardíaca. Así pues, cualquier enfermedad que afecte a la precarga, la poscarga, la contractilidad cardíaca o la frecuencia cardíaca puede causar insuficiencia cardíaca.

Insuficiencia ventricular izquierda

Independientemente de su causa, la insuficiencia cardíaca produce síntomas en la mayoría de los pacientes porque el ventrículo izquierdo no bombea sangre con eficacia. Cuando se produce la IVI, la sangre se acumula detrás del ventrículo izquierdo, provocando una reacción en cadena, **FIGURA 15-106**. La sangre se acumula en los pulmones porque el ventrículo izquierdo es incapaz de expulsar toda la sangre dentro de sus paredes. En consecuencia, la aurícula izquierda se hincha de sangre porque no puede vaciar la sangre que hay dentro de sus paredes hacia el ventrículo izquierdo. El estiramiento de las fibras musculares auriculares puede provocar disritmias auriculares. Del mismo modo, las venas pulmonares no pueden vaciar la sangre de las arterias pulmonares en la aurícula izquierda porque ya está llena. La presión dentro de los vasos pulmonares aumenta, forzando la entrada de líquido desde los capilares pulmonares a través de las paredes alveolares hacia los alvéolos, lo que puede causar un edema pulmonar. La acumulación de líquido ensancha la brecha entre la membrana alvéolo-capilar, lo que dificulta la difusión de oxígeno y dióxido de carbono.

Hay dos tipos de insuficiencia ventricular izquierda, y se utilizan diversas pruebas diagnósticas para ver la anatomía cardíaca y determinar el tipo, porque sus tratamientos difieren. En la insuficiencia sistólica, el ventrículo izquierdo es débil y tiene problemas para bombear toda la sangre de la cavidad al organismo. En la insuficiencia cardíaca diastólica, el ventrículo izquierdo se contrae con normalidad, pero se ha vuelto rígido, lo que impide su capacidad para relajarse y llenarse de sangre entre cada contracción del corazón.

La IVI puede ser consecuencia de una hipertensión mal controlada, que aumenta la poscarga y la carga de trabajo cardíaco, y puede causar una hipertrofia ventricular izquierda. Las taquidisritmias acortan el tiempo de relajación ventricular y alteran el llenado ventricular, lo que puede provocar disminución del GC. La EAC, incluido el IAM, puede causar daños permanentes en el miocardio, con el consiguiente deterioro de la contractilidad ventricular y reducción del GC. El aumento de las demandas del corazón asociado con un volumen o presión excesivos también puede causar insuficiencia cardíaca. Por ejemplo, la administración de un gran volumen de líquido IV durante un periodo corto (como en una vía IV desbocada) en un paciente con un ventrículo izquierdo debilitado puede causar sobrecarga de volumen. Si una válvula cardíaca se engrosa o estrecha, obstruyendo el flujo sanguíneo a través de ella, puede producirse una sobrecarga de presión.

Perlas de sabiduría

El edema pulmonar de origen cardíaco se denomina edema pulmonar cardiogénico. El edema pulmonar atribuible a escalar o vivir a gran altitud se denomina edema pulmonar de gran altitud. El edema pulmonar también puede ser causado por otras afecciones, como la inhalación de tóxicos, el exceso de líquidos intravenosos y algunos medicamentos opioides. Este tipo de edema pulmonar se denomina edema pulmonar no cardiogénico.

Insuficiencia ventricular derecha

El ventrículo derecho debe superar la presión elevada y la congestión de los vasos pulmonares para expulsar la sangre que se encuentra dentro de sus paredes. Cuando no puede soportar el aumento de la carga de trabajo, la función contráctil del ventrículo derecho falla, **FIGURA 15-107**. La sangre retrocede por detrás del ventrículo derecho, aumentando la presión en la aurícula derecha. Si la aurícula derecha es incapaz de expulsar la sangre dentro de sus paredes, la sangre retrocede hacia las venas cavas superior e inferior. Las venas se congestionan de sangre porque las venas cavas superior e inferior no pueden drenar a una aurícula derecha ya llena. Como el retorno venoso se retrasa, los órganos se congestionan con sangre. Por ejemplo, el aumento de la presión en las venas hepáticas agranda el hígado (hepatomegalia), haciéndolo sensible. A medida que empeora la congestión venosa, el aumento de la presión en las venas hace que el líquido seroso atraviese las paredes capilares y penetre en los

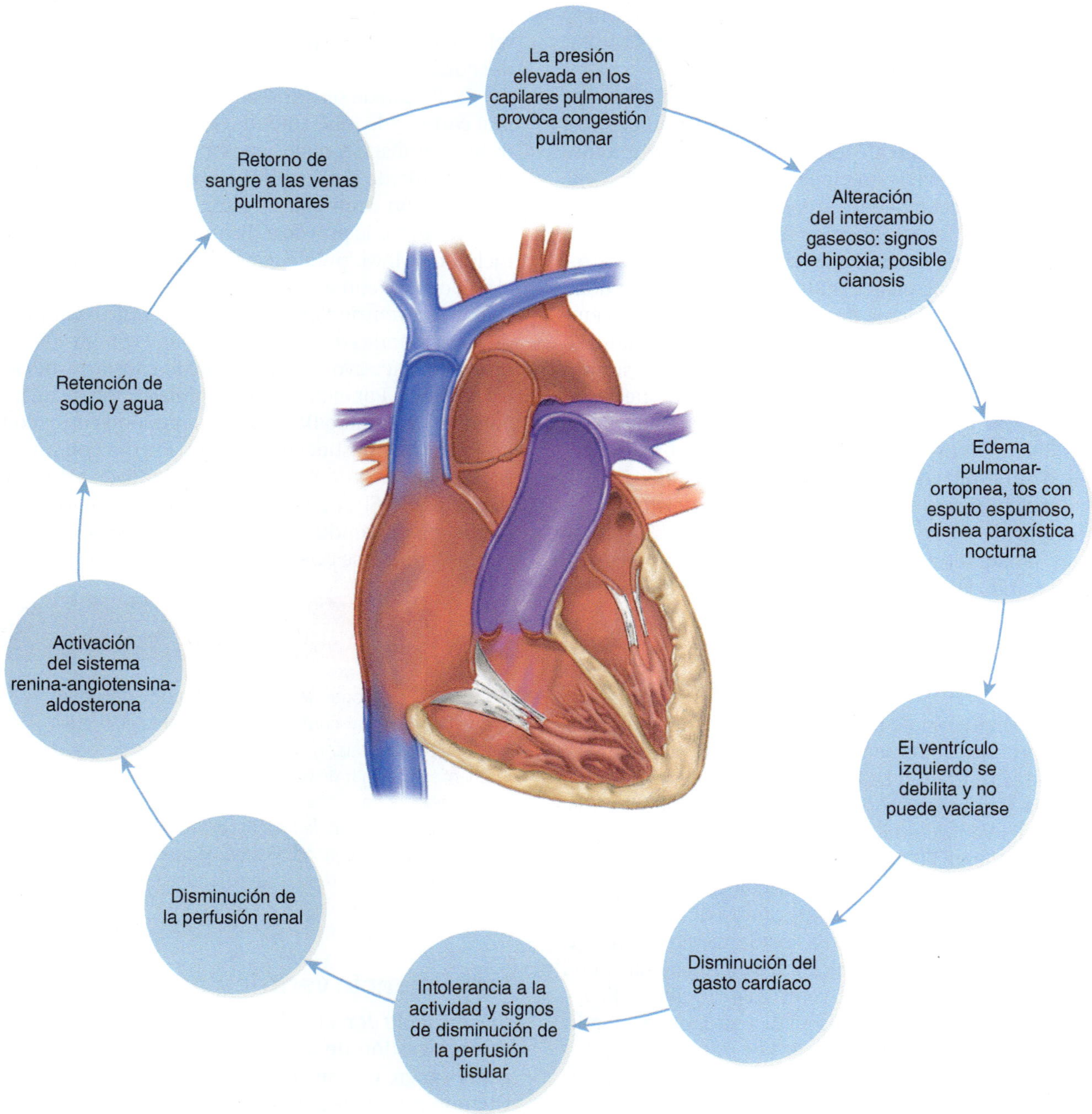

FIGURA 15-106 Insuficiencia ventricular izquierda.

tejidos corporales, produciendo edema. El edema periférico es más evidente en las zonas dependientes del cuerpo, como los pies y los tobillos. El líquido seroso también puede acumularse en el abdomen (ascitis), la cavidad pleural (derrame pleural) o la cavidad pericárdica (derrame pericárdico). A medida que progresa la IVD, puede producirse un edema generalizado de todo el cuerpo, una afección denominada *anasarca.*

Cor Pulmonale

La IVD puede producirse por sí sola (sin IVI) en afecciones como la IVD, la embolia pulmonar y la hipertensión pulmonar. La hipertensión pulmonar es un trastorno en el que la presión en las arterias pulmonares es superior a la normal. El ventrículo derecho debe esforzarse para vencer esta mayor resistencia y

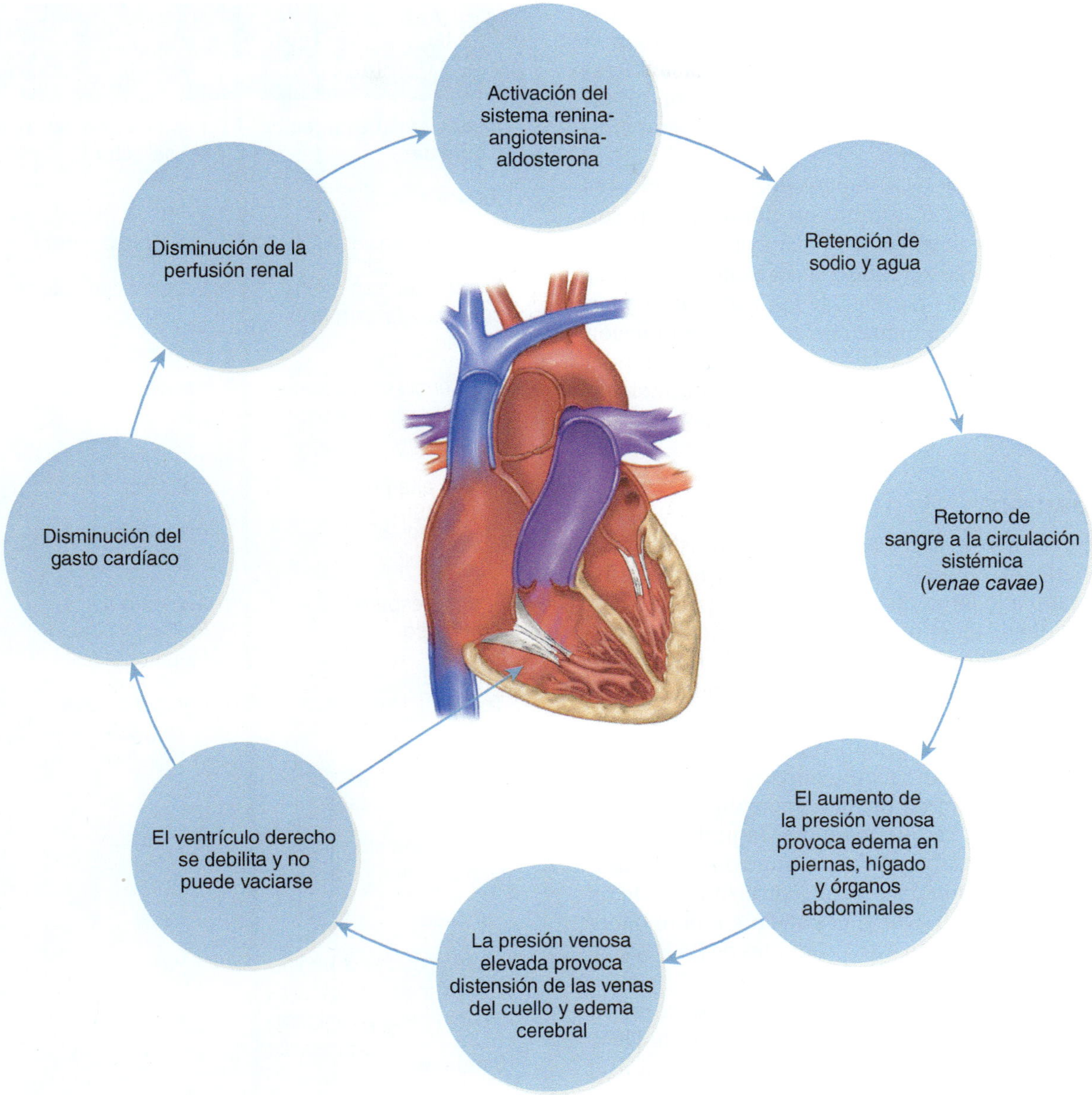

FIGURA 15-107 Insuficiencia ventricular derecha.

expulsar la sangre. Con el tiempo, el ventrículo derecho se agranda y acaba fallando. La IVD causada por una enfermedad pulmonar se denomina *cor pulmonale,* que suele ser consecuencia de la EPOC.

Mecanismos compensatorios

Cuando el corazón empieza a fallar, los mecanismos compensatorios del organismo intentan mejorar el GC manipulando la precarga, la poscarga, la contractilidad cardíaca o la frecuencia cardíaca. En última instancia, estos mecanismos compensatorios pueden empeorar la insuficiencia cardíaca. Por ejemplo, el sistema nervioso simpático acelera la frecuencia cardíaca, aumenta la fuerza de contracción y contrae los vasos sanguíneos. La aceleración de la frecuencia cardíaca y la mayor fuerza de contracción aumentan la demanda de oxígeno del corazón, reducen el tiempo de llenado de los ventrículos y disminuyen el tiempo de perfusión de las arterias coronarias. La disminución del flujo sanguíneo a los riñones estimula el sistema renina-angiotensina-aldosterona. La angiotensina I forma angiotensina II, lo que favorece una mayor vasoconstricción. Los vasos sanguíneos constreñidos (aumento de la poscarga) obligan al corazón a esforzarse aún más para bombear contra la presión elevada. La angiotensina II estimula la liberación de aldosterona, que favorece la retención de sodio y agua y aumenta el volumen sanguíneo (aumento de la precarga).

Estos mecanismos compensatorios son eficaces para aumentar el GC durante un periodo, pero con el tiempo la insuficiencia cardíaca avanza. La retención de sodio y agua agranda las cavidades del corazón, engrosando las paredes de los ventrículos y, en última instancia, debilitando la fuerza de contracción ventricular. Al disminuir la fuerza de contracción, el músculo cardíaco debilitado no puede soportar el mayor volumen de líquido y el GC disminuye.

Evaluación

El paciente con insuficiencia cardíaca puede referir una aparición súbita de disnea o una disnea que ha empeorado a lo largo de horas o días. Al principio, el paciente puede tener dificultad para respirar solo con la actividad o al tumbarse durante un rato (ortopnea). Los trastornos respiratorios o cardíacos pueden causar estos síntomas. Sin embargo, a medida que la fibrilación ventricular izquierda empeora, los signos y síntomas también se hacen evidentes en reposo. El paciente puede adoptar de manera instintiva una posición de trípode, ya que mantener la parte superior del cuerpo elevada mejora la respiración al permitir una mejor expansión del tórax. La probabilidad de un origen cardíaco es mayor si el paciente refiere haber tenido un infarto previo o antecedentes de PA elevada, valvulopatía u otra afección cardiovascular.

El paciente con insuficiencia cardíaca puede referir problemas para dormir y describir episodios de DPN. Durante estos episodios nocturnos de falta de aire, el líquido se acumula en los pulmones, ahogando literalmente al paciente en sus propias secreciones. El paciente se despierta tosiendo y con sensación de asfixia.

Además de la falta de aliento u otras dificultades respiratorias, los pacientes con insuficiencia cardíaca suelen decir que se sienten cansados o débiles o que no tienen energía. Estos síntomas, combinados con antecedentes de aumento reciente de peso en un periodo corto o edema progresiva de las extremidades inferiores, son una señal de alarma de insuficiencia cardíaca, **CUADRO 15-12**.

CUADRO 15-12 Signos y síntomas de insuficiencia cardíaca

Insuficiencia ventricular izquierda	Insuficiencia ventricular derecha
Signos	
Inquietud, ansiedad	Aumento de peso
Frecuencia respiratoria superior a la normal para la edad	Edema dependiente
Frecuencia cardíaca superior a la normal para la edad	Ascitis
Pulsos alternos	Anasarca
Crepitaciones	Distensión venosa yugular
Tos con esputo espumoso	Aumento del tamaño del hígado (hepatomegalia)
Tercer ruido cardíaco	Agrandamiento del bazo (esplenomegalia)
Retracciones; uso de músculos accesorios	
Respiración dificultosa; posición de trípode	
Sudando	
Incapacidad para hablar con frases completas; se limita a frases o palabras	
Síntomas	
Fatiga	Fatiga
Dificultad para respirar	Náusea
Ortopnea	Pérdida de apetito
Disnea paroxística nocturna	Dolor en el cuadrante abdominal superior derecho o izquierdo

El paciente puede referir problemas de concentración en los últimos tiempos, que pueden ser consecuencia de la hipoxia. Además, el paciente puede referir náusea y pérdida de apetito. Estos síntomas suelen deberse a la congestión del hígado y otros órganos abdominales. Algunos pacientes pueden describir sensación de desmayo, palpitaciones o pulso irregular o acelerado. Pregunte al paciente sobre los medicamentos prescritos que está tomando, en concreto, betabloqueadores o antagonistas del calcio, ya que estos medicamentos pueden afectar a la fuerza con la que se contrae el corazón.

La oxigenación se ve alterada cuando falla cualquiera de los dos lados del corazón, lo que disminuye el riego sanguíneo a los tejidos corporales. La inquietud, la ansiedad o la confusión inexplicable (en especial en los adultos mayores) pueden ser signos de hipoxia. Cuando hable con el paciente, fíjese si puede hablar con frases completas. A medida que empeora la insuficiencia cardíaca, la falta de aire del paciente limitará el habla de frases a oraciones y después solo a palabras. Si el paciente está demasiado falto de aire para responder a sus preguntas, es posible que pueda obtener el historial del paciente de un familiar o vecino en el lugar de los hechos.

La frecuencia respiratoria y cardíaca del paciente suelen ser rápidas. La piel puede estar fría y pálida. El pulso periférico puede estar disminuido. Estos signos representan la respuesta del sistema nervioso simpático a la hipoxia y el mecanismo compensatorio del organismo para mantener el GC. Puede observar signos de aumento del trabajo respiratorio, incluyendo retracciones y uso de músculos accesorios.

A medida que la hipoxia empeora, el paciente puede ponerse cianótico o toser con frecuencia, ya que el líquido irrita la vía aérea. La tos puede producir esputo rosado y espumoso. A medida que fallan los mecanismos compensatorios, la acumulación progresiva de líquido en los pulmones provoca crepitaciones (estertores) que no desaparecen con la tos. Este sonido puede ir acompañado de sibilancias si se produce broncoespasmo. Los crepitantes se oyen primero en la base de los pulmones. A medida que el líquido se acumula, se oyen crepitaciones más arriba en el tórax. Puede percibirse pulso paradójico, pulso alterno y un tercer ruido cardíaco. El pulso apical puede estar desplazado a medida que el agrandamiento del ventrículo izquierdo desplaza el ápex cardíaco.

Si la IVD acompaña a la IVI, la DVY será visible al congestionarse el sistema venoso. Los pacientes que pueden caminar presentarán edema de tobillos, pies, pantorrillas o piernas. Los pacientes en cama pueden presentar edema en la zona sacra. Si hay edema, anote (y documente) si es con fóvea o sin fóvea y si se localiza en los tobillos, a media pantorrilla o en las rodillas. También puede producirse ascitis, una acumulación de líquido en la cavidad peritoneal. Al hincharse el hígado y el bazo, el paciente puede referir dolor en el cuadrante superior del abdomen.

A medida que la bomba sigue fallando, la frecuencia cardíaca empieza a disminuir, la PA baja y el GC disminuye de manera sustancial. El shock cardiogénico se produce cuando la insuficiencia cardíaca va acompañada de hipotensión.

Algunos de los signos y síntomas presentes en la insuficiencia cardíaca también pueden estar presentes en otras afecciones. En el **CUADRO 15-13** se describe el diagnóstico diferencial de la insuficiencia cardíaca.

CUADRO 15-13 Diagnóstico diferencial de la insuficiencia cardíaca

Clasificación	Posibles diagnósticos
Causas cardiovasculares	• Taponamiento cardíaco • Edema pulmonar cardiogénico • Shock cardiogénico • Edema pulmonar de altitud • Isquemia miocárdica • Infarto del miocardio
Causas respiratorias	• Síndrome de dificultad respiratoria aguda • Asma • Bronquitis crónica • Enfermedad pulmonar obstructiva crónica • Neumonía • Neumotórax • Embolia pulmonar • Insuficiencia respiratoria
Otras causas	• Anafilaxia • Aspiración • Edema pulmonar no cardiogénico • Exposición a toxinas

Perlas de sabiduría

La DVY puede estar presente en otras afecciones distintas de la IVD, pero la auscultación de los ruidos respiratorios y cardíacos puede ayudarle a identificar la afección subyacente del paciente. Por ejemplo, la DVY en un paciente con taponamiento cardíaco suele caracterizarse por ruidos respiratorios claros, pero ruidos cardíacos apagados. La DVY en un paciente con neumotórax a tensión suele caracterizarse por la disminución o ausencia de ruidos respiratorios en el lado afectado. La DVY en un paciente con IVD asociada con IVI suele producir crepitaciones pulmonares. En estos pacientes, la administración de líquidos suele ser limitada y debe vigilarse estrechamente. La DVY en un paciente con IVD asociada con IVD suele producir ruidos respiratorios claros. Un paciente con IVD suele necesitar bolos de líquido IV para aumentar la precarga.

Manejo

Un paciente que tiene dificultades para respirar suele estar bastante ansioso. Comience su atención tranquilizando al paciente. Coloque al paciente en una posición cómoda mientras usted trabaja con rapidez para aliviar sus síntomas. Si hay congestión pulmonar y la tensión del paciente lo tolera, colóquelo sentado con los pies colgando. Esta posición favorece la acumulación venosa en las piernas, lo que ayudará a disminuir el retorno venoso, reduciendo así el trabajo respiratorio.

Mantenga una oxigenación y perfusión adecuadas. Aplicar un pulsioxímetro y proporcionar oxígeno suplementario según sea necesario para mantener la SpO_2 del paciente entre 95 y 98%.[11] La ventilación no invasiva con presión positiva (VNIPP) ha demostrado su utilidad en el tratamiento del edema pulmonar asociado con la insuficiencia cardíaca. La VNIPP no debe utilizarse si el paciente tiene la vía aérea comprometida, el estado mental alterado, riesgo de aspiración, neumotórax o PAS inferior a 90 mm Hg. Puede ser necesario insertar una vía aérea avanzada si el paciente presenta un sufrimiento grave. Evaluar los ruidos respiratorios antes y después de cada intervención. Monitorizar el estado respiratorio del paciente mediante capnografía de ondas, o con pulsioximetría si no se dispone de capnografía de ondas.

Limite la actividad física del paciente. No permita que el paciente suba o baje escaleras o se dirija a la camilla. Coloque al paciente en un monitor cardíaco y obtenga un EKG de 12 derivaciones. Una disritmia puede provocar insuficiencia cardíaca. Por otra parte, la hipoxia y la acidosis predisponen a los pacientes con insuficiencia cardíaca a disritmias que van de la taquicardia a la bradicardia.

Establezca el acceso IV. Para asegurarse de que el paciente no recibe demasiado líquido IV, utilice un bloqueo de heparina o de solución salina. Si el protocolo local le obliga a utilizar una bolsa y un tubo IV, infunda el líquido a una velocidad "para mantener abierto" (30 ml/h). Compruebe y vuelva a comprobar el volumen de líquido en la bolsa mientras el paciente esté a su cuidado. Documente la cantidad de líquido en la bolsa cuando inicie la vía IV y la cantidad de líquido restante cuando transfiera la atención del paciente al centro receptor.

El tratamiento farmacológico de la insuficiencia cardíaca puede variar ligeramente según el sistema de SEM, por lo que debe consultar el protocolo local. Se puede administrar NTG sublingual para reducir tanto la precarga como la poscarga, favoreciendo así el GC. Pregunte si el paciente ya ha tomado NTG.

La furosemida (Lasix®) es un diurético que se utilizó durante muchos años en el tratamiento prehospitalario de la insuficiencia cardíaca. En la actualidad, no se recomienda como tratamiento de la insuficiencia cardíaca y el edema agudo de pulmón. Conlleva el riesgo de inducir hipopotasemia, disritmias o aumento de la resistencia vascular sistémica al potenciar el sistema renina-angiotensina-aldosterona. Cualquiera de estas situaciones puede ser perjudicial para el paciente con insuficiencia cardíaca aguda. El diagnóstico erróneo de insuficiencia cardíaca y la consiguiente inducción de una diuresis inadecuada pueden aumentar la probabilidad de morbilidad y mortalidad.

Si el estado del paciente es estable, evite el uso de luces y sirena durante el transporte, ya que pueden aumentar la ansiedad, la frecuencia cardíaca y la PA del paciente. Esta respuesta aumenta la carga de trabajo del corazón y la demanda de oxígeno y debe evitarse si es posible. El transporte rápido está justificado si la respiración del paciente empeora, si presenta signos y síntomas de shock o si aparece una disritmia mortal en potencia.

Los dispositivos de asistencia ventricular (DAV) implantados de forma quirúrgica pueden utilizarse en pacientes con insuficiencia cardíaca. Un DAV actúa como un ventrículo artificial y no depende de la contractilidad ni de la conducción eléctrica del corazón del paciente. Un DAV puede colocarse en el ventrículo izquierdo (DAVI), en el ventrículo derecho (DAVD) o en ambos (dispositivo de asistencia biventricular) en función del ventrículo que falle. Dado que la insuficiencia ventricular izquierda es más frecuente que la insuficiencia ventricular derecha, el DAVI es el tipo más común de DAV.

Un DAV puede utilizarse (1) para permitir que el corazón "descanse" hasta que el corazón del paciente pueda recuperarse y reanudar su función de bombeo, (2) como puente para un trasplante de corazón y (3) como terapia de por vida, también llamada terapia de destino, para mantener la asistencia circulatoria en pacientes que no son candidatos a un trasplante de corazón. Existen varios tipos de DAV, pero todos suelen constar de una bomba de sangre, tubos (una cánula de entrada y otra de salida) y una fuente de alimentación externa conectada a un controlador. El controlador regula y supervisa las funciones del DAV. Las alarmas sirven de recordatorio cuando hay que cambiar las pilas, cuando una conexión está suelta o si la bomba funciona mal.

Los DAV se clasifican según el tipo de flujo sanguíneo (p. ej., continuo o pulsátil), la duración de la asistencia circulatoria (p. ej., a corto, medio o largo plazo), la fuente de energía motriz (p. ej., neumática o eléctrica) y la ubicación del dispositivo (p. ej., interna o externa). Los DAV de flujo pulsátil apenas se utilizan en la actualidad. En su lugar, los DAV de la generación actual son dispositivos de flujo continuo que suministran flujo durante todo el ciclo cardíaco. Los pacientes con un DAV de flujo continuo no suelen tener pulso palpable, a pesar de una perfusión adecuada. En estos pacientes, la medición de la PA mediante un manguito manual y un estetoscopio y la obtención de una lectura de pulsioximetría pueden resultar difíciles o los resultados pueden ser inexactos debido a la presión de pulso reducida y al pulso débil o ausente del paciente.

Con un DAV transcutáneo, tanto la bomba como la fuente de energía se encuentran en el exterior. Un tubo desde la bomba atraviesa la pared abdominal del paciente hasta el exterior de la unidad, conectándose a la batería. Con un DAV implantable, la bomba se encuentra en el interior del cuerpo y la fuente de energía en el exterior. Un cable conecta el DAV interno a la fuente de energía a través de una pequeña incisión en el abdomen. Con un DAVI, la sangre se extrae de la aurícula izquierda o del ápex del ventrículo izquierdo a través de un tubo hasta el DAVI y luego se devuelve a la aorta ascendente a través de un segundo tubo. Con un DAVD, la sangre se extrae de la aurícula derecha al DAVD y se devuelve a la arteria pulmonar. No es necesario desconectar el controlador ni las baterías para obtener un EKG de 12 derivaciones, desfibrilar al paciente o realizar una cardioversión sincronizada.

Muchos pacientes con DAV también llevan un marcapasos permanente o un desfibrilador cardioversor implantable. Las complicaciones asociadas con los DAV incluyen el mal funcionamiento o falla del dispositivo, tromboembolias (p. ej., accidente cerebrovascular, IAM o embolia pulmonar), hemorragias (p. ej., nasales, GI o intracraneales), insuficiencia cardíaca, infecciones, disritmias, taponamiento cardíaco, insuficiencia aórtica y sepsis.[10] Ya que existen diferencias en los diseños de los DAV, los métodos para solucionar las fallas de los dispositivos suelen ser exclusivos de cada uno de ellos. Al paciente con un DAV se le pueden recetar medicamentos anticoagulantes para prevenir la formación de coágulos en el DAV y el torrente sanguíneo.

Para evaluar un posible mal funcionamiento de la bomba del DAV, evalúe si hay alarmas, ausculte si hay un "zumbido" de la bomba y evalúe si hay signos de hipoperfusión, como alteración del estado mental, palidez y diaforesis. Utilizar los recursos disponibles para solucionar posibles disfunciones del DAV y determinar las medidas correctivas adecuadas para restablecer el funcionamiento normal del DAV.[10] Póngase en contacto con el acompañante del paciente con formación en DAV (a menudo un familiar), si está disponible. Utilizando el número de teléfono del dispositivo, póngase en contacto con el coordinador del DAV del paciente para que le ayude a tomar decisiones sobre el tratamiento y el destino del transporte. Compruebe todas las conexiones del controlador del sistema, cambie las pilas del DAV o cambie el controlador del sistema si está indicado.[10] Haga que el paciente interrumpa toda actividad y evalúe su tolerancia. Siga los protocolos específicos de la afección cardiovascular según se indique.

Póngase en contacto con el coordinador del DAV si el paciente con un DAV presente un paro cardíaco mientras se inicia la atención inicial de emergencia. Sin embargo, es esencial reconocer que no todos los pacientes con un DAV con una taquicardia ventricular o fibrilación ventricular no responderán. Evalúe la perfusión mediante la valoración del estado mental, la respiración, el color de la piel y la temperatura,[26] y el relleno capilar. Si el DAV no funciona, la localización de averías no permite identificar el problema y no hay signos de vida, inicie las compresiones torácicas y la desfibrilación, y administre medicación según los algoritmos actuales del ACLS.[26] Si se requiere desfibrilación, tenga cuidado de no colocar las almohadillas directamente sobre la bomba. Lo ideal es transportar al paciente a su centro de DAV. Si transporta al paciente a un centro que no sea de DAV, es imperativo que lleve todo el equipo relacionado con el DAV (p. ej., baterías, controladores, módulo de alimentación), ya que el equipo será necesario para mantener mecánicamente al paciente y puede ayudar al centro en la resolución de problemas.[27]

Documentación y comunicación

Los elementos de documentación clave para el paciente con un DAV implantable son los siguientes:[10]

- Signos vitales y saturación de oxígeno
- Tiempo y respuesta de los pacientes a las intervenciones
- Información obtenida de la caja de control del DAV que indica cualquier mal funcionamiento específico del dispositivo
- Intervenciones realizadas para restablecer el funcionamiento normal de un DAV defectuoso
- Hora de notificación e instrucciones del acompañante formado en DAV o del coordinador del DAV

Taponamiento cardíaco

Fisiopatología

Un derrame pericárdico es un aumento del volumen o un cambio en el carácter del líquido pericárdico, el líquido que rodea el corazón. La presión dentro del pericardio aumenta a medida que se acumula líquido pericárdico. El volumen de sangre o líquido en el espacio pericárdico necesario para impedir la capacidad de llenado del corazón depende de la velocidad a la que se produce la acumulación de sangre o líquido y de la capacidad de estiramiento del pericardio para acomodar el volumen de líquido expandido. Si el exceso de líquido se acumula lentamente, el pericardio se expandirá de manera gradual y dará cabida a un gran volumen antes de que aparezcan los signos y síntomas. Si el líquido se acumula con rapidez, la presión dentro del pericardio aumenta de manera significativa con un volumen menor de líquido.

El taponamiento cardíaco se produce cuando la acumulación de líquido pericárdico comprime el corazón, dificultando su contracción y restringiendo el llenado ventricular. El llenado ventricular limitado disminuye el volumen sistólico y el GC, provocando signos de shock.

El taponamiento cardíaco puede desarrollarse de forma gradual si está causado por una infección o un tumor. Puede desarrollarse con rapidez cuando está causado por una intervención quirúrgica cardíaca, la inserción de un marcapasos o de un catéter venoso central, o un traumatismo cardíaco como una puñalada o una herida de bala. El **CUADRO 15-14** muestra algunas posibles causas de taponamiento cardíaco.

CUADRO 15-14 Causas de taponamiento cardíaco

- Disección aórtica
- Enfermedad autoinmune
- Traumatismo torácico cerrado (incluida la RCP)
- Rotura cardíaca después de un IM
- Tumores cardíacos
- Insuficiencia renal crónica
- Cáncer de pulmón terminal
- Cirugía cardíaca
- Hipotiroidismo
- Traumatismo penetrante en el corazón
- Pericarditis, derrame pericárdico
- Radioterapia torácica (tratamiento del cáncer)
- Procedimientos cardíacos invasivos recientes (angioplastia, inserción de catéter venoso central, inserción de cable de marcapasos)

Abreviaturas: IM, infarto del miocardio; RCP, reanimación cardiopulmonar.

Evaluación

Los pacientes con taponamiento cardíaco suelen estar demasiado enfermos para responder a preguntas sobre su historial médico. Es probable que se muestren ansiosos e inquietos y que refieran falta de aire, opresión torácica o mareos. Es posible que los familiares le hablen de una intervención invasiva reciente, un infarto del miocardio, una enfermedad crónica o los medicamentos que toma el paciente, que podrían explicar la aparición del taponamiento cardíaco. Aunque el neumotórax a tensión es más frecuente, sospeche un taponamiento cardíaco en cualquier paciente que haya tenido una herida penetrante en el tórax o en la parte superior del abdomen. Si el taponamiento no se debe a un traumatismo, el paciente puede relatar una historia de enfermedad médica como pericarditis o enfermedad renal terminal. Una forma de diferenciar entre taponamiento cardíaco y neumotórax a tensión es recordar que en el taponamiento cardíaco los ruidos respiratorios serán iguales y la tráquea estará en la línea media porque los pulmones no están afectados.

Los signos de lesión de la pared torácica suelen estar presentes si se produce un taponamiento cardíaco debido a un traumatismo. El taponamiento cardíaco produce un trío clásico de signos conocido como **tríada de Beck**: DVY, hipotensión y ruidos cardíacos apagados. Sin embargo, estos signos están presentes en menos de la mitad de los pacientes con esta afección. La DVY puede estar ausente si el paciente es hipovolémico. Los ruidos cardíacos pueden ser normales al principio y volverse progresivamente más débiles o apagados a medida que la enfermedad empeora. El paciente también puede presentar otros signos de taponamiento cardíaco:

- Piel fría, moteada o cianótica; palidez
- Taquicardia
- Pulsos periféricos débiles o ausentes
- Estrechamiento de la presión del pulso (signo temprano)
- Pulso paradójico (signo tardío; puede estar ausente si el paciente presenta hipotensión grave)
- Signos y síntomas que simulan una insuficiencia cardíaca (cuando el taponamiento cardíaco se desarrolla lento):
  - Disnea
  - Ortopnea
  - DVY

El EKG tiene un valor limitado para identificar el taponamiento cardíaco. Pueden aparecer complejos QRS y ondas T de baja amplitud, elevación del segmento ST o cambios inespecíficos de la onda T. En el EKG pueden observarse alternancias eléctricas en las que la onda P, el complejo QRS y la onda T alternan en amplitud cada dos latidos debido al movimiento constante del corazón dentro del pericardio lleno de líquido.

Manejo

Si el traumatismo es el origen de los signos y síntomas del paciente, trátelos como se explica en el capítulo 32, *Traumatismos torácicos*. Trate cualquier hemorragia potencialmente mortal. Garantice una oxigenación y ventilación adecuadas. Aplique un pulsioxímetro y proporcione oxígeno suplementario según sea necesario para mantener el SpO_2 del paciente entre 95 y 98%. Aplique el monitor cardíaco. Evite realizar procedimientos adicionales en el lugar de los hechos que retrasen el traslado al centro médico.

Establecer acceso IV de camino a los cuidados definitivos. Administre líquidos y medicamentos por vía IV según el protocolo local o las indicaciones médicas. Si el paciente no presenta signos de insuficiencia cardíaca, considere la posibilidad de administrarle suero salino normal por vía IV para mantener el volumen sanguíneo circulante. Administre líquidos IV como medida temporal, pero no retrase el transporte para iniciar esta intervención. Compruebe la respuesta del paciente evaluando su estado mental, frecuencia cardíaca, esfuerzo respiratorio, ruidos respiratorios y PA. Explicar todos los procedimientos al paciente y proporcionarle apoyo emocional a él y a su familia.

El tratamiento definitivo del taponamiento cardíaco es la pericardiocentesis intrahospitalaria, un procedimiento en el que se introduce una aguja en el espacio pericárdico para drenar (aspirar) el exceso de líquido a través de la aguja. A menudo, la extracción de tan solo 50 ml de líquido mejora de forma significativa el estado del paciente. Si la cicatrización es la causa del taponamiento, puede ser necesaria una intervención quirúrgica para extirpar la zona afectada del pericardio. Cuando informe al control médico, asegúrese de identificar todos los signos y síntomas que le han hecho sospechar que el paciente tiene un taponamiento cardíaco, para que el centro médico receptor esté preparado para realizar la pericardiocentesis.

Perlas de sabiduría

Para identificar el taponamiento cardíaco, debe realizar una evaluación exhaustiva. Las tendencias en las mediciones de la PA solo pueden reconocerse después de obtener al menos tres valores, por lo general con un intervalo de 5 a 10 minutos. Los ruidos cardíacos apagados, la alternancia del pulso, la alternancia eléctrica y el pulso paradójico son signos poco frecuentes, por lo que pueden pasarse por alto con facilidad. Sin embargo, si se ha producido una lesión penetrante en la zona del corazón y el paciente presenta síntomas, es muy probable que se trate de esta afección.

Shock cardiogénico

El shock cardiogénico es una afección en la que la función del músculo cardíaco está gravemente alterada, lo que disminuye el GC y ocasiona una perfusión tisular inadecuada. La causa más frecuente de shock cardiogénico es la IVI secundaria a IAM, que suele producirse con un infarto que afecta a 40% o más del ventrículo izquierdo.

Fisiopatología

En la mayoría de los pacientes con shock cardiogénico, la contractilidad miocárdica está reducida, lo que provoca una disminución del GC, hipotensión y vasoconstricción sistémica. La vasoconstricción aumenta inicialmente la perfusión coronaria y periférica, pero este mecanismo compensatorio contribuye después a aumentar la poscarga, empeorando el rendimiento cardíaco y aumentando la demanda miocárdica de oxígeno. En última instancia, el miocardio dañado no puede superar el aumento de la resistencia, lo que provoca una hipoperfusión de los órganos finales. La inflamación sistémica desencadenada por la lesión cardíaca aguda puede inducir *vasodilatación* y disfunción miocárdica en algunos pacientes con shock cardiogénico.[28]

El shock cardiogénico puede producirse como complicación de un shock por cualquier causa. Además del daño miocárdico por IAM, el shock cardiogénico puede ser consecuencia de insuficiencia cardíaca, disritmias ventriculares, miocardiopatía terminal, miocarditis aguda, traumatismo cardíaco contuso o penetrante o embolia pulmonar. También puede producirse si la contractilidad miocárdica ha disminuido debido a una cirugía cardíaca prolongada, un aneurisma ventricular, un paro cardíaco o una rotura de la pared ventricular. Cuando se produce una rotura de este tipo, la sangre se filtra al espacio pericárdico, lo que provoca con rapidez un taponamiento cardíaco y un colapso cardiovascular. Después de la reanimación puede producirse un shock cardiogénico transitorio.

Los factores de riesgo para desarrollar un shock cardiogénico incluyen la edad avanzada, el IM anterior, la diabetes, la hipertensión, la EAC en múltiples vasos, el IM previo y la enfermedad vascular periférica o cerebrovascular.

Evaluación

Un paciente con shock cardiogénico puede presentarse de varias formas distintas en función de su gravedad. Por ejemplo, el paciente puede estar "caliente y seco", con la piel caliente y signos de insuficiencia cardíaca, pero sin congestión pulmonar (es decir, los pulmones están secos). También suele haber taquicardia. Si se desarrolla un síndrome de respuesta inflamatoria sistémica después de un IM, el paciente puede estar "caliente y húmedo", donde la piel está caliente debido a la vasodilatación,[28] pero se ha desarrollado congestión pulmonar. También puede haber taquicardia y fiebre. El paciente que está "frío y seco" tiene la piel fresca o fría debido a la vasoconstricción periférica, pero aún no se ha desarrollado congestión pulmonar.

Los signos y síntomas adicionales suelen incluir taquicardia, estrechamiento de la presión del pulso, cambios agudos del estado mental y mareos.

La mayoría de los pacientes con shock cardiogénico se presentan como "fríos y húmedos"; es decir, la piel está fría y se oyen crepitantes pulmonares en la auscultación. El paciente puede aparecer ceniciento o cianótico con las extremidades moteadas. Pueden observarse alteraciones del estado mental, disnea, ortopnea, DVY y edema periférico. Pueden oírse los ruidos cardíacos tercero y cuarto. A medida que la función ventricular empeora y el GC disminuye, la PAS se reduce de manera progresiva.

Ya que un paciente en shock cardiogénico puede estar demasiado enfermo para responder a las preguntas, prepárese para preguntar a los familiares u otras personas presentes sobre los antecedentes del paciente. Además de las preguntas habituales que se hacen cuando se obtiene una historia SAMPLE, utilice OPQRST para explorar los síntomas del paciente. Pregunte si el paciente ha estado tomando sus medicamentos según lo prescrito.

Manejo

El tratamiento prehospitalario del shock cardiogénico incluye asegurar una oxigenación y ventilación adecuadas, establecer un acceso vascular, monitorizar de forma continua el EKG del paciente y transportarlo para su atención definitiva. En el medio hospitalario, el tratamiento del shock cardiogénico se centra por lo general en reforzar la contractilidad sin aumentar de manera significativa la frecuencia cardíaca, alterar la precarga y la poscarga y controlar cualquier disritmia que contribuya al shock.

Colocar al paciente hipotenso en decúbito supino. Por el contrario, si hay congestión pulmonar y la PA del paciente lo tolera, colóquelo sentado con los pies colgando. Limite la actividad física del paciente mientras esté a su cuidado, incluso asegurándose de que el paciente no suba o baje escaleras o se dirija a la camilla.

Obtenga rápido los signos vitales del paciente, aplique un pulsioxímetro y administre oxígeno suplementario según esté indicado. Vigile de cerca el esfuerzo respiratorio del paciente y esté preparado para proporcionar ventilación con bolsa y mascarilla si es necesario. En algunos casos puede ser necesaria la inserción de una vía aérea avanzada. Coloque al paciente en un monitor cardíaco y obtenga un EKG de 12 derivaciones en los 10 minutos siguientes al contacto con el paciente. Recuerde que el IAM es una causa frecuente de shock cardiogénico; por lo tanto, es fundamental buscar indicios de IAM en el EKG y, si los hay, trasladar al paciente a un centro adecuado para su atención definitiva. Los pacientes candidatos a terapia de reperfusión y que reciben tratamiento rápido pueden tener mayores probabilidades de supervivencia.

Debido a que otros tipos de shock pueden presentarse de forma similar o contribuir al shock cardiogénico, es mejor consultar a la dirección médica antes de administrar líquidos o medicamentos por vía IV. Es posible que se indiquen medicamentos vasoactivos por vía IV, como dopamina, norepinefrina o epinefrina. Si se le indica que administre una medicación vasoactiva, asegúrese de comprobar a menudo la vía IV durante la administración. Ya que estos medicamentos pueden causar una vasoconstricción importante, pueden producirse daños tisulares si el medicamento se sale de una vena. Compruebe la respuesta del paciente a la medicación evaluando su estado mental, frecuencia cardíaca, esfuerzo respiratorio, ruidos respiratorios y PA.

Excepto para corregir una disritmia potencialmente mortal, no hay otras medidas que pueda tomar sobre el terreno para estabilizar a un paciente en shock cardiogénico. Por lo tanto, debe transportar al paciente con rapidez al centro médico. Durante el trayecto, complete una lista de comprobación fibrinolítica.

Si el paciente se niega a recibir asistencia, insístale en repetidas ocasiones para que acepte su ayuda, incluido el transporte. Explique al paciente que, si no se trata su estado, es probable que los síntomas empeoren y puedan provocar la muerte. Considere la posibilidad de ponerse en contacto con la dirección médica para pedir consejo. Si no puede persuadir al paciente para que acepte la asistencia, documente con cuidado la negativa del paciente y sus intentos de persuadirle para que acepte la ayuda.

Urgencias hipertensivas

Recordemos que existe hipertensión en estadio 2 cuando la PAS es igual o superior a 140 mm Hg o la PAD es igual o superior a 90 mm Hg.[3] La hipertensión es un factor de riesgo modificable de accidente cerebrovascular, IAM, insuficiencia cardíaca, demencia, enfermedad vascular periférica, disección aórtica, FA y enfermedad renal terminal. La hipertensión se ha denominado el "asesino silencioso" porque esta afección no suele producir signos ni síntomas y, por lo tanto, pasa desapercibida y no se trata, aunque daña el corazón, el cerebro, los ojos, los vasos sanguíneos y los riñones.

Una **emergencia hipertensiva** se define como una elevación aguda de la PA a 180/120 mm Hg o superior con evidencia de daño de órgano final (cardiovascular, neurológico o renal). Esa última frase es importante, porque es la evidencia de disfunción de órgano final, no la lectura en el esfigmomanómetro, lo que determina la emergencia de la situación. Una emergencia hipertensiva, antes conocida como *crisis hipertensiva* o *hipertensión maligna*, suele ocurrir en pacientes con antecedentes de hipertensión. No tomar la medicación para la PA u otros tratamientos según lo prescrito es una causa frecuente de este tipo de emergencias. Las posibles causas de emergencias hipertensivas en pacientes sin antecedentes conocidos de hipertensión son las siguientes:

- Disección aórtica aguda
- Eventos agudos del SNC, como hemorragia subaracnoidea, hemorragia intracerebral o accidente cerebrovascular
- Insuficiencia renal aguda
- Hipertensión inducida por drogas recreativas, como cocaína o anfetaminas
- Feocromocitoma (tumor suprarrenal que eleva la PA)
- Toxemia del embarazo

Existe una **emergencia hipertensiva** cuando se produce una elevación aguda de la PA hasta 180/120 mm Hg o más *sin* signos ni síntomas de daño en los órganos finales. Dado que el término *emergencia hipertensiva* puede conducir a un tratamiento excesivamente agresivo de pacientes con hipertensión grave no complicada, algunos expertos prefieren utilizar la expresión *PA marcadamente elevada asintomática* en lugar de emergencia hipertensiva.[29]

Perlas de sabiduría

Los valores de PA utilizados para definir una emergencia o emergencia hipertensiva no son universales. Los expertos señalan que la *tasa de aumento* de la PA de una persona por encima de su valor basal es con probabilidad un factor más crítico que las cifras reales. La tasa de aumento explica por qué los pacientes sin hipertensión crónica pueden mostrar signos de una emergencia hipertensiva a niveles mucho más bajos y, por el contrario, por qué los hipertensos de larga evolución pueden tolerar niveles de PA excesivamente altos sin desarrollar daños agudos en los órganos finales.[30]

Fisiopatología

La mayor parte de la hipertensión es el resultado de una ateroesclerosis o arterioesclerosis avanzada, que estrecha el lumen de las arterias y reduce su elasticidad. La elevada poscarga cardíaca resultante amplía el volumen de llenado y estimula el reflejo de Frank-Starling, que eleva la presión a la que la sangre es expulsada del corazón.

USTED es el Paramédico

PARTE 4

Continúa la ventilación con bolsa-mascarilla con oxígeno a alto flujo y luego inicia la ETC, con captura mecánica verificada por pulsos periféricos. A su llegada al DE, el paciente sigue sin responder, con una frecuencia cardíaca de 70 pulsaciones/min; PA, 100/70 mm Hg, y respiraciones espontáneas, 0. La esposa del paciente informa al médico de que su marido ha estado fumando *crack* de manera regular durante el último año. Su consumo ha aumentado en los últimos 2 meses. El médico le coloca un marcapasos temporal. El estado mental del paciente mejora y es ingresado en la UCI. Siete días después de la colocación de un marcapasos permanente, el paciente recibe el alta médica.

Tiempo de grabación:	15 minutos
Respiraciones	10 respiraciones/min con ventilación bolsa-mascarilla
Pulso	70 pulsaciones/min, regular
Piel	Color cálido, seca y normal
Presión arterial	100/70 mm Hg
Saturación de oxígeno (Spo_2)	99% con ventilación bolsa-mascarilla
Pupilas	PIRRL

10. Supongamos que el paciente sigue sin responder, con una PA inaceptablemente baja a pesar del marcapasos. ¿Qué tratamiento sería apropiado en estas circunstancias?

11. Debido a la disposición final del paciente, ¿fue adecuado su tratamiento? ¿Por qué sí o por qué no?

Muchos trastornos, como la ansiedad o el dolor, pueden elevar de manera brevemente la PA de una persona (en especial la PAS). La "hipertensión de bata blanca" es una expresión utilizada para describir una respuesta transitoria del sistema nervioso simpático a la medición de la PA en un entorno médico. Por el contrario, la "hipertensión enmascarada" describe lecturas elevadas de la PA automedida, pero mediciones normales obtenidas en un entorno médico. El tabaquismo, el alcohol, la actividad física y el estrés laboral y mental son posibles causas de hipertensión enmascarada. Es evidente que una sola medición de la PA obtenida durante una emergencia apenas constituye motivo suficiente para decir a un paciente que es hipertenso. En su lugar, puede decir algo como esto: "Señor, su PA está un poco alta en este momento. Es posible que se deba al estrés al que está sometido y que no tenga ninguna importancia real. Sin embargo, para estar seguro, debería volver a medirse la presión un par de veces en las próximas semanas en circunstancias menos estresantes."

Si no se trata, la hipertensión acorta de manera considerable la esperanza de vida y predispone a otras enfermedades. Las complicaciones más frecuentes asociadas con la hipertensión son el daño renal, el accidente cerebrovascular y la insuficiencia cardíaca, que se debe a que el ventrículo izquierdo tiene que bombear durante años contra una poscarga notablemente mayor.

Una verdadera emergencia hipertensiva requiere una disminución controlada de la PA con una estrecha vigilancia para prevenir o limitar el daño orgánico. Si no se trata, una emergencia hipertensiva puede causar insuficiencia renal aguda, IAM, accidente cerebrovascular o la muerte en pocas horas.

Evaluación

Las emergencias hipertensivas suelen desarrollarse con rapidez y el paciente suele parecer enfermo. Los signos y síntomas varían en función del órgano u órganos finales afectados. Los signos y síntomas neurológicos pueden incluir dolor de cabeza, visión borrosa, ceguera repentina, afasia (alteraciones en la producción o comprensión del habla) o entumecimiento o debilidad unilateral. Los cambios en el estado mental pueden ir desde la confusión hasta la falta de respuesta. La irritabilidad neuromuscular generalizada puede manifestarse mediante fasciculaciones musculares o convulsiones. Los signos y síntomas cardiovasculares pueden incluir dolor u opresión torácica, dificultad respiratoria, palpitaciones, disritmias o signos de insuficiencia cardíaca. Las quejas de dolor torácico o lumbar intenso y repentino, descrito como un desgarro, pueden indicar una disección aórtica. El paciente puede referir una disminución repentina o ausencia de diuresis, lo que indica afectación renal. Otros signos y síntomas pueden ser náusea, vómito, zumbido de oídos (tinnitus), hemorragia nasal o calambres musculares.

Los pulsos periféricos pueden ser fuertes o saltones. Compruebe (y documente) la PA del paciente en ambos brazos por si se ha producido una disección aórtica. El paciente puede presentar convulsiones, signos de insuficiencia cardíaca (como DVY, crepitaciones pulmonares o edema periférico) o signos compatibles con IAM. Pueden observarse cambios isquémicos en el EKG de 12 derivaciones.

Pregunte al paciente sobre los medicamentos prescritos y de venta libre que está tomando. Ya que el incumplimiento de la medicación para la PA es una causa frecuente de emergencias hipertensivas, determine si al paciente se le ha prescrito medicación para la PA y, en caso afirmativo, si la ha estado tomando según lo prescrito. Pregunte al paciente sobre el consumo de drogas recreativas, como anfetaminas, cocaína y otros agentes simpaticomiméticos, que pueden causar hipertensión grave. Los diagnósticos diferenciales para las emergencias hipertensivas se muestran en el **CUADRO 15-15**.

Manejo

La atención prehospitalaria de las emergencias hipertensivas incluye cuidados de apoyo. Administre oxígeno, si está indicado; establezca una vía IV, y aplique el monitor cardíaco y el pulsioxímetro. Mantenga el Spo_2 entre 95 y 98%. Evite realizar procedimientos

CUADRO 15-15 Diagnóstico diferencial de las emergencias hipertensivas

Clasificación	Posibles diagnósticos
Cardiovascular	• Disección aórtica
Genitourinario	• Feocromocitoma • Insuficiencia renal • Toxemia del embarazo
Neurológico	• Epilepsia o estado posictal • Lesión en la cabeza • Masa intracraneal • Accidente cerebrovascular • Hemorragia subaracnoidea
Otras causas	• Ansiedad aguda • Consumo de cocaína o anfetaminas • Enfermedad del tejido conjuntivo • Sobredosis o síndrome de abstinencia

adicionales en el lugar de los hechos que retrasen el traslado al centro médico. Si el paciente presenta insuficiencia cardíaca o molestias torácicas por isquemia miocárdica, atiéndalo de acuerdo con su protocolo local. Tranquilice al paciente y a su familia en el lugar de los hechos y durante el traslado al centro médico.

Los paramédicos que trabajan en zonas rurales o en otras circunstancias en las que son inevitables largos tiempos de transporte hasta el centro médico pueden tener que iniciar un tratamiento farmacológico para una emergencia hipertensiva en el campo. Un fármaco ampliamente aceptado para este fin es el labetalol (Normodyne®, Trandate®), que tiene propiedades bloqueadoras tanto alfa como beta. Como alfabloqueador, impide la vasoconstricción, disminuyendo así la resistencia vascular periférica global. Al mismo tiempo, su acción betabloqueadora evita la taquicardia refleja que se produciría en respuesta a un descenso de la PA. Sin embargo, como betabloqueadora, el labetalol está relativamente contraindicado en pacientes con asma y EPOC. Mantenga al paciente en decúbito supino, y mida y documente la PA al menos cada 2 o 3 minutos cuando administre una medicación para bajar la PA del paciente. Puede producirse hipoperfusión cerebral si la PA se reduce demasiado rápido. Del mismo modo, puede producirse isquemia miocárdica si la PAD se reduce demasiado, inhibiendo el llenado de las arterias coronarias. Detenga la infusión cuando la PA del paciente haya alcanzado el nivel objetivo especificado por el médico.

Un paciente con una emergencia hipertensiva requiere transporte al centro adecuado más cercano. Si el paciente se niega a recibir asistencia, insístale en repetidas ocasiones para que acepte su ayuda, incluido el transporte. Explíquele que, si no se trata su estado, es probable que los síntomas empeoren y podrían provocar la muerte. Considere la posibilidad de ponerse en contacto con la dirección médica para pedir consejo. Si no puede persuadir al paciente para que acepte la asistencia, documente con cuidado la negativa del paciente y la educación que le haya proporcionado.

Enfermedades infecciosas del corazón

Endocarditis

La **endocarditis** es una infección del revestimiento del corazón caracterizada por la inflamación del endocardio: el revestimiento de las cavidades cardíacas, incluidas las válvulas cardíacas. Si no se trata, la endocarditis puede dañar las válvulas cardíacas y provocar su mal funcionamiento.

La endocarditis suele estar causada por una infección bacteriana y, con menor frecuencia, por una infección fúngica. La mayoría de estos organismos patógenos comienzan su viaje hacia el corazón desde la piel, la vía aérea superior o la vía genitourinaria o el tracto GI. El organismo puede acceder inicialmente al organismo de varias formas, como una infección cutánea leve, procedimientos dentales (sobre todo extracciones dentales), infección de la vía aéra superior, exámenes endoscópicos o una operación importante. Las perforaciones corporales y los tatuajes también se han relacionado con la endocarditis. La gravedad de la enfermedad del paciente suele reflejar la virulencia del organismo infeccioso. Los organismos menos virulentos causan fiebre baja y síntomas que suelen desarrollarse a lo largo de varias semanas o meses. Los organismos más virulentos provocan fiebre alta y signos de enfermedad grave que se desarrollan a lo largo de días o semanas.

La endocarditis es más frecuente en personas con valvulopatías preexistentes, como la mitral o la aórtica, o con válvulas cardíacas mecánicas (protésicas). También puede darse en personas con cardiopatías congénitas. La endocarditis derecha es un tipo de endocarditis infecciosa que afecta a las válvulas tricúspide y pulmonar. Este tipo de endocarditis se observa con mayor frecuencia en personas que consumen medicamentos por vía IV y en pacientes con catéteres venosos centrales, derivaciones de diálisis o cables de estimulación transvenosa infectados.

Evaluación

Los síntomas más frecuentes de la endocarditis son fiebre y escalofríos. El paciente también puede referir dolor de cabeza, pérdida de apetito, pérdida de peso, dolores musculares y articulares, sudores nocturnos, disnea de esfuerzo o tos. Puede haber signos de insuficiencia cardíaca debido a la destrucción progresiva de la válvula cardíaca. Si la endocarditis infecciosa invade el sistema de conducción del corazón, pueden observarse cambios en el EKG, como un IPR prolongado, bloqueo AV de tercer grado o BRIHH. Pueden aparecer lesiones planas, indoloras, de color rojo-azulado (lesiones de Janeway) en las palmas de las manos y las plantas de los pies. Algunos pacientes desarrollan pequeños nódulos sensibles en las yemas de los dedos de las manos o de los pies (nódulos de Osler).

Manejo

Los cuidados prehospitalarios del paciente con endocarditis son principalmente de apoyo. Permita que el paciente adopte una posición cómoda, establezca una vía IV y aplique el monitor cardíaco. Aplique un pulsioxímetro y administre oxígeno, si está indicado. Si el paciente tiene insuficiencia cardíaca, proceda según el protocolo local o las instrucciones de la dirección médica. Por lo general, el paciente recibirá antibióticos por vía IV en el centro médico. Si el lugar de la infección es una válvula protésica, con probabilidad será necesaria una intervención quirúrgica para extraer la válvula artificial infectada. La mayoría de los pacientes con endocarditis pueden ser transportados al centro adecuado más cercano sin luces ni sirena.

Si el paciente rechaza la asistencia, insístale en repetidas ocasiones para que acepte su ayuda, incluido el transporte. Considere la posibilidad de pedir consejo a la dirección médica. Si no consigue persuadir al paciente para que acepte la asistencia, documente con cuidado la negativa del paciente.

Perlas de sabiduría

El flujo sanguíneo a través del corazón puede verse comprometido si una válvula no funciona de manera correcta. El mal funcionamiento de una válvula cardíaca es un tipo de cardiopatía valvular, que se clasifica de la siguiente manera:

- **Estenosis valvular.** Una válvula está estenosada si se estrecha, endurece o engrosa. El corazón debe esforzarse más para bombear sangre a través de una válvula estenosada.
- **Prolapso valvular.** Cuando una valva se invierte, se habla de prolapso. El prolapso puede producirse si una valva es mayor que la otra. También puede producirse si las cuerdas tendinosas se estiran mucho o se rompen.
- **Regurgitación valvular.** La sangre puede retroceder o regurgitar si una o varias válvulas del corazón no se cierran de manera correcta.

Piense en lo que podría ocurrir si se desgarrara o rompiera un músculo papilar del ventrículo izquierdo. Es posible que las valvas de la válvula mitral no se cierren por completo y se inviertan (prolapso), permitiendo que la sangre del ventrículo izquierdo se filtre a la aurícula izquierda (regurgitación) durante la contracción ventricular. Como consecuencia, puede disminuir el flujo sanguíneo al cuerpo (GC).

Pericarditis

La pericarditis es una inflamación del saco de doble pared (pericardio) que envuelve el corazón. El pericardio ayuda a anclar el corazón, evitando el movimiento excesivo de este órgano en el tórax cuando cambia la posición del cuerpo y protegiéndolo de traumatismos e infecciones.

La pericarditis es causada por una infección viral (la más frecuente), bacteriana o, en ocasiones, fúngica. La pericarditis puede aparecer días o semanas después de un infarto del miocardio. También puede aparecer después de un traumatismo torácico contuso o penetrante, una intervención quirúrgica a corazón abierto o procedimientos como una angioplastia coronaria o la inserción de un desfibrilador implantable o un marcapasos. La radioterapia también puede causar pericarditis. Puede desarrollarse en pacientes con insuficiencia renal o trastornos inflamatorios, como la artritis reumatoide y el lupus. También puede desarrollarse como consecuencia de cáncer de mama o pulmón, linfoma o leucemia. En muchos casos no puede identificarse ninguna causa de pericarditis (pericarditis idiopática).

Evaluación

Pregunte al paciente por signos y síntomas recientes parecidos a los de la gripe. Los pacientes con pericarditis pueden relatar una infección reciente de la vía aérea superior. Pueden describir fiebre reciente con escalofríos, dificultad respiratoria, tos, erupción cutánea o pérdida de peso. Estos pacientes pueden tener antecedentes de lupus, enfermedad renal o IM reciente, leucemia, enfermedad de Hodgkin, linfoma, traumatismo torácico o cirugía cardíaca.

La molestia torácica es el síntoma más frecuente de la pericarditis. El paciente suele describir un dolor agudo y punzante, pero a veces refiere un dolor constante y constrictivo que se irradia al hombro y a uno o ambos brazos, imitando las molestias de un SCA. Sin embargo, a diferencia del dolor de un SCA, las molestias asociadas con la pericarditis suelen empeorar al inspirar de manera profunda, toser o tumbarse. Las molestias suelen mejorar cuando el paciente se sienta y se inclina hacia delante.

Las molestias torácicas del paciente suelen localizarse bajo el esternón, pero pueden centrarse en la parte anterior izquierda del tórax o en el epigastrio. Puede persistir durante días. La auscultación de los ruidos cardíacos puede revelar un roce pericárdico, aunque este signo no siempre está presente. El roce pericárdico es un sonido áspero o chirriante causado por el contacto entre el pericardio visceral y el parietal. Se escucha mejor con el paciente inclinado hacia delante mientras usted ausculta en el tercer a quinto ECI a la izquierda del esternón. Pida al paciente que contenga la respiración mientras escucha. Si oye un sonido parecido al roce de dos trozos de cuero seco o al que se produce al caminar sobre nieve crujiente, la causa probable es una pericarditis.

El paciente con pericarditis suele tener fiebre, taquicardia y taquipnea, y puede presentar palidez, y haber o no DVY. Si hay DVY, puede indicar un derrame pericárdico (acumulación de líquido en el espacio pericárdico) debido a la infección. Los ruidos respiratorios suelen ser normales a menos que exista otra

CUADRO 15-16 Diagnóstico diferencial de la pericarditis

Clasificación	Posibles diagnósticos
Cardiovascular	• SCA • Disección aórtica • Cardiomiopatía
Respiratorio	• Pleuresía • Neumotórax • Embolia pulmonar
Otras causas	• Costocondritis • Enfermedad por reflujo gastroesofágico • Lupus

Abreviatura: SCA, síndrome coronario agudo.

afección, como insuficiencia cardíaca. El EKG suele revelar elevación del segmento ST en múltiples derivaciones. En el **CUADRO 15-16** se muestran los diagnósticos diferenciales que deben tenerse en cuenta para la pericarditis.

Manejo

Los cuidados prehospitalarios de la pericarditis son principalmente de apoyo. Permita que el paciente adopte una posición cómoda, establezca una vía IV y aplique el monitor cardíaco. Aplique un pulsioxímetro y administre oxígeno, si está indicado. Realice un EKG de 12 derivaciones. La pericarditis suele tratarse con antiinflamatorios no esteroideos. La pericarditis viral suele resolverse por sí sola. La pericarditis bacteriana se trata con antibióticos, y la pericarditis fúngica con antifúngicos. La mayoría de los pacientes pueden ser trasladados al centro adecuado más cercano sin luces ni sirena.

Si el paciente rechaza la asistencia, insístale en repetidas ocasiones para que acepte su ayuda, incluido el transporte. Considere la posibilidad de pedir consejo a la dirección médica. Si no consigue persuadir al paciente para que acepte la asistencia, documente con cuidado la negativa del paciente.

Miocarditis

La **miocarditis** es una inflamación de la capa más gruesa del corazón, el miocardio. El miocardio, la capa media del corazón, contiene el sistema de conducción y las fibras musculares cardíacas que permiten la contracción del corazón. La miocarditis puede afectar o no al endocardio o al pericardio.

La miocarditis suele ser benigna y autolimitada. Sin embargo, si la inflamación en el músculo cardíaco se generaliza, la destrucción extensa de las células del músculo cardíaco podría afectar a la capacidad de bombeo del corazón, provocando IVD e IVI, disritmias o la muerte. En algunos casos, la miocarditis puede desembocar en una miocardiopatía dilatada.

La miocarditis puede ser causada por muchos agentes patógenos diferentes, como bacterias, virus y parásitos. La causa más frecuente de miocarditis es una infección viral. Otras causas de miocarditis son el rechazo de un trasplante de corazón; la fiebre reumática; la exposición a tóxicos químicos, como metales pesados o en el alcoholismo crónico, y un efecto adverso de la radioterapia para el cáncer, en especial con grandes dosis en el tórax. En muchos casos, se desconoce la causa de la miocarditis.

Evaluación

La mayoría de los casos de miocarditis se asocian con síntomas parecidos a los de una gripe por los que el paciente no busca atención médica. El paciente puede presentar fatiga, disminución del apetito, dificultad respiratoria leve, dolores articulares y musculares, o fiebre.

Los síntomas cardíacos suelen aparecer entre 10 y 14 días después de la aparición inicial de los síntomas. Son frecuentes las palpitaciones. Algunos pacientes refieren molestias torácicas, a menudo descritas como un dolor agudo y punzante en el centro del pecho. Si un paciente con miocarditis se queja de molestias torácicas punzantes, puede ser difícil diferenciar sobre el terreno estos síntomas de los asociados con un SCA.

Los hallazgos del examen físico del paciente pueden variar desde signos leves o ausencia de signos hasta insuficiencia cardíaca grave. Son frecuentes la taquicardia y la taquipnea. El EKG puede mostrar alteraciones transitorias del EKG, como complejos QRS de bajo voltaje, ondas Q patológicas y anomalías inespecíficas del segmento ST y de la onda T. Aunque la taquicardia sinusal es con probabilidad el ritmo más frecuente, a veces los pacientes presentan un bloqueo AV de segundo o tercer grado. También puede observarse un BRIHH o un BRDHH. Si hay insuficiencia cardíaca, puede haber DVY, crepitantes, ascitis y edema periférico. Los diagnósticos diferenciales a tener en cuenta para la miocarditis son los siguientes:

- SCA
- Disección aórtica
- Perforación, rotura o desgarro esofágico

- Insuficiencia cardíaca
- Enfermedad de Kawasaki
- Neumonía
- Enfermedad pulmonar

Manejo

Los cuidados prehospitalarios para pacientes con miocarditis son principalmente de apoyo. Permita que el paciente adopte una posición cómoda, establezca una vía IV y aplique el monitor cardíaco. Aplique un pulsioxímetro y administre oxígeno, si está indicado. Realice un EKG de 12 derivaciones. Esté preparado para tratar la insuficiencia cardíaca y la disritmia según el protocolo local o las instrucciones de la dirección médica.

Fiebre reumática

La *fiebre reumática* es una enfermedad inflamatoria causada por bacterias estreptocócicas. Esta enfermedad puede causar estenosis de la válvula mitral o de la válvula aórtica, lo que provoca complicaciones cardíacas. La atención prehospitalaria es de apoyo.

Escarlatina

La **escarlatina** es una enfermedad causada por la bacteria *Streptococcus pyogenes,* que es la misma responsable de la faringitis estreptocócica. Esta enfermedad se caracteriza por dolor de garganta, fiebre, erupción cutánea y "lengua de fresa" (lengua blanca con motas rojas). Los pacientes menores de 1 año son los que tienen mayor riesgo de contraer la infección. La escarlatina se trata con antibióticos, y la atención prehospitalaria es de apoyo.

Trastornos vasculares

Aneurisma aórtico

Al igual que otras arterias, la aorta se compone de tres capas: la *adventicia* es la capa externa delgada, la *media* es la capa media gruesa y elástica, y la *íntima* es la capa interna delgada. El tejido elástico de la capa media de la aorta se estira cuando la sangre sale con fuerza del ventrículo izquierdo. El tejido retrocede cuando el corazón se relaja. Estos eficaces movimientos mantienen la sangre en movimiento durante todo el ciclo cardíaco.

Incluso en adultos sanos, esta capacidad de las arterias para estirarse y retroceder disminuye con la edad. En algunas personas, la tensión constante sobre la pared de la aorta la debilita. Como resultado, la aorta se hincha (dilata) de forma gradual, lo que se denomina aneurisma aórtico. La palabra *aneurisma* hace referencia a la dilatación o ensanchamiento de un vaso sanguíneo (o de la pared de una cavidad del corazón). La zona dilatada puede tener fugas o romperse si se dilata demasiado.

Si la pared del vaso se desgarra, sus capas pueden separarse en un proceso denominado disección. La disección aórtica puede comenzar con un desgarro en el revestimiento interno de la aorta (la íntima) cerca de la zona debilitada del vaso. A medida que la sangre fluye a través de este desgarro y entre las capas de la pared del vaso, expone la capa media a la sangre a alta presión. La sangre también llena el espacio entre las capas del vaso, provocando su separación (disección). Con cada sístole ventricular, un chorro de sangre se introduce en la pared arterial desgarrada, creando un falso canal entre las capas íntima y media de la pared. Este canal se propaga distal y a veces proximalmente a lo largo de la pared. Si la disección progresa hacia la válvula aórtica, puede impedir que esta se cierre. La sangre regurgitará entonces desde la aorta hacia el ventrículo izquierdo durante la sístole. Recordemos que las arterias coronarias se ramifican desde la aorta justo por encima de las valvas de la válvula aórtica; por lo tanto, si la válvula se ve afectada, es probable que el flujo sanguíneo coronario también se vea comprometido. Si la disección afecta al punto de salida de la arteria innominada, la carótida común izquierda o la arteria subclavia izquierda, el flujo sanguíneo a través de la arteria o arterias afectadas se verá disminuido. Aunque una disección aórtica puede producirse en cualquier punto de la aorta, la mayoría comienza en la aorta ascendente a menos de 5 cm de la válvula aórtica o en la aorta torácica descendente justo después del origen de la arteria subclavia izquierda en el lugar del ligamento arterioso.

Varios de los factores de riesgo de la ateroesclerosis, como tabaquismo, hipercolesterolemia, hipertensión y cardiopatía coronaria, aumentan el riesgo de aneurisma aórtico. De ellos, el tabaquismo es el factor de riesgo modificable más importante de aneurisma aórtico.[2]

Los aneurismas de la aorta torácica ascendente suelen ser causados por la degeneración quística medial (antes denominada necrosis quística medial), una enfermedad del tejido conjuntivo caracterizada por la degeneración del tejido elástico y la fibra muscular lisa de la capa media (medial) de las grandes arterias. La zona del vaso que antes estaba llena de tejido elástico normal se sustituye por tejido conjuntivo en forma de quiste.

Una forma leve de degeneración medial suele estar presente en las aortas de los adultos mayores y producirse como consecuencia natural del envejecimiento. La enfermedad aórtica puede tener una causa genética en personas jóvenes, como el síndrome de Marfan, el síndrome vascular de Ehlers-Danlos y el síndrome de Loeys-Dietz, entre otros. Estos trastornos hereditarios del tejido conjuntivo afectan a las proteínas responsables de la resistencia, elasticidad e integridad de órganos, piel, huesos y vasculatura del cuerpo. Si una enfermedad del tejido conjuntivo afecta a la aorta, la pared de la aorta se debilita y dilata, aumentando el riesgo de desarrollo de aneurismas, disección aórtica y rotura. Los aneurismas aórticos también pueden ser congénitos, el resultado de una endocarditis infecciosa o una infección no tratada debida a sífilis o salmonela, o pueden tener una causa traumática (por lo general una lesión por desaceleración en un accidente de tráfico).

Evaluación

Un aneurisma no siempre provoca síntomas. Si lo hace, los signos y síntomas dependerán de la localización del aneurisma. A medida que el aneurisma aumenta de tamaño, el estiramiento de la pared aórtica produce dolor. La presión de una gran cantidad de sangre sobre los órganos circundantes también puede producir síntomas. Por ejemplo, puede producirse dificultad para tragar (disfagia) al comprimirse el esófago. La compresión del nervio laríngeo puede causar ronquera. La insuficiencia cardíaca o la compresión traqueal o bronquial pueden causar dificultad para respirar. La aparición repentina de un dolor nuevo o que empeora puede ser un signo de rotura inminente del aneurisma.

La descripción del dolor por parte del paciente puede dar claves sobre la localización de la disección. Cuando se diseca la aorta, casi todos los pacientes refieren la aparición brusca de un dolor constante e insoportable. Este dolor, que puede durar de horas a días, se describe como desgarrador y agudo, punzante o como un cuchillo. Las frases más comunes para describir el dolor incluyen "siento como si alguien me hubiera clavado un cuchillo en el pecho" o "siento como si alguien me hubiera golpeado en la espalda con un hacha". La disección de la aorta ascendente suele asociarse con dolor subesternal o localizado en el cuello, la garganta, la mandíbula o la cara. La disección de la aorta descendente suele producir dolor en el flanco, dolor entre los omóplatos o dolor en la espalda, el abdomen o las extremidades inferiores. Independientemente de dónde comience, el dolor puede desplazarse a medida que la disección se extiende a lo largo de la aorta.

Con base en la descripción del paciente, puede ser difícil distinguir el dolor torácico de un aneurisma disecante de un IAM, pero varias características distintivas pueden ayudar a diferenciarlo. En el **CUADRO 15-17** se compara la presentación clínica del IAM con la de un aneurisma aórtico disecante.

El paciente con disección aórtica suele estar ansioso y puede describir una sensación de fatalidad inminente. La isquemia nerviosa periférica puede causar dolor, debilidad o entumecimiento y hormigueo en las extremidades. La compresión de la arteria coronaria puede producir signos de isquemia miocárdica. Aunque esta presentación es menos frecuente, con o sin dolor torácico acompañante, el paciente puede presentar signos y síntomas de insuficiencia cardíaca, alteración del estado mental, accidente cerebrovascular, paraplejia o paro cardíaco. Puede producirse la muerte súbita. En algunos pacientes, el aumento del tono vagal, la hipovolemia o la disritmia pueden provocar un síncope.

En las disecciones de la aorta ascendente, que suelen producirse en pacientes jóvenes que antes han tenido buen estado de salud, uno o más de los vasos del arco aórtico están comprometidos. La interrupción del flujo a través de la arteria innominada, por ejemplo, es probable que produzca una diferencia de PA entre los dos brazos. Las diferencias de presión

CUADRO 15-17 Comparación de IAM con aneurisma aórtico disecante

	IAM	Aneurisma aórtico disecante
Inicio del dolor	Gradual, con síntomas prodrómicos	Brusco, sin síntomas prodrómicos
Intensidad del dolor	Aumenta con el tiempo	Máximo desde el principio
Momento del dolor	Puede aumentar y disminuir	No disminuye una vez que ha comenzado
Localización del dolor	Subesternal; rara vez afecta a la espalda	Suele afectar a la espalda, entre los omóplatos
Signos clínicos	Pulsos periféricos iguales	Discrepancia de la presión arterial entre los brazos o disminución del pulso femoral o carotídeo

Abreviatura: IAM, infarto agudo de miocardio.

superiores a 20 mm Hg entre los brazos indican la presencia de un aneurisma aórtico. (Si no comprueba de forma rutinaria la PA en ambos brazos de un paciente, ¡nunca detectará ese signo!). Sospeche de disección si este hallazgo se acompaña de otros hallazgos como cambios neurológicos agudos. La interrupción del flujo sanguíneo en la arteria carótida común izquierda puede producir signos y síntomas de accidente cerebrovascular. Cuando la disección se extiende proximalmente a la arteria coronaria, es probable que el flujo sanguíneo coronario se vea comprometido, produciendo cambios en el EKG característicos de la isquemia miocárdica.

La disección de la aorta descendente es más frecuente en pacientes de edad avanzada, en especial en los que tienen antecedentes de hipertensión. Es probable que el dolor sea algo menos intenso cuando está implicada la aorta descendente. El paciente puede esperar unos días antes de buscar ayuda. Los pulsos distales pueden ser difíciles de palpar.

La rotura de un aneurisma torácico suele producirse en el espacio intrapleural izquierdo o en el mediastino o, con menor frecuencia, en el esófago. Puede haber signos de hemotórax si la disección se rompe en la cavidad pleural. Puede haber signos de taponamiento cardíaco si la disección se rompe en la cavidad pericárdica.

La rotura de un aneurisma de aorta abdominal suele asociarse con un dolor de espalda repentino acompañado de dolor y sensibilidad abdominal. El paciente puede tener hipotensión y presentar una masa abdominal pulsátil entre la apófisis xifoides y el ombligo. Un aneurisma suele ser sensible a la palpación y puede ser muy sensible si se está expandiendo con rapidez o está a punto de romperse. Cuando un aneurisma de aorta abdominal se rompe, se produce una distensión de la cavidad abdominal. Si el aneurisma se rompe en el duodeno, se produce una hemorragia digestiva masiva.

Manejo

La disección aórtica es una emergencia médica. El objetivo del tratamiento prehospitalario en caso de sospecha de aneurisma disecante es proporcionar un alivio adecuado del dolor y un transporte rápido. Póngase en contacto con la dirección médica en cuanto sospeche que el paciente tiene un aneurisma disecante. Transmita esta información al centro receptor para que el personal tenga tiempo de reunir los recursos necesarios para el paciente mientras usted está en tránsito. Debido a que no se puede hacer nada para estabilizar el estado del paciente en el campo, evite realizar cualquier procedimiento en el lugar que pueda retrasar el transporte a la asistencia definitiva.

Establezca una vía IV y aplique el monitor cardíaco. Aplique un pulsioxímetro y administre oxígeno, si está indicado. Administre líquidos y medicamentos por vía IV según el protocolo local o las indicaciones médicas. Pueden indicarse opioides para controlar el dolor si la tensión del paciente los tolera; sin embargo, es posible que estos medicamentos no sean lo suficientemente potentes como para aliviar el dolor del paciente.

Reevalúe al paciente al menos cada 5 minutos de camino al centro médico apropiado más cercano. El paciente con disección aórtica requerirá un tratamiento agresivo en la unidad de cuidados intensivos (UCI) y posiblemente cirugía.

Oclusión arterial aguda e isquemia aguda de las extremidades

Una oclusión arterial aguda es una interrupción repentina del flujo sanguíneo arterial debido a un trombo, émbolo, tumor, traumatismo directo en una arteria o una causa desconocida. Un traumatismo directo en una arteria puede deberse a una lesión en una extremidad o a un procedimiento diagnóstico como un cateterismo cardíaco. Otras causas menos frecuentes de oclusión arterial aguda son aneurisma disecante, vasoespasmo (por lo general atribuible al consumo de drogas por vía IV) y obstrucción de un injerto vascular. La isquemia aguda de las extremidades se produce cuando una oclusión arterial interrumpe de manera repentina o reduce de manera notable el flujo sanguíneo a un brazo o una pierna.

En la mayoría de los casos, la oclusión arterial aguda es causada por un émbolo que se origina en el corazón y se desplaza a las extremidades. Diversas condiciones pueden favorecer el origen de un émbolo en el corazón, como la FA, la formación de coágulos en el ventrículo izquierdo después de un IAM, una válvula cardíaca reumática o protésica y un aneurisma ventricular izquierdo. Aunque los émbolos arteriales pueden desplazarse a diversas partes del cuerpo, la mayoría se alojan en la arteria femoral, comprometiendo la circulación de las extremidades inferiores. Aunque es menos frecuente, los émbolos arteriales también pueden alojarse en el cerebro, los intestinos, los riñones, el bazo o las extremidades superiores. La mayoría de los émbolos se producen en pacientes con una cardiopatía subyacente importante.

Cuando un trombo obstruye una arteria previamente abierta y estrechada por la ateroesclerosis, la zona distal a la obstrucción se vuelve isquémica. Cuando la obstrucción afecta a una extremidad, el flujo sanguíneo al músculo es limitado. Durante el ejercicio, el flujo sanguíneo a la zona disminuye aún más, y la contracción muscular puede detener el flujo sanguíneo.

Sin embargo, algunos pacientes presentan pocos síntomas porque el proceso se produce de manera gradual, permitiendo que se desarrolle una circulación colateral a medida que la ateroesclerosis provoca el estrechamiento del vaso principal. Si el paciente desarrolla una circulación colateral extensa en la extremidad, es posible que no note ningún cambio o que solo perciba un leve aumento de los síntomas cuando se obstruye un vaso ateroesclerótico principal.

Las personas con arteriopatía periférica (AP) tienen más probabilidades de presentar ateroesclerosis en otros vasos como las arterias coronarias, carótidas y renales, y la aorta abdominal.[2] Alrededor de 10% de los pacientes con AP presentan síntomas clásicos de **claudicación** intermitente,[2] como dolor, calambres, tensión muscular, fatiga o debilidad en las piernas al caminar o hacer ejercicio. Estos síntomas se producen como consecuencia del aumento de la demanda de oxígeno durante la actividad. En este caso, las arterias que irrigan los músculos de las pantorrillas, caderas o glúteos están estrechadas u obstruidas por placas ateroescleróticas que limitan el flujo sanguíneo a los tejidos. Después un breve reposo, los síntomas desaparecen en unos minutos y el paciente puede reanudar la actividad hasta que reaparece el dolor. Alrededor de 40% de los pacientes con arteriopatía periférica no refieren dolor en las piernas y presentan síntomas atípicos como cansancio o fatiga en las piernas.[2] El restante 50% son asintomáticos a pesar de un examen del pulso anormal o presentan síntomas en las piernas diferentes de la claudicación clásica (es decir, dolor de esfuerzo que o bien no impide al individuo caminar, o bien le impide caminar pero no afecta a las pantorrillas, o bien no se resuelve en 10 minutos de reposo).[2]

Evaluación

Debe recopilar un historial preciso de un paciente con isquemia aguda de las extremidades. Si el paciente le dice que los síntomas empezaron de repente, sospeche que la causa probable de la isquemia es un émbolo. Si el paciente le dice que los síntomas han empeorado de forma gradual, entonces la causa más probable es un trombo. Pregunte si el paciente ha tenido síntomas similares en el pasado; si se confirman los antecedentes, determine si los episodios se han hecho más frecuentes y cuánto dura cada uno de ellos.

Al obtener los antecedentes del paciente y realizar el examen físico, tenga en cuenta las cinco P de la oclusión arterial aguda: dolor (*Pain*), ausencia de Pulso, Palidez, Parestesia y Parálisis. El dolor asociado con isquemia aguda de las extremidades suele comenzar distal al lugar de la obstrucción y aumenta de manera gradual en gravedad. La isquemia de los nervios periféricos de la extremidad afectada causa deterioro motor y pérdida sensorial. El paciente puede referir una disminución del dolor a medida que progresa la pérdida sensorial. La parálisis y la parestesia son signos y síntomas de isquemia que pone en peligro la extremidad.

Averiguar si el paciente tiene factores de riesgo de desarrollar un coágulo sanguíneo, como una lesión reciente en las extremidades, uso de fármacos intravenosos, cirugía cardíaca o IAM, trastorno de la coagulación, embolia pulmonar, FA, uso de anticonceptivos, terapia hormonal sustitutiva o cardiopatía reumática.

La evaluación de un paciente con isquemia aguda de las extremidades requiere examinar la extremidad en busca de anomalías de color y temperatura y palpar los pulsos arteriales. La piel de la extremidad afectada suele aparecer pálida o moteada distalmente o sobre la zona afectada. Si el flujo sanguíneo arterial a la extremidad está restringido de gravedad, el pie se volverá pálido al levantarlo y muy rojo después de 1 minuto de colocarlo a un nivel inferior al del corazón. La piel de la extremidad afectada puede sentirse fría y estar húmeda o seca. Palpe de dos en dos las arterias braquial, radial, femoral, tibial posterior y dorsal, y documente sus hallazgos. Los pulsos periféricos pueden estar ausentes o disminuidos en la extremidad afectada.

Debido a que la isquemia avanzada de las extremidades afecta a las funciones motoras y sensoriales, evalúe el movimiento y la sensibilidad en todas las extremidades. Los déficits sensoriales en el dorso del pie suelen ser un signo temprano de compromiso vascular.

Los ruidos respiratorios suelen ser claros, pero pueden producirse cambios en la frecuencia y el ritmo cardíacos. Compruebe la PA del paciente en ambos brazos. Las lecturas desiguales de la PA indican un aneurisma torácico. Escuche si hay un soplo sobre el vaso o vasos afectados. En general, la información del EKG del paciente no contribuye de manera significativa a la atención de emergencia de esta afección.

Si el paciente ha tenido síntomas de arteriopatía periférica durante algún tiempo, puede presentar signos de isquemia crónica de las extremidades. Estos signos incluyen atrofia muscular, con piel brillante y escamosa en la extremidad afectada, cese del crecimiento del vello sobre el dorso de los dedos y el pie, y engrosamiento de las uñas de los pies. El diagnóstico diferencial de la oclusión arterial aguda y la isquemia aguda de las extremidades incluye las siguientes posibles afecciones:

- Aneurisma abdominal
- Artritis
- TVP

- Esclerodermia
- Lesión de tejidos blandos
- Lupus eritematoso sistémico

Manejo

Permita que el paciente adopte una posición cómoda. Si la isquemia afecta a una extremidad inferior, coloque al paciente sentado si no está contraindicado. Coloque los pies del paciente más bajos que el tórax para permitir que la gravedad ayude a perfundir la extremidad. Establezca una vía IV y aplique el monitor cardíaco. Aplique un pulsioxímetro y administrar oxígeno, si está indicado. Administre los medicamentos que indique la dirección médica. Pueden indicarse medicamentos para reducir el dolor. Mantenga caliente el compartimento del paciente en la ambulancia para evitar la vasoconstricción de la piel inducida por el frío, pero no aplique calor ni frío a la extremidad afectada. El tejido isquémico se quema a una temperatura más baja y es más susceptible a la congelación que la piel no isquémica. El paciente con isquemia aguda de las extremidades requiere un traslado rápido al centro adecuado más cercano. Reevalúe con frecuencia el estado del paciente durante el trayecto. Vigile las cinco P.

Si el paciente rechaza la asistencia, insístale en repetidas ocasiones para que acepte su ayuda, incluido el transporte. Considere la posibilidad de pedir consejo a la dirección médica. Si no consigue persuadir al paciente para que acepte la asistencia, documente con cuidado la negativa del paciente.

TVP aguda

La *tromboflebitis* es el desarrollo de un coágulo de sangre en una vena inflamada o dañada. La tromboflebitis superficial se produce cuando se forma un coágulo en una vena cercana a la superficie de la piel. Si se forma un coágulo en las venas profundas de las extremidades, se trata de una TVP. La TVP se asocia con mayor riesgo de embolia pulmonar.

Los factores que predisponen a una persona a la formación de trombos son los siguientes:

1. **Estasis venosa o flujo sanguíneo lento.** La estasis venosa está presente en pacientes embarazadas, que permanecen inmóviles durante largos periodos y que tienen obesidad o insuficiencia cardíaca.
2. **Daño del revestimiento interno del vaso.** El daño vascular puede ser causado por un traumatismo, una inflamación, una venopunción o la acción de agentes administrados durante una terapia IV.
3. **Trastornos de la coagulación sanguínea.** Entre las afecciones que favorecen la coagulación de la sangre se incluyen la deshidratación, algunos tipos de cáncer y el uso de anticonceptivos basados en estrógenos, la terapia hormonal sustitutiva o el tratamiento de la infertilidad.

Evaluación

Los pacientes con TVP pueden buscar atención médica debido al edema, el dolor o la sensibilidad en una extremidad. En algunos casos, pueden buscar ayuda después de la aparición de los síntomas de un émbolo pulmonar. Pregunte al paciente sobre la presencia de factores de riesgo de TVP.

Evalúe con cuidado las extremidades superiores e inferiores del paciente. Compare las extremidades por pares. Los signos clásicos de TVP incluyen edema de la extremidad afectada, con dolor o sensibilidad. Sin embargo, estos hallazgos solo están presentes en cerca de la mitad de los pacientes con TVP. Busque signos de inflamación como enrojecimiento y calor de la piel sobre la vena afectada. Puede haber dolor y sensibilidad del músculo de la pantorrilla en la dorsiflexión del pie (signo de Homan). Al evaluar al paciente, tenga cuidado de no frotar ni masajear la extremidad afectada. Tal acción podría desprender un coágulo, en cuyo caso se hablaría de tromboembolismo.

Los diagnósticos diferenciales de la TVP incluyen artritis, celulitis, lesiones musculares o de tejidos blandos y tromboflebitis superficial.

Manejo

Los cuidados prehospitalarios para la TVP son de apoyo. Permita que el paciente adopte una posición cómoda. Establezca una vía IV y aplique el monitor cardíaco. Aplique un pulsioxímetro y administre oxígeno, si está indicado. Vigile de cerca al paciente por si desarrolla una embolia pulmonar.

La mayoría de los pacientes con TVP son transportados al centro adecuado más cercano sin luces ni sirena. Si el paciente rechaza la asistencia, insístale en repetidas ocasiones para que acepte la ayuda, incluido el transporte. Considere la posibilidad de ponerse en contacto con la dirección médica para pedir consejo. Si no consigue persuadir al paciente para que acepte la asistencia, documente con cuidado la negativa del paciente.

Otras afecciones cardíacas pueden provocar emergencias. Entre ellas se incluyen las cardiopatías congénitas y las miocardiopatías. Las cardiopatías congénitas se tratan en el capítulo 39, *Cuidados neonatales.* La miocardiopatía se trata en el capítulo 40, *Emergencias pediátricas.*

USTED es el Paramédico RESUMEN

1. ¿Cuál es su impresión inicial sobre el estado de este paciente?

El paciente está diaforético, con mucosas pálidas, taquicardia e hipotensión. En conjunto, estos signos sugieren mala perfusión celular, shock y aumento de la demanda de oxígeno. Los síntomas sugieren un origen cardíaco, y el inicio en reposo sugiere una condición inestable. Debe acelerar su evaluación, estabilización y transporte a un centro adecuado.

2. ¿Cuáles son las posibles causas de los síntomas del paciente?

Por la descripción del dolor por parte del paciente (aplastamiento), debe considerar una causa cardíaca. Otras posibles causas de dolor torácico son traumatismos, neumotórax y neumonía.

3. Aunque sin duda es posible, este paciente es relativamente joven para presentar un infarto agudo de miocardio (IAM). ¿Qué factores podrían estar asociados con un evento cardíaco en un paciente de esta edad?

Aunque no se puede descartar un IM en un adulto joven, en especial si el paciente tiene antecedentes familiares, el consumo de drogas estimulantes (cocaína o metanfetamina) se asocia con más frecuencia con el IM agudo en jóvenes. Sin embargo, su manejo inicial es el mismo, así que no pierda un tiempo valioso intentando identificar una causa farmacológica.

4. ¿Qué datos de evaluación adicionales serán necesarios al valorar a este paciente?

Evalúe y valore la piel y los signos vitales (para valorar el GC), el corazón y los pulmones (para buscar otras causas y signos de insuficiencia cardíaca) y la historia clínica previa. El EKG también desempeñará un papel importante en la evaluación de este paciente.

5. ¿Qué intervenciones debe iniciar en este momento?

En este caso, administre rápido oxígeno suplementario, establezca un acceso IV y evalúe el EKG.

6. ¿Es este paciente de alta prioridad? ¿Por qué si o por qué no?

El paciente era de alta prioridad antes de la convulsión, y es de muy alta prioridad ahora. Además de haber presentado una convulsión tónico-clónica, el paciente tiene comprometidas la vía aérea y la ventilación, bradicardia y disminución del GC.

7. Teniendo en cuenta lo que sabe en este momento, ¿cuál es la causa más probable de la actividad convulsiva?

En ausencia de otra información, las dos causas más probables de convulsión son la hipoxia (causada por una caída repentina de la frecuencia del pulso y de la perfusión cerebral) y el consumo de drogas estimulantes (por el riesgo de consumo de estimulantes relacionado con síntomas cardíacos en los jóvenes).

8. ¿Cuál es la mayor amenaza para la vida de este paciente en este momento? ¿Cómo la tratará?

El shock representa la amenaza más importante en este momento. El descenso repentino de la frecuencia cardíaca del paciente ha provocado una caída drástica de la PA. En general, la estrategia para tratar a este paciente debe comenzar con un intento de restablecer el ritmo y la frecuencia cardíacos normales, seguido de un esfuerzo por mejorar el GC y la PA.

9. ¿Cómo va a controlar el ritmo cardíaco?

Aunque la atropina es el fármaco preferido para la bradicardia sintomática, es poco probable que sea eficaz en casos de bloqueo AV de tercer grado. Las opciones de tratamiento alternativas razonables incluyen la ETC o una infusión IV de dopamina o epinefrina.

10. Supongamos que el paciente sigue sin responder, con una PA inaceptablemente baja a pesar del marcapasos. ¿Qué tratamiento sería apropiado en estas circunstancias?

Una vez normalizada la frecuencia del pulso, pueden utilizarse varias estrategias para mejorar la PA, dependiendo del protocolo local. Si los ruidos respiratorios del paciente siguen siendo nítidos, puede utilizarse una provocación con líquidos (por lo general 250 ml) para aumentar la precarga y mejorar la contractilidad y el gasto cardíacos. También puede considerarse la dopamina para mejorar la contractilidad y, dependiendo de la dosis, aumentar la poscarga. Una desventaja de la dopamina es que aumenta la demanda miocárdica de oxígeno, lo que puede incrementar el tamaño y la gravedad del infarto.

11. Por la disposición final del paciente, ¿fue adecuado su tratamiento? ¿Por qué sí o por qué no?

Una mejor opción podría haber sido conectar al paciente al monitor cardíaco antes de prepararlo para su traslado a la ambulancia. Aunque esto puede haber aumentado el tiempo en escena, podría haber permitido identificar una disritmia letal (no sabemos cuál era el ritmo previo a la crisis). El reconocimiento y tratamiento tempranos podrían haber evitado la aparición de un bloqueo AV de tercer grado.

USTED es el paramédico RESUMEN continuación

Reporte de atención de paciente prehospitalario (RAPP)					
Fecha: 09-09-22	**Incidente núm.:** 889	**Naturaleza de la llamada:** cardíaca		**Ubicación:** Av. Halifax núm. 220	
Despacho: 08:28	**En camino:** 08:28	**En el escenario:** 08:35	**Transporte:** 09:02	**En el hospital:** 09:14	**En servicio:** 09:28

Información del paciente	
Edad: 32 **Sexo:** hombre **Peso:** 89 kg (195 lb)	**Alergias:** nada que reportar **Medicamentos:** ninguno **Antecedentes médicos:** ninguno **Principal manifestación:** dolor torácico

Signos vitales				
Hora: 08:45	**PA:** 96/40	**Pulso:** 150 reg	**Respiraciones:** 20, profundidad	**Spo_2:** 88% con aire ambiente
Hora: 08:50	**PA:** 62/40	**Pulso:** 36 irreg	**Respiraciones:** 6 (10 con ventilación bolsa-mascarilla)	**Spo_2:** 99% con ventilación bolsa-mascarilla
Hora: 09:05	**PA:** 100/70	**Pulso:** 70 pulsaciones/min; regular	**Respiraciones:** 10 con ventilación bolsa-mascarilla	**Spo_2:** 99% con ventilación bolsa-mascarilla

Tratamiento en SEM (circule todo lo aplicable)				
Oxígeno @ 15 L/min por (circular uno): **NC** **NRM** **(Dispositivo de bolsa y mascarilla)**		**(Ventilación asistida)**	**Dispositivo de la vía aérea**	**RCP**
Desfibrilación	**Control de la hemorragia**	**Vendaje**	**Inmovilización**	**(Otro:** ETC)

Narrativa

Llega un hombre de 32 años que refiere dolor torácico aplastante (valorado en 9/10) con disnea. Los síntomas aparecieron en reposo y se hicieron más intensos en 1 o 2 horas. El paciente estaba en un inicio despierto, alerta y orientado, pero presentó un ataque tónico-clónico que duró de 30 a 45 segundos mientras lo subían a la ambulancia. El paciente no reacciona, no respira de forma espontánea. Ventilación con bolsa-mascarilla. El monitor cardíaco mostró un bloqueo AV de tercer grado con QRS ancho a 36 latidos/min. PA 62/40. Comenzó IV de NS y ETC. Se logra captura eléctrica y mecánica a 70 pulsos/min con 60 mA. El paciente sigue sin responder y apneico; ventilación bolsa-mascarilla continuada. PA 100/70, piel caliente, seca y color normal. Informe al RMC a su llegada a Susan RN.

Fin del reporte

Kit de preparación

Listo para revisión

- El sistema cardiovascular está compuesto por el corazón y los vasos sanguíneos. Su función principal es llevar sangre oxigenada y nutrientes a todas las células del cuerpo. El sistema cardiovascular también es responsable de transportar mensajeros químicos (hormonas) dentro del cuerpo y de transportar los productos de desecho del metabolismo desde las células hasta los lugares de reciclaje o eliminación.
- Las ECV son un grupo de afecciones del corazón y los vasos sanguíneos. Algunos ejemplos son hipertensión (PA alta), enfermedad vascular

Kit de preparación continuación

periférica, insuficiencia cardíaca, miocardiopatías y cardiopatías congénitas. La cardiopatía coronaria es un tipo de ECV que incluye la enfermedad de las arterias coronarias y sus signos, síntomas y complicaciones asociados, como la angina de pecho y el IAM. Reconocer y manejar las emergencias cardiovasculares es una parte esencial de la educación paramédica.

- Los síndromes coronarios agudos (SCA) son una serie de afecciones cardíacas causadas por una reducción brusca del flujo sanguíneo a través de una arteria coronaria. Existen tres tipos principales de SCA: la angina inestable, el infarto del miocardio sin elevación del segmento ST (IMSEST) y el infarto del miocardio con elevación del segmento ST (IMEST). Las principales molestias que suelen presentar los pacientes con un SCA son molestias torácicas, disnea, desmayos, palpitaciones y fatiga.
- El paro cardíaco es el cese de la actividad mecánica cardíaca, confirmado por la ausencia de signos de circulación. El paro cardíaco súbito (PCS) es un paro cardíaco inesperado que da lugar a intentos de restablecer la circulación. Si los intentos de reanimación son infructuosos, esta situación se denomina muerte súbita cardíaca.
- La acción mecánica de bombeo del corazón solo puede producirse en respuesta a un estímulo eléctrico. En el corazón, la despolarización es el proceso de descarga de las fibras musculares cardíacas en reposo mediante un impulso eléctrico que estimula la contracción.
- El potencial de acción cardíaco de una célula miocárdica típica consta de cinco fases de actividad eléctrica dentro del corazón: de la fase 0 a la fase 4. Estas fases reflejan los cambios de voltaje de la célula cardíaca, que se corresponden con las formas de onda que se ven en una tira de ritmo.
- El sistema de conducción eléctrica del corazón comprende las células marcapasos que se encuentran en los tejidos del nódulo sinoauricular (SA), las vías de conducción internodal, el nódulo auriculoventricular (AV), el haz de His y las fibras de Purkinje. En algunos pacientes, una vía de conducción accesoria permite que los impulsos eléctricos eludan el nódulo AV y desencadenen la despolarización ventricular.
- El organismo intenta mantener una PA relativamente constante para garantizar la perfusión de los órganos vitales. Cuando se estimulan, los barorreceptores de las arterias carótidas internas y del cayado aórtico generan respuestas compensatorias que facilitan la regulación de la PA por la división simpática del sistema nervioso autónomo.
- Una disritmia cardíaca es una alteración del ritmo cardíaco normal, que puede ser clínicamente significativa o no. Siempre es necesario evaluar la disritmia en el contexto del estado clínico general del paciente.
- Un EKG es un registro gráfico de los cambios de voltaje en el músculo cardíaco durante la despolarización y la repolarización. Los monitores cardíacos constan de cables conectados a electrodos que se colocan en el paciente. Los electrodos deben colocarse en posiciones predeterminadas y uniformes en el cuerpo de cada paciente para obtener un EKG fiable y útil. Cada derivación proporciona una instantánea eléctrica de una parte específica del corazón. El análisis de EKG está indicado en cualquier paciente que pueda tener una afección relacionada con el corazón.
- Un EKG de 12 derivaciones proporciona información detallada sobre el sistema de conducción del corazón y registra su actividad eléctrica desde 12 ángulos distintos. Las 12 derivaciones incluyen tres derivaciones de extremidades (I, II y III), tres derivaciones de extremidades aumentadas (aVR, aVL y aVF) y seis derivaciones precordiales (V_1 a V_6). Las derivaciones contiguas visualizan zonas geográficamente similares del miocardio, lo que puede ayudar a localizar zonas de isquemia, lesión o infarto.
- Debido a que un EKG estándar de 12 derivaciones no permite ver el ventrículo derecho ni la superficie posterior del ventrículo izquierdo, se deben utilizar derivaciones adicionales para detectar isquemia o infarto en esas zonas. Las derivaciones precordiales derechas se colocan en lugares específicos del tórax anterior derecho para analizar la actividad eléctrica del ventrículo derecho. Si necesita ver la pared posterior del ventrículo izquierdo, coloque las tres derivaciones

Kit de preparación continuación

precordiales en lugares específicos del tórax posterior izquierdo.

- Los componentes de una tira rítmica producida por un EKG incluyen la onda P, el IPR, el complejo QRS, el punto J, el segmento ST, la onda T y el intervalo QT.
- Un enfoque sistemático para analizar e interpretar las disritmias cardíacas incluye la identificación de las ondas P-QRS-T, la medición del IPR y el QRS, la determinación de la regularidad del ritmo y la medición de la frecuencia cardíaca.
- Un ritmo sinusal normal surge en el nódulo SA y tiene una frecuencia intrínseca de 60 a 100 latidos/min, un ritmo regular y una variación mínima entre los intervalos R-R.
- Los ritmos que se originan en el nódulo SA incluyen bradicardia sinusal, taquicardia sinusal y disritmia sinusal. El paro sinusal se produce cuando el nódulo SA no consigue iniciar un impulso.
- El tratamiento de la bradicardia sintomática puede incluir un bolo IV de atropina (para la bradicardia sinusal sintomática o un bloqueo de la conducción a nivel del nodo AV), la estimulación transcutánea (ETC), o una infusión de dopamina o epinefrina, y cuidados de apoyo.
- La ETC es una intervención utilizada para despolarizar el músculo cardíaco mediante un estímulo externo. Unas almohadillas colocadas en el pecho del paciente suministran energía eléctrica al corazón, provocando la contracción del músculo. El marcapasos externo puede servir de puente para la implantación de un marcapasos permanente.
- Cualquier zona de las aurículas puede originar un impulso, suplantando así la autoridad marcapasos del nódulo SA. Los ritmos resultantes incluyen complejos auriculares prematuros, taquicardia supraventricular (TSV), taquicardia reentrante AV (síndromes de Wolff-Parkinson-White y Lown-Ganong-Levine), fibrilación y aleteo auricular, marcapasos auricular errante y taquicardia auricular multifocal.
- Las terapias conservadoras, como las maniobras vagales y la medicación, son apropiadas para adultos sintomáticos con signos vitales estables que experimentan una TSV. Sin embargo, si el paciente se vuelve inestable, se recomienda la terapia eléctrica mediante cardioversión sincronizada.
- La cardioversión sincronizada es una intervención que se utiliza para interrumpir ritmos rápidos, organizados y hemodinámicamente inestables, como las TSV y las taquicardias ventriculares (TV), y permitir que el nodo SA reanude su función primaria de marcapasos. A diferencia de la desfibrilación, en la que la energía puede administrarse en cualquier momento del ciclo cardíaco, la cardioversión sincronizada administra ráfagas temporizadas de energía eléctrica sincronizadas con el ritmo cardíaco del paciente. Después de identificar las ondas R en el EKG, la máquina descarga con la siguiente onda R detectada, evitando el periodo vulnerable durante la onda T del ciclo cardíaco.
- Si el nódulo SA no consigue iniciar un impulso, la unión AV puede tomar el relevo como marcapasos del corazón. Los ritmos que se originan en la unión AV incluyen complejos de la unión prematuros, ritmos de escape de la unión, ritmos acelerados de la unión o taquicardia de la unión. El tratamiento de los pacientes sintomáticos depende de la causa subyacente.
- Si el nódulo SA y la unión AV no pueden estimular el corazón, los ventrículos pueden asumir la responsabilidad de la estimulación. Los ritmos que se originan en los ventrículos incluyen complejos ventriculares prematuros, ritmo idioventricular o ritmo idioventricular acelerado, TV y fibrilación ventricular (FV).
- La fibrilación ventricular y la taquicardia ventricular sin pulso son ritmos de paro cardíaco desfibrilables que pueden responder a la desfibrilación, una intervención utilizada para interrumpir ritmos rápidos y caóticos. La desfibrilación despolariza al mismo tiempo todo el tejido cardíaco para permitir que el nódulo SA reanude su función primaria de estimulación.
- Los ritmos de paro cardíaco no desfibrilables incluyen la asistolia, ausencia total de actividad eléctrica ventricular, y la actividad eléctrica sin pulso, ritmo cardíaco organizado (distinto de la taquicardia ventricular) en el monitor que no se acompaña de pulso detectable.

Kit de preparación continuación

- La mayoría de los adultos con paro cardíaco presentan signos de ateroesclerosis u otra enfermedad cardíaca subyacente. Sin embargo, el paro cardíaco súbito también puede ser secundario a electrocución, inmersión, otros traumatismos o afecciones no cardíacas como sobredosis de fármacos, asma o anafilaxia. Muchas personas con un paro cardíaco súbito no lo advierten.
- Adoptar un enfoque de evaluación sistemático y exhaustivamente ensayado en las emergencias de paro cardíaco es esencial para lograr el retorno de la circulación espontánea y preservar la función neurológica del paciente. La reanimación cardiopulmonar de alta calidad, la desfibrilación, el manejo de la vía aérea, la administración de fluidos y medicación y el transporte rápido son elementos esenciales de la atención médica de emergencia para los pacientes con paro cardíaco.
- Los objetivos de los cuidados después de un paro cardíaco son optimizar la función cardiopulmonar y la perfusión de los órganos vitales.
- Si un impulso que viaja a través del nodo AV se retrasa más de lo habitual o se bloquea por completo, puede producirse un bloqueo AV. Un bloqueo AV puede producirse a nivel del nodo AV o por debajo del haz de His (infranodal), afectando a una o más de las ramas del haz y a los fascículos. Los bloqueos AV se clasifican en grados, de menor a mayor gravedad: bloqueo AV de primer grado, bloqueo de segundo grado y bloqueo de tercer grado.
- Un EKG de 12 derivaciones es útil para ver el corazón desde varios ángulos a fin de localizar el lugar de la lesión cardíaca o identificar disritmias y otras anomalías cardíacas. Otras indicaciones para la realización de un EKG de 12 derivaciones son la terapia eléctrica (antes y después, incluidas desfibrilación, cardioversión y estimulación), las molestias torácicas o abdominales superiores, las lesiones eléctricas, el desequilibrio electrolítico, la sobredosis, la insuficiencia ventricular derecha o izquierda, el accidente cerebrovascular, el síncope o casi síncope y la inestabilidad hemodinámica de etiología desconocida.
- La rápida transmisión de los resultados del EKG de 12 derivaciones al centro receptor es un paso crucial que puede conducir a un diagnóstico más rápido del IMEST, reducir el tiempo desde el inicio de la emergencia hasta el tratamiento definitivo y disminuir la mortalidad.
- Es esencial un enfoque sistemático de la interpretación del EKG de 12 derivaciones. Los pasos incluyen la revisión de la instantánea; la interpretación de la disritmia; la determinación del eje; el reconocimiento de las alteraciones del sistema de conducción; la evaluación del tamaño de la cámara; la revisión de las zonas de isquemia, lesión e infarto, y la investigación de las causas no cardíacas. La interpretación de 12 derivaciones es una destreza paramédica vital y debe practicarse con regularidad porque pueden producirse fallas en el equipo.
- El tejido lesionado, isquémico o infartado experimenta cambios característicos que aparecen en el EKG en las derivaciones enfrentadas. La isquemia se evidencia por la depresión del segmento ST, y la lesión miocárdica por la elevación del segmento ST.
- Los SCA se caracterizan por una reducción brusca del flujo sanguíneo a través de una o varias arterias coronarias. Si uno de estos vasos sanguíneos se obstruye, el músculo al que irriga se verá privado de oxígeno, lo que se denomina isquemia. La isquemia provocará la muerte del tejido (infarto) si no se restablece con rapidez la perfusión. El tiempo es oro cuando se atiende a un paciente con un SCA, por lo que debe evaluar rápida y de manera sistemática al paciente y proporcionarle los cuidados de emergencia necesarios.
- Los factores de riesgo son condiciones de salud, hábitos de vida y rasgos que pueden aumentar la probabilidad de que una persona desarrolle una enfermedad. Los factores de riesgo modificables pueden controlarse, modificarse o tratarse, mientras que los no modificables no pueden cambiarse. Se cree que los factores de riesgo contribuyen a aumentar el riesgo de cardiopatía y accidente cerebrovascular, pero aún no se ha definido su función exacta.
- Los pacientes pueden experimentar diversos síntomas cuando tienen una afección cardiovascular, los más comunes de los cuales son dolor torácico, disnea, desmayos, palpitaciones y fatiga. Los síntomas de isquemia miocárdica distintos

Kit de preparación continuación

del dolor o las molestias torácicas se denominan equivalentes anginosos.

- Las personas mayores, las mujeres y pacientes con diabetes suelen presentar síntomas atípicos de ECV. La localización o la calidad de las molestias o el dolor pueden ser inusuales. Estos pacientes también pueden presentar náusea, cambios del estado mental, debilidad, inquietud u otros síntomas que deben considerarse equivalentes anginosos.
- La evaluación rápida y sistemática de los problemas cardiovasculares requiere una rápida identificación del IMEST, la determinación del inicio de los síntomas, una estrecha vigilancia del ritmo cardíaco y de los signos vitales del paciente, la reanimación cardiopulmonar y la desfibrilación si están indicadas, la administración de medicación si procede y un transporte rápido.
- La monitorización cardíaca y el análisis de EKG están indicados en cualquier paciente que pueda tener una afección relacionada con el corazón. Todo paciente con dolor torácico o antecedentes de una afección cardíaca debe someterse a un análisis de EKG.
- El tratamiento del IMEST implica una terapia de reperfusión rápida para restablecer el flujo sanguíneo utilizando medios mecánicos, como la intervención coronaria percutánea, o farmacológicos (es decir, utilizando un agente fibrinolítico para disolver los coágulos sanguíneos).
- La insuficiencia cardíaca se produce cuando el corazón es incapaz de bombear con la suficiente potencia o rapidez para vaciar sus cavidades; como consecuencia, la sangre retrocede al circuito sistémico, al pulmonar o a ambos. La insuficiencia cardíaca puede estar causada por varios trastornos que merman la capacidad de los ventrículos para llenarse o expulsar sangre, como la enfermedad coronaria, la hipertensión arterial de larga duración y la diabetes. Las disritmias, la miocardiopatía, las valvulopatías y los trastornos genéticos también pueden provocar insuficiencia cardíaca.
- El taponamiento cardíaco se produce cuando el exceso de líquido se acumula en el pericardio y comprime el corazón, lo que dificulta la contracción cardíaca y restringe el llenado ventricular. Traslade al paciente al DE más cercano, donde se puede realizar una pericardiocentesis urgente para restablecer la estabilidad hemodinámica.
- El shock cardiogénico es una situación en la que la función del músculo cardíaco está gravemente alterada, lo que disminuye el gasto cardíaco y provoca una perfusión tisular inadecuada. Dado que la causa más frecuente de shock cardiogénico es la insuficiencia ventricular izquierda secundaria a un infarto agudo de miocardio, es fundamental obtener con rapidez un EKG de 12 derivaciones, buscar indicios EKG de infarto de miocardio y, si los hay, trasladar al paciente a un centro adecuado para su atención definitiva.
- Una emergencia hipertensiva es una elevación aguda de la PA a 180/120 mm Hg o superior con evidencia de disfunción de órgano final. Existe una emergencia hipertensiva cuando el paciente presenta una elevación aguda de la PA a 180/120 mm Hg o superior sin signos o síntomas de daño de órganos terminales. Un paciente con una urgencia hipertensiva requiere transporte al centro apropiado más cercano.
- Las enfermedades infecciosas del corazón son la endocarditis, la pericarditis y la miocarditis. La endocarditis es una inflamación del revestimiento del corazón, que suele ser causada por una infección bacteriana. La pericarditis es una infección del saco pericárdico que envuelve el corazón; puede ser causada por una infección viral, bacteriana o fúngica. La miocarditis es una inflamación de la capa más gruesa del corazón, el miocardio, que contiene el sistema de conducción y las fibras musculares cardíacas que permiten la contracción del corazón. La atención prehospitalaria para las enfermedades infecciosas del corazón es principalmente de apoyo.
- Los aneurismas aórticos, en particular los aneurismas disecantes agudos de la aorta torácica y los aneurismas en expansión o rotos de la aorta abdominal, son de vital importancia para los paramédicos. Los pacientes pueden describir un dolor súbito y agudo de tipo desgarro o punzante en cuello, garganta, mandíbula, cara, espalda, abdomen, tórax, extremidades inferiores o entre los omóplatos. El dolor puede durar horas o días. Esta afección suele caracterizarse por una

Kit de preparación continuación

discrepancia entre la PA en los brazos o una disminución del pulso femoral o carotídeo.

- Una oclusión arterial aguda es una interrupción repentina del flujo sanguíneo arterial debido a un trombo, émbolo, tumor, traumatismo directo en una arteria o una causa desconocida. La isquemia aguda de las extremidades se produce cuando una oclusión arterial interrumpe de manera repentina o reduce de manera notable el flujo sanguíneo a un brazo o una pierna. Los pacientes con estas afecciones requieren una reevaluación frecuente y un traslado rápido al centro adecuado más cercano.

Vocabulario esencial

Aberración Término que describe la forma del complejo QRS en latidos conducidos de forma aberrante (anormal).

Actividad eléctrica sin pulso (AESP) Ritmo cardíaco organizado (distinto de la taquicardia ventricular) en un monitor de EKG que no va acompañado de un pulso detectable.

Agónico Relativo al periodo de la muerte.

Aneurisma aórtico Protuberancia en la pared de una porción de la aorta, causada por el debilitamiento y la dilatación de la pared del vaso; la rotura de un aneurisma aórtico es potencialmente mortal.

Angina de pecho Dolor súbito que se produce cuando el aporte de oxígeno al miocardio es insuficiente para satisfacer la demanda, lo que provoca cambios isquémicos en el tejido.

Angina estable Angina de pecho caracterizada por dolor intermitente con un patrón predecible.

Angina inestable Angina de pecho caracterizada por un patrón de dolor variable e impredecible, que puede ser señal de un infarto agudo de miocardio inminente.

Angina microvascular Tipo de angina causada por espasmos en las paredes de las arterias coronarias más pequeñas del corazón.

Angina variante Tipo de angina causada por el espasmo de las arterias coronarias que se produce cuando la persona está en reposo, cuando las necesidades de oxígeno son mínimas; también denominada angina de Prinzmetal.

Anomalía de la aurícula derecha Dilatación de la aurícula derecha que se produce cuando la presión venosa de retorno es elevada o la presión pulmonar es alta.

Anomalía de la aurícula izquierda Dilatación de la aurícula izquierda que puede producirse en pacientes con cardiopatía valvular (en particular estenosis de la válvula mitral o aórtica), enfermedad hipertensiva, cardiomiopatía o enfermedad coronaria; también puede producirse en un atleta.

Arritmia Ausencia de ritmo cardíaco o de actividad organizada; asistolia o paro ventricular.

Artefacto Producto artificial; en cardiología, se utiliza para referirse al ruido o las interferencias en un trazo de EKG.

Arteria descendente anterior izquierda (DAI) Una de las dos ramas de la arteria coronaria principal izquierda; las ramas de la DAI irrigan el ventrículo izquierdo, el tabique interventricular y parte del ventrículo derecho.

Arteria circunfleja (Cx) Una de las dos ramas de la arteria coronaria principal izquierda; las ramas de la Cx irrigan la aurícula izquierda, parte de la superficie lateral del ventrículo izquierdo, la superficie inferior del ventrículo izquierdo en de alrededor de 15% de las personas, la superficie posterior del ventrículo izquierdo en 15%, el nódulo sinoauricular en cerca de 40% y el haz auriculoventricular entre 10 y 15%.

Arteria coronaria derecha (ACD) Arteria que suministra sangre oxigenada a las paredes de la aurícula y el ventrículo derechos, a una porción de la parte inferior del ventrículo izquierdo y a porciones del sistema de conducción.

Arterias coronarias Vasos sanguíneos que suministran sangre a los tejidos del corazón.

Kit de preparación continuación

Arterioesclerosis Estado patológico en el que el engrosamiento y la rigidez de las paredes arteriales hacen que las arterias sean menos elásticas.

Asistolia Ausencia de contracción ventricular o de actividad eléctrica; EKG rectilíneo o plano.

Ateroesclerosis Acumulación de grasa en el interior de un vaso sanguíneo que estrecha el diámetro de la luz.

Ateroma Masa de tejido graso que se calcifica de manera progresiva, endureciéndose en forma de placa ateromatosa que se infiltra en la pared arterial, disminuyendo su elasticidad.

Bigeminismo Disritmia en la que uno de cada dos complejos es un complejo prematuro, lo que provoca un patrón de latido *normal-temprano-normal-temprano*; puede ser auricular, de la unión o ventricular.

Bloqueo AV de primer grado Retraso en la conducción del impulso despolarizante desde el nodo SA hasta los ventrículos, lo que prolonga el intervalo PR; también denominado bloqueo cardíaco de primer grado.

Bloqueo bifascicular Bloqueo de dos fascículos o vías de conducción cualesquiera: bloqueo de rama derecha del haz de His (BRDHH) con hemibloqueo anterior, BRDHH con hemibloqueo posterior, o hemibloqueo anterior y hemibloqueo posterior (una combinación conocida como bloqueo de rama izquierda del haz de His).

Bloqueo de rama del haz de His (BRHH) Alteración de la conducción intraventricular que implica la impedancia de los impulsos eléctricos desde el haz de His a la rama derecha o izquierda del haz.

Bloqueo fascicular (hemibloqueo) Incapacidad de los fascículos anterior o posterior del corazón para conducir impulsos eléctricos debido a una enfermedad o isquemia.

Bloqueo trifascicular Bloqueo o alteración de los tres componentes del sistema de conducción ventricular, con uno de ellos trabajando de manera ocasional para proporcionar conducción AV.

Bradicardia sinusal Ritmo sinusal caracterizado por una frecuencia cardíaca inferior a 60 latidos/min.

Cambios recíprocos Cambios del punto J, del segmento ST y de la onda T observados en el EKG durante un SCA.

Cardiomiopatía hipertrófica Enfermedad genética en la que la pared del músculo cardíaco es inusualmente gruesa, lo que obliga al corazón a bombear con más fuerza para expulsar la sangre del ventrículo izquierdo.

Cardioversión sincronizada Uso de una descarga eléctrica sincronizada de corriente continua (CC) para convertir una taquidisritmia (como la taquicardia supraventricular) en un ritmo sinusal normal.

Ciclo cardíaco Periodo que va de una contracción cardíaca a la siguiente. Cada ciclo cardíaco consta de una contracción ventricular (sístole) y una relajación (diástole).

Claudicación Dolor, calambres, tensión muscular, fatiga o debilidad de las piernas durante la actividad física como consecuencia de una mayor demanda de oxígeno por parte del tejido muscular de las piernas, caderas y glúteos.

Complejo QRS Desviación del EKG producida por la despolarización ventricular.

Control de la temperatura objetivo (CTO) Utilización de líquidos fríos para llevar al paciente a un estado hipotérmico selectivo durante diversas situaciones críticas.

Derivación Diferencia de potencial eléctrico entre dos puntos. Por ejemplo, la derivación I representa la diferencia de potencial eléctrico entre los electrodos del brazo derecho e izquierdo.

Derivaciones bipolares En un EKG, derivaciones que contienen un polo positivo y otro negativo: derivaciones I, II y III.

Derivaciones contiguas Derivaciones que visualizan zonas geográficamente similares del miocardio, como las derivaciones II, III y aVF; útiles para localizar zonas de isquemia.

Derivaciones de extremidades aumentadas En un EKG, derivaciones aVR, aVL y aVF. Solo contienen un polo verdadero; el otro extremo es una combinación de información de otras derivaciones. Un EKG estándar de 12 derivaciones consta de las tres

Kit de preparación continuación

derivaciones aumentadas, las tres derivaciones estándar de las extremidades y las seis derivaciones precordiales.

Derivaciones de las extremidades Las derivaciones del EKG conectadas a las extremidades; juntas, las derivaciones estándar de las extremidades (I, II y III) y las derivaciones aumentadas de las extremidades (aVR, aVL y aVF) forman el sistema de referencia hexaxial a lo largo del plano frontal.

Derivaciones precordiales Término utilizado para describir las derivaciones torácicas en un EKG.

Desfibrilación Proceso mediante el cual se administra al corazón una descarga eléctrica de corriente continua (CC) no sincronizada para poner fin a la fibrilación ventricular o a la taquicardia ventricular sin pulso.

Desfibrilador externo automático (DEA) Desfibrilador inteligente que puede analizar el ritmo del EKG del paciente, determinar si es necesaria una descarga desfibriladora y guiar al usuario durante la reanimación mediante comandos de voz.

Desfibrilador manual Dispositivo que requiere que el paramédico u otro reanimador entrenado interprete el ritmo cardíaco y determine si es necesaria la desfibrilación (en lugar de confiar en que un dispositivo haga esa determinación de manera automática).

Despolarización Proceso de descarga de las fibras musculares cardíacas en reposo mediante un impulso eléctrico que estimula la contracción.

Desviación del eje Movimiento del eje QRS del corazón a la derecha o a la izquierda de su posición normal.

Disección Proceso por el que las capas íntima y media de un vaso se separan (disecan) después de producirse un desgarro en una porción aneurismática de la pared arterial. Con cada sístole ventricular, un chorro de sangre se introduce en la pared arterial desgarrada, creando y propagando un falso canal.

Disnea paroxística nocturna (DPN) Dificultad respiratoria grave que se produce por la noche después de varias horas en decúbito, durante la cual se acumula líquido en los pulmones; la persona se ve obligada a sentarse para respirar; causada por insuficiencia cardíaca izquierda o descompensación de enfermedad pulmonar obstructiva crónica.

Disritmia sinusal Variación del ciclo de un ritmo sinusal que suele asociarse con fluctuaciones del ciclo respiratorio; la frecuencia aumenta durante la inspiración y disminuye durante la espiración.

Disritmias Alteraciones del ritmo cardíaco.

Ectópico Impulso o ritmo que se origina en un lugar distinto del nódulo SA.

Edema pulmonar Congestión de los espacios aéreos pulmonares con exudado y espuma, a menudo secundaria a insuficiencia ventricular izquierda.

Eje QRS Vector único que representa la media (o promedio) de todos los vectores creados por los ventrículos durante la despolarización.

Embolia pulmonar Obstrucción de una o más arterias pulmonares por un sólido, líquido o gas que ha atravesado el lado derecho del corazón hasta llegar a los pulmones.

Emergencia hipertensiva Elevación aguda de la presión arterial hasta 180/120 mm Hg o más con evidencia de daño en los órganos finales (cardiovascular, neurológico o renal); antes denominada crisis hipertensiva o hipertensión maligna.

Endocarditis Inflamación del endocardio como consecuencia de una infección.

Enfermedad arterial coronaria (EAC) Proceso patológico caracterizado por el estrechamiento ateroesclerótico progresivo y la eventual obstrucción de las arterias coronarias.

Enfermedad cardiovascular (ECV) Grupo de trastornos del corazón y los vasos sanguíneos.

Enfermedad coronaria (EC) Enfermedad de las arterias coronarias y sus signos, síntomas y complicaciones asociados, como la angina de pecho y el infarto agudo del miocardio.

Escarlatina Enfermedad causada por la bacteria *Streptococcus pyogenes*, que se caracteriza por dolor de garganta, fiebre, erupción cutánea y "lengua de fresa".

Kit de preparación continuación

Estimulación transcutánea (ETC) Intervención utilizada para despolarizar el músculo cardíaco mediante un estímulo externo; unas almohadillas colocadas en el pecho del paciente suministran energía eléctrica al corazón, provocando la contracción muscular.

Fibras de Purkinje Red de fibras musculares cardíacas distribuidas por las superficies internas de las paredes ventriculares que causan el impulso de excitación desde las ramas del haz hasta el miocardio ventricular.

Fibrinólisis Proceso de disolución de los coágulos sanguíneos.

Fiebre reumática Enfermedad inflamatoria causada por bacterias estreptocócicas; la enfermedad puede causar estenosis de las válvulas mitral o aórtica.

Fracción de compresión torácica Periodo durante el cual se administran compresiones dividido entre el tiempo total del intento de reanimación.

Haz de His Porción del sistema de conducción del corazón situada en la parte superior del tabique interventricular que conduce los impulsos eléctricos desde la unión auriculoventricular (AV) hasta las ramas derecha e izquierda del haz; también denominado haz AV.

Hiperpotasemia Concentración elevada de potasio en la sangre.

Hipertensión Hipertensión arterial; existe hipertensión en estadio 2 cuando la presión arterial sistólica es igual o superior a 140 mm Hg o la presión arterial diastólica es igual o superior a 90 mm Hg.

Hipertrofia ventricular derecha (HVD) Enfermedad cardíaca en la que el ventrículo derecho aumenta de tamaño, por lo general como consecuencia de la hipertensión pulmonar.

Hipertrofia ventricular izquierda (HVI) Enfermedad cardíaca en la que el ventrículo izquierdo aumenta de tamaño, casi siempre como consecuencia de la hipertensión.

Hipocalcemia Concentración baja de calcio en la sangre.

Hipopotasemia Concentración baja de potasio en la sangre.

Idioventricular Relativo solo a los ventrículos; producido por los ventrículos.

Infarto Muerte (necrosis) de una zona localizada de tejido causada por isquemia.

Infarto agudo del miocardio (IAM) Isquemia cardíaca que se produce cuando el estrechamiento repentino o la oclusión completa de una arteria coronaria provoca la muerte (necrosis) del tejido miocárdico.

Infarto del miocardio subendocárdico Tipo de infarto agudo del miocardio en el que el proceso isquémico afecta solo a la capa interna del músculo.

Infarto del miocardio transmural Tipo de infarto agudo del miocardio en el que el infarto se extiende por toda la pared del ventrículo.

Insuficiencia cardíaca Síndrome que se produce cuando el corazón es incapaz de bombear con suficiente potencia o rapidez para vaciar sus cavidades; como consecuencia, la sangre retrocede al circuito sistémico, al pulmonar o a ambos.

Insuficiencia ventricular derecha (ICD) Enfermedad en la que el lado derecho del corazón debe esforzarse cada vez más para bombear sangre a los vasos pulmonares obstruidos y, a la larga, no puede mantener el aumento de la carga de trabajo.

Insuficiencia ventricular izquierda (IVI) Enfermedad en la que el ventrículo izquierdo debe esforzarse más para bombear sangre a todo el cuerpo. Con la insuficiencia sistólica, el ventrículo izquierdo no se contrae con normalidad y tiene problemas para bombear toda la sangre de la cavidad al organismo; con la insuficiencia diastólica, el ventrículo izquierdo se contrae con normalidad, pero se ha vuelto rígido, lo que impide su capacidad para relajarse y llenarse de sangre entre cada contracción del corazón.

Intervalo PR (IPR) Distancia entre el inicio de la onda P (despolarización auricular) y el inicio del complejo QRS (despolarización ventricular), que indica el tiempo necesario para que las aurículas se despolaricen y el impulso de excitación atraviese la unión auriculoventricular.

Kit de preparación continuación

Intervalo R-R Periodo entre el inicio de un complejo QRS y el inicio del siguiente complejo QRS.

Intervención coronaria percutánea (ICP) Procedimiento mínimamente invasivo realizado con guía fluoroscópica, en el que se hace avanzar un balón, un *stent* u otro dispositivo a través de un catéter arterial periférico hasta un vaso coronario obstruido para diagnosticar y tratar una obstrucción arterial coronaria.

Isquemia Anoxia tisular causada por la disminución del flujo sanguíneo, por lo general como consecuencia del estrechamiento u oclusión de una arteria.

Línea isoeléctrica Línea de base del EKG; isoeléctrico significa ni positivo ni negativo.

Lumen Espacio interior hueco dentro de una arteria u otra estructura hueca.

Maniobra de Valsalva Esfuerzo o espiración forzada contra una glotis cerrada, cuyo efecto es estimular el nervio vago, ralentizando así el ritmo cardíaco.

Marcapasos transcutáneo Dispositivo que despolariza el tejido miocárdico enviando una pequeña carga eléctrica a través de la piel del tórax entre una almohadilla de estimulación colocada externamente y otra.

Miocarditis Inflamación del miocardio.

Muerte súbita cardíaca (MSC) Paro cardíaco súbito en la que el intento de reanimación no tiene éxito.

Multifocal Surgido o perteneciente a muchos focos o localizaciones.

Necrosis Muerte de un tejido, por lo general causada por el cese de su riego sanguíneo.

Nódulo auriculoventricular (AV) Grupo de células que frena los impulsos eléctricos procedentes del nódulo sinoauricular antes de transmitirlos a los ventrículos; situado en el suelo de la aurícula derecha, inmediatamente detrás de la válvula tricúspide y cerca de la abertura del seno coronario.

Nódulo sinoauricular (SA) Marcapasos dominante del corazón, situado en la unión de la vena cava superior y la aurícula derecha.

Onda delta Deslizamiento del trazo ascendente de la primera parte del complejo QRS que se produce en el síndrome de Wolff-Parkinson-White.

Onda P Primera onda del complejo EKG, que representa la despolarización de las aurículas.

Onda T Onda vertical, plana o invertida que sigue al complejo QRS del EKG y representa la repolarización ventricular.

Onda U Onda pequeña y plana que se observa a veces después de la onda T y antes de la siguiente onda P.

Ortopnea Disnea grave que se experimenta cuando se está recostado y que se alivia con un cambio de posición, como sentarse o ponerse de pie.

Palpitaciones Sensación de latidos cardíacos anormalmente rápidos o irregulares.

Pareado Dos complejos ventriculares prematuros consecutivos (pareados).

Paro cardíaco Cese de la actividad mecánica cardíaca, confirmado por la ausencia de signos de circulación; también llamado paro cardiopulmonar.

Paro cardíaco súbito (PCS) Paro cardíaco inesperado que da lugar a intentos de restablecer la circulación.

Pericarditis Inflamación del saco pericárdico.

Periodo refractario (PR) Periodo breve inmediatamente posterior a la despolarización durante el cual los miocitos aún no se han repolarizado y son incapaces de disparar o conducir un impulso (el periodo refractario absoluto) o se han repolarizado de manera parcial y pueden despolarizarse en respuesta a un estímulo eléctrico (el periodo refractario relativo).

Periodo refractario absoluto (PRA) Fase temprana de la repolarización cardíaca, durante la cual el músculo cardíaco no puede ser estimulado para despolarizarse; también conocido como periodo refractario efectivo.

Periodo refractario relativo (PRR) Porción del potencial de acción cardíaco que se extiende desde

Kit de preparación continuación

la mitad de la fase 3 hasta el comienzo de la fase 4; durante este tiempo, el músculo cardíaco se ha repolarizado parcialmente y puede despolarizarse en respuesta a un estímulo eléctrico.

Plasmina Enzima natural que disuelve los coágulos.

Patrón precordial concordante Patrón de EKG en el que los complejos QRS están todos en la misma dirección en las derivaciones precordiales como resultado de una colocación incorrecta de las derivaciones, IM de la pared anterior, TV u otras variables.

Preexcitación Despolarización precoz temprana del tejido ventricular a través de una vía accesoria entre las aurículas y los ventrículos.

Punto de impulso máximo (PIM) Latido palpable del ápex del corazón contra la pared torácica durante la contracción ventricular; por lo general se palpa en el quinto espacio intercostal izquierdo a lo largo de la línea medioclavicular.

Reentrada Propagación de un impulso a través de un tejido ya estimulado por ese mismo impulso.

Ritmo agónico Frecuencia ventricular inferior a 20 latidos/min; este ritmo se observa justo antes de que el corazón deje de latir por completo.

Ritmo de escape de la unión Disritmia que surge de la unión auriculoventricular con una frecuencia intrínseca de 40 a 60 latidos/min; también se denomina ritmo de la unión.

Ritmo sinusal normal Ritmo normal del corazón que tiene una frecuencia intrínseca de 60 a 100 latidos/min; el ritmo es regular, con una variación mínima entre los intervalos R-R, y todas las mediciones están dentro de los límites normales.

Segmento ST Intervalo entre el final del complejo QRS (el punto J) y el comienzo de la onda T; cuando hay isquemia o lesión miocárdica importante, el segmento ST suele estar deprimido o elevado con respecto a la línea isoeléctrica.

Síncope Desmayo; breve pérdida de conciencia causada por un flujo sanguíneo transitoriamente inadecuado al cerebro.

Síndrome de Lown-Ganong-Levine Trastorno que causa preexcitación del tejido ventricular y se caracteriza en el EKG por un intervalo PR corto y una duración normal del QRS.

Síndrome de QT largo (SQTL) Enfermedad caracterizada por un intervalo QT superior a alrededor de 0.44 segundos (440 milisegundos).

Síndrome de Wolff-Parkinson-White (WPW) Síndrome de preexcitación caracterizado por un intervalo PR corto, una onda delta, un complejo QRS ensanchado y cambios inespecíficos de la onda ST-T, lo que indica la presencia de una vía accesoria.

Síndromes coronarios agudos (SCA) Serie de afecciones cardíacas causadas por una reducción brusca del flujo sanguíneo de las arterias coronarias.

Sistema de conducción eléctrica En el corazón, el tejido cardíaco especializado que inicia y conduce los impulsos eléctricos; incluye el nódulo SA, las vías de conducción internodal, el nódulo auriculoventricular, el haz de His y la red de Purkinje.

Soplos Sonidos silbantes anormales que indican un flujo sanguíneo turbulento dentro de un vaso estrechado; suelen oírse en las arterias carótidas.

Tabique Pared gruesa que separa los lados derecho e izquierdo del corazón.

Taponamiento cardíaco Estado patológico caracterizado por la restricción de la contracción cardíaca, la disminución del gasto cardíaco y el shock como consecuencia de la acumulación de líquido pericárdico.

Taquicardia sinusal Ritmo sinusal caracterizado por una frecuencia cardíaca superior a 100 latidos/min.

Terapia de reperfusión Tratamiento destinado a facilitar la reanudación del flujo sanguíneo a través de un vaso obstruido; la terapia puede ser de procedimiento, como el cateterismo cardíaco, o farmacológica, como la administración de un agente fibrinolítico.

Terapia fibrinolítica Uso de medicamentos que actúan para disolver los coágulos sanguíneos.

Kit de preparación continuación

Tríada de Beck El trío clásico de signos asociados con el taponamiento cardíaco: estrechamiento de la presión del pulso, tonos cardíacos apagados y distensión de la vena yugular.

Trigeminismo Disritmia en la que uno de cada tres complejos es un complejo prematuro, lo que provoca un *patrón de latido normal-temprano*; puede ser auricular, de la unión o ventricular.

Trombo Coágulo sanguíneo fijo que puede obstruir el paso del flujo sanguíneo a través de una arteria.

Tromboembolia Coágulo sanguíneo que se formó en un inicio dentro de un vaso sanguíneo pero que ahora circula por el torrente sanguíneo.

Unifocal Procedente de un único lugar.

Unión auriculoventricular (AV) Porción del sistema de conducción del corazón formada por el nódulo AV y la porción no ramificada del haz de His.

Urgencia hipertensiva Elevación aguda de la PA a 180/120 mm Hg o más sin signos o síntomas de daño de órganos terminales.

Vías internodales Las tres vías auriculares de conducción eléctrica que transmiten impulsos desde el nódulo sinoauricular hasta el nódulo auriculoventricular.

Referencias

1. Cardiovascular Disease. World Health Organization. www.who.int/cardiovascular_diseases/about_cvd/en/. Consultado diciembre 17, 2020.
2. Virani SS, Alonso A, Benjamin EJ, et al. Heart disease and stroke statistics—2020 update: a report from the American Heart Association. *Circulation*. 2020;141(9):e139-e596.
3. Whelton PK, Carey RM, Aronow WS, et al. 2017 ACC/AHA/AAPA/ABC/ACPM/AGS/APhA/ASH/ASPC/NMA/PCNA guideline for the prevention, detection, evaluation, and management of high blood pressure in adults. *Hypertension*. 2018;71(6):1269-1324.
4. Grant AO. Cardiac ion channels. *Circ Arrhythm Electrophysiol*. 2009;2(2):185-194.
5. Surawicz B, Childers R, Deal BJ, et al. AHA/ACCF/HRS recommendations for the standardization and interpretation of the electrocardiogram: part III: intraventricular conduction disturbances: a scientific statement from the American Heart Association Electrocardiography and Arrhythmias Committee, Council on Clinical Cardiology; the American College of Cardiology Foundation; and the Heart Rhythm Society. Endorsed by the International Society for Computerized Electrocardiology. *J Am Coll Cardiol*. 2009;53(11):976-981.
6. Anderson JL, Fang JC. ST segment elevation acute myocardial infarction and complications of myocardial infarction. En: Goldman L, Schafer AI, eds. *Goldman-Cecil Medicine*. 26th ed. Philadelphia, PA: Elsevier; 2020:388-401.
7. Amsterdam EA, Wenger NK, Brindis RG, et al. 2014 AHA/ACC guideline for the management of patients with non–ST-elevation acute coronary syndromes: a report of the American College of Cardiology/American Heart Association Task Force on Practice Guidelines. *J Am Coll Cardiol*. 2014;64(24):e139-e228.
8. Drew BJ, Ackerman MJ, Funk M, et al. Prevention of torsade de pointes in hospital settings: a scientific statement from the American Heart Association and the American College of Cardiology Foundation. *J Am Coll Cardiol*. 2010;55(9):934-947.
9. Viskin S. The QT interval: too long, too short or just right. *Heart Rhythm*. 2009;6(5):711-715.
10. National Model EMS Clinical Guidelines, version 2.2. National Association of State EMS Officials. https://nasemso.org/projects/model-ems-clinical-guidelines/. Consultado diciembre 19, 2020.
11. Panchal AR, Bartos JA, Cabañas JG, et al. Part 3: adult basic and advanced life support: 2020 American Heart Association guidelines for cardiopulmonary resuscitation and emergency cardiovascular care. *Circulation*. 2020;142(16 suppl 2):S366-S468.
12. Page RL, Joglar JA, Caldwell MA, et al. 2015 ACC/AHA/HRS guideline for the management of adult patients with supraventricular tachycardia: a report of the American College of Cardiology/American Heart Association Task Force on Clinical Practice Guidelines and the Heart Rhythm Society. *Circulation*. 2016;133(14):e506-e574.
13. Appelboam A, Reuben A, Mann C, et al. Postural modification to the standard Valsalva manoeuvre for emergency treatment of supraventricular tachycardias (REVERT): a randomised controlled trial. *Lancet*. 2015;386(10005):1747-1753.
14. Minczak BM, Laub GW. Techniques for supraventricular tachycardias. En: Robert JR, Custalow CB, Thomsen TW, eds. *Roberts and Hedges' Clinical Procedures in*

Kit de preparación continuación

Emergency Medicine and Acute Care. 7th ed. Philadelphia, PA: Elsevier; 2019:221-237.

15. Kahn PA, Gruen J, Thomas A, et al. Use and outcomes of wearable cardioverter-defibrillators in a large integrated academic health system. *Am Heart J*. 2020;226:232-234.
16. Chung MK. (2014). The role of the wearable cardioverter defibrillator in clinical practice. *Cardiol Clin*. 2014;32(2):253-270.
17. John RM. Atrioventricular block. En: Zipes DP, Jalife J, Stevenson WG, eds. *Cardiac Electrophysiology*: From Cell to Bedside. 7th ed. Philadelphia, PA: Elsevier; 2018:1003-1010.
18. Thygesen K, Alpert JS, Jaffe AS, et al. Fourth universal definition of myocardial infarction. *J Am Coll Cardiol*. 2018;72(18):2231-2264.
19. Patel MR, Peterson ED, Dai D, et al. (2010). Low diagnostic yield of elective coronary angiography. *N Engl J Med*. 2010;362(10):886-895.
20. Lanza GA, De Vita A, Kaski JC. "Primary" microvascular angina: clinical characteristics, pathogenesis and management. *Interv Cardiol*. 2018;13(3):108-111.
21. Heart disease. Centers for Disease Control and Prevention. www.cdc.gov/heartdisease/risk_factors.htm. Consultado diciembre 29, 2020.
22. Graham G. Disparities in cardiovascular disease risk in the United States. *Curr Cardiol Rev*. 2015;11(3):238-245.
23. Golden AP, Odoi A. Emergency medical services transport delays for suspected stroke and myocardial infarction patients. *BMC Emerg Med*. 2015;15(34):1-13.
24. Cannon AR, Lin L, Lytle B, et al. Use of prehospital 12-lead electrocardiography and treatment times among ST-elevation myocardial infarction patients with atypical symptoms. *Acad Emerg Med*. 2014;21(8):892-898.
25. Heart failure. National Heart, Lung, and Blood Institute. www.nhlbi.nih.gov/health-topics/heart-failure. Consultado enero 2, 2021.
26. Peberdy MA, Gluck JA, Ornato JP, et al. Cardiopulmonary resuscitation in adults and children with mechanical circulatory support: a scientific statement from the American Heart Association. *Circulation*. 2017;135(24). www.ahajournals.org/doi/epub/10.1161/CIR.0000000000000504.
27. Singhvi A, Trachtenberg B. Left ventricular assist devices 101: shared care for general cardiologists and primary care. *J Clin Med*. 2019;8(10):1720.
28. van Diepen S, Katz JN, Albert NM, et al. Contemporary management of cardiogenic shock: a scientific statement from the American Heart Association. *Circulation*. 2017;136(16):e232-e268.
29. Wolf SJ, Lo B, Shih RD, et al. Clinical policy: critical issues in the evaluation and management of adult patients in the emergency department with asymptomatic elevated blood pressure. *Ann Emerg Med*. 2013;62(1):59-68.
30. Alley WD, Schick MA. Hypertensive emergency. StatPearls.www.ncbi.nlm.nih.gov/books/NBK470371/?report=classic. Consultado enero 5, 2021.

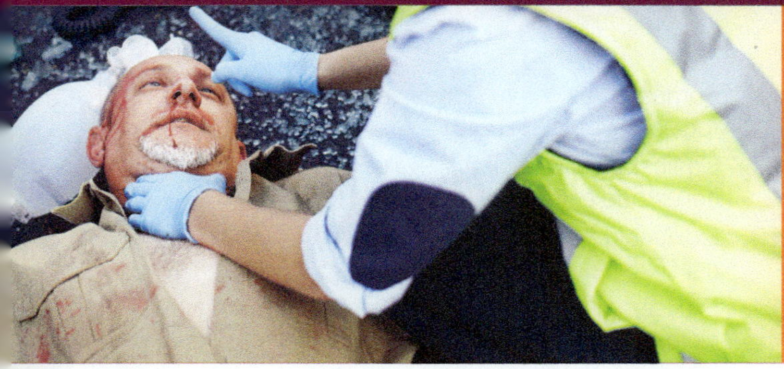

Capítulo 16

Emergencias neurológicas

COMPETENCIAS DEL ESTÁNDAR NACIONAL DE EDUCACIÓN EN EL SEM

Medicina

Integra los resultados de la evaluación con los principios de epidemiología y fisiopatología para formular una impresión inicial e implementar un plan integral de tratamiento/manejo para un paciente con una afección médica.

Neurología

Anatomía, presentaciones y manejo de:

- Disminución del nivel de respuesta. (p. 1208)

Anatomía, fisiología, fisiopatología, evaluación y tratamiento de:

- Evento cerebro vascular (ECV)/ataque isquémico transitorio (AIT). (pp. 1222-1234)
- Convulsión. (pp. 1208, 1238-1242)
- Estado epiléptico. (pp. 1242-1243)
- Cefalea. (pp. 1244-1245)

Anatomía, fisiología, epidemiología, fisiopatología, impacto psicosocial, presentaciones, pronóstico y manejo de:

- Evento cerebro vascular/hemorragia intracraneal/ataque isquémico transitorio. (pp. 1222-1234)
- Convulsión. (pp. 1208, 1238-1242)
- Estado epiléptico. (pp. 1242-1243)
- Cefalea. (pp. 1244-1245)
- Demencia. (pp. 1245-1247)
- Neoplasias. (p. 1247)
- Trastornos desmielinizantes. (pp. 1247-1249)
- Enfermedad de Parkinson. (pp. 1249-1250)
- Trastornos de los nervios craneales. (pp. 1251-1253)
- Trastornos del movimiento. (pp. 1218-1220, 1253-1254)
- Inflamación/infección neurológica. (pp. 1254-1256)
- Compresión medular (p. 1247 ; véase capítulo 31, *Traumatismos de cabeza y columna vertebral*)
- Hidrocefalia (véase capítulo 40, *Emergencias pediátricas*)
- Encefalopatía de Wernicke. (pp. 1245-1246)

OBJETIVOS COGNITIVOS

1. Describir la incidencia, morbilidad y mortalidad de las emergencias neurológicas. (pp. 1203-1204)
2. Repasar la anatomía y fisiología de los órganos y estructuras que componen el sistema nervioso. (pp. 1204-1206)
3. Explicar la importancia de tomar precauciones estándar y garantizar la seguridad de la escena cuando se atiende a un paciente con una enfermedad neurológica. (p. 1208)
4. Describir cómo determinar el nivel de consciencia al evaluar a un paciente con una enfermedad neurológica. (p. 1208)
5. Comparar las características de las posturas decorticada y descerebrada, incluyendo las posibles implicaciones de cada una de estas para la evolución del paciente. (p. 1209)
6. Identificar los patrones respiratorios anormales asociados con enfermedades del sistema nervioso central. (pp. 1210-1211)

7. Enumerar los signos de aumento de la presión intracraneal. (p. 1211)
8. Comparar cómo investigar una afección principal en un paciente que no responde en contraste con un paciente que responde. (pp. 1212-1213)
9. Revisar los componentes del examen físico que son exclusivos de un paciente con una enfermedad neurológica. (pp. 1218-1219)
10. Identificar las dificultades del habla y movimiento que pueden revelar un nivel de conciencia disminuido. (pp. 1217-1219)
11. Revisar las guías e intervenciones estándar para tratar a un paciente con una enfermedad neurológica. (pp. 1220-1222)
12. Describir los factores que influyen en el desarrollo de afecciones neurológicas multifactoriales. (p. 1222)
13. Explicar la fisiopatología, evaluación y tratamiento del evento neurovascular. (pp. 1222-1222-1233)
14. Comparar las causas, signos y síntomas de las afecciones neurológicas vasculares que se producen de forma repentina con las que se desarrollan de manera gradual. (p. 1223)
15. Comparar la fisiopatología del ECV isquémico (oclusivo) con la del ECV hemorrágico. (pp. 1223-1225)
16. Especificar cómo interactúa el contenido de la bóveda craneal para aumentar la presión intracraneal y las principales afecciones resultantes. (pp. 1223-1225)
17. Describir las diferentes herramientas utilizadas para detectar el ECV. (pp. 1229-1231)
18. Explicar el ataque isquémico transitorio en relación con el ECV. (pp. 1233-1234)
19. Explicar la fisiopatología, evaluación y manejo de las convulsiones, incluyendo cómo diferenciar un ECV de una convulsión. (pp. 1238-1242)
20. Explicar las tres características por las que se clasifican las crisis epilépticas. (pp. 1238-1240)
21. Comparar las convulsiones generalizadas con las focales. (pp. 1239-1240)
22. Explicar la fisiopatología, evaluación y tratamiento del estado epiléptico. (pp. 1242-1243)
23. Explicar la fisiopatología, evaluación y tratamiento del síncope. (pp. 1243-1244)
24. Explicar la fisiopatología, evaluación y tratamiento de los tipos más comunes de cefaleas. (pp. 1244-1245)
25. Explicar la fisiopatología, evaluación y manejo de la demencia, incluyendo las causas, signos y síntomas, y el curso típico de varios tipos comunes. (pp. 1245-1247)
26. Identificar los tipos de neoplasias que afectan al sistema nervioso. (p. 1247)
27. Analizar las características comunes de las afecciones desmielinizantes. (p. 1247)
28. Explicar la fisiopatología, evaluación y tratamiento de la esclerosis múltiple. (pp. 1247-1249)
29. Explicar la fisiopatología, evaluación y tratamiento del síndrome de Guillain-Barré. (p. 1249)
30. Explicar la fisiopatología, evaluación y tratamiento de la enfermedad de Parkinson. (pp. 1249-1250)
31. Explicar la fisiopatología, evaluación y manejo de la esclerosis lateral amiotrófica. (p. 1250)
32. Enumerar los diferentes trastornos de los nervios craneales, incluidas las características compartidas. (pp. 1251-1252)
33. Explicar la fisiopatología, evaluación y tratamiento de la distonía. (pp. 1253-1254)
34. Describir los tipos de organismos patógenos que pueden infectar el sistema nervioso, así como los signos y síntomas de una infección del sistema nervioso. (pp. 1254-1256)
35. Explicar la fisiopatología, evaluación y tratamiento de un absceso. (p. 1256)
36. Explicar la fisiopatología, evaluación y tratamiento de la poliomielitis. (pp. 1256-1257)
37. Explicar la fisiopatología, evaluación y tratamiento de la neuropatía periférica. (p. 1257)

OBJETIVOS DE DESTREZA

1. Evaluar el nivel de consciencia de un paciente. (p. 1208)
2. Aplicar varias escalas de clasificación de uso común para examinar a un paciente con sospecha de un ECV. (pp. 1229-1231)

Introducción

Según el *National Center for Health Statistics*, dos de las 10 principales causas de muerte en 2019 fueron de causa neurológica.[1] El **evento cerebro vascular (ECV)**, también llamado accidente cerebro vascular (ACV) y de una manera menos formal apoplejía, una afección médica grave en la que se interrumpe el suministro de sangre a zonas del cerebro, es la quinta causa de muerte en Estados Unidos.[1] La sexta causa de muerte es la enfermedad de Alzheimer.[1] El **CUADRO 16-1** muestra la incidencia de trastornos neurológicos en Estados Unidos. Al considerar estas estadísticas, es importante situarlas en su contexto. Se calcula que en 2020 la población de Estados Unidos será de 332.6 millones de personas, y la población mundial, de 7 800 millones.[2,3]

Quizá se pregunte: "¿Por qué es importante conocer la prevalencia de estas afecciones?". Cuando evalúa a un paciente, los signos y síntomas que registra pueden indicar muchas afecciones posibles. Sin embargo,

CUADRO 16-1 Trastornos neurológicos en Estados Unidos

Desorden	Ocurrencia estimada
Cefalea (crónica, recurrente)	1 de cada 6 adultos
Enfermedad de Alzheimer	5.8 millones de casos (más de 90% de todos los casos ocurre en pacientes de 65 años o más)
Neoplasia vertebral	0.5-2.5 casos por 100 000 (tumores espinales primarios) Entre 5 y 10% de todos los pacientes con cáncer tienen metástasis en la médula espinal
Neoplasia cerebral	7-19 casos por 100 000 habitantes (tumores cerebrales primarios) 200 000 pacientes con tumores cerebrales metastásicos al año
Distonía	Alrededor de 300 000 personas afectadas en Norteamérica
Neuropatía periférica	Alrededor de 14 millones de personas con diabetes tienen neuropatía (casi la mitad de todos los pacientes con diabetes)
Parálisis cerebral	Uno de cada 323 niños

Datos de: Burch R, Rizzoli, Loder E. The prevalence and impact of migraine and severe headache in the United States: figures and trends from government health studies. *Headache*. 2018;58(4):496-505; página de información sobre la enfermedad de Alzheimer. Sitio web del National Institute of Neurological Disorders and Stroke. https://www.ninds.nih.gov/Disorders/All-Disorders/Alzheimers-Disease-Information-Page. Modificado el 27 de marzo de 2019. Consultado el 22 de marzo de 2021; Borke J. Spinal cord neoplasms. Medscape website. http://emedicine.medscape.com/article/779872-overview. Actualizado el 17 de julio de 2019. Consultado el 22 de marzo de 2021; Lo BM. Brain neoplasms. Sitio web Medscape. http://emedicine.medscape.com/article/779664-overview. Actualizado el 2 de enero de 2019. Consultado el 22 de marzo de 2021; Types of dystonia. Dystonia Medical Research Foundation website. https://dystonia-foundation.org/what-is-dystonia/types-dystonia/. Acceso el 22 de marzo de 2021; Quan D. Diabetic neuropathy. Sitio web Medscape. http://emedicine.medscape.com/article/1170337-overview. Actualizado el 28 de julio de 2020. Acceso el 22 de marzo de 2021; y Cerebral palsy. Sitio web Centers for Disease Control and Prevention. https://www.cdc.gov/dotw/cerebral-palsy/index.html. Revisado el 27 de marzo de 2019. Consultado el 22 de marzo de 2021.

USTED es el Paramédico

PARTE 1

Su compañero y usted reciben el aviso de que un paciente está teniendo un aparente evento neurovascular agudo. Llegan a una casa bien cuidada de tres plantas en un entorno urbano. La policía llega con ustedes. Los recibe un familiar preocupado, que los dirige al sótano, donde encuentran a un hombre de 49 años sentado en un sofá. Su mujer le comenta con rapidez que ella se despertó hace unos 15 minutos y encontró a su esposo sentado en el sofá sin poder hablar. El paciente mide más de 1.80 m (6 pies) y pesa alrededor de 109 kg (240 libras). Está despierto y le sigue con la mirada. No intenta hablar.

1. ¿Cuáles son sus próximas preguntas?
2. ¿Qué información de evaluación necesita reunir?

también debe tener en cuenta la probabilidad de esas afecciones para ayudar a fundamentar sus conclusiones. Por ejemplo, es poco probable que un niño de 10 años con dolor torácico esté teniendo un infarto del miocardio (IM). Del mismo modo, la información sobre la aparición de enfermedades le ayuda a prever que el paciente con demencia tiene más probabilidades de tener enfermedad de Alzheimer que enfermedad de Creutzfeldt-Jakob.

Comprender el estado neurológico de un paciente le ayudará a entender la vulnerabilidad potencial de la persona a afecciones secundarias. Muchos reflejos que protegen a una persona despierta pueden quedar inactivos de manera temporal cuando el sistema nervioso está deprimido por cualquier causa (p. ej., ECV, traumatismo craneoencefálico grave). No parpadea para evitar el polvo y los agentes irritantes. La laringe no provoca arcadas, ni tos como reacción a las secreciones que se acumulan en la vía aérea. El cuerpo no busca una posición más cómoda como respuesta a la compresión de un miembro en una posición incómoda. La lengua se relaja. La vía aérea está en peligro.

A continuación, en este capítulo, se presenta un breve repaso de la anatomía y fisiología del sistema nervioso para proporcionar las bases para iniciar una discusión sobre la evaluación y el tratamiento de los trastornos neurológicos.

Repaso de anatomía y fisiología

En la **FIGURA 16-1** se muestran las estructuras básicas del sistema nervioso. Las principales estructuras de este sistema se dividen en el sistema nervioso central (SNC), responsable del pensamiento, la percepción, la sensibilidad y las funciones corporales autónomas, y el sistema nervioso periférico (SNP), responsable de transmitir órdenes del cerebro al cuerpo y de recibir información del cuerpo. La anatomía y la fisiología del sistema nervioso se tratan en detalle en el capítulo 6, *Anatomía y fisiología.*

Para repasar el sistema nervioso, resulta útil considerar el ejemplo de un niño usando una bicicleta. Esta actividad común y en apariencia sencilla requiere en realidad muchas funciones conscientes e inconscientes. El niño tiene que hacer muchas cosas para evitar caerse o chocar contra un árbol.

Una mañana de verano, Justin, un joven piloto, va al garaje por su bicicleta. Su cerebro ya está trabajando duro en ese momento. Cuando Justin entra en el garaje, su cerebro debe determinar qué objeto es una bicicleta. Cuando Justin explora el garaje, las imágenes producidas por sus ojos se transmiten a través del nervio óptico al lóbulo occipital del cerebro. Ahí, la imagen, que se transmite al revés, debe reorientarse. A continuación, el lóbulo occipital busca entre decenas

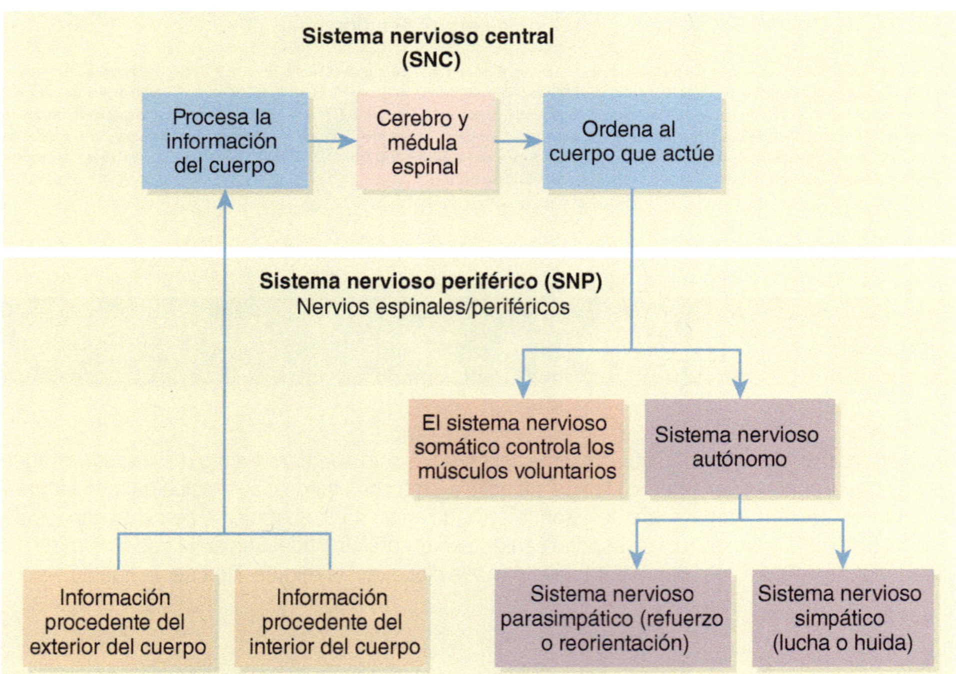

FIGURA 16-1 Organización básica del sistema nervioso.

de miles de imágenes almacenadas para determinar si esa imagen ya se ha visto antes.

Una vez reconocida la imagen, se accede a una vía existente en el lóbulo temporal, donde se almacenan el lenguaje y el habla. Cuando Justin pasea por el garaje, puede poner nombre a lo que ve: auto, banco de trabajo, bicicleta. Cuando Justin estaba aprendiendo a hablar, a menudo se confundía con los nombres correctos de los objetos. A medida que practicaba, recibía refuerzos para los nombres correctos y reorientaciones para los incorrectos. En su cerebro se establecieron cada vez más vías relacionadas con la imagen de un objeto con dos ruedas, un asiento y pedales. Estas vías se almacenan en el lóbulo occipital como la palabra "bicicleta".

Cuando Justin toma el casco, el lóbulo frontal de su cerebro envía órdenes a sus brazos para que pueda tomar el casco y colocárselo en la cabeza. El lóbulo frontal, que controla el movimiento voluntario, envía señales desde el sistema nervioso central a los brazos, hombros, pecho y manos para que realicen la tarea de tomar el casco.

¿Por dónde debe ponerse Justin el casco? Esta memoria motora se almacena en el lóbulo frontal. El cerebro almacena los recuerdos en las zonas que se estimularon en un inicio durante su formación. Mientras se coloca el casco, Justin tiene que hacer pequeños ajustes en su posición. Durante este proceso, su cerebro recibe impulsos de los nervios del cráneo y de los músculos de la cabeza.

Si el casco le resulta incómodo, Justin percibirá la presión y es posible que el dolor del casco mal colocado. Las señales de incomodidad se envían al lóbulo parietal, donde se encuentran el sentido del tacto y la percepción del dolor. A continuación, se envían más señales del lóbulo parietal al lóbulo frontal para indicar al cuerpo que ajuste el casco hasta que cesen las señales de presión.

¿Cómo maneja el cerebro una cantidad masiva de información sin presentar confusiones ni despistes? La información se divide en elementos que deben manejarse de manera consciente y los que pueden manejarse de manera inconsciente. Este proceso es responsabilidad del diencéfalo, que filtra la información innecesaria antes de que llegue a la corteza cerebral. Por ejemplo, la parte media del tronco encefálico ayuda a regular el nivel de conciencia. Esta función debe realizarse de forma constante, pero Justin no podría montar en bicicleta si tuviera que dedicar tiempo y energía a controlar de manera consciente su nivel de conciencia. El tronco encefálico es una de las partes del cerebro que libera a la corteza cerebral para que pueda realizar actividades de nivel superior.

USTED es el Paramédico

PARTE 2

El paciente está mudo; no emite ni intenta emitir ningún sonido. Sigue órdenes. Usted nota una ligera debilidad en la mano izquierda y una ligera caída facial en el lado izquierdo de la cara. No encuentra otros déficits de los nervios craneales. El paciente no babea y traga con facilidad. No observa ningún signo de dificultad respiratoria ni incapacidad para proteger la vía aérea.

Tiempo de registro: 0 minutos	
Apariencia	Despierta
Nivel de conciencia	Alerta y sigue órdenes, pero sin habla
Vía aérea	Despejada
Respiración	Adecuada
Circulación	Adecuada

3. ¿Cómo puede determinar si el paciente está orientado cuando no habla?
4. ¿Qué signos vitales o valores de laboratorio son fundamentales obtener para este paciente?
5. ¿Cuál es la puntuación de la escala de coma de Glasgow de este paciente? ¿Describa con exactitud la agudeza de este paciente?

Justin monta en su bicicleta y empieza a rodar. La sonrisa de su cara indica que lo está disfrutando. Las emociones proceden de dos áreas principales del cerebro: el **sistema límbico**, donde se generan la rabia y la ira, y el hipotálamo, donde se encuentran el placer, la sed y el hambre. El córtex prefrontal media en todas las emociones, de modo que las personas pueden elegir cómo responder a lo que sienten.

Justin empieza a acelerar. Al acercarse a una curva, debe girar o corre el riesgo de estrellarse contra un árbol. Justin puede desplazar su peso y realizar el giro con éxito, gracias en gran parte, a su cerebelo. Este lóbulo del cerebro, situado en la zona posterior e inferior del cráneo, maneja de manera inconsciente la compleja actividad motora. Cuando Justin aprendió a usar la bicicleta, tenía que pensar qué hacer, hacia dónde desplazar el peso y cómo sostener la parte superior del cuerpo. Con el tiempo y la práctica, el lóbulo frontal del cerebro se cansó de enviar las mismas órdenes de forma repetida, por lo que esta tarea se transfirió al cerebelo.

El **CUADRO 16-2** proporciona una referencia básica de varias partes del sistema nervioso.

CUADRO 16-2 Estructuras y funciones generales del sistema nervioso

Estructura principal	Subdivisión	Funciones generales
SNC		
Cerebro	Occipital	• Visión y almacenamiento de recuerdos visuales
	Parietal	• Sentido del tacto y la textura y almacenamiento de recuerdos táctiles
	Temporal	• Oído y olfato • Idioma • Almacenamiento de recuerdos de sonidos y olores
	Frontal	• Corteza motora: control muscular voluntario y almacenamiento de memorias espaciales • Corteza prefrontal: juicio y predicción de las consecuencias de las acciones de una persona, funciones intelectuales abstractas
	Sistema límbico	• Emociones básicas • Reflejos básicos, como masticar y tragar
	Diencéfalo (tálamo)	• Centro de retransmisión que prioriza las señales para centrarse en los mensajes importantes
	Diencéfalo (hipotálamo)	• Emociones • Control de la temperatura • Interfaz con el sistema endocrino
Tronco encefálico	Mesencéfalo	• NC • Localización del sistema activador reticular (SAR), que controla la excitación y la conciencia • Tono muscular y postura
	Protuberancia	• Patrón respiratorio y profundidad
	Bulbo raquídeo	• Pulso, presión arterial y frecuencia respiratoria
Médula espinal		• Reflejos • Transmisión de información desde y hacia el organismo
SNP		
Nervios craneales		• Nervios periféricos especiales que se conectan directamente desde el cerebro a las partes del cuerpo para transmitir información desde el cerebro
Nervios periféricos		• Cerebro a médula espinal a parte del cuerpo • Recibe estímulos del cuerpo; envía órdenes al cuerpo

Estructura principal	Subdivisión	Funciones generales
SNC y SNP		
Neurona	Cuerpo celular	• Porción de la neurona donde reside el núcleo; lugar de síntesis de proteínas
	Axón	• Proyección desde el cuerpo celular que se extiende para conectar con otras neuronas u órganos diana; las señales se envían fuera del cuerpo celular • Algunos axones están recubiertos de un aislante llamado mielina; la mielina aumenta la velocidad de conducción nerviosa
	Dendrita	• Proyección del cuerpo celular que recibe señales de los axones de otras neuronas; la mayoría de las neuronas tienen múltiples dendritas
	Sinapsis	• El espacio entre un axón y una dendrita
	Neurotransmisor	• Sustancia química liberada en una sinapsis que ayuda a establecer la conexión entre una neurona y otra (p. ej., serotonina, dopamina y epinefrina)

Abreviaturas: NC, nivel de consciencia; SNC, sistema nervioso central; SNP, sistema nervioso periférico.

Datos de: Bailey R. Neuron anatomy, nerve impulses, and classifications. Sitio web de ThoughtCo. https://www.thoughtco.com/neurons-373486. Actualizado el 10 de julio de 2019. Consultado el 22 de marzo de 2021.

Evaluación del paciente

El cerebro es el órgano más sensible del cuerpo a las variaciones de temperatura y a la fluctuación de los niveles de oxígeno y glucosa. Incluso pequeñas alteraciones pueden perjudicar su funcionamiento. A la inversa, el cerebro también es resistente de forma sorprendente a los cambios ambientales internos. No se apaga simplemente cuando baja el nivel de oxígeno.

La evaluación de los pacientes sería más fácil si estuvieran por completo despiertos o dormidos. Cuando intente determinar si un paciente tiene una afección neurológica, deberá buscar tanto los cambios macroscópicos (evidentes) como los cambios sutiles, a veces ocultos, que pueden indicar una enfermedad. Tendrá que seguir realizando todos los pasos generales de la evaluación del paciente, como considerar la seguridad de la escena, tomar las precauciones estándar, considerar el mecanismo de lesión y determinar si el paciente ha tomado medicamentos, alcohol u otras sustancias (y si es así, cuánto y cuándo). La información de esta sección le permitirá centrarse en áreas únicas o importantes en el paciente con una afección neurológica.

Una buena evaluación es la columna vertebral de una excelente atención al paciente. Al evaluar a cada paciente, sea curioso, inquisitivo y adaptable. Rara vez los pacientes presentan una enfermedad de libro de texto, con todos los signos y síntomas, todos los cambios en los signos vitales y una historia perfecta de la enfermedad actual. Utilice la información que obtenga durante el proceso de evaluación para afinar

SEGURIDAD

Considere la siguiente situación en la que tiene que administrar un medicamento a un paciente con un trastorno neurológico. Como primer paso, compruebe si lleva alguna etiqueta de alerta médica y si no encuentra ninguna. Los pacientes con trastornos neurológicos pueden tener dificultades para hablar y, en ocasiones, pueden elegir la palabra equivocada para responder a su pregunta. Por ejemplo:

Pregunta: "¿Tiene alguna alergia?"

Aunque el paciente sea consciente de que tiene alergias y tenga intención de decir que sí, responde "No".

Desafortunadamente, a menudo no podrá determinar esta cuestión en el contexto de una evaluación limitada sobre el campo. Para intentarlo, considere la posibilidad de formular su pregunta utilizando al menos dos formatos diferentes. Por ejemplo:

Pregunta: "¿Tiene alguna alergia?"

El paciente dice: "No".

Usted mencione: "para asegurarme, dígame los nombres de los medicamentos a los que es alérgico".

Ahora compare las respuestas del paciente a la primera y a la segunda pregunta. Si no coinciden, hay que hacer más preguntas para asegurarse de no administrar un medicamento que podría perjudicar al paciente. Desafortunadamente, este enfoque no es factible para todos los pacientes sobre el campo, por lo que puede que no sea posible confiar en toda la información que reciba de un paciente con un aparente déficit cognitivo o comunicativo.

su enfoque, pero evite la visión de túnel. Si el paciente refiere dolor torácico y muestra una caída facial de nueva aparición, por ejemplo, debe evaluar tanto el sistema cardiovascular como el nervioso.

Evaluación de la escena

Tome las precauciones habituales. Un paciente que tiene un **ataque** (el disparo repentino y errático de las neuronas) puede ser incontinente, y un paciente con síntomas neurológicos puede tener meningitis.

Su evaluación del entorno físico comienza con el envío a la escena. La ubicación de un paciente neurológico puede situarle en escenas inseguras. Algunos pacientes no responden debido a una sobredosis de drogas. Cuando las personas consumen drogas ilegales, las armas y la delincuencia pueden estar cerca. Asegúrese de que, independientemente del tipo de suceso que esté teniendo lugar, dispone de una estrategia para alejarse de la escena. Si una familia entera en la misma casa informa de dolor de cabeza, entonces considere la posibilidad de una exposición a monóxido de carbono y reconozca que la casa es una escena insegura.

Por último, si el tiempo necesario para llegar al centro de ECV más cercano es superior a 1 hora, solicite pronto el transporte médico aéreo.

Evaluación primaria

Los pacientes que afirman: "me duele justo aquí", proporcionan evidencia de un sistema nervioso en funcionamiento. Los pacientes que no responden deben ser evaluados como si estuvieran en una condición inestable con un deterioro evidente del sistema nervioso. Las respuestas a las siguientes preguntas pueden darle pistas sobre el funcionamiento general del sistema nervioso del paciente:

- ¿Dónde está el paciente?
- ¿El paciente parece estar angustiado o dolorido?
- ¿El paciente está de pie, sentado o recostado?
- ¿El paciente está fuera o dentro?
- ¿El paciente tiene lesiones evidentes?
- ¿Qué aspecto tiene el entorno?
- ¿Hay evidencia de parafernalia de drogas?
- ¿Cómo son las condiciones de vida: limpias, desordenadas, sucias?
- ¿El paciente puede deambular por el domicilio?
- ¿El paciente está despierto (consciente de lo que le rodea) y alerta (responde a lo que le rodea)?
- ¿El paciente está estable o inestable?

El examen de las condiciones de vida puede proporcionar información sobre el funcionamiento general del cerebro del paciente. Unas condiciones de vida desordenadas o desorganizadas pueden ser un indicador de una afección degenerativa del sistema nervioso. Al principio, los pacientes con enfermedades neurológicas progresivas pueden cuidar de sí mismos, pero estas tareas pueden resultar más difíciles con el tiempo. En algunas enfermedades, como la esclerosis lateral amiotrófica (ELA, de la que se habla más adelante en este capítulo), los pacientes experimentan una pérdida de la capacidad motora.

Evaluación del nivel de conciencia

Entre las herramientas para evaluar el NC del paciente se incluyen la mnemotécnica AVDI, la evaluación de la orientación y la escala de coma de Glasgow (ECG). La ECG utiliza parámetros que evalúan la apertura ocular, la mejor respuesta verbal y la mejor respuesta motora del paciente. Las tres puntuaciones numéricas se suman para formar una puntuación total que define la función cerebral del paciente. Consulte el capítulo 8, *Evaluación del paciente*, para repasar cómo realizar y calcular la ECG.

Las puntuaciones obtenidas con las herramientas de evaluación del nivel de conciencia pueden ayudarle a determinar cómo proceder con la atención al paciente, qué cuidados debe prestarle y adónde trasladarlo. Los pacientes con enfermedades leves necesitan cuidados que se ajusten a las guías de atención estándar; por lo general puede atender la petición del paciente de ser trasladado a un hospital concreto. Los pacientes con enfermedades moderadas requieren que tome decisiones más difíciles. No están en estado crítico, pero se considera que se encuentran en un estado inestable; por lo tanto, su acción más apropiada debe ser realizar una evaluación cuidadosa y proporcionar un transporte rápido al centro adecuado más cercano. Los pacientes en estado crítico necesitan un manejo de la vía aérea y un transporte rápido al hospital apropiado más cercano.

Al determinar el nivel de orientación de un paciente, fíjese en la velocidad y la intensidad con que responde. Mientras habla, ¿el paciente parece somnoliento o perezoso? ¿Habla deprisa y no puede estarse quieto? ¿Cuántas palabras hay en las frases del paciente? ¿Tiene que hablarle en voz alta para obtener una respuesta?

Perlas de sabiduría

Algunos pacientes pueden estar confusos. Dicha confusión puede indicar un nivel bajo de glucosa en sangre, un nivel reducido de oxígeno, una sobredosis o incluso una disminución de la presión arterial. Haga preguntas cuyas respuestas conozca si está intentando determinar el nivel de orientación, y utilice su formación y las herramientas que dispone para descartar las causas de la alteración del nivel de conciencia.

Métodos para medir la respuesta al dolor

Imagine que se acercó a un paciente y se presentó, y el paciente no ha respondido. Ahora, el objetivo es provocar un estímulo doloroso al paciente, si es posible, pero sin causarle ningún daño. Para que el paciente responda al dolor es necesario que el cerebro funcione, la médula espinal y el sistema nervioso periférico estén intactos. Véase en el capítulo 8, *Evaluación del paciente*, un análisis de los métodos para evaluar la respuesta del paciente al dolor.

Mientras genera un estímulo doloroso al paciente, observe lo que ocurre. ¿El paciente se despierta? ¿Se aleja del dolor? ¿Se mueve de forma anormal? ¿Muestra el paciente una de las dos posturas anormales principales que se producen con cualquier estimulación dolorosa? Es esencial comprender que las **posturas** anómalas (posiciones anómalas del cuerpo que indican daños cerebrales) se producen de manera involuntaria en pacientes que, por lo demás, no responden. Puede notar estas posturas durante la inserción de una vía intravenosa (IV). El paciente puede moverse de forma involuntaria después de que se produzca el estímulo doloroso. Las dos posturas anormales indican falta de respuesta; si observa alguna de ellas, considere de inmediato que el paciente se encuentra en estado crítico.

La primera postura anormal es la **postura flexora anormal**. En esta postura, los pacientes contraen los brazos y los doblan hacia el pecho (recuerde doblar los brazos hacia el "núcleo" del paciente). Al mismo tiempo, apuntan con los dedos de los pies. Por último, flexionan las muñecas. La postura decorticada se puntúa como un 3 en la sección motora de la escala de coma Glasgow. Esta postura puede indicar daños en la zona situada directamente debajo de los hemisferios cerebrales, **FIGURA 16-2**.

La otra postura anormal se denomina **postura extensora anormal**. En esta postura, los pacientes vuelven a señalar con los dedos de los pies, pero ahora extienden los brazos hacia fuera y giran la parte inferior de los brazos con las palmas hacia abajo (lo que se denomina **pronación**). Las muñecas vuelven a estar flexionadas. La postura de descerebración se puntúa con un 2 en la sección motora de la escala de coma Glasgow. Este tipo de postura es más grave que la postura de descerebración. En la postura de descerebración, el nivel de daño está dentro o cerca del tronco encefálico (diencéfalo/protuberancia/cerebro medio). **FIGURA 16-3**.

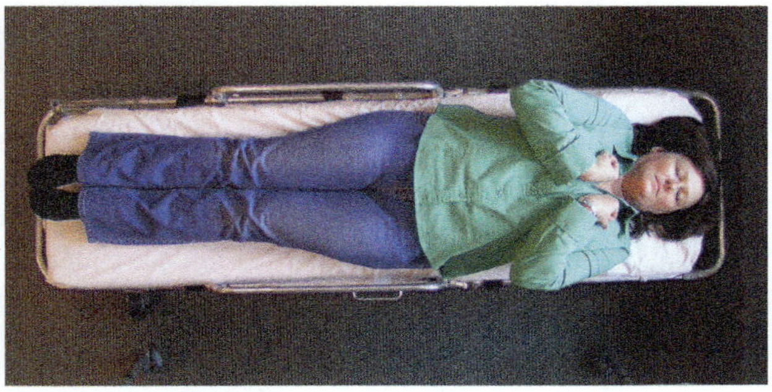

FIGURA 16-2 Postura flexora anormal.

Cortesía de Chuck Sowerbrower, MEd, NREMT-P.

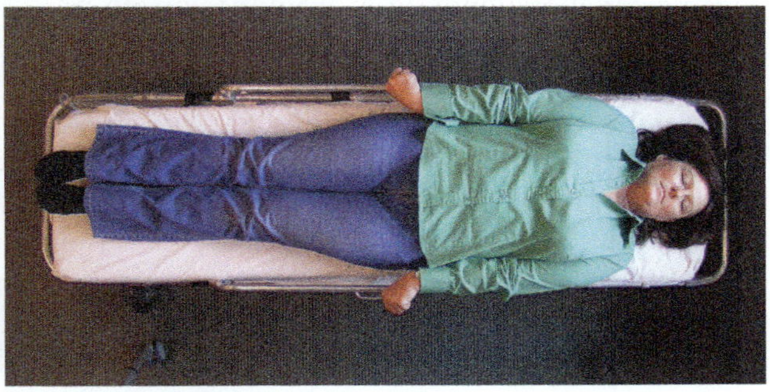

FIGURA 16-3 Postura extensora anormal.

Cortesía de Chuck Sowerbrower, MEd, NREMT-P.

Consideraciones sobre la vía aérea, la respiración y la circulación

Los nervios trigémino, glosofaríngeo, vago e hipogloso son responsables del control de la vía aérea. Estos nervios permiten tragar, controlar la lengua y garantizar que los músculos de la hipofaringe estén ligeramente contraídos. La alteración de las señales de estos nervios puede provocar una relajación o una constricción excesiva de la vía aérea.

Si el paciente no responde a los estímulos, hay que evaluar de manera cuidadosa la vía aérea. Los dientes muy apretados, denominados **trismus**, pueden dificultar el manejo de la vía aérea. El trismo puede producirse en pacientes que responden o que no responden. En el paciente que no responde, el trismo puede indicar una convulsión en curso, un traumatismo craneoencefálico grave o hipoxia cerebral. Cuando hay trismo, puede ser necesario sedar/paralizar al paciente para relajar los músculos faciales que causan los dientes apretados, lo que permite controlar mejor la vía aérea.

Si observa trismo, determine de inicio la eficacia con que puede ventilar al paciente con un dispositivo bolsa-mascarilla. Si la ventilación es deficiente o infructuosa, intente introducir una vía aérea nasotraqueal, siempre que el paciente siga respirando de forma independiente. Si la introducción de una vía aérea nasotraqueal no tiene éxito, entonces considere un agente sedante/paralizante para relajar la boca y permitir el manejo de la vía aérea. Si no se dispone de sedantes/paralíticos o están contraindicados y no se puede ventilar al paciente, el manejo transtraqueal de la vía aérea es la única opción que queda para evitar la hipoxia y la muerte. Para obtener más información sobre la intubación de secuencia rápida o la desobstrucción de la vía aérea, consulte el capítulo 13, *Manejo de la vía aérea.*

Recuerde que la hiperventilación rutinaria en pacientes neurológicos puede ser perjudicial. Por lo tanto, debe proporcionar hiperventilación solo a los pacientes con signos documentados de aumento de presión intracraneal (PIC) y hernia inminente. Siga los protocolos locales relativos a la hiperventilación de un paciente. El manejo de los pacientes con PIC elevada se trata más adelante en este capítulo.

Recuerde que la protuberancia y el bulbo raquídeo controlan las funciones respiratorias. Compruebe la frecuencia y el ritmo de la ventilación del paciente. Los patrones respiratorios se resumen en el **CUADRO 16-3**. Observe cómo los patrones respiratorios pueden tener cambios sutiles o pueden ser diferentes de manera drástica de lo normal. Cuanto mayor sea la desviación

CUADRO 16-3 Patrones respiratorios

Patrón	Descripción	Causas
Eupnea	Ritmo y patrón regulares; la inspiración y la espiración son iguales	Respiración normal
Taquipnea	Respiración en exceso rápida y superficial, patrón regular	Estimulantes, ejercicio, excitación, enfermedad pulmonar u otra causa médica (p. ej., ansiedad, asma, asfixia, enfermedad pulmonar obstructiva crónica, insuficiencia cardíaca o émbolo pulmonar)
Bradipnea	Frecuencia respiratoria inusualmente lenta, patrón regular	Opioides, sedantes, alcohol, neumonía, apnea del sueño, exposición a monóxido de carbono, lesión cerebral traumática
Apnea	Ausencia de respiración	Hipoxia grave, depresores, traumatismo craneoencefálico, infarto del miocardio, ritmo cardíaco irregular, trastornos metabólicos (es decir, un desequilibrio químico, mineral o ácido-base del organismo), sumersión, ECV
Hiperpnea	Aumento anormal de la frecuencia y profundidad de la respiración	Estimulantes, sobredosis, ejercicio
Respiraciones de Cheyne-Stokes	Aumento gradual de la frecuencia y profundidad respiratoria, seguido de una disminución gradual con periodos intermitentes de apnea	Patrón previo a la muerte, lesión del tronco encefálico, síndrome de hernia cerebral
Respiración de biot/atáxica	Patrón, frecuencia y profundidad irregulares de las respiraciones con periodos de apnea	Lesión del tronco encefálico, aumento de la presión intracraneal
Respiraciones Kussmaul	Respiraciones profundas y jadeantes (taquipnea e hiperpnea extremas)	Acidosis Cetoacidosis diabética
Respiraciones apnéusticas	Fase inspiratoria prolongada con fase espiratoria acortada y bradipnea	Lesión del tronco encefálico

de lo normal, más gravemente afectado estará con probabilidad en el sistema nervioso.

Signos de aumento de la presión intracraneal

Si un paciente presenta un aumento de la presión dentro del cráneo, los signos vitales pueden cambiar. En concreto, la presión arterial aumenta y la frecuencia cardíaca y la respiratoria disminuyen en el contexto de un aumento de la PIC, **CUADRO 16-4**. Esta respuesta se denomina reflejo de Cushing, que se presenta mediante los siguientes signos:

- Disminución de la frecuencia cardíaca (bradicardia)
- Frecuencia respiratoria disminuida/irregular (bradipnea)
- Aumento de la presión del pulso (hipertensión sistólica)

El reflejo de Cushing es lo contrario de lo que suele ocurrir en el shock, cuando la presión arterial desciende y el pulso y la frecuencia respiratoria aumentan. Las características del aumento de la PIC son las siguientes:

- Reflejo de Cushing
- Postura flexora anormal
- Postura extensora anormal
- Respiraciones Biot
- Respiraciones apnéusticas
- Respiraciones de Cheyne-Stokes
- Pupilas no reactivas y dilatadas o **anisocoria** (pupilas desiguales con una diferencia superior a 1 mm)

A medida que aumenta la PIC, disminuye el flujo sanguíneo al cerebro. El bulbo raquídeo envía señales al corazón para que aumente la fuerza de contracción para compensar la reducción del flujo sanguíneo. Este aumento provoca un aumento de la presión arterial sistólica (PAS). Si la PIC sigue aumentando, las fuerzas descendentes sobre el tronco encefálico empiezan a dañar la capacidad de la médula para enviar señales al cuerpo. A medida que los vasos sanguíneos se relajan o dilatan, la PA diastólica disminuye, lo que provoca un aumento de la presión del pulso. Esta presión también daña la capacidad de controlar la frecuencia respiratoria y el pulso; en consecuencia, ambas disminuyen. El aumento de la PIC se analiza en detalle más adelante en este capítulo.

Poblaciones especiales

En la población pediátrica, debe tener en cuenta la etapa de desarrollo del niño durante la evaluación del paciente. Un niño de 1 año debe llorar cuando usted realiza una evaluación, porque se considera una reacción normal ante los extraños. Un niño de 5 años que por lo general habla con soltura puede estar callado con un extraño. Evalúe al niño en el nivel de desarrollo adecuado.

Cuando evalúe la PIC en lactantes, tenga en cuenta la calidad del llanto del bebé. A medida que se incrementa la PIC, aumenta también el tono del llanto hasta que se asemeja a un chillido similar al de un gato. Al mismo tiempo, la forma de las pupilas puede cambiar de redonda a más ovalada. Estos dos hallazgos son la base de la mnemotecnia relacionada con los bebés y la PIC: "Ojos de gato y gritos de gato".

Exploración rápida de todo el cuerpo

Una vez completada la evaluación primaria, hay que decidir cómo proceder a continuación. ¿El paciente está estable o inestable? ¿Sospecha que existe un problema subyacente importante? Considere cómo transportar a este paciente. En este punto, tiene las dos opciones siguientes:

- Realice una evaluación rápida de cuerpo entero, que implicaría una evaluación de la cabeza a los pies, *o*
- Realice una evaluación secundaria y evalúe solo el área o áreas de las dolencias principales del paciente.

Realice una exploración rápida de todo el cuerpo a cualquier paciente con una evaluación anormal, a cual-

CUADRO 16-4 Signos vitales en caso de shock y aumento de la PIC

	Frecuencia del pulso	Frecuencia respiratoria	Presión arterial	Presión del pulso
Shock	↑	↑	↓	Estrecha
Aumento de la PIC	↓	↓	↑	Ampliada

Abreviatura: PIC, presión intracraneal.

quier paciente con un ML/naturaleza de la enfermedad (NE) significativa o a cualquier paciente del que sospeche que puede tener un problema importante. Por ejemplo, un paciente que no responde, que presenta una convulsión o que tiene una pérdida repentina de movimiento corporal.

Si el paciente se encuentra estable, es conveniente realizar una evaluación secundaria basada en la(s) dolencia(s) principal(es). Estos pacientes, como los que presentan cefaleas o dolor de espalda no traumático, tienen una evaluación primaria completamente normal, tienen un ML/NE menor o le hacen sospechar un problema localizado.

Sin embargo, hay que ser prudente: el dolor de cabeza no siempre se debe a una causa común, como el estrés. Los pacientes que han tenido un ECV también pueden tener dolores de cabeza. Si sospecha que se trata de una afección más complicada, realice con rapidez una evaluación secundaria que abarque todo el cuerpo. Esta evaluación ampliada garantizará que el paciente reciba la mejor atención posible.

Historia clínica

Durante la anamnesis, formule preguntas abiertas y escuche con atención la respuesta del paciente. Evalúe el habla del paciente. ¿Habla arrastrando las palabras? ¿Tiene sentido lo que dice? Al mismo tiempo, busque signos y síntomas que puedan indicar la causa de la alteración del estado mental (p. ej., un ECV), así como cualquier indicio de que el paciente haya presentado un ataque (p. ej., incontinencia o lengua mordida). La pregunta más importante que hay que hacer a los familiares que puedan estar presentes es "¿Cuándo fue la última vez que se le vio normal al paciente?", ya que esto ayudará a determinar los plazos para la activación de la alerta de ECV.

Poblaciones especiales

La edad determinará el grado de interacción que un paciente pediátrico puede tener con usted. Si el niño es capaz de hablar y entiende el concepto del tiempo, hable con él, además de con sus padres o cuidadores, para recabar información.

Si sabe que el paciente ha tenido una convulsión y ahora se encuentra en un estado postictal, entonces no podrá obtener una historia clínica del paciente. Busque cualquier explicación evidente de por qué el paciente ha tenido una convulsión, como un traumatismo. Si el paciente tiene dolor de cabeza, intente determinar el nivel de estrés del paciente, la probabilidad de infección y el historial de dolores de cabeza del paciente. Si cree que puede tratarse de una afección más complicada, realice una evaluación más detallada.

Documentación y comunicación

Los familiares o amigos del paciente pueden informar de que la última vez que se le vio normal fue al acostarse la noche anterior. Si ese es el caso, informe de que la última vez que se le vio normal fue al acostarse, no cuando el paciente se despertó con síntomas.

Intente hablar con familiares o amigos que puedan explicarle los acontecimientos que condujeron a la alteración del estado mental del paciente. Recuerde que el tiempo puede ser crítico en una emergencia neurológica. Como paramédico en la escena, puede ser la única persona que tenga la oportunidad de obtener información crucial sobre el momento del inicio.

El historial SAMPLE del paciente (Signos y síntomas, Alergias, Medicación, antecedentes Pertinentes, última [*Last*] ingesta oral, Eventos que provocaron la lesión o la enfermedad) debe revelar si el paciente tiene antecedentes de convulsiones. En caso afirmativo, es esencial averiguar qué las desencadena y si este episodio difiere de los anteriores. Averigüe también qué medicamentos toma el paciente. Un historial de toma de fenitoína (Dilantin®) y fenobarbital (Solfoton®), por ejemplo, apunta con claridad a un trastorno convulsivo. No olvide preguntar sobre los medicamentos de venta libre, incluidos los productos a base de hierbas. Su historial puede revelar que el paciente se ha quedado sin medicación, ha ajustado recientemente la dosis o ha dejado de tomarla. Además, puede descubrir enfermedades coexistentes, como diabetes. Un paciente con diabetes con un ataque puede utilizar la glucosa de su organismo para alimentar el ataque.

Si un paciente sin antecedentes de convulsiones experimenta ahora una convulsión por primera vez, sospeche que se trata de una enfermedad grave, como un tumor cerebral, una hemorragia intracraneal o una infección grave. Determine si el paciente toma medicamentos que reducen el nivel de glucosa en sangre, como insulina o antihiperglucemiantes orales. Por último, pregunte sobre el consumo de drogas y la exposición a toxinas, si procede.

Perlas de sabiduría

Aunque parezca que los pacientes que han presentado un ECV no responden y no pueden hablar, es posible que aún puedan oír y entender lo que está ocurriendo. Como con cualquier paciente, evite hacer comentarios que puedan angustiarle. Tranquilice al paciente diciéndole que comprende que la comunicación verbal puede ser difícil en este momento, pero que le mantendrá informado de forma continua de lo que usted y los miembros de su equipo están haciendo. La comunicación compasiva puede ayudarle a calmar al paciente y aliviar sus temores, que sin duda se ven intensificados por la incapacidad para comunicarse.

Poblaciones especiales

Cuando reúna información sobre los resultados de la evaluación y los antecedentes de la enfermedad actual de los miembros de la población de adultos mayores, tenga en cuenta también los antecedentes médicos pertinentes del paciente. Los pacientes con antecedentes de demencia (que se tratan más adelante en este capítulo) son complicados de tratar. La pregunta principal que debe responder es cuánto ha cambiado el NC del paciente. No evalúe al paciente desde el punto de vista de un NC normal. En su lugar, hable con la familia, amigos u otros cuidadores para determinar el NC del paciente y documéntelo con claridad.

Los medicamentos también pueden crear alteraciones en el NC. Explore todos los medicamentos que toma el paciente: con receta, sin receta, a base de hierbas, suplementos, homeopáticos e ilegales. Es más probable que los adultos mayores tengan muchos médicos, muchas afecciones y muchos medicamentos (polifarmacia). La combinación de medicamentos puede tener efectos neurológicos inesperados.

Evaluación secundaria

La cabeza es la zona en la que pasará más tiempo durante un examen neurológico, ya que a partir de esta evaluación puede obtener información fundamental sobre el funcionamiento del sistema nervioso. Fíjese en la simetría de la cara: ¿observa alguna caída facial evidente? Observe los ojos: ¿están los párpados nivelados bilateralmente? La caída de los párpados (**ptosis**) puede indicar **parálisis de Bell** o un ECV. La **FIGURA 16-4** muestra la caída facial y la ptosis. En el capítulo 8, *Evaluación del paciente*, se tratan los componentes de un examen neurológico.

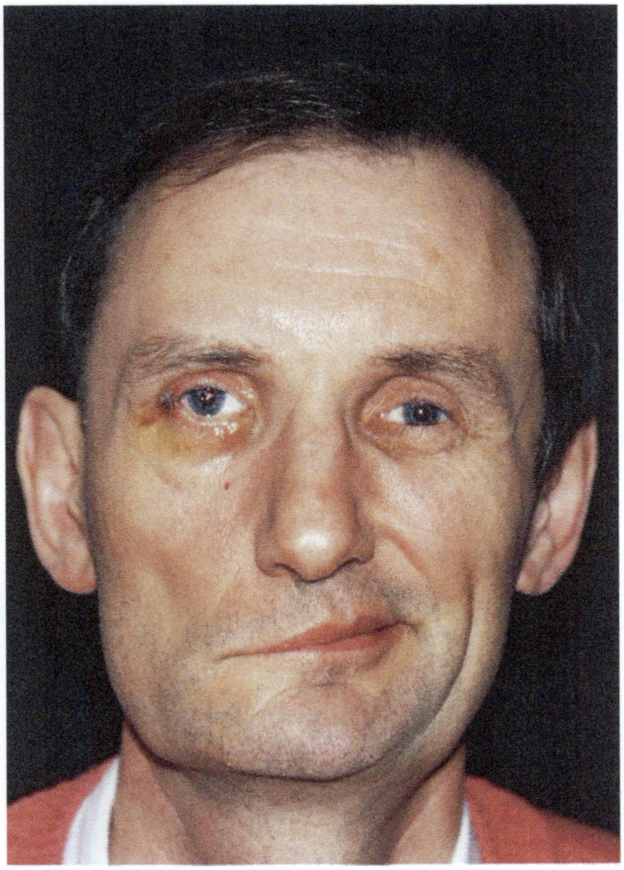

FIGURA 16-4 Caída facial y ptosis.

Los siguientes hallazgos durante el examen neurológico son notables:

- La náusea y el vómito son frecuentes en algunos tipos de cefaleas.
- La incontinencia urinaria o fecal es un síntoma frecuente de convulsiones y desmayos. La incontinencia también es un marcador relativamente objetivo para determinar la gravedad de la enfermedad en un paciente que no responde. Los pacientes pueden controlar sus funciones intestinales y vesicales cuando están dormidos. Si hay incontinencia, el NC ha disminuido por debajo de la del sueño.
- Los signos de marcas de venopunción recientes pueden indicar un consumo reciente de drogas ilegales.

Muchas arritmias cardíacas pueden causar trastornos neurológicos al disminuir la cantidad de sangre que llega al cerebro. Es necesario obtener un electrocardiograma (EKG) de 12 derivaciones para cualquier paciente que experimente una pérdida súbita de conciencia.

Nivel de conciencia

El nivel de conciencia (NC) de un paciente puede variar mucho. Para ayudarle a comprender mejor las diferentes variaciones posibles del NC, la **FIGURA 16-5** muestra el seguimiento desde un paciente que responde de manera adecuada al entorno hasta un paciente que no responde en absoluto. El **coma** es un estado en el que una persona no responde a estímulos verbales ni dolorosos. Los puntos intermedios son marcas guía. Por supuesto, los pacientes no se detienen en todos los puntos, ya que el NC aumenta o disminuye. No obstante, estos puntos permiten hacerse una idea de las relaciones entre los distintos NC. Mientras que los extremos de la escala son fáciles de entender, los puntos intermedios pueden ser más difíciles de interpretar. En la siguiente sección se explican con más detalle estas zonas dudosas.

Realidad común

Algunos pacientes experimentan **alucinaciones** o estímulos sensoriales que otros no pueden verificar. Las personas utilizan sus sentidos para determinar lo que es real. Si ve llamas, huele humo y siente calor, entonces debe haber un incendio. Pero, ¿y si todas estas sensaciones solo existen en la mente? Una forma de determinar que las sensaciones que experimenta son reales es preguntar a otras personas que están experimentando. Si los demás también ven llamas, huelen humo y sienten calor, entonces el fuego es real. La **realidad común** es la estimulación sensorial que otros pueden confirmar.

Las alucinaciones varían. Algunos pacientes pueden oír voces, ver serpientes, sentir insectos, oler papel quemado o sentir sabor metálico. En estos casos, el paciente responderá como si el estímulo fuera real. Tenga en cuenta que las alucinaciones son vívidas y desencadenan reacciones fuertes en el paciente. Por ejemplo, si un paciente tiene miedo a las serpientes, la alucinación le asustará. Dígale al paciente que usted no ve la serpiente pero que entiende que la vea. No refuerce la alucinación. Su tarea es devolver al paciente a una realidad común, pero no discuta si el paciente insiste en la validez de la alucinación. Tranquilice al paciente asegurándole que está a salvo.

Los **delirios** son similares a las alucinaciones. Los delirios son pensamientos, ideas o capacidades percibidas que no se basan en una realidad común. Ejemplos de delirios son los pacientes que creen que pueden volar o

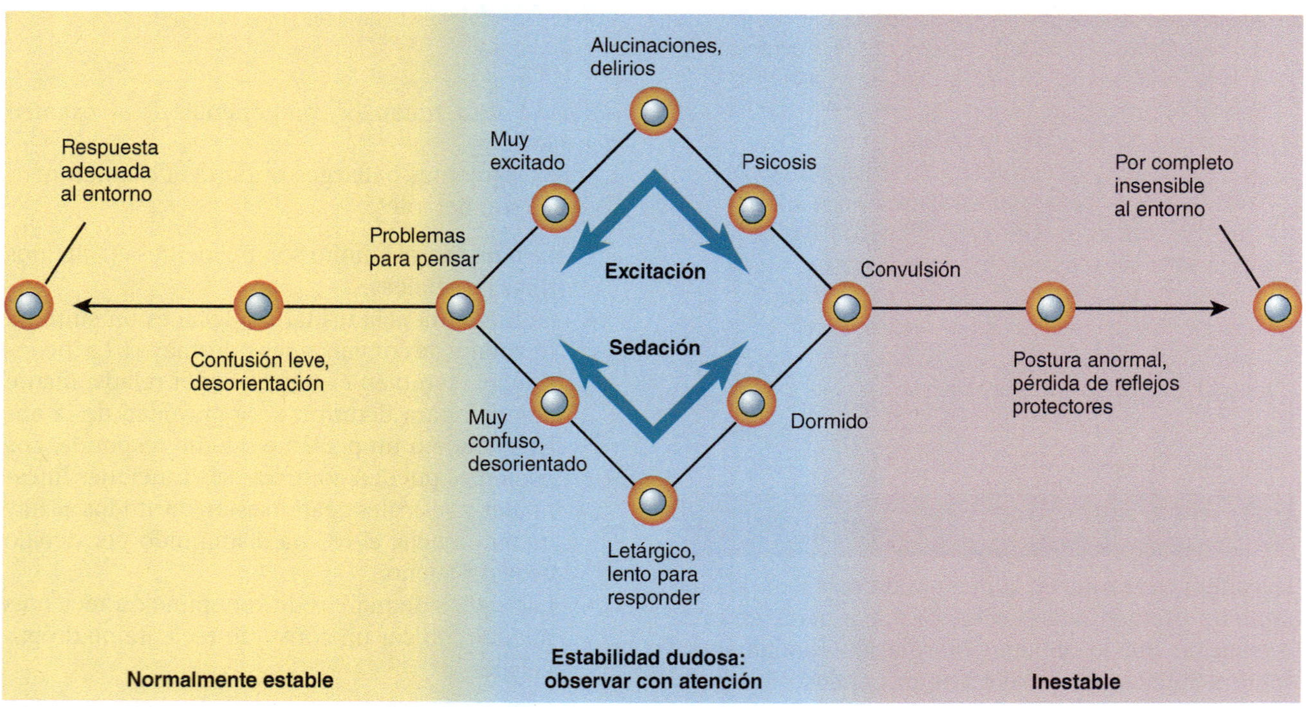

FIGURA 16-5 Seguimiento del nivel de conciencia.

que todo el mundo los persigue (paranoia). Al igual que con las alucinaciones, intente reconducir a los pacientes, pero no discuta con ellos.

A medida que aumentan los delirios y las alucinaciones, el paciente puede alejarse cada vez más de una realidad común. Por último, la realidad compartida entre usted y el paciente puede llegar a ser tan mínima que el paciente ya no pueda determinar qué es real y qué es producto de la mente. Este estado se denomina **psicosis**. Los pacientes con psicosis pueden ser impredecibles, porque están respondiendo a muchos estímulos que nadie más está experimentando. También luchan por interactuar con un mundo en el que las reglas cambian de manera constante. El miedo, la ira y la impotencia son emociones comunes cuando un paciente se encuentra en este estado.

Cuando atienda a pacientes con psicosis, asegúrese primero de su propia seguridad. Debido a la naturaleza impredecible de los pacientes con psicosis, asegúrese de no quedarse solo con el paciente y de tener una vía clara de retirada. En este escenario, su trabajo es disminuir la estimulación del paciente tanto como sea posible. Limite el número de personas que hablan con el paciente a una sola. Dé órdenes claras y sencillas y esté preparado para repetir con paciencia esas órdenes. No coloque al paciente en una habitación poco iluminada o en una ambulancia, ya que el paciente puede interpretar las sombras como perjudiciales. El paciente puede necesitar medicación para ayudar a controlar las alucinaciones, los delirios y la psicosis. Para más recomendaciones sobre el manejo de pacientes con alucinaciones, delirios o psicosis, véase el capítulo 25, *Emergencias psiquiátricas*.

Estado de ánimo y otros cambios

Los cambios en el estado de ánimo del paciente o el ritmo del sistema nervioso deben alertarle de cambios en el estado neurológico del paciente. El nivel de oxígeno o la PA podrían estar bajando. La temperatura corporal podría estar subiendo. Una afección psiquiátrica podría estar agravándose. El nivel de glucosa en sangre podría ser críticamente bajo o alto. De manera independiente a la causa subyacente, esta observación de un cambio requiere que evalúe más al paciente para garantizar el nivel de atención adecuado. El estado de ánimo o el afecto es otro atributo que permite conocer mejor al paciente. Pregunte cómo se siente el paciente. Un nivel bajo de glucosa u oxígeno en sangre puede causar frustración, ira o agresividad.

Un paciente con un nivel bajo de glucosa en sangre o que esté tomando narcóticos puede tener problemas de concentración. Los niveles bajos de glucosa en sangre y los narcóticos sedan al sistema nervioso. Los pacientes que consumen cocaína también pueden tener dificultades para concentrarse, porque la cocaína es un simpaticomimético que aumenta la actividad del sistema nervioso. Estos pacientes experimentan manía. Sus pensamientos pueden generarse con rapidez, por lo que les resulta difícil concentrarse. Si la velocidad de la actividad del sistema nervioso sigue aumentando, el paciente puede alucinar, delirar o volverse psicótico.

Reflejos protectores

Los reflejos de protección de un paciente incluyen los reflejos de tos y náusea, así como el reflejo corneal. El estado de los reflejos protectores del paciente está relacionado con su NC. Una forma rápida y sencilla de determinar de manera indirecta si los reflejos tusígeno y nauseoso del paciente están intactos es evaluar el **reflejo corneal**, que protege los ojos de los traumatismos. Este reflejo provoca el parpadeo cuando un objeto toca la córnea del ojo.

Si golpea con ligereza entre los ojos y el paciente no parpadea ni se estremece, asuma que el paciente no tiene un reflejo de tos o nauseoso intacto y que no podrá proteger la vía aérea. Si el paciente no tose ni tiene arcadas cuando usted intenta insertar una vía aérea oral, entonces ha confirmado que la vía aérea no está protegida y debe tomar medidas para protegerla.

Perlas de sabiduría

El tamaño de la pupila se mide en milímetros (mm). Una forma rápida de determinar este tamaño es imaginar cuántas monedas de 10 centavos pueden apilarse a lo largo de la pupila. El espesor de una moneda de 10 centavos se aproxima a 1 mm. Para obtener una medición más precisa, puede utilizar el calibre situado en el lateral de la linterna (si lo hay).

Respuesta pupilar

Cuando evalúe los ojos del paciente, asegúrese de provocar una reacción a la luz y no al movimiento. Para evitar el reflejo corneal, tome la linterna y aproxímese a los ojos desde un ángulo de 45°. Esta técnica garantiza que las pupilas reaccionen a la luz en sí y no a la aproximación de la linterna.

Examine las pupilas. Deben ser redondas, responder rápido a la luz contrayéndose y ser iguales en tamaño, forma y respuesta. La forma de las pupilas puede cambiar por un traumatismo, glaucoma o aumento de la PIC.

En general, los estimulantes provocan dilatación pupilar. Recordemos la respuesta simpática de huida o lucha provocada por la epinefrina. Si alguien intenta atacarle, necesita ver la mayor parte posible de su entorno para defenderse de manera eficaz o retirarse. Por lo tanto, sus ojos necesitan tanta luz como sea posible. La cocaína, las metanfetaminas y los alucinógenos también dilatan las pupilas. Por el contrario, los depresores suelen contraer las pupilas.

La igualdad de las pupilas es una observación importante. Las pupilas desiguales (anisocoria) son un signo de aumento de la PIC, **FIGURA 16-6**. Muchas personas presentan de forma natural una ligera desigualdad en el tamaño pupilar; una diferencia superior a 1 mm debe mencionarse.

Nivel de glucosa en sangre

Recuerde que la glucosa es el combustible que hace funcionar el cerebro. El cerebro utiliza la glucosa más rápido que cualquier otra parte del cuerpo, pero no tiene medios para almacenarla. Todos los pacientes con un cambio en el NC deben someterse a un control del nivel de glucosa en sangre. De hecho, la monitorización de la glucosa en sangre es ahora el estándar de atención para el paciente con una alteración de NC. Una lectura normal de glucosa en sangre es de 60 a 120 mg/dl. A medida que disminuye el nivel de glucosa, también lo hace el NC. Un nivel alto de glucosa en sangre también puede afectar al NC del paciente; sin embargo, el nivel debe aumentar de manera significativa antes de que disminuya el NC. Un nivel de glucosa en sangre inferior a 10 mg/dl es incompatible con el funcionamiento del cerebro y suele ser mortal. Por lo

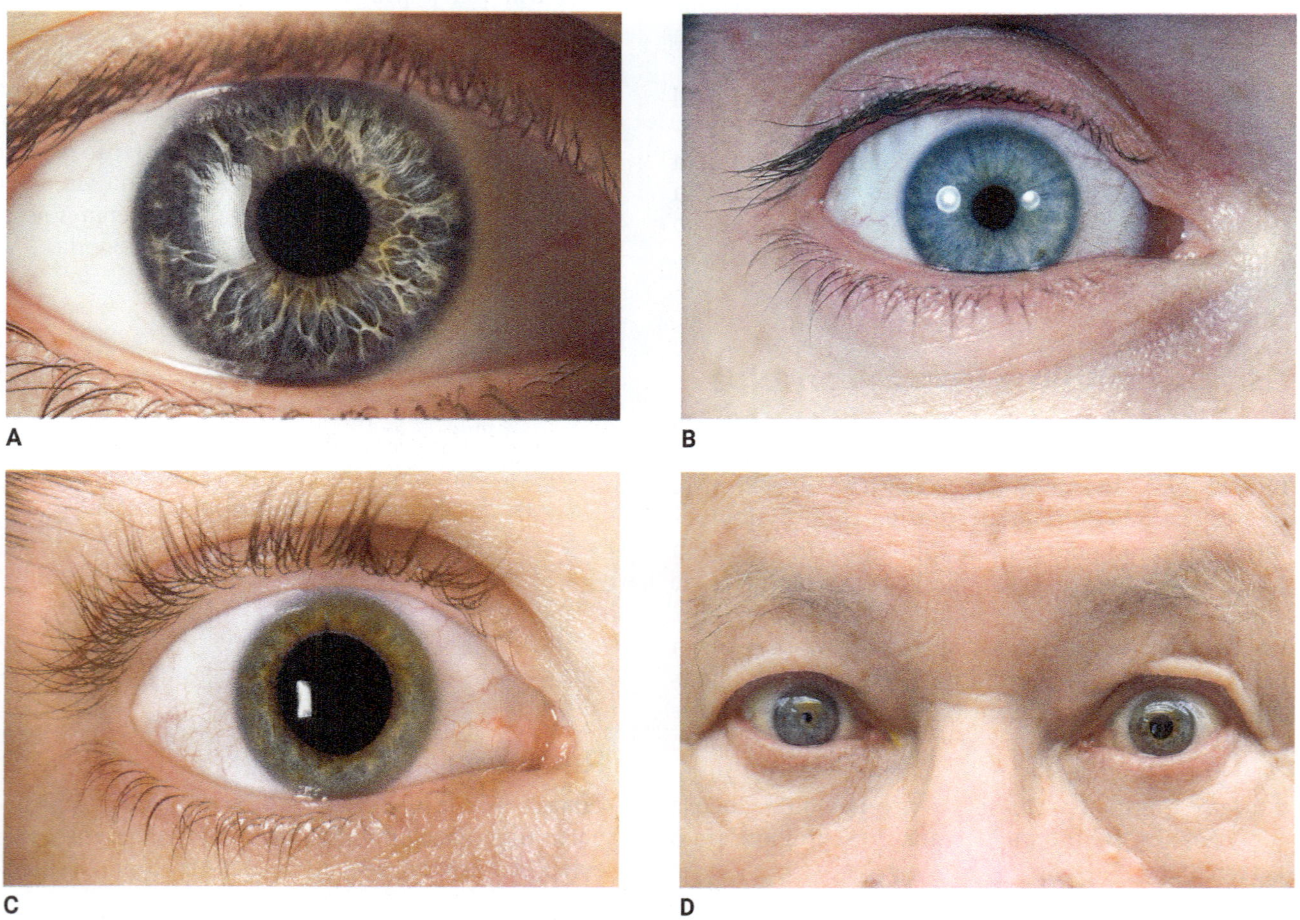

A

B

C

D

FIGURA 16-6 Respuestas pupilares. **A.** Normal. **B.** Contraida. **C.** Dilatadas. **D.** Desiguales (anisocoria).

general, si el nivel de glucosa en sangre desciende por debajo de 30 mg/dl, el paciente estará confuso o no responderá.

Funcionamiento de los nervios craneales

La evaluación de la cabeza incluye la recopilación de información sobre el funcionamiento de los nervios craneales, que controlan diversas partes del cuerpo **CUADRO 16-5**. Cuando realice la evaluación de los nervios craneales del paciente, fíjese en la capacidad de respuesta del paciente, la fuerza de la respuesta y la simetría. Los pacientes con ECV, neuralgia del trigémino, **miastenia gravis** u otras afecciones pueden mostrar un funcionamiento anormal de los nervios craneales. Consulte el capítulo 8, *Evaluación del paciente*, para obtener más información sobre cómo evaluar los nervios craneales.

CUADRO 16-5 Nervios craneales

Nervio craneal	Función
I. Olfativo	Oler
II. Óptico	Visión
III. Oculomotor	Movimiento del ojo, la pupila y el párpado
IV. Troclear	Movimiento del ojo
V. Trigémino	Masticar Dolor Temperatura Tocarse la boca y la cara
VI. Abducens	Movimiento del ojo
VII. Facial	Movimiento de la cara Lágrimas Salivación y gusto
VIII. Auditivo	Audición y equilibrio
IX. Glosofaríngeo	Glosofaríngeo: deglución, gusto y sensaciones en la boca y la faringe
X. Vago	Sensación y movimiento de faringe, laringe, tórax y aparato GI
XI. Accesorio	Movimiento de la cabeza y los hombros
XII. Hipogloso	Movimiento de la lengua

Abreviatura: GI, gastrointestinal.

Discurso

Escuche la calidad del habla del paciente. ¿El habla es arrastrada? La mala pronunciación es un síntoma clásico de ECV. ¿El habla es adecuada? Para evaluar esta calidad, no solo hay que fijarse en las palabras pronunciadas, sino también en las palabras que elige el paciente. A veces, el habla puede ser clara pero la elección de palabras es incorrecta. Evalúe también la capacidad del paciente para reconocer objetos. Los pacientes pueden tener tanto dificultad para hablar como para reconocer objetos.

El lenguaje puede verse afectado por lesiones o enfermedades. En la afasia, el habla de una persona se ve afectada. Existen tres formas principales de afasia. Dependiendo de la forma, el paciente puede ser incapaz de entender (recibir) el habla, pero capaz de hablar con claridad; incapaz de hablar (expresarse) con claridad, pero capaz de entender el habla, o puede tener una combinación de ambas.

Haga preguntas cuya respuesta conozca usted y el paciente, como "¿quién es el presidente?" y "¿qué mes es?". Esta estrategia le permitirá verificar que el paciente entiende las preguntas. No haga preguntas de sí o no. Observe si el paciente habla con claridad, pero da respuestas incorrectas.

Pídale al paciente que levante el brazo. Si lo hace, significa que le entiende. A continuación, pregúntele su nombre. Observe si el paciente no responde o si lo hace arrastrando las palabras.

Por último, si el paciente no puede seguir órdenes ni responder a preguntas, anótelo en la documentación.

Incluso cuando su habla se ve afectada por un trastorno neurológico, los pacientes a menudo pueden pensar con claridad. Pueden tener necesidades, ansiedades y molestias, pero no tienen forma de expresarlas. Esta disfunción puede asustar a los pacientes, que no entienden lo que usted les dice y no pueden responder a sus preguntas a pesar de ser capaces de formular las respuestas en su mente. Sea sensible a esta situación y tranquilice al paciente moviéndose despacio y con determinación, utilizando el tacto terapéutico y manteniendo un buen contacto visual.

Los pacientes pueden cansarse rápido al hacer el esfuerzo de comunicarse y sentirse frustrados o emocionalmente agotados. Prepárese para que los pacientes se cierren y anímelos a seguir intentándolo.

Perlas de sabiduría

Los siguientes enfoques pueden ser útiles para facilitar la comunicación con pacientes afásicos:

- **Utilizar un tablero de comunicación.** Esta herramienta se puede comprar, hacer a mano o acceder a ella a través de un celular o una aplicación en una tableta. Un tablero de comunicación permite a los pacientes seleccionar imágenes o símbolos para transmitir su significado, ayudando así a entender lo que están pensando. Permite hacer preguntas más complicadas que el método de sí o no. Si el tablero de comunicación se guarda en la ambulancia, es posible que tenga que retrasar su uso hasta que el paciente haya subido a la ambulancia.
- **Escribir.** Considere la posibilidad de pedir al paciente que escriba las respuestas con lápiz y papel o que las teclee en un celular. Estas herramientas deben estar a la mano o, de lo contrario, puede producirse un retraso en la obtención de la información.

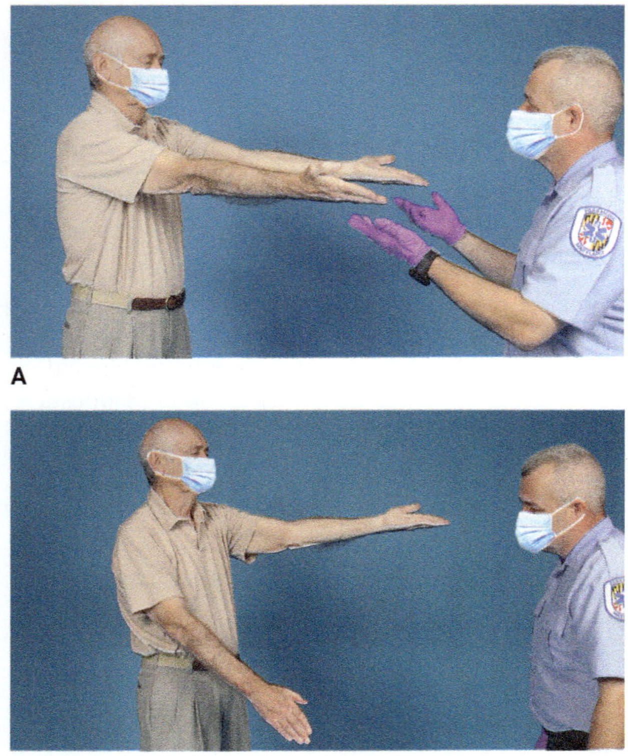

A

B

FIGURA 16-7 **A.** Una persona que no ha tenido un ECV puede mantener ambos brazos por delante del cuerpo incluso con los ojos cerrados. **B.** Una persona que ha tenido un ECV puede no ser capaz de mantener esta posición. Un brazo se desviará hacia abajo y girará hacia el cuerpo.

Movimiento corporal

Hemiparesia y hemiplejia

Los pacientes con ECV pueden tener debilidad o parálisis de un lado del cuerpo. La debilidad de un lado del cuerpo se denomina **hemiparesia**; la parálisis de un lado del cuerpo, **hemiplejia**. A veces, evaluará a pacientes que tienen debilidad en un lado del cuerpo, pero caída facial en el otro lado. Un paciente que ha tenido un ECV cerebral izquierdo, por ejemplo, puede tener debilidad en el brazo y la pierna derecha, así como pérdida de campo visual en el ojo izquierdo, porque el lado izquierdo del cerebro controla el lado derecho del cuerpo y el ojo izquierdo.

Haga que el paciente cierre los ojos y extienda los brazos por delante del cuerpo al mismo nivel. Con los ojos cerrados, la única forma que tiene el paciente de saber dónde se encuentran sus brazos es a través de las sensaciones que procesa el cerebelo. Si el paciente ha tenido un ECV, uno de los brazos puede separarse del otro, **FIGURA 16-7**.

Algunos pacientes presentan alteraciones de la **marcha** (patrones de marcha). El término **ataxia** se utiliza para describir la alteración de la capacidad de una persona para realizar movimientos coordinados, como caminar. La marcha de una persona puede volverse lenta, arrastrando los pies o en forma de tijera, por ejemplo.

A menos que observe alguna razón médica para evitarlo, haga que el paciente camine varios pasos. Evaluar la marcha es otra prueba de la actividad del cerebelo. El cerebelo controla la mecánica de la marcha y le permite concentrarse *hacia dónde* quiere caminar, más que en *cómo* caminar. Así, un paciente con daños en el cerebelo puede caminar de forma errática, tropezar o incluso experimentar una pérdida de la capacidad de andar.

En algunos casos, la postura del paciente puede volverse rígida. Haga que el paciente se ponga recto. Coloque una mano sobre el pecho del paciente y la otra detrás de la espalda del paciente y, a continuación, empuje sobre el pecho. Por lo general, al empujar hacia atrás, el paciente compensa con rapidez dando un paso para no caerse. En pacientes con algunos trastornos, como **enfermedad de Parkinson** (de la que se hablará más adelante en este capítulo), el paciente no puede compensar con suficiente rapidez, y usted lo empujará. Es esencial tener una mano detrás del paciente para evitar que se caiga.

Movimiento extraño

Algunos pacientes pueden mostrar movimientos extraños que indican una alteración del sistema nervioso. La **mioclonia** es un tipo de contracción muscular rápida y espasmódica que se produce de forma involuntaria. La mayoría de las personas han experimentado sacudidas mioclónicas. Un ejemplo clásico de este fenómeno es el estudiante que está a punto de dormirse en clase. A medida que se va quedando dormido, la cabeza empieza a caer, hasta que la cabeza se sacude de manera involuntaria hacia arriba (sacudida mioclónica) y el alumno se despierta.

Otra forma de movimiento extraño es la **distonía**. En este movimiento, una parte del cuerpo se contrae y permanece contraída. La distonía se trata más adelante en este capítulo.

Alteraciones del movimiento suave

Al evaluar al paciente, observe si sus movimientos son suaves. Cuando las estructuras neurológicas funcionan de manera correcta, los grupos musculares se contraen y relajan alternativamente, permitiendo que el cuerpo se mueva. Cuando se altera este delicado equilibrio, los pacientes pueden desarrollar **rigidez**, una afección en la que los músculos no se contraen y relajan con suavidad, lo que provoca rigidez de movimiento.

Los **temblores** son otro ejemplo de alteración del movimiento suave. Este movimiento oscilante (de vaivén) suele producirse en las manos, pero también puede afectar a la cabeza, los brazos, el torso y las piernas. Los temblores afectan al movimiento de las articulaciones. Pueden ocurrir a cualquier edad, pero son más frecuentes en adultos de mediana edad y mayores. Existen varios tipos de temblor, denominados así por el tipo de actividad que los provoca:

- **Temblor en reposo**. Se produce cuando los brazos, las manos o las piernas del paciente tiemblan incluso cuando los músculos están relajados (p. ej., las manos apoyadas en el regazo). El temblor desaparece parcial o por completo con el movimiento voluntario.
- **Temblor de intención**. Se produce cuando se pide al paciente que demuestre un movimiento hacia un objetivo, como tocarse la nariz con un dedo o alcanzar un objeto. El temblor suele aumentar a medida que el paciente se acerca al objetivo.
- **Temblor postural**. Se produce cuando una parte del cuerpo se coloca en una posición determinada y se le exige que la mantenga durante un periodo prolongado. La mayoría de las personas han experimentado este tipo de temblor al trabajar duro durante mucho tiempo. Cuando aparece la fatiga, las partes del cuerpo que más se utilizan empiezan a temblar. El temblor postural también puede producirse cuando una persona está de pie. Los músculos del cuerpo están constantemente haciendo pequeñas correcciones para mantener la postura. La cabeza puede oscilar de un lado a otro mientras la persona intenta mantenerla quieta.

Otro tipo de movimiento que puede parecer similar a un temblor es una convulsión. Las convulsiones pueden clasificarse en generalizadas (afectan a grandes partes del cerebro) o parciales (afectan a una zona limitada del cerebro). Mientras que un temblor es un movimiento fino, una convulsión generalizada o tónico-clónica (antes llamada convulsión de gran mal) es un tipo de movimiento más grande y menos focalizado. Las crisis generalizadas afectan a la conciencia de la persona y se asocian con actividad tónica y clónica:

- La **actividad tónica** es una postura corporal rígida y contraída. Los brazos, las piernas, el cuello y la espalda pueden contraerse con tanta fuerza que la parte del cuerpo tiembla por la intensidad de la contracción.
- La **actividad clónica** se caracteriza por la contracción y relajación rítmicas de grupos musculares. La actividad clónica se describe como el movimiento extraño y sin propósito de cualquier parte del cuerpo. Los brazos y las piernas se agitan, los dientes se aprietan, la cabeza se balancea y el torso puede convulsionarse de manera brusca.

Las crisis epilépticas se tratan con más detalle más adelante en este capítulo.

Sensación

La última área incluida en la evaluación es la sensación dentro del cuerpo. Muchas afecciones del sistema nervioso pueden alterar la capacidad de sentir dolor, temperatura, presión o tacto leve. La sensación de entumecimiento u hormigueo se denomina **parestesia**. Si el paciente no puede sentir nada dentro de una parte del cuerpo, entonces su afección se denomina **anestesia**.

Signos vitales

En el paciente que está teniendo un ECV o una convulsión, compruebe y documente la frecuencia, el ritmo y la calidad del pulso; la frecuencia, el ritmo y la calidad de la respiración; la PA; la temperatura, el color y el estado de la piel, y el tamaño y la reactividad de las pupilas. Sin embargo, durante la mayoría de las convulsiones activas es imposible evaluar los signos vitales, y hacerlo no es una prioridad. A menos que la situación sea inusual, los signos vitales obtenidos durante el estado posictal serán cercanas a la normalidad.

Perlas de sabiduría

Los monitores de presión arterial automáticos y no invasivos pueden ser imprecisos si se utilizan en ambulancias en movimiento. Compruebe de manera manual la presión arterial del paciente para tener un valor de referencia preciso antes de confiar en los sistemas automáticos.

Debido a la importancia crítica de una perfusión cerebral normal, debe vigilar de forma estrecha la PA en cualquier paciente con posibilidad de aumento de la PIC. La reevaluación frecuente se hace aún más esencial cuando la PA ha descendido. Asegúrese de que el paciente mantiene una PAS de al menos 110 a 120 mm Hg. Asegúrese de que la frecuencia y el patrón respiratorios sean adecuados, y de que la frecuencia y el ritmo del pulso sean eficaces.

La temperatura del paciente puede ser difícil de determinar en el entorno prehospitalario. Si sospecha hipotermia o hipertermia, lo normal es utilizar un termómetro para determinar la temperatura del paciente, como se explica en el capítulo 8, *Evaluación del paciente*. Consulte el capítulo 35, *Emergencias ambientales*, para obtener orientación sobre el recalentamiento y enfriamiento activos en caso de alteraciones de la temperatura inducidas por el medio ambiente.

Reevaluación

Notifique al centro receptor la afección principal del paciente y los resultados de su evaluación. La mayoría de los centros designados para ECV le pedirán que active una alerta de ECV para los pacientes que haya evaluado y que hayan presentado un ECV (consulte su protocolo local). La American Stroke Association recomienda que se active una alerta de ECV si el tiempo de aparición de los síntomas es inferior a 4.5 horas. Los centros especializados en ECV pueden ampliar esos tiempos de activación hasta 12 horas en función de los procedimientos que dispongan para la atención del ECV.[4] Avisar con antelación al hospital sobre un paciente con posible ECV dará tiempo a los miembros del equipo de ECV del hospital reunir sus recursos para tratar al paciente sin demora. Asegúrese de comunicar la hora a la que el paciente fue visto sano por última vez, los resultados de su examen neurológico y la hora a la que tiene previsto llegar al hospital.

Un dato clave que hay que documentar es el momento de aparición de los signos y síntomas del paciente. Si el diagnóstico es un ECV isquémico, esta información es fundamental para determinar si el paciente es candidato a tratamiento con fármacos disolventes de coágulos (fibrinolíticos). También es esencial documentar sus hallazgos al administrar la escala de ECV y la puntuación de la escala de coma Glasgow del paciente, junto con cualquier cambio que haya encontrado durante su reevaluación. Como siempre, documente las intervenciones realizadas, la respuesta del paciente a dichas intervenciones, cualquier cambio en el estado del paciente durante el transporte y el motivo de la elección del hospital.

Para los pacientes que han tenido una crisis, describa la actividad convulsiva, si se conoce, e incluya los comentarios de los transeúntes si la presenciaron. Documente el inicio y la duración de la convulsión. ¿Notó o expresó el paciente haber sentido un **aura** (cambios visuales como luces parpadeantes o puntos ciegos en el campo visual)? Registre cualquier indicio de traumatismo y las intervenciones realizadas. Documente si se trata de la primera convulsión del paciente o si el paciente tiene antecedentes de convulsiones. En este último caso, determine la frecuencia con la que el paciente las presenta y si tiene antecedentes de estado epiléptico (analizado más adelante en este capítulo). Registre la hora de cada intervención realizada, cómo respondió el paciente a la intervención y los resultados de su reevaluación.

Puede que usted sea el único profesional que presencie alguna actividad del paciente, por lo que una documentación precisa es fundamental para la continuidad de la atención. Evite utilizar palabras que puedan tener múltiples significados, como "letárgico", "somnoliento", "obtuso" y "fuera de sí". Describa al paciente utilizando un lenguaje activo, como en los siguientes ejemplos:

> "Llegamos y encontramos a un paciente masculino desorientado respecto al lugar y la hora".
>
> "Cuidados a un hombre de 43 años que tarda en responder a estímulos verbales o dolorosos".

Guía de atención estándar para el paciente neurológico

El objetivo de la atención a un paciente neurológico es garantizar que el organismo tenga un entorno interno adecuado que permita el funcionamiento óptimo del cerebro. Recuerde que el cerebro necesita oxígeno, glucosa y una temperatura normal para funcionar de manera correcta. Las siguientes pautas sirven como base sobre la que se construirán los cuidados adicionales para afecciones neurológicas específicas. En el resto del capítulo, esta pauta se denominará pauta de cuidados estándar, **CUADRO 16-6**.

Administración de dextrosa

Siga su protocolo local con respecto a qué lectura de glucosa en sangre se considera baja. Una posible pauta es que, si el nivel de glucosa en sangre es inferior a 70

CUADRO 16-6 Guías de atención estándar para el paciente neurológico adulto

Paso	Descripción
Garantice la seguridad de la escena y tome las precauciones habituales	Asegúrese de que usted y su compañero están a salvo. Póngase el equipo de protección individual adecuado. Utilice mascarillas y protección ocular al manejar la vía aérea.
Evalúe la vía aérea y la respiración	Evaluar la vía aérea y la eficacia de la respiración. Si es necesario, asegure la vía aérea y proporcione asistencia ventilatoria para garantizar que la saturación de oxígeno esté entre 95 y 98%. • La hiperoxigenación (evidenciada por un nivel de saturación de oxígeno de 100%) puede ser perjudicial. • Considerar la intubación de secuencia rápida, según proceda. Si hay insuficiencia respiratoria o apnea, ventile al paciente a 10 respiraciones/min. • La hiperventilación rutinaria puede ser perjudicial.
Evalúe la circulación	Establezca el acceso intravenoso. Utilice los resultados de su evaluación sobre el estado circulatorio del paciente como guía para decidir si debe utilizar un bloqueo salino o colgar una bolsa de líquidos. Si se necesitan líquidos, la solución salina o la solución de Lactato de Ringer son opciones isotónicas. • No utilizar soluciones que contengan dextrosa. Considere la posibilidad de extraer muestras de sangre para su posterior análisis en el hospital. Compruebe la presión arterial y la frecuencia cardíaca. • Corregir la hipotensión con líquidos intravenosos o vasopresores en función de la causa de la hipotensión. Garantizar la monitorización continua del ritmo cardíaco. Realice un EKG de 12 derivaciones.

Compruebe el nivel de glucosa en sangre	Si $<$ 60 mg/dl y signos de disminución de NC, entonces determinar:
	• ¿El paciente tiene la vía aérea permeable? ¿Puede tragar?
	  • En caso afirmativo, considere glucosa oral, caramelos o zumo de naranja. Vigile de cerca la deglución.
	  • Si no, administre dextrosa o glucagón según su protocolo local.
	  • La hiperglucemia puede aumentar la morbilidad de los pacientes que han tenido un ECV.

Evalúe el aumento de la PIC	Busque los signos distintivos del aumento de la PIC. Para más información sobre el aumento de la PIC, véase el capítulo 31, *Traumatismos de cabeza y columna vertebral*.
Compruebe si consume drogas	Examine la escena en busca de pastillas y accesorios para el consumo de drogas; evalúe al paciente en busca de huellas. Administre naloxona en caso de sobredosis de opioides conocida o sospechada.
Evalúe si hay convulsiones	Si la convulsión se prolonga, administrar benzodiacepinas.
Evalúe la temperatura	Si está baja, cubra al paciente, encienda la calefacción en el compartimento del paciente de la ambulancia y evite la pérdida de calor. Si es alta, quítele la ropa al paciente y cúbralo desnudo con una sábana. Apague la calefacción del compartimento del paciente.
Proporcione apoyo emocional al paciente y su familia	Las emergencias neurológicas pueden producir sentimientos de confusión, miedo, ira e impotencia. Ofrezca una palmada terapéutica y suave en el hombro. El tacto puede comunicar compasión. Use una voz calmada y tranquilizadora. Asegure al paciente y a su familia que está ahí para ayudarles. Si el paciente está confuso, intente reorientarlo.

Abreviaturas: EKG, electrocardiograma; PIC, presión intracraneal; NC, nivel de conciencia.

Datos de: National Model EMS Clinical Guidelines, Version 2.2. National Association of State EMS Officials. https://nasemso.org/wp-content/uploads/National-Model-EMS-Clinical-Guidelines-2017-PDF-Version-2.2.pdf. Actualizado en enero de 2019. Consultado el 22 de marzo de 2021.

mg/dl, entonces el paciente necesita glucosa. Tanto la dextrosa IV como el glucagón oral están disponibles para el tratamiento prehospitalario de la hipoglucemia. Los efectos de la dextrosa suelen comenzar en 1 minuto. Si no puede obtener acceso IV para administrar dextrosa, entonces administre glucagón. Esta sustancia química natural del cuerpo es responsable de convertir las reservas de glucógeno del cuerpo en glucosa. Debe observar un aumento del NC y del nivel de glucosa en sangre a los 20 minutos de la administración. En el capítulo 20, *Emergencias endocrinas*, se explica cómo administrar dextrosa.

Si el nivel de glucosa en sangre del paciente es alto, tenga en cuenta que en la actualidad no existe ninguna forma segura de reducir este nivel en el ámbito prehospitalario. La administración de insulina puede ser problemática porque es fácil sobrecorregir el desequilibrio, ocasionando un estado hipoglucémico. En estos pacientes, hay que asegurar un soporte adecuado de la PA. Los pacientes con hiperglucemia suelen estar deshidratados y pueden necesitar aporte de volumen. De hecho, la rehidratación por sí sola en un paciente deshidratado de gravedad con hiperglucemia puede reducir de manera drástica el nivel de glucosa en sangre del paciente. Tenga en cuenta que la hiperglucemia puede aumentar la morbilidad de los pacientes que han presentado un ECV.

Por último, tenga cuidado cuando atienda a pacientes cuyo nivel de glucosa en sangre no pueda comprobarse. Si el paciente no responde o presenta disminución del NC y no se dispone de un medidor de glucemia, póngase en contacto con la dirección médica o siga los protocolos locales.

Administración de naloxona

La naloxona (Narcan®) se utiliza para revertir la depresión del SNC y respiratoria inducida por los opioides. Este fármaco puede administrarse por vía IV, intramuscular, endotraqueal o mediante un dispositivo atomizador de la mucosa. Este dispositivo intranasal (IN) proporciona un método seguro, no invasivo y de acción rápida de administración de naloxona. Cuando se encuentre en el lugar de una sobredosis de opioides conocida o sospechada, pregunte a los testigos si se ha administrado naloxona (y, en caso afirmativo, cuánta y cuándo), ya que muchos estados permiten que no profesionales la administren mediante pulverización nasal. Para más información sobre el uso de la naloxona, véase el capítulo 24, *Toxicología*.

Intervenciones para el aumento de la PIC

Si el paciente presenta signos de aumento de la PIC, establezca un acceso vascular y administre solución salina normal o solución de lactato de Ringer. No utilice soluciones que contengan dextrosa. Considere la posibilidad de extraer muestras de sangre para su posterior análisis en el hospital. Compruebe también la presión arterial y el pulso del paciente. Si el paciente está hipotenso, mantenga la PA para garantizar una presión de perfusión cerebral (PPC) adecuada; la PPC normal es de 70 a 90 mm Hg. El objetivo es una PAS de 110 mm Hg. Realice una monitorización cardíaca continua con un EKG.

Fisiopatología, evaluación y tratamiento de las emergencias neurológicas comunes

La mayoría de las enfermedades o afecciones, incluidos los trastornos neurológicos, son causadas por más de un factor, por lo que se dice que son *multifactoriales*. Si las enfermedades tuvieran una sola causa, las relaciones causa-efecto serían sencillas: por ejemplo, toda persona expuesta a un patógeno concreto se infectaría, y toda persona con una dieta rica en grasas saturadas desarrollaría arterias obstruidas. En realidad, la susceptibilidad a las enfermedades depende de multitud de factores, como los siguientes:

- Cómo se creó el sistema corporal durante el desarrollo del embrión/feto
- La eficacia de las funciones de defensa y reparación del organismo
- La gravedad o la duración de la exposición del organismo al agente patógeno, la toxina u otro factor nocivo

Durante las siguientes discusiones sobre algunas afecciones neurológicas comunes, tenga en cuenta que el desarrollo de la enfermedad por lo general no puede atribuirse a una única causa.

Evento cerebro vascular

Un ictus, también llamado ataque cerebral o evento cerebro vascular (ECV), es una afección médica grave en la que se interrumpe el suministro de sangre a zonas del cerebro, provocando una isquemia. Las personas mayores de 65 años representan casi 75% de todos los pacientes que presentan ECV.[5]

La *American Heart Association* (AHA) informa de que un número significativo de pacientes con ECV niegan sus síntomas o no entienden lo que significan.[6] Muchos pacientes no activan el SEM cuando experimentan síntomas de ECV y, en consecuencia, retrasan la atención de esta afección. La educación pública sobre el ECV debería ser una función de su SEM. Como recomienda la AHA, el objetivo del tratamiento es el reconocimiento temprano y la intervención rápida y adecuada. Cuanto más se prolongue el ECV, menos probable es que el paciente tenga un resultado prometedor, porque "el tiempo es cerebro". El reconocimiento temprano comienza con un sistema del SEM que pueda identificar de manera eficaz posibles ECV en el momento del aviso y solicitar rápido los recursos adecuados. Como paramédico, no retrase su respuesta a un paciente con un posible ECV. Según la AHA, una quinta parte de los pacientes con una hemorragia intracraneal presentará una disminución significativa de su NC entre la atención médica de emergencia proporcionada por el SEM y la atención en el momento del traslado al departamento de emergencias (DE). Una vez más, ¡el tiempo es cerebro!

Fisiopatología

Las afecciones neurológicas pueden tener un origen vascular, y las emergencias vasculares pueden producirse de forma repentina o gradual. Las repentinas suelen ser el resultado de émbolos o aneurismas, **FIGURA 16-8**. Si un vaso sanguíneo se obstruye de forma repentina, como en el caso de una embolia, las células situadas más allá de la obstrucción pueden presentar isquemia. A medida que descienden los niveles de oxígeno y glucosa, las células cerebrales recurren al metabolismo anaeróbico en un esfuerzo por mantenerse con vida. Sin embargo, este mecanismo es solo una medida provisional. El metabolismo anaeróbico solo genera cantidades minúsculas de energía para la célula y produce subproductos ácidos. Si la circulación no se restablece rápido, la célula no tendrá suficiente combustible para sobrevivir.

Las paredes arteriales están formadas por tres capas de tejido superpuestas. Un aneurisma es una debilidad en una o varias de esas capas. El proceso de formación de un aneurisma es el siguiente:

1. Se producen pequeños desgarros o defectos en la pared arterial.
2. La sangre entra entre las capas de la arteria.
3. La presión se acumula y el pequeño desgarro inicial aumenta de tamaño.

Si este proceso continúa, la pared arterial quedará tan dañada que ya no podrá soportar la presión normal de la sangre que fluye por la arteria. La pared debilitada empezará a abultarse. Si el daño es grave, la arteria abultada puede tener una fuga o la pared puede fallar, provocando una hemorragia intracraneal.

Fisiopatología del ECV

Los dos tipos básicos de ECV son el **ECV isquémico**, que representa 87% de todos los ECV según la AHA, y el **ECV hemorrágico**, que representa 13% restante.[7] Los ECV isquémicos también se denominan ECV oclusivos porque están causados por una oclusión (bloqueo), ya sea un trombo o un émbolo.

El gráfico de la **FIGURA 16-9** proporciona una idea de la evolución de un ECV. Los dos tipos de ECV tienen patrones de presentación diferentes. En un ECV isquémico, se obstruye un vaso sanguíneo, por lo que el tejido distal a la obstrucción se vuelve isquémico. A la larga, ese tejido morirá si no se restablece el flujo sanguíneo. Pero esta patología es autolimitada. Solo se ve afectado el tejido situado más allá de la obstrucción, por lo que la zona o zonas del cerebro afectadas son limitadas.

En la figura 16-9, observe cómo la línea que representa los signos y síntomas deja de subir y empieza a estabilizarse. Esta estabilización no implica que un paciente no pueda morir de un ECV isquémico. La extensión del ECV y su gravedad vienen dictadas por la arteria implicada y la parte del cerebro a la que se le niega el oxígeno. Por ejemplo, un ECV isquémico en el que se bloquea el flujo sanguíneo al tronco encefálico pone en peligro la vida del paciente. La meseta indica que los signos y síntomas han alcanzado su punto máximo y se han estabilizado porque la zona del cerebro afectada ya no funciona.

A diferencia de los ECV isquémicos, los hemorrágicos tienden a empeorar con el tiempo debido a la hemorragia continua dentro del cráneo. Esta hemorragia puede causar un aumento de la PIC y una hernia del tronco encefálico. Una de las características de un ECV hemorrágico es la queja principal de "el peor dolor de cabeza de mi vida". Si el paciente refiere un dolor de cabeza intenso y más tarde no puede hablar, le cuesta despertarse y por último empieza a mostrar signos de aumento de la PIC, considere seriamente un ECV hemorrágico en el diagnóstico diferencial.

Para apreciar los efectos de los ECV, es esencial comprender la dinámica de la PIC. El cráneo (bóveda craneal) está lleno de tres sustancias: cerebro, sangre y líquido cefalorraquídeo (LCR). Estas tres sustancias ejercen presión contra el cráneo, y el cráneo ejerce una presión reflejada, **FIGURA 16-10**. Este intercambio está equilibrado, lo que permite que el encéfalo encaje perfectamente en el cráneo. Si hubiera espacios o vacíos dentro del cráneo, el cerebro chocaría contra el cráneo con un movimiento mínimo de la cabeza. La presión de las distintas sustancias presentes en el cráneo constituye la PIC. Por lo general, la PIC es inferior a 10-15 mm Hg en adultos e inferior a 3-7 mm Hg en niños pequeños.[8]

Cuando la presión dentro de la bóveda craneal empieza a subir y se mantiene alta surgen dos

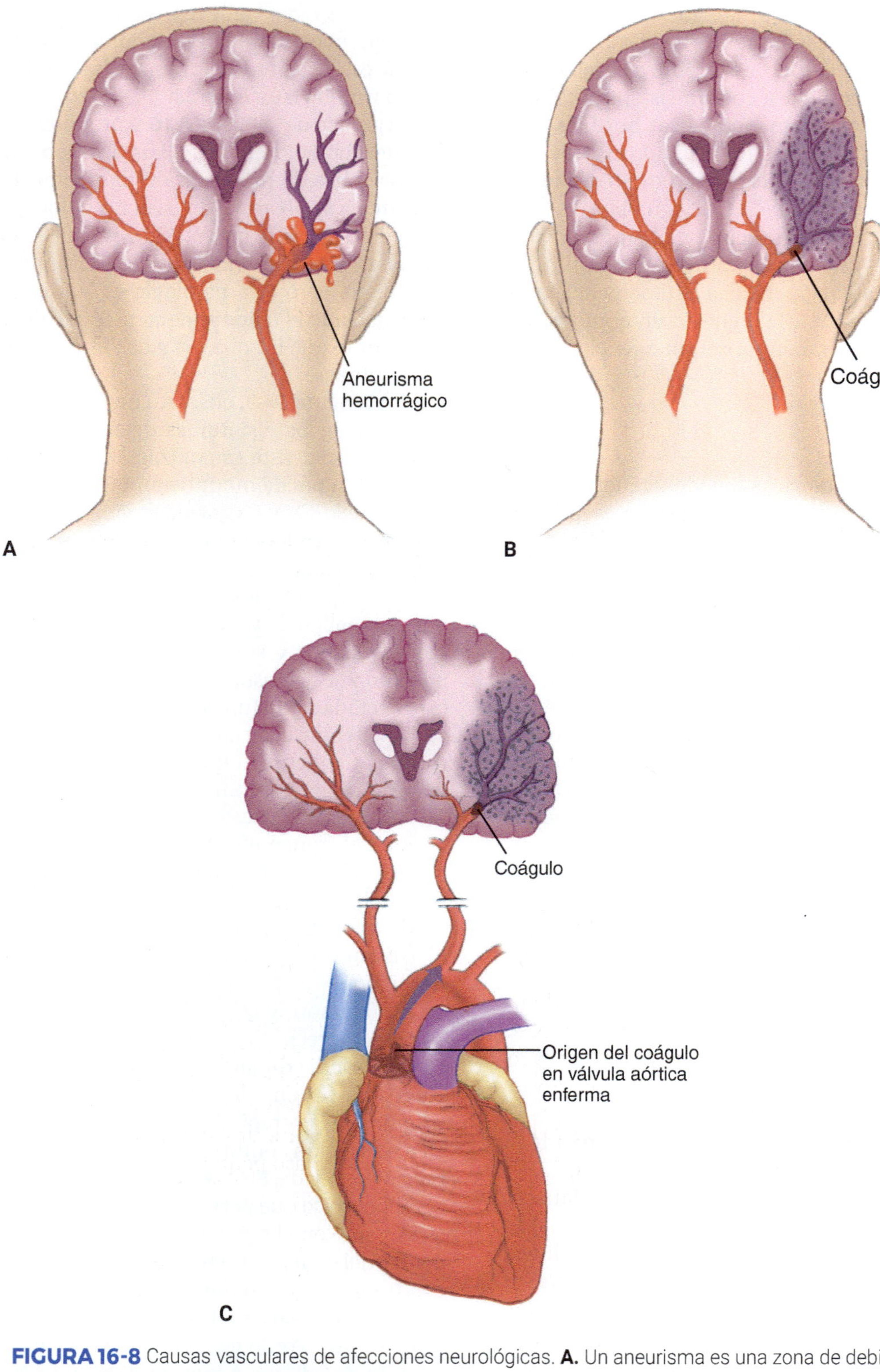

FIGURA 16-8 Causas vasculares de afecciones neurológicas. **A.** Un aneurisma es una zona de debilidad en la pared de una arteria que puede sobresalir y producir una fuga o una rotura. **B.** La ateroesclerosis puede dañar la pared de una arteria cerebral, estrechándola o produciendo un coágulo. Cuando el vaso está por completo obstruido, las células cerebrales empiezan a morir. **C.** Un émbolo es un coágulo de sangre que se forma en otra parte del cuerpo, a menudo en una válvula cardíaca enferma. Puede desplazarse por el sistema vascular y alojarse en una arteria cerebral, provocando un ECV.

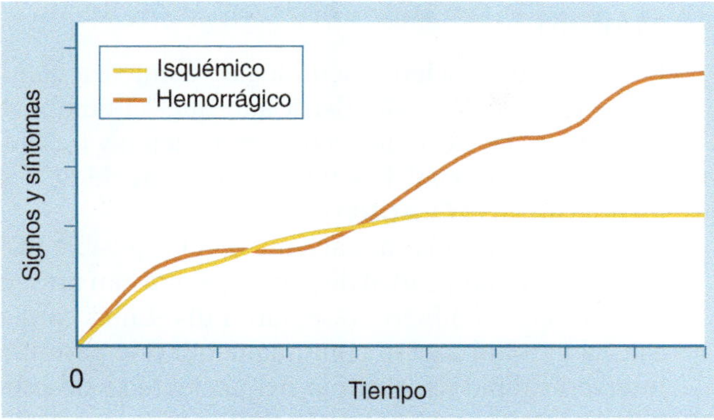

FIGURA 16-9 Patrones de síntomas del ECV hemorrágico en comparación con el isquémico.

dificultades: el cerebro presenta isquemia por falta de riego sanguíneo o herniarse. La **hernia** es el desplazamiento de una estructura de su ubicación normal a otro espacio. Porciones del cerebro pueden ser empujadas hacia lugares diferentes, causando daños en los tejidos y la muerte potencial.

En primer lugar, a medida que aumenta la PIC, disminuye la cantidad de sangre disponible para el cerebro. La PPC, la presión de la sangre dentro de la bóveda craneal, empieza a descender. (Recuerde que la PPC normal es de 70 a 90 mm Hg). Cuando la PPC disminuye a menos de 50 mm Hg, el cerebro presenta isquemia. En el capítulo 31, *Traumatismos de cabeza y columna vertical*, se trata en profundidad este tema.

Como ocurre con la mayoría de las mediciones corporales, la PIC cambia de manera constante. Toser, vomitar o agacharse, por ejemplo, tiende a aumentar la PIC. Estos picos momentáneos de la PIC no son perjudiciales. Sin embargo, si hay sangre, edema, pus o un tumor en la bóveda craneal, la PIC aumentará y se mantendrá alta. El volumen de la bóveda craneal es limitado e inflexible, por lo que la presión aumenta a medida que se introducen más y más sustancias en este espacio. Los pacientes pueden tener problemas potencialmente mortales cuando la PIC aumenta bruscamente o la PA se vuelve críticamente baja.

El segundo resultado posible del aumento de la PIC es la herniación; en concreto, un desplazamiento del contenido intracraneal dentro de la bóveda craneal o un desplazamiento del contenido hacia el agujero magno, la gran abertura en la parte inferior del cráneo por la que sale la médula espinal. Este desplazamiento acabará comprimiendo el tronco encefálico, momento en el que el paciente experimentará una pérdida de control de las funciones autónomas.

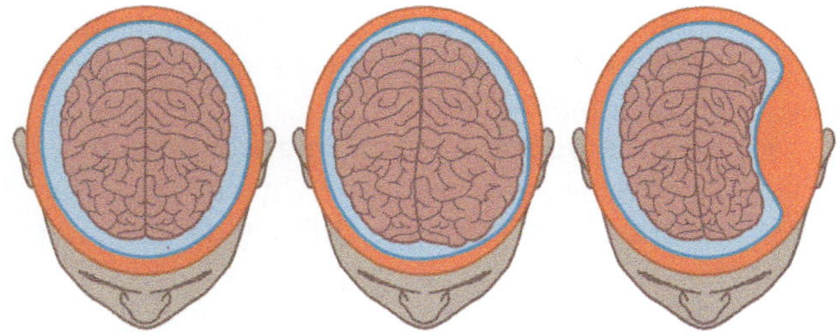

FIGURA 16-10 Presión intracraneal normal y anormal.

Abreviatura: LCR, líquido cefalorraquídeo.

Oclusión de grandes vasos

Una oclusión de grandes vasos es un tipo de ECV isquémico que se produce por la obstrucción de una arteria principal del cerebro. Ejemplos de estos grandes vasos son la arteria basilar, la terminación de la arteria carótida interna y la arteria cerebral media. Cuando estas arterias principales se obstruyen, partes importantes del cerebro pierden riego sanguíneo, lo que provoca alteraciones de las funciones cerebrales de orden superior.[9,10] Los pacientes con esta afección requerirán una atención avanzada del ECV en un lugar que pueda realizar una terapia endovascular. En esta intervención quirúrgica, un neuroespecialista extrae el coágulo e intenta restablecer el flujo sanguíneo. Sin embargo, las evaluaciones prehospitalarias no pueden diferenciar entre una oclusión de vaso grande y una oclusión de vaso pequeño.

Evaluación

El ECV provoca cambios repentinos en el estado neurológico. Como se ha mencionado antes, los pacientes pueden presentar cualquier combinación de los siguientes signos y síntomas:

- **Efectos sobre el lenguaje.** Habla arrastrada, afasia, agnosia (incapacidad para identificar personas u objetos) y apraxia (incapacidad para realizar acciones intencionadas; con la apraxia del habla, la persona sabe lo que quiere decir, pero tiene dificultades para pronunciar o secuenciar las palabras).

- **Efectos sobre el movimiento.** Hemiparesia, hemiplejía, desviación del brazo, caída facial, desviación de la lengua, dificultades para tragar, ptosis y ataxia.
- **Efectos sensoriales.** Cefalea (hemorrágica), ceguera súbita y parestesia unilateral súbita.
- **Efectos cognitivos.** Disminución del NC, dificultad para pensar, convulsiones y coma.
- **Efectos cardíacos.** Hipertensión.

También puede utilizar la nemotecnia EVC-BHT para evaluar un ECV:[11]

E **Equilibrio.** Pérdida repentina de equilibrio, coordinación o vértigo.
V **Vista.** Pérdida de visión (o cambio en la visión) en uno o ambos ojos.
C **Cara.** Parálisis facial.
B **Brazos.** Desviación o debilidad del brazo.
H **Habla.** Alteración del habla o incapacidad para repetir una frase sencilla.
T **Tiempo.** El tiempo es crítico: llame al 9-1-1; la T también puede representar el dolor de cabeza en trueno.

Documentación y comunicación

Los pacientes con ECV pueden presentar una amplia gama de dificultades de comunicación.

- Los pacientes multilingües pueden perder la capacidad de entender una lengua, pero no otra.
- Los pacientes pueden entender la palabra escrita, pero no la hablada.
- Los pacientes pueden no ser capaces de entender ninguna forma de comunicación.

Esté abierto a probar distintas formas de comunicación. Recuerde que los problemas de comunicación no indican que los pacientes no piensen. El problema es que no consiguen que usted entienda lo que piensan.

Los signos vitales pueden proporcionar indicios de si un paciente tiene un aumento de la presión dentro del cráneo. La información del cuadro 16-4 puede ayudarle a distinguir los signos de aumento de la PIC de los de shock. Recuerde que otros signos de aumento de la PIC incluyen posturas, patrones respiratorios anormales y pupilas desiguales.

Manejo

El manejo del paciente neurológico comienza con la pauta de atención estándar. Dado que "el tiempo es cerebro", es esencial una rápida evaluación y traslado a un centro de ECV. Los tipos de centros de ECV se identifican en el **CUADRO 16-7**.

Es crucial vigilar al paciente con un posible ECV. Un número significativo de pacientes que han presentado un ECV también presentarán disritmias cardíacas. La monitorización continua del EKG le permitirá intervenir rápido si el ritmo del paciente se desestabiliza. Obtenga un EKG de 12 derivaciones y extraiga sangre para una posterior evaluación de laboratorio; sin embargo, no retrase el transporte para realizar estas tareas. Si el paciente tiene fiebre, póngase en contacto con control médico. Es posible que le ordenen administrar paracetamol. A menos que el paciente esté hipóxico, deje que permanezca en decúbito supino.[6]

En pacientes que no responden *y* muestran otros signos de aumento de la PIC, administre líquidos según sea necesario para mantener una PAS casi normal. A menos que sospeche una posible lesión de la columna cervical, eleve la cabeza del paciente 30°.[6] Mantenga la cabeza y el cuello en alineación neutra sin flexionar el cuello. Esta posición provocará una ligera disminución de la PIC y permitirá al paciente manejar mejor cualquier secreción de la vía aérea. Asegúrese de que la vía aérea esté despejada, pero no succione enérgicamente porque la estimulación de los reflejos de la tos y la náusea aumentará la PIC. Vigile si se producen convulsiones y esté preparado para administrar benzodiacepinas. El paciente puede presentar bradicardia. Sin embargo, la atropina y el marcapasos transcutáneo no están indicados debido a la hipertensión sistólica que acompaña a la bradicardia: la PIC está causando la bradicardia, no al revés. Avise al hospital y facilite un transporte rápido.

Vigile de cerca la PA de cualquier paciente con un problema potencial de PIC. La evaluación frecuente se vuelve aún más crítica cuando también se presenta una disminución de la PA. Para cualquier paciente con riesgo de PIC, asegúrese de que la PAS se mantiene al menos en 110 mm Hg.

Los niveles de dióxido de carbono (CO_2) también son importantes en pacientes con aumento de la PIC. Un nivel elevado de CO_2 provoca vasodilatación de las arterias cerebrales. Esta vasodilatación permite que, entre más sangre en el cráneo, lo que aumenta la PIC. A la inversa, un nivel disminuido de CO_2 reduce la PIC al provocar vasoconstricción, disminuyendo el suministro de sangre al cerebro. Por lo tanto, el aumento de la ventilación disminuye la PIC (bueno) al disminuir el riego sanguíneo (malo). Esta incompatibilidad puede dificultar la toma de decisiones porque

CUADRO 16-7 Tipos de centros de ECV

Designación de la *American Heart Association/American Stroke Association*	Capacidades
Hospital preparado para el ECV agudo (ASRH, por sus siglas en inglés)	Equipo de ECV disponible 24 horas al día, 7 días a la semana, escáner TC, expertos en ECV agudo disponibles 24 horas al día, 7 días a la semana o a través de telemedicina si es necesario, fibrinolíticos IV, sin camas designadas para ECV; anticipar el traslado de pacientes que recibieron fibrinolíticos a PSC/TSC/CSC.
Centro primario de ECV (PSC, por sus siglas en inglés)	Todas las funciones de ASRH más unidad de ECV específica, servicio de ECV, tratamiento médico del ECV, traslado de pacientes para emergencias neuroquirúrgicas.
Centro de ECV con capacidad para trombectomía (TSC, por sus siglas en inglés)	Todas las funciones del PSC más IMR, camas dedicadas a cuidados neurointensivos, cobertura de cuidados críticos *in situ* las 24 horas del día, fibrinolíticos intraarteriales, terapia endovascular, cuidados posprocedimiento, traslado de pacientes para emergencias neuroquirúrgicas.
Centro integral de ECV (CSC, por sus siglas en inglés)	Todas las funciones del TSC más disponibilidad 24/7 de neurólogo, neurocirujano, neurorradiólogo, neurointervencionista; atención neuroendovascular, atención al ECV hemorrágico

Abreviaturas: TC, tomografía computarizada; IV, intravenoso; IRM, imagen de resonancia magnética.

Datos de: Stroke certification programs: program concept comparison. Sitio web de The Joint Commission. https://www.jointcommission.org/-/media/tjc/idev-imports/topics-assets/comparison-grid-stroke-certification-programs/strokeprogramgrid_abbrev_010518pdf.pdf. Consultado el 31 de marzo de 2021.

el tratamiento prehospitalario simplemente no es eficaz para disminuir la PIC. Utilizando las lecturas de dióxido de carbono al final de la marea ($ETCO_2$), proporcione soporte ventilatorio para mantener el $ETCO_2$ entre 30 y 35 mm Hg.[6]

La AHA ha desarrollado un algoritmo que muestra los objetivos para el manejo de pacientes con sospecha de ECV, **FIGURA 16-11**. El tratamiento en el hospital sigue distintas vías de atención para cada tipo de ECV. Sin embargo, hay una característica común a ambas vías: el tiempo es esencial. En los ECV isquémicos, los fibrinolíticos deben administrarse en las 3 a 4.5 horas siguientes al inicio. Este plazo puede ampliarse a medida que sigan evolucionando los enfoques nuevos y emergentes del tratamiento del ECV. En los ECV hemorrágicos, cuanto más sangra el paciente en el cráneo, mayor es la posibilidad de que aumente la PIC y se produzca una hernia.

La AHA y la *American Stroke Association* (ASA) recomiendan un enfoque integral de la atención médica de emergencia al paciente con un ECV. En primer lugar, hay que informar a la población sobre los signos y síntomas del ECV. A continuación, los testigos deben llamar al 9-1-1 para que los operadores puedan llamar a los recursos prehospitalarios adecuados. Como paramédico, debe tener la formación adecuada para atender a pacientes con ECV, incluida la capacidad de distinguir qué pacientes se beneficiarían del tratamiento en un centro de ECV. Una vez que el paciente llega al DE, es esencial un enfoque coordinado e integral de la atención. Algunos pacientes se beneficiarán de los fibrinolíticos, otros pueden necesitar la extracción intraarterial de coágulos y otros pueden necesitar neurocirugía. Después de la atención del ECV agudo, es probable que se recomiende una rehabilitación adecuada para garantizar que el paciente recupere la máxima calidad de vida posible.

Todos los paramédicos deben participar en la educación de la comunidad sobre los signos y síntomas del ECV, sus efectos y cómo activarlo. Demasiados pacientes niegan sus síntomas o conducen ellos mismos hasta el DE. Los pacientes deben comprender que, inmediatamente después de descubrir los síntomas del ECV, deben llamar al SEM para pedir ayuda.

Inteligencia en la calle

Las emergencias neurológicas pueden producir sentimientos de confusión, miedo, ira e impotencia. Por lo tanto, debe proporcionar apoyo emocional al paciente y a su familia. Una palmada terapéutica y suave en el hombro puede comunicar su compasión al paciente. Utilice una voz calmada y tranquilizadora para reorientar al paciente y hacerle saber que usted está ahí para ayudarle.

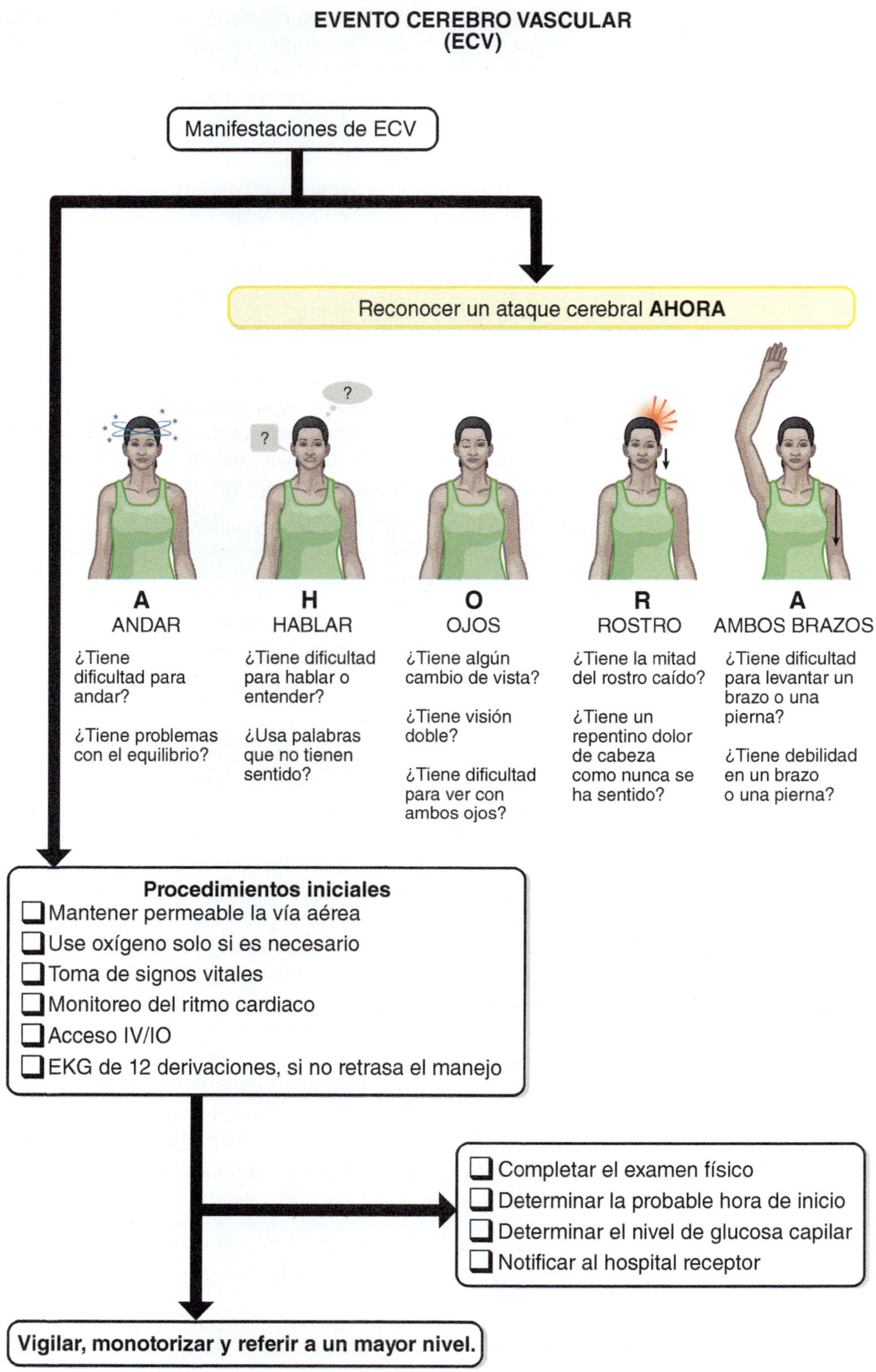

FIGURA 16-11 Algoritmo de sospecha de ECV en adultos del *Emergency Care and Safety Institute.*

Además, todos los niveles del personal del SEM deben estar formados para reconocer los signos y síntomas del ECV. La identificación rápida es imperativa. El tiempo es cerebro, y la administración de agentes fibrinolíticos IV es sensible al tiempo. La lista de comprobación que se presenta en el **CUADRO 16-8** le ayudará a centrarse en la recopilación de la información que el médico del DE necesitará antes de que se pueda considerar la administración de fibrinolíticos. Los pacientes que reciben tratamiento fibrinolítico deben ser evaluados para determinar si la medicación será útil. Hable de manera rápida con la familia o los cuidadores para recopilar la historia clínica, las instrucciones de alta, todos los medicamentos, la información sobre alergias, las órdenes de traslado y otros detalles pertinentes. Durante la fase de evaluación, utilice una herramienta estándar de evaluación del ECV, como la escala prehospitalaria de ECV de Cincinnati, **CUADRO 16-9**, para aumentar la precisión de sus impresiones sobre la escena. También puede utilizar el examen prehospitalario de ECV de Los Angeles, **CUADRO 16-10**, o la lista de comprobación prehospitalaria del déficit neurológico en emergencias de Miami, **CUADRO 16-11**, para evaluar a un paciente con sospecha de ECV.

Evalúe la saturación de oxígeno del paciente y ajuste la oxigenoterapia a sus necesidades. No se recomienda administrar oxígeno suplementario a pacientes no hipóxicos con ictus isquémico agudo. Si está indicado, administre oxígeno para mantener un nivel de saturación de oxígeno (SpO_2) superior a 94%.[12]

En la actualidad no existe ninguna guía de la AHA/ASA para el control prehospitalario de la hipertensión. No administrar aspirina; es útil en pacientes con ECV isquémico, pero es perjudicial en pacientes con ECV hemorrágico. Por este motivo, solo debe administrarse después de obtener un estudio de tomografía computarizada (TC) o

CUADRO 16-8 Ejemplo de lista de comprobación fibrinolítica prehospitalaria para el ECV

Utilice esta lista de comprobación para todos los pacientes con sospecha de ictus.

FECHA: ________ HORA: ________		Hora de inicio de los signos y síntomas (anote la hora). Si no lo sabe, responda a la siguiente pregunta
FECHA: ________ HORA: ________		Hora en que el paciente fue visto normal por última vez (hora de registro)
________ mg/dl		Nivel de glucosa en sangre (número de registro)
______/______ Manual o automático Brazo derecho o brazo izquierdo		Presión arterial (registre las lecturas; marque con un círculo el método y el lugar)
Sí	No	(Marque Sí o No para cada punto)
❑	❑	¿Caída facial?
❑	❑	¿Habla arrastrando las palabras?
❑	❑	¿Desplazamiento del brazo (ojos cerrados y mantenidos durante 10 segundos)?
❑	❑	En los últimos 7 días, ¿el paciente se ha sometido a algún procedimiento en el que se haya punzado una arteria?
❑	❑	En los últimos 14 días, ¿el paciente ha tenido una operación importante o un traumatismo grave?
❑	❑	En los últimos 21 días, ¿el paciente ha tenido alguna hemorragia gastrointestinal o urinaria?
❑	❑	En los últimos 3 meses, ¿el paciente ha presentado un IM, un ECV o un traumatismo craneoencefálico?
❑	❑	Cuando empezaron los signos y síntomas, ¿el paciente tuvo una convulsión?
❑	❑	¿Son evidentes los problemas actuales de hemorragia o coagulación?
❑	❑	¿El paciente toma medicación anticoagulante?
❑	❑	¿El paciente tiene hemorragias intracraneales, ahora o en el pasado?
❑	❑	¿Están mejorando rápidamente los signos y síntomas de ECV del paciente?

CUADRO 16-9 Escala prehospitalaria de ECV de Cincinnati

Evaluación	Normal	Anormal
Parálisis facial		
Pida al paciente que sonría y muestre los dientes.	Ambos lados de la cara se mueven por igual.	Un lado de la cara no se mueve tan bien como el otro.
Hemiparesia		
Pida al paciente que cierre los ojos y mantenga los brazos extendidos con las palmas hacia arriba durante 10 segundos.	Ambos brazos se mueven igual o no se mueve ninguno. (Si ninguno de los dos brazos se mueve, puede indicar que el paciente no ha entendido las instrucciones. Vuelva a realizar la prueba).	Un brazo no se mueve, o un brazo se desplaza hacia abajo en comparación con el otro.
Habla		
Pida al paciente que diga: "El cielo es azul en Cincinnati".	El paciente utiliza palabras correctas sin arrastrar las palabras.	El paciente arrastra las palabras, utiliza palabras inadecuadas o es incapaz de hablar.

Interpretación: si uno de estos puntos es anormal, la probabilidad de un ECV es de 72%.

CUADRO 16-10 Examen prehospitalario de ECV de Los Angeles

Criterios	Sí	Desconocido	No
1. Edad > 45 años	❑	❑	❑
2. Ausencia de antecedentes de convulsiones o epilepsia	❑	❑	❑
3. Síntomas < 24 horas	❑	❑	❑
4. Al inicio del estudio, el paciente no utiliza silla de ruedas ni está postrado en cama	❑	❑	❑
5. Nivel de glucosa en sangre entre 60 y 400 mg/dl	❑	❑	❑
6. Asimetría evidente (derecha frente a izquierda) en cualquiera de las tres categorías de examen siguientes (debe ser unilateral):	❑	❑	❑
	Igualdad	**Derecha débil**	**Izquierda débil**
Sonrisa/mueca facial	❑	❑ Caída	❑ Caída
Agarre	❑	❑ Agarre débil ❑ Sin agarre	❑ Agarre débil ❑ Sin agarre
Fuerza del brazo	❑	❑ Deriva hacia abajo ❑ Cae rápido	❑ Deriva hacia abajo ❑ Cae rápido

Interpretación: si los criterios 1-6 se marcan como sí, entonces la probabilidad de un ECV es de 97%.

CUADRO 16-11 Lista de comprobación prehospitalaria del déficit neurológico en emergencias de Miami

Si el tiempo es anormal:		
Estado mental		
• Nivel de conciencia (AVDI)	❑	
Discurso (repite "No se pueden enseñar trucos nuevos a un perro viejo") Anormal = palabras equivocadas, habla arrastrada, ausencia de habla	❑	
• Preguntas (edad, mes)	❑	
• Comandos (abrir y cerrar los ojos)	❑	
Nervios craneales		
• Caída facial (mostrar los dientes y sonreír) Anormal = un lado no se mueve tan bien como el otro	❑ D	❑ I
• Campos visuales (ve los dedos en los cuatro cuadrantes)	❑ D	❑ I
• Mirada horizontal (de lado a lado)	❑ D	❑ I
Extremidades		
Motor: deriva del brazo (cerrar los ojos y extender los dos brazos) Anormal = un lado no se mueve tan bien como el otro	❑ D	❑ I
Motor: deriva de las piernas (abrir los ojos y levantar cada pierna por separado)	❑ D	❑ I
Sensorial: brazo y pierna (cerrar los ojos y tocar, pellizcar)	❑ D	❑ I
Coordinación: brazo (dedo a nariz)	❑ D	❑ I
Coordinación: pierna (del talón a la espinilla)	❑ D	❑ I

Reimpreso de *Advanced Stroke Life Support® Prehospital Provider Manual*, 11.ª edición, © 2015, con permiso del Gordon Center for Simulation & Innovation in Medical Education de la Universidad de Miami, www.gordoncenter.miami.edu. La lista de comprobación MEND se creó como parte del plan de estudios de Advanced Stroke Life Support® para mejorar la comunicación entre los profesionales sanitarios a lo largo de todo el proceso de atención.

imagen por resonancia magnética (IRM) para confirmar el tipo de ECV.

Debido a que los pacientes neurológicos pueden ser incapaces de sentir o mover los brazos o las piernas, asegúrese de protegerlos de posibles lesiones.

Realice una lista de comprobación fibrinolítica, centrándose en cuándo comenzaron los signos y síntomas o cuándo se vio al paciente normal por última vez. Tenga en cuenta que puede ser difícil precisar el momento exacto en que comenzó el C. Si es posible, transporte a un familiar o allegado que pueda hablar con el personal médico del servicio de emergencias.

Medicina basada en evidencia

Según la sabiduría ancestral, "el oxígeno es bueno y más oxígeno es mejor". El oxígeno es necesario para la actividad celular, pero para los pacientes en los que las células están siendo dañadas y destruidas, más oxígeno no siempre es mejor. Cuando falla la membrana celular, los materiales celulares que contenía la célula pueden pasar al espacio intersticial. Algunos de estos materiales son sustancias químicas (radicales libres) que causan daños a las células vecinas. En un entorno rico en oxígeno, estos radicales libres pueden aumentar su reactividad y "arder" más, causando daños o la muerte a más células vecinas.

A medida que se siga investigando este concepto, cabe esperar que se siga cuestionando la sabiduría convencional. La AHA y la ASA informan de que los pacientes que comienzan con niveles normales de SpO_2 y reciben concentraciones elevadas de oxígeno tienen resultados similares en comparación con los pacientes con niveles normales de SpO_2 que no reciben oxígeno suplementario cuando presentan ECV.[6]

Perlas de sabiduría

Los protocolos son el principio de la atención al paciente, no la totalidad de la atención.

El paciente médico crónico es quizá el tipo de paciente más complicado con el que se encontrará. A menudo, estos pacientes tienen muchas enfermedades que tratar y pueden tomar numerosos medicamentos. Sus protocolos son guías de tratamiento que pueden proporcionarle un marco inicial para atender de forma eficaz a los pacientes. Para ser un paramédico eficaz, debe pensar de forma crítica y adaptarse a las necesidades de cada paciente. Por ejemplo, en el paciente que ha presentado un ECV, los antecedentes de enfermedad pulmonar obstructiva crónica (EPOC) complicarán los cuidados. Si un paciente no encaja bien en su protocolo, debe ponerse en contacto con su supervisor, su compañero o el control médico. Estos recursos pueden ayudarle a prestar una atención segura y eficaz al paciente.

Decisiones sobre transporte

Cuando se atiende a un paciente con sospecha de ECV, es crucial determinar el centro adecuado para su transporte. Debe transportar a los pacientes con ECV a centros designados para ECV (instalaciones con equipos médicos formados en la administración de fibrinolíticos y en el diagnóstico y tratamiento de diversos tipos de ECV). Si se encuentra a más de 1 hora de distancia de un centro de ECV, considere el transporte

Controversias

Imagine la siguiente situación: no está seguro de si el paciente está teniendo un ECV isquémico o hemorrágico. El paciente quiere ir al Hospital General, que no dispone de los recursos adecuados para tratar ECV hemorrágicos. El Hospital Regional atiende a pacientes con ambos tipos de ECV, pero se encuentra a 45 minutos de distancia. Para tomar la mejor decisión, hay que determinar de qué tipo de ECV se trata.

En algunas partes de Estados Unidos, los SEM están utilizando un sistema innovador para responder a esta pregunta.[13] Las unidades móviles de ECV –ambulancias equipadas en específico con un tomógrafo– suelen estar manejadas por un paramédico, una enfermera de cuidados intensivos, un técnico en imágenes y un operador del vehículo del SEM, **FIGURA 16-12**. Cuando se envía un paciente con un posible ECV, también se envía la unidad de TC portátil. El equipo llega, evalúa al paciente y lo lleva en camilla a la unidad móvil de ECV. Se realiza una exploración rápida. Este TC se transmite al hospital, donde un neurocirujano lo evalúa para determinar si el paciente está teniendo un ECV hemorrágico o isquémico. Al mismo tiempo, un paramédico y una enfermera de cuidados intensivos realizan una evaluación detallada, que incluye análisis de sangre. Si procede, entonces se pueden iniciar los fibrinolíticos mientras se está de camino al centro de ECV más cercano.

Este enfoque novedoso de la atención al ECV suscita muchas preguntas, como las siguientes:

- ¿Este sistema disminuye el tiempo desde el contacto inicial del SEM hasta la administración de fibrinolíticos?
- ¿Los pacientes tienen mejor asignación a los centros que mejor pueden atenderlos?
- ¿Este sistema disminuye el déficit neurológico causado por los ECV?
- ¿Cuál es el coste adicional para el paciente por este servicio?
- ¿Qué factores afectan al ECV pueden mitigarse mejor con este sistema?

La única forma de que la medicina avance es probar algo nuevo y aprender de la experiencia. Este enfoque de alta tecnología tiene muchos aspectos atractivos. Obviamente, el tiempo contribuye de forma significativa a los efectos devastadores relacionados con el ECV. ¿Cuánto tarda en llegar el SEM? ¿Cuánto tiempo transcurre hasta que un médico evalúa al paciente? ¿Cuánto tiempo transcurre hasta que se obtiene una TC? ¿Cuánto tiempo transcurre hasta que se administran los fibrinolíticos? Sin embargo, esta intervención no puede ayudar a responder a la pregunta crítica: "¿Cuándo se vio normal al paciente por última vez?".

La AHA y la ASA informan de que menos de la mitad de los pacientes con ECV que llaman al 9-1-1 lo hacen en la hora siguiente a la aparición de los signos y síntomas.[6] Si el paciente espera varias horas antes de llamar al 9-1-1, es posible que toda la tecnología del mundo no evite el daño neurológico permanente. Así pues, las verdaderas preguntas pueden ser ¿Cómo pueden los servicios prestar atención médica más rápido a los pacientes que han presentado un ECV, y cómo pueden educar mejor a la gente sobre los ECV para que llamen antes al 9-1-1?

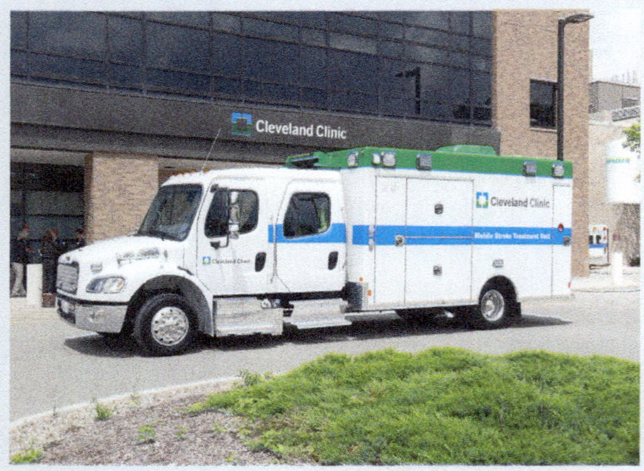

FIGURA 16-12 Una unidad móvil de EVC.

médico aéreo. Póngase en contacto con el centro para asegurarse de que sus capacidades de TC/IRM están operativas. Algunos centros necesitarán ponerse en contacto con los técnicos de diagnóstico por imagen que están de guardia durante las horas nocturnas o los fines de semana. La notificación temprana del hospital al DE puede reducir el tiempo que transcurre antes de que el paciente se someta a una TC/IRM. De hecho, muchos centros permiten ahora transportar a los pacientes en ambulancia directo al escáner de TC. Este movimiento inicial del DE puede ahorrar un tiempo valioso, por lo que se recomienda llamar con antelación para avisar al DE. Por lo general, los miembros del equipo de emergencias se reunirán con usted y le guiarán hasta el escáner de TC. Mientras camina hacia el escáner, se le pedirá que dé su informe verbal.

Si en su región existe un centro integral de ECV, en función de la presentación y las necesidades del paciente, como la necesidad de terapia endovascular, es posible que el protocolo le indique que traslade a su paciente directo a uno de estos centros. Dichos centros de ECV cuentan con personal las 24 horas del día, los 7 días de la semana, con especialistas en ECV avanzados que pueden realizar procedimientos de última generación en pacientes con ECV.

Si el paciente se descompensa con rapidez o sospecha que se trata de un ECV hemorrágico, considere la posibilidad de trasladarlo a un centro que pueda realizar neurocirugía. De nuevo, llame con antelación para avisar al hospital de la necesidad de una evaluación rápida.

Ataques isquémicos transitorios

Fisiopatología

Los **ataques isquémicos transitorios (AIT)** son episodios de isquemia cerebral que no causan daños permanentes. Los AIT pueden presentar cualquiera de los síntomas típicos de un ECV. Lo que los diferencia de un ECV es la desaparición de los signos y síntomas. Según la AHA/ASA, muchos AIT se resuelven por completo en menos de 1 hora, lo que puede significar que lo envíen a usted por un ECV, pero al llegar se encuentre con un paciente cuyos síntomas se han resuelto.[14]

Los AIT no producen daños residuales en el tejido cerebral y no aparecen signos ni síntomas una vez finalizado el episodio. Sin embargo, estos mini ECV suelen ser signos de una afección vascular grave que requiere evaluación médica. Se calcula que un tercio de los pacientes con AIT presentarán ECV agudo en el futuro.[15]

Perlas de sabiduría

Piense en la relación entre AIT y ECV como equivalente de la relación entre angina e IM.

Evaluación

Debido a que cualquiera de los signos y síntomas de los ECV puede producirse con un AIT, su evaluación será la misma.

Manejo

Los pacientes pueden tener varios AIT. Para tratar a los pacientes con esta afección, siga las guías de tratamiento del ECV comentadas antes. Es necesaria una evaluación neurológica minuciosa. Anime con insistencia al paciente a ser trasladado, aunque los síntomas se hayan resuelto. Si el paciente rechaza el transporte, pida ayuda a su familia. Si el paciente sigue negándose, anímele a buscar atención médica pronto. Es importante recalcar al paciente que este AIT fue una señal de advertencia de un problema grave y en

USTED es el Paramédico

PARTE 3

El paciente está tranquilo, pero tiene que hacerle varias peticiones antes de que acceda. Cuando le pregunta si le duele la cabeza, niega con la cabeza. También niega tener dolor torácico, dificultad para respirar y dolor abdominal. Después de muchas preguntas de sí o no, usted determina que se despertó hace unas 2 horas. No ha podido hablar desde entonces. La esposa del paciente le dio 325 mg de aspirina antes de su llegada. La esposa dice que tuvo un episodio de debilidad en el lado izquierdo hace 1 año. La causa no estaba clara, pero su médico no creía que hubiera tenido un derrame cerebral.

Tiempo de grabación:	5 minutos
Respiraciones	16 respiraciones/min, en calma
Pulso	112 latidos/min, regular
Piel	Cálida, color normal, seca
Presión arterial	142/96 mm Hg
Saturación de oxígeno (Spo_2)	98% al aire ambiente
Pupilas	Pupilas iguales, redondas, reactivas a la luz (PIRRL)
Nivel de glucosa en sangre	164 mg/dl

6. ¿Qué parte de la evaluación neurológica es incoherente con el resto del examen?
7. Si este paciente está teniendo un ECV, ¿cómo le afectará la aspirina?

potencia mortal en los vasos sanguíneos del cerebro. La hipertensión es la principal causa prevenible de ECV y AIT. Anime al paciente a hablar con un médico sobre el control de la PA y a tomar los medicamentos antihipertensivos según lo prescrito.

Coma

Fisiopatología

A menudo se llama a los paramédicos por una persona que no responde. Una forma de recordar las causas más frecuentes de disminución del NC es utilizar la nemotecnia AEIOUTIPS, **CUADRO 16-12**. Este consejo de memoria le ayudará a centrarse en grupos generales de causas. Tenga en cuenta que cada agrupación tiene una aparición diferente de signos y síntomas.

Como ocurre con la mayoría de las afecciones médicas, los antecedentes de la enfermedad actual son vitales para determinar la causa subyacente de las molestias del paciente. No es habitual que una persona esté sana un minuto y al siguiente no responda a causa de una infección. Sin embargo, una convulsión es un ejemplo de enfermedad que puede provocar una falta de respuesta casi instantánea.

CUADRO 16-12 AEIOUTIPS: causas de estado mental alterado

Letra	Nombre	Inicio	Signos y síntomas	Enfoque del tratamiento
A	Alcohol	Agudo (horas) Crónico (días)	Intoxicación; dificultad para hablar; ataxia; olor a alcohol en el aliento; temblores; alucinaciones	Garantizar oxígeno, glucosa y temperatura para el correcto funcionamiento del cerebro. Considerar tiamina con dextrosa.
	Acidosis	Agudo (horas)	Múltiples causas; taquipnea e hiperpnea son frecuentes	Ventilación Bicarbonato de sodio
E	Epilepsia (convulsiones)	Repentino (segundos)	Aura; actividad hipertónica, tónico-clónica; estado posictal	Si se prolonga, diazepam (Valium®) o lorazepam (Ativan®)
	Endocrino	Crónico (días a semanas)	Para las afecciones tiroideas, aumento del metabolismo (hipertermia, hipertensión, taquipnea, taquicardia) O disminución del metabolismo (hipotermia, bradicardia, bradipnea e hipotensión)	Cuidados de apoyo. Véase capítulo 20, *Emergencias endocrinas*, para más información.
	Electrólitos	Agudo (horas) Crónico (días)	Deshidratación; insuficiencia renal; insuficiencia hepática; cambios en el EKG, etc.	Asegurar un volumen circulante adecuado; monitorizar el EKG.
I	Insulina	Agudo (horas)	Diaforesis; taquicardia; temblores; ataxia	Dextrosa o glucagón
O	Opioides	Agudo (de minutos a horas)	Pupilas contraídas; disminución del NC; bradipnea; cianosis	Naloxona (Narcan®); esté preparado para administrar dosis adicionales según sea necesario.
	Otros medicamentos	De agudo a gradual (de horas a días, según el agente)	Varía en función del agente implicado; marcas de huellas; parafernalia de drogas	Administración de fármacos seleccionados; considerar la naloxona (Narcan®).
U	**Uremia** (insuficiencia renal)	Gradual (días a semanas)	Náusea/vómito; heladas urémicas; calambres musculares; disritmias; edema pulmonar	Garantizar oxígeno, glucosa y temperatura para el correcto funcionamiento del cerebro.

Letra	Nombre	Inicio	Signos y síntomas	Enfoque del tratamiento
T	Trauma	Repentino (segundos),	Por lo general, la hipotensión provoca alteración del nivel de conciencia o traumatismo craneoencefálico directo	Considerar la estabilización manual en línea; garantizar una presión arterial adecuada.
	Temperatura	De agudo a gradual (de horas a días, según el mecanismo)	Hipertermia (de esfuerzo, ambiental o endocrina); hipotermia (ambiental, endocrina, situacional [p. ej., persona inmóvil recostada en el suelo durante días])	Detenga el proceso de enfriamiento o calefacción: lleve al paciente al interior, quítele la ropa mojada, aléjese del suelo frío. Evalúe si hay traumatismos u otras afecciones médicas. Consulte capítulo 20, *Emergencias endocrinas*, y capítulo 35, *Emergencias ambientales*, para obtener más información.
I	Infección	Gradual (de horas a días)	Fiebre; erupción cutánea; malestar general; taquicardia; taquipnea; la piel puede estar fría o caliente según el grado de infección	Garantizar una PA adecuada.
P	Intoxicación (*Poisoning*)	De agudo a gradual (de horas a días, según el agente)	Varía en función del agente implicado; frascos de pastillas vacíos; olores químicos en la boca de un niño; hojas rotas de plantas, envases abiertos de pesticidas	Cuidados de apoyo basados en el agente sospechoso implicado. Para más información, véase capítulo 24, *Toxicología*.
	Causas psicógenas	Repentino (segundos) Los antecedentes de enfermedad mental o abuso de sustancias son típicos	Delirios; alucinaciones; desorganización; comportamiento o postura extraños	Garantizar oxígeno, glucosa y temperatura para el correcto funcionamiento del cerebro; pueden ser necesarias sujeciones y sedación.
S	Shock	De agudo a gradual (de horas a días, según el mecanismo)	Disminución de la PA y otros signos de mala perfusión	Asegurar un volumen circulante adecuado; administrar vasopresores si es necesario.
	ECV (*Stroke*)	Repentino (de segundos a horas)	Caída facial; habla arrastrada; ataxia; patrón respiratorio anormal/irregular; bradicardia potencial	Garantizar oxígeno, glucosa y temperatura para el correcto funcionamiento del cerebro.
	Síncope	Inicio agudo	Síndrome de debilidad o pérdida de visión periférica, luego pérdida de conciencia que se resuelve rápido	Asegurar un volumen circulante y una oxigenación adecuados. Evaluar el ritmo cardíaco. Comprobar si se han producido traumatismos durante la caída.
	Lesión ocupante de espacio (*Space-occupying lesion*)	Cambios graduales y sutiles	Dolor de cabeza; convulsiones de nueva aparición; síntomas similares a los del ECV	Tratar por ECV/ataque.
	Hemorragia subaracnoidea	Aguda (de minutos a horas)	Cefalea en trueno; el peor dolor de cabeza de la vida; signos y síntomas de ECV; convulsiones	Tratar por ECV/ataque.

Abreviaturas: EKG: electrocardiograma; NC: nivel de consciencia; PA: presión arterial.

Evaluación

Determinar cuándo fue la última vez que se vio al paciente actuando con normalidad. Evaluar la velocidad de aparición de la alteración del NC del paciente. De nuevo, identificar el inicio ayudará a distinguir una causa de otra.

Entre los signos y síntomas comunes de disminución del NC y coma inminente se incluyen los siguientes:

- **Efectos cognitivos.** Disminución del NC, confusión, alucinaciones, delirios, psicosis, dificultad para pensar y somnolencia.
- **Efectos sobre el habla.** Mala pronunciación, agnosia, apraxia y afasia.
- **Efectos sobre el movimiento.** Ataxia, afagia, convulsiones y posturas.
- **Efectos generales sobre el SNC.** Insensibilidad total (coma).

Puede resultar difícil determinar la causa de un NC alterado. Sin embargo, encontrar la causa le permitirá tratar de manera eficaz al paciente y centrar sus cuidados. En la **FIGURA 16-13** se ofrece un algoritmo basado en AEIOUTIPS, que puede ayudarle a progresar hacia el área correcta de su protocolo.

Perlas de sabiduría

Una tecnología como la plataforma Pulsara puede ofrecer a los proveedores que se encuentran en el lugar del accidente contacto en tiempo real con un equipo de ECV a través de un celular. Pulsara incluye funciones de video para permitir una mejor evaluación por parte del equipo de ECV desde una ubicación remota.[16]

Manejo

La atención a los pacientes en coma se centra en dos etapas. En primer lugar, apoyar las funciones vitales. Seguir la pauta de cuidados estándar debería permitirle asegurar y mantener el ABC de forma eficaz. En segundo lugar, reúna información sobre la posible causa de la alteración del NC o el coma y descarte las causas que pueda con las herramientas de que dispone. Recopile los antecedentes médicos, evalúe la medicación, busque signos de traumatismo y determine los antecedentes de la enfermedad actual. Esta información le ayudará a dirigir su atención hacia la causa más probable. Como siempre, una buena evaluación es la base de una excelente atención al paciente.

USTED es el Paramédico

PARTE 4

El estado del paciente no cambia durante el traslado al hospital. Como ha llamado con antelación al centro de ECV más cercano, un equipo de ECV está esperando su llegada. Le aconsejan que lleve al paciente directo al escáner de TC. Da su informe al médico de emergencias mientras ayuda a trasladar al paciente de su camilla al escáner de TC. A continuación, redacta su informe de atención al paciente. Cuando se marcha, el médico de emergencias le dice que la tomografía no ha dado ningún resultado destacable, sin signos de ECV o hemorragia. Está empezando a considerar causas no relacionadas con ECV para el mutismo y otros síntomas de este paciente. El personal de energencias seguirá monitorizando al paciente durante varias horas.

Tiempo de grabación:	15 minutos
Respiraciones	20 respiraciones/min
Pulso	116 latidos/min, regular
Piel	Cálida, color normal, seco
Presión arterial	146/96 mm Hg
Saturación de oxígeno (SpO_2)	98% con aire ambiente
Pupilas	PIRRL

8. ¿Cuáles son otras posibles causas de las presentaciones en forma de derrame cerebral?
9. ¿Ha hecho bien en tratar a este paciente como si hubiera presentado un ECV?

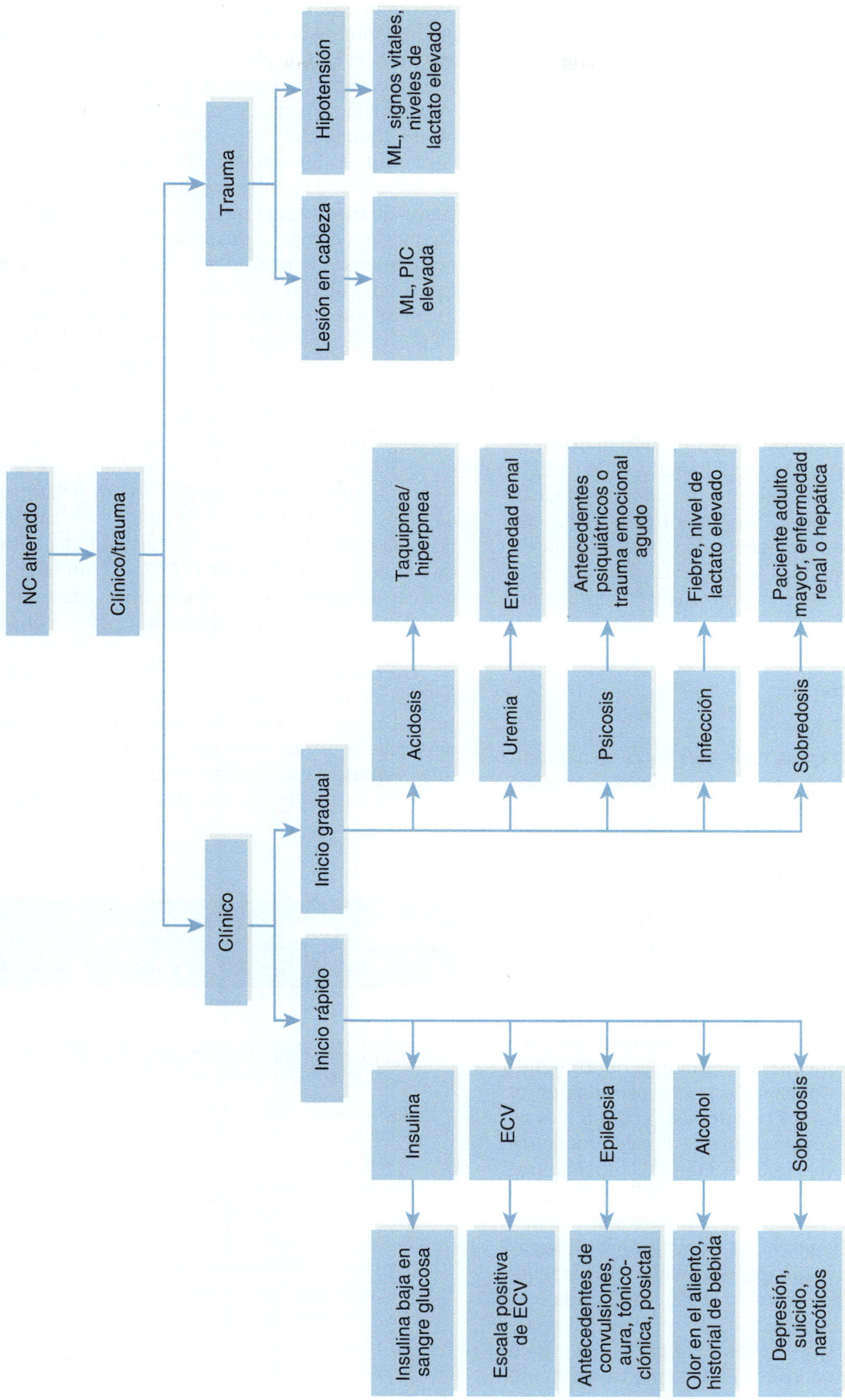

FIGURA 16-13 Algoritmo de nivel de conciencia alterado.

Abreviaturas: PIC, presión intracraneal; ML, mecanismo de lesión.

No es raro disponer de muy poca información para determinar una causa, pero este hecho no debe disuadirle de buscar una. ¿El paciente lleva etiquetas de identificación médica? ¿Cómo actuaba el paciente antes de que le llamaran? ¿Ve parafernalia de drogas cerca del paciente? Esta información puede ser crucial para proporcionar la atención continua y de calidad que este paciente necesitará para recuperar la salud. Administre naloxona si sospecha que se trata de una sobredosis de opoides, como se explica en el capítulo 24, *Toxicología.*

Por último, es posible que no pueda determinar la causa de la alteración del NC del paciente. En este caso, informe al personal del DE que no sabe qué le pasa al paciente, y luego informe de lo que *no* le pasa. Por ejemplo, informe que ha comprobado el nivel de glucosa en sangre del paciente, le ha administrado naloxona y ha recopilado una gran cantidad de información, y el paciente no parece haber sufrido un ECV. La causa del estado del paciente puede no estar clara, pero usted puede seguir prestando una excelente atención médica de emergencia mientras intenta diligentemente determinar la causa. La práctica de la medicina es a veces más un proceso de descartar afecciones que de descartarlas.

Convulsiones

Fisiopatología

Recuerde que una crisis epiléptica es el disparo súbito y errático de las neuronas. Los pacientes pueden experimentar una amplia gama de signos y síntomas cuando tienen convulsiones, como espasmos musculares, aumento de las secreciones, diaforesis y cianosis. Una crisis puede limitarse al temblor de una mano o a un sabor metálico en la boca, o puede implicar el movimiento de todas las extremidades o la pérdida total de conciencia. Los pacientes pueden ser conscientes de la crisis o despertarse sin saber qué ha ocurrido. Cada una de estas experiencias se define como convulsión si se produce por el disparo aleatorio de las neuronas.

Si una crisis convulsiva se prolonga durante mucho tiempo, se producen profundos cambios en el cerebro y el organismo. Los suministros cerebrales de glucosa y oxígeno pueden agotarse. Puede producirse hipoxia sistémica (en todo el cuerpo), hipercapnia, cambios en la PA e hipertermia. Un único ataque de corta duración no suele poner en peligro la vida del paciente. Sin embargo, si las convulsiones se agrupan o duran mucho tiempo, el paciente puede tener efectos a largo plazo, incluida la muerte. También es frecuente que el personal del SEM reciba un aviso de convulsión y, al llegar, encuentre al paciente en paro cardíaco. ¿Qué ha ocurrido? El paciente experimentó una disritmia letal, la presión arterial disminuyó, el flujo sanguíneo al cerebro disminuyó y, a continuación, el paciente presentó una convulsión.

Como con la mayoría de los pacientes en tratamiento, intente determinar la causa del problema, en este caso, el ataque. Pregunte por el cumplimiento de la medicación. La fenitoína (Dilantin®), el lorazepam (Ativan®), la carbamazepina (Tegretol®) y el ácido valproico (Depakene®) son medicamentos anticonvulsivos comunes. Sin embargo, por diversas razones, los pacientes pueden haber tomado una cantidad insuficiente de medicación para prevenir las convulsiones. Algunos pueden dejar de tomar la medicación porque no han tenido convulsiones en varios meses y creen que están curados. Los pacientes que beben alcohol mientras toman anticonvulsivos tienen mayor riesgo de presentar una interacción farmacológica que provoque convulsiones. Los niños pueden dejar de tomar la medicación anticonvulsiva, y los adultos mayores pueden ser incapaces de pagarla.

La fiebre es una causa frecuente de convulsiones en los lactantes (convulsiones febriles). Las convulsiones también pueden producirse en personas con diabetes con un nivel bajo de glucosa en sangre. Conocer la causa de la convulsión le ayudará a dirigir el tratamiento. En el **CUADRO 16-13** se enumeran algunas causas comunes de convulsiones. Las convulsiones febriles se tratan en el capítulo 40, *Emergencias pediátricas.*

Las crisis epilépticas se clasifican a grandes rasgos en función de tres características: (1) dónde comienzan las crisis en el cerebro, (2) el nivel de consciencia del paciente durante una crisis y (3) los síntomas motores y otras características asociadas con la crisis. La *Epilepsy Foundation* utiliza el término *conciencia* en

CUADRO 16-13 Causas comunes de convulsiones

- **Absceso**
- Alcohol
- Abstinencia alcohólica (*delirium tremens*)
- Anomalía de nacimiento
- Infecciones cerebrales (meningitis, encefalitis)
- Traumatismo cerebral
- Diabetes mellitus
- Fiebre (aumento rápido)
- Hipertensión durante el embarazo (eclampsia)
- **Idiopática** (de causa desconocida)
- Dosificación inadecuada de la medicación
- Síndromes cerebrales orgánicos
- Consumo de drogas recreativas (cocaína)
- ECV o ataque isquémico transitorio (AIT)
- Infección sistémica
- Tumor
- Uremia (insuficiencia renal)

lugar de *conocimiento* para clasificar las crisis porque es más fácil de evaluar.[17]

Convulsiones generalizadas

Recuerde que las crisis generalizadas afectan de algún modo a la conciencia e implican a ambos lados del cerebro en su inicio. Por el contrario, las crisis focales (antes denominadas crisis parciales) comienzan en un lado del cerebro; la conciencia puede permanecer intacta o verse afectada. Dos tipos de crisis generalizadas son las crisis tónico-clónicas (motoras generalizadas) y las crisis de ausencia (no motoras generalizadas).

Crisis tónico-clónicas (motoras). Las crisis tónico-clónicas, antes denominadas crisis de gran mal, son las que plantean mayores dificultades de evaluación. Este tipo de crisis sigue un patrón específico. La mayoría de las convulsiones tónico-clónicas siguen cada uno de los siguientes pasos en secuencia (aunque algunos pacientes no experimentan todos los pasos):

1. Pérdida de conocimiento
2. Fase tónica: rigidez sistémica
3. Fase hipertónica: espalda arqueada y rigidez
4. Fase clónica: contracciones intermitentes de los principales grupos musculares: brazos, piernas y movimiento de la cabeza; chasquido de labios, morderse, apretar los dientes. Las contracciones son caóticas, desorganizadas y de pequeña amplitud. Imagínese una fibrilación ventricular del cerebro: eso es lo que es eléctricamente una convulsión.
5. Posconvulsión: los músculos principales se relajan y puede seguir produciendo **nistagmo** (movimiento involuntario y rítmico de los ojos). Los ojos pueden mirar hacia atrás (en la parte posterior de la cabeza).
6. Fase **postictal**: periodo de reinicio del cerebro. Pueden pasar varios minutos u horas antes de que el paciente vuelva de manera gradual al NC previo a la crisis. Durante este tiempo, el paciente puede mostrar los siguientes signos:
   - Inicialmente afásico (incapaz de hablar)
   - Confuso o incapaz de seguir órdenes
   - Emocional
   - Cansado
   - Dolor de cabeza
   - Retorno gradual de la función cerebral normal

Las crisis tónico-clónicas son inquietantes tanto para la familia como para el personal sanitario. La respiración puede ser errática y ruidosa durante una crisis. En algunos momentos, el paciente puede dejar de respirar y ponerse cianótico. Estos periodos de apnea suelen durar poco y no requieren intervención. Si el paciente está apneico durante más de 30 segundos, inicie de inmediato la asistencia ventilatoria. Otro aspecto angustioso de las convulsiones, en especial para el paciente, es la incontinencia.

Ausencia (no motora) convulsiones. A diferencia de las crisis tónico-clónicas, las crisis no motoras (antes denominadas crisis de ausencia generalizada o pequeño mal) se presentan con breves cambios de conciencia y poco o ningún movimiento. El paciente típico con una crisis no motora generalizada es un niño. Por lo general, el niño simplemente se detiene: deja de caminar, deja de hablar a mitad de una frase o deja de jugar y se queda inmóvil con un juguete en la mano. El niño rara vez se cae. Las crisis no motoras generalizadas no suelen durar más de varios segundos, sin periodo postictal ni confusión. Las luces intermitentes o la hiperventilación pueden provocar este tipo de crisis.

Convulsiones focales

Las crisis focales afectan a una zona de un lado del cerebro. Si una crisis focal progresa y después afecta a ambos lados del cerebro, se considera una crisis generalizada. Con una crisis focal consciente (antes denominada crisis parcial simple), el paciente puede ser incapaz de hablar o responder durante el evento, pero su conciencia permanece intacta. Si la consciencia del paciente se ve afectada o alterada en cualquier momento durante una crisis focal, se denomina *crisis de consciencia alterada focal* (antes denominada crisis parcial compleja). Los términos *focal motor* y *focal no motor* se utilizan para describir los comportamientos asociados con una crisis focal.

Debido a que el paciente que experimenta una convulsión focal consciente está alerta y puede interactuar con usted, es posible que usted no pueda darse cuenta de que está presentando una convulsión y tenga que confiar en que el paciente le transmita sus síntomas. Algunos pacientes pueden experimentar una sola crisis, mientras que otros pueden tener varias crisis seguidas. Las crisis suelen durar menos de 2 minutos. Los signos y síntomas dependen del lugar del cerebro donde se produzca la alteración de las células nerviosas. Algunos pacientes experimentan síntomas motores, como sacudidas involuntarias de la cara, un brazo o una pierna. Otros experimentan síntomas sensoriales como hormigueo, un sabor extraño o la percepción de ver luces o escuchar un ruido agudo.

Las crisis de alteración focal de la conciencia implican un cambio de conciencia en algún momento de la crisis. El grado de pérdida varía, y la mayoría de los pacientes experimentan un periodo postictal posterior. La mayoría de las crisis de este tipo duran menos de 2 minutos. Los signos y síntomas dependen del área cerebral afectada, y el paciente puede o no experimentar automatismos, que son movimientos musculares repetitivos e involuntarios (p. ej., lamerse los labios, chasquear los labios, frotarse las manos). Si el lóbulo temporal está afectado, los comportamientos pueden incluir chasquear los dedos, repetir frases o caminar en círculos. Si está afectado el lóbulo frontal, pueden observarse gestos, movimientos en bicicleta, patadas o un grito fuerte. La afectación de los lóbulos parietal u occipital es menos frecuente, pero puede afectar a los sentidos del paciente.

El **CUADRO 16-14** resume la clasificación de las convulsiones.

Seudo convulsiones

Las seudo convulsiones también se denominan crisis psicógenas no epilépticas. Desde el punto de vista sintomático, es posible que no note ninguna diferencia entre estos episodios y una crisis tónico-clónica. El movimiento tónico-clónico, la pérdida de conciencia y la fase postictal están presentes durante estos episodios. La diferencia es que en las seudo convulsiones, la causa fundamental es de origen psiquiátrico. Es importante entender que en la mayoría de los casos de seudo convulsiones, el paciente no está provocando de manera intencionada este comportamiento.

Los pacientes con seudo convulsiones presentan pérdida de conciencia, que suele desencadenarse por algún acontecimiento emocional, estrés, luces o dolor. Las seudo convulsiones ocurren llamativamente con testigos, un hecho que puede llevar a los profesionales sanitarios a creer que las seudo convulsiones son fingidas. El movimiento que se produce durante la convulsión es relativamente organizado: movimiento de la cabeza de lado a lado, movimientos de pedaleo de las piernas (como montar en bicicleta), llanto o tartamudeo. Estos pacientes suelen tener antecedentes psiquiátricos u otros antecedentes médicos, como fibromialgia, dolor crónico o fatiga crónica. Rara vez un paciente con seudo convulsiones se vuelve incontinente.

Perlas de sabiduría

Las crisis tónico-clónicas son muy difíciles de imitar o fingir. Si atiende a un paciente que muestra una actividad convulsiva coordinada, sospeche que se trata de una seudo convulsión. El paciente también puede estar fingiendo la crisis. Informe al DE antes de administrar benzodiacepinas.

Evaluación

Tanto si son generalizadas como focales, la mayoría de las crisis son autolimitadas. Por lo tanto, todo lo que hay que hacer es vigilar y proteger a los pacientes para que no se lesionen. A continuación, se enumeran otras características importantes de su evaluación de un paciente con convulsiones:

- ¿Cuánto tiempo duró el ataque? ¿Qué aspecto tenía para los transeúntes o la familia?
- Describa la crisis lo mejor posible (movimientos corporales únicos, regiones del cuerpo implicadas, posiciones del cuerpo, etcétera).
- ¿El paciente tiene antecedentes de convulsiones?
  - ¿Cuántas crisis suele tener el paciente en un día o una semana? ¿Cuánto duran? ¿Qué aspecto tienen?
  - ¿El paciente toma la medicación anticonvulsiva según lo prescrito?

CUADRO 16-14 Clasificación de las convulsiones

Inicio	Concienciación	Otras características
Generalizado	Todos afectan a la conciencia de alguna manera	Motoras (tónico-clónicas, otras motoras) Sin motor
Focal	Consciente (parcial simple) Deterioro de la conciencia (parcial complejo) Conocimiento desconocido	Motor Sin motor
Desconocido	Puede ser desconocido	Motor Sin motor No se puede clasificar

 - ¿Ha habido cambios recientes en la medicación?
 - ¿Los testigos le administraron algún medicamento?
 - ¿El paciente tiene un estimulador del nervio vago (ENV)? En caso afirmativo, ¿el paciente tiene un imán de activación?
- ¿El paciente tiene antecedentes recientes de traumatismo craneal, sobredosis, embarazo, diabetes, hipoglucemia o exposición al calor? Incluso si no hay antecedentes de diabetes, compruebe el nivel de glucosa en sangre en todos los pacientes con convulsiones.
- ¿El paciente tiene fiebre?
- ¿El paciente estaba apneico, cianótico o vomitaba?
- ¿El paciente tuvo incontinencia intestinal o vesical?

Junto con su evaluación exhaustiva, las respuestas a estas preguntas ayudarán al personal del DE a determinar la causa de la convulsión.

Manejo

Para tratar una crisis convulsiva, comience con la pauta de atención estándar para el paciente neurológico. Determine rápido si un traumatismo es motivo de preocupación. ¿Dónde estaba el paciente antes de la crisis? ¿Qué hacía el paciente antes de la crisis? ¿Cómo llegó el paciente a la posición actual? Si el traumatismo no está claro o está confirmado, realice una estabilización manual en línea media.

Si llega cuando todavía se está produciendo la crisis, no sujete al paciente ni intente detener el movimiento convulsivo. Mantenga la calma y evite que el paciente golpee objetos y se lesione. No introduzca nada en la boca del paciente mientras esté teniendo convulsiones. Si los testigos han colocado un objeto en la boca del paciente (p. ej., una cuchara o un cuchillo de mantequilla insertado de manera lateral), retírelo. Si cree que se trata de una seudoconvulsión, trátela como cualquier otra convulsión; no descarte este comportamiento como si el paciente estuviera actuando. Corrija la hipoglucemia administrando glucosa IV según sea necesario. Por lo demás, la mayoría de las convulsiones son autolimitadas. Es posible que necesite asistencia ventilatoria si la convulsión o la apnea del paciente se prolongan, pero es difícil ventilar a un paciente que está teniendo una convulsión activa. Es prácticamente imposible realizar una intubación oral o nasotraqueal durante una convulsión (véase la discusión sobre el estado epiléptico).

Después de la convulsión, proporcione apoyo emocional. Garantice la intimidad del paciente y háblele con calma y despacio. Esté preparado para repetir lo que dice. Reoriente al paciente al lugar y la hora. Si la convulsión fue febril, anime al paciente o a los padres o cuidadores a administrar medicamentos antifebriles (p. ej., paracetamol o ibuprofeno). Consulte sus protocolos para la administración adecuada de medicamentos de venta libre a los pacientes.

A menos que se encuentre una causa clara y fácilmente reversible para la convulsión, transporte a todos los pacientes. Las convulsiones pueden ser un signo de advertencia de afecciones más graves del sistema nervioso, como un derrame cerebral, un tumor cerebral o un desequilibrio metabólico grave. Si se conocen antecedentes de convulsiones, es posible que el paciente no desee acudir al hospital. En tal caso, aconseje al paciente que acuda a un médico en un plazo de 24 horas. El paciente con diabetes que se despierta después de la administración de glucosa también puede no desear ser trasladado. Aconseje a este paciente que coma bien y que consulte a un médico.

Puede ser difícil diferenciar un estatus convulsivo de un ECV. Al hacer esta determinación, considere los hallazgos de su evaluación y la historia médica pasada. Los pacientes con antecedentes de convulsiones pueden tener patrones de convulsiones similares a lo largo del tiempo. Por lo tanto, la familia puede anticipar lo que ocurrirá. Sin embargo, cuando un paciente tiene una convulsión causada por un ECV, es poco probable que el patrón sea el mismo que el de la convulsión basal del paciente. Esa diferencia puede ser una pista. Hable con los familiares y amigos del paciente y determine si la convulsión actual es igual a una convulsión típica. El **CUADRO 16-15** proporciona guías adicionales para diferenciar entre una convulsión y un ECV.

Si le preocupa que un paciente pueda tener una convulsión durante el transporte, establezca un acceso vascular para estar preparado para administrar diazepam (Valium®), Lorazepam (Ativan®) o midazolam (Versed®), los fármacos de elección para detener las convulsiones. Coloque mantas sobre las barandillas de la camilla de la ambulancia y sobre cualquier superficie dura cercana al paciente. Asegúrese de que las

Perlas de sabiduría

Al interrogar a los pacientes después de una convulsión, comente con ellos si experimentaron un aura antes del evento convulsivo. Si la respuesta es afirmativa, dígales que si reconocen que el aura reaparece durante el transporte le avisen de inmediato para que pueda prepararse para la actividad convulsiva.

CUADRO 16-15 Diferenciación entre ECV y crisis convulsiva

Característica	ECV	Convulsión
Signos y síntomas prodrómicos	Puede tener dolor de cabeza	Puede tener un sabor extraño en la boca Ver luces o escuchar sonidos Espasmos
Actividad durante el evento	Debilidad muscular a menudo lateralizada (un lado)	Movimiento corporal generalizado que suele detenerse en 12 minutos
Respuesta después del suceso	Puede resolverse por completo (p. ej., AIT) Puede no haber cambios en la debilidad muscular Puede evolucionar hacia un empeoramiento de los síntomas	Retorno lento de la orientación

Abreviatura: ECV, evento cerebro vascular; AIT, ataque isquémico transitorio.

correas de la camilla del paciente no estén demasiado apretadas.

Estado epiléptico

Fisiopatología

El **estado epiléptico** puede definirse como una crisis que dura más de 4 o 5 minutos o crisis consecutivas sin retorno a la consciencia entre crisis (sin intervalo lúcido). Sin embargo, este marco temporal es arbitrario y algunos autores sugieren que el estado epiléptico no se produce hasta después de 30 minutos de actividad convulsiva ininterrumpida. Consulte los protocolos locales para conocer las guías relacionadas con el tiempo que puede durar una crisis antes de que deba intervenir. El estado epiléptico es un trastorno neurológico potencialmente mortal y no debe tomarse a la ligera.

Durante un ataque, las neuronas se encuentran en un estado hipermetabólico (utilizan grandes cantidades de glucosa y producen ácido láctico). Durante un breve periodo, este estado no produce daños a largo plazo. Si la crisis continúa, el organismo se vuelve incapaz de eliminar de forma eficaz los productos de desecho o de garantizar un suministro adecuado de glucosa. El estado epiléptico puede provocar daño o muerte de neuronas. El objetivo de la atención prehospitalaria es detener la crisis y controlar el ABC.

Evaluación

La evaluación del paciente con estado epiléptico es la misma que la del paciente que tiene una crisis. La única diferencia es la duración de la crisis. En pacientes con estado epiléptico, es vital preguntar a los testigos o a la familia si se ha administrado alguna medicación anticonvulsiva antes de su llegada. Los pacientes con epilepsia pueden tener implantados puertos de acceso IV para permitir la administración de benzodiacepinas. También pueden tener implantados dispositivos como un ENV para ayudar a controlar las fallas neurológicas del sistema nervioso. Puede ser necesario ajustar la dosis de medicación anticonvulsiva en función de la dosis o dosis recientes administradas por la familia.

Manejo

Seguir la pauta de cuidados estándar para el paciente neurológico. Asegúrese de que el paciente no tiene hipoglucemia y adminístrele una benzodiacepina. Estos medicamentos pueden administrarse por varias vías dependiendo del fármaco. En términos generales, si dos dosis de una benzodiacepina no han detenido la convulsión, póngase en contacto con el control médico. Esta pauta se aplica a todas las dosis, tanto si han sido administradas por la familia como por los SEM.

Si administra una benzodiacepina, prepárese para controlar por completo la vía aérea y la ventilación porque esta medicación puede causar depresión respiratoria o paro. Siga utilizando el posicionamiento de la vía aérea y las ventilaciones con bolsa-mascarilla hasta que la medicación haya detenido la convulsión. Si la convulsión no se puede controlar rápido con benzodiacepinas y no se puede ventilar al paciente, puede ser necesaria la administración de sedantes/paralíticos para permitir un manejo adecuado de la vía aérea. Consulte los protocolos locales.

Un subgrupo de pacientes con crisis tónico-clónicas necesitará una medicación diferente. En específico, las pacientes embarazadas que experimentan eclampsia necesitan ser tratadas con magnesio. Puede encontrar más información sobre la eclampsia y su tratamiento en el capítulo 38, *Obstetricia.*

Síncope

Fisiopatología

El **síncope** (desmayo) es una pérdida repentina y temporal de la consciencia que va acompañada de una pérdida del tono postural. Puede ser un signo de disritmia cardíaca potencialmente mortal, ECV u otra enfermedad grave. El síncope representa entre 1 y 3% de todas las visitas al DE.[18] El cerebro utiliza glucosa a un ritmo asombroso y no puede almacenarla, por lo que incluso una interrupción del flujo sanguíneo de 3 a 5 segundos puede causar pérdida de conciencia. Esta interrupción del flujo sanguíneo es la razón subyacente típica del síncope. La pregunta es, ¿qué causó la disminución repentina de la perfusión cerebral? En el **CUADRO 16-16** se enumeran las causas habituales de síncope.

CUADRO 16-16 Causas comunes de síncope

Causa general	Causa específica
Alteraciones del ritmo cardíaco	Bradicardia de cualquier tipo Síndrome del seno enfermo Taquicardia supraventricular Mal funcionamiento del marcapasos *Torsades de pointes* Taquicardia ventricular (TV)
Otras causas cardíacas	Cardiomiopatía Infarto del miocardio (IM) Medicamentos cardíacos (betabloqueadores, alfabloqueadores, nitratos, digitálicos, diuréticos) Insuficiencia valvular cardíaca
Causas no cardíacas	Deshidratación Hipoglucemia Respuesta vasovagal Embolia pulmonar Situacionales (al orinar, tragar o toser) Otros medicamentos (alcohol, cocaína, analgésicos opiáceos, antidepresivos tricíclicos)

Evaluación

Por lo general, el paciente con síncope se encuentra de pie cuando se produce el episodio. En los adultos jóvenes, el patrón suele ser de síncope vasovagal. El adulto experimenta miedo, estrés emocional o dolor. La persona experimenta de repente una sensación de mareo y se desmaya (por eso debe asegurarse de que el paciente está sentado antes de extraerle sangre o ponerle una vía IV). En los adultos mayores, la causa más común de síncope es una arritmia cardíaca. El paciente experimenta una taquicardia ventricular repentina, la PA desciende y cae al suelo. El ritmo termina, la PA aumenta y el paciente se encuentra bien.

Poblaciones especiales

Muchos adultos mayores presentan síncopes al defecar debido al esfuerzo y a una frecuencia cardíaca ya baja. La estimulación del nervio vago ralentiza el ritmo cardíaco y produce vasodilatación.

Los pacientes con síncope suelen experimentar un **pródromo**. Los pródromos son los signos o síntomas que preceden a una enfermedad o afección. En el caso del síncope, los signos y síntomas prodrómicos incluyen sensación de mareo, debilidad, dificultad para respirar, dolor torácico, dolor de cabeza o visión borrosa. El síncope puede provocar incontinencia. Recabar información sobre la situación también puede ayudar al personal del DE a diagnosticar la causa del síncope. ¿El paciente tenía calor? ¿Estuvo de pie mucho tiempo? ¿Realizaba una actividad extenuante? ¿Tenía que agacharse mientras levantaba algo pesado? ¿Había alcohol de por medio? Los antecedentes de la enfermedad actual suelen ser muy valiosos a la hora de tratar a un paciente con síncope.

Las convulsiones y el síncope pueden ser difíciles de diferenciar si no se presencian. El **CUADRO 16-17** ofrece algunas orientaciones.

Manejo

El primer paso en el tratamiento del síncope es determinar si puede haberse producido un traumatismo durante la caída del paciente y si es necesaria la estabilización de la columna vertebral. A continuación, hay que centrarse en la PA y las causas cardíacas. La monitorización continua del EKG y la evaluación del EKG de 12 derivaciones son esenciales. Evaluar el nivel de glucemia y de saturación de oxígeno, y obtener signos vitales ortostáticos. Si la PA del paciente sigue siendo baja, suministre líquidos o vasopresores según

CUADRO 16-17 Diferenciación entre síncope y crisis convulsiva

Característica	Síncope	Convulsión
Posición del paciente antes del suceso	De pie	Cualquier posición
Signos y síntomas prodrómicos	Mareos, cambios visuales, dificultad para respirar, debilidad	Sabor extraño en la boca Ver luces o escuchar sonidos (alucinaciones) Espasmo
Actividad durante el evento	Relajada	Movimiento corporal generalizado
Respuesta después del suceso	Retorno rápido de la orientación	Retorno lento de la orientación

sea necesario, en función de la causa de la hipotensión. Proporcione apoyo emocional: el síncope puede ser incómodo. Dado que no conocerá la causa exacta del síncope, es importante trasladar al hospital a cualquier paciente con síncope.

Dolor de cabeza

Todo el mundo ha tenido alguna vez dolor de cabeza. Pero, ¿qué duele exactamente con esta afección? El cerebro y el cráneo no tienen receptores del dolor. Los dolores de cabeza se originan en los nervios del cuero cabelludo, la cara, los vasos sanguíneos y los músculos del cuello y la cabeza. En esta sección se tratan los tipos más comunes de cefaleas. Otros tipos de cefaleas, aunque poco frecuentes, son causados por un tumor, una inflamación de la arteria temporal, un ECV, una infección del SNC o hipertensión. La presentación de los pacientes variará en función de la causa subyacente.

Fisiopatología y evaluación de las cefaleas musculares tensionales

Las cefaleas musculares tensionales pueden ser causadas por estrés, alteración de los niveles de cortisol o depresión, que provocan contracciones musculares residuales (tensión) en la cara y la cabeza. La mayoría de las cefaleas son de este tipo. El dolor tiende a percibirse a ambos lados de la cabeza, de atrás hacia delante, y puede caracterizarse como un dolor sordo o un dolor opresivo. La mandíbula, el cuello o los hombros también pueden estar rígidos o doloridos.

Fisiopatología y evaluación de las migrañas

La migraña es una afección compleja que se cree que es causada por una pequeña inestabilidad en determinados grupos de neuronas, así como por cambios en el tamaño de los vasos sanguíneos de la base del cerebro. El paciente puede decir que ve un aura. El dolor suele ser unilateral y focalizado, haciéndose más difuso a medida que avanza la migraña. El paciente suele describir un dolor pulsátil, palpitante y puede tener náusea y vómito. El paciente puede preferir permanecer en un entorno oscuro (fotofobia) y tranquilo. Una migraña puede durar varios días.

Fisiopatología y evaluación de las cefaleas en racimos

La cefalea en racimos es un tipo raro de cefalea vascular que comienza en la cara como un dolor leve alrededor de un ojo. El dolor descrito como agudo e insoportable, o como si alguien empujara el globo ocular hacia fuera se intensifica rápido y se extiende a un lado de la cara. Estas cefaleas se producen en grupos, o racimos, y duran entre 30 y 45 minutos cada uno. Sin embargo, una persona puede tener varias cefaleas en racimo al día. Las cefaleas pueden repetirse durante días y luego cesar por completo. Pueden reaparecer a la misma hora al mes siguiente o al día siguiente. No está claro qué desencadena estas cefaleas, pero la serotonina y la histamina pueden desempeñar un papel. Los dolores de cabeza suelen ir acompañados de ansiedad.

Fisiopatología y evaluación de las cefaleas sinusales

Las cefaleas sinusales son causadas por una inflamación o infección en las cavidades sinusales de la cara. El dolor se localiza en las porciones superiores de la cara y aumenta cuando el paciente se agacha. El dolor de cabeza sinusal suele ser peor al despertarse. Este tipo de dolor de cabeza puede ir acompañado de goteo posnasal, dolor de garganta y secreción nasal.

Manejo

Cuando atienda a un paciente con dolor de cabeza, sea prudente porque los dolores de cabeza pueden indicar una afección más grave. Si otros signos indican que puede tratarse de un ECV, trátelo. Recuerde que un paciente que refiere el peor dolor de cabeza de su vida puede estar presentando un ECV.

Pregunte qué medicamentos ha tomado el paciente, como ibuprofeno, paracetamol y ácido acetilsalicílico. Determine qué cantidad tomó el paciente y cuándo se tomó la última dosis.

Administre medicamentos para el tratamiento del dolor de acuerdo con su protocolo local. La mayoría de los pacientes no necesitan narcóticos. Considere también la posibilidad de administrar prometazina (Phenergan®) u ondansetrón (Zofran®) para náusea y vómito.

Demencia

Fisiopatología

La **demencia** es el deterioro crónico de la memoria, la personalidad, las habilidades lingüísticas, la percepción, el razonamiento o el juicio, sin pérdida de conciencia. Estos cambios pueden producirse a lo largo de semanas o años y pueden ser sutiles. Las causas de estos cambios neurológicos pueden variar de forma drástica.

Por ejemplo, la encefalopatía de Wernicke cursa con demencia y es causada por una carencia de vitamina B_1. Esta afección se produce en pacientes con desnutrición crónica. La presentación clásica es un paciente con alcoholismo crónico que ingiere una dieta compuesta principalmente de azúcares simples. Sin vitamina B_1, la neuroquímica cerebral no funciona de forma correcta.

A diferencia de la encefalopatía de Wernicke, la **enfermedad de Alzheimer**, la forma más común de demencia, es una afección orgánica progresiva en la que las neuronas mueren. Cuando el tejido cerebral afectado se examina al microscopio, aparece plagado de ovillos y aglomeraciones de tejido dañado.

No confunda la demencia con el delirio. El delirio es un estado repentino de confusión o desorientación. Por definición, el delirio es reversible, mientras que muchas demencias son irreversibles. Si alguna vez ha estado en un bar y ha visto a alguien en estado de ebriedad, entonces ha presenciado un delirio.

Evaluación

En sus fases iniciales, la enfermedad de Alzheimer puede considerarse olvido o la llamada vejez. Sin embargo, la enfermedad de Alzheimer no es una parte natural del envejecimiento. A medida que la enfermedad avanza, se hace evidente que no se trata de una simple pérdida de memoria, ya que los pacientes no pueden recordar nombres, direcciones, indicaciones o cómo realizar tareas. Los pacientes pueden volverse agresivos y violentos porque la enfermedad daña sus centros de juicio. La confusión es el signo distintivo de la enfermedad de Alzheimer. Con el tiempo, el daño afecta a la capacidad de tragar. En el **CUADRO 16-18** se comparan algunos tipos de demencia.

Manejo

El tratamiento prehospitalario de los pacientes con demencia sigue la pauta asistencial estándar. Asegúrese de que no existe ninguna causa reversible. Compruebe el nivel de glucosa en sangre y el nivel de oxígeno, ya que los cambios en estos niveles pueden causar confusión. En particular, hay que ser compasivo y estar dispuesto a repetir las cosas. Las enfermedades relacionadas con la demencia pueden ser frustrantes para el paciente. En las primeras fases, los pacientes se dan cuenta de que no son capaces de pensar tan eficientemente como en el pasado, y pueden experimentar depresión y retraimiento.

La encefalopatía de Wernicke merece mención especial. En esta afección, la confusión y la demencia son parcialmente reversibles. En los pacientes con déficit de vitamina B_1, la administración de glucosa puede causar confusión o empeorar la presentación del paciente si no hay tiamina. En algunos sistemas del SEM, la vitamina B_1 (tiamina) se administra antes de la administración de dextrosa a 50% o glucagón a adultos cuando se sospecha alcoholismo o desnutrición.

Los pacientes con demencia pueden tener otros problemas de malnutrición, como hipomagnesemia,

> **Perlas de sabiduría**
>
> No dé por hecho que un paciente mayor con problemas de memoria tiene demencia o Alzheimer. Su evaluación debe descartar posibles causas que usted pueda corregir, como la hipoxia o la hipoglucemia.

CUADRO 16-18 Comparación de determinados tipos de demencia

Enfermedad	Causa	Presentación	Evolución típica de la enfermedad
Enfermedad de Alzheimer	Multifactorial: acumulación gradual de placas en el cerebro, que provocan la muerte neuronal. Disminución eventual de la masa cerebral. El proceso comienza entre 10 y 20 años antes de que aparezcan los signos y síntomas.	La pérdida de memoria crónica e insidiosa es el hallazgo más temprano. En la enfermedad moderada, se produce una disminución de las funciones de atención, juicio y lenguaje (las personas se pierden, no pueden llevar sus finanzas, repiten preguntas). En la enfermedad grave, los pacientes no pueden reconocer a las personas; con el tiempo no pueden comunicarse y quedan postrados en cama.	De 3 a 10 años
Enfermedad de Pick	Se desconoce. La enfermedad tiene un aspecto genético. Sus raíces se encuentran en el daño a las neuronas de los lóbulos frontal y temporal.	Ocurre en personas entre 55 y 65 años, con presentación insidiosa de comportamientos socialmente inadecuados, como robos y conductas obsesivas. Los pacientes pueden estar apáticos, deprimidos o inapropiadamente eufóricos. Además, puede haber temblores en reposo, dificultad para nombrar objetos comunes (anomia) e incontinencia.	6 años
Enfermedad de Huntington (corea de Huntington)	Trastorno genético de aparición en la edad adulta caracterizado por una grave pérdida de neuronas.	Inicia con inquietud, movimientos oculares anormales, tics, mioclonías, irritabilidad y pérdida de interés. A medida que la enfermedad progresa, se produce bradicinesia, dificultad para ponerse de pie, ataxia, enlentecimiento del pensamiento y pérdida de memoria.	19 años
Enfermedad de Creutzfeldt-Jakob	Los priones (proteínas) se aglutinan y provocan la muerte de las neuronas.	Sacudidas mioclónicas, deterioro cognitivo importante, deterioro visual, marcha inestable (ataxia). La enfermedad siempre es mortal.	8 meses
Encefalopatía de Wernicke	Deficiencia de tiamina (vitamina B_1) . Ocurre en pacientes con malnutrición de larga duración, como los que presentan alcoholismo crónico.	Ataxia, confusión, agitación, pérdida de memoria, nistagmo, debilidad generalizada, pie caído y neuropatía periférica.	Variable, según la causa y el grado de desnutrición
Demencia por SIDA	Infección por VIH y posterior destrucción de las células del sistema nervioso.	Debilidad, pérdida de memoria o respuesta verbal lenta y dificultad para concentrarse. Progresa hacia parálisis parcial de las extremidades inferiores, mutismo y, por último, un estado vegetativo.	Sin tratar: 3-6 meses Tratada: alrededor de3 años

Abreviaturas: SIDA, síndrome de inmunodeficiencia adquirida; VIH, virus de la inmunodeficiencia humana.

Datos de: página de información sobre la enfermedad de Alzheimer. Sitio web del National Institute of Neurological Disorders and Stroke (NINDS). https://www.ninds.nih.gov/Disorders/All-Disorders/Alzheimers-Disease-Information-Page. Consultado el 22 de marzo de 2021; sitio web del Lakhan SE. Alzheimer disease. Medscape http://emedicine.medscape.com/article/1134817-overview. Actualizado el 9 de mayo de 2019. Consultado el 22 de marzo de 2021; Barrett AM. Pick disease. Sitio web del Medscape http://emedicine.medscape.com/article/1135504-overview. Actualizado el 18 de noviembre de 2019. Consultado el 22 de marzo de 2021; Revilla FJ. Huntington disease. Sitio web del Medscape http://emedicine.medscape.com/article/1150165-overview. Actualizado el 27 de febrero de 2019. Consultado el 22 de marzo de 2021; sitio web del Creutzfeldt-Jakob disease fact sheet. National Institute of Neurological Disorders and Stroke http://www.ninds.nih.gov/disorders/cjd/detail_cjd.htm. Actualizado el 13 de marzo de 2020. Consultado el 22 de marzo de 2021; Salen PN. Wernicke encephalopathy. Sitio web del Medscape http://emedicine.medscape.com/article/794583-overview. Actualizado el 20 de noviembre de 2018. Consultado el 22 de marzo de 2021; y Thomas FP. Thomas FP. HIV encephalopathy and AIDS dementia complex. Sitio web del Medscape http://emedicine.medscape.com/article/1166894-overview. Actualizado el 23 de febrero de 2016. Consultado el 22 de marzo de 2021.

hipopotasemia e hiponatremia. Sería prudente monitorizar el EKG y obtener análisis de sangre una vez en el DE.

En muchas demencias, no existe un tratamiento definitivo para las neuronas destruidas.

Neoplasias

Fisiopatología

Neoplasia es el término médico para designar crecimientos en el organismo que no tienen ninguna utilidad y que están causados por errores que se producen durante la reproducción celular. Recuerde la discusión sobre la neoplasia en el capítulo 7, *Fisiopatología*. En el contexto del sistema neurológico, una neoplasia es un cáncer del cerebro o de la médula espinal.

Los tumores pueden clasificarse según representen una enfermedad primaria o metastásica. Las neoplasias primarias del sistema neurológico son cánceres que surgen dentro del sistema nervioso. Sin embargo, como las neuronas maduras ya no se dividen, rara vez se vuelven cancerosas. Así pues, los tumores primarios del SNC suelen estar causados por errores de mitosis dentro de las estructuras de soporte del SNC, como un meningioma.

El proceso por el que las células cancerosas se desplazan a lugares distantes de su lugar de origen se denomina **metástasis**. Las neoplasias metastásicas del sistema neurológico son tumores que surgen en otra parte del cuerpo, viajan por el torrente sanguíneo o el sistema linfático y se instalan en los tejidos del sistema nervioso. Los cánceres de pulmón y mama son los tipos de cáncer que con más frecuencia hacen metástasis en el SNC.

Evaluación

El dolor de cabeza, la náusea y el vómito, las convulsiones, la ataxia, los cambios en el estado mental y los signos y síntomas similares al derrame cerebral son frecuentes en los pacientes con tumores cerebrales. El ritmo y la intensidad de estos signos y síntomas dependen de la rapidez con que crezca el cáncer y de su localización. Los pacientes pueden presentar cefaleas durante meses o de manera repentina tener una crisis epiléptica sin ningún signo o síntoma previo. Los adultos de mediana o avanzada edad con convulsiones de nueva aparición deben someterse a un TC o una IRM para detectar posibles tumores cerebrales.

Los pacientes con tumores medulares presentarán signos y síntomas relacionados con la compresión de la médula espinal. El dolor de espalda es el síntoma más frecuente. Los pacientes también pueden experimentar debilidad, ataxia, pérdida de sensibilidad en una extremidad, incontinencia y deformidad a lo largo de la columna vertebral. Otros síntomas relacionados con la compresión de la médula espinal se tratan en el capítulo 31, *Traumatismos de cabeza y columna vertebral.*

Manejo

El tratamiento prehospitalario de los pacientes con neoplasias es de apoyo. Vigile el estado epiléptico. Si es necesario, administre una benzodiacepina de acuerdo con su protocolo local. Estos pacientes pueden tener una PIC elevada. Todos los pacientes con convulsiones de nueva aparición o cefaleas crónicas que no puedan controlarse necesitan una evaluación médica. Si el paciente tiene un tumor medular, prepárese para proteger las extremidades de lesiones.

Fisiopatología, evaluación y tratamiento de los trastornos desmielinizantes, degenerativos y de la motoneurona

Las tres afecciones neurológicas analizadas en esta sección –desórdenes desmielinizantes, degenerativos y de la neurona motora– tienen presentaciones similares. Las afecciones desmielinizantes se producen cuando se daña la vaina de mielina que rodea a la neurona, lo que impide la transmisión fluida de señales de neurona a neurona. Las afecciones degenerativas son incurables, y sus principales características incluyen el daño progresivo o la muerte de las neuronas. Las enfermedades de la motoneurona se caracterizan por la destrucción de la motoneurona. Suelen ser enfermedades progresivas en las que los pacientes experimentan dificultades en el habla, la deambulación y el movimiento en general.

Esclerosis múltiple

Fisiopatología

La **esclerosis múltiple (EM)** es una enfermedad autoinmune en la que el organismo ataca la mielina del cerebro y la médula espinal, **FIGURA 16-14**. Este proceso produce desmielinización o destrucción de la mielina. Este proceso provoca la desmielinización o destrucción de la mielina. Las zonas de cicatrización resultantes dieron lugar al nombre de *esclerosis múltiple* (de la palabra griega *skleros*, que significa "duro"). El cuerpo tiene la capacidad de determinar qué proteínas son "propias" y cuáles son "no propias". En un trastorno autoinmune, el organismo empieza a atacar

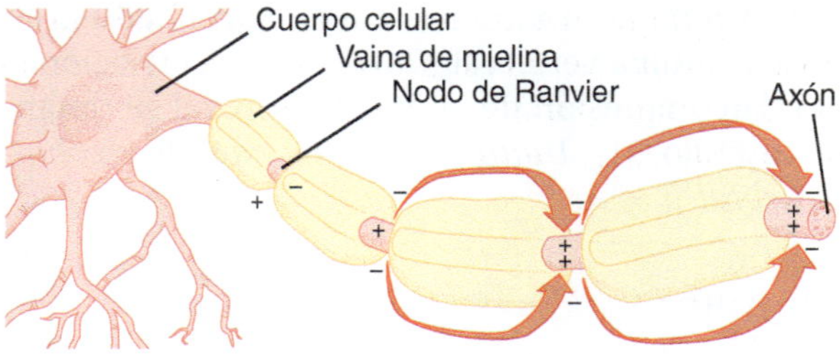

FIGURA 16-14 La vaina de mielina aísla el axón, permitiendo que los impulsos salten de un nodo a otro, lo que acelera la velocidad de transmisión de la señal. En la EM y otras afecciones desmielinizantes, esta vaina protectora es destruida por la inflamación, de modo que las señales ya no pueden transmitirse con fluidez.

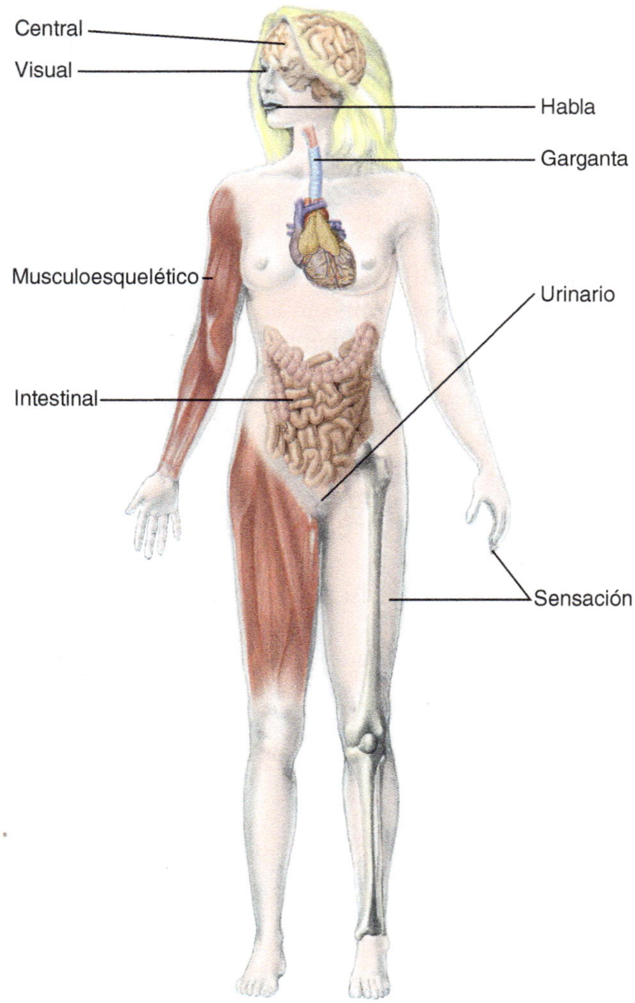

FIGURA 16-15 Zonas del cuerpo afectadas por los signos y síntomas de la esclerosis múltiple.

a sus propias células, porque el sistema inmunológico ya no es capaz de distinguir entre amigos y enemigos.

Considere la neurona normal. La mielina recubre los axones de la mayoría de las células nerviosas y permite una transmisión fluida de las señales a su célula diana. En la EM, el organismo cree que las proteínas que componen este aislamiento son extrañas. El sistema inmunológico ataca la mielina, creando brechas en el aislamiento que provocan los signos y síntomas característicos de la EM. Se cree que algún desencadenante ambiental desconocido, como un virus, empieza a centrar la atención del sistema inmunológico en la mielina. En algunas zonas del mundo y de EUA, la EM es más prevalente; por ejemplo, en el noroeste del Pacífico se triplica el número de casos en comparación con la prevalencia en otras zonas de EUA.[19] Aunque los científicos no conocen la causa exacta de la EM ni entienden su correlación con factores geográficos, creen que influyen factores ambientales como la temperatura.

Evaluación

La presentación de la EM sigue un patrón de episodios y remisiones. En el episodio inicial, la visión doble y la visión borrosa son síntomas comunes. El paciente puede presentar nistagmo.

Los episodios pueden variar en intensidad y las remisiones pueden variar en duración. Los pacientes experimentan debilidad muscular; alteración de los sentidos del dolor, la temperatura y el tacto; dolor (de moderado a intenso); ataxia; temblores intencionales; trastornos del habla y la visión; vértigo; disfunción vesical e intestinal; disfunción sexual; depresión; euforia; anomalías cognitivas, y fatiga durante los episodios, **FIGURA 16-15**. También pueden experimentar una extraña sensación eléctrica por la columna o las extremidades cuando se flexiona la cabeza hacia delante (signo de Lhermitte). Los episodios pueden ser breves, con poco patrón de frecuencia o intensidad. Los episodios posteriores pueden afectar a otras partes del cuerpo.

Manejo

El tratamiento prehospitalario de la EM es de apoyo. Esta enfermedad suele diagnosticarse en personas relativamente jóvenes, de entre 20 y 50 años, por lo que el episodio inicial puede ser en especial alarmante. Un paciente con EM puede experimentar signos y síntomas que progresan a lo largo de varias horas, desde una sensación de debilidad hasta la incapacidad para mantenerse en pie. Hay que estar preparado para un posible traumatismo relacionado con una caída. Además, el paciente puede presentar confusión y ansiedad genuinas, no debido a un mal funcionamiento del cerebro, sino porque esta persona antes sana está intentando comprender lo que está sucediendo.

El tratamiento hospitalario está dirigido a controlar los síntomas. Se pueden administrar antiinflamatorios para reducir la duración del ataque. En la actualidad no existe cura para la EM.

Síndrome de Guillain-Barré

Fisiopatología

El **síndrome de Guillain-Barré** es una enfermedad rara en la que el sistema inmunológico ataca partes del sistema nervioso. La causa de esta afección no está clara, aunque parece existir cierto grado de respuesta inmune. Los pacientes declaran haber tenido una infección respiratoria o gastrointestinal leve antes del comienzo de la debilidad. Una teoría es que el cuerpo es invadido por un agente infeccioso, que tiene una estructura proteica similar a la de la mielina. Cuando el cuerpo ataca al organismo invasor, confunde la mielina normal con el invasor. Una vez desencadenada, el sistema inmunológico ataca y daña la mielina, lo que ocasiona desmielinización, que perjudica la transmisión de señales a lo largo del axón.

La reversión del síndrome de Guillain-Barré puede ser casi tan espectacular como su aparición. Algunos pacientes se recuperan por completo sin debilidad residual en tan solo varias semanas.[20] Alrededor de un tercio de todos los pacientes con esta enfermedad necesitarán asistencia respiratoria en algún momento. De los pacientes que sobreviven al síndrome de Guillain-Barré, entre 15 y 20 presentan debilidad motora permanente.[20]

Evaluación

El síndrome de Guillain-Barré es una enfermedad rara que puede asustar a la mayoría de los pacientes. Comienza con debilidad y sensación de hormigueo en las piernas. Esta debilidad asciende por las piernas y empieza a afectar al tórax y los brazos. La debilidad puede llegar a ser grave y provocar parálisis. La transición de caminar y hablar a necesitar un ventilador para respirar puede durar tan solo unas horas. La mayoría de los pacientes experimentan la máxima debilidad muscular o parálisis en las 2 semanas siguientes al inicio de la enfermedad. Además de los efectos en las neuronas motoras periféricas, puede verse afectado el sistema autorregulador. Los pacientes son susceptibles a oscilaciones graves de la frecuencia del pulso y la PA.

Manejo

El tratamiento prehospitalario incluye una evaluación minuciosa de la capacidad del paciente para proteger de maner eficaz la vía respiratoria y ventilar. Vigile de manera estrecha al paciente con EKG y repita los signos vitales. Las lecturas continuas de $ETCO_2$ pueden evidenciar una insuficiencia respiratoria inminente. Esté preparado para administrar líquidos IV para mantener la PA y tratar la bradicardia hemodinámicamente significativa siguiendo las guías de la AHA. Los pacientes pueden experimentar terror a medida que la afección progresa; por lo tanto, utilice una voz reconfortante y un tacto terapéutico mientras atiende al paciente.

Algunos pacientes con Guillain-Barré presentan una debilidad residual que puede ser profunda y requerir asistencia ventilatoria. Esté preparado para manejar un ventilador de transporte y ayudar en la deambulación u otras actividades en estos pacientes con enfermedad crónica. Tenga en cuenta que los pacientes no experimentan ataques posteriores, como ocurre en la EM. El tratamiento hospitalario incluye la plasmaféresis (intercambio del plasma de la sangre) y las inyecciones de inmunoglobulina. Estas terapias reducen el tiempo de recuperación del paciente.

Enfermedad de Parkinson

Fisiopatología

La enfermedad de Parkinson es una afección neurológica en la que factores ambientales y genéticos pueden poner a los pacientes en riesgo de presentar daños en determinadas neuronas. Una parte del cerebro, la sustancia negra, es responsable de la producción de dopamina. Si esta sección se daña o se utiliza en exceso, puede producirse la enfermedad de Parkinson. En algunos pacientes, el daño puede estar relacionado con lesiones pasadas; en otros pacientes, el daño no tiene causa conocida. La dopamina es un neurotransmisor que, entre otras cosas, es necesario para que los músculos se contraigan con suavidad.

Evaluación

La aparición gradual de los síntomas a lo largo de meses o años es típica de la enfermedad de Parkinson. Los signos iniciales suelen ser temblores unilaterales. Con el tiempo, a medida que desciende el nivel de dopamina, se ven afectadas más zonas del cuerpo. La genética desempeña un papel importante en esta enfermedad, pero la actividad similar al Parkinson también puede observarse en pacientes con traumatismos craneoencefálicos y en algunos pacientes que han tenido una sobredosis.

La presentación clásica de la enfermedad de Parkinson presenta cuatro características:

- **Temblores.** Los temblores en reposo y los temblores posturales son comunes entre los pacientes con enfermedad de Parkinson.
- **Inestabilidad postural.** Los pacientes tienen una postura rígida en la que están encorvados, y la enfermedad altera su forma de andar. Esta rigidez, junto con el aumento de los tiempos de respuesta, hace que estos pacientes caminen de forma inestable y corran un mayor riesgo de caerse.
- **Rigidez.** La rigidez hace que el paciente se mueva a trompicones.
- **Bradicinesia.** Los pacientes con enfermedad de Parkinson tienen una forma de andar clásica. Tienden a arrastrar los pies en línea recta, con los pies juntos. Cuando se les pide que giren, dan pequeños pasos hasta completar el giro. Esto se denomina **bradicinesia**, la ralentización de los movimientos rutinarios. La bradicinesia también puede manifestarse en un parpadeo lento, una voz suave o una disminución de las expresiones faciales.

Otros síntomas de la enfermedad de Parkinson son depresión, demencia, dificultad para tragar (afagia), alteraciones del habla, fatiga y distonía. Son frecuentes las contracciones de pies y piernas, en las que la pierna se arquea, y la aducción del brazo en una postura en la que el brazo se flexiona sobre el pecho o el abdomen. El pronóstico es malo a medida que avanza la enfermedad. Los pacientes en fases avanzadas presentan un riesgo mucho mayor de morir por aspiración, neumonía, caídas o complicaciones debidas a la inmovilidad.

Manejo

El tratamiento prehospitalario es de apoyo. Tenga en cuenta que estos pacientes pueden estar deprimidos o incluso tener algún grado de demencia. Reoriente al paciente si es necesario. Un gesto compasivo puede ser muy útil. Si el paciente presenta traumatismos, también habrá que tratar esas lesiones.

Esclerosis lateral amiotrófica

Fisiopatología

La **esclerosis lateral amiotrófica (ELA)**, también conocida como enfermedad de Lou Gehrig, es una enfermedad que afecta a las motoneuronas voluntarias. No está claro qué causa la muerte de las neuronas motoras, pero una teoría sugiere que el sistema inmunológico del organismo las ataca y mata de manera selectiva. Algunas pruebas indican que la genética desempeña un papel. La enfermedad es más frecuente en hombres de mediana edad de cualquier raza.

Evaluación

Al principio, la ELA es sutil y progresa sin que se note. Con el tiempo aparece fatiga, debilidad general de los grupos musculares, fasciculaciones (sacudidas musculares) y dificultad para realizar actividades rutinarias como comer, escribir y vestirse. Los pacientes también pueden tener dificultades para hablar. A medida que la enfermedad progresa, se pierde la capacidad de andar, mover los brazos, comer y hablar. La velocidad de progresión varía de un paciente a otro. Ya que esta enfermedad afecta solo a las neuronas motoras, el paciente es totalmente consciente de su entorno y de su incapacidad para moverse.

Por término medio, una persona diagnosticada de esta enfermedad muere en un plazo de 3 a 5 años. A medida que continúa la destrucción de las neuronas motoras, los pacientes acaban necesitando asistencia ventilatoria para respirar con eficacia. Los pacientes mueren por infecciones respiratorias u otras complicaciones relacionadas con la inmovilidad.

Manejo

El tratamiento prehospitalario de estos pacientes sigue la pauta asistencial estándar. Evalúe la capacidad del paciente para tragar y vigile de cerca la vía aérea. Los pacientes pueden depender de diversas tecnologías médicas domiciliarias, como bombas de alimentación, bombas IV, puertos de acceso IV a largo plazo y ventiladores. Por ello, puede resultar complicado transportar a estos pacientes. Pida orientación a la familia o al proveedor de atención médica domiciliaria para manejar cualquier dispositivo con el que no esté familiarizado. Si es necesario, desconecte al paciente de la tecnología después de consultar con el control médico y, a continuación, transpórtelo.

Los cuidados hospitalarios de los pacientes con ELA están orientados a mantener las funciones vitales. Los pacientes se someten a fisioterapia para ayudar a fortalecer las neuronas y los músculos restantes. Se pueden administrar medicamentos para mitigar algunos de los síntomas; sin embargo, esta enfermedad no tiene cura.

Trastornos de los nervios craneales

Fisiopatología

En esta parte del capítulo se tratan trastornos relativamente poco frecuentes, algunos de los cuales pueden simular otras afecciones. Un paciente con dolor facial intenso o parálisis facial de aparición súbita no necesariamente está sufriendo un ECV. No todas las personas con dolor torácico tienen un infarto del miocardio. Los trastornos de los nervios craneales no son diferentes: pueden no ser tan claros como parecen a primera vista. La clave para entender estos trastornos es una buena evaluación y una detallada anamnesis.

Todas estas afecciones afectan a uno o más nervios craneales, por lo general de la región facial. El **CUADRO 16-19** ofrece una visión general de estos trastornos.

CUADRO 16-19 Trastornos de los nervios craneales

Desorden	Causa/nervio craneal afectado	Presentación	Tratamiento
Neuroma acústico	Neoplasia (tumor) en la base del cerebro. A medida que el tumor crece, puede ejercer presión sobre los nervios, impedir el movimiento del LCR o comprimir los vasos sanguíneos, provocando isquemia. Este proceso dura años porque este tumor crece lento. Afecta a los nervios vestibulococleares o faciales (nervios craneales VIII y VII, respectivamente).	Pérdida auditiva unilateral, dolor de cabeza, tinnitus, entumecimiento facial y trastornos del equilibrio. La pérdida de audición puede ser gradual o intermitente.	Proporcione cuidados de apoyo. Para evitar caídas, asegúrese de caminar con el paciente debido a los trastornos del equilibrio. Hable claro y mire directamente al paciente.
Parálisis de Bell	Infección leve del nervio facial (nervio craneal VII).	El episodio es repentino y puede confundirse fácil con un ECV. Los signos y síntomas son ptosis de los párpados, caída o debilidad facial, salivación excesiva y pérdida de la capacidad del gusto. Los episodios pueden durar hasta 2 semanas.	Considerar ECV. Si se sabe que el paciente tiene parálisis de Bell, aplique un apósito en el párpado cerrado. Este paso ayudará a prevenir la desecación del ojo.
Neuralgia glosofaríngea	Irritación del nervio glosofaríngeo (nervio craneal IX). Se desconoce la causa de la irritación.	Episodios de dolor unilateral intenso y agudo en la lengua, en la parte posterior de la garganta, en el oído medio y en la zona de las amígdalas. El dolor puede durar de segundos a varios minutos, y es posible que se produzcan varios episodios en un mismo día. Tragar, ingerir alimentos o bebidas frías, estornudar o toser pueden desencadenar los ataques.	Proporcionar cuidados de apoyo.
Espasmo hemifacial	Los vasos sanguíneos dilatados irritan el nervio facial (nervio craneal VII).	Movimientos faciales unilaterales involuntarios. Tics, contracciones mioclónicas, distorsión de la mandíbula y temblores faciales. No se asocia dolor con esta afección.	Proporcionar cuidados de apoyo.

(continúa)

TABLA 16-19 Trastornos de los nervios craneales (continuación)

Desorden	Causa/nervio craneal afectado	Presentación	Tratamiento
Enfermedad de Ménière	La causa no está clara, pero se cree que la enfermedad está relacionada con un aumento de la presión del líquido dentro del oído interno. Esta presión estimula el nervio vestibulococlear (nervio craneal VIII).	Acúfenos unilaterales recurrentes y espontáneos, mareos, pérdida de audición y sensación de plenitud en el oído. Los episodios suelen durar entre 2 y 4 horas. Los ataques repetidos pueden causar sordera permanente.	Proporcione cuidados de apoyo. Para evitar caídas, asegúrese de caminar con el paciente debido a los trastornos del equilibrio. Hable claro y mire directamente al paciente.
Neuralgia del trigémino También llamada tic douloureux (*tik' doo-loo-roo'*)	La causa habitual es la irritación producida por una arteria situada demasiado cerca del nervio. Con el tiempo, a medida que la arteria cambia de diámetro para satisfacer las necesidades de riego sanguíneo, este movimiento puede rallar la vaina de mielina del nervio. Al desaparecer parcialmente el aislamiento, el nervio puede "hacer cortocircuito", causando dolor sin traumatismo en la zona. Afecta al nervio trigémino (nervio craneal V).	Dolor intenso, en forma de choque o punzante, por lo general en un lado de la cara. Los episodios suelen durar varios minutos y se producen con una frecuencia de menos de uno al día a cientos al día. El dolor disminuye entre los ataques. Los episodios se desencadenan al tocarse la cara, hablar, cepillarse los dientes, comer, ponerse la ropa, el viento... básicamente cualquier actividad en la que se estimule la cara.	Minimice el contacto mientras evalúa la cara. Si se necesitan pequeñas cantidades de oxígeno por otros motivos, considere la posibilidad de administrarlo mediante la técnica de soplo dirigida al lado no afectado de la cara. Las mascarillas o la cánula nasal pueden desencadenar episodios. Los episodios son graves, pero de corta duración. El tratamiento con opioides no suele ser necesario.

Abreviaturas: LCR, líquido cefalorraquídeo; ECV, evento cerebrovascular.

Datos de: Kutz JW Jr. Acoustic neuroma. Sitio web del Medscape website http://emedicine.medscape.com/article/882876-overview. Actualizado el 29 de abril de 2020. Accedido el 22 de marzo de 2021; Taylor DC. Bell palsy. Sitio web del Medscape http://emedicine.medscape.com/article/1146903-overview. Actualizado el 14 de junio de 2019. Consultado el 22 de marzo de 2021; Glossopharyngeal neuralgia. Sitio web del MedlinePlus https://medlineplus.gov/ency/article/001636.htm. Accedido el 22 de marzo de 2021; Singh PM, Manpreet K, Trikha A. An uncommonly common: glossopharyngeal neuralgia. *Ann Indian Acad Neurol*. 2013;16(1):1-8. https://www.ncbi.nlm.nih.gov/pmc/articles/PMC3644765/. Consultado el 22 de marzo de 2021; Gulevich S. Hemifacial spasm. Sitio web del Medscape http://emedicine.medscape.com/article/1170722-overview. Actualizado el 16 de septiembre de 2019. Consultado el 22 de marzo de 2021; Hemifacial spasm information page. National Institute of Neurological Disorders and Stroke website. https://www.ninds.nih.gov/Disorders/All-Disorders/Hemifacial-Spasm-Information-Page. Actualizado el 27 de marzo de 2019. Consultado el 22 de marzo de 2021; Li JC. Meniere disease (idiopathic endolymphatic hydrops). Sitio web del http://emedicine.medscape.com/article/1159069-overview. Actualizado el 7 de mayo de 2020. Accedido el 22 de marzo de 2021; y Singh MK. Trigeminal neuralgia. Sitio web del Medscape http://emedicine.medscape.com/article/1145144-overview. Actualizado el 11 de julio de 2019. Consultado el 22 de marzo de 2021.

Evaluación

Realice la evaluación neurológica descrita antes en este capítulo. Además, realice una prueba de vértigo, aunque solo en pacientes sin riesgo de traumatismo de la columna cervical u otra enfermedad del cuello. Para realizar esta prueba, haga que el paciente se recueste en decúbito supino. Coloque las manos en ambos lados de la cabeza y muévala con rapidez de un lado a otro una vez. A continuación, vuelva a colocar la cabeza en posición neutral. Esta maniobra hace que el líquido del oído interno se mueva. A continuación, mire a los ojos del paciente. Si el paciente tiene vértigo, debería ver nistagmo. Además, el movimiento de la cabeza suele aumentar la sensación de vértigo del paciente.

Manejo

El tratamiento prehospitalario de los trastornos de los nervios craneales es principalmente de apoyo. Los pacientes pueden necesitar prometazina (Phenergan®) u ondansetrón (Zofran®) para náusea y vómito que

Documentación y comunicación

Al considerar los trastornos de los nervios craneales, es importante distinguir claramente entre vértigo y mareo. El vértigo, que afecta a los nervios craneales, es la sensación de que uno se está moviendo cuando no es así, como la sensación que se tenía de niño al bajar rodando por una colina. Suele ser causado por una enfermedad del oído interno. El vértigo no es lo mismo que el mareo. El mareo es una sensación de aturdimiento que suele estar relacionada con una presión arterial baja en el cerebro. Entonces, ¿cómo diferenciar los dos? Hable con el paciente. Pídale que describa la sensación sin utilizar la palabra "mareo". Escuche con atención las palabras que elige el paciente. Palabras y frases como "girar", "arremolinarse" y "perder el equilibrio" apuntan hacia el vértigo, mientras que descripciones como "confuso" y "desmayo" sugieren mareo. Una buena comunicación con el paciente puede ayudarle a sacar conclusiones precisas.

pueden estar presentes en algunos trastornos de los nervios craneales. Las benzodiacepinas pueden proporcionar cierto alivio del vértigo. En la mayoría de los casos, los antiinflamatorios no esteroideos (AINE) y los opioides tienen un beneficio limitado en el tratamiento del dolor causado por los trastornos de los nervios craneales.

Distonía

Fisiopatología

Las distonías son espasmos musculares graves y anormales que provocan contorsiones extrañas, movimientos repetitivos o posturas. La distonía puede ser un signo (que se produce dentro de otra afección) o una afección en sí misma. Pensemos en un paciente con dolor de cabeza: el dolor de cabeza podría ser un signo de un ACV, o el paciente podría tener tan solo dolor de cabeza. Los pacientes con distonía tienen una inteligencia normal, pueden pensar con claridad, no presentan convulsiones y tienen un NC normal.

Las distonías primarias se producen por una razón desconocida. Se cree que un defecto en la capacidad del organismo para procesar los neurotransmisores está en la base del problema. En estos pacientes, la distonía se denominaría de manera correcta una afección. Algunos pacientes que toman medicamentos antipsicóticos pueden presentar una aparición repentina de contorsiones extrañas de la cara o el cuerpo. Este hallazgo sería una distonía secundaria y sería más apropiado considerarlo un signo que una afección.

La tortícolis espasmódica, **FIGURA 16-16**, en la que los músculos del cuello se contraen, torciendo la cabeza hacia un lado y por lo general tirando de ella hacia delante o hacia atrás, es un ejemplo común de distonía. La cabeza permanece entonces dolorosamente congelada en esa posición. La distonía facial puede adoptar varias formas.

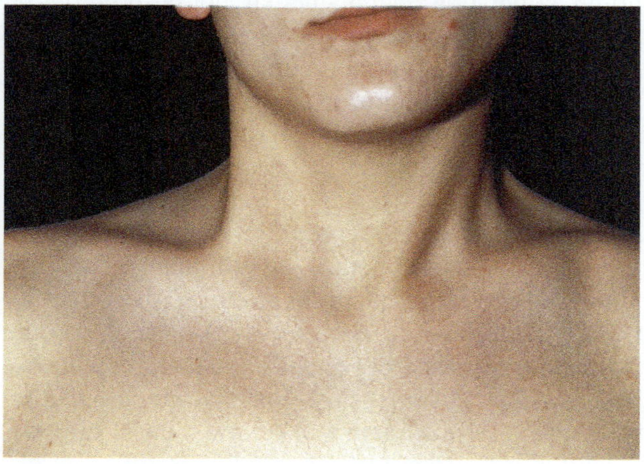

FIGURA 16-16 Ejemplo de tortícolis o distonía del "cuello torcido".

Evaluación

Los espasmos debidos a la distonía son involuntarios y a menudo dolorosos. El **CUADRO 16-20** describe una amplia variedad de distonías.

Manejo

El tratamiento prehospitalario de los pacientes con distonía se centra en descartar otras afecciones, como

CUADRO 16-20 Tipos de distonías

Tipo	Presentación
Distonía cervical (tortícolis)	Forma más común de distonía focal; movimiento intermitente, repetitivo y espasmódico de la cabeza en forma de torsión, flexión, extensión o inclinación; puede implicar más de un tipo de movimiento.
Crisis oculógiras	Desviación de los ojos en cualquier dirección, por lo general con los ojos desviados hacia la parte superior de la cabeza.
Oromandibular	Contracciones enérgicas de la cara, que pueden implicar que la lengua entre y salga de la boca.
Blefaroespasmo	Espasmos de los párpados o parpadeo incontrolable.
Atetosis	Movimientos lentos y retorcidos que suelen afectar a la cara y las extremidades distales.
Distonía de los miembros superiores	Calambres en manos, codos y brazos (p. ej., grafoespasmo [calambre del escritor]).
Movimientos coreiformes	Movimientos rápidos, espasmódicos, irregulares e impredecibles; suelen darse en la cara, los brazos y las manos.
Disfonía espasmódica	Contracción involuntaria de las cuerdas vocales que interrumpe el habla.

convulsiones, ECV y reacciones a medicamentos prescritos para afecciones psiquiátricas. Si se sospecha una reacción distónica a un medicamento antipsicótico, la difenhidramina (Benadryl®) es el fármaco de elección para detener la contracción en un plazo de 10 a 30 minutos. Las distonías suelen producirse en los 5 días siguientes al inicio de una nueva medicación psicotrópica o al cambio de dosis de una medicación psicotrópica ya existente. Las reacciones distónicas secundarias a medicamentos psiquiátricos no se consideran de naturaleza alérgica. La difenhidramina es eficaz para este tipo de distonía debido a sus propiedades anticolinérgicas.

Perlas de sabiduría

Independiente a la causa subyacente, las distonías son socialmente molestas porque los pacientes se retuercen de repente y lo hacen de forma incontrolable. Es fundamental que les preste una atención compasiva. Los efectos adversos de algunos medicamentos también pueden ser la causa subyacente de la distonía.

Desafortunadamente, la difenhidramina es ineficaz en las distonías primarias. Independiente a la causa, las distonías pueden ser muy molestas e incluso dolorosas. Por lo tanto, el tratamiento del dolor puede ser apropiado. Hable con el paciente y dígale que está intentando ayudarle. Mantenga la calma y tranquilice al paciente. El tratamiento hospitalario incluye diversas opciones de medicación para controlar la enfermedad.

Infecciones e inflamación del sistema nervioso central

Fisiopatología

Para iniciar el debate sobre las infecciones y la inflamación del SNC, es necesario comprender algunas definiciones fundamentales. *Encefalitis* es la inflamación del cerebro. La *meningitis* es la inflamación de las meninges, la cubierta externa del sistema nervioso central. Clínicamente, estas afecciones son difíciles, si no imposibles, de distinguir en el entorno prehospitalario. Ambas afecciones pueden deberse a diversas causas, incluidas las infecciosas, químicas o metabólicas. La patología infecciosa es la fuente más común de ambas afecciones cuando se presenta en la fase aguda.

Las causas infecciosas de la encefalitis y la meningitis pueden ser bacterias, virus, hongos o priones que acceden al organismo, se reproducen y causan daños. Estos organismos tienen un objetivo básico: seguir viviendo. Para ello, todos los organismos necesitan alimento y deben reproducirse. Cuando el organismo comienza a atacar el cuerpo, también busca combustible que le permita crear la siguiente generación de bacterias, virus u otros patógenos. El daño que provocan estos organismos se debe a varios mecanismos, que pueden caracterizarse por implicar la reacción del cuerpo a la infección o las actividades de los organismos atacantes.

Un signo común de enfermedad infecciosa es la presencia de fiebre. Muchos organismos patógenos prefieren crecer dentro de un estrecho margen de temperatura, por lo que incluso un aumento de la temperatura corporal de 1.2 a 1.8 °C (2 a 3 °F) puede ralentizar la reproducción de algunos virus o bacterias. Este aumento de la temperatura permite al sistema inmunológico ganar control, proporcionando un tiempo valioso para que los neutrófilos (parte de la respuesta inmune innata) encuentren y maten a los organismos invasores. También indica al resto del organismo que se está produciendo un ataque. Se producen más glóbulos blancos y se liberan mediadores químicos para mejorar la eficacia del organismo a la hora de encontrar y eliminar los organismos extraños. En este sentido, la fiebre es buena.

Si la temperatura del cuerpo sube demasiado, el cerebro puede verse afectado. Recuerde la última vez que se sintió mal y tuvo fiebre: el aumento de la temperatura le hizo pensar con lentitud, le costó concentrarse y es posible que le doliera la cabeza. Estos efectos son habituales en las fiebres. Las neuronas son sensibles a los cambios de temperatura. Por eso, a medida que aumenta la temperatura corporal, los efectos sobre las neuronas pueden ser más profundos. Por último, la persona puede alucinar, delirar o perder el conocimiento. Otra posibilidad es el disparo aleatorio de las neuronas, lo que causa una convulsión febril.

Otro mecanismo por el que los agentes infecciosos pueden causar daños en el organismo es a través de la destrucción de células. Los organismos pueden producir **endotoxinas** o **exotoxinas** que pueden dañar las células vivas cercanas, proporcionando así a la bacteria una fuente de alimento. Las endotoxinas son proteínas que liberan las bacterias gramnegativas cuando mueren. La *Neisseria meningitidis* es una bacteria que libera endotoxinas; está asociada con la meningitis.

Clostridium tetani es una bacteria que libera una exotoxina. *C. tetani* causa el tétanos, en el que los pacientes experimentan contracciones musculares, rigidez de cuello, dificultad para mover la mandíbula y disfagia. Por fortuna, esta enfermedad, antaño muy común, es hoy poco frecuente debido a los esfuerzos de los profesionales de la salud pública y a la inmunización generalizada.

Evaluación

Como muestra el **CUADRO 16-21**, la encefalitis y la meningitis tienen presentaciones similares. Ambas enfermedades comienzan con síntomas parecidos a los de la gripe. A medida que el organismo patógeno se reproduce y causa más daños, pueden aparecer rigidez de cuello, fotofobia, letargo, alteración del nivel de conciencia y convulsiones. El signo de Kernig o el signo de Brudzinski, **FIGURA 16-17**, pueden aparecer en la meningitis.

Manejo

El tratamiento prehospitalario de estas afecciones es principalmente de apoyo. Para los pacientes con sospecha de meningitis, colóqueles una mascarilla para limitar la propagación de organismos. Colóquese también una mascarilla si el paciente tose. Esté preparado para las convulsiones y trátelas en consecuencia. Un riesgo asociado con estas afecciones, sobre todo en el caso de la meningitis bacteriana, es el aumento de la PIC. Otro riesgo es la septicemia, que indica que la infección está presente en el torrente sanguíneo. La septicemia puede causar roturas de capilares y pérdida del control vasomotor de los vasos sanguíneos. Véase capítulo 23, *Enfermedades infecciosas*, para más información sobre la septicemia.

CUADRO 16-21 Comparación entre encefalitis y meningitis

Condición	Organismos por lo general responsables	Presentación	Cronología
Encefalitis	Virus del herpes simple: forma esporádica más frecuente. Arbovirus: forma episódica más común. Estos virus se transmiten por vectores y causan brotes de enfermedades. Algunos ejemplos son el virus del Nilo Occidental, la rabia y la encefalitis por virus japonés.	Los primeros signos y síntomas son fiebre, dolor de cabeza, náusea/vómito y malestar general. A medida que la enfermedad progresa, se producen cambios en el NC, incluidos cambios de comportamiento y personalidad, rigidez nucal (rigidez de nuca), fotofobia, letargo, confusión y convulsiones.	Varios días, dependiendo del virus específico implicado
Meningitis bacteriana	Neonatos: estreptococos del grupo B y *Escherichia coli*. Lactantes/niños: *Haemophilus influenzae* (más frecuente en niños), *Streptococcus pneumoniae* y *Neisseria meningitidis*. Adultos: *S. pneumoniae*, *N. meningitidis* (más frecuente en adultos jóvenes) y *Listeria monocytogenes*.	Los primeros signos y síntomas son una infección de la vía aérea alta (secreción nasal, tos, malestar general). A medida que la enfermedad progresa, el paciente puede presentar cefalea, rigidez nucal y fiebre (la tríada clásica de síntomas). También pueden aparecer escalofríos, fotofobia, vómito, convulsiones, confusión, signo de Kernig y signo de Brudzinski. El aumento de la PIC puede poner en peligro la vida del paciente. Los bebés están irritables cuando se les coge en brazos, y tienen un llanto agudo (llanto de gato) y fontanelas abultadas.	Patógeno bacteriano: presentación en 24 horas
Meningitis viral	El enterovirus no poliomielítico es el tipo viral más común. Algunos ejemplos son el echovirus y el coxsackievirus.	Los signos y síntomas son similares a los de la meningitis bacteriana.	Patógeno viral: presentación en 1-7 días

Abreviaturas: PIC, presión intracraneal; NC, nivel de conciencia.

Datos de: Hasbun R. Meningitis. Sitio web de Medscape. http://emedicine.medscape.com/article/232915-overview. Actualizado el 16 de julio de 2019. Consultado el 22 de marzo de 2021; Howes DS. Sitio web del Encephalitis. Medscape http://emedicine.medscape.com/article/791896-overview. Actualizado el 7 de agosto de 2018. Consultado el 22 de marzo de 2021; y Bacterial meningitis. Sitio web de los Centers for Disease Control and Prevention. www.cdc.gov/meningitis/bacterial.html. Actualizado el 6 de agosto de 2019. Consultado el 22 de marzo de 2021.

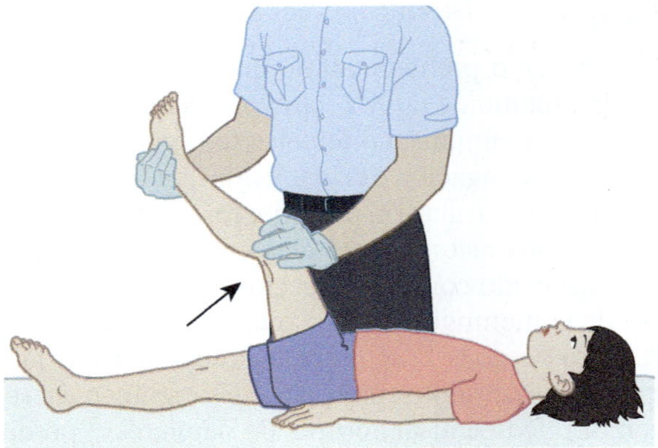

A

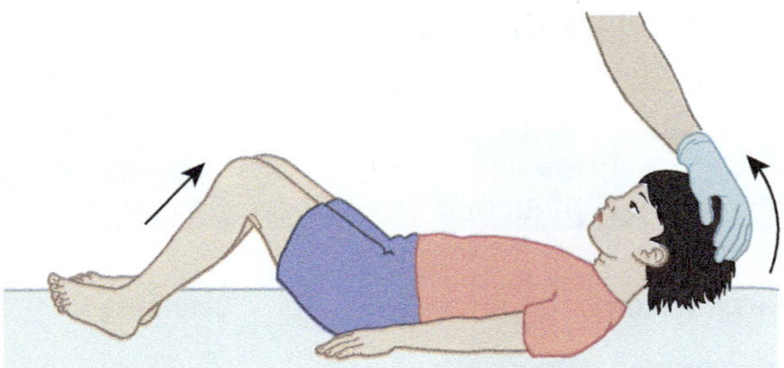

B

FIGURA 16-17 A. Signo de Kernig. La irritación meníngea produce dolor al intentar enderezar la rodilla con las caderas flexionadas. **B.** Signo de Brudzinski. La irritación meníngea provoca una flexión involuntaria de las rodillas cuando se flexiona la cabeza hacia el pecho. Estos signos clásicos no se presentan con frecuencia.

La encefalitis no es en especial contagiosa de persona a persona, pero la meningitis sí puede serlo. Como paramédico, su atención de seguimiento puede implicar un tratamiento antibiótico preventivo para una posible meningitis bacteriana. Usted (o su supervisor) debe mantenerse en contacto con el responsable de control de infecciones del hospital al que fue trasladado el paciente. El tratamiento hospitalario está dirigido a reducir la inflamación del cerebro y la médula espinal, combatir la infección y mantener los signos vitales del paciente.

Abscesos

Fisiopatología

Los abscesos son causados por un agente infeccioso dentro del cerebro o la médula espinal. Cuando un agente infeccioso ataca las células del cerebro o la médula espinal y destruye el tejido, el sistema inmunológico responde intentando eliminar el patógeno. Si no puede, la segunda línea de defensa del organismo consiste en levantar un "muro" para impedir que el patógeno se propague. Esta cápsula envuelve al agente infeccioso, así como a las células cerebrales o de la médula espinal muertas o moribundas, a los glóbulos blancos muertos y a los glóbulos blancos que siguen luchando contra la infección. Con el tiempo, la destrucción continua del tejido y la respuesta del sistema inmunológico pueden provocar una inflamación. El resultado es un absceso.

La razón subyacente de una infección en el cerebro o la médula espinal puede variar. Dicha infección suele ir precedida de una infección de los senos paranasales, la garganta, las encías o el oído. El organismo patógeno también puede introducirse en el cerebro a través de un traumatismo craneal o medular.

Evaluación

Las dos consecuencias principales de la infección son la lesión de una zona del cerebro o la médula espinal y la presencia de un absceso dentro de la bóveda craneal o la médula espinal. Estos dos factores dictan la presentación de un paciente con un absceso del sistema nervioso central. Hay que buscar fiebre baja o alta, cefalea persistente, somnolencia, confusión, convulsiones generalizadas o focales, náusea y vómito, alteraciones motoras o sensoriales focales, rigidez nucal y hemiparesia.

Manejo

Siga la pauta de cuidados estándar. Ponga mucha atención a los indicios de aumento de la PIC y tome precauciones en caso de convulsiones. Evalúe la temperatura del paciente; si es alta, quítele la ropa, cúbralo con una sábana y apague la calefacción del compartimiento de pacientes de la ambulancia. Estos pacientes pueden estar enfermos de gravedad y requieren un transporte rápido.

El tratamiento hospitalario incluye antibióticos, precauciones anticonvulsivas y, en ocasiones, la extirpación quirúrgica del absceso.

Poliomielitis y síndrome pospolio

Fisiopatología

La **poliomielitis** es una infección viral transmitida por vía fecal-oral. Su incidencia alcanzó un máximo en EUA en la década de 1950. Desde entonces, se ha desarrollado una vacuna eficaz. No se han producido casos de poliomielitis salvaje en EUA desde 1979, pero el virus ha sido introducido en el país por viajeros extranjeros.[21] En EUA, las personas que contraen la enfermedad no suelen estar inmunizadas.

Evaluación

Los signos y síntomas de las personas infectadas comienzan tan solo una semana después de la exposición. En los casos más graves, incluyen dolor de garganta, náusea, vómito, diarrea, rigidez de cuello y debilidad muscular o parálisis.

Manejo

La atención hospitalaria a los pacientes con la enfermedad aguda se dirige a la hidratación, ventilación y apoyo calórico hasta que la infección haya sido controlada por el sistema inmunológico. La forma en que el virus daña el sistema nervioso hace que los pacientes tengan el riesgo de presentar problemas décadas después de la infección inicial. El virus ataca las neuronas motoras del cerebro y el tronco encefálico, provocando los clásicos signos de debilidad y parálisis. Las neuronas restantes empiezan entonces a enviar nuevos axones para intentar compensar esta pérdida, un proceso que permite al paciente recuperar la función.

Con el tiempo, estas motoneuronas deben realizar más trabajo del que están acostumbradas a soportar, y pueden empezar a descomponerse y morir. Este proceso causa el **síndrome pospolio**. Los pacientes que tuvieron poliomielitis a principios o mediados del siglo XX pueden tener ahora dificultad para tragar, debilidad, fatiga o trastornos respiratorios. Por lo general, los grupos musculares afectados por el síndrome pospolio son los mismos que los afectados por la infección de polio original, pero experimentan un nivel de debilidad más leve.

El manejo prehospitalario hace hincapié en el manejo de la posible obstrucción de la vía aérea debida a dificultades para tragar. Recuerde que el síndrome pospolio se presenta en pacientes de edad avanzada que contrajeron la polio hace décadas. Los pacientes que se encuentran en centros de cuidados prolongados pueden tener esta afección en su historial médico. Aunque el síndrome pospolio no modifica en específico la atención de otras afecciones, puede afectar a la velocidad a la que se descompensa un paciente. Piense en un paciente con cardiopatía congestiva. A medida que el paciente lucha contra la acumulación de líquido en los alvéolos, tiene dificultades para respirar. Cuando esto se une a una disminución de la fuerza muscular respiratoria debida al síndrome pospolio, este paciente puede entrar más rápido en insuficiencia respiratoria. Por lo tanto, debe tener en cuenta los antecedentes médicos y la medicación del paciente cuando le preste atención médica de emergencia.

Neuropatía periférica

Fisiopatología

En la **neuropatía periférica**, los nervios que salen de la médula espinal están dañados, de modo que las señales que se mueven hacia o desde el cerebro se distorsionan. Entre las muchas causas de este grupo de afecciones figuran traumatismos, toxinas, tumores, ataques autoinmunes y trastornos metabólicos. La neuralgia del trigémino y el síndrome de Guillain-Barré son algunos ejemplos. El resto de este debate se limitará a la forma más común de neuropatía periférica: la neuropatía diabética.

Evaluación

A medida que aumenta el nivel de glucosa en sangre, pueden producirse daños en los nervios periféricos. El resultado es fallas y cortocircuitos de las señales. Los pacientes pueden presentar alteraciones sensoriales o motoras. Son frecuentes la pérdida de sensibilidad, el entumecimiento, el ardor, el dolor, la parestesia y la debilidad muscular. Los pacientes pueden llegar a perder la capacidad de sentir los pies u otras zonas. Esta enfermedad es progresiva y se acelera con niveles elevados de glucosa en sangre.

Manejo

El tratamiento prehospitalario es de apoyo.

Poblaciones especiales

Las afecciones neurológicas de especial relevancia para los pacientes pediátricos son la hidrocefalia, la espina bífida y la parálisis cerebral.[22,23] Estas enfermedades se tratan en el capítulo 40, *Emergencias pediátricas*. También puede encontrar información sobre pacientes con enfermedades neurológicas que requieren cuidados a largo plazo en el capítulo 42, *Pacientes con problemas especiales*.

USTED es el Paramédico RESUMEN

1. ¿Cuáles son sus próximas preguntas?

Es primordial que evalúe la seguridad de la escena. Este paciente es físicamente imponente, pero ¿es un riesgo potencial para la seguridad? Es importante comprender que su mera presencia no le convierte en una amenaza. Hay que hacer una evaluación más concienzuda de la escena. Una evaluación de la escena implica algo más que una simple lista de los riesgos existentes. También implica un cierto grado de conciencia de la situación: ¿qué probabilidades hay de que un determinado riesgo se convierta en una amenaza real?

En este caso, las siguientes preguntas pueden ayudarle a evaluar el nivel de riesgo:

- ¿Cómo describiría el estado de ánimo del paciente?
- ¿Cómo describiría su postura? ¿Está sentado o de pie?
- ¿Cuál es su expresión facial? ¿Podría interpretarla de manera adecuada si estuviera teniendo un derrame cerebral?
- ¿Nota signos de que pueda estar alterado (p. ej., movimientos rápidos de la cabeza, puños cerrados, incapacidad para estarse quieto)?
- Si determina que el paciente representa una amenaza real, ¿dispone de ayuda suficiente? ¿Hay agentes de policía presentes en la habitación con usted?

Como paramédico, no puede eliminar todos los riesgos de una situación. Su trabajo consiste en utilizar la conciencia situacional para asegurarse de que está pensando de manera constante en los riesgos potenciales, sopesando las probabilidades y actuando en el mejor interés del paciente mientras se mantiene a usted mismo y a su equipo a salvo.

2. ¿Qué información de evaluación necesita reunir?

En un inicio, el ECV debe ocupar un lugar destacado en la lista de diagnósticos diferenciales. Determine cuándo fue la última vez que el paciente fue visto normal. ¿Informa el paciente de dolor de cabeza? Conviene realizar una evaluación neurológica detallada.

3. ¿Cómo puede determinar si el paciente está orientado cuando no habla?

Para determinar si este paciente está orientado, puede hacerle preguntas de sí o no de las que conozca las respuestas; utilizar un tablero de comunicación; o pedirle al paciente que escriba las respuestas con lápiz y papel, o que las teclee con el teclado de un celular.

4. ¿Qué signos vitales o valores de laboratorio es fundamental obtener para este paciente?

Obtenga un conjunto completo de signos vitales, incluyendo oximetría de pulso. Es necesario un nivel de glucosa en sangre para descartar una hipoglucemia. Hay que asegurarse de que la lectura de la presión arterial es exacta. Si sospecha un ECV, traslade al paciente rápido.

5. ¿Cuál es la puntuación de la escala de coma de Glasgow de este paciente? ¿Describe con exactitud la agudeza de este paciente?

La puntuación ECG de este paciente es 11. Esta puntuación implica un nivel de conciencia disminuido. Sin embargo, la única razón por la que la puntuación de este paciente es 11 es que no puede o no quiere hablar.

6. ¿Qué parte de la evaluación neurológica es incoherente con el resto del examen?

La incapacidad del paciente para emitir cualquier sonido es incoherente. La creación y el procesamiento del habla son complicados e implican múltiples áreas dentro del cerebro. El lóbulo temporal desempeña un papel fundamental en el habla. En esencial, la producción del habla puede dividirse en un sistema de dos lados: uno que procesa la información auditiva entrante y otro que ajusta las cuerdas vocales, el patrón respiratorio y la boca para crear palabras. Este último lado es el que está afectado en este paciente. Su ausencia total de generación de sonidos es contundente. Si este paciente presentara un derrame cerebral tan grave que afectara por completo a su capacidad de emitir sonidos, cabría esperar que tuviera una disminución del NC. También se esperaría un deterioro de la capacidad para mantener la vía aérea, como dificultades para tragar. Sin embargo, el paciente parece funcionar con normalidad a excepción de su incapacidad para emitir sonidos. Su enfermedad le ha impedido emitir sonidos, pero no afecta a la vía aérea ni a su NC.

7. Si este paciente está teniendo un ECV, ¿cómo le afectará la aspirina?

Los tres posibles resultados de la administración de aspirina son los siguientes:

1. Si el paciente tiene un ECV isquémico, la aspirina puede ser beneficioso.
2. Si el paciente tiene un ECV hemorrágico, la aspirina puede ser perjudicial. A medida que el paciente se desangra por la cabeza, el organismo intentará formar un coágulo. Esta coagulación puede frenar

USTED es el paramédico RESUMEN continuación

la hemorragia, limitando así la PIC. Sin embargo, la aspirina también puede disminuir la eficacia de esta coagulación, aumentando así la cantidad de hemorragia. Este proceso podría causar un evento cerebrovascular hemorrágico más importante.

3. Si el paciente no tiene un ECV, el efecto de la aspirina es impredecible. Si se trata de una hemorragia, puede producirse el mismo problema que acabamos de describir.

8. ¿Cuáles son otras posibles causas de las presentaciones en forma de derrame cerebral?

La parálisis de Bell puede causar parálisis facial. Los dolores de cabeza pueden estar causados por tensión (estrés), racimos o migraña. Los medicamentos pueden provocar cambios en el estado mental. Una afección psiquiátrica llamada reacción de conversión puede causar mutismo.

9. ¿Hizo bien en tratar a este paciente como si hubiera tenido un ECV?

Aunque su presentación no coincide con la descripción del libro de texto, este paciente debe ser tratado como un posible ECV. Es importante ponerse en contacto con el centro de ECV más cercano e iniciar una alerta de ECV. Debido al riesgo de daño cerebral si este paciente está teniendo un ECV, es necesario realizar una tomografía o resonancia magnética a su llegada al DE.

Reporte de atención de paciente prehospitalario (RAPP)

Fecha: 11-06-22	**Incidente núm.:** 3986	**Naturaleza de la llamada:** ECV		**Ubicación:** First St 1070	
Despacho: 08:53	**En camino:** 08:54	**En el escenario:** 08:58	**Transporte:** 09:16	**En el hospital:** 0923	**En servicio:** 09:38

Información del paciente

Edad: 49 **Sexo:** M **Peso:** 109 kg (240 lb)	**Alergias:** Ninguna conocida **Medicamentos:** Hidroclorotiazida, suplementos de ejercicio **Antecedentes médicos:** Hace 1 año tuvo un episodio de debilidad izquierdo que no fue diagnosticado como ECV. Por completo resuelto. Sin diagnóstico conocido. HTA. **Principal manifestación:** Incapaz de hablar

Signos vitales

Hora: 09:03	**PA:** 142/96	**Pulso:** 112	**Respiraciones:** 16	**Spo_2:** 98% RA
Hora: 09:14	**PA:** 146/96	**Pulso:** 116	**Respiraciones:** 20	**Spo_2:** 98% RA
Hora:	**PA:**	**Pulso:**	**Respiraciones:**	**Spo_2:**

Tratamiento en el SEM (circule todo lo aplicable)

Oxígeno @ ____ L/min por (circular uno): **NC NRM Dispositivo de bolsa y mascarilla**		**Ventilación asistida**	**Dispositivo de la vía aérea**	**RCP**
Desfibrilación	**Control de la hemorragia**	**Vendaje**	**Inmovilización**	**Otro:** IV iniciado (circulado)

USTED es el Paramédico RESUMEN continuación

Narrativa

Despacho: ECV.

CC: ninguna declarada por el paciente.

HPI: el paciente fue descubierto por su esposa esta mañana sin poder hablar. Le administró 325 mg de aspirina. El paciente admite haberse despertado hace 2 horas y no poder hablar. Avisó a su familia.

PMH: HTA, hace 1 año tuvo debilidad en el lado izquierdo que se resolvió por completo. No fue diagnosticado como ECV.

Medicación: Hidroclorotiazida.

Alergias: ninguna conocida.

Examen físico

Impresión general: paciente masculino sentado en un sofá en el sótano de su casa, con su familia presente. Pt tiene una higiene adecuada y la casa está limpia y organizada.

Está despierto, alerta y parece orientado. Responde a preguntas de sí/no asintiendo con la cabeza. Leve caída facial en cara izquierda, ptosis negativa, PIRRL, ligera debilidad en brazo izquierdo. Puede ponerse de pie y deambular con poca ayuda. Niega dolor de cabeza. Los nervios craneales II-XII están intactos a menos que se indique lo contrario, el paciente es capaz de tragar sin dificultad, mudo, sin generación de sonidos ni intentos de pronunciar palabras.

Cardiovascular: la piel está caliente, seca y de color normal. El monitor muestra taquicardia sinusal sin cambios evidentes en el ST o ectopia, 12 derivaciones no muestran cambios agudos, sin dolor torácico.

Respiratorio: pulmones TC bilateral, sin uso de músculos accesorios, sin retracciones, sin cianosis, sin dificultad respiratoria.

Gastrointestinal abdomen blando y no sensible sin masas evidentes o pulsaciones. Ausencia de náusea y vómito.

Genitourinario: pelvis estable a la deambulación, sin incontinencia evidente.

Extremidades: sin trauma evidente, edema o marcas de venopunción.

Traslado del paciente al hospital ABS sin incidentes, sin cambios en el estado del paciente ni en la SV a su llegada al hospital. Pt directo a escáner TC. Informe al médico de emergencias. Medic 123 disponible.

Impresión: posible derrame cerebral.
Fin del informe

Kit de preparación

Listo para revisión

- Los trastornos neurológicos pueden ser peligrosos porque los reflejos deprimidos dejan vulnerables la vía aérea y otros sistemas corporales.
- Diversos procesos patológicos pueden causar disfunción neurológica, como el cáncer, las enfermedades degenerativas, las anomalías del desarrollo, las enfermedades infecciosas y las afecciones vasculares. Se cree que la mayoría de las enfermedades neurológicas son multifactoriales, es decir, que una serie de factores se combinan para inducir la vulnerabilidad a un proceso patológico concreto.
- La PIC está determinada por el volumen del contenido intracraneal: el cerebro, la sangre y el LCR.
- Los principales peligros de la PIC son la isquemia y la hernia cerebral.

Kit de preparación continuación

- La evaluación neurológica identifica pequeñas alteraciones que pueden perjudicar el funcionamiento del sistema nervioso.
- La investigación de la afección principal del paciente neurológico requiere una anamnesis para determinar el mecanismo de lesión o la NE. Esta tarea es más difícil cuando el paciente no responde, pero las pistas ambientales y los informes de familiares, amigos y testigos pueden ser útiles.
- Es fundamental determinar cuándo fue la última vez que el paciente fue visto normal, ya que el tiempo transcurrido desde la aparición de los síntomas determinará los tratamientos disponibles.
- El nivel de conciencia puede evaluarse utilizando la escala de coma Glasgow, el mnemotécnico AVDI, una prueba del reflejo corneal o la respuesta pupilar, la evaluación del funcionamiento de los nervios craneales, la evaluación de la orientación y el estado de alerta del paciente, la evaluación del habla y la capacidad del paciente para reconocer y nombrar objetos, la evaluación del movimiento del paciente, la prueba de las capacidades sensoriales perceptivas del paciente, la prueba del nivel de glucosa en sangre y la medición de los signos vitales.
- Seguir la pauta asistencial estándar puede ayudarle a abordar los trastornos neurológicos comunes de forma sistemática.
- El ECV es una afección en la que se interrumpe el suministro de sangre al cerebro. En el ECV isquémico, el suministro de sangre puede estar bloqueado por un coágulo (trombo o émbolo). En el ECV hemorrágico, una arteria dañada sangra en el cerebro.
- El ECV provoca cambios repentinos en el estado neurológico, incluidos efectos en el lenguaje, el movimiento, la sensibilidad, el nivel de conciencia y presión arterial.
- El tiempo es cerebro. Para que sean eficaces, los agentes fibrinolíticos deben administrarse con rapidez después del inicio de un ECV. Por lo tanto, se debe reconocer un ECV y enviar rápido al SEM, y el paciente debe ser trasladado con rapidez a un centro de ECV (si existe en su región).
- Los AIT son episodios de isquemia cerebral que se resuelven en 24 horas sin dejar daños permanentes. Dado que pueden indicar un problema vascular subyacente que puede desembocar en un ECV, es esencial una evaluación médica rápida.
- Un nivel de conciencia disminuido se caracteriza por déficits crecientes en la cognición y el habla y cambios en el movimiento y la postura. El paciente puede entrar en coma sin una intervención médica oportuna.
- Las crisis epilépticas se producen por el disparo repentino y errático de las neuronas. Se clasifican a grandes rasgos en función de tres características: (1) el lugar del cerebro donde comienzan las crisis, (2) el nivel de conciencia del paciente durante una crisis y (3) los síntomas motores y otras características asociadas con la crisis.
- Las crisis generalizadas afectan de algún modo a la conciencia y afectan a ambos lados del cerebro en su inicio. Las crisis focales comienzan en un lado del cerebro; la conciencia puede permanecer intacta o verse afectada.
- Las crisis generalizadas incluyen crisis tónico-clónicas (motoras generalizadas) y crisis de ausencia (no motoras generalizadas). Con una crisis focal consciente (antes denominada crisis parcial simple), el paciente puede ser incapaz de hablar o responder durante el evento, pero su conciencia permanece intacta. Si la conciencia del paciente se ve afectada o alterada en cualquier momento durante una crisis focal, se denomina crisis de conciencia alterada focal (antes denominada crisis parcial compleja). Los términos "focal motora" y "focal no motora" se utilizan para describir los comportamientos asociados con una crisis focal. Las seudoconvulsiones tienen un origen psiquiátrico.
- El estado epiléptico puede definirse como una crisis que dura más de 4 o 5 minutos o crisis consecutivas sin retorno a la consciencia entre crisis. Las crisis prolongadas pueden tener efectos devastadores en el cerebro y el cuerpo, e incluso poner en peligro la vida.
- El síncope (desmayo) es causado por una breve interrupción del flujo sanguíneo cerebral que puede deberse a alteraciones del ritmo cardíaco, a otras causas cardíacas o a causas no cardíacas.

Kit de preparación continuación

- Los dolores de cabeza pueden clasificarse en cefaleas tensionales, migrañas, cefaleas en brotes o cefaleas sinusales. Cada una tiene una causa y una presentación diferentes. También pueden darse otros tipos de cefalea.
- La demencia no es una enfermedad aislada, sino un proceso crónico que puede adoptar muchas formas. Se caracteriza por el deterioro de la memoria, la personalidad, las habilidades lingüísticas, la percepción, el razonamiento o el juicio, sin pérdida de conciencia. El tratamiento es similar para las distintas demencias y consiste principalmente en ofrecer apoyo.
- Los tumores del sistema neurológico afectan al cerebro y la médula espinal y se clasifican como enfermedad primaria o metastásica.
- Las afecciones desmielinizantes atacan la vaina aislante que rodea y protege el axón, de modo que los impulsos nerviosos ya no pueden viajar con fluidez.
- La esclerosis múltiple es una enfermedad autoinmune en la que los episodios van seguidos de periodos de remisión. Los pacientes con esclerosis múltiple pueden presentar diversos déficits neurológicos, desde incontinencia hasta importantes alteraciones sensoriales.
- La ELA (enfermedad de Lou Gehrig) es una enfermedad que afecta a las neuronas motoras voluntarias, causando parálisis progresiva y la muerte.
- La enfermedad de Parkinson daña la sustancia negra, la parte del cerebro que produce dopamina, necesaria para la contracción muscular.
- Los trastornos de los nervios craneales presentan una serie de signos y síntomas y a menudo se confunden con otros trastornos.
- Las distonías son espasmos musculares graves y anormales que provocan contorsiones extrañas, movimientos repetitivos o posturas. Pueden afectar al cuello, la cara, la mandíbula u otros músculos, y suelen ser dolorosas.
- La encefalitis y la meningitis son infecciones del SNC que provocan la inflamación del cerebro y las meninges, respectivamente.
- Los abscesos indican la presencia de un agente infeccioso en el cerebro o la médula espinal.
- La poliomielitis es una infección viral que puede causar daños a largo plazo en el cerebro y el tronco encefálico (síndrome pospolio), lo que provoca debilidad muscular y parálisis.
- En la neuropatía periférica, los nervios que salen de la médula espinal resultan dañados por traumatismos, toxinas, tumores, ataques autoinmunes y trastornos metabólicos, u otros procesos. La neuropatía diabética es la forma más común.

Vocabulario esencial

Absceso Zona del cerebro o la médula espinal en la que las células han sido atacadas, por lo general por un agente infeccioso. Para evitar la propagación de la infección, el sistema inmunológico “cierra” la zona, en la que puede acumularse pus.

Actividad clónica Tipo de movimiento convulsivo que implica la contracción y relajación de grupos musculares.

Actividad tónica Tipo de movimiento convulsivo que implica la contracción y el temblor constantes de grupos musculares.

Alucinaciones Estimulación sensorial que no puede ser verificada por otros.

Anestesia Falta de sensibilidad en una parte del cuerpo.

Anisocoria Pupilas desiguales con una diferencia superior a 1 mm.

Ataque isquémico transitorio (AIT) Trastorno en el que las células cerebrales dejan de funcionar de manera temporal por falta de oxígeno, provocando síntomas similares a los del ECV que se resuelven por completo a las 24 horas de su aparición.

Ataxia Alteración de la capacidad para realizar movimientos coordinados, como caminar.

Aura Sensaciones que se experimentan de manera habitual antes de que se produzca un ataque o una

Kit de preparación continuación

migraña; pueden incluir cambios visuales además de alucinaciones.

Bradicinesia Ralentización de los movimientos voluntarios del cuerpo; se da en pacientes con enfermedad de Parkinson.

Coma Estado en el que una persona no responde a estímulos verbales ni dolorosos.

Convulsión Disparo súbito y errático de las neuronas; episodio neurológico causado por una oleada de actividad eléctrica en el cerebro. Puede ser una convulsión caracterizada por una actividad muscular generalizada y descoordinada, y puede ir asociada con una pérdida de conciencia.

Delirios Pensamientos, ideas o capacidades percibidas que no tienen base en la realidad común.

Demencia La aparición lenta y progresiva de desorientación, disminución de la capacidad de atención y pérdida de la función cognitiva.

Distonía Contracciones del cuerpo en posiciones extrañas.

Endotoxinas Toxinas liberadas por algunas bacterias cuando mueren.

Enfermedad de Alzheimer Enfermedad orgánica progresiva en la que las neuronas del cerebro mueren, provocando demencia.

Enfermedad de Parkinson Enfermedad neurológica en la que la parte del cerebro responsable de la producción de dopamina está dañada o se utiliza en exceso, lo que provoca temblores.

Esclerosis lateral amiotrófica (ELA) Enfermedad que afecta a las neuronas motoras voluntarias, provocando su muerte. La enfermedad se caracteriza por fatiga y debilidad general de los grupos musculares; con el tiempo, el paciente se vuelve incapaz de caminar, comer o hablar; también conocida como enfermedad de Lou Gehrig.

Esclerosis múltiple (EM) Enfermedad autoinmune en la que el organismo ataca la mielina que aísla el cerebro y la médula espinal, provocando cicatrices.

Estado epiléptico Estado en el que las crisis se repiten en pocos minutos o se producen crisis consecutivas sin que se recupere la consciencia entre ellas.

ECV Interrupción del flujo sanguíneo al cerebro que provoca la pérdida de la función cerebral; también llamado ataque cerebral.

ECV hemorrágico Uno de los dos tipos principales de ECV; se produce como resultado de una hemorragia dentro del cerebro.

ECV isquémico Uno de los dos tipos principales de ictus, también llamado ictus oclusivo; se produce cuando el flujo sanguíneo a una parte concreta del cerebro se interrumpe por una obstrucción, como un coágulo de sangre, dentro de una arteria.

Exotoxinas Toxinas secretadas por células vivas para contribuir a la muerte y digestión de otras células.

Hemiparesia Debilidad de un lado del cuerpo.

Hemiplejía Parálisis de un lado del cuerpo.

Hernia Desplazamiento de una estructura desde su ubicación normal a otro espacio.

Idiopática De causa desconocida.

Marcha Patrones de marcha o deambulación.

Metástasis Proceso por el que las células de una neoplasia maligna se desprenden del lugar de origen, como el pulmón, y se desplazan por el torrente sanguíneo o el sistema linfático a otras localizaciones corporales, como el cerebro.

Miastenia grave Enfermedad en la que el organismo genera anticuerpos contra sus propios receptores de acetilcolina, lo que provoca debilidad muscular, a menudo en la cara.

Mioclonía Movimientos espasmódicos involuntarios del cuerpo.

Neoplasia Un tumor.

Neuropatía periférica Grupo de enfermedades en las que los nervios que salen de la médula espinal están dañados, distorsionando las señales hacia o desde el cerebro. Un tipo está causado por la diabetes; los nervios periféricos se dañan al aumentar el nivel de glucosa en sangre, lo que provoca falta de sensibilidad, entumecimiento, ardor, dolor, parestesias y debilidad muscular.

Nistagmo Sacudidas involuntarias y rítmicas de los ojos.

Kit de preparación continuación

Parálisis de Bell Parálisis temporal del nervio facial (nervio craneal VII), que controla los músculos de cada lado de la cara.

Parestesia Sensación de hormigueo o entumecimiento en una parte del cuerpo.

Poliomielitis Infección viral, en la actualidad poco frecuente, que ataca y destruye los axones nerviosos, en especial los axones motores; la enfermedad puede causar debilidad, parálisis y parada respiratoria.

Postictal Periodo posterior a un ataque en el que el cerebro reorganiza su actividad.

Postura Pose corporal anormal que indica daños cerebrales.

Postura extensora anormal Extensión anormal de los brazos con rotación de las muñecas junto con los dedos de los pies en punta, también conocida como descerebrada; este hallazgo indica lesión del tronco encefálico.

Postura flexora anormal Flexión anormal de los brazos hacia el pecho con los dedos de los pies en punta, también conocida como decorticada; este hallazgo indica daño cerebral inferior.

Pródromo Signo o síntoma temprano que se produce antes de que una enfermedad o afección aparezca por completo (p. ej., mareo antes de desmayo).

Pronación Rotación de la parte inferior de los brazos con las palmas hacia abajo.

Psicosis Estado caracterizado por la ruptura con la realidad común y que existe principalmente dentro de un mundo interno.

Ptosis Prolapso de una parte del cuerpo; a menudo se refiere a la caída del párpado.

Realidad común Estimulación sensorial que puede ser verificada por otros.

Reflejo corneal Movimiento de protección que provoca el parpadeo, el desplazamiento posterior de la cabeza y la constricción pupilar.

Rigidez Afección en la que los músculos no se contraen ni se relajan con suavidad, lo que provoca rigidez de movimiento; se da en pacientes con enfermedad de Parkinson.

Síncope Desmayo o pérdida transitoria del conocimiento.

Síndrome de Guillain-Barré Enfermedad poco frecuente que comienza con una sensación de debilidad y hormigueo en las piernas, que se traslada a los brazos y el tórax; el trastorno puede provocar parálisis en 2 semanas.

Síndrome pospolio Muerte de las fibras nerviosas como consecuencia tardía de la poliomielitis; se caracteriza por dificultades para tragar, debilidad, fatiga y problemas respiratorios.

Sistema límbico Estructuras del cerebro y el diencéfalo que influyen en las emociones, la motivación, el estado de ánimo y las sensaciones de dolor y placer.

Temblor de intención Temblor que se produce al intentar realizar una tarea.

Temblor de reposo Temblor que se produce incluso cuando los músculos del paciente están relajados (p. ej., las manos apoyadas en el regazo).

Temblor postural Temblor que se produce cuando la persona mantiene quieta una parte del cuerpo.

Temblores Movimientos involuntarios y rítmicos, generalmente de las manos o la cabeza.

Trismo Contracción involuntaria de la boca que provoca el apretamiento de los dientes; se produce durante convulsiones y traumatismos craneoencefálicos.

Uremia Insuficiencia renal grave que provoca la acumulación de productos de desecho en la sangre; con el tiempo deteriora la función cerebral.

Referencias

1. Deaths and mortality. Centers for Disease Control and Prevention website. http://www.cdc.gov/nchs/fastats/deaths.htm. Publicado marzo 1 de 2021. Consultado abril 8 de 2021.
2. Jensen E. Demographic analysis uses birth and death records, international migration data and Medicare records to produce a range of population estimates as of April 1, 2020. US Census Bureau website. https://www.

Kit de preparación continuación

census.gov/library/stories/2020/12/census-bureau-provides-population-estimates-for-independent-evaluation-of-upcoming-census-results.html. Publicado diciembre 15 de 2020. Consultado abril 8 de 2021.

3. 2020 world population data sheet shows older populations growing, total fertility rates declining. Population Reference Bureau website. https://www.prb.org/2020-world-population-data-sheet/. Publicado julio 10, 2020. Consultado abril 8 de 2021.
4. Top things to know: 2019 updated to the 2018 guidelines for the early management of acute ischemic stroke. American Heart Association website. https://professional.heart.org/en/science-news/2019-update-to-the-2018-acute-ischemic-stroke-guidelines/top-things-to-know. Publicado octubre 30 de 2019. Consultado marzo 22 de 2021.
5. Jauch EC. Ischemic stroke. Medscape website. http://emedicine.medscape.com/article/1916852-overview. Actualizado mayo 27, 2020. Consultado marzo 22, 2021.
6. Jauch EC, Saver JL, Adams HP Jr, et al; on behalf of American Heart Association Stroke Council, Council o Cardiovascular Nursing, Council on Peripheral Vascular Disease, and Council on Clinical Cardiology. Guidelines for the early management of patients with acute ischemic stroke: a guideline for healthcare professionals from the American Heart Association/American Stroke Association. Stroke. 2013;44:870-947.
7. Mozaffarian D, Benjamin EJ, Go AS, et al; on behalf of American Heart Association Statistics Committee and Stroke Statistics Subcommittee. Heart disease and stroke statistics—2016 update: a report from the American Heart Association. Circulation. 2016;133. https://www.ahajournals.org/doi/10.1161/cir.0000000000000350.
8. Rangel-Castillo L, Gopinath S, Robertson CS. Management of intracranial hypertension. *Neurol Clin.* 2008;26(2):521-541.
9. Beume L-A, Hieber M, Kaller CP, et al. Large vessel occlusion in acute stroke. *Stroke.* 2018;49:2323-2329.
10. Hulsman S. What every first responder should know about large vessel occlusion. EMS1 website. https://www.ems1.com/sponsored-article/articles/what-every-first-responder-should-know-about-large-vessel-occlusion-Q4RTOnGcL1AZ3gg4/. Publicado agosto 28, 2017. Consultado marzo 22, 2021.
11. Aroor S, Singh R, Goldstein LB. BE-FAST (balance, eyes, face, arm, speech, time): reducing the proportion of strokes missed using the FAST mnemonic. *Stroke.* 2017;48(2):479-481.
12. Powers WJ, Rabinstein AA, Ackerson T, et al. Guidelines for the early management of patients with acute ischemic stroke: 2019 update to the 2018 guidelines for the early management of acute ischemic stroke. Stroke. 50(12). https://doi.org/10.1161/STR.0000000000000211.
13. Mobile stroke unit. Cleveland Clinic website. http://my.clevelandclinic.org/services/neurological_institute/cerebrovascular-center/treatment-services/mobile-stroke-unit. Consultado marzo 22 de 2021.
14. Sacco RL, Kasner SE, Broderick JP, et al; on behalf of American Heart Association Stroke Council, Council on Cardiovascular Surgery and Anesthesia, Council on Cardiovascular Radiology and Intervention, Council on Cardiovascular and Stroke Nursing, Council on Epidemiology and Prevention, Council on Peripheral Vascular Disease, and Council on Nutrition, Physical Activity and Metabolism. An updated definition of stroke for the 21st century: a statement for healthcare professionals from the American Heart Association/American Stroke Association. *Stroke.* 2013;44:2064-2089.
15. Transient ischemic attack information page. National Institute of Neurological Disorders and Stroke (NINDS) website. https://www.ninds.nih.gov/Disorders/All-Disorders/Transient-Ischemic-Attack-Information-Page. Consultado marzo 22, 2021.
16. Pulsara website [homepage]. https://www.pulsara.com. Consultado marzo 8, 2021.
17. Fisher RS, Shafer PO, D'Souza C. 2017 revised classification of seizures. Epilepsy Foundation website. https://www.epilepsy.com/article/2016/12/2017-revised-classification-seizures. Consultado abril 8, 2021.
18. Morag R. Syncope. Medscape website. http://emedicine.medscape.com/article/811669-overview. Actualizado enero 13 de 2017. Consultado marzo 22 de 2021.
19. Smith C. Search for cause of high rates of MS in Northwest would lead to new treatments. KUOW website. November 27, 2012. https://www.kuow.org/stories/search-cause-high-rates-ms-northwest-could-lead-new-treatments.
20. Andary MT. Guillain-Barré syndrome. Medscape website. http://emedicine.medscape.com/article/315632-overview. Actualizado junio 24 de 2020. Consultado marzo 22 de 2021.
21. Polio elimination in the United States. Centers for Disease Control and Prevention website. https://www.cdc.gov/polio/what-is-polio/polio-us.html. Revisado 25 de octubre de 2019. Consultado marzo 22 de 2021.
22. Foster MR. Spina bifida. Medscape website. http://emedicine.medscape.com/article/311113-overview. Actualizado agosto 12, 2020. Consultado marzo 22 de 2021.
23. Nelson SL Jr. Hydrocephalus. Medscape website. http://emedicine.medscape.com/article/1135286-overview. Actualizado junio 4, 2018. Consultado marzo 22 de 2021.

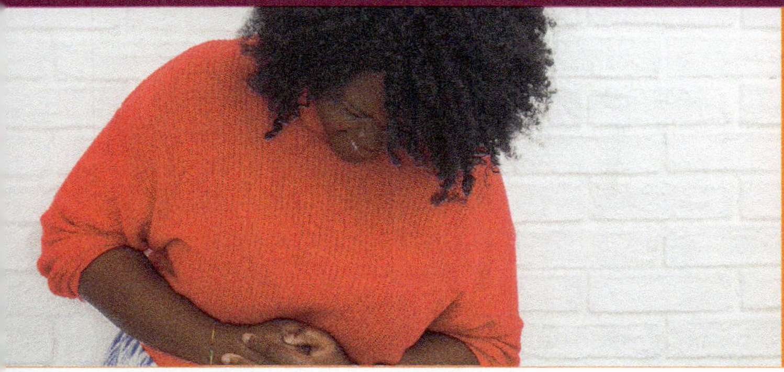

Capítulo 17

Emergencias abdominales y gastrointestinales

COMPETENCIAS DEL ESTÁNDAR NACIONAL DE EDUCACIÓN EN EL SEM

Medicina

Integra los resultados de la evaluación con los principios de epidemiología y fisiopatología para formular un diagnóstico probable e implementar un plan integral de tratamiento/disposición para un paciente con una dolencia médica.

Trastornos abdominales y gastrointestinales

Anatomía, presentaciones y manejo del shock asociado a las emergencias abdominales

- Hemorragia gastrointestinal. (pp. 1283-1289)

Anatomía, fisiología, epidemiología, fisiopatología, impacto psicosocial, presentaciones, pronóstico y manejo de:

- Hemorragias gastrointestinales aguda y crónica. (pp. 1283-1289)
- Trastornos hepáticos. (pp. 1300-1303)
- Peritonitis. (p. 1292)
- Enfermedades ulcerosas. (p. 1297)
- Síndrome del intestino irritable. (p. 1298)
- Trastornos inflamatorios. (pp. 1291-1298)
- Pancreatitis. (pp. 1295-1297)
- Obstrucción intestinal. (pp. 1304-1305)
- Hernias. (pp. 1306-1307)
- Trastornos infecciosos. (pp. 1299-1303)
- Trastornos de la vesícula y vías biliares. (pp. 1292-1293)
- Absceso rectal. (p. 1300)
- Obstrucción rectal por cuerpo extraño. (p. 1307)
- Isquemia mesentérica. (pp. 1307-1308)

OBJETIVOS COGNITIVOS

1. Describir la incidencia, morbilidad y mortalidad de las emergencias gastrointestinales (GI). (p. 1269)
2. Identificar los principales factores de riesgo de las enfermedades GI. (p. 1269)
3. Analizar la anatomía y fisiología de los órganos y estructuras del sistema GI. (pp. 1270-1273)
4. Explicar cómo evaluar la seguridad de la escena cuando se atiende a un paciente con una emergencia GI. (p. 1274)
5. Enumerar el equipo de protección personal necesario durante una llamada en respuesta a un paciente con una emergencia GI. (p. 1274)
6. Explicar cómo integrar los principios fisiopatológicos y los hallazgos de la evaluación para formular un diagnóstico presuntivo y aplicar un plan de tratamiento para el paciente con una emergencia GI. (pp. 1274-1275)
7. Evaluar los mecanismos por los que se puede ver comprometida la permeabilidad de la vía aérea en el paciente con una emergencia GI. (pp. 1274-1275)

8. Resumir la evaluación de la respiración y la circulación en un paciente con una emergencia GI. (p. 1275)
9. Indicar las consideraciones que intervienen para la toma de una decisión sobre el transporte del paciente con una emergencia GI. (p. 1275)
10. Explorar las formas de investigar la queja principal y realizar la historia clínica de un paciente con un trastorno GI. (pp. 1275-1277)
11. Describir la técnica para realizar un examen físico completo a un paciente con dolor abdominal, incluidas la percusión, auscultación de los ruidos intestinales, la palpación para evaluar el dolor y las masas. (pp. 1277-1279)
12. Analizar cómo los signos vitales ortostáticos pueden ayudar a evaluar la extensión de la hemorragia abdominal. (p. 1279)
13. Considerar el tratamiento adecuado del dolor en el paciente con una emergencia abdominal. (pp. 1280-1281)
14. Analizar los mecanismos fisiopatológicos que pueden causar hipovolemia. (p. 1282)
15. Comparar la fisiopatología, la evaluación y el manejo de la hemorragia GI alta con los de la hemorragia GI baja. (pp. 1283-1284)
16. Analizar la fisiopatología, la evaluación y el tratamiento de las várices esofagogástricas. (p. 1284)
17. Analizar la fisiopatología, la evaluación y el manejo del síndrome de Mallory-Weiss y de Boerhaave. (pp. 1284-1286)
18. Analizar la fisiopatología, la evaluación y tratamiento de la úlcera péptica y gastritis. (pp. 1286-1287)
19. Analizar la fisiopatología, la valuación y tratamiento de la enfermedad por reflujo gastroesofágico y hernia hiatal. (pp. 1287-1288)
20. Analizar la fisiopatología, la evaluación y el tratamiento de las hemorroides. (p. 1288)
21. Analizar la fisiopatología, la evaluación y el tratamiento de las fisuras anales. (pp. 1288-1289)
22. Analizar la fisiopatología, la evaluación y el manejo de las patologías esofágicas, incluidas esofagitis, fístula traqueoesofágica y estenosis esofágica. (pp. 1289-1291)
23. Explicar cómo responde el sistema inmunológico a la inflamación aguda y crónica en el tracto GI. (pp. 1291-1298)
24. Analizar la fisiopatología, la evaluación y el manejo de la peritonitis. (p. 1292)
25. Analizar la fisiopatología, la evaluación y el tratamiento de la colecistitis. (pp. 1292-1293)
26. Analizar la fisiopatología, la evaluación y el tratamiento de la apendicitis. (pp. 1289-1294)
27. Analizar la fisiopatología, la evaluación y el tratamiento de la diverticulitis. (pp. 1294-1295)
28. Analizar la fisiopatología, la evaluación y el tratamiento de la pancreatitis. (pp. 1295-1297)
29. Analizar la fisiopatología, la evaluación y el tratamiento de la colitis ulcerosa. (p. 1297)
30. Analizar la fisiopatología, la evaluación y el tratamiento de la enfermedad de Crohn. (pp. 1297-1298)
31. Analizar la fisiopatología, la evaluación y el tratamiento del síndrome de intestino irritable. (p. 1298)
32. Explicar por qué el sistema GI es vulnerable a las infecciones y cómo reacciona el sistema inmunológico a las infecciones en el tracto GI. (p. 1299)
33. Analizar la fisiopatología, la evaluación y el tratamiento de la gastroenteritis aguda. (pp. 1299-1300)
34. Analizar la fisiopatología, la evaluación y el tratamiento del absceso rectal. (p. 1300)
35. Analizar la fisiopatología, la evaluación y el tratamiento de la cirrosis. (pp. 1300-1320)
36. Analizar la fisiopatología, la evaluación y el tratamiento de la encefalopatía hepática. (pp. 1302-1303)
37. Analizar la fisiopatología, la evaluación y el tratamiento de la obstrucción esofágica. (pp. 1303-1304)
38. Analizar la fisiopatología, la evaluación y el tratamiento de la obstrucción de los intestinos delgado y grueso. (pp. 1304-1305)
39. Analizar la fisiopatología, la evaluación y el tratamiento de las hernias GI. (pp. 1306-1307)
40. Comparar los cuatro tipos de hernias abdominales: reducibles, encarceladas, estranguladas y eventraciones. (p. 1306)
41. Comparar las obstrucciones rectales por cuerpos extraños causadas por objetos deglutidos, con aquellas causadas por objetos introducidos. (p. 1307)
42. Analizar la fisiopatología, la evaluación y el tratamiento de las obstrucciones rectales por cuerpos extraños. (p. 1307)

43. Analizar la fisiopatología, la evaluación y el tratamiento de los trastornos isquémicos y neoplásicos, incluidos la isquemia mesentérica y los tumores de colon, páncreas e hígado. (pp. 1307-1309)
44. Describir los cambios en el estilo de vida que reducen la probabilidad de desarrollar enfermedades GI. (p. 1310)

OBJETIVOS DE DESTREZA

1. Demostrar cómo auscultar el abdomen para evaluar la presencia de ruidos intestinales disminuidos, ausentes o anormales. (pp. 1277-1278)
2. Demostrar cómo palpar el abdomen para detectar dolor, sensibilidad de rebote y masas. (pp. 1278-1279)
3. Demostrar cómo palpar el cuadrante superior derecho para evaluar el signo de Murphy, que indica colecistitis. (p. 1278)

Introducción

Las condiciones gastrointestinales (GI) pueden poner en peligro la vida, ya que los trastornos del sistema GI cuyo tratamiento se omite o es insuficiente pueden tener consecuencias en dicho sistema. Por ejemplo, cuando se infecta el apéndice, las consecuencias pueden ser mortales si no se reconoce la condición.

En este capítulo se revisan las estructuras que intervienen en la **digestión**, incluidas sus funciones y ubicaciones. Después de un breve repaso del proceso general de evaluación de un paciente con **abdomen agudo** (aparición súbita de dolor abdominal) u otra emergencia abdominal, se describen la fisiopatología, la evaluación y el tratamiento de las condiciones GI comunes. Para empezar, es necesario comprender el alcance de las emergencias GI.

En un momento u otro, todo el mundo ha tenido dolor abdominal o un caso de malestar GI. La **diarrea**, la náusea y el vómito son los signos y síntomas indeseables de una enfermedad de este tipo. Pueden causar molestias intensas e indicar una enfermedad subyacente. En otras palabras, la diarrea, la náusea y el vómito no pueden considerarse en sí mismos condiciones o enfermedades.

El número de trastornos responsables de dolor abdominal, diarrea y náusea es considerable. Los trastornos GI causan 246 000 muertes y 21.7 millones de hospitalizaciones al año en Estados Unidos (EUA).[1] Por fortuna, la mayoría de los trastornos GI no es mortal. Con excepción de la **septicemia** (una infección generalizada del torrente sanguíneo que podría estar causada por un trastorno GI), los trastornos GI no se encuentran entre las 10 enfermedades que más muertes causan en Estados Unidos.

De acuerdo con las estimaciones de la Oficina del Censo de Estados Unidos, en febrero de 2021 la población estadounidense era de más de 330 millones de personas.[2] De ellas, entre 25 y 40% padecen **enfermedad por reflujo gastroesofágico (ERGE)**.[3] Esto explica sin duda los numerosos anuncios en televisión, revistas y sitios web relacionados con medicamentos para aliviar el ardor de estómago. El *National Institute of Diabetes and Digestive and Kidney Diseases*, que forma parte de los *National Institutes of Health*, informa que entre 60 y 70 millones de personas están afectadas por enfermedades digestivas.[1] Dada la naturaleza generalizada de estas enfermedades, está claro que los paramédicos serán llamados con frecuencia para tratar a pacientes con trastornos GI. Al explorar estas condiciones, saber qué comportamientos y características pueden predisponer a los pacientes a padecer trastornos GI puede ayudarle en el cuidado y en la prevención de futuros trastornos GI.

Dos factores de riesgo conductuales conocidos para los trastornos GI son el tabaquismo y el consumo excesivo de alcohol. Tanto la nicotina como el alcohol aumentan la liberación de ácido gástrico en el estómago. Por ello, una pequeña cantidad de vino o cerveza tomada antes de una comida se conoce como aperitivo, de una palabra francesa que significa "abrir": prepara el estómago para la comida. Sin embargo, el tabaquismo o el consumo crónico de alcohol aumentan la acidez del estómago por encima de la capacidad de protección de la mucosa. El resultado es un mayor riesgo de úlceras del tracto GI superior.

En el **CUADRO 17-1** se enumeran otras actividades que aumentan el riesgo de trastornos GI. Puede utilizar esta información para ayudar a educar a los pacientes sobre las formas en que pueden disminuir o incluso eliminar sus molestias GI.

CUADRO 17-1 Comportamientos y asociación correspondiente con la enfermedad GI

Comportamiento	Asociación
Fumar	Dispepsia funcional y enfermedad de Crohn
Patrones de sueño	ERGE, síndrome del intestino irritable y dispepsia funcional
Comportamiento alimentario	Síndrome del intestino irritable, colecistitis y ERGE
Alcohol	Cirrosis, pancreatitis y úlcera péptica
Comportamientos laborales (turnos rotativos)	Síndrome del intestino irritable, úlcera péptica
Conducta de ejercicio	Estreñimiento, enfermedad del hígado graso no alcohólico
Estrés	Enfermedades de todo el tracto gastrointestinal

Abreviaturas: ERGE, enfermedad por reflujo gastroesofágico; GI, gastrointestinal.

Datos de: Jia L, Jiang S-M, Lui J. Behavioral gastroenterology: an emerging system and new frontier of action. *World J Gastroenterol.* 2017;23(33):6059-6064. https://www.ncbi.nlm.nih.gov/pmc/articles/PMC5597497/. Consultado el 6 de febrero de 2021.

Anatomía y fisiología Repaso

La anatomía y fisiología del sistema GI se tratan con detalle en el capítulo 6, *Anatomía y fisiología*. En la **FIGURA 17-1** se repasa la anatomía del abdomen. El recorrido completo de los alimentos desde la boca hasta el ano, que se resume en el **CUADRO 17-2**, dura de 8 a 72 horas y en él intervienen el hígado, el páncreas, el estómago, los intestinos y otras estructuras. A este ritmo, el número normal de deposiciones oscila entre tres al día y una cada 3 días. Por supuesto, este número varía en función de los tipos de alimentos que se ingieran, la cantidad de agua que se consuma, la cantidad de ejercicio que se haga y el grado de estrés al que esté sometido el organismo.

La digestión se inicia con la masticación, durante la cual los molares trituran y muelen los alimentos; se añade saliva para lubricarlos y facilitar su deglución. Cambiar la consistencia de los alimentos en un bolo suave ayuda a prevenir la aspiración de comida a los pulmones. La saliva también contiene enzimas que inician la descomposición química de los almidones, o carbohidratos complejos, para que el organismo pueda absorberlos con más facilidad.

Los alimentos ingeridos pasan al esófago, que es un tubo hueco muscular y se encuentra en posición colapsada, lo que impide que el aire entre en él durante la respiración. El alimento se desplaza inferiormente hacia el estómago con una contracción muscular en forma de onda denominada peristalsis.

En el estómago, se añade ácido clorhídrico a los alimentos. Al contraerse, el estómago mezcla los alimentos y el ácido. El ácido inicia la descomposición de los alimentos, transformándolos en quimo. En el estómago se absorben sustancias de pequeño tamaño molecular, como el agua, el alcohol, la cafeína y algunos medicamentos. El quimo restante sale del esfínter pilórico y entra en el duodeno, la primera parte del intestino delgado. Aquí el páncreas, el hígado y la vesícula biliar se conectan al sistema digestivo.

USTED es el Paramédico

PARTE 1

Su unidad recibe el aviso de una persona que no reacciona en un domicilio de la zona. El operador le informa de que se trata de una mujer de 64 años que no reacciona en el cuarto de baño. Llegan al domicilio y el marido de la paciente les recibe en la puerta. Él le conduce al cuarto de baño del piso de arriba, donde encuentra a la paciente tirada junto al inodoro. La habitación desprende un olor nauseabundo y usted observa unos 250 ml de heces con melenas que cubren la ropa de la paciente y el suelo, cerca de los glúteos. La paciente responde cuando usted se acerca. El marido explica que su mujer había estado durmiendo, se despertó y le pidió que la ayudara a ir al baño porque tenía que defecar. Cuando llegaron al baño, dice que ella se desmayó, así que él la ayudó a recostarse en el suelo junto al retrete. La paciente dijo que lo último que recordaba era haber ido al baño con su marido. Ella se ha sentido mal, con calambres estomacales durante los últimos días.

1. ¿Qué es la melena?
2. ¿Qué parte del sistema GI cree que puede estar afectada?

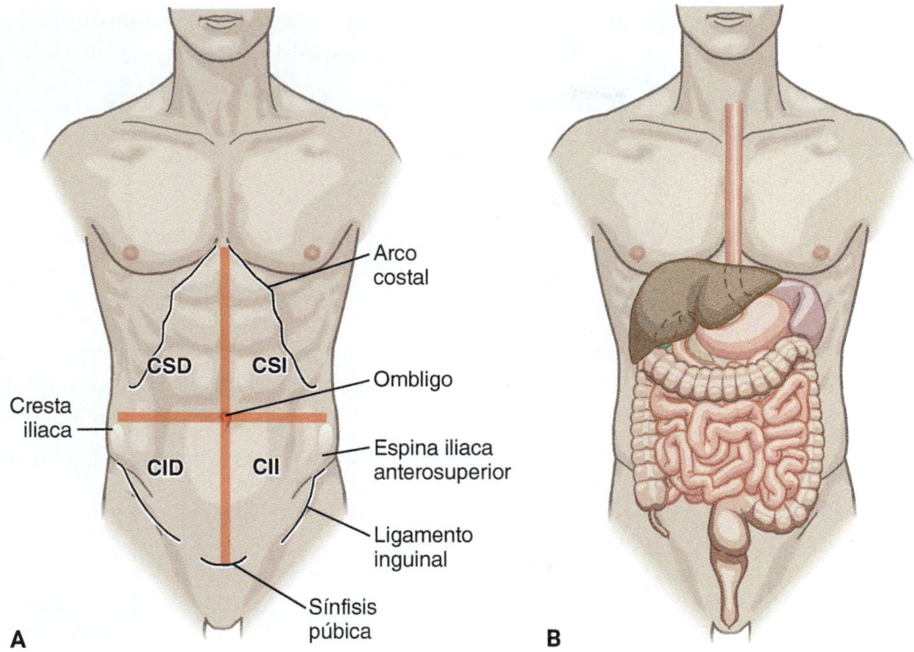

FIGURA 17-1 Anatomía del abdomen. **A.** Los cuatro cuadrantes del abdomen. **B.** Los órganos abdominales pueden situarse en más de un cuadrante. Aunque los riñones están situados en el abdomen (detrás de las estructuras que se muestran aquí), se consideran parte del aparato genitourinario.

Abreviaturas: CII, cuadrante inferior izquierdo; CSI, cuadrante superior izquierdo; CID, cuadrante inferior derecho; CSD, cuadrante superior derecho)

CUADRO 17-2 Localización y funciones de los órganos relacionados con el aparato digestivo

Órgano/estructura	Ubicación	Función
Boca	Cabeza	Descompone mecánicamente los alimentos; inicia la descomposición química de los alimentos con la saliva.
Esófago	Subesternal, **epigástrico**	Conducto que transporta los alimentos de la boca al estómago (estructura muscular y vascular).
Estómago	Cuadrante superior izquierdo, epigástrico	Realiza la descomposición mecánica y química de los alimentos (comida que entra, quimo que sale).
Hígado	Abdomen superior; principalmente lado derecho del abdomen superior central	Produce bilis; ayuda en el metabolismo de carbohidratos, proteínas y grasas; almacenamiento y fabricación de vitaminas; desintoxicación de la sangre; eliminación de residuos.
Páncreas	Posterior al estómago	
Exocrino		Produce enzimas para la descomposición de proteínas, carbohidratos y grasas en el duodeno.
Endocrino		Produce insulina, somatostatina y glucagón.
Vesícula biliar	Superficie inferior del hígado	Almacenamiento de bilis.
Bazo	Abdomen superior izquierdo	Filtración de la sangre; reciclaje de eritrocitos muertos.
Aorta	Abdomen superior central	Principal arteria que suministra sangre a la parte inferior del cuerpo.
Vejiga	Zona suprapúbica	Almacenamiento de orina.

(continúa)

CUADRO 17-2 Localización y funciones de los órganos relacionados con el aparato digestivo (continuación)

Órgano/estructura	Ubicación	Función
Útero	Área suprapúbica	Reproducción
Arterias iliacas	Parte central del abdomen y cuadrantes inferior derecho/izquierdo	Aportan sangre a las piernas y la pelvis.
Intestino delgado		
Duodeno	Central, **umbilical** superior	Principal lugar de descomposición química de los alimentos; principal lugar de absorción de agua, grasas, proteínas, carbohidratos y vitaminas.
Yeyuno	Central, umbilical	Mueve el quimo hacia delante y absorbe nutrientes.
Íleon	Central, hipogástrico hasta la parte inferior derecha del abdomen.	Mueve el quimo hacia delante y absorbe nutrientes.
Intestino grueso		
Colon ascendente	Cuadrante inferior derecho, hipogástrico a epigástrico.	Reabsorción de agua, formación de heces y digestión bacteriana de los alimentos.
Colon transverso	Cuadrante superior derecho a izquierdo, epigástrico	Reabsorción de agua, formación de heces y digestión bacteriana de los alimentos.
Colon descendente	Cuadrantes superior e inferior izquierdo, epigástrico a umbilical	Reabsorción de agua, formación de heces y digestión bacteriana de los alimentos.
Colon sigmoide	Cuadrante inferior izquierdo, hipogástrico	Reabsorción de agua, formación de heces y digestión bacteriana de los alimentos.
Recto	Suprapúbico, hipogástrico	Almacena las heces para su posterior eliminación.
Ano	Parte más inferior del intestino grueso	Esfínter para controlar la salida de las heces.
Peritoneo		
Peritoneo parietal	Revestimiento o bolsa que contiene los órganos abdominales	Protege y sostiene los órganos dentro del abdomen.
Peritoneo visceral	Revestimiento que cubre los órganos	
Cavidad peritoneal	Espacio entre el peritoneo parietal y el visceral	
Mesenterio	Pliegue de doble capa de tejido peritoneal que fija las estructuras a la pared abdominal y las ancla en su lugar	Une algunos órganos (p. ej., estómago, intestino delgado, páncreas, bazo) a la pared abdominal posterior; proporciona un conducto para los vasos sanguíneos, linfáticos y los nervios.

Abreviatura: GI, gastrointestinal.

La función principal del aparato digestivo es absorber los productos de la digestión para alimentar a las células del organismo. El verdadero caballo de batalla del sistema digestivo es el intestino delgado, donde se produce 90% de toda la absorción. Sería difícil mantenerse bien alimentado si hubiera que extirpar una parte del intestino delgado debido a una **enfermedad de Crohn**, un cáncer o cualquier otro proceso patológico. La porción exocrina del páncreas segrega en el duodeno varias enzimas que ayudan a digerir las grasas, las proteínas y los carbohidratos. Además, el jugo pancreático ayuda a neutralizar el ácido gástrico.

El hígado produce bilis, la cual se almacena en la vesícula biliar. La bilis es una enzima utilizada por el organismo para ayudar a descomponer las grasas. La bilis se libera en el duodeno, donde ayuda a disolver las grasas. El hígado también favorece el metabolismo de los carbohidratos. Si el nivel de glucosa en sangre desciende, el hígado puede convertir el glucógeno en glucosa. Los descensos drásticos de las reservas de glucosa harán que el hígado convierta las grasas y las proteínas en glucosa. Recuerde que las células cerebrales solo pueden quemar un tipo de combustible: la glucosa. Mientras la sangre fluye por el hígado, continúa el metabolismo de las grasas y las proteínas. Sin un hígado que funcione, estaría muerto en pocos días porque el cuerpo no podría utilizar ninguna de las proteínas absorbidas a través del sistema GI. El hígado también desintoxica los fármacos, se encarga de la descomposición de los eritrocitos y glóbulos blancos muertos, crea factores de coagulación y almacena vitaminas y minerales.

Cabe recordar que la vena porta transporta la sangre venosa desde el tracto GI hasta el hígado. Por diversas razones, el flujo sanguíneo a través del hígado puede ser lento. Las venas que rodean el estómago y el esófago se pueden dilatar si se acumula la sangre. Incluso una pequeña cantidad de presión puede causar fugas o la ruptura de estos vasos, dando lugar a hemorragias leves o graves. Este problema se analiza más adelante en la sección de patología para cada condición.

El intestino grueso o colon, contiene los productos de desecho restantes, denominados heces. La función principal de este intestino es completar la reabsorción de agua. La mayor parte del agua se reabsorbe en el intestino delgado. Esta función osmótica del colon ayuda a solidificar las heces. La falla de esta función intestinal provoca heces blandas o diarrea. Las bacterias que por lo regular se encuentran en el colon ayudan a completar la descomposición del quimo: algunas de ellas producen gas como un subproducto llamado flatulencia o flato. La flatulencia puede considerarse de mala educación, pero es normal.

Por último, el apéndice es un pequeño saco del colon que contiene linfocitos T y B, segrega inmunoglobulina A y se cree que sirve de lugar de almacenamiento de bacterias intestinales no patógenas (es decir, "buenas"). Se teoriza que las bacterias sanas almacenadas en el apéndice pueden migrar al colon y restablecer el equilibrio, cuando este se altera debido al uso de antibióticos, una infección o una enfermedad diarreica.

USTED es el Paramédico

PARTE 2

La paciente afirma que ha estado enferma durante varios días con heces oscuras y malolientes dos veces al día durante los últimos 3 días. Niega haber vomitado, pero refiere dolor en todo el abdomen. Según ella, este dolor puede ser tan fuerte como para despertarla mientras duerme. No acudió al hospital porque pensó que se trataba de un virus estomacal.

Usted obtiene una serie de signos vitales ortostáticos. Cuando la paciente se sienta con su ayuda, dice estar mareada, así que la vuelve a recostar de inmediato. La evaluación del abdomen revela ruidos intestinales normales. El abdomen está blando, pero sensible en los cuatro cuadrantes.

Tiempo de registro:	0 minutos
Aspecto	Despierta, recostada en el suelo del baño
Nivel de conciencia	Alerta y orientada a persona, lugar, tiempo y evento
Vía aérea	Abierta
Respiración	Adecuada
Circulación	Adecuada

3. ¿Qué indican los signos vitales ortostáticos?

4. ¿Espera que la presión arterial (PA) y la frecuencia del pulso de la paciente aumenten o disminuyan al moverla?

Evaluación del paciente

Debido a que las emergencias del aparato digestivo, con frecuencia se deben a una condición médica y no a un traumatismo, una de las áreas más importantes de la evaluación es la historia de la enfermedad actual. Pregunte al paciente por sus hábitos alimenticios, la secreción de líquidos del cuerpo y los tipos de dolor.

Evaluación de la escena

La evaluación del sistema GI empieza con el reconocimiento del lugar. Las precauciones estándar son esenciales cuando se trata a un paciente con una emergencia GI debido a la alta probabilidad de contacto con agentes infecciosos. Siempre que pueda entrar en contacto con vómito, diarrea, sangre y ropa sucia del paciente, será necesario que utilice un equipo de protección personal (EPP) adicional. Las batas pueden ser útiles cuando se trata con pacientes que presentan incontinencia. Las mascarillas pueden ayudar con los olores nocivos.

Inteligencia en la calle

La limpieza del paciente con un trastorno GI ayuda a proporcionar cierto grado de dignidad a una persona avergonzada por las circunstancias de su enfermedad.

Perlas de sabiduría

Cuando atienda a un paciente con dolor abdominal y diarrea en una residencia para adultos mayores, sospeche de *Clostridioides difficile*. Utilice el EPP adecuado: guantes, bata y mascarilla. Limite el riesgo de transmisión limpiando bien el manguito de la presión arterial, el estetoscopio y la camilla de la ambulancia. Deseche cualquier cinta adhesiva o torniquete que haya utilizado. Esta enfermedad se puede transmitir con facilidad al siguiente paciente.

Evaluación primaria

Cuando empiece a formarse una impresión general del paciente, examine con atención el lugar donde se encuentra la persona. La postura o posición corporal del paciente puede darle pistas sobre lo ocurrido. ¿Iba el paciente caminando hacia el baño cuando se desmayó? ¿Llevaba varios días enfermo en cama? ¿Estaba en el trabajo cuando un dolor repentino le hizo caer al suelo? Observe el entorno en busca de pistas sobre la duración y el grado de enfermedad del paciente.

Un aspecto de la impresión general del paciente con una emergencia GI es el olor. Al entrar en la habitación, ¿a qué huele? ¿Proviene del paciente, de la habitación, de los animales o de algo más? Pocas enfermedades crean un olor tan nocivo como una hemorragia GI alta. El olor fétido de las heces que suele haber en estas llamadas puede provocar náusea incluso a los paramédicos más experimentados.

Perlas de sabiduría

Un consejo al momento de enfrentarse a olores fuertes es mantenerse firme. El sentido del olfato es el más agudo durante cerca de 1 minuto. Después de ese tiempo, más de 50% de la intensidad de un olor se pierde a medida que el nervio olfativo se cansa de enviar la misma señal. Si se enfrenta a un olor fuerte en una llamada, permanezca en el entorno. Al cabo de unos 2 a 5 minutos, su nariz se cansará de enviar la misma señal de olor, y este será apenas perceptible.

Revise con atención la vía aérea del paciente en busca de cuerpos extraños. Retire o aspire las obstrucciones dentro de la vía aérea. Mientras evalúa la vía aérea, tome nota de cualquier olor inusual procedente de la boca. Los pacientes con obstrucciones intestinales avanzadas pueden tener un aliento con olor a heces.

En el caso de un paciente con una afección GI, los problemas de la vía aérea incluyen una posible aspiración u obstrucción de esta vía debido a vómito o sangre. Aunque raras, estas situaciones plantean verdaderos problemas para la salud del paciente.

- Coloque al paciente en una posición que garantice un drenaje adecuado del material fuera de la boca. Si es necesaria la restricción de la columna espinal, prepárese para inclinar la tabla larga. Para ello, asegúrese de que el paciente está bien sujeto y acolchado para minimizar el movimiento de la columna cuando se mueva la tabla.
- La aspiración portátil debe formar parte de su equipo de "primera entrada".
- El tratamiento de la hemorragia GI puede requerir el uso de una sonda nasogástrica. Cuando se coloca en el estómago, esta sonda permite extraer el contenido estomacal por succión. Su uso puede

ayudar a pacientes con hemorragia GI alta grave o al descomprimir el estómago de aire instilado.

El monitoreo de la capnografía del paciente puede ayudar a garantizar un patrón respiratorio eficaz. El manejo respiratorio incluye las siguientes intervenciones:

- **Administre oxígeno de alta concentración.** No confíe en las lecturas de saturación de oxígeno como prueba de que el oxígeno no es necesario. Por ejemplo, los pacientes con hemorragia GI (en especial los que no tienen una enfermedad respiratoria subyacente) pueden tener un nivel de hemoglobina disminuido y describir sensación de cansancio y falta de aire que aumenta con el esfuerzo sin causa conocida. En estos pacientes, la saturación de oxígeno puede ser de 96%, pero cuando el nivel de hemoglobina es bajo es necesario administrar oxígeno suplementario.
- **Evite la aspiración.** Las mascarillas de oxígeno pueden hacer que algunos pacientes experimenten una sensación de confinamiento, lo que puede ser problemático para aquellos que experimentan náusea. Vigile a los que utilizan mascarilla para asegurarse de que pueden quitársela rápido si necesitan vomitar.
- **Ausculte los ruidos pulmonares.** Obtenga información de referencia y siga controlando los ruidos pulmonares para garantizar la administración segura de líquidos.

Perlas de sabiduría

Cuando trate a un paciente que ha tenido una hemorragia importante, recuerde que la pulsioximetría mide el porcentaje de hemoglobina circulante saturada (por lo regular con oxígeno). Si la hemoglobina del paciente es de 7 g/dl, la saturación de oxígeno puede ser de 100%, lo que indica que 100% de la hemoglobina disponible está saturada; sin embargo, si el paciente ha perdido la mitad de su suministro de sangre, tendría la mitad de la cantidad normal de hemoglobina. Por lo tanto, esta lectura es peligrosamente engañosa. Cuando atienda a un paciente con un problema GI, considere la posibilidad de utilizar la capnografía además de la pulsioximetría. Los niveles reducidos de dióxido de carbono al final de la espiración ($ETCO_2$) pueden ayudar a identificar condiciones como la hipovolemia y la sepsis.

La evaluación del sistema circulatorio es fundamental para comprender los efectos de la enfermedad GI en el organismo. Al igual que con todos los pacientes, evalúe el CTE de la piel: color, temperatura y estado. Tome en cuenta los hallazgos compatibles con shock, determine la frecuencia del pulso, evalúe los pulsos periféricos y compárelos con los centrales.

Al tomar la decisión sobre el transporte, integre la información obtenida en la evaluación primaria. Si el paciente tiene signos vitales ortostáticos positivos (que varían con un cambio de posición), considere cómo se trasladará al paciente. ¿El paciente se puede sentar en una silla de escalera? o ¿al hacerlo se desmayará y vomitará de repente? Tenga cuidado al transportar a un paciente con dolor intenso, ya que es posible que sufra un síncope, tan solo por el aumento del dolor. El traslado de pacientes con trastornos GI rara vez requiere luces y sirena.

Documentación y comunicación

Cuando registre información sobre las sustancias corporales del paciente, sea lo más preciso posible; descríbalas con detalle. Decir que un paciente tenía heces cubriendo sus piernas es adecuado si no hay presencia de melena. Si observa diarrea, utilice términos para describir lo líquida que es. Esta información puede ayudar a determinar el grado de deshidratación que puede estar experimentando el paciente.

Historia clínica

Utilice la mnemotécnica en inglés SAMPLE (signos y síntomas, alergias, medicamentos, historia médica anterior pertinente, última ingesta oral, acontecimientos previos a la enfermedad o lesión) para recopilar información sobre la historia de la enfermedad actual y la historia médica anterior. Muchas personas con emergencias GI padecen enfermedades de larga duración, por lo que la información obtenida en la historia clínica puede ayudarle a formular un diagnóstico probable. Muchos trastornos GI pueden aumentar de intensidad con rapidez luego de meses de signos y síntomas mínimos. Pregunte si antes se había presentado esta emergencia. Cuando pregunte al paciente por los síntomas, tendrá que tratar temas que no suelen surgir en las conversaciones cotidianas. Usted y su paciente deben tener un marco de referencia común. En el **CUADRO 17-3** se presenta un lenguaje estandarizado que puede utilizar para que los profesionales de la salud que le sustituyan tengan la misma comprensión del estado del paciente que usted.

CUADRO 17-3 Sustancias corporales originadas en el tracto GI

Sustancia	Descripción	Posible causa
Vómito	Alimentos y restos parcialmente digeridos; fuerte olor ácido mezclado con el olor de los alimentos.	Influenza, intolerancia a los alimentos.
Hematemesis o emesis tipo "granos de café"	Material granular negro o rojo muy oscuro; este lodo puede contener alimentos, pero estos no se distinguen de la sangre.	Sangre procedente de la boca, el esófago o el estómago que ha sido digerida por los ácidos estomacales y luego vomitada.
Vómito con sangre macroscópica	Vómito en el cual la sangre roja es evidente; se distinguen los alimentos de la sangre.	Sangrado de la boca o el esófago que no ha sido expuesto a los ácidos estomacales.
Diarrea	Heces líquidas frecuentes con la consistencia del agua; su color puede variar de transparente a marrón oscuro.	Infecciones intestinales, obstrucciones intestinales; suele asociarse a trastornos del intestino delgado; siempre se considera anormal.
Heces acólicas	Heces de color canela, formadas; pueden ser más blandas de lo normal.	Enfermedad hepática: el hígado libera bilis en el intestino delgado; la bilis da a las heces su color por lo regular oscuro.
Esteatorrea	Heces espumosas, malolientes, blandas, de color amarillo a gris; estas heces aceitosas suelen flotar en el agua.	Enfermedad hepática o pancreática que provoca una excreción excesiva de grasa en las heces.
Heces blandas	Deposiciones con la consistencia de un helado blando; su color puede variar del color tostado al marrón oscuro.	Variante normal en algunas personas; causada por alimentos nuevos, un cambio rápido de dieta o el uso de ablandadores de heces.
Hematoquecia	Heces y sangre que se incorporan juntas en la misma sustancia, pero que se distinguen con facilidad entre sí.	Hemorragia del tracto GI inferior.
Melena	Heces negras, alquitranadas, pegajosas, muy olorosas y sangre mezclada en una misma sustancia; la sangre no puede distinguirse de las heces.	Hemorragia del tracto GI superior.

Abreviatura: GI, gastrointestinal.

Recopile tanta información relevante sobre la historia del paciente como sea posible:

- Pregunte por los alimentos ingeridos en las últimas 24 horas. Hacer esto en lugar de centrarse en la comida más reciente del paciente puede ayudar a descartar una posible intoxicación alimentaria. Algunos tipos de comidas se asocian a condiciones concretas. Por ejemplo, cuando un paciente tiene un brote de colecistitis, la ingestión de una comida grasa suele ir seguida de la aparición de dolor varias horas después. Asegúrese de incluir el tipo y volumen de líquidos ingeridos.
- Pregunte sobre la tolerancia a los alimentos. ¿El paciente ha tenido cambios en el apetito? ¿Ha subido o bajado de peso? ¿Náusea o vómito? Pregunte al paciente si estos signos y síntomas se han producido con más frecuencia de lo habitual. Si ha vomitado, pida que describa la cantidad, el color y el olor. ¿Presenta el paciente síntomas como eructos y flatulencias que puedan indicar intolerancia a los alimentos?
- Si la paciente está en edad fértil, pregunte si es posible que esté embarazada.
- Pregunte si el paciente tiene dificultad para tragar o dolor al hacerlo.
- Pregunte al paciente sobre su última defecación (incluido el color y la consistencia) y la frecuencia de las deposiciones. ¿La frecuencia refleja un cambio en sus hábitos intestinales habituales? ¿El paciente utiliza laxantes y ablandadores de heces?

- Pregunte al paciente sobre viajes recientes que puedan haberle expuesto a un agente infeccioso desconocido para su organismo.
- Pregunte sobre adiciones o cambios en los medicamentos prescritos y de venta libre, incluidos los suplementos de hierbas.

Evaluación secundaria

El examen físico le permite descubrir indicios relacionados con la queja principal del paciente. No debe haber cambios significativos en la exploración de la cabeza, el cuello o el tórax que se relacionen directamente con problemas GI. Los principales efectos de las enfermedades GI en los sistemas nervioso, cardiovascular o respiratorio son el dolor, la hipovolemia o la infección. Si un paciente tiene una patología esofágica, es posible que presente dolor de garganta.

La exploración del abdomen permite obtener más detalles sobre el estado del paciente, pero también requiere más habilidad. En ocasiones, esta exploración puede resultar embarazosa tanto para usted como para el paciente. Sea profesional y tranquilícelo mientras realiza la exploración. Coloque una almohada bajo las rodillas del paciente si este se encuentra estable. Asegúrese de tener las manos calientes antes de tocar el abdomen. Utilice los principios de exploración descritos en el capítulo 8, *Evaluación del paciente*.

Observe la piel en busca de irregularidades. ¿Hay cicatrices que indiquen traumatismos o intervenciones quirúrgicas anteriores? ¿Nota marcas de estiramiento, también llamadas **estrías**, **FIGURA 17-2**? Estas indican un cambio en el tamaño del abdomen en un periodo corto, como aumentos o disminuciones de peso, embarazo o edema abdominal grave.

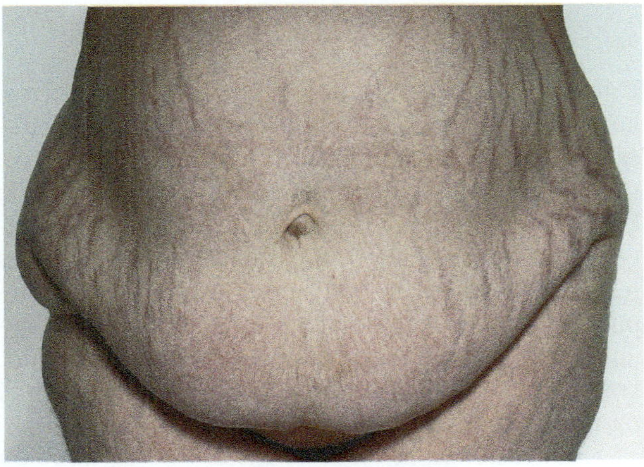

FIGURA 17-2 Estrías. Estas líneas verticales suelen indicar un cambio de peso relativamente rápido o una gran acumulación de líquido en el abdomen.

¿El abdomen es simétrico? Los tumores, las hernias, los órganos agrandados o distendidos, el embarazo y otras masas pueden causar asimetría.

¿Cuál es el aspecto del abdomen, **FIGURA 17-3**? ¿Es plano, distendido o **escafoide** (cóncavo)? Un abdomen escafoide es el resultado de una disminución del volumen abdominal, como la asociada a una hernia diafragmática, deshidratación o desnutrición.

Ausculte el abdomen según sea necesario teniendo en cuenta la hora y el nivel de ruido de su entorno. Los ruidos intestinales normales suenan como gorgoteos y chasquidos. Estos sonidos se producen entre 5 y 30 veces por minuto. En la evaluación secundaria, se limita a auscultar la presencia o ausencia de estos sonidos. A veces se oyen sonidos fuertes y prolongados. Estos "gruñidos estomacales", llamados **borborigmos**, indican fuertes contracciones de los intestinos, que pueden ser normales o estar presentes con la diarrea. Lo interesante es que el aumento de la actividad intestinal (**hiperperistaltismo**) también puede estar presente en pacientes con obstrucción intestinal temprana. En este caso, el intestino se contrae con fuerza en un esfuerzo por superar la obstrucción.

La disminución de los ruidos intestinales puede indicar una disminución del peristaltismo intestinal (**hipoperistaltismo**). Esta falta de movimiento puede provocar una obstrucción intestinal. La ausencia de ruidos intestinales, definida como la ausencia de ruidos durante 2 minutos, puede ser difícil de observar en el entorno prehospitalario. La ausencia de ruidos intestinales indica que los intestinos no se están

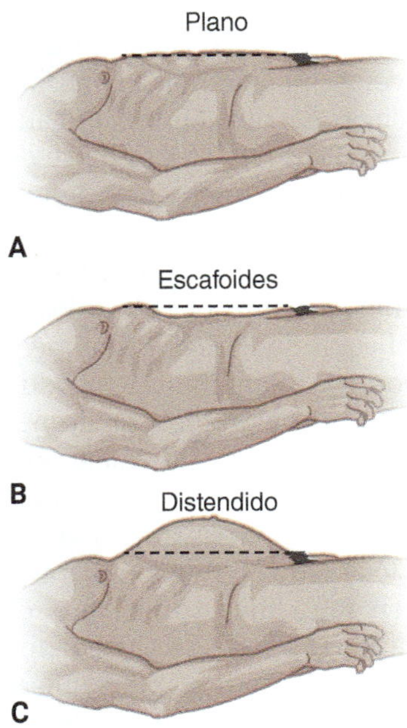

FIGURA 17-3 Aspecto del abdomen. **A.** Plano. **B.** Escafoides. **C.** Distendido.

CUADRO 17-4 Sonidos intestinales

Nombre	Descripción	Causas posibles
Normal	Gorgoteos o chasquidos suaves que se producen de 5 a 30 por minuto.	Movimiento normal de material a través de los intestinos.
Borborigmos	Gorgoteos fuertes, que a menudo se escuchan sin estetoscopio y suelen ocurrir más de 30 por minutos.	Hiperperistaltismo, puede ser normal pero si es prolongado, puede indicar un aumento de las contracciones intestinales, como en la diarrea por cualquier causa.
Disminución	Sonidos silenciosos que ocurren a menos de 1 sonido cada 15 a 20 segundos.	Hipoperistaltismo, puede indicar obstrucción intestinal inminente.
Ausencia	Ausencia de sonidos después de 2 minutos de escucha continua.	Obstrucción intestinal/parálisis intestinal.

contrayendo; por lo tanto, cualquier material dentro de ellos no está en movimiento. En el **CUADRO 17-4** se presenta un resumen de los ruidos intestinales.

La percusión del abdomen puede revelar información sobre su contenido. Por lo regular, el abdomen debe ser **timpánico** (sonido vacío) a la percusión, debido a los órganos huecos de la cavidad abdominal. Se genera un sonido más sordo alrededor de los cuadrantes superior izquierdo y superior derecho, debido a la ubicación del bazo y el hígado, respectivamente. La percusión del epigastrio puede revelar timpanismo (estómago vacío) o sordera (estómago lleno).

Por desgracia, los intestinos a menudo enmascaran o aumentan estos hallazgos en función de su contenido. Por lo tanto, debe considerar los resultados de su percusión como un dato más, ni más ni menos importante que cualquier otro. Siga recopilando información y comparando los resultados de su evaluación, a fin de encontrar tendencias y asociaciones para determinar el diagnóstico probable correcto.

La palpación del abdomen puede revelar información importante. Recuerde los principios de palpación descritos en el capítulo 8, *Evaluación del paciente*. Al palpar el abdomen, este debe ser blando y no sensible, **FIGURA 17-4**. Un abdomen rígido puede indicar hemorragia o infección. El dolor suele ser un hallazgo importante en pacientes con emergencias abdominales. Puede indicar traumatismo, hemorragia, infección, obstrucción u otras condiciones graves. A medida que el volumen sanguíneo comienza a disminuir, el cuerpo lo compensa liberando catecolaminas (es decir, epinefrina y norepinefrina) para aplicar vasoconstricción periférica, aumentar la frecuencia del pulso e incrementar la fuerza de contracción del ventrículo izquierdo. El dolor estimula respuestas corporales similares. Tanto el dolor como la hemorragia pueden causar taquicardia, disminución de los pulsos periféricos, diaforesis y cambios en la piel con respecto a la línea de base, es decir: palidez, frescor, sensación pegajosa. Recuerde que puede haber disminución o ausencia de las respuestas compensatorias, como la taquicardia, en pacientes que toman medicamentos destinados a bajar la frecuencia cardíaca, como los betabloqueadores. Los tipos de dolor abdominal incluyen dolor visceral, parietal, somático y referido, **CUADRO 17-5**.

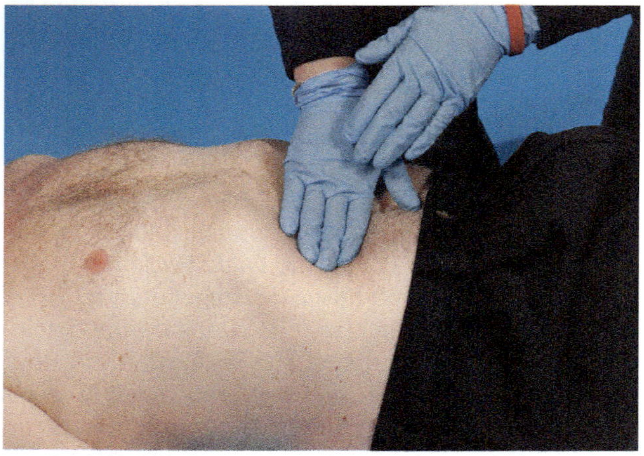

FIGURA 17-4 Palpación de los cuatro cuadrantes del abdomen.

En ocasiones, la **sensibilidad de rebote**, también llamada **dolor parietal**, puede acompañar al dolor abdominal. La sensibilidad de rebote se produce cuando

CUADRO 17-5 Tipos de dolor abdominal

Tipo	Origen	Descripción	Causa
Dolor visceral	Órganos huecos	Puede ser constante o intermitente, mal localizado, descrito como sordo, opresivo, quemante, cólico, punzante o doloroso y suele sentirse superficialmente.	El órgano se contrae con demasiada fuerza o está distendido (estirado).
Dolor parietal/ dolor de rebote	Peritoneo	Dolor constante, más fácil de localizar que el dolor visceral, el dolor aumenta con el movimiento.	Inflamación del peritoneo (causada por hemorragia o infección).
Dolor somático	Vías nerviosas periféricas	Dolor localizado que suele sentirse en profundidad. Descrito como agudo, quemante, doloroso y punzante.	Irritación o lesión de los tejidos que provoca la activación de las vías nerviosas periférica.
Dolor referido	Vías nerviosas periféricas	Dolor que se origina en el abdomen y provoca la percepción de dolor en lugares distantes; se atribuye a recorridos similares de los nervios periféricos del abdomen y los de la localización distante.	Por lo regular se presenta después de un dolor visceral, parietal o somático inicial.

el peritoneo se irrita debido a una hemorragia o infección y sugiere una patología grave y quizá mortal. Como es muy doloroso, no es frecuente comprobar la sensibilidad de rebote en campo.

Al palpar el abdomen, observe la presencia de masas. Estas se percibirán como zonas de mayor densidad en comparación con el tejido circundante. Una masa puede indicar una obstrucción hepática, una distensión intestinal, un aneurisma aórtico, un quiste o un tumor.

Es útil obtener los signos vitales ortostáticos del paciente para calibrar la extensión de cualquier hemorragia. Por lo general, debe haber poca variación en la PA o la frecuencia del pulso cuando el paciente pasa de la posición acostada a la de sentado o de pie. Sin embargo, cuando un paciente tiene una pérdida significativa de líquido dentro del espacio vascular, es probable que observe una disminución de la PA sistólica de 20 mm Hg, un aumento de la PA diastólica (un estrechamiento de la presión del pulso) de 10 mm Hg o un aumento de 20 latidos en la frecuencia del pulso. Cualquiera de estos hallazgos indica que el paciente ha experimentado una pérdida de volumen significativa.

La ecografía es una herramienta adicional de la que puede disponer el personal del SEM; sin embargo, se han encontrado pruebas limitadas de una mejora de los resultados de los pacientes en el pequeño número de departamentos que utilizan esta tecnología.[4] Es más habitual que la ecografía se observe en el transporte de pacientes críticos y en los traslados aéreos de emergencia médica. La información obtenida con su uso se puede utilizar para clasificar con eficacia a los pacientes en el centro médico correcto, evitando traslados entre centros. Los pacientes evaluados con esta tecnología también pueden recibir más rápido la atención definitiva necesaria.

Reevaluación

La reevaluación debe incluir el monitoreo de rutina del pulso, la PA, la frecuencia respiratoria, la pulsioximetría y el EKG del paciente. Si este presenta hemorragia GI, es fundamental seguir evaluando si hay signos de shock. Recuerde que la capnografía puede proporcionar cierta información sobre el grado de shock del paciente. Asimismo, es importante determinar los efectos del tratamiento en el paciente. Antes de administrar más bolos de líquido, por ejemplo, es una buena costumbre auscultar los ruidos pulmonares. Este examen puede proporcionar información valiosa sobre si el paciente está sufriendo un deterioro de la insuficiencia cardíaca.

Muchos pacientes con dolor abdominal reciben analgésicos. ¿Hasta qué punto ha sido eficaz el tratamiento del dolor del paciente? ¿Necesita más medicamentos? ¿Cómo están su presión y su frecuencia respiratoria? Estos resultados le ayudarán a evaluar la eficacia de su tratamiento y constituirá la base de futuros tratamientos.

Cuando elabore su documentación, intente ser objetivo sobre sus hallazgos visuales. Evite términos como "cubierto de sangre" al describir sus hallazgos visuales del paciente o la escena. En su lugar, utilice frases más descriptivas como "se ha observado sangre en el piso, en el inodoro y en la ropa del paciente". Una descripción como "la ropa del paciente estaba llena de sangre" también ayuda al lector a comprender la cantidad de sangre observada.

Inteligencias en la calle

Hable con el paciente durante la atención inicial y el transporte. Los pacientes con trastornos GI pueden estar alterados y avergonzados, así que sea amable y trátelos con respeto.

Atención de emergencia médica

Si se produce un cambio drástico y repentino en el estado del paciente, vuelva a evaluarlo del mismo modo que lo haría con un paciente nuevo. Empezar desde el principio le dará la mejor oportunidad de modificar su atención y manejar cualquier novedad preocupante.

Como paramédico, a menudo es poco lo que puede hacer sobre la enfermedad GI en sí, pero puede abordar los efectos de la enfermedad. Los pacientes pueden tener dolor intenso, deshidratación grave, hipotensión o náusea extrema. Algunos pueden tener sed, pero usted debe informarles que no pueden comer ni beber en este momento. Las emergencias GI pueden requerir cirugía, y la ingesta de alimentos o bebidas podría retrasar el tratamiento médico necesario. Sus objetivos principales son la observación de las precauciones estándar, el mantenimiento del ABC y el control del dolor, náusea y vómito.

Tratamiento del dolor, la náusea y el vómito

La administración de suficientes medicamentos para eliminar el dolor del paciente puede provocar un compromiso hemodinámico grave. Los siguientes medicamentos le proporcionan herramientas para tratar el dolor abdominal. Estos y otros medicamentos, así como las dosis, se incluyen en el capítulo 12, *Medicamentos de emergencia.*

- **Clorhidrato de meperidina (Demerol®).** Este opioide sintético se utiliza para el dolor moderado a intenso.
- **Morfina.** Este analgésico opioide puede causar hipotensión y depresión respiratoria.
- **Ketorolaco (Toradol®).** Este analgésico no opioide se utiliza para el dolor moderado a intenso. Está contraindicado en pacientes con insu-

USTED es el Paramédico

PARTE 3

Su paciente tiene antecedentes de diabetes, hipertensión y fibrilación auricular. En la actualidad toma propranolol, diltiazem, warfarina y gliburida, y no es alérgica a ningún medicamento. También ha estado tomando una solución de bismuto de venta libre (Pepto Bismol®) con la esperanza de aliviar el dolor.

Tiempo de registro:	5 minutos
Respiraciones	20 respiraciones/min
Pulso	120 latidos/min, acostada; 136 latidos/min (sentada)
Piel	Fría, pálida, húmeda
Presión arterial	106/82 mm Hg, acostada; 92/78 mm Hg, sentada
Saturación de oxígeno (SpO_2)	98% con oxígeno a 15 L/min mediante mascarilla sin reinhalación
Pupilas	Pupilas iguales, redondas y reactivas a la luz (PIRRL)

5. Con base en los signos vitales ortostáticos de la paciente, ¿cuál es el tratamiento que sugiere?
6. ¿Cuál de los medicamentos de la paciente le preocupa más?

ficiencia renal, que hayan presentado sangrado GI recurrente o embarazadas.

- **Fentanilo (Sublimaze®).** Este opioide sintético potente y de acción rápida tiene una vida útil corta. Puede causar hipotensión y depresión respiratoria.

Controversias

¿Los paramédicos deben proporcionar alivio del dolor a los pacientes con dolor abdominal? Esta pregunta puede provocar cierto debate. En el pasado, los cirujanos se basaban en la localización, calidad e intensidad del dolor abdominal para guiarse durante la cirugía exploratoria. Hoy en día, tecnologías como la tomografía computarizada (TC) y los exámenes de evaluación focalizada con ecografía en el trauma (FAST) permiten ver con mayor claridad los tejidos abdominales. Las imágenes que proporcionan estas tecnologías muestran información increíblemente detallada sobre la enfermedad.

Un argumento que se utiliza de forma recurrente para no administrar analgésicos a un paciente, es el riesgo de adicción. El espectro de la drogadicción puede ser una fuerza poderosa que debe sopesarse a la hora de considerar los medios adecuados para aliviar el dolor. Sin embargo, es posible tratar el dolor sin riesgo de adicción gracias a la disponibilidad de medicamentos no narcóticos.

Con todos estos avances, lo más humano es hacer que un paciente con dolor esté más cómodo. Administre analgesia y antieméticos según su control médico local.

Reanimación con líquidos

La deshidratación también es motivo de preocupación en los pacientes con emergencias GI. En los casos que presentan deshidratación, el objetivo general del tratamiento es rellenar el espacio celular. El grado de estabilidad hemodinámica determinará si se utiliza una solución hipotónica o isotónica. Un paciente en estado estable debe recibir una solución hipotónica. Este tratamiento desplazará de manera eficaz los líquidos del espacio vascular al espacio intersticial y por último al espacio intracelular, rellenando las células. En estos pacientes, una velocidad de infusión de 125 ml/h por lo regular es suficiente para rehidratar poco a poco las células sin provocar cambios drásticos en el volumen de líquido ni en el equilibrio electrolítico.

Si el paciente está más deshidratado, se necesitará primero líquido isotónico para volver a expandir el espacio vascular. La hipovolemia intravascular hace que se extraiga líquido del espacio intersticial. En consecuencia, se extrae líquido del espacio celular en un intento por establecer un nuevo punto de equilibrio de líquidos. Es fundamental rellenar el espacio vascular para garantizar una perfusión adecuada a los órganos vitales del cuerpo. Los lineamientos para el llenado emergente del espacio vascular y el llenado del espacio vascular debido a una hemorragia son los mismos.

Al igual que con alguien gravemente deshidratado, la atención al paciente con hemorragia está enfocada en mantener la perfusión de los órganos vitales. Este puede ser un tema controvertido. La hemorragia interna entra en la categoría de hemorragia que no se puede controlar. La reposición de volumen es fundamental para garantizar una circulación adecuada a los órganos vitales. Sin embargo, una reposición de volumen muy agresiva puede provocar una hemodilución (dilución de la sangre) drástica. Sin un suministro adecuado de sangre, oxígeno y capacidad de coagulación, el paciente morirá. A medida que desciende la PA, disminuye la cantidad de hemorragia, de modo que el cuerpo retiene más sangre. Una presión baja equivale a una disminución de la perfusión, pero también a una retención de factores de coagulación y hemoglobina. Administre los líquidos hasta tener una PA de 90 a 100 mm Hg; no normalice la PA.

Los líquidos de elección en este contexto son los cristaloides isotónicos. La solución salina normal, Normosol, Isolyte Plasmalyte y la solución Lactato de Ringer son soluciones isotónicas, cada una de las cuales tiene sus propias ventajas e inconvenientes. Para un análisis más detallado, véase el capítulo 12, *Medicamentos de emergencia.*

Si no se puede mantener la PA en niveles adecuados para mantener la perfusión periférica, tal vez sea necesario considerar el uso de medicamentos vasoactivos. La dopamina, la norepinefrina y la epinefrina son fármacos utilizados de manera habitual en el ámbito prehospitalario para mantener la PA mediante vasoconstricción. Antes de considerar estos fármacos, se debe llevar a cabo la reanimación con líquidos.

Los pacientes con sangrado GI con frecuencia requieren de una transfusión sanguínea. Si asiste a un traslado interhospitalario, prepárese para administrar hemoderivados.

Fisiopatología, evaluación y manejo de emergencias abdominales y GI específicas

Debe conocer muchas de las condiciones para atender con eficacia a un paciente con una condición abdominal. Algunas de ellas son difíciles o imposibles de distinguir en un ambiente prehospitalario. Aun así, la atención al paciente es importante. Aliviar el dolor, proporcionar confort y aliviar la náusea son medidas que el paciente valorará.

En algunos sistemas del SEM, se pide a los paramédicos que ayuden a los directores médicos en línea a decidir si el paciente debe ser trasladado a un hospital, a un médico de familia o a una clínica o farmacia. La sofisticación con la que se evalúa a los pacientes debe aumentar si se quiere cumplir con las exigencias de este papel. Es menos costoso que un paramédico clasifique de forma segura a un paciente para llevarlo a un médico de familia o a una clínica, que transportar a todos los pacientes al departamento de emergencias (DE).

Saber más sobre cada una de estas condiciones pone al paramédico en un mejor lugar para proporcionar educación al paciente. La forma en que se mantiene el cuerpo y cómo funciona son a menudo factores clave que afectan en que si una enfermedad está bien controlada o pone en peligro la vida, y las enfermedades GI no son diferentes.

Piense en los pacientes con **colecistitis** (inflamación de la vesícula biliar). Los expertos médicos están de acuerdo en que estos pacientes deben vigilar de cerca el tipo de alimentos que ingieren, ya que, si estos son muy grasosos, es más probable que experimenten dolor y malestar. Es posible que los pacientes deban probar pequeñas cantidades de alimentos grasos para ver cuáles deben evitar. Esta educación es fundamental para mejorar el bienestar de los pacientes con colecistitis. Si usted aprende sobre las enfermedades GI, podrá ayudar a los pacientes a tomar mejores decisiones para mantenerse sanos.

Recuerde tener en cuenta la hipovolemia al tratar una emergencia GI. La hipovolemia se debe a una deshidratación o hemorragia. La deshidratación se produce por vómito o diarrea. A medida que el paciente pierde líquido, el cuerpo sigue desplazando agua del interior de las células al espacio intersticial y, por último, al espacio vascular para mantener un volumen de líquido adecuado en los vasos sanguíneos, hasta que el paciente ha alcanzado el límite de movimiento de líquido eficaz. Durante este proceso, también se ven afectados los niveles de electrólitos. Aunque el vómito persistente disminuye la cantidad de alimentos ingeridos, la diarrea provoca cambios más drásticos en los niveles de electrólitos. Los principales electrólitos afectados por la diarrea son el sodio y el potasio. La diarrea puede aumentar o disminuir los electrólitos, dependiendo de su contenido de agua. En el **CUADRO 17-6** se describen los efectos de los desequilibrios electrolíticos en el cuerpo.

La segunda causa de hipovolemia en pacientes con trastornos GI es la hemorragia. La hemorragia en el aparato digestivo por lo regular se produce por la rotura o la destrucción de una estructura. El aparato digestivo cuenta con un buen suministro de sangre. Esto es fundamental para la función básica de extraer nutrientes de lo que se come y transportarlos a las células que necesitan reponerlos. Sin sangre, todo el proceso de la digestión serviría de muy poco. Sin embargo, esta proximidad al suministro de sangre hace que los daños en el sistema GI sean más propensos a causar hemorragias graves.

El traumatismo es un mecanismo obvio de hemorragia en el aparato digestivo. Otros mecanismos son la erosión de las capas protectoras de la mucosa, la destrucción química del tejido y la dilatación de los vasos sanguíneos. Es posible sufrir una hemorragia mortal por un sangrado GI. La hemorragia puede producirse poco a poco, a lo largo de varios días o semanas, o puede ser repentina, con una gran pérdida de sangre.

CUADRO 17-6 Desequilibrios electrolíticos debidos a diarrea

Condición	Efectos	Signos y síntomas
Hiponatremia: nivel bajo de sodio	Inflamación de las células.	Debilidad muscular, calambres, coma, convulsiones.
Hipernatremia: nivel alto de sodio	Contracción de las células por pérdida excesiva de agua.	Coma, convulsiones.
Hipopotasemia: nivel bajo de potasio	Se necesita más estimulación para activar las células nerviosas/musculares.	Calambres musculares, debilidad, parálisis, insuficiencia cardíaca, arritmias, ondas T aplanadas y posibles ondas U.
Hiperpotasemia: nivel alto de potasio	Menor estimulación necesaria para activar las células nerviosas/musculares.	Debilidad muscular y calambres, arritmias, ondas T altas.

En cualquier caso, la evaluación es la clave para identificar y tratar de manera correcta a estos pacientes.

En personas con diarrea o hemorragia, se produce una pérdida absoluta de volumen. En consecuencia, por lo regular aparecen los signos y síntomas clásicos del shock. El cerebro es el primer órgano que muestra los efectos del shock, con el paciente ansioso e inquieto. Son frecuentes la taquicardia y la piel fría, húmeda o más pálida que el color de referencia. La presión del pulso se estrecha porque la epinefrina liberada en el torrente sanguíneo provoca una vasoconstricción. La frecuencia respiratoria aumenta. Todos estos cambios se producen con una PA casi normal. Un descenso de la PA del paciente indica que se ha perdido un volumen significativo de sangre y que han fracasado los esfuerzos del organismo por compensarlo. Este paciente se encuentra en estado crítico. Consulte la sección de tratamiento de cada enfermedad para obtener consejos sobre cómo tratar estos problemas.

Fisiopatología, evaluación y tratamiento de la hemorragia GI

La hemorragia GI es un síntoma de otra enfermedad, no una enfermedad en sí misma. En el **CUADRO 17-7** se presentan las posibles causas de hemorragia GI. Las diferencias de presentación entre la hemorragia GI alta y la baja están relacionadas sobre todo con la consistencia y las características del vómito y las heces que puedan estar presentes. La hemorragia GI alta es mucho más frecuente que la baja.

En términos generales, la hemorragia GI alta provoca **melena** (heces oscuras y alquitranadas) y la hemorragia GI baja provoca **hematoquecia** (sangre roja brillante en las heces). Sin embargo, también hay que tener en cuenta la velocidad a la que la sangre se desplaza por el tubo digestivo. Si un paciente sangra por una úlcera gástrica y el tiempo de tránsito de la sangre hacia el recto es corto, en lugar de melena tendrá hematoquecia. Las hemorragias copiosas pueden tener un efecto similar.

La presentación de la hemorragia GI es variable. Cada una de las muchas condiciones que pueden causar hemorragia GI tiene su propio patrón de progresión de la enfermedad. Por ejemplo, la enfermedad diverticular tiene un inicio bastante gradual y tiende a afectar a personas de 50, 60 o más años. El síndrome de Mallory-Weiss tiene un inicio repentino y afecta a personas de cualquier edad. Recopilar información sobre cómo el paciente pasó de estar sano a necesitar una ambulancia es fundamental para determinar el diagnóstico probable correcto.

Los antecedentes médicos del paciente y otros posibles episodios de dolor abdominal o hemorragia del tracto GI son información importante que también se debe obtener. Averigüe qué medicamentos toma el paciente. Como ya se ha mencionado, varios medicamentos pueden causar irritación del tracto GI, precipitando un sangrado. Pregunte al paciente cuánto tiempo lleva sangrando y si está tomando algún medicamento que afecte la coagulación. Esta información le ayudará a estimar la facilidad con que se puede controlar la hemorragia.

CUADRO 17-7 Hemorragias GI por órgano y causa

Órgano	Causas	Síntomas
Esófago	Inflamación (esofagitis) Várices Desgarro (síndrome de Mallory- Weiss). Cáncer Venas dilatadas (cirrosis, enfermedad hepática). ERGE	Melena, hematemesis, vómito con sangre macroscópica.
Estómago	Úlceras Cáncer Inflamación (gastritis)	Melena, hematemesis y vómito con sangre macroscópica.
Intestino delgado	Úlcera (duodenal) Cáncer Inflamación (enfermedad del intestino irritable)	Melena, hematemesis, vómito con sangre macroscópica.
Intestino grueso	Infecciones Inflamación (colitis ulcerativa) Pólipos colorrectales Cáncer colorrectal Enfermedad diverticular	Hematoquecia
Recto	Hemorroides	Hematoquecia, hemorragia macroscópica.

Abreviaturas: ERGE, enfermedad por reflujo gastroesofágico; GI, gastrointestinal.

El tratamiento de los pacientes con hemorragia GI incluye la reanimación con líquidos. En la mayoría de los pacientes, incluso en aquellos con signos vitales estables, es prudente establecer una vía intravenosa (IV) y suministrar 1 000 ml de una solución isotónica utilizando un tubo de macrogoteo. Este paso le permitirá reanimar rápido al paciente con líquidos en caso de que cambien las condiciones. Considere la solución fisiológica normal —Normosol, Isolyte, Plasma-Lyte o Lactato de Ringer— como opciones para la reanimación con líquidos. Consulte en el capítulo 11, *Administración de medicamentos*, información adicional sobre las distintas soluciones isotónicas. A continuación, se analizan las condiciones específicas que causan hemorragia GI.

Hemorragia digestiva alta: várices esofagogástricas

Fisiopatología

Las **várices esofagogástricas** son a causa de una mayor presión en los vasos sanguíneos que rodean el esófago y el estómago. Estos vasos sanguíneos esofágicos drenan en el sistema portal. Sin embargo, si el hígado se daña y la sangre no puede fluir con facilidad a través de este, la sangre empezará a retroceder hacia los vasos portales, lo que en última instancia puede provocar su rotura. En el mundo industrializado, el alcohol era la principal causa de **hipertensión portal**. Hoy en día, la hepatitis C es la causa principal. Las várices esofágicas se diagnostican con más frecuencia en hombres, y 30% de los pacientes sangran en el primer año después del diagnóstico; 30% de los episodios hemorrágicos que provocan várices esofágicas son mortales.[5]

Evaluación

Las várices esofagogástricas se presentan en dos fases. Al principio, el paciente muestra signos y síntomas de enfermedad hepática. Por ejemplo: fatiga, pérdida de peso, ictericia, anorexia, abdomen edematoso, **prurito** (comezón), dolor abdominal, náusea y vómito. El proceso de la enfermedad, conocido como cirrosis, es gradual y tarda meses o años en alcanzar un estado de malestar extremo. (La cirrosis se estudia en detalle más adelante en este capítulo).

La rotura de las várices es mucho más repentina. Los pacientes refieren una molestia brusca en la garganta. Pueden presentar disfagia grave, vómito de sangre roja brillante, hipotensión y signos de shock. Si la hemorragia es menos dramática, es probable que se produzca **hematemesis** (vómito con sangre) y melena. Al margen de la velocidad de la hemorragia, el daño a estos vasos puede poner en peligro la vida. Descenderán el nivel de hemoglobina y el valor de hematocrito del paciente. Estos resultados de laboratorio pueden ayudar a determinar la gravedad de la hemorragia. Como en cualquier paciente con enfermedad hepática, cabe esperar niveles elevados de enzimas hepáticas (alanina aminotransferasa [ALT] y aspartato aminotransferasa [AST]).

Tratamiento

En caso de rotura de las várices esofagogástricas, es de esperar sangrados significativos. Debido a esto, cualquier paramédico se puede sentir nervioso ante una hemorragia activa de las várices. Los paramédicos necesitarán un EPP adecuado, que incluya mascarilla y protección ocular, ya que es probable que se produzca aerosolización de sangre.

Al igual que con cualquier trastorno hemorrágico GI, es fundamental evaluar con precisión el grado de pérdida de sangre. Prepárese para un paciente hemodinámicamente inestable que necesite una reanimación volumétrica agresiva y una aspiración agresiva de la vía aérea. Establezca dos vías IV de gran calibre con bolsas de un litro de solución isotónica. Si el nivel de conciencia del paciente empieza a disminuir, considere la posibilidad de asegurar la vía aérea para evitar la aspiración. Esta será una vía aérea difícil de manejar debido a la gran cantidad de sangre. Consulte el capítulo 13, *Manejo de la vía aérea*, para obtener orientación.

Como en cualquier situación de emergencia, la comunicación con el equipo es fundamental. El miedo puede paralizar al novato. Comente de manera abierta sus preocupaciones sobre el paciente y las opciones de tratamiento. Hable del problema: vía aérea, respiración, circulación. Una atención coordinada, calmada y calculada proporcionará a este paciente las mejores posibilidades de supervivencia.

Hemorragia digestiva alta: síndromes de Mallory-Weiss y de Boerhaave

Fisiopatología

El **síndrome de Mallory-Weiss** es un tipo único de afección esofágica en la que se puede producir una hemorragia grave. En esta condición, se presenta un desgarro de la unión entre el esófago y el estómago, provocando una hemorragia grave y potencialmente mortal. Durante el acto de vomitar, la presión en el estómago puede aumentar tanto que provoque un fallo en la estructura del esófago. El desgarro que

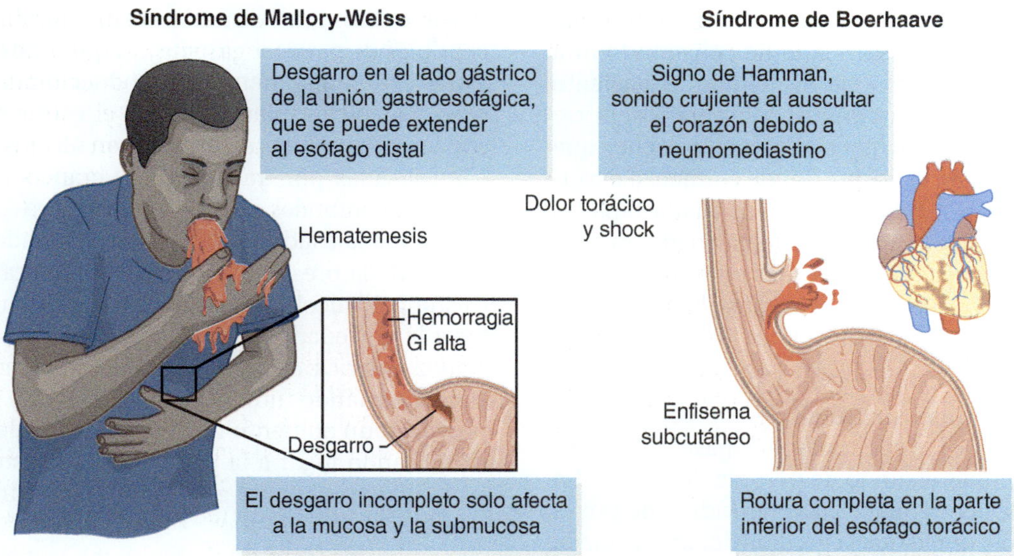

FIGURA 17-5 Síndrome de Mallory-Weiss frente a síndrome de Boerhaave.

se produce está dentro del revestimiento de la mucosa y no recorre por completo la pared del esófago. El síndrome de Mallory-Weiss se presenta con más frecuencia en hombres (sobre todo entre los 40 y los 50 años) que en mujeres.[6] Tiene una tasa de mortalidad de hasta 8%.[6]

Al igual que el síndrome de Mallory-Weiss, el **síndrome de Boerhaave** se produce durante el vómito. En este caso, el esófago se desgarra longitudinalmente y el desgarro atraviesa por completo la pared del esófago. De este modo, la sangre, el aire y los alimentos pasan del esófago al mediastino. El síndrome de Boerhaave, más frecuente en los hombres, por lo regular se presenta después de una comida copiosa en la que se ha consumido alcohol. Si esta afección no se atiende en un plazo de 2 días, la mortalidad es de cerca de 90%.[7]

Para resumir la **FIGURA 17-5**, el síndrome de Mallory-Weiss es un vómito fuerte que produce un desgarro en el esófago cerca del estómago que *no* atraviesa por completo la pared esofágica. El síndrome de Boerhaave es el vómito forzado que provoca un desgarro en el esófago y se extiende por completo a través de la pared esofágica, creando un orificio.

Evaluación

Ambas enfermedades se presentan con vómito. En las mujeres, este puede estar asociado a la hiperémesis gravídica, un trastorno de vómito intenso relacionado con el embarazo. En los hombres, el vómito por lo regular está asociado al consumo de alcohol. El síndrome de Mallory-Weiss se presenta con sangrado. La cantidad del sangrado puede ser leve, con escasa pérdida de sangre, o grave, con hipovolemia extrema. En casos extremos, los pacientes presentan signos y síntomas de shock, dolor abdominal epigástrico, hematemesis y melena. Es casi imposible diferenciar en campo un desgarro de Mallory-Weiss grave de una hemorragia por várices esofágicas. Por fortuna, el tratamiento es el mismo.

Por el contrario, el síndrome de Boerhaave se presenta con vómito repentino acompañado de dolor en la parte superior del tórax. La deglución suele exacerbar el dolor. En esta afección se observa poco sangrado porque al presentarse, se puede desplazar hacia el orificio recién creado en el esófago. Este orificio permite la entrada de materiales no estériles, como alimentos y líquidos, en un entorno estéril. El resultado es septicemia, neumomediastino (aire en el mediastino), mediastinitis (inflamación), empiema (una bolsa de pus, en este caso dentro del tórax) o enfisema subcutáneo. Los pacientes pueden tener fiebre, sepsis, dificultad para respirar, enfisema subcutáneo en la región superior del tórax y el cuello, y dolor torácico.

El tiempo transcurrido entre el momento en que se produce el desgarro y aquel en que se solicita atención médica determinará la extensión de los signos y síntomas. La presentación clásica del síndrome de Mallory-Weiss es difícil de ignorar: vómito de sangre. Por lo tanto, la mayoría de las personas buscará atención médica inmediata después de que se produzca el desgarro. El síndrome de Boerhaave, aunque es un desgarro mucho más crítico del esófago, tiene la desafortunada característica de provocar dolor torácico después de vomitar. Es más fácil ignorar este síntoma, en especial por una persona que ha consumido una cantidad excesiva de alcohol. A menudo, el paciente encuentra una posición cómoda y espera a sentirse mejor, puede beber un poco de agua o leche, que ahora se deposita en el pecho, donde comienza a causar la infección. Al respirar, pueden quedar atrapadas pequeñas cantidades de aire en la cavidad torácica. Cuanto más espere el paciente, más enfermo estará y más probable será que la sepsis le cause la muerte.

Tratamiento

El tratamiento para el síndrome de Mallory-Weiss es el mismo que el de las várices esofagogástricas y consiste en determinar el grado de pérdida de sangre. En este caso, el paciente puede estar deshidratado por el vómito repetido, por lo que la pérdida de sangre puede tener efectos exagerados.

El síndrome de Boerhaave requiere un tratamiento relacionado con la posibilidad de sepsis. El síntoma de dolor torácico complica esta presentación. Debido a que esta condición por lo regular se presenta en hombres de 50 a 70 años, la posibilidad de un infarto agudo de miocardio (IAM) es una conclusión razonable.[7] El paciente debe ser tratado como si hubiera presentado un IAM hasta que se demuestre lo contrario. No se recomienda el tratamiento con aspirina.

Hemorragia GI alta: enfermedad ulcerosa péptica y gastritis

Fisiopatología

El estómago y el duodeno están sometidos a altos niveles de acidez. Para evitar daños, ambos órganos están recubiertos por capas mucosas protectoras. En la **úlcera péptica**, la capa protectora se ha erosionado, permitiendo que el ácido penetre en el propio órgano. Esta erosión suele producirse a lo largo de semanas, meses o incluso años. La gastritis es el resultado del mismo desequilibrio entre el ácido del estómago y las capas protectoras. La **gastritis** es un estado preulceroso en el que el estómago está inflamado, pero aún no se ha producido la erosión.

En la actualidad se sabe que la úlcera péptica y la gastritis, que afectan por igual a hombres y mujeres, tienen diversas causas.[8] Antes se pensaba que la úlcera péptica estaba relacionada con una dieta muy condimentada; sin embargo, ahora se reconoce que la causa más común es la infección del estómago por la bacteria *Helicobacter pylori.* El uso crónico de AINE es la causa más frecuente de gastritis erosiva, en la que la mucosa del estómago se erosiona y ulcera poco a poco. Los pacientes que han sufrido quemaduras graves u otros tipos de traumatismos también son susceptibles de padecer gastritis, ya que estos estados de estrés extremo aumentan la producción de ácido gástrico. Las úlceras causadas por el estrés relacionado con las quemaduras se denominan úlceras de Curling. Las causadas por traumatismos craneoencefálicos o tumores cerebrales se denominan úlceras de Cushing. ¿Recuerda la tríada de Cushing relacionada con el aumento de la presión intracraneal? Se trata del mismo Cushing. El alcohol y el tabaco también pueden afectar a la gravedad de la úlcera péptica al aumentar la acidez gástrica. El síndrome de Zollinger-Ellison se produce cuando tumores en el páncreas y el duodeno provocan un aumento de la producción de ácido gástrico, dando lugar a la úlcera péptica. Este síndrome tiene un componente genético y es más frecuente en hombres de 30 a 50 años.

Todos los factores citados como riesgos de úlcera péptica también pueden causar gastritis; además, las infecciones y las alergias alimentarias también pueden provocar inflamación estomacal.

Poblaciones especiales

Los adultos mayores son más vulnerables a las causas primarias y secundarias de la úlcera péptica. En consecuencia, esta úlcera tiende a afectar a una población de mayor edad. A medida que las personas envejecen, disminuye la capacidad del sistema inmunológico para combatir las infecciones, lo que hace más probable la infección por *Helicobacter pylori*; también sabemos que los adultos mayores con frecuencia utilizan AINE para la artritis y otras condiciones musculoesqueléticas, por lo tanto, los adultos mayores son más propensos a desarrollar gastritis erosiva, que ocurre con más frecuencia en personas mayores de 60 años.[9]

Evaluación

Tanto en la úlcera péptica como en la gastritis, los pacientes experimentarán una secuencia clásica de dolor en el epigastrio que cede o disminuye justo después de comer y reaparece entre 2 y 3 horas más tarde, el dolor se describe como ardiente o punzante. La náusea, el vómito, los eructos y la acidez son frecuentes. En la úlcera péptica, si la erosión es grave, puede producirse hemorragia gástrica con hematemesis y melena. Ambos grupos de pacientes pueden presentar dispepsia (eructos, distensión abdominal e intolerancia a los alimentos grasos), fatiga y anemia. Muchos se quejan de dolor al despertarse.

En la úlcera péptica, si la erosión ha atravesado la pared del estómago o del duodeno, se dice que se *perforó* la úlcera. El resultado es un aumento repentino en la gravedad y la calidad del dolor. Lo que era epigástrico se convierte ahora en un dolor abdominal más difuso y cualquier movimiento exacerba el dolor, en este punto, el contenido del estómago del paciente tiene acceso al peritoneo estéril y es fácil que se produzca una infección. El resultado es una **peritonitis** (inflamación del peritoneo), junto con sensibilidad de rebote e hipotensión potencial debida a sepsis.

Tratamiento

El principal objetivo del tratamiento prehospitalario de la úlcera péptica y la gastritis es la evaluación precisa del grado de pérdida de sangre y la preparación para tratar cualquier hipotensión que se presente. Los signos vitales ortostáticos son fundamentales para determinar las necesidades de líquidos y los problemas de preparación para el traslado y el transporte. Como puede haber presencia de vómito repentino de sangre con un cambio de posición, estos pacientes deben ser bajados en una silla de escalera en lugar de caminar.

Quizá sea necesario administrar líquidos por vía IV en función de la cantidad de sangre perdida. Además, si se sospecha de una úlcera gástrica perforada, la sepsis es una preocupación real. El tratamiento de la gastritis es de apoyo. En pacientes con úlcera péptica y gastritis considere la administración de antieméticos.

Hemorragia GI alta: enfermedad por reflujo gastroesofágico y hernia hiatal

Fisiopatología

La enfermedad por reflujo gastroesofágico (ERGE) es una condición en la que se abre el esfínter esofágico inferior (EEI) —el esfínter entre el esófago y el estómago, también llamado esfínter cardíaco— y permite que el ácido del estómago se mueva por arriba. Esta condición, también conocida como enfermedad por reflujo ácido, puede provocar una sensación de ardor en el pecho (acidez). Diversos factores pueden hacer que algunas personas sean más propensas a padecer esta enfermedad. El tabaquismo, la obesidad y el embarazo aumentan las probabilidades de padecer ERGE, así como el consumo de alimentos fritos grasos, alcohol y cítricos también está asociado a la ERGE. Si el reflujo se prolonga, la pared esofágica puede presentar daños que pueden dar lugar a porciones debilitadas que son más susceptibles a las hemorragias.

Una **hernia hiatal** es la protrusión de una porción del estómago a través del diafragma. Si existe una debilidad en la pared del diafragma (por la que por lo regular atraviesa el esófago), una porción del

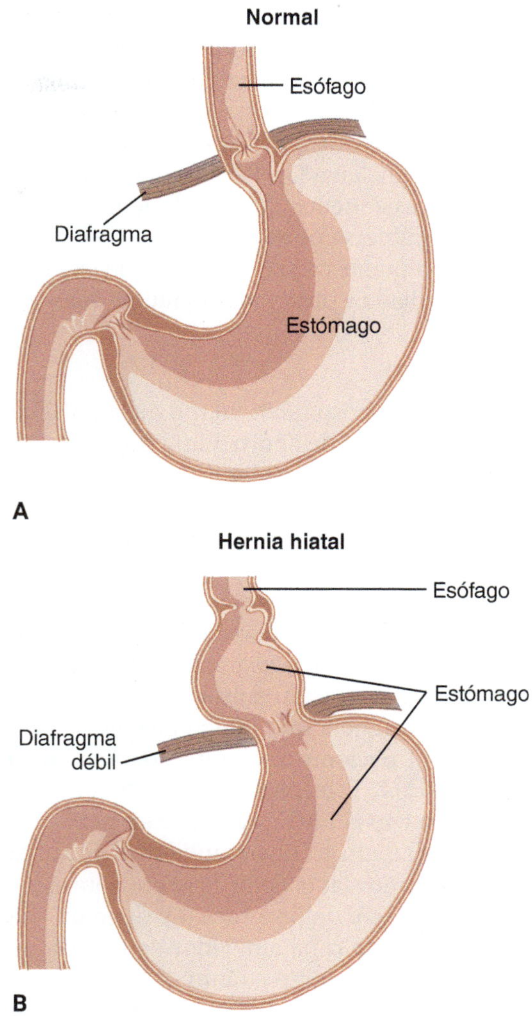

FIGURA 17-6 A. Configuración normal. **B.** Hernia hiatal.

estómago puede quedar atrapada en la parte superior del diafragma. Esto crea una pequeña bolsa en la que la "puerta" superior es el EEI y la "puerta" inferior es el diafragma, **FIGURA 17-6**. Los alimentos y el ácido pueden quedar atrapados temporalmente en este espacio, provocando síntomas similares a los de la ERGE. Sin embargo, la mayoría de las hernias hiatales son asintomáticas; estas son el resultado de un aumento de la presión intraabdominal y son más frecuentes en mujeres mayores.[10]

Una de cada cuatro personas en Estados Unidos ha padecido ERGE en algún momento de su vida, y una de cada 10 presenta síntomas de ERGE todos los días.[3] Lo más seguro es que los paramédicos se encuentren con este tipo de pacientes.

Evaluación

La acidez es el síntoma clínico predominante de la ERGE. El dolor puede aumentar con los cambios posturales; es preferible sentarse erguido, mientras que acostarse en posición plana empeora la condición. Algunos pacientes pueden no tener dolor, pero presentan tos o tienen dificultad para tragar. Si el daño es prolongado, puede ocurrir un sangrado, con resultado de hematemesis y melena. Las hernias hiatales no suelen ser sintomáticas a menos que los alimentos y el ácido no puedan eliminarse de manera eficaz de la bolsa. El ácido retenido puede causar la erosión de la pared del estómago herniado y provocar sangrado y dolor.

Tratamiento

El tratamiento prehospitalario tanto de la ERGE como de la hernia hiatal es de apoyo. El tratamiento médico se centra en disminuir la acidez del material dentro del esófago neutralizándolo o impidiendo que se produzca ácido. Los antiácidos, los inhibidores de la bomba de protones y los bloqueadores de los receptores H_2 (H_2) de la histamina son los tipos comunes de medicamentos utilizados para esta condición. Si estos medicamentos no consiguen controlar las molestias, tal vez se requiera de una reparación quirúrgica.

Una circunstancia que puede dar lugar a confusión es que el paciente con antecedentes de ERGE presente un IAM. Este paciente puede confundir el dolor torácico con la ERGE. Él puede empezar a automedicarse, tomando grandes cantidades de antiácido para intentar controlar el dolor. Si se encuentra con un paciente que refiere dolor torácico y tiene un "bigote de leche" blanco, la capa alrededor de la boca puede ser un antiácido. Pregunte cuánto de este ha tomado el paciente, grandes cantidades de antiácido pueden causar alcalosis metabólica.

Hemorragia GI baja: hemorroides

Fisiopatología

Varias condiciones pueden causar hemorragia GI baja. Las hemorroides son una inflamación de las almohadillas vasculares que rodean el recto y que pueden provocar hemorragias GI bajas. Estas almohadillas vasculares o sinusoides, están formadas por conexiones entre arterias y venas junto con su músculo de soporte y tejido conectivo. Las hemorroides son un problema frecuente: se calcula que el 4% de la población estadounidense padece hemorroides, y que el 30% de los que las padecen acuden a un médico o toman medicamento para tratarlas en algún momento.[11] Las hemorroides pueden ser a causa de condiciones que aumentan la presión en el recto o lo irritan. El embarazo, el esfuerzo al defecar y el estreñimiento crónico incrementan la presión. El coito anal y la diarrea pueden causar irritación y hemorragia GI baja.

Las hemorroides se dividen en dos tipos: internas y externas. Las internas son indoloras, pero pueden prolapsar (sobresalir del canal anal). Las externas son dolorosas y suelen presentar una zona de inflamación y formación de coágulos.

Evaluación

Las hemorroides se presentan con sangre roja brillante durante la defecación. Esta hematoquecia, o sangrado directo, tiende a ser mínima y se controla con facilidad; además, los pacientes pueden experimentar picor y una pequeña masa en el recto, la cual por lo regular es un coágulo formado en respuesta al sangrado leve.

Tratamiento

El tratamiento prehospitalario es de apoyo. De forma aislada, las hemorroides son más una molestia que una condición potencialmente mortal. Algunos pacientes pueden tener un mayor riesgo de sufrir consecuencias graves. Evalúe con precaución al paciente que tenga algún trastorno hemorrágico o esté tomando anticoagulantes. En este contexto, incluso un trastorno hemorrágico leve puede poner en peligro la vida. Para asegurarse de que el paciente está hemodinámicamente estable, obtenga signos vitales ortostáticos.

El mejor tratamiento para las hemorroides es la prevención, que incluye una dieta rica en fibra y ejercicio.

Hemorragia GI baja: fisuras anales

Fisiopatología

Las **fisuras anales** son desgarros lineales de la mucosa del ano y sus proximidades que pueden causar hemorragias GI bajas. La razón exacta por la que se crea una fisura cerca del ano no está clara. Se cree que se precipita por la evacuación de heces grandes y duras. Los pacientes con dietas pobres en frutas y verduras crudas corren mayor riesgo de sufrir fisuras anales. La enfermedad de Crohn, la infección por el virus de la inmunodeficiencia humana, los traumatismos y el cáncer anorrectal son otras causas de esta dolorosa condición. Las fisuras anales se dan con igual frecuencia en hombres y mujeres. La edad media de aparición oscila entre los 20 y los 60 años.[12]

Evaluación

Los pacientes presentan dolor al defecar. Es posible que se observe una pequeña cantidad de sangre roja brillante en el papel higiénico, pero rara vez estas fisuras causan una pérdida de sangre significativa. El dolor persiste de varios minutos a horas después de la defecación. Cada vez que se estira esta zona, la fisura se estira, provocando dolor y más desgarros. El dolor es habitual con cada deposición.

Este dolor crea un círculo vicioso. Como duele defecar, los pacientes lo retrasan todo lo posible. Este retraso hace que las heces se vuelvan más grandes y duras, lo que dificulta su evacuación. Por último, cuando la evacuación es inevitable, las heces grandes provocan más estiramiento, más desgarro y, en consecuencia, más dolor. Este movimiento intestinal doloroso precipita una reticencia aún mayor a defecar, perpetuando el ciclo.

Tratamiento

El tratamiento de las fisuras anales es el mismo que el de las hemorroides: cuidados de apoyo. Para facilitar la comodidad del paciente, se puede colocar un apósito de 5 × 9 pulgadas sobre el ano del paciente para ayudar a acolchar la zona. En ningún caso se deben introducir apósitos en la fisura o el ano. Recuerde que el sangrado en esta afección, al igual que en las hemorroides, suele ser mínimo y no pone en peligro la vida.

La mayoría de las fisuras anales se cura sin intervención quirúrgica.

Fisiopatología, evaluación y tratamiento de las patologías esofágicas

Esofagitis

Fisiopatología

Como su nombre indica, la **esofagitis** es una inflamación del esófago. Puede ser a causa de un proceso infeccioso o por el reflujo de secreciones gástricas hacia el esófago. Además, algunos medicamentos pueden ser irritantes, al igual que la quimioterapia o la radioterapia. La esofagitis también está asociada a los eosinófilos, un tipo de leucocitos.

Sin importar la causa subyacente, los efectos son irritación y edema. En general, los pacientes presentan como queja principal dispepsia (ardor de estómago) o asfixia. Es posible que sea difícil distinguir la ERGE de la esofagitis.

Evaluación

Debido a la irritación, los pacientes presentan dispepsia y dolor en la parte superior del abdomen o en la parte inferior del tórax. Este dolor tiende a aumentar al agacharse o acostarse en decúbito supino. También puede aparecer el sabor amargo del ácido gástrico en la boca. Estos síntomas son frecuentes en la esofagitis causada por la ERGE. Otros síntomas son la disfagia, la odinofagia (disfagia dolorosa) y la posible impactación de alimentos en el esófago. Estos últimos síntomas son más frecuentes en la esofagitis eosinofílica, la relacionada con medicamentos y la infecciosa. Hay pocos signos físicos directamente relacionados con esta enfermedad. La mayoría de los pacientes con esofagitis son adultos.[13]

Tratamiento

El tratamiento para la esofagitis es de apoyo. Uno de los componentes potencialmente confusos de esta enfermedad está relacionado con el síntoma de dolor torácico. Tal vez sea difícil, si no imposible, determinar la causa exacta del dolor torácico. Sea prudente: si su paciente presenta dolor torácico, considere el IAM como la causa y proporcione el tratamiento en consecuencia. Para los pacientes que presentan dispepsia, véase en la sección sobre ERGE las opciones de tratamiento. Para los pacientes con disfagia, véase la sección sobre estenosis esofágica para las opciones de tratamiento.

Fístula traqueoesofágica

Fisiopatología

La tráquea y el esófago se encuentran uno al lado del otro a medida que se desplazan hacia la parte inferior del tórax. Estas dos estructuras se tocan, lo que explica por qué los pacientes suelen toser cuando tienen algo atorado en el esófago. Una abertura entre dos partes del cuerpo o entre una parte del cuerpo y el exterior se denomina **fístula**. Esta permite la comunicación de material entre los dos espacios. Si se produce una conexión entre el esófago y la tráquea, la abertura se denomina **fístula traqueoesofágica (FTE)**.

Los pacientes nacen con esta conexión atípica o la adquieren a lo largo de su vida. Los métodos más comunes para adquirir una FTE son el cáncer, los traumatismos o la iatrogenia (causada por un procedimiento médico como la intubación endotraqueal [TE]). El manguito del tubo endotraqueal se utiliza para aislar la tráquea de las secreciones que se desplazan hacia abajo y también para mejorar la ventilación de los pulmones. Para cumplir su función, el manguito debe tener suficiente presión de aire para sellarse alrededor de la circunferencia de la tráquea. Cuando se presiona el pulgar contra una superficie dura, se "exprime" la sangre, como demuestra el blanqueamiento que se produce. Del mismo modo, la presión utilizada para sellar el tubo endotraqueal puede exprimir la sangre de una zona de la pared traqueal. A lo largo de muchos días, esta zona puede volverse isquémica y morir. Se puede crear una abertura a través de la zona debilitada de la tráquea y la porción anterior del esófago. Del mismo modo, un tumor dentro del esófago o la tráquea puede erosionar un orificio entre ambas estructuras. Una herida penetrante también puede crear una abertura.

La FTE permite que los alimentos pasen del esófago a la tráquea y por último a los pulmones. La neumonía y la sepsis son dos posibles consecuencias graves de esta aspiración. Si la FTE no se corrige, el paciente puede morir. Por fortuna, se necesitan muchos días para causar ese grado de daño a la pared traqueal. Esta es la razón por la que no se suele intubar a los pacientes durante más de 7 a 14 días. Para prevenir la FTE, a los pacientes se les practica una traqueotomía, que limita, pero no elimina, el riesgo de FTE.

No existen predisposiciones raciales o sexuales para la FTE. Sin embargo, a medida que las personas envejecen, aumenta la probabilidad de que necesiten asistencia ventilatoria. Este uso de ventilación artificial expone a los adultos mayores a un mayor riesgo de FTE iatrogénica. Los pacientes con FTE presentan una elevada mortalidad, ya que tienen un mayor riesgo de desarrollar sepsis, neumonía y síndrome de dificultad respiratoria aguda (SDRA).[14]

Evaluación

Si la FTE se debe a un cáncer, los pacientes presentarán tos, fiebre y aspiración. Pueden referir gases excesivos en el estómago y aumento de las secreciones orales. Los pacientes intubados o sin traqueostomía son más complicados. Pueden tener una disminución del NC o ser alimentados mediante sondas de gastrostomía. En estos casos, la principal manifestación será taquicardia, fiebre y sepsis de origen desconocido y puede haber tos.

Tratamiento

Los cuidados agudos de los pacientes con FET se centran en garantizar una ventilación adecuada y tratar la posible sepsis. Tal vez sea necesario succionar al paciente debido al aumento de las secreciones orales. Si este necesita intubación endotraqueal, se debe realizar de forma meticulosa. Asegúrese de que el tubo esté bien colocado y vuelva a confirmar la posición correcta. La capnografía debería proporcionar pruebas tempranas de un tubo mal colocado. La fístula podría permitir la colocación accidental del tubo endotraqueal dentro del esófago. Si procede, elevar la cabecera de la cama puede ayudar al paciente a manejar las secreciones. Si el paciente está séptico, tal vez se requieran líquidos IV y vasopresores adecuados. En última instancia, esta condición requerirá reparación quirúrgica.

Constricción o estenosis esofágica

Fisiopatología

Una **constricción** (o estenosis) es un estrechamiento anormal de una estructura. El esófago puede estrecharse como consecuencia de inflamaciones, tumores, infecciones, cicatrización por reflujo ácido y el reflujo ácido mismo. La persona presenta mayor dificultad para tragar a medida que disminuye el diámetro del esófago, **FIGURA 17-7**. Este estrechamiento puede producirse a lo largo de todo el órgano, pero en 60 a 70% de los casos ocurre en la porción distal del esófago.[15] Las constricciones esofágicas inferiores ocurren más a menudo debido a la ERGE. Los hombres la padecen con más frecuencia que las mujeres.[15]

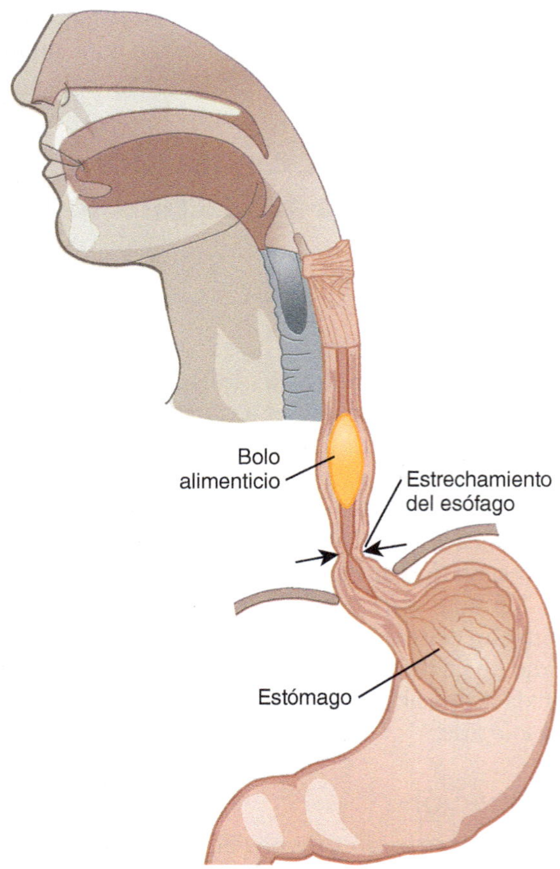

FIGURA 17-7 Estenosis esofágica.

Evaluación

La mayoría de los pacientes con esta condición tiene antecedentes de múltiples episodios de atragantamiento. Pueden presentar grandes volúmenes de secreciones y sensación de ahogo, con regurgitación o arcadas por una gran cantidad de saliva. Por lo regular refieren que no son capaces de pasar un trozo de comida que acaban de tragar. Esta disfagia puede evolucionar a odinofagia. Puede ser que esté acompañada de dificultad respiratoria e hipo doloroso, pero la cianosis es rara, ya que la obstrucción está en el esófago. El paciente puede no tener la capacidad de hablar durante un evento obstructivo. También puede haber dificultad para manejar las secreciones orales.

Tratamiento

Como es de esperar, la principal preocupación de las estenosis esofágicas es el compromiso de la vía aérea. El paciente puede aspirar o tener una obstrucción que interfiera de manera significativa con el flujo de aire. Asegúrese de que el paciente tenga una vía aérea permeable. Si la saturación de oxígeno es estable y el paciente permanece cianótico, anímelo a mantener la calma; esta sensación puede provocar ansiedad grave. Si la vía aérea está permeable, no es necesario realizar intentos agresivos para eliminar la obstrucción. Si el paciente es incapaz de mover el aire con eficacia, trate la situación como una obstrucción de la vía aérea y manéjela de manera adecuada.

Se puede considerar el uso de glucagón en pacientes con obstrucción esofágica. Este medicamento provoca la dilatación del esófago y de modo ideal permitirá que la obstrucción pase al estómago. El glucagón solo tiene un efecto limitado en las estenosis, por lo que debe ponerse en contacto con la dirección médica antes de administrarlo con este fin. Haga que el paciente se siente erguido y esté preparado para ayudarle con las secreciones orales. Si llega y el paciente ya ha eliminado la obstrucción, anímelo a acudir al departamento de emergencias.

Fisiopatología, evaluación y tratamiento de las enfermedades inflamatorias agudas

La inflamación es una respuesta natural a las lesiones. Si el organismo es atacado por un agente infeccioso, se produce una vasodilatación, una movilización de leucocitos y cambios en los procesos metabólicos celulares. Todos estos efectos permiten que la célula pase de un modo de funcionamiento normal a otro de defensa. El propósito de la inflamación es ayudar a los leucocitos a destruir el agente invasor o, al menos, a sellarlo para que no pueda propagarse.

El enrojecimiento, el edema y la sensibilidad que se producen durante una infección son el resultado de la inflamación. El cambio en la permeabilidad vascular y la vasodilatación provocan enrojecimiento y edema. El edema puede causar presión, que a su vez provoca dolor. La vasodilatación y el aumento de la permeabilidad capilar permiten que los leucocitos lleguen con más eficacia a la zona dañada.

La inflamación en el sistema gastrointestinal se puede presentar a muchos niveles. La inflamación localizada causará signos y síntomas leves. Por ejemplo, los pacientes con **hepatitis**, una inflamación del hígado, pueden experimentar dolor en el cuadrante superior derecho del abdomen. Este dolor puede deberse a una leve inflamación del hígado. En la peritonitis, la inflamación y la irritación afectan al peritoneo de todo el abdomen, por lo que el paciente puede experimentar un dolor generalizado al rebote. Si la causa de la inflamación es un agente infeccioso, la peritonitis puede ser un signo de desplazamiento de bacterias hacia el abdomen y, por último, hacia el torrente sanguíneo (sepsis).

El organismo responderá a la sepsis con una reacción inflamatoria más generalizada. Una de las consecuencias más graves de la sepsis es el agotamiento de los recursos para controlar la infección. En la sepsis, la infección está casi en todas partes del cuerpo. El organismo intenta librar muchas batallas, pero no dispone de suficientes leucocitos, histamina, sangre y energía para hacerlo. Pronto disminuyen las defensas que se oponen a la infección, lo que puede perjudicar al paciente. Si no se restablece pronto el equilibrio entre la demanda y la oferta de recursos, se producirá la muerte.

Por el contrario, el cuerpo se puede hiperestimular, ya que la sepsis puede desencadenar una respuesta inflamatoria exagerada. Esta inflamación puede dañar partes del cuerpo que no están infectadas. Consideremos los efectos de COVID-19 (enfermedad por coronavirus 2019). Esta infección viral puede desencadenar una inflamación desproporcionada con respecto al nivel de infección. Así, el virus inicia una cascada de reacciones de defensa del organismo que pueden provocar la muerte.

Muchas enfermedades del sistema GI son a causa de la inflamación, aunque sin una razón definida para que se produzca dicha inflamación. En este caso, el cuerpo empieza a atacar y matar a sus propias células, un proceso que se conoce como enfermedad autoinmunológica.

Se han postulado diversas razones para este ataque mal dirigido, pero no se ha encontrado una relación definitiva entre la causa y el efecto. Una teoría es que el paciente ingiere alimentos con un antígeno poco conocido. Esta sustancia proteica se identifica como extraña y el organismo crea anticuerpos contra ella. Otra hipótesis es que el paciente entra en contacto con un virus que desencadena una respuesta inmunológica. Los leucocitos empiezan a destruir una parte del sistema GI, causando daños. El organismo se esfuerza por reconstruir las zonas dañadas, pero pueden quedar cicatrices en el tracto GI.

Peritonitis

Fisiopatología

Recordemos que el peritoneo es la fina membrana que forma un saco que contiene todos los órganos y estructuras de la cavidad abdominal. Si un agente infeccioso tiene acceso a él, se puede inflamar el revestimiento. Las dos formas principales en que se producen las infecciones peritoneales son la rotura de un órgano interno o el desplazamiento de bacterias fuera de los intestinos. En la **apendicitis**, si el apéndice se rompe, el material purulento (que contiene pus) puede filtrarse al espacio peritoneal, irritando así el peritoneo. Esto también puede ocurrir en caso de rotura intestinal.

La peritonitis bacteriana espontánea es una condición en la que las bacterias migran fuera del intestino y entran en el espacio peritoneal. La **ascitis**, o edema abdominal, se asocia a esta enfermedad en la mayoría de los adultos. La cirrosis es una causa común de ascitis en estos pacientes. La presencia de un exceso de líquido en el espacio peritoneal modifica la permeabilidad de las paredes intestinales, permitiendo la salida de las bacterias.

En cualquiera de los dos casos, las bacterias pueden proliferar en el espacio peritoneal y la sepsis no tarda en aparecer. La peritonitis no complicada tiene una tasa de mortalidad de cerca de 5%; sin embargo, si se produce sepsis, SDRA y falla multiorgánica, la tasa de mortalidad aumenta hasta casi 70%.[16]

Evaluación

La irritación peritoneal se presenta como dolor abdominal, el cual tiende a ser difuso, con un punto focal sobre la zona de mayor irritación. En los pacientes con rotura intestinal, el dolor puede concentrarse en el cuadrante superior izquierdo si existe una falla en el colon transverso. En la apendicitis, el mayor dolor se presenta en el cuadrante inferior derecho del abdomen. La rotura de un **divertículo** por lo regular se concentra en el cuadrante inferior izquierdo. El dolor peritoneal con frecuencia aumenta con la tos (signo de Dunphy) y el dolor es de naturaleza reticular. Los pacientes suelen tener el abdomen duro como una tabla y no querrán recostarse boca arriba.

El dolor asociado a la irritación peritoneal puede variar de sordo a intenso. A menudo, los pacientes estarán febriles y querrán recostarse en posición fetal, lo que reduce la tensión en la pared abdominal. También se producen taquicardia, anorexia, náuseas, vómito, distensión abdominal y deshidratación. Estos pacientes corren el riesgo de sufrir tanto un shock hipovolémico como un shock séptico.

La presentación de la peritonitis puede ser muy sutil en pacientes inmunodeprimidos o con una respuesta inmunológica disminuida. Los pacientes de edad avanzada pueden presentar cambios inexplicables de nueva aparición en el NC e hipotensión. En especial en estos pacientes, una historia clínica detallada de la enfermedad actual, los antecedentes médicos y la medicación actual, pueden ayudar a explorar las posibles causas de los cambios recientes.

Tratamiento

Los pacientes con peritonitis se encuentran en estado crítico. El manejo de esta condición se dirige a mantener los signos vitales. Trate al paciente en caso de shock. Esté preparado para administrar varios bolos de líquido para mantener la PA. En caso de sepsis se puede indicar la norepinefrina.

El tratamiento del dolor de estos pacientes muchas veces es delicado porque muchos de los analgésicos también causan vasodilatación, y en casos de sepsis, este efecto adverso es indeseable. Se recomiendan los antieméticos para evitar el vómito.

Colecistitis y los trastornos del tracto biliar

Fisiopatología

Los **trastornos del tracto biliar** implican la inflamación de la vesícula biliar. Estos trastornos incluyen las siguientes condiciones:

- **Colangitis.** Inflamación del conducto biliar.
- **Colelitiasis.** Presencia de cálculos en la vesícula biliar.
- Coledocolitiasis. Presencia de al menos uno de los cálculos biliares dentro del conducto biliar común.
- Colecistitis. Inflamación de la vesícula biliar.
- Colecistitis acalculosa. Inflamación de la vesícula biliar sin presencia de cálculos biliares.

La colangitis puede causar colecistitis acalculosa. Estas condiciones tienen patrones de presentación similares, por lo que se tratarán aquí como un grupo.

No está claro por qué se forman los cálculos biliares; se cree que se deben a un aumento de la producción de bilis o a una disminución del vaciado de la vesícula biliar. Otras causas de inflamación de la vesícula biliar son el aumento del flujo de materiales biliares, como traumatismos graves, sepsis, anemia falciforme y ayuno prolongado.

La colecistitis es más frecuente en mujeres que en hombres. Las personas de origen caucásico tienen una mayor prevalencia que las de origen afroamericano.[17] Otras personas con mayor riesgo son los adultos mayores y aquellas con sobrepeso u obesas o que recién han tenido una pérdida de peso extrema.[17] Recuerde estos cinco datos de la colecistitis relacionados con las personas que padecen esta afección con más frecuencia:

- Blanca (caucásica)
- Sobrepeso
- Mujer
- Fértil
- De cuarenta a cincuenta años, edad en la que el diagnóstico es más frecuente

La función de la vesícula biliar es almacenar la bilis, una enzima que se utiliza para descomponer las grasas, y luego contraerse, volviendo a liberar la bilis. Cuando hay alimentos grasos en el duodeno, la vesícula biliar se contrae, pero el dolor extremo se produce en el cuadrante superior derecho y, si hay obstrucción, se extiende al hombro derecho.

Evaluación

El cuadro clásico de colecistitis es que el paciente no sienta dolor hasta que ingiere una comida grasa. Dos o tres horas más tarde, él empieza a presentar dolor abdominal intenso en el cuadrante superior derecho. Sin embargo, este patrón no es absoluto y puede variar en función de la consistencia de los alimentos consumidos. Un filete graso permanecerá en el estómago más tiempo que una cazuela con queso. Cuanto más rápido se vacíe la comida del estómago, antes empezará el dolor después de la comida.

El dolor abdominal asociado a los trastornos biliares puede ser bastante grave. El paciente puede mostrar un signo de Murphy positivo. Pídale que exhale. A continuación, tome la punta de los dedos y palpe profundamente a lo largo del margen intercostal del cuadrante superior derecho. Ahora está ejerciendo presión sobre el hígado y, después, sobre la vesícula biliar.

A continuación, pida al paciente que inhale profundo. A medida que continúe inhalando, el diafragma descenderá y por último entrará en contacto con la vesícula biliar. Un paciente con colecistitis puede dejar de inhalar de repente debido a un aumento brusco del dolor: un signo de Murphy positivo. Aunque no es específico de la colecistitis, el signo de Murphy, junto con otros detalles de la evaluación, puede ofrecer información valiosa.

Con esta enfermedad también se presentan con frecuencia náusea, vómito, fiebre, ictericia, dolor epigástrico y taquicardia. La tríada de Charcot (fiebre, dolor en el cuadrante superior derecho e ictericia) puede indicar una inflamación del conducto biliar común en 15 a 20% de los pacientes.[18]

Tratamiento

El tratamiento prehospitalario de la colecistitis está dirigido a que el paciente esté cómodo. Rara vez esta condición pone en peligro la vida, aunque el dolor de la colecistitis puede hacer que el paciente experimente estimulación vasovagal. La colecistitis puede causar pancreatitis debido a la conexión del conducto biliar común con el conducto pancreático, si hay un cálculo, puede migrar y obstruir el conducto pancreático.

Los medicamentos para controlar el dolor incluyen opiáceos. La náusea asociada suele remitir con el alivio del dolor. Si el paciente experimenta vómito, puede estar indicado administrarle líquidos por vía IV.

Apendicitis

Fisiopatología

La apendicitis es una condición con la que la mayoría de la gente está familiarizada y una causa frecuente de abdomen agudo. Se produce cuando se acumula materia fecal u otros materiales en el apéndice. Cuando el órgano ya no puede expulsar este material de forma normal, aumenta la presión. Esta presión reduce el flujo de sangre y líquido linfático, lo que dificulta la capacidad del organismo para combatir las infecciones. La combinación de bacterias en las heces y la disminución de la capacidad para combatir la infección local crea un entorno ideal para la reproducción incontrolada de bacterias. Si no se controla, el exceso de presión en el apéndice acabará provocando su rotura, con la consiguiente peritonitis, sepsis y muerte.

La apendicitis se da en todos los grupos de edad, pero es más frecuente entre los 10 y los 30 años.[19] Aun cuando los adultos mayores padecen apendicitis con menos frecuencia, su tasa de mortalidad es mayor. La apendicitis es un poco más probable en hombres que en mujeres.[19]

Perlas de sabiduría

El SEM puede ser una carrera estresante y emocionalmente exigente, a menudo nuestras elecciones dietéticas están guiadas por estas emociones. Los paramédicos pueden desear alimentos "reconfortantes" y "recompensas" con altos niveles de azúcar y grasas saturadas, bebidas que contienen azúcar y cafeína para aumentar la energía, e incluso un par de bebidas alcohólicas después de nuestro turno para "relajarnos". Además, los paramédicos suelen tener poco tiempo. Correr de una llamada a otra no facilita una alimentación sana. ¿Qué elige para comer cuando solo tiene unos minutos libres? A menudo, la única opción parece ser algo poco saludable de un autoservicio o de una tienda de conveniencia.

No pase por alto la importancia de la fibra en su dieta. La fibra ayuda a reducir la incidencia de apendicitis disminuyendo el tiempo de tránsito de las heces por el intestino, con lo que se limpia el apéndice. Por consiguiente, una de las formas más sencillas de prevenir la apendicitis es seguir una dieta rica en fibra.

No tiene por qué hacerse vegano, pero comer una manzana entera, tomar una ensalada en lugar de una hamburguesa o agregar leguminosas a la cena puede contribuir en gran medida a aumentar su ingesta de fibra.

¿Brócoli o carne asada? Por qué no ambas cosas: ¡mejor para el corazón y para el apéndice!

Evaluación

La apendicitis puede ser difícil de diagnosticar. Su presentación clásica puede dividirse en tres etapas: temprana, madura y ruptura.

- **Temprana.** Dolor periumbilical, náusea, vómito, fiebre baja, pérdida de apetito
- **Madura.** Dolor en el cuadrante inferior derecho (punto McBurney)
- **Ruptura.** Disminución inicial del dolor (disminución de la presión), dolor abdominal intenso generalizado, sensibilidad de rebote

En las fases iniciales, los pacientes casi siempre presentan dolor periumbilical mal definido. Por lo regular se observan náusea, vómito, anorexia y fiebre baja. El vómito suele manifestarse después de que empiece el dolor, más que antes de que aparezca. A lo largo de varias horas, el apéndice se hincha y por último aumenta la presión. Esto tarda alrededor de 48 horas. El paciente se encuentra ahora en la fase madura. Durante este tiempo, el dolor migrará para convertirse en un dolor localizado en el cuadrante inferior derecho y se volverá más intenso. Si se rompe el apéndice, se entra en la fase de ruptura. En esta etapa, al principio puede haber una disminución repentina del dolor con una sensación de alivio debido a la repentina disminución de la presión. Ahora el material infeccioso tiene acceso a toda la cavidad abdominal. Durante esta fase, el dolor se generaliza en todo el abdomen. La sensibilidad de rebote es un signo de perforación del apéndice con peritonitis resultante.

Poblaciones especiales

Como se ha mencionado, la apendicitis puede ser difícil de diagnosticar. Considere que ocurre con mayor frecuencia en personas jóvenes, incluidas las mujeres jóvenes que están embarazadas. A medida que el útero se expande para acomodar al feto en crecimiento, desplaza el apéndice de su posición normal. Es más probable que una mujer embarazada en el tercer trimestre presente dolor en el cuadrante superior derecho o en el flanco derecho que en el cuadrante inferior derecho. Incluso el paramédico más experimentado tendrá dificultades para determinar si este dolor es apendicitis, colecistitis o cálculo renal.

Tratamiento

El tratamiento prehospitalario de la apendicitis debe incluir una evaluación de la septicemia. Si esta infección sanguínea está presente, puede producirse un shock séptico. La reanimación con volumen puede no ser adecuada para restablecer la PA. En caso de que los cristaloides no sean eficaces, debe estar preparado para utilizar norepinefrina. En estos pacientes se indica la administración de analgésicos y antiinflamatorios.

Diverticulitis

Fisiopatología

Para entender la **diverticulitis**, primero hay que saber qué es un divertículo: una zona débil del colon que empieza a tener pequeños afloramientos que se convierten en bolsas, las cuales se denominan divertículos. La condición de tener divertículos se denomina diverticulosis. Cuando estos divertículos se inflaman, se dice que el paciente tiene diverticulitis. Este es el diagnóstico más frecuente entre los pacientes con condiciones GI atendidos en emergencias.[20]

Las causas de la diverticulitis no están claras, pero la investigación ha demostrado que las personas de los países industrializados tienden a padecer esta enfermedad con más frecuencia que aquellas de África y Asia.[20] El paciente típico tiene más de 60 años. Más importante que el sexo o la raza es la cantidad de fibra en la dieta del paciente. Las cantidades reducidas de fibra aumentan el riesgo de los pacientes de padecer esta enfermedad.[21]

De acuerdo con la teoría etiológica propuesta, a medida que disminuye la cantidad de fibra en la dieta de una persona, la consistencia de las heces normales se vuelve más sólida. Estas heces duras requieren más contracciones para moverse y, en consecuencia, aumentan la presión del colon. En este entorno, pequeños defectos de la pared colónica que, de otro modo nunca plantearían un problema, ahora fallan dando lugar a protuberancias en la pared.

El siguiente paso en este proceso es similar a la apendicitis. A medida que las heces se desplazan por el colon, algunas pueden quedar atrapadas en la bolsa. Las bacterias pueden crecer y causar inflamación localizada e infección. A medida que el cuerpo intenta controlar esta infección, pueden aparecer cicatrices, adherencias e incluso fístulas. Una fístula, como ya se ha dicho, es una conexión anormal entre dos cavidades. La localización más común de las fístulas en la diverticulitis es entre el colon y la vejiga. La presencia de heces en la vejiga puede provocar infecciones importantes.

Evaluación

La presentación de la diverticulitis es dolor abdominal que tiende a localizarse en el lado izquierdo de la parte inferior del abdomen. Los signos clásicos de infección incluyen fiebre, malestar, dolores corporales, escalofríos, náusea y vómito. No es común la presencia de sangrado en esta afección. Los pacientes pueden tener diarrea o estreñimiento. Debido a las infecciones locales de las bolsas de las paredes del colon, se pueden desarrollar adenopatías que estrechan el diámetro del colon. Esto puede provocar estreñimiento y, potencialmente, obstrucción intestinal. Aun cuando la diverticulitis suele producir dolor en el lado izquierdo, puede aparecer en cualquier parte del colon. Por lo tanto, la diverticulitis puede parecerse a muchos otros dolores abdominales.

Tratamiento

El objetivo del tratamiento de la diverticulitis es que el paciente se sienta cómodo. Examínelo con detenimiento para asegurarse de que no presenta una infección grave. La sepsis puede producirse con facilidad en pacientes con fístulas a la vejiga urinaria. Estos pacientes podrían requerir grandes cantidades de líquidos o norepinefrina para mantener la PA. Procure mejorar la comodidad del paciente mediante la posición, analgésicos y antieméticos según sea necesario.

Pancreatitis

Fisiopatología

Las enzimas que produce el páncreas están diseñadas para descomponer los alimentos ingeridos en sustancias que los intestinos puedan absorber. Si el

USTED es el Paramédico

PARTE 4

Se establece una vía IV y se administran 250 ml de líquido después de escuchar los ruidos pulmonares en todos los campos. La paciente sigue refiriendo dolor abdominal, que describe como un 8 en una escala de 0 a 10 y sigue sin poder sentarse y parece inquieta.

Tiempo de registro:	10 minutos
Respiraciones	18 respiraciones/min
Pulso	110 latidos/min, tumbada
Piel	Fría, pálida, húmeda
Tensión arterial	110/86 mm Hg, tumbada
Saturación de oxígeno (SpO_2)	98% con oxígeno a 15 L/min mediante mascarilla de no reinhalación
Pupilas	PIRRL

7. Si sabe que esta paciente tiene signos vitales posturales, ¿cómo la trasladará escaleras abajo?

8. ¿Debería administrar un analgésico para que la paciente esté más cómoda?

conducto pancreático, la vía por la que estas enzimas salen del páncreas se bloquea, las enzimas realizarán sus procesos químicos en la proteína y la grasa del propio páncreas. Esto se conoce como autodigestión del páncreas.

La autodigestión provoca la inflamación del páncreas o **pancreatitis**. Este proceso puede aparecer de repente o a lo largo de muchos meses. Los pacientes pueden tener ataques únicos o episódicos y remisiones durante mucho tiempo. Los hombres suelen padecer esta enfermedad con más frecuencia que las mujeres. De igual modo, se observa con más frecuencia en afroamericanos de 35 a 64 años.[22] Las principales causas de esta afección son el aumento del consumo de alcohol (pacientes varones) y los cálculos biliares (pacientes mujeres). Otras causas son reacciones a medicamentos, traumatismos, cáncer y niveles altos de triglicéridos.[22]

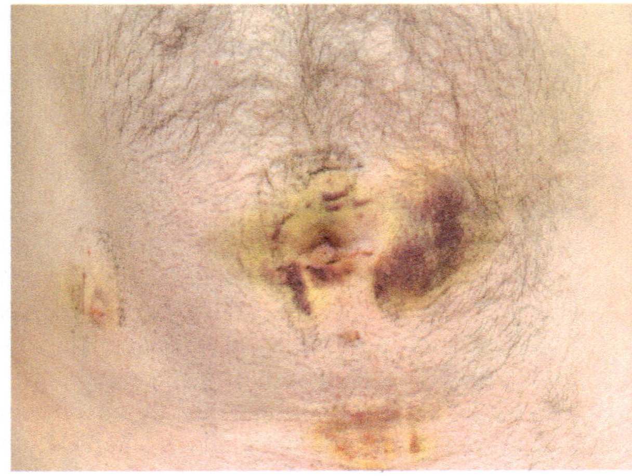

FIGURA 17-8 Equimosis periumbilical, o signo de Cullen, indicativa de hemorragia intraperitoneal.

Evaluación

El dolor de la pancreatitis tiende a localizarse en la zona epigástrica, en el cuadrante superior izquierdo. Puede ser un dolor sordo o constante e intenso. El dolor se irradia a la espalda en casi la mitad de los pacientes, los cuales por lo regular sienten cierto alivio agachándose o adoptando una posición fetal. El dolor suele aparecer de repente y es un tanto constante. Este dolor incesante es lo que hace que los pacientes acudan al médico. Además del dolor, los pacientes pueden experimentar náusea, vómito, fiebre, taquicardia, hipotensión y espasmos musculares en las extremidades. Esta enfermedad tiende a causar hipocalcemia, es decir, un nivel bajo de calcio en la sangre, lo que puede provocar espasmos musculares. La pancreatitis causada por cálculos biliares puede provocar ictericia.

La preocupación más alarmante asociada a la pancreatitis es la hemorragia interna. Si la autodigestión está avanzada, puede observarse un compromiso en los vasos sanguíneos dentro y cerca del páncreas y producirse una hemorragia grave e incontrolada. En estos pacientes puede haber inestabilidad hemodinámica. Además, se puede observar el signo de Cullen (hematomas alrededor del ombligo), **FIGURA 17-8**, o el signo de Grey Turner (hematomas en los flancos), **FIGURA 17-9**, lo que indica una hemorragia interna grave.

Los pacientes con pancreatitis tienen una tasa de mortalidad de 10 a 15%.[22] Las principales causas de muerte son la sepsis y la hemorragia.

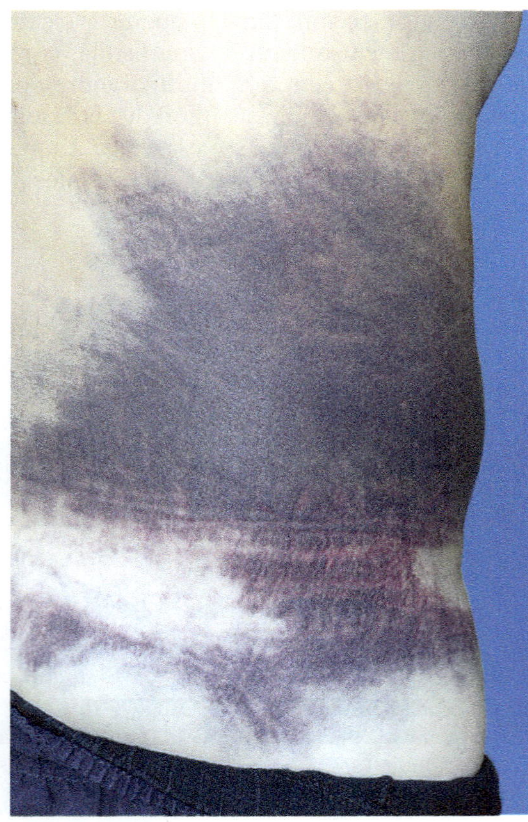

FIGURA 17-9 Equimosis de flanco, o signo de Grey Turner, indicativa de hemorragia retroperitoneal.

Tratamiento

El tratamiento del paciente prehospitalario con pancreatitis debe regirse por las directrices generales de tratamiento. Preste especial atención a la evaluación del paciente en busca de signos de hemorragia grave. Si están presentes, inicie la reanimación con líquidos. En muchas ocasiones se indican analgésicos opioides para estos pacientes. Cuando se administran narcóticos, es fundamental reevaluar con frecuencia los signos vitales para garantizar que no se produzca hipotensión ni depresión respiratoria.

Fisiopatología, evaluación y tratamiento de las enfermedades inflamatorias crónicas

Se dice que los pacientes con inflamación crónica de todo o parte del tracto gastrointestinal padecen una **enfermedad inflamatoria intestinal (EII)**. Esta amplia definición abarca tanto la colitis ulcerosa como la enfermedad de Crohn. En ambos casos, la inflamación daña la pared del tracto GI y aumenta el riesgo de cáncer. El síndrome del intestino irritable (SII) produce síntomas similares, pero no provoca cambios estructurales en las paredes del tubo digestivo.

Colitis ulcerosa

Fisiopatología

La **colitis ulcerosa** está causada por la inflamación del colon. La inflamación es generalizada y no se produce en parches, como en la enfermedad de Crohn. No está claro qué causa la inflamación crónica, aunque se especula que la genética, el estrés y la autoinmunidad son factores de riesgo. En esta enfermedad, la inflamación crónica provoca un adelgazamiento de la pared del intestino, lo que da lugar a un recto debilitado y dilatado. Este revestimiento dañado del colon se vuelve entonces susceptible a las infecciones por bacterias y a las hemorragias. Estos dos estados establecen la base sobre la que se desarrollan los signos y síntomas.

En un paciente típico con colitis ulcerosa, la incidencia de la enfermedad alcanza su punto máximo entre los 15 y los 25 años de edad y, de nuevo, entre los 55 y los 65 años.[23] Es un poco más frecuente en mujeres que en hombres.[23] Existe un fuerte componente de antecedentes familiares de esta enfermedad, ya que uno de cada seis pacientes declara tener un familiar con ella.[23] La colitis ulcerosa también es más prevalente entre los caucásicos que entre otros grupos raciales/étnicos.[23]

Evaluación

La presentación de la colitis ulcerosa se caracteriza por un inicio gradual de diarrea sanguinolenta, secreción de mucosidad por el recto, hematoquecia y dolor abdominal de leve a intenso, por lo regular en el cuadrante inferior izquierdo. Los pacientes también pueden referir una sensación de plenitud rectal, conocida como *tenesmo*. Otros signos y síntomas pueden incluir dolor articular y lesiones cutáneas. Estos efectos refuerzan la idea de un componente autoinmunológico de la enfermedad. Por último, el paciente puede experimentar fiebre, fatiga y pérdida de apetito a causa de la infección.

Tratamiento

El tratamiento consiste en determinar el grado de inestabilidad hemodinámica. Debe buscar signos de shock. Si la diarrea y la hemorragia han causado una pérdida de volumen suficiente para que el estado del paciente sea inestable, administre líquidos para que el paciente recupere un equilibrio de volumen casi normal. De lo contrario, los cuidados son de apoyo.

Enfermedad de Crohn

Fisiopatología

La enfermedad de Crohn es similar a la colitis ulcerosa; sin embargo, puede afectar a todo el tracto GI. La parte principal del tracto GI que suele estar afectada es el íleon. Se trata de la última porción del intestino delgado antes de unirse al intestino grueso. Existen varias teorías sobre la causa, aunque no se ha identificado una causa definitiva.

Existen dos picos en la incidencia de la enfermedad de Crohn: entre los 15 y los 30 años de edad y de nuevo entre los 60 y los 70 años.[24] Se diagnostica por igual a hombres y mujeres.[24] Los afroamericanos tienden a no padecer esta enfermedad, mientras que las personas de ascendencia judía tienen una incidencia mayor.[24]

En la enfermedad de Crohn y la colitis ulcerosa es interesante la presencia de signos y síntomas fuera del sistema GI. Esta evidencia ayuda a apoyar la teoría de que existe un componente autoinmunológico en estas enfermedades, aunque no está claro qué causa esta reacción inmunológica. Otra teoría propone que el sistema inmunológico crea anticuerpos para un antígeno que no existe, creando así una cascada de reacciones frente a un invasor inexistente.

Los antecedentes familiares y la genética influyen en el desarrollo de la enfermedad de Crohn. Los investigadores médicos están descubriendo que la forma en que está hecho el cuerpo (es decir, la genética) y cómo puede funcionar son características importantes que influyen en que una persona contraiga una enfermedad y en cómo esta progresa. El hecho de que muchas personas con enfermedad de Crohn tengan familiares que padecen algún tipo de enfermedad intestinal sugiere un componente familiar o genético.

Al margen de los factores causales subyacentes, el resultado es una serie de ataques del sistema inmunológico al tracto GI. Esta actividad de los leucocitos daña todas las capas de la porción del tracto GI afectada. El resultado suele ser una porción del intestino delgado cicatrizada, estrecha, rígida y debilitada. Esta porción de daño se encuentra entre las áreas normales del intestino. Este estrechamiento puede causar obstrucción intestinal.

Evaluación

Los pacientes con enfermedad de Crohn presentan dolor abdominal crónico, a menudo en la zona inferior derecha. Este dolor corresponde a la localización del íleon. En esta enfermedad también se puede observar un sangrado rectal, pérdida de peso, diarrea, artritis, problemas cutáneos y fiebre. Las hemorragias suelen producirse en pequeñas cantidades durante un periodo prolongado. La hemorragia aguda grave es rara, pero se producen hemorragias crónicas que provocan anemia e hipotensión. Los pacientes pueden presentar episodios de signos y síntomas de leves a graves. Entre los síntomas clave de la enfermedad de Crohn que apoyan la teoría autoinmunológica se encuentran la artritis y la artralgia; los pacientes suelen referir dolor de cadera, rodilla y tobillo.

Tratamiento

El tratamiento en el entorno prehospitalario se centra en apoyar el ABC y proporcionar medidas de confort. Si el paciente tiene diarrea y hemorragia crónica, tal vez se necesite la reanimación con volumen. Los pacientes con enfermedad de Crohn por lo regular requieren control para la náusea y el dolor.

Síndrome del intestino irritable

Fisiopatología

El **síndrome del intestino irritable (SII)** es una enfermedad en la que los pacientes presentan dolor abdominal y cambios en sus hábitos intestinales. Los criterios actuales para diagnosticar esta enfermedad establecen que los pacientes deben tener dolor abdominal al menos 1 día a la semana durante los últimos 3 meses. Este dolor tiene que estar asociado a cambios en la consistencia o frecuencia de las heces, y quizá se relacione con la defecación. La patología de la enfermedad no está clara. Una teoría es que las bacterias normales presentes en el intestino delgado empiezan a crecer en exceso, lo que provoca dolor, distensión y cambios en los hábitos intestinales.[25]

Por lo regular se observan tres factores principales en los pacientes con SII:

- **Hipersensibilidad de los receptores del dolor intestinal.** En estos pacientes, el estiramiento normal del intestino puede percibirse como dolor.
- **Hiperreactividad de los músculos lisos del intestino.** Esto produce la sensación de cólicos y diarrea.
- **Relación entre trastornos psiquiátricos y SII.** No está claro si el trastorno intestinal causa el trastorno psiquiátrico o viceversa.

La hiperreactividad del intestino en el SII puede causar zonas de espasmo. Estos espasmos pueden detener el movimiento intestinal, provocando estreñimiento y edema. Por el contrario, si los espasmos son más ondulatorios que localizados, el paciente puede experimentar diarrea al desplazarse rápidamente las heces por el intestino. Las causas subyacentes de este síndrome no están claras.

Los pacientes por lo regular empiezan a tener problemas con los hábitos intestinales durante la infancia. En los países occidentales, las mujeres jóvenes son más propensas a padecer esta enfermedad.[25] El estrés puede ser un factor desencadenante y con frecuencia se asocia a la alimentación.

Evaluación

El SII es una enfermedad crónica que por lo regular implica exacerbaciones. Los signos y síntomas tienden a ser individualizados. Los pacientes pueden presentar dolor o molestias abdominales difusas y no irradiadas que se alivian con el movimiento intestinal. Cuando comienza el dolor, por lo regular se observa un cambio en la frecuencia y consistencia de las deposiciones. Los pacientes pueden experimentar distensión abdominal, diarrea, **esteatorrea** o estreñimiento.

Tratamiento

El tratamiento de estos pacientes es de apoyo y tal vez sea necesaria la analgesia. Debe comprender que puede existir una condición psiquiátrica coexistente y reconocer que los pacientes con SII por lo común experimentan ansiedad. Sea amable y compasivo. No minimice el dolor o el malestar del paciente. Su evaluación debe incluir el estado de ánimo del paciente y el contenido de sus pensamientos. Considere si el paciente está gravemente deprimido y comunique cualquier preocupación a la persona adecuada cuando transfiera la atención del paciente.

Fisiopatología, evaluación y tratamiento de las condiciones infecciosas agudas

Muchos alimentos están repletos de bacterias, virus y hongos. Estos microorganismos están presentes en toda la cadena alimentaria. Las infecciones del sistema GI por lo regular ocurren cuando se ingieren alimentos contaminados o cuando hay una ruptura en el tracto GI. Si una persona enferma a causa de una infección, el número o la complejidad de los organismos sobrepasa al sistema inmunológico, o este se debilita y no puede defender al cuerpo con eficacia.

La mayoría de las personas que contrae una enfermedad de origen alimentario tiene dolor de estómago, vómito o diarrea. Según los *Centers for Disease Control and Prevention* (CDC), se estima que, en Estados Unidos, 48 millones de personas al año contraen una enfermedad de transmisión alimentaria.[26] De este grupo, 3 000 morirán; en otras palabras, solo 0.006% de los que enferman fallecen.[26] Entonces, ¿qué diferencia a ese pequeño grupo de la gran mayoría? Las personas inmunodeprimidas, muy ancianas o recién nacidos, en general tienen más dificultades para combatir cualquier tipo de infección. Entre los pacientes inmunodeprimidos se encuentran los que padecen el síndrome de inmunodeficiencia adquirida o determinados tipos de cáncer, las personas sometidas a quimioterapia y los pacientes trasplantados.

En Estados Unidos, la cadena alimentaria suele ser muy limpia. Por ello, en comparación con otros países, el número de personas que enferman o mueren de enfermedades transmitidas por los alimentos es relativamente pequeño. Viajar a otros países puede exponer a los pacientes a un mayor riesgo de sufrir intolerancias alimentarias o infecciones transmitidas por los alimentos. De acuerdo con un informe de los CDC, de 30 a 70% de todas las personas que viajan a países donde la limpieza de los alimentos es menos que adecuada puede presentar diarrea del viajero.[27] Los viajes dentro de América del Norte y Europa son más seguros que los viajes a Sudamérica, Asia y África en cuanto al riesgo de enfermedades transmitidas por los alimentos.[27]

El daño al sistema GI es otra forma en que se puede producir una infección. Un desgarro en el contenedor permite que el contenido GI lleno de organismos pase a los tejidos circundantes. En la apendicitis, las heces que circulan por los intestinos quedan atrapadas en el apéndice. Se impide el lavado normal de esta estructura y se multiplican las bacterias fecales. Pus y gases, subproductos de la actividad bacteriana, pueden presionar el apéndice. Si la presión es demasiado alta, la estructura fallará, derramando material cargado de pus y heces en el peritoneo y provocará peritonitis. Asimismo, se puede presentar una sepsis. La sepsis y sus complicaciones hemodinámicas se incluyen en el capítulo 23, *Enfermedades infecciosas*.

Gastroenteritis aguda

Fisiopatología

La **gastroenteritis aguda** es una familia de condiciones que giran en torno a un tema central de infección con fiebre, dolor abdominal, diarrea, náusea y vómito. Estas enfermedades pueden ser a causa de una amplia variedad de organismos, como se muestra en el **CUADRO 17-8**. Estos agentes por lo regular entran en el organismo por vía fecal-oral a través de alimentos o agua contaminados.

El cólera, aunque relativamente desconocido en Estados Unidos, es común en otras partes del mundo. Los norovirus son responsables de la mayoría de los casos de gastroenteritis viral aguda en adultos, mientras que los rotavirus causan la misma condición en niños. Al bañarse o beber agua contaminada se pueden contraer diversos parásitos. La mayoría de los pacientes, que muere por gastroenteritis, están infectados por norovirus o *Clostridium difficile*.[28] Estos pacientes suelen ser mayores de 65 años.[28]

Evaluación

Según el microorganismo implicado, los pacientes pueden empezar a experimentar molestias gastrointestinales y diarrea en tan solo unas horas o incluso días después del contacto con el alimento o agua

CUADRO 17-8 Gastroenteritis: organismos causantes

Tipo de organismo	Organismo
Virus	Norovirus: Virus Norwalk Rotavirus
Parásitos	*Giardia lamblia* (protozoo) *Cryptosporidium parvum* *Cyclospora cayetanensis*
Bacterias	*Escherichia coli* *Klebsiella pneumoniae* *Enterobacter* *Campylobacter jejuni* *Vibrio cholera* *Shigella* *Salmonella* *Clostridium difficile*

contaminado. La enfermedad puede seguir su curso en 2 o 3 días o prolongarse durante varias semanas.

La presentación implica diarrea de varios tipos. Los pacientes pueden presentar diarrea abundante de tipo "vaciamiento rápido" o deposiciones líquidas pequeñas y frecuentes. La diarrea puede contener sangre o pus, así como tener mal olor o ser inodora. Los cólicos abdominales son frecuentes a medida que continúa el hiperperistaltismo. De igual modo, hay presencia de náuseas y vómito, fiebre y anorexia. El vómito puede producirse de forma repentina. El vómito repentino es típico en las infecciones por norovirus. Preguntar por el historial de viajes recientes puede revelar información útil; por ejemplo, el norovirus tiene fama de propagarse en los cruceros.

Si la diarrea continúa, se producirá deshidratación e inestabilidad hemodinámica. A medida que aumenta el volumen de pérdida de líquidos, también se incrementa la probabilidad de desequilibrio de potasio y sodio. Vigile a estos pacientes para detectar cambios en el NC y otros signos profundos de shock, que indican con claridad una pérdida crítica de volumen. Los pacientes gravemente deshidratados pueden presentar abombamiento cutáneo, pérdida de peso, taquicardia, hipotensión ortostática y sequedad de las mucosas.

Tratamiento

El tratamiento prehospitalario está dirigido a controlar la deshidratación. Tal vez sea necesaria la reanimación con líquidos; por lo tanto, debe obtener los signos vitales ortostáticos del paciente para determinar la necesidad de líquidos isotónicos. Si el estado del paciente es estable, puede indicarse media solución salina normal para iniciar la rehidratación. Además, los pacientes con frecuencia se sienten mucho mejor después de la rehidratación. Lo razonable es llevar a cabo un monitoreo cardíaco debido al riesgo de hipocalemia. Para estos pacientes también se indican analgésicos y antieméticos. Una de las situaciones más críticas en el tratamiento de esta afección es la educación del paciente: debe indicársele sobre el uso seguro del agua y los alimentos para prevenir futuras infecciones.

Cuando atienda a estos pacientes, tenga en cuenta el riesgo de contaminarse con vómito o heces. Los guantes, batas y mascarillas son apropiados cuando se trata a pacientes que vomitan de forma activa o tienen diarrea incontrolada.

Absceso rectal

Fisiopatología

El recto crea moco para lubricar las heces durante la defecación. La obstrucción de los conductos por los que viaja esta mucosidad, puede dar como resultado un **absceso rectal**. En esta zona hay grandes cantidades de bacterias. La obstrucción puede permitir que las bacterias crezcan y se extiendan por el ano. Los hombres tienen el doble de probabilidades de padecer esta enfermedad que las mujeres. Los grupos de edad más afectados por los abscesos rectales son las personas de entre 30 y 40 años.[29]

Evaluación

Los pacientes presentan dolor rectal que aumenta con la defecación y luego disminuye. El dolor continuará entre las defecaciones. La fiebre, el prurito y la supuración rectal también son frecuentes. El sangrado no suele ser un problema. Los pacientes se pueden estreñir y no querer defecar debido al aumento del dolor.

Tratamiento

El tratamiento prehospitalario consiste en mantener al paciente cómodo. Transpórtelo en una posición cómoda. La posición lateral puede ser preferible a la supina o a la de Fowler. La presión en la zona rectal que se produce en la posición de Fowler puede aumentar el dolor.

Enfermedad hepática: cirrosis

Fisiopatología

El hígado es un órgano muy resistente e importante. Además de su papel en el metabolismo de grasas, proteínas y glucosa, es responsable de desintoxicar la sangre, crear factores de coagulación, reciclar eritrocitos muertos, almacenar vitaminas y crear las hormonas necesarias para el crecimiento. En consecuencia, los daños en este órgano pueden provocar graves desequilibrios en el organismo. Pocas partes del cuerpo pueden funcionar con normalidad si un hígado no trabaja de manera adecuada.

Cuando el hígado resulta dañado por una infección, se habla de hepatitis. Esta enfermedad se trata con detalle en el capítulo 23, *Enfermedades infecciosas*. Otras condiciones que pueden dañar el hígado son los traumatismos directos, la ingesta de tóxicos y los trastornos autoinmunológicos. Sin importar la causa, si el daño hepático es grave, el paciente experimentará las primeras fases de la insuficiencia hepática. La insuficiencia temprana se denomina **cirrosis**.

A medida que el hígado se daña, trabaja para reconstruirse. Durante el proceso de regeneración, se puede producir tejido fibrótico. Este material denso impedirá la filtración y el flujo sanguíneos adecuados. En consecuencia, las características de la cirrosis son la hipertensión portal (a la que se hizo referencia antes en este capítulo), deficiencias en la coagulación y disminución de la desintoxicación, que pueden dar lugar a encefalopatía hepática. Sin embargo, el hígado es tan resistente que los adultos pueden donar una parte del hígado a otra persona. La porción donada crecerá hasta alcanzar su tamaño normal y la porción restante recuperará su tamaño y función normales. Esta propiedad regenerativa significa que la mayoría de los pacientes tardarán años o décadas en manifestar una insuficiencia hepática clínicamente significativa.

La cirrosis puede ser consecuencia del consumo de alcohol, las infecciones virales, las toxinas (el paracetamol y la *Amanita phalloides*, la seta amarilla de la muerte, son algunos ejemplos) y la enfermedad del hígado graso no alcohólico (EHGNA). La causa específica de la cirrosis dará lugar a características epidemiológicas muy diferentes. Los signos y síntomas pueden aparecer a lo largo de semanas o años, dependiendo también de la etiología. La principal causa de cirrosis en Estados Unidos es la hepatitis C. Muchos pacientes que mueren de cirrosis lo hacen en la quinta y sexta décadas de su vida.[30]

Evaluación

A nivel clínico, la enfermedad hepática tiene dos fases. En la primera, los pacientes experimentan dolores articulares, debilidad, fatiga, náusea, vómito, anorexia, **urticaria**, fácil aparición de hematomas y prurito. Durante esta fase, el paciente puede ser diagnosticado de forma errónea de gripe o gastroenteritis.

La segunda fase clínica implica un daño más extenso del hígado. Cuando el daño llega a un punto en el que se produce un fallo hepático, los pacientes estarán muy enfermos. Esta fase se caracteriza por **heces acólicas**, oscurecimiento de la orina, **ictericia**, conjuntiva ictérica (ojos amarillos), **FIGURA 17-10**, y ascitis. En ese punto, también hay presencia de dolor abdominal en el cuadrante superior derecho, junto con el agrandamiento del hígado y el bazo. Los pacientes también pueden presentar dilatación de las venas sanguíneas en la superficie del abdomen. El término *caput medusa* hace referencia a la dilatación de los vasos sanguíneos alrededor del ombligo. La traducción literal de este término, "cabeza de medusa", refleja el aspecto serpenteante de los vasos sanguíneos dilatados.

La hipertensión portal impide que los vasos sanguíneos esofágicos viertan su sangre en el hígado de forma eficaz, lo que provoca la dilatación de estos vasos sanguíneos. Estas várices esofágicas corren un alto riesgo de ruptura repentina. Si a esto se añade la disminución de los factores de coagulación resultante de la insuficiencia hepática, el resultado es un riesgo de hemorragia potencialmente mortal.

La insuficiencia hepática tiene efectos en cascada que afectan a múltiples órganos del cuerpo. La albúmina es una proteína intravascular clave responsable del equilibrio de líquidos, sobre todo en los capilares venosos (a diferencia de los arteriales). El hígado produce la albúmina. A medida que disminuyen los niveles de albúmina, el líquido no regresa al espacio vascular después de pasar por los capilares. Los niveles de líquido intersticial aumentan en todo el cuerpo a medida que descienden los niveles de líquido intravascular. En este punto, los pacientes pueden sufrir hipotensión por hipovolemia, ascitis, edema periférico en todo el cuerpo, edema pulmonar y edema cerebral. De forma simultánea, se produce una falla renal debido a los mismos cambios de fluidos, de modo que los pacientes pueden experimentar una sobrecarga de líquido intravascular. Este estado contradictorio permite niveles de líquido impredecibles dentro del espacio vascular. Examine con detenimiento al paciente para detectar signos de sobrecarga de líquidos o hipovolemia. A medida que progresa la insuficiencia hepática, disminuyen las perspectivas de supervivencia del paciente.

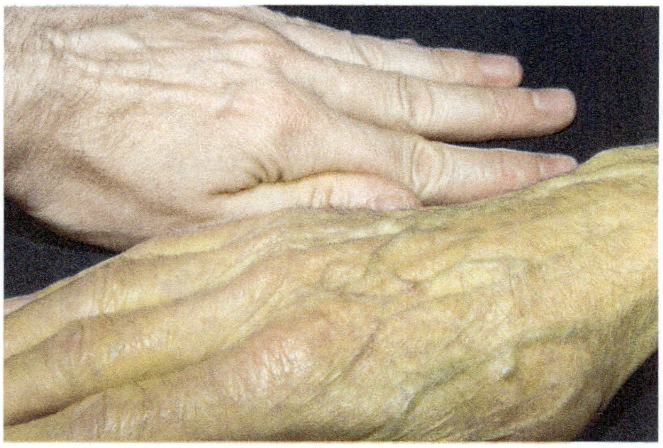

A

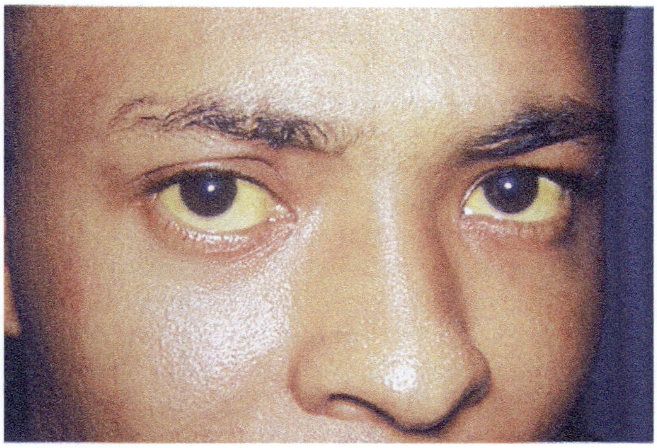

B

FIGURA 17-10 Piel ictérica **(A)** y esclerótica ictérica **(B)** causadas por la acumulación de bilirrubina en la piel y la conjuntiva.

A: © Dr P. Marazzi/Science Source; **B:** Cortesía del Dr. Thomas F. Sellers/Emory University/CDC.

Los pacientes con enfermedad hepática grave son susceptibles a la hipoglucemia debido a la disminución del metabolismo de los carbohidratos. La insuficiencia hepática afectará a la mayoría de los valores sanguíneos.

Tratamiento

El manejo prehospitalario de la cirrosis es de soporte. Estos pacientes necesitan una evaluación detallada de pies a cabeza. Muchas posibles complicaciones de su enfermedad subyacente pueden requerir intervención. Por ejemplo, los pacientes pueden desarrollar compromiso de la vía aérea debido a una hemorragia. Se puede presentar una dificultad respiratoria debido a los cambios de fluidos, por lo que tal vez se requiera la ventilación con presión positiva o presión positiva continua en la vía aérea. Asegúrese de que los pacientes tengan un volumen circulante adecuado. Lo ideal es obtener un acceso IV con un catéter de gran calibre. Toda administración de líquidos debe ir precedida de una evaluación meticulosa de los ruidos pulmonares del paciente. Asegúrese de que los niveles de glucosa en sangre sean los adecuados. Otras áreas importantes de atención son el control de las hemorragias y la administración de medicamentos. Debido a los daños en el hígado, tal vez se vea afectada la capacidad de coagulación de la sangre, por lo que se debe tener cuidado con todas las venopunciones. Como la cirrosis puede ser terminal, es fundamental que respete los deseos del paciente en relación con sus cuidados. Determine si se ha discutido o establecido un testamento vital o una orden de no reanimación (DNR).

Debido a las funciones de desintoxicación del hígado, cualquier fármaco que se administre a un paciente con una función hepática comprometida permanecerá activo en el organismo mucho más tiempo de lo previsto. Dada la complejidad inherente de estos pacientes, se recomienda sobremanera ponerse en contacto con el control médico para obtener orientación. Cuando administre medicamentos a pacientes con signos de insuficiencia hepática, utilice los extremos inferiores del intervalo de dosis normal. Administre los medicamentos a intervalos más largos y vigile los signos de efectos acumulativos. Estos pacientes suelen tomar antieméticos y analgésicos. Tienen un riesgo significativo de sobredosis de opioides, por lo que es fundamental tener en cuenta el tipo y la cantidad de analgésicos que los pacientes están tomando en casa antes de añadir opioides adicionales al organismo. Con base en la misma lógica de desintoxicación, en estos pacientes se debe evitar la solución Lactato de Ringer.

Enfermedad hepática: encefalopatía hepática

Fisiopatología

A medida que siguen disminuyendo las funciones del hígado, en fase terminal se verá afectada la función cerebral. Este estado, denominado **encefalopatía hepática**, es una continuación de la cirrosis y no una enfermedad independiente. Existen varias teorías sobre la causa subyacente de la disfunción cerebral. Los niveles de amoniaco tienden a aumentar a medida que fallan las funciones hepáticas; el amoniaco puede afectar a las neuronas al cambiar el flujo de materiales a través de la membrana semipermeable. La disminución de las funciones del sistema nervioso se puede deber simplemente a un menor suministro de energía celular. El hígado desempeña un papel fundamental en el suministro de los sustratos celulares necesarios para el metabolismo, por lo que una función hepática disminuida equivale a un metabolismo lento. La disminución de la función también se puede deber a un cambio en la permeabilidad de la barrera hematoencefálica. Si esta barrera se pudiera romper con facilidad, las neurotoxinas podrían causar daños celulares que darían lugar a una alteración del NC. Al margen de la causa subyacente, la encefalopatía hepática afecta al cerebro.[30]

Evaluación

El estado mental de un paciente con encefalopatía hepática puede variar desde una leve pérdida de memoria hasta el coma. Los pacientes pueden presentar déficits de atención, incapacidad para concentrarse y deterioro de la percepción compleja. Estos cambios sutiles pueden evolucionar a trastornos, alteraciones del comportamiento y habla incomprensible. Otros signos y síntomas incluyen bradicinesia, marcha arrastrada y temblor. Estos últimos signos recuerdan a la enfermedad de Parkinson.

Los hallazgos clínicos del paciente son más importantes que los resultados de laboratorio. En la mayoría de los pacientes se comprueban los niveles de amoniaco, pero estos resultados no siempre son un buen indicador de la gravedad del deterioro cerebral. Los resultados de la TC y de la resonancia magnética no son concluyentes para el diagnóstico de esta enfermedad. Los pacientes pueden sufrir una encefalopatía precipitada por una infección, insuficiencia renal, hemorragia digestiva o estreñimiento. Los opioides, las benzodiacepinas y los medicamentos psicotrópicos pueden empeorar el cuadro.

Tratamiento

El tratamiento es sobre todo de apoyo. Una de las cuestiones más importantes para los paramédicos es asegurarse de que no exista otra causa reversible de alteración del NC. Compruebe el nivel de glucosa en sangre y los signos vitales del paciente. Evalúe la presencia de traumatismos y sobredosis. Estos pacientes suelen tener antecedentes de cirrosis. Reúna información detallada sobre los antecedentes de la enfermedad actual. ¿Qué es normal para este paciente? ¿Cuánto tiempo lleva enfermo el paciente? Concéntrese en las infecciones, la función renal, las hemorragias y el estreñimiento porque estos problemas pueden precipitar la encefalopatía hepática.

Fisiopatología, evaluación y tratamiento de las condiciones obstructivas

Las obstrucciones del aparato digestivo se pueden observar en cualquier punto, desde la orofaringe hasta el recto. Las causas de estas obstrucciones varían según la localización. Las obstrucciones rectales suelen producirse en hombres jóvenes y se deben a un cuerpo extraño. Las obstrucciones esofágicas también suelen ser a causa de cuerpos extraños, aunque la población afectada suele ser infantil.

El signo principal de la obstrucción intestinal es la disminución de la motilidad intestinal, una condición en la que los intestinos no pueden mover material a través del tracto digestivo. Las dos causas principales de este trastorno son la parálisis de los intestinos y un cambio en el diámetro de su lumen. La parálisis puede ser debido a una infección, una enfermedad renal, un flujo sanguíneo deficiente a los intestinos o medicamentos. Los narcóticos y los anestésicos son tipos específicos de medicamentos que pueden paralizar los músculos intestinales. Por este motivo, los pacientes que se someten a una intervención quirúrgica mayor no suelen recibir el alta hospitalaria hasta que defecan al menos una vez.

La alteración del diámetro, es decir, del lumen intestinal, puede ser debido a neoplasias, tumores intestinales, objetos ingeridos por el paciente o estenosis (estrechamiento del lumen debido a daños en la pared intestinal). Otras causas son la hernia (intestino atrapado y comprimido), la **intususcepción** (doblamiento de los intestinos dentro de sí mismos) y el **vólvulo** (torsión de los intestinos). El resultado final es un estrechamiento u obstrucción del diámetro intestinal.

Obstrucción esofágica

Fisiopatología

Las contracciones de los músculos lisos de las paredes del esófago desplazan de forma rítmica los alimentos ingeridos. Imagine un tubo de pasta de dientes: al apretar el centro, la pasta de dientes se mueve en ambas direcciones: hacia fuera, hacia el extremo del tubo, y de vuelta al interior del tubo. Del mismo modo, como resultado de sus contracciones musculares, el esófago tiene que manejar tanto el movimiento deseado como el no deseado de los alimentos.

El esfínter esofágico superior (EES) está situado en el extremo superior del esófago. Cuando este anillo de músculos se tensa, cierra la porción superior del esófago para evitar que los alimentos se desplacen hacia la hipofaringe. Como ya se ha comentado en la sección sobre la hernia hiatal, el EEI se cierra para impedir que los alimentos salgan del estómago cuando este se contrae. No es deseable que la comida salga del estómago y vuelva al esófago. Para evitar este reflujo, el EEI se cierra.

Las obstrucciones del esófago por lo regular ocurren en el esfínter superior o inferior. Cuando los niños pequeños exploran objetos nuevos, les gusta llevárselos a la boca. Esta es una forma de aprender sobre su mundo. Sin supervisión, un niño puede tragarse por accidente un objeto, como una moneda, una pieza de juguete, un botón o una canica. El atrapamiento se produce en el EES. Por el contrario, en los adultos, tienden a quedar atrapados en el EEI, y el objeto puede ser casi cualquier cosa que quepa en la boca. La ingesta en adultos puede ser accidental, como con un hueso de fruta, una placa de dentadura postiza o algo intencional. Los reclusos o los pacientes psiquiátricos pueden tragarse objetos para ocultarlos o transportarlos. En 80% de los casos, si el objeto llega al estómago, pasará a través del resto del tracto GI.[31]

Evaluación

La disfagia y el babeo son los síntomas principales en estos pacientes. La forma de demostrarlo será muy distinta si el paciente es un niño de 2 años que se ha tragado una pila, **FIGURA 17-11**, un hombre de 28 años que intenta ocultar una llave o una mujer de 69 años que ha bebido alcohol con la cena y se ha tragado la dentadura postiza. El EES está situado cerca del cartílago cricoides. El cricoides es el único cartílago dentro de la tráquea que forma un anillo completo de 360°, lo que evita el pinzamiento grave del esófago en caso de obstrucción.

Según la ubicación del objeto y de su forma, puede generar una sensación de dificultad respiratoria de leve a grave. Si el objeto es inferior a la cricoides, puede incidir en la pared posterior de la tráquea (que no tiene cartílago), y el paciente sentirá una fuerte sensación de ahogo. Puede producirse babeo, incapacidad para tragar, dolor, vómito y náusea. En aproximadamente un tercio de los niños, no se presentan síntomas hasta que intentan comer.

FIGURA 17-11 Los niños se pueden tragar las pilas de botón. La fuga del contenido de la pila puede causar necrosis del esófago.

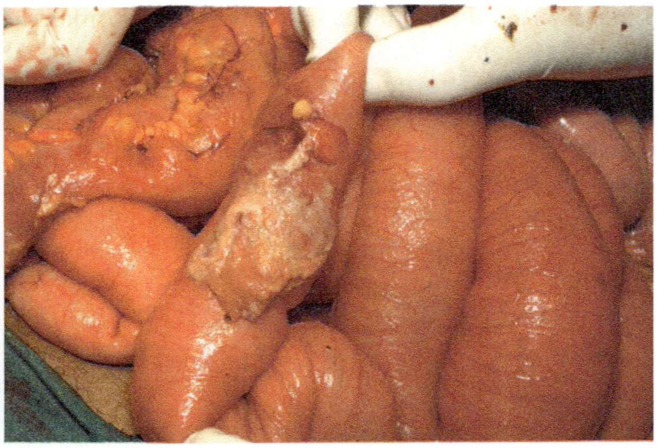

FIGURA 17-12 Una adherencia entre asas de intestino delgado.

Tratamiento

La principal preocupación para los pacientes con obstrucción esofágica es la permeabilidad de la vía aérea. Permita que el paciente se siente en posición alta de Fowler. Esté preparado para maniobrar secciones orales con succión y tenga preparada una riñonera para la emesis. Existe un riesgo razonable de vómito, por esto, es necesario protección ocular, mascarilla y bata. Basta con mirar dentro de la boca para ver si el objeto se puede extraer con facilidad. Sin embargo, no debe forcejear con el paciente para retirar el objeto. Es mejor mantener al paciente tranquilo y permitir que lo extraiga el personal de salud.

Si el paciente presenta un compromiso evidente de la vía aérea, evidenciado por hipoxia, cianosis y alteración del NC, se indica una investigación más agresiva de la hipofaringe. Consulte el capítulo 13, *Manejo de la vía aérea*, para revisar el uso de las pinzas de Magill y la extracción de cuerpos extraños de la vía aérea.

El glucagón se puede considerar en pacientes con obstrucción esofágica. Debido a sus propiedades de relajación del músculo liso, este medicamento puede relajar potencialmente el EEI. Esto puede permitir que el objeto pase al estómago, aliviando al paciente del dolor y la disfagia. Si está considerando la administración de glucagón con este fin, póngase en contacto con la dirección médica en línea o con el control médico. Los nitratos tienen un efecto similar de relajación esofágica, pero conllevan el riesgo de vasodilatación.

Anime a los pacientes a buscar atención médica, aunque el objeto esté limpio cuando usted llegue. La laceración esofágica y la neumonía por aspiración son riesgos de la obstrucción esofágica, por lo que es importante el seguimiento médico.

Obstrucción del intestino delgado

Fisiopatología

En el intestino delgado, las adherencias posoperatorias son la causa más frecuente de obstrucción. Cuando un paciente se somete a una intervención quirúrgica que requiere abrir el abdomen, la inflamación resultante produce cicatrices a medida que el cuerpo va sanando. Estas bandas de tejido en forma de telaraña, llamadas adherencias, pueden constreñir el diámetro del intestino o disminuir su capacidad de dilatación, **FIGURA 17-12**. Otras causas de obstrucción del intestino delgado son el cáncer, la enfermedad de Crohn, las hernias y el vólvulo.[32]

Evaluación

La presentación de una obstrucción del intestino delgado empieza con dolor abdominal. El dolor suele ser de tipo cólico e intermitente. Los pacientes experimentarán al inicio diarrea, náusea y vómito debido al aumento de la presión sobre el intestino. A medida que el paciente sigue comiendo, algunos alimentos pueden avanzar más allá de la obstrucción, provocando un aumento de la presión intestinal y del peristaltismo. Con el tiempo se producirá estreñimiento, ya que un número limitado de alimentos podrá superar la obstrucción. Esto provoca en las primeras fases distensión abdominal y ruidos intestinales hiperactivos. Los ruidos intestinales hipoactivos son más frecuentes en las fases avanzadas de la obstrucción.

El material vomitado puede ser fecaloide, con olor a heces. La fiebre y la taquicardia también se asocian a la obstrucción del intestino delgado y pueden indicar infección en la cavidad abdominal. Si no se trata, esta condición puede derivar en sepsis. Si tiene dudas o no recibe respuestas confiables, una forma de determinar si alguien ha sido sometido a una cirugía abdominal es buscando una cicatriz que pueda indicar dicha intervención. Incluso décadas después de no haberse sometido a cirugía, los pacientes pueden experimentar una obstrucción en el intestino delgado. Esta condición puede llevar a síntomas como vómito y dificultad para absorber nutrientes, lo cual puede ocasionar cambios en sus niveles de electrólitos.

Una obstrucción del intestino delgado puede causar varios cambios localizados. La zona afectada se irrita y se inflama. Esto complica aún más la obstrucción. Si el intestino se retuerce o, por cualquier otra razón, se reduce el riego sanguíneo, puede producirse isquemia. Esta situación se denomina obstrucción estrangulada. La mortalidad en pacientes con obstrucción estrangulada no tratada es cercana a 100%.[32] Si se trata de manera oportuna, la tasa de mortalidad es notablemente inferior.

Tratamiento

El tratamiento es de apoyo. Como en la mayoría de las condiciones del tracto GI, existe la preocupación de que se produzca sepsis. Se debe monitorear la PA del paciente y estar preparado para proporcionar reanimación con volumen y administrar vasopresores según sea necesario. Puede utilizar una sonda nasogástrica para descomprimir el estómago de cualquier material. Los antieméticos y analgésicos están indicados en caso de obstrucción del intestino delgado. En función de la duración de la obstrucción, tal vez sea necesario administrar líquidos por vía IV debido a la deshidratación.

Obstrucción del intestino grueso

Fisiopatología

Al igual que en el caso de la obstrucción del intestino delgado, la del intestino grueso se debe a una obstrucción mecánica o a una estenosis del colon que provoca una disminución del diámetro interno. En el caso de la obstrucción mecánica, las causas más comunes son el cáncer de colon y la diverticulitis. Ambas enfermedades están más asociadas a pacientes de edad avanzada, por lo que las obstrucciones del intestino grueso son más frecuentes en este grupo de edad. Otra causa es el vólvulo, o torsión del intestino hasta que se produce un retorcimiento que bloquea el flujo. En la población pediátrica, la intususcepción intestinal es un diagnóstico más frecuente que en los adultos.[33]

Los estudios de imagenología se utilizan para determinar la localización y extensión de la obstrucción. El hallazgo de la causa exacta orientará el eventual tratamiento hospitalario. Una vez localizadas, muchas obstrucciones se pueden tratar fácilmente. Sin tratamiento, la mortalidad puede ser elevada si el cáncer es la causa de la obstrucción. Además, la obstrucción puede provocar un aumento de la permeabilidad de la pared intestinal, lo que permite a las bacterias intestinales acceder al torrente sanguíneo, y puede producirse una septicemia.

Si la obstrucción está causada por un cáncer, puede producirse una erosión del intestino hacia las cavidades adyacentes. Estas fístulas pueden permitir la entrada de heces en la vagina o la vejiga. El resultado son pacientes con flujo fecal por la vagina o fecaluria (heces en la vejiga que se eliminan con la orina).

Evaluación

En los casos de obstrucción del intestino grueso, la evaluación revelará un paciente con dolor abdominal. También son frecuentes la náusea y el vómito. El abdomen está distendido y por lo regular no hay ruidos intestinales. La percusión del abdomen debe revelar hiperresonancia. Si la obstrucción se ha roto en el peritoneo, se presentarán los signos clásicos de peritonitis (fiebre, taquicardia y dolor). Recopile información sobre los hábitos intestinales recientes y el peso del paciente. Si la obstrucción está relacionada con el cáncer, suele producirse una pérdida de peso reciente e inexplicable y un aumento gradual de la dificultad para defecar.

Estos pacientes pueden presentar estreñimiento (disminución de la frecuencia de las deposiciones y heces más duras y secas) u obstrucción. Las personas con estreñimiento suelen ser capaces de expulsar gases. Por el contrario, el estreñimiento es una obstrucción completa del intestino, lo que provoca que no se produzcan deposiciones, que haya pocos gases y que aumente el perímetro abdominal. La distensión abdominal se debe a que el paciente come, pero no puede evacuar. Esto crea una acumulación de heces, provocando anorexia y, por último, aliento fecaloide o vómito de heces. La deshidratación también se asocia a esta condición.

Tratamiento

El tratamiento de la obstrucción del intestino grueso es el mismo que el de la obstrucción del intestino delgado. Debido a las propiedades elásticas del colon, este puede estar obstruido durante más tiempo en las obstrucciones del intestino grueso que en las del intestino delgado. Esto puede provocar un mayor grado de deshidratación y la necesidad de reanimación con líquidos. La indicación es el tratamiento para el dolor, los antieméticos y la observación atenta de la sepsis.

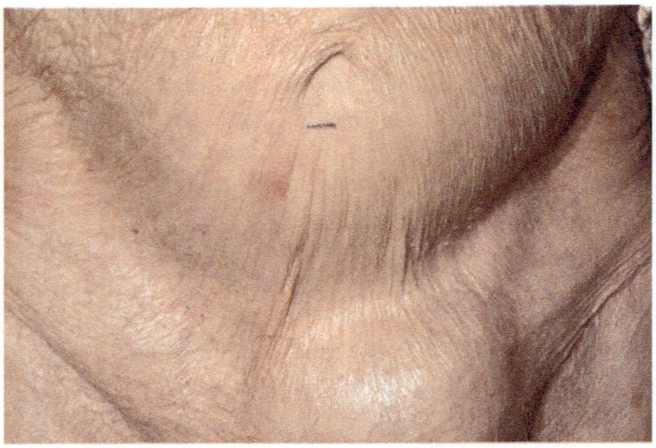

FIGURA 17-13 Una hernia inguinal.

Hernia de la pared abdominal

Fisiopatología

Una **hernia** es la protrusión de un órgano o estructura en una cavidad adyacente. Durante una exploración física, el médico suele colocar los dedos en la pared del bajo vientre mientras se indica al paciente que tosa. La tos aumenta la presión intraabdominal. Si existe una debilidad en la pared del abdomen, puede percibirse como un abultamiento al toser. Este procedimiento se realiza para comprobar si existe una hernia inguinal. *Inguinal* se refiere simplemente a la ubicación de la protrusión, **FIGURA 17-13**. En este caso, los intestinos son el órgano que normalmente sobresale. Cada año en Estados Unidos se realizan más de un millón de reparaciones de hernia, siendo la inguinal la forma más común.[34] Las hernias de la pared abdominal son siete veces más comunes en los hombres que en las mujeres.[34]

Cualquier condición o estado que aumente la presión intraabdominal puede facilitar la creación de una hernia. La obesidad, permanecer mucho tiempo de pie, levantar objetos pesados, hacer esfuerzos al defecar o la enfermedad pulmonar obstructiva crónica (EPOC) pueden precipitar esta condición. La enfermedad pulmonar obstructiva crónica se asocia a las hernias debido al aumento del trabajo respiratorio y el consiguiente uso de los músculos abdominales.

Evaluación

Un hallazgo típico en la evaluación de un paciente con hernia de la pared abdominal es un abultamiento de la zona en la que se encuentra la hernia. Pueden desarrollarse cuatro tipos de hernias en el abdomen y tienden a aparecer en varias localizaciones comunes, **FIGURA 17-14**:

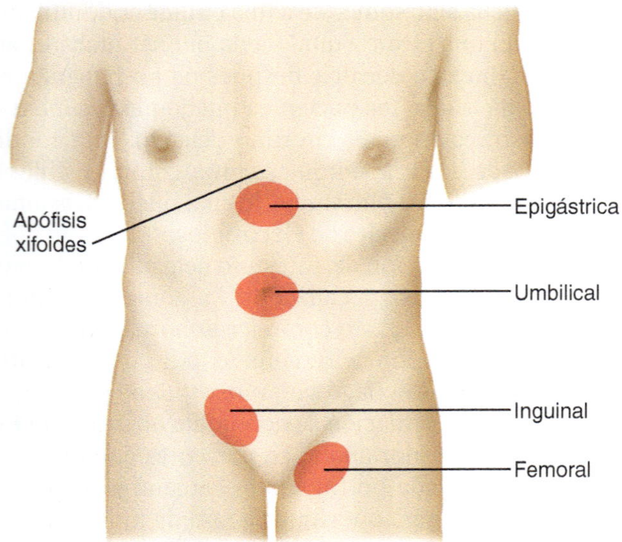

FIGURA 17-14 Localizaciones comunes de las hernias abdominales.

- **Reducible.** Hernia que vuelve a su localización normal de forma espontánea o mediante manipulación manual. El paciente suele experimentar pocas molestias, a menos que aumente la presión intraabdominal; puede percibir una sensación de plenitud o edema, o dolor en el sitio de la hernia.
- **Encarcelada.** Considere el significado no médico de la palabra *encarcelar*: meter en la cárcel. En este tipo de hernia, el órgano queda atrapado en la nueva ubicación. La consecuencia más común de esta afección es la obstrucción intestinal. Las hernias encarceladas son más dolorosas debido a la obstrucción.
- **Estrangulada.** Una hernia estrangulada es aquella en la que el intestino queda atrapado y comprimido hasta el punto en que disminuye el riego sanguíneo de la zona. Por consiguiente, este tipo de hernia se considera una emergencia. Los pacientes experimentan dolor intenso y sepsis y requieren transporte urgente.
- **Eventración.** Los pacientes que se recuperan de una cirugía abdominal pueden herniarse a través de la incisión. Esto es similar al traumatismo conocido como evisceración.

Tratamiento

El tratamiento prehospitalario de las hernias es de apoyo, con cuidados dirigidos para controlar el dolor. Coloque al paciente en una posición cómoda. En decúbito supino tal vez no estará cómodo porque esto estira la pared abdominal. Evalúe con detenimiento al paciente para detectar sepsis. Aun cuando produce un dolor leve a moderado, a menos que esté estrangulada, una hernia no es una emergencia potencialmente mortal.

Obstrucción rectal por cuerpo extraño

Fisiopatología

Un cuerpo extraño en el recto interfiere con la defecación. Los objetos pueden introducirse desde el tracto GI superior o por inserción anal. Los objetos no digeribles ingeridos pueden tener dificultad para pasar. Los huesos de pollo, los palillos de dientes y otros materiales pueden atravesar todo el tracto gastrointestinal sin dificultad, solo para quedar alojados en el recto durante la defecación. Los presos, por ejemplo, pueden tragarse objetos durante una inspección o registro. Los fecalitos también pueden causar obstrucciones. Un fecalito es un trozo muy duro de heces (*fecal* = heces, *lito* = piedra). Por último, otros objetos que pasan por el tubo digestivo, como los cálculos biliares, pueden causar obstrucciones.

La mayoría de las obstrucciones rectales se produce cuando se introduce un objeto en el recto. Los hombres tienen 28 veces más probabilidades de realizar esta actividad que las mujeres, y la edad media de estos pacientes es de 20 años.[35] El motivo principal de la actividad es la estimulación erótica. Los hombres mayores pueden introducirse objetos en el recto para aliviar las dificultades urinarias causadas por el agrandamiento de la próstata.

Evaluación

Los dos tipos de causas crean dos presentaciones del paciente muy diferentes. Si la obstrucción rectal se origina en el tracto GI superior, el paciente presenta una aparición súbita de dolor rectal con la defecación. Rara vez se observa hemorragia o dolor abdominal en la fase aguda. Si el objeto ha perforado el recto, es posible que se produzca una peritonitis, la cual provocaría a su vez fiebre, dolor abdominal difuso y posible sepsis.

La mayoría de los pacientes que presenta obstrucciones rectales buscan atención médica para la extracción de un objeto colocado de manera intencional. Saber qué tipo de objeto se introdujo y si el paciente ha intentado extraerlo puede ser importante. Esta información puede ayudarle a determinar si el recto del paciente está perforado. Durante la historia clínica, asegúrese de que el paciente no ha sido agredido. La inserción rectal durante una agresión puede causar daños internos graves y posiblemente mortales.

En cualquiera de los casos, los hallazgos físicos pueden limitarse a que el paciente refiera dolor rectal. Si se ha producido la perforación, puede haber peritonitis y la consiguiente sepsis. Según el tamaño y la forma del objeto, tal vez sea evidente en la exploración física.

Tratamiento

Aun cuando el objeto introducido sea visible en la exploración física, no debe intentar extraerlo. El tratamiento en el entorno prehospitalario se debe limitar a garantizar que el paciente esté cómodo. De ser posible, permita que se siente lateralmente para reducir la presión sobre el recto. Si el paciente siente dolor, está indicada la analgesia. Al igual que en otras emergencias abdominales en las que existe la posibilidad de peritonitis, es importante vigilar de cerca los signos vitales.

Inteligencia en la calle

Los pacientes con obstrucciones rectales suelen sentirse muy avergonzados. Sea compasivo y no juzgue, y reconozca que el paciente requirió de valor para solicitar la atención médica.

Fisiopatología, evaluación y manejo de los trastornos isquémicos, neoplásicos

Isquemia mesentérica

Fisiopatología

La **isquemia mesentérica** es una condición en la que se interrumpe el suministro de sangre al mesenterio. Existen cuatro causas principales de esta condición:

- **Embolia arterial aguda.** Estos émbolos suelen proceder de un trombo cardíaco (IM, fibrilación auricular, estenosis mitral, etc.).
- **Trombosis arterial aguda.** Estos pacientes presentan una enfermedad trombótica subyacente en las arterias mesentéricas. La acumulación de placa estrecha el lumen, que puede cerrarse de repente. Este proceso es muy similar al de la mayoría de los IM.
- **Vasoespasmo profundo.** Este trastorno puede producirse con el consumo de cocaína, con la intoxicación por cornezuelo de centeno, con la administración de norepinefrina o en caso de shock grave.

- **Trombosis venosa mesentérica.** En esta condición, se forma un trombo en una de las venas mesentéricas, lo que impide que la sangre salga de las venas intestinales. La sangre empieza a acumularse. Esto crea una contrapresión que impide que entre sangre fresca en la zona. Los tejidos carecen de oxígeno.

La isquemia mesentérica se produce en ambos sexos y es más frecuente entre los pacientes de edad avanzada.[36] Es una condición poco frecuente pero grave, con una tasa de mortalidad de 50 a 80%.[36] La principal causa de deterioro del paciente es la sepsis.

Evaluación

Según la causa exacta del dolor abdominal, este puede tener un inicio gradual o repentino. Las primeras presentaciones ofrecen pocos signos o síntomas. En las presentaciones tardías, el dolor abdominal es el signo principal. El dolor en el abdomen tiende a ser difícil de localizar e intenso. También son frecuentes la náusea, el vómito y la diarrea. Puede haber sangre en las heces. La enfermedad es difícil de diagnosticar. Se requiere una historia clínica exhaustiva. Si el paciente ha ingerido algo, esta información cambiará de forma drásticamente el tratamiento hospitalario. Descubrir la causa de la isquemia es esencial para ofrecer la terapia correcta que salve vidas en el hospital.

Tratamiento

Los pacientes con isquemia mesentérica requieren un transporte rápido. Vigile de cerca a estos pacientes, comprobando los signos vitales en busca de indicios de sepsis. Si hay shock, inicie la reanimación con líquidos. Si la sepsis es la causa de la hipotensión, prepárese para usar vasopresores para estabilizar la PA; estos agentes se justifican solo después de la terapia inicial con líquidos y, preferiblemente, en consulta con la dirección médica o según los protocolos locales. Tal vez se indiquen analgésicos.

Neoplasias

Neoplasia es el término médico para designar crecimientos o tumores en el organismo que no sirven para nada y que están causados por errores que se producen durante la reproducción celular. Cuando una célula alterada se reproduce, copia el error a sus propias células hijas. Las nuevas células pueden crecer con mayor rapidez y agresividad que las células normales circundantes. Las neoplasias pueden clasificarse como benignas o malignas, y como primarias o metastásicas. Cualquier parte del sistema GI puede desarrollar una neoplasia o un cáncer. A continuación, se describen las formas más comunes.

Tumores de colon

Fisiopatología

El cáncer de colon, o colorrectal, es la tercera causa principal de cáncer y la tercera causa principal de muertes relacionadas con el cáncer en EUA. Es la forma más común de cáncer dentro del sistema GI. Como ocurre con muchos tipos de cáncer, su causa es multifactorial. Las personas con dietas ricas en carne roja y pobres en fibra y los fumadores tienen un mayor riesgo de desarrollar cáncer de colon. Existe una fuerte correlación entre herencia y cáncer colorrectal. Se ha identificado una mutación genética específica que confiere una probabilidad cercana a 100% de desarrollar cáncer colorrectal a los 40 años.[37] Las enfermedades inflamatorias intestinales, la colitis ulcerosa y la enfermedad de Crohn también están asociadas a un mayor riesgo de cáncer colorrectal.[37]

Evaluación

El dolor abdominal, la hemorragia rectal, la anemia, la masa abdominal y los cambios en los hábitos intestinales son los signos más comunes del cáncer de colon. Por fortuna, en los estudios de valoración colorrectal se detectan muchos tipos de cáncer antes de que aparezcan los síntomas. Si el cáncer se encuentra en el lado derecho del colon, los pacientes suelen presentar hemorragias y diarrea. Los tumores del lado izquierdo tienden a causar obstrucción.

Tratamiento

Los cuidados son de apoyo. Muchos pacientes requerirán algún grado de resección del colon. Esta es hoy día la única medida curativa para este cáncer. De acuerdo con la localización y extensión del cáncer, los pacientes pueden requerir una colostomía. Si se detectan a tiempo, los pacientes con cáncer de colon tienen una tasa de supervivencia cercana a 90%.[37]

Tumores pancreáticos

Fisiopatología

El cáncer de páncreas es la cuarta causa de muerte por cáncer en EUA. Recordemos que el páncreas está situado en el centro del abdomen superior y está formado por células exocrinas y endocrinas. La mayoría de los tumores malignos de este órgano se producen en las células exocrinas. De todos los tipos de cáncer pancreático, 40% son de naturaleza esporádica, con pocas pruebas que apunten a una causa directa.[38] El tabaquismo causa 30% de los casos, y 10% está relacionado con herencia.[38] Los pacientes con obesidad y diabetes pueden tener un mayor riesgo de padecer cáncer de páncreas. Esta enfermedad afecta más a menudo a los varones que a las mujeres y también es más frecuente entre los afroamericanos. La edad más frecuente de aparición es a mediados de la sexta década de vida.[38]

Evaluación

Desde el punto de vista sintomático, el cáncer de páncreas tiene una presentación gradual e insidiosa que a menudo se confunde con otras enfermedades benignas. Los pacientes experimentan malestar, fatiga, náusea, vómito, dolor epigástrico o de espalda. A medida que el cáncer avanza, la anorexia y la pérdida de peso se hacen evidentes. Es raro que un paciente con diabetes de reciente aparición tenga un cáncer de páncreas oculto.[38]

Si el cáncer está en la cabeza del páncreas, puede obstruir el flujo biliar desde la vesícula biliar. El conducto biliar común atraviesa el páncreas y luego se interconecta con el conducto pancreático. Un tumor en crecimiento puede bloquear esta estructura, impidiendo que la bilis llegue al duodeno. El resultado es un oscurecimiento de la orina, heces pálidas y esteatorrea. Un dato curioso: la depresión es más frecuente en pacientes con cáncer de páncreas que en aquellos con cualquier otro cáncer abdominal. Los pacientes pueden tener una mayor depresión debido al mal pronóstico de esta enfermedad o porque no se sienten bien.

Si el cáncer ha hecho metástasis, puede derivar en un cáncer hepático con la consiguiente insuficiencia hepática.

Tratamiento

El tratamiento de los pacientes con cáncer de páncreas es de apoyo. Este cáncer es en especial mortal. La media de supervivencia al diagnóstico es de 4 a 6 meses.[38] Muchos de estos pacientes tendrán una última voluntad o una orden de no reanimación, o recibirán servicios de cuidados paliativos, por lo que es importante conocer los deseos del paciente y su familia.

Tumores hepáticos

Fisiopatología

El cáncer de hígado es poco frecuente. Debido a sus extraordinarias propiedades regenerativas, el hígado es capaz de reparar la mayoría de los daños o errores celulares. El cáncer primario de hígado solo representa 2.4% de todos los nuevos tipos de cáncer registrado. Cuando se presenta, el cáncer de hígado es más frecuente entre los hombres (74% de los casos), que tienen una edad media de 64 años en el momento del diagnóstico.[39] Los hispanos presentan la incidencia más elevada. Con frecuencia (cerca de 75% de las veces), el cáncer primario de hígado en Estados Unidos se asocia a cirrosis. El consumo de alcohol y la hepatitis B y C son factores conocidos que aumentan el riesgo de cáncer de hígado.[39]

Evaluación

Los pacientes con cáncer de hígado estarán enfermos. No es una enfermedad que aparezca de la noche a la mañana, por lo que es probable que el paciente ya haya sido diagnosticado antes de la intervención del SEM. Se puede esperar un paciente con prurito, ictericia, esplenomegalia, hepatomegalia, caquexia (desnutrición profunda y pérdida de peso), ascitis, *caput medusae* y dolor abdominal. Los pacientes también pueden experimentar todos los signos y síntomas relacionados con la cirrosis y la encefalopatía hepática. El SEM puede ser enviado por alteración del NC o por hemorragia. El hígado es esencial en la producción de factores de coagulación, por lo que, con su deterioro, los pacientes pueden desarrollar sangrado GI.

Tratamiento

Los cuidados del SEM están dirigidos a mantener los signos vitales y pueden ser bastante complicados. Estos pacientes suelen presentar importantes desequilibrios de líquidos y electrólitos. Esto puede crear alteraciones del ritmo cardíaco potencialmente letales, por lo que el monitoreo del EKG es crítico. De ser posible, compruebe los niveles de potasio y de hemoglobina/hematocrito. Muchas veces, los pacientes presentan una alteración grave del NC, por lo que tal vez se requiera proteger la vía aérea. La dificultad respiratoria por edema pulmonar puede requerir ventilación a presión positiva con presión positiva al final de la espiración. Interprete los resultados de la pulsioximetría de estos pacientes con precaución, ya que están crónicamente anémicos. Los pacientes con dificultad respiratoria y anemia deben recibir oxígeno a pesar de que las lecturas de la oximetría sean normales. Recuerde que la capnografía puede ser útil en estas situaciones.

Para complicar las cosas, la mayoría de los medicamentos que administre en pacientes con cáncer de hígado no se metabolizarán de manera normal debido al daño hepático. Esto puede dar lugar a posibles problemas de toxicidad por los medicamentos. En general, si es necesario administrar medicamentos, elija el extremo inferior del intervalo permitido o aumente el tiempo entre las dosis. Solo alrededor de 5% de estos pacientes son candidatos a la resección hepática (extirpación de una parte del hígado).[39] Por consiguiente, un gran número de estos pacientes son terminales. Hable con el paciente y su familia para determinar si existe una directiva anticipada. Pida que le muestren la documentación pertinente (testamento vital, DNR, poder notarial médico).

Estrategias de prevención

A medida que los SEM evolucionan, es más importante que los paramédicos tengan en cuenta la prevención de enfermedades. Los SEM están pasando de ser un servicio estrictamente relacionado con la prestación de servicios 9-1-1 a un sistema que aumenta los aspectos no relacionados con las emergencias de la asistencia médica. Muchos comportamientos de los pacientes pueden limitar la intensidad o prevenir por completo la aparición de muchas enfermedades GI. En el **CUADRO 17-9** se presentan algunas de las conductas y las enfermedades que se pueden ver afectadas.

Seguir una dieta sana es una de las mejores formas de prevenir los trastornos GI. Una dieta con alto contenido en fibra y baja en grasas facilitará el movimiento de los materiales a través del tracto GI. En el **CUADRO 17-10** se incluyen buenas fuentes de fibra dietética. Una dieta de este tipo no solo ayuda a mejorar la salud intestinal, sino que también está estrechamente relacionada con la salud cardíaca. Otro comportamiento cardiosaludable que tiene un efecto positivo sobre el sistema GI es dejar de fumar y controlar el consumo de alcohol. Por último, la relación entre estrés y enfermedad es evidente. Meditar, hacer ejercicio y practicar técnicas de relajación pueden tener un profundo efecto en la calidad y cantidad de vida de una persona.

CUADRO 17-9 Prevención de condiciones GI seleccionadas

Condición	Estrategia de prevención
Estreñimiento	Aumentar el contenido de fibra y líquidos en la dieta Ejercicio Masticar bien los alimentos
Diverticulitis	Aumentar el contenido de fibra y líquidos en la dieta Ejercicio Masticar bien los alimentos
Cálculos biliares	La mayoría de los cálculos biliares no se pueden prevenir, pero una dieta baja en grasas puede proporcionar cierta protección
Acidez estomacal	Evitar fumar Evitar comer cerca de la hora de acostarse Evitar el chocolate, la menta y la cafeína
Hemorroides	Aumentar el contenido de fibra y líquidos en la dieta
Enfermedades hepáticas	Limitar el alcohol Evitar las dosis altas de vitaminas a menos que se las prescriban Seguir las instrucciones de los productos de limpieza (ventilación/guantes/mascarillas)
Úlceras pépticas	Controlar bien el estrés Limitar la cafeína Limitar el alcohol

Abreviatura: GI, gastrointestinal.

CUADRO 17-10 Fuentes seleccionadas de fibra alimentaria

Frutas	Verduras	Otras buenas opciones de fibra
Alcachofas Manzanas, peras (con piel) Bayas (moras, arándanos, frambuesas) Dátiles Higos Ciruelas pasa	Alubias (blancas, negras, de lima, pinto) Brócoli Garbanzos Lentejas Nabos Chícharos Calabaza de Castilla Colinabo Calabaza italiana	Cebada Pan, magdalenas (integral, salvado) Cereales (hojuelas de salvado, salvado, avena, trigo rallado) Coco Galletas saladas (centeno, trigo integral) Frutos de cáscara (almendras, Brasil, cacahuetes, pecanas, nueces) Arroz (integral) Semillas (calabaza de Castilla, girasol)

USTED es el Paramédico RESUMEN

1. **¿Qué es la melena?**

   La melena son heces negras, alquitranadas, pegajosas y muy olorosas y sangre mezcladas en una sola sustancia. No se puede distinguir la sangre de las heces.

2. **¿Qué parte del sistema GI cree que puede estar afectada?**

   La melena es frecuente cuando hay hemorragia del esófago, estómago o intestino delgado proximal.

3. **¿Qué indican los signos vitales ortostáticos?**

   Los signos vitales ortostáticos le ayudarán a determinar el grado de hemorragia que se ha producido. Por lo regular, debe haber pocos cambios en la PA o en la frecuencia del pulso con este cambio.

4. **¿Espera que la presión arterial (PA) y la frecuencia del pulso de la paciente aumenten o disminuyan al moverla?**

   Un cambio ortostático positivo refleja una pérdida significativa de líquido dentro del espacio vascular. Habrá un aumento de 20 latidos en la frecuencia del pulso, una disminución de la PA sistólica de hasta 20 mm Hg, o un aumento de la PA diastólica de más de 10 mm Hg.

5. **Con base en los signos vitales ortostáticos de la paciente, ¿cuál es el tratamiento que sugiere?**

   Los signos vitales de la paciente indican que está hipovolémica. La paciente debe recibir líquidos IV siempre que no haya hallazgos que lo contraindiquen. También debe intentar mantener a la paciente recostada lo más plana posible para minimizar los efectos posturales.

6. **¿Cuál de los medicamentos de la paciente le preocupa más?**

   Debería preocuparle la warfarina porque es un anticoagulante. La reposición de volumen sigue siendo su tratamiento de elección, pero la warfarina debería aumentar su sospecha de hemorragia importante en alguna parte del tracto GI. Las soluciones de bismuto (Pepto Bismol®) también colorean las heces de negro sin que haya presencia de sangrado.

7. **Si sabe que esta paciente tiene signos vitales posturales, ¿cómo la trasladará escaleras abajo?**

   El mejor método para ayudar al nivel de comodidad de la paciente sería permitirle mantener una posición acostada, si fuera posible. Una silla de escalera no sería una buena opción para esta paciente. Su mejor opción podría ser una camilla Reeves o una camilla de cuchara.

8. **¿Debería administrar un analgésico para que la paciente esté más cómoda?**

   Debido a que esta paciente ya se encuentra hemodinámicamente comprometida, el fentanilo o el tramadol pueden ser una mejor opción que la morfina o la meperidina (que provocan una acumulación vascular), siempre que sus protocolos locales lo permitan. Consulte a control médico cuál es la mejor opción.

Reporte de atención de paciente prehospitalario (RAPP)

Fecha: 08-10-22	**Incidente Núm.:** 73542	**Naturaleza de la llamada:** No responde		**Ubicación:** 215 Brooks Street	
Despacho: 01:15	**En camino:** 01:16	**En el escenario:** 01:21	**Transporte:** 01:46	**En el hospital:** 01:53	**En servicio:** 02:01

Información del paciente

Edad: 64 **Sexo:** F **Peso:** 91 kg (200 lb)	**Alergias:** Se desconoce **Medicamentos:** Propranolol, diltiazem, warfarina, gliburida, bismuto de venta sin receta **Antecedentes médicos:** Diabetes, hipertensión, fibrilación auricular **Principal manifestación:** Sangrado GI

Signos vitales

Hora: 01:26	**PA:** 106/82 acostada, 92/78 sentada	**Pulso:** 120 acostada, 136 sentada	**Respiraciones:** 20	**S_{PO_2}:** 98% con 15 L/min
Hora: 01:34	**PA:** 110/86 acostada	**Pulso:** 110 acostada	**Respiraciones:** 18	**S_{PO_2}:** 98% con 15 L/min
Hora:	**PA:**	**Pulso:**	**Respiraciones:**	**S_{PO_2}:**

USTED es el Paramédico RESUMEN continuación

Tratamiento en SEM (circule todo lo aplicable)					
Oxígeno @ 15 L/min por (circular uno): NC (NRM) Dispositivo de bolsa y mascarilla		Ventilación asistida	Dispositivo de la vía aérea	RCP
Desfibrilación	Control de la hemorragia	Vendaje	Inmovilización	Otro:

Narrativa
Una mujer de 64 años se encuentra en el cuarto de baño de su casa. El marido dice que la paciente llevaba unos días sintiéndose mal. La paciente se despertó y él la ayudó a ir al baño cuando empezó a tener un síncope. El marido la ayudó a bajar y no se cayó. La paciente tiene alrededor de 250 ml de melena en el suelo cerca de su posición. La paciente refiere un dolor abdominal de 8/10. La paciente niega haber vomitado. El abdomen es blando y sensible en todos los cuadrantes. Los signos vitales ortostáticos de la paciente muestran cambios posturales. Se establece vía IV y se administran 250 ml. Se levanta a la paciente del piso con una camilla y se le baja por las escaleras hasta la ambulancia. La paciente no presenta cambios durante el traslado al Hospital Charity. Se presenta informe a la enfermera al llegar.
Fin del reporte

Kit de preparación

Resumen rápido

- Las condiciones GI por sí solas rara vez ponen en peligro la vida. Este hecho no minimiza los trastornos sistémicos que pueden derivarse de enfermedades no tratadas o con un tratamiento deficiente para el sistema GI.
- Las estructuras y funciones del aparato digestivo realizan la digestión, que comienza en la boca y continúa a través de una multitud de órganos y estructuras: el esófago, la vena porta, el estómago, el duodeno, el páncreas, el hígado, la vesícula biliar, el intestino delgado, el intestino grueso, el apéndice y el ano.
- Durante las visitas a pacientes con sospecha de emergencias abdominales, es probable que entre en contacto con sangre, vómito, orina o heces. Una evaluación completa de la seguridad en la escena requiere una evaluación del EPP necesario para la protección contra agentes infecciosos.
- Se forma una impresión general del paciente con una presunta emergencia abdominal o GI observando la postura del paciente, el entorno, los malos olores presentes y el NC del paciente.
- Hay que mantener la permeabilidad de la vía aérea y una circulación adecuada en los pacientes con trastornos GI, así como evaluar la extensión de cualquier sangrado mediante la obtención de los signos vitales.
- La decisión del transporte se toma evaluando la estabilidad del paciente; rara vez se requiere el uso de transporte rápido con luces y sirenas para emergencias abdominales.
- La recopilación de información relacionada con el diagnóstico del paciente, así como los datos sobre los medicamentos que toma, sus alergias, antecedentes médicos y eventos pasados, pueden ser de gran utilidad para identificar la causa principal de su dolencia
- La evaluación secundaria se lleva a cabo con una exploración física exhaustiva en la que se presta especial atención al aspecto de la forma, el tamaño, el color y otras características del abdomen; se auscultan los ruidos intestinales y se realizan percusiones y palpaciones para evaluar la opacidad, la rigidez, la contractura, el dolor o las molestias, la sensibilidad de rebote, la acumulación de líquido y las masas.
- Al tomar los signos vitales ortostáticos de un paciente, un aumento de 20 latidos en la frecuencia del pulso o un descenso de la PA de 20 mm Hg indica una pérdida de volumen significativa causada por una hemorragia incontrolada.

Kit de preparación continuación

- La reevaluación incluye el monitoreo para detectar cambios en la frecuencia del pulso, las lecturas del EKG, la PA, la frecuencia respiratoria, la saturación de oxígeno o signos de shock.
- Los avances tecnológicos permiten ofrecer alivio del dolor a la mayoría de los pacientes con emergencias abdominales o GI. También es importante controlar la náusea y el vómito.
- Hablar con los pacientes y sus familias para mantenerlos tranquilos e informados es la base de una atención compasiva y de alta calidad. Documentar sus observaciones y los resultados de todas las evaluaciones, exámenes y pruebas también es esencial para ofrecer una excelente atención al paciente.
- Los cambios repentinos y preocupantes en la situación de un paciente justifican la realización de nuevas evaluaciones y exploraciones exhaustivas y detalladas.
- El manejo de la vía aérea de los pacientes con trastornos GI incluye la administración de oxígeno a alta concentración, la prevención de la aspiración y la auscultación de los ruidos pulmonares, según dicte el estado del paciente.
- Un paciente con una emergencia GI por deshidratación o hemorragia puede presentar una circulación comprometida. Reanimación con líquidos para reponer el volumen y mantener la perfusión puede ser una intervención que salve vidas.
- Debe aprender sobre las enfermedades GI individuales para mantener el ritmo del creciente valor de los SEM en campo y el creciente nivel de responsabilidad que deben estar preparados a asumir los paramédicos. Este conocimiento también es necesario para educar a los pacientes sobre su propia enfermedad o la de un ser querido.
- Cuatro condiciones principales son responsables de las emergencias abdominales y GI:
  - Hipovolemia causada por deshidratación o hemorragia
  - Inflamación aguda o crónica
  - Infección
  - Obstrucción
- La hemorragia dentro del tracto GI es un síntoma de otra enfermedad, y no una enfermedad en sí misma. La presentación de la hemorragia GI varía, ya que puede reflejar la presencia de diversas enfermedades. Cada una de estas enfermedades tiene su propio patrón de progresión.
- Seguir una dieta sana, dejar de fumar y reducir el estrés son formas de prevenir los trastornos GI. Una dieta rica en fibra y baja en grasas facilitará el movimiento de los materiales a través del tracto GI.

Vocabulario esencial

Abdomen agudo Aparición súbita de dolor en el abdomen, por lo regular indicativo de peritonitis; requiere tratamiento médico o quirúrgico inmediato.

Absceso rectal Infección que consiste en una acumulación de pus en las paredes rectales como consecuencia de la obstrucción de los conductos mucosos rectales.

Apendicitis Inflamación del apéndice.

Ascitis Edema abdominal que suele indicar insuficiencia hepática.

Borborigmos Sonido intestinal caracterizado por una mayor actividad dentro del intestino; también llamado hiperperistaltismo.

Cirrosis Insuficiencia temprana del hígado; se caracteriza por hipertensión portal, deficiencias de la coagulación y disminución de la desintoxicación.

Colangitis Inflamación del conducto biliar.

Colecistitis Inflamación de la vesícula biliar.

Colelitiasis Presencia de cálculos dentro de la vesícula biliar.

Colitis ulcerosa Inflamación generalizada del colon que provoca un recto debilitado y dilatado, haciéndolo susceptible a infecciones y hemorragias.

Constricción Estrechamiento anormal de una estructura; también llamado estenosis.

Diarrea Heces líquidas.

Digestión Descomposición mecánica y química de las moléculas grandes de los alimentos en moléculas pequeñas que pueden absorberse en el tracto gastrointestinal (GI) y convertirse en energía para la función celular.

Diverticulitis Inflamación de las bolsas del colon; estas bolsas se forman como resultado de la dificultad para mover las heces a través del colon. Las

Kit de preparación continuación

bacterias pueden quedar atrapadas en las bolsas, lo que provoca inflamación e infección.

Divertículo Zona débil del colon que presenta pequeños afloramientos que se convierten en bolsas.

Dolor parietal Dolor causado por la inflamación del peritoneo parietal que en general se describe como constante, doloroso y agravado por el movimiento.

Encarcelada Tipo de hernia en la que un órgano queda atrapado en su nueva ubicación; la mayoría de las veces obstruye el intestino.

Encefalopatía hepática Alteración de la función cerebral resultante de una insuficiencia hepática.

Enfermedad de Crohn Inflamación del íleon y quizá de otras partes del tracto gastrointestinal, en la que el sistema inmunológico ataca partes de las paredes intestinales, provocando su cicatrización, estrechamiento, rigidez y debilitamiento.

Enfermedad inflamatoria intestinal (EII) Inflamación crónica de todo o parte del tracto gastrointestinal.

Enfermedad por reflujo gastroesofágico (ERGE) Enfermedad en la que el esfínter entre el esófago y el estómago se abre, permitiendo que el ácido estomacal se desplace hacia arriba; puede causar una sensación de ardor en el pecho (acidez); también llamada enfermedad por reflujo ácido.

Epigástrico Región del abdomen directamente inferior a la apófisis xifoides y superior al ombligo.

Escafoides Forma cóncava del abdomen; puede deberse a una evisceración.

Esofagitis Inflamación del esófago.

Esteatorrea Heces espumosas y grasas asociadas a insuficiencia hepática o condiciones de la vesícula biliar.

Estrangulada Tipo de hernia que causa la obstrucción completa de la circulación sanguínea en un órgano determinado como resultado de la compresión o el atrapamiento; una situación de emergencia que causa la muerte del tejido.

Estrías Marcas verticales de estiramiento que se producen cuando una persona sube o baja de peso rápidamente.

Eventración Tipo de hernia en la que el contenido intestinal se hernia a través de una incisión; por ejemplo, después de una intervención quirúrgica abdominal.

Fístula Conexión anormal entre dos cavidades.

Fístula traqueoesofágica (FTE) Conexión entre el esófago y la tráquea.

Fisuras anales Desgarros lineales del revestimiento mucoso del ano y sus proximidades, tal vez causados por la evacuación de heces grandes y duras; causa de hemorragia GI baja.

Gastritis Estado preulceroso en el que el estómago está inflamado, pero aún no se ha producido la erosión.

Gastroenteritis aguda Familia de condiciones que giran en torno a un tema central de infección con fiebre, dolor abdominal, diarrea, náusea y vómito.

Heces acólicas Heces ligeras, de color arcilloso, indicativas de insuficiencia hepática.

Hematemesis Vómito con sangre; puede tener aspecto de granos de café, lo que indica la presencia de sangre parcialmente digerida, o contener sangre de color rojo brillante, lo que indica una hemorragia activa.

Hematoquecia Evacuación de heces en las que se distingue sangre de color rojo brillante; causada por una hemorragia gastrointestinal baja.

Hepatitis Inflamación del hígado, en general causada por un virus, que provoca fiebre, pérdida de apetito, ictericia, fatiga y alteraciones de la función hepática.

Hernia Protrusión de un asa de un órgano o tejido a través de una abertura corporal anormal.

Hernia hiatal Protrusión de una porción del estómago a través del diafragma.

Hiperperistaltismo Aumento de la actividad intestinal; también llamado borborigmo.

Hipertensión portal Aumento de la presión en las venas portales; causado por la incapacidad de la sangre para fluir de manera normal a través del hígado; puede provocar la ruptura de estos vasos.

Hipoperistaltismo Disminución de la actividad intestinal.

Ictericia Coloración amarillenta de la conjuntiva (el blanco de los ojos) causada por la acumulación de

Kit de preparación continuación

bilirrubina en la sangre durante una insuficiencia hepática.

Intususcepción Doblamiento de los intestinos dentro de sí mismos.

Isquemia mesentérica Interrupción del suministro de sangre al mesenterio.

Melena Heces oscuras, alquitranadas y malolientes causadas por una hemorragia GI alta.

Neoplasia Masa de tejido producida por un crecimiento y división celular anormales que puede ser maligna (cancerosa) o benigna.

Pancreatitis Inflamación del páncreas.

Peritonitis Inflamación del peritoneo, la membrana protectora que recubre las cavidades abdominal y pélvica.

Prurito Comezón.

Reducible Tipo de hernia que vuelve a su localización normal de forma espontánea o mediante manipulación manual.

Sensibilidad de rebote Dolor que el paciente siente cuando se libera la presión en contraposición a cuando se aplica presión; característico de la apendicitis.

Septicemia Infección generalizada del torrente sanguíneo.

Síndrome de Boerhaave Vómito intenso que provoca un desgarro en el esófago que se extiende a lo largo de la pared esofágica, creando un orificio.

Síndrome de Mallory-Weiss Enfermedad en la que se desgarra la unión entre el esófago y el estómago, provocando hemorragias graves y, potencialmente, la muerte.

Síndrome del intestino irritable (SII) Enfermedad en la que los pacientes presentan dolor abdominal y cambios en sus hábitos intestinales; por lo general, el dolor y los cambios que lo acompañan deben estar presentes durante al menos 3 días al mes en un periodo mínimo de 3 meses para que se considere esta enfermedad.

Timpánico Sonido fuerte y agudo, similar al de un tambor, que se oye al percutir un espacio hueco (p. ej., el estómago vacío o una mejilla hinchada).

Trastornos del tracto biliar Grupo de trastornos que implican inflamación de la vesícula biliar; incluyen colangitis, colelitiasis, colecistitis y colecistitis acalculosa.

Úlcera péptica Enfermedad en la que se erosiona la mucosa que recubre el estómago y el duodeno, permitiendo que el ácido penetre en estos órganos.

Umbilical Región del abdomen que rodea el ombligo.

Urticaria Erupción pruriginosa.

Várices esofagogástricas Vasos sanguíneos dilatados del esófago, por lo regular causados por la dificultad del flujo sanguíneo a través del hígado; su presencia puede provocar la rotura de los vasos.

Vólvulo Retorcimiento del intestino hasta que se produce una enroscadura; provoca la obstrucción del flujo.

Referencias

1. Digestive diseases statistics for the United States. National Institute of Diabetes and Digestive and Kidney Diseases website. https://www.niddk.nih.gov/health-information/health-statistics/digestive-diseases. Publicada en noviembre de 2014. Consultada el 6 de febrero de 2021.
2. US Census Bureau. http://www.census.gov/. Publicada el 7 de febrero de 2021. Consultada el 7 de febrero de 2021.
3. Patti MG. Gastroesophageal reflux disease. *Medscape*. http://emedicine.medscape.com/article/176595-overview. Actualizada el 16 de octubre de 2020. Consultada el 6 de febrero de 2021.
4. Roantree RA, Furtado CS, Welch K, Lambert MJ. EMS ultrasound use. *StatPearls*. https://www.ncbi.nlm.nih.gov/books/NBK442034/. Actualizada el 19 de septiembre de 2020. Consultada el 6 de febrero de 2021.
5. Carale J. Portal hypertension. *Medscape*. https://emedicine.medscape.com/article/182098. Actualizada el 30 de noviembre de 2017. Consultada el 7 de febrero de 2021.
6. Wong Kee Song LM. Mallory-Weiss tear: overview of Mallory-Weiss syndrome. *Medscape*. https://emedicine.medscape.com/article/187134-overview. Actualizada el 2 de octubre de 2019. Consultada el 7 de febrero de 2021.
7. Roy PK. Boerhaave syndrome. *Medscape*. https://emedicine.medscape.com/article/171683-overview. Actualizada el 6 de diciembre de 2018. Consultada el 7 de febrero de 2021.

Kit de preparación continuación

8. Anand BS. Peptic ulcer disease. *Medscape*. https://emedicine.medscape.com/article/181753. Actualizada el 25 de marzo de 2020. Consultada el 7 de febrero de 2021.
9. El-Nakeep S. Acute gastritis. *Medscape*. https://emedicine.medscape.com/article/175909-overview. Actualizada el 12 de julio de 2020. Consultada el 7 de febrero de 2021.
10. Qureshi WA. Hiatal hernia. *Medscape*. https://emedicine.medscape.com/article/178393. Actualizada el 2 de enero de 2016. Consultada el 6 de febrero de 2021.
11. Perry KR. Hemorrhoids. *Medscape*. https://emedicine.medscape.com/article/775407. Actualizada el 24 de septiembre de 2019. Consultada el 6 de febrero de 2021.
12. Lo BM. Anal fistulas and fissures. *Medscape*. https://emedicine.medscape.com/article/776150. Actualizada el 9 de noviembre de 2018. Consultada el 7 de febrero de 2021.
13. Devuni D. Esophagitis. *Medscape*. https://emedicine.medscape.com/article/174223. Actualizada el 28 de mayo de 2020. Consultada el 7 de febrero de 2021.
14. Sharma S. Tracheoesophageal fistula. *Medscape*. https://emedicine.medscape.com/article/186735. Actualizada el 7 de noviembre de 2018. Consultada el 7 de febrero de 2021.
15. Kumbum K. Esophageal stricture. *Medscape*. https://emedicine.medscape.com/article/175098. Actualizada el 20 de agosto de 2019. Consultada el 7 de febrero de 2021.
16. Daley B. Peritonitis and abdominal sepsis. *Medscape*. https://emedicine.medscape.com/article/180234-overview. Actualizada el 23 de julio de 2019. Consultada el 6 de febrero de 2021.
17. Heuman DM. Gallstones (cholelithiasis). *Medscape*. https://emedicine.medscape.com/article/175667-overview. Actualizada el 1°. de abril de 2019. Consultada el 6 de febrero de 2021.
18. Scott TM. Acute cholangitis clinical presentation. *Medscape*. https://emedicine.medscape.com/article/774245-clinical#showall. Actualizada el 29 de diciembre de 2017. Consultada el 6 de febrero de 2021.
19. Walker T. Emergency signs and symptoms of appendicitis. Healthline website. https://www.healthline.com/health/digestive-health/appendicitis-emergency-symptoms#1. Actualizada el 11 de mayo de 2019. Consultada el 7 de mayo de 2021.
20. Ghoulam EM. Diverticulitis. *Medscape*. https://emedicine.medscape.com/article/173388-overview. Actualizada el 6 de agosto de 2019. Consultada el 6 de febrero de 2021.
21. Commane DM, Arasaradnam RP, Mills S, et al. Diet, ageing and genetic factors in the pathogenesis of diverticular disease. *World J Gastroenterol*. 2009; 15(20):2479-2488. https://www.ncbi.nlm.nih.gov/pmc/articles/PMC2686906/. Consultada el 12 de marzo de 2021.
22. Tang JCF. Acute pancreatitis: practice essentials, background, pathophysiology. *Medscape*. https://emedicine.medscape.com/article/181364-overview. Actualizada el 25 de julio de 2019. Consultada el 6 de febrero de 2021.
23. Basson MD. Ulcerative colitis. *Medscape*. https://emedicine.medscape.com/article/183084-overview. Actualizada el 26 de julio de 2019. Consultada el 6 de febrero de 2021.
24. Ghazi LJ. Crohn disease. *Medscape*. https://emedicine.medscape.com/article/172940-overview. Actualizada el 26 de julio de 2019. Consultada el 6 de febrero de 2021.
25. Lehrer JK. Irritable bowel syndrome. *Medscape*. https://emedicine.medscape.com/article/180389-overview. Actualizada el 11 de diciembre de 2019. Consultada el 6 de febrero de 2021.
26. Centers for Disease Control and Prevention. Estimates of foodborne illness in the United States. https://www.cdc.gov/foodborneburden/index.html. Actualizada el 5 de noviembre de 2018. Consultada el 30 de enero de 2021.
27. Connor BA. Travelers' diarrhea. https://wwwnc.cdc.gov/travel/yellowbook/2020/preparing-international-travelers/travelers-diarrhea. Actualizada el 22 de noviembre de 2019. Consultada el 6 de febrero de 2021.
28. Diskin A. Emergent treatment of gastroenteritis. *Medscape*. https://emedicine.medscape.com/article/775277-overview. Actualizada el 10 de febrero de 2017. Consultada el 30 de enero de 2021.
29. Hebra A. Anorectal abscess. *Medscape*. https://emedicine.medscape.com/article/191975-overview. Actualizada el 24 de julio de 2020. Consultada el 30 de enero de 2021.
30. Wolf DC. Cirrhosis. *Medscape*. https://emedicine.medscape.com/article/185856-overview. Actualizada el 15 de octubre de 2020. Consultada el 30 de enero de 2021.
31. Munter DW. Gastrointestinal foreign bodies. *Medscape*. https://emedicine.medscape.com/article/776566-overview. Actualizada el 4 de enero de 2018. Consultada el 30 de enero de 2021.
32. Ramnarine M. Small-bowel obstruction. *Medscape*. https://emedicine.medscape.com/article/774140-overview. Actualizada el 28 de abril de 2017. Consultada el 30 de enero de 2021.
33. Hopkins C. Large-bowel obstruction. *Medscape*. https://emedicine.medscape.com/article/774045-overview. Actualizada el 29 de diciembre de 2017. Consultada el 29 de enero de 2021.
34. Rather AA. Abdominal hernias. *Medscape*. https://emedicine.medscape.com/article/189563-overview. Actualizada el 23 de julio de 2019. Consultada el 29 de enero de 2021.
35. Munter DW. Rectal foreign bodies. *Medscape*. https://emedicine.medscape.com/article/776795-overview. Actualizada el 29 de enero de 2020. Consultada el 24 de enero de 2021.
36. Dang CV. Acute mesenteric ischemia. *Medscape*. https://emedicine.medscape.com/article/189146-overview. Actualizada el 26 de marzo de 2020. Consultada el 24 de enero de 2021.
37. Dragovich T. Colon cancer. *Medscape*. https://emedicine.medscape.com/article/277496-overview. Actualizada el 11 de febrero de 2021. Consultada el 24 de enero de 2021.
38. Dragovich T. Pancreatic cancer. *Medscape*. https://emedicine.medscape.com/article/280605-overview. Actualizada el 2 de octubre de 2020. Consultada el 24 de enero de 2021.
39. Cicalese L. Hepatocellular carcinoma (HCC). *Medscape*. https://emedicine.medscape.com/article/197319-overview. Actualizada el 5 de junio de 2020. Consultada el 24 de enero de 2021.

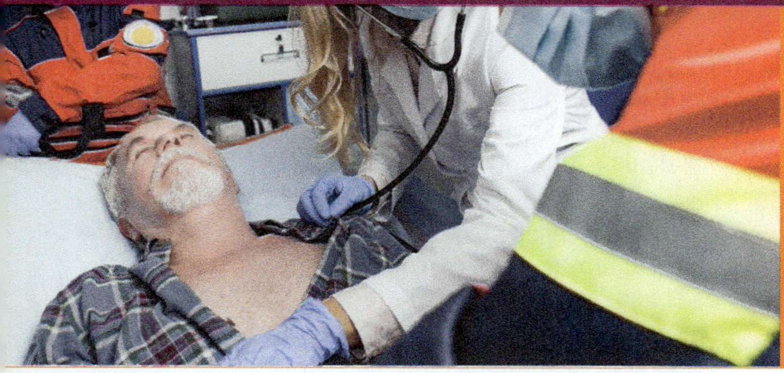

Capítulo 18

Emergencias genitourinarias y renales

COMPETENCIAS DEL ESTÁNDAR NACIONAL DE EDUCACIÓN EN EL SEM

Medicina

Se integran los hallazgos de evaluación con los principios de epidemiología y fisiopatología para formular una impresión inicial e implementar un plan de tratamiento/disposición amplia para un paciente con una afección médica.

Genitourinaria/renal

- Valoraciones de la presión arterial en pacientes de hemodiálisis. (p. 1322)

Anatomía, fisiología, fisiopatología, evaluación y tratamiento de:

- Complicaciones relacionadas con:
  - Diálisis renal. (pp. 1333-1336)
  - Manejo de la sonda urinaria (no su inserción). (p. 1326)
- Cálculos renales, (pp. 1327-1329)

Anatomía, fisiología, epidemiología, fisiopatología, impacto psicosocial, cuadros clínicos, pronóstico y tratamiento de:

- Complicaciones de:
  - Insuficiencia renal aguda. (pp. 1329-1331)
  - Insuficiencia renal crónica. (pp. 1331-1332)
  - Diálisis. (pp. 1333-1336)
- Cálculos renales. (pp. 1327-1329)
- Alteraciones acidobásicas. (p. 1329)
- Líquidos y electrólitos (pp. 1333-1334)
- Infecciones (pp. 1325-1326)
- Afecciones del aparato genital masculino (pp. 1336-1337)

OBJETIVOS COGNITIVOS

1. Describir la anatomía y fisiología de los aparatos urinarios masculino y femenino: riñones, uréteres, vejiga y uretra. (pp. 1318-1319)
2. Describir los procesos de la evaluación primaria y secundaria en pacientes con emergencias renales y genitourinarias. (pp. 1319-1324)
3. Especificar los factores que influyen en las decisiones de transporte de pacientes con emergencias renales y genitourinarias. (pp. 1322-1325)
4. Mencionar las interrogantes que se deben formular para obtener una información amplia de los antecedentes de un paciente. (pp. 1322-1323)
5. Especificar las mejores prácticas de documentación de emergencias renales y genitourinarias y su comunicación al personal de la instalación receptora. (p. 1322)
6. Comparar el dolor visceral con el referido. (p. 1323)
7. Explicar cómo el dolor visceral y el referido contribuyen al diagnóstico en el campo. (pp. 1322-1323)
8. Indicar los componentes de la exploración física de un paciente con una emergencia renal o genitourinaria. (p. 1324)
9. Mencionar los componentes de un plan terapéutico eficaz. (pp. 1324-1325)

10. Enlistar la fisiopatología, la evaluación y el tratamiento de enfermedades frecuentes de los sistemas renal y genitourinario, con inclusión de las infecciones de vías urinarias, los cálculos renales, la lesión renal aguda, la lesión renal crónica, y la enfermedad renal terminal. (pp. 1325-1333)
11. Discutir el propósito y los tipos de diálisis renal. (pp. 1333-1336)
12. Identificar las posibles complicaciones de la diálisis y las intervenciones prehospitalarias vinculadas. (pp. 1333-1336)
13. Describir la fisiopatología, la evaluación y el tratamiento de las afecciones relacionadas con el aparato genital masculino, con inclusión de epididimitis, orquitis, gangrena de Fournier, priapismo, fimosis, parafimosis, hipertrofia benigna de la próstata, tumores y torsión testiculares. (pp. 1336-1337)

OBJETIVOS DE DESTREZA

No hay objetivos de destreza en este capítulo.

Introducción

El aparato urinario cumple las tareas esenciales de filtrar la sangre y retirar los residuos metabólicos. Además, modifica las concentraciones de electrólitos y mantiene el equilibrio acidobásico en la corriente sanguínea. También regula el volumen de líquidos y la presión arterial (PA).

Casi 661 000 estadounidenses presentan insuficiencia renal, más de 468 000 que requieren diálisis y se calcula que 193 000 viven con un trasplante renal funcional.[1] Más estadounidenses mueren por nefropatías cada año que por cáncer de mama o próstata.[1] La enfermedad renal aguda más frecuente es la nefrolitiasis (cálculos renales), que afecta a más de 11% de los hombres y 6% de las mujeres en Estados Unidos.[2] Las afecciones comunes del tracto urinario incluyen las **infecciones de vías urinarias (IVU)**, que se presentan en más de 50% de las mujeres,[3] y el aumento de volumen prostático no neoplásico, que afecta a casi 70% de los hombres entre 60 y 69 años de edad y 80% a los de 70 años y mayores.[4]

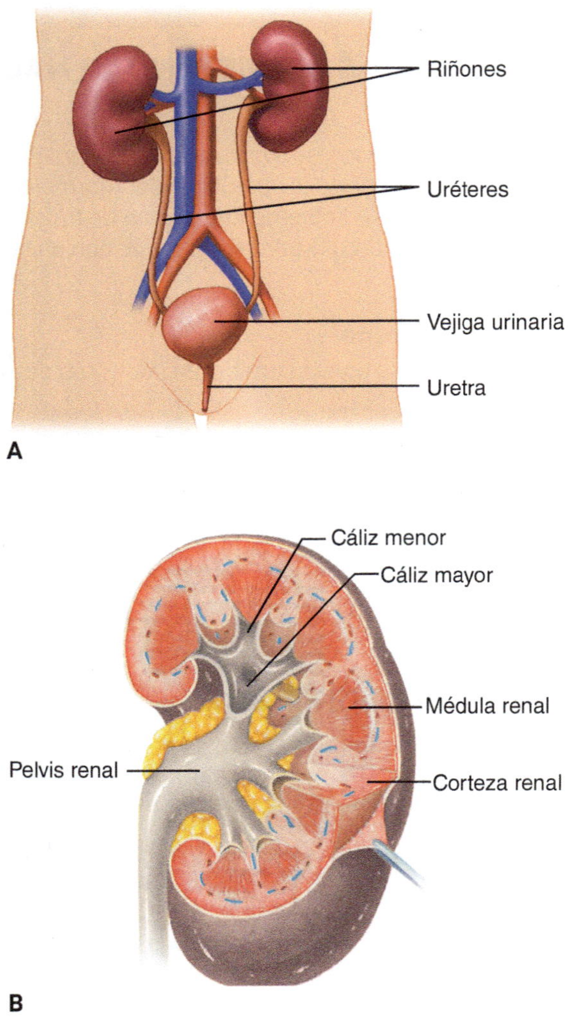

FIGURA 18-1 El aparato urinario. **A.** Vista anterior que muestra la relación de riñones, uréteres, vejiga y uretra. **B.** Corte transversal del riñón humano que muestra su corteza, médula y pelvis.

Revisión de la anatomía y fisiología

El aparato urinario (**FIGURA 18-1**)consta de los **riñones**, que filtran la sangre y producen **orina**; los **uréteres**, que transportan la orina de los riñones a la vejiga; la **vejiga**, que almacena la orina hasta que se expulsa del cuerpo, y la **uretra**, conducto por el que ésta abandona la vejiga y sale del cuerpo. En las mujeres, la uretra es significativamente más corta que en los hombres, lo que aumenta su susceptibilidad a las infecciones.

La anatomía interna del riñón se puede dividir en tres regiones distintivas: corteza, médula y pelvis, esta última que drena la orina al interior del uréter. Las **nefronas**, **FIGURA 18-2**, se encuentran en la corteza y constituyen las unidades estructurales y funcionales del riñón para la formación de orina. Cada nefrona está constituida por el glomérulo; la **cápsula glomerular (de Bowman)**, que lo rodea; el **túbulo contorneado proximal (TCP)**; el **asa de Henle**, y el **túbulo contorneado distal (TCD)**, que se enlazan con los túbulos colectores renales.

El aparato genital masculino, **FIGURA 18-3**, tiene estrecha relación con el aparato urinario, pues comparte la uretra como conducto para la orina y el semen y otras secreciones. La próstata rodea a la uretra y junto con las vesículas seminales secreta líquidos en su interior durante la eyaculación. Los testículos se localizan dentro del escroto y crean espermatozoides, que se almacenan y maduran en el epidídimo. Durante la eyaculación, los espermatozoides viajan del epidídimo al conducto deferente y a través de los conductos eyaculadores donde se mezclan con secreciones de las vesículas seminales, las glándulas bulbouretrales y la próstata para formar el semen, que después ingresa a la uretra a través de la cual se expulsa del cuerpo. El aparato genital femenino se describe con detalle en el capítulo 19, *Emergencias ginecológicas*.

Evaluación del paciente

La evaluación de un paciente con una emergencia renal o genitourinaria es la misma que para cualquier otro de tipo médico. Se inicia con la evaluación de la escena, la realización de una evaluación primaria, la obtención de la historia clínica, la evaluación secundaria que incluye la exploración física, la formación de una impresión inicial, la toma de una decisión terapéutica y la reevaluación continua del paciente en camino al hospital.

Evaluación de la escena

Durante la evaluación de la escena, usted debe verificar que sea segura para usted y sus compañeros, considerar el mecanismo de la lesión, valorar los riesgos y la necesidad de ayuda adicional y determinar el número de pacientes. Recuerde que la orina es un líquido corporal, y debe tomar las precauciones estándar para evitar su contacto.

Los pacientes que experimentan afecciones renales o genitales pueden mostrar muchos de los mismos síntomas que aquellos con otros procesos patológicos abdominales, más específicamente, náusea y vómito, estreñimiento o diarrea, dolor lumbar y de todo el segmento corporal. Aunque el dolor es un síntoma frecuente tanto en afecciones abdominales como genitourinarias, en ocasiones es difícil determinar su fuente exacta. El dolor genitourinario puede tener muchos orígenes, que incluyen infección bacteriana, distensión del uréter por un cálculo renal o de la vejiga por un crecimiento de la próstata. Su evaluación debería centrarse en la detección y prevención de riesgos para la vida y la provisión de atención de sostén para el paciente. Asegúrese de contar con una lista amplia de diagnósticos diferenciales en mente conforme avance en su evaluación.

Evaluación primaria

En esta se forma una impresión general del paciente y revisan afecciones que ponen en riesgo la vida; ante una afección genitourinaria o renal puede mostrar extremos de presentación de la patología. ¿Se encuentra cambiando de posición constantemente en un intento

USTED es el Paramédico

PARTE 1

A las casi 06:00 horas se le despacha al núm. 327 de la calle Carapungo por una mujer que informa de dorsalgia. A su arribo encuentra a un hombre delgado de cabello gris que le espera en la puerta frontal de una residencia de principios de siglo. Él hace movimientos para llamar su atención y le expresa "es mi hija. Está muy enferma. La hubiese llevado al hospital yo mismo, pero no pude cargarla. Se encuentra en la recámara subiendo las escaleras". El trayecto de la escalera es oscuro y estrecho. Conforme usted sube los escalones escucha a una mujer joven decir, "padre, estoy mal otra vez".

1. ¿Qué preocupaciones tiene usted en cuanto a la escena?
2. Aunque usted no ha visto a la paciente aún, ¿Qué información ya conoce como parte de la evaluación primaria?

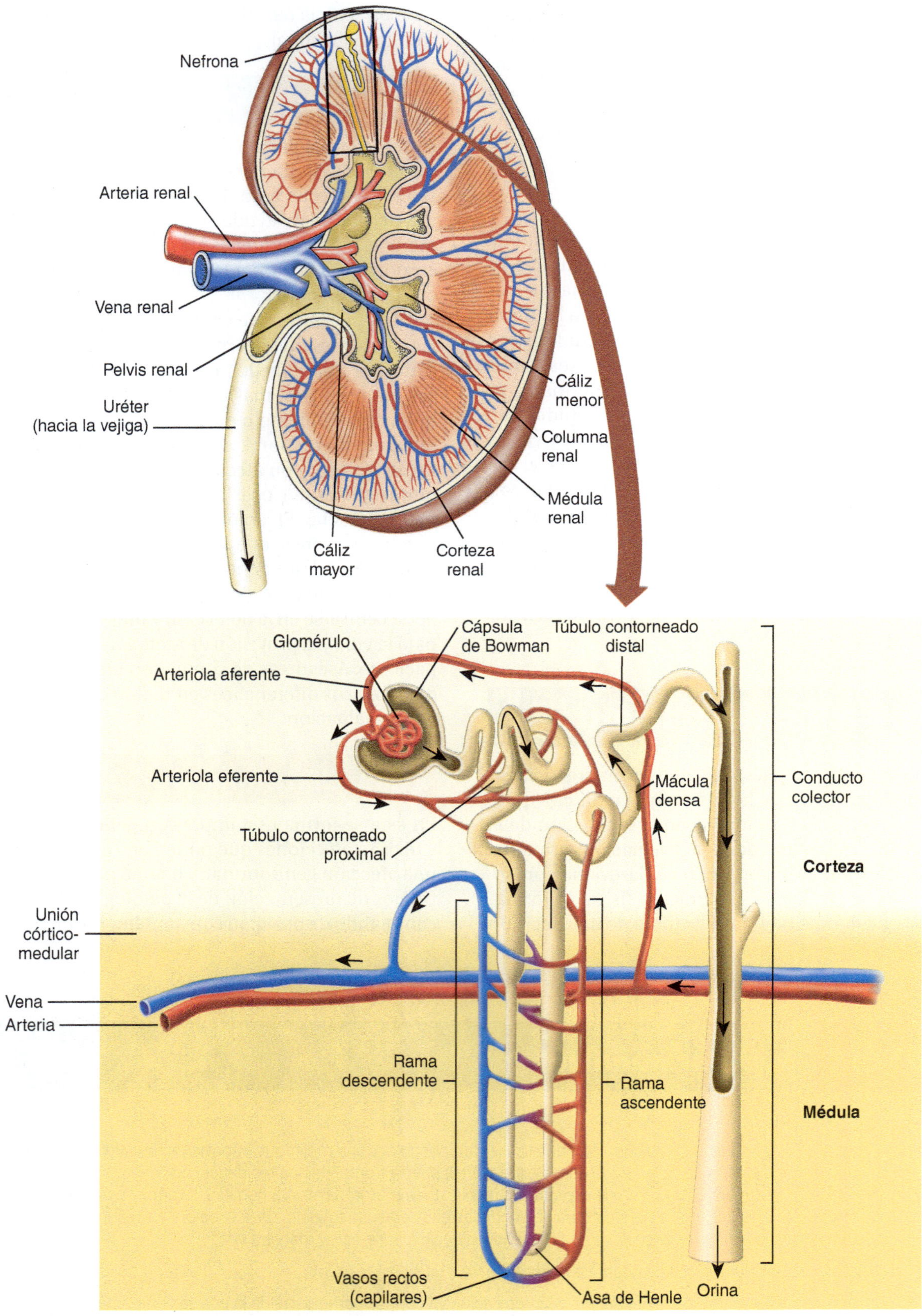

FIGURA 18-2 Las nefronas de los riñones. Una parte se localiza en la corteza y otra en la médula.

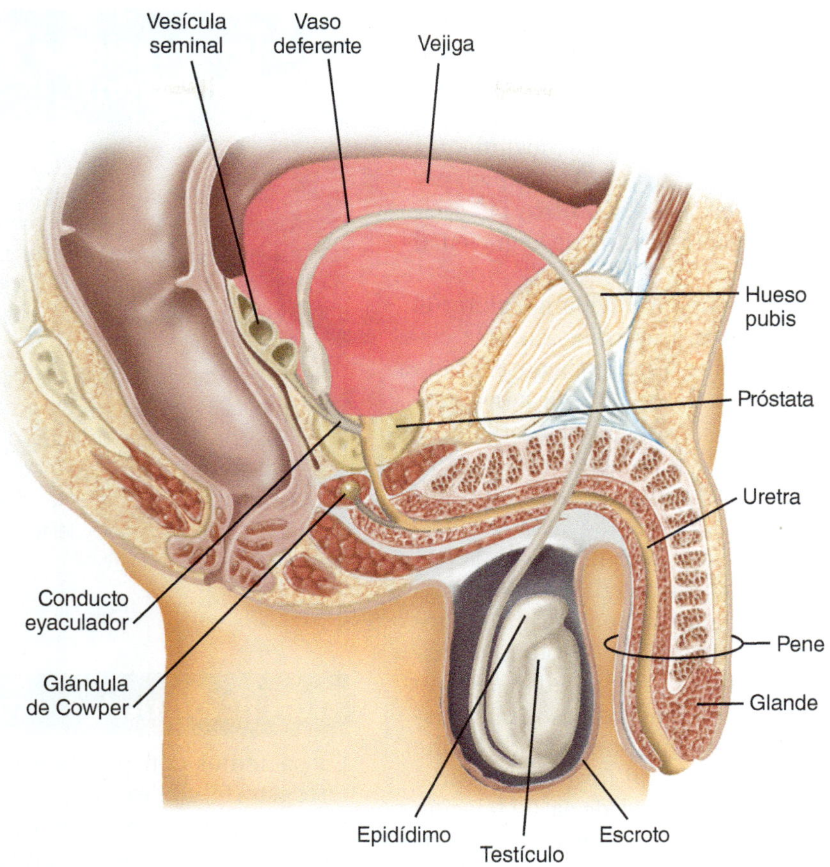

FIGURA 18-3. Anatomía genital masculina.

USTED es el Paramédico

PARTE 2

Conforme llega a la puerta de la recámara, escucha el ruido de un vómito. Expresa a su compañero que solicite la silla de escalera. El padre abre la puerta y usted visualiza a una mujer a principios de su tercera década de vida en una cama, cubierta con varias sábanas. El padre le dice que ha estado sintiéndose así varios días, pero que empeoró cerca de la medianoche previa. Le expresa que ha estado vomitando durante la noche y está muy mareada cuando trata de pararse. Usted se presenta y le pregunta si puede tomar sus signos vitales. Ella asiente con la cabeza. Usted se sienta y continúa su evaluación.

Tiempo de registro:	0 minutos
Aspecto	Recostada sobre su derecha, con la cabeza colgando de la cama sobre un recipiente para basura
Nivel de consciencia	Alerta
Vías aéreas	Permeables, con vómito activo
Ventilación	Rápida
Circulación	Piel sudorosa, sonrojada

3. ¿Qué preocupaciones tiene usted en cuanto a sus antecedentes, signos y síntomas?
4. ¿Qué debería hacerse con la emesis?

de encontrar una que le resulte cómoda ("la danza del cálculo renal")? O ¿permanece sentado muy quieto con las rodillas levantadas hacia el tórax? ¿Presenta un dolor obvio? ¿Parece pálido o ictérico? ¿Cuál es su nivel de consciencia? Su percepción de los movimientos corporales del paciente, su postura, color de piel, patrón de ventilación, agudeza mental y otros factores, le darán una buena percepción global de la gravedad de su estado.

Verifique las amenazas para la vida al valorar el estado mental y la vía aérea, la ventilación, y la circulación (ABC) de la paciente. Comience observando su ventilación y asegúrese de que la vía aérea esté permeable. Busque signos de dificultad ventilatoria. Obtenga la permeabilidad de la vía aérea y provea tratamiento según esté indicado por el estado respiratorio de la paciente.

A continuación, evalúe el color de la piel, la frecuencia cardíaca y la presión arterial. Busque signos de estado de shock, como una frecuencia cardíaca rápida y la presión arterial baja. ¿Está el abdomen distendido o rígido? Si usted descubre cualquier afección que ponga en riesgo la vida, tome los pasos inmediatos para corregirla y provea transporte rápido a una instalación receptora equipada en forma apropiada. Advierta en el camino al personal de la instalación para que se inicie la movilización de recursos de manera que estén alertas en el momento de su llegada.

Cuando tome su decisión de transporte, integre la información que obtuvo en la evaluación primaria. Determine tan rápido como sea posible si se justifica un transporte emergente por amenazas para la vida, como la **uremia** (cantidades excesivas de urea y otros productos de desecho sanguíneos), hiperpotasemia, o torsión testicular. Considere cómo desplazará al paciente, en especial si es posible que un cambio de posición cause disminución de su presión arterial. Tome en cuenta cualquier equipo especial necesario para tratarlo, como una camilla bariátrica. También tenga en mente que la instalación de recepción cuente con el equipo de diagnóstico y tratamiento necesarios después del transporte, como diálisis o un urólogo en funciones.

Inteligencia en la calle

Asegure un transporte tan delicado como sea posible para el paciente con una afección genitourinaria o renal. La conducción acelerada de la ambulancia aumenta los movimientos del vehículo, que potencialmente intensifica y empeora el dolor del paciente.

Documentación y comunicación

Establezca y documente su impresión basal tempranamente en el proceso de evaluación. Registre cualquier cambio del estado mental o nivel de consciencia cuando revalore al paciente, y señale cómo responde a la administración de oxígeno complementario, soluciones, analgésicos y otras intervenciones. Manténgase en contacto directo con su supervisor médico y notifique a la instalación receptora tan pronto como sea posible si hay riesgos aparentes para la vida. Registre los datos de sus evaluaciones seriadas en su reporte a la instalación receptora con la conclusión de su impresión global del estado del paciente en el momento del transporte.

Obtención de la historia clínica

En pacientes con problemas genitourinarios, el interrogatorio y la exploración física proveen la información que necesita para tratarlos exitosamente. Debido a que muchos diagnósticos médicos se basan en el interrogatorio, usted debe hacer las preguntas adecuadas. El determinar que el dolor del paciente se inició en el costado, por ejemplo, y no se presenta en el cuadrante inferior derecho abdominal, podría indicar la diferencia entre un diagnóstico correcto de un cálculo renal en el campo o uno incorrecto de apendicitis. De manera similar, el determinar que el paciente tiene antecedentes de diabetes e hipertensión junto con los signos de uremia, puede ayudarle a confirmar su impresión diagnóstica de una insuficiencia renal crónica.

El uso de las siglas SAMPLE (**S**ignos y síntomas, **A**lergias, **M**edicamentos, antecedentes médicos **P**ertinentes, ú**L**tima ingesta oral (del inglés *Last*), **E**ventos que llevaron a la lesión o enfermedad) puede guiarle para obtener la información pertinente de la historia previa del paciente. Por ejemplo, uno que informa de un dolor en el costado (S); que tuvo dos crisis previas de cálculos renales (P); que comió tocino, huevos y café en el desayuno hace 7 horas (L); que ha estado trabajando bajo el sol todo el día (E) muestra respuestas que le llevarían a sospechar de cálculos renales. Antes de proceder con el tratamiento, usted también desearía indagar las alergias (A) y cualquier medicamento (M) que el paciente hubiera tomado.

Dolor

Las enfermedades y afecciones renales y urológicas varían en gravedad desde leves (IVU) hasta emergentes (lesión renal aguda). Aunque la atención prehospitalaria de muchas enfermedades urológicas es de sostén, su capacidad de reconocer los signos y síntomas de estas afecciones, en especial cuando se trata de emergencias genuinas, es crítico para proveer a sus pacientes la mejor probabilidad de un resultado positivo.

La comprensión de la fisiopatología del dolor, en especial el referido (p. ej., aquel que se percibe que tiene origen en una parte del cuerpo distinta al sitio que se estimula), es clave para determinar su origen. El dolor visceral (p. ej., profundo por activación de receptores del dolor en regiones del cuerpo dentro de una cavidad) es del tipo que con frecuencia máxima se vincula con afecciones urológicas. Suele presentarse cuando se estimulan los receptores en estructuras huecas, como uréteres, vejiga y uretra. Constituye un reto señalar de manera precisa la fuente de ese dolor, porque solo participan unas cuantas fibras nerviosas en su transmisión. Debido a que muchas fibras nerviosas diferentes transcurren hacia el cerebro a través de la médula espinal, el dolor que se origina en una región del cuerpo (p. ej., la vejiga) puede ser percibido por el cerebro como proveniente de una zona diferente (p. ej., el cuello o el hombro), lo que origina el fenómeno del dolor referido.

Hallazgos en la evaluación del dolor

Se usan las siglas OPQRST (inicio [*Onset*], Provocación, calidad [*Quality*], Región/radiación/referencia, intenSidad, horario [*Timing*]), para evaluar el tipo e intensidad del dolor en relación con la principal manifestación. El determinar el *inicio* requiere hacer preguntas en cuanto al momento en que inició el dolor y qué estaba haciendo el paciente entonces. Tal vez describa dolor visceral, como el causado por un cálculo renal, o una sensación de cólico o dolor sordo en ubicación profunda del cuerpo. A menudo se inicia como molestia vaga y después aumenta en forma gradual. A continuación, determine qué, si acaso, *provoca* el dolor (p. ej., la afección causal de la danza por cálculo renal o la inmovilidad como estatua). Para ayudar a descartar otras causas abdominales de dolor, indague cualquier relación entre este y el consumo de alimentos por el paciente.

Después de determinar el inicio y la provocación, evalúe la *calidad* del dolor. Como se mencionó antes, aquel por un cálculo renal suele iniciarse como malestar vago que se transforma en un dolor en extremo agudo en el transcurso de una hora. La *R* en estas siglas se refiere a la *región* (localización), *radiación* o *referencia*. Por ejemplo, el dolor por un cálculo renal transcurre desde el flanco en la parte anterior hacia la ingle. El hecho de que se desvíe también sugiere el paso de un cálculo renal por las vías urinarias.

Para valorar la *intensidad* del dolor, pregunte al paciente, "en una escala de 0 a 10, donde 10 es el peor dolor que usted haya experimentado, ¿cómo calificaría este?" Aunque este número es útil, por sí mismo le dice muy poco. La intensidad del dolor puede no ser compatible con la gravedad del trastorno. Es esencial repetir la evaluación de la intensidad del dolor en busca de tendencias o para verificar la eficacia del tratamiento.

La evaluación final del dolor consiste en inquirir acerca de su *horario*. ¿Se presentó de manera súbita, o lo hizo en forma más gradual? Ha sido constante, o aparece y desaparece. En el caso de un cálculo renal, usted esperaría un dolor bastante constante que varía en intensidad y se desplaza conforme este transcurre por el aparato urinario.

Poblaciones especiales

Los adultos mayores, en general, omiten ciertos datos respecto al dolor por diversos motivos.[5] Inclusive cuando el dolor es atraumático y asienta en región abdominal, dorsal o flancos de leve intensidad, debería tomarse en serio.

Evaluación secundaria

La exploración física se puede centrar en una zona específica, o usted quizás tenga que desplazarse de cabeza a pies, dependiendo de cómo se presenten los signos y síntomas. Para los propósitos de la evaluación, la región abdominal se divide en cuatro cuadrantes suprayacentes a los órganos internos, **FIGURA 18-4A**, o nueve segmentos anatómicos, **FIGURA 18-4B**. Se puede hacer una exploración física más detallada en el camino si no se hizo en la escena. Asegúrese de evaluar la hipersensibilidad del flanco, que pudiera señalar una infección renal o distensión intestinal. Si un varón informa de dolor abdominal en la región baja sin otra causa clara, haga inspección visual de sus genitales en cuanto a signos de infección, edema o torsión.

La vigilancia de los signos vitales del paciente es parte de la exploración física. Usted debería obtenerlos en forma seriada al menos cada 5 minutos si

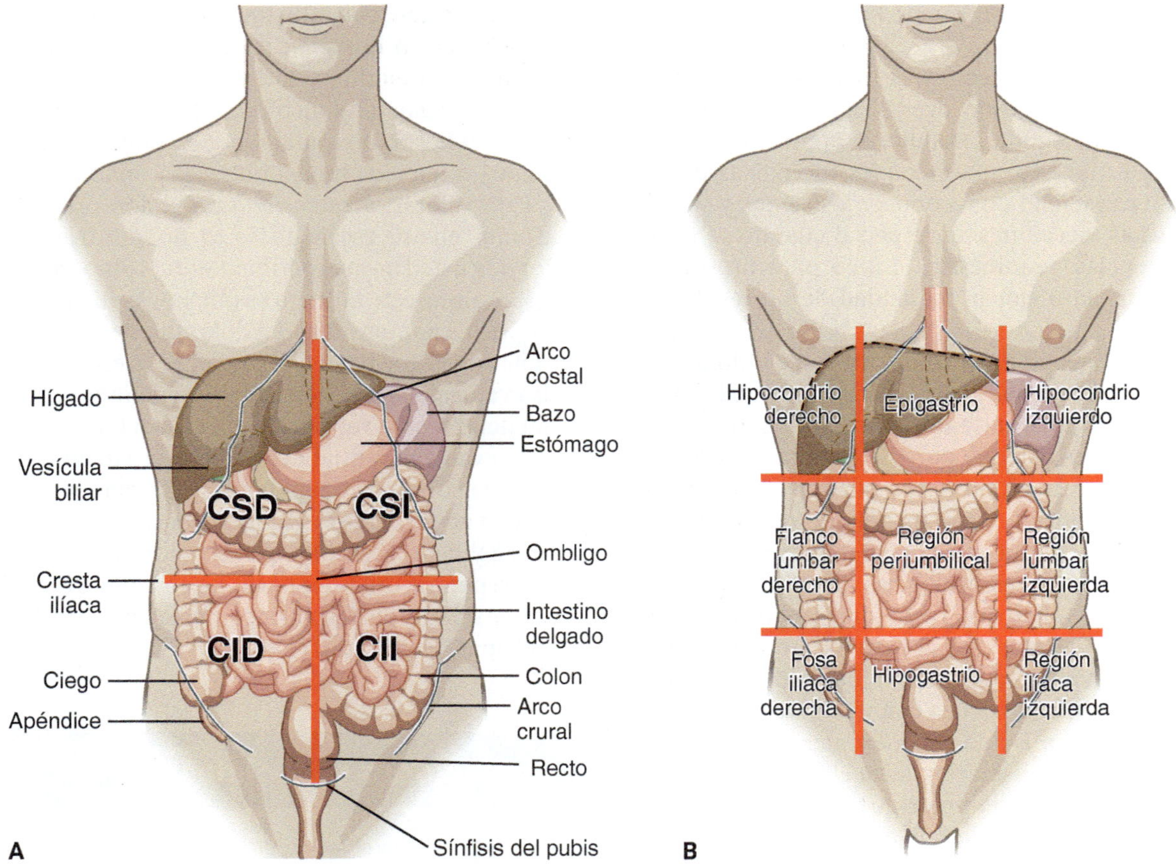

FIGURA 18-4 **A.** Sistema de cuatro cuadrantes. **B.** División en nueve regiones abdominales.

sospecha un problema renal. Instaure acciones rápidas si nota cualquier deterioro de los signos vitales o el nivel de consciencia del paciente.

Por último, considere el vínculo entre los signos vitales anormales y los antecedentes del paciente. Por ejemplo, un diurético u otro medicamento pudiesen ser causa de una PA baja del paciente. La diabetes, la enfermedad pulmonar obstructiva crónica u otra afección crónica que se refirió en los antecedentes, podría explicar otros hallazgos anormales y proveer claves del diagnóstico genitourinario actual.

La vigilancia electrocardiográfica (EKG) es vital en cualquier paciente con sospecha de emergencia urológica por la posibilidad de desequilibrios electrolíticos que pudiesen afectar al corazón.

Poblaciones especiales

Los signos vitales anormales en un adulto mayor pueden ser en especial preocupantes. Uno con fiebre, por ejemplo, debería ser objeto del escrutinio estrecho de otros signos de infección. Una IVU en un adulto mayor puede causar recurrencia de síntomas previos de ictus y cambios significativos del estado mental. El dolor abdominal en este grupo de edad es una manifestación grave que se vincula con una tasa de mortalidad elevada; tales pacientes requieren una evaluación exhaustiva en el departamento de emergencias (DE).[6]

Reevaluación

Los pacientes con emergencias urológicas, en especial aquellos con signos y síntomas de insuficiencia renal, requieren de revaloración frecuente. Los desequilibrios electrolíticos causados por la acumulación de sustancias tóxicas pueden causar el deterioro funcional rápido de los órganos corporales. El corazón es en particular susceptible a los cambios de electrólitos, por lo que debería establecerse la vigilancia cardíaca en todo paciente con afección renal.

La información obtenida del interrogatorio y la exploración física se usa para actualizar y refinar la impresión diagnóstica y seleccionar un plan terapéutico.

Las intervenciones elegidas pudiesen ser tan simples como vigilar ABC y proveer respaldo circulatorio a un paciente con IVU, o tan complejas como ajustar los medicamentos y proveer respaldo (con interconsulta e instrucción médicas) a un paciente con insuficiencia renal con base en los cambios del EKG. El plan terapéutico también incluye la decisión de transporte, que puede hacerse en cualquier momento durante el proceso de evaluación. Si el padecimiento requiere procedimientos médicos inmediatos (p. ej., retiro de una sonda urinaria, ajuste de una fístula o derivación) fuera del alcance de la práctica de los proveedores de atención prehospitalaria, efectúe la evaluación primaria y transpórtelo incluyendo reevaluación en camino al hospital.

Se deberían obtener signos vitales en forma seriada y documentarlos en el reporte de atención del paciente. Señale cualquier tendencia en los signos vitales y el nivel de consciencia, porque pueden indicar el avance de la enfermedad. Los pacientes con una posible enfermedad genitourinaria no deberían recibir nada por vía bucal, porque esto pudiese inducir vómito o complicar la administración de anestesia para cualquier procedimiento quirúrgico necesario en el hospital. Documente todos los signos vitales e informe de cualquier tendencia aparente al personal de la instalación receptora.

Perlas de sabiduría

Los pacientes con insuficiencia renal que no acuden a sus tratamientos de diálisis son susceptibles a la hiperpotasemia (nivel elevado de potasio en sangre), entre otras afecciones, y debería sospecharla si el enfermo muestra debilidad muscular u ondas T altas agudas en el EKG.

Atención médica de emergencia

Tratamiento del dolor

Una vez que revisó al paciente y estableció que las ABC son adecuadas, deje que este asuma una posición cómoda. Aquellos con dolor intenso pueden presentar náusea y vómito, por lo que prepárese para su aspiración, según se requiera. Establezca una línea intravenosa (IV) si el enfermo presenta náusea o dolor intensos, y considere la administración de un antiemético. Si hay signos de deshidratación o inestabilidad hemodinámica, administre una carga IV de solución cristaloide. Provea analgesia según se requiera. Las preocupaciones acerca de enmascarar síntomas y disminuir la precisión del diagnóstico que se manifiestan en el departamento de emergencias no son motivo para evitar detener el dolor. De hecho, la evidencia mostró que la administración de analgésicos no disminuye la precisión diagnóstica posterior.[7]

Fisiopatología, evaluación y tratamiento de emergencias específicas

Infecciones de vías urinarias

Las IVU causan más de 2 millones de consultas al departamento de emergencias al año.[8] Tales infecciones son de máxima frecuencia en las mujeres después de la niñez. Pasada la edad de 50 años, hay un aumento de IVU en los hombres por obstrucción de la uretra por la próstata, que suele presentarse con el envejecimiento. El tratamiento definitivo requiere antibióticos. En casos leves hay respuesta buena a los antibióticos bucales, en tanto que los casos graves quizás necesiten su administración IV.

Fisiopatología

Las IVU suelen presentarse en las vías urinarias bajas (uretra y vejiga), cuando la flora bacteriana normal (natural en la piel) ingresa a la uretra y prolifera. Estas infecciones son más frecuentes en las mujeres por su uretra relativamente corta y la proximidad de vagina y recto. Las IVU de las vías urinarias altas se presentan más a menudo cuando no se trata una IVU de vías inferiores. Las IVU altas pueden llevar a la **pielonefritis** (inflamación del revestimiento renal) e incluso a un absceso perinéfrico (una colección de pus alrededor del riñón) que pueden dar lugar al desarrollo de septicemia y poner en riesgo la vida.

Evaluación

Los pacientes con IVU muestran una tríada clásica de síntomas: micción dolorosa, urgencia frecuente y dificultad miccional. El dolor suele iniciarse como malestar visceral, pero pronto se convierte en tipo ardor (quemazón) extremo, en especial durante la micción. Aquel que se mantiene localizado en la pelvis, a menudo se percibe como vesical en las mujeres y prostático en los hombres. En ocasiones el dolor se refiere al hombro o el cuello. Además, la orina puede tener un olor fétido o un aspecto turbio, o podría contener sangre.

Los pacientes con IVU a menudo están inquietos y molestos. Los que no presentan complicaciones tendrán buen aspecto y signos vitales normales, pero quizás presenten hipersensibilidad suprapúbica. En contraste, uno con pielonefritis o un absceso perinéfrico se mostrará enfermo, con hipersensibilidad en su costado, en general febril y quizás con signos vitales inestables. Las IVU son causa frecuente de septicemia en los adultos mayores y deberían considerarse en cualquiera con fiebre, estado de shock o cambios no explicados del estado mental.

Tratamiento

La terapéutica de las IVU consta sobre todo de cuidados de sostén de ABC. Deje al paciente ubicado en una posición de confort para el transporte, pero prepárese para la náusea y el vómito. Los enfermos con pielonefritis o septicemia requerirán cuidados más intensivos, que incluyen soluciones IV, antieméticos y analgésicos. Transporte al paciente a la instalación apropiada más cercana para su evaluación.

Sondas urinarias

Muchos pacientes hospitalizados por una afección urinaria u otra enfermedad de origen médico son objeto de aplicación de una sonda de Foley. El sondaje vesical implica la introducción de un tubo de látex o plástico a través de la uretra al interior de la vejiga, conectado a una bolsa de drenaje, que se acopla a la estructura de la cama o la silla de ruedas a un nivel por debajo de la vejiga. La sonda permite un flujo continuo de orina y provee un medio de medición del gasto urinario.

Cuando usted transporta a un paciente con sonda, preocupa el flujo retrógrado de orina. Si la bolsa de drenaje se eleva por arriba del nivel de la vejiga del enfermo, la orina puede retroceder hacia la vejiga y aumentar la probabilidad de infección. Deberá tenerse cuidado de no halar ni doblar la sonda inadvertidamente, lo que obstruiría su flujo. Si se debe retirar una sonda de Foley, asegúrese que el globo interno esté desinflado.

Obstrucción e incontinencia urinarias

Muchas afecciones descritas en esta sección pueden causar **retención urinaria**, que se define como un vaciamiento incompleto de la vejiga o su incapacidad de vaciarse en su totalidad. En el **CUADRO 18-1** se enlistan las afecciones que pueden causar retención urinaria. Los pacientes con tales padecimientos quizás se presenten con malestar extremo y deberían transportarse a la instalación más cercana para la colocación de una sonda urinaria.

USTED es el Paramédico

PARTE 3

Su compañero regresa con la silla de ruedas. Usted le pide que tome la temperatura de la paciente mientras termina el interrogatorio SAMPLE y organiza sus provisiones para iniciar una línea IV. La enferma expresa que presentó ardor urinario durante varios días y que anteriormente tuvo una IVU. En un momento su médico le prescribió ciprofloxacina profiláctica (Cipro). Ella decidió que no era una buena idea, y ahora sólo toma sus complementos de herbolaria que contienen arándano cuando siente que está empezando una infección.

Tiempo de registro:	5 minutos
Ventilaciones	24/min
Pulso	110 latidos/min
Piel	Enrojecida, sudorosa
Presión arterial	108/60 mm Hg; en decúbito
Saturación de oxígeno (Spo_2)	98%
Pupilas	Pupilas iguales, redondas, y reactivas a la luz (PIRRL)

5. ¿Qué técnicas de evaluación adicionales podría usar?
6. ¿Por qué es importante valorar la temperatura corporal de la paciente?

CUADRO 18-1 Afecciones que pueden causar retención urinaria
Cálculos renales
Lesión renal aguda
Hipertrofia prostática benigna
Obstrucciones uretrales
Infecciones de vías urinarias
Lesión nerviosa

La **incontinencia urinaria** es una pérdida del dominio de la vejiga: incapacidad de regular la salida de orina. En tanto, la incontinencia urinaria puede presentarse en cualquier persona (p. ej., durante un estornudo o la tos fuerte), también puede ser signo de una afección médica si entra en alguna de las siguientes categorías:

- **Incontinencia de urgencia.** Se trata de una imperiosidad súbita, intensa por orinar, seguida en segundos a minutos por escape involuntario de orina. La micción es frecuente: por ejemplo, durante la noche. La incontinencia de urgencia tiene muchas causas médicas potenciales que incluyen IVU, medicamentos, irritantes vesicales (p. ej., cafeína, bebidas carbonatadas), afecciones intestinales, enfermedad de Parkinson o de Alzheimer, accidente vascular cerebral, cánceres de útero y del aparato urinario y lesiones del sistema nervioso vinculadas con la esclerosis múltiple.
- **Incontinencia por rebosamiento.** Se trata de un flujo lento continuo y constante de orina, que puede tener causas médicas, como una lesión vesical, bloqueo de la uretra o daño nervioso por diabetes, así como afecciones de la próstata en los hombres.9

Cálculos renales

Fisiopatología

Los **cálculos renales** son frecuentes y se originan en la pelvis del riñón, que se forman cuando se cristaliza un exceso de sales insolubles o ácido úrico en la orina, **FIGURA 18-5**. En Estados Unidos casi 10% de las personas presenta un cálculo renal, con mayor frecuencia en los hombres que en las mujeres,[10] cuyas causas varían. Se han identificado ciertos factores de riesgo que incluyen la alimentación y la hidratación, así como el antecedente personal o familiar de litiasis renal y la hipertensión.

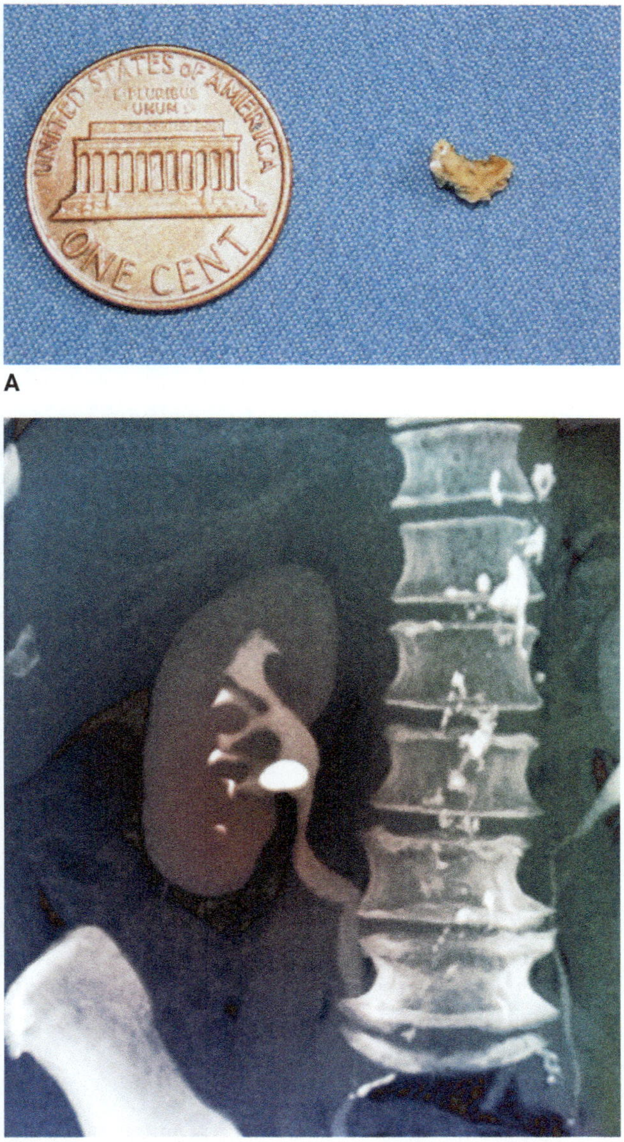

A

B

FIGURA 18-5 **A.** Un cálculo renal. **B.** Tomografía computada que muestra un cálculo renal.

Los tipos más frecuentes de cálculos renales son de oxalato y fosfato de calcio, que constituyen casi 80%,[11] y se cree se forman cuando la concentración de ambas sustancias se torna muy alta en la orina, aunque hay otras teorías. Su formación puede tener un componente hereditario, y el riesgo es más alto en personas con antecedente de gota, operaciones quirúrgicas de derivación gástrica y ciertas afecciones metabólicas. Los cálculos de estruvita son más frecuentes en las mujeres y se vinculan con IVU crónicas o sondaje frecuente. Los cálculos de ácido úrico son más comunes en pacientes con antecedente de gota y en las regiones secas y áridas de Estados Unidos. Los cálculos de cistina se relacionan con una afección que causa la excreción de grandes cantidades de aminoácidos y proteínas en la orina.

Evaluación

Los pacientes con cálculos renales casi siempre presentan dolor que suele iniciarse en el costado, pero podría migrar hacia adelante, en dirección de la ingle, conforme estos recorren el aparato urinario. El paciente puede percibir una molestia vaga que progresa hasta un dolor intenso con el transcurso del tiempo. El dolor por un cálculo renal puede ser muy intenso y con frecuencia se describe como el peor de la vida de un paciente y acompañarse de aumento de la presión arterial y taquicardia. En los adultos mayores estos síntomas pueden llevar al accidente vascular cerebral o al infarto de miocardio.[12] Asegúrese de obtener un interrogatorio detallado del paciente y su familia, que puede aportar claves acerca de la causa del cálculo.

Algunos pacientes con cálculos renales se encuentran agitados e incómodos, dando vueltas y desplazándose en un intento por aliviar el dolor. Otros tratan de mantenerse inmóviles para proteger el abdomen. Cualquiera de las dos conductas dificulta la palpación. Los signos vitales pueden variar de acuerdo con la intensidad del dolor y mientras más alto mayor será la presión arterial y el pulso del paciente. Estos enfermos con frecuencia presentan **hematuria**, y si el cálculo obstruye el flujo de orina en el uréter, **FIGURA 18-6**, hipersensibilidad de flanco.

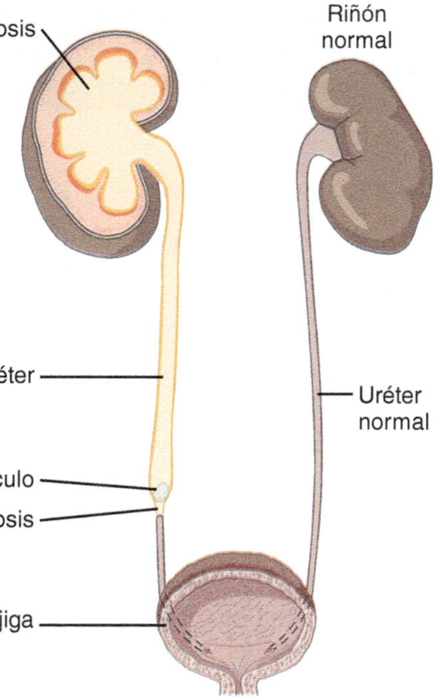

FIGURA 18-6 Cuando un cálculo renal obstruye el flujo de orina, el paciente puede presentar sangre en ella (hematuria) e hipersensibilidad de flanco.

Perlas de sabiduría

Los pacientes con cálculos renales suelen presentar un dolor intenso casi insoportable y deberían recibir analgésicos de manera intensiva, como los narcóticos (p. ej., morfina, fentanilo). Puesto que a menudo se requieren dosis más altas que las usuales, debe disponerse fácilmente de naloxona (Narcan®) en caso de que se presente depresión del sistema nervioso central. Siga sus protocolos locales o entre en contacto con el supervisor médico, según se requiera, respecto del alivio del dolor en estos pacientes.

Tratamiento

La terapéutica prehospitalaria para los cálculos renales se centra en el alivio del dolor. Después de asegurar ABC, deje que el paciente asuma una posición cómoda. Administre analgésicos; si sus protocolos locales no permiten este tratamiento, entre en contacto con el supervisor médico acerca de las opciones de analgesia. El óxido nitroso es un tratamiento alternativo de los narcóticos. Establezca una línea IV y administre soluciones para hidratación por este medio, así como antieméticos, según se requiera.

Algunos cálculos renales se expulsan por sí solos, en tanto otros requieren intervención quirúrgica para el efecto. A menudo se usa un alfa (α) bloqueador como la tamsulosina (Flomax®) para relajar el músculo liso del cuello vesical y facilitar un mayor flujo de orina. Cuando hay IVU junto con el cálculo renal que obstruye, el paciente puede presentar signos y síntomas de una IVU y tornarse bastante enfermo y con septicemia; se trata de una emergencia que requiere intervención del urólogo.

El abordaje terapéutico de los cálculos persistentes depende de su tamaño, consistencia y localización. Las opciones de tratamiento incluyen las siguientes:

- **Litotricia extracorpórea.** Se usan ondas de choque de alta energía externas para fragmentar los cálculos hasta dimensiones más pequeñas y polvo que se pueden eliminar con facilidad.

- **Cistoscopia con instalación de una endoprótesis.** La cistoscopia es la visualización directa del uréter y el sistema colector urinario. Se logra por inserción de una pequeña cámara a través de la uretra al interior del uréter. Se puede colocar una endoprótesis para aumentar el diámetro del uréter y permitir el paso del cálculo.
- **Colocación de un catéter de nefrostomía percutánea (NPC).** Un catéter de NPC es pequeño y se coloca desde el exterior en el riñón para permitir el drenaje del material que obstruyó. Este método se usa menos frecuentemente para descomprimir el riñón cuando el paciente presenta una infección vinculada con un cálculo.

Lesión renal aguda

La **lesión renal aguda (LRA)** es un decremento súbito en la tasa de filtración glomerular, que causa la acumulación de sustancias tóxicas en la sangre, una pérdida de función puede ocurrir en el transcurso de varios días. La LRA se presenta con frecuencia máxima en forma secundaria a otro proceso patológico. Hasta 50% de los pacientes críticamente enfermos desarrolla LRA,[13] y su mortalidad según informes es tan alta como de 70%.[14]

Un gasto urinario menor de 500 ml/día en un adulto o de 0.5 ml/kg/h en un adulto o niño (menos de 1 ml/kg/h en un neonato) se denomina **oliguria**, en tanto el cese completo de la producción de orina es la **anuria**. Siempre que ocurra LRA el paciente puede experimentar edema generalizado, acumulación de ácidos y cifras altas de residuos nitrogenados y metabólicos en la sangre. Sin tratamiento, la LRA puede llevar a una sobrecarga de volumen que pone en riesgo la vida, hiperpotasemia, uremia y acidosis metabólica.

La LRA se clasifica en tres tipos, con base en la región en la que ocurre la insuficiencia: prerrenal, intrarrenal y posrenal, cuyos signos y síntomas se resumen en el **CUADRO 18-2**.

CUADRO 18-2 Signos y síntomas de la lesión renal aguda

Tipo de lesión renal aguda	Signos y síntomas
Prerrenal	Hipotensión Taquicardia Mareo Sed
Intrarrenal	Dolor de flanco Dolor articular Oliguria Hipertensión Cefalea Confusión Convulsión
Posrenal	Dolor bajo en el flanco, el abdomen, la ingle y los genitales Oliguria Distensión vesical Hematuria Edema periférico

Fisiopatología

La acumulación de residuos nitrogenados y sales tóxicas en la sangre vinculada con LRA causa alteración mental, retención de líquidos, taquicardia, desequilibrios acidobásicos y aumento de los intervalos PR y QT del EKG relacionados con la hiperpotasemia.

La **lesión renal aguda prerrenal** ocurre por hipoperfusión de los riñones. En otras palabras, no pasa suficiente sangre al interior de los glomérulos para que produzcan un filtrado. Las causas más frecuentes de LRA prerrenal son hipovolemia (volumen sanguíneo bajo por hemorragia o deshidratación), traumatismos, estado de shock, septicemia, e insuficiencia cardíaca. La LRA prerrenal a menudo es reversible si se puede tratar la infección subyacente y restablecer la perfusión del riñón. El síndrome hepatorrenal es un tipo específico de LRA que ocurre en pacientes con afección hepática avanzada en los que disminuye mucho la perfusión renal por hipertensión portal. El pronóstico de los pacientes con el síndrome hepatorrenal tiene vínculo con su recuperación de la hepatopatía y es mucho peor en aquellos con otras formas de LRA.[15]

La **lesión renal aguda intrarrenal (LRAI)** implica el daño de una de tres regiones del riñón: los capilares glomerulares y pequeños vasos sanguíneos, las células de los túbulos o el parénquima (células intersticiales que rodean a las nefronas). El daño de los vasos pequeños y los glomérulos obstaculiza el flujo sanguíneo a través de estas partes vitales de las nefronas, a menudo causado por enfermedades inmunológicas, como la diabetes de tipo 1. El daño tubular puede ser causado por hipoperfusión que lleva a la necrosis tubular aguda, o por sustancias tóxicas (p. ej., metales pesados). La rabdomiólisis es otra causa de LRAI, en la que la mioglobina que liberan las fibras musculares daña a los túbulos. La inflamación crónica de las células intersticiales que circundan a las nefronas (**nefritis intersticial**) puede también producir LRAI, un tipo de insuficiencia renal tal vez producido por medicamentos como antibióticos, anticancerosos, alcohol y drogas de las que se abusa (p. ej., cocaína).

La **lesión renal aguda posrenal** es causada por obstrucción del flujo de orina desde los riñones, cuya fuente a menudo es el bloqueo de la uretra por una próstata crecida, cálculos renales, coágulos sanguíneos o estenosis, que aumentan la presión en las nefronas, lo que en un momento dado causa su destrucción.

Todas las formas de LRA tienen un final común: la incapacidad de los riñones de hacer sus funciones de limpieza, que a su vez lleva al desarrollo de hiperpotasemia (un aumento del potasio sanguíneo), acidosis metabólica (un aumento del contenido de hidrogeniones sanguíneos) y uremia (un aumento de la concentración de urea en sangre), circunstancias que constituyen emergencias que ponen en riesgo la vida y pueden conducir a disritmias cardíacas fatales secundarias e hiperpotasemia y acidosis, hipotensión secundaria a la acidosis y cambios del estado mental secundarios a la uremia.

Evaluación

El cuadro clínico de los pacientes con LRA variará con base en la causa subyacente. Aquellos con la forma prerrenal en general parecerán deshidratados o en estado de shock, con piel pálida, fría y húmeda. Con frecuencia se informará de la disminución del gasto urinario o el oscurecimiento de la orina. También puede haber dolor de flanco, en particular en pacientes con la forma intrarrenal. Aquellos con LRA posrenal suelen informar de dolor en la región suprapúbica, relacionado con la distensión vesical, o en el pene por obstrucción. Los casos más graves de LRA se manifiestan con un estado mental alterado o signos de insuficiencia cardíaca.

Durante la exploración física, usted debería evaluar en forma exhaustiva el abdomen en cuanto a otras causas de malestar o la presencia de ascitis. Determine la hipersensibilidad del costado, haga un EKG para valorar disritmias o signos de hiperpotasemia. Busque signos de infección, como fiebre o disuria y vigile estrechamente los signos vitales en cuanto a un estado de shock.

Tratamiento

Debido a que los cambios metabólicos producidos por la LRA pueden poner en riesgo la vida, es imperativo

USTED es el Paramédico

PARTE 4

Usted explica a la paciente que su estado requiere la extracción de sangre y que es necesario establecer una línea IV para realizarlo y administrarle líquidos. Su compañero ya preparó la silla de ruedas, auscultó los ruidos pulmonares y conectó la paciente con el monitor cardíaco. Después de que usted inicia la venoclisis y obtiene muestras de sangre, le indica, "vamos a colocarla en esta silla de ruedas para bajar las escaleras". Su padre le expresa que probablemente no sea una buena idea porque ella "no tiene facilidad para sentarse".

Tiempo de registro:	10 minutos
Ventilaciones	24/min
Pulso	112 latidos/min
Piel	Enrojecida, sudorosa
Presión arterial	108/60 mm Hg; en decúbito dorsal
Saturación de oxígeno (Spo_2)	98%
Pupilas	PIRRL
Glucemia	96 mg/dl

7. ¿Qué debería considerar usted con respecto a llevar a la paciente a la ambulancia advirtiendo el comentario de su padre?
8. ¿Qué otras preguntas podrían usted hacerle a la paciente?

que en el plan terapéutico se respalde y vigile ABC según sea necesario. Considere administrar una carga de solución IV si el paciente muestra signos de estado de shock, pero tenga precaución cuando lo haga para prevenir un edema pulmonar. Aquellos en quienes se sospecha rabdomiólisis pueden beneficiarse de las cargas de solución IV. Si el EKG revela signos de hiperpotasemia, mencione estos datos a su supervisor médico, quien podría indicarle administrar calcio y bicarbonato IV.

Los niveles aumentados de metabolitos en los pacientes con LRA pueden tener efecto tóxico en los riñones. Muchos medicamentos son nefrotóxicos, incluso muchos analgésicos y antibióticos. Consulte a su supervisor médico si sospecha LRA y transporta a un paciente con antibióticos o analgésicos que se administran por goteo en solución. Muchos pacientes con LRA presentan otras comorbilidades que también será necesario incluir en el plan terapéutico.

Nefropatías crónicas

Como se mencionó antes, en Estados Unidos, más de 468 000 personas se encuentran bajo tratamiento de diálisis a largo plazo.[1] En la población estadounidense, el número de pacientes con nefropatía crónica aumenta rápido: de acuerdo con los *Centers for Disease Control and Prevention* (CDC) se calcula que la prevalencia de la enfermedad en los adultos de 30 años o mayores alcanzó casi 14% en el 2020.[16] En Estados Unidos, más de 37 millones de personas presenta alguna forma de nefropatía crónica.[16]

Fisiopatología

La **nefropatía crónica (NC)** es resultado de una función renal inadecuada progresiva e irreversible resultante de la pérdida permanente de nefronas, y se desarrolla durante el transcurso de meses o años. Más de la mitad de los casos constituye una consecuencia de enfermedad sistémica, como diabetes o hipertensión. La NC puede también ser causada por afecciones congénitas o pielonefritis prolongada.

Conforme las nefronas dañadas dejan de funcionar, ocurre cicatrización del riñón, cuyos tejidos empiezan a encogerse y lisarse conforme avanza el proceso, lo que lleva a la pérdida de nefronas y masa renal. Conforme disminuye la función renal, los productos de desecho y líquidos se acumulan en la sangre. La uremia (un aumento de la concentración de urea y otros productos de desecho en la sangre) y la **azoemia** (aumento de la concentración de residuos nitrogenados en sangre) llevan a complicaciones sistémicas como hipertensión, insuficiencia cardíaca, anemia y desequilibrios electrolíticos.

Evaluación

Los pacientes con NC pueden presentar un estado mental alterado por los desequilibrios electrolíticos y sus efectos sobre la transmisión de impulsos nerviosos en el encéfalo, y también con letargo, náusea, cefaleas, cólicos, signos de anemia, debilidad, vómito, anorexia, aumento de la sed, prurito e hipertensión. Como parte de la evaluación, indague si el paciente aún produce orina y pídale que describa su aspecto. Si hay NC, el volumen de orina puede haber disminuido o ha adquirido un aspecto pardo herrumbroso.

En un paciente con NC, la piel es pálida, fría y húmeda, y quizás muestre ictericia por la acumulación de residuos nitrogenados. Puede también presentarse una acumulación importante de urea en polvo llamada **escarcha urémica**, en especial en la cara. La piel puede mostrar equimosis por coagulopatía y quizás ocurran fasciculaciones musculares.

Los pacientes con NC muestran edema en las extremidades y la cara por desequilibrios electrolíticos; también pueden cursar con hipotensión y taquicardia si presentan deshidratación e infección. Si aparece hiperpotasemia, un EKG mostrará alteraciones en las formas de onda y los intervalos. Son también frecuentes la pericarditis y el edema pulmonar en los pacientes con NC y deberían evaluarse por auscultación de tórax.

Documentación y comunicación

En los pacientes con NC, usted debería valorar con frecuencia el estado mental y notar cualquier declinación o mejoría aparente. Documente sus datos e inclúyalos en su reporte para el personal de la instalación receptora.

Tratamiento

Porque la NC es una afección crónica, el tratamiento del paciente, en general, no se hace de manera aguda en el campo. Sin embargo, se aplican algunas consideraciones especiales cuando se trata a un paciente con NC por otras afecciones. Específicamente, pueden tener un riesgo más alto de edema pulmonar porque quizás no conserven la capacidad completa de regular su equilibrio hídrico; esta posibilidad debería considerarse si se planea administrar una carga de solución.

Además, los pacientes con NC presentan un mayor riesgo de cardiopatía, por lo que deberá tomarse en serio cualquier manifestación que afecte el tórax.

El transporte debería hacerse con calma. Hable de manera tranquila y confiable con la paciente para desechar cualquier temor. Si presenta un estado mental alterado, valore con frecuencia su orientación y registre cualquier cambio.

Sabiduría de la calle

No administre medicamentos a pacientes con nefropatía crónica, a menos que reciba la instrucción específica de hacerlo por su supervisor médico.

Nefropatía terminal

Fisiopatología

Sin tratamiento, la enfermedad aguda o crónica de los riñones avanzará hasta la **nefropatía terminal (NT)**. En un paciente con NT, los riñones no pueden funcionar y se acumulan materiales de desecho en la sangre. La NT es fatal, a menos que se trate mediante diálisis o trasplante renal. Para fines del 2017, más de 746 000 personas en Estados Unidos estaban bajo tratamiento por NT.[17]

Perlas de sabiduría

Los pacientes con NT tratada por hemodiálisis en ocasiones requerirán transporte en ambulancia entre su casa y la instalación donde se realiza el procedimiento. Dichos transportes pueden volverse sistemáticos para los proveedores de atención prehospitalaria; sin embargo, usted debe siempre hacer una evaluación completa y estar alerta respecto de los cambios en el estado mental del enfermo o sus signos vitales que podrían sugerir una afección aguda.

Evaluación

La paciente con NT está enferma de manera crónica y los datos de evaluación pueden cambiar con base en el

USTED es el Paramédico

PARTE 5

Debido a que los miembros de la familia son fuentes invaluables de información, usted agradece al padre de la paciente y le explica que es necesario trasladarla para su tratamiento apropiado, pero que se le manejará con delicadeza y se vigilará con cuidado en cuanto a cambios de su estado. Conforme usted ayuda a la paciente a sentarse de manera lenta, ella informa de algún mareo, pero parece tolerar la posición. La sujeta a la silla de ruedas y le explica cómo se desplazará en descenso por las escaleras. Usted llega a la puerta de entrada, la transfiere a la camilla y la cubre con sábanas. La revalúa en la ambulancia y ella le expresa que se siente mejor en decúbito dorsal. Usted nota que sus signos vitales ortostáticos resultan positivos en cuanto a cambios. Después del contacto con su supervisor médico, se le recomienda administrar una carga de 500 ml de solución salina normal y 4 mg de ondansetron (Zofran®) e iniciar el transporte.

Tiempo de registro:	15 minutos
Ventilaciones	24/min
Pulso	120 latidos/min
Piel	Enrojecida, sudorosa
Presión arterial	100/50 mm Hg; en decúbito dorsal
Saturación de oxígeno (Spo_2)	98%
Pupilas	PIRRL
Soluciones IV	500 ml de solución salina normal

9. ¿Qué puede solicitar a su supervisor médico además de antieméticos?
10. ¿Cómo afectará al transporte el estado general de la paciente?

tiempo transcurrido desde la última diálisis. Después del procedimiento, los pacientes pueden parecer en buen estado, pero en ocasiones se encontrarán débiles o deshidratados. Si han perdido citas para diálisis, con frecuencia se presentan con signos de sobrecarga de volumen: disnea y edema periférico. Si se acumularon sustancias tóxicas, pueden mostrar escarcha urémica, confusión y fasciculaciones musculares. La mayoría de los enfermos con NT presentará alguna forma de coagulopatía y quizás muestre equimosis. La debilidad y la fatiga pueden ser crónicas y notorias, y la mayoría presentará anemia.

Valore el EKG en cuanto a signos de hiperpotasemia, en particular si el paciente no acudió a su última sesión de diálisis programada. Como con los enfermos con NC, cualquier dolor torácico debería tomarse en serio y realizar una valoración cardíaca completa. Los pacientes con NT son susceptibles a la infecciones, pericarditis y derrames pericárdicos; considérelos en su diagnóstico diferencial con base en las manifestaciones. Si un paciente con NT no recibió tratamiento durante algún tiempo, puede presentar confusión significativa, convulsiones e inclusive coma.

Tratamiento

La terapéutica definitiva de los pacientes con NT se limita a la diálisis o el trasplante renales. Cuando atienda a uno, asegure la estabilidad de sus ABC y provea cuidados de sostén según se requieran. En caso de sobrecarga de volumen, considere administrar un diurético si el paciente aún produce orina. Si parece deshidratado o en estado de shock, su supervisor médico puede instruirle para administrar una carga de solución mientras vigila cuidadosamente signos de edema pulmonar. Si el enfermo presenta dolor torácico o signos de isquemia cardíaca, administre nitroglicerina y ácido acetilsalicílico de acuerdo con su protocolo local. Si el paciente perdió una sesión de diálisis, esté alerta en cuanto a hiperpotasemia y trate con calcio y bicarbonato, según le indique su protocolo local. En cualquier momento en que un paciente con NT se encuentre en paro cardíaco, considere importantemente la hiperpotasemia como causa subyacente.

Diálisis renal

Aunque no realmente una afección urológica, la **diálisis renal** y los problemas vinculados pueden requerir intervenciones prehospitalarias. La diálisis renal es una técnica de filtrado de residuos tóxicos de la sangre, retiro de exceso de líquidos y restablecimiento del equilibrio electrolítico normal, **FIGURA 18-7**.

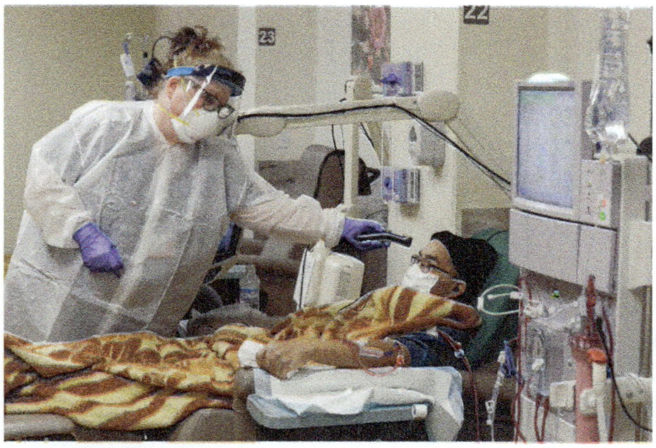

FIGURA 18-7. Un paciente en proceso de diálisis.

Hay dos tipos de diálisis: peritoneal y sanguínea. En la primera se inyectan grandes cantidades de soluciones formuladas especialmente para el procedimiento (y después se extraen) en la cavidad abdominal. Este líquido se mantiene en la cavidad durante 1 a 2 horas, lo que permite que ocurra el equilibrio conforme se difunden residuos a través de la membrana peritoneal hacia este. La diálisis peritoneal es muy eficaz, pero se vincula con un riesgo elevado de peritonitis; en consecuencia, es indispensable una técnica aséptica. Con entrenamiento apropiado, no obstante, la diálisis peritoneal se puede hacer en casa.

En la hemodiálisis, la sangre del paciente circula por un aparato que actúa de la misma forma que un riñón normal (si bien no con elegancia). La hemodiálisis requiere el acceso vascular a través de una fístula o una derivación arteriovenosa (AV), o ante emergencias, un catéter venoso central. Una **fístula**, **derivación** o **injerto arteriovenoso** es una anastomosis arteriovenosa realizada en forma quirúrgica y que atraviesa el tejido subcutáneo. Suele localizarse en el antebrazo o el brazo, **FIGURA 18-8**. Se conecta al paciente con el aparato de diálisis a través de esta derivación, que permite que la sangre fluya del cuerpo al aparato y de retorno.

En los pacientes con paro cardíaco o respiratorio, cuando el acceso intraóseo es difícil o imposible, se puede usar la fístula o derivación para el acceso IV; tal procedimiento deberá hacerse solo de acuerdo con sus protocolos locales. En todos los otros casos, se seleccionará un acceso IV en el brazo contralateral. No deberían usarse las derivaciones AV para la obtención de muestras de sangre en forma sistemática y también deberían tomarse las lecturas de presión arterial utilizando el brazo contralateral.

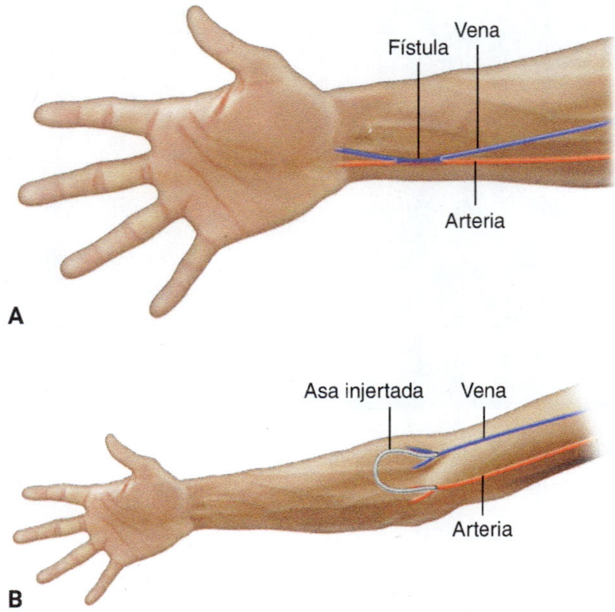

FIGURA 18-8 **A.** Con una fístula arteriovenosa, la presión arterial crea una protrusión bajo la piel en el sitio donde la arteria y la vena se conectaron directamente. **B.** Un injerto arteriovenoso da lugar a una zona elevada bajo la piel que parece un vaso sanguíneo grande.

El único momento en que usted probablemente vea un aparato de diálisis es cuando su servicio provea transporte a pacientes hacia y desde centros de su aplicación. Si el paciente cuenta con un aparato de diálisis en su domicilio particular, los tratamientos con toda probabilidad serán realizados por un técnico experto en el procedimiento o tal vez por el mismo paciente o un miembro de su familia.

Quienes requieren diálisis en forma crónica en el hospital o en instalaciones comunitarias exprofeso, suelen someterse a este proceso cada 2 o 3 días durante 3 a 5 horas. En años recientes, un número significativo de pacientes empezó a usar unidades de diálisis caseras (**FIGURA 18-9**). Quienes realizan la diálisis en casa suelen tener entrenamiento extenso en estos procedimientos y a menudo alguien más en el lugar también. La diálisis en casa requiere que un paciente se someta a sesiones 5 a 6 veces por semana durante 3 a 6 horas en cada ocasión. Las sesiones se pueden hacer durante el día o la noche, lo que da al paciente mayor autonomía en términos del estilo de vida.[18] La mayoría de las complicaciones de la hemodiálisis casera se vincula con el error humano durante la canulación de la derivación, la conexión del aparato y su desconexión.[19] Si ocurre un problema con el aparato, el paciente y miembro de familia pueden saber más

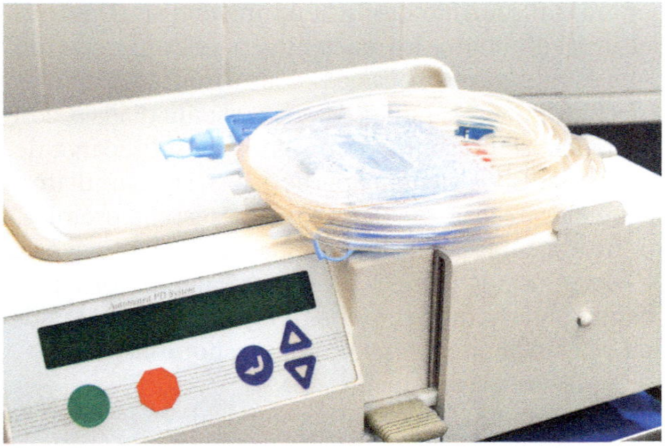

FIGURA 18-9. Una unidad de diálisis casera ofrece a los pacientes mayor flexibilidad en su tratamiento.

que usted al respecto, por lo que siempre pregunte al enfermo qué hizo antes de su arribo.

Algunos pacientes pueden hacer la diálisis peritoneal en casa, en cuyo caso tienen la opción de su forma diálisis ambulatoria peritoneal continua (DAPC) o de diálisis peritoneal automática (DPA). La DAPC se hace por el paciente, que inyecta solución de diálisis en el abdomen y después la retira pasadas de 4 a 6 horas.[20] Se hacen cambios de líquidos al menos cuatro veces al día. La solución de diálisis se mantiene en el abdomen del paciente durante la noche. Un método alternativo es de diálisis peritoneal automática, en el que se utiliza un aparato para la introducción y retiro de la solución de diálisis.[19] Los pacientes que se someten a diálisis peritoneal pueden presentar peritonitis, aumento de peso, hernia abdominal y una diálisis inadecuada. Ambas modalidades de diálisis peritoneal se pueden realizar en un sitio limpio privado, lo que permite al paciente trabajar y viajar.[21]

Mentras los pacientes sometidos a diálisis en forma crónica pueden experimentar la misma variedad de afecciones y lesiones que otros, son particularmente vulnerables a ciertos problemas, ya sea por el procedimiento mismo o por la insuficiencia renal subyacente. Los problemas vinculados con la diálisis pueden ser resultado de una desconexión accidental del aparato, la hemorragia de una fístula o derivación, la disfunción del aparato o los cambios rápidos de soluciones y electrólitos que producen hipotensión, desequilibrio de potasio y el síndrome de desequilibrio. En el **CUADRO 18-3** se resume el tratamiento de las emergencias médicas durante una diálisis.

Las personas que pasan por alto el tratamiento de diálisis a menudo acudirán con signos de desequilibrio electrolítico, que incluye debilidad muscular, cólicos, edema pulmonar y escarcha urémica. Otras

CUADRO 18-3 Emergencias médicas en los pacientes de diálisis

Problema	Tratamiento prehospitalario
Relacionado con la diálisis:	
Hipotensión	Administrar 50 ml de solución salina normal por vía intravenosa.
Hemorragia de la fístula o derivación	Si no se puede reconectar la derivación, coloque una pinza, aplique presión directa para controlar la hemorragia y verifique signos de un estado de shock.
Desequilibrio de potasio	Para la hipopotasemia: tratar la bradicardia con atropina. Para la hiperpotasemia: puede considerarse la administración de calcio y bicarbonato si la cifra de laboratorio se obtuvo en la instalación que envía.
Síndrome de desequilibrio	Provea solo tratamiento de sostén.
Embolia aérea	Coloque al paciente en decúbito lateral izquierdo con una inclinación de casi 10° con la cabeza abajo.
Disfunción del aparato	Apague el aparato; pince los extremos de la derivación, desconecte al paciente del aparato; transporte.
Aquel al que son más vulnerables los pacientes de diálisis:	
Insuficiencia cardíaca	Administre oxígeno; coloque al paciente en una posición de sentado; administre un diurético si está produciendo orina; provea transporte rápido a una instalación con capacidad para diálisis.
Infarto miocárdico y disritmias cardíacas	Tratar como cualquier otro paciente, pero tener precaución cuando se administre algún medicamento.
Hipertensión	Transporte; provea atención de sostén.
Taponamiento pericárdico	Provea transporte de emergencia tan pronto como se detecte.
Pericarditis urémica	Administre oxígeno; permita al paciente asumir una posición confortable; transporte.

complicaciones generales de la diálisis incluyen calambres musculares, náusea y vómito e infecciones en el sitio de la fístula o derivación.

Hipertensión y estado de shock

No es raro un incremento súbito de presión arterial durante o inmediatamente después de una diálisis, pero puede llevar al paro cardíaco del paciente si no se detecta y trata de manera rápida.

El paciente puede sentirse mareado o presentar confusión, y a menudo bosteza más de lo usual. Puesto que la diálisis altera la química sanguínea, tal vez experimente un desequilibrio electrolítico. Por ese motivo, usted siempre debería vigilar a los pacientes de diálisis en relación con disritmias cardíacas. El estado de shock secundario a la hemorragia también es posible por muchas causas, como la hipovolemia resultante de desviaciones de líquido o hemorragia por disfunción plaquetaria. También puede ocurrir hemorragia en el sitio de la cánula de diálisis y debería controlarse por compresión directa.

Perlas de sabiduría

Cuando usted toma la presión arterial en un paciente de diálisis, hágalo en el brazo que no tiene la derivación.

Desequilibrio de potasio

Una consecuencia de la afección renal es la incapacidad de excretar el potasio ingerido. En consecuencia, los pacientes con NC son susceptibles a la hiperpotasemia. Los cambios de los intervalos y formas de onda del EKG pueden presentarse cuando ocurre ese tipo de desequilibrio.

También puede ocurrir hipopotasemia como consecuencia de una diálisis muy intensa. La concentración de potasio con toda probabilidad desciende durante o inmediatamente después de un ciclo de diálisis. El paciente puede estar hipotenso, y quizás presente disritmias cardíacas. Trate la arritmia si es significativa desde el punto de vista hemodinámico o con síntomas persistentes. Para mayor detalle véase el capítulo 15, *Emergencias cardiovasculares.*

Síndrome de desequilibrio

La diálisis disminuye con rapidez la concentración de urea sanguínea, en tanto la de solutos en el líquido cefalorraquídeo (LCR) se mantiene alta. El agua, por supuesto, se desplaza por ósmosis de una solución de menor concentración a una en la que es mayor. Por lo tanto, la diálisis puede causar que inicialmente ocurra desviación del agua de la corriente sanguínea al LCR, lo que así aumenta de manera leve la presión intracraneal, en cuyo caso el enfermo quizás experimente el **síndrome de desequilibrio**, un trastorno caracterizada por náusea, vómito, cefalea y confusión, que tiende a presentarse en quienes inician la diálisis o que pasaron por alto varias sesiones y las están reiniciando.[22] Después de unas cuantas horas, el líquido puede reequilibrarse entre la sangre y el LCR, y los síntomas del paciente mejoran. Si no se resuelve solo el problema, necesitará obtenerse tratamiento médico.

Perlas de sabiduría

En el campo, puede ser imposible distinguir entre un síndrome de desequilibrio y un accidente cerebrovascular o un hematoma subdural, cualquiera de estas dos últimas afecciones a las que los pacientes de diálisis son en particular vulnerables. En tal caso, transporte al enfermo al hospital de inmediato para una evaluación neurológica completa.

Embolia aérea

Si cualquiera de los ajustes y conexiones del aparato de diálisis se suelta, puede ingresar aire al sistema y producir una **embolia aérea** al paciente. Los síntomas de esta afección incluyen disnea súbita, hipotensión y cianosis. Si sospecha de una embolia aérea, desconecte al paciente del aparato de diálisis, colóquelo en decúbito lateral izquierdo con una inclinación de casi 10° con la cabeza abajo y transpórtelo de inmediato.

Afecciones del aparato genital masculino

Epididimitis y orquitis

Una posible complicación de la IVU en hombres es la **epididimitis**, proceso infeccioso que causa inflamación del epidídimo, ubicado en el borde posterior del testículo. Cuando uno o ambos testículos se infectan, la afección se denomina **orquitis**, que hace que uno o ambos órganos aumente de volumen y presente hipersensibilidad, con dolor y edema del escroto. Puede presentarse edema en la ingle del lado afectado. El dolor quizás aumente durante las evacuaciones intestinales. El paciente con frecuencia presentará fiebre, y la orina un olor fétido.

El tratamiento prehospitalario de estas afecciones es de sostén. Puesto que el enfermo probablemente presente dolor, considere la administración de analgésicos.

Perlas de sabiduría

Un paciente que sufrió un traumatismo renal contuso a menudo acude con dolor de flanco y hematuria (presencia de sangre en la orina) que suele no detectarse hasta la evaluación en el departamento de emergencias. Los hematomas o equimosis obvios sobre la parte alta del abdomen, la parte media del dorso, o la inferior de la caja costal, puede también sugerir lesiones renales. Tenga esto en mente cuando evalúe a un paciente con una emergencia urológica. Para mayores detalles, véase el capítulo 33, *Traumatismos abdominales y genitourinarios*.

Gangrena de Fournier

Si ingresan bacterias al escroto o perineo, puede ocurrir una **gangrena de Fournier**, infección que causa necrosis del tejido subcutáneo y músculo escrotales. El paciente se encontrará febril, con escroto y perineo hipersensibles, aumento de la temperatura local y eritema. Puede haber un drenaje purulento, y si no se trata, la piel de la región quizás se torne grisácea o negra. Esta es una emergencia que pone en riesgo la vida y requiere transporte rápido al hospital, pues los pacientes pueden presentar septicemia e inestabilidad con rapidez, y requerirán tratamiento intensivo con soluciones IV.

Priapismo

El **priapismo**, una erección hipersensible persistente y dolorosa, puede ser resultante de la drepanocitemia, leucemia, lesión de la médula espinal o ciertos medicamentos, como antidepresivos, anticonvulsivos, y aquellos usados para tratar la disfunción eréctil. Asegúrese de mantener la privacidad del paciente y no hacer suposiciones en cuanto a la causa del trastorno. Cualquiera que sea esta, trátelo con respeto y adminístrele analgésicos. Si se sospecha una lesión de la médula espinal, utilice técnicas apropiadas de inmovilización. El priapismo se describe con mayor detalle en el capítulo 33, *Traumatismos abdominales y genitourinarios.*

Fimosis y parafimosis

La **fimosis** es la imposibilidad de retraer la parte distal del prepucio sobre el pene, **FIGURA 18-10A**, afección que puede ser congénita, o adquirida, en general por mala higiene o infecciones recurrentes y cicatrización del prepucio. El tratamiento prehospitalario incluye compresas frías y transporte.

Ocurre **parafimosis** cuando se retrae el prepucio sobre el glande y lo atrapa, **FIGURA 18-10B**. Lo apretado del prepucio hace que el glande presente edema, lo que dificulta aún más desplazar el prepucio a su posición normal de retorno. Puede ocurrir parafimosis después de la retracción manual del prepucio, como cuando se inserta una sonda de Foley, y también después de la retracción de una fimosis o de perforaciones en el glande. La parafimosis es una emergencia real, y el no resolverla puede causar necrosis del glande.

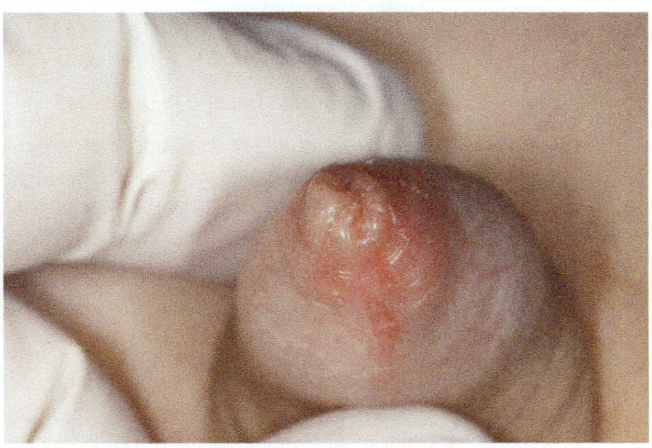
A

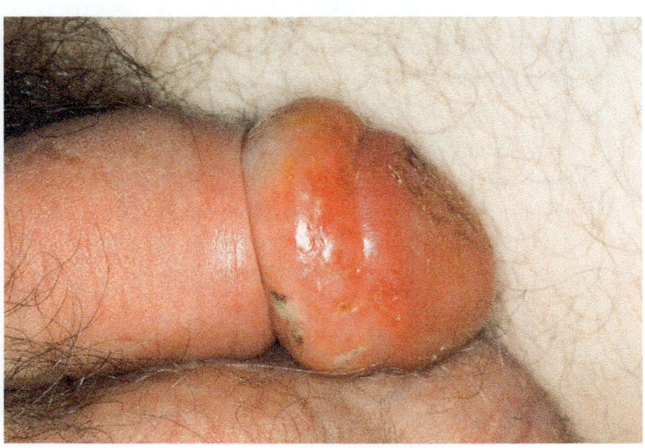
B

FIGURA 18-10 A. Fimosis. **B.** Parafimosis.

A: © Dr. P. Marazzi/Science Source; **B:** © Hercules Robinson/Alamy Stock Photo.

Hiperplasia prostática benigna

La **hiperplasia prostática benigna (HPB)** mal llamada hipertrofia protática no se trata de un proceso de hipertrofia en el que las células aumentan el tamaño del citoplasma, en esta condición aumenta la masa de células prostáticas por esta razón se presenta como un crecimiento no oncológico de la próstata relacionado con la edad. Ocurre en casi 50% de los hombres mayores de 50 años, y su prevalencia continúa aumentando conforme lo hace la edad.[23] Puede ser asintomática o causar dificultad para iniciar el flujo de orina; un flujo urinario débil, lento, una vez iniciado; el vaciamiento incompleto de la vejiga; el aumento de las micciones nocturnas y la retención urinaria. Si la próstata se infecta, se dice que el paciente presenta **prostatitis**, afección que puede ocurrir con síntomas similares a los de una IVU, así como con fiebre, temblores u obstrucción urinaria.

Masas testiculares

Las masas testiculares, que pueden ser dolorosas o indoloras, rara vez requieren tratamiento prehospitalario. Si hay dolor, éste se puede irradiar hacia el cordón espermático o localizarse en un punto específico del escroto. En la mayoría de los casos se trata de masas quísticas benignas o un varicocele: masa indolora por venas dilatadas ubicada en la parte posterior del testículo. El cáncer testicular suele presentarse como una masa sólida indolora en el testículo.

Torsión testicular

La **torsión testicular** es un giro de esa gónada sobre el cordón espermático, del que está suspendida. Esta afección se vincula con el inicio rápido de dolor y edema escrotales. Se trata de una emergencia médica cuando la torsión de los vasos disminuye el flujo sanguíneo testicular, suele ser unilateral, y se puede presentar con o sin traumatismos contusos, una masa testicular, infección o la presencia de sangre en el semen. Debería transportarse rápida y cuidadosamente a los pacientes y permitirles asumir la posición de máxima comodidad. Pueden administrarse analgésicos.

USTED es el Paramédico RESUMEN

1. ¿Qué preocupaciones tiene usted en cuanto a la escena?

Es indispensable hacer una evaluación de la escena para garantizar la seguridad de usted y su tripulación. El conocimiento de que se trata de una casa antigua con una escalera estrecha y la paciente se encuentra en el segundo piso, debería llevarle a considerar solicitar personal adicional, de ser necesario, para su movilización y levantamiento seguros.

2. Aunque usted no ha visto a la paciente aún, ¿Qué información ya conoce como parte de su evaluación primaria?

Debido a que escucha a su paciente llamar al padre y decirle que está a punto de "vomitar otra vez", usted sabe que está alerta, que tiene una vía aérea permeable y está ventilando. Esta información puede cambiar con rapidez, sin embargo, ha obtenido gran parte antes de inclusive verla.

3. ¿Qué preocupaciones tiene en cuanto a sus antecedentes, signos y síntomas?

Se requiere más información para estrechar su diagnóstico diferencial. Las causas de preocupación incluyen los signos cutáneos, que señalan una fiebre/infección, así como el mareo durante la bipedestación. Posiblemente tenga signos vitales ortostáticos positivos y esté significativamente deshidratada por el vómito.

4. ¿Qué debería hacer con la emesis?

No olvide considerar hacer inspección del material de emesis respecto a cualquier signo de la presencia de sangre. Siga sus protocolos locales en cuanto al transporte de muestras al hospital.

5. ¿Qué técnicas de evaluación adicionales podría usar?

Una técnica utilizada para evaluar una infección renal o pielonefritis es colocar su puño sobre el flanco y percutirlo suavemente con la otra mano. Si hay infección renal, esto tendrá una respuesta dolorosa; por lo tanto, usted debería usar esta técnica con precaución.

6. ¿Por qué es importante valorar la temperatura corporal de la paciente?

La valoración de la temperatura corporal es indispensable y no debería olvidarse en el contexto prehospitalario. La de esta paciente y otros datos de valoración pueden ayudarle a tratar y documentar una infección.

7. ¿Qué debería considerar usted respecto respecto a llevar a la paciente a la ambulancia advirtiendo el comentario del padre?

Usted debería prepararse para observar síntomas neurológicos de la paciente, incluido el síncope. A su vez, puede tener que ajustar el método de desplazamiento a la ambulancia. Los proveedores de atención prehospitalaria tienen una amplia variedad de opciones de movilización y levantamiento de pacientes para ajustarlas a las necesidades y abordar los retos de acceso/salida. En esta escena, movilizar a la paciente a través de una camilla flexible con cintas de sujeción puede ser otra opción si presenta muchos síntomas mientras permanece sentada en una silla de escalera.

8. ¿Qué otras preguntas podrían hacer a la paciente?

Puesto que se trata de una mujer en edad de procrear, debería indagar su último ciclo menstrual. También pregunte acerca de la micción: color de la orina, frecuencia, olor y la presencia de sangre u otros síntomas.

9. ¿Qué puede solicitar a su supervisor médico además de antieméticos?

El tratamiento del dolor en un paciente con una emergencia renal es parte integral de su atención. Muchos protocolos abordarán específicamente el dolor vinculado con cálculos renales. Sígalos.

10. ¿Cómo afectará al transporte el estado general de la paciente?

Esta paciente no muestra signos y síntomas de una emergencia renal que ponga en riesgo la vida. Por lo tanto, debería transportarse en una posición cómoda con traqueteo mínimo y una conducción lenta y cuidadosa del vehículo para evitar brincos, aceleración súbita, desaceleración o giros súbitos excesivos.

USTED es el Paramédico RESUMEN continuación

Reporte de atención de paciente prehospitalario (RAPP)

Fecha: 04-11-22	**Incidente núm.:** 20227	**Naturaleza de la llamada:** médica		**Localización:** 327 Calle Carapungo	
Despacho: 06:00	**En camino:** 06:03	**En la escena:** 06:08	**Transporte:** 06:32	**En el hospital:** 06:45	**En servicio:** 06:55

Información de la paciente

Edad: 23 **Sexo:** F **Peso:** 70 kg	**Alergias:** NACM **Medicamentos:** ciprofloxacina, complemento de arándano de venta libre **Antecedentes médicos:** IVU **Principal manifestación:** dolor dorsal bajo

Signos vitales

Hora: 06:13	**PA:** 108/60	**Pulso:** 110	**Ventilaciones:** 24	**Spo_2:** 98%
Hora: 06:18	**PA:** 108/60	**Pulso:** 112	**Ventilaciones:** 24	**Spo_2:** 98%
Hora: 06:23	**PA:** 100/50	**Pulso:** 120	**Ventilaciones:** 24	**Spo_2:** 98%

Tratamiento del SEM (resalte todo lo que aplicable)

Oxígeno @ __ L/min por (circular uno): **CN MSR Dispositivo de bolsa y mascarilla**		**Ventilación asistida**	**Dispositivo de la vía aérea**	**RCP**
Desfibrilación	**Detención de la hemorragia**	**Vendaje**	**Ferulización**	**Otro:**

Narración

Se despachó la unidad por una mujer que informó de dolor dorsal bajo en el 327 de la West Main Street, de 23 años, en decúbito lateral derecho en su cama, con vómito en un recipiente metálico. Alerta, con diaforesis, piel de temperatura alta, rubor. La paciente informa de dolor dorsal bajo y declara que ha estado "vomitando" durante los últimos 2-3 días y presenta ardor al orinar y náusea/vómito desde anoche cerca de las 12. La micción empeora el dolor. La paciente describe dolor dorsal bajo "leve" que se irradia del flanco al pubis y califica su intensidad como 4 en una escala de 0 al 10, donde 10 es el peor. Ingirió alimentos por última vez ayer a las 21:00 horas.

Anteriormente se señalaron sus signos vitales en decúbito. Temperatura 38.3 °C, glucemia 96 mg/dl, PIRRL, HEENT (cabeza, oídos, ojos, nariz y garganta) sin traumatismos, ruidos ventilatorios limpios e iguales a ambos lados. Abdomen con ruidos intestinales hiperactivos, blando, con hipersensibilidad difusa en los cuatro cuadrantes con aumento de la hipersensibilidad de los dos inferiores, y el flanco derecho, p/m/s/ × 4. Sospecha de posible pielonefritis.

Se estableció una vía IV con una carga de 500 ml de solución SN y catéter calibre 18. EKG con ST sin ectopias. Se desplazó con una silla de escalera. Se transportó a WWMC. Se continuó vigilando en el camino sin cambios. Arribó al DE y se entregó para su atención a J. Smith, RN.

Fin del reporte

Kit de preparación

Resumen rápido

- La enfermedad renal crónica es la afección más frecuente de los riñones. Los cálculos renales y las IVU también afectan a muchas personas.
- El aparato genitourinario incluye los riñones, la vejiga, los uréteres, la uretra, los órganos reproductores masculinos y femeninos, y estructuras específicas dentro de los riñones.
- La orina se forma en las nefronas, constituidas por el glomérulo, su cápsula, el túbulo contorneado proximal, el asa de Henle y el túbulo contorneado distal.
- La anatomía de la uretra es diferente en hombres y mujeres. En ellos sirve como conducto urinario, así como del semen y otras secreciones.
- El dolor visceral es el tipo más a menudo vinculado con las afecciones genitourinarias. El dolor referido se origina en un órgano o tejido, pero se percibe por el paciente como localizado en una región corporal diferente.
- Las siglas OPQRST [inicio (*Onset*), Provocación, calidad (*Quality*), Región/radiación/referencia, gravedad (*Severity*), horario (*Timing*)] se usan durante la evaluación para reflexionar respecto de la manifestación principal y evaluar y revaluar el tipo y la intensidad del dolor.
- En la exploración física, use el sistema de cuatro cuadrantes y el mapeo abdominal por regiones. Haga la vigilancia cardíaca y ordene nada por vía oral a los pacientes con una posible afección genitourinaria.
- El dolor en pacientes con afecciones genitourinarias se trata con cambios de posición, analgésicos y soluciones, según estén indicados, así como cuidados de sostén.
- Los síntomas de IVU incluyen micción dolorosa, urgencia urinaria frecuente, dificultad miccional y tal vez dolor referido al hombro o el cuello. La orina puede tener un olor fétido y ser nebulosa. El tratamiento de los pacientes con IVU consta sobre todo de cuidados de sostén de ABC, con permiso para que el paciente se mantenga en una posición cómoda y posiblemente la administración de analgésicos.
- El sondaje de la vejiga permite un flujo de orina continuo al exterior y provee un medio de cuantificación del gasto urinario en enfermos con inestabilidad hemodinámica. La bolsa de drenaje no debería elevarse por arriba del nivel de la vejiga del paciente para evitar el reflujo de orina.
- Los cálculos renales se forman cuando se cristaliza un exceso de sales insolubles o ácido úrico en la orina. Los síntomas incluyen dolor intenso de flancos que pueden migrar a la ingle y puede producir un aumento súbito en la presión arterial y la frecuencia del pulso del paciente.
- La lesión renal aguda es un decremento súbito del filtrado a través de los glomérulos, con acumulación resultante de sustancias tóxicas en la sangre. Los tres tipos de lesión renal aguda son la prerrenal, intrarrenal y posrenal. Los signos y síntomas varían de hipotensión, taquicardia, mareo y sed, a dolor, oliguria, distensión vesical, hematuria y edema periférico.
- La enfermedad renal crónica es progresiva y causa una función inadecuada irreversible de los riñones. Las nefronas se dañan, pierden su funcionalidad y causan acumulación de residuos y líquidos en la sangre. Los signos y síntomas pueden incluir alteración del nivel de consciencia, letargo, náusea, cefalea, cólicos, anemia, equimosis, edema en las extremidades y cara, hipotensión y taquicardia.
- Los pacientes con enfermedad renal aguda o crónica requieren respaldo de la vía aérea, ventilación y circulación; posiblemente de la administración de medicamentos para regular la acidosis, los desequilibrios electrolíticos y el volumen de líquidos, y el transporte en calma con respaldo emocional.
- Sin tratamiento, la enfermedad renal aguda o crónica avanzará hasta la etapa terminal, lo que significa que los riñones no pueden funcionar. Los materiales de desecho tóxicos se acumulan en la sangre del paciente y causan muchos signos y síntomas potenciales y tal vez disritmias cardíacas. La atención prehospitalaria es de sostén e incluye el tratamiento del estado de shock y, bajo supervisión médica, la regulación de desequilibrios de líquidos, anomalías de electrólitos y la función cardiovascular.

Kit de preparación continuación

- La diálisis renal es un procedimiento para retirar los residuos tóxicos y el exceso de líquidos de la sangre. Los pacientes tratados por diálisis suelen tener una fístula o derivación a través de la cual se conectan con el aparato. Son vulnerables a la hipotensión, los desequilibrios de potasio, el síndrome de desequilibrio y la embolia aérea.
- Muchos pacientes son objeto de diálisis en el hospital o en instalaciones comunitarias, pero un número significativo cuenta con unidades de diálisis caseras para realizar hemodiálisis o diálisis peritoneal. La mayoría de las complicaciones que surgen por la hemodiálisis casera se relacionan con un error humano durante la canulación de la derivación, conexión y desconexión del aparato.
- Siempre vigile a los pacientes bajo diálisis en cuanto a arritmias cardíacas. También es posible un estado de shock secundario a la hemorragia por diversos factores. Esté pendiente de ondas T agudas en el EKG, signo clásico de hiperpotasemia.
- Las afecciones específicas que pueden ocurrir en el aparato genital masculino incluyen: epididimitis, gangrena de Fournier, priapismo, fimosis, parafimosis, hipertrofia prostática benigna, masas y torsión testiculares. El tratamiento prehospitalario de la mayoría de estas afecciones es de sostén. Debido a que este tipo de pacientes probablemente presente dolor, considere la administración de analgésicos y transpórtelos con delicadeza.

Vocabulario esencial

Anuria Cese completo de la producción de la orina.

Asa de Henle La porción en forma de U del túbulo renal que se extiende entre los túbulos contorneados proximal y distal; concentra el filtrado y lo convierte en orina.

Azoemia Aumento de los residuos nitrogenados en la sangre.

Cálculos renales Masas cristalinas sólidas que se forman en el riñón, como resultado de un exceso de sales insolubles o ácido úrico que se cristalizan en la orina; pueden atraparse en cualquier sitio de las vías urinarias. También se llaman cálculos renales.

Cápsula glomerular (de Bowman) Una copa de doble capa con la interna que infiltra y rodea los capilares del glomérulo.

Derivación Una conexión entre los sistemas arterial y venoso donde no hay intercambio de gases.

Diálisis renal Técnica de filtración de la sangre para eliminar residuos tóxicos y líquidos excesivos y reestablecer el equilibrio normal de electrólitos.

Embolia aérea Presencia de aire en la circulación venosa, que forma burbujas que pueden bloquear la salida de sangre del ventrículo derecho hacia el pulmón; puede causar paro cardiaco, estado de shock y otras complicaciones de riesgo para la vida.

Epididimitis Una infección que causa inflamación del epidídimo, ubicado en el borde posterior del testículo; una posible complicación de las infecciones de vías urinarias masculinas.

Escarcha urémica Acumulación de urea en polvo, en especial sobre la piel de la cara.

Fimosis Incapacidad de retraer el prepucio sobre el glande.

Fístula Una conexión quirúrgicamente creada entre una arteria y una vena, por lo general en el brazo, de acceso para diálisis.

Gangrena de Fournier Una afección producto de bacterias que ingresan a la piel del escroto o periné, causan infección y necrosis subsiguiente del tejido subcutáneo y del músculo del escroto.

Hematuria Presencia de sangre en la orina.

Hiperplasia prostática benigna (HPB) Crecimiento no canceroso de la próstata relacionado con la edad.

Incontinencia urinaria Imposibilidad de regular la salida de orina de la vejiga; pérdida del control vesical.

Kit de preparación continuación

Infecciones de vías urinarias (IVU) Procesos infecciosos, por lo general de las vías urinarias bajas (uretra y vejiga), que ocurren cuando la flora normal (bacterias que pueblan la piel en forma natural) ingresa a la uretra y prolifera.

Injerto arteriovenoso Una conexión quirúrgica entre una arteria y una vena.

Lesión renal aguda (LRA) Decremento súbito en el filtrado a través de los glomérulos.

Lesión renal aguda intrarrenal (LRAI) Un tipo de lesión renal aguda caracterizado por daño del riñón mismo, a menudo por enfermedades inmunológicas, lesión renal aguda prerrenal, sustancias tóxicas, metales pesados, algunos medicamentos y compuestos orgánicos.

Lesión renal aguda posrenal Un tipo de lesión renal aguda causado por obstrucción del flujo de orina desde los riñones, por lo general causado por un bloqueo de la uretra por la próstata crecida, coágulos sanguíneos o estenosis.

Lesión renal aguda prerrenal Un tipo de lesión renal aguda causado por hipoperfusión en los riñones, resultante de la hipovolemia (hemorragia, deshidratación), traumatismos, estado de shock, septicemia o insuficiencia cardíaca (secundaria a un infarto de miocardio); a menudo reversible si la afección subyacente se puede identificar y se reestablece la perfusión renal.

Nefritis intersticial Una inflamación crónica de las células intersticiales que rodean a las nefronas.

Nefronas Las unidades estructurales y funcionales del riñón que forman la orina; constituidas por el glomérulo, la cápsula glomerular (de Bowman), el túbulo contorneado proximal, el asa de Henle y el túbulo contorneado distal.

Nefropatía crónica (NC) Función renal inadecuada progresiva e irreversible a causa de la pérdida permanente de nefronas.

Nefropatía terminal (NT) Una afección en la que el riñón no puede funcionar y se acumulan residuos tóxicos en la sangre del paciente; ocurre después de una lesión renal aguda o crónica.

Oliguria Gasto urinario menor de 500 ml/día

Orina Líquido con productos de desecho que se filtra por el aparato urinario al exterior.

Orquitis Una complicación de una infección de vías urinarias masculinas donde uno o ambos testículos se infectan, aumentan de volumen y se tornan hipersensibles, lo que causa dolor y edema en el escroto.

Parafimosis Una afección en la que se retrae el prepucio sobre el glande y lo atrapa; la constricción del glande causa que se inflame todavía más.

Pielonefritis Una infección de vías urinarias superiores en las que se afectan los riñones.

Priapismo Una erección dolorosa, hipersensible, persistente del pene; puede ser resultado de una lesión de la medula espinal, fármacos para la disfunción eréctil o drepanocitemia.

Prostatitis Inflamación de la próstata.

Retención urinaria Vaciamiento incompleto de la vejiga o una carencia completa de la capacidad de vaciarla.

Riñones Órganos sólidos con forma de frijol que se alojan en el espacio retroperitoneal, filtran sangre y excretan residuos corporales en forma de orina.

Síndrome de desequilibrio Una afección caracterizada por náusea, vómito, cefalea y confusión, que ocurre cuando la diálisis produce desvío de agua inicialmente del flujo sanguíneo al líquido cefalorraquídeo, con aumento leve de la presión intracraneal.

Torsión testicular Giro del testículo sobre el cordón espermático, del que está suspendido; se asocia con dolor y edema escrotales y constituye una emergencia médica.

Túbulo contorneado distal (TCD) Se conecta con los túbulos colectores del riñón.

Túbulo contorneado proximal (TCP) Una de las dos secciones complejas de la nefrona; el túbulo contorneado proximal incluye un aumento de dimensiones en su extremo llamado cápsula glomerular.

Uremia La presencia de cantidades excesivas de urea y otros productos residuales en la sangre.

Kit de preparación continuación

Uréteres Un par de conductos huecos de pared gruesa que transportan orina de los riñones a la vejiga.

Uretra Una estructura tubular hueca que drena orina de la vejiga y la expulsa del cuerpo.

Vejiga Un saco muscular hueco en la línea media de la región abdominal baja que almacena la orina hasta que se expulsa del cuerpo.

Referencias

1. National Institute of Diabetes and Digestive and Kidney Diseases. Kidney disease statistics for the United States. https://www.niddk.nih.gov/health-information/health-statistics/kidney-disease. Publicada en diciembre de 2016. Consultada el 8 de febrero de 2021.
2. National Institute of Diabetes and Digestive and Kidney Diseases. Definition and facts for kidney stones. https://www.niddk.nih.gov/health-information/urologic-diseases/kidney-stones/definition-facts#common. Publicada en mayo de 2017. Consultada el 8 de febrero de 2021.
3. Medina M, Castillo-Pino E. An introduction to the epidemiology and burden of urinary tract infections. *Ther Adv Urol*. 2019;11:1756287219832172. doi: 10.1177/1756287219832172.
4. McVary KT. Surgical treatment of benign prostatic hyperplasia (BPH). *UpToDate*. https://www.uptodate.com/contents/surgical-treatment-of-benign-prostatic-hyperplasia-bph#:~:text=Most%20procedures%20used%20in%20the,of%20the%20prostate%20%5BThuLEP%5D). Publicada el 9 de julio de 2020. Consultada el 8 de febrero de 2021.
5. Leuthauser A, McVane B. Abdominal pain in the geriatric patient. *Emerg Med Clin North Am*. 2016;34:363-375. http://dx.doi.org/10.1016/j.emc.2015.12.009.
6. Long B. Stroke mimics: pearls and pitfalls. http://www.emdocs.net/stroke-mimics-pearls-and-pitfalls/. Publicada el 23 de marzo de 2016. Consultada el 8 de febrero de 2021.
7. Manterola C, Vial M, Moraga J, Astudillo P. Analgesia in patients with acute abdominal pain. *Cochrane Database Syst Rev*. 2011;1:CD005660.
8. Rui P, Kang K. National Hospital Ambulatory Medical Care Survey: 2017 emergency department summary tables. US Department of Health and Human Services, Centers for Disease Control and Prevention, National Center for Health Statistics. https://www.cdc.gov/nchs/data/nhamcs/web_tables/2017_ed_web_tables-508.pdf. Consultada el 8 de febrero de 2021.
9. Medicine Michigan, University of Michigan. Overflow incontinence. https://www.uofmhealth.org/health-library/uh1227. Actualizada el 21 de agosto de 2019. Consultada el 8 de febrero de 2021.
10. Chewcharat A, Curhan G. Trends in the prevalence of kidney stones in the United States from 2007 to 2016. *Urolithiasis*. 2021;49:27-39. https://doi.org/10.1007/s00240-020-01210-w.
11. Kirkali Z, Rasooly R, Star RA, Rodgers GP. Urinary stone disease: progress, status, and needs. *Urology*. 2015;86(4):651-653
12. Lin S-Y, Lin C-L, Chan Y-J, et al. Association between kidney stones and risk of stroke: a nationwide populations-based cohort study. *Medicine (Baltimore)*. 2016;95(8):e2847. doi:10.1097/MD.0000000000002847.
13. Workeneh BT. Acute kidney injury. *Medscape*. https://emedicine.medscape.com/article/243492-overview#a5. Actualizada el 24 de diciembre de 2020. Consultada el 8 de febrero de 2021.
14. Wiersema R, Eck RJ, Haapio M, et al. Burden of acute kidney injury and 90-day mortality in critically ill patients. *BMC Nephrol*. 2020;21:1. https://bmcnephrol.biomedcentral.com/articles/10.1186/s12882-019-1645-y. Consultada el 8 de febrero de 2021.
15. Kanagasundaram S, Ashley C, Bohjani S, et al. Clinical practice guideline: acute kidney injury. Renal Association. https://renal.org/sites/renal.org/files/FINAL-AKI-Guideline.pdf. Publicada en agosto de 2019. Consultada el 8 de febrero de 2021.
16. Centers for Disease Control and Prevention. *Chronic kidney disease in the United States, 2019*. Atlanta, GA: US Department of Health and Human Services, Centers for Disease Control and Prevention; 2019. https://www.cdc.gov/kidneydisease/publications-resources/2019-national-facts.html. Consultada el 8 de febrero de 2021.
17. Medicine Michigan, University of Michigan. U.S. Renal Data System 2019 annual data report: epidemiology of kidney disease in the United States. https://www.uofmhealth.org/news/archive/201911/us-renal-data-system-2019-annual-data-report-epidemiology. Publicada el 5 de noviembre de 2019. Consultada el 8 de febrero de 2021.
18. University of Florida, Division of Nephrology, Hypertension, and Renal Transplantation. Home dialysis and peritoneal dialysis. https://nephrology.medicine.ufl.edu/patient-care/renal-replacement-therpay/home-dialysis/. Consultada el 8 de febrero de 2021.

Kit de preparación continuación

19. Ibrahim I, Chan CT. Managing kidney failure with home hemodialysis. *Clin J Am Soc Nephrol*. 2019;14(8):1268-1273. https://cjasn.asnjournals.org/content/14/8/1268. Consultada el 8 de febrero de 2021.

20. National Institute of Diabetes and Digestive and Kidney Diseases. Peritoneal dialysis. https://www.niddk.nih.gov/health-information/kidney-disease/kidney-failure/peritoneal-dialysis. Publicada en enero de 2018. Consultada el 8 de febrero de 2021.

21. Mayo Clinic. Peritoneal dialysis. https://www.mayoclinic.org/tests-procedures/peritoneal-dialysis/about/pac-20384725. Consultada el 8 de febrero de 2021.

22. Zepeda-Orozco D, Quigley R. Dialysis disequilibrium syndrome. *Pediatric Nephrol*. 2012;27(12):2205-2211

23. Vuichoud C, Loughlin KR. Benign prostatic hyperplasia: epidemiology, economics and evaluation. *Urol Clin North Am*. 2009;36(4):403-415.

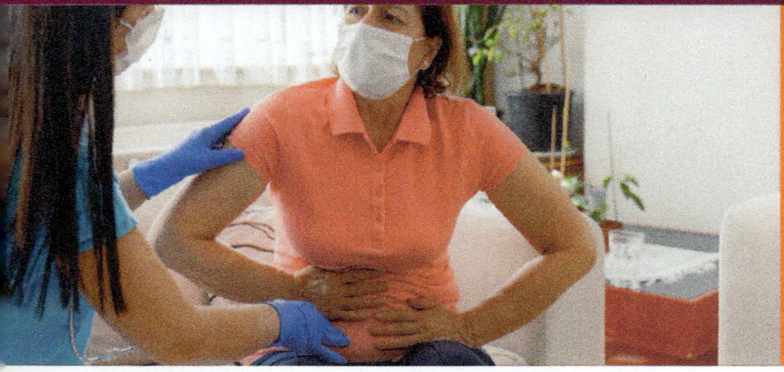

Capítulo 19

Emergencias ginecológicas

COMPETENCIAS DEL ESTÁNDAR NACIONAL DE EDUCACIÓN EN EL SEM

Medicina

Se integran los hallazgos de evaluación con los principios de epidemiología y fisiopatología para formular una impresión inicial e implementar un plan amplio de tratamiento/disposición de una paciente con una afección médica.

Ginecología

Detección y tratamiento del estado de shock vinculado con:

- Hemorragia vaginal. (pp. 1356-1357)

Anatomía, fisiología, hallazgos de evaluación y tratamiento de:

- Hemorragia vaginal. (pp. 1355-1357)
- Ataque sexual (incluido el apoyo emocional apropiado). (pp. 1357-1359)
- Infecciones. (pp. 1351-1353)

Anatomía, fisiología, epidemiología, fisiopatología, impacto psicosocial, cuadros clínicos, pronóstico y tratamiento de las afecciones ginecológicas y/o emergencias comunes o mayores:

- Hemorragia vaginal. (pp. 1349, 1351, 1355-1357)
- Ataque sexual. (pp. 1357-1359)
- Infecciones. (pp. 1351-1353)
- Enfermedad inflamatoria pélvica. (pp. 1351-1353)
- Quistes ováricos. (pp. 1353-1354)
- Hemorragia uterina disfuncional. (p. 1355)
- Cuerpo extraño vaginal. (p. 1360)

OBJETIVOS COGNITIVOS

1. Recordar la anatomía y fisiología del aparato reproductor femenino. (pp. 1346-1347)
2. Identificar los sucesos normales del ciclo menstrual. (pp. 1347-1348)
3. Describir el proceso de evaluación de las pacientes con emergencias ginecológicas. (pp. 1348-1349)
4. Discutir la importancia de la anamnesis en la evaluación de una paciente con una emergencia ginecológica. (pp. 1349-1350)
5. Describir el tratamiento de una paciente con hemorragia vaginal significativa. (pp. 1349-1354)
6. Discutir el tratamiento general de una paciente con una emergencia ginecológica. (pp. 1350-1351)
7. Discutir el tratamiento de una paciente con traumatismo ginecológico. (p. 1351)
8. Discutir la fisiopatología, la evaluación y el tratamiento de las infecciones ginecológicas. (pp. 1351-1353)
9. Describir la fisiopatología, la evaluación y el tratamiento de las afecciones ováricas. (pp. 1353-1354)
10. Describir la fisiopatología, la evaluación y el tratamiento de las afecciones uterinas. (pp. 1354-1355)
11. Describir la fisiopatología, la evaluación y el tratamiento del embarazo ectópico. (pp. 1356-1357)
12. Describir preocupaciones especiales, la evaluación y el tratamiento de una paciente con sospecha de ataque sexual. (pp. 1357-1360)

OBJETIVOS DE DESTREZA

No hay objetivos de destreza para este capítulo.

Introducción

La *ginecología* es la rama de la medicina dedicada a las enfermedades y los cuidados físicos y sistemáticos del aparato reproductor femenino. En este capítulo se revisan primero la anatomía y fisiología femeninas, y después, los temas exclusivos de las mujeres incluidas las condiciones que se pueden encontrar en el entorno de emergencia. Además, se mencionan las causas ginecológicas de dolor abdominal y se describen con detalle las afecciones que ponen en riesgo la vida, así como los tópicos de hemorragia vaginal y ataque sexual, y cómo deberían tratarse tales emergencias en el campo.

Repaso de anatomía y fisiología

Las estructuras femeninas de la reproducción incluyen los genitales externos, el útero, la vagina, el cuello uterino, las trompas de Falopio, los ovarios y las glándulas mamarias, **FIGURA 19-1**. Los **ovarios** son órganos pares que liberan óvulos u oocitos, y secretan hormonas de la reproducción. Después de liberado, un oocito transcurre por la **trompa de Falopio** adyacente en dirección al útero.

El **útero** es un órgano piriforme donde se implanta y desarrolla el **embrión**, u oocito fecundado. Su porción alta convexa, llamada fondo, contiene parte de su

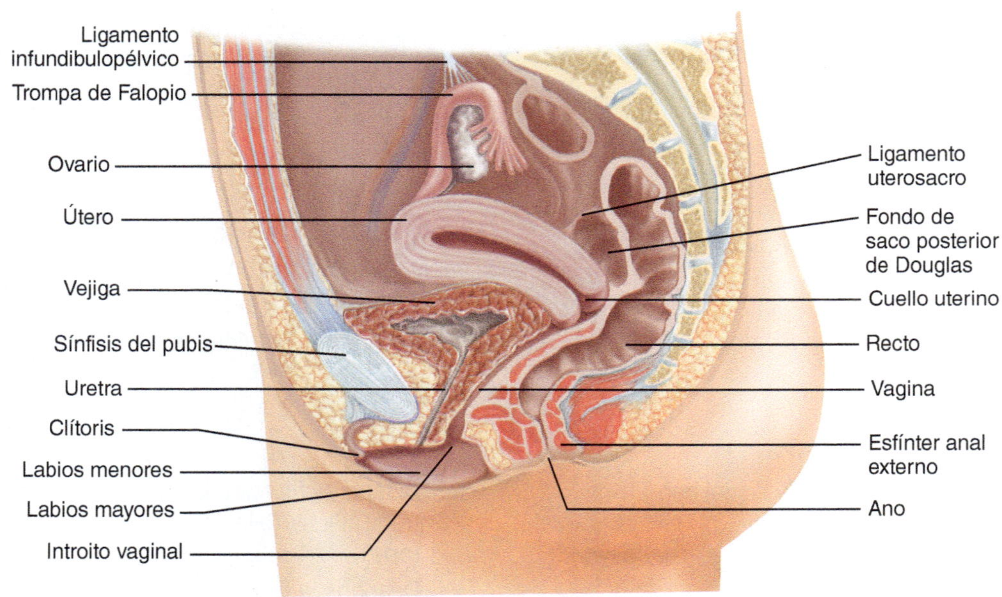

FIGURA 19-1 Anatomía del aparato genital femenino y la pelvis.

USTED es el Paramédico

PARTE 1

Se despacha su unidad por una paciente con dolor abdominal. En el trayecto, el despachador le manifiesta que se trata de una mujer de 24 años que se queja de dolor abdominal bajo y hemorragia vaginal. Cuando usted arriba a su casa lo recibe el marido, quien le dice que su esposa ha tenido "problemas con su periodo menstrual durante meses". Llamó al 9-1-1 porque hoy presenta mucho dolor.

1. ¿Qué busca usted en su evaluación de la escena?
2. ¿Qué busca usted en su evaluación primaria?

Perlas de sabiduría

Aunque en este capítulo se describen las afecciones ginecológicas en relación con las pacientes femeninas, los proveedores de atención sanitaria deben tener en cuenta que una paciente que no se identifica como mujer puede tener problemas ginecológicos. Por lo tanto, el paramédico debe considerar aquellas afecciones relacionadas con el aparato reproductor femenino independientemente del género de presentación del paciente.

Debido a que hay riesgos médicos únicos vinculados con ser un genotipo masculino o femenino, es importante incluir esta información en el expediente médico, pero debería hacerse de manera sensible. Por ejemplo, usted puede usar preguntas como, "¿con qué sexo se identifica usted actualmente?", "¿con qué sexo se le identificó al nacer?", o "¿ha tenido usted alguna cirugía específica de género?"

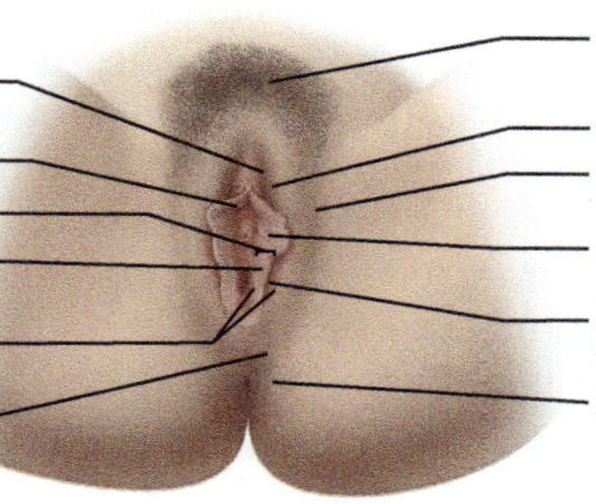

FIGURA 19-2 Anatomía de los genitales externos femeninos.

cavidad. La pared del útero tiene dos capas: la externa o miometrio (muscular) y la interna o **endometrio** (rica en nutrimentos que se descama durante la **menstruación**, pérdida mensual de sangre). Si se fecunda un oocito (lo que suele ocurrir dentro de la trompa de Falopio) después de su liberación, transcurre hacia la cavidad uterina y se implanta en el endometrio, donde se desarrollará y madurará. El cuello del útero, también llamado **cérvix**, se inserta en la **vagina**, que conduce al exterior del cuerpo. Juntos, la parte inferior del útero, el cérvix y la vagina constituyen el conducto del parto. El **perineo** corresponde al tejido superficial entre el introito vaginal y el ano.

Los genitales externos femeninos, **FIGURA 19-2** (también conocida como la vulva) incluyen el **monte de Venus**, tejido adiposo cubierto de pelo sobre la sínfisis del pubis; los **labios mayores**, pliegues externos redondeados de tejido adiposo; y los **labios menores**, pliegues más delgados de color rosa, que se extienden por delante hasta rodear al **clítoris**, región de máxima estimulación sexual. Normalmente aparece un vello oscuro y áspero en el monte de Venus durante la pubertad temprana y se hace más escaso en una etapa posterior de la vida con el advenimiento de la menopausia. El meato uretral se abre en la región entre el clítoris y la vagina. Debajo del meato uretral se encuentra el introito vaginal, un orificio protegido por el **himen**, membrana que forma un borde alrededor y lo cierra parcialmente. El himen se rompe durante el primer coito, pero puede también hacerlo antes por un traumatismo o por sucesos como montar a caballo, practicar gimnasia u otros deportes. El dolor y el sangrado vaginal pueden estar presentes en esos casos.

En algunos casos, el himen puede cubrir por completo el introito vaginal, una condición conocida como *himen imperforado*, que no se detecta hasta la pubertad, pues impide el flujo de la primera menstruación, lo que causa un dolor relativamente agudo, con estreñimiento intenso y dolor lumbar. El himen imperforado puede llevar a la endometriosis o tener otros efectos dolorosos secundarios. En algunos casos, esta afección es causada por el abuso sexual infantil cuando la ausencia de perforación es resultado de la cicatrización secundaria a la penetración digital o peneana.

Menstruación

La menstruación, también llamada periodo o ciclo menstrual, es la secreción normal de sangre, células epiteliales, moco y tejidos de la cavidad uterina. La **menarquia** es la primera menstruación, cuando una niña alcanza la capacidad de procrear o llega a la edad fértil. La **menopausia**, también llamada climaterio femenino, corresponde al cese de la función ovárica y del ciclo menstrual.

El ciclo menstrual se divide en dos fases: la ovárica y la uterina, en las que se presentan cambios. El ciclo ovárico se divide en la fase folicular (días 1 a 13) y la lútea (días 14 a 28). El ciclo endometrial se divide en las fases proliferativa (días 5 a 14) y secretora (días 15 a 28).

Ocurre la **ovulación** cuando un oocito (ovocito) se libera de un folículo ovárico, suceso que suele presentarse 14 días después del inicio de la menstruación. Si se presenta la fecundación, el endometrio se prepara para recibir al oocito fecundado. Si no hay fecundación, ocurre la menstruación, que implica la expulsión del revestimiento endometrial y dura de 4 a 6 días, con una pérdida sanguínea de casi 25 a 65 mililitros. El ciclo menstrual, junto con las hormonas secretadas durante cada una de sus fases, se describe con mayor detalle en el capítulo 6, *Anatomía y fisiología.*

Algunas mujeres pueden experimentar dolor abdominal cólico a la mitad del ciclo menstrual, que con sus síntomas acompañantes es resultado de la ruptura fisiológica de un folículo ovárico y colectivamente se denomina "dolor a mitad del ciclo" (del alemán *mittelschmerz*). En la mayoría de los casos, no es intenso; puede durar solo unos cuantos minutos o hasta 48 horas (en promedio, de 6 a 8 h). Los signos y síntomas acompañantes incluyen un dolor cólico agudo en la parte baja del abdomen, localizado, unilateral, con inicio a mitad del ciclo y el antecedente de crisis similares en periodos previos. El dolor también puede señalarse como "de sitios cambiantes", de un mes a otro. La afección misma no es grave y el dolor suele aliviarse con analgésicos de venta libre.

La **amenorrea** es la ausencia o el cese de la menstruación. Aunque varios factores pueden causarla, su origen más común es un embarazo. La amenorrea inducida por el ejercicio es frecuente en atletas, en particular las que participan en deportes con actividad física intensa. Puede ocurrir amenorrea cuando la grasa corporal de una mujer desciende por debajo de cierto porcentaje. También puede ser causada por problemas emocionales o estrés extremo. En una adolescente o adulta joven, la afección puede corresponder a la anorexia nerviosa; en este caso, es un síntoma de la desnutrición y el estado emocional de la paciente.

Evaluación de la paciente

Muchas de las mismas afecciones que causan dolor abdominal en los hombres pueden presentarse en las mujeres, por ejemplo, cólico renal, úlceras, gastroenteritis, colecistitis, diverticulitis, pancreatitis, apendicitis y un aneurisma disecante. Además, hay numerosas causas ginecológicas de dolor abdominal. Las emergencias en ginecología suelen vincularse con uno o más de los siguientes signos o síntomas: hemorragia vaginal, dolor o hipersensibilidad abdominales, vómito, fiebre, taquicardia, hipotensión, diaforesis, síncope, cambios en el patrón de la defecación (de las heces), dispareunia (dolor durante el coito), o manifestaciones urinarias, **FIGURA 19-3**.

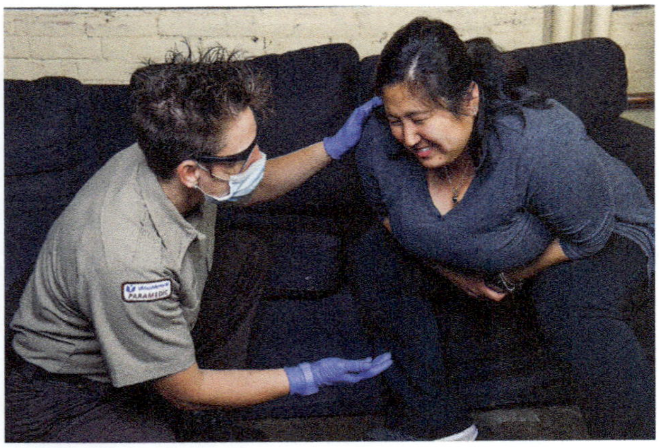

FIGURA 19-3 Una paciente que presenta una emergencia ginecológica puede sentirse incómoda hablando de sus síntomas. Compórtese respetuoso y de manera profesional, de modo que pueda obtener la información necesaria para proveer la atención apropiada.

Inteligencia en la calle

Cualquier paciente con dolor abdominal durante sus años reproductivos puede considerarse con una emergencia ginecológica hasta que se pruebe lo contrario.

Evaluación de la escena

Como siempre, inicie una evaluación amplia de la escena. ¿Es segura? ¿Necesita ayuda? Las emergencias ginecológicas pueden implicar la presencia de grandes cantidades de sangre y líquidos corporales que pueden estar contaminados con patógenos.

Toda la información que obtenga contribuirá a su evaluación de la salud global de la paciente y la seguridad de la escena. En el caso de una escena de crimen, también se le requerirá testificar en la corte acerca de las circunstancias presentes.

Evaluación primaria

Cuando se valora a una paciente con una emergencia ginecológica potencial, estúdiense ABCDE (vía **A**érea, ventilación [***B**reathing*], **C**irculación, **D**iscapacidad y **E**xposición), y resuélvanse las amenazas vitales. Provéase analgesia y reanimación con soluciones, según esté indicado por el estado de la paciente. Inclusive si la hemorragia por la vagina es significativa, no inserte ningún apósito o compresa en su interior. Tome nota de la cantidad, el color y tipo de secreción o pérdida sanguínea, incluyendo la presencia de coágulos o tejidos. Transporte a la paciente a un hospital para su valoración adicional. Si expulsó algún coágulo o tejido antes o durante el transporte, llévelos al hospital en un recipiente sellado, de ser posible.

Perlas de sabiduría

En una mujer con dolor abdominal, lo más importante por indagar es la presencia de signos de un estado de shock.

Perlas de sabiduría

La hemorragia vaginal es un signo de pérdida sanguínea interna que no debe tomarse a la ligera. Aplique una toalla sanitaria sobre la región vaginal y transporte al hospital todas las que se utilicen con la paciente.

Historial clínico

Una historia ginecológica completa debería incluir la principal manifestación y los síntomas vinculados o asociados. Si ocurrió hemorragia vaginal, trate de cuantificarla en términos de toallas sanitarias usadas por hora o en comparación con la del periodo menstrual normal de la paciente. Indague la fecha del último periodo menstrual normal, la regularidad de los ciclos menstruales y si hay un embarazo actual, el número de embarazos anteriores, de los que llegaron a término, de los abortos o pérdidas gestacionales, el antecedente de problemas ginecológicos o intervenciones quirúrgicas, la actividad sexual actual, el tipo de anticoncepción y antecedentes de infecciones de transmisión sexual (ITS), **CUADRO 19-1**. (Las ITS se abordan en el capítulo 23, *Enfermedades infecciosas*).

CUADRO 19-1 Elementos del historial ginecológico

Síntomas actuales: ¿Hemorragia vaginal? ¿Cantidad? ¿Hay algún tejido presente?
Síntomas actuales: ¿Dolor abdominal? ¿Inicio, duración, características, localización, radiación, intensidad?
Síntomas actuales: ¿Secreción vaginal? ¿Color, cantidad, olor, prurito?
¿Embarazo actual?
¿Actividad sexual actual? ¿Anticoncepción?
¿Fecha de última menstruación (FUM)?
¿Embarazos previos?
¿Partos previos (paridad)?
¿Complicaciones o pérdidas gestacionales previas?
¿Cesáreas u otras operaciones abdominales previas?
Otros antecedentes médicos, medicaciones, alergias
Infecciones de transmisión sexual actuales o previas

Las emergencias ginecológicas son inquietantes o vergonzosas para las pacientes, y muchas se sentirán incómodas al hablar de sus antecedentes o historial sexual frente a extraños o incluso miembros cercanos de la familia. Una adolescente puede desear que sus padres no se enteren de sus antecedentes sexuales. Pocas mujeres están cómodas con la exposición de sus genitales ante un conjunto de familiares, vecinos, paramédicos, oficiales de policía o bomberos. Proteja en todo momento la intimidad de la paciente mientras hace su interrogatorio ginecológico y su evaluación.

Documentación y comunicación

Sus intentos por obtener información confiable de la paciente pueden dificultarse por la presencia de miembros de la familia, seres queridos o test gos. El retirar al personal no indispensable de la escena, aumentará la probabilidad de que obtenga información precisa de la paciente.

La obtención de una evaluación precisa y detallada de la paciente es de importancia máxima en relación con aspectos ginecológicos. Usted tal vez no pueda hacer un diagnóstico específico en el campo, pero una evaluación exhaustiva y los antecedentes de la paciente le ayudarán a determinar si experimenta una emergencia que ponga en riesgo su vida.

Evaluación secundaria

Cuando sea posible, el paramédico que realiza la exploración física debería ser del mismo sexo que la paciente. Limite los tumultos en el cuarto a solo el personal requerido para las tareas necesarias y muestre a la paciente su respeto al proteger su intimidad. Usted también servirá como modelo para otros proveedores del SEM cuando actúe de esa manera.

Durante la evaluación secundaria, debe examinar y evaluar el abdomen de la paciente. Inspeccione el abdomen en busca de signos de abuso, como hematomas. También debe tener en cuenta otras señales en diferentes regiones, que pudieran indicar un posible abuso. El abdomen es un sitio favorito de los individuos que abusan, en especial de una embarazada. Puesto que la ropa oculta la evidencia, el abdomen también es un sitio favorito de inyección de quienes abusan en forma crónica de drogas. Busque signos positivos de Cullen (equimosis en el ombligo) o de Grey Turner (equimosis de los flancos); ambos indican la presencia de hemorragia interna.

Palpe el abdomen iniciando en el cuadrante más alejado al dolor y diríjase hacia aquel donde se localiza este, que explorará al final. ¿Se encuentra rígido el abdomen (posible índice de hemorragia interna)?, ¿hay hipersensibilidad puntual?, ¿aumenta el dolor la palpación?, ¿hay hipersensibilidad de rebote (índice de infección, como el que puede vincularse por la apendicitis)?, ¿hay presencia de masas? En caso positivo, ¿son pulsantes (aneurisma aórtico abdominal)?

¿Cuáles son los signos vitales de la paciente?, ¿es normal la presión arterial o está elevada? Verifique la presión arterial en ambas posiciones sentada y de bipedestación, siempre y cuando la paciente no esté mareada. ¿Observa cambios ortostáticos significativos? En caso afirmativo, asuma que la paciente se encuentra en estado de shock.

Inteligencia en la calle

La comunicación y la documentación son importantes pero en los casos ginecológicos, no se centre en su documentación durante la llamada. Su principal propósito debe ser la paciente, incluida la atención emocional. La documentación puede esperar hasta que la paciente haya sido entregada al personal de la instalación receptora o centro receptor.

USTED es el Paramédico

PARTE 2

La paciente está acostada en el sofá, consciente, alerta y coopera. Le expresa que ha estado teniendo dolor dorsal bajo o lumbar y pélvico durante al menos 3 meses. Ha presentado ciclos menstruales muy cuantiosos con goteo entre los periodos. Niega categóricamente cualquier probabilidad de embarazo.

Tiempo de registro:	0 minutos
Aspecto	Despierta
Nivel de consciencia	Alerta y orientada en persona, lugar, tiempo y suceso
Vía aérea	Permeable
Ventilación	Adecuada
Circulación	Adecuada

3. ¿Qué emergencias ginecológicas se presentan con dolor?
4. ¿Qué pasos seguirá para la evaluación adicional de esta paciente?

Reevaluación

En el trayecto al hospital, revise sus intervenciones y recuerde obtener los signos vitales en forma seriada constante. Preste atención especial a las necesidades de la paciente y ajústese a su deseo de conversación o silencio.

Atención médica de emergencia

La atención primaria de una paciente ginecológica consiste en mitigar las amenazas para la vida, mediante sostén y comprensión, así como la protección compasiva de su intimidad. En la mayoría de las emergencias ginecológicas, su actividad es sobre todo de investigación. Mientras más precisos y detallados sean el historial y la exploración, mejor podrá diferenciar las alteraciones patológicas ginecológicas, de las no ginecológicas. En todas las pacientes, evalúe su estado de oxigenación y administre oxígeno según se requiera. Obtenga los signos vitales iniciales y continúe vigilándolos durante su atención a la paciente.

Inteligencia en la calle

Usted probablemente no lleve consigo los recursos y el equipo necesarios para hacer un diagnóstico definitivo de un problema ginecológico en el campo. En su lugar, céntrese en las amenazas para la vida, el tratamiento del estado de shock, la provisión de respaldo emocional, y el transporte de la paciente en una posición cómoda.

Considere obtener el acceso intravenoso (IV) en cualquier mujer en edad de procrear con dolor abdominal. Inicie la administración de soluciones, con provisión de fármacos (analgésicos) o restitución de volumen, según sea necesario. El tratamiento general del dolor abdominal o pélvico es sobre todo de sostén. Los protocolos locales quizás le permitan administrar analgésicos, incluidos los narcóticos. La eliminación o disminución del dolor de la paciente durante el transporte aminorará de manera significativa su ansiedad.

Provea transporte. Proteja la intimidad de la paciente y brinde cuidados emocionales con una actitud solidaria.

Tratamiento de los traumatismos ginecológicos

La región genital femenina es muy vascularizada y susceptible a los traumatismos. Las colisiones de vehículos de motor, las actividades deportivas, los asaltos, o incluso el sexo consensuado, son mecanismos comunes de lesión. La hemorragia por un traumatismo genital puede ser profusa (y muy dolorosa). Si la paciente actualmente está en su periodo menstrual, es difícil diferenciar entre la sangre correspondiente y la relacionada con un traumatismo.

Aplicar presión externa simple sobre la zona de laceración, suele ser suficiente para controlar la hemorragia. El sangrado de los genitales internos, por el contrario, puede ser masivo y muy difícil de controlar. El empaquetamiento ciego de la vagina es peligroso y no se recomienda, pues carece de beneficio. Una mujer con una hemorragia vaginal exanguinante debe tratarse como cualquier otra lesionada con ese tipo de hemorragia, esto es, se abordará el estado de shock y se transportará con rapidez al hospital, preferentemente a uno con servicios de obstetricia y ginecología.

No haga exploración vaginal interna alguna. La exploración de los genitales externos está justificada solo en presencia de traumatismos genitales.

Fisiopatología, evaluación y tratamiento de emergencias específicas

Infecciones

Enfermedad pélvica inflamatoria

La **enfermedad pélvica inflamatoria (EPI)** es una infección de los órganos de la reproducción femeninos. Aunque es una complicación a menudo secundaria a una ITS, como la clamidiasis o la gonorrea, otras infecciones que no son de transmisión sexual pueden también causarla.[1] Muchas mujeres con EPI no presentan signos y síntomas, o lo hacen, pero no buscan tratamiento. La enfermedad es de máxima prevalencia en aquellas mujeres de 25 años o menos, con actividad sexual.[1]

Con la EPI, los microorganismos causales ingresan a la vagina, en general por actividad sexual, y migran a través de abertura del cuello del útero al interior de su cavidad, donde invaden la mucosa. La infección se puede expandir a las trompas de Falopio, donde sus paredes se inflaman y la luz se llena de líquido purulento que las obstruye. El líquido purulento gotea fuera de la trompa y hacia el ovario y el tejido circundantes. Puede ocurrir peritonitis y se pueden formar abscesos pélvicos a medida que la respuesta inflamatoria intenta contener la infección. Si la infección se disemina, puede en un momento dado llevar a la septicemia. Puesto que la EPI puede afectar a las trompas de Falopio y los ovarios, sus complicaciones a largo plazo son infecundidad o infertilidad y un mayor riesgo de embarazo ectópico.

Si una paciente con EPI presenta síntomas, puede señalar que el dolor se inicia, en general, durante o después de su menstruación normal, por lo que es un componente importante indagar la fecha de última menstruación (FUM) en el interrogatorio. El dolor suele ser difuso y se disemina sobre ambos cuadrantes de la parte baja del abdomen. Puede describirse como "leve", y la paciente quizás exprese voluntariamente que el dolor empeora al caminar o por el coito. Esta última revelación suele indicar la afección cervicouterina del proceso infeccioso. El dolor localizado en el cuadrante superior derecho (CSD) indica que la infección se diseminó a la cavidad abdominal. Los síntomas vinculados pueden incluir secreción vaginal, fiebre y escalofríos, así como dolor o ardor al orinar (disuria).

Los factores de riesgo de EPI incluyen una ITS no tratada, la actividad sexual con múltiples parejas, las duchas vaginales y un antecedente de EPI. Esta enfermedad también se puede vincular con el aborto, el parto o la inserción de un dispositivo intrauterino (DIU), utilizado para prevenir el embarazo, u otro instrumento contaminado por microorganismos por la porción baja del aparato reproductor u otra fuente. Con respecto al uso de DIU, el mayor riesgo de EPI se limita en su mayor parte a las primeras 3 semanas después de su colocación, **FIGURA 19-4**.

Cualquier mujer con EPI que se siente suficientemente afectada para buscar asistencia médica tal vez presente una infección grave y acuda febril y con aspecto enfermo. Los datos de exploración física pueden ser escasos o incluir todos los señalados en un libro de texto. Esté alerta a los signos de irritación peritoneal, por ejemplo, una paciente que gesticula ante la palpación del abdomen o cada vez que la ambulancia pasa por un bache. Sea muy cuidadoso si decide palpar el abdomen de la paciente como parte de su exploración o examen.

La EPI por lo general requiere la administración de un antibiótico apropiado durante 10 a 14 días. La atención prehospitalaria es de apoyo principalmente, pero puede incluir oxígeno complementario, soluciones IV, o ambos, dependiendo del cuadro clínico. Mantenga a la paciente tan cómoda como sea posible y transpórtela de una forma tan delicada como pueda lograrse.

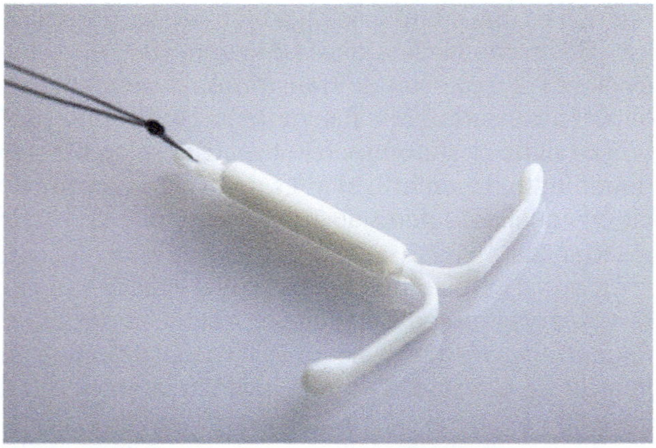

FIGURA 19-4 La inserción de un dispositivo intrauterino puede aumentar el riesgo de una paciente de desarrollar enfermedad inflamatoria pélvica durante un periodo breve después del procedimiento.

Absceso de la glándula de Bartolino

Apenas dentro de la porción baja de la vagina se encuentran dos conductos pequeños, uno a cada lado, que corresponden a las **glándulas de Bartolino**, que secretan moco como lubricante para el coito. Se puede formar un quiste si uno de esos conductos se bloquea, lo que causa que este y la glándula se inflamen. Puede ocurrir un absceso de la glándula de Bartolino si el quiste o la glándula misma se infectan.

Un quiste de la glándula de Bartolino por lo general es pequeño. Uno grande o aquel que se infecta pueden causar dolor vulvar, coital o una masa dolorosa en la región vulvar. Un absceso de la glándula de Bartolino puede ser unilateral o bilateral.[2] Si un quiste se infecta y se presenta un absceso, suele requerirse la incisión quirúrgica para drenarlo. La atención prehospitalaria es principalmente de apoyo.

Vaginitis

La **vaginitis**, por definición, es una inflamación vaginal causada por una infección, que se puede diseminar en forma ascendente al cuello y cuerpo del útero, las trompas de Falopio y los ovarios, y causar EPI. Aunque algunas pacientes cursan asintomáticas, son manifestaciones frecuentes el prurito, la irritación, la secreción, el mal olor, el dolor coital y dolor en la parte baja del abdomen. Los cuerpos extraños vaginales como tampones retenidos, condones u otros, pueden predisponer a una mujer a la vaginitis. Un médico por lo general los puede retirar fácilmente. Ocurren varios tipos diferentes de vaginitis, que incluyen aquellas por hongos.

La **infección vaginal por hongos** suele ser causada por el hongo *Candida albicans.* Los hongos son pequeños microorganismos que normalmente habitan en cifras bajas en el interior de la vagina y sobre la piel. El ambiente ácido normal de la vagina ayuda a evitar la proliferación de los hongos. Sin embargo, cuando se torna menos ácido, la población de hongos puede aumentar de forma espectacular y causar una infección. Las circunstancias que pueden alterar el equilibrio ácido de la vagina incluyen el uso de anticonceptivos orales, la menstruación, el embarazo, la diabetes, algunos antibióticos, los tampones con desodorante, y el uso excesivo de aerosoles o duchas vaginales.[3] La humedad y la irritación vaginales también parecen promover la proliferación de hongos. El estrés por sueño insuficiente, enfermedad o una mala alimentación son otros factores contribuyentes. Las mujeres con enfermedades de inmunosupresión, como la infección por virus de la inmunodeficiencia humana (VIH) o la diabetes también tienen mayor riesgo. Los síntomas pueden incluir prurito, ardor, dolor vaginal y alrededor de la vulva, así como edema de esta última. Algunas mujeres informan de una secreción espesa vaginal blanca (con aspecto de "requesón"), dolor durante el coito y ardor al orinar.

La **vulvovaginitis** es una inflamación externa de la vulva y la vagina. Sus síntomas incluyen eritema, dolor, edema, secreción, ardor y prurito. Las pacientes afectadas deben ser evaluadas por un médico.

Sin tratamiento, la vulvovaginitis puede llevar a la infecundidad o infertilidad, el parto pretérmino, la endometritis, la EPI, y un mayor riesgo de ITS. El tratamiento prehospitalario en general se limita a cuidados de sostén y se requieren antibióticos para el tratamiento definitivo que puede también incluir cremas tópicas.

Cistitis

La **cistitis** (infección vesical) suele ser causada con bacterias que ascienden desde el perineo a través del aparato genital hacia el meato uretral. Ante esta circunstancia, la infección se aísla en la vejiga. Las pacientes a menudo acuden con dolor suprapúbico, orina o turbia, polaquiuria, hematuria y disuria. Sin tratamiento, la cistitis puede llevar a la **pielonefritis**, infección de los riñones, más grave que aquella, y cuyas pacientes afectadas pueden presentar una enfermedad importante con fiebre, escalofríos y vómito. El tratamiento de cistitis y pielonefritis incluye antibióticos y analgésicos.

Afecciones ováricas

Un **quiste ovárico** es un saco lleno de líquido localizado sobre o dentro de un ovario. Los quistes ováricos son frecuentes y suelen desarrollarse en folículos ováricos tanto rotos como no.[4] Los quistes pueden ser únicos o múltiples, unilaterales o bilaterales.[5] La mayoría no produce síntomas y tiene una duración en general de casi 8 a 12 semanas antes de desaparecer por sí mismos sin complicaciones.[4]

En ocasiones, un quiste se torna lo suficientemente grande para causar malestar pélvico, retención urinaria o polaquiuria, o irregularidades menstruales.[4] El inicio de los síntomas suele ser gradual, y la paciente quizás informe de pesadez en la pelvis. Un quiste ovárico se puede romper de manera espontánea o después de una contusión abdominal leve, el coito o ejercicio. Si ocurre la ruptura, la paciente puede no presentar síntomas, o mostrar estos en su forma leve o intensa e informar de un inicio súbito de dolor abdominal moderado a intenso bajo, que quizás se irradie al dorso. Si la hemorragia interna es grave, la enferma puede experimentar mareo y signos de un estado de shock, que incluyen hipotensión y taquicardia. También pueden presentar una pequeña cantidad de pérdida sanguínea vaginal. En el **CUADRO 19-2** se incluyen los posibles hallazgos de evaluación vinculados con un **quiste ovárico roto**.

La **torsión ovárica**, o torsión del ovario que interrumpe su flujo sanguíneo, debe considerarse cuando el dolor abdominal es muy intenso o los síntomas empeoran. La torsión ovárica es más frecuente en pacientes con antecedente de quistes ováricos, ya que pueden hacer más susceptible la gónada para el giro sobre su eje. Una urgencia quirúrgica, la torsión puede llevar a un daño permanente del ovario. Esta afección se vincula con un inicio agudo de dolor moderado a intenso en la parte baja del abdomen que aumenta con el transcurso de las horas. También puede ser intermitente e irradiarse al dorso, la pelvis o el muslo. Si bien son frecuentes náusea y vómito con la torsión ovárica, se trata de manifestaciones inespecíficas. El lado afectado estará hipersensible a la palpación, y a menudo se puede percibir una masa. Sin embargo, la ausencia de tales hallazgos no descarta la posibilidad de una torsión ovárica. El tratamiento prehospitalario

CUADRO 19-2 Datos de exploración ante un quiste ovárico roto

- Posible inicio súbito de un malestar abdominal bajo moderado a intenso
- Por lo general, el dolor afecta a un lado y puede irradiarse al dorso
- Posible hemorragia transvaginal

de un quiste ovárico roto y de la sospecha de torsión ovárica implica detección, transporte rápido al DE y tratamiento de cualquier síntoma.

Trastornos uterinos

La **endometritis** es una inflamación del endometrio (revestimiento uterino) y la causa más frecuente de infección después de un parto.[6] En la mayoría de los casos, se presentan signos y síntomas de endometritis en las 36 horas siguientes al parto,[7] que incluyen, fiebre, escalofríos, vómito, taquicardia, dolor abdominal o pélvico cólico, y una secreción vaginal fétida. Cuando sospeche esta afección tranquilice a la paciente y transpórtela en una posición cómoda. De ser necesario, inicie una vía IV y titule la cantidad de solución administrada con respecto a los signos vitales de la paciente. La mayoría se recupera por completo después del tratamiento con antibióticos, pero sin este puede ocurrir la forma grave de la infección y septicemia.

La **endometriosis** es la presencia de tejido fuera del útero que simula al endometrio, tanto en estructura como en función y suele ubicarse sobre estructuras pélvicas que rodean al útero, como ovarios, trompas de Falopio, intestino o recto. Esta afección puede ser en extremo dolorosa, pero a veces no produce síntoma alguno. De hecho, muchas mujeres ni siquiera se percatan de que sufren endometriosis hasta que enfrentan dificultades para embarazarse. En aquellas que experimentan síntomas, la manifestación más frecuente es de dolor (a veces crónico) que suele localizarse en la porción baja del dorso, la pelvis y el abdomen. Suele describirse como constante y profundo; puede ser unilateral o bilateral, agudo o sordo.[8] Otros síntomas pueden incluir un flujo menstrual cuantioso o prolongado, dolor cólico menstrual cada vez más intenso, dispareunia, percepción de presión rectal o urgencia, y fatiga (que tal vez lleve al diagnóstico erróneo del síndrome de fatiga crónica). Las pacientes pueden también experimentar hemorragia entre periodos menstruales o goteo premenstrual. La atención prehospitalaria de la endometriosis se basa en los signos y síntomas de la paciente. Si informa de dolor intenso, proporcione analgésicos si lo permite su protocolo. Deje a la paciente adoptar la posición con la que esté tan cómoda como le sea posible. Use apósitos o toallas según se requiera para absorber cualquier hemorragia vaginal significativa.

Dentro de la cavidad pélvica, los órganos son sostenidos por aponeurosis, músculos, tendones y ligamentos, que en caso de debilitase, ya no pueden mantener a un órgano en su lugar. El **prolapso uterino** es la protrusión de parte, o todo el útero, a través de la vagina. Además de factores genéticos, otros de esta afección incluyen obesidad, debilidad del soporte pélvico por disminución de estrógenos, aumento de la presión intraabdominal con relación al embarazo y dificultad para el parto, que incluye al trabajo de parto prolongado, el parto múltiple, el nacimiento de un bebé macrosómico, o los embarazos repetidos con intervalos breves.[9] Aunque las etapas tempranas del prolapso uterino pueden ser asintomáticas, las más avanzadas causan una sensación de pesadez pélvica o plenitud, fatiga o dolor dorsal bajo. Los síntomas por lo general empeoran después de la bipedestación prolongada, pero se alivian cuando se

USTED es el Paramédico

PARTE 3

Su compañero empieza a tomar los signos vitales de la paciente, quien declara que no tuvo atención médica por este problema porque parecía leve al principio. Le expresa que ha estado tomando ibuprofeno para aliviar el dolor, pero sin éxito. Describe el dolor como una molestia constante sorda en la pelvis y la parte baja del dorso.

Tiempo de registro:	5 minutos
Ventilaciones	18/min
Pulso	80 latidos/min
Piel	Tibia, seca y de color normal
Presión arterial	128/60 mm Hg
Saturación de oxígeno (Spo_2)	98% en aire ambiente
Pupilas	Pupilas, equivalentes, redondas y reactivas a la luz (PIRRL)

5. ¿Cuál es la siguiente pregunta que debería formular a esta paciente?

adopta el decúbito dorsal. Si hay prolapso visible de tejido vaginal fuera del introito, cúbralo con una gasa estéril húmeda y transporte a la paciente a la instalación apropiada más cercana para su atención.

En el **CUADRO 19-3** se resumen los datos de evaluación de los trastornos uterinos.

Hemorragia vaginal

Aunque la hemorragia vaginal es parte normal del ciclo menstrual, a veces puede ser bastante cuantiosa o irregular y también acompañarse de dolor cólico intenso. La hemorragia vaginal en una paciente no embarazada no suele poner en riesgo la vida. Sin embargo, tal vez no se percate de su embarazo si la pérdida sanguínea se presenta en sus etapas tempranas.

Hemorragia uterina disfuncional

La **hemorragia uterina disfuncional** es aquella pérdida sanguínea anormal en cantidad o frecuencia (de más de cada 21 días). Se hace el diagnóstico de hemorragia uterina disfuncional después de descartar afecciones anatómicas o sistémicas, como enfermedades o uso de medicamentos.[10] Este tipo de hemorragia se presenta cuando los sucesos hormonales encargados del ciclo menstrual equilibrado se interrumpen. Tal alteración se presenta con frecuencia máxima al inicio o al final de los años reproductivos de una mujer, cuando se está estableciendo la ovulación o cuando los ciclos se tornan irregulares durante o después de la menopausia.[10] Los factores de riesgo vinculados con la hemorragia uterina disfuncional incluyen, disminución o aumento de peso extremos, edad mayor de 40 años, cifras elevadas de estrés, la enfermedad de ovarios poliquísticos, el uso de medicamentos a largo plazo (p. ej., anticonceptivos bucales), el exceso de ejercicio, y las anomalías anatómicas, como los miomas uterinos.[10] Una mujer con hemorragia uterina disfuncional puede requerir hormonoterapia o, si no responde al tratamiento médico, intervención quirúrgica.

El tratamiento prehospitalario de la paciente con hemorragia uterina disfuncional es de sostén o apoyo. Déjela asumir la posición más cómoda. De ser necesario, utilice apósitos o toallas sanitarias para absorber cualquier pérdida sanguínea vaginal significativa.

Perlas de sabiduría

Asuma que cualquier mujer en edad de procrear con hemorragia vaginal presenta una afección que potencialmente pone en riesgo la vida hasta que se demuestre lo contrario.

Hemorragia vaginal traumática

La hemorragia vaginal traumática es frecuente después de un coito voluntario vigoroso, aunque debería también considerarse como causa una actividad sexual involuntaria violenta. En el **CUADRO 19-4** se enlistan otras causas de hemorragia vaginal traumática. La pared vaginal posterior detrás del cuello uterino se lesiona con frecuencia, aunque pueden afectarse todos los órganos pélvicos. Las complicaciones incluyen hemorragia cuantiosa, ruptura de órganos y shock hipovolémico.

Trate a estas pacientes como lo haría con cualquier otra con un shock hemorrágico potencial. Mantenga su temperatura corporal, adminístrele oxígeno, obtenga un acceso IV, e inyecte soluciones según se indique. Vigile cuidadosamente los signos vitales y asigne alta prioridad a la paciente para su transporte y tratamiento.

CUADRO 19-3 Afecciones uterinas: datos de evaluación

Endometritis	Endometriosis	Prolapso uterino
Fiebre Escalofríos Vómito Taquicardia Dolor cólico abdominal bajo o pélvico Secreción vaginal fétida	Dolor constante y profundo localizado por lo general en la parte baja del dorso, la pelvis y la región abdominal Flujo menstrual abundante y prolongado Cólicos menstruales en extremo dolorosos y crecientes Dolor con el coito Sensación de presión rectal o urgencia Fatiga	Protrusión de tejidos Sensación de pesantez o plenitud pélvica Fatiga Dolor dorsal bajo

CUADRO 19-4 Posibles causas de hemorragia vaginal traumática

Coito vigoroso
Lesión por montar a horcajadas
Fractura pélvica
Golpe directo al perineo
Contusión de la parte inferior del abdomen por asalto o cinturón de seguridad
Inserción de cuerpo extraño en la vagina
Intentos de aborto

Embarazo ectópico

Un **embarazo ectópico** ocurre cuando este se ubica fuera del útero, y con frecuencia sucede en la trompa de Falopio tubárico, por lo que se denomina *embarazo tubárico*, **FIGURA 19-5**.[11] Otros posibles sitios de implantación de un oocito fecundado, si bien mucho menos frecuentes, incluyen la cavidad abdominal, un ovario o el cuello del útero.

Un embarazo ectópico es una causa de hemorragia vaginal en etapas tempranas de la gestación que pone en peligro la vida. Los factores de riesgo incluyen cualquier cosa que promueva la cicatrización o inflamación pélvicas, como adherencias por intervenciones quirúrgicas o un embarazo ectópico previo, EPI y ligadura tubaria, así como el uso de un DIU para impedir el embarazo.

Si un oocito fecundado se implanta en la trompa de Falopio en lugar del útero, causará su distensión conforme aumenta de volumen. La trompa de Falopio carece de la capacidad muscular expansiva del útero, no obstante, por lo que el embrión en desarrollo pronto supera el espacio para su crecimiento. Cuando esto ocurre, es probable la rotura de la trompa que causa dolor y posiblemente una hemorragia con riesgo para la vida.

Cuando el sitio de implantación de un oocito es una trompa de Falopio, la mayoría de los casos se diagnostica antes de la rotura con base en tres hallazgos clásicos: (1) dolor abdominal, (2) retraso de la menstruación, y (3) hemorragia vaginal anormal (goteo) que ocurre de 6 a 8 semanas después del último periodo menstrual normal.[12] La mayoría de las pacientes con un embarazo ectópico manifiesta dolor abdominal. Si la trompa no se ha roto, el dolor de inicio es sordo, en el cuadrante inferior de un lado del abdomen. Conforme se distiende la trompa, el dolor cambia a uno de tipo cólico y después a uno agudo terebrante y con la rotura uterina, se percibe un dolor súbito muy intenso en la parte baja del abdomen. Es posible el dolor referido al hombro si se llena de sangre el abdomen. La mayoría de las mujeres informa presentar un periodo menstrual con retraso de 1 a 2 semanas, uno con pérdida sanguínea menos cuantiosa de la usual, o uno irregular. Hasta 80% de las mujeres experimenta una hemorragia vaginal intermitente de rojo oscuro a parda, leve a moderada.[13]

Perlas de sabiduría

En el embarazo ectópico, la hemorragia suele presentarse después del inicio del dolor.

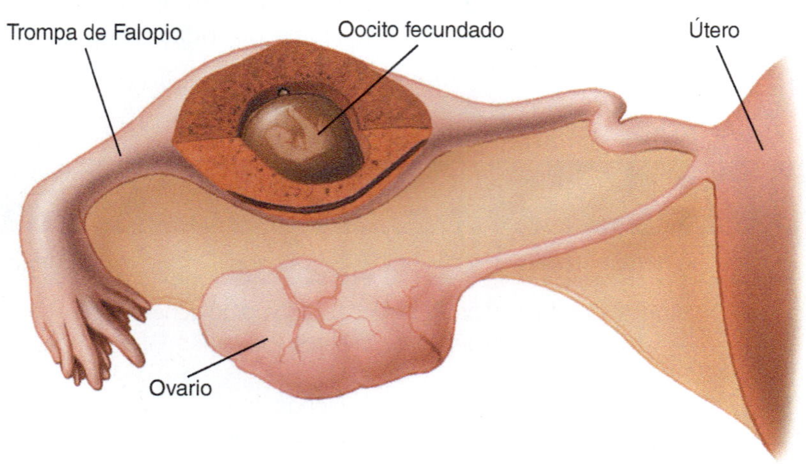

FIGURA 19-5 En un embarazo ectópico, un oocito fecundado se implanta en cualquier parte fuera del útero. Aquí se muestra la implantación en una de las trompas de Falopio.

Siga los siguientes pasos cuando atienda a una paciente con sospecha de embarazo ectópico, **FIGURA 19-6**:

- Asegure una vía aérea adecuada y administre oxígeno complementario, si está indicado. No administre nada por vía oral, incluida el agua.
- Mantenga a la paciente en decúbito lateral izquierdo, incluso si está inconsciente e intubada.
- Inicie tratamiento con soluciones IV a través de un catéter de calibre 18 de acuerdo con su protocolo local.
- Prevea el vómito. Cuente con una bolsa para emesis y aspiración al alcance de su brazo.

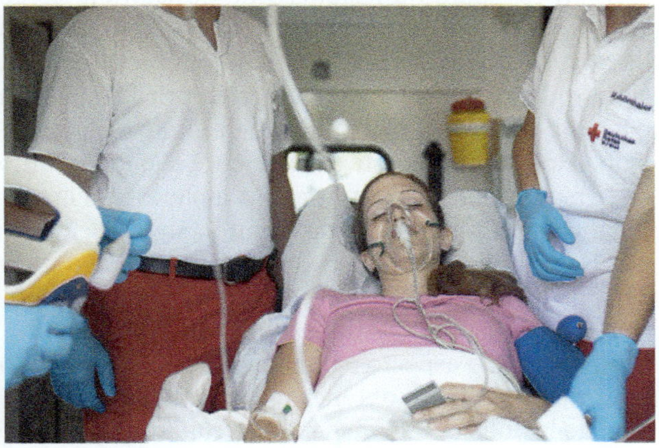

FIGURA 19-6 Trate a cualquier mujer con dolor abdominal y hemorragia vaginal como si estuviera en estado de shock.

- Mantenga la temperatura corporal de la paciente.
- Conéctela con un monitor cardíaco.
- Transpórtela a la instalación más cercana con capacidad quirúrgica. Notifique al personal del hospital receptor del diagnóstico de sospecha de la paciente, su estado general y el tiempo aproximado de arribo.
- Revise los signos vitales con frecuencia durante el transporte.

Ataque sexual

El departamento de justicia estadounidense define al **ataque sexual** como "cualquier acto sexual no consensuado proscrito por la ley federal, tribal o estatal, que incluye cuando la víctima carece de la capacidad de consentimiento".[14] Los Centros para el Control y la Prevención de Enfermedades define a la *violencia sexual* como un acto sexual que se comete o pretende por otra persona sin recibir consentimiento libre de la víctima o contra alguien que no puede consentir o rehusarse.[15,16] Si bien las definiciones varían de acuerdo con el estado de la Unión Americana, el Instituto Nacional de Justicia señala que la mayoría de los estatutos definen a la **violación** como una penetración bucal, anal o vaginal no consentida por la víctima mediante partes corporales u objetos con el uso de la fuerza o amenazas de daño corporal, o al sacar ventaja de la víctima incapacitada, o desde otros puntos de vista incapaz de dar consentimiento.[17]

Infortunadamente, el ataque sexual y la violación son muy frecuentes. Los proveedores del SEM

USTED es el Paramédico

PARTE 4

La paciente expresa que su FUM fue hace 7 días con un flujo bastante cuantioso y mucho dolor, que aún presenta, pero ahora también muestra goteo sanguíneo. Usted determina el hospital ideal para la paciente y ella acepta el transporte. Antes de colocarla en la camilla, usted pide a su compañero que tome sus signos vitales, que no muestran cambios. En el camino, la paciente descansa cómodamente sin cambios en signos o síntomas.

Tiempo de registro:	10 minutos
Ventilaciones	18 ventilaciones/min
Pulso	80 latidos/min, en decúbito; 82 latidos/min, en posición sentada
Piel	De color normal, tibia, seca
Presión arterial	128/60 mm Hg, en decúbito; 124/56 mm Hg, en posición sentada
Saturación de oxígeno (SpO_2)	98% en aire ambiente
Pupilas	PIRRL

6. ¿Cuáles son los cuidados generales de la paciente?
7. ¿Puede usted diagnosticar con precisión si un problema es ginecológico o abdominal en el campo?

convocados para tratar a una víctima de ataque sexual, abuso sexual o una violación real o alegada, enfrentan muchos aspectos complejos que van desde afecciones médicas obvias hasta los psicológicos y legales graves. Usted quizás sea la primera persona con quien tiene contacto la víctima después de su ataque. La forma como aborde la situación desde el primer contacto hasta el tratamiento y el transporte puede tener un efecto duradero tanto en la paciente como en usted. Es muy importante ser profesional, respetuoso y sensible.

Tanto hombres como mujeres pueden ser víctimas de un ataque sexual. Para la víctima de una violación es como sufrir una reciente "colisión de vehículos" en su mente y cuerpo. Es muy probable que el acto fue perpetrado por alguien que conocía y en quien confiaba. Lo último que la víctima desea es dar un informe conciso, detallado, de lo que recién experimentó, y el intentar obtener más información con toda probabilidad causará que se mantenga en silencio. Siempre que sea posible, se debe dar a una mujer víctima de violación la opción de tratamiento por un paramédico de su mismo sexo porque quizás presente sentimientos ambivalentes contra los hombres en general; estos sentimientos obstaculizarán la evaluación y su bienestar.

Documentación y comunicación

Así como usted pudiese sentirse incómodo al hablar respecto de su último encuentro sexual con un extraño por completo, así también su paciente tendría una mezcla de emociones, que incluyen vergüenza y frustración, después de su ataque. Un abordaje en calma, no enjuiciante de un paramédico del mismo género será de utilidad.

Inteligencia en la calle

Actúe con la presencia de la policía para asegurar la escena siempre que sea posible. Sin embargo, su responsabilidad primaria es atender las necesidades físicas y emocionales de su paciente.

Debido a que el ataque sexual y violación son crímenes, usted puede esperar que la policía participe tempranamente en esta circunstancia. En muchos casos, la policía puede llamar al SEM. Si bien, el personal policiaco suele tener un entrenamiento médico básico, su función primaria es la investigación criminal, no la atención de la paciente. Como paramédico, usted es responsable del manejo de los aspectos médicos del caso y de actuar como defensor de la paciente.

Evaluación

Inicie su evaluación preguntando a la paciente si estaría más cómoda con un paramédico masculino o femenino, y haga todo esfuerzo por cumplir con su requerimiento.

Limite cualquier exploración física a una breve revisión en cuanto a lesiones que pongan en riesgo la vida. Explore e inspeccione la región vaginal solo si hay datos de hemorragia que requieran tratamiento. Haga todo lo posible para proteger la privacidad de la paciente y darle algún sentido de dominio de la situación. Explore y entreviste a la paciente con un mínimo de personas presente, y traslade a la paciente a la ambulancia si es necesario para asegurar su privacidad.

El primer aspecto es el tratamiento médico de la paciente. ¿Tiene lesiones físicas? ¿Hay alguna que ponga en riesgo la vida? ¿Se queja de dolor?

El segundo aspecto es su atención emocional. No interrogue o intente obtener información para beneficio de la policía. Tales aspectos se tratarán más tarde en el DE. No enjuicie a la paciente y protéjala respecto de otros presentes en la escena. Muchas víctimas informan de una "nueva violación" cuando se someten a interrogación, críticas o incredulidad.

Cuando haga su evaluación, tome nota de cualquier información que sugiera el uso potencial de drogas de violación en una cita o drogas de *club*. La paciente puede o no estar al tanto del uso de drogas en el ataque, pero una incapacidad de recordar el suceso debería aumentar la sospecha en cuanto a su administración. Junto con el alcohol, el flunitrazepam (Rohipnol; *roofies*), el gamma-hidroxibutirato (GHB; líquido E o éxtasis), la ketamina (*K especial*), el clonazepam (Klonopin®), y el alprazolam (Xanax®) son fármacos que con frecuencia se usan durante un ataque sexual y violación con el propósito pretendido de incapacitar a la persona, que se pueden verter en la bebida de una persona y no detectarse porque a menudo no tienen color, olor o sabor. Sus efectos pueden ser inmediatos y se intensifican con el alcohol. La paciente puede mostrarse débil y confusa e incluso tener una pérdida del estado de vigilia. Estas sustancias causan relajación muscular y una pérdida de distensibilidad del músculo, lo que hacen a la víctima más sumisa durante un ataque sexual. Si los fármacos se encuentran aún en el sistema circulatorio de la paciente durante su evaluación, podría presentar hipotensión, bradicardia, dificultad ventilatoria, convulsiones, coma e inclusive la muerte.

Inteligencia en la calle

Trate a cualquier paciente que experimente un ataque sexual con respeto, dignidad y empatía. Ha tenido un suceso traumático y requiere respaldo emocional.

Tratamiento

Recuerde que se encuentra en la escena de un crimen. Aunque su trabajo es abordar los aspectos médicos del incidente y no colectar pruebas, no obstante, tiene la responsabilidad de conservar la evidencia. No corte ninguna ropa o tire cosa alguna de la escena. Coloque los artículos teñidos de sangre en bolsas de papel separadas (no de plástico), pues permiten que se sequen de manera natural, en tanto que el plástico promueve la proliferación de mohos que pueden destruir la evidencia biológica. Obtenga bolsas especiales para evidencias de la policía, si es necesario.

También puede requerirse persuadir gentilmente a la paciente para que no se limpie, el cual es un deseo natural que surge del deseo de "eliminar por lavado" la humillación y molestia del ataque. Proceso que puede destruir evidencia valiosa. También debe desalentarse a la paciente de usar desinfectante de manos, orinar, cambiar de ropa, tener una evacuación intestinal o enjuagar su boca. Respete sus sentimientos.

Algunas pacientes pueden rehusarse al transporte. Para los adultos mentalmente competentes, este es un derecho. En tales casos, siga su política o procedimiento de rechazo del tratamiento de su sistema para víctimas de ataque sexual sin juzgar o condescender con la paciente. En ningún caso debería usted simplemente aceptarlo y retirarse. Ofrezca llamar al centro de crisis local por violación para la paciente. En muchas comunidades se cuenta con centros de crisis de violación, con abogados disponibles por llamada para las víctimas. El conseguir la presencia de un abogado profesional en la escena puede ayudar a la paciente a enfrentar el trauma y ella puede explicar mejor las necesidades de conservación de evidencias con un detalle más compasivo. Muchos abogados de víctimas son supervivientes de traumatismos por violación. A la mayoría de las víctimas de violación se les fotografía y explora por enfermeras o médicos entrenados en el proceso de ataque sexual y el tratamiento (a veces llamadas *Sexual Assault Nurse Examiners*, o SANE [Enfermeras para la exploración ante ataques sexuales]).

Siga su protocolo en cuanto a este tipo de llamada. En algunos sistemas del SEM se puede considerar la administración de un sedante a una paciente en estas circunstancias.

El reporte de atención de la paciente es un documento legal y, si el asunto diera como resultado un arresto y un juicio subsiguiente, usted podría ser citado. Mantenga su reporte conciso y registre solo lo que la paciente declaró con sus propias palabras. Use comillas para indicar que está usted comunicando la versión de los sucesos de la paciente. No incluya su propia opinión en cuanto a si fue violada ni ofrezca conclusión alguna que pudiera validar o invalidar la versión del suceso por la paciente. Documente los hechos. Registre sus observaciones durante la exploración física, el estado emocional y el de sus ropas, y cualquier lesión aparente de la paciente.

Perlas de sabiduría

La violación es un diagnóstico legal, no médico. El equipo médico puede solo establecer si ocurrió un coito; en la corte se decidirá si este fue forzado o sin consentimiento de la víctima.

Violencia por el compañero íntimo

La violencia por el compañero íntimo se refiere al daño físico, sexual o psicológico causado por un compañero actual o previo, o cónyuge de la víctima. Este tipo de violencia puede ocurrir entre parejas heterosexuales o del mismo sexo y no requiere intimidad.[18] Como primer miembro del equipo de atención sanitaria para entrar en contacto con la paciente fuera del hospital o en su casa, usted puede buscar información valiosa no disponible para el personal hospitalario. Si usted arriba a una escena no regulada donde sospecha que ocurrió violencia por el compañero íntimo, evite confrontar a las partes involucradas. Su prioridad debería ser siempre la seguridad, suya, de su compañero y su paciente.

Prácticas sexuales y cuerpos extraños vaginales

Hombres y mujeres participan en actividades sexuales en una variedad de formas. Su exposición a estas prácticas con máxima probabilidad ocurrirá cuando estas prácticas sexuales privadas dan un mal resultado, con una llamada muy embarazosa al 9-1-1.

La emergencia ginecológica sexual más común que puede usted encontrar es simplemente la de un objeto extraño (una botella de refresco o cerveza o un juguete sexual) que se quedó atrapado en la vagina o el ano. Por ejemplo, una botella puede crear un vacío dentro del cuerpo y adosarse a una estructura interna. Los intentos de retiro por la paciente pueden causar dolor intenso o incluso hemorragia vaginal por desgarro de las estructuras internas. La hemorragia y el dolor por lo general causan pánico en ella. Ante este tipo de llamada, mantenga la calma de la paciente, proteja su dignidad tanto como sea posible y transpórtela. No intente retirar ningún objeto extraño de la vagina o el ano. De ser posible, no deje que la paciente camine. La penetración excesiva de cualquier artículo puede llevar a una lesión interna.

Algunos casos de inserción de una botella pueden vincularse con la violación, por lo que tenga en mente que la paciente puede ser víctima de un ataque. Se conoce que algunas pandillas insertan una botella de cerveza en la vagina de una mujer después de la violación y a continuación la golpean por turnos en la porción inferior del abdomen hasta que se rompe. Si este es el caso, tenga extremo cuidado y no la desplace más de lo necesario para evitar más daño interno.

Otra práctica sexual alternativa que pudiese usted encontrar es la técnica conocida como "empuñado", que implica colocar el puño y la muñeca dentro de un orificio corporal (vagina o recto) para estimulación sexual. Ya sea que se trate de un hombre o una mujer, es probable la ruptura de un órgano (recto, vagina) y puede causar una peritonitis que ponga en riesgo la vida. Otra práctica sexual es la inserción de animales vivos en la vagina o el ano, que incluyen peces, anguilas, serpientes y gusanos. Es probable que la paciente se alarme si el animal ingresa, pero no sale.

Evaluación

La evaluación en esta situación es sensible. Mantenga la privacidad de su paciente. Dependiendo de las circunstancias, tal vez necesite hacer inspección de la región genital en cuanto a hemorragia, heridas y objetos, que quizás necesiten fijarse. Evite centrarse sobre una parte de su paciente; usted, no obstante, requiere hacer una evaluación exhaustiva, que incluya signos vitales y antecedentes.

Tratamiento

Condúzcase en este caso como si se tratara de cualquier otro objeto extraño, manténgase no enjuiciante y transporte a la paciente. No intente obtener el objeto, incluso si se trata de un animal, desde el interior de la vagina o el recto. Transporte a la paciente en una posición con flexión rotuliana y las piernas juntas.

USTED es el Paramédico RESUMEN

1. ¿Qué busca usted en su evaluación de la escena?

Diríjase a los mismos elementos de evaluación de la escena como lo haría ante cualquier llamada: seguridad, necesidad de recursos adicionales, impresión inicial (médica, de traumatología o ambas) y número de pacientes. Tome las precauciones estándar. Señale las circunstancias en la escena; información que puede ser útil si se le pide testificar en la corte.

2. ¿Qué busca usted en su evaluación primaria?

Responda las siguientes preguntas durante su evaluación primaria: ¿cuál es el cuadro clínico global de la paciente? ¿Revela su revisión rápida cualquier riesgo obvio para la vida? ¿Está consciente? ¿Presenta dificultad ventilatoria obvia o evidencia de lesión? ¿Parece pálido, cianótico, enrojecido o gris? ¿Está alerta y orientado o confuso? ¿Está en calma o distraído? ¿Cuál es su estado emocional? ¿Cuál es su aspecto físico, sucio o bien aliñado? ¿Lo encontró usted sentado, recostado, en decúbito prono o supino, en posición fetal, en la de trípode, en la tina de baño o sobre sus cuatro extremidades?

Una vez que responda estas preguntas básicas y trate a cualquier amenaza inmediata a la vía aérea, la ventilación o la circulación, usted puede proceder con la evaluación secundaria y obtener un historial más detallado de la enfermedad actual.

USTED es el Paramédico RESUMEN continuación

3. ¿Qué emergencias ginecológicas se presentan con dolor?

La mayoría de las emergencias ginecológicas pueden presentarse con dolor (p. ej., abdominal, pélvico, dorsal bajo, durante el coito, cólico). El embarazo ectópico y el quiste de ovario roto son dos afecciones que potencialmente ponen en riesgo la vida. Aunque otras causas ginecológicas de dolor tal vez no constituyan un riesgo vital, cualquier manifestación de este tipo naturalmente preocupará a la paciente.

4. ¿Qué pasos tomará en su evaluación adicional de esta paciente?

¿Cuál es su principal manifestación? Si se trata de hemorragia excesiva, usted puede obtener el historial ginecológico. Si la principal manifestación es dolor abdominal, necesita indagar más acerca del síntoma mismo mediante las siglas OPQRST (inicio [***O****nset*]; factores que lo **P**rovocan; calidad [***Q****uality*]; **R**egión y si presenta radiación o se torna referido; intensidad [del inglés ***S****everity*], y **T**iempo [duración]).

5. ¿Cuál es la siguiente pregunta que debería formular a esta paciente?

Proceda a obtener los antecedentes ginecológicos. Tal vez la pregunta más crítica por hacer es "¿cuándo tuvo su última menstruación?" Si la paciente está segura, registre las fechas de inicio y terminación de la FUM. Si no lo está, registre las aproximadas. Pregunte a la paciente si notó algo inusual en su FUM.

6. ¿Cuál es la atención general de esta paciente?

El tratamiento de cualquier paciente ginecológica en general es de sostén porque no puede proveerse uno definitivo en el campo. El tratamiento primario se dirigirá a abordar las amenazas para la vida, con actitud de respaldo y compasión, y protección de la intimidad. Evalúe y cubra las necesidades de oxígeno adecuadas. Obtenga los signos vitales, y continúe vigilándolos durante la atención de la paciente.

7. ¿Puede usted diagnosticar con precisión la diferencia entre un problema ginecológico y uno abdominal en el campo?

No. Las emergencias ginecológicas a menudo conllevan los mismos signos y síntomas que las que afectan a otros órganos abdominales. Valore a la paciente con cuidado para determinar la naturaleza y extensión del problema. Asegúrese de seguir las siglas SAMPLE (**S**ignos y síntomas, **A**lergias, **M**edicamentos, historial médico **P**ertinente, ú**L**tima ingestión, **E**ventos] que llevaron a la enfermedad o lesión). ¿Cuáles signos y síntomas hay asociados, si acaso: fiebre, diaforesis, síncope, diarrea, estreñimiento y disuria? Otros problemas médicos pueden presentarse como si fueran abdominales. Por ejemplo, el dolor cardíaco se puede malinterpretar como de origen epigástrico.

Reporte de atención del paciente prehospitalario (RAPP)

Fecha: 05-31-22	**Incidente núm.:** 78865	**Naturaleza de la llamada:** Dolor abdominal		**Localización:** 1065 calle Millares	
Despacho: 10:05	**En camino:** 10:05	**En la escena:** 10:10	**Transporte:** 10:40	**En el hospital:** 10:47	**En servicio:** 10:58

Información de la paciente

Edad: 24 **Sexo:** F **Peso:** 91 kg	**Alergias:** NACF **Medicamentos:** ibuprofeno de venta libre **Antecedentes médicos:** niega **Principal manifestación:** dolor abdominal/pélvico

Signos vitales

Hora: 10:15	**PA:** 128/60	**Pulso:** 80	**Ventilaciones:** 18	**SpO_2:** 98%
Hora: 10:25	**PA:** 128/60 en decúbito, 124/56 sentada	**Pulso:** 80 en decúbito, 82 sentada	**Ventilaciones:** 18	**SpO_2:** 98%

USTED es el Paramédico RESUMEN continuación

Tratamiento del SEM (circule todo lo aplicable)				
Oxígeno @ _____ L/min por (circular uno): CN MSR Dispositivo de bolsa y mascarilla		Ventilación asistida	Dispositivo de la vía aérea	RCP
Desfibrilación	Detención de hemorragia	Vendaje	Ferulización	Otras:

Narración

Al arribar se encuentra a una mujer de 24 años que se queja de dolor abdominal y pélvico. Referido como sordo, localizado en la pelvis y la parte baja del dorso, presente desde hace 3 meses. También refiere aumento del flujo menstrual con goteo entre periodos. Señala que su FUM fue hace 7 días y que el dolor es constante y no cambia con el movimiento o el medicamento de venta libre que tomó. No se encuentra bajo atención médica por el mismo proceso. Refiere que no está embarazada. Se evaluaron los signos vitales ortostáticos, sin mostrar cambio. Aceptó el transporte a un hospital comunitario confortablemente acostada durante el trayecto sin cambios notorios en su estado general. Se informa al Dr. Sullivan a su arribo en el DE, cama 4.

Fin del reporte

Kit de preparación

Resumen rápido

- La ginecología es el estudio y la atención de enfermedades del aparato reproductor femenino.
- Los genitales internos femeninos incluyen ovarios, trompas de Falopio, cuerpo y cuello del útero y vagina. Los genitales externos femeninos incluyen monte de Venus, labios mayores y menores, perineo y clítoris.
- La menstruación es la descamación cíclica del revestimiento endometrial de la cavidad uterina. La menarquia es la primera menstruación, cuando una joven alcanza la edad de procrear. La menopausia es el periodo en el que cesa el ciclo reproductivo de una mujer.
- La ovulación ocurre cuando se libera un óvulo u oocito de un folículo ovárico, lo que suele ocurrir 14 días después del inicio del periodo menstrual. Algunas mujeres experimentan dolor abdominal y cólicos a la mitad del ciclo (*mittleschmerz*).
- La amenorrea es la ausencia o el cese de la menstruación, cuya causa más frecuente es el embarazo. Puede ocurrir también en atletas o personas con anorexia nerviosa, problemas emocionales, estrés extremo o baja grasa corporal.
- Los signos y síntomas de las emergencias ginecológicas, en general, incluyen uno o más de los siguientes: hemorragia vaginal, dolor abdominal, vómito, fiebre, taquicardia, hipotensión, diaforesis, síncope, cambios del patrón de evacuación intestinal, dispareunia (dolor durante el coito) o los urinarios.
- Cuando se evalúa a una paciente con una emergencia ginecológica, comience con las siglas ABCDE y valore el estado de shock. Los cuidados adicionales incluyen obtener un acceso IV, vigilar los signos vitales, proveer analgésicos y la reanimación con soluciones, según esté indicada por el estado de la paciente, y el transporte.
- Mientras se obtiene el historial de la paciente, determine cuándo fue su FUM, si fue inusual de cualquier forma, si pudiese estar embarazada y si utiliza anticoncepción. También señale cualquier embarazo previo, pérdida gestacional o aborto. Si presenta secreción vaginal, indague color, cantidad y si tiene algún olor.
- El tratamiento general de las emergencias ginecológicas es de sostén, incluido el abordar amenazas para la vida, la provisión de respaldo

Kit de preparación continuación

emocional y la protección de la intimidad. Cuando sea posible, el paramédico que haga la exploración física deberá ser del mismo género que la paciente.

- La región genital femenina es muy vascularizada y susceptible a los traumatismos. Si la paciente tiene un traumatismo de genitales externos, aplique presión para detener la hemorragia. No haga una exploración vaginal interna.
- La enfermedad pélvica inflamatoria (EPI) es una infección de los órganos del aparato reproductor femenino. Puesto que puede afectar a las trompas de Falopio y los ovarios, sus complicaciones a largo plazo incluyen infertilidad y un alto riesgo de embarazo ectópico.
- Una paciente con un quiste grande o absceso de la glándula de Bartolino puede informar de dolor vulvar, dispareunia o una masa dolorosa en la región vulvar. Si el quiste está infectado o hay un absceso, suele requerirse la incisión quirúrgica para drenarlo. Los cuidados prehospitalarios son principalmente de sostén.
- Vaginitis y vulvovaginitis son inflamaciones de los tejidos vaginales y la vulva por infección. Los síntomas incluyen prurito, irritación, secreción, mal olor, dispareunia y dolor abdominal bajo. Ambas entidades patológicas comunes se tratan con antibióticos.
- Las afecciones ováricas incluyen los quistes y la torsión. Si se rompe un quiste ovárico, la paciente puede no presentar síntomas, y si los tiene, son leves o intensos. Si la hemorragia interna es importante, la paciente puede experimentar mareo, acompañado de hipotensión y taquicardia. Debe tenerse en mente la torsión ovárica si el dolor abdominal bajo es intenso o los síntomas empeoran; se trata de una emergencia quirúrgica que puede llevar al daño permanente del ovario. El tratamiento prehospitalario de un quiste ovárico roto y la sospecha de torsión ovárica implica detección, transporte rápido al DE y tratamiento de cualquier síntoma.
- Las afecciones uterinas incluyen endometritis, endometriosis y prolapso. La endometritis es la inflamación del endometrio, cuyos signos y síntomas pueden incluir fiebre, escalofríos, vómito, taquicardia, dolor abdominal bajo o pélvico y cólicos, así como una secreción vaginal maloliente. La endometriosis es la presencia de tejido fuera del útero que simula al endometrio, tanto en estructura como en función; puede causar infecundidad. En las mujeres que presentan síntomas, la manifestación más frecuente es de dolor (a veces crónico), por lo general localizado en la porción dorsal baja, la pelvis o el abdomen. El prolapso uterino es la protrusión de parte o todo el útero fuera de la vagina. Si se observa tejido vaginal con prolapso fuera del introito, cúbralo con gasa húmeda estéril y transporte a la paciente.
- La hemorragia vaginal que no se presenta durante una menstruación regular es causa de preocupación. Considere si hay un mecanismo de lesión. La hemorragia uterina disfuncional es aquella anormal en cantidad o frecuencia (más que cada 21 días). Trate a estas pacientes como si tuvieran el potencial de shock hemorrágico.
- En el embarazo ectópico, un oocito fecundado se implanta en un sitio diferente al útero, por lo general una trompa de Falopio, lo que puede causar su rotura, afección que pone en riesgo la vida. Trate a la paciente del estado de shock y transpórtela.
- Para las víctimas de ataque o violencia sexuales y violación, su profesionalismo, respeto y sensibilidad son de importancia máxima.
- Puede ser difícil obtener antecedentes de una víctima de violación. Cuando sea posible, haga que un paramédico del mismo sexo la atienda.
- Recuerde que su trabajo es de tratamiento médico de la paciente que experimentó un ataque sexual. Solo haga interrogatorio médico y no la juzgue. Limite la exploración física al abordaje de las lesiones que pongan en riesgo la vida.
- Conserve la evidencia cuando sea posible. Trate de persuadir a la víctima para que no se limpie.
- Documente los casos de ataque sexual apropiadamente y de manera profesional. En su RAPP, incluya las palabras exactas de la paciente entre

Kit de preparación continuación

comillas. Registre los hechos resultantes de la exploración física y documente cualquier información que sugiera el uso potencial de una droga de violación o droga de *club*.

- En escenas que implican violencia del compañero íntimo, no confronte a las partes involucradas. Recuerde que la seguridad es su principal prioridad.
- Las emergencias sexuales pueden implicar objetos extraños introducidos en la vagina o el recto, que pueden potencialmente llevar a una lesión interna. En tal caso, no retire el objeto. Permanezca con actitud profesional y transporte a la paciente.

Vocabulario esencial

Amenorrea Ausencia de menstruación.

Ataque sexual Cualquier acto sexual no consensuado proscrito por la ley federal, tribal o estatal, con inclusión de aquella víctima que carece de la capacidad de consentimiento.

Cérvix La porción más estrecha (tercio inferior del cuerpo) del útero que se abre en la vagina.

Cistitis Infección causada por bacterias provenientes del perineo, a través del aparato genital, hacia el meato uretral; también llamada infección vesical.

Clítoris Una masa cilíndrica pequeña de tejido eréctil y nervioso localizada en la unión anterior de los labios menores, similar al glande masculino.

Embarazo ectópico Uno en el que el oocito fecundado se implanta en un sitio diferente al útero.

Embrión Un oocito fecundado.

Endometrio Capa interna de la pared uterina.

Endometriosis La presencia de tejido fuera del útero que simula al endometrio tanto en estructura como en función.

Endometritis Inflamación del endometrio que suele vincularse con una infección bacteriana.

Enfermedad pélvica inflamatoria (EPI) Una infección de los órganos reproductivos femeninos.

Glándulas de Bartolino Las que secretan moco para la lubricación sexual.

Hemorragia uterina disfuncional Aquella anormal en cantidad o frecuencia (de más que cada 21 días).

Himen Una membrana que protege el introito vaginal antes del primer coito.

Infección vaginal por levaduras Aquella causada por el hongo *Candida albicans*, por su sobrepoblación en la vagina.

Labios mayores Un par de pliegues de piel redondeados, prominentes, cubiertos por vello púbico, que protegen a la vagina.

Labios menores Par de pliegues cutáneos carentes de vello púbico que protegen a la vagina.

Menarquia El primer ciclo menstrual.

Menopausia Periodo en el que cesa el ciclo reproductivo de una mujer; también llamada climaterio.

Menstruación Descamación cíclica del endometrio que reviste la cavidad uterina.

Monte de Venus Un cojinete redondo de tejido graso que cubre la sínfisis del pubis por delante de las aberturas uretral y vaginal.

Ovarios Par de órganos femeninos de la reproducción que liberan oocitos (óvulos) que, cuando son fecundados, se desarrollan para formar un feto.

Ovulación Liberación de un oocito (óvulo) a mitad del ciclo menstrual.

Perineo La región entre el introito vaginal y el ano.

Pielonefritis Infección renal.

Prolapso uterino Una circunstancia en la que el útero se desplaza o desciende hacia la vagina.

Kit de preparación continuación

Quiste de ovario Un saco lleno de líquido que se forma sobre o dentro de un ovario.

Quiste ovárico roto Un saco lleno de líquido dentro del ovario que estalla por presión interna.

Torsión ovárica Una afección dolorosa en la que el ovario gira sobre su eje.

Trompa de Falopio Estructura anatómica que conecta cada ovario con el útero y provee una vía de paso para los oocitos.

Útero Órgano muscular con forma de pera invertida donde se desarrolla el feto.

Vagina Conducto genital en la mujer que sirve como vía para la eliminación de los líquidos menstruales, recibe al pene durante el coito, retiene a los espermatozoides antes de su paso al interior del útero y sirve como vía del parto.

Vaginitis Una inflamación de la vagina causada por infección.

Violación Penetración oral, anal o vaginal no consensuada de la víctima por partes corporales u objetos con el uso de la fuerza, amenazas de daño corporal, o al sacar ventaja de una víctima incapacitada o incapaz de dar su consentimiento.

Vulvovaginitis Inflamación de la vulva y la vagina.

Referencias

1. Pelvic inflammatory disease (PID): CDC fact sheet. Centers for Disease Control and Prevention website. https://www.cdc.gov/std/PID/STDFact-PID.htm. Revisada el 19 de noviembre de 2020. Consultada el 4 de marzo de 2021.
2. Lobo RA, Gershenson DM, Lentz GM, Valea FM. *Comprehensive Gynecology*. 7th ed. Philadelphia, PA: Elsevier; 2017:371-372, 525. http://gynecology.sbmu.ac.ir/uploads/4_5825615235666412577.pdf. Consultada el 4 de marzo de 2021.
3. Yeast infection (vaginal). Mayo Clinic website. https://www.mayoclinic.org/diseases-conditions/yeast-infection/symptoms-causes/syc-20378999. Actualizada el 8 de enero de 2021. Consultada el 4 de marzo de 2021.
4. VanMeter KC, Hubert RJ. Reproductive system disorders. En: VanMeterKC, HubertRJ. *Gould's Pathophysiology for the Health Professions*. 6th ed. St. Louis, MO: Saunders; 2018: Chapter 19.
5. Mobeen S, Apostol R. Ovarian cyst. *StatPearls*. https://www.ncbi.nlm.nih.gov/books/NBK560541/#_NBK560541_pubdet_. Actualizada el 8 de julio de 2020. Consultada el 4 de marzo de 2021.
6. Taylor M, Pillarisetty LS. Endometritis. *StatPearls*. https://www.ncbi.nlm.nih.gov/books/NBK553124/. Actualizada el 21 de diciembre de 2020. Consultada el 4 de marzo de 2021.
7. Rivlin ME. Endometritis clinical presentation. *Medscape*. https://emedicine.medscape.com/article/254169-clinical. Actualizada el 25 de abril de 2019. Consultada el 4 de marzo de 2021.
8. Davila GW. Endometriosis clinical presentation. *Medscape*. https://emedicine.medscape.com/article/271899-clinical. Actualizada el 25 de julio de 2018. Consultada el 4 de marzo de 2021.
9. Uterine prolapse. Mayo Clinic website. https://www.mayoclinic.org/diseases-conditions/uterine-prolapse/symptoms-causes/syc-20353458. Actualizada el 19 de septiembre de 2020. Consultada el 4 de marzo de 2021.
10. Davis E, Sparzak PB. Abnormal uterine bleeding. *StatPearls*. https://www.ncbi.nlm.nih.gov/books/NBK532913/. Actualizada el 10 de febrero de 2021. Consultada el 4 de marzo de 2021.
11. FAQs: Ectopic pregnancy. American College of Obstetricians and Gynecologists website. https://www.acog.org/womens-health/faqs/ectopic-pregnancy. Publicada en febrero de 2018. Consultada el 4 de marzo de 2021.
12. Ectopic pregnancy. Cedars Sinai website. https://www.cedars-sinai.org/health-library/diseases-and-conditions/e/ectopic-pregnancy.html. Consultada el 4 de marzo de 2021.
13. Cashion K. Hemorrhagic disorders. En: LowdermilkDL, PerrySE, CashionK, AldenKR, eds. *Maternity and Women's Health Care*. 11th ed. St. Louis, MO: Elsevier; 2016:669-686.
14. Sexual assault. US Department of Justice website. https://www.justice.gov/ovw/sexual-assault. Consultada el 4 de marzo de 2021.
15. Sexual violence. Centers for Disease Control and Prevention website. https://cdc.gov/violenceprevention/

Kit de preparación continuación

sexualviolence/. Revisada el 5 de febrero de 2021. Consultada el 4 de marzo de 2021.

16. Basile KC, Smith SG, Breiding MJ, Black MC, Mahendra R. *Sexual Violence Surveillance: Uniform Definitions and Recommended Data Elements, Version 2.0*. Atlanta, GA: National Center for Injury Prevention and Control, Centers for Disease Control and Prevention; 2014. https://www.cdc.gov/violenceprevention/pdf/sv_surveillance_definitionsl-2009-a.pdf. Consultada el 4 de marzo de 2021.
17. Overview of rape and sexual violence. National Institute of Justice website. https://nij.ojp.gov/topics/articles/overview-rape-and-sexual-violence. 25 de octubre de 2010. Consultada el 8 de marzo de 2017.
18. Intimate partner violence. Centers for Disease Control and Prevention website. https://www.cdc.gov/violenceprevention/intimatepartnerviolence/index.html. Revisada el 9 de octubre de 2020. Consultada el 4 de marzo de 2021.

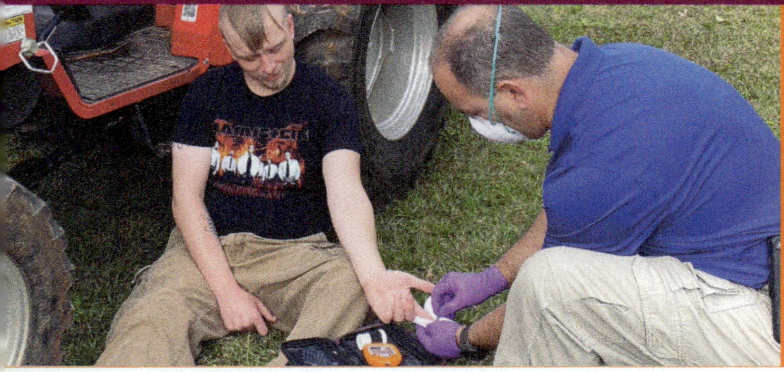

Capítulo 20

Emergencias endocrinas

COMPETENCIAS DEL ESTÁNDAR NACIONAL DE EDUCACIÓN EN EL SEM

Medicina

Integra los resultados de la evaluación con los principios de epidemiología y fisiopatología para formular una impresión inicial e implementar un plan de tratamiento/disposición integral para un paciente con una dolencia médica.

Trastornos endocrinos

Conciencia de que:

- Las emergencias diabéticas provocan alteraciones del estado mental (pp. 1373, 1375-1376, 1380, 1383, 1388)

Anatomía, fisiología, fisiopatología, evaluación y tratamiento de las:

- Emergencias diabéticas agudas (pp. 1376-1392)

Anatomía, fisiología, epidemiología, fisiopatología, impacto psicosocial, presentaciones, pronóstico y tratamiento de las:

- Emergencias diabéticas agudas (pp. 1376-1392)
- Diabetes (pp. 1372-1376)
- Enfermedad suprarrenal (pp. 1393-1395)
- Trastornos hipofisarios y tiroideos (pp. 1395-1399)

OBJETIVOS COGNITIVOS

1. Revisar la anatomía y fisiología de los órganos y estructuras del sistema endocrino. (pp. 1369-1371)
2. Analizar la función de la glucosa como principal fuente de energía para el organismo, incluida la relación de la glucosa con la insulina. (pp. 1370-1371)
3. Describir el proceso de evaluación del paciente para una amplia variedad de trastornos endocrinos. (pp. 1371-1376)
4. Especificar cómo manejar la vía aérea, la respiración y la circulación en pacientes con emergencias del sistema endocrino. (pp. 1372-1373)
5. Definir el término *diabetes*. (pp. 1372, 1376)
6. Describir los factores que provocan alteraciones de la glucosa. (p. 1376)
7. Describir la incidencia, morbilidad y mortalidad de las emergencias diabéticas. (pp. 1377, 1386)
8. Identificar las características comunes de los distintos tipos de diabetes. (p. 1376)
9. Describir las complicaciones crónicas y agudas asociadas a la diabetes mellitus. (pp. 1377-1379)
10. Explicar algunas consideraciones relacionadas con la edad para tener en cuenta cuando se trata a un paciente adulto mayor que se cree que tiene diabetes no diagnosticada. (p. 1379)
11. Comparar la fisiopatología, evaluación y tratamiento de la diabetes mellitus tipo 1 con la diabetes tipo 2. (pp. 1379-1382)
12. Identificar los factores de riesgo asociados a la prediabetes, incluyendo el papel de los análisis de hemoglobina A1c, para distinguir la prediabetes de la diabetes. (p. 1382)
13. Explicar cómo diagnosticar y tratar la diabetes gestacional. (pp. 1382-1383)

14. Comparar las emergencias diabéticas hiperglucémicas e hipoglucémicas, incluyendo su fisiopatología, evaluación y tratamiento. (pp. 1383-1390)
15. Describir las intervenciones para proporcionar atención médica de emergencia durante una crisis hipoglucémica a pacientes conscientes e inconscientes con antecedentes de diabetes. (pp. 1385-1386)
16. Proporcionar los nombres genéricos y comerciales, la forma, la dosis, las indicaciones, las contraindicaciones y el procedimiento para administrar dextrosa al 50% a un paciente con hipoglucemia. (pp. 1375, 1386)
17. Definir la hiperglucemia y discutir su fisiopatología, evaluación y tratamiento. (pp. 1386-1390)
18. Describir la relación entre la cetoacidosis diabética (CAD) y la hiperglucemia. (pp. 1387-1390)
19. Enumerar los signos y síntomas de la CAD. (p. 1389)
20. Describir las intervenciones para proporcionar atención médica de emergencia durante una crisis hiperglucémica a pacientes conscientes e inconscientes con antecedentes de diabetes. (pp. 1390-1392)
21. Definir el síndrome hiperglucémico hiperosmolar no cetósico (SHHNC) y los hallazgos característicos de esta condición. (pp. 1390-1392)
22. Describir la fisiopatología, evaluación y tratamiento de la pancreatitis. (p. 1392)
23. Comparar la insuficiencia suprarrenal primaria y secundaria, incluyendo su incidencia, morbilidad y mortalidad, fisiopatología, evaluación y tratamiento. (pp. 1393-1394)
24. Identificar la crisis de Addison, los factores desencadenantes de esta emergencia, su principal manifestación clínica y otros signos y síntomas, y su tratamiento. (p. 1394)
25. Identificar el síndrome de Cushing, las manifestaciones físicas características de este trastorno, así como su fisiopatología, evaluación y tratamiento. (pp. 1394-1395)
26. Analizar la presentación clínica de un paciente con un tumor de la glándula suprarrenal. (p. 1395)
27. Comparar los efectos del hipotiroidismo y el hipertiroidismo en el organismo. (pp. 1395-1396)
28. Explicar la fisiopatología de la enfermedad de Graves, incluyendo los signos y síntomas característicos de la enfermedad. (pp. 1372, 1396)
29. Explicar la fisiopatología de la enfermedad de Hashimoto, incluyendo su comparación con la enfermedad de Graves. (p. 1396)
30. Explicar los signos y síntomas característicos del coma mixedematoso, así como su tratamiento. (pp. 1396-1397)
31. Describir la tirotoxicosis y la tormenta tiroidea, así como su relación con el hipertiroidismo. (pp. 1397-1398)
32. Describir el hiperparatiroidismo, incluyendo su fisiopatología, presentación y manejo. (p. 1398)
33. Diferenciar entre diabetes insípida y el síndrome de secreción inapropiada de hormona antidiurética (SIADH). (pp. 1398-1399)

OBJETIVOS DE DESTREZA

1. Demostrar la evaluación y cuidados de un paciente con hipoglucemia y disminución del nivel de conciencia. (pp. 1384-1386)
2. Demostrar cómo administrar glucosa a un paciente con un estado mental alterado. (pp. 1375, 1385)
3. Demostrar cómo administrar dextrosa a un paciente con hipoglucemia. (p. 1386)
4. Demostrar cómo administrar glucagón a un paciente con hipoglucemia. (pp. 1375, 1386)

Introducción

Pocos son los sistemas del cuerpo que comparten el nivel de responsabilidad asignado al sistema endocrino. Este sistema influye directa o indirectamente en casi todas las células, órganos y funciones del cuerpo. En consecuencia, los pacientes con un trastorno endocrino a menudo presentan una amplia variedad de signos y síntomas, que requieren una evaluación exhaustiva y un tratamiento inmediato para evitar emergencias potencialmente mortales.

Repaso de anatomía y fisiología

El sistema endocrino controla y regula todos los sistemas corporales. Trabaja con el sistema nervioso para mantener la homeostasis interna y coordinar las respuestas a los cambios ambientales y al estrés.

Componentes del sistema endocrino

Los principales componentes del sistema endocrino son el hipotálamo, la glándula pineal, la glándula pituitaria, la glándula tiroides, el timo, la glándula paratiroides, las glándulas suprarrenales, el páncreas y las gónadas, incluidos los ovarios y los testículos. El páncreas interviene en la producción de hormonas y en la digestión.

Las hormonas son mensajeros químicos que las glándulas endocrinas segregan al torrente sanguíneo. Las hormonas circulan por todo el cuerpo y se dirigen a los órganos para mantener la homeostasis. La acción desencadenada por una hormona depende del órgano específico afectado. En el capítulo 6, *Anatomía y fisiología*, se analizan las hormonas producidas por el sistema endocrino.

Hipotálamo

El hipotálamo no es una glándula, sino una pequeña región del cerebro que contiene varios centros de control de las funciones corporales y las emociones. Es el principal vínculo entre el sistema endocrino y el sistema nervioso.

El hipotálamo también produce hormonas reguladoras (liberadoras e inhibidoras), que controlan la liberación de hormonas por parte de la hipófisis. El hipotálamo y la hipófisis están íntimamente relacionados a través del sistema vascular. El sistema hipotálamo-hipófisis controla el funcionamiento de múltiples órganos endocrinos periféricos (p. ej., tiroides, corteza suprarrenal, gónadas y mamas).

Algunas de las hormonas producidas por el hipotálamo tienen efectos fisiológicos que dependen de su concentración. Por ejemplo, una disminución del contenido de agua del cuerpo desencadena la liberación de la **hormona antidiurética (ADH)**. El hipotálamo detecta la concentración de sal en los líquidos corporales; cuando esta concentración aumenta, envía una señal a la glándula pituitaria posterior para que aumente la secreción de ADH. El aumento de los niveles de ADH estimula a los túbulos renales a reabsorber sodio y agua. Al mismo tiempo, la ADH actúa como vasopresor.

Glándula pituitaria

Situada en la base del cerebro, la hipófisis se divide en las regiones anterior y posterior.

Seis de las hormonas secretadas por la hipófisis estimulan otras glándulas endocrinas, por lo que se denominan hormonas "trópicas" (del griego *tropos*, que significa "girar" o "cambiar"). Entre ellas se encuentran la **hormona adrenocorticotrópica (ACTH)**, la hormona foliculoestimulante, la hormona del crecimiento, la **hormona luteinizante**, la prolactina y la

USTED es el Paramédico

PARTE 1

Lo envían a un supermercado local por una mujer "sentada en la mantequilla". Cuando llega, lo recibe un hombre mayor, quien le dice que hay una mujer grande sentada en una de las secciones refrigeradas de la tienda. El hombre señala el pasillo de lácteos y dice: "ahí está. La encontramos así. Estaba temblando y estaba muy caliente al tacto. Intenté ayudarla, pero ahora me tengo que ir".

Desde lejos, ve a una mujer obesa de complexión rubicunda sentada despreocupada encima de una caja de productos lácteos refrigerados. Al acercarse, se fija en sus ojos saltones y observa que está diaforética. Hay numerosas pastillas blancas grandes esparcidas por el suelo del pasillo y lo que parece ser un envoltorio de comida junto a sus pies. Hay vómito en el suelo. Cuando la llama, no responde.

1. ¿Qué información clave se desprende del informe y de la evaluación de la escena?
2. ¿Qué tipos de trastornos médicos pueden causar una alteración del estado mental?

hormona estimulante de la tiroides. Las otras dos hormonas, ADH y oxitocina, controlan otras funciones corporales.

En momentos de estrés, el hipotálamo segrega una hormona que estimula a la glándula pituitaria anterior para que libere ACTH. La ACTH se dirige a la corteza suprarrenal y hace que segregue **cortisol** (un glucocorticoide y adrenocorticoide). El cortisol estimula a la mayoría de las células del cuerpo para que aumenten su producción de energía.

Glándula tiroides

Las hormonas tiroideas, que afectan al metabolismo, se segregan en respuesta a la estimulación de la glándula tiroidea por parte de la hipófisis anterior. La hipófisis anterior segrega la hormona estimulante de la tiroides (TSH) en respuesta a la secreción por el hipotálamo de la hormona liberadora de tirotropina (TRH).

La glándula tiroides segrega **tiroxina (T_4)** cuando disminuye la tasa metabólica del organismo. La tiroxina, la principal hormona metabólica del organismo, estimula la producción de energía en las células, aumentando así la velocidad a la que estas consumen oxígeno y utilizan los carbohidratos, las grasas y las proteínas. Sin embargo, la producción de tiroxina depende del nivel adecuado de ingesta de yodo en la dieta, y la falta de tiroxina disminuirá el crecimiento físico y mental del paciente.

La glándula tiroides también segrega **calcitonina**, que ayuda a mantener niveles normales de calcio en la sangre. Esta hormona se segrega cuando la tiroides detecta niveles elevados de calcio. La calcitonina viaja hasta los huesos, donde estimula a las células que forman los huesos para que absorban el exceso de calcio. También estimula a los riñones para que absorban y excreten el exceso de calcio.

Glándulas paratiroides

Las glándulas paratiroides contribuyen a la regulación del calcio. Concretamente, la **hormona paratiroidea**, cuando es secretada por la paratiroides, actúa como antagonista de la calcitonina. La hormona paratiroidea se segrega cuando los niveles de calcio en sangre son bajos. Estimula a las células que disuelven el hueso para que lo descompongan y vuelvan a liberar calcio en el torrente sanguíneo. En los riñones, la hormona paratiroidea disminuye la cantidad de calcio liberado en la orina.

Glándula timo

La función de la glándula del timo, o *timo*, es ayudar al sistema inmunológico a identificar y destruir los intrusos. En estudios de trasplante de órganos en ratones bebés a los que se les reubicó el timo, el órgano trasplantado no fue rechazado; sin embargo, los ratones se volvieron muy susceptibles a patógenos causantes de enfermedades y a diversos procesos patógenos como el cáncer.

Páncreas

El páncreas se considera tanto una glándula endocrina como exocrina. Como glándula exocrina, secreta enzimas digestivas al duodeno a través del conducto pancreático. Como glándula endocrina, segrega tres hormonas a partir de grupos de células denominados **islotes de Langerhans**. En esencia, los islotes de Langerhans del páncreas actúan como "un órgano dentro de otro órgano", segregando **glucagón** de las células alfa, **insulina** de las células beta y **somatostatina** de las células delta (**FIGURA 20-1**). La somatostatina inhibe la secreción de insulina y glucagón.

En un paciente sano, el organismo regula los niveles de glucosa en sangre utilizando tanto insulina como glucagón. Cuando el nivel de glucosa en sangre del organismo desciende, se secreta glucagón para elevar el nivel de glucosa. Cuando entra en el torrente sanguíneo, el glucagón estimula al hígado para que convierta el glucógeno en azúcar (glucosa) y lo secrete al torrente sanguíneo, que lo transporta a las células que pueden utilizar la glucosa como fuente de energía.

Cuando los niveles de glucosa en sangre son elevados, los islotes de Langerhans también segregan insulina, que es transportada por el torrente sanguíneo a las células. La insulina aumenta la permeabilidad de la membrana celular, lo que facilita la entrada de glucosa en las células. Así, las células absorben más glucosa y la utilizan para producir energía. La insulina también estimula al hígado para tomar más glucosa y

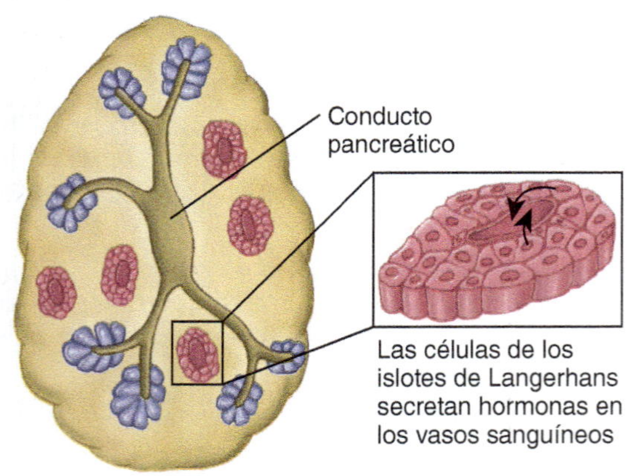

FIGURA 20-1 Los islotes de Langerhans secretan hormonas en los vasos sanguíneos.

almacenarla en forma de glucógeno para su uso posterior por el organismo.

La insulina es la *única* hormona que disminuye los niveles de glucosa en sangre. Es fundamental para que la glucosa entre y nutra las células. Una vez que los niveles de glucosa en sangre han vuelto a la normalidad, los islotes de Langerhans interrumpen la secreción de insulina.

Glándulas suprarrenales

Las glándulas suprarrenales, situadas a cada lado del cuerpo en la cara superior de cada riñón, se dividen en dos secciones distintas: la corteza suprarrenal y la médula suprarrenal. La corteza suprarrenal rodea el interior de la médula suprarrenal.

Si el cuerpo experimenta un descenso de la presión arterial (PA) o del volumen sanguíneo, un descenso del nivel de sodio o un aumento del nivel de potasio, la corteza suprarrenal se ve estimulada para secretar **aldosterona** (un mineralocorticoide). La aldosterona estimula a los riñones para que reabsorban sodio de la orina y excreten potasio mediante la alteración del gradiente osmótico de la sangre. Cuando el sodio se reabsorbe en la sangre, el agua le sigue, aumentando tanto el volumen sanguíneo como la PA. La aldosterona también reduce la cantidad de sal y agua que se pierde a través de las glándulas sudoríparas y salivales.

Cuando se estimula el hipotálamo como parte de la respuesta de "lucha o huida", la médula suprarrenal segrega pequeñas cantidades de **norepinefrina** y grandes cantidades de **epinefrina**. La norepinefrina eleva la presión arterial al provocar la contracción del músculo liso que recubre las arteriolas y la relajación del músculo liso que recubre los bronquiolos. La epinefrina estimula los receptores del sistema nervioso simpático en todo el organismo. Además, estimula al hígado para que convierta el glucógeno en glucosa, que las células pueden utilizar como energía. La acción de ambas hormonas se traduce en un aumento de los niveles de oxígeno y glucosa en la sangre y en una circulación más rápida de la sangre hacia el cerebro, el corazón y los músculos, lo que a su vez permite al organismo responder a la situación de emergencia a corto plazo.

Gónadas

Tanto en el hombre como en la mujer, las funciones principales de las gónadas son promover la maduración sexual durante la pubertad y satisfacer cualquier necesidad reproductiva posterior. Las gónadas son la principal fuente de hormonas sexuales del organismo.

En los hombres, las células intersticiales de los testículos producen hormonas masculinas conocidas como **andrógenos**. Los andrógenos regulan los cambios corporales asociados con el desarrollo sexual (pubertad), incluidos los brotes de crecimiento, el engrosamiento de la voz, el crecimiento del vello facial y púbico, y el crecimiento y la fuerza muscular. La más importante de estas hormonas es la **testosterona**. La testosterona favorece la producción de esperma sano, determina las características sexuales secundarias masculinas, como la producción de vello y estimula el crecimiento. Esta hormona es responsable de las características secundarias masculinas, como el aumento de la masa muscular y ósea, así como del comportamiento agresivo.

En la mujer, las gónadas son los ovarios. La hipófisis anterior dirige la acción de los ovarios a través de la hormona foliculoestimulante (FSH) y la hormona luteinizante (LH). Los ovarios liberan óvulos y segregan las hormonas **estrógeno** y **progesterona**, junto con una pequeña cantidad de testosterona. El estrógeno indica a la hipófisis anterior que segregue LH cuando se está desarrollando un óvulo en un folículo ovárico. Los estrógenos y la progesterona también contribuyen a regular el ciclo menstrual. En la pubertad, el estrógeno favorece el desarrollo de las características sexuales secundarias femeninas: aumento del tamaño de los senos, aumento del tamaño del útero, depósitos de grasa en las caderas y los muslos, y desarrollo del vello bajo los brazos y en el pubis. La progesterona prepara el útero para la implantación del óvulo fecundado. Durante el embarazo, esta hormona garantiza que la pared uterina mantenga su funcionalidad y prepara las glándulas mamarias para la actividad.

Perlas de sabiduría

Aunque la fisiopatología específica varía para cada enfermedad, las emergencias endocrinas normalmente son a causa de una de las siguientes condiciones:

- Falla en la producción normal de hormonas
- Producción excesiva de hormonas
- Falla de los sistemas de inhibición por retroalimentación hipotálamo, la hipófisis, la glándula endocrina y el órgano diana

Evaluación del paciente

La parte difícil de evaluar a los pacientes con emergencias endocrinas es que sus problemas tienden a afectar a muchos sistemas orgánicos y la gravedad de sus presentaciones varía en gran medida. Muchos pacientes padecen estas enfermedades desde hace tiempo y es posible que ya estén recibiendo tratamiento. Cuando hable con ellos, es probable que estos pacientes o sus familiares le cuenten los antecedentes de un problema endocrino; esta información, además de los signos y síntomas comunes asociados a cada emergencia endocrina, debería ayudarle a determinar la causa del problema actual. En cualquier caso, no se tome estas llamadas a la ligera, porque los malos resultados pueden producirse rápidamente.

Evaluación de la escena

La seguridad en la escena debe ser siempre una preocupación primordial al llegar al lugar donde se encuentra el paciente. Asegúrese de que todos los peligros están cubiertos y de que toma las precauciones habituales.

Sus observaciones de la escena también pueden proporcionar información valiosa sobre lo que podría haber ocurrido. Compruebe si hay medicamentos en la mesa de noche o el botiquín que puedan revelar la enfermedad subyacente del paciente. Compruebe también si hay insulina en el refrigerador.

Evaluación primaria

La evaluación primaria se inicia con lo básico: **A**ire, respiración (***B**reathing*), **C**irculación, **D**iscapacidad y **E**xposición (ABCDE). Los pacientes que experimentan una emergencia endocrina pueden estar gravemente angustiados, por lo que debe identificar y tratar inmediatamente cualquier amenaza que ponga en riesgo su vida. En pacientes con un estado mental alterado, compruebe si llevan un brazalete o collar de identificación médica que indique alergias o enfermedades conocidas.

Su impresión general, combinada con una evaluación física minuciosa y la historia del paciente, desempeña un papel fundamental para ayudar a identificar las causas de la angustia del paciente. Las enfermedades endocrinas cursan con signos y síntomas que dependerán del tipo de producción o secreción hormonal afectada. ¿El paciente está alerta o hay cambios en su estado mental? Un paciente que no responde se encuentra obviamente en un estado crítico y puede estar experimentando una crisis endocrina, como **hipoglucemia** (nivel anormalmente bajo de glucosa en sangre), **hiperglucemia** (nivel anormalmente alto de glucosa en sangre) o **coma mixedematoso** (un trastorno poco frecuente que puede producirse en pacientes con hipotiroidismo grave no tratado) con deficiencia tiroidea grave. La diaforesis por lo regular es un signo de sufrimiento grave; junto con el edema pulmonar, se produce en pacientes con **tirotoxicosis** (una afección tóxica causada por niveles excesivos de hormona tiroidea circulante).

Su impresión general puede ayudarle a iniciar el proceso de formación de una impresión inicial. La "joroba de búfalo", la "cara de luna" y el acné son signos reveladores del **síndrome de Cushing**, que se analiza más adelante en este capítulo. La piel moteada puede estar asociada a la pancreatitis. Las partes del cuerpo agrandadas o de aspecto anormal pueden darse en combinación con trastornos como edema en pacientes con **síndrome de secreción inapropiada de hormona antidiurética (SIADH)** (un trastorno endocrino en el que un exceso de ADH provoca una disminución de la diuresis y, por lo tanto, una sobrecarga sistémica de líquidos) o anasarca (edema extremo, generalizado) con coma mixedematoso. Los cambios de peso (bajo peso o sobrepeso) pueden indicar una disfunción endocrina como hipotiroidismo, hipertiroidismo o **diabetes**, un grupo de trastornos metabólicos complejos con muchas causas. El **exoftalmos** (globos oculares protuberantes) está presente en la **enfermedad de Graves**, un trastorno autoinmune que causa hipertrofia de la glándula tiroides e hipertiroidismo grave. Los niños con **panhipopituitarismo** (producción inadecuada o ausencia de hormonas hipofisarias) pueden tener un desarrollo anormal.

Compruebe la vía aérea del paciente para asegurarse de que son permeables y no hay obstrucciones. Cuando los pacientes presentan un nivel alterado de conciencia, pueden ser incapaces de proteger su vía aérea. Además, muchos estarán muy enfermos y tendrán episodios crónicos de vómito. Mantenga la vía aérea según sea necesario mediante el posicionamiento del paciente, la aspiración o el uso de vías aéreas básicas.

Los pacientes con emergencias endocrinas pueden presentar diferencias en sus niveles de frecuencia, ritmo, calidad y esfuerzo respiratorios. Debe evaluar inmediatamente el esfuerzo respiratorio del paciente —la respiración debe ser sin esfuerzo— y administrar oxígeno suplementario según sea necesario.

Evalúe el color, la humedad y la temperatura de la piel del paciente y tome la presión arterial. El estado de la piel puede ayudarle a determinar el estado médico del paciente. Un paciente con piel pálida, fría y húmeda puede estar en shock o tener hipoglucemia, mientras que un paciente con piel caliente y seca puede tener fiebre o hiperglucemia. Un paciente en crisis hipoglucémica tendrá un pulso rápido y débil. Debido a que las emergencias endocrinas pueden afectar a los sistemas de compensación del organismo, tal vez sea necesario administrar líquidos por vía intravenosa. Siga los protocolos locales.

Muchos pacientes con trastornos endocrinos ya están recibiendo tratamiento por parte de especialistas y deben ser trasladados a un centro especializado en estas condiciones. Si el estado del paciente es inestable o muestra signos de inestabilidad, como una disminución del nivel de conciencia, traslade rápidamente al centro más cercano para estabilizarlo.

Historia clínica

Especialmente en las emergencias diabéticas, el historial médico familiar puede revelar información importante. Debido a que la diabetes es una enfermedad genética (se transmite de padres a hijos), saber que uno de los padres o abuelos tiene antecedentes de diabetes es una pista importante y puede resultar muy valiosa a la hora de decidir el tratamiento. Esto es especialmente cierto si el paciente es un niño y presenta una alteración del estado mental de nueva aparición.

Investigue la queja principal o la historia de la enfermedad actual. Mientras evalúa la queja principal, debe tener en cuenta los signos y síntomas del paciente y cualquier negativo pertinente.

Si un paciente no responde, obtenga un nivel de glucosa en sangre y trate cualquier anomalía de forma adecuada. El hecho de que un paciente no tenga antecedentes de diabetes no significa que no se trate de un nuevo caso de la enfermedad.

Siga la mnemotecnia SAMPLE (Signos y síntomas, Alergias, Medicamentos, antecedentes médicos Pertinentes, úLtima ingesta oral, Eventos previos a la enfermedad o lesión). Reúna toda la información posible de la escena y de cualquier miembro de la familia o testigo presente.

Observe al paciente en busca de signos que puedan ayudarle a confirmar los síntomas que le ha comunicado. Los signos y síntomas de trastornos endocrinos incluyen los mencionados anteriormente, así como síntomas como polifagia, poliuria y polidipsia en pacientes con diabetes no diagnosticada o mal controlada. En pacientes con hipertiroidismo y tirotoxicosis pueden producirse taquicardias, complejos ventriculares prematuros y disritmias auriculares, incluidos complejos auriculares prematuros.

Es fundamental averiguar cualquier alergia que pueda tener el paciente antes de administrar el medicamento. Documente todos los medicamentos que el paciente toma actualmente con regularidad y si el paciente ha cumplido con el esquema farmacológico. ¿Toma el paciente medicamento asociado a la diabetes (p. ej., insulina, antidiabéticos orales)? ¿Está el paciente recibiendo terapia de reemplazo de hormona tiroidea para el hipotiroidismo o usando glucocorticoides para controlar el síndrome de Cushing?

Los antecedentes médicos pertinentes son importantes al momento de diagnosticar y tratar a un paciente con una enfermedad endocrina. Muchas de estas enfermedades se habrán diagnosticado antes de su llegada, y el paciente puede tener información sobre su enfermedad. Del mismo modo, los miembros

USTED es el Paramédico

PARTE 2

Cuando se presenta y pregunta a la paciente qué le pasa, ve que tiene chocolate en toda la boca y un sándwich de helado derritiéndose en la mano. No responde hasta que le pellizca el dorso de la mano. Luego le aleja la mano.

Tiempo de registro:	0 minutos
Aspecto	Sentada erguida con la mirada perdida
Nivel de conciencia	D (responde a estímulos dolorosos)
Vía aérea	Permeable
Respiración	Elevación y volumen torácicos adecuados
Circulación	Pulso radial débil y rápido; piel fría, pálida, diaforética

3. Aunque el paciente coopere, ¿qué debe tener en cuenta al tratar a cualquier paciente con un estado mental alterado?
4. ¿Cuál podría ser la causa de los temblores del paciente?

de la familia con frecuencia están bien informados sobre estas condiciones.

Además de preguntar sobre la última ingesta oral, pregunte a las mujeres en edad fértil sobre su último periodo menstrual. Las pacientes con hipotiroidismo, por ejemplo, pueden tener antecedentes de menstruaciones escasas o ausentes.

Es posible que la paciente, sus familiares u otras personas puedan proporcionar información adicional sobre los acontecimientos que precedieron a la situación actual. Por ejemplo, una paciente con diabetes puede no haber comido ese día o haber estado sometida a un alto nivel de estrés emocional o actividad física.

Evaluación secundaria

Empiece con el examen físico observando el aspecto general del paciente. Observe si el paciente presenta posturas decorticadas o descerebradas; ambas son signos de enfermedad grave.

Su examen físico debe estar orientado a identificar tantos hallazgos atípicos como sea posible. A menos que el paciente haya tenido una emergencia endocrina que le haya causado algún tipo de trauma, rara vez es necesario un examen focalizado. En su lugar, un examen de cuerpo completo es generalmente más apropiado, aunque las amenazas a la vida de todas maneras deben ser manejadas primero.

El examen físico revelará las anormalidades más finas que ayudarán a determinar su tratamiento. Por ejemplo, la condición de la piel del paciente proporciona información esencial. La piel fría y húmeda es un signo clásico de shock, pero también puede indicar una hipoglucemia grave, como consecuencia de una reacción a la insulina y de la respuesta del organismo a la liberación de catecolaminas. La piel fría y seca puede indicar una sobredosis de fármacos sedantes o una intoxicación etílica. La piel seca y caliente sugiere hiperglucemia, fiebre o posiblemente un golpe de calor.

Los objetivos del examen físico en el paciente comatoso son dobles. En primer lugar, determine con precisión el nivel de consciencia del paciente, para que las evaluaciones posteriores puedan determinar fácilmente si su estado está mejorando o empeorando. En segundo lugar, debe buscar signos que puedan proporcionar pistas sobre la causa del coma.

Cuando compruebe los signos vitales del paciente, busque la combinación de hipertensión y bradicardia, que sugiere un aumento de la presión intracraneal. Esté atento a patrones respiratorios anormales. La respiración de Cheyne-Stokes suele indicar una causa no neurológica del coma. Las respiraciones de Kuss-

USTED es el Paramédico

PARTE 3

Su protocolo requiere obtener una lectura de glucosa en sangre para cualquier paciente con un nivel de consciencia disminuido. Usted registra el nivel de glucosa en sangre de este paciente como 30 mg/dl. Obtiene un acceso intravenoso y se prepara para administrar dextrosa al 50% según sus protocolos. Un testigo se le acerca y le dice: "¿se va a poner bien? Cuando otro comprador y yo la encontramos allí, llamé al 9-1-1. Un señor mayor dijo que probablemente tenía diabetes, así que intentó meterle helado en la boca, pero no pareció ayudar".

Tiempo de registro:	5 minutos
Respiraciones	24 respiraciones/min
Pulso	100 latidos/min, débil y regular
Piel	Fría, pálida y diaforética
Presión arterial	160/94 mm Hg
Saturación de oxígeno (Spo_2)	97% con aire ambiente
Pupilas	Pupilas iguales, redondas y reactivas a la luz (PIRRL)

5. ¿Qué le preocupa de la declaración del testigo?
6. Si su compañero no pudo acceder por vía intravenosa, ¿qué otras opciones de tratamiento existen para corregir el nivel de glucosa en sangre del paciente?

maul con frecuencia están presentes en pacientes que presentan **cetoacidosis diabética (CAD)**, una forma de acidosis en la diabetes no controlada en la que se acumulan ciertos ácidos cuando no se dispone de insulina; estas respiraciones son uno de los mecanismos compensatorios del organismo para "eliminar" el exceso de ácido que se produce en esta condición.

Más preocupantes son otros patrones respiratorios anormales, como la ventilación neurogénica central o los resoplidos que no parecen mover mucho aire. Busque movimientos relacionados con la respiración, como estornudos y bostezos. Se requiere un tronco encefálico intacto para producir un estornudo o un bostezo, por lo que ambas acciones tienen una importancia pronóstica positiva. Por el contrario, la hipotermia y la tos pueden indicar daños en el tronco encefálico.

Reevaluación

Después de iniciar su plan de tratamiento, revalúe continuamente al paciente para comprobar si hay cambios evidentes y sutiles. Por cada acción que realice, debe haber una respuesta. El que no haya respuesta de hecho *es* una respuesta. Documente sus hallazgos a lo largo del proceso.

El ABC debe controlarse durante la evaluación primaria. Recuerde que un paciente cuyo reflejo nauseoso está ausente no puede proteger su vía aérea de la aspiración, por lo que debe estar preparado para succionar la vía aérea en un paciente que no responde. Si el paciente no recupera la consciencia con el tratamiento (p. ej., un paciente con hipoglucemia recibe glucosa y sigue sin responder), considere la posibilidad de intubarlo. Asegúrese de obtener muestras de sangre pronto en pacientes con diabetes, porque cualquier administración prehospitalaria de dextrosa u otros medicamentos cambiará sustancialmente la composición química de las muestras de sangre subsiguientes.

Un aspecto fundamental de la atención al paciente es atender sus necesidades emocionales. La diabetes puede ser una enfermedad estresante de tratar, y los pacientes con esta enfermedad tienen un mayor riesgo de depresión. Hay que ser empático y receptivo a las necesidades del paciente y proporcionarle el apoyo emocional que necesite.

Vigile el ritmo cardíaco de todos los pacientes en coma. Durante la evaluación neurológica, la consideración más crucial no es una medición obtenida en un solo momento, sino la *tendencia* mostrada por varias mediciones que haya obtenido. Compruebe de nuevo los signos vitales, las pupilas y el nivel de consciencia del paciente (cada 5 minutos en pacientes inestables y cada 15 minutos en pacientes estables) y *anote los resultados* de inmediato. Cada paciente que transporte debe tener documentadas al menos dos series de signos vitales, independientemente de la duración del traslado.

Documentación y comunicación

La comunicación con el personal del hospital es vital para garantizar la continuidad de la atención. El personal del hospital necesita estar informado sobre la historia del paciente, su situación actual, los hallazgos de la evaluación, sus intervenciones y los resultados. Su RAPP es el único documento legal que reflejará la atención adecuada que usted proporcionó. Documente claramente los resultados de su evaluación, ya que son la base de su tratamiento. Los pacientes que rechazan el traslado porque usted los "curó" con glucosa oral pueden requerir una documentación aún más exhaustiva. Siga los protocolos locales para los pacientes que rechazan el tratamiento o el transporte.

Atención médica de emergencia

Si el paciente presenta un estado mental alterado, establezca una vía intravenosa con solución salina normal (SN) al 0.9%. Mida inmediatamente el nivel de glucosa en sangre e inicie el tratamiento si la lectura es inferior a 60 mg/dl. La administración de D_{50} (50 g de dextrosa por cada 100 ml, es decir, una concentración de 50%) a una dosis conforme a sus protocolos locales revertirá la mayoría de los casos de hipoglucemia. Algunos sistemas del SEM ya no llevan D_{50}; en su lugar, pueden utilizar glucagón o D_{10} (10% de concentración de dextrosa). Cuando se utiliza para tratar la hipoglucemia, el glucagón se administra por vía intramuscular (IM) o intranasal (IN). Los pacientes que reciben este tratamiento tienen un tiempo de recuperación significativamente mayor que aquellos que reciben D_{50} o D_{10} IV. El D_{50} provoca mayores fluctuaciones en los niveles de glucosa en sangre después de su administración. D_{10}

Perlas de sabiduría

El glucagón también puede administrarse por vía intranasal y se suministra en forma de polvo en un autoinyector precargado para uso doméstico. Como parte de su evaluación, determine si el paciente o un proveedor del SEM de menor nivel ha administrado este medicamento antes de su llegada al lugar.

es una concentración menor y no es hipertónica; su osmolaridad disminuida es menos cáustica para las venas y los tejidos. Después de la administración de dextrosa o glucagón, documente la reevaluación de los signos vitales y el estado mental.

Si el estado del paciente no mejora después de una dosis de dextrosa, y si tiene motivos para sospechar una sobredosis de narcóticos (basándose en signos de punción, huellas de agujas en los brazos o depresión respiratoria), considere la posibilidad de administrar naloxona (Narcan®).

Si el paciente está intubado para disminuir el riesgo de extubación involuntaria durante el transporte, traslade al paciente comatoso en *decúbito supino* con un collarín cervical colocado. De lo contrario, puede transportar al paciente en decúbito lateral o en posición de recuperación, a menos que alguna lesión impida esa posición. Si el paciente muestra signos de aumento de la presión intracraneal, como el reflejo de Cushing (pulso lento, aumento de la PA y un patrón respiratorio errático), postura o pupilas desiguales, traslade con la cabeza elevada a un ángulo de 30 a 45° y la línea media de la cabeza para ayudar al retorno venoso y minimizar la presión intracraneal. Succione según sea necesario para mantener la boca y la faringe libres de secreciones, vómito y sangre.

Fisiopatología, evaluación y tratamiento de las alteraciones metabólicas de la glucosa

Los trastornos endocrinos están causados por la hipersecreción o la secreción insuficiente de hormonas por parte de una glándula. La hipersecreción se presenta como una hiperactividad del órgano diana regulado por la glándula. Una secreción insuficiente se traduce en una baja actividad del órgano regulado por la glándula. Los efectos de una alteración de la función de las glándulas endocrinas vienen determinados por el grado de disfunción de la glándula y por la edad y el sexo del paciente.

Los trastornos del metabolismo de la glucosa son a causa de una disfunción del páncreas, que afecta a la capacidad del organismo para metabolizar la glucosa. La disfunción pancreática puede ser desde apenas detectable hasta extrema. La mayoría de las alteraciones de la glucosa y otras emergencias endocrinas clínicamente importantes dan lugar a un compromiso del ABC, un equilibrio inadecuado de líquidos, un deterioro del estado mental, así como signos vitales y niveles de glucosa en sangre anormales.

Diabetes mellitus

La diabetes es un trastorno metabólico que actualmente se considera un grupo de enfermedades complejas con muchas causas:

- **Diabetes mellitus**: enfermedad caracterizada por la incapacidad del organismo para metabolizar la glucosa lo suficiente.
- **Diabetes gestacional**: diabetes que se desarrolla durante el embarazo en mujeres que no padecían diabetes antes del embarazo.
- Hipoglucemia/hiperglucemia
- Cetoacidosis diabética
- Síndrome hiperglucémico hiperosmolar no cetósico

Estas condiciones patológicas reflejan una falla en la producción o la función de la insulina, o ambas. La insulina, una hormona producida en el páncreas, contribuye al metabolismo de los carbohidratos y al transporte de glucosa a las células. El resultado final de la diabetes es la hiperglucemia, también conocida como nivel de glucosa alta en la sangre.

Desde el punto de vista médico, el término *diabetes* se refiere a un trastorno metabólico que afecta a la capacidad del organismo para metabolizar los carbohidratos simples (glucosa). Se caracteriza por los siguientes síntomas:

- **Polifagia**, un aumento del apetito causado por la incapacidad de la glucosa para ser transportada a través de la membrana celular.
- **Polidipsia**, una sed importante causada por la deshidratación provocada por un aumento de la **diuresis** (la producción de grandes cantidades de orina por el riñón).
- **Poliuria**, emisión de grandes cantidades de orina. En la diabetes, el exceso de glucosa se elimina por la orina (**glucosuria**) y atrae el agua, lo que provoca una diuresis excesiva.

La glucosa (también conocida como *dextrosa*) es uno de los azúcares básicos del organismo; junto con el oxígeno, es el combustible principal del metabolismo celular. La *diabetes mellitus* se caracteriza por la incapacidad del organismo para metabolizar la glucosa lo suficiente. *Mellitus*, del griego abeja melífera, significa "dulce", en referencia a la presencia de glucosa en la orina. En las personas que padecen esta enfermedad, o bien el páncreas no produce suficiente insulina, o bien las células del organismo no responden a los efectos de la insulina producida. El resultado es el mismo en ambos casos: niveles elevados de glucosa en la sangre y en la orina. La glucosa se acumula en la sangre, se desborda en la orina y sale del organismo. Por lo tanto, las células pueden "pasar hambre", o verse privadas de glucosa, incluso cuando la sangre contiene grandes cantidades de glucosa (**FIGURA 20-2**).

De acuerdo con el Informe Estadístico Nacional sobre la Diabetes 2020, 34.2 millones de personas en Estados Unidos (alrededor de 10.5% de la población) padecen diabetes; de ellas, 7.3 millones permanecen sin diagnosticar. Por lo tanto, una de cada cinco personas con diabetes desconoce el estado de su enfermedad.[1,2]

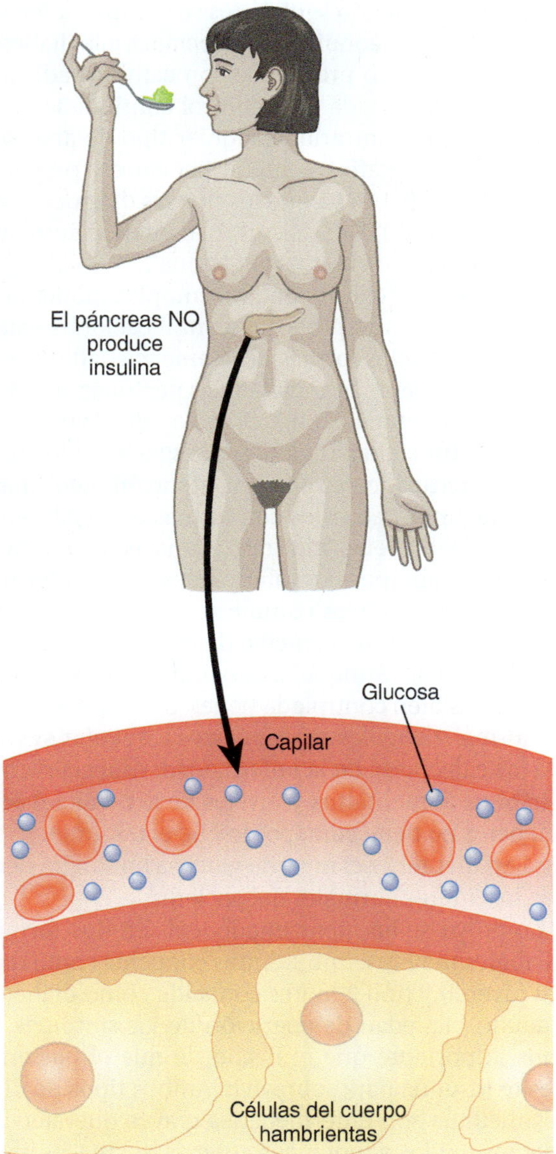

FIGURA 20-2 La diabetes se define como la falta o la acción ineficaz de la insulina. Sin insulina, las células empiezan a "pasar hambre" porque la insulina es necesaria para permitir que la glucosa entre en ellas y las alimente.

En 2017, la diabetes fue la séptima causa de muerte en Estados Unidos, aunque los *Centers for Disease Control and Prevention* (CDC) sugieren que las diabetes pueden estar subestimadas como fuente de mortalidad.[1] La diabetes produce una importante carga financiera para millones de estadounidenses cada año y, más generalmente, para la economía de Estados Unidos a través de los costos médicos directos e indirectos, como la discapacidad, la pérdida de trabajo y la muerte prematura.[2-4]

La diabetes mellitus es responsable de innumerables complicaciones que alteran la vida, algunas de las cuales se enumeran a continuación:

- **Riñones**. La diabetes es la principal causa de insuficiencia renal, representando 38.6% de los nuevos casos en 2017.[4] En esta enfermedad, los glomérulos del riñón se anquilosan, causando necrosis del tejido papilar y dando lugar a nefropatía (enfermedad renal terminal) e insuficiencia renal. Los niveles elevados de glucosa en sangre hacen que los riñones trabajen más de lo normal y reducen la función renal con el tiempo.
- Los adultos con diabetes tienen aproximadamente el doble de probabilidades de morir de una enfermedad cardíaca o de presentar un accidente cerebrovascular que quienes no tienen diabetes.[5] Cuando la diabetes está mal controlada, el proceso de **lipólisis** (de lipo-, que significa "grasa", y -lisis, que significa "descomposición") eleva el nivel de grasa en la sangre. Como consecuencia del aumento del nivel de grasa (lo que se conoce como **dislipidemia**), aumenta el riesgo de aterosclerosis y enfermedad coronaria. La grasa que circula por el torrente sanguíneo se adhiere a las paredes de los vasos sanguíneos, llegando incluso a hacerlas rígidas y quebradizas. Además, los cristales de glucosa tienen bordes afilados, por lo que pueden dañar los vasos sanguíneos cuando están presentes en niveles superiores a los normales. Con el tiempo, el deterioro microscópico de las paredes de los vasos, denominado **microangiopatía**, provoca la inflamación de las células de la membrana basal, lo que restringe el flujo sanguíneo a órganos y tejidos. El flujo sanguíneo inadecuado (isquemia) provoca necrosis o muerte tisular. La insuficiencia cardíaca crónica se desarrolla a lo largo de varios años.[5] Los daños en el sistema nervioso central pueden causar disritmias cardíacas, que pueden provocar un paro cardíaco y la muerte súbita. Tanto la microangiopatía como la neuropatía contribuyen a aumentar el riesgo de infarto de miocardio *silente* en pacientes con diabetes. La combinación de estas patologías hace que el paciente con diabetes

no perciba los signos habituales de dolor, presión u opresión torácicos que suelen asociarse a un infarto agudo de miocardio (IAM). Por lo tanto, siempre debe suponerse que se trata de un IAM hasta que se demuestre lo contrario. Siempre debe obtenerse e interpretarse un electrocardiograma de 12 derivaciones en cualquier paciente con diabetes que se queje de un episodio sincopal, desmayo, debilidad, fatiga, malestar o disnea de esfuerzo.

- **Enfermedad cerebrovascular, accidente cerebrovascular e hipertensión.** Los vasos dañados por una microangiopatía son frecuentes en los pacientes con enfermedad cerebrovascular y se asocian a una mayor incidencia de accidente cerebrovascular. La arteriopatía periférica también es frecuente en las personas con diabetes y afecta a la circulación de las extremidades inferiores. Dos de cada tres pacientes con diabetes declaran tener la presión alta o toman medicamentos para reducirla.[6] La hipertensión se asocia a un mayor riesgo de cardiopatía, accidente cerebrovascular, enfermedad renal y ceguera.
- **Ojos.** En adultos de 18 a 64 años, la diabetes es la principal causa de nuevos casos de ceguera por retinopatía.[4] Los niveles elevados de glucosa en sangre dañan los vasos oculares, provocando hinchazón, debilidad de las paredes y obstrucción. Puede formarse tejido cicatricial que provoque la separación de la retina del ojo o desprendimiento de retina. Las cataratas son una película turbia que se forma cuando la fructosa y el sorbitol se depositan en el cristalino del ojo.
- **Neuropatía.** La neuropatía es una lesión nerviosa que provoca una pérdida de sensibilidad y función en la zona inervada por los nervios afectados. Estos daños pueden causar impotencia sexual, vejiga neurógena, estreñimiento o diarrea. La neuropatía asociada a la diabetes suele afectar a los nervios periféricos, provocando una disminución de la sensibilidad y la función en las extremidades. Los pacientes con neuropatía periférica suelen tener parestesia, una sensación de hormigueo o punzadas en las manos, los pies, los brazos o las piernas. La parestesia y la disestesia (sensación dolorosa de ardor, punzadas o dolor) pueden entorpecer la percepción del dolor, haciendo posible que las úlceras de los pies pasen inadvertidas hasta que se infectan gravemente. Debido a que muchos de estos pacientes también tienen mala circulación en las extremidades, se puede desarrollar gangrena en los tejidos adyacentes y la infección puede extenderse al hueso. Se calcula que cada 30 segundos se amputa una pierna en todo el mundo, y 85% de estas amputaciones se atribuyen a la diabetes.[7]

Debido a los efectos generalizados de la diabetes en todos los sistemas corporales, cualquier condición preexistente será más compleja de tratar después de que la diabetes se desarrolle en el paciente. Cuanto más se adhieran los pacientes al tratamiento recomendado para su diabetes, mejores serán los resultados de sus otras condiciones. Las enfermedades que aparecen después de la aparición de la diabetes responden mejor cuando la diabetes se controla adecuadamente. Muchas condiciones asociadas a la diabetes pueden retrasarse o prevenirse con cambios adecuados en el estilo de vida y un control continuado de la diabetes. Por el contrario, cualquier tipo de angustia puede afectar negativamente al paciente y provocar una llamada al 9-1-1, ya que los niveles de glucosa en sangre son más difíciles de controlar cuando aumenta la actividad física o el estrés emocional.

La diabetes mellitus conlleva complicaciones crónicas y agudas. Aunque estas complicaciones están presentes en ambas formas de la enfermedad (tipos 1 y 2), tienden a ser más graves en las personas con diabetes que necesitan insulina. Si no se trata, la diabetes provoca disfunciones orgánicas, desgaste de los tejidos y la muerte. Incluso con una atención médica excelente, algunos pacientes con formas especialmente agresivas de diabetes morirán a una edad relativamente temprana por complicaciones de la enfermedad. La gravedad de las complicaciones diabéticas se correlaciona con el nivel medio de glucosa en sangre y la edad de inicio. Aunque la mayoría de los pacientes con diabetes bien controlada tienen una esperanza de vida normal, deben estar dispuestos a adaptar sus vidas a las exigencias de la enfermedad, especialmente sus hábitos alimentarios y niveles de actividad física. La diabetes no tiene cura, por lo que el tratamiento se centra en mantener el nivel de glucosa en sangre dentro de los límites normales del paciente.

Como ya se ha mencionado, existen dos formas de diabetes mellitus: tipo 1 (antes conocida como diabetes juvenil) y tipo 2 (antes conocida como diabetes del adulto). La edad de aparición de los síntomas es menos importante que el hecho de que el paciente necesite insulina para sobrevivir. Ambos tipos de diabetes mellitus son enfermedades graves que afectan a muchos tejidos y funciones además del mecanismo de regulación de la glucosa, y ambas requieren tratamiento médico de por vida. Además, la enfermedad conocida como **prediabetes** se reconoce como un signo de advertencia que puede preceder al desarrollo de la **diabetes tipo 2**, y se trata más adelante en este capítulo.

El Ensayo Control de la diabetes y sus complicaciones (DCCT, por sus siglas en inglés) y su estudio de seguimiento, Epidemiología de las intervenciones para diabetes y sus complicaciones (EDIC, por sus siglas en inglés), ambos financiados por el Instituto Nacional de la Diabetes y Enfermedades Digestivas y Renales, han hecho hincapié en la necesidad de un control intensivo de la diabetes para prevenir y minimizar las complicaciones a largo plazo de esta enfermedad.[8] El estudio inicial observó que los pacientes que mantenían un control intensivo de la diabetes reducían en gran medida la nefropatía, la neuropatía y la retinopatía.[8] El estudio de seguimiento demostró una reducción significativa de la incidencia de enfermedades cardiovasculares en los pacientes que aplicaban un control intensivo de la glucosa.[8]

Poblaciones especiales

Es posible que se encuentre con un paciente adulto mayor que tenga diabetes sin diagnosticar. Estos pacientes informan que no se han sentido bien durante un tiempo, pero no han acudido al médico. Un paciente con diabetes no diagnosticada o que lo niega o ignora los consejos de su médico puede llamar al 9-1-1 cuando los signos y síntomas empeoran. Las heridas que no cicatrizan, la ceguera, la insuficiencia renal y otras complicaciones están asociadas a la diabetes mal controlada o no controlada. Debe reconocer los signos y síntomas de la diabetes porque podría ser el primer profesional de la salud que sugiera tratamiento médico a un paciente adulto mayor que, de otro modo, podría ignorar esta condición.

Los pacientes de edad avanzada y los que tienen diabetes que sufren un IAM suelen presentar síntomas atípicos. A menudo no refieren el clásico dolor o presión torácicos subesternales que les oprime debido a la neuropatía asociada a la edad y la diabetes. Los adultos mayores por lo general tienen también una mayor tolerancia al dolor que los pacientes más jóvenes. Otras causas de una percepción alterada del dolor pueden ser un deterioro cognitivo o una conducción nerviosa lenta. Debe mantener un alto índice de sospecha cuando los miembros de estas poblaciones experimenten un episodio sincopal, fatiga, disnea o náuseas y diaforesis.

Los pacientes adultos mayores también son más susceptibles a la deshidratación y las infecciones. A medida que envejecemos, tenemos de forma natural un menor volumen de agua en el organismo.[9] Es posible que los pacientes adultos mayores no sientan sed o no reaccionen a la sed hasta que estén extremadamente deshidratados. Los medicamentos también pueden provocar un aumento de la diuresis, lo que agrava el problema.

Diabetes mellitus tipo 1

Fisiopatología

La **diabetes tipo 1** se ha denominado históricamente diabetes mellitus insulinodependiente (DMID) o diabetes de inicio juvenil porque generalmente se manifiesta durante la infancia. Aunque la diabetes tipo 1 tiene una predisposición hereditaria, se cree que los factores ambientales pueden desempeñar un papel en su desarrollo; por ejemplo, una infección puede desencadenar un trastorno autoinmune. En los pacientes con diabetes de tipo 1, el organismo desarrolla autoanticuerpos que identifican incorrectamente los tejidos o sustancias del propio cuerpo como invasores extraños que deben ser destruidos. A la destrucción pancreática contribuyen los autoanticuerpos contra las células beta secretoras de insulina de los islotes de Langerhans, contra la insulina y contra otras sustancias pancreáticas. El ritmo de destrucción de las células beta varía, produciéndose de forma rápida en algunos pacientes (sobre todo en niños) y lenta en otros (principalmente adultos).[10] Por último, las células beta pancreáticas se vuelven incapaces de secretar insulina y regular la glucosa intracelular. Debido a que las células beta son la única fuente de insulina del organismo, esta hormona se debe administrar mediante inyección o con una bomba cuando estas células están destruidas.

La diabetes autoinmune latente en adultos es una variante de la diabetes de tipo 1 que se da en adultos mayores de 30 años. La fisiopatología es la misma que la de la diabetes juvenil: el sistema inmunológico del organismo destruye las células beta. Así pues, los pacientes con diabetes autoinmune latente en adultos acabarán necesitando tratamiento con insulina.

Cuando el sistema endocrino (o páncreas) no produce insulina (como ocurre en la mayoría de los pacientes con diabetes de tipo 1), los pacientes necesitan inyecciones diarias de insulina sintética suplementaria durante toda su vida para controlar sus niveles de glucosa en sangre. Además de las inyecciones diarias de insulina, hay que llevar un estricto control dietético, lo que puede ser difícil de conseguir con niños pequeños. Tanto el aumento de la actividad como el consumo de alcohol pueden provocar niveles bajos de glucosa en sangre, ya que el alcohol agota las reservas de glucógeno del hígado. Por lo tanto, en los adultos con diabetes tipo 1 también debe controlarse el consumo de alcohol.

Evaluación

La evaluación de un paciente con antecedentes de diabetes será similar a la de cualquier otro paciente médico; sin embargo, hay algunas consideraciones especiales que deberá tener en cuenta. Empiece por determinar si el paciente cumple con el tratamiento de su enfermedad.

Si el paciente tiene un estado mental alterado, debe sospechar que tiene un nivel bajo de glucosa en sangre. La hipoglucemia es un evento potencialmente mortal. Los pacientes con diabetes también pueden padecer otras enfermedades crónicas, como insuficiencia renal, insuficiencia cardíaca, arteriopatía coronaria, hipertensión y problemas de visión y audición. Debido a que pueden tener una percepción alterada del dolor, sobre todo en las extremidades, es fundamental evaluar cualquier signo de úlcera o infección. También es importante preguntar por el hormigueo, el entumecimiento o la hinchazón de las extremidades. Los pacientes con diabetes de larga duración pueden haber sufrido una amputación y su muñón puede infectarse o presentar una sepsis.

Pregunte al paciente por cambios en la visión, dolores de cabeza, mareos, hemorragias o llagas en la boca. Asimismo, investigue si ha habido algún cambio reciente en las deposiciones o los hábitos alimentarios del paciente.

Medicina basada en evidencia

Las investigaciones sugieren que la hipoglucemia puede desencadenar disritmias cardíacas letales y provocar la muerte súbita de los pacientes con diabetes tipo 1 que experimentan hipoglucemia.[11]

Tratamiento

La diabetes tipo 1 requiere siempre insulina administrada mediante inyección o una bomba de insulina, también llamada terapia de infusión subcutánea continua de insulina. La insulina no puede ingerirse por vía oral porque el proceso digestivo la inactivaría.

Es probable que se encuentre con pacientes con diabetes que utilizan bombas de insulina para tratar su enfermedad. Como alternativa a las múltiples inyecciones diarias de insulina, las bombas de insulina proporcionan un mejor control de los niveles de glucosa en sangre y una mejor calidad de vida para muchos pacientes. Estos pequeños dispositivos constan de un equipo de infusión, un depósito de insulina y la propia bomba. La bomba tiene el tamaño aproximado de una baraja de cartas, pesa aproximadamente 1.5 kg y puede llevarse en el cinturón o en el bolsillo (**FIGURA 20-3**). La insulina se administra a través de un catéter bajo la piel. En muchas ocasiones, la bomba se configura para administrar una cantidad basal de insulina de forma continua a lo largo del día. Alternativamente, la bomba puede configurarse para

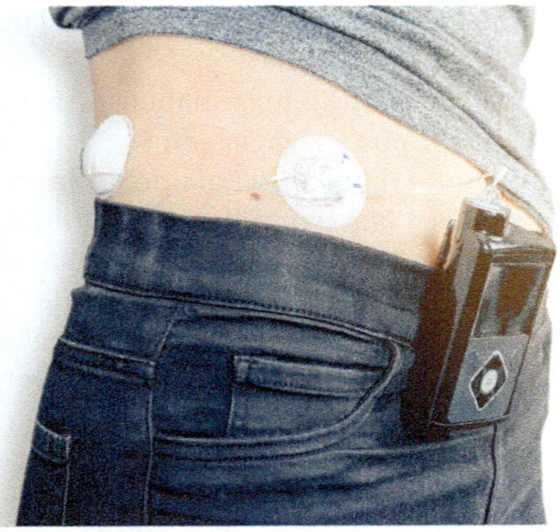

FIGURA 20-3 Una bomba de insulina es un pequeño dispositivo electrónico que administra insulina automáticamente para mantener el nivel deseado de glucosa en sangre.

administrar un bolo de insulina en momentos específicos como las comidas, cuando los niveles de glucosa en sangre son altos.

En Estados Unidos existen varios tipos de insulina: insulina de acción rápida, insulina regular o de acción corta, insulina de acción intermedia e insulina de acción prolongada. Los distintos tipos difieren en su inicio de acción, duración y tiempo máximo. Todas las versiones estadounidenses de insulina son sintéticas; sin embargo, se puede importar insulina animal.

Diabetes mellitus tipo 2

Fisiopatología

La forma más común de diabetes es la *diabetes tipo 2*, una enfermedad en la que los niveles de glucosa en sangre son elevados porque el organismo no puede producir suficiente insulina para compensar la incapacidad de utilizar la insulina de forma eficaz. En muchas personas con diabetes tipo 2, el páncreas produce suficiente insulina; sin embargo, por razones que aún no se comprenden del todo, el organismo no puede utilizarla eficazmente, lo que se conoce como **resistencia a la insulina**. Una posible explicación es que los receptores de insulina situados en las células diana han cambiado de alguna manera y ya no son capaces de recibir la insulina cuando llega a la célula diana.

En algunos casos, un aumento anormal de la producción de glucosa en el organismo provoca un aumento de los niveles de glucosa en sangre. Normalmente, cuando los niveles de glucosa e insulina en sangre son bajos, el páncreas libera glucagón y estimula al hígado para que produzca y libere glucosa en la sangre. En algunas personas, sin embargo, los niveles de glucagón se mantienen altos. Cuando los niveles de glucagón se mantienen altos, se producen cantidades excesivas de glucosa, lo que provoca niveles elevados de glucosa en sangre. La metformina, el medicamento más recetado para el tratamiento de la diabetes de tipo 2, reduce la producción de glucosa.

De acuerdo con la Organización Mundial de la Salud, 8.5% de la población mundial tiene diabetes, en su mayoría de tipo 2, lo que la convierte en un problema de salud mundial.[12] Aproximadamente entre 90 y 95% de todas las personas con diabetes en Estados Unidos tienen diabetes de tipo 2, que suele desarrollarse en adultos de mediana edad.[1] El desarrollo de la diabetes de tipo 2 se ha relacionado con la obesidad y la inactividad física, dos características cada vez más comunes en la población joven de hoy en día. La diabetes de tipo 2 también puede estar relacionada con el *síndrome metabólico*, un conjunto de características que incluyen un exceso de grasa en la zona abdominal, presión arterial elevada y niveles altos de lípidos en sangre. Los factores de riesgo del síndrome metabólico incluyen el sobrepeso, la falta de actividad física y factores genéticos.

Evaluación

Los síntomas de la diabetes de tipo 2 pueden ser los siguientes:

- Fatiga
- Náusea
- Micción frecuente
- Sed
- Pérdida de peso inexplicable
- Visión borrosa
- Infecciones frecuentes y cicatrización lenta de heridas
- Mal humor, confusión o temblores
- Falta de respuesta
- Convulsiones

Estos síntomas tienden a desarrollarse gradualmente y por lo regular son evidentes en la mediana edad. De hecho, la aparición de la diabetes de tipo 2 puede ser tan sutil que los pacientes no se den cuenta de que tienen la enfermedad. En algunos casos, los síntomas pueden desarrollarse a lo largo de varios años en adultos con sobrepeso mayores de 40 años. Un pequeño porcentaje de pacientes no presenta ningún síntoma.

Tratamiento

La pérdida de peso es un factor esencial para ayudar a controlar la diabetes de tipo 2. El ejercicio y una dieta nutritiva son componentes vitales para combatir las complicaciones de la diabetes. La ingesta de alimentos se debe distribuir a lo largo del día en coordinación con el medicamento diario y las inyecciones de insulina para mantener los niveles de glucosa dentro de los límites normales. Puede ayudar a los pacientes reforzando este mensaje y ayudando a la familia a comprender cómo reducir el riesgo de complicaciones diabéticas del paciente.

Los medicamentos orales indicados para controlar la diabetes de tipo 2 pueden utilizarse solos o combinados, ya que presentan mecanismos de acción diferentes. Como ocurre con todos los medicamentos, siempre existe el riesgo de interacción con otros medicamentos. Debe consultarse a un médico o farmacéutico antes de agregar cualquier medicamento, ya sea de venta libre o con receta, al esquema de tratamiento del paciente. Los antidiabéticos orales se tratan en el capítulo 12, *Medicamentos de emergencia.*

Medicina basada en evidencia

De acuerdo con los Institutos Nacionales de la Salud, la mayor parte del riesgo genético de padecer diabetes tipo 2 puede atribuirse a variantes genéticas comunes y compartidas —cada una de las cuales contribuye en pequeña medida al riesgo global de padecer la enfermedad— más que a variantes raras exclusivas de un solo paciente.[12] Esta naturaleza multifactorial resuelve una cuestión sobre la genética de la diabetes tipo 2 que ha desconcertado a los investigadores durante décadas. Sugiere la necesidad de tener en cuenta tanto los factores ambientales como el perfil genético del paciente a la hora de desarrollar un plan de tratamiento o prevención.[13]

Inteligencia en la calle

La debilidad de nueva aparición en un paciente del que se sabe que padece diabetes debe considerarse un infarto de miocardio hasta que se demuestre lo contrario. Muchos pacientes con diabetes tipo 1 o tipo 2 tienen una disfunción adquirida en el sistema nervioso periférico (neuropatía). Además, el aumento de los niveles de insulina provoca un aumento de los niveles de lípidos en sangre. Esta combinación en muchas ocasiones provoca una aparición más temprana de la enfermedad coronaria. Tenga en cuenta que las personas con diabetes no siempre presentan los síntomas clínicos típicos del síndrome coronario agudo debido a una alteración de la sensibilidad; en cambio, es más probable que presenten debilidad corporal general.

Prediabetes

La *prediabetes* es una condición identificada en personas que presentan determinados factores de riesgo asociados a la diabetes de tipo 2. Existe cuando los niveles de glucosa en sangre o los niveles de hemoglobina A1c o hemoglobina glicosilada son más altos de lo normal, pero no lo suficientemente altos para ser diagnosticados como diabetes. El análisis de sangre de hemoglobina A1c revela información sobre los niveles de glucosa en sangre del paciente durante los 3 meses anteriores. Un nivel normal de A1c es inferior a 5.7%, la prediabetes se diagnostica con un nivel de A1c entre 5.7 y 6.4%, y la diabetes de tipo 2 se diagnostica con un nivel de A1c superior al 6.4%.

De acuerdo con los CDC, la prediabetes afecta a uno de cada tres adultos en Estados Unidos, aproximadamente 88 millones de personas, y 84% desconoce su estado.[14,15] A los 5 años de desarrollar prediabetes y sin intervención, muchas personas serán diagnosticadas de diabetes tipo 2. Los factores de riesgo de padecer esta enfermedad incluyen las siguientes características:[16]

- Tener sobrepeso
- Ser mayor de 45 años
- Tener un progenitor o hermano con diabetes de tipo 2
- Realizar actividad física menos de tres veces a la semana
- Dar a luz a un bebé que pesaba más de 4 kg (9 libras)
- Tener antecedentes de diabetes durante el embarazo (diabetes gestacional)
- Padecer el síndrome de ovario poliquístico

Aunque algunos de los factores de riesgo que influyen en el paso de la prediabetes a la diabetes tipo 2 no pueden modificarse, otros sí. Según los CDC, las intervenciones que afectan a dos factores específicos pueden ayudar a prevenir o retrasar la aparición de la diabetes de tipo 2 en 58%: (1) perder entre 5 y 7% del peso corporal del paciente y (2) realizar al menos 150 minutos de actividad física a la semana.[16]

Perlas de sabiduría

La prueba de hemoglobina A1c no requiere ayuno y puede realizarse en cualquier momento del día. Por desgracia, puede ser inexacta en personas de ascendencia africana, mediterránea o del sudeste asiático y en individuos con antecedentes familiares de anemia falciforme. Las personas con insuficiencia renal o hepática también pueden tener resultados inexactos de A1c.

Diabetes gestacional

Fisiopatología

La diabetes gestacional no tiene un componente pancreático, sino que es una forma de intolerancia a la glucosa que puede producirse durante el embarazo. Esta condición se ha identificado con mayor frecuencia en poblaciones afroestadounidenses, hispanas/latinas y nativas estadounidenses, así como en mujeres con obesidad o con antecedentes familiares de diabetes. Las mujeres que padecen diabetes gestacional durante el embarazo tienen entre 40 y 60% más de riesgo de desarrollar diabetes tipo 2 en el plazo de una década.[17,18] En la mayoría de las mujeres, la diabetes gestacional desaparece antes del parto. Sin embargo, en unas pocas mujeres, la diabetes no se resolverá o se desarrollará diabetes de tipo 2.

La glucosa en sangre atraviesa la barrera placentaria. Cuando una mujer embarazada es hiperglucémica, el feto recibe niveles elevados de glucosa, lo que provoca un aumento de la producción de insulina por parte del feto en un intento de normalizar los niveles de glucosa en sangre. La glucosa sobrante se convierte en grasa en el feto, por lo que las mujeres que padecen diabetes gestacional suelen dar a luz bebés grandes (macrosomía) y pueden tener partos difíciles. A menudo es necesario practicar cesáreas.

La diabetes gestacional con frecuencia se diagnostica a las 28 semanas de gestación y alcanza su punto álgido en el tercer trimestre del embarazo. Se cree que dos hormonas producidas por la placenta, la progesterona y el estrógeno, aumentan la sensibilidad a la insulina. Debido a que esta enfermedad no aparece hasta más avanzado el embarazo, no produce discapacidades congénitas. Los bebés de madres con diabetes gestacional corren un mayor riesgo de padecer obesidad y diabetes a lo largo de su vida.

Evaluación

La prueba de tolerancia oral a la glucosa se utiliza para diagnosticar la diabetes gestacional. Esta prueba debe utilizarse hasta que la embarazada esté a menos de 12 semanas del parto. La prueba de hemoglobina A1c puede utilizarse durante la primera visita del embarazo para identificar la presencia de diabetes preexistente o prediabetes.

Tratamiento

El tratamiento de la diabetes gestacional debe iniciarse lo antes posible para estabilizar los niveles de glucosa en sangre y minimizar las posibles complicaciones tanto para la madre como para el bebé. El tratamiento incluye modificación de la dieta, ejercicio y análisis de glucosa en sangre. Para esta forma de diabetes no se prescriben medicamentos orales, aunque tal vez sean necesarias inyecciones de insulina.

Hipoglucemia

Los niveles normales de glucosa en sangre oscilan aproximadamente entre 60 y 120 mg/dl; la *hipoglucemia* (un nivel bajo de glucosa en sangre) se produce cuando los niveles de glucosa en sangre descienden a 45 mg/dl o menos. La hipoglucemia es un problema común asociado tanto a la diabetes de tipo 1 como a la de tipo 2. Estos pacientes deben ser vigilados de cerca. Estos pacientes deben vigilar de cerca y controlar intensamente su diabetes para evitar complicaciones a largo plazo. De acuerdo con los CDC, aproximadamente 235 000 visitas al servicio de emergencias (SE) de Estados Unidos realizadas por adultos de 18 años o más en 2016 incluyeron la hipoglucemia como diagnóstico.[4]

Aunque la hipoglucemia es relativamente frecuente y no se previene por completo, se puede tratar con facilidad. Esta condición puede detectarse con un control regular de la glucosa en sangre y rara vez conlleva complicaciones para el paciente.

Por el contrario, la hipoglucemia grave, que provoca pérdida de conciencia o alteración del estado mental, es un motivo más frecuente de llamada al 9-1-1, y requiere intervención y tratamiento. Como profesional del SEM, deberá proporcionar rápidamente tratamiento a estos pacientes. Si no se trata o no se protege, una hipoglucemia grave puede conducir al coma o a la muerte.

Fisiopatología

En las personas con diabetes tipo 1, en muchas ocasiones, la hipoglucemia es el resultado de una ingesta excesiva de insulina, una ingesta insuficiente de alimentos o a ambas cosas. Por lo general, muchos tejidos corporales pueden metabolizar grasas o proteínas además de azúcar. Sin embargo, los tejidos del sistema nervioso central (incluido el cerebro) dependen totalmente de la glucosa como fuente de energía. Si el nivel de glucosa en sangre desciende de forma drástica, el cerebro literalmente se muere de hambre.

La contrarregulación es la capacidad defensiva natural del organismo orientada a mantener la glucosa en sangre en un nivel adecuado. Comprender este concepto es fundamental, ya que le ayudará a tratar (e idealmente prevenir) la hipoglucemia grave.

La primera línea de defensa del organismo contra los niveles bajos de glucosa en sangre es reducir la producción de insulina por parte del páncreas y aumentar la de glucagón por parte de las células alfa. La segunda línea de defensa del organismo es la secreción de catecolaminas por la glándula suprarrenal, incluidas la epinefrina y la norepinefrina. Los efectos de esta liberación de catecolaminas pueden observarse en el paciente hipoglucémico en forma de taquicardia y diaforesis. La segunda línea de defensa también incluye la producción de cortisol, un adrenocorticoide (es decir, un esteroide producido en la glándula suprarrenal). El cortisol aumenta el nivel de glucosa en la sangre, lo que a su vez contrarresta la acción de la insulina. Otras hormonas producidas por el intestino y la hormona del crecimiento producida por la hipófisis también aumentan los niveles de glucosa en sangre.

Por último, la estimulación del sistema nervioso autónomo genera señales que permiten aumentar la producción de hormonas contrarreguladoras. La misma estimulación también desencadena síntomas que indican al organismo que el nivel de glucosa en sangre es bajo; lo ideal es que el paciente afectado reconozca estos síntomas y consuma una fuente de azúcar para remediar el desequilibrio. En respuesta a las acciones de estas hormonas, el cuerpo moviliza ácidos grasos y aminoácidos de los tejidos adiposo y muscular, respectivamente. El hígado utiliza estos productos para fabricar nueva glucosa para el organismo en un proceso denominado *gluconeogénesis*.

En los pacientes con diabetes de tipo 1 los islotes de Langerhans no producen insulina. Como consecuencia, se pierde la primera línea de defensa del organismo contra la hipoglucemia, ya que no puede disminuir los niveles de insulina a través de este mecanismo. Un nivel bajo de glucosa en sangre en un paciente con diabetes suele estar causado por un nivel elevado de insulina exógena debido a una dosificación imprecisa, una sobredosis intencionada o quizás un desajuste entre la ingesta de carbohidratos y la ingesta de insulina exógena. Además, el aumento del consumo de glucosa, como ocurre durante el ejercicio, puede hacer que el nivel de glucosa en sangre descienda bruscamente, provocando una hipoglucemia.

En los pacientes con diabetes tipo 2 el páncreas puede generar insulina, por lo que estos pacientes pueden suprimir la producción de insulina de su propio organismo. Sin embargo, sus cuerpos pueden ser resistentes a los efectos de la insulina, o puede que no produzcan suficiente insulina a lo largo del tiempo para reducir adecuadamente el nivel de glucosa en sangre. Los medicamentos administrados para tratar la diabetes de tipo 2 actúan al estimular la capacidad del organismo para secretar insulina o mejorar la acción de la insulina. Estos medicamentos también tienden a contribuir a la hipoglucemia, especialmente en pacientes como los adultos mayores y aquellos que no metabolizan estos medicamentos en forma adecuada debido a una enfermedad hepática o renal. A menudo, si la hipoglucemia está causada por una dosificación excesiva de insulina por parte del paciente o por los efectos prolongados o exagerados de medicamentos orales para la diabetes, el nivel bajo de glucosa en sangre tendrá un efecto prolongado y tal vez sea necesario un tratamiento más prolongado.

En algunos pacientes que han tenido diabetes tipo 1 durante muchos años, y en menor medida en pacientes que han padecido diabetes de tipo 2 durante muchos años, es posible que el páncreas no libere glucagón en respuesta a la hipoglucemia.[19] La falta de respuesta del glucagón hace que el organismo dependa más de la epinefrina para superar los efectos de la hipoglucemia, aunque es posible que el organismo del paciente diabético no responda a la epinefrina con normalidad.[20,21] Una enfermedad prolongada también puede disminuir la capacidad del paciente para reconocer la presencia de un nivel bajo de glucosa en sangre (un estado denominado *desconocimiento de la hipoglucemia*), impidiéndole tomar las medidas de autotratamiento necesarias.

Evaluación

Un paciente con hipoglucemia temblará, tendrá el pulso acelerado, sudará y sentirá hambre. El cerebro es muy sensible a los niveles de glucosa, por lo que los signos y síntomas asociados a esta condición reflejan el trastorno del funcionamiento de las células cerebrales y la reacción de alarma (descarga del sistema nervioso simpático) desencadenada por las señales de socorro del cerebro. Si la hipoglucemia persiste, la disfunción cerebral progresa rápidamente hacia un daño cerebral permanente.

Los signos y síntomas más comunes de la hipoglucemia son los siguientes:

- Nivel de glucosa en sangre inferior a 60 mg/dl
- Hambre
- Agitación, irritabilidad o comportamiento combativo que no puede explicarse
- Alteración mental o confusión
- Náusea
- Debilidad
- Taquicardia
- Piel fría y húmeda

Otros signos y síntomas asociados a la hipoglucemia son dolor de cabeza, pérdida de memoria, falta de coordinación, dificultad para hablar, pupilas dilatadas y, en casos graves, convulsiones y coma.

La hipoglucemia se desarrolla *rápidamente*, en un periodo que oscila entre unos minutos y unas horas, y debe sospecharse en cualquier paciente con diabetes que presente un comportamiento extraño, signos neurológicos o coma. A menudo, el paciente hipoglucémico parece intoxicado debido a la dificultad para hablar y a la falta de coordinación, y puede mostrarse paranoico, hostil y agresivo.

Por supuesto, las personas con diabetes no son los únicos propensos a sufrir episodios de hipoglucemia. Los pacientes alcohólicos, los que han ingerido ciertos tóxicos o sobredosis de ciertos fármacos (sobre todo aspirina) y los que padecen ciertos tipos de cáncer, enfermedades hepáticas y renales, entre otras, también pueden presentar episodios hipoglucémicos. No descarte la posibilidad de hipoglucemia en un paciente en coma solo porque se sepa que no tiene diabetes. Al contrario, no deje que un diagnóstico conocido de diabetes le impida considerar otras causas de coma. Las personas con diabetes también pueden tener traumatismos craneoencefálicos, derrames cerebrales, convulsiones, meningitis y otras lesiones o condiciones traumáticas. Mantenga la mente abierta y evalúe a fondo al paciente.

Perlas de sabiduría

Cuanto más tiempo permanezca inconsciente un paciente por hipoglucemia, ¡más probable será que se produzca un daño cerebral permanente! Si pasan más de 20 o 30 minutos, se producen compuestos tóxicos (radicales libres) en el cerebro que pueden causar daños neuronales permanentes. Por lo tanto, una vez que haya determinado que un paciente tiene un nivel bajo de glucosa en sangre, debe solucionarlo de inmediato. No espere hasta después de haber trasladado al paciente a la ambulancia, o hasta que esté de camino al servicio de emergencias.

SEGURIDAD

Un paciente que experimenta un evento hipoglucémico puede confundirse con un paciente que tiene un accidente cerebrovascular. El D_{50} está contraindicado en el accidente cerebrovascular en presencia de niveles normales de glucosa en sangre. Por lo tanto, el nivel de glucosa en sangre debe evaluarse y verificarse cuidadosamente en pacientes con signos asociados a accidente cerebrovascular antes de administrar D_{50}. Las propiedades hipertónicas del D_{50} pueden dar lugar a un aumento del edema cerebral en caso de accidente cerebrovascular.

Tratamiento

El manejo de la hipoglucemia incluye el aumento inmediato de los niveles de glucosa en sangre, dependiendo el tratamiento preciso de varios factores. Siempre es preferible aplicar el método de tratamiento menos invasivo posible que aborde con éxito la condición.

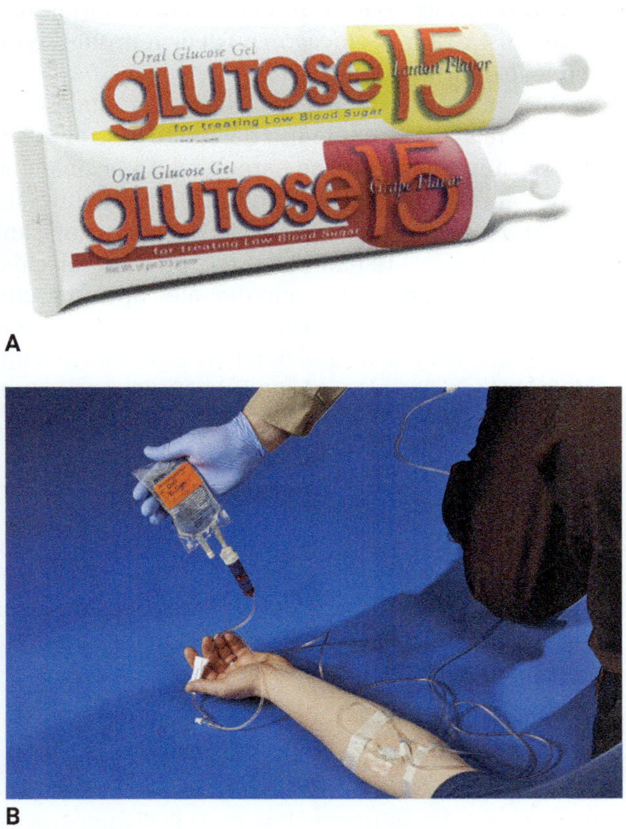

FIGURA 20-4 La administración de glucosa es apropiada en las emergencias diabéticas, a menos que se disponga de un medicamento confiable para la glucemia que indique niveles normales o elevados de glucosa en sangre. Las formas disponibles incluyen la glucosa oral **(A)** y la solución de glucosa para infusión intravenosa **(B)**.

Determine el nivel de glucosa en sangre del paciente, especialmente si está tratando a un adulto mayor o a un paciente cuyo historial clínico sugiere que el problema puede ser un accidente cerebrovascular; la administración de soluciones concentradas de glucosa en una situación de sospecha de accidente cerebrovascular puede exacerbar el daño cerebral (**FIGURA 20-4**). Cuando el paciente en coma es mayor de 55 años o la familia refiere antecedentes de ataques isquémicos transitorios recientes, realice una prueba de glucosa de campo para descartar una hipoglucemia.

Una prueba de glucosa de campo consiste en obtener una pequeña cantidad de sangre y utilizar un medidor de glucosa en sangre para determinar el nivel de glucosa en sangre del paciente. Esta prueba se resume aquí. Se trata en detalle en el capítulo 8, *Evaluación del paciente*.

1. Tome las precauciones adecuadas para el control de infecciones.
2. Verifique que el dispositivo esté calibrado adecuadamente.
3. Limpie con alcohol la zona de punción.
4. Deje que el brazo del paciente cuelgue brevemente para permitir que la sangre fluya hacia las puntas de los dedos.
5. Agarre el dedo cerca de la zona a pinchar (el lateral del dedo es menos doloroso de pinchar que la parte superior) y apretar durante 3 segundos.
6. Use una lanceta estéril y haga una punción rápida en la lateral de la yema del dedo. Aplique una presión adecuada para no perforar la piel.
7. Deseche correctamente la lanceta.
8. Mantenga la mano hacia abajo y apriete suavemente hasta que obtenga una gota de sangre. Tenga cuidado de no apretar demasiado fuerte.
9. Coloque un apósito estéril sobre la herida según sea necesario.
10. Aplique la sangre a las tiras reactivas según las instrucciones del fabricante.
11. Lea y documente los resultados con precisión.

Si el paciente está alerta, puede tragar y tiene intacto el reflejo nauseoso, anímelo a que tome tabletas de glucosa. Si no se dispone de tabletas de glucosa, se pueden utilizar fuentes domésticas de glucosa. Por ejemplo, puede administrar azúcar por vía oral. Déle un chocolate, un vaso de agua caliente con unas cucharaditas de azúcar o un refresco de cola no dietético. Si el paciente no reacciona, *nunca* se le debe administrar glucosa oral ni nada por la boca, ya que existe riesgo de asfixia y aspiración.

Si el paciente tiene un nivel de conciencia alterado o usted es potencialmente incapaz de controlar la vía aérea, puede producirse una aspiración con la administración de sustancias orales. En ese caso, deberá manejar la vía aérea y la respiración como lo haría con cualquier paciente con un nivel de conciencia alterado. Debe evitarse la colocación de una vía aérea avanzada hasta que el paciente haya recibido dextrosa. Si el paciente sigue sin responder, se puede considerar la colocación de una vía aérea avanzada.

SEGURIDAD

Antes de administrar a un paciente consciente tabletas de glucosa, algo de comer o beber, o glucosa instantánea, debe asegurarse de que no existe peligro de aspiración. Una regla general: si los pacientes pueden levantar el vaso o echarse la glucosa en la boca, lo más probable es que no corran peligro de aspiración. ¡Obsérvelos atentamente!

Los pasos para realizar una infusión intravenosa se describen en el capítulo 11, *Administración de medicamentos.* Para administrar dextrosa a un paciente con alteración del nivel de conciencia, siga estos pasos:

1. Inserte una vía intravenosa y asegúrese de que está permeable. Es preferible utilizar un catéter de calibre 18 en una vena grande debido a la viscosidad de la dextrosa. Si utiliza D_{50}, tenga en cuenta que esta solución es hipertónica y ácida, por lo que cualquier extravasación puede provocar necrosis tisular.
2. Administre un lavado con solución fisiológica al 0.9% de 10 a 20 ml para confirmar la permeabilidad de la vía intravenosa.
3. Administre 50% de dextrosa [D_{50}], dextrosa al 25%, o dextrosa al 10% [D_{10}] a una dosis según sus protocolos locales durante un mínimo de 3 minutos mientras se evalúa continuamente la respuesta del paciente.
4. Si el coma se debe a una hipoglucemia, el paciente normalmente despierta rápido. En casos de hipoglucemia grave, tal vez sea necesaria otra dosis de D_{50} para restablecer un nivel normal de consciencia.

Si el paciente tiene un nivel de conciencia disminuido y usted no puede obtener una vía IV permeable, administre glucagón IM o IN en adultos. La hipoglucemia es un evento potencialmente mortal, y la administración de glucagón no debe retrasarse si no se puede establecer una vía IV.

El glucagón aumenta los niveles de glucosa en sangre y relaja el músculo liso del tracto gastrointestinal si se administra por vía parenteral. Es posible que los pacientes con diabetes tipo 1 no experimenten un aumento tan grande de los niveles de glucosa en sangre como los que tienen diabetes tipo 2 establecida. Por lo tanto, los pacientes con diabetes tipo 1 requieren acceso inmediato a carbohidratos orales o administración adicional de glucosa. Para más información sobre el glucagón, véase el capítulo 12, *Medicamentos de emergencia.*

Hiperglucemia y cetoacidosis diabética

De acuerdo con los CDC, aproximadamente 224 000 visitas a emergencias realizadas por adultos en Estados Unidos en 2016 estuvieron relacionadas con una crisis hiperglucémica.[1]

Fisiopatología

La *hiperglucemia* (un nivel elevado de glucosa en sangre) es uno de los síntomas clásicos de la diabetes mellitus. Los primeros signos típicos incluyen sed frecuente

USTED es el Paramédico

PARTE 4

Mientras administra dextrosa, observa que la paciente empieza a mirar a su alrededor. Al cabo de unos minutos, ella dice: "¡Ay! ¡Ése sí me tomó desprevenida!". Le cuenta que tiene diabetes tipo 1 y que sintió que su nivel de glucosa en sangre bajaba. Intentó abrir su paquete de tabletas de glucosa y eso fue lo último que recuerda. Usted la ayuda a salir del refrigerador y vuelve a evaluar sus signos vitales, incluido su nivel de glucosa en sangre, que ahora es de 120 mg/dl.

Llega el hijo de la paciente, de 21 años. La paciente le dice: "Muchas gracias. Ahora me pondré bien". Después de discutir el caso con control médico y recibir su consentimiento para dejar a la paciente con su hijo, usted informa a central de que la paciente ha rechazado más tratamiento y transporte y que su unidad médica está ahora disponible para recibir llamadas. Lleva a la paciente al área de alimentos, donde pide una hamburguesa con papas fritas.

Tiempo de registro:	10 minutos
Respiraciones	20 respiraciones/min; regular
Pulso	90 latidos/min, regular
Piel	Ligeramente fría, pálida, diaforética
Presión arterial	156/92 mm Hg
Saturación de oxígeno (Spo_2)	98% con aire ambiente
Pupilas	PIRRL

7. ¿Qué retos se presentan con frecuencia en llamadas como esta?
8. ¿Cómo documentaría este contacto con la paciente?

y excesiva acompañada de micción frecuente y excesiva. La hiperglucemia se produce cuando los niveles de glucosa en sangre superan el intervalo normal (60 a 120 mg/dl). En los pacientes diabéticos, los médicos intentan mantener los niveles de glucosa por debajo de 160 mg/dl. La hiperglucemia puede deberse a una ingesta excesiva de alimentos, dosis insuficientes de insulina, infecciones o enfermedades, lesiones, intervenciones quirúrgicas y estrés emocional. Se debe revaluar al paciente con frecuencia para detectar la presencia de estas causas subyacentes y poder administrarle un tratamiento definitivo. La aparición puede ser rápida (en cuestión de minutos) o gradual (de horas a días), dependiendo de la causa. Por ejemplo, la ingesta excesiva de alimentos puede hacer que la glucemia aumente rápidamente, mientras que una infección o enfermedad provocará una hiperglucemia a lo largo de varios días.

Otras causas de hiperglucemia son el *fenómeno del amanecer* y el *efecto Somogyi*. El fenómeno del amanecer se produce en las horas previas al despertar. Cuando el cuerpo se prepara para un nuevo día, libera hormonas como el cortisol y las catecolaminas. Estas hormonas desencadenan la liberación de glucosa del hígado, lo que provoca hiperglucemia. Por el contrario, el efecto Somogyi se produce cuando un nivel bajo de glucosa en sangre genera una liberación de hormonas que a su vez desencadenan una liberación de glucosa del hígado, provocando hiperglucemia.

Algunos pacientes con diabetes de tipo 2 pueden no ser diagnosticados durante varios años. Sin embargo, con el tiempo, los episodios repetidos de hiperglucemia provocan varios cambios fisiológicos que tienen efectos perjudiciales a largo plazo. En gran parte debido al aumento de la hipoperosmolaridad que provoca, la hiperglucemia ejerce una presión excesiva sobre el sistema cardiovascular, los riñones y otros órganos finales sensibles al aumento de la viscosidad del suero y las presiones subsiguientes ejercidas por un suero más espeso. El resultado final es una mayor incidencia de insuficiencia renal, insuficiencia cardíaca, retinopatía, enfermedad coronaria y neuropatía.

Cuando los niveles séricos de glucosa se elevan por encima de los niveles tolerables, se producen otros cambios fisiológicos. Estos cambios señalan la presencia de condiciones patológicas reales denominadas cetoacidosis diabética (nivel de glucosa en sangre superior a 350 mg/dl aproximadamente) y **síndrome hiperglucémico hiperosmolar no cetósico (SHHNC)** (nivel de glucosa en sangre superior a 600 mg/dl aproximadamente) (**FIGURA 20-5**).

La CAD se asocia ante todo a las dietas de tipo 1. Se trata de una condición potencialmente mortal que se produce cuando ciertos ácidos se acumulan en el organismo debido a la falta de insuficiencia. Las causas más comunes de la CAD incluyen infecciones,

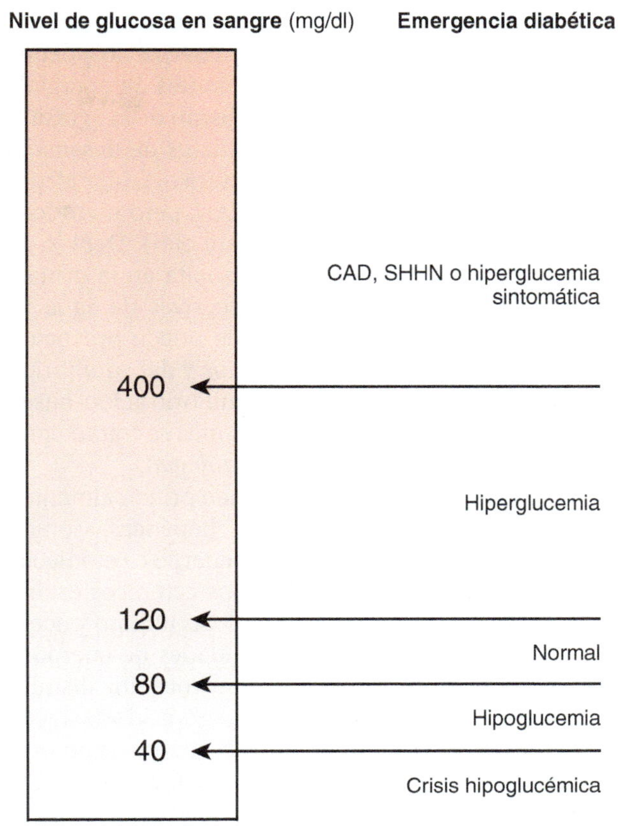

FIGURA 20-5 Las dos emergencias diabéticas más frecuentes, la cetoacidosis diabética y la crisis hipoglucémica, se producen cuando el paciente tiene demasiada o muy poca glucosa en sangre, respectivamente. La columna de la izquierda ilustra los niveles de glucosa en sangre; la de la derecha, las condiciones asociadas a ese nivel concreto de glucosa en sangre. Observe que el intervalo normal es bastante pequeño en comparación con los otros intervalos.

(*Abreviaturas:* CAD, cetoacidosis diabética; SHHN, síndrome hiperglucémico hiperosmolar).

lesiones, consumo de alcohol, trastornos emocionales y enfermedades como el accidente cerebrovascular o el infarto de miocardio. Los pacientes que padecen esta enfermedad suelen ser adolescentes y adultos jóvenes.

En los pacientes con CAD, la hiperglucemia continúa, es decir, la glucosa sigue acumulándose en la sangre. Finalmente, el paciente sufre una diuresis osmótica masiva (eliminación de grandes cantidades de orina debido a la alta concentración de solutos en la sangre); esto, junto con el vómito, provoca una deshidratación e incluso un shock.

En la CAD, el déficit de insulina impide a las células absorber la glucosa sobrante. Las células se mueren de hambre y el sistema nervioso simpático envía una señal de socorro que provoca la liberación de varias hormonas del estrés. Como el cuerpo no puede utilizar la glucosa, recurre a otras fuentes de energía, principalmente la grasa. El metabolismo de las grasas genera *ácidos* y *cetonas* como productos de desecho. (Los cuerpos cetónicos dan el característico olor afrutado al aliento de una patente en CAD, pero no todos los proveedores pueden detectar este olor). Debido a que la glucosa se debe eliminar disuelta en la orina, el organismo pierde cantidades excesivas de agua y electrólitos (sodio y potasio), lo que puede provocar alteraciones del equilibrio de líquidos y del equilibrio ácido-base. (Las alteraciones del equilibrio ácido-base y el papel compensatorio de los riñones se tratan con más detalle en el capítulo 7, *Fisiopatología*).

Los ácidos grasos se descomponen principalmente en las mitocondrias de las células hepáticas. Como parte de este proceso, se liberan cuerpos cetónicos en el torrente sanguíneo. Los cuerpos cetónicos están formados por acetoacetato, beta-hidroxibutirato y acetona. La presencia de grandes cantidades de cuerpos cetónicos en el torrente sanguíneo provoca una disminución del pH de la sangre y da lugar a acidosis. Esta acidosis desencadena los intentos del cuerpo de amortiguar la acidez con bicarbonato (HCO_3^-), y el pH de la sangre disminuye debido a la incapacidad de mantener la acidez. Además de que el tejido adiposo descompone sus reservas de energía, el tejido muscular moviliza sus reservas para crear más glucosa para el organismo. Este proceso crea aminoácidos que el hígado puede utilizar para producir glucosa (gluconeogénesis). También aumentan los niveles de lactato en el torrente sanguíneo, lo que contribuye a reducir el pH corporal.

En los pacientes con diabetes de tipo 2, la CAD es rara porque la insulina sigue presente, al menos al principio de la enfermedad. A pesar de los elevados niveles de glucosa en sangre, el nivel de insulina es suficiente para evitar la descomposición incontrolada de glucógeno, tejido adiposo y músculo. En todos los pacientes con diabetes de tipo 2, independientemente de la duración de la enfermedad, pueden encontrarse cuerpos cetónicos en la orina cuando el paciente experimenta hiperglucemia. Al aumentar la duración de la diabetes tipo 2, puede producirse una pérdida de producción de insulina pancreática. De hecho, los pacientes pueden desarrollar niveles elevados de cetonas en suero, reducción del pH sanguíneo y CAD, de forma muy similar a los pacientes con diabetes tipo 1.

Evaluación

Un estado hiperglucémico sin otros síntomas clásicos no es una prueba concluyente de la presencia de diabetes mellitus. Es decir, la hiperglucemia puede ser una condición médica independiente con otras causas.

Los signos y síntomas de la hipoglucemia y la hiperglucemia pueden ser similares (**CUADRO 20-1**). Los signos y síntomas de la hiperglucemia simple suelen ser leves, si es que se presentan. Pueden incluir visión borrosa, poliuria, polidipsia, polifagia, síncope ortostático, infecciones frecuentes y ulceraciones cutáneas. Si se encuentra con un paciente con hiperglucemia simple que no ha evolucionado a un síndrome más grave, el tratamiento debe incluir cuidados de apoyo y transporte.

La hiperglucemia por lo regular progresa lentamente, a lo largo de 12 a 48 horas, y el nivel de conciencia del paciente se deteriora solo gradualmente. La carga de glucosa presente en los riñones durante la hiperglucemia, superior a la normal, hace que la glucosa se derrame en la orina, provocando que el cuerpo se vuelva hiperosmótico. A medida que los riñones eliminan el exceso de glucosa, se elimina agua a través del aumento de la micción, lo que conduce a la deshidratación. Los riñones también ayudan a eliminar los cuerpos cetónicos de la sangre. Además de la cantidad sustancial de agua perdida por la diuresis, los pacientes pierden cantidades excesivas de sodio, potasio y fosfatos en la orina. Esta combinación de efectos provoca deshidratación y acidosis metabólica con desequilibrios electrolíticos asociados.

Los signos y síntomas resultantes reflejan estos factores etiológicos:

- Poliuria (producción excesiva de orina), debido a la diuresis osmótica.
- Polidipsia (sed excesiva), debido a la deshidratación.
- Polifagia (ingesta excesiva de alimentos), probablemente relacionada con una utilización ineficaz de los nutrientes.
- Náusea y vómito, agravando estos últimos la deshidratación del paciente.
- Taquicardia, como consecuencia de la deshidratación
- Respiraciones profundas y rápidas (respiraciones de Kussmaul): el cuerpo intenta compensar la acidosis mediante la expulsión de dióxido de carbono (CO_2).
- Piel y mucosas secas y calientes, también reflejo de la deshidratación.
- Olor afrutado a cetonas (olor a acetona) en el aliento.
- Dolor abdominal.
- A veces fiebre.

Los pacientes normalmente parecen delgados o deshidratados y tienen la piel caliente y seca. Algunos pueden presentar hipotensión ortostática, hipotensión supina, fatiga, alteración del estado mental y, con el tiempo, pérdida de peso debido a un estado hipermetabólico. Sin embargo, los pacientes con CAD

CUADRO 20-1 Comparación de hipoglucemia e hiperglucemia

	Hipoglucemia	Hiperglucemia: cetoacidosis diabética[a]	Hiperglucemia: SHHN[b]
Ingesta de alimentos	Insuficiente	Excesiva	Excesiva
Dosis de insulina	Excesiva	Insuficiente	Insuficiente
Inicio	Rápido, en minutos	Gradual: de horas a días	Gradual, de días a semanas
Piel	Pálida y húmeda	Cálida y seca	Cálida y seca
Infección	Poco común	Común	Habitual
Sed	Ausente	Intensa	Muy intensa
Hambre	Intensa	Excesiva	Excesiva
Vómito	Poco común	Común	Poco común
Respiración	Normal o rápida	Rápida, profunda (respiraciones de Kussmaul)	Taquipnea
Olor de la respiración	Normal	Dulce, afrutado (olor a quitaesmalte/acetona)	No se producen cuerpos cetónicos; por lo tanto, no hay olor afrutado
Presión arterial	Baja	Normal a baja	Hipotensión
Pulso	Rápido, débil	Normal o rápido y lleno	Rápido, débil
Nivel de consciencia	Irritabilidad, confusión, convulsiones o coma	Inquietud que deriva en coma	Inquietud que deriva en coma
Orina: azúcar	Ausente	Presente	Presente
Orina: acetona	Ausente	Presente	Ausente
Nivel de glucosa en sangre (mg/dl)	< 60	> 250	> 600
Respuesta al tratamiento	Inmediatamente después de la administración de glucosa	Gradual, entre 6 y 12 horas después del tratamiento médico	

Abreviatura: SHHNC, síndrome hiperglucémico hiperosmolar no cetósico.

[a] Normalmente se asocia a la diabetes de tipo 1.
[b] Normalmente se asocia a la diabetes de tipo 2.

rara vez están en coma profundo; por lo tanto, si el paciente no responde, hay que buscar otra fuente del coma, como un trauma craneal, un accidente cerebrovascular o una sobredosis de fármacos.

En los pacientes con CAD, la frecuencia respiratoria suele ser elevada y el volumen corriente aumenta (respiraciones de Kussmaul) debido a la **cetonemia** (cantidades excesivas de cuerpos cetónicos en la sangre), la acidosis y el intento del organismo de liberarse de la carga excesiva de CO_2. Estos cambios respiratorios dan lugar a hipocapnia, que puede reconocerse por niveles de CO_2 al final de la espiración inferiores a los normales. Debido a que los niveles de CO_2 al final de la espiración se ven afectados, la capnografía es otra herramienta que puede utilizarse para confirmar el diagnóstico. La CAD da lugar tanto a respiraciones de Kussmaul como a acidosis metabólica; un valor de capnografía inferior a 25 mm Hg corrobora sus sospechas.[22]

No existe una correlación predecible entre el aumento del nivel de glucosa en sangre de un paciente y el grado de cetoacidosis en sangre. Confíe en la presentación clínica del paciente más que en los resultados de las pruebas para evaluar esta condición.

Tratamiento

El tratamiento de la CAD sobre el terreno depende del diagnóstico correcto. Si los antecedentes y la exploración física del paciente concuerdan con CAD y la medición sobre el terreno del nivel de glucosa del paciente revela que está muy elevado (más de 250 mg/dl), el médico probablemente ordenará tratamiento para la CAD. Los objetivos del tratamiento prehospitalario son comenzar la rehidratación y corregir las alteraciones de electrólitos y ácido-base. En la mayoría de los casos, el tratamiento específico con insulina debe esperar a la llegada del paciente al hospital, donde la terapia se puede supervisar de cerca con determinaciones de laboratorio de los niveles de glucosa y cetonas en sangre.

Siga el procedimiento para cualquier paciente en coma con respecto al mantenimiento de la vía aérea y el oxígeno. Esté especialmente atento al vómito y tenga preparada la succión.

- Coloque una vía intravenosa e infunda hasta 1 L de solución fisiológica durante la primera media hora o al ritmo sugerido por el protocolo local o el control médico en línea. Recuerde que un paciente con CAD está gravemente deshidratado, a menudo hasta el punto de shock, y necesita volumen, normalmente a un ritmo de 1 L/h al menos durante las primeras horas. (Véase capítulo 40, *Emergencias pediátricas*, para información específica sobre el tratamiento de pacientes pediátricos).
- Si el paciente está hipotenso, administre rápidamente líquidos isotónicos hasta que la presión sistólica sea de 80 mm Hg y, a continuación, disminuya la velocidad de la infusión. Al igual que con cualquier paciente al que se administren bolos de líquidos, vigile estrechamente al paciente para detectar la aparición de edema pulmonar.
- Controle el ritmo cardíaco. Los cambios en el potasio sérico causados por la CAD pueden provocar una marcada inestabilidad miocárdica. Obsérvese el contorno de las ondas T en la tira rítmica; si tienen picos pronunciados, el nivel de potasio del paciente puede ser peligrosamente alto. Puede administrarse bicarbonato de sodio ($NaHCO_3$), normalmente en emergencias, después de que las pruebas de laboratorio confirmen la presencia de hiperpotasemia. A medida que aumentan los niveles de potasio, el complejo QRS se ensancha y puede mezclarse con la onda T, y la frecuencia cardíaca puede volverse bradicárdica. En este punto, puede estar indicado el tratamiento con cloruro o gluconato de calcio para antagonizar el potasio en el receptor. Si se le ordena administrar calcio, proceda con precaución: incluso un ligero exceso puede causar problemas graves o la muerte.

Controversias

La administración de $NaHCO_3$ como parte del manejo de la acidosis metabólica en la CAD sigue siendo controvertida. El $NaHCO_3$ generalmente no se considera a menos que el pH del paciente sea inferior a 7.0. El $NaHCO_3$ no se debe utilizar en un entorno prehospitalario y debe ser considerado necesario por el equipo médico. La administración arbitraria de $NaHCO_3$ puede causar una acidosis paradójica en el líquido cefalorraquídeo, así como otras complicaciones que pueden empeorar el estado del paciente y su evolución. Deben vigilarse estrechamente los signos vitales del paciente, incluida la PA, la frecuencia cardíaca, la frecuencia respiratoria y el estado neurológico.[23,24]

La hipomagnesemia (un nivel bajo de magnesio en la sangre) suele asociarse a la CAD debido a la pérdida de magnesio a través de la orina. Este desequilibrio electrolítico puede empeorar el vómito, causar alteraciones del estado mental, inducir otras anomalías electrolíticas y provocar disritmias cardíacas potencialmente mortales. La deficiencia de magnesio por CAD no suele tratarse en el ámbito prehospitalario.

Las complicaciones de la CAD se asocian con frecuencia a su tratamiento. La infusión de insulina puede provocar hipoglucemia, por lo que deben controlarse continuamente los niveles de glucosa en sangre. La hipopotasemia puede producirse cuando la insulina desplaza potasio a las células, reduciendo los niveles séricos en sangre; por lo tanto, el tratamiento de la hiperpotasemia debe considerarse con precaución. Puede producirse edema cerebral si los niveles de glucosa en sangre cambian demasiado rápido; sin embargo, esta complicación es más frecuente en pacientes pediátricos, en especial recién nacidos y prematuros. Los niños tienen menos probabilidades de presentar complicaciones cardiovasculares secundarias a la hiperpotasemia.

Síndrome hiperglucémico hiperosmolar no cetósico

Fisiopatología

El síndrome hiperglucémico hiperosmolar no cetósico (SHHNC), antes denominado coma hiperosmolar no cetósico (HNC) y en ocasiones síndrome hiperglucémico hiperosmolar (SHH), es un trastorno metabólico que se produce principalmente en pacientes con diabetes tipo 2.[25-28] Este trastorno se caracteriza por hiperglucemia, hiperosmolaridad y ausencia de cetosis significativa. El término *hiperosmolaridad* describe la sangre altamente concentrada como resultado de una deshidratación relativa. Los signos y síntomas clave del SHHN son los siguientes:

- Hiperglucemia
- Estado mental alterado, somnolencia y letargo
- Deshidratación grave, sed y orina oscura
- Déficits visuales o sensoriales
- Parálisis parcial o debilidad muscular
- Convulsiones

Curiosamente, menos de 20% de los pacientes con SHHN se presentan en estado comatoso.[29] En cambio, la mayoría de los pacientes presentan deshidratación grave y déficits neurológicos focales o globales. Además, el IAM se asocia con frecuencia al SHHN. Las características clínicas del SHHN y la CAD tienden a solaparse y a menudo se observan simultáneamente.

CUADRO 20-2 Comparación de las condiciones hiperglucémicas

	SHHN	Cetoacidosis diabética
Glucosa	> 600 mg/dl	> 250 mg/dl
pH arterial	> 7.3	< 7.3
Cuerpos cetónicos	Ausentes	Presentes
Tipo de diabetes mellitus	Tipo 2	Tipo 1

Abreviaturas: SHHN, síndrome hiperglucémico hiperosmolar no cetósico.

Sabiduría en la calle

Ciertos medicamentos —incluidos los diuréticos, los betabloqueadores y los bloqueadores de la histamina-2 (H_2)—, así como la diálisis, la nutrición parenteral total y los líquidos que contienen dextrosa, pueden contribuir al desarrollo del SHHN al elevar los niveles séricos de glucosa, inhibir la liberación de insulina o provocar deshidratación. La hiperglucemia y la hiperosmolaridad conducen a una diuresis osmótica y a un desplazamiento osmótico del líquido al espacio intravascular, lo que provoca una mayor deshidratación intracelular.

El SHHN con frecuencia se desarrolla en pacientes con diabetes que padecen una enfermedad secundaria que conduce a una ingesta reducida de líquidos. Aunque la causa más común es una infección (sobre todo neumonía e infección del tracto urinario), muchas otras condiciones pueden causar alteraciones mentales o deshidratación. En la mayoría de los casos, no se identifica la enfermedad secundaria.

Evaluación

A diferencia de los pacientes con CAD, los pacientes con SHHN no experimentan cetoacidosis. El inicio de la CAD puede producirse en tan solo unas horas, mientras que el SHHN puede tardar varias semanas en desarrollarse. Los niveles de glucosa en sangre tienden a ser sustancialmente más altos en el SHHN que en la CAD (**CUADRO 20-2**). Aunque la mayoría de los pacientes diagnosticados de SHHN tienen un historial conocido de diabetes (normalmente de tipo 2), cerca de 30% no tienen un diagnóstico previo de diabetes. La respuesta de estrés a cualquier enfermedad aguda tiende a aumentar las hormonas que favorecen los niveles elevados de glucosa; el cortisol, las catecolaminas (epinefrina y norepinefrina), el glucagón y muchas otras hormonas tienen efectos que tienden a contrarrestar los de la insulina. En los pacientes con SHHN pueden producirse diversos cambios neurológicos, como somnolencia y letargo, delirio y coma, convulsiones focales o generalizadas, alteraciones visuales, hemiparesia y déficits sensoriales.

No todos los pacientes con niveles elevados de glucosa en sangre presentan CAD o SHHN. Muchas personas tienen intolerancia a la glucosa e hiperglucemia sin síntomas. Para determinar la condición exacta, hay que fijarse en el paciente, no en la cifra.

Tratamiento

El tratamiento del SHHN en el entorno prehospitalario sigue la vía de la deshidratación y la alteración del estado mental. El manejo de la vía aérea es prioritario porque el paciente comatoso a menudo es incapaz de mantener y proteger su vía aérea. Por este motivo, puede estar indicado el manejo avanzado de la vía aérea, que debe completarse lo antes posible. Se debe restringir el movimiento de la columna vertebral en todos los pacientes que no respondan y que se encuentren tendidos, a menos que los testigos puedan confirmar que no se ha producido ninguna caída. El acceso intravenoso de gran calibre debe realizarse lo antes posible, pero no se debe retrasar el traslado mientras se inicia la vía intravenosa. De ser necesario, obtenga un acceso intravenoso de camino a emergencias. Además, obtenga un nivel de glucosa en sangre lo antes posible.

Una vez iniciada la vía intravenosa, un bolo de 500 ml de solución fisiológica al 0.9% es adecuado para casi todos los adultos clínicamente deshidratados. En pacientes con antecedentes de insuficiencia cardíaca congestiva y/o insuficiencia renal, un bolo de 250 ml puede ser un punto de inicio más adecuado. Los déficits de líquidos en pacientes con SHHN pueden ascender a 10 L o más. Estos pacientes pueden recibir de 1 a 2 L de líquidos en la primera hora de tratamiento.

Fisiopatología, evaluación y tratamiento de otros trastornos del páncreas

Pancreatitis

Fisiopatología

La pancreatitis —una inflamación del páncreas— puede presentarse como una condición aguda o crónica, y es más común en hombres que en mujeres. La pancreatitis aguda es una emergencia médica y puede provocar deshidratación e hipotensión. Las causas más comunes de pancreatitis son los cálculos biliares, que provocan la obstrucción de las vías biliares, y el abuso crónico del alcohol. Del mismo modo, el abuso de alcohol durante años es la causa más común de pancreatitis crónica. Estas dos etiologías son responsables de 60 a 80% de los casos de pancreatitis aguda, siendo el abuso de alcohol más común en pacientes jóvenes y la obstrucción más común en adultos mayores.[30,31] Otras causas potenciales de pancreatitis incluyen el uso de ciertos medicamentos, traumatismos, cáncer de páncreas y predisposición genética.

La pancreatitis crónica es una enfermedad progresiva que destruye el páncreas y acaba provocando la pérdida de todas las funciones endocrinas y exocrinas. Suele causar dolor crónico. La tomografía computarizada se utiliza para diagnosticar la presencia de esta enfermedad.

Evaluación

Los pacientes con pancreatitis aguda presentan lo que se describe como un dolor sordo y constante en el flanco y/o epigástrico que empeora si se coloca al paciente en decúbito supino. También puede haber taquicardia, fiebre e ictericia. Normalmente, un ataque de páncreas es consecuencia de una comida abundante y pesada o de un consumo excesivo de alcohol. Los síntomas incluyen náusea y vómito, distensión abdominal o espasmos musculares y, con menor frecuencia, necrosis y falla orgánica. Las pruebas de laboratorio utilizadas para diagnosticar la pancreatitis aguda incluyen determinaciones de amilasa, lipasa y tripsina en suero, si se dispone de ellas.

Tratamiento

Una vez diagnosticada la pancreatitis, la mayoría de los pacientes reciben tratamiento de apoyo. Los pacientes no deben comer hasta que hayan desaparecido la náusea y el vómito. Deben ser trasladados y puede considerarse el tratamiento del dolor, aunque no siempre es eficaz en la pancreatitis. La colangiopancreatografía retrógrada endoscópica se utiliza en pacientes con colelitiasis. No se ha demostrado que otros tratamientos disminuyan el dolor o la duración de la estancia hospitalaria.

En el caso de los pacientes con pancreatitis crónica, los cambios en el estilo de vida, incluidos los cambios en la dieta y la reducción del consumo de alcohol y tabaco, son fundamentales para el tratamiento. Se utilizan analgésicos para controlar el dolor, las enzimas pancreáticas pueden ayudar a mitigar la esteatorrea (exceso de grasa en las heces) y la malabsorción, y en última instancia puede considerarse la intervención quirúrgica. Debe vigilarse a los pacientes para detectar cáncer de páncreas, ya que se observa una mayor incidencia de esta enfermedad en pacientes con pancreatitis crónica.

Perlas de sabiduría

El adenocarcinoma es un tipo de cáncer que afecta a las células epiteliales que recubren el tejido glandular. Este tipo de cáncer puede afectar al páncreas. El cáncer de páncreas es una causa frecuente de muerte por cáncer en Estados Unidos. Los signos y síntomas, que son vagos y no diferenciales, incluyen dolor, pérdida de peso e ictericia. Estas manifestaciones no suelen estar presentes en las primeras fases del cáncer de páncreas, por lo que el diagnóstico precoz es poco frecuente.

El cistoadenoma se refiere a quistes benignos que están presentes en el tejido glandular y pueden afectar al páncreas. La función secretora se mantiene cuando hay un quiste presente; sin embargo, puede dar lugar a más quistes.

Los tumores neuroendocrinos afectan a los sistemas endocrino y nervioso, y se originan en las células secretoras endocrinas. Estos tumores pueden encontrarse en cualquier parte del cuerpo; sin embargo, los tumores endocrinos gastroenteropancreáticos afectan al tracto gastrointestinal y al páncreas. Estos tumores son poco frecuentes y de crecimiento lento.

Fisiopatología, evaluación y tratamiento de la insuficiencia suprarrenal

La insuficiencia suprarrenal se caracteriza por una disminución de la función de la corteza suprarrenal y la consiguiente falta de producción de cortisol y aldosterona. Una disminución de cualquiera de estas hormonas suprarrenales provocará debilidad, deshidratación e incapacidad del organismo para mantener una PA adecuada o para responder correctamente al estrés.

El cortisol afecta a casi todos los órganos y tejidos del cuerpo. Aunque su función principal es contribuir a la respuesta del organismo al estrés, esta hormona suprarrenal también ayuda a mantener la PA y la función cardiovascular; regula el metabolismo de los carbohidratos, las proteínas y las grasas; modula los niveles de glucosa en sangre equilibrando los efectos de la insulina, y actúa como agente antiinflamatorio frenando la respuesta inflamatoria.

La secreción de aldosterona está regulada principalmente por el sistema renina-angiotensina, pero también es estimulada por el aumento de las concentraciones séricas de potasio. Una función cortical suprarrenal anormal produce anomalías en el metabolismo de los carbohidratos y las proteínas, así como alteraciones en el metabolismo de la sal y el agua.

La insuficiencia suprarrenal normalmente es bien tolerada, a menos que el cuadro clínico se complique por factores concomitantes, como infecciones o estrés. Esta enfermedad afecta aproximadamente a cuatro personas por cada 100 000 en Estados Unidos, se presenta por igual en hombres y mujeres, y se observa en pacientes de todas las razas y edades. La insuficiencia suprarrenal se clasifica como primaria o secundaria.

Insuficiencia suprarrenal primaria

Fisiopatología

La **insuficiencia suprarrenal primaria** (también conocida como enfermedad de Addison) está causada por la atrofia o destrucción de ambas glándulas suprarrenales, lo que provoca deficiencias de todas las hormonas esteroideas producidas por estas glándulas. La insuficiencia suprarrenal primaria es una enfermedad poco frecuente (se da en aproximadamente una de cada 100 000 personas en Estados Unidos) y por lo regular es el resultado de una atrofia idiopática, un proceso autoinmune en el que el sistema inmunológico crea anticuerpos que atacan la corteza suprarrenal, lo que provoca su destrucción gradual.[32] Este fenómeno representa aproximadamente 70% de todos los casos de enfermedad de Addison en Estados Unidos.[32] La insuficiencia suprarrenal se produce cuando se ha destruido al menos 90% de la corteza suprarrenal. Con menor frecuencia (alrededor de 30% de los casos), la destrucción suprarrenal es a causa de una tuberculosis; una infección bacteriana, viral o fúngica; hemorragia suprarrenal, o cáncer de las glándulas suprarrenales.[32] El tratamiento puede permitir que los pacientes con enfermedad de Addison tengan una esperanza de vida normal.

Evaluación

Los signos de insuficiencia suprarrenal crónica incluyen pérdida de peso inexplicable, fatiga, vómito, diarrea, anorexia, ansia de sal, dolor muscular y articular, dolor abdominal, mareo postural y aumento de la pigmentación en las superficies extensoras, pliegues palmares y mucosa oral (**FIGURA 20-6**). En los pacientes con enfermedad de Addison, el organismo regula incorrectamente las concentraciones de sodio, potasio y agua en los líquidos corporales. El volumen sanguíneo y la PA disminuyen, al igual que la concentración de sodio en sangre; el nivel de potasio en sangre aumenta. El volumen sanguíneo puede reducirse hasta un nivel tan bajo que la circulación ya no se puede mantener con eficacia.

Tratamiento

El tratamiento de los pacientes que presentan una crisis suprarrenal incluye la evaluación y el manejo del ABC. De ser necesario, utilice el protocolo de coma de glucosa, tiamina y naloxona, según esté indicado. Se debe iniciar una reposición agresiva de líquidos con

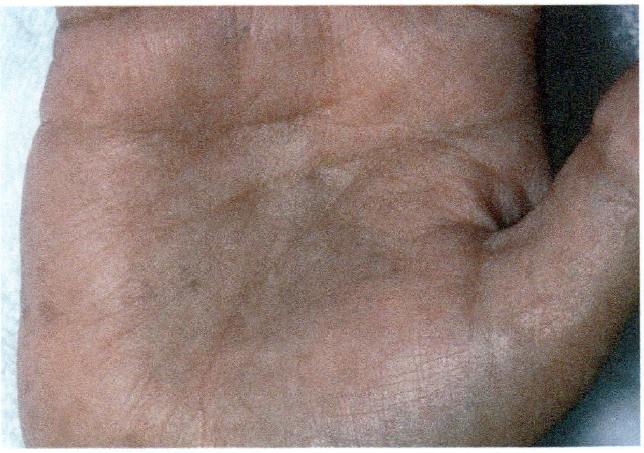

FIGURA 20-6 La mano de un paciente con enfermedad de Addison.

dextrosa al 5% en solución fisiológica. La hidrocortisona, 100 mg IV, se indica para el tratamiento agudo de una crisis. Los desequilibrios electrolíticos son comunes en pacientes con emergencias suprarrenales, pero pueden no ser evidentes en el entorno prehospitalario.

Insuficiencia suprarrenal secundaria

Fisiopatología

La **insuficiencia suprarrenal secundaria** es una condición relativamente común caracterizada por la falta de secreción de la hormona adrenocorticotrópica (ACTH) de la hipófisis. La ACTH, un mensajero de la hipófisis estimula la corteza suprarrenal para que fabrique y secrete cortisol. Si la secreción de ACTH es insuficiente, no se estimula la producción de cortisol. Los pacientes que dejan bruscamente de tomar **corticoesteroides** (p. ej., prednisona) también pueden experimentar una insuficiencia suprarrenal secundaria. Los tratamientos con corticoesteroides suprimen la producción cortical natural; sin embargo, esta forma de insuficiencia suprarrenal normalmente no afecta la producción de aldosterona.

Perlas de sabiduría

Aunque la terapia con corticoesteroides orales es la causa más común de supresión suprarrenal exógena, los corticoesteroides inhalados (utilizados para el asma o la enfermedad pulmonar obstructiva crónica) pueden tener un efecto similar.

Evaluación

Los signos y síntomas de la insuficiencia suprarrenal aguda pueden aparecer repentinamente, creando una **crisis de Addison**. Una exacerbación aguda de la insuficiencia crónica puede desencadenar una crisis addisoniana, normalmente provocada por estrés, trauma, cirugía o infección grave. La abstinencia de corticoesteroides es la causa más frecuente.

Aunque la mayoría de los pacientes con insuficiencia suprarrenal aguda presentan síntomas lo bastante graves como para buscar tratamiento médico antes de que se produzca una crisis, aproximadamente 25% experimentan síntomas por primera vez durante una crisis de Addison.[32] El shock es la principal manifestación clínica de la crisis suprarrenal. Los pacientes también pueden manifestar síntomas inespecíficos, como debilidad, letargo, confusión o pérdida de conciencia, PA baja (colapso vascular), temperatura elevada, dolor intenso en la zona lumbar, las piernas o el abdomen, además de vómito y diarrea intensos que conducen a la deshidratación.

Tratamiento

Un episodio de insuficiencia adrenal aguda no reconocido ni tratado puede ser mortal. La muerte por lo regular se debe a hipotensión o disritmias cardíacas causadas por hiperpotasemia. El tratamiento depende de la presentación clínica del paciente y de los hallazgos y está orientado a mantener el ABC hasta la llegada del paciente a emergencias. En cuanto al mantenimiento de la vía aérea y el oxígeno suplementario, siga el procedimiento para un paciente con alteración del estado mental o en coma. Esté atento al vómito y tenga preparada la succión.

Otros objetivos del tratamiento prehospitalario son comenzar a rehidratar al paciente y corregir las alteraciones de electrólitos y ácido-base. Coloque una vía intravenosa e infunda hasta 1 L de solución fisiológica al 0.9%. Si el paciente está hipotenso, administre un bolo de solución fisiológica a 20 ml/kg. Recuerde que un paciente con insuficiencia suprarrenal puede estar gravemente deshidratado, a menudo hasta el punto de shock, y necesita reposición de volumen de líquidos.

Compruebe el nivel de glucosa en sangre del paciente. Administre dextrosa o glucosa según sus protocolos para corregir la hipoglucemia. Aunque el D_5NS es el fluido intravenoso preferido, rara vez se transporta en campo. La administración de D_5W a través de una segunda vía IV puede ayudar a mantener el nivel de glucosa en sangre del paciente. Vigile el ritmo cardíaco, porque los cambios en los electrólitos en suero pueden provocar una marcada inestabilidad miocárdica.

Fisiopatología, evaluación y manejo de otras emergencias suprarrenales

Síndrome de Cushing

Fisiopatología

El síndrome de Cushing es provocado por la sobreproducción de cortisol por las glándulas suprarrenales o por el uso excesivo de cortisol u otras hormonas corticoesteroides similares (glucocorticoides). Por ejemplo, los tumores de la hipófisis o de la corteza suprarrenal pueden estimular la producción de un exceso de hormona y provocar el síndrome de Cushing. La administración de grandes cantidades de cortisol u otras hormonas glucocorticoides (p. ej., hidrocortisona, prednisona, metilprednisolona o dexametasona) para tratar enfermedades potencialmente mortales, como el asma, la artritis reumatoide, el lupus sistémico, la enfermedad inflamatoria intestinal y algunas alergias.

Independientemente de la causa, el exceso de cortisol provoca cambios característicos en muchos sistemas corporales. Se altera el metabolismo de carbohidratos, proteínas y grasas, de modo que aumenta el nivel de glucosa en sangre. La síntesis de proteínas se ve afectada, por lo que las proteínas corporales se descomponen, provocando la pérdida de fibras musculares y debilidad muscular. Los huesos se debilitan y son más propensos a fracturarse.

Evaluación

Otros signos y síntomas comunes relacionados con el exceso de cortisol son los siguientes:

- Debilidad y fatiga.
- Depresión y cambios de humor.
- Aumento de la sed y la micción.
- Nivel elevado de glucosa en sangre.
- Aumento de peso, especialmente en el abdomen ("cara de luna"), cuello y parte superior de la espalda ("joroba de búfalo").
- Adelgazamiento de la piel, con fácil aparición de hematomas y estrías rosadas o púrpuras en el abdomen, muslos, pechos y hombros.
- Aumento del acné, crecimiento del vello facial y caída del vello del cuero cabelludo en las mujeres, y cese de la menstruación.
- Oscurecimiento de la piel (acantosis) en el cuello.
- Obesidad y estatura baja en los niños.

Tratamiento

El tratamiento está diseñado para reducir el nivel de cortisol en el organismo, lo que resulta difícil en el entorno prehospitalario. Evalúe y controle el ABC del paciente y trate de inmediato cualquier condición potencialmente mortal. El tratamiento prehospitalario suele ser de apoyo. Obtenga un nivel de glucosa en sangre.

Tumor de la glándula suprarrenal

El **feocromocitoma** es una enfermedad rara de la glándula suprarrenal en la que un tumor, normalmente en la médula, provoca una liberación excesiva de las hormonas epinefrina y norepinefrina. Aproximadamente 10% de estos tumores son malignos (cancerosos).[33]

Estos tumores pueden aparecer a cualquier edad, pero son más frecuentes entre los adultos jóvenes y la mitad de la edad adulta. Una presentación clínica común implica una combinación de síntomas (es decir, hipertensión, ansiedad, dolor torácico, dolor abdominal, fatiga, pérdida de peso, problemas de visión y, a veces, convulsiones) que pueden ser frecuentes pero esporádicos, y pueden aumentar en frecuencia, duración y gravedad.

Fisiopatología, evaluación y tratamiento de los trastornos de las glándulas tiroides, paratiroides e hipófisis

Patologías de la hormona del crecimiento

La hipófisis anterior segrega la hormona del crecimiento. Los problemas asociados a la secreción de la hormona del crecimiento incluyen tanto la secreción excesiva como la secreción insuficiente, son poco frecuentes y suelen ser consecuencia de un tumor. La secreción excesiva da lugar a la *acromegalia*, una enfermedad que normalmente se diagnostica en la edad adulta. Esta enfermedad provoca gigantismo y manos y cara anormalmente grandes, así como rasgos faciales específicos: mandíbula agrandada, cejas y dientes anormalmente separados.[34] La infradosificación de la hormona del crecimiento es poco frecuente y se caracteriza por un retraso del desarrollo y el crecimiento. La falta de tratamiento puede conducir al *enanismo*.[35] El enanismo proporcionado se presenta con proporciones corporales y funciones mentales normales.

Hipotiroidismo e hipertiroidismo

Aproximadamente 20 millones de personas en Estados Unidos padecen algún tipo de trastorno tiroideo, y muchos desconocen su estado. La enfermedad de Graves, el tipo más común de hipertiroidismo, aumenta el metabolismo. Por el contrario, el hipotiroidismo, a menudo resultado de una enfermedad autoinmune, disminuye el metabolismo. En el **CUADRO 20-3** se presenta un resumen de los principales efectos del hipotiroidismo y el hipertiroidismo.

Es probable que los pacientes con hipertiroidismo e hipotiroidismo requieran oxígeno suplementario. La actividad metabólica hipertiroidea aumenta la demanda de oxígeno. Las condiciones hipotiroideas pueden provocar una disminución del esfuerzo respiratorio, de modo que los pacientes pueden requerir ventilación con presión positiva.

CUADRO 20-3 Comparación de los principales efectos del hipotiroidismo y el hipertiroidismo

	Hipotiroidismo	Hipertiroidismo
Efectos cardiovasculares	Pulso lento, gasto cardíaco reducido	Pulso rápido, aumento del gasto cardíaco
Efectos metabólicos	Disminución del metabolismo, piel fría, aumento de peso	Aumento del metabolismo, piel caliente y enrojecida, pérdida de peso
Efectos neuromusculares	Debilidad, reflejos lentos	Temblores, reflejos hiperactivos
Efectos mentales, emocionales	Procesos mentales lentos, personalidad plácida	Inquietud, irritabilidad, labilidad emocional
Efectos gastrointestinales	Estreñimiento	Diarrea
Efectos somáticos generales	Piel fría y seca	Piel cálida y húmeda

Enfermedad de Graves

La causa más grave y común de hipertiroidismo es la enfermedad de Graves. Este trastorno es 10 veces más frecuente en mujeres que en hombres; la incidencia global en mujeres es de 0.4 casos por 1 000.[36] La enfermedad de Graves tiende a seguir un curso crónico de remisión y recaída. Si no se trata, puede ser mortal.

La enfermedad de Graves es un trastorno autoinmune en el que la glándula tiroides se hipertrofia, o se agranda, a medida que aumenta su actividad. La glándula tiroides hipertrofiada produce una masa visible llamada **bocio** en la parte anterior del cuello. La glándula hiperactiva secreta una cantidad excesiva de tiroxina, causando el hipertiroidismo que caracteriza a la enfermedad de Graves. Además de la presencia de bocio, los signos y síntomas de esta enfermedad incluyen un apetito considerablemente aumentado con una marcada pérdida de peso que puede evolucionar a caquexia (pérdida de masa muscular y tejido). Los pacientes también presentan polidipsia como resultado de la deshidratación causada por la diarrea y la sudoración excesiva. Algunos pueden presentar exoftalmos, una condición causada por el edema del tejido situado detrás de los ojos. Otro signo de la enfermedad de Graves es el **mixedema pretibial**, un edema con aspecto de "piel de naranja" y sin fóvea de la piel de la parte anterior de la pierna, por debajo de la rodilla. Por último, el hipermetabolismo que acompaña a la enfermedad de Graves aumenta la tensión en el corazón y puede provocar insuficiencia cardíaca.

Enfermedad de Hashimoto

La **enfermedad de Hashimoto** es otra causa de hipermetabolismo que también es más frecuente en las mujeres. En este caso, la glándula tiroides está agrandada como consecuencia de la infiltración de linfocitos T y células plasmáticas. Al igual que la enfermedad de Graves, la enfermedad de Hashimoto es un trastorno autoinmune que afecta a los receptores de TSH; sin embargo, es más leve que la enfermedad de Graves. El hipotiroidismo posterior se desarrolla después de que los anticuerpos destruyan los folículos.

Coma mixedematoso

Las hormonas tiroideas son fundamentales para el metabolismo celular y el funcionamiento de los órganos. Si su suministro se vuelve inadecuado, los tejidos de los órganos no crecen ni maduran (debido a la disminución de la tasa metabólica), la producción de energía disminuye (una causa de la disminución de la tasa metabólica) y se ven afectadas las acciones de otras hormonas.

El hipotiroidismo del adulto se denomina a veces *mixedema.* Con frecuencia, los pacientes presentan acumulaciones localizadas de material mucinoso en la piel, lo que da nombre a esta enfermedad (el prefijo *myx-* hace referencia a "mucina", y *edema* significa "inflamación") (**FIGURA 20-7**). El hipotiroidismo se manifiesta como una desaceleración general de los procesos metabólicos del organismo debido a la reducción o ausencia de hormona tiroidea. Todos los sistemas orgánicos pueden presentar síntomas del trastorno, y la gravedad de los síntomas reflejará el grado de deficiencia hormonal.

Los síntomas del hipotiroidismo incluyen fatiga, sensación de frío, aumento de peso, piel seca y somnolencia. Debido a que estos síntomas con frecuencia son sutiles y pueden confundirse con otras condiciones, la enfermedad puede quedar sin diagnosticar. El descenso continuo de los niveles hormonales puede provocar un coma mixedematoso, una enfermedad extrema

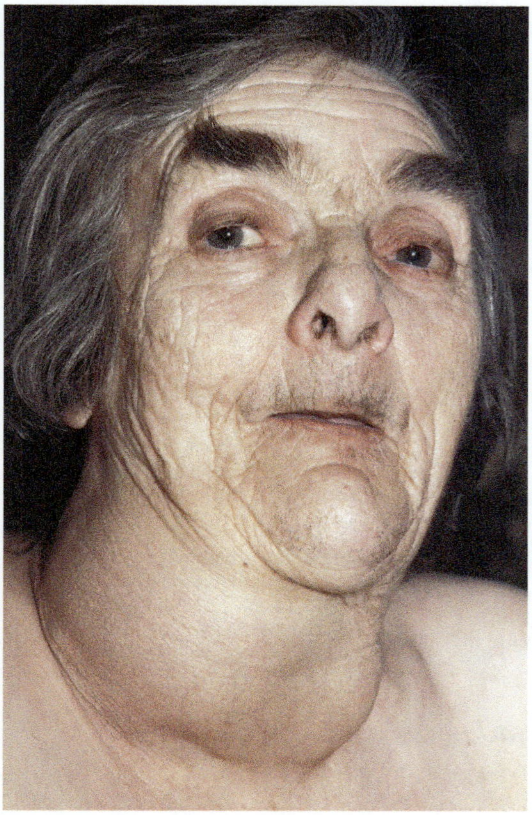

FIGURA 20-7 Acumulaciones localizadas de material mucinoso en el cuello de un paciente con hipotiroidismo.

manifestación de hipotiroidismo no tratado que se acompaña de descompensación fisiológica. Cuando el hipotiroidismo es de larga duración, se producen adaptaciones fisiológicas, como la reducción de la tasa metabólica y la disminución del consumo de oxígeno, que a su vez conducen a la vasoconstricción periférica. Factores desencadenantes como las infecciones (especialmente pulmonares y urinarias), la exposición al frío, los traumatismos, las intervenciones quirúrgicas y determinados medicamentos suelen ser factores precipitantes en la progresión hacia el coma mixedematoso.

El rasgo distintivo del coma mixedematoso es el deterioro del estado mental del paciente. Aunque es posible que los familiares no se preocupen demasiado por los cambios más sutiles, como la apatía o la disminución de la función intelectual, los cambios más evidentes, como la confusión, la psicosis y el coma, sin duda provocarán una llamada de emergencia.

La mayoría de los casos de coma mixedematoso se producen durante el invierno en mujeres mayores de 60 años. Este trastorno es más frecuente en mujeres que en hombres. Al igual que la incidencia del hipotiroidismo aumenta con la edad, el coma mixedematoso se produce principalmente en pacientes adultos de edad avanzada. Un hallazgo constante es la hipotermia, y tal vez sea necesario utilizar un termómetro que registre temperaturas corporales inferiores a 32 °C en casos de coma mixedematoso. Así, la ausencia de fiebre en presencia de infección es un hallazgo común.

El hipotiroidismo disminuye la motilidad intestinal, y la disminución de la tasa metabólica asociada a esta condición puede provocar toxicidad farmacológica, en especial en adultos mayores. Una tasa metabólica más lenta hace que los niveles de medicamentos, en particular aquellos que afectan al sistema nervioso central, aumenten hasta niveles tóxicos en la sangre. Este tipo de sobredosis accidental en el paciente con hipotiroidismo puede precipitar el coma mixedematoso.

El coma mixedematoso es una emergencia metabólica y cardiovascular. Se estima que, si no se diagnostica y trata de inmediato, las tasas de mortalidad pueden llegar al 40%.[37] Por lo tanto, el estado del paciente debe estabilizarse lo antes posible.

Administre oxigenoterapia suplementaria para corregir la hipoxia. La intubación y la ventilación están indicadas para los pacientes con disminución del impulso respiratorio o para aquellos que no pueden proteger su vía aérea; estas medidas ayudarán a prevenir la insuficiencia respiratoria.

Vigile el estado cardíaco del paciente. La hipotensión puede responder al tratamiento con cristaloides, y posiblemente se requieran agentes vaspresores (p. ej., dopamina). Si los niveles de glucosa en sangre son inferiores a 60 mg/dl, administre dextrosa o glucagón de acuerdo con los protocolos locales.

Trate la hipotermia con métodos de recalentamiento pasivo, ya que un recalentamiento agresivo puede provocar vasodilatación e hipotensión. Sin embargo, los pacientes hemodinámicamente inestables con hipotermia profunda requerirán un recalentamiento activo. Evite sedantes, narcóticos y anestésicos debido al metabolismo deprimido.

Tirotoxicosis

La tirotoxicosis es un estado tóxico causado por niveles excesivos de hormona tiroidea circulante. Aunque el hipertiroidismo puede causar tirotoxicosis en algunos pacientes, ambas condiciones no son idénticas. La tirotoxicosis también puede deberse al bocio, a trastornos autoinmunes como la enfermedad de Graves o al cáncer de tiroides.

La **tormenta tiroidea** es un trastorno poco frecuente que puede poner en peligro la vida de los pacientes con tirotoxicosis. Normalmente se desencadena por un acontecimiento estresante o por un aumento del volumen de hormonas tiroideas en la circulación. Además de los signos y síntomas de hipertiroidismo, los pacientes pueden presentar fiebre, taquicardia grave, náusea, vómito, alteración del estado mental y, posiblemente, insuficiencia cardíaca.

Perlas de sabiduría

Tanto el hipertiroidismo como el hipotiroidismo pueden afectar negativamente al estado eléctrico del miocardio. La aplicación del monitor cardíaco puede revelar taquidisritmias en el hipertiroidismo o bradidisritmias en el hipotiroidismo. Trate todas las disritmias de acuerdo con su protocolo local, teniendo en cuenta que estas disritmias pueden ser difíciles de corregir sin solucionar primero el trastorno subyacente.

Hiperparatiroidismo

El aumento del nivel de la hormona paratiroidea que caracteriza al hiperparatiroidismo provocará hipercalcemia y disminución de los niveles de fosfato en sangre. Las causas del hiperparatiroidismo pueden dividirse en primarias y secundarias. Las causas primarias provienen de la propia glándula, mientras que las causas secundarias se producen en otras partes del cuerpo y afectan a la secreción de la glándula. La causa más común de hiperparatiroidismo es un tumor benigno en la glándula, denominado adenoma.

Los signos y síntomas del hiperparatiroidismo pueden ser imprecisos, como ocurre con muchas enfermedades endocrinas. Puede haber fatiga, debilidad, náuseas, vómito y confusión. Ocasionalmente, pueden producirse fracturas patológicas secundarias al adelgazamiento de los huesos, o cálculos renales debido al aumento de los niveles de calcio y fósforo en la orina. La cirugía para extirpar la glándula agrandada es el tratamiento definitivo y tiene una tasa de éxito de 95%.[38] Los pacientes con formas leves de la enfermedad requieren un control de los niveles de calcio en sangre. El tratamiento prehospitalario incluye el manejo del ABC y los cuidados de apoyo indicados.

Panhipopituitarismo

El panhipopituitarismo es la producción inadecuada o la ausencia de hormonas hipofisarias, como la hormona adrenocorticotrópica, el cortisol, la tiroxina, la LH, la FSH, la hormona del crecimiento y la ADH. La hipófisis anterior es responsable de producir varias hormonas diferentes; por lo tanto, la presentación clínica del panhipopituitarismo varía dependiendo de la hormona u hormonas que falten. En la **FIGURA 20-8** se presenta un resumen de estas hormonas y los síntomas asociados con cada deficiencia.

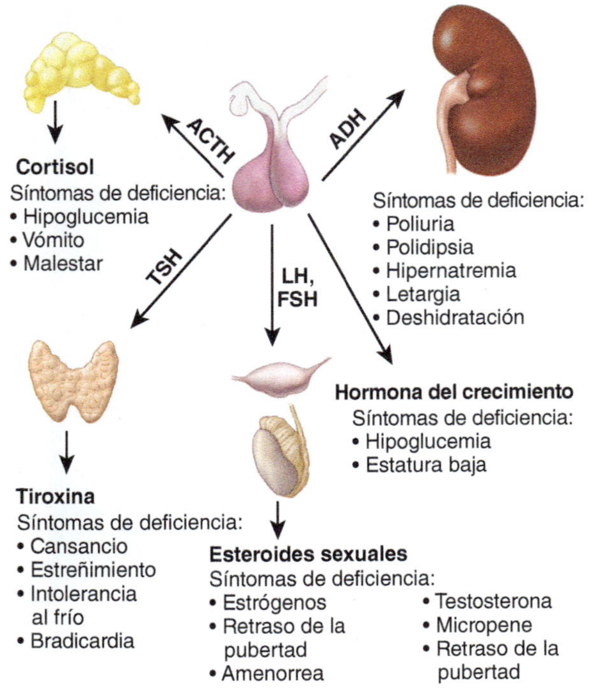

FIGURA 20-8 Panhipopituitarismo.

Cortesía de Leonard Crowley.

Diabetes insípida y SIADH

La **diabetes insípida (DI)** tiene algunas de las mismas características que la diabetes mellitus, como poliuria y polidipsia. La DI es una enfermedad poco común; sin embargo, a diferencia de la diabetes mellitus, no es una patología pancreática. En la diabetes insípida, o bien el organismo no puede regular los líquidos por falta de ADH (DI central) o bien los riñones son incapaces de responder adecuadamente (diabetes insípida nefrogénica). La ADH hace que los riñones retengan agua; por lo tanto, la falta de ADH provocará un aumento de la micción (poliuria), como ocurre en la diabetes mellitus. Una diferencia entre la DI y la diabetes mellitus es la cantidad de glucosa presente en la orina. En la DI, la orina es muy diluida; en cambio, en la orina de los pacientes con diabetes mellitus se observa exceso de glucosa. Parece obvio que en la DI se pueden presentar deshidratación y desequilibrios electrolíticos, pero también existe el riesgo de intoxicación hídrica e hiponatremia. En casos extremos, puede producirse hipotensión. El tratamiento puede incluir ADH sintética.

En el SIADH, un exceso de ADH provoca un aumento de la diuresis y, por lo tanto, una sobrecarga sistémica de líquidos. Esta condición puede causar hipotensión, taquicardia, hiponatremia, convulsiones y confusión. El tratamiento puede incluir diuréticos de asa y líquidos hipertónicos. En el **CUADRO 20-4** se compara la DI y la SIADH.

CUADRO 20-4 Comparación de la secreción de diabetes insípida y SIADH

Diabetes insípida	Síndrome de secreción inadecuada de ADH
Disminución de los niveles de ADH	Aumento de los niveles de ADH
Poliuria	Oliguria
Deshidratación, hipotensión	Sobrecarga sistémica de líquidos

Abreviaturas: ADH, hormona antidiurética; SIADH, síndrome de hormona antidiurética inapropiada.

USTED es el Paramédico RESUMEN

1. ¿Qué información clave se proporciona a partir de la evaluación de la escena?

La información de despacho indica circunstancias inusuales o comportamiento extraño. Su reconocimiento de la escena ha confirmado un paciente con un estado mental alterado. La presencia de medicamentos y un envoltorio de helado le hacen sospechar que el paciente podría tener hipoglucemia.

2. ¿Qué tipos de trastornos médicos pueden causar una alteración del estado mental?

Muchas emergencias médicas pueden causar un estado mental alterado, incluyendo convulsiones, derrames cerebrales o sobredosis de drogas.

3. Aunque la paciente coopere, ¿qué hay que tener en cuenta al tratar a un paciente con un estado mental alterado?

Los pacientes con un estado mental alterado pueden volverse combativos, especialmente los que tienen hipoglucemia. Algunos pacientes pueden mirar fijamente al vacío, mientras que otros pueden maldecir y mostrar un comportamiento extraño o a veces violento. Cuando tenga dudas sobre la seguridad de la escena, espere hasta que los agentes de policía declaren la escena segura antes de iniciar el tratamiento.

4. ¿Cuál podría ser la causa de los temblores de la paciente?

Además de la epilepsia, la paciente podría estar presentando un ataque por un nivel de glucosa en sangre extremadamente bajo o simplemente estar temblando por estar sentada en una unidad de refrigeración. Busque un brazalete de identificación médica para obtener información adicional y realice una evaluación exhaustiva, observando la presencia o ausencia de incontinencia. Las convulsiones debidas a la hipoglucemia son un signo ominoso.

5. ¿Qué le preocupa de la declaración del testigo?

A menudo, las personas no profesionales tienen buenas intenciones, pero no saben qué hacer. Los pacientes con un estado mental alterado suelen tener problemas en la vía aérea y a veces requieren un manejo de estas. Es posible que, además de hipoglucemia, el paciente haya aspirado alimentos hacia los pulmones.

6. Si su compañero no pudiera obtener acceso IV, ¿qué otras opciones de tratamiento existen para corregir el nivel de glucosa en sangre de la paciente?

Los pacientes diabéticos con frecuencia tienen venas frágiles. Además, esta paciente es obesa, y podría ser difícil obtener un acceso IV. Otra opción de tratamiento es administrar glucagón IM. La administración de glucagón requiere que la paciente tenga reservas adecuadas de glucógeno en el hígado para que sea eficaz.

7. ¿Qué problemas se presentan con frecuencia en llamadas como esta?

A menudo, los pacientes con diabetes no desean ser transportados. Es de vital importancia que el paciente coma lo antes posible. La administración de dextrosa intravenosa es solo una medida temporal. Si el paciente no ingiere una comida que contenga carbohidratos

USTED es el Paramédico RESUMEN continuación

complejos, es probable que su nivel de glucosa en sangre vuelva a bajar, y será necesaria otra llamada al 9-1-1.

8. **¿Cómo documentaría este contacto con la paciente?**

Es imperativo documentar minuciosamente los resultados de la evaluación de la paciente y las intervenciones realizadas, las consecuencias de rechazar el tratamiento y/o el transporte, y que la negativa de la paciente fue una decisión informada. Documente el contacto y la conversación con el control médico en la que obtuvo autorización para rechazar el transporte (o el tratamiento). Documente también que dejó a la paciente al cuidado de su hijo, con instrucciones de volver a llamar si fuera necesario.

Reporte de atención de paciente prehospitalario (RAPP)

Fecha: 05-30-22	**Incidente núm.:** 53011	**Naturaleza de la llamada:** Estado mental alterado		**Ubicación:** Supermercado de Walt	
Despacho: 09:00	**En camino:** 09:01	**En el escenario:** 09:03	**Transporte:** N/A	**En el hospital:** N/A	**En servicio:** 09:30

Información del paciente

Edad: 40 **Sexo:** F **Peso:** 160 kg	**Alergias:** Penicilina **Medicamentos:** Insulina **Antecedentes médicos:** Diabetes mellitus requirente de insulina **Principal manifestación:** Hambre

Signos vitales

Hora: 09:08	**PA:** 160/94	**Pulso:** 100	**Respiraciones:** 24	**Spo_2:** 97% aire ambiente
Hora: 09:13	**PA:** 156/92	**Pulso:** 90	**Respiraciones:** 20	**Spo_2:** 98% aire ambiente
Hora:	**PA:**	**Pulso:**	**Respiraciones:**	**Spo_2:**

Tratamiento en el SEM (circule todo lo aplicable)

Oxígeno @ ____ L/min por (circular uno): **NC NRM Dispositivo de bolsa y mascarilla**		**Ventilación asistida**	**Dispositivo de la vía aérea**	**RCP**
Desfibrilación	**Control de la hemorragia**	**Vendaje**	**Inmovilización**	**Otro:**

Narrativa

Llamada por una "mujer sentada en la mantequilla" en un supermercado. Un testigo encontró a la víctima, una mujer de 40 años, sentada en la sección de refrigerados. El hombre informó de que la víctima estaba "temblando por todas partes". A su llegada, se encontró a la paciente sentada en posición vertical en la sección de productos lácteos, con chocolate por toda la cara y un sándwich de helado derritiéndose en su mano. Las tabletas del medicamento estaban en el suelo. La vía aérea estaba permeable y respiraba adecuadamente. Pulso radial débil y rápido. La paciente responde al dolor (un pellizco en el dorso de la mano); la piel está fría, pálida y diaforética; no se observan traumatismos en HEENT; PIRRLA; elevación y volumen torácicos adecuados, sin trauma aparente y ruidos respiratorios bilaterales presentes/sin ruidos pulmonares adventicios; no se observan traumatismos en abdomen. La paciente presenta alteración del estado mental secundaria a hipoglucemia. Glucemia inicial 30 mg/dl, vía intravenosa iniciada con R AC calibre 18, solución salina al 0.9% a goteo de mantenimiento. Se administran 25 g de D_{50}. El nivel de glucosa aumentó a 120 mg/dl. Llegó el hijo de la paciente, de 21 años. La paciente se negó a ser transportada; se suspendieron la vía y el oxígeno. Se advierte a la paciente que la dextrosa intravenosa no impediría que el nivel de glucosa volviera a bajar y que podría aspirar alimento a los pulmones. La paciente fue acompañada a un restaurante, donde pidió una hamburguesa con papas fritas. Se contacta con control médico y se obtiene autorización para el rechazo al traslado. Se obtuvo la firma de rechazo de la atención; se aconsejó a la paciente que volviera a llamar si cambiaba de opinión. La paciente fue dada de alta y dejada al cuidado de su hijo de 21 años.

Fin del reporte

Kit de preparación

Resumen rápido

- El sistema endocrino influye directa o indirectamente en casi todas las células, órganos y funciones corporales.
- El sistema endocrino comprende una red de glándulas que producen y segregan hormonas. La función principal del sistema endocrino y de sus mensajeros hormonales es mantener la homeostasis.
- Los principales componentes del sistema endocrino son el hipotálamo, la hipófisis, la glándula pineal, la tiroides, la paratiroides, el timo, el páncreas, las glándulas suprarrenales, el páncreas y las gónadas, incluidos los ovarios y los testículos.
- Las emergencias endocrinas pueden ser difíciles de evaluar porque afectan a muchos sistemas orgánicos y la gravedad de sus manifestaciones varía en gran medida. No tome estas llamadas a la ligera porque los malos resultados pueden ocurrir rápidamente.
- El tratamiento de una emergencia endocrina puede requerir intubación, administración de oxígeno suplementario, infusión de dextrosa u otras medidas. Todos los hallazgos deben documentarse minuciosamente.
- Los trastornos endocrinos son a causa de la hipersecreción o la secreción insuficiente de una glándula. La hipersecreción se presenta como una hiperactividad del órgano diana regulado por la glándula; la secreción insuficiente provoca una hipoactividad del órgano controlado por la glándula.
- La diabetes es un trastorno metabólico que engloba un grupo de enfermedades complejas con muchas causas (es decir, diabetes mellitus, diabetes gestacional, hipoglucemia/hiperglucemia, cetoacidosis diabética, síndrome hiperglucémico hiperosmolar no cetósico); en todos los casos, la capacidad del organismo para metabolizar la glucosa está alterada. La diabetes se caracteriza por la eliminación de grandes cantidades de orina que contienen glucosa, sed importante, aumento del apetito y deterioro de las funciones corporales.
- En la diabetes mellitus de tipo 1, las células beta de los islotes de Langerhans se han destruido y ya no producen insulina. Los pacientes con este tipo de diabetes requieren un control estricto de la glucemia y la administración de insulina al menos una vez al día, mediante inyección o bomba.
- En la diabetes mellitus de tipo 2 (la forma más común de diabetes), el nivel de glucosa en sangre es elevado porque el organismo no puede producir suficiente insulina para compensar la incapacidad de utilizarla con eficacia.
- La prediabetes es una condición en la que los niveles de glucosa en sangre o los niveles de hemoglobina A1c son más altos de lo normal, pero no lo suficientemente altos para ser diagnosticados como diabetes. La prediabetes suele ser una condición previa a la diabetes tipo 2.
- La diabetes gestacional es una forma de intolerancia a la glucosa que suele manifestarse al final del embarazo.
- La hipoglucemia (nivel anormalmente bajo de glucosa en sangre) en un paciente con diabetes insulinodependiente con frecuencia es el resultado de haber ingerido demasiada insulina, muy poca comida o ambas cosas. Como resultado de la acción de la epinefrina, el paciente temblará, tendrá el pulso acelerado, sudará y sentirá hambre.
- La hiperglucemia (nivel anormalmente alto de glucosa en sangre) es un síntoma clásico de la diabetes mellitus. Los primeros signos típicos incluyen sed frecuente y excesiva acompañada de micción frecuente y abundante.
- Si no se trata, la hiperglucemia puede evolucionar a una enfermedad potencialmente mortal conocida como cetoacidosis diabética (CAD). La CAD se produce cuando ciertos ácidos se acumulan en el organismo debido a la falta de insulina.
- El síndrome hiperosmolar hiperglucémico no cetósico (SHHNC) es una alteración metabólica que se produce principalmente en pacientes con diabetes tipo 2. Se caracteriza por una hiperglucemia no cetósica (HNC). Se caracteriza por hiperglucemia, hiperosmolaridad y ausencia de cetosis significativa.
- La pancreatitis aguda es una emergencia médica y puede provocar deshidratación e hipotensión. En comparación, la pancreatitis crónica es una enfermedad progresiva que destruye el páncreas, llegando incluso a la pérdida de todas las

Kit de preparación continuación

funciones endocrinas y funciones exocrinas, y a menudo causando dolor crónico.

- La insuficiencia suprarrenal se caracteriza por una producción insuficiente de cortisol y aldosterona, lo que provoca debilidad, deshidratación e incapacidad del organismo para mantener una presión arterial adecuada o responder correctamente al estrés.
- La insuficiencia suprarrenal primaria (enfermedad de Addison) es el resultado de la atrofia o destrucción de ambas glándulas suprarrenales, lo que provoca deficiencias en todas las hormonas esteroideas producidas por estas glándulas.
- La insuficiencia suprarrenal secundaria se define como la falta de secreción de ACTH por la hipófisis.
- La insuficiencia suprarrenal aguda, denominada crisis de Addison, puede desencadenarse por una exacerbación aguda de la insuficiencia suprarrenal crónica, generalmente provocada por estrés, traumatismos, intervenciones quirúrgicas o infecciones graves.
- El síndrome de Cushing es la causa de la sobreproducción de cortisol por las glándulas suprarrenales o por el uso excesivo de cortisol u otras hormonas corticoides similares (glucocorticoides).
- El feocromocitoma por lo general es un tumor no maligno de la glándula suprarrenal, normalmente en la médula, que provoca una liberación excesiva de las hormonas epinefrina y norepinefrina.
- La enfermedad de Graves es la causa más grave y frecuente de hipertiroidismo. Esta enfermedad puede producir bocio, exoftalmos y mixedema pretibial.
- La enfermedad de Hashimoto, otra causa de hipertiroidismo es un trastorno autoinmune en el que la glándula tiroides se agranda debido a la infiltración de linfocitos T y células plasmáticas. El hipertiroidismo es transitorio, desarrollándose un hipotiroidismo subsiguiente después de que los anticuerpos destruyan los folículos.
- Los síntomas del hipotiroidismo incluyen fatiga, sensación de frío, aumento de peso, piel seca y somnolencia. La disminución continua de los niveles de hormona tiroidea puede conducir al coma mixedematoso, una manifestación extrema del hipotiroidismo no tratado que se acompaña de descompensación fisiológica.
- La tirotoxicosis es una condición tóxica debido a niveles excesivos de hormona tiroidea circulante.
- La tormenta tiroidea es una condición rara y potencialmente mortal que puede producirse en pacientes con tirotoxicosis.
- En el hiperparatiroidismo, los niveles de calcio en sangre aumentan, lo que provoca hipercalcemia y un aumento de los niveles de fosfato en sangre.
- El panhipopituitarismo es la producción inadecuada o la ausencia de hormonas hipofisarias.
- La diabetes insípida es el resultado de la disminución de los niveles de ADH, lo que provoca poliuria. La diabetes insípida puede provocar deshidratación y desequilibrios electrolíticos, así como un mayor riesgo de intoxicación por agua e hiponatremia. En casos excepcionales, puede producirse hipotensión.
- La SIADH es el resultado de un exceso de ADH, que provoca una disminución de la diuresis y, a su vez, una sobrecarga sistémica de líquidos.

Vocabulario esencial

Aldosterona Hormona que estimula los riñones para que reabsorban sodio de la orina y excreten potasio alterando el gradiente osmótico de la sangre.

Andrógenos Hormonas sexuales masculinas que regulan los cambios corporales asociados al desarrollo sexual (pubertad), incluidos los estirones, el engrosamiento de la voz, el crecimiento del vello facial y púbico, y el crecimiento y la fuerza muscular.

Bocio Masa visible en la parte anterior del cuello causada por el agrandamiento de la glándula tiroides.

Calcitonina Hormona secretada por la glándula tiroides que ayuda a mantener niveles normales de calcio en la sangre.

Cetoacidosis diabética (CAD) Forma de acidosis en la diabetes no controlada en la que se acumulan ciertos ácidos cuando no se dispone de insulina.

Kit de preparación continuación

Cetonemia Cantidad excesiva de cuerpos cetónicos en la sangre.

Coma mixedematoso Enfermedad poco frecuente que puede producirse en pacientes con hipotiroidismo grave no tratado.

Corticoesteroides Hormonas que regulan el metabolismo, el equilibrio de sal y agua en el organismo, el sistema inmunológico y la función sexual.

Cortisol Hormona que estimula la producción de energía de la mayoría de las células del cuerpo.

Crisis de Addison Insuficiencia suprarrenal aguda.

Diabetes Grupo de trastornos metabólicos complejos con muchas causas; incluye la diabetes mellitus, la diabetes gestacional, la hipoglucemia/hiperglucemia, la cetoacidosis diabética y el síndrome hiperglucémico hiperosmolar.

Diabetes gestacional Diabetes que se desarrolla durante el embarazo en mujeres que no padecían diabetes antes del embarazo.

Diabetes insípida (DI) Trastorno poco frecuente que presenta algunas de las mismas características que la diabetes, como poliuria y polidipsia, en el que el organismo es incapaz de regular los líquidos por falta de hormona antidiurética (diabetes insípida central) o los riñones son incapaces de responder adecuadamente (diabetes insípida nefrogénica).

Diabetes mellitus Enfermedad caracterizada por la incapacidad del organismo de metabolizar lo suficiente la glucosa; se produce porque el páncreas no produce la insulina necesaria o porque las células no responden a los efectos de la insulina producida.

Diabetes tipo 1 Tipo de enfermedad diabética que suele comenzar en la infancia y requiere inyecciones diarias de insulina sintética suplementaria para controlar los niveles de glucosa en sangre; anteriormente denominada diabetes mellitus insulinodependiente (DMID) o diabetes de inicio juvenil.

Diabetes tipo 2 Tipo de enfermedad diabética que normalmente se desarrolla en pacientes adultos de mediana edad y que a menudo puede controlarse mediante dieta y medicamento oral; anteriormente denominada diabetes de inicio en la edad adulta.

Dislipidemia Nivel excesivo de lípidos (grasas) circulantes en la sangre, que aumenta el riesgo de aterosclerosis y enfermedad coronaria.

Diuresis Producción de grandes cantidades de orina por el riñón.

Enfermedad de Graves Trastorno autoinmune que provoca hipertrofia de la glándula tiroides e hipertiroidismo grave.

Enfermedad de Hashimoto Tipo de hipertiroidismo en el que la glándula tiroides aumenta de tamaño al estar infiltrada por linfocitos T y células plasmáticas.

Epinefrina Hormona producida por la médula suprarrenal que desempeña un papel vital en la función del sistema nervioso simpático.

Estrógeno Hormona femenina primaria que produce las características sexuales secundarias en la pubertad.

Exoftalmos Protrusión de los ojos de la posición normal dentro de la cuenca.

Feocromocitoma Tumor de la glándula suprarrenal, generalmente en la médula, que provoca una liberación excesiva de las hormonas epinefrina y norepinefrina.

Glucagón Hormona producida por el páncreas que es vital para el control del metabolismo corporal y el nivel de glucosa en sangre. El glucagón estimula la descomposición del glucógeno en glucosa.

Glucosuria Eliminación de grandes cantidades de orina que contienen glucosa.

Hiperglucemia Nivel anormalmente alto de glucosa en sangre.

Hipoglucemia Nivel anormalmente bajo de glucosa en sangre.

Hormona adrenocorticotrópica (ACTH) Hormona que estimula la corteza suprarrenal para fabricar y secretar cortisol (un glucocorticoide).

Hormona antidiurética (ADH) Hormona segregada por el lóbulo posterior de la glándula pituitaria que contrae los vasos sanguíneos y eleva la presión arterial; también llamada vasopresina.

Hormona estimulante del tiroides (TSH) Hormona que controla la liberación de hormona tiroidea de la glándula tiroides.

Kit de preparación continuación

Hormona luteinizante (LH) Hormona que regula la producción de óvulos y espermatozoides, así como la producción de hormonas reproductivas.

Hormona paratiroidea Hormona segregada por las paratiroides que actúa como antagonista de la calcitonina; se segrega cuando los niveles de calcio en sangre son bajos.

Insuficiencia suprarrenal primaria Enfermedad rara en la cual las glándulas suprarrenales se atrofian o se destruyen, lo que provoca deficiencias de todas las hormonas esteroides producidas por estas glándulas; también conocida como enfermedad de Addison.

Insuficiencia suprarrenal secundaria Enfermedad relativamente frecuente caracterizada por la falta de secreción de la hormona adrenocorticotrópica (también llamada corticotrofina) por la hipófisis.

Insulina Hormona producida por el páncreas que es vital para el control del metabolismo del cuerpo y el nivel de glucosa en sangre; hace que el azúcar, los ácidos grasos y los aminoácidos sean absorbidos y metabolizados por las células.

Islotes de Langerhans Grupo especializado de células del páncreas que actúan como un órgano dentro de otro órgano, segregando glucagón de las células alfa, insulina de las células beta y somatostatina de las células delta.

Lipólisis Metabolismo (descomposición o destrucción) de la grasa almacenada que se ha liberado a la circulación.

Microangiopatía Deterioro microscópico de las paredes vasculares causado principalmente por la adherencia de lípidos sanguíneos a las paredes vasculares.

Mixedema pretibial Apariencia de "piel de naranja" y edema sin fóvea de la piel en la parte anterior de la pierna por debajo de la rodilla.

Norepinefrina Hormona producida por las glándulas suprarrenales que es vital en la función del sistema nervioso simpático.

Panhipopituitarismo Producción inadecuada o ausencia de hormonas hipofisarias, como la hormona adrenocorticotrópica, el cortisol, la tiroxina, la hormona luteinizante, la hormona foliculoestimulante, los estrógenos, la testosterona, la hormona del crecimiento y la hormona antidiurética.

Polidipsia Sed intensa.

Polifagia Aumento del apetito.

Poliuria Micción frecuente y abundante.

Prediabetes Condición identificada en personas que presentan determinados factores de riesgo asociados a la diabetes de tipo 2; existe cuando los niveles de glucosa en sangre o los niveles de hemoglobina A1c son más altos de lo normal, pero no lo suficientemente altos como para ser diagnosticados como diabetes.

Progesterona Hormona femenina primaria que contribuye a la regulación del ciclo menstrual.

Resistencia a la insulina Estado en el que el páncreas produce suficiente insulina, pero el cuerpo no puede utilizarla con eficacia.

Síndrome de Cushing Enfermedad causada por la producción excesiva de cortisol por las glándulas suprarrenales o por el uso excesivo de cortisol u otras hormonas corticoesteroides (glucocorticoides) similares.

Síndrome de secreción inapropiada de hormona antidiurética (SIADH) Trastorno endocrino en el que un exceso de hormona antidiurética provoca una disminución de la diuresis y, a su vez, una sobrecarga sistémica de líquidos.

Síndrome hiperglucémico hiperosmolar no cetósico (SHHNC) Enajenación metabólica que se produce principalmente en pacientes con diabetes de tipo 2; se caracteriza por hiperglucemia, hiperosmolaridad y ausencia de cetosis significativa. Anteriormente conocido como coma hiperosmolar no cetósico (CHNC).

Somatostatina Hormona que inhibe la secreción de insulina y glucagón por el páncreas.

Testosterona Andrógeno masculino que favorece la producción de esperma sano, determina las características sexuales masculinas secundarias, como la producción de vello, y estimula el crecimiento.

Tirotoxicosis Estado tóxico causado por niveles excesivos de hormona tiroidea circulante.

Kit de preparación continuación

Tiroxina (T_4) La principal hormona metabólica del organismo. La tiroxina estimula la producción de energía en las células, lo que aumenta la velocidad a la que estas consumen oxígeno y utilizan los carbohidratos, las grasas y las proteínas.

Tormenta tiroidea Condición rara, potencialmente mortal, que puede producirse en pacientes con tirotoxicosis; suele desencadenarse por un acontecimiento estresante o por un aumento del volumen de hormonas tiroideas en la circulación.

Referencias

1. National diabetes statistics report. Centers for Disease Control and Prevention website. https://www.cdc.gov/diabetes/data/statistics-report/index.html. Última revisión el 28 de agosto de 2020. Consultada el 9 de febrero de 2021.
2. Statistics about diabetes. American Diabetes Association website. https://www.diabetes.org/resources/statistics/statistics-about-diabetes. Actualizada el 22 de marzo de 2018. Consultada el 9 de febrero de 2021.
3. Economic costs of diabetes in the U.S. in 2017. American Diabetes Association website. https://care.diabetesjournals.org/content/early/2018/03/20/dci18-0007. Consultada el 9 de febrero de 2021.
4. Coexisting conditions and complications. Centers for Disease Control and Prevention website. https://www.cdc.gov/diabetes/data/statistics-report/coexisting-conditions-complications.html. Última revisión 21 de julio de 2020. Consultada el 9 de febrero de 2021.
5. Diabetes and your heart. Centers for Disease Control and Prevention website. https://www.cdc.gov/diabetes/library/features/diabetes-and-heart.html. Última revisión 31 de enero de 2020. Consultada el 9 de febrero de 2021.
6. Conquer high blood pressure. American Diabetes Association website. https://www.diabetes.org/diabetes-risk/prevention/high-blood-pressure. Consultada el 9 de febrero de 2021.
7. Caffrey M. Diabetic amputations may be rising in the United States. AJMC website. https://www.ajmc.com/view/diabetic-amputations-may-be-rising-in-the-united-states. Publicada el 13 de diciembre de 2018. Consultada el 9 de febrero de 2021.
8. Nathan DM, Cleary PA, Backlund JY, et al. Diabetes Control and Complications Trial/Epidemiology of Diabetes Interventions and Complications (DCCT/EDIC) Study Research Group. Intensive diabetes treatment and cardiovascular disease in patients with type 1 diabetes. *N Engl J Med*. 2005;353:2643-2653.
9. Dehydration. Mayo Clinic website. https://www.mayoclinic.org/diseases-conditions/dehydration/symptoms-causes/syc-20354086. Consultada el 25 de febrero de 2021.
10. Lough ME. Endocrine disorders and therapeutic management. En: Urden LD, Stacy KM, Lough ME, eds. *Critical Care Nursing: Diagnosis and Management*. 9th ed. St. Louis, MO: Mosby; 2022:750-790.
11. Reno CM, Daphna-Iken D, Chen S, et al. Severe hypoglycemia-induced lethal cardiac arrhythmias are mediated by sympathoadrenal activation. *Diabetes*. 2013;62(10):3570-3581.
12. Diabetes Fact Sheet. World Health Organization website. http://www.who.int/mediacentre/factsheets/fs312/en/. Revisada el 8 de junio de 2020. Consultada el 9 de febrero de 2021.
13. Fuchsberger C, Flannick J, Teslovich TM, et al. The genetic architecture of type 2 diabetes. *Nature*. 2016;536;41-47.
14. Diabetes 2019 report card. Centers for Disease Control and Prevention website. https://www.cdc.gov/diabetes/pdfs/library/Diabetes-Report-Card-2019-508.pdf. Consultada el 9 de febrero de 2021.
15. Prediabetes: your chance to prevent type 2 diabetes. Centers for Disease Control and Prevention website. https://www.cdc.gov/diabetes/basics/prediabetes.html. Última revisión el 11 de junio de 2020. Consultada el 9 de febrero de 2021.
16. About prediabetes & type 2 diabetes. Centers for Disease Control and Prevention website. http://www.cdc.gov/diabetes/prevention/prediabetes-type2/index.html. Actualizada el 4 de abril de 2019. Consultada el 9 de febrero de 2021.
17. Gestational diabetes and pregnancy. Centers for Disease Control and Prevention website. https://www.cdc.gov/pregnancy/diabetes-gestational.html. Actualizada el 14 de julio de 2020. Consultada el 9 de febrero de 2021.
18. Diabetes and pregnancy: gestational diabetes. Centers for Disease Control and Prevention website. https://www.cdc.gov/pregnancy/documents/diabetes_and_pregnancy508.pdf. Consultada el 9 de febrero de 2021.
19. Gerich JE, Langlois M, Noacco C, et al. Lack of glucagon response to hypoglycemia in diabetes: evidence for an intrinsic pancreatic alpha cell defect. *Science*. 1973;182(4108):171-173.
20. Sandoval DA, Guy DL, Richardson MA, et al. Effects of low and moderate antecedent exercise on counterregulatory responses to subsequent hypoglycemia in type 1 diabetes. *Diabetes*. 2004;53(7):1798-1806.

Kit de preparación continuación

21. Cryer P. Hypoglycemia during therapy of diabetes. En: DeGroot LJ, Chrousos G, Dungan K, et al., eds. *Endotext [Internet]*. South Dartmouth, MA: MDText.com; 2000. https://www.ncbi.nlm.nih.gov/books/NBK279100/. Actualizada el 18 de junio de 2018. Consultada el 9 de febrero de 2021.
22. Soleimanpour H, Taghizadieh A, Niafar M, et al. Predictive value of capnography for suspected diabetic ketoacidosis in the emergency department. *West J Emerg Med*. 2013;14(6):590-594.
23. Sabatini S, Kurtzman NA. Bicarbonate therapy in severe metabolic acidosis. *J Am Soc Nephrol*. 2008;20(4):692-695.
24. Umpierrez GE, Kitabchi AE. Diabetic ketoacidosis. *Treat Endocrinol*. 2003;2(2):95-108.
25. Diabetic hyperglycemic hyperosmolar syndrome. US National Library of Medicine Medline website. https://medlineplus.gov/ency/article/000304.htm. Actualizada el 5 de enero de 2021. Consultada el 9 de febrero de 2021.
26. Crandall JP, Shamoon H. Diabetes mellitus. En: Goldman L, Schafer AI, eds. *Goldman-Cecil Medicine*. 26th ed. Philadelphia, PA: Elsevier; 2020:1490-1510.
27. Maloney GE, Glauser JM. Diabetes mellitus and disorders of glucose homeostasis. En: Wall RN, Hockberger RS, Gausche-Hill M, eds. *Rosen's Emergency Medicine: Concepts and Clinical Practice*. 9th ed. Philadelphia, PA: Elsevier; 2018:1533-1547.
28. Whitlatch HB. Hyperosmolar hyperglycemic syndrome. En: Ferri FF, ed. *Ferri's Clinical Advisor 2017*. Philadelphia, PA: Elsevier; 2017:632-633.
29. Collopy K, Kivlehan S, Snyder S. Prehospital treatment of hyperglycemia. http://www.emsworld.com/article/11112993/prehospital-treatment-of-hyperglycemia. Published September 1, 2013. Consultada el 9 de febrero de 2021.
30. Forsmark CE, Vaillie J, AGA Institute Clinical Practice and Economics Committee, AGA Institute Governing Board. AGA Institute technical review on acute pancreatitis. *Gastroenterology*. 2007;132(5):2022-2044.
31. Yang AL, Vadhavkar S, Singh G, Omary MB. Epidemiology of alcohol-related liver and pancreatic disease in the United States. *Arch Intern Med*. 2008;168(6):649-656.
32. Corrigan EK. Adrenal insufficiency (Addison's disease). Pituitary Network Association website. https://pituitary.org/knowledge-base/disorders/adrenal-insuffieciency-addison-s-disease. Consultada el 9 de febrero de 2021.
33. Scholz T, Eisenhofer G, Pacak K, et al. Clinical review: current treatment of malignant pheochromocytoma. *J Clin Endocrinol Metab*. 2007;92(4):1217-1225.
34. Acromegaly. National Institutes of Diabetes and Digestive and Kidney Diseases website. https://www.niddk.nih.gov/health-information/endocrine-diseases/acromegaly. Publicada en abril de 2012. Consultada el 9 de febrero de 2021.
35. Growth hormone deficiency. National Organization of Rare Diseases website. https://rarediseases.org/rare-diseases/growth-hormone-deficiency/. Consultada el 9 de febrero de 2021.
36. Vanderpump MPJ. The epidemiology of thyroid disease. *Br Med Bull*. 2011;99(1):39-51
37. Beynon J, Akhtar S, Kearney T. Predictors of outcome in myxoedema coma. *Crit Care*. 2008;12(1):111.
38. Silverberg SJ, Bilezikian JP. Primary hyperparathyroidism. En: JamesonJL, DeGroot LJ, de Kretser DM, et al., eds. *Endocrinology: Adult and Pediatric*. 7th ed. (versión en línea). Philadelphia, PA: Saunders; 2016:1105-1124.

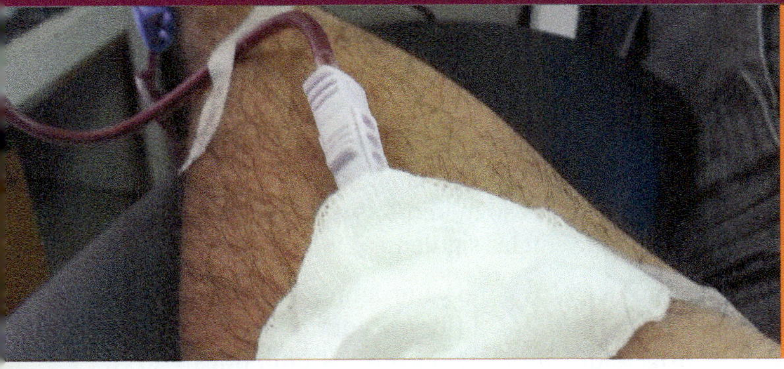

Capítulo 21

Emergencias hematológicas

COMPETENCIAS DEL ESTÁNDAR NACIONAL DE EDUCACIÓN EN EL SEM

Medicina

Integrar los resultados de la evaluación con los principios de epidemiología y fisiopatología para emitir una impresión inicial e implementar un plan integral de tratamiento/disposición para un paciente con una afección médica.

Hematología

Anatomía, fisiología, fisiopatología, evaluación y tratamiento de

- Crisis drepanocítica.. (pp. 1416-1418)
- Trastornos de la coagulación (pp. 1408-1413)

Anatomía, fisiología, epidemiología, fisiopatología, impacto psicosocial, presentaciones, pronóstico y manejo de enfermedades hematológicas comunes o importantes o emergencias.

- Crisis drepanocítica. (pp. 1416-1418)
- Complicaciones de las transfusiones sanguíneas. (pp. 1424-1426)
- Trastornos hemostáticos. (pp. 1408-1413)
- Linfomas. (pp. 1421-1422)
- Trastornos de los glóbulos rojos. (pp. 1418-1419, 1422-1424)
- Trastornos de los glóbulos blancos. (pp. 1419-1422, 1424)
- Coagulopatías. (pp. 1412, 1423)

OBJETIVOS COGNITIVOS

1. Discutir la composición y las funciones de los componentes esenciales de la sangre. (p. 1408)
2. Resumir el papel de los glóbulos blancos en el proceso inflamatorio normal. (pp. 1410-1411)
3. Definir la hemostasia y los mecanismos esenciales para su mantenimiento en el organismo. (pp. 1411-1412)
4. Esbozar los pasos en la evaluación primaria y el manejo de un paciente con un trastorno hematológico. (p. 1414)
5. Resumir los cuidados generales de emergencia para un paciente con un trastorno hematológico. (p. 1416)
6. Describir la fisiopatología, la evaluación y el tratamiento de la anemia falciforme. (pp. 1416-1418)
7. Describir tres tipos de crisis drepanocítica. (pp. 1416-1417)
8. Resumir la fisiopatología, evaluación y tratamiento de otras enfermedades y afecciones comunes de la sangre, incluyendo anemia, leucopenia, trombocitopenia, leucemia, linfomas, policitemia, coagulación intravascular diseminada, hemofilia y mieloma múltiple. (pp. 1418-1424)
9. Discutir las causas, síntomas, evaluación y tratamiento de las complicaciones de las transfusiones sanguíneas. (pp. 1424-1426)

OBJETIVOS DE DESTREZA

No hay objetivos de destreza para este capítulo.

Introducción

La **hematología** es, por definición, simplemente el estudio de la sangre; sin embargo, no solo se ocupa de la sangre, sino también de cómo sus componentes intervienen en la salud y la enfermedad. Estos componentes incluyen a los eritrocitos o glóbulos rojos (GR), los leucocitos o glóbulos blancos (GB), las plaquetas y otras proteínas implicadas en las cascadas de sangrado y coagulación, así como el **sistema hematopoyético**, es decir, los órganos y tejidos implicados en la producción de componentes sanguíneos (principalmente médula ósea, bazo y ganglios linfáticos). El personal de los servicios de emergencias médicas (SEM) rara vez responde a una nueva aparición de emergencias hematológicas. En cambio, la mayoría de las llamadas implican una exacerbación de problemas existentes.

El término general **trastorno hematológico** se refiere a cualquier anomalía de la sangre. Dentro de esta categoría general, los **trastornos hemolíticos** se refieren a procesos patológicos que causan la descomposición de los GR, y los **trastornos hemostáticos** se refieren a anomalías hemorrágicas y de coagulación. Estos trastornos pueden ser complejos, difíciles de evaluar y complicados de tratar en el ámbito prehospitalario.

Como paramédico, debe comprender el sistema hematopoyético y los trastornos hematológicos y saber cómo responder de manera adecuada a este tipo de emergencias. Aunque es posible que solo pueda realizar intervenciones limitadas sobre el terreno en pacientes con trastornos hematológicos, es posible que sus acciones no solo ofrezcan apoyo, sino que salven la vida del paciente.

Repaso de anatomía y fisiología

Sangre y plasma

La sangre es un tejido conjuntivo. Se compone de células y fragmentos celulares suspendidos en **plasma**, la porción líquida de la sangre. En el cuerpo adulto, la sangre representa alrededor de 8% del peso corporal total, y el volumen total de sangre oscila entre 5 y 6 L para un adulto de peso medio. Las principales funciones de la sangre son las siguientes:

- Suministrar oxígeno y nutrientes a las células.
- Transportar dióxido de carbono y desechos nitrogenados de los tejidos a los pulmones y los riñones, donde los desechos pueden eliminarse del organismo.
- Transportar las hormonas desde las glándulas endocrinas hasta los tejidos diana.
- Regular la temperatura corporal.
- Regular el pH a través de los componentes amortiguadores de la sangre.
- Mantener el equilibrio de líquidos y electrólitos a través del sodio y las proteínas plasmáticas.
- Regular el sistema inmunitario mediante la acción de los GB y los anticuerpos.
- Formar coágulos por la acción de las plaquetas.

La sangre consta de dos componentes principales: el plasma y los elementos formes (células). El plasma está formado por 92% de agua y 8% restante por diversos solutos, como proteínas, electrólitos, factores de coagulación y glucosa. El plasma representa 55% del volumen total de la sangre, y los elementos formes el restante 45%. Los elementos formes incluyen los GR, también llamados **eritrocitos**; los GB, también llamados **leucocitos**, y las plaquetas, también llamadas **trombocitos**. La mayoría de estos elementos (99%) son GR, **FIGURA 21-1**.

La **FIGURA 21-2** muestra el desarrollo de las células del sistema hematológico. La producción de GR ocurre dentro de las **células madre**, o células que se desarrollan en otros tipos de células del cuerpo; esta producción es estimulada por la eritropoyetina, una proteína secretada por los riñones en respuesta a la necesidad circulatoria. Los GR pueden tardar hasta 5 días en madurar y tienen una vida media de 120 días. Dentro de los GR, la **hemoglobina** rica en hierro se

USTED es el Paramédico

PARTE 1

Su unidad es enviada a un domicilio particular por un problema "médico general". El despachador le informa de que el paciente es un hombre de 73 años con antecedentes de leucemia que se encuentra "mal". Cuando usted llega al lugar, encuentra a un hombre que parece frágil. Los familiares confirman que al paciente se le diagnosticó leucemia hace años. Un familiar afirma que el paciente tiene fiebre (39 °C [102 °F]) y siente dolor en todo el cuerpo. Usted observa hematomas en los brazos del paciente.

1. ¿Por qué es importante la fiebre en este paciente?
2. ¿Qué necesita saber sobre el estado de este paciente?

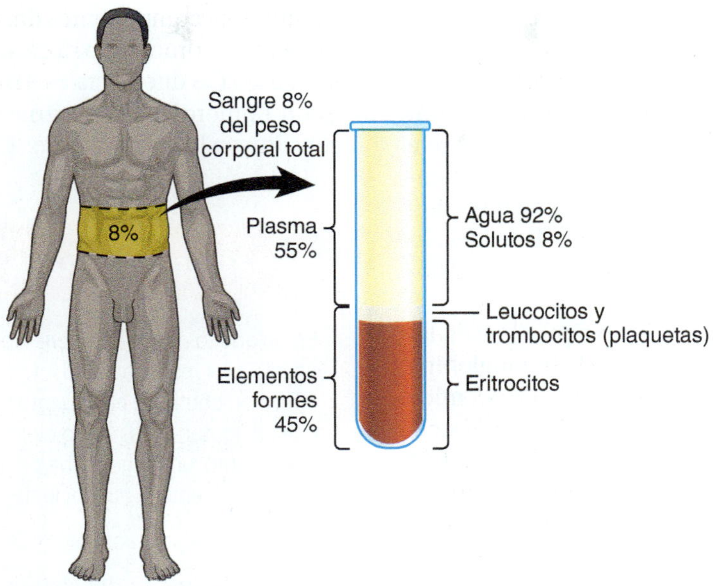

FIGURA 21-1 Componentes de una muestra de sangre centrifugada.

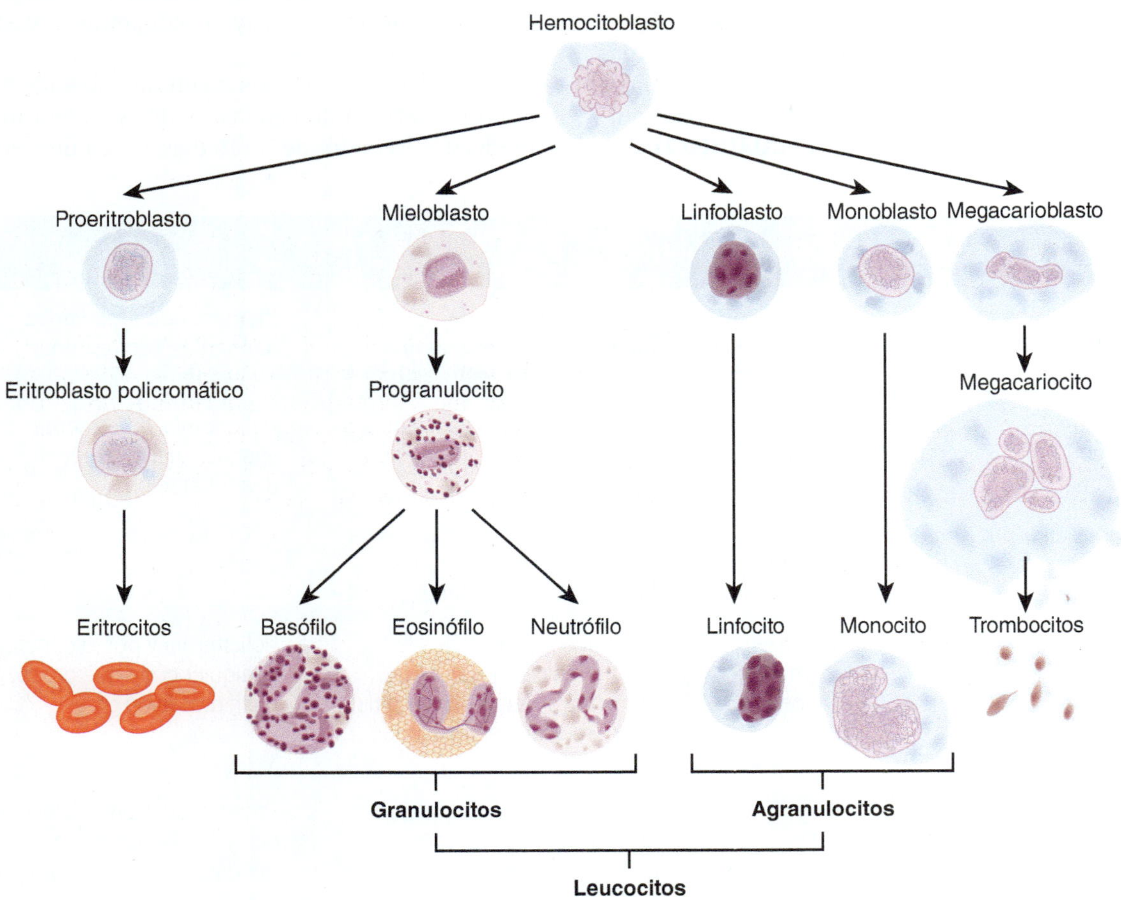

FIGURA 21-2 Desarrollo de las células del sistema hematológico.

encarga de transportar oxígeno a los tejidos. El oxígeno unido a la hemoglobina da a la sangre su color rojo característico, aunque muchos otros factores pueden cambiar el color de la sangre (p. ej., la intoxicación por monóxido de carbono cambia el color de la sangre a rojo brillante). Cuando los GR ricos en oxígeno se encuentran en un entorno con una mayor concentración de dióxido de carbono (y, por lo tanto, más ácido), liberan el oxígeno que contienen. Este fenómeno fisiológico se denomina efecto Bohr.

En la sangre se suelen realizar tres pruebas de laboratorio: el recuento de GR, el nivel de hemoglobina y la medición del hematocrito. El recuento de GR mide el número de GR en una muestra de sangre, mientras que el nivel de hemoglobina identifica la cantidad de hemoglobina que contienen los GR. La medición del **hematocrito** identifica la proporción global de GR en la sangre. Se considera que la sangre del paciente está equilibrada (aunque las cifras sean demasiado altas o bajas) si el nivel de hemoglobina es un tercio del valor del hematocrito y el recuento de GR es un tercio del nivel de hemoglobina. En el **CUADRO 21-1** se describen estas pruebas con más detalle.

Los GB, de mayor tamaño que los GR, proporcionan al organismo inmunidad contra los "invasores extraños". De la misma forma que los GR, derivan de células madre. Existen varios tipos de GB, cada uno de los cuales realiza una tarea específica en relación con el mantenimiento del sistema inmunitario; en el **CUADRO 21-2** se resumen los componentes del recuento y diferencial de GB. Algunos procesos patológicos también son específicos de los GB diferenciales. Por ejemplo, la **neutropenia** es un número anormalmente bajo de neutrófilos, que constituyen la mayoría de los GB circulantes.

Perlas de sabiduría

En un adulto normal, el recuento de GB aumenta en un inicio en respuesta a la infección. A medida que la infección continúa, el recuento de GB puede disminuir, ya que se agotan más rápido de lo que pueden regenerarse. Por lo tanto, un recuento bajo de GB no indica necesariamente la ausencia de infección.

Las respuestas del sistema inmunológico pueden clasificarse en inmunidad humoral e inmunidad mediada por células. La *inmunidad humoral* se refiere a la secreción de anticuerpos llamados inmunoglobulinas, que reconocen un antígeno específico. En la *inmunidad mediada por células*, los macrófagos y las células T atacan y destruyen patógenos o sustancias extrañas.

Las plaquetas son los elementos formes más pequeños. Derivan de células madre y tienen una vida media de alrededor de 7 a 10 días. Cerca de dos tercios

CUADRO 21-1 Recuento de GR y plaquetas

Nombre	Valores normales[a]	Ejemplos de afecciones asociadas con lecturas bajas	Ejemplos de afecciones asociadas con lecturas elevadas
Recuento de GR ($\times 10^6$/mcl)	4.5-6 en adultos; 3.3-5.5 en niños	Anemia, hemorragias, algunas leucemias, sobrehidratación, infecciones crónicas	Policitemia, enfermedad cardiovascular, hemoconcentración, deshidratación
Hemoglobina (g/dl)	12-16 en mujeres; 14-18 en hombres; 10.7-17.1 en niños	Anemia, hipertiroidismo, enfermedad hepática, hemorragia, reacciones hemolíticas	EPOC, IC, policitemia, mal de altura
Hematocrito (%)	35-45 en mujeres; 40-50 en hombres; 32-55 en niños	Igual que para los GR y la hemoglobina, incluyendo leucemia, lupus, endocarditis, fiebre reumática, trastornos nutricionales	Policitemia y por lo general cualquier cosa que produzca deshidratación grave
Trombocitos (plaquetas)	150000-400000 células/mcl	Trombocitopenia, algunos cánceres, ciertas leucemias, anemia falciforme, lupus eritematoso sistémico	Embolia pulmonar, policitemia, hemorragia aguda, cáncer metastásico, estrés quirúrgico

Abreviaturas: EPOC, enfermedad pulmonar obstructiva crónica; IC, insuficiencia cardíaca; GR, glóbulos rojos.

[a] Los intervalos normales proporcionados no pretenden ser definitivos. Cada laboratorio determina sus propios valores, y los intervalos normales dependen del método.

CUADRO 21-2 Recuento y diferencial de GB

Nombre	Valores normales[a]	Ejemplos de afecciones asociadas con lecturas bajas	Ejemplos de afecciones asociadas con lecturas elevadas
Recuento de GB	4 500-10 000 células/mm^3 en adultos; 4 500-15 500 células/mm^3 en niños; 9 400-34 000 células/mm^3 en lactantes	Infecciones virales, enfermedades o trastornos de la médula ósea, leucemia, radiación, SIDA en fase avanzada	Infecciones virales y bacterianas, hemorragias, lesiones tisulares traumáticas, leucemia, tabaquismo
Neutrófilos (segmentados y no segmentados)	50-60%;[b], 2 500-8 000 células/mm^3	Leucemia, infecciones, artritis reumatoide, vitamina B_{12} deficiencia, bazo agrandado	Infecciones bacterianas, descomposición tisular, reacciones hemolíticas, tumores, IM, estrés quirúrgico, cáncer
Basófilos (también conocidos como mastocitos)	0.5-1%;[a] 25-100 células/mm^3	Reacciones alérgicas, hipertiroidismo, IM, úlceras sangrantes, estrés	Ciertas leucemias, inflamaciones, alergia, policitemia, anemia hemolítica
Eosinófilos	1-4%;[a] 50-500 células/mm^3	Mononucleosis, IC, enfermedad de Cushing	Enfermedad de Addison, tumores, infecciones cutáneas, alergias
Linfocitos	20-40%;[a] 1 000-4 000 células/mm^3	Enfermedad de Hodgkin, quemaduras, traumatismos, lupus, enfermedad de Cushing, estados de inmunodeficiencia	Numerosas infecciones bacterianas y virales, hepatitis, leucemia, toxoplasmosis, enfermedad de Graves
Monocitos	2-6%;[a] 100-700 células/mm^3	Uso de corticoesteroides, infecciones, artritis reumatoide, VIH	Numerosas infecciones bacterianas y parasitarias, recuperación de infecciones agudas, tuberculosis, trastornos hematológicos

Abreviaturas: SIDA, síndrome de inmunodeficiencia adquirida; IC, insuficiencia cardíaca; VIH, virus de la inmunodeficiencia humana; IM, infarto del miocardio; TB, tuberculosis; GB, glóbulos blancos.

[a] Los intervalos normales proporcionados no pretenden ser definitivos. Cada laboratorio determina sus propios valores, y los intervalos normales dependen del método.

[b] Porcentaje del recuento total de GB. Ejemplo: si el recuento de GB es de 5 000, los neutrófilos deben representar entre 2 500 y 3 000 de este recuento.

Perlas de sabiduría

El ciclo vital de un GB comienza cuando la médula ósea libera unas células denominadas granulocitos. Los granulocitos permanecen en la circulación entre 6 y 12 horas. Si estas células viajan a los tejidos, viven unos días más. Al final de su vida, los GB son reciclados por el **sistema reticuloendotelial**, al igual que los GR.

de las plaquetas circulan por la sangre; el resto se almacena en el bazo.

Las plaquetas son responsables de la coagulación de la sangre. Estas células forman el tapón inicial después de una lesión vascular; a continuación, las proteínas coagulantes endurecen y completan el coágulo sanguíneo. Sin plaquetas, nuestro organismo no podría detener las hemorragias. Sin embargo, las plaquetas pueden ser demasiado buenas: afecciones como la **trombocitosis**, en la que el organismo produce demasiadas plaquetas, pueden provocar otros trastornos médicos peligrosos, como la coagulación o coagulación de la sangre en el interior de un vaso sanguíneo, denominada **trombosis**.

La **hemostasia** es un proceso muy complejo que permite al organismo detener las hemorragias mediante el espasmo vascular, la coagulación y el taponamiento plaquetario. Lo contrario de la hemostasia es la hemorragia.

Los propios coágulos están formados por fibrina. Cuando se detecta una lesión, la trombina convierte el fibrinógeno en fibrina y comienza el proceso de coagulación. El calcio actúa como aglutinante, manteniendo unidas las fibras de fibrina para formar la malla del coágulo.

La **cascada de la coagulación** –es decir, el proceso mediante el cual los factores de coagulación trabajan en conjunto para formar fibrina, también denominada cascada de la coagulación– puede iniciarse a través de una vía intrínseca o extrínseca, **FIGURA 21-3**. Cualquier proceso que interfiera con la activación o continuación de la cascada de coagulación o la hemostasia se conoce como **coagulopatía**. Las coagulopatías pueden provocar hemorragias intensas o prolongadas. Uno de estos trastornos hemorrágicos es la **enfermedad de von Willebrand**, en la que disminuye la capacidad de coagulación de la sangre debido a la ausencia de una proteína clave, el factor de von Willebrand, necesaria para la adhesión de las plaquetas.

Perlas de sabiduría

Los "rompe coágulos" o anticoagulantes –tratamiento fibrinolítico administrado en casos de infarto agudo de miocardio y accidente vascular cerebral isquémico agudo– activan el sistema fibrinolítico del organismo, lo que provoca la descomposición del coágulo (también conocida como lisis). Este tratamiento debe vigilarse de cerca en pacientes con trastornos hematológicos, ya que los anticoagulantes pueden provocar hemorragias excesivas en estas personas.

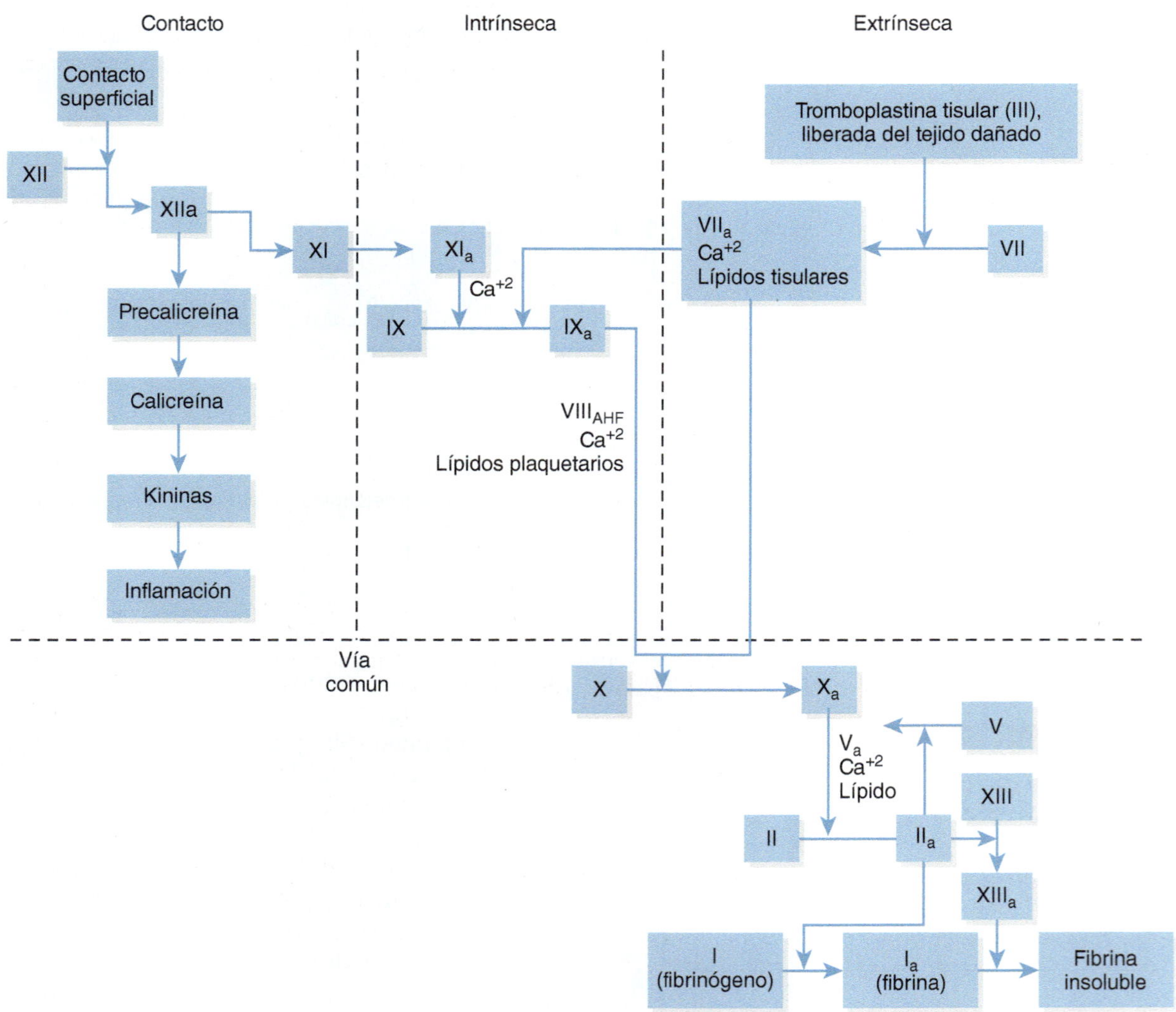

FIGURA 21-3 La cascada de la coagulación.

Órganos hematopoyéticos y producción de GR

Aunque muchas partes y órganos del cuerpo humano pueden alterar o afectar al sistema hematológico, los principales son la médula ósea, el hígado y el bazo, **FIGURA 21-4**.

La médula ósea es el principal lugar de producción celular del cuerpo humano. Se encuentra en la mayoría de los huesos largos, además de la pelvis, el cráneo y las vértebras.

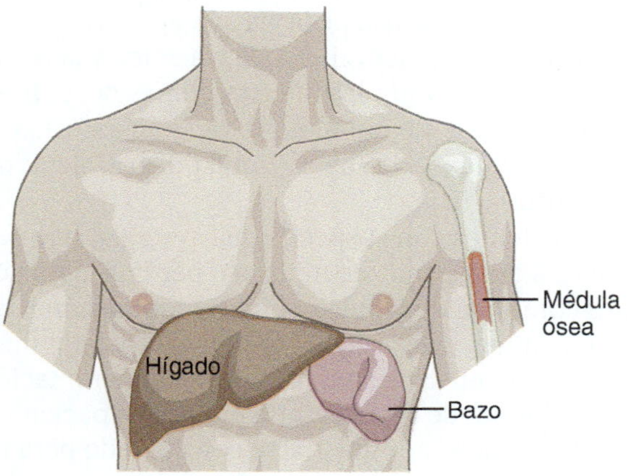

FIGURA 21-4 La médula ósea, el hígado y el bazo son fundamentales para producir y regular la sangre y sus componentes.

El hígado produce los **factores de coagulación** de la sangre. Este órgano filtra la sangre, elimina toxinas y es esencial para el metabolismo normal y la homeostasis. Cuando los GR viejos entran en el hígado, se descomponen en bilis. El hígado es un órgano altamente vascularizado que también almacena sangre.

Al igual que el hígado, el bazo es bastante vascularizado. Interviene en la filtración y descomposición de los GR, ayuda en la producción de linfocitos y desempeña un papel vital en la homeostasis y el control de las infecciones. El bazo almacena alrededor de un tercio de las plaquetas. Si se extirpa el bazo, las plaquetas formadas a partir de ese momento permanecen en la sangre durante toda su vida.

Evaluación del paciente

Un paciente con sospecha de tener un trastorno hematológico debe ser evaluado de la misma manera que cualquier otro paciente, con algunos elementos adicionales para tener en cuenta y preguntas a formular. Durante el reconocimiento primario, anote cualquier signo o síntoma que pueda poner en peligro la vida del paciente de forma inmediata. Un sangrado inusual o una hemorragia no controlada pueden indicar una patología subyacente. Uno de los principales objetivos de la anamnesis y de la evaluación secundaria es comprender de forma clara y exhaustiva el motivo principal de consulta, para lo cual es necesario formular preguntas exhaustivas y pertinentes sobre el historial

USTED es el Paramédico

PARTE 2

Usted comienza a evaluar al paciente mientras su compañero obtiene más información de la familia. El paciente está alerta y coopera con sus preguntas. Le pregunta qué está sintiendo en este momento. El paciente afirma: "me duelen los huesos y no me encuentro bien". El paciente también le dice que toma quimioterapia y que su tratamiento más reciente fue hace 4 días. Usted observa numerosos pañuelos faciales usados que parecen tener sangre.

Tiempo de registro:	0 minutos
Apariencia	Despierta, frágil
Nivel de conciencia	Alerta y orientado
Vía aérea	Abierta
Respiración	Adecuada
Circulación	Adecuada

3. ¿Qué signos o síntomas presenta el paciente que podrían indicar trombocitopenia?
4. ¿Cómo se presenta por lo general un paciente con leucemia?

SAMPLE, signos y síntomas, alergias, medicamentos, antecedentes médicos pertinentes, última ingesta oral, acontecimientos que condujeron a la enfermedad o lesión del paciente y hacer un seguimiento de las respuestas a estas preguntas. Debido a que algunos pacientes con un trastorno sanguíneo pueden no estar dispuestos a revelar sus condiciones por temor a ser tratados de manera diferente a las personas sin el trastorno, es esencial un enfoque sin prejuicios.

Inteligencia en la calle

Pregunte a los pacientes con hematomas múltiples sobre la posibilidad de trastornos hemorrágicos o el uso de medicamentos anticoagulantes.

Evaluación de la escena

Como siempre, hay que asegurarse de que el lugar es seguro para entrar, tener en cuenta el mecanismo de la lesión, determinar el número de pacientes y evaluar los peligros y la necesidad de ayuda adicional. Las precauciones estándar deben consistir, como mínimo, en guantes, mascarilla y protección ocular. Recuerde que debe evaluar cada situación rápido y asegurarse de que tiene a mano el equipo de protección personal necesario.

Evaluación primaria

Realice una estabilización de la columna cervical, si es necesario. No descarte una queja de dolor de la columna vertebral por considerarla insignificante, ya que podría ser una manifestación del estado de enfermedad actual del paciente. Por ejemplo, aunque una persona tenga antecedentes de **anemia falciforme**, es posible que esa enfermedad no esté causando el problema actual; un traumatismo u otro tipo de emergencia médica pueden ser la causa real del dolor del paciente. Por este motivo, siempre debe realizar un reconocimiento primario minucioso y cuidadoso, prestando atención a la evaluación de las ABCDE (vía aérea, respiración, circulación, discapacidad y exposición), y corregir de inmediato cualquier problema que ponga en peligro la vida.

Realice una exploración rápida de todo el cuerpo del paciente para formarse una primera impresión general. ¿Qué aspecto tiene el paciente? ¿Parece ansioso, inquieto o apático? ¿Está apático o irritable? Determine el nivel de consciencia del paciente.

Mientras se forma su impresión general, evalúe la vía aérea y la respiración del paciente. Los pacientes que muestren signos de respiración inadecuada o alteración del estado mental deben recibir la oxigenoterapia adecuada. Dependiendo de la gravedad del estado del paciente, esto puede llevarse a cabo con una cánula nasal, una mascarilla sin reinhalación o incluso ventilación asistida con un dispositivo de bolsa-mascarilla, según sea necesario. Si necesita proporcionar soporte adicional a la vía aérea con aspiración o uso de dispositivos para el manejo básico y avanzado de la vía aérea, tenga en cuenta que incluso un traumatismo menor infligido durante estos procedimientos puede provocar hemorragia en la vía aérea y aumentar el riesgo de compromiso de la vía aérea.

Una vez que haya evaluado la vía aérea y la respiración y haya realizado las intervenciones necesarias, compruebe el estado circulatorio del paciente. Compruebe si hay signos de shock, como pulso acelerado y presión arterial baja.

En pacientes con sospecha de **hemofilia**, hay que estar alerta ante signos de hipoxia o pérdida aguda de sangre como palidez, pulso débil e hipotensión. Observe cualquier hemorragia nasal, esputo sanguinolento y sangre en la orina o las heces. La reanimación con líquidos puede ser necesaria para estos pacientes; sin embargo, debe administrarse con cuidado para no "lavar" los coágulos que se están formando.

Si detecta alguna enfermedad potencialmente mortal, tome medidas inmediatas para tratarla y trasládelo de manera urgente a un centro de atención debidamente equipado. La decisión de trasladar rápido al paciente dependerá de la gravedad de su estado y de sus deseos. Siempre debe recomendarse el traslado al centro más cercano y adecuado para cualquier paciente con una **crisis drepanocítica** o una hemorragia incontrolada.

Historia clínica

Es posible que tenga que hacer muchas preguntas sobre los antecedentes del paciente para comprender por completo su afección principal en la actualidad. Cuando obtenga los antecedentes del paciente, tenga en cuenta que los trastornos hematológicos pueden presentar múltiples síntomas que a primera vista no parecen estar relacionados, como neumonía en un paciente con anemia falciforme o dolor abdominal en un paciente con **policitemia**. Debe unir estas piezas para obtener una imagen completa del paciente.

Durante la anamnesis, busque cambios en el nivel de consciencia y síntomas como vértigo, sensación de fatiga y episodios de síncope. ¿El paciente ha presentado disnea, dolor torácico, cambios en la frecuencia y el ritmo del pulso o tos con sangre? ¿Ha experimentado alteraciones visuales, dolor muscular o rigidez? ¿Estas molestias están relacionadas con un proceso más extenso de la enfermedad, o son solo molestias múltiples no relacionadas? Si el paciente refiere dolor, averigüe si el dolor está aislado en un solo lugar o si se siente en todo el cuerpo.

¿El paciente ha tenido episodios de hemorragias inesperadas, importantes o recurrentes? En caso afirmativo, ¿cuál ha sido el origen? ¿Con qué frecuencia se ha producido? ¿El paciente ha experimentado cambios en la piel, como cambios de color, ardor o picor? Pregunte si sangra por la nariz, las encías o la boca. ¿Problemas con el sistema genitourinario (p. ej., sangrado menstrual excesivo, color inusual de la orina)? ¿El paciente presenta algún problema gastrointestinal (p. ej., problemas hepáticos, gastritis, úlceras, heces alquitranadas, hemorragia hemorroidal, calambres abdominales)?

Documentación y comunicación

Muchos medicamentos antiinflamatorios (p. ej., aspirina e ibuprofeno) y algunos productos herbales (p. ej., ginkgo, ajo, jengibre, ginseng y matricaria) disminuyen la agregación plaquetaria. Aunque este efecto puede ser beneficioso (como en la prevención del infarto del miocardio y el evento vascular cerebral), estos medicamentos también pueden aumentar la tendencia al sangrado. Pregunte siempre a los pacientes por los medicamentos que toman, incluidos los de venta libre y los que son a base de plantas.

Evaluación secundaria

La evaluación secundaria puede realizarse en el lugar de los hechos, de camino al departamento de emergencias (DE) o no realizarse en absoluto. La decisión de realizar esta evaluación dependerá del tiempo de transporte y del estado del paciente.

Cuando trate a un paciente con un trastorno sanguíneo conocido o sospechado, deberá realizar un examen físico y reconocer algunos de los hallazgos comunes asociados con los trastornos sanguíneos, **CUADRO 21-3**. Obtenga los signos vitales basales del paciente, incluidos los ruidos pulmonares y el nivel de saturación de oxígeno. Tenga en cuenta que la lectura de saturación de oxígeno que obtenga puede ser inexacta en un paciente con un trastorno hematológico.

CUADRO 21-3 Hallazgos comunes con trastornos sanguíneos

Sistema	Ejemplos de conclusiones comunes
Nivel de conciencia	Las alteraciones pueden ir desde excitabilidad, agitación y combatividad hasta la falta de respuesta.
Piel	Hemorragias incontroladas, fácil aparición de hematomas, petequias, picor, palidez, ictericia (el aspecto amarillo suele indicar problemas hepáticos), úlceras en las piernas (pueden observarse en la anemia falciforme).
Cabeza y cuello	Epistaxis (sangrado nasal), sangrado de las encías, visión borrosa, diplopía (visión doble), pérdida total o parcial de la visión, visión de manchas negras o grises, hemorragia retiniana, vértigo, acúfenos.
Tórax	Disnea, taquicardia, palpitaciones, dolor torácico, hemoptisis (tos con sangre), sensibilidad esternal (puede observarse con leucemia, mieloma o linfoma).
Espalda y extremidades	Rigidez o dolor articular u óseo crónico, edema.
Gastrointestinal	Úlceras, melena (sangre en las heces), insuficiencia hepática (causa ictericia), dolor abdominal.
Genitourinario	Hematuria, menorragia, infecciones crónicas o recurrentes.

Reevaluación

Reevalúe al paciente con frecuencia para identificar cualquier cambio en su estado. Por ejemplo, ¿ha cambiado el estado mental del paciente? ¿Sigue intacto el ABC? ¿Cómo está respondiendo el paciente a las intervenciones realizadas? ¿Debería ajustar o cambiar esas intervenciones? En muchos pacientes, observará una notable mejoría con el tratamiento adecuado.

La comunicación con el personal del hospital es esencial para garantizar la continuidad de los cuidados. El personal del hospital debe estar informado de los antecedentes del paciente, la situación actual, los resultados de la evaluación y las intervenciones y sus resultados.

Documente con cuidado los resultados de su evaluación, los tratamientos administrados y la respuesta del paciente, la hora de las intervenciones y cualquier cambio en el estado del paciente. Siga los protocolos locales para los pacientes que rechacen el tratamiento o el transporte.

Asistencia médica de emergencia

La atención médica de emergencia para cualquier paciente con problemas relacionados con un trastorno sanguíneo debe incluir las siguientes medidas:

- **Oxígeno.** La cantidad necesaria y la forma de administrarlo (es decir, mediante cánula nasal, mascarilla sin reinhalación o dispositivo bolsa-mascarilla) dependen de la gravedad del estado del paciente y de su situación respiratoria.
- **Líquidos.** Inicie la administración de líquidos intravenosos (IV) según lo indicado para el trastorno específico o la afección principal.
- **Electrocardiograma (EKG).** Controle y trate las alteraciones sintomáticas del ritmo cardíaco según sea necesario.
- **Transporte.** Traslade al paciente al centro más cercano y adecuado.
- **Confort.** Coloque al paciente en una posición cómoda y cúbralo con una manta para mantener la temperatura corporal.
- **Farmacología.** El tratamiento del dolor con frecuencia es necesario, en especial en una crisis drepanocítica.
- **Apoyo psicológico.** Apoye al paciente y establezca una comunicación terapéutica con él.

Inteligencia en la calle

Recuerde que debe tratar al paciente, no a la herramienta de diagnóstico. Las lecturas del pulsioxímetro pueden ser inexactas en presencia de trastornos hematológicos.

Fisiopatología, evaluación y tratamiento de emergencias específicas

Los pasos generales de la atención médica de emergencia se aplican a todos los pacientes con una emergencia relacionada con un trastorno hematológico. En función del trastorno hematológico concreto, deberá afinar la evaluación y el tratamiento del paciente, como se explica en las secciones siguientes. Aunque los trastornos hematológicos no son las afecciones más comunes con las que se encuentran los paramédicos, pueden ser graves y a menudo ponen en peligro la vida del paciente.

Crisis drepanocítica

Fisiopatología

La drepanocitosis es el trastorno sanguíneo hereditario más frecuente. Aunque afecta principalmente a poblaciones afroamericanas, puertorriqueñas y europeas, puede darse en cualquier persona. En 2016, alrededor de 100 000 personas en Estados Unidos tenían anemia falciforme.[1] La mortalidad a edades tempranas es común con esta afección, la esperanza de vida media es de 42 años para los hombres con anemia falciforme y de 48 años para las mujeres con este trastorno.[2]

La anemia falciforme comienza con un defecto genético de la hemoglobina de tipo adulto (HbA). Esta mutación puede heredarse de ambos progenitores (HbSS) o de uno solo (HbS). Cuando el gen se hereda de ambos progenitores, existe una alta probabili0dad de que su descendencia sea susceptible a la drepanocitosis (es decir, la persona en realidad puede tener la enfermedad) o al rasgo drepanocítico (es decir, la persona es portadora de la mutación).

Los GR defectuosos tienen forma oblonga en lugar de redonda y lisa, **FIGURA 21-5**. Esta forma hace que los GR sean malos transportadores de oxígeno, lo que significa que un paciente con esta enfermedad es muy susceptible a la hipoxia. Debido a que las células falciformes también tienen una vida mucho más corta que los GR normales, el paciente es más susceptible de desarrollar **anemia**.

La anemia falciforme puede provocar una **crisis aplásica** o una **crisis hemolítica**. En una crisis aplásica, el organismo interrumpe de manera temporal la producción de GR, lo que hace que el paciente se canse con facilidad, se vuelva anémico, pálido y le falte el aire. En cambio, una crisis hemolítica surge cuando la destrucción aguda de GR provoca ictericia. En ambos casos, el paciente puede presentar anemia, **leucocitosis** y fiebre de evolución rápida. La forma extraña de los GR también puede hacer que estas células se alojen en pequeños vasos sanguíneos, provocando trombosis. Una crisis drepanocítica puede manifestarse de varias maneras:

- La **crisis vaso oclusiva** se produce cuando el flujo sanguíneo a un órgano se restringe, provocando dolor, isquemia y, a menudo, daños en el órgano. La mayoría de las crisis vaso oclusivas

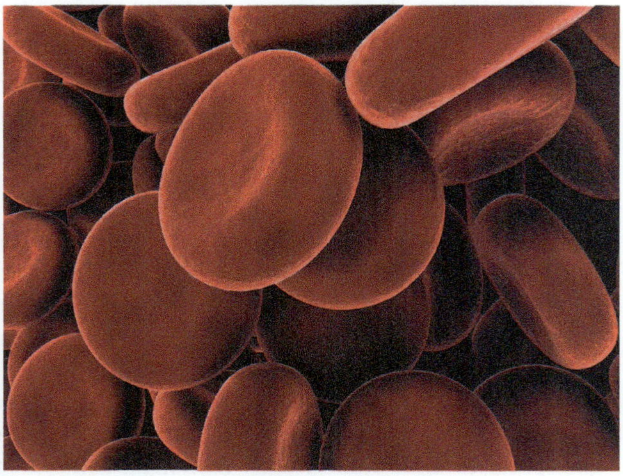

A

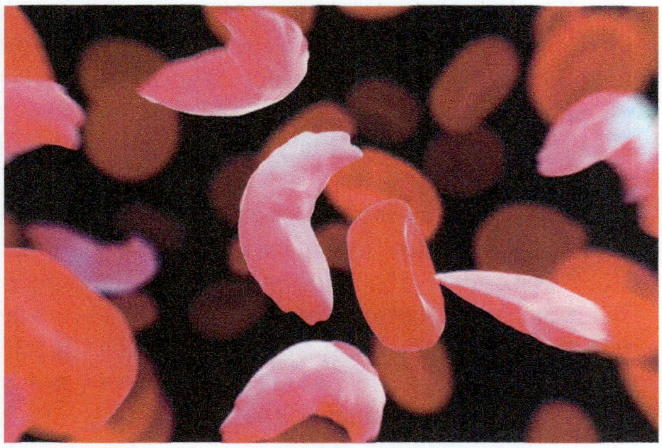

B

FIGURA 21-5 **A.** Glóbulos rojos normales. **B.** Glóbulos falciformes.

A: © SciePro/Shutterstock; **B:** © Science Picture Co/Science Source.

duran entre 5 y 7 días. Con frecuencia, la circulación hacia el bazo se obstruye debido a la estrechez de los vasos de este órgano y a su función de eliminación de GR dañados. El bazo puede hincharse hasta el punto de romperse, lo que puede provocar la muerte. La oclusión de los vasos en el cerebro puede provocar un evento vascular cerebral (ictus).

- El **síndrome torácico agudo** es una crisis vaso oclusiva que puede asociarse con neumonía y embolia pulmonar. Considere la posibilidad de un síndrome torácico agudo en pacientes con drepanocitosis acompañado de signos y síntomas como dolor torácico, fiebre y signos y síntomas respiratorios, como tos.
- La **crisis de secuestro esplénico** se refiere a células falciformes que atrapan sangre dentro del bazo, lo que provoca un agrandamiento agudo de este órgano y un abdomen duro, hinchado y doloroso. Esta afección suele presentarse en lactantes y niños pequeños y puede ir acompañada de náusea, vómito, letargo o irritabilidad. El **síndrome de secuestro esplénico agudo** es una complicación potencialmente mortal en la que los GR quedan atrapados en el bazo, lo que provoca una disminución drástica de la cantidad de hemoglobina disponible en la circulación. Los pacientes no solo presentan dolor abdominal, sino también debilidad repentina, palidez, taquipnea y taquicardia. El síndrome de secuestro esplénico agudo puede evolucionar con rapidez a shock.

Evaluación

No tome a la ligera la llamada de una persona con una crisis drepanocítica. Estos pacientes suelen presentar crisis potencialmente mortales, caracterizadas por dificultad respiratoria y signos de neumonía. Su piel puede estar ictérica y mostrar signos de perfusión inadecuada, acompañados de hipotensión. La coloración amarillenta de los ojos (esclerótica ictérica) puede ser evidente. También suelen presentarse signos de deshidratación leve y muchas otras afectaciones.

> **Perlas de sabiduría**
>
> El tratamiento de un paciente con una crisis drepanocítica se centra en una oxigenación adecuada, la administración de líquidos y el alivio del dolor.

En las crisis agudas, los pacientes pueden presentar un dolor importante derivado de la congestión de los vasos sanguíneos que no permite el paso de oxígeno y nutrientes a sus tejidos y articulaciones. Algunos pueden referir afectación multisistémica, como dolor torácico, abdominal y de tipo artrítico, mientras que otros solo refieren fatiga o dolor junto con fiebre. Los pacientes pediátricos suelen presentar dolor inicial en manos y pies, mientras que los adultos refieren dolor de espalda y en las extremidades proximales.

Manejo

Puede ser difícil distinguir una crisis drepanocítica de otras causas inespecíficas de dolor. En estas situaciones, realice una evaluación exhaustiva y solicite orientación médica para ayudar a clasificar los signos y síntomas del paciente, resuelva la situación y obtenga orientación sobre los cuidados del paciente.

Coloque al paciente en una posición cómoda y cúbralo con una manta para mantener la temperatura corporal. Es esencial mantener la temperatura corporal del paciente; el frío puede contribuir a la deformación falciforme de las células, mientras que las compresas calientes pueden reducir la probabilidad de que se produzca más deformación falciforme.

Debe administrarse oxígeno suplementario mediante una mascarilla de no reinhalación para intentar saturar la hemoglobina restante y aumentar el nivel de perfusión que ha disminuido por las células falciformes. Se debe proporcionar ventilación si las respiraciones del paciente son insuficientes. También puede ser necesario administrar fluidoterapia IV para contrarrestar la deshidratación del paciente y eliminar los GR dañados de los órganos y tejidos periféricos. Administre óxido nitroso u otros analgésicos para el dolor según lo permita su protocolo local. Muchos pacientes han vivido con su enfermedad durante mucho tiempo y, por lo tanto, pueden tener un umbral de dolor muy alto. Como consecuencia, a menudo requieren un mayor nivel de analgesia debido a la tolerancia desarrollada. Recomiende al paciente que descanse todo lo posible durante el transporte.

Una vez que el paciente ha llegado al hospital, los cuidados para la anemia falciforme pueden incluir analgésicos adicionales, antibióticos para prevenir infecciones y una transfusión de sangre en función de la gravedad de la crisis.

Anemia

Fisiopatología

La anemia se define como un nivel de hemoglobina o GR inferior al normal. Por lo general, esta afección está asociada con algún tipo de proceso patológico subyacente. La anemia también puede ser consecuencia de una pérdida de sangre aguda o crónica, o de una disminución de la producción o un aumento de la destrucción de eritrocitos. En algunos casos, puede ser el resultado de un trastorno hemolítico preexistente (es decir, un trastorno relacionado con la descomposición de los GR).

La **anemia ferropénica** es el tipo más común de anemia. Las causas típicas son la pérdida de sangre gastrointestinal, las hemorragias menstruales (la causa más frecuente en las mujeres estadounidenses, que afectan sobre todo a las afroamericanas) y la pérdida de sangre debida a donaciones frecuentes o a pruebas diagnósticas en pacientes hospitalizados durante largos periodos. En los niños, este tipo de anemia suele estar relacionada con el nacimiento prematuro o el bajo peso al nacer.

En ocasiones, la anemia puede ser causada por un trastorno hemolítico hereditario, como la anemia falciforme o la **talasemia**. En estos trastornos, cuando los GR empiezan a desarrollar sus membranas, se vuelven rígidos y deformes. Como consecuencia, los GR pueden atascarse en pequeños vasos sanguíneos y provocar una trombosis (coágulo de sangre).

USTED es el Paramédico

PARTE 3

Su compañero vuelve y le dice que la familia no sabía qué hacer. Se pusieron en contacto con una agencia de asistencia sanitaria a domicilio que ha estado ayudando con los cuidados de apoyo del paciente, y su personal sugirió métodos generales de consuelo para el paciente. El paciente tiene una orden de no resucitar y los documentos muestran que se deben tomar las medidas de apoyo necesarias. A la familia le preocupa que el paciente no responda bien a las "medidas de apoyo" y quiere que se le traslade a la unidad de oncología del Downtown Hospital.

Tiempo de grabación:	5 minutos
Respiraciones	20 respiraciones/min
Pulso	100 latidos/min
Piel	Fresca, pálida y húmeda
Presión arterial	100/60 mm Hg
Saturación de oxígeno (SpO_2)	90% al respirar aire ambiente
Pupilas	Pupilas iguales, redondas y reactivas a la luz (PIRRL)

5. ¿Le preocupan los signos vitales del paciente en este momento?

6. ¿Cuáles son las "medidas de apoyo" para este paciente?

La anemia también puede ser causada por trastornos hematológicos derivados de una deficiencia de una enzima conocida como glucosa-6-fosfato deshidrogenasa. Esta enzima ayuda a proteger los GR durante las infecciones. Cuando los niveles de esta enzima son bajos, las células pueden resultar dañadas. Aunque la deficiencia de glucosa-6-fosfato deshidrogenasa se observa con mayor frecuencia en afroamericanos, puede darse en personas de cualquier raza.

El tipo más común de anemia adquirida se desarrolla cuando se interrumpe el flujo de GR debido a problemas con el revestimiento de los vasos sanguíneos (como aneurismas y debilidades) o coágulos de sangre. En los trastornos autoinmunes, los GR son destruidos por los propios anticuerpos del organismo, que perciben erróneamente las células sanguíneas normales como invasores extraños. Los microorganismos también pueden destruir los GR de la sangre.

La anemia puede tener graves consecuencias para las personas que viajan a zonas de gran altitud. Por ejemplo, la combinación de un menor número de GR y la reducción de la presión parcial de oxígeno en la atmósfera puede provocar hipoxia, dificultad para respirar y dolor torácico.

Evaluación

Los pacientes con anemia refieren sentirse agotados, sin energía o como si hubieran hecho un esfuerzo excesivo. También pueden referir que “no pueden recuperar el aliento”. Debido a su nivel anormalmente bajo de hemoglobina, algunos pueden presentar molestias torácicas de tipo anginoso relacionadas con la disminución del aporte de oxígeno al músculo cardíaco. La reducción de los GR funcionales puede provocar cambios en el color de la piel, de forma que se observan variaciones sutiles al evaluar la conjuntiva de los ojos, el interior de los labios y los pliegues de las palmas de las manos. Estas zonas pueden ser fundamentales para identificar la palidez, en especial en pacientes con piel más oscura. Otras afecciones frecuentes en pacientes con anemia son **leucopenia** (reducción de los GB) y **trombocitopenia** (reducción de las plaquetas); ambas afecciones pueden inducir infecciones más frecuentes, fiebres, hemorragias cutáneas y hemorragias nasales.

Perlas de sabiduría

Cuando se sospechen anomalías de las células sanguíneas, hay que tener en cuenta los siguientes puntos:

- La anemia suele provocar quejas de fatiga, letargo y disnea.
- Los recuentos bajos de GB (leucopenia) suelen provocar infecciones y fiebre.
- Los recuentos bajos de plaquetas (trombocitopenia) suelen causar hemorragias cutáneas (incluidas petequias) y hemorragias de las mucosas (como hemorragias nasales y rectales).

Manejo

Permita que el paciente adopte una posición cómoda mientras revisa de cerca su vía aérea y su respiración. Debido a que el paciente con anemia tiene una capacidad limitada de transporte de oxígeno, administre oxígeno cuando esté indicado para garantizar que los GR presentes estén saturados. Compruebe los signos vitales con frecuencia. Coloque un monitor cardíaco y observe con atención el ritmo si el paciente presenta molestias torácicas; también puede estar justificado un EKG de 12 derivaciones. Puede ser necesario el control de la PA, junto con la terapia de reposición de líquidos. Vigile de cerca a los pacientes durante la reposición de líquidos. Los líquidos IV no contienen GR ni componentes sanguíneos, por lo que pueden inducir hemorragias no deseadas o inesperadas. No se sorprenda si tiene que controlar hemorragias nasales importantes en cualquier paciente con anemia.

Transporte al paciente con anemia al centro más cercano y adecuado. En la mayoría de los casos, el transporte suave es adecuado. Sin embargo, si el paciente experimenta un cambio brusco en su estado mental, desarrolla hipotensión o surgen otros cambios significativos, considere la posibilidad de un transporte rápido.

Perlas de sabiduría

Recuerde que el líquido IV no transporta oxígeno. Considere el uso de vasopresores para aumentar la PA si el paciente no requiere rehidratación y si dicho tratamiento es coherente con sus protocolos locales.

Leucemia

Fisiopatología

La **leucemia** es un cáncer que se desarrolla en el **sistema linfoide** y causa aumento de la producción de células sanguíneas inmaduras o anormales, en

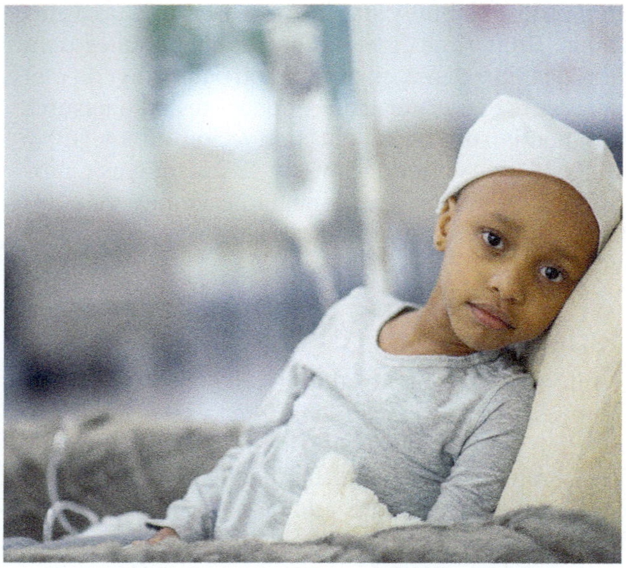

FIGURA 21-6 Las personas con leucemia pueden presentar hemorragias frecuentes, hematomas, infecciones y fiebre.

especial GB. La leucemia puede causar anemia, trombocitopenia (disminución de las plaquetas) y leucocitosis (aumento de los GB). La quimioterapia utilizada para tratar esta enfermedad suele provocar leucopenia (disminución de los GB). Los pacientes con leucemia presentan hemorragias frecuentes, hematomas, infecciones y fiebre, **FIGURA 21-6**.

La leucemia se clasifica como aguda o crónica. En la mayoría de las situaciones, pero en especial en casos crónicos, la enfermedad se desarrolla con mayor frecuencia en adultos mayores (65 años o más). En la leucemia aguda, la médula ósea es sustituida por **linfoblastos** anormales. En la leucemia crónica, las células linfoides maduras anormales se acumulan en la médula ósea, los ganglios linfáticos, el bazo y la sangre periférica. Esta forma de leucemia suele detectarse por casualidad durante análisis de sangre rutinarios; las sospechas surgen cuando los análisis revelan un recuento elevado de linfocitos.

La supervivencia de una persona con leucemia depende de factores como el estadio en el que se detecta la enfermedad, la enfermedad subyacente del paciente y la respuesta al tratamiento. Tanto la leucemia aguda como la crónica se tratan con quimioterapia y radioterapia. En la mayoría de los casos, el tratamiento causa la remisión, en especial cuando la enfermedad se detecta a tiempo. Según el *National Cancer Institute*, los niños menores de 15 años con leucemia linfoblástica aguda tienen una tasa de supervivencia a 5 años superior a 90%.[3]

Evaluación

La evaluación comienza con las precauciones estándar adecuadas, incluidos guantes y mascarilla. La presentación de los pacientes con leucemia depende del estadio de la leucemia y del tratamiento actual del paciente. La mayoría refiere fatiga, dolores de cabeza o disnea, y pueden presentar signos de defectos neurológicos. Durante el examen físico, se puede encontrar fiebre, dolor óseo y diaforesis. Los pacientes pueden referir sensación de plenitud, dolor en la parte media del tórax y hemorragias inexplicables. Evaluar todos los signos vitales y el ritmo cardíaco. A menudo hay hipotensión y taquicardia, por lo que los signos vitales pueden coincidir con signos de shock.

Manejo

El tratamiento de la leucemia incluye soporte de la vía aérea y oxigenoterapia, según proceda. También puede ser necesario administrar terapia con líquidos IV y analgésicos. Los pacientes suelen necesitar un apoyo positivo constante porque muchos tienen una visión negativa de su enfermedad. Los seres queridos del paciente pueden estar muy preocupados, sobre todo en las fases avanzadas de la enfermedad. En algunos casos, pueden llamarle porque el estado del paciente se ha deteriorado y la familia no sabe qué hacer. En este caso, su evaluación puede indicar resultados normales para el paciente. Es posible que el paciente o la familia cambien de opinión sobre el traslado, o puede que no quisieran el traslado en absoluto, sino una visión y un apoyo profesionales. Hable de esta situación con el control médico, documente todos los hallazgos antes de marcharse y obtenga un formulario de rechazo o autorización firmado si el paciente o el familiar deciden no realizar el transporte.

Pocas llamadas de pacientes con leucemia requieren medidas extremas o transporte rápido; sin embargo, debe estar alerta a los cambios rápidos en la condición del paciente. Si transporta al paciente, tenga en cuenta que podría presentar un paro cardíaco de camino al hospital. Asegúrese de averiguar los deseos del paciente y de su familia sobre qué hacer en esta situación.

Linfomas

Fisiopatología

Los **linfomas** son enfermedades malignas que surgen en el sistema linfoide. Se clasifican en dos categorías: linfoma no Hodgkin (que representa la mayoría de los casos) y linfoma de Hodgkin.

El linfoma no Hodgkin puede aparecer a cualquier edad en cualquier persona y puede ser hereditario. Además, este tipo de cáncer pueden caracterizarse en función de la progresión de la enfermedad: poco activo, agresivo o muy agresivo. Con una progresión muy lenta (poco activo), la enfermedad puede no salir nunca del sistema linfoide. En la forma muy agresiva, la enfermedad puede afectar a múltiples órganos en un periodo relativamente corto, por lo general en varios meses. La respuesta de la enfermedad al tratamiento depende del tipo específico de linfoma no Hodgkin y de lo pronto que se reconozca y clasifique.

El linfoma de Hodgkin es un agrandamiento progresivo e indoloro de los ganglios linfoides, que afecta sobre todo al bazo y a los ganglios linfáticos. Es una forma rara de linfoma y se sospecha que tiene algunos componentes hereditarios. La incidencia del linfoma de Hodgkin tiene dos picos: uno primero entre los 10 y los 35 años y un segundo pico al final de la vida.[4] Los pacientes pueden no presentar síntomas durante muchos años, y la enfermedad solo se detecta después de que los pacientes refieren sudores nocturnos, escalofríos, tos persistente e inflamación de varios ganglios linfáticos (por lo general primero en el cuello). También pueden notar pérdida de apetito por un motivo desconocido, pérdida significativa de peso, picor generalizado, fatiga y dolor óseo. Según *American Cancer Society*, con tratamiento, los síntomas pueden desaparecer durante largos periodos; entre 65 y 90% de los pacientes pueden curarse, lo que aumenta la tasa de supervivencia a 5 años.[5]

Evaluación

En general, los linfomas requieren niveles especializados de tratamiento que implican algún tipo de quimioterapia o radioterapia. La respuesta a estos tratamientos depende del estadio de la enfermedad y de su clasificación. Por regla general, los linfomas responden bien a la quimioterapia; de hecho, los linfomas agresivos responden mejor que los poco activos. Aunque un linfoma poco activo no se cure con quimioterapia, muchos pacientes pueden sobrevivir hasta 10 años.

Cuando evalúe a pacientes con linfoma, formule preguntas específicas como "¿qué tipo de linfoma (cáncer) padece?" y "¿qué tipo de tratamiento está recibiendo?". Cuando evalúe la piel del paciente, por lo general observará palidez. La vía aérea del paciente suele ser permeable y la respiración adecuada, aunque a veces puede notar cierta congestión en los campos

USTED es el Paramédico

PARTE 4

Su compañero administra oxígeno al paciente a 2 L/min a través de una cánula nasal y establece un acceso IV. El paciente acepta ser trasladado al hospital para una evaluación; sigue sintiendo un dolor considerable en todo el cuerpo. Usted sube al paciente a la camilla y lo traslada a la ambulancia para su transporte.

Tiempo de registro:	10 minutos
Respiraciones	20 respiraciones/min
Pulso	100 latidos/min
Piel	Fresca, pálida y húmeda
Presión arterial	98/60 mm Hg
Saturación de oxígeno (SpO_2)	96% con cánula nasal de 2 L/min
Pupilas	PIRRL

7. ¿Cree que la familia del paciente le ha llamado de manera innecesaria?

8. ¿Clasificaría a este paciente con leucemia aguda o crónica?

9. Si este paciente tuviera 7 años en lugar de 73, ¿qué sería diferente en el curso del proceso de la enfermedad?

pulmonares inferiores. El paciente puede describir que primero tiene calor y luego frío, o incluso calor y frío en diferentes zonas del cuerpo. Son frecuentes los signos de perfusión inadecuada, incluida la PA baja acompañada de una frecuencia de pulso elevada. Los ritmos anormales del EKG también pueden ser evidentes.

Manejo

Los pacientes con linfoma pueden tener un dolor extremo y constante; por lo tanto, si se necesita y está disponible el tratamiento del dolor, es posible que tenga que ser agresivo porque el paciente quizá ya esté recibiendo un régimen de dosis altas de analgésicos. Trate la perfusión inadecuada con terapia de líquidos y proporcione oxígeno suplementario, **FIGURA 21-7**. Si es necesario, trate los ritmos cardíacos anormales. Si el estado del paciente no mejora o incluso empeora después de estas medidas, inicie un transporte rápido al centro más cercano. Como en los casos de pacientes con leucemia, puede que le llamen para que ofrezca apoyo, pero no transporte. Sea comprensivo, discuta sus hallazgos con el control médico, explique las opciones al paciente y a la familia, y permítales tomar una decisión.

Policitemia

Fisiopatología

La policitemia se caracteriza por una sobreabundancia o sobreproducción de GR, lo que provoca un aumento de la viscosidad y el volumen sanguíneos. Esta hiperviscosidad e hipervolemia puede provocar la congestión de tejidos y órganos. La hiperviscosidad de la sangre aumenta el riesgo de formación de trombos. El aumento de la producción de GR puede deberse a un trastorno poco frecuente originado en una única célula madre o a una enfermedad existente, como insuficiencia cardíaca o hipertensión. La policitemia también puede aparecer en personas que viven en zonas de gran altitud durante largos periodos.

La sobreabundancia de componentes sanguíneos asociada con la policitemia puede provocar muchas otras afecciones, como evento vascular cerebral, accidentes isquémicos transitorios, trombosis venosa profunda, embolia pulmonar, infarto del miocardio, cefaleas y dolor abdominal (por lo general asociado con un bazo agrandado). Esta enfermedad suele detectarse de forma incidental cuando se realizan recuentos de células sanguíneas después de que un paciente informe de que experimenta con frecuencia signos y síntomas asociados con enfermedades hematológicas.

El tratamiento clínico suele incluir flebotomía para intentar mantener los niveles de hematocrito por debajo de 45% en los hombres y de 42% en las mujeres. Otros tratamientos pueden incluir una terapia de tipo oncológico destinada a frenar la producción de nuevos GR dentro de la médula ósea.

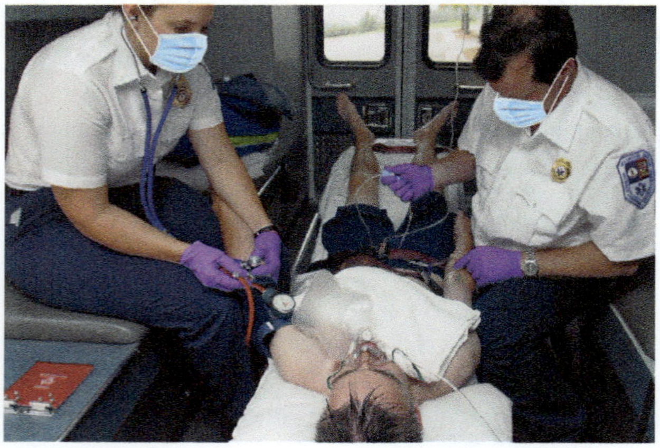

FIGURA 21-7 Los pacientes con linfoma con dolor extremo deben recibir fluidoterapia, oxígeno y analgesia.

Evaluación

Los hallazgos de la evaluación pueden variar ampliamente en pacientes con policitemia. Puede ser evidente una alteración del nivel de conciencia debido a un evento vascular cerebral o a eventos similares a un ataque isquémico transitorio; puede producirse hipoxia debido a una circulación deficiente. Puede producirse dificultad respiratoria, así como cambios en los pulsos periféricos, la frecuencia del pulso y el color de la piel. La taquicardia es el cambio más común en el ritmo cardíaco.

Al evaluar al paciente, anote el grado y la duración de la disnea, si está presente. ¿Ha experimentado el paciente picor incontrolado (prurito) o ha notado cambios en la temperatura de la piel? Asegúrese de obtener una historia clínica completa en pacientes con policitemia conocida o sospechada.

Manejo

El tratamiento prehospitalario debe centrarse en un inicio en la queja principal. Aunque la patología subyacente puede ser la policitemia, el paciente puede estar experimentando ahora una emergencia médica diferente, como un evento vascular cerebral o un evento cardíaco. Por lo demás, el tratamiento consiste principalmente en cuidados de apoyo y transporte del paciente a un centro adecuado. Administre oxígeno según sea necesario. Establezca un acceso IV para posibles intervenciones farmacológicas para el dolor, según proceda. Apoye al paciente y a su familia.

Coagulación intravascular diseminada

Fisiopatología

La **coagulación intravascular diseminada (CID)** puede deberse a diversas afecciones en potencial mortales, como lesiones masivas e hipotensión debida a traumatismos. La sepsis y las complicaciones obstétricas también pueden causar CID.

Esta enfermedad evoluciona en dos etapas. En la primera, aumentan los depósitos libres de trombina y fibrina en la sangre, y las plaquetas comienzan a agregarse. En esta fase se produce la desfibrinación, es decir, la ruptura de los coágulos de fibrina, debido a una hemorragia excesiva, una pérdida masiva de sangre o una lesión tisular. En la segunda fase, el paciente desarrolla una hemorragia incontrolada debido a la grave reducción de los factores de coagulación.

Determinar la tasa de mortalidad de los pacientes con CID es difícil porque a menudo presentan afecciones adicionales que pueden causar signos y síntomas similares a los de la CID.[6] Las principales causas de muerte están relacionadas con la hemorragia incontrolada, la hipotensión y el shock.

Perlas de sabiduría

Los pacientes con CID experimentan falla simultánea de múltiples órganos (p. ej., riñones, pulmones y corazón), acompañado de hemorragias por vía IV, hemorragias en las articulaciones y, posiblemente, hemorragia intracraneal.

Evaluación

Cuando evalúe y atienda a pacientes heridos o enfermos de gravedad, tenga en cuenta los problemas que puede causar una CID. Su objetivo es identificar los signos y síntomas comúnmente asociados con la CID o a la progresión hacia esta coagulopatía. En los casos de traumatismo grave, los pacientes pueden presentar episodios de dificultad respiratoria, signos de shock y cambios en la piel que van del frío y la humedad a la palidez, pasando por pequeñas manchas negras y azules (púrpura) en el tórax y el abdomen.

Manejo

Mantenga la vía respiratoria del paciente, administre oxígeno suplementario y trate al paciente por shock (mantenga al paciente cálido, controle la hemorragia y administre líquidos IV o vasopresores para la hipotensión) según su protocolo local. Las intervenciones farmacológicas pueden incluir el control del dolor y el tratamiento de los ritmos cardíacos anormales, aunque las intervenciones para los ritmos cardíacos alterados deben realizarse en último lugar. Los pacientes con CID derivada de un traumatismo grave tienen una tasa de supervivencia baja; tanto ellos como sus familiares necesitan apoyo. Hay que ser optimista, pero sincero con los pacientes y la familia, y no dar falsas esperanzas respecto a la supervivencia.

Hemofilia

Fisiopatología

La hemofilia es un trastorno hemorrágico en el que la coagulación no se produce o es insuficiente (como en la enfermedad de von Willebrand). Suele asociarse con un patrón de herencia recesivo ligado al cromosoma X, aunque poco conocido. Esta enfermedad se clasifica en dos tipos principales: el tipo A, que se debe a niveles bajos de factor VIII (globulina antihemofílica y factor antihemofílico), y el tipo B, que se asocia con una deficiencia de factor IX (componente de tromboplastina plasmática, también conocido como factor Christmas). La hemofilia afecta principalmente a los hombres. Los niveles de los factores VIII y IX determinan la gravedad de la enfermedad.

Tanto la hemofilia de tipo A como la de tipo B presentan los mismos signos y síntomas. Las hemorragias agudas y crónicas suceden en cualquier momento y pueden o no poner en peligro la vida. Cualquier lesión o enfermedad que pueda causar una hemorragia no debe tomarse a la ligera en una persona con hemofilia. La hemorragia intracraneal espontánea es frecuente en pacientes con hemofilia y es una de las principales causas de muerte. Los pacientes con episodios hemorrágicos agudos significativos requieren hospitalización para transfusión y a menudo precisan infusión de factores VIII y IX.

Evaluación

Al obtener el historial del paciente, es posible que se entere de que el paciente tiene antecedentes de afecciones asociadas con la hemofilia. Además de controlar el ABC, esté atento a los signos de pérdida aguda de sangre, como palidez, pulso débil e hipotensión. Observe las hemorragias nasales, los esputos sanguinolentos o los informes de hematuria o melena. Debido a la pérdida de sangre, los pacientes pueden presentar signos de hipoxia debido a la reducción de la capacidad de transporte de oxígeno de sus GR.

Manejo

Administre oxígeno si está indicado. Anote los resultados del EKG y trate las arritmias sintomáticas según proceda. La atención prehospitalaria de un paciente con hemofilia puede incluir terapia IV para tratar la hipotensión; la atención definitiva suele implicar la transfusión de sangre o plasma, que tendrá lugar en el hospital. Algunos pacientes presentarán un dolor importante, por lo que puede ser apropiado administrarles analgésicos. Cubra a los pacientes para mantener su temperatura corporal. Aunque es posible que le llamen para tratar a alguien con una hemorragia de causa desconocida y descubra que la hemorragia se ha detenido antes de que usted llegara al lugar, debe sugerir que el paciente reciba un seguimiento hospitalario o médico inmediato.

Mieloma múltiple

Fisiopatología

En el **mieloma múltiple**, el número de células plasmáticas (células B que forman anticuerpos) en la médula ósea aumenta de forma anormal, lo que causa la formación de tumores en el hueso. Estos tumores merman la capacidad de la médula ósea para funcionar con normalidad, disminuyendo la formación de GR, GB y plaquetas. Se produce anemia y propensión a las infecciones. Las células neoplásicas (cancerosas) también pueden acelerar el desarrollo de proteínas en el torrente sanguíneo, lo que provoca falla de órganos (principalmente los riñones) y, por último, la muerte. El mieloma múltiple rara vez aparece a una edad temprana; la mayoría de los pacientes son mayores de 40 años. Esta enfermedad es más frecuente en hombres que en mujeres.

A medida que la enfermedad avanza y los tumores crecen o se hacen más numerosos, los pacientes pueden desarrollar debilidad en los huesos, lo que provoca fracturas espontáneas y dolor en los huesos y la espalda. Otras complicaciones potenciales son la insuficiencia renal y las infecciones recurrentes. En los casos de mieloma avanzado, las opciones de tratamiento para prolongar la supervivencia pueden incluir trasplante de células madre, quimioterapia y radioterapia, aunque estas medidas pueden no curar la enfermedad. La morbilidad y la mortalidad dependen principalmente de la extensión de la enfermedad y de las enfermedades subyacentes.

Evaluación

Debido a su susceptibilidad a las infecciones, debe estar atento al uso de las precauciones estándar adecuadas, incluido el uso de mascarilla y guantes, para ayudar a mantener a salvo a los pacientes con mieloma múltiple. Los hallazgos durante la evaluación y el tratamiento de estos pacientes dependerán del estadio de la enfermedad. Los síntomas de la fase inicial pueden incluir fatiga o dolor leve, mientras que la fase avanzada de la enfermedad puede producir hemorragias inexplicables y pérdida de peso significativa, fracturas óseas frecuentes y dolor en cualquier localización.

Manejo

El tratamiento del mieloma múltiple es similar al de otros trastornos hematológicos: oxígeno (si está indicado), terapia con líquidos IV, tratamiento del dolor y cuidados de apoyo. La atención definitiva en un centro adecuado puede mejorar el estado del paciente.

Reacciones a las transfusiones

Fisiopatología

Si un paciente reacciona mal a una transfusión de sangre, puede necesitar atención de emergencia. Las **reacciones a la transfusión** se producen entre 0.2 y 10% de las transfusiones de sangre.[7] Estas reacciones son similares a una reacción anafiláctica: se producen rápido y pueden causar un colapso circulatorio grave e incluso la muerte. Cuando se realiza una transfusión de sangre a un paciente, es importante vigilarlo de cerca durante los primeros 30 a 60 minutos, ya que las reacciones a la transfusión suelen comenzar en este intervalo de tiempo.

Es esencial determinar el grupo sanguíneo del paciente y el tipo de sangre recibida. Cuando un paciente recibe sangre o plasma que coincide con su tipo sanguíneo (p. ej., A+ administrado a un paciente A+) o con el tipo sanguíneo universal del donante (O), rara vez surgen problemas. Sin embargo, la administración de un tipo de sangre incompatible a un paciente (p. ej., si un paciente con sangre del tipo A recibe sangre del tipo B) puede provocar una reacción transfusional potencialmente mortal. Asimismo, si un paciente con sangre A– recibe una transfusión A+, podría producirse una reacción transfusional. Sin embargo, estas reacciones son poco frecuentes porque la respuesta al factor Rh (indicada por el signo "+" o "–" después del grupo sanguíneo) no es tan frecuente y la reacción no es tan importante. El **CUADRO 21-4** resume las normas de compatibilidad ABO y Rh.

CUADRO 21-4 Tipo ABO Rh y tipos de donantes preferidos y alternativos

Tipo de sangre del receptor	Tipo de donante preferido	Tipos adicionales permitidos
A+	A+	A−, O+, O−
A−	A−	O−
AB+	AB+	AB−, A+, A−, B+, B−, O+, O−
AB−	AB−	A−, B−, O−
B+	B+	B−, O+, O−
B−	B−	O−
O+	O+	O−
O−	O−	Ninguno

Datos de: Applegate EJ. *The Anatomy and Physiology Learning System*. 4th ed. Philadelphia, PA: Saunders; 2011.

Evaluación

Los signos y síntomas de las reacciones transfusionales suelen ser fáciles de detectar en un paciente que responde, pero ser más sutiles en un paciente que no responde o que está intubado. En una reacción aguda, el paciente experimenta una rápida aparición de escalofríos, fiebre, dolor de espalda, vómito, taquicardia e hipotensión. Las reacciones a la transfusión también pueden demorarse hasta 7 días después de la transfusión, aunque estos acontecimientos tienden a ser menos graves que la reacción aguda típica.

Las complicaciones suelen clasificarse en las siguientes categorías:

- **Reacción hemolítica.** Una reacción hemolítica aguda es la mayor amenaza para el paciente durante una transfusión de sangre. La causa principal es la incompatibilidad entre el receptor y la sangre del donante. El sistema inmunológico del receptor es activado por la sangre del donante, destruyéndose los nuevos GR como consecuencia de esta reacción. Este resultado no solo devuelve al paciente al estado que requería la transfusión, sino que el organismo del paciente tiene la carga añadida de manejar y eliminar todos los GR destruidos. Una selección cuidadosa del paciente y del producto sanguíneo puede evitar que se produzca una reacción hemolítica.
- **Reacción febril.** La reacción febril simple es la complicación transfusional más frecuente. Suele ser benigna y se trata con un antitérmico y observación.
- **Reacción alérgica.** Además de la reacción a la transfusión, un paciente puede experimentar una reacción anafiláctica a los conservadores u otros agentes del producto transfundido. Este tipo de reacción alérgica suele comenzar en los primeros minutos de la transfusión y va acompañada de los signos y síntomas clásicos de un estado anafiláctico, lo que se suma al estado ya comprometido del paciente.
- **Lesión pulmonar relacionada con la transfusión.** La lesión pulmonar relacionada con la transfusión es un edema pulmonar no cardiogénico causado por un aumento de la permeabilidad capilar después de la transfusión. El tratamiento de esta afección se centra en apoyar el ABC. Dado que este tipo de lesión pulmonar no implica un problema de insuficiencia cardíaca o sobrecarga de líquidos, los diuréticos suelen ser ineficaces para remediarla.
- **Sobrecarga circulatoria.** La infusión rápida de hemoderivados puede provocar una sobrecarga circulatoria que simule una insuficiencia cardíaca. Este tipo de reacción suele producirse en pacientes con miocardiopatía o disfunción ventricular preexistentes. El tratamiento consiste en aliviar el sistema del exceso de líquidos mediante diuresis y oxígeno, nitratos y morfina.
- **Infección bacteriana.** La infección bacteriana suele ser el resultado de una mala manipulación del hemoderivado o de la contaminación durante el proceso de infusión. Ocurre con mayor frecuencia con las transfusiones de plaquetas, ya que estas se conservan a temperatura ambiente. Este tipo de infección puede provocar una sepsis sistémica, que requiere la administración de antibióticos y cuidados de apoyo.

Inteligencia en la calle

Interrumpa de inmediato la administración de sangre o productos sanguíneos cuando el paciente muestre signos de reacción a la transfusión. Lleve el resto de la bolsa y todos los tubos al hospital receptor para su análisis.

Manejo

En general, la gravedad de la reacción a la transfusión está directamente correlacionada con la cantidad de volumen sanguíneo transfundido. Si el paciente presenta signos de reacción a la transfusión, interrumpa de inmediato la transfusión, compruebe la información de identificación de la sangre del donante para determinar si se ha administrado sangre equivocada, póngase en contacto con control médico y proporcione cuidados de apoyo para contrarrestar el shock. Sustituya el tubo y la bolsa IV existentes por solución salina normal. Siga los protocolos locales para reacciones alérgicas o las instrucciones de control médico. Conserve los productos sanguíneos y los tubos, y transfiéralos al banco de sangre del hospital.

USTED es el Paramédico RESUMEN

1. ¿Por qué es importante la fiebre en este paciente?

Cuando un paciente tiene un funcionamiento anormal de los GB, el organismo es más susceptible a las infecciones. La fiebre de este paciente indica que ahora tiene una infección de algún tipo además de la leucemia. La producción excesiva de GB anormales también puede interferir con la producción de otras células sanguíneas, lo que provoca complicaciones hematológicas adicionales.

2. ¿Qué necesita saber sobre el estado de este paciente?

La familia y el paciente deben estar preparados para proporcionarle documentación escrita sobre el estado del paciente. Esta documentación debe incluir el estado de "código" del paciente y los cuidados que deben proporcionársele. Muchos estados de EUA tienen formularios estándar diseñados para ser utilizados por los proveedores de atención médica. Asegúrese de conocer los requisitos legales para la documentación de los pacientes que reciben atención domiciliaria en su zona.

3. ¿Qué signos o síntomas presenta el paciente que podrían indicar trombocitopenia?

El signo más claro es la presencia de los tejidos sanguinolentos. En condiciones normales, sonarse la nariz no provoca hemorragias. Si se inicia la hemorragia, la formación de un tapón plaquetario al principio de la cascada desencadena varias otras reacciones bioquímicas. Sin embargo, en este paciente, la disminución del número de plaquetas circulantes provoca menor coagulación y señalización en el resto de la cascada que sigue.

4. ¿Cómo se presenta por lo general un paciente con leucemia?

Los pacientes con leucemia tienen con frecuencia hemorragias, hematomas, infecciones y fiebre.

5. ¿Le preocupan los signos vitales del paciente en este momento?

Aunque los signos vitales obtenidos en este caso indicarían por lo general shock o shock inminente, pueden ser "normales" para este paciente. La anemia puede provocar un aumento de la frecuencia del pulso y de las respiraciones, ya que el organismo intenta compensar el número inadecuado de GR, que transportan hemoglobina (el componente de la sangre que transporta oxígeno). Es esencial observar con atención los signos vitales del paciente durante toda su atención y ponerse en contacto con el control médico para que le aconseje la dosis de analgésicos. No obstante, a menos que se produzca un cambio sustancial o repentino en el estado del paciente, el tratamiento sintomático –como oxígeno, líquidos IV y analgésicos– es suficiente.

6. ¿Cuáles son las "medidas de apoyo" para este paciente?

El tratamiento de este paciente incluye soporte de la vía aérea y oxigenoterapia, según proceda. En este caso, está justificada la oxigenoterapia a 2 L/min mediante cánula nasal para mantener la saturación de oxígeno del paciente por encima de 94%. También puede ser necesaria la terapia de líquidos IV y analgésicos para su comodidad. Además, proporcione apoyo positivo; el paciente puede sentirse desanimado por su estado. Sea sincero y no dé falsas esperanzas.

7. ¿Cree que la familia del paciente le ha llamado de manera innecesaria?

No debe pensar que esta llamada al servicio estaba injustificada. Los seres queridos del paciente están preocupados, en especial porque el paciente se encuentra en una fase avanzada de la leucemia; brinde su apoyo a los familiares y al paciente. En algunos casos, puede que le llamen porque el estado del paciente se ha deteriorado y la familia no sabe qué hacer.

8. ¿Clasificaría a este paciente con leucemia aguda o crónica?

Por la edad del paciente y el comentario de la familia de que fue "diagnosticado hace años", este caso parece tratarse de una leucemia crónica.

9. Si este paciente tuviera 7 años en lugar de 73, ¿qué sería diferente en el curso del proceso de la enfermedad?

Un niño de 7 años tendría por lo general leucemia aguda, mientras que este paciente es probable que tenga leucemia crónica. Aunque los síntomas son los mismos, el pronóstico de los pacientes con leucemia aguda puede ser la remisión e incluso la curación si el tratamiento se inicia pronto; en comparación, la tasa de curación de los pacientes con leucemia crónica es menor.

USTED es el Paramédico RESUMEN continuación

Reporte de atención de paciente prehospitalario (RAPP)					
Fecha: 11-06-21	**Incidente núm.:** 9875	**Naturaleza de la llamada:** Médica general		**Ubicación:** Calle Castillo de Roca 11384	
Despacho: 18:40	**En camino:** 18:41	**En el escenario:** 18:45	**Transporte:** 19:08	**En el hospital:** 19:18	**En servicio:** 19:30

Información del paciente	
Edad: 73 **Sexo:** M **Peso:** 59 kg (130 lb)	**Alergias:** Ninguna conocida **Medicamentos:** Numerosos, véase la lista **Antecedentes médicos:** Leucemia **Principal manifestación:** Fiebre/dolor corporal

Signos vitales				
Hora: 18:50	**PA:** 100/60	**Pulso:** 100	**Respiraciones:** 20	**SpO_2:** 90%, aire ambiente
Hora: 18:55	**PA:** 98/60	**Pulso:** 100	**Respiraciones:** 20	**SpO_2:** 96%, 2 L/min NC
Hora:	**PA:**	**Pulso:**	**Respiraciones:**	**SpO_2:**

Tratamiento en SEM (circule todo lo aplicable)				
Oxígeno @ 2 L/min por (circular uno): **(NC) NRM Dispositivo de bolsa y mascarilla**		**Ventilación asistida**	**Dispositivo de la vía aérea**	**RCP**
Desfibrilación	**Control de la hemorragia**	**Vendaje**	**Inmovilización**	**Otro:**

Narrativa

Llamada para atender a un hombre de 73 años con antecedentes de leucemia. El paciente presenta dolor generalizado y temperatura de 38 °C. El paciente recibe quimioterapia; el último tratamiento fue el 11-02-21. El paciente está bajo el cuidado de una agencia de salud domiciliaria y tiene instrucciones anticipadas de apoyo. La familia presentó la documentación escrita apropiada que verificaba lo mismo. La familia se puso en contacto con la agencia y recibió instrucciones para reducir la fiebre y controlar el dolor del paciente. La familia declaró que se preocupó cuando estas medidas fueron ineficaces y llamaron al 9-1-1. El paciente responde, está alerta, orientado y coopera. SpO_2 en un inicio 90% aire ambiente; ahora 96% con 2 L/min por NC. IV establecido TKO. El paciente acepta ser trasladado al Downtown Hospital. Como la presión era baja, se contactó con control médico para la administración de analgésicos. Control médico aconsejó administrar 2 mg de sulfato de morfina por vía IV. El dolor disminuyó, y el paciente descansó cómodamente durante el traslado. Informe a la enfermera responsable a su llegada.

Fin del reporte

Kit de preparación

Listo para revisión

- La mayoría de los sistemas del SEM rara vez responden a emergencias hematológicas.
- La sangre desempeña funciones respiratorias, nutricionales, excretoras, reguladoras y defensivas.
- La sangre se compone de plasma y elementos formes, o células, incluidos los GR, los GB y las plaquetas.
- Entre las pruebas de laboratorio que se suelen realizar con la sangre se incluyen el recuento de GR, los niveles de hemoglobina y las mediciones de hematocrito.
- Durante la evaluación primaria de un paciente con un trastorno hematológico, es importante anotar cualquier signo o síntoma que pueda suponer una amenaza inmediata para su vida.

Kit de preparación continuación

- Durante la anamnesis y la evaluación secundaria de un paciente con un trastorno hematológico, hay que buscar cambios en el nivel de conciencia, vértigo, sensación de fatiga o episodios de síncope.
- El tratamiento general de cualquier paciente con problemas relacionados con un trastorno hematológico debe incluir los siguientes elementos: oxígeno (si está indicado), líquidos, EKG, transporte, medicación y apoyo psicológico.
- Los trastornos hematológicos incluyen crisis de células falciformes, anemia, leucopenia, trombocitopenia, leucemia, linfomas, policitemia, coagulación intravascular diseminada, hemofilia, mieloma múltiple y complicaciones de las transfusiones sanguíneas.
- Un paciente con una crisis drepanocítica experimentará un dolor importante debido a la congestión de los vasos y puede tener una infección grave que puede desembocar en sepsis y muerte.
- Un paciente con anemia tiene un nivel de hemoglobina o de GR inferior al normal. La anemia puede estar causada por un trastorno hematológico o hemolítico subyacente.
- La leucopenia es una reducción del número de GB; la trombocitopenia es una reducción del número de plaquetas. Ambas afecciones suelen observarse en pacientes con anemia o leucemia.
- La leucemia es un tipo de cáncer que afecta a la producción de GB. Los pacientes suelen presentar hemorragias, hematomas, infecciones y fiebre.
- Los linfomas son un grupo de trastornos malignos que surgen en el sistema linfoide. Se distinguen dos tipos: el linfoma no Hodgkin (que representa la mayoría de los casos) y el linfoma de Hodgkin.
- La policitemia se caracteriza por una sobreabundancia o sobreproducción de GR, lo que provoca una hiperviscosidad del sistema circulatorio.
- La coagulación intravascular diseminada puede ser consecuencia de una lesión masiva, sepsis o complicaciones obstétricas. En la primera fase, se produce una coagulación excesiva de la sangre debido a una activación excesiva del sistema de coagulación. En la segunda fase, la reacción natural del organismo para deshacer estos coágulos provoca una hemorragia no controlada.
- La hemofilia es un trastorno hemorrágico que afecta principalmente a los hombres y en el que la coagulación no se produce o se produce de forma insuficiente. La hemofilia tipo A se debe a un nivel bajo de factor VIII; la hemofilia tipo B se debe a una deficiencia de factor IX.
- El mieloma múltiple es un cáncer de la médula ósea causado por células plasmáticas malignas.
- Las complicaciones de las transfusiones de sangre son similares a las reacciones anafilácticas; están causadas por una falta de correspondencia entre el grupo sanguíneo del paciente y el recibido o por una reacción alérgica a los conservantes o agentes del producto transfundido.

Vocabulario esencial

Anemia Nivel de hemoglobina o eritrocitos inferior al normal.

Anemia falciforme Enfermedad que provoca la deformación de los glóbulos rojos, lo que se traduce en una escasa capacidad de transporte de oxígeno y puede ocasionar que los glóbulos rojos se alojen en los vasos sanguíneos o en el bazo.

Anemia ferropénica El tipo más común de anemia, en la que las reservas de hierro son escasas o inexistentes y la concentración sérica de hierro es baja.

Cascada de coagulación Proceso por el que los factores de coagulación actúan en conjunto para formar finalmente la fibrina.

Células madre Células que pueden convertirse en otros tipos de células del organismo.

Coagulación intravascular diseminada (CID) Enfermedad que comienza con una activación generalizada de la cascada de la coagulación, que agota los factores de coagulación y las plaquetas, y acaba provocando una hemorragia incontrolada.

Coagulopatía Cualquier tipo de trastorno hemorrágico que interfiera en la activación o continuación de la cascada de coagulación o hemostasia.

Crisis aplásica Detención temporal de la producción de glóbulos rojos; puede producirse como consecuencia de la anemia falciforme.

Kit de preparación continuación

Crisis de secuestro esplénico Agrandamiento agudo y doloroso del bazo causado por la anemia falciforme.

Crisis drepanocítica Enfermedad en la que un paciente con anemia drepanocítica experimenta un dolor importante debido al paso insuficiente de oxígeno y nutrientes a los tejidos y articulaciones a causa de la congestión de los vasos.

Crisis hemolítica Enfermedad en la que los glóbulos rojos se descomponen rápido; puede producirse como consecuencia de la anemia falciforme.

Crisis vaso oclusiva Isquemia y dolor causados por glóbulos rojos en forma de hoz que obstruyen el flujo sanguíneo a una parte del cuerpo.

Enfermedad de von Willebrand Trastorno hemorrágico en el que el paciente carece del factor von Willebrand (una proteína esencial para la adhesión de las plaquetas); su ausencia hace que la sangre no coagule bien.

Eritrocitos Glóbulos rojos.

Factores de coagulación Sustancias de la sangre necesarias para la coagulación; también denominadas factores de coagulación.

Hematocrito Proporción de glóbulos rojos en el volumen total de sangre.

Hematología Estudio de la fisiología de la sangre.

Hemofilia Trastorno hemorrágico principalmente hereditario, en el que la coagulación no se produce o se produce de forma insuficiente.

Hemoglobina Proteína de la sangre rica en hierro que transporta oxígeno.

Hemostasia Mecanismo natural de coagulación de la sangre.

Lesión pulmonar relacionada con la transfusión Reacción a la transfusión caracterizada por un aumento de la permeabilidad capilar pulmonar, que provoca un edema pulmonar no cardiogénico.

Leucemia Cáncer (neoplasia) de los órganos hematopoyéticos que afecta sobre todo a los glóbulos blancos, que se desarrollan de forma anormal o excesiva a expensas de las células sanguíneas normales.

Leucocitos Glóbulos blancos.

Leucocitosis Aumento del número total de glóbulos blancos.

Leucopenia Reducción del número de glóbulos blancos.

Linfoblastos Célula inmadura precursora del linfocito.

Linfomas Enfermedades malignas que surgen en el sistema linfoide; incluyen los linfomas no Hodgkin y Hodgkin.

Mieloma múltiple Enfermedad en la que el número de células plasmáticas de la médula ósea aumenta de forma anormal, lo que provoca la formación de tumores en los huesos.

Neutropenia Número anormalmente bajo de neutrófilos.

Plasma Componente de la sangre, formado por 92% de agua, entre 6 y 7% de proteínas y electrólitos, factores de coagulación y glucosa; el plasma representa 55% del volumen total de la sangre.

Policitemia Sobreabundancia o sobreproducción de glóbulos rojos, glóbulos blancos y plaquetas.

Reacciones transfusionales Respuestas fisiológicas similares a las reacciones anafilácticas, en las que el organismo reacciona a la infusión de sangre; se producen rápido y pueden causar un colapso circulatorio grave y la muerte.

Síndrome de secuestro esplénico agudo Enfermedad en la que los glóbulos rojos quedan atrapados en el bazo, lo que provoca una disminución drástica de la cantidad de hemoglobina disponible en la circulación; suele ocurrir en lactantes o niños pequeños.

Síndrome torácico agudo Crisis vaso oclusiva que puede estar asociada con la neumonía; los signos y síntomas comunes incluyen dolor torácico, fiebre y tos; asociado con la anemia falciforme.

Sistema hematopoyético Sistema que incluye todos los componentes de la sangre y los órganos implicados en su desarrollo y producción.

Sistema linfoide Sistema constituido principalmente por la médula ósea, los ganglios linfáticos y

Kit de preparación continuación

el bazo, que participa en la formación de linfocitos y en las respuestas inmunes; también denominado sistema linfático.

Sistema reticuloendotelial Sistema del organismo que se utiliza principalmente para defenderse de las infecciones.

Talasemia Tipo de anemia en la que no se produce suficiente hemoglobina o la hemoglobina es defectuosa.

Trastorno hematológico Cualquier trastorno de la sangre.

Trastornos hemolíticos Trastornos relacionados con la descomposición de los glóbulos rojos.

Trastornos hemostáticos Anomalías de la hemorragia y la coagulación.

Trombocitopenia Reducción del número de plaquetas.

Trombocitos Plaquetas.

Trombocitosis Enfermedad en la que el organismo produce demasiadas plaquetas.

Trombosis Coagulación o coagulación de la sangre en un vaso sanguíneo.

Referencias

1. Sickle cell disease (SCD). Centers for Disease Control and Prevention website. https://www.cdc.gov/ncbddd / sicklecell/data.html. Última revisión diciembre 16, 2020. Consultado febrero 9, 2021.
2. Platt OS, Brambilla DJ, Rosse WF, et al. Mortality in sickle cell disease: life expectancy and risk factors for early death. *N Engl J Med*. 1994;330:1639-1644. http://www.nejm.org/doi/full/10.1056/NEJM199406093302303#t=article. Consultado 9 de febrero, 2021.
3. Childhood acute lymphoblastic leukemia treatment (PDQ®)—health professional version. National Cancer Institute website. https://www.cancer.gov/types /leukemia/hp/child-all-treatment-pdq. Actualizado febrero 4, 2021. Consultado febrero 9, 2021.
4. Harris NL. Hodgkin's lymphomas: classification, diagnosis, and grading. *Semin Hematol*. 1996;36(3):220-232.
5. Survival rates for Hodgkin disease by stage. American Cancer Society website. https://www.cancer.org/cancer/hodgkin-lymphoma/detection-diagnosis-staging/survival-rates.html. Revisada mayo 23, 2016. Consultada febrero 9, 2021.
6. Costello RA, Nehring SM. Disseminated intravascular coagulation. StatPearls. https://www.ncbi.nlm.nih.gov/books/NBK441834/. Actualizado julio 17, 2020. Consultado marzo 10, 2021.
7. Kumar R, Gupta M, Gupta V, et al. Acute transfusion reactions (ATRs) in intensive care unit (ICU): a retrospective study. *J Clin Diagn Res*. 2014;8(2):127-129. https://www.ncbi.nlm.nih.gov/pmc/articles/PMC3972528/. Consultado febrero 9, 2021.

Capítulo 22

Emergencias inmunológicas

COMPETENCIAS DEL ESTÁNDAR NACIONAL DE EDUCACIÓN EN EL SEM

Medicina

Integrar los resultados de la evaluación con los principios de epidemiología y fisiopatología para formular una impresión inicial e implementar un plan de tratamiento/disposición integral para un paciente con una afección médica.

Inmunología

Reconocimiento y tratamiento del shock y la dificultad respiratoria relacionados con:

- Reacciones anafilácticas (pp. 1432, 1440, 1444-1446)

Anatomía, fisiología, fisiopatología, evaluación y manejo de los trastornos o emergencias por hipersensibilidad.

- Reacciones alérgicas y anafilácticas (pp. 1433-1448)

Anatomía, fisiología, epidemiología, fisiopatología, efectos psicosociales, presentaciones, pronóstico y manejo de trastornos o emergencias comunes o importantes del sistema inmunológico.

- Hipersensibilidad (pp. 1433-1434)
- Reacciones alérgicas y anafilácticas (pp. 1433-1448)
- Reacciones anafilactoides (pp. 1434, 1441)
- Enfermedades vasculares del colágeno (pp. 1448-1451)
- Problemas relacionados con los trasplantes (pp. 1451-1453)

OBJETIVOS COGNITIVOS

1. Describir la función del sistema inmunológico. (pp. 1433-1434)
2. Definir los términos reacción alérgica, anafilaxia, reacción bifásica, reacción prolongada (persistente) y reacción anafilactoide. (pp. 1433-1434)
3. Explicar la diferencia entre una respuesta local y sistémica a los alérgenos. (pp. 1433, 1440, 1443)
4. Comentar el proceso que se inicia cuando se detecta una sustancia extraña en el organismo (respuesta primaria). (p. 1437)
5. Describir el proceso que se produce cuando el organismo experimenta una respuesta secundaria. (p. 1437)
6. Explicar el papel de los basófilos y los mastocitos en el proceso de respuesta inmunológica. (pp. 1437-1439)
7. Explicar las funciones de los mediadores químicos, incluidas las histaminas y los leucotrienos, en el proceso de respuesta inmunológica. (pp. 1437-1439)
8. Describir el proceso de evaluación de un paciente con una reacción alérgica. (pp. 1439-1444)
9. Explicar la importancia del manejo de los cuidados de un paciente que presenta una reacción alérgica. (pp. 1443-1444)
10. Comparar los signos y síntomas de una reacción alérgica con los de la anafilaxia. (pp. 1445-1446)

11. Revisar el proceso para proporcionar atención médica de emergencia a un paciente que experimenta una reacción alérgica. (p. 1444)
12. Describir la administración de epinefrina a un paciente que presenta una reacción alérgica, incluidas las diferentes formas de epinefrina. (pp. 1447-1448)
13. Explicar las distintas opciones de tratamiento e intervenciones farmacológicas utilizadas para tratar la anafilaxia. (pp. 1441-1444, 1446-1448)
14. Explicar los factores que intervienen a la hora de tomar una decisión sobre el transporte de un paciente con una reacción alérgica. (pp. 1441, 1448)
15. Discutir los trastornos autoinmunes y las enfermedades vasculares del colágeno, incluidos el lupus eritematoso sistémico y la esclerodermia. (pp. 1448-1451)
16. Describir los principios del trasplante de órganos y los trastornos relacionados con los trasplantes de órganos. (pp. 1451-1453)
17. Explicar la importancia de la educación del paciente en el tratamiento de la anafilaxia y las reacciones alérgicas. (p. 1440)

OBJETIVOS DE DESTREZA

1. Demostrar cómo extraer el aguijón de una picadura de abeja y el cuidado adecuado del paciente después de su extracción. (pp. 1446-1447)
2. Demostrar cómo administrar epinefrina utilizando un autoinyector. (p. 1447)

Introducción

"Por favor, responda a una reacción alérgica". Oír esta petición de la central suele incomodar a los proveedores del servicios de emergencias médicas (SEM). No es la atención de la **reacción alérgica** del paciente lo que causa preocupación, sino la posibilidad de que se produzca una reacción anafiláctica potencialmente mortal. La buena noticia sobre la **anafilaxia** es que su incidencia es relativamente baja. Según los resultados de la encuesta realizada por Wood *et al.*, menos de 6% de la población en Estados Unidos (EU) ha experimentado una reacción anafiláctica.[1] La mayoría de estos incidentes de anafilaxia se debieron a medicamentos, seguidos de alimentos y picaduras de insectos (**FIGURA 22-1**.).[1] La mala noticia es que la incidencia de reacciones anafilácticas ha ido en aumento.[2,3] Un estudio descubrió que la mayor incidencia de aumento se daba en niños y adultos jóvenes, y que las alergias alimentarias eran las causas citadas con más frecuencia.[2] De las muertes por anafilaxia estudiadas, el riesgo de muertes anafilácticas relacionadas con fármacos fue mayor en las poblaciones de adultos mayores y afroamericanos.[4]

Al tratar emergencias relacionadas con alergias, debe prepararse para la posibilidad de obstrucción aguda de la vía aérea y colapso cardiovascular. Dado que las reacciones alérgicas y la anafilaxia suelen comenzar de forma similar, debe ser capaz de distinguir entre la respuesta natural del organismo a una picadura o mordedura, una reacción alérgica y una reacción anafiláctica grave. Es crucial identificar una reacción anafiláctica y estar preparado para administrar epinefrina. Su capacidad para reconocer y tratar las reacciones anafilácticas puede ser la diferencia entre la vida y la muerte inminente de un paciente.

Este capítulo comienza repasando la fisiología de la respuesta inmunológica del organismo y la fisiopatología de una reacción alérgica: cómo una respuesta inmunológica puede convertirse en un acontecimiento potencialmente mortal. Explorará la hipersensibilidad, las reacciones alérgicas, la anafilaxia, las reacciones alérgicas bifásicas, las reacciones anafilactoides, las enfermedades vasculares del colágeno y los trastornos relacionados con los trasplantes.

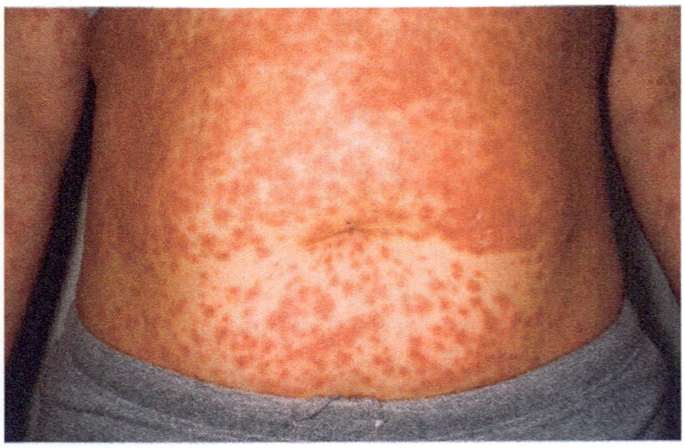

FIGURA 22-1 Un paciente con una reacción alérgica grave a la medicación. Este paciente era alérgico a la penicilina y a varios antibióticos más.

Cortesía de Carol B. Guerrero.

Repaso de anatomía y fisiología

El sistema inmunológico protege al cuerpo humano de sustancias y organismos considerados extraños. Sin el sistema inmunológico como protección, la vida tal y como la conocemos no existiría. El cuerpo estaría bajo el ataque constante de cualquier bacteria, virus u otro tipo de exposición que encontrara. Por suerte, para la mayoría de la población, el cuerpo está dotado de un asombroso sistema inmunológico que vigila 24 horas al día, 7 días a la semana, para detectar visitas no autorizadas o ataques invasores de sustancias extrañas.

El organismo se protege a sí mismo mediante dos tipos de sistemas: la inmunidad mediada por células y la inmunidad humoral (como se explica en el capítulo 7, *Fisiopatología*). En la inmunidad mediada por células, también llamada *inmunidad celular*, el organismo produce glóbulos blancos especiales llamados células T que atacan y destruyen a los invasores. En la inmunidad humoral, los linfocitos de células B producen anticuerpos que se disuelven en el plasma y la linfa y hacen la guerra a los organismos invasores. Las células productoras de inmunidad se encuentran por todo el cuerpo, en los ganglios linfáticos, el bazo y el tracto gastrointestinal (GI). Su objetivo es interceptar las fuerzas extrañas cuando entran en el organismo, limitando así la propagación y los daños de los invasores.

Respuesta inmunológica

Existen muchos términos asociados con las distintas reacciones del sistema inmunológico. Un **alérgeno** es una sustancia extraña que produce síntomas alérgicos en un paciente. La mayoría de los alérgenos suelen ser sustancias inocuas que no suponen una amenaza para otras personas; por ejemplo, los huevos, los cacahuetes, los antibióticos y el veneno de los insectos. Un **anticuerpo** es una proteína que el organismo produce en respuesta a un **antígeno**. Esta proteína (globulina) se encuentra en el plasma y se denomina inmunoglobulina (Ig). El anticuerpo inmunoglobulina E (IgE) es el principal responsable de las reacciones alérgicas. (En el capítulo 7, *Fisiopatología*, se trata en profundidad el tema de las globulinas).

Cuando el cuerpo se expone a una sustancia extraña, el sistema inmunológico responde, dando lugar a una reacción local o sistémica. En una **reacción local**, el organismo limita su respuesta a una zona específica después de la exposición a una sustancia extraña, como el edema alrededor de una picadura de insecto. Una **reacción sistémica** se produce en todo el cuerpo, afectando a múltiples sistemas corporales. Un ejemplo de este tipo de reacción se observa cuando una persona alérgica a las fresas desarrolla edema y urticaria por todo el cuerpo después de comer tarta de fresas.

La **hipersensibilidad** se produce cuando el sistema inmunológico de una persona reacciona con síntomas exagerados o inapropiados después de entrar en contacto con una sustancia que el organismo percibe como nociva. La hipersensibilidad suele dividirse en cuatro tipos.

1. **Reacción alérgica.** Respuesta inmunológica anormal que desarrolla el organismo cuando la persona ha estado expuesta o sensibilizada antes a una sustancia o alérgeno. En la mayoría de las personas, la exposición a esta sustancia no produciría ninguna reacción o una reacción leve; en una persona sensible al alérgeno, puede producirse una reacción local o sistémica importante.
2. **Anafilaxia.** Forma sistémica extrema de una reacción alérgica que afecta a uno, dos o más

USTED es el Paramédico

PARTE 1

Su unidad es enviada a una clínica local por un hombre de 50 años con un estado mental alterado y dificultad para hablar. El operador le dice que el paciente fue atendido en un inicio por una infección de la vía aérea superior, pero no hay más información porque la llamada se hizo desde la recepción. Cuando entra a la clínica, lo dirigen a una sala de exploración, donde encuentra a un hombre afroamericano de edad avanzada recostado en la camilla. La cabecera de la cama está elevada. Están presentes la esposa del paciente, una enfermera y un asistente médico. Cuando mira al hombre, su boca parece edematizada. Responde, pero no le presta atención cuando usted se dirige a él.

1. ¿Cuál es su primera impresión de este paciente?
2. ¿Necesita tomar medidas inmediatas?
3. ¿Qué diagnósticos diferenciales está considerando?

sistemas corporales. En las reacciones anafilácticas, lo más preocupante son los efectos potencialmente mortales.

3. **Reacción bifásica**. Reacción alérgica bifásica en la que los síntomas del paciente mejoran y luego reaparecen sin exposición al desencadenante (alérgeno) por segunda vez. Los síntomas pueden reaparecer hasta 8 horas o más después del incidente inicial. La literatura informa de una amplia variación en la incidencia de las reacciones bifásicas, desde menos de 1 a 23%.[5–8]
4. **Reacciones prolongadas (persistentes)**. Síntomas de anafilaxia que se prolongan en el tiempo, con plazos de 5 a 32 horas.[5] Una vez más, la incidencia es desigual, desde poco frecuente hasta de 23 a 28%.[5]

La anafilaxia se clasifica como una respuesta mediada por anticuerpos IgE, mientras que una **reacción anafilactoide** es una respuesta que no implica la mediación de anticuerpos IgE. Se desconoce el mecanismo exacto, pero puede producirse un episodio anafilactoide sin que el paciente haya estado expuesto previamente al agente agresor. Ejemplos de causas de reacciones anafilácticas son los frutos secos, el pescado y el látex. Las causas de las reacciones anafilactoides incluyen algunos agentes de contraste administrados antes de la radiografía, los medicamentos derivados de la morfina y la aspirina. Aunque el proceso que causa la reacción es diferente, la presentación del paciente es la misma.

Perlas de sabiduría

Las respuestas anafilácticas y anafilactoides son clínicamente indistinguibles y deben tratarse de la misma manera porque ambas pueden poner en peligro la vida.

Perlas de sabiduría

El término *anafilaxia* no es realmente exacto; el problema fundamental de una reacción anafiláctica no es la falta de protección, sino la sobreprotección. Es decir, la anafilaxia es una forma extrema y devastadora de alergia en la que el sistema inmunológico protector del organismo se desborda. Este término se utilizó por primera vez en 1902, cuando Portier y Richet experimentaban con la vacunación de perros con toxina de anémona marina. Después de la segunda dosis de la toxina, uno de los perros murió debido a una respuesta alérgica grave. Como esta respuesta se montó contra una sustancia dada como protección, se denominó anafilaxia (que significa "sin protección").

Vías de entrada de los alérgenos

Las sustancias pueden entrar e invadir el organismo a través de la piel, la vía aérea o el tracto GI. La invasión a través de la piel puede producirse en forma de inyección o absorción. En la **inyección**, la sustancia invasora perfora la piel y deposita material extraño en ella. Las abejas y los avispones suelen ser la causa de este tipo de invasión. La administración intravenosa (IV) o parenteral de medicamentos son otros ejemplos. La **absorción** se produce cuando el material extraño se deposita en la piel y se absorbe a través de ella. La absorción también puede producirse a través de la pared vaginal. Se han documentado casos de respuesta anafiláctica al líquido seminal, por lo que puede ser necesario preguntar a los pacientes sobre la actividad sexual reciente.[9] La invasión por alérgenos no se detiene en la piel; las sustancias también pueden entrar en el sistema respiratorio cuando el paciente respira tranquilamente. Esto se denomina exposición por **inhalación**: la sustancia extraña avanza por el sistema respiratorio y lanza su ataque desde los pulmones. El pelo y la caspa de gato, los cacahuetes y muchas plantas están implicados en este tipo de exposición. La última vía de entrada de los alérgenos en el organismo es el tracto gastrointestinal a través de la **ingestión**. Alimentos como la tarta de fresas, de la tortilla de champiñones y queso o la tarta de crema de cacahuete pueden provocar una reacción alérgica.

Aunque se calcula que millones de estadounidenses tienen el riesgo de presentar anafilaxia, no se puede determinar con exactitud la causa o la vía de exposición o entrada de este acontecimiento potencialmente mortal en hasta dos tercios de los pacientes.[1] Además, no se ha identificado ninguna vía de exposición que conlleve un mayor riesgo de anafilaxia. Además, las personas con alta sensibilidad pueden estar en riesgo por vías de exposición no comúnmente asociadas con un antígeno. Por ejemplo, es de esperar que una persona alérgica a los cacahuetes reaccione al ingerir cacahuetes o alimentos que los contengan. Sin embargo, un paciente con alergia alimentaria puede tener una reacción simplemente a través de la exposición en el aire, por ejemplo, si el antígeno se libera en forma de vapor al cocinar.

Para anticiparse a la anafilaxia, por supuesto, sería útil identificar a las personas con mayor riesgo. Ni la raza ni el sexo parecen afectar a la incidencia de la anafilaxia; sin embargo, determinadas edades y sexos suelen tener mayor incidencia de anafilaxia asociada con tipos específicos de exposición.[10] La incidencia de anafilaxia por picaduras de insectos tiende a ser mayor en los hombres.[11] Las mujeres tienen mayor incidencia de reacciones anafilácticas al látex, la aspirina y los relajantes musculares intravenosos.[11,12] Se han documentado reacciones anafilácticas en niños de tan sólo 4 meses y en la población geriátrica.[4,13] Los niños son más propensos a tener alergias alimentarias graves, mientras que los adultos tienden a tener reacciones anafilácticas a picaduras de insectos, anestésicos, medios de contraste y medicamentos. En el **CUADRO 22-1** se enumeran las sustancias comunes asociadas con la anafilaxia.

CUADRO 22-1 Causas de las reacciones anafilácticas

Antígeno, categoría general	Comentarios
Alimentos	• Causa prehospitalaria más frecuente de reacciones anafilácticas; se asocia con alta incidencia de muertes • Cacahuetes: tan solo 100 mcg pueden provocar una reacción. • Alergia a cacahuetes, frutos secos y mariscos: comunes a todas las edades. • Leche de vaca, trigo, soya, huevos: común en niños. • Huevos: antes era una contraindicación para recibir la vacuna contra la influenza (ahora se anima a las personas afectadas a recibir una única dosis de vacuna contra la influenza).

Medicamentos	• La penicilina, los antibióticos betalactámicos y las cefalosporinas son las causas más frecuentes de reacciones anafilácticas.
	  • Las personas alérgicas a la penicilina tienen más probabilidades de tener una reacción cuando se les administran cefalosporinas (en especial con cefalotina, cefalexina, cefadroxil o cefazolina).
	    • Puede tener una mayor incidencia de alergias a otros medicamentos
	• Otros medicamentos que pueden causar reacciones:
	  • Antibióticos: ampicilina y sulfamidas (sulfonamida, sulfisoxazol).
	  • Relajantes musculares: los agentes bloqueadores neuromusculares son la causa más frecuente (50 a 70%) de anafilaxia durante la anestesia.
	  • Agentes de inducción: los barbitúricos pueden provocar respuesta IgE; las alergias a la soya y al huevo son contraindicaciones para el uso de propofol.
	  • Opioides: la administración IV de opioides se asocia a menudo con rubor y **urticaria**; ralentizar la administración IV suele disminuir el efecto.
	  • Expansores plasmáticos: dextrano, hidroxietilalmidón. Si el expansor es a base de gelatina, es posible una reacción con sensibilidad a la gelatina.
	  • La suspensión de insulina isófana (NPH) (Humulin N®, Novolin N®) puede aumentar el potencial de anafilaxia.
	  • Salicilatos y AINE: la aspirina y los AINE son causas frecuentes de reacciones anafilácticas; pueden producirse alergias cruzadas.
	  • Anestésicos locales.
	  • Enzimas (p. ej., quimotripsina, penicilinasa).
	  • Extractos biológicos (p. ej., insulina y heparina).
	  • Vacunas: vigilar al paciente para detectar reacciones.

Látex (guantes, suministros o materiales que contengan látex)	• Utilice materiales sin látex. Algunos materiales de moldeado/simulación contienen látex. • La tasa de incidencia está disminuyendo. • Pueden producirse reacciones cruzadas con las alergias al plátano, el kiwi y la fresa. • Factores de riesgo: pacientes con exposición frecuente al látex, personal sanitario sensibilizado.

(continúa)

CUADRO 22-1 Causas de las reacciones anafilácticas (continuación)

Antígeno, categoría general	Comentarios
Transfusiones de sangre (no compatibles)	• Administración de sangre A positivo a un receptor B negativo. • Inmunoglobulina intravenosa o antisuero animal.
Picaduras de himenópteros (abejas, avispas, avispones y hormigas rojas)	• Se producen reacciones sistémicas en 0.5 a 3% de las personas después de una picadura. • Los adultos que desarrollan urticaria generalizada corren mayor riesgo de presentar reacciones anafilácticas. • Las reacciones localizadas no se consideran factores de riesgo de anafilaxia.
Animales	• Caspa (animales de pelo largo). • Productos de suero animal (p. ej., suero de caballo y gammaglobulinas).
Líquido seminal	• Se han descrito reacciones anafilácticas al líquido seminal.
ITSC alérgeno-específica (inyecciones alergénicas y pruebas cutáneas)	• Causa común de anafilaxia, pero rara vez provoca reacciones mortales. • Factores de riesgo: asma mal controlada, uso simultáneo de betabloqueadores, dosis elevada de alérgenos, errores en la administración y falta de un periodo de observación suficiente después de la inyección, antecedentes de enfermedad atópica.
Clorhexidina (antiséptico)	• Se utiliza en enjuagues dentales y como exfoliante quirúrgico.

Medicamentos contra el cáncer	• Quimioterapia.
	  • Encontrados con más frecuencia.
	  • Los medicamentos que contienen platino se asocian con más frecuencia a reacciones.
	• Anticuerpos monoclonales.
	  • El omalizumab suele provocar una reacción retardada y prolongada. Vigilar durante 3 horas después de las tres primeras inyecciones y durante 30 minutos después de las siguientes.

Medios de contraste (colorantes de contraste yodados utilizados en la obtención de radiografías)	• Se han notificado reacciones anafilácticas y anafilactoides. • Factores de riesgo de reacciones más graves: pacientes con asma, uso de betabloqueadores, enfermedad cardiovascular. • No hay pruebas de que los mariscos o las soluciones que contienen yodo aplicadas tópicamente estén relacionadas con reacciones anafilactoides por medios de contraste radioeléctricos.

Otros	• Se han notificado incidentes raros de anafilaxia coincidiendo con la menstruación.
	• Se ha notificado que la actividad física inducida por el ejercicio puede causar anafilaxia.
	  • Factores de riesgo o desencadenantes: ingestión de alimentos (pueden ser alimentos específicos o ingestión general); uso de AINE, en especial aspirina; alto contenido de polen (poco frecuente).
	  • Las reacciones/incidentes no se repiten de forma sistemática con incidentes similares.

Idiopática (causa desconocida)	• Los pacientes pueden experimentar anafilaxia sin una causa identificable. • Debe iniciarse el tratamiento; la causa puede determinarse más adelante. • Los pacientes pueden tener múltiples episodios de anafilaxia idiopática al año.

Abreviaturas: IgE, inmunoglobulina E; IV, intravenoso; NPH, protamina neutra Hagedorn; AINE, antiinflamatorio no esteroideo; ITSC, inmunoterapia subcutánea.

Datos de: Mustafa S. Anaphylaxis. Página web de Medscape. http://emedicine.medscape.com/article/135065-overview#a4. Actualizada el 16 de mayo de 2018. Consultada el 11 de febrero de 2021; y Peroni DG, Sansotta N, Bernardini R, et al. Muscle relaxants allergy. Int J Immunopathol Pharmacol. 2011;24(suppl 3):S35-S46. Pub Med Abstract. https://www.ncbi.nlm.nih.gov/pubmed/22014924. Consultado el 11 de febrero de 2021.

SEGURIDAD

Los SEM deben estar preparados para las alergias al látex en la escena y tener en cuenta la necesidad de proporcionar un entorno seguro y libre de látex. El *National Institute for Occupational Safety and Health* ofrece publicaciones sobre la prevención de reacciones alérgicas al látex en el lugar de trabajo.

Las enfermedades relacionadas con las alergias, también denominadas enfermedades atópicas, incluyen rinitis alérgica, asma y dermatitis atópica. La presencia de enfermedades atópicas aumenta el potencial de reacciones anafilácticas. La recurrencia de la anafilaxia tiene una mayor incidencia en pacientes con enfermedades atópicas.[14]

Es importante anotar la vía de exposición, aunque una reacción grave puede producirse por cualquier vía. También debe anotarse el tiempo transcurrido entre las exposiciones a una sustancia, ya que cuanto más tiempo pasa entre una exposición y otra, menos probable es que se produzca una reacción anafiláctica grave. Se cree que esta relación se debe a la disminución de la producción de las células Ig o anticuerpos específicos en el organismo con el paso del tiempo. No es el caso de las reacciones anafilactoides, por lo que estar preparado para la intervención es clave, ya que puede que no sea posible diferenciar entre ambas reacciones sobre el terreno.

Fisiología de la respuesta inmunológica

Una vez que una sustancia extraña entra en el organismo, este inicia una serie de respuestas. El primer encuentro con la sustancia extraña inicia la **respuesta primaria**. Las células (macrófagos) se enfrentan de inmediato a las sustancias extrañas y las engullen para determinar si están permitidas en el organismo. Si el organismo no puede identificar la sustancia, utiliza células inmunes para registrar las características más destacadas de la sustancia exterior. Estas células registran una o dos de las proteínas de la superficie de la sustancia invasora y luego diseñan proteínas específicas para cada sustancia. Estas proteínas (llamadas anticuerpos) están destinadas a coincidir con el antígeno e inactivarlo.

Perlas de sabiduría

La gravedad de una reacción alérgica futura no puede predecirse basándose en la gravedad de una reacción pasada. Una reacción alérgica leve puede ir seguida de una reacción potencialmente mortal.[15]

Mediante la respuesta primaria, el organismo desarrolla **sensibilidad**, es decir, la capacidad de reconocer el antígeno la próxima vez que se encuentre con él. Para determinar si la sustancia es "una de las nuestras", el organismo registra suficientes detalles para ayudar en la futura identificación de la sustancia y la producción de anticuerpos que se ajusten perfectamente al antígeno invasor. La **respuesta secundaria** se produce con la reexposición a una sustancia extraña.

Los **basófilos** y los **mastocitos** producen los **mediadores químicos** del organismo (**CUADRO 22-2**). Estas células contienen gránulos llenos de una gran cantidad de sustancias potentes listas para ser liberadas para luchar contra los antígenos invasores. Mientras el organismo no sea invadido por una de las sustancias extrañas previamente identificadas, los gránulos se mantienen encapsulados en sus paredes protectoras y permanecen inactivos. Sin embargo, si un antígeno invade el organismo y se combina con uno de los anticuerpos, los gránulos son expulsados de los mastocitos y los mediadores químicos se liberan en el tejido circundante y en el torrente sanguíneo (**FIGURA 22-2**). (En el capítulo 7, *Fisiopatología*, se incluye una revisión en profundidad del sistema inmunológico).

CUADRO 22-2 Mediadores químicos

Mediador	Efectos fisiológicos
Histamina	• Vasodilatación sistémica • Aumento de la permeabilidad de los vasos sanguíneos • Disminución de la contractilidad cardíaca • Disminución del flujo sanguíneo coronario • Arritmias • Broncoconstricción • Vasoconstricción pulmonar
Factor quimiotáctico de los eosinófilos	• Atrae eosinófilos y neutrófilos

(continúa)

CUADRO 22-2 Mediadores químicos (continuación)

Mediador	Efectos fisiológicos

Ácido araquidónico (precursor de los siguientes):
Prostaglandina
Leucotrienos (SRS-A)
	Estos factores actúan para producir otros mediadores inflamatorios:
	• Contracción del músculo liso
	• Permeabilidad vascular
	• Broncoconstricción
	• Aumento de la secreción mucosa
	• Disminución de la fuerza de contracción cardíaca
	• Disminución del flujo sanguíneo coronario
	• Disritmias
	  • Más potente que la histamina (miles de veces)
	  • Reaccionan más lenta que la histamina

Factor de activación plaquetaria	• Agregación plaquetaria • Provoca la liberación de histamina
Serotonina	• Vasoconstricción pulmonar
Proteoglicanos Heparina Sulfato de condroitina Quimiocinas Citocinas	• Controlan la liberación de histamina. Estos mediadores en su conjunto actúan para activar el sistema de la quinina y se cree que contribuyen a las reacciones prolongadas y bifásicas • Estos mediadores desencadenan vías inflamatorias y aumentan el reclutamiento de células inflamatorias
Quininas	• Las quininas son proteínas que se producen en las zonas de lesión tisular o inflamación, provocando vasodilatación y contracción del músculo liso. La bradiquinina es una de las más potentes y es responsable del aumento de la permeabilidad vascular.

Abreviatura: SRS-A, sustancia de reacción lenta de la anafilaxia

USTED es el Paramédico

PARTE 2

Mientras su compañero prepara el equipo de oxígeno para empezar a tratar al paciente, usted pregunta qué ha pasado. El asistente le cuenta que el paciente acudió a la clínica por una infección de la vía aérea superior. Al paciente se le diagnosticó una infección de oído y sinusitis, se le administró penicilina y se le dio un inhalador de albuterol para la bronquitis. Usted pregunta si el paciente ha tenido antes este tipo de reacción. La enfermera responde: "No", y añade: "Es alérgico al ácido acetilsalicílico, pero no a la penicilina". La esposa está de acuerdo con estas afirmaciones. Dice que estaban en la sala de espera después de que su esposo recibiera la inyección cuando empezó a tener problemas para hablar y a comportarse de forma extraña. Llamó a la enfermera y esta le llamó a usted. La enfermera también afirma que el paciente tiene antecedentes de hipertensión y toma un inhibidor de la enzima convertidora de angiotensina (ECA). El personal le ha administrado difenhidramina (Benadryl®) y 0.3 mg de epinefrina por vía intramuscular (IM) antes de su llegada. Le pide a su compañero que conecte al paciente al monitor cardíaco.

Tiempo de registro:	0 minutos
Apariencia	Despierta
Nivel de conciencia	No alerta
Vía aérea	Permeable con edema de los labios
Respiración	Estridor y sibilancias audibles sin estetoscopio, que se desarrollan mientras está aplicando oxígeno y recogiendo un informe inicial
Circulación	Pulso radial débil y rápido

4. ¿Puede tratarse de una reacción alérgica si el paciente no ha tenido una reacción previa?
5. ¿Cuáles son las implicaciones de los antecedentes de hipertensión y de la toma de un inhibidor de la ECA en este caso?
6. ¿Fueron adecuadas la vía de administración y la dosis de epinefrina, y debería permitir que le administraran una segunda dosis? Defienda su decisión.

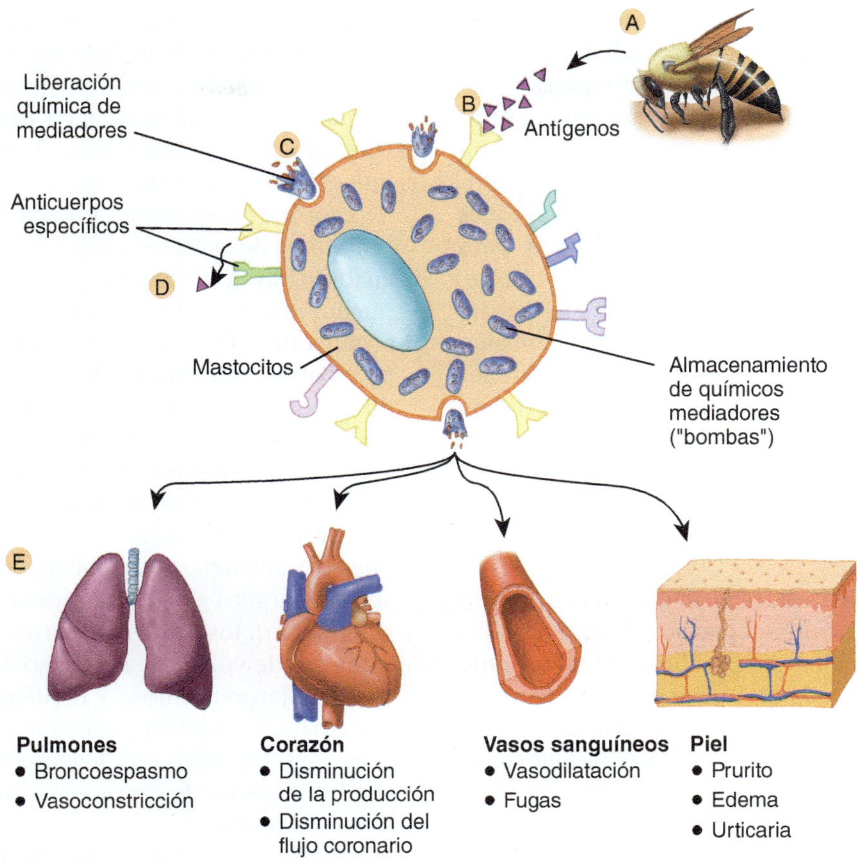

FIGURA 22-2 La secuencia de acontecimientos en la anafilaxia. **A.** Introducción del antígeno en el organismo. **B.** Reacción antígeno-anticuerpo en la superficie de un mastocito. **C.** Liberación de mediadores químicos de los mastocitos. **D.** Un anticuerpo específico reacciona con su antígeno correspondiente. **E.** Los mediadores químicos ejercen sus efectos en los órganos finales.

Evaluación del paciente

Evaluación de la escena

Evalúe el lugar en busca de problemas de seguridad, como un enjambre de abejas, que puedan ponerle en peligro a usted, a su equipo y al paciente. Una vez que se haya asegurado de que el lugar es seguro, determine la naturaleza de la enfermedad observando cualquier posible problema de exposición. Por ejemplo, si el paciente estaba trabajando en el jardín, una picadura de abeja podría ser la causa del problema. Una cena en una marisquería debería hacerle sospechar de los platos de mariscos del menú o de los alimentos fritos en aceite de cacahuete. Dado que la anafilaxia es un acontecimiento potencialmente mortal, es importante dedicar tiempo a examinar el lugar en busca de posibles riesgos de anafilaxia.

Evaluación primaria

La evaluación de un paciente con una reacción alérgica o anafiláctica puede ser todo un reto. Para salvar la vida del paciente, es posible que tenga que evaluar al paciente, identificar el problema e intervenir de manera simultánea a los pocos segundos de llegar al lugar. El índice de sospecha de anafilaxia debe ser prioritario si se presenta alguno de los síntomas comentados antes. Puede que no tenga una segunda oportunidad porque el estado del paciente puede deteriorarse con rapidez.

Los síntomas alérgicos son casi tan variados como los propios alérgenos. Un paciente puede presentar marcas de mordeduras o picaduras que se acompañan de otros signos y síntomas de una reacción alérgica. Su evaluación de un paciente que experimenta una reacción alérgica debe incluir evaluaciones del nivel de consciencia, el sistema respiratorio, el sistema circulatorio, el estado mental y la piel.

Como ya se ha mencionado, las reacciones alérgicas pueden ser locales o sistémicas. Se clasifican en leves, moderadas o graves. Las reacciones leves afectan a una zona local del cuerpo y no se extienden a otras zonas. El prurito y lagrimeo de ojos o una erupción son ejemplos de reacción leve. Una ligera congestión también se consideraría una reacción leve. Las reacciones moderadas comienzan como reacciones leves, pero los síntomas se extienden a otras partes del cuerpo. Por ejemplo, al principio el paciente refiere prurito y lagrimeo en los ojos y después desarrolla opresión en el tórax con dificultad para respirar. Las reacciones graves se consideran anafilácticas y pueden poner en peligro la vida del paciente. Las reacciones graves son sistémicas; por ejemplo, el paciente puede presentar congestión que evoluciona a dificultad respiratoria e hipotensión. El inicio suele ser repentino y afectar a todo el cuerpo.

Observe al paciente para formarse una impresión general. La presentación del paciente le dará una indicación de la gravedad del problema. Si el paciente no puede hablar, el edema puede estar afectando a las cuerdas vocales. El nivel de consciencia es un indicador de la gravedad del paciente y un reflejo de su estado circulatorio y de oxigenación. La inquietud, la confusión, la ansiedad y la combatividad son signos frecuentes de hipoxia. Cualquier cambio en el estado mental de un paciente anafiláctico debe indicarle que inicie de inmediato la administración de epinefrina y la evaluación y manejo de la vía aérea.

Parte de la formación de una impresión general implica la evaluación de la vía aérea y la respiración. Una vía aérea superior ruidosa es preocupante en cualquier paciente, pero aún más en un paciente anafiláctico porque puede ser un signo temprano de oclusión inminente de la vía aérea debido a la inflamación. Escuche si hay estridor y ronquera. Además, el paciente puede referir una sensación de opresión o un "nudo en la garganta". Observe si el paciente presenta dificultad para hablar, vía aérea ruidosa, taquipnea, respiración dificultosa, uso de músculos accesorios, retracciones anormales y espiración prolongada. La gravedad de estos hallazgos predice la estabilidad del estado del paciente. Los ruidos respiratorios también predicen la gravedad. Al principio, oirá sibilancias. A medida que el estado del paciente se deteriora y los pulmones se vuelven más estrechos y menos ventilados (hipoventilación), los ruidos pulmonares disminuirán y el tórax puede volverse silencioso. Un tórax silencioso es un hallazgo ominoso y requiere una intervención inmediata. La intervención oportuna es clave en estos pacientes. No todos los pacientes tendrán problemas respiratorios, por lo que hay que mantener un alto índice de sospecha.

Vigilar de cerca al paciente para detectar cambios en la circulación. Evaluar la piel en busca de eritema,

USTED es el Paramédico

PARTE 3

Usted decide administrar una segunda dosis de epinefrina IM. Su compañero administra oxígeno al paciente, que empieza a responder se queja de dificultad para respirar. El estridor se oye con claridad. Las sibilancias siguen presentes en la auscultación. El médico tratante recomienda sentar al paciente en posición vertical para ayudarle a respirar. Su compañero recomienda iniciar la administración de albuterol mediante nebulizador mientras usted inicia una vía IV.

Tiempo de registro:	5 minutos
Respiraciones	26 respiraciones/min, muy superficiales
Pulso	120 latidos/min
Piel	Presencia de urticaria en el tórax y los brazos, caliente y seca
Presión arterial	90/58 mm Hg
Saturación de oxígeno (Spo_2)	92% con aire ambiente, 94% con oxígeno mediante mascarilla de no reinhalación
Pupilas	Pupilas iguales, redondas y reactivas a la luz (PIRRL)

7. ¿Le preocupa permitir que este paciente se siente erguido y lo colocaría en posición vertical?

8. ¿Qué efecto puede esperar que tenga el albuterol en este paciente?

9. ¿Qué tipo de líquido debe administrar y qué cantidad es la indicada? ¿Hay algún problema con la administración de líquidos para este paciente?

erupciones, edema, humedad, **prurito** y urticaria. La urticaria puede aparecer como manchas enrojecidas y elevadas en la piel (p. ej., ronchas) en personas de piel pálida. La urticaria puede ser difícil de reconocer en personas de piel oscura, ya que, aunque quizá haya manchas de piel protuberante y la piel parezca inflamada, es poco probable que esté enrojecida. En su lugar, la piel puede parecer un poco más clara o más oscura de lo habitual. Estos síntomas se asocian con más frecuencia a una reacción anafiláctica debida a la liberación de histamina; sin embargo, la anafilaxia puede producirse sin estos signos cutáneos comunes. También puede haber palidez y cianosis. (Dado que la palidez y la cianosis son difíciles de detectar en pacientes con piel oscura, compruebe si las membranas mucosas [labios, lengua, conjuntivas], los lechos ungueales o las palmas de las manos presentan un color ceniciento, gris o azulado). Un pulso radial débil, filiforme o ausente es indicativo de un posible colapso cardiovascular. Recuerde que la anafilaxia puede presentarse solo con hipotensión o que la hipotensión puede no estar presente incluso en casos potencialmente mortales. No espere a que aparezcan signos de shock. El reconocimiento oportuno y el inicio del tratamiento inmediato son prioritarios.

Mientras completa el reconocimiento primario, tome decisiones sobre el transporte. Debe decidir si permanecer en el lugar, cargar al paciente e iniciar el tratamiento durante el transporte o solicitar transporte aéreo. Además, debe determinar a qué centro transportará al paciente en función de los servicios que necesite.

Perlas de sabiduría

En pacientes con alta sensibilidad a un alérgeno, pregunte siempre por las vías menos tradicionales de exposición a medida que recopila el historial. Por ejemplo, pregunte sobre la exposición por inhalación en un paciente con alergia a los cacahuetes.

Historial clínico

El historial clínico del paciente debe incluir la investigación de la queja principal, SAMPLE (Signos y síntomas, Alergias, Medicamentos, antecedentes Pertinentes, última [*Last*] ingesta oral, Eventos que provocaron la lesión o enfermedad) y OPQRST (Inicio [*Onset*], Provocación/paliación, Calidad [*Quality*], Región/irradiación, Gravedad [*Severity*], Momento [*Timing*]). La historia clínica debe dirigirse en específico a este incidente. Algunos pasos pueden omitirse o los datos pueden recabarse más tarde si existe una amenaza para la vida. ¿Tiene el paciente alguna alergia? ¿Ha tenido el paciente alguna vez una reacción alérgica o anafiláctica? En caso afirmativo, ¿qué tan grave fue el incidente y con qué rapidez evolucionó? Compararlo con este incidente preguntando qué tan grave es este incidente y qué tan rápido está progresando es también una herramienta útil.

Preguntar si se ha realizado alguna intervención. Determine si el paciente tuvo una exposición previa al antígeno; por ejemplo, si el paciente acaba de comer maní o nueces es útil preguntar sobre ingestas previas. Una reacción grave puede producirse en la primera o segunda exposición a un antígeno, por lo que es posible que el paciente no conozca la alergia. Preguntar sobre los medicamentos, en particular los nuevos, ayuda a identificar el antígeno. Además, haga preguntas sobre los factores de riesgo de anafilaxia grave, como los siguientes:[16]

- Antecedentes de alergia a maní y frutos secos (en especial en adolescentes)
- Enfermedad respiratoria o cardiovascular preexistente
- Asma
- Retraso en la administración de epinefrina
- Reacciones anafilácticas bifásicas previas
- Edad avanzada
- Mastocitosis

En algunas reacciones anafilactoides (no IgE), puede no existir una exposición previa. Además, habrá casos en los que no se pueda identificar el antígeno causante. En presencia de una reacción grave, la intervención tiene prioridad sobre la identificación del antígeno. Para ayudar a determinar en qué momento del proceso de reacción se encuentra el paciente, pregunte cuándo comenzaron los síntomas. Dirija su evaluación a signos potenciales de amenaza para la vida, como sensación de opresión en la garganta, sensación de disnea, síncopes o hipotensión.

También determine si el paciente o las primeras personas que auxiliaron, administraron algún tratamiento antes de su llegada. Esto puede incluir el uso de un EpiPen®, la toma de difenhidramina o el uso de un inhalador con un betaagonista (como albuterol o metaproterenol) o epinefrina en aerosol (como Primatene Mist®) (**FIGURA 22-3**). Si el paciente tiene un EpiPen® o ha utilizado uno, tenga en cuenta que algunos EpiPen® vienen con dos dosis. No deseche la segunda dosis.

Pregunte sobre las causas menos frecuentes de anafilaxia, como las reacciones inducidas por el ejercicio. En el caso poco frecuente de reacción al líquido seminal, pregunte sobre la actividad sexual reciente. No retrase el tratamiento para encontrar la causa. Los pacientes pueden presentar anafilaxia idiopática, por lo que es posible que no pueda identificar la causa. El

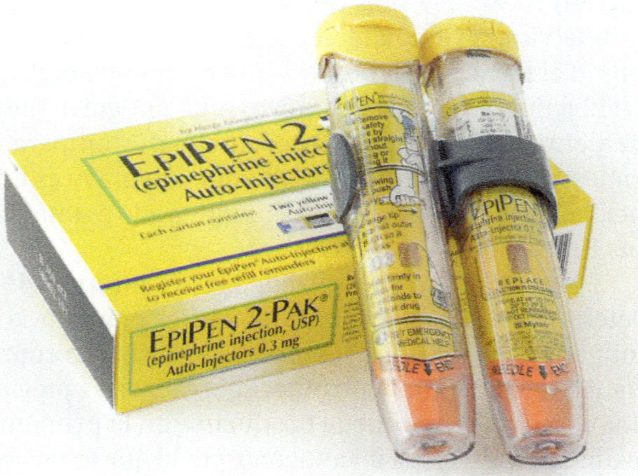

FIGURA 22-3 Los pacientes con reacciones alérgicas graves suelen llevar consigo epinefrina de prescripción médica, que viene predosificada en un autoinyector o en una jeringa precargada.

CUADRO 22-3 muestra una pauta para identificar la anafilaxia.

Evaluación secundaria

Si el tiempo y las condiciones lo permiten, realice una exploración física. La presentación clásica de la anafilaxia incluye síntomas respiratorios e hipotensión. Además, pueden presentarse síntomas gastrointestinales como calambres anormales, náusea, vómito y diarrea. Si se determina que el paciente presenta una afección potencialmente mortal, realice una exploración física; sin embargo, esta debe realizarse después de haber abordado las amenazas para la vida y cuando usted se encuentre de camino al hospital.

La evaluación secundaria puede ayudar a dirigir el tratamiento. Como en todas las emergencias, la evaluación de un paciente que experimenta una reacción alérgica debe incluir una evaluación sistemática de la cabeza a los pies o una evaluación focalizada para

CUADRO 22-3 Diagnóstico de la anafilaxia

La anafilaxia es probable cuando se cumple cualquiera de los tres criterios.

Criterio 1 Aparición aguda de una enfermedad (de minutos a varias horas) con afectación de:	**Criterio 2** Dos o más de las siguientes que ocurren con rapidez después de la exposición a un alérgeno probable para ese paciente:	**Criterio 3** Después de la exposición a un alérgeno conocido para ese paciente (de minutos a varias horas):
Piel o mucosas: • Prurito • Enrojecimiento • Urticaria • Angioedema Y tampoco: Compromiso respiratorio: • Disnea • Sibilancias-broncoespasmo • Disminución del flujo espiratorio máximo • Estridor • Hipoxemia O: Disminución de la presión arterial o disfunción de órganos terminales: • Colapso • Síncope • Incontinencia	Piel o mucosas: • Prurito • Enrojecimiento • Urticaria • Angioedema Compromiso respiratorio: • Disnea • Sibilancias-broncoespasmo • Disminución del flujo espiratorio máximo • Estridor • Hipoxemia Disminución de la presión arterial o disfunción de órganos terminales: • Colapso • Síncope • Incontinencia Síntomas gastrointestinales persistentes:: • Vómito • Dolor abdominal tipo cólico • Diarrea	Disminución de la presión arterial

Datos de: Manivannan V, Decker WW, Stead LG, et al. Visual representation of National Institute of Allergy and Infectious Disease and Food Allergy and Anaphylaxis Network criteria for anaphylaxis. *Int J Emerg Med*. 2009;2:3-5. doi:10.1007/s12245-009-0093-z. https://link.springer.com/article/10.1007%2Fs12245-009-0093-z. Consultado el 11 de febrero de 2021.

determinar traumas ocultos u otras afecciones médicas no relacionadas.

Realizar evaluaciones del sistema respiratorio. Evaluar de manera minuciosa la vía aérea y la respiración, incluido el estridor, el aumento del trabajo respiratorio, el uso de músculos accesorios, el balanceo de la cabeza, la posición en trípode, el aleteo nasal y los gruñidos. Auscultar con cuidado la tráquea y el tórax.

El estridor y las sibilancias pueden estar presentes durante una reacción alérgica. El estridor se produce cuando la inflamación de la vía aérea superior la cierra y puede llegar a obstruirla por completo. Las sibilancias se producen porque se segrega un exceso de líquido y mucosidad en los bronquios, y los músculos que rodean estos conductos se tensan en respuesta a la liberación de histaminas y leucotrienos inducida por el alérgeno. Como resultado, la exhalación se hace cada vez más difícil cuando el paciente intenta expulsar las secreciones o hacer pasar el aire a través de la vía respiratoria constreñida. La respiración se vuelve más difícil y el paciente puede incluso dejar de respirar. La dificultad respiratoria prolongada puede causar taquicardia, shock, insuficiencia respiratoria y muerte.

Evaluar el sistema circulatorio. Vigile los signos de compromiso hemodinámico, incluida la presión arterial, la frecuencia del pulso, la monitorización cardíaca y la pulsioximetría. Recuerde que la presencia de hipoperfusión (shock) o dificultad respiratoria indica que la reacción del paciente es grave y puede provocar la muerte.

Evalúe con cuidado la piel en busca de edema, erupción cutánea, urticaria y signos del origen de la reacción: mordedura, picadura o marcas de contacto. Una erupción que se extiende rápido es preocupante porque puede indicar una reacción sistémica y derivar con rapidez en anafilaxia. En personas de piel clara, la piel roja y caliente también puede indicar una reacción sistémica, ya que los vasos sanguíneos pierden su capacidad de contraerse y la sangre se desplaza a las extremidades. En las personas de piel oscura, puede ser necesario confiar en los cambios de temperatura de la piel más que en los cambios de color de la piel. Si esta reacción continúa, el cuerpo tendrá dificultades para suministrar sangre y oxígeno a los órganos vitales. Uno de los primeros signos será la alteración del estado mental, ya que los órganos se ven privados de oxígeno y glucosa.

Evaluar los signos vitales basales, incluyendo pulso, respiración, presión arterial, piel, pupilas y saturación de oxígeno. La presencia de taquipnea y dificultad respiratoria indica compromiso de la vía aérea. La frecuencia respiratoria y el pulso rápidos pueden indicar dificultad respiratoria o shock sistémico. El pulso acelerado y la hipotensión son signos ominosos que indican colapso vascular sistémico y shock. Los signos cutáneos pueden no coincidir con signos de hipoperfusión debido a erupciones cutáneas y edema.

Utilice herramientas como un monitor cardíaco en su evaluación porque las disritmias pueden estar asociadas con la anafilaxia. Considere la posibilidad de realizar un electrocardiograma (EKG) de 12 derivaciones para vigilar una posible isquemia cardíaca. Este paso es en especial importante en pacientes con antecedentes de enfermedad cardiovascular o pulmonar. Los niveles de dióxido de carbono al final de la espiración ($ETCO_2$) pueden estar elevados en la anafilaxia. Observe si aparece una forma de onda de "aleta de tiburón" en el monitor de $ETCO_2$, que indica broncoconstricción. El $ETCO_2$ disminuye con la hipoperfusión y debería mejorar a medida que la presión arterial y el estado hemodinámico del paciente se recuperan. La monitorización de la pulsioximetría puede alertar los niveles bajos de saturación de oxígeno, lo que ayudará a identificar el grado de dificultad respiratoria. Se debe considerar la administración de oxígeno a los pacientes con signos de anafilaxia o compromiso cardiovascular o respiratorio, basándose en el análisis de la dificultad respiratoria, la pulsioximetría y sus protocolos.

Perlas de sabiduría

Aunque los signos cutáneos como la urticaria y el rubor son frecuentes en la anafilaxia, es importante recordar que puede producirse un colapso cardiovascular rápido y grave sin que se presenten signos cutáneos.

Reevaluación

La reevaluación suele realizarse de camino al departamento de emergencias (DE). Esté atento a la monitorización de un paciente que experimente una presunta reacción alérgica, ya que el deterioro de su estado puede ser rápido y mortal. Preste especial atención a cualquier signo de compromiso de la vía aérea, como aumento del trabajo respiratorio, estridor y sibilancias. Vigile el nivel de ansiedad del paciente, porque el aumento de la ansiedad sugiere que la reacción puede estar progresando. Observe la piel en busca de signos de shock, como palidez y diaforesis, así como enrojecimiento. Obtenga los signos vitales seriados y anote cualquier aumento de la frecuencia respiratoria o del pulso o cualquier disminución de la presión arterial. Siga revaluando la afección principal.

Una vez realizadas las intervenciones, vuelva a comprobarlas. Si administró epinefrina, ¿cuál ha sido el efecto? ¿Está mejorando el estado del paciente?

¿Necesita considerar una segunda dosis? Puede que tenga que administrar más de una inyección de epinefrina o plantearse una infusión si observa que el estado mental del paciente disminuye, aumenta la dificultad respiratoria se reduce la presión arterial. Asegúrese de consultar primero con el control médico o sus protocolos. Identifique y trate los cambios en el estado del paciente.

Recuerde que, cuando el paciente presenta un estado grave, cuanto más tiempo pueda dar al personal del centro para prepararse, mejor. Comunique y documente el estado del paciente, las intervenciones realizadas y la respuesta del paciente.

Asistencia médica de emergencia

Para tratar las reacciones alérgicas, primero hay que identificar el grado de sufrimiento del paciente. Algunas reacciones alérgicas producen signos y síntomas graves en cuestión de minutos y amenazan la vida del paciente. La administración oportuna de epinefrina es prioritaria en el cuidado del paciente que experimenta una reacción anafiláctica. En las reacciones graves se requiere asistencia ventilatoria o reanimación con líquidos. Otras reacciones alérgicas tienen un inicio más lento, causan menos sufrimiento grave y pueden resolverse sin intervención. Las reacciones más leves, sin sufrimiento respiratorio o cardiovascular, pueden requerir solo cuidados de apoyo, como oxígeno. En ambos casos, el paciente debe ser trasladado a un centro médico para una evaluación más detallada.

Fisiopatología, evaluación y tratamiento de emergencias específicas

Reacciones anafilácticas

Fisiopatología

Como ya se ha comentado, un sistema inmunológico demasiado protector puede provocar problemas que varían en gravedad desde una simple molestia hasta una crisis potencialmente mortal. Esta variación se produce porque las células inmunológicas de la persona con alergia son más sensibles que las células inmunológicas de una persona sin alergia. Aunque estas células pueden reconocer y reaccionar ante invasores peligrosos, como bacterias y virus, también identifican sustancias inofensivas como una amenaza.

Cuando la sustancia invasora penetra en el organismo, los mastocitos la reconocen como potencialmente nociva y liberan mediadores químicos. La histamina, una de las principales armas químicas, provoca la dilatación de los vasos sanguíneos de la zona y la fuga de los capilares. Los leucotrienos, que son aún más potentes, se liberan y provocan una dilatación adicional y fugas. Los glóbulos blancos acuden a la zona para ayudar a envolver y destruir al enemigo, y las plaquetas comienzan a acumularse y aglutinarse. En la mayoría de los casos, esta reacción exagerada ante invasores inofensivos se limita a la zona local invadida. El escurrimiento nasal, el prurito de nariz y el edema de ojos asociados con fiebre del heno son ejemplos de reacción alérgica local.

Con la anafilaxia, la persona no tiene tanta suerte. Se liberan mediadores químicos y el efecto afecta a más de un sistema de todo el organismo. Puede observarse un efecto inicial por la liberación de histamina, con efectos secundarios unas horas más tarde, cuando se liberan otras sustancias químicas.

La liberación de histamina provoca una vasodilatación inmediata, que a menudo se presenta como piel eritematosa e hipotensión. También aumenta la permeabilidad vascular, lo que produce edema, secreción de líquido y pérdida de líquido. El edema puede presentarse como urticaria (**FIGURA 22-4**), constricción de la vía aérea y aumento de líquidos en la vía aérea. La histamina también causa contracción del músculo liso, en especial en los sistemas respiratorio y gastrointestinal, lo que provoca laringoespasmo o broncoespasmo y dolor abdominales. Por último, la histamina disminuye los efectos inotrópicos del corazón. Cuando este efecto se une a la vasodilatación, la persona puede experimentar una hipotensión profunda. También son frecuentes las arritmias debidas a la hipoperfusión y la hipoxia.

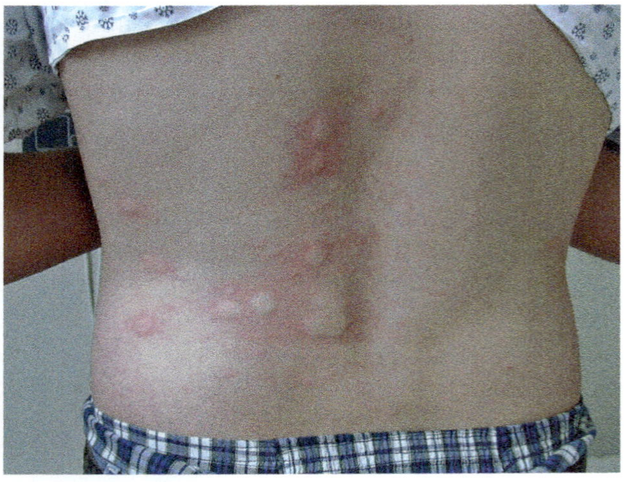

FIGURA 22-4 La urticaria puede aparecer después de una picadura y se caracteriza por múltiples zonas pequeñas y elevadas en la piel.

Las respuestas posteriores de los leucotrienos, mucho más potentes, agravan los efectos de la histamina. Por lo tanto, el estado respiratorio de la persona será aún más grave a medida que se liberen estos broncoconstrictores altamente potentes. Además, la liberación de leucotrienos provoca vasoconstricción coronaria, contribuyendo a empeorar el estado cardíaco y la irritabilidad miocárdica. Los leucotrienos también se asocian con un aumento de la permeabilidad vascular, lo que contribuye a un mayor estado de hipoperfusión.

Los mediadores químicos restantes siguen empeorando la situación mientras toman medidas para proteger al organismo de este invasor extraño. Como resultado de estas actividades, cuando el organismo presenta una reacción anafiláctica, es posible que la persona no sobreviva sin una intervención inmediata. (Para un análisis más profundo, véase capítulo 7, *Fisiopatología*).

Síntomas clínicos de la anafilaxia

La piel es la primera línea de defensa del organismo frente a posibles invasores, por lo que los síntomas cutáneos son los primeros indicios de anafilaxia. Al principio, la persona puede notar calor y rubor. El prurito es otro signo temprano que se debe a la vasodilatación y la fuga capilar. La zona alrededor de los ojos es susceptible a este efecto, que provoca ojos edematizados y rojos. El edema de la cara y la lengua (angioedema) contribuye a comprometer la vía aérea. También puede observarse edema de manos y pies. La histamina es responsable de la urticaria que experimenta el paciente con anafilaxia.

Entre las afecciones más comunes se encuentran los síntomas respiratorios, que suelen presentarse como dificultad para respirar o disnea y opresión en la garganta y el pecho. También puede presentarse estridor o ronquera. Estos signos y síntomas se deben a la inflamación de la vía aérea superior en las zonas laríngea y epiglótica. Los pacientes afectados pueden referir un nudo en la garganta o tener dificultad para hablar. La vía aérea inferior también suele estar afectada. La broncoconstricción y el aumento de secreciones provocan sibilancias y crepitaciones (estertores). No es infrecuente que el paciente tosa o estornude cuando el cuerpo intenta despejar la vía aérea. Estos síntomas pueden progresar lenta o alarmantemente rápido. Puede que solo disponga de 1 a 3 minutos para detener este proceso rápido y potencialmente mortal.

Los síntomas cardiovasculares son complicaciones graves de la anafilaxia. Como ya se ha señalado, la histamina y los leucotrienos actúan directamente sobre el corazón para disminuir su contractilidad. La disminución resultante del gasto cardíaco se complica por la vasodilatación y el aumento de la permeabilidad capilar, lo que disminuye la cantidad de líquido que retorna al corazón. A medida que disminuye el gasto cardíaco, disminuye la perfusión, lo que provoca isquemia y aumenta la posibilidad de arritmias cardíacas. A medida que el líquido se escapa de los capilares, el sistema intravascular se queda corto de líquido. (Hasta 50% del volumen vascular puede desplazarse al espacio extravascular en los 10 minutos siguientes a la exposición a un antígeno.[17] Esta situación es análoga a tener 3 L de sangre en un recipiente de 6 L). En lugar de responder por lo general a la pérdida de líquido y contraerse, los vasos sanguíneos hacen justo lo contrario: se dilatan. El volumen vascular, ya de por sí bajo, se vuelve inadecuado y se produce hipotensión. La frecuencia cardíaca aumenta en respuesta a la presión arterial baja, lo que sobrecarga el corazón, ya de por sí comprometido. En esta situación, la taquicardia, la piel enrojecida y la hipotensión son sinónimos de shock anafiláctico.

Los síntomas gastrointestinales también pueden formar parte de una respuesta anafiláctica, sobre todo si se ha ingerido el antígeno agresor. Los cólicos abdominales son una presentación común, pero también pueden presentarse náusea, edema, vómito, distensión abdominal y diarrea profusa y acuosa.

Los pacientes pueden presentar síntomas del sistema nervioso central en respuesta a la disminución de la perfusión cerebral y la hipoxia. Estos síntomas incluyen cefalea, mareos, confusión, síncopes y ansiedad. Una sensación de "fatalidad inminente" representa bien la sensación del paciente de estar cerca de la muerte. Un paciente que expresa una sensación de fatalidad inminente requiere una evaluación y un tratamiento rápidos.

La anafilaxia puede afectar a dos o más de estos sistemas corporales, por lo que el cuadro puede resultar confuso en ocasiones. Piense que un paciente con anafilaxia experimenta tres tipos de shock: (1) shock cardiogénico debido a la disminución del gasto cardíaco, (2) shock hipovolémico debido a la filtración de fluidos a los tejidos y (3) shock neurogénico debido a la incapacidad de los vasos sanguíneos para contraerse. Deberá utilizar sus habilidades de evaluación para identificar el potencial de anafilaxia y tomar medidas agresivas para controlar la situación y detener el proceso anafiláctico lo antes posible.

Evaluación

Deberá diferenciar con rapidez entre la anafilaxia y otras afecciones con síntomas similares. Interrogar al paciente sobre sus antecedentes alérgicos y la exposición a desencadenantes es la clave para identificar el diagnóstico de anafilaxia. El tiempo es esencial, así que familiarícese con otras posibilidades, como las siguientes:

- **Síncope.** Considerar incidentes vasovagales u otras causas de síncope o shock.
- **Rubor facial súbito.** Pregunte sobre antecedentes de cáncer o mastocitosis.
- **Síndrome del hombre rojo.** Pregunte por las infusiones de vancomicina, ya que pueden causar esta afección, que se caracteriza por un prurito enrojecido y una erupción en la parte superior del cuerpo.
- **Ansiedad grave y dificultad respiratoria.** Puede asociarse con ataques de pánico.
- **Sibilancias y dificultad respiratoria.** Pregunte por los antecedentes de enfermedad pulmonar obstructiva crónica, aspiración de cuerpos extraños y asma, y si los síntomas actuales son diferentes de los habituales.
- **Intoxicación por glutamato monosódico.** Esta afección también debe tenerse en cuenta. Los signos y síntomas incluyen cefalea, urticaria, parestesias peribucales, diaforesis y malestar estomacal. Con dosis elevadas, pueden aparecer palpitaciones, dolor torácico y dificultad para respirar.
- **Escombroidosis.** Esta afección puede imitar las reacciones anafilácticas inducidas por los alimentos. Las bacterias que se encuentran en el pescado en mal estado liberan enzimas capaces de provocar la degranulación de los mastocitos.
- **Lesión pulmonar aguda relacionada con la transfusión (TRALI).** Esta lesión puede producirse hasta 6 horas después de la administración de hemoderivados y cursa con hipoxia, dificultad respiratoria e hipotensión.
- **Angioedema por inhibidores de la ECA.** El angioedema es un efecto secundario frecuente del uso de inhibidores de la ECA y es más común en personas afroamericanas.[18] Es frecuente el edema de la lengua, los labios y la cara. La broncoconstricción no es común en el angioedema por inhibidores de la ECA. La mayoría de los pacientes responden a la administración de antihistamínicos y a la interrupción de la medicación.[18] En estos pacientes es esencial una estrecha vigilancia y preparación para el manejo de la vía aérea.

Si no puede determinar otra causa de los síntomas y el paciente sigue presentando síntomas anafilácticos, no retrase el tratamiento para obtener un diagnóstico más completo.

Manejo

Las personas con reacciones alérgicas se dividen en dos grupos a efectos de tratamiento. El primer grupo incluye a los pacientes con signos de reacción alérgica (p. ej., urticaria) pero sin dificultad respiratoria ni disnea. El fármaco de elección para estos pacientes es la difenhidramina. Siga vigilando si se producen cambios en el estado del paciente, pero la mayoría de los pacientes de este grupo se recuperarán sin más problemas.

El segundo grupo incluye a los pacientes que no están estables de inicio, se están deteriorando o tienen antecedentes de deterioro. Estos son los pacientes con anafilaxia o con potencial para desarrollar anafilaxia.

Eliminar el agente agresor. Cuando sea posible, retire al paciente de la situación en la que está implicado el antígeno o elimine el antígeno del paciente. Por ejemplo, si el paciente es alérgico al maní y está expuesto al cacahuete a través de la inspiración, es posible que tenga que sacar al paciente de la habitación, porque es posible que no pueda eliminar el alérgeno del maní del aire. Si el paciente aún tiene el aguijón de una picadura de abeja, debe quitárselo. Recuerde raspar el aguijón, porque puede inyectar más veneno en el paciente si lo pellizca o lo aprieta (**FIGURA 22-5**).

La vía aérea es siempre prioritaria en cualquier situación. Esté preparado para asistir la ventilación cuando sea necesario. La evaluación de la presencia de estridor y ronquera debe indicar la gravedad del compromiso de la vía aérea. Tenga cuidado al cambiar la posición de un paciente anafiláctico de decúbito supino a posición vertical o de pie. Las posiciones erguidas se han asociado con aumento de la tasa de mortalidad.[16] Utilice un dispositivo de oxígeno adecuado para la administración de oxígeno suplementario y considere el transporte oportuno. *La administración oportuna de epinefrina debe ser prioritaria.*

La administración IM de epinefrina en la cara anterolateral del muslo es el fármaco y la vía de elección para la anafilaxia y debe considerarse oportunamente (**FIGURA 22-6**). No retrasar la administración de epinefrina; el retraso se considera el principal factor que contribuye a las muertes.[15] Algunos pacientes necesitarán más de una dosis de epinefrina para revertir la reacción. Pueden repetirse dosis IM adicionales cada 5 a 15 minutos según sea necesario. Si no hay respuesta a las dosis IM, debe administrarse una

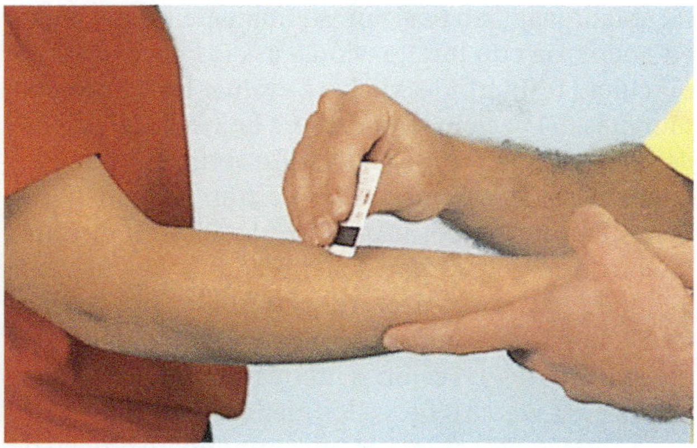

FIGURA 22-5 Para extraer el aguijón de una abeja melífera, raspe con suavidad la piel con el borde de un objeto afilado y rígido, como una tarjeta de crédito.

Perlas de sabiduría

La administración IM de epinefrina es preferible a la administración subcutánea de epinefrina porque proporciona una absorción más rápida. Si el paciente no responde a la administración IM, se recomienda la infusión IV o intraósea (IO) de epinefrina.[19]

infusión IV de epinefrina junto con un bolo IV de líquidos para mantener el estado hemodinámico según sea necesario. Los bolos IV o IO solo se recomiendan si no puede administrar con rapidez las infusiones de epinefrina, por colapso cardiovascular inminente o si las infusiones iniciales no son eficaces. Puede considerarse la administración endotraqueal si no se dispone de otras vías.

La epinefrina es el fármaco de elección para las reacciones anafilácticas porque detiene el proceso de degranulación de los mastocitos. La acción de la epinefrina es inmediata; puede revertir con rapidez los efectos de la anafilaxia. Además, la epinefrina revierte los efectos de los mediadores químicos liberados por la degranulación. Sus propiedades alfaadrenérgicas provocan la constricción de los vasos sanguíneos, lo que revierte la vasodilatación y la hipotensión. Esto, a su vez, eleva la presión arterial diastólica y mejora el flujo sanguíneo coronario. Los efectos adrenérgicos beta-1 aumentan la contractilidad cardíaca, invirtiendo los efectos depresores sobre el corazón y mejorando la fuerza de las contracciones cardíacas. Los efectos adrenérgicos beta-2 causan broncodilatación, aliviando el broncoespasmo pulmonar.

Muchos pacientes y técnicos de emergencias médicas llevan epinefrina en forma de EpiPen®, y es posible que le hayan administrado una dosis antes de su llegada. El paciente puede haber tomado también otros medicamentos, por lo que es importante obtener un historial de medicación. Consulte las dosis recomendadas de epinefrina en el capítulo 12, *Medicamentos de emergencia.*

Mantener la circulación. Inserte al menos un catéter IV de calibre 18 para administrar una solución isotónica (lactato de Ringer o solución salina normal). Lo ideal es colocar dos vías IV de camino al departamento de emergencias. Si no se dispone de acceso IV, obtenga acceso IO. Este paso es crucial, en especial si el paciente está hipotenso y no responde a la epinefrina. De inicio, administrar 20 ml/kg de líquido isotónico (solución salina normal o lactato de Ringer) rápido durante 15 minutos por vía IV o IO, repitiendo según sea necesario.[21] Si no hay respuesta, consulte a control médico o considere la administración de un vasopresor junto con la administración de líquido según sus

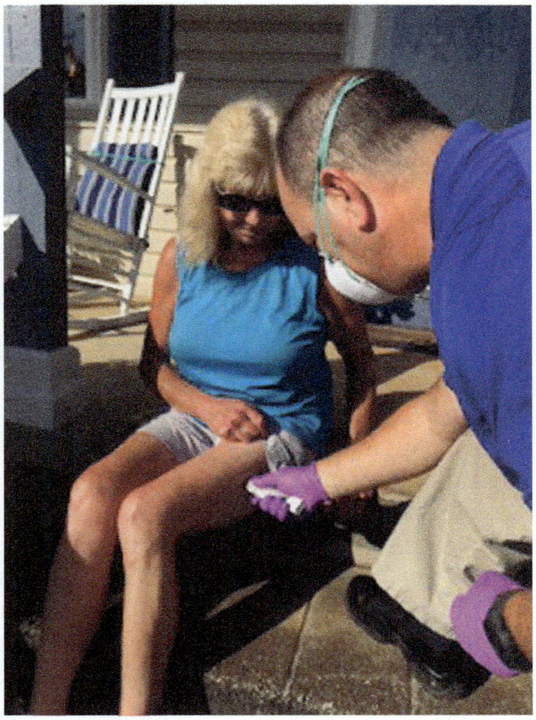

FIGURA 22-6 Administración de epinefrina con un autoinyector.

Medicina basada en evidencia

Tome medidas para asegurarse de que la pierna del paciente no se mueve durante la administración de epinefrina con un autoinyector. El tiempo de inyección (el que se mantiene el dispositivo contra la pierna) es de 3 segundos. Ambas acciones (asegurarse de que la pierna del paciente no se mueve y el breve tiempo de inyección) se recomiendan para reducir la posibilidad de que el paciente presente daños durante el proceso de administración.[19]

Medicina basada en evidencia

Debe sopesar los riesgos frente a los beneficios cuando decida administrar epinefrina a pacientes con enfermedad cardiovascular. En un estudio de 2017, los investigadores observaron que las complicaciones cardiovasculares (p. ej., disritmias ventriculares, hallazgos isquémicos en el EKG, biomarcadores cardíacos elevados, evento vascular cerebral) fueron poco frecuentes tanto en pacientes jóvenes (de 17 a 49 años en este estudio) como en adultos mayores (definidos como de 50 años o más en este estudio) que recibieron epinefrina IM para la anafilaxia. Los autores concluyeron que la administración de epinefrina IM parece segura en todos los pacientes con anafilaxia; sin embargo, debe evitarse el uso de epinefrina IV, en especial en pacientes de edad avanzada, debido a la posibilidad de desarrollar complicaciones cardíacas graves.[20]

protocolos locales. Tenga cuidado para evitar la sobrecarga de líquidos, en especial en el paciente cardíaco.

Después de la administración de epinefrina, administrar difenhidramina si hay urticaria o prurito. La difenhidramina es un antihistamínico que bloquea los receptores de histamina-1 (H_1) e histamina-2 (H_2). Este medicamento no impide la liberación de histamina, sino que bloquea los efectos de la histamina en los receptores H_1. Los bloqueadores H_2 como la cimetidina (Tagamet®) y la famotidina (Pepcid®) pueden administrarse por vía oral o IV junto con difenhidramina para la urticaria.[21]

Pueden considerarse agentes betaadrenérgicos inhalados como albuterol (Ventolin®) o epinefrina nebulizada si hay dificultad respiratoria con sibilancias. Considere la posibilidad de administrar epinefrina nebulizada si hay estridor.[21] Vuelva a evaluar la respuesta del paciente a sus intervenciones.

Mantenga una posición supina para los pacientes en anafilaxia con hipotensión. Para los pacientes con dificultad respiratoria, vuelva a evaluar los ruidos pulmonares del paciente y considere una ligera elevación de la cabeza, pero evite la posición vertical.

Las investigaciones no muestran ningún beneficio demostrado del uso de corticoides en el tratamiento de las reacciones alérgicas o la anafilaxia.[21] Sin embargo, el uso de corticoesteroides puede estar indicado en determinadas situaciones, como para la prevención de reacciones idiopáticas o reacciones anafilácticas recurrentes a los medios de contraste.

El apoyo emocional es un componente crucial de la atención al paciente. La anafilaxia puede progresar con rapidez y poner en peligro la vida del paciente. Los pacientes y sus familias necesitarán que les tranquilice mientras usted realiza las intervenciones necesarias. Muchos de estos pacientes han experimentado acontecimientos similares en el pasado y pueden reconocer la gravedad de su estado. Para otros, puede ser la primera vez. Debe ser profesional y tranquilizador y centrarse en la intervención temprana y el transporte.

Inicie el transporte temprano si el paciente necesita recursos que superan sus capacidades. Aunque consiga detener la reacción y el paciente empiece a recuperarse, se recomienda que los pacientes permanezcan en observación en un centro médico. Hasta 20% de los pacientes tendrán una recurrencia de los síntomas en las siguientes 8 horas, incluso si han estado libres de síntomas durante un tiempo.[16]

Trastornos autoinmunes y enfermedades vasculares del colágeno

En las reacciones anafilácticas y alérgicas, el organismo responde a un invasor extraño como enemigo, pero no ocurre lo mismo con los trastornos autoinmunes. En un trastorno autoinmune, el sistema inmunológico ataca de forma inapropiada a su propio tejido huésped. Muchos trastornos y afecciones se consideran autoinmunes, incluidos los que se enumeran en el **CUADRO 22-4**; los que no se tratan en esta sección se analizan en otros capítulos.

Las **enfermedades vasculares del colágeno** se consideran enfermedades autoinmunes; es decir, el organismo percibe sus propios tejidos o células (en este caso, el tejido colágeno) como un invasor peligroso y ataca ese tejido. El ataque puede ser crónico, causando una inflamación a largo plazo, o lo suficientemente grave como para provocar la muerte. En las siguientes secciones se abordan dos enfermedades vasculares del colágeno: el lupus eritematoso sistémico y la esclerodermia.

CUADRO 22-4 Trastornos y afecciones autoinmunes

Anemia hemolítica	Hepatitis crónica activa
Artritis reumatoide	Hepatitis crónica persistente
Cardiomiopatía	Lupus eritematoso sistémico
Colitis ulcerosa	Miastenia grave
Diabetes mellitus tipo 1	Miositis
Endometriosis	Narcolepsia
Enfermedad celíaca (también llamada enteropatía sensible al gluten o esprúe no tropical)	Neuropatía periférica
Enfermedad de Addison	Neuropatías desmielinizantes
Enfermedad de Crohn	Neutropenia
Enfermedad de Graves	Psoriasis
Enfermedad de Lyme	Púrpura trombocitopénica (PTT)
Enfermedad de Ménière	Síndrome de Guillain-Barré
Esclerodermia	Síndrome de las piernas inquietas
Esclerosis múltiple	Vasculitis
Fenómeno de Raynaud	
Fiebre reumática	
Glomerulonefritis	

Datos de: Lista de enfermedades autoinmunes. Sitio web de la American Autoimmune Related Diseases Association. https://www.aarda.org/diseaselist//. Consultado el 11 de febrero de 2021.

Fisiopatología

Lupus eritematoso sistémico

El **lupus eritematoso sistémico** (a menudo denominado simplemente lupus o por la abreviatura LES) es una enfermedad autoinmune crónica, progresiva y multisistémica. Los complejos inmunológicos alojados en diversas zonas del cuerpo pueden causar inflamación, pérdida de la integridad de los tejidos y daños permanentes. El inicio de la enfermedad es lento y los síntomas iniciales suelen ser leves y vagos, lo que dificulta el diagnóstico. Los pacientes suelen experimentar periodos de síntomas activos, denominados brotes, e intervalos en los que los síntomas parecen desaparecer durante largos periodos (remisión). En el **CUADRO 22-5** se describen los efectos del lupus sobre los síntomas corporales y sus implicaciones prehospitalarias.

El lupus es más frecuente en mujeres que en hombres. Se calcula que en Estados Unidos afecta a 1.5 millones de estadounidenses.[22] Las mujeres afroamericanas tienen cuatro veces más probabilidades de desarrollar lupus que las mujeres caucásicas, y las mujeres asiáticas también tienen una mayor incidencia de lupus que las mujeres caucásicas.[22] El lupus se diagnostica con mayor frecuencia en mujeres jóvenes, sobre todo jóvenes afroamericanas en edad fértil.[23]

Los pacientes con lupus tienden a morir de insuficiencia renal, infección o enfermedad cardiovascular.[23]

Su prioridad cuando atienda a estos pacientes debe ser vigilarlos para detectar amenazas para su vida. Además, debido a que estos pacientes pueden

USTED es el Paramédico

PARTE 4

El paciente indica mejoría respiratoria. El médico tratante recomienda otra dosis de epinefrina. Usted está de acuerdo en que puede estar indicada epinefrina adicional si no ha habido mejoría de la PA después de administrar un bolo de líquidos de 20 ml/kg. Acuerda iniciar una infusión de epinefrina en ruta si es necesario. El paciente se estabiliza.

Tiempo de registro:	10 minutos
Respiraciones	20 respiraciones/min; las sibilancias continúan
Pulso	126 latidos/min
Piel	Urticaria en la parte superior del cuerpo y brazos que se resuelve, cálida, seca
Presión arterial	122/76 mm Hg
Saturación de oxígeno (Spo_2)	98% con oxígeno a través de una mascarilla no respiratoria
Pupilas	PIRRL

10. Si el paciente se deteriora, ¿cómo mezclaría y administraría el goteo de epinefrina?

CUADRO 22-5 Signos, síntomas e implicaciones prehospitalarias del lupus

Sistema	Signos y síntomas	Implicaciones prehospitalarias
Cutánea	• Erupción que se agrava con la luz solar • Erupción en forma de mariposa en las mejillas y la nariz • Llagas o lesiones en la boca • Caída del cabello • Petequias	• Los pacientes son sensibles al sol; protéjalos de la exposición prolongada al sol.
Musculoesquelé-tico	• Dolor e inflamación articular • Dolores musculares • Inflamación de las manos que causa dolor simétrico en las manos • Lesiones en las extremidades que provocan gangrena	• No deje que las quejas de dolor articular y muscular le distraigan de la evaluación de una amenaza para la vida. • Evaluar el potencial de infección.
Pleural	• Pleuresía, derrames pleurales o roce pleural • Hemorragia pulmonar con hemoptisis • Neumonía • Embolia pulmonar • Hipertensión pulmonar	• Si el paciente presenta fiebre, taquipnea, tos o empeoramiento del dolor torácico, evalúe la presencia de cualquiera de estas afecciones.
Pericardio	• Pericarditis (la más frecuente) • Infarto del miocardio • Derrame pericárdico • Hipertensión • Endocarditis • Miocarditis • Vasculitis • Cardiopatía valvular	• Obtenga un EKG de 12 derivaciones y evalúe si hay signos de pericarditis o isquemia. • Los pacientes con lupus tienen un mayor riesgo de IAM y de mortalidad después del IAM.
Neurológico	• ECV • Convulsiones • Cambios de comportamiento • Psicosis • Migrañas • Neuropatías periféricas • Meningitis	• iniciar precauciones anticonvulsivas cuando se presenten síntomas neurológicos.
Renal	• Nefritis • Proteinuria • Insuficiencia renal que puede requerir diálisis • Infección urinaria • Desequilibrio de líquidos y electrólitos • Edema	• Evaluar antecedentes de insuficiencia renal y desequilibrio electrolítico. • Evaluar la presencia de infecciones urinarias.
Hematológico	• Anemia • Disminución del recuento de glóbulos blancos • Trombocitopenia	• Reconocer el potencial de hipoxia debido a la anemia, y el riesgo de infección y hemorragia (por lo general no grave).
Gastrointestinal	• Úlceras orales • Calambres abdominales • Seudoobstrucción • Pancreatitis • Vasculitis que puede provocar perforación • Gangrena y peritonitis	• Recoger un historial que incluya heces sanguinolentas. • Mantener un alto índice de sospecha.

Abreviaturas: IAM, infarto agudo de miocardio; EKG, electrocardiograma; ECV, evento cerebrovascular.

Datos de: Lin C-Y, Shih C-C, Yeh C-C, et al. Increased risk of acute myocardial infarction and mortality in patients with systemic lupus erythematosus: two nationwide retrospective cohort studies. *Int J Cardiol*. 2014;176(3):847-851.

estar tomando medicamentos para suprimir su sistema inmunológico, los cambios leves como fiebre, tos o aumento del dolor deben alertarle para que esté preparado para tratar a estos pacientes de forma agresiva según lo justifique su estado.

Esclerodermia

La **esclerodermia** (de *sclero*, que significa "duro", y *derma*, que significa "piel") es una enfermedad autoinmune del tejido conectivo. Existen dos clasificaciones principales de la esclerodermia: esclerodermia localizada y esclerodermia sistémica (también denominada esclerosis sistémica). Las alteraciones asociadas con la esclerodermia localizada suelen aparecer en pocos lugares de la piel o los músculos y rara vez se extienden a otras partes. En esta forma de esclerodermia, los órganos internos no suelen estar afectados y rara vez se desarrolla la forma sistémica de la enfermedad.[24] La esclerodermia sistémica provoca cambios fibróticos (similares al tejido cicatricial) en muchas partes del cuerpo, como los vasos sanguíneos, los músculos, las articulaciones, la piel, el tracto GI, los pulmones, los riñones, el corazón y otros órganos internos. La incidencia de la esclerodermia es mayor en las mujeres que en los hombres.[25]

Los pacientes con esclerodermia sistémica presentarán a menudo síntomas del fenómeno de Raynaud (dolor, palidez, cianosis o enrojecimiento de los dedos de manos y pies cuando se producen tensiones o cuando se exponen al frío o al estrés). Los pacientes de piel oscura notarán a menudo cambios en la pigmentación (más clara o más oscura) de las manos, los brazos o la cara. Entre las afecciones comunes de la esclerodermia sistémica se incluyen dolores musculoesqueléticos, disminución de la movilidad articular y de la función de las manos. La rigidez de los pulmones y los vasos sanguíneos que provocan dificultad respiratoria, fibrosis pulmonar e hipertensión pulmonar. La afectación cardíaca puede causar disritmias y daños en el músculo cardíaco, lo que causa insuficiencia cardíaca. La disminución del flujo sanguíneo a los riñones causa la liberación de hormonas que provocan un aumento de la PA, lo que desencadena una mayor reducción del flujo sanguíneo renal (es decir, crisis renal), empeorando la función renal.

Evaluación

La evaluación de los pacientes con lupus o esclerodermia debe centrarse en descartar amenazas vitales. Estos pacientes pueden tener problemas multisistémicos extensos; no pase por alto las afecciones urgentes atribuyendo sus quejas a sus afecciones crónicas.

Manejo

El tratamiento del lupus y la esclerodermia puede incluir la administración de medicamentos para suprimir la hiperactividad del sistema inmunológico del paciente. Se da prioridad al tratamiento de cualquier amenaza para la vida. Tenga en cuenta que las lecturas de la pulsioximetría pueden ser inexactas en pacientes con fenómeno de Raynaud si el sensor se aplica en un dedo (debido al vasoespasmo y a la reducción del flujo sanguíneo). Si el paciente tiene fibrosis pulmonar o hipertensión pulmonar, es posible que no observe una mejora significativa en la saturación de oxígeno del paciente a pesar de la administración de oxígeno suplementario, debido a la alteración del transporte de oxígeno entre los pulmones y la sangre. Establecer un acceso IV en un paciente con esclerodermia puede ser difícil debido a los efectos de la enfermedad en los vasos sanguíneos y la piel sobre el lugar de punción previsto. Proporcione cuidados de apoyo durante el transporte.

Trastornos del trasplante de órganos

Fisiopatología

Cuando los órganos de un paciente están dañados de gravedad, puede realizarse un trasplante. El problema de un órgano trasplantado es que el cuerpo ve el órgano de sustitución como extraño; así, aunque el cuerpo no podría sobrevivir sin el nuevo órgano, el sistema inmunológico trabajará para eliminar o "rechazar" el órgano. A los pacientes que reciben trasplantes se les administran medicamentos que impiden que el sistema inmunológico ataque a los nuevos órganos para evitar su rechazo. Sin embargo, estos medicamentos aumentan el riesgo de infección. Además, los medicamentos provocan que el mecanismo de autodefensa del organismo no reconozca otras amenazas o paralice parte de sus funciones, lo que los expone a infecciones y sepsis.

Como paramédico, se encontrará con pacientes que han sido sometidos a trasplantes de órganos. Los órganos con más probabilidades de ser trasplantados son corazón, hígado, riñón, páncreas y pulmones. Al atender a estos pacientes, es importante tener en cuenta las prioridades en el cuidado del órgano específico que ha sido trasplantado.

Trasplante de corazón

Cada año se realizan en EU alrededor de 3 500 trasplantes de corazón.[26] En el procedimiento más utilizado, se extrae el corazón del receptor y se sustituye por el corazón del donante. En el EKG puede observarse un aumento de la frecuencia cardíaca o taquicardia a un ritmo de 100 a 110 latidos/min debido a la denervación del nervio vago. El dolor torácico es raro porque el corazón denervado no puede generar dolor de tipo anginoso. Por lo tanto, un paciente con isquemia tiende a presentar signos de insuficiencia cardíaca o disritmias en lugar de angina. La atropina no está indicada para la bradicardia o los bloqueos cardíacos (retraso o interrupción de las señales eléctricas normales que hacen latir el corazón). Debido a que el corazón implantado no tiene inervación del nervio vago, el corazón no respondería a la acción vagolítica de la atropina. Los fármacos simpaticomiméticos suelen funcionar bien en los pacientes que se someten a un trasplante de corazón. Si se produce hipertensión, los antihipertensivos funcionan incluso en situaciones de crisis. La norepinefrina y el isoproterenol (Isuprel®) pueden tener una respuesta ligeramente mayor en estos pacientes.

La mayoría de los rechazos se producen en los 3 primeros meses después del trasplante.[27] Entre 10 y 15% de los pacientes experimentarán un episodio de rechazo, pero es posible que se produzcan episodios adicionales.[28] Los signos y síntomas pueden ser sutiles y requieren una biopsia para su confirmación. Las disritmias también se han asociado con el rechazo. Los problemas más frecuentes son la sepsis y la neumonía. Evalúe la presencia de fiebre, dificultad respiratoria, hipoxia, hipotensión, hipertensión mal controlada o el desarrollo de una nueva disritmia, ya que son indicadores de infección.

Trasplante de hígado

El trasplante de hígado es el segundo procedimiento más frecuente de trasplante de órganos sólidos. Si se produce un rechazo, la pérdida de función provoca un rápido deterioro del paciente y quizá la muerte. Las infecciones, en especial las oportunistas, son un problema para los pacientes que se someten a un trasplante de hígado. Observe si hay ictericia y palpe si hay sensibilidad en la zona. Los pacientes pueden presentar síntomas que van desde vagos a insuficiencia hepática fulminante completa. Vigilar la hiperpotasemia causada por fármacos inmunosupresores.

Trasplante renal

Los trasplantes de riñón son el tipo de trasplante más común en EU y han demostrado ser bastante exitosos. La infección es una de las principales preocupaciones de estos pacientes, como ocurre con todos los que reciben trasplantes. Estos pacientes también tienen tendencia a desarrollar hepatitis C y, después, enfermedad hepática. El rechazo del injerto se presenta como fiebre, con sensibilidad y edema sobre el riñón implantado, que está situado en la zona anterior de la pelvis retroperitoneal. Hay que vigilar la hipovolemia porque la hipotensión es una complicación frecuente. Hasta 90% de estos pacientes presentan hipertensión, por lo que se debe preguntar por su PA normal como parte de la evaluación.[29] Cuando trate con pacientes que se han sometido a un trasplante renal, es importante comprender que muchos de ellos están muy bien informados sobre su enfermedad y pueden proporcionarle información valiosa. Su evaluación debe incluir la observación de la zona en busca de infección, la auscultación para detectar la aparición de soplo y la evaluación de otros signos de infección. Pregunte al paciente si le han extirpado el bazo, ya que esto aumenta el riesgo de que la infección progrese más rápido.

Trasplante de pulmón

Los trasplantes de pulmón pueden realizarse solos o junto con un trasplante de corazón. Se realizan tres tipos de trasplante pulmonar: bilateral, unilateral y lobar. En el caso de los trasplantes unipulmonares, los ruidos respiratorios desiguales son un hallazgo frecuente. Puede haber adherencias que compliquen la colocación de la sonda pleural en el lado del trasplante pulmonar. El hemotórax es una complicación temprana del trasplante pulmonar. Los signos de rechazo incluyen tos, disnea, vómito, fiebre, crepitaciones, ronquera y disminución de la oxigenación. La infección se presenta de forma similar a los signos de rechazo y requiere una intervención inmediata.

Trasplante de páncreas

Los trasplantes de páncreas presentan una elevada tasa de complicaciones y una tasa de supervivencia al año inferior a la de los demás trasplantes de un solo órgano. La mayoría de los trasplantes de páncreas se realizan en pacientes con diabetes, y estas intervenciones suelen realizarse en conjunto con trasplantes de riñón. El páncreas tiene una función exocrina, por lo que debe colocarse una vía para drenar el componente exocrino. Las secreciones pueden drenarse hacia el intestino o la vejiga. Cuando se drenan en la vejiga, hay que vigilar los signos y síntomas de la vía urinaria, como infecciones y hematuria. Además, estos pacientes tienen una acidosis crónica sin brecha aniónica porque el bicarbonato producido por el páncreas drena directo a la vejiga para su excreción. Recuerde este punto cuando evalúe al paciente y su gasometría arterial, para evitar confundir esta condición con la acidosis láctica. Estos pacientes toman suplementos orales de bicarbonato. Evalúe el cumplimiento de estos medicamentos, así como de otros fármacos. Los pacientes con trasplante de páncreas también corren riesgo de deshidratación y pueden presentar hipotensión ortostática. La infección y el rechazo son problemas frecuentes en estos pacientes.

Evaluación

La evaluación del paciente que ha sido sometido a un trasplante de órganos requiere un conocimiento de los signos y síntomas sutiles. Mantenga un alto índice de sospecha de infección y rechazo. Los signos y síntomas de rechazo de órganos varían en función del órgano; por ejemplo, el rechazo de un riñón trasplantado puede hacer que el paciente excrete menos orina. Los pacientes que presentan rechazo de un órgano trasplantado suelen tener malestar general y sentirse enfermos. Recuerde que, si un paciente con trasplante llama al SEM, el estado suele ser grave. Considere la posibilidad de ponerse en contacto con el centro de trasplantes del paciente si tiene alguna duda sobre la evaluación o los hallazgos en estos pacientes. Vigile el ritmo cardíaco en busca de indicios de hiperpotasemia causada por los fármacos antirrechazo y de disritmias en general, sobre todo en los pacientes con trasplante de corazón.

Manejo

Las prioridades asistenciales de los pacientes sometidos a un trasplante de órganos se centran en el órgano trasplantado, la medicación, el reconocimiento de la infección o el rechazo y el traslado al centro más adecuado. La atención a estos pacientes varía en función del órgano que se haya trasplantado. Por lo tanto, es esencial que se familiarice con las prioridades de atención al paciente en cada tipo de trasplante. Antes de administrar la medicación, asegúrese de saber cómo interactuará con los medicamentos que está tomando el paciente y cómo se metabolizará la medicación para garantizar que no se produzca toxicidad. Debido a que los pacientes que han recibido un trasplante pueden estar inmunodeprimidos, vigílelos para detectar signos y síntomas de infección o rechazo del órgano. Recuerde que saltarse incluso una dosis de sus medicamentos inmunosupresores es una emergencia. Por último, considere la posibilidad de trasladar al paciente a un centro de trasplantes cuando sea posible, o de consultar al centro sobre los cuidados cuando no sea posible el traslado al centro.

Los pacientes sometidos a trasplantes de órganos deben tomar medicamentos inmunosupresores; la supresión del sistema inmunológico es clave para su supervivencia. Los trasplantes de órganos sólidos incluyen el corazón, el hígado, el riñón, el páncreas y los pulmones. Independientemente del tipo de trasplante que haya recibido el paciente, debe comprender las consideraciones anatómicas y estar preparado para identificar los signos de rechazo, infección y toxicidad de la medicación.

Cuando el cuerpo recibe un órgano nuevo, este llega sin sus conexiones previas y su capacidad de transmisión de mensajes. En consecuencia, el órgano puede no comportarse "con normalidad" cuando tiene problemas. Por ejemplo, el dolor es un síntoma; sin embargo, el órgano no puede transmitir esta información a su nuevo huésped, por lo que el dolor, como la angina de pecho, no es un indicador tan fiable de problemas como puede serlo en pacientes sin trasplante de órganos. Además, los nuevos órganos estarán unidos a estructuras del cuerpo como vasos sanguíneos, otros órganos y tejidos. Saber dónde y cómo se coloca y se fija un órgano puede ser útil para identificar problemas.

En cualquier trasplante de órganos, la infección es la mayor amenaza para la supervivencia del paciente, por lo que debe estar en constante alerta ante la posibilidad de infección. El rechazo del órgano inmediatamente después de la intervención quirúrgica es menos frecuente hoy en día que en el pasado debido a la mejora de la compatibilidad entre donante y receptor. Es esencial que los pacientes tomen sus medicamentos inmunosupresores; sin embargo, el incumplimiento de una sola dosis puede provocar el rechazo del órgano. La toxicidad de los fármacos también es un problema para los pacientes que se someten a un trasplante.

USTED es el Paramédico RESUMEN

1. ¿Cuál es su primera impresión de este paciente?

Mirar al paciente puede darle una indicación de la gravedad del problema. En este caso, el paciente ha tenido problemas para hablar y, aunque responde, no le sigue con la mirada. Esto sugiere que su nivel de conciencia está empezando a disminuir.

2. ¿Necesita tomar medidas inmediatas?

Debido al edema de los labios del paciente, la reciente recepción de un antibiótico y el cambio en el nivel de conciencia, usted necesita actuar con rapidez para abordar el posible compromiso de la vía aérea y determinar la causa de la condición de este paciente. Dado que acaba de recibir un antibiótico, es mayor y una persona afroamericana, la anafilaxia es preocupante, ya que las reacciones anafilácticas relacionadas con fármacos tienen una mayor incidencia en esta población.

3. ¿Qué diagnósticos diferenciales está considerando?

Además de la anafilaxia, también debe considerar el angioedema porque el paciente está tomando un inhibidor de la ECA. La dificultad para hablar debe hacer que evalúe a este paciente por un posible evento vascular cerebral, y no se pueden descartar problemas cardíacos que alteren su nivel de consciencia porque es mayor y tiene antecedentes de hipertensión.

4. ¿Puede tratarse de una reacción alérgica si el paciente no ha tenido una reacción previa?

Sí, aunque puede ser necesario que los pacientes estén sensibilizados al alérgeno antes de que se produzca una reacción anafiláctica, en algunos casos de anafilaxia o reacciones anafilactoides puede no existir sensibilización previa.

5. ¿Qué implicaciones tienen en este caso los antecedentes de hipertensión y la toma de un inhibidor de la ECA?

El edema de los labios del paciente y el posible angioedema debido a la ingestión de inhibidores de la ECA son preocupantes; sin embargo, esto parece ser un problema anafiláctico y la atención debe centrarse en el tratamiento de la anafilaxia. Este paciente necesitará una estrecha monitorización cardíaca debido a la preocupación por sus antecedentes cardiovasculares.

6. ¿Fueron adecuadas la vía de administración y la dosis de epinefrina, y debería permitir que administren una segunda dosis? Defienda su decisión.

La inyección IM en la cara lateral del muslo es la vía recomendada para la administración inicial de epinefrina. Las ventajas son un acceso rápido y una absorción rápida y más fiable. La dosis IM para adultos es de 0.01 mg/kg (dosis máxima de 0.5 mg) por dosis única.

7. ¿Le preocupa permitir que este paciente se siente erguido y lo colocaría en posición vertical?

Sí, se ha producido un aumento de la mortalidad en pacientes que han sido trasladados a una posición vertical. No se recomienda ayudar a los pacientes con anafilaxia a sentarse erguidos o a ponerse de pie. La posición supina es la de elección, pero puede considerarse una ligera elevación de la cabeza para la ventilación.

8. ¿Qué efecto puede esperar que tenga el albuterol en este paciente?

El efecto beta-2 del albuterol disminuye el broncoespasmo en la mayoría de los pacientes y suele aliviar la dificultad respiratoria. No afecta al angioedema ni a la hipotensión, por lo que sigue estando indicada la administración de epinefrina.

9. ¿Qué tipo de líquido debe administrar y qué cantidad es la indicada? ¿Hay algún problema con la administración de líquidos a este paciente?

Este paciente debe recibir un cristaloide isotónico. Debe administrarse un bolo de 20 ml/kg para tratar la hipotensión. Debido a los posibles antecedentes cardiovasculares de este paciente, es necesario vigilar de cerca la posible sobrecarga de líquidos, en especial si se necesitan líquidos adicionales. Si es necesario, es preferible administrar epinefrina mediante infusión IV. La administración IV en bolo se asocia con disritmias, lo que puede ser preocupante en este paciente. El paciente estaba empezando a mejorar y usted tuvo tiempo de mezclar la infusión, por lo que se prefirió la infusión al bolo, pero sigue siendo necesaria una monitorización cardíaca estrecha debido a sus antecedentes.

10. Si el paciente se deteriora, ¿cómo mezclaría y administraría el goteo de epinefrina?

La infusión o goteo se prepararía añadiendo 1 mg/1 ml (1:1 000) de concentración de epinefrina a 1 000 ml de dextrosa a 5% en agua (D_5W) o solución salina normal. Esto produce una concentración de 1 mcg/ml.

USTED es el Paramédico RESUMEN continuación

Reporte de atención de paciente prehospitalario (RAPP)					
Fecha: 06-30-22	**Incidente núm.:** 4563	**Naturaleza de la llamada:** Alteración del estado mental		**Ubicación:** Clínica Main Street Clinic, Main Street núm. 100.	
Despacho: 18:10	**En camino:** 18:10	**En el escenario:** 18:18	**Transporte:** 18:32	**En el hospital:** 18:41	**En servicio:** 18:53

Información del paciente	
Edad: 50 **Sexo:** M **Peso:** 78 kg (172 lb)	**Alergias:** Aspirina **Medicamentos:** Inhibidor de la ECA **Antecedentes médicos:** Hipertensión, infección de la vía aérea superior **Principal manifestación:** Estado mental alterado con dificultad para hablar

Signos vitales				
Hora: 18:23	**PA:** 90/58	**Pulso:** 120	**Respiraciones:** 26	**Spo_2:** 92% con aire ambiente
Hora: 18:28	**PA:** 122/76	**Pulso:** 126	**Respiraciones:** 20	**Spo_2:** 98% O_2
Hora:	**PA:**	**Pulso:**	**Respiraciones:**	**Spo_2:**

Tratamiento en el SEM (circule todo lo aplicable)				
Oxígeno @ 15 L/min por (circular uno): **NC (NRM) Dispositivo de bolsa y mascarilla**		**Ventilación asistida**	**Dispositivo de la vía aérea**	**RCP**
Desfibrilación	**Control de la hemorragia**	**Vendaje**	**Inmovilización**	**Otro:**

Narrativa

Acudimos a la clínica *Main Street* por una alteración del estado mental. Al llegar, encontramos a un hombre de 50 años recostado en una mesa de exploración con la cabeza ligeramente elevada. El médico, la enfermera y la esposa del paciente están presentes. El personal médico informa que el paciente estaba siendo atendido por una infección de la vía aérea superior y bronquitis, y se le administró penicilina y albuterol. Durante el periodo de observación, empezó a tener dificultad para hablar y su NC cambió. El paciente es alérgico al ácido acetilsalicílico, pero no tiene otras alergias conocidas. Toma un inhibidor para la hipertensión. El personal le administró 0.3 mg de epinefrina IM. Se conecta al paciente a un monitor cardíaco, que muestra taquicardia sinusal. El paciente presenta edema alrededor de los labios y no responde a estímulos verbales. Su piel estaba caliente y seca en un inicio y luego urticaria. Presentó sibilancias, pero empezaron a remitir después de una segunda dosis de epinefrina 0.3 mg IM. El estado mental del paciente mejoró e informó tener una mejor respiración. Se administró nebulizador de albuterol con mejoría del estado respiratorio. Continuaron las sibilancias. Se obtuvo una vía IV con un catéter de calibre 18 en el antebrazo izquierdo y se administró un bolo de líquidos de 20 ml/kg de solución salina normal. Se observó una mejoría continua hasta la llegada al DE. Informe al Dr. Morrison a su llegada.

Fin del reporte

Kit de preparación

Resumen rápido

- Un antígeno es una sustancia que el organismo reconoce como extraña. Este reconocimiento hace que el organismo produzca anticuerpos para destruir la sustancia extraña.
- El sistema inmunológico protege al cuerpo humano de sustancias y organismos considerados extraños.
- Una respuesta alérgica se genera cuando el cuerpo produce una reacción

Kit de preparación continuación

antígeno-anticuerpo al exponerse a una sustancia que suele ser inofensiva. Una respuesta alérgica suele limitarse a un sistema corporal o a una zona local.

- La hipersensibilidad se produce cuando el sistema inmunológico de una persona reacciona con síntomas exagerados o inapropiados después de entrar en contacto con una sustancia que el organismo percibe como nociva. La hipersensibilidad suele dividirse en cuatro tipos: reacción alérgica, anafilaxia, reacción bifásica y reacciones prolongadas (persistentes).
- Lo más frecuente es que una persona se haya sensibilizado a un antígeno antes de que se produzca una reacción alérgica o anafiláctica; sin embargo, los pacientes pueden presentar anafilaxia sin exposición previa.
- La anafilaxia es una forma extrema de respuesta alérgica sistémica que suele afectar a dos o más sistemas corporales. Sin embargo, puede presentarse en un solo sistema, como el respiratorio.
- Puede producirse una reacción anafiláctica sin que el paciente haya estado expuesto previamente al agente agresor.
- Las vías de exposición a un antígeno incluyen inyección, absorción, inhalación e ingestión.
- Evaluar causas no tradicionales de anafilaxia, como exposición a líquido seminal, reacción inducida por el ejercicio o idiopática.
- Los mastocitos liberan mediadores químicos que estimulan la reacción alérgica.
- Los mediadores químicos producen signos y síntomas a través de sus efectos en los sistemas cutáneo, cardiovascular, respiratorio, neurológico y gastrointestinal.
- Los efectos cutáneos de la anafilaxia incluyen eritema, urticaria y prurito. También pueden presentarse cianosis y palidez.
- Los efectos cardiovasculares incluyen vasodilatación, hipotensión, disminución del gasto cardíaco, isquemia cardíaca y disritmias.
- Los efectos respiratorios incluyen edema de la vía aérea superior y estridor, ronquera, broncoconstricción, aumento de las secreciones bronquiales, sibilancias e hipoxia.
- Los síntomas neurológicos incluyen síncope, alteración del nivel de conciencia, ansiedad, inquietud, combatividad y falta de respuesta.
- Los síntomas gastrointestinales incluyen náusea, vómito, diarrea y calambres.
- Como parte de su evaluación, debe valorar la escena, el historial del paciente y su nivel de conciencia, las vías aéreas superior e inferior, la piel y los signos vitales.
- El tratamiento de la anafilaxia incluye la eliminación del agente causante; el mantenimiento de la vía aérea; la administración de medicamentos como epinefrina, antihistamínicos (difenhidramina, cimetidina, ranitidina), corticoesteroides, agentes betaadrenérgicos inhalados y vasopresores; la reanimación con líquidos intravenosos, y el inicio de un transporte rápido.
- La epinefrina IM es el tratamiento farmacológico de primera línea para la anafilaxia.
- Las enfermedades vasculares del colágeno y otras enfermedades autoinmunes pueden requerir un tratamiento que implique la administración de medicamentos para suprimir el sistema inmunológico y disminuir el ataque.
- Los trastornos del trasplante de órganos pueden presentar multitud de problemas en los pacientes. Es importante conocer las prioridades de tratamiento cuando se atiende a pacientes sometidos a trasplantes de órganos.

Vocabulario esencial

Absorción En las reacciones alérgicas, cuando un material extraño se deposita sobre la piel y se desplaza hacia ella.

Alérgeno Sustancia que produce síntomas alérgicos en un paciente.

Anafilaxia Forma sistémica extrema de una reacción alérgica que afecta a uno, dos o más sistemas corporales.

Anticuerpo Proteína que el organismo produce en respuesta a un antígeno; una inmunoglobulina.

Kit de preparación continuación

Antígeno Agente que, cuando se introduce en el organismo, estimula la formación de proteínas protectoras específicas denominadas anticuerpos.

Basófilos Glóbulos blancos que trabajan para producir mediadores químicos durante una respuesta inmunológica.

Enfermedades vasculares del colágeno Grupo de trastornos autoinmunes que afectan al colágeno de tendones, huesos y tejidos conjuntivos.

Esclerodermia Enfermedad autoinmune del tejido conjuntivo que provoca cambios fibróticos (similares a cicatrices) en la piel, los vasos sanguíneos, los músculos y los órganos internos.

Hipersensibilidad Ocurre cuando un paciente reacciona con síntomas alérgicos exagerados o inapropiados después de tener contacto con una sustancia que el organismo percibe como nociva.

Histamina Sustancia química que se encuentra en los mastocitos y que, cuando se libera, provoca vasodilatación, filtración capilar y broncoconstricción.

Ingestión Comer o beber materiales para su absorción a través del tracto gastrointestinal.

Inhalación En las reacciones alérgicas, cuando se inhalan sustancias extrañas a través del sistema respiratorio.

Inyección En las reacciones alérgicas, cuando se perfora la piel y se deposita material extraño en ella.

Lupus eritematoso sistémico Enfermedad autoinmune multisistémica.

Mastocitos Basófilos que se localizan en los tejidos.

Mediadores químicos Sustancias químicas que provocan la respuesta inmunológica o alérgica; por ejemplo, la histamina.

Prurito Picazón.

Reacción alérgica Respuesta inmunológica anormal que desarrolla el organismo al volver a exponerse a una sustancia o alérgeno.

Reacción anafiláctica Respuesta alérgica extrema que no implica la mediación de anticuerpos de inmunoglobulina E. Se desconoce el mecanismo exacto, pero un evento de este tipo puede producirse sin que el paciente haya estado expuesto previamente al agente agresor.

Reacción bifásica Reacción alérgica bifásica en la que los síntomas del paciente mejoran y luego reaparecen sin necesidad de exponerse al desencadenante (alérgeno) por segunda vez; los síntomas pueden reaparecer hasta 8 horas o más después del incidente inicial.

Reacción local Cuando el organismo limita la respuesta a una zona específica después de exponerse a una sustancia extraña.

Reacción sistémica Reacción que se produce en todo el organismo, puede afectar a múltiples sistemas corporales.

Reacciones prolongadas (persistentes) Síntomas de anafilaxia que se prolongan en el tiempo, con una duración que oscila entre 5 y 32 horas.

Respuesta primaria El primer encuentro con la sustancia extraña que inicia la respuesta inmunológica.

Respuesta secundaria Reacción del organismo cuando se expone a un antígeno para el que ya tiene anticuerpos, en la que responde eliminando la sustancia invasora.

Sensibilidad Capacidad de reconocer una sustancia extraña la próxima vez que se encuentre con ella.

Urticaria En las personas de piel pálida, suele aparecer en forma de manchas enrojecidas y elevadas en la piel (p. ej., ronchas); en las personas de piel oscura, puede aparecer en forma de manchas protuberantes e inflamadas y una coloración de la piel ligeramente más clara o más oscura de lo habitual.

Referencias

1. Wood RA, Camargo CA, Lieberman P, et al. Anaphylaxis in America: the prevalence and characteristics of anaphylaxis in the United States. *J Allergy Clin Immunol.* 2014;133(2):461-467.

Kit de preparación continuación

2. Lin RY, Anderson AS, Shah SN, et al. Increasing anaphylaxis hospitalizations in the first 2 decades of life: NewYork State, 1990–2006. *Ann Allergy Asthma Immunol*. 2008;101(4):387-393.
3. Mulla ZD, Lin RY, Simon MR. Perspectives on anaphylaxisepidemiology in the United States with new data andanalyses. *Curr Allergy Asthma Rep*. 2001;11(1):37-44.
4. Jerschow E, Lin RY, Scaperotti MM, et al. Fatal anaphylaxisin the United States, 1999–2010: temporal patternsand demographic associations. *J Allergy Clin Immunol*.2014;134(6):1318-1328.
5. Mustafa S. Anaphylaxis. Medscape website. https://emedicine.medscape.com/article/135065-overview#a4. Actualizado mayo 16, 2018. Consultado febrero 11, 2021.
6. Grunau BE, Li J, Stenstrom R, et al. Incidence of clinically important biphasic reactions in emergency department patients with allergic reactions or anaphylaxis. *Ann Emerg Med*. 2014;63(6):736-744.
7. Tole JW, Lieberman P. Biphasic anaphylaxis: review of incidence, clinical predictors, and observation recommendations. *Immunol Allergy Clin North Am*. 2007;27(2):309-326.
8. Scranton SE, Gonzalez EG, Waibel KH. Incidence and characteristics of biphasic reactions after allergen immunotherapy. *J Allergy Clin Immunol*. 2009;123(2):493-498.
9. Bernstein DI. Allergic reactions to seminal plasma. Sitio web UpToDate. http://www.uptodate.com/contents/allergic-reactions-to-seminal-plasma. Actualizado junio 21, 2019. Consultado febrero 11, 2021.
10. Allergy facts and figures. Asthma and Allergy Foundation website. http://www.aafa.org/page/allergy-facts.aspx. Consultado febrero 11, 2021.
11. Hsieh F. Anaphylaxis. Cleveland Clinic Center for Continuing Education website. https://www.clevelandclinicmeded.com/medicalpubs/diseasemanagement/allergy/anaphylaxis/. Revisado diciembre 2017. Consultado febrero 11, 2021.
12. Peroni DG, Sansotta N, Bernardini R, et al. Muscle relaxants allergy. *Int J Immunopathol Pharmacol*. 2011;24(suppl 3):S35-S46.
13. Dosanjh A. Infant anaphylaxis: the importance of early recognition. *J Asthma Allergy*. 2013;6:103-107.
14. Alonso T, Moro Moro M, García M. Epidemiology of anaphylaxis. *Clin Exp Allergy*. 2015;45(6):1027-1039.
15. Lieberman P, Nicklas RA, Randolph C, et al. Anaphylaxis—a practice parameter update 2015. *Ann Allergy Asthma Immunol*. 2015;115:348. https://www.aaaai.org/Aaaai/media/MediaLibrary/PDF%20Documents/Practice%20and%20Parameters/2015-Anaphylaxis-PP-Update.pdf. Consultado febrero 11, 2021.
16. Campbell RL, Li JT, Nicklas RA, et al. Emergency department diagnosis and treatment of anaphylaxis: a practice parameter. *Ann Allergy Asthma Immunol*. 2014;113:603.
17. Kaplan MS. *Anaphylaxis*. *Perm J*. 2007;11(3):53-56.
18. Sica DA, Black HR. ACE inhibitor–related angioedema: can angiotensin-receptor blockers be safely used? MedScape website. http://www.medscape.com/viewarticle/443226. Consultado en febrero 11, 2021.
19. EPIPEN—epinephrine injection; EPIPEN JR—epinephrine injection. DailyMed, US National Library of Medicine website. https://dailymed.nlm.nih.gov/dailymed/fda/fdaDrugXsl.cfm?setid=7560c201-9246-487c-a13b-6295db04274a&type=display. Revisado diciembre 2020. Consultado febrero 11, 2021.
20. Kawano T, Scheuermeyer FX, Stenstrom R, et al. Epinephrine use in older patients with anaphylaxis: clinical outcomes and cardiovascular complications. *Resuscitation*. 2017;112:53-58.
21. National Model EMS Clinical Guidelines. Version 2.2. National Association of State EMS Officials website. https://nasemso.org/wp-content/uploads/National-Model-EMS-Clinical-Guidelines-2017-PDF-Version-2.2.pdf. Publicado noviembre 2019. Actualizado noviembre 3, 2020. Consultado julio 31, 2021.
22. Lupus facts and statistics. Lupus Foundation of American website. https://www.lupus.org/resources/lupus-facts-and-statistics. Consultado febrero 11, 2021.
23. Lupus detailed fact sheet. Centers for Disease Control and Prevention website. https://www.cdc.gov/lupus/facts/detailed.html. Revisado febrero 17, 2018. Consultado febrero 11, 2021.
24. What is scleroderma. Scleroderma Foundation website. https://www.scleroderma.org/site/SPageServer/?pagename=patients_whatis#.YRaHCi1h0W9. Consultado agosto, 2021.
25. Jimenez SA. Scleroderma. Medscape website. http://emedicine.medscape.com/article/331864-overview#a5. Actualizado junio 24, 2020. Consultado febrero 11, 2021.
26. Everly MJ. Cardiac transplantation in the United States: an analysis of the UNOS registry. *Clin Transpl*. 2008:35-43.
27. Transplant trends. United Network for Organ Sharing website. https://unos.org/data/transplant-trends/. Actualizado enero 17, 2021. Consultado febrero 11, 2021.
28. Preventing organ and tissue rejection. Donor Alliance website. https://www.donoralliance.org/newsroom/donation-essentials/preventing-organ-and-tissue-rejection. Octubre 5, 2020. Consultado febrero 11, 2021.
29. Tantisattamo E, Molnar MZ, Ho BT, et al. Approach and management of hypertension after kidney transplantation. *Front Med*. 2020;7:229.

Entrada de capítulo: Cortesía de Rhonda Hunt.

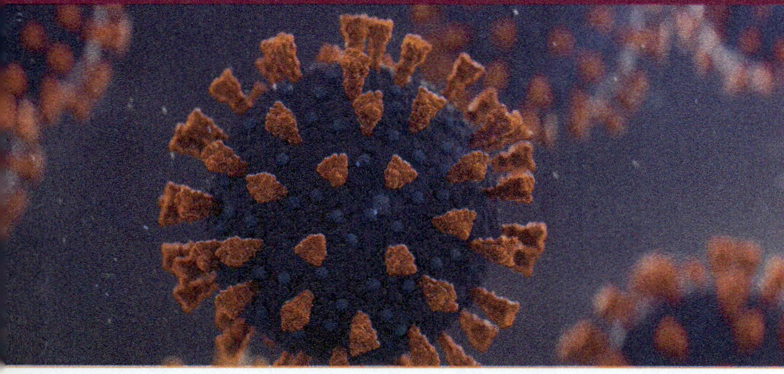

Capítulo 23

Enfermedades infecciosas

COMPETENCIAS DEL ESTÁNDAR NACIONAL DE EDUCACIÓN EN EL SEM

Medicina

Integra los resultados de la evaluación con los principios de epidemiología y fisiopatología para formular una impresión inicial e implementar un plan completo de tratamiento/disposición para un paciente con una dolencia médica.

Enfermedades infecciosas

Conocimiento, evaluación y tratamiento de:

- Un paciente que puede tener una enfermedad infecciosa. (p. 1461)
- Cómo descontaminar el equipo después de tratar a un paciente. (p. 1463)

Evaluación y manejo de:

- Cómo descontaminar la ambulancia y el equipo después de tratar a un paciente. (p. 1463)
- Un paciente que puede estar infectado con un patógeno de transmisión sanguínea. (pp. 1470, 1491-1496)
- Enfermedades de transmisión sanguínea. (pp. 1491-1496)
- Virus de la inmunodeficiencia humana (VIH). (pp. 1494-1496)
- Virus de la hepatitis B. (pp. 1491-1493)
- Virus de la hepatitis C. (pp. 1493-1494)
- Sífilis. (pp. 1487-1488)
- Infecciones resistentes a los antibióticos. (pp. 1507-1511)
- Enfermedades infecciosas prevalentes en la comunidad. (pp. 1464-1473)

Anatomía, fisiología, epidemiología, fisiopatología, impacto psicosocial, presentaciones, pronóstico y tratamiento de:

- Enfermedades relacionadas con el VIH. (pp. 1494-1496)
- Hepatitis. (pp. 1491-1494)
- Neumonía. (véase el capítulo 14, *Emergencias respiratorias*)
- Enfermedades transmitidas por gotas. (pp. 1477-1482)
- Meningitis meningocócica. (pp. 1477-1478)
- Tosferina. (pp. 1479-1480)
- Influenza. (pp. 1478-1479)
- COVID-19. (pp. 1481-1482)
- Enfermedades de transmisión aérea. (pp. 1482-1486)
- Tuberculosis. (pp. 1482-1483)
- Varicela. (pp. 1483-1484)
- Sarampión. (pp. 1484-1486)
- Tétanos. (p. 1507)
- Enfermedades virales. (pp. 1480-1481, 1483-1484, 1502-1503, véase también el capítulo 14, *Emergencias respiratorias*, y el capítulo 40, *Emergencias pediátricas*)
- Infecciones de transmisión sexual. (pp. 1487-1491)
- Gastroenteritis. (p. 1500)
- Infecciones fúngicas. (p. 1496)
- Rabia. (pp. 1505-1506)
- Sarna y piojos. (pp. 1489-1490)
- Enfermedad de Lyme. (pp. 1503-1504)
- Fiebre maculosa de las Montañas Rocallosas. (pp. 1504-1505)
- Infecciones resistentes a los antibióticos (pp. 1507-1511)

OBJETIVOS COGNITIVOS

1. Definir las enfermedades transmisibles. (p. 1461)
2. Describir las funciones de los organismos responsables de la protección de la salud pública en Estados Unidos a nivel nacional, estatal y local. (pp. 1461-1462)
3. Describir la obligación del paramédico de proteger al público de infecciones y qué medidas puede tomar para cumplirla. (pp. 1462-1463)
4. Describir cómo las enfermedades transmisibles se contagian por contacto directo e indirecto, transmisión por gotas y transmisión aérea. (pp. 1464-1465)
5. Analizar la importancia de las pautas de restricción del trabajo. (p. 1464)
6. Analizar las precauciones basadas en la transmisión. (pp. 1465-1466)
7. Recordar las precauciones estándar que el paramédico debe tomar para prevenir la exposición durante las actividades de atención al paciente. (p. 1465)
8. Enumerar el equipo de protección personal (EPP) que un paramédico puede necesitar en circunstancias específicas para prevenir la exposición a enfermedades transmisibles y otras enfermedades infecciosas. (p. 1466)
9. Describir los pasos que se deben seguir para la protección personal frente a patógenos transmitidos por el aire/gotas y por la sangre. (pp. 1466, 1470)
10. Describir cómo quitarse el EPP de manera correcta. (p. 1468)
11. Explicar el seguimiento adecuado posterior a la exposición a la sangre de un paciente o a otros materiales potencialmente infecciosos (OMPI), incluida la documentación del suceso y la comunicación con un funcionario designado para el control de infecciones y con las autoridades de salud pública. (pp. 1468-1473)
12. Enumerar los principios generales de evaluación y tratamiento de un paciente con una enfermedad transmisible. (pp. 1473-1474)
13. Analizar la importancia de obtener el historial de viajes de todos los pacientes. (p. 1473)
14. Enumerar los principios generales de manejo cuando se atiende a un paciente con sospecha de enfermedad transmisible. (pp. 1473-1474)
15. Describir el ciclo de la infección, incluidos los factores que afectan la susceptibilidad a las enfermedades transmisibles. (pp. 1474-1476)
16. Analizar la fisiopatología, la evaluación y el tratamiento de un paciente con sepsis. (pp. 1476-1477)
17. Explicar la fisiopatología, la evaluación y el tratamiento de un paciente con meningitis. (pp. 1477-1478)
18. Explicar la fisiopatología, la evaluación y el tratamiento de un paciente con influenza. (pp. 1478-1479)
19. Analizar la fisiopatología, la evaluación y el manejo de pacientes con influenza estacional, tosferina, paperas y rubéola. (pp. 1478-1481).
20. Analizar la fisiopatología, la evaluación y el tratamiento de un paciente con tuberculosis. (pp. 1482-1483)
21. Analizar las precauciones que deben tomar los paramédicos para protegerse de la exposición a la tuberculosis. (p. 1483)
22. Analizar la fisiopatología, la evaluación y el tratamiento de un paciente con varicela. (pp. 1483-1484)
23. Analizar la fisiopatología, la evaluación y el tratamiento de un paciente con sarampión. (pp. 1484-1486)
24. Analizar la fisiopatología, la evaluación y el tratamiento de un paciente con mononucleosis. (p. 1486)
25. Analizar los principios generales de evaluación y manejo de un paciente con una posible infección de transmisión sexual. (p. 1487)
26. Analizar la fisiopatología, la evaluación y el tratamiento de pacientes con gonorrea, sífilis, herpes genital y clamidia. (pp. 1487-1489)
27. Describir los factores de riesgo, incidencia, fisiopatología, evaluación y tratamiento de los pacientes con sarna e infestación por piojos. (pp. 1489-1490)
28. Analizar otras infecciones y afecciones de transmisión sexual. (pp. 1490-1491)
29. Analizar la fisiopatología, la evaluación y el tratamiento de un paciente con una infección fúngica de la piel. (p. 1496)
30. Comparar los tipos de hepatitis viral, incluyendo los hallazgos generales de la evaluación y los principios de manejo del paciente con hepatitis. (pp. 1491-1494, 1500-1501)
31. Analizar las precauciones que los paramédicos deben tomar para protegerse de la exposición a la hepatitis, y el seguimiento posterior a la exposición. (pp. 1491-1494)
32. Analizar la fisiopatología, la evaluación y el tratamiento de un paciente con virus de inmunodeficiencia humana/síndrome de inmunodeficiencia adquirida (VIH/SIDA). (pp. 1494-1496)

33. Analizar las precauciones que deben tomar los paramédicos para protegerse de la exposición al VIH, y el seguimiento posterior a la exposición. (pp. 1495-1496)
34. Analizar la fisiopatología, la evaluación y el tratamiento de un paciente con sospecha de Ébola. (pp. 1498-1499)
35. Analizar las precauciones que los paramédicos deben tomar para protegerse de la exposición al Ébola, y el seguimiento posterior a la exposición. (p. 1499)
36. Analizar la fisiopatología, la evaluación y el tratamiento de un paciente con gastroenteritis. (pp. 1499-1500)
37. Analizar la fisiopatología, la evaluación y el tratamiento de pacientes con virus de hepatitis no transmitidos por la sangre. (pp. 1500-1501)
38. Analizar la fisiopatología, la evaluación y el tratamiento de pacientes con virus del Nilo Occidental, dengue, fiebre Chikungunya y virus Zika. (pp. 1501-1503)
39. Analizar la fisiopatología, la evaluación y el tratamiento de pacientes con enfermedad de Lyme, fiebre maculosa de las Montañas Rocallosas, hantavirus, rabia, síndrome respiratorio de Oriente Medio (MERS, por sus siglas en inglés) y tétanos. (pp. 1503-1505, 1506-1507).
40. Comparar los organismos resistentes a los antibióticos y los organismos multirresistentes más comunes, incluyendo qué medidas pueden tomar los paramédicos y los pacientes para frenar su propagación. (pp. 1507-1511)
41. Analizar los principios generales de evaluación y tratamiento de pacientes con síndrome respiratorio agudo severo (SARS, por sus siglas en inglés), influenza aviar y COVID-19. (pp. 1481-1482, 1511-1512)

OBJETIVO DE DESTREZA

1. Demostrar cómo limpiar y desinfectar el interior de la ambulancia y su equipo. (p. 1463)

Introducción

En 1913, Randolph Bourne dijo: “Podemos llegar a ser tan esclavos de la precaución como del miedo”. Esta afirmación es en particular relevante para la atención de los SEM hoy en día, porque muchos profesionales de la salud tienen miedo cuando atienden a pacientes que tienen o se sospecha que tienen una **enfermedad transmisible**, es decir, una **enfermedad infecciosa** que puede transmitirse de una persona a otra. Un paramédico que no entienda cómo se transmiten las enfermedades contagiosas y cómo tomar precauciones sensatas será un obstáculo para atender a algunos pacientes, sin importar la causa de su enfermedad. Este capítulo explora cómo se transmiten dichas enfermedades y esboza algunas medidas que los paramédicos pueden tomar para protegerse contra ellas. Las enfermedades transmisibles que los paramédicos tienen más probabilidades de encontrar en su trabajo son examinadas, así como las enfermedades que crean la mayor ansiedad entre el personal de los SEM y el público.

Protección de la salud pública

Responsabilidades de las dependencias de salud pública

Varias dependencias gubernamentales son responsables de proteger la salud del público en general. Entre las dependencias estadounidenses se incluye la

USTED es el Paramédico

PARTE 1

Su unidad es enviada a un centro de asistencia por un paciente que vomita y tiene diarrea desde hace unos días. Durante el trayecto, el operador le informa de que la enfermera del lugar dice que el paciente tiene diarrea acuosa, febrícula y náusea. Cuando llega al lugar, los miembros del personal le reciben en la puerta. Mientras le guían a la habitación, una de las enfermeras le dice que el médico del personal cree que el paciente puede tener una infección por *Clostridioides difficile* (antes conocida como *Clostridium difficile* y por lo común denominada *C diff*) debido al tratamiento con antibióticos.

1. ¿Cuál es su primera preocupación en esta escena?
2. ¿Qué es la *C diff* y qué precauciones debe tomar para el transporte?

Occupational Health and Safety Administration (OSHA), que promulga normas y reglamentos destinados a proteger a los empleados de organizaciones públicas y privadas. En este capítulo se hace referencia a varias normativas de la OSHA, por ejemplo, la CFR 1910.1030, conocida como Norma sobre patógenos transmitidos por la sangre. (Recuerde que los **patógenos transmitidos por la sangre** son microorganismos patógenos que están presentes en la sangre humana y pueden causar enfermedades en los seres humanos). La OSHA también hace cumplir varias de las directrices de los *Centers for Disease Control and Prevention* (CDC) basadas en su Cláusula de Deber General; estas directrices se identifican más adelante en este capítulo. Los CDC ofrecen datos sobre el número de pacientes infectados por determinadas enfermedades, así como investigaciones y orientaciones para los profesionales de la salud y el público en general.

La *Ryan White Comprehensive AIDS Resources Emergency* (CARE), Parte G, es una ley federal estadounidense que exige que los centros médicos notifiquen al personal de respuesta a emergencias sobre las enfermedades transmitidas por el aire y por gotas diagnosticadas o sospechadas en los pacientes que transportaron. Esta notificación debe realizarse lo antes posible y en un plazo máximo de 48 horas a partir del momento en que los centros tengan un caso "sospechoso". Las enfermedades enumeradas en la ley original incluían el virus de la inmunodeficiencia humana (VIH), el virus de la hepatitis B (VHB), la tuberculosis, la enfermedad meningocócica, la difteria, la peste neumónica, las fiebres hemorrágicas virales y la rabia. Después, en agosto de 2011, los CDC publicaron una lista ampliada de enfermedades cubiertas por este mandato. Las enfermedades añadidas incluyen el virus de la hepatitis C (VHC), el sarampión, la rubéola, el síndrome respiratorio agudo grave por coronavirus 2 (CoV-2, el virus que causa la enfermedad por coronavirus 2019), la tosferina, el carbunco cutáneo, la varicela, las paperas, la vaccinia, los nuevos virus de la influenza A y las enfermedades potencialmente mortales causadas por agentes biológicos. La enfermedad por coronavirus 2019 (COVID-19) se añadió de manera formal en 2020.[1] Gracias a estas ampliaciones de la lista obligatoria, ahora existe una cobertura mucho más amplia para que los equipos de respuesta a emergencias sean notificados y seguidos en caso de exposición a enfermedades infecciosas.

Los departamentos de salud pública estatales y del condado tienen la responsabilidad de proteger al público de las enfermedades, prevenir epidemias y manejar los brotes a nivel estatal y local. Aunque los paramédicos pueden no creer que la supervisión de la calidad del agua y la limpieza de los restaurantes se relacionan directamente con la atención de emergencia, a las agencias de los SEM les ayuda conocer a sus funcionarios locales de salud pública y trabajar de forma estrecha con ellos. Cuando existen amenazas potenciales para la salud de una comunidad —como después el huracán Katrina, durante las epidemias de ántrax y viruela, y posterior a la aparición de brotes de influenza aviar, influenza A subtipo H1N1 (H1N1) y virus COVID-19— es fundamental que exista una cercana relación de trabajo entre los proveedores de los SEM y las dependencias de salud pública. Si no conoce a los profesionales y funcionarios de salud pública de su condado o parroquia, el funcionario designado para el control de infecciones (FDCI) actuará como su enlace. En caso de brote, los representantes de salud pública notificarán al representante de la zona afectada.

Además, con la reaparición de enfermedades infantiles comunes, los programas rutinarios de vacunación e inmunización son fundamentales para proteger al personal de los SEM y a sus pacientes. Hoy en día, muchos programas de formación de los SEM exigen a los candidatos que muestren una prueba de vacunación antes de entrar en los programas. Del mismo modo, los centros médicos pueden no permitir que los estudiantes realicen rotaciones clínicas hasta que hayan firmado los formularios de declinación.

Los departamentos de salud pública estatales y locales son responsables de muchas actividades relacionadas con las enfermedades infecciosas o transmisibles, incluida la recopilación de datos sobre la incidencia de enfermedades, el seguimiento de los contactos y la realización de clínicas de vacunación. El departamento de salud pública vigila de manera semanal, mensual y anual las enfermedades de declaración obligatoria. Esta vigilancia ayuda a los representantes de salud pública a identificar cualquier repunte en la incidencia de una enfermedad concreta. Si la incidencia de casos de una enfermedad específica en una zona geográfica concreta se mantiene estable a lo largo del tiempo, se dice que esa cifra es el número **endémico** de casos para esa zona. Un número creciente de casos puede indicar el inicio de un brote o **epidemia**. Cuando una enfermedad infecta a un gran número de personas y se propaga por todo el mundo, se considera una **pandemia**. Los departamentos de salud pública desempeñan un papel importante en la investigación de epidemias y pandemias.

El departamento de salud pública recopila todas las estadísticas de enfermedades de cada localidad y las comparte con el departamento de salud del estado, que a su vez envía los totales del estado a los CDC.

Responsabilidades de los paramédicos

Los paramédicos tienen la obligación de proteger a los pacientes de las **infecciones asociadas a la atención médica** (es decir, infecciones adquiridas en un entorno de atención médica). Estas infecciones se producen en todo tipo de entornos asistenciales; pueden estar asociadas a los métodos y dispositivos utilizados en los procedimientos médicos (p. ej., catéteres), la paramedicina comunitaria y la atención médica integrada móvil. Una forma de proteger a los pacientes es participar en programas de vacunación e inmunización protectores; otra es cumplir las directrices sobre restricciones laborales.

Presentarse a trabajar cuando se tiene dolor de garganta o gripe *no* es lo mejor para los pacientes, los compañeros de trabajo ni uno mismo. En la actualidad, se está utilizando la Cláusula de Deberes Generales de la OSHA para hacer cumplir las directrices de restricción del trabajo de los CDC. En la Sección 5(a)(1), la Cláusula de Deber General establece que cada empleador está obligado a proporcionar a cada uno de sus empleados un lugar de trabajo libre de riesgos reconocidos que causen o puedan causar la muerte o lesiones físicas graves. La mayoría de nosotros está familiarizada con esta responsabilidad del empleador. Sin embargo, la Sección 5(b) de la Cláusula de Deberes Generales aborda las responsabilidades de los empleados: "Cada empleado deberá cumplir las normas de seguridad y salud en el trabajo y todas las normas, reglamentos y ordenanzas dictadas en virtud de esta ley que sean aplicables a sus propias acciones y conducta". Así pues, el control de infecciones se centra tanto en la protección del paciente como en la protección del personal de salud.

Otra forma de proteger a los pacientes de las infecciones asociadas a la atención médica es mantener limpios y desinfectados el interior de la ambulancia y sus equipos. Cuando limpie y desinfecte el equipo, seleccione las soluciones de limpieza adecuadas a la categoría de equipos e insumos médicos:

- **Equipos críticos.** Artículos que entran en contacto con las mucosas, como las palas de los laringoscopios y las mascarillas con bolsa y válvula. La desinfección de alto nivel (es decir, el uso de "esterilizantes" químicos registrados por la Environmental Protection Agency [EPA]) es el nivel mínimo de limpieza para estos equipos.
- **Equipos semicríticos.** Elementos que entran en contacto directo con la piel intacta, como estetoscopios, manguitos de presión arterial, férulas, unidades y equipos de protección personal (EPP). Limpie con soluciones cuya etiqueta indique que matan el VHB. El cloro y el agua en una dilución de 1:100 cumplen este requisito.
- **Equipos no críticos.** Limpieza de superficies, suelos, asientos de ambulancias y superficies de trabajo. Para este equipo, una mezcla de limpiador de grado hospitalario registrado por la EPA o cloro y agua es eficaz en una dilución de 1:100 (1⁄4 taza [62 ml] de cloro por 1 galón [4 L] de agua).

Las rutinas generales de limpieza y las marcas de los productos de limpieza deben figurar en el plan de control de la exposición del departamento. Una regla general es seguir estos pasos después de *cada* llamada:

1. Retire la ropa de cama usada de la camilla justo después de su uso y colóquela en una bolsa de plástico o en el receptáculo designado en el servicio de emergencias.
2. En un recipiente adecuado, tire todo el equipo desechable utilizado para atender a un paciente que se ajuste a la definición de residuos médicos de su estado. La mayoría de los artículos se considerará basura general. Consulte las definiciones de la ley de su estado relacionadas con la eliminación de residuos médicos.
3. Lave con agua y jabón las zonas contaminadas. Para que la desinfección sea eficaz, primero debe realizarse la limpieza.
4. Desinfecte todo el equipo reutilizable usado en la atención al paciente (p. ej., glucómetro, manguito de presión arterial) de acuerdo con las políticas del centro y las recomendaciones del fabricante.
5. Limpie la camilla con una solución germicida-virucida registrada por la EPA o con cloro y agua en una dilución de 1:100. Utilice guantes de uso intensivo para todas las actividades de limpieza. Este es un requisito de la OSHA.
6. Si se produce algún derrame u otra contaminación en la ambulancia, límpiela con la misma solución germicida-virucida o cloro-agua. No se necesita ninguna solución o sistema de limpieza especial para ninguna enfermedad, incluidas Ébola y COVID-19.
7. Establezca un calendario para la limpieza completa rutinaria del vehículo, tal y como exige el plan de control de la exposición. Identifique las marcas de solución que se utilizarán para este fin.
8. Disponga de una política y un procedimiento por escrito para la limpieza de cada pieza del equipo. Consulte las recomendaciones del fabricante como guía.
9. La limpieza debe centrarse en los artículos que se tocan mucho, es decir, los que se utilizan para atender al paciente y con los que este ha estado en contacto.

Protección para los paramédicos

Los riesgos de contraer una enfermedad transmisible han sido determinados por el *National Institute for Occupational Safety and Health* (NIOSH), los CDC y la

Organización Mundial de la Salud (OMS).[2] Estos datos revelan que los proveedores de atención médica tienen un bajo riesgo de contraer estas enfermedades. La Directiva de Cumplimiento de la OSHA (CPL 02-02.069) enumera los requisitos específicos para la formación del personal recién contratado sobre la protección de sí mismos y de los demás frente a las enfermedades transmisibles. La OSHA también tiene el requisito de actualizar la formación para mantener al personal informado de los nuevos avances en la investigación de enfermedades que profundicen en su conocimiento de estas.

El cumplimiento de las pautas de restricción laboral desarrolladas por los CDC, que la OSHA hace cumplir en virtud de la Cláusula de Deberes Generales, Sección A, bajo deberes, es esencial para la protección de los proveedores de atención médica, sus compañeros de trabajo y los pacientes atendidos en su comunidad.[3] Estas pautas deben incorporarse de manera formal en las políticas del departamento, presentarse en la capacitación para nuevos empleados e incluirse en el plan de control de exposición del departamento. Ante la pandemia de COVID-19, la necesidad de apegarse de modo estricto a estas directrices ha pasado a primer plano, y todos los proveedores deben cumplirlas de forma voluntaria.

Enfermedades transmisibles

Por la propia naturaleza de su trabajo, los proveedores de atención médica están en contacto con personas enfermas; una parte de ellas tienen enfermedades transmisibles (aquellas que pueden transmitirse de una persona a otra en determinadas condiciones). Estas condiciones entran en la fórmula de la infección y reflejan la dosis, la virulencia y el modo de entrada del agente infeccioso, así como el estado de salud del huésped. Aunque las enfermedades infecciosas pueden provocar dolencias en el paciente, no siempre suponen un riesgo inmediato para el paramédico.

Para entender los principios de la prevención, primero hay que comprender cómo se propagan las enfermedades. Las enfermedades infecciosas son causadas por microorganismos patógenos, en general **bacterias** o **virus**, pero a veces también **hongos** y **parásitos**. Se transmiten de una persona a otra por varios mecanismos específicos:

- **Transmisión por contacto.** El contacto directo con una persona infectada puede ser breve, como tocar a un paciente. Se cree que la mayoría de los casos de resfriado común se transmite por contacto directo ocasional. Las enfermedades venéreas, como la sífilis y la gonorrea, se transmiten sobre todo por contacto sexual directo y, por lo tanto, se denominan infecciones de transmisión sexual (ITS).

  El contacto directo también incluye la punción con una aguja contaminada u otro instrumento punzante. Los pinchazos pueden producirse si el paramédico no utiliza un dispositivo de seguridad o de reducción de agujas.

  Otra forma de contacto directo es la transferencia de productos sanguíneos contaminados de un paciente a otro. Las pruebas de detección de enfermedades transmitidas por la sangre han reducido enormemente los riesgos de contraer enfermedades por sangre contaminada. Aun así, la sangre donada no está 100% a salvo de los patógenos transmitidos por la sangre.

  El contacto indirecto se produce al tocar o manipular un objeto infectado o al entrar en contacto con una persona contaminada con patógenos de una persona infectada o sus secreciones. Por ejemplo, puede infectarse si toca la barandilla de una camilla ensangrentada y tiene un corte abierto o una llaga en la mano, o si no se lava las manos después de tocar una superficie contaminada. Los objetos que albergan microorganismos y pueden transmitirlos a otras personas, como la barandilla de la camilla del ejemplo anterior, se denominan **fómites**.
- **Transmisión por gotas.** La transmisión por gotas se produce con la inhalación de gotas infectadas, como las que se liberan en el entorno cuando una persona con influenza o COVID-19 tose o estornuda. En el caso de estas enfermedades, es más probable que la transmisión se produzca cuando alguien se encuentra a menos de 2 m (6 pies) de la persona infectada.[4]
- **Transmisión aérea.** Los agentes patógenos transmitidos por vía aérea se transportan en partículas microscópicas que se convierten en aerosoles cuando una persona infectada tose o estornuda. Estas partículas infecciosas pueden permanecer suspendidas en el aire durante algún tiempo (por lo regular, horas).

La transmisión de enfermedades también puede producirse por medios distintos a la transmisión de persona a persona. Un **vector** es un organismo que alberga patógenos que son inofensivos para el organismo pero que causan enfermedades cuando se transmiten a un huésped humano. Por ejemplo, un mosquito infectado con el virus del Nilo Occidental o el virus Zika que pica a una persona puede transmitir la enfermedad.

SEGURIDAD

Un estudio realizado por científicos griegos, publicado en la revista *Physics of Fluids*, sostiene que con una pequeña brisa de 3 km/h, las diminutas gotas de aerosol tardan solo 5 segundos en recorrer 4.5 metros.[5] De hecho, la suposición común de que los patógenos de más de 5 micras caen al suelo rápido puede ser errónea, ya que hay estudios que demuestran que patógenos de hasta 100 micras pueden ser transportados por el aire.[6] Con base en estos resultados, la distancia social estándar de 1.8 metros puede no ofrecer la protección necesaria frente a la exposición.

SEGURIDAD

Una sola tos puede lanzar secreciones cargadas de virus a una velocidad de 80 km/h, expulsando cerca de 3 000 gotas respiratorias. Hace tiempo que se reconoce que la tos es un vector clave de las infecciones respiratorias. Un estornudo es aún más potente, ya que expulsa 100 000 gotas al entorno inmediato a una velocidad de 160 km/h.[7]

Coloque una mascarilla quirúrgica al paciente y usted utilice una mascarilla N95 o un respirador de aire particulado de alta eficacia (HEPA, por sus siglas en inglés).

Una vez establecido cómo se transmite una enfermedad, es fácil saber qué tipo de EPP se necesita al prestar la atención. Este concepto se denomina **precauciones basadas en la transmisión**.

Precauciones basadas en la transmisión

Precauciones estándar

El término **precauciones estándar** describe las prácticas de control de infecciones que reducen las oportunidades de que se produzca una exposición en la atención diaria a los pacientes. Sustituye a los antiguos términos *precauciones universales* y *aislamiento de sustancias corporales* (*ASC*). Durante varios años se ha instruido a los proveedores de los SEM acerca de las precauciones ASC; este enfoque asume que toda la sangre y los fluidos corporales son infecciosos. Las precauciones estándar añaden otro elemento: la protección frente a sustancias corporales húmedas que puedan transmitir otras infecciones bacterianas o virales. Por ejemplo, un paramédico con un corte en un dedo que succiona a un paciente con lesiones de herpes oral y no lleva guante podría infectarse con panadizo herpético. Las precauciones estándar se aplican a todas las sustancias corporales *excepto* al sudor.

Además de las precauciones estándar, se han identificado otras tres categorías de precauciones: transmisión aérea, gotas y contacto. Algunas enfermedades pueden requerir una combinación de precauciones. Por ejemplo, cuando se atiende a un paciente con la enfermedad del Ébola, las recomendaciones para los proveedores incluyen tomar precauciones estándar, de contacto y de gotas.

Perlas de sabiduría

Las precauciones estándar se utilizan con todas las categorías basadas en la transmisión.

Precauciones de transmisión aérea

En el contexto de los SEM, las **precauciones de transmisión aérea** se aplican a las infecciones que se propagan a través de la exposición a gotas respiratorias que contienen virus, que engloban tanto pequeñas gotas como partículas. Por ejemplo, las precauciones de transmisión aérea se aplican cuando se trabaja con pacientes sospechosos de o diagnosticados con tuberculosis, varicela o sarampión. Las precauciones de transmisión aérea implican colocar una mascarilla quirúrgica al paciente y garantizar una buena circulación de aire en el vehículo (sistema de escape). Evite utilizar la opción de aire recirculado del vehículo durante el traslado del paciente; en su lugar, introduzca aire fresco utilizando las rejillas de ventilación del vehículo o bajando las ventanillas. Si el paciente no puede llevar mascarilla, el paramédico debe llevar una mascarilla quirúrgica o una N95. Aunque es mejor que tanto el paciente como el paramédico lleven mascarilla, basta con que la lleve uno de ellos.[8] Los paramédicos deben llevar mascarillas N95 si realizan **procedimientos generadores de aerosoles**.

Precauciones contra las gotas

Las **precauciones contra las gotas** son adecuadas para las enfermedades que se propagan a través de la exposición a gotas y partículas grandes y pequeñas generadas cuando una persona infectada tose o estornuda. Entre estas enfermedades se incluyen la influenza, la meningitis, la tosferina, las paperas, la rubéola, el Ébola y el COVID-19. Para aplicar las precauciones contra las gotas, los proveedores de los SEM deben colocar al paciente una mascarilla quirúrgica.[9] Al igual que con las precauciones de transmisión aérea, utilice el sistema de flujo de aire en el vehículo como un medio para prevenir la transmisión: la ventilación es la clave para reducir el riesgo.

Precauciones de contacto

Las **precauciones de contacto** son adecuadas para todos los pacientes con heridas que drenan, infecciones multirresistentes, piojos, norovirus y Ébola. Las precauciones de contacto incluyen el uso de guantes, una bata si la ropa puede contaminarse y la limpieza de los **artículos de alto contacto**. Entre estos últimos se incluyen las zonas con las que el paciente ha estado en contacto y todo el equipo utilizado durante su atención.

Prácticas y equipos de protección personal: basados en tareas

El EPP sirve como barrera de protección secundaria más allá de la que proporciona el cuerpo. La selección y el uso del EPP dependen de la tarea y el procedimiento en cuestión o, como se ha mencionado, de cómo se transmite la enfermedad (precauciones basadas en la transmisión). El plan de control de la exposición de su departamento debe enumerar los diversos procedimientos de riesgo y el EPP que se recomienda utilizar durante los mismos. Los CDC también han elaborado directrices para el uso de EPP.

Su principal medida de protección es la higiene de las manos, incluido el lavado de manos, antes y después de las actividades de atención al paciente. La norma actual para el lavado de manos es utilizar espumas o geles antimicrobianos a base de alcohol y frotar de manera enérgica durante al menos 20 segundos antes de enjuagar con agua limpia.[10-12] La fricción utilizada para que se evaporen las espumas y geles a base de alcohol elimina los organismos de la superficie y mata los virus, pero deja intacta la flora protectora normal.

Medicina basada en evidencia

Varios estudios sobre el cumplimiento del lavado de manos en los SEM revelan que esta práctica crítica tiene una baja tasa de cumplimiento por parte de los proveedores de estos servicios.[11,12]

Perlas de sabiduría

Lávese las manos antes y después de cada llamada, ¡y después de quitarse los guantes!

De acuerdo con los CDC, la OSHA y la *National Fire Protection Association* (NFPA) 1581, *Norma sobre el Programa de Control de Infecciones del Departamento de Bomberos*, los paramédicos que tienen cortes abiertos o llagas en las manos deben cubrir esas áreas con un apósito.[13-15] Si el área es demasiado grande para cubrirla, el paramédico no debe realizar tareas y procedimientos de alto riesgo. Los tatuajes se consideran un área abierta desde 1 semana hasta cerca de 1 mes después de realizado el procedimiento de tatuaje. El paramédico debe tener restricciones laborales hasta que las zonas hayan cicatrizado. Los paramédicos no pueden llevar extensiones de uñas artificiales ni uñas de gel, ya que los estudios recopilados en las directrices de los CDC sobre higiene de las manos han documentado la transmisión de infecciones bacterianas y fúngicas de los paramédicos que llevan estas uñas a sus pacientes.[16]

El EPP debe incluir, entre otros, guantes desechables, anteojos de protección, batas, mascarillas quirúrgicas, mascarillas de respiración N95 (o N100, que son obligatorias en California en determinadas circunstancias), gel o espuma a base de alcohol para el lavado de manos sin agua, dispositivos de seguridad o sin aguja, bolsas para riesgos biológicos y equipos de reanimación.

Un respirador de partículas filtra las partículas que entran a través de la mascarilla. Nunca coloque un respirador sobre un paciente. Si se llevan respiradores N95 o P100 en los vehículos de los SEM, se debe contar con un programa completo de protección respiratoria que cumpla con el programa de protección respiratoria 1910.134 de la OSHA.[14]

Medicina basada en evidencia

Las mascarillas quirúrgicas protegen contra salpicaduras en la boca o la nariz. A los pacientes que se cree que tienen enfermedades transmitidas por el aire o por gotas se les puede pedir que las lleven porque filtran lo que sale a través de la mascarilla. Esta precaución se denomina *control de la fuente*.

De acuerdo con los CDC, las mascarillas N95 o P100 están indicadas para los proveedores que realizan intubaciones de emergencia y succiones abiertas.[17] Algunos funcionarios de salud sugieren que estos procedimientos generan aerosoles que podrían transmitir partículas en el aire/gotas. Ningún estudio basado en evidencia respalda la afirmación de que el uso de un respirador N95 o P100 ofrezca más protección que, en la mayoría de los casos, el uso de una mascarilla quirúrgica. De hecho, estudios bien controlados indican que las mascarillas quirúrgicas son tan efectivas como los respiradores en la protección contra infecciones.[18-21]

En diciembre de 2014, los CDC también bajaron su recomendación para la protección contra el Ébola de respiradores N95 a mascarillas quirúrgicas.[9] El Ébola no es una enfermedad que se transmita por el aire, sino a través de gotas.

Perlas de sabiduría

Los respiradores se clasifican según su capacidad para filtrar partículas en el aire y resistir a los aerosoles de aceite. Los CDC describen el sistema de clasificación de la siguiente manera:[17]

> Los filtros de los respiradores que recogen al menos 95% del aerosol desafiante reciben una calificación de "95". Los que recogen al menos 99% reciben una calificación de "99". Y los que recogen al menos 99.97% (prácticamente 100%) reciben una calificación de "100". Los filtros de los respiradores se clasifican como N, R o P según su nivel de protección contra los aerosoles de aceite. Esta clasificación es importante en la industria porque algunos aceites industriales pueden eliminar las cargas electrostáticas del medio filtrante, degradando (reduciendo) así el rendimiento de la eficacia del filtro. Los respiradores se clasifican como "N" si no son resistentes al aceite, "R" si son algo resistentes al aceite y "P" si son muy resistentes (a prueba de aceite). Por lo tanto, existen nueve tipos de filtros para respiradores de partículas:
>
> - N95, N99 y N100
> - R95, R99 y R100
> - P95, P99 y P100
>
> Estas características han sido sometidas a prueba y aprobadas por el NIOSH.

No se requieren guantes para las inyecciones intramusculares o subcutáneas ni para el contacto con el sudor. Sin embargo, de acuerdo con los CDC y la OSHA, se recomiendan para la aplicación de vías intravenosas (IV), la succión, la intubación o el uso de una vía aérea avanzada, el contacto con sangre u **otros materiales potencialmente infecciosos (OMPI)** y el contacto con las membranas mucosas o la piel no intacta de un paciente.[22] Los OMPI incluyen líquido cefalorraquídeo (LCR), pericárdico, amniótico, sinovial, peritoneal y cualquier otro que contenga sangre visible. En el caso de las actividades de limpieza, la OSHA exige el uso de guantes de tipo utilitario (guantes lavavajillas); estos son lavables y reutilizables siempre que no tengan desgarros ni agujeros, **FIGURA 23-1**. Las manos deben lavarse *después* de quitarse los guantes, ya que estos no son una protección primaria. Muchos guantes contienen agujeros y absorben virus y bacterias, un proceso denominado *penetración viral.*

Los anteojos protectores bloquean las salpicaduras en el ojo. Si el paramédico utiliza lentes graduados, puede llevarlos con protectores laterales desechables o reutilizables. No se pueden utilizar los anteojos

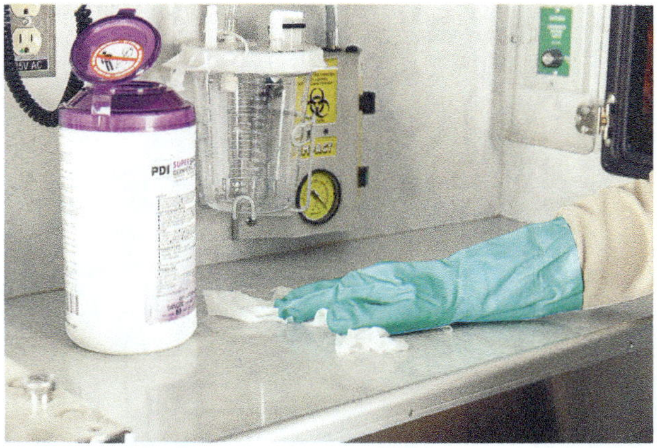

FIGURA 23-1 Los guantes de estilo utilitario son lavables y reutilizables siempre que no tengan roturas ni agujeros.

Perlas de sabiduría

La sangre no es el único fluido que supone una amenaza de infección. Los OMPI incluyen el semen, las secreciones vaginales por contacto sexual, el LCR, los líquidos sinovial, pleural, pericárdico, peritoneal y amniótico, la saliva en procedimientos dentales, cualquier fluido corporal visiblemente contaminado con sangre y todos aquellos en situaciones en las que es difícil o imposible diferenciar entre fluidos corporales.[23]

De acuerdo con los CDC y la OSHA, las lágrimas, el sudor, la saliva, las heces, la orina, el vómito, las secreciones nasales y el esputo no suponen un riesgo de transmisión del VIH, el VHB o el VHC a menos que contengan sangre visible.[24]

protectores sobre lentes graduadas porque pueden distorsionar la visión del usuario, **FIGURA 23-2**.

Se recomienda el uso de prendas para cubrirse en situaciones de salpicaduras grandes. Estas prendas pueden ser chaquetas o batas lavables o desechables. Los uniformes también pueden servir como EPP si el empresario los adquiere, mantiene y lava. Los botines y las cofias no se necesitan de forma rutinaria en el entorno prehospitalario, aunque la disponibilidad a las mascarillas de bolsillo o los dispositivos de asistencia respiratoria (es decir, dispositivos de bolsa y mascarilla) debe ser accesible.

De acuerdo con la definición de los CDC, un pinchazo es una herida punzante producida por una aguja, un bisturí u otro objeto punzocortante que puede dar lugar a la exposición a sangre u otros fluidos corporales.[25] En 2000, el Congreso aprobó la Ley de Seguridad

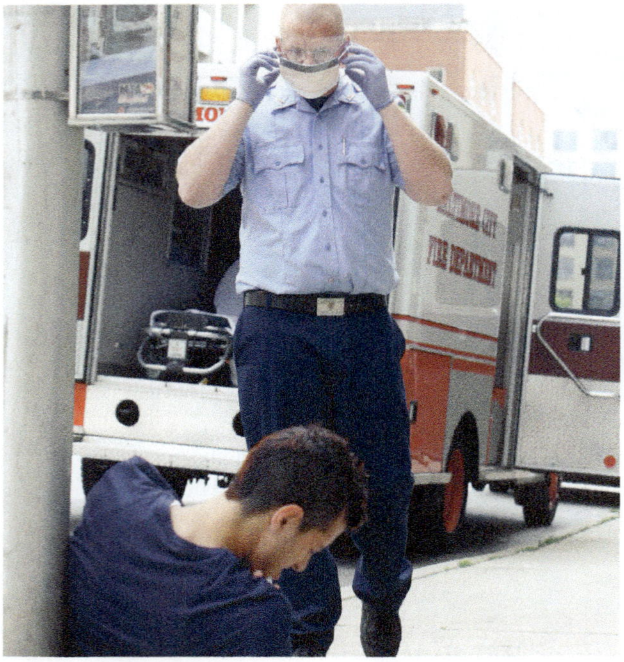

FIGURA 23-2 Utilice protección para los ojos y mascarilla para evitar que la sangre y las secreciones orales le salpiquen los ojos, la nariz y la boca.

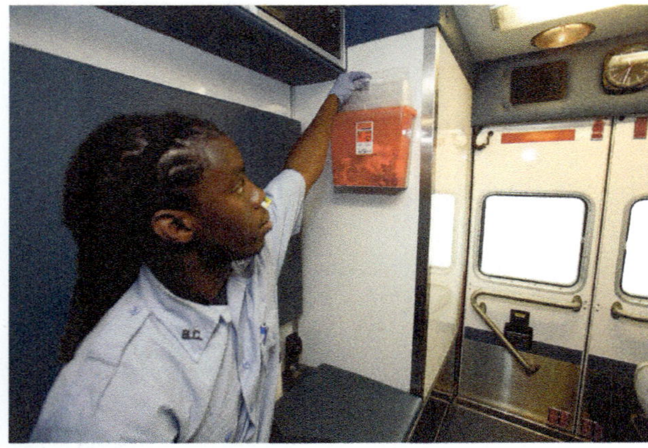

FIGURA 23-3 Para su correcta eliminación, todos los objetos punzocortantes deben colocarse en recipientes resistentes a perforaciones, herméticos y que lleven el símbolo de riesgo biológico. Esta eliminación debe realizarse en el lugar de uso.

y Prevención de Pinchazos, que exigía que todos los instrumentos punzantes fueran seguros o **sistemas sin aguja**.[26] Los sistemas de los SEM que han adoptado dispositivos seguros y sin aguja no han reportado lesiones por objetos punzocortantes derivadas de su uso. Todos estos objetos deben colocarse en recipientes que sean resistentes a los pinchazos, herméticos y que estén etiquetados con el símbolo de riesgo biológico, **FIGURA 23-3**. Dichos contenedores deben estar situados en el lugar de uso.

Retiro del EPP

No importa cuán alta sea la tecnología del EPP, solo será eficaz si se emplean las técnicas adecuadas para quitárselo. En la **FIGURA 23-4** se muestran los procedimientos adecuados para hacerlo conforme a los CDC. Tenga en cuenta que el procedimiento para quitarse el EPP utilizado como protección contra patógenos difiere de aquel para quitarse el EPP para materiales peligrosos. ¡Recuerde que es muy importante lavarse las manos después de quitarse los guantes!

Seguimiento médico posterior a la exposición

El seguimiento médico posterior a la exposición es su tercera línea de defensa contra los efectos de las enfermedades transmisibles.

Representante designado para el control de infecciones

La ley federal Ryan White CARE Act, Parte G, exige que cada agencia de respuesta a emergencias en Estados Unidos tenga un **representante designado para el control de infecciones (RDCI)**. Esta persona es la encargada de garantizar que se proporcione el tratamiento médico posterior a la exposición y el asesoramiento adecuados a cualquier empleado o voluntario expuesto.

El tratamiento médico posterior a la exposición se ofrece para reducir las posibilidades de que un paramédico expuesto contraiga la enfermedad. El tratamiento debe ofrecerse entre 24 y 48 horas después de la exposición, aunque el plazo real dependerá del diagnóstico. La exposición a la meningitis bacteriana, por ejemplo, requeriría tratamiento en 24 horas.

El RDCI controla y supervisa el cumplimiento de los plazos correctos, sirve de enlace entre el empleado expuesto y el centro médico, vela porque se mantenga la confidencialidad y garantiza que la documentación se ajuste a las directrices. La función del RDCI es vital para manejar las cuestiones relacionadas con la indemnización de los trabajadores y garantizar que el empleado o voluntario expuesto reciba la atención y asesoría adecuadas. Además, este servicio ofrece protección en materia de responsabilidad tanto para el proveedor de cuidados como para el departamento.

La red de comunicación para la notificación de la exposición implica a tres personas: el paramédico expuesto, el RDCI y el médico tratante. Un paramédico que crea que se ha producido una exposición debe llamar directamente al RDCI, cuya tarea es determinar si se ha producido una exposición real. Cada departamento debe tener un sistema de reporte que cumpla la

CÓMO RETIRARSE EL EQUIPO DE PROTECCIÓN PERSONAL (EPP) DE FORMA SEGURA

EJEMPLO 1

Existen diversas formas de quitarse el EPP de forma segura sin contaminar la ropa, la piel o las mucosas con materiales potencialmente infecciosos. He aquí un ejemplo. Quítese todo el EPP antes de salir de la habitación del paciente, excepto la mascarilla, si la lleva puesta. Retire la mascarilla después de salir de la habitación del paciente y cerrar la puerta. Quítese el EPP en la siguiente secuencia:

1. GUANTES

- ¡El exterior de los guantes está contaminado!
- Si se contamina las manos al quitarse los guantes, lávelas de inmediato o utilice un desinfectante de manos a base de alcohol
- Con una mano enguantada, agarre la zona de la palma de la otra mano enguantada y quítese el primer guante
- Sujete el guante retirado con la mano enguantada
- Deslice los dedos de la mano sin guante por debajo del guante restante a la altura de la muñeca y despegue el segundo guante sobre el primero
- Deseche los guantes en un contenedor para residuos

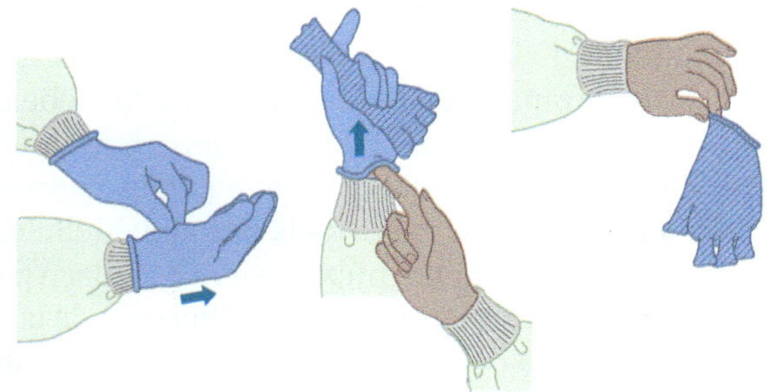

2. ANTEOJOS O PROTECTOR FACIAL

- ¡El exterior de los anteojos o del protector facial está contaminado!
- Si se contamina las manos al quitarse los anteojos o el protector facial, lávelas de inmediato o utilice un desinfectante de manos a base de alcohol
- Retire los anteojos o el protector facial por la parte posterior levantando la cinta de la cabeza o las orejeras
- Si el artículo es reutilizable, colóquelo en el receptáculo designado para su reprocesamiento. De lo contrario, deséchelo en un contenedor para residuos

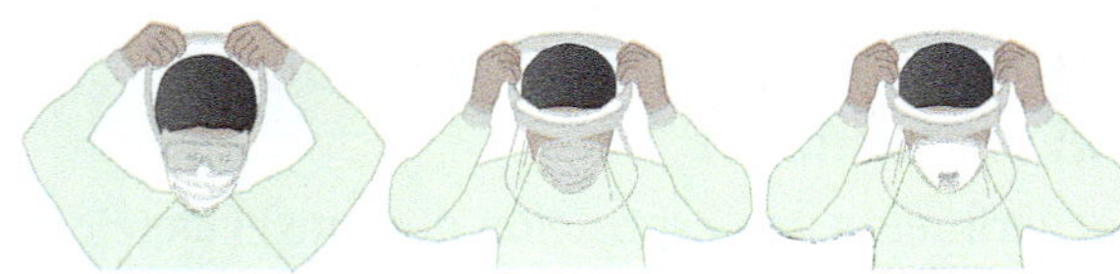

3. BATA

- ¡La parte delantera y las mangas de la bata están contaminadas!
- Si se contamina las manos al quitarse la bata, lávelas de inmediato o utilice un desinfectante de manos a base de alcohol
- Desate los lazos de la bata, teniendo cuidado de que las mangas no entren en contacto con su cuerpo al coger los lazos
- Retire la bata del cuello y los hombros, tocando solo el interior de la bata
- Dé la vuelta a la bata
- Doble o enrolle como envoltorio y deseche en un contenedor para residuos

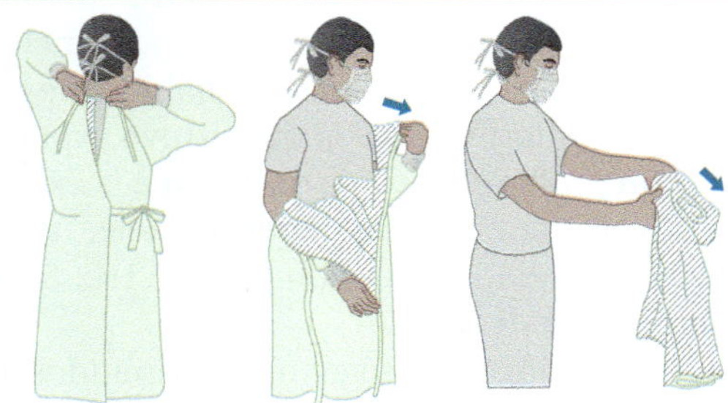

4. MASCARILLA O RESPIRADOR

- La parte delantera de la mascarilla/el respirador está contaminada - ¡NO LA TOQUE!
- Si se contamina las manos al quitarse la mascarilla/el respirador, lávelas de inmediato o utilice un desinfectante de manos a base de alcohol
- Sujete los lazos o elásticos de la parte inferior de la mascarilla/el respirador y, a continuación, los de la parte superior, y retire sin tocar la parte delantera
- Deséchela(o) en un contenedor para residuos

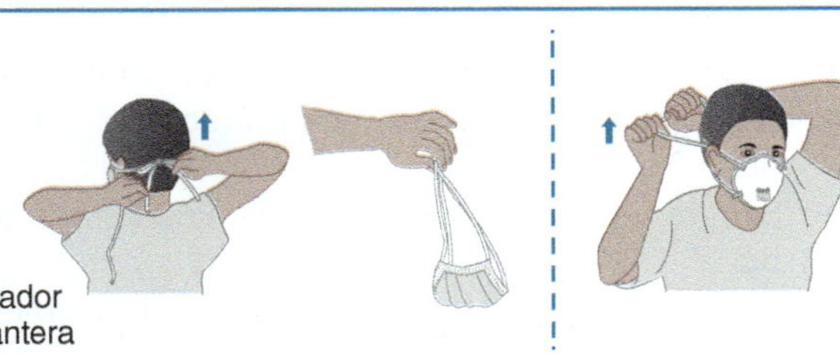

5. HIGIENE DE LAS MANOS

- Lave las manos o utilice un desinfectante de manos a base de alcohol justo después de quitarse todo el EPP.

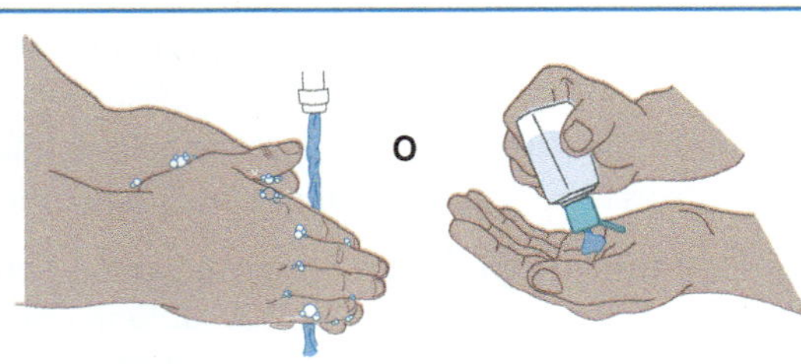

Realice la higiene de manos entre los pasos en caso de contaminárselas y de inmediato después de quitarse todo el EPP.

FIGURA 23-4 Cuadro de los CDC sobre el retiro adecuado del equipo de protección personal (EPP). Tenga en cuenta que, para incidentes relacionados con materiales peligrosos, la secuencia es diferente a la que se muestra aquí.

Datos de los Centers for Disease Control and Prevention.

ley Ryan White de notificación y el plan de control de la exposición exigido por la OSHA. El RDCI debe estar disponible 24 horas al día, 7 días a la semana, y debe trabajar fuera de la cadena de mando habitual por razones de confidencialidad.

El departamento de salud pública actúa como respaldo para la notificación de la exposición y la determinación de la necesidad de tratamiento médico de seguimiento. En virtud de la ley de notificación Ryan White, el departamento de salud pública local debe conocer la identidad del RDCI de cada departamento de los SEM y poder ponerse en contacto con esa persona las 24 horas del día, los 7 días de la semana. El director del departamento de salud pública sirve de enlace para los problemas relacionados con la notificación de la exposición por parte del centro médico y el intercambio de los resultados de las pruebas fuente-paciente.

El proceso cuando se produce una exposición

Si experimenta una exposición durante el ejercicio de sus funciones, el RDCI se asegurará de que se realice la prueba al paciente fuente. Si esta es positiva, se le realizarán pruebas de referencia y un tratamiento médico posterior a la exposición adecuado, incluido el asesoramiento, para reducir las probabilidades de que desarrolle la enfermedad a la que estuvo expuesto. Se cuenta con profilaxis médica posterior a la exposición (prevención) para muchas enfermedades transmisibles, excepto para la infección por el VHC. Si este se adquiere, se puede curar.

La exposición a patógenos transmitidos por la sangre puede producirse de diferentes formas:[27]

- Una lesión por pinchazo de aguja contaminada. (El objeto punzocortante ha estado en el cuerpo del paciente).
- Sangre u OMPI salpicados en el ojo, la nariz o la boca.
- Sangre u OMPI en contacto con una zona abierta de la piel (p. ej., un corte reciente, una abrasión, una zona de dermatitis).
- Cortes con un objeto punzocortante cubierto de sangre u OMPI.
- Mordeduras humanas con exposición a sangre. (La fuente es la persona que sangra, no quien muerde).

Si se produce alguno de estos casos, debe ponerse en contacto de inmediato con su RDCI. Este contacto es fundamental porque él determina si se ha producido una exposición. Si se considera que se ha producido una exposición, el RDCI hará que el centro médico empiece a realizar pruebas al paciente fuente. No es necesario que el empleado expuesto se registre ni que se le realicen pruebas de referencia. No se requiere que dichas pruebas de lleven a cabo de inmediato y solo se realizan si la fuente da positivo. Una prueba de referencia establece el historial del proveedor de atención médica; no ofrece información alguna sobre el evento de exposición.

En el caso de las enfermedades transmitidas por el aire o por gotas, el RDCI recibe una notificación del centro médico y revisa los siguientes criterios: el organismo implicado, el tiempo pasado con el paciente, la distancia entre el proveedor y el paciente, el procedimiento o la tarea que se está realizando y la ventilación presente.

Perlas de sabiduría

Una ambulancia tiene una tasa de intercambio de aire de cada 2 minutos. En la década de 1970, la *General Services Administration* de Estados Unidos incorporó un requisito de intercambiadores de aire en las especificaciones de la ambulancia KKK-A-1822F. En algunos vehículos, este mecanismo de reducción de riesgos se activa de forma manual, y en otros, es automático.

El manejo médico posterior a la exposición incluye la identificación del **individuo fuente**,[28] ya que la fuente es la clave para identificar si el riesgo en realidad está presente. Las pruebas de referencia de los empleados solo son necesarias si la fuente da positivo. De acuerdo con la *Compliance Directive for Bloodborne Pathogens* de la OSHA, los empleadores deben pagar los costos relacionados con los eventos de exposición, incluidas las pruebas del individuo fuente.[29]

Los análisis de sangre del paciente fuente deben incluir pruebas rápidas del VIH, pruebas del antígeno de superficie del VHB, pruebas rápidas de anticuerpos del VHC y pruebas rápidas de sífilis. Los resultados del VIH, el VHC y la sífilis deberían estar disponibles en menos de 1 hora, y los del antígeno de superficie del VHB suelen estarlo al día siguiente. Debido a que la mayoría de los paramédicos ya están vacunados contra algunas enfermedades, este plazo no supone una gran preocupación. Las pruebas del VIH requieren el consentimiento del paciente en cerca de la mitad de los estados de Estados Unidos, pero la legislación estatal con frecuencia hace excepciones para la exposición profesional de los proveedores de atención médica. Los demás estados se basan en el "presunto consentimiento", es decir, el estado asume el consentimiento para someterse a la prueba. Cada departamento de los SEM debe conocer la ley de pruebas de su estado.

En virtud de la Ley Ryan White CARE (también conocida como ley de notificación Ryan White), el centro médico debe entregar los resultados de las pruebas del paciente fuente al RDCI; esta entrega no se considera una violación de la privacidad según la *Health Insurance Portability and Accountability Act.* La Ley Ryan White CARE, Parte G, también exige que los centros médicos notifiquen al RDCI si transportan a un paciente que se sospecha o se sabe que tiene una enfermedad transmitida por el aire o por gotas.[1]

Esta información se comparte con el empleado expuesto y, si el paciente fuente da positivo, se inicia la atención y el asesoramiento adecuados. Los análisis de sangre de referencia realizados a un paramédico expuesto no proporcionan información sobre la exposición que acaba de producirse, sino que documentan si él ya padece alguna de estas enfermedades. Como se mencionó, el asesoramiento y tratamiento médico posterior a la exposición deben empezar dentro de las 24 a 48 horas, a menos que las pruebas del paciente fuente arrojen información que requiera un seguimiento más rápido.

Inmunizaciones y vacunaciones recomendadas por los CDC

Las **vacunas** son suspensiones de bacterias o virus enteros (vivos o inactivos) o fraccionados que se han convertido en no patógenos; provocan inmunidad haciendo que el sistema inmunológico produzca anticuerpos. Algunas vacunas se fabrican con tecnología de ADN, lo cual elimina los riesgos de que una persona experimente una reacción alérgica o desarrolle el síndrome de Guillain-Barré. Este síndrome es una parálisis temporal que suele resolverse con el tiempo. Las vacunas de ARN mensajero (ARNm) entrenan a las células del cuerpo para que reconozcan las proteínas producidas por los organismos causantes de enfermedades (como el virus COVID-19), desencadenen una respuesta inmunológica y produzcan anticuerpos para proteger al individuo de la enfermedad. Estar al corriente con las **vacunaciones** recomendadas aumenta la resistencia del huésped y la respuesta inmunológica.

En 1999, la OSHA empezó a aplicar las directrices de los CDC sobre inmunización del personal sanitario. En 2011, los CDC publicaron un calendario de **inmunización** actualizado para los proveedores de cuidados de la salud. Debido a la creciente incidencia de la tosferina en Estados Unidos, se requiere un refuerzo contra el tétanos, la difteria y la tosferina (Tdap, por sus siglas en inglés). En el **CUADRO 23-1** se incluyen las recomendaciones actuales de los CDC para los proveedores de atención médica.

Cada empleador debe ofrecer al personal las vacunaciones recomendadas por los CDC y pagarlas. Esto incluye a los departamentos voluntarios, ya que los CDC definen al personal de cuidados de la salud como "todas las personas remuneradas y no remuneradas". Los paramédicos particulares tienen derecho a negarse a ser vacunados, pero se les pedirá que firmen un formulario de declinación.[15] Sin embargo, las instalaciones médicas no permitirán que los estudiantes participen en rotaciones clínicas si firmaron los formularios de declinación.

USTED es el Paramédico

PARTE 2

Usted y su compañero llegan a la habitación del paciente, que es compartida con otro residente. La paciente es una mujer de 86 años que parece muy enferma. Está pálida y parece débil, pero está alerta y es capaz de responder a las preguntas. El miembro del personal le dice que la paciente lleva dos días vomitando y con diarrea acuosa, sin sangre. La paciente se inclina hacia delante para vomitar en una palangana, pero no sale nada. El miembro del personal, que no lleva guantes, toma un pañuelo de papel desechable de un recipiente, limpia la boca de la paciente y tira el pañuelo a la papelera.

Tiempo de registro:	1 minuto
Aspecto	Despierta
Nivel de conciencia	Alerta (orientada hacia la persona, el lugar, el tiempo y el acontecimiento)
Vía aérea	Abierta
Respiración	Adecuada
Circulación	Adecuada

3. ¿Qué puede determinar ahora sobre el estado de la paciente?
4. Debido a que no se ha confirmado el diagnóstico de infección por *C diff* en esta paciente, ¿le preocupa la exposición?

CUADRO 23-1 Vacunaciones recomendadas para los proveedores de atención médica

Hepatitis B
Sarampión, paperas, rubéola (SPR, triple viral)
Varicela
Pruebas de tuberculosis (TB) al contratar y posterior a la exposición
Tétanos, difteria y tosferina (Tdap): dosis única[a]
Influenza (anual)
Enfermedad por coronavirus 2019 (COVID-19)
Meningococo

[a]Las dosis de refuerzo contra el tétanos y la difteria son necesarias cada 10 años. Aún no se ha determinado cuándo son necesarias las dosis de refuerzo contra la tosferina.

Datos de: Recommended Vaccines for Healthcare Workers. Centers for Disease Control and Prevention. https:// www.cdc.gov/vaccines/adults/rec-vac/hcw.html. Consultado el 23 de marzo de 2021.

CUADRO 23-2 Componentes del plan de control de la exposición

Determinación de la exposición
Educación y capacitación
Programa de vacunación contra la hepatitis B
Programa de pruebas de detección de la tuberculosis
Programa ampliado de vacunas: SPR, vacuna contra la varicela, refuerzo Tdap
Equipo de protección personal
Controles técnicos y prácticas laborales
Tratamiento médico posterior a la exposición y documentación
Manejo de residuos médicos
Supervisión del cumplimiento
Mantenimiento de registros

Abreviaturas: SPR, sarampión, paperas, rubéola; Tdap, tétanos, difteria y tosferina.

La mayoría de los programas de formación exige ahora que las vacunaciones estén al día antes de que los candidatos entren en el programa, y muchos departamentos exigen las vacunas de los empleados actuales.

Todos los nuevos empleados y voluntarios deben obtener sus registros de vacunación e historial de enfermedades infantiles, ya sea de un médico personal, escuela secundaria, universidad, programa de formación, empleador anterior o clínica de Asuntos de veteranos. Los miembros actuales del personal también deben obtener estos registros. Para cumplir con la normativa sobre privacidad, los registros deben ser solicitados por el empleado o voluntario a una de las fuentes mencionadas. Esta información se revisa para determinar quién está protegido y quién no contra una enfermedad prevenible mediante vacunación. Si el empleado no está protegido, el departamento debe ofrecerse a pagar las vacunas preventivas. Si el empleado se niega, debe firmar un formulario de rechazo. Esta acción no elimina ningún derecho del empleado, sino que documenta que el empleador cumplió con la responsabilidad de ofrecer la vacuna.

Responsabilidades del departamento

En virtud del mandato de la OSHA y la Ley Ryan White CARE, Parte G, para proteger al personal de la exposición a patógenos transmitidos por la sangre y enfermedades transmitidas por el aire y por gotas, cada departamento de los SEM debe establecer un plan integral de control de la exposición. Este documento establece los detalles de cómo el departamento planea reducir el riesgo de exposición a agentes infecciosos y proporcionar seguimiento médico posterior a la exposición, si es necesario. Los elementos clave del plan de control de la exposición incluyen una educación y formación adecuadas en relación con los agentes patógenos transmitidos por la sangre y las enfermedades transmitidas por el aire y por gotas, así como el establecimiento de procedimientos de seguimiento médico posterior a la exposición, **CUADRO 23-2**.

Otro componente clave del plan es la supervisión del cumplimiento. La dirección debe realizar comprobaciones al azar para asegurarse de que los miembros del personal siguen el plan de control de la exposición y de que este funciona eficazmente. Aunque la dirección es responsable de desarrollar y aplicar el plan, la OSHA ha dejado claro que los empleados deben seguirlo. Este requisito se aborda en la Cláusula de Deberes Generales (b), que establece: "Cada empleado deberá cumplir las normas de seguridad y salud laboral y todas las normas, los reglamentos y las órdenes emitidas en virtud de esta Ley que sean aplicables a sus propias acciones y conducta".

Una parte importante del plan de control de la exposición que beneficia tanto al personal del departamento como a los pacientes son las directrices de restricción del trabajo. Estas directrices, publicadas por los CDC y aplicadas por la OSHA, indican cuándo pueden o no trabajar los empleados con diversas enfermedades y cuándo no pueden atender a pacientes de alto riesgo. Las directrices de restricción del trabajo exigen que los empleados utilicen la baja por enfermedad para estas ausencias, a menos que la enfermedad sea consecuencia de una exposición ocupacional, en cuyo caso está cubierta por la compensación de los trabajadores. Seguir las directrices de restricción del trabajo es en especial importante durante la temporada de gripa (influenza respiratoria).

La **infección** se define como la invasión de un huésped o tejido huésped por organismos patógenos, como bacterias, virus o parásitos, que produce una enfermedad que puede tener o no manifestaciones clínicas. Es esencial distinguir entre contaminación e infección. Un objeto que contiene microorganismos se considera **contaminado**. Este término se aplica al agua, los alimentos, los materiales de curación, la ropa de cama, los objetos punzocortantes, el equipo e incluso la ambulancia. Sin embargo, una persona no está infectada a menos que los microorganismos provoquen una enfermedad. Con algunas enfermedades, como la infección por el VHB o el VHC, una persona puede tener la enfermedad y no ser consciente de ello; no hay signos ni síntomas, y la persona no está enferma. Sin embargo, estos **portadores** pueden transmitir la enfermedad a otras personas a través de la sangre y por contacto sexual.

Evaluación del paciente

La evaluación de un paciente sospechoso de padecer una enfermedad infecciosa o transmisible debe abordarse de forma muy similar a la de cualquier otro paciente médico. En primer lugar, realice un reconocimiento de la escena y tome las precauciones estándar. Una vez que se haya asegurado de que el lugar es seguro (no hay ninguna persona o animal que suponga una amenaza), proceda con el reconocimiento primario siguiendo el proceso ABCDE —por las siglas en inglés de evaluar la vía aérea, la respiración, la circulación, la discapacidad y la exposición del paciente— para identificar todas las lesiones. Incluya la evaluación del estado mental y priorice el tratamiento del paciente. Con la mayoría de los pacientes que tiene una enfermedad potencialmente contagiosa y que es atendida en el entorno prehospitalario, el siguiente paso es obtener el historial del paciente, utilizando la mnemotecnia OPQRST (por las siglas en inglés de momento de inicio, provocación/paliación, calidad, radiación, gravedad, tiempo) para elaborar la queja principal. Las quejas principales típicas incluyen fiebre, náusea, erupción cutánea, dolor torácico pleurítico y dificultad para respirar. Asegúrese de obtener un historial SAMPLE (por las siglas en inglés de Signos y síntomas, Alergias, Medicamentos, Antecedentes recientes, Última ingesta oral, Acontecimientos que provocaron la lesión o la enfermedad) y una serie de signos vitales de referencia, prestando especial atención a los medicamentos que el paciente está tomando, los acontecimientos que le provocaron el problema actual y si él ha viajado en fechas recientes. La importancia de los antecedentes de viaje ha quedado demostrada con las infecciones por SARS, Ébola, H1N1, *Enterobacteriaceae* resistentes a carbapenemas (CRE) y Zika, por lo que debería ser una pregunta de evaluación rutinaria. Respete siempre los sentimientos de los pacientes, la familia y otras personas presentes en la escena. Una vez completados estos pasos, proceda a la evaluación secundaria, incluida la exploración física.

Perlas de sabiduría

La práctica segura de los SEM depende en gran medida de la capacidad del despachador para transmitir información precisa y suficiente a los respondedores. Los datos proporcionados durante la llamada al 9-1-1 puede plantear preocupaciones de que el paciente ha estado expuesto a una enfermedad infecciosa. Esta información debe compartirse con los respondedores para que puedan tomar las precauciones adecuadas antes del contacto con el paciente, como ponerse el EPP adecuado, limitar el número de proveedores que entren en contacto con el paciente o colocar una mascarilla quirúrgica al paciente de inmediato después de su llegada. Cuando el estado de un paciente sugiera una exposición a un agente patógeno altamente infeccioso, el encargado de la asistencia debe intentar determinar si el paciente recién ha visitado una zona endémica o si presenta otros signos y síntomas reveladores de esa enfermedad. Durante un brote de una enfermedad infecciosa en la comunidad, se pueden incorporar al algoritmo de envío preguntas de valoración dirigidas a identificar a los pacientes infecciosos.[30]

Principios del tratamiento en general

La atención general de un paciente con sospecha de enfermedad transmisible se centra en primer lugar en las afecciones potencialmente mortales identificadas en el reconocimiento primario (mantenimiento de la vía aérea, asistencia con oxígeno y ventilación, y asistencia circulatoria). Recuerde que debe ser empático. Debido a que la mayoría de los pacientes con una enfermedad transmisible tendrá fiebre de origen desconocido o problemas respiratorios leves, colóquelos en una posición cómoda en la camilla y manténgalos calientes. Si el paciente presenta signos tempranos de deshidratación, establezca una vía IV preliminar y quizá sea conveniente una infusión de solución fisiológica o solución lactato de Ringer. Recuerde tomar las precauciones habituales y desechar de forma correcta los objetos punzocortantes, incluso los dispositivos seguros para agujas.[6]

Siga siempre el plan de control de la exposición de su organismo para limpiar la unidad de aspiración y cualquier equipo reutilizable, y deseche de manera adecuada cualquier material y ropa de cama desechables.

Cadena de infección

La infección implica una cadena de acontecimientos a través de los cuales se propaga la enfermedad transmisible. En algunos casos, resolver el rompecabezas de por qué una enfermedad específica se desarrolló en una persona o grupo de personas en particular puede ser tan simple como volver sobre sus pasos para encontrar la fuente de exposición. En otros casos, el rompecabezas es más difícil de resolver, y los expertos en enfermedades infecciosas tardan años en encontrar un patrón en la propagación de una enfermedad y luego planificar una estrategia para romper la cadena de la infección. El estudio de las enfermedades transmisibles tiene en cuenta los aspectos demográficos de la población que pueden afectar a la propagación de una enfermedad, como la distribución por edades, los factores genéticos, los niveles de ingresos, los grupos étnicos, los lugares de trabajo y las escuelas, los límites geográficos y la expansión, la disminución o el movimiento de la enfermedad.

SEGURIDAD

He aquí un escenario que ilustra la facilidad con que se puede propagar una enfermedad. En la unidad pediátrica de un hospital local, un visitante trae una caja de dulces para un niño. Debido a la norma de "no comer", una atenta enfermera coloca los caramelos en la estación de enfermeras. Otra enfermera había vaciado las heces de un niño ingresado por una infección del virus de hepatitis A (VHA), pero tenía tanta prisa que se olvidó de lavarse las manos. Entonces se fijó en la caja de caramelos, pellizcó algunos con las uñas y al fin encontró uno que quería comerse. Los caramelos se consumieron a lo largo de la mañana. Después, otra enfermera contrajo el VHA, una enfermedad que suele propagarse por vía oral y fecal. La cadena de infección en este caso podría haberse roto lavándose las manos.

La exposición y el riesgo de infección

Varios factores determinan el riesgo de que una persona contraiga una infección posterior a una exposición. La simple presencia de un organismo crea un riesgo, pero hay otros factores que influyen en el nivel exacto de riesgo, como la dosis del organismo, su virulencia, su modo de entrada y la resistencia del huésped de la persona expuesta.

Tipo de organismo

Los organismos patógenos son bacterias, virus, hongos y parásitos. Difieren en la forma en que afectan al huésped, crecen y se reproducen en los tejidos del huésped y causan enfermedades. En el **CUADRO 23-3** se comparan estos organismos.

Dosis del organismo

Para que se produzca una infección debe estar presente un cierto número de organismos. Por ejemplo, el informe del laboratorio sobre una muestra de orina enviada para cultivo puede indicar "más de 100000 colonias de bacterias por mililitro" de orina, lo que indica infección. Se considera que un valor igual o inferior a 100 000 no indica infección.

Virulencia del organismo

La **virulencia** es la capacidad de un organismo para invadir y crear una enfermedad en un huésped. También abarca la capacidad del organismo para sobrevivir fuera del huésped vivo. Por ejemplo, el VIH no supone ningún riesgo fuera del cuerpo humano porque muere cuando se expone a la luz y al aire. En cambio, una bacteria como la *Salmonella* puede multiplicarse cada 15 o 20 minutos en presencia de la temperatura y los nutrientes adecuados.

Modo de entrada

Si el organismo no entra en el cuerpo por la vía "correcta", no puede producirse la infección. Por ejemplo, un virus respiratorio que entra en el cuerpo a través de un corte no provocará una infección respiratoria y quizá no causará ninguna infección. Por el contrario, una gotita respiratoria inhalada podría causar una enfermedad respiratoria. Por lo tanto, si usted aplica una mascarilla a un paciente que podría tener una enfermedad respiratoria transmisible, es menos probable que inhale las gotas.

Resistencia del huésped

Cuanto más sano esté, menos susceptible será de contraer una infección. Su capacidad para combatir las infecciones se denomina **resistencia del huésped**. Un sistema inmunológico fuerte le ayudará a protegerse de contraer enfermedades, aunque los demás factores de riesgo pueden estar presentes. Los programas de bienestar y los de inmunización sirven para aumentar la resistencia del huésped.

CUADRO 23-3 Comparación de organismos patógenos seleccionados

Organismo	Ciclo de vida	Efecto en el huésped	Ejemplo
Bacteria	Crecen y se reproducen fuera de la célula humana en un entorno que se caracteriza por la temperatura y los nutrientes adecuados	Causan enfermedades cuando invaden y se multiplican dentro de los tejidos del huésped	La bacteria *Salmonella* puede multiplicarse en la ensalada de papas que no ha sido refrigerada, provocando una enfermedad en el humano cuando se consume el alimento.
Virus	Son mucho más pequeños que las bacterias y solo pueden multiplicarse dentro de un huésped; mueren cuando se exponen al medio ambiente	Causan enfermedades cuando invaden y se multiplican dentro de los tejidos del huésped	El VIH no se multiplica ni mantiene su capacidad infecciosa fuera de un huésped vivo.
Hongos	Similares a las bacterias en que pueden crecer rápidamente en presencia de nutrientes y materia orgánica	La mayoría de las infecciones se adquieren por contacto con materia orgánica en descomposición o esporas transportadas por el aire en el medio ambiente; a menudo causan infecciones oportunistas en personas con sistemas inmunológicos comprometidos	Van desde infecciones relativamente inofensivas de la piel, como el pie de atleta (*Tinea pedis*), hasta infecciones sistémicas potencialmente mortales, como la neumonía (*Pneumocystis jirovecii*, antes conocida como *Pneumocystis carinii*) en personas con SIDA.
Parásitos	Viven en o sobre otro ser vivo	Se aprovechan de su huésped alimentándose de sus células y tejidos	Sarna y piojos. **Protozoos**: organismos eucariotas unicelulares, en general microscópicos, como amebas, ciliados, flagelados y esporozoos. La *Entamoeba histolytica*, por ejemplo, causa disentería. Helmintos (por lo común llamados lombrices): invertebrados con cuerpos largos, flexibles, redondeados o aplanados. *Ascaris lumbricoides*, por ejemplo, causa la anquilostomiasis.

Abreviaturas: SIDA, síndrome de inmunodeficiencia adquirida; VIH, virus de la inmunodeficiencia humana.

Una vez que una persona susceptible ha estado expuesta a un organismo, este tarda un tiempo en multiplicarse dentro del cuerpo y producir síntomas. Ese periodo entre la exposición al organismo y los primeros síntomas de la enfermedad se denomina **periodo de incubación**. Por ejemplo, por lo regular pasan entre 12 y 26 días desde que una persona susceptible se expone al virus de las paperas hasta que empieza a tener fiebre y a sentirse enferma. El periodo de incubación del virus de la influenza es mucho más corto, por lo regular de 24 a 72 horas.

La mayoría de las enfermedades transmisibles solo es contagiosa durante una parte de la enfermedad. Una persona puede estar enferma de varicela durante 2 o 3 semanas, pero solo puede transmitir el virus a otra persona durante cerca de 1 semana, desde 1 día antes de que aparezcan las **vesículas** en la piel hasta unos 6 días después de su aparición. El periodo durante el cual una persona puede transmitir la enfermedad a otra se denomina **periodo transmisible**.

En el contexto de las enfermedades transmisibles, un **depósito** es un lugar donde los organismos pueden vivir y multiplicarse. Por ejemplo, en las instituciones, los sistemas de aire acondicionado y las duchas han sido identificados como depósitos de la bacteria causante de la enfermedad de los legionarios. En las ambulancias, el humidificador de oxígeno suele estar implicado como depósito de la infección. El personal de cuidado de la salud es responsable no solo de protegerse a sí mismo para no contraer enfermedades transmisibles, sino también de garantizar, en la medida de lo posible, que ni él ni su equipo transmitan la enfermedad a otras personas. Esta responsabilidad es importante: si un paciente con seguro de Medicare o Medicaid adquiere una infección después de ser atendido por los SEM y es hospitalizado, el gobierno puede calificarla de infección asociada a la asistencia médica y negarse a reembolsar su costo. Los centros médicos están vigilando a los SEM como posible fuente de infecciones de algunos pacientes.

Mecanismos de defensa del huésped

El cuerpo humano proporciona una protección incorporada frente a los organismos patógenos a través de varias defensas que protegen frente a la infección. La piel, que cubre todo el exterior del cuerpo, representa una barrera protectora primaria que bloquea la capacidad de los patógenos para penetrar a través de la superficie intacta. Las secreciones normales de la piel también tienen una propiedad antibacteriana que protege contra la entrada de patógenos. Las soluciones antibacterianas para el lavado de manos no deben utilizarse porque matan todas las bacterias de la piel, incluida la flora normal, y contribuyen al desarrollo de bacterias resistentes.

Las membranas mucosas representan otra barrera protectora. Por ejemplo, los ojos producen lágrimas que diluyen y eliminan las sustancias extrañas. Las membranas mucosas que recubren los tractos urinario, respiratorio y gastrointestinal (GI) también atrapan y eliminan organismos. Las células que recubren el tracto respiratorio secretan lisozimas que destruyen las bacterias, mientras que los macrófagos atrapan y destruyen las bacterias; por lo tanto, estas membranas mucosas sirven como primera línea de defensa contra las enfermedades transmitidas por el aire y por gotas. Las células caliciformes que recubren el tracto GI producen secreciones altamente ácidas y alcalinas, formando barreras que protegen contra la penetración de bacterias y algunos virus.

El sistema inmunológico también contiene proteínas que eliminan los virus. El desencadenamiento de la respuesta inmunológica provoca la producción de anticuerpos dirigidos contra organismos invasores específicos. Como parte de este proceso, las células B y T trabajan juntas para combatir la infección.

Infección y sepsis

Los CDC están trabajando para aumentar la concientización sobre la **sepsis**. Un informe de los CDC publicado en agosto de 2016 afirmó que en Estados Unidos 80% de los pacientes con sepsis desarrollaron la infección que condujo a la sepsis en un entorno fuera del hospital, y que siete de cada 10 pacientes diagnosticados con sepsis habían recibido servicios de atención médica recientemente o tenían una enfermedad crónica que requería visitas frecuentes de atención médica.[31]

El informe de los CDC también sugería la importancia de que los proveedores de los SEM reconozcan la sepsis y alerten al centro receptor cuando se traslada a un paciente con posible sepsis, como clave para mejorar los resultados de los pacientes. En años recientes, las definiciones de sepsis y **shock séptico** han sido revisadas por un grupo de trabajo internacional y presentadas en el *Society of Critical Care Medicine's 45th Critical Care Congress*. También se ha puesto en marcha la Surviving *Sepsis Campaign* (SSC) para mejorar el diagnóstico y el manejo de la sepsis.[32] Por último, se han desarrollado intervenciones basadas en evidencia, denominadas paquetes, en un intento de aumentar las tasas de supervivencia de los pacientes; uno de estos paquetes aborda la reanimación y el otro, el manejo de los cuidados.

Fisiopatología

La sepsis es la reacción exagerada del organismo ante una infección o un virus, que puede evolucionar a un shock. Se trata de una emergencia médica que requiere un tratamiento rápido para evitar daños en los tejidos, falla orgánica y la muerte. Entre las personas con mayor riesgo de sepsis se encuentran los mayores de 65 años, los lactantes menores de 1 año, las personas con sistemas inmunológicos debilitados y las que padecen enfermedades crónicas como la diabetes.

Evaluación

En un paciente con sospecha de sepsis, realice una exploración primaria y obtenga una historia clínica detallada y una exploración física adecuada. Los signos y síntomas de sepsis incluyen uno o más de los siguientes:

- Escalofríos, fiebre o sensación de mucho frío
- Dolor o malestar extremos
- Piel húmeda o descolorida
- Confusión o desorientación
- Falta de aire
- Frecuencia cardíaca elevada

Usted ha aprendido que la viabilidad de los cuidados definitivos y los resultados óptimos para el paciente dependen del reconocimiento oportuno de traumatismos, infartos de miocardio y accidentes vasculares cerebrales en pacientes con estas afecciones. Del mismo modo, la identificación temprana de los pacientes con sepsis y la rápida atención de emergencia en las primeras horas posteriores al desarrollo de la sepsis pueden mejorar los resultados de estos pacientes.[32] La evaluación rápida de la falla orgánica relacionada con la sepsis (qSOFA, por sus siglas en inglés) es un sistema de puntuación rápida que puede utilizarse para identificar a los pacientes que tienen una infección y pueden estar en riesgo de morir por sepsis. El objetivo de la identificación temprana de la sepsis es iniciar el tratamiento antes de que el síndrome empeore. La puntuación qSOFA es fácil de calcular porque solo tiene tres componentes, cada uno de los cuales es fácilmente identificable: (1) frecuencia respiratoria ($\geq$ 22 respiraciones/min), (2) alteración mental (puntuación de la escala de coma de Glasgow $<$ 15) y (3) presión arterial sistólica ($\leq$ 100 mm Hg).[33] Se asigna un punto por cada componente, por lo que la puntuación total oscila entre 0 y 3 puntos. Una puntuación de 2 o más se asocia a una mala evolución de la sepsis.

Tratamiento

Si sospecha sepsis o shock séptico, inicie la pulsioximetría y el monitoreo cardíaco y de la PA. Administre oxígeno suplementario si está indicado. Si la respiración del paciente es inadecuada, tal vez sea necesaria la ventilación con el dispositivo de bolsa y mascarilla.

Obtenga acceso vascular e inicie la reposición de líquidos. Si hay hipoperfusión inducida por sepsis, la SSC recomienda administrar al menos 30 ml/kg de cristaloide IV en las primeras 3 horas.[32] Además de monitorear la saturación de oxígeno, la frecuencia cardíaca y la PA, vigile con cuidado al paciente para detectar un aumento del trabajo respiratorio o la aparición de crepitaciones. Si la hipotensión persiste a pesar de la administración de líquidos, consulte a la dirección médica para que le aconseje sobre la administración de líquidos adicionales frente al uso de vasopresores. Traslade al paciente al centro adecuado más cercano.

Fisiopatología, evaluación y tratamiento de las enfermedades transmitidas por gotas

Meningitis

La **meningitis** es una inflamación de las *meninges*, es decir, de las membranas que recubren el cerebro y la médula espinal. Se distinguen dos tipos de meningitis: bacteriana y viral. La forma bacteriana es transmisible, a diferencia de la viral. Más de 90% de los casos de meningitis en Estados Unidos es viral y no supone un riesgo para los proveedores de atención médica.[34] La meningitis se transmite a través de gotas, por lo que el contagio se produce por contacto directo con las secreciones orales o nasales del paciente. Los organismos bacterianos más comunes implicados en la meningitis son *Neisseria meningitidis, Streptococcus pneumoniae, Haemophilus influenzae, Streptococcus* del grupo B y *Listeria monocytogenes.*

El tipo más grave de meningitis es la **meningitis meningocócica**, causada por *N meningitidis.* En el pasado, los casos esporádicos de meningitis meningocócica se producían con mayor frecuencia durante el invierno y la primavera, en especial cuando las personas convivían en condiciones de hacinamiento, como en residencias universitarias, refugios para personas sin hogar o barracas militares. En la actualidad, todos los preadolescentes, estudiantes de preparatoria y universitarios que ingresan en residencias universitarias son vacunados contra los principales tipos de meningitis, lo que ha dado lugar a una disminución de los casos a nivel nacional. Se han aprobado nuevas vacunas contra la meningitis B para adultos jóvenes de entre 16 y 23 años para prevenir la enfermedad causada por *N meningitidis.* La vacuna contra la meningitis no está recomendada para ningún grupo de proveedores de atención médica, solo para estudiantes universitarios que ingresan en residencias universitarias por primera vez, reclutas militares y estudiantes de secundaria y preparatoria.

Fisiopatología

La transmisión se produce posterior al contacto directo con las secreciones nasofaríngeas de una persona infectada (boca a boca, aspiración o intubación con rociado de secreciones) o un tiempo de contacto prolongado de 8 horas o más. El periodo de incubación de la meningitis meningocócica oscila entre 2 y 10 días. El periodo de contagio varía; dura mientras las bacterias meningocócicas estén presentes en las secreciones nasales y orales del paciente. Los microorganismos suelen desaparecer del tracto respiratorio superior del paciente en las 24 horas siguientes al inicio del tratamiento antibiótico.

> **Perlas de sabiduría**
>
> La meningitis no se transmite por vía aérea. La meningitis viral es infecciosa pero no transmisible.

Evaluación

Los signos y síntomas clásicos de la meningitis son los mismos para las formas viral y bacteriana: fiebre súbita, dolor de cabeza intenso, rigidez de nuca, signo de Kernig (el paciente no puede extender la pierna a la altura de la rodilla cuando se flexiona el muslo debido al dolor o a la resistencia), signo de Brudzinski (flexión involuntaria de las rodillas cuando se flexiona la cabeza hacia el pecho), fotosensibilidad y una erupción rosada que se torna de tono morado. El paciente casi siempre experimenta cambios en el estado mental, que van de la apatía al delirio. El vómito en proyectil es frecuente. El diagnóstico se realiza mediante la tinción de Gram, una prueba de laboratorio, en la que el LCR (obtenido mediante un procedimiento conocido como punción lumbar) se coloca en un portaobjetos, se añade tinción de violeta cristal al LCR y se produce una identificación inicial de presencia de bacterias. La tinción de Gram ofrece un resultado rápido y puede ayudar a distinguir una infección viral de una bacteriana, a menudo en solo unos minutos luego de la obtención de una muestra de LCR.

Tratamiento

Cuando trate a un paciente con meningitis, pídale que utilice una mascarilla quirúrgica o una mascarilla de no reinhalación. De no ser posible, debe llevar una mascarilla quirúrgica. También son necesarias las precauciones habituales, como guantes y una buena técnica de lavado de manos. El diagnóstico no se hace hasta que se realiza una punción lumbar, por lo que deben mantenerse las precauciones previas durante toda la interacción con el paciente.

El proveedor de cuidados de la salud debe evaluar al paciente en busca de signos y síntomas sugestivos de meningitis, como fiebre, vómito, irritabilidad y letargo. En los lactantes, también puede observarse un abombamiento de la fontanela. Evalúe al paciente en busca de dificultad respiratoria, lo que puede indicar la necesidad de intubación en ruta, administración de oxígeno y traslado rápido.

Se agregarán otros tratamientos basados en los síntomas del paciente —por ejemplo, oxígeno, manejo de la vía aérea y soporte ventilatorio—. El control médico puede ordenar líquidos IV basándose en los signos y síntomas del paciente, y se pueden ordenar medicamentos en ruta si se producen convulsiones o el paciente muestra signos de shock. Solo los pacientes con signos y síntomas graves requieren un traslado rápido a un centro médico.

La transmisión de la meningitis del paciente a los proveedores de cuidados de la salud es poco frecuente. La profilaxis antibiótica posterior a la exposición suele incluir ciprofloxacino (una dosis administrada por vía oral). Sin embargo, el asesoramiento es esencial, ya que existen muchas contraindicaciones para la prescripción de ciprofloxacino. La meningitis bacteriana resistente al ciprofloxacino se ha documentado en Estados Unidos, por lo que el tratamiento posterior a la exposición solo debe ofrecerse cuando se ha producido una exposición real.

Como alternativa al ciprofloxacino, se administra rifampicina por vía oral durante 2 días. Este tratamiento no es apropiado si la persona está tomando píldoras anticonceptivas y no debe ofrecerse a pacientes embarazadas. La ceftriaxona (Rocephin) es el fármaco de elección si la persona expuesta está embarazada.

Poblaciones especiales

La meningitis en lactantes y niños ha disminuido en incidencia y mortalidad con el desarrollo y la administración generalizada de vacunas, las cuales protegen contra la *H influenzae* tipo b, *S pneumoniae* y *N meningitidis*. La administración de la vacuna se inicia a los 2 meses de edad. Sin embargo, en un niño que no ha sido vacunado, la meningitis sigue siendo una emergencia importante que requiere tratamiento antibiótico.

Condiciones respiratorias

Varias afecciones respiratorias pueden (o no) asociarse a fiebre y pueden (o no) ser infecciosas. Estas condiciones abarcan desde síntomas un poco molestos hasta afecciones potencialmente mortales. En particular, el virus respiratorio sincitial (VRS) es la principal causa de infecciones de la vía aérea inferior en lactantes, adultos mayores y personas inmunodeprimidas. Esta y otras enfermedades transmisibles relevantes para la población pediátrica (como la bronquiolitis y el crup) se tratan en el capítulo 40, *Emergencias pediátricas.*

Influenza estacional

Los virus de la **influenza** (flu) causan enfermedades respiratorias agudas que por lo regular se presentan como epidemias invernales. En Estados Unidos, la influenza causa alrededor de 36000 muertes al año.[20]

La influenza nH1N1 (nueva influenza H1N1) se inició en California y al principio se creyó que iba a causar una pandemia importante. Por fortuna, resultó ser un nuevo virus de influenza estacional que, comparado con la influenza estacional normal, no provocó un número significativo de muertes ni en Estados

Unidos ni en el resto del mundo.[35,36] Esta enfermedad se denomina ahora H1N1.

Poblaciones especiales

Las tasas de infección por influenza son altas en niños, pero el mayor número de muertes por esta causa se produce entre adultos mayores de 65 años, en especial personas con afecciones médicas como enfermedades pulmonares o cardíacas crónicas. La muerte se puede prevenir con la vacunación.

Fisiopatología

En el caso de esta enfermedad transmitida por gotas, se pensaba que la transmisión era aérea. Sin embargo, investigaciones posteriores han demostrado que la transmisión es de mano a nariz y de boca a ojo. El periodo de incubación es de 1 a 4 días posteriores a la exposición. El periodo de contagio en adultos dura desde el día anterior al inicio de los síntomas hasta unos 5 días después de la aparición de la enfermedad.

Evaluación

Los signos y síntomas de la influenza incluyen fiebre sistémica, escalofríos, dolor de cabeza, dolor muscular, malestar y pérdida de apetito. Los síntomas respiratorios incluyen tos seca, a menudo prolongada, ronquera y secreción nasal. La duración de la enfermedad es de 3 a 4 días, y las complicaciones pueden incluir neumonía viral o bacteriana.

Tratamiento

La prevención de la influenza, que ha sido una enfermedad leve durante los últimos 4 años, consiste en colocar al paciente una mascarilla quirúrgica o una mascarilla de no reinhalación. Muy pocos pacientes con esta enfermedad requieren líquidos IV para la deshidratación o asistencia respiratoria durante el transporte. Sin embargo, la medida preventiva clave es la vacunación anual contra la influenza. Cada año se desarrolla una nueva vacuna basada en las cepas previstas para ese año. La forma inyectable de la vacuna no contiene virus vivos, por lo que no se puede contraer la enfermedad a través de la vacuna antigripal. Como alternativa a la forma inyectable, la vacuna en spray nasal contiene virus vivos atenuados. También existe una vacuna para las personas alérgicas al huevo, al mercurio y a los antibióticos.

Se está realizando un esfuerzo para que la vacunación contra la influenza estacional sea obligatoria para todos los proveedores de atención médica como una cuestión de seguridad del paciente. Muchos centros médicos ya han hecho de la vacunación contra la influenza una condición de trabajo para sus empleados. Si no se vacuna contra la influenza, debe firmar un formulario de rechazo, una disposición establecida por la OSHA, la NFPA 1581 y los CDC. Además, los proveedores de atención médica no vacunados deben usar una mascarilla siempre que trabajen cerca de pacientes. Si los proveedores de los SEM rechazan la vacuna contra la influenza, deberán llevar una mascarilla al entrar en el centro médico.

Perlas de sabiduría

Un paramédico con un resfriado o influenza puede ser en extremo peligroso para un paciente inmunocomprometido.

Si usted no se ha vacunado contra la influenza y tiene una exposición, se le pueden ofrecer medicamentos antivirales dentro de las 48 horas para reducir la gravedad de la influenza en caso de que la contraiga.

Tosferina (tos convulsiva)

La **tosferina** es una enfermedad causada por la bacteria *Bordetella pertussis*. Los casos han aumentado en Estados Unidos en los últimos años debido a que los niños no están vacunados y a que la protección de los adultos está disminuyendo. En la actualidad, la tosferina es una de las enfermedades con mayor número de casos en ese país. Los CDC recomiendan que todos los proveedores de atención médica reciban un refuerzo contra la tosferina.[37] Para protegerse de la infección, todas las mujeres embarazadas de Estados Unidos reciben refuerzos de Tdap con cada embarazo.

Fisiopatología

La tosferina es una enfermedad de transmisión por gotas grandes y se considera muy contagiosa. El periodo de incubación es de 7 a 10 días posteriores a la exposición.

Evaluación

El paciente con tosferina presenta fiebre, secreción nasal espesa y tos que evoluciona a espasmos de tos; no puede respirar. Los niños suelen tener los ojos amoratados debido a la tos. Cuando el paciente por fin puede respirar, se oye un "silbido agudo". A continuación, por lo general, se presenta el vómito.

Tratamiento

La tosferina infantil se debe tratar con rapidez y reportar al departamento de salud pública para prevenir nuevos casos. Se considera que los pacientes son infecciosos en el momento en que presentan secreción nasal, estornudos y fiebre leve. Este periodo se denomina fase catarral. La segunda fase, conocida como paroxismos, es cuando se producen los ataques de tos.

El tratamiento recomendado para la tosferina es un ciclo de 5 días de azitromicina, pero pueden prescribirse otros antibióticos, como la eritromicina. En 2013, la *Food and Drug Administration* (FDA) advirtió de que la azitromicina podría causar cambios anormales en la actividad eléctrica cardíaca. Se debe considerar otro medicamento para las personas con enfermedad cardíaca conocida.

Para los proveedores de atención médica es importante la protección mediante el refuerzo de Tdap recomendado.

Paperas

Las **paperas** (parotiditis infecciosa) son una enfermedad transmitida por gotas. Antes de que existiera una vacuna en 1967, muchos niños sufrían sordera permanente, encefalitis y muerte a causa de las paperas. Antes del lanzamiento de la vacuna, se registraban cerca de 186000 casos al año en Estados Unidos.[38]

Como efecto secundario del éxito del programa de vacunación estadounidense, muchos proveedores de atención médica desconocen ahora las complicaciones de enfermedades infantiles como las paperas. En los últimos años, se han producido brotes de paperas en universidades, empresas e incluso en la Liga Nacional de Hockey (2015). Estos brotes están relacionados con personas no vacunadas o que no recibieron dos dosis de la vacuna contra las paperas. El número de casos empezó a disminuir en 2015 a medida que más personas se vacunaron, incluidos los proveedores de atención médica. Sin embargo, los datos de los CDC para 2016 hasta 2019 muestran un aumento en los casos de paperas. Este aumento es significativo porque entre 20 y 40% de las personas infectadas pueden no mostrar signos o síntomas de esta enfermedad.[38]

Fisiopatología

El virus de las paperas se multiplica en el tracto respiratorio superior y se transmite por contacto directo con la saliva o las secreciones respiratorias. Los fómites también pueden transmitir el virus de las paperas. El periodo de incubación de esta enfermedad es de 16 a 18 días posteriores a la exposición.

Las complicaciones derivadas de las paperas son más frecuentes en adultos que en niños. De acuerdo con los CDC,[39] la complicación más frecuente es la orquitis (inflamación de un testículo), que puede producirse entre 3 y 10% de los varones. Otras complicaciones en adultos pueden ser sordera, meningitis, encefalitis y pancreatitis. Estas complicaciones se han dado en menos de 1% de los casos en brotes recientes en Estados Unidos. También pueden producirse complicaciones en mujeres que contraen paperas estando embarazadas.

Evaluación

Las paperas se presentan con fiebre, dolor de cabeza, dolores musculares, pérdida de apetito y edema de las glándulas salivales debajo de las orejas. Esta inflamación puede ser unilateral o bilateral.

Tratamiento

El tratamiento es de apoyo. El tratamiento del dolor adecuado a la edad y las compresas frías pueden ofrecer cierto alivio. Todos los casos de paperas deben notificarse al departamento de salud pública.

La vacunación es la clave de la protección. Si no hay antecedentes de paperas ni confirmación de haber recibido dos dosis de la vacuna contra el sarampión, las paperas y la rubéola (SPR), se debe considerar que la persona no es inmune y ofrecerle la vacuna. Los títulos (pruebas que detectan la presencia y miden la cantidad de anticuerpos en la sangre de una persona) no deben realizarse a menos que se consideren rentables ya que, en general, cuestan más que la vacuna.[13]

La vacunación antes de la exposición es fundamental. La vacuna *no* es eficaz después de la exposición. Si se produce una exposición en una persona no inmune, se le impondrán restricciones laborales entre los días 12 y 25 posteriores a la exposición.

Rubéola (sarampión alemán)

La **rubéola** es causada por un virus. Aunque también se denomina sarampión alemán, esta enfermedad es causada en realidad por un virus diferente del que causa el sarampión. El programa de vacunación contra la rubéola en Estados Unidos se inició en 1969. Una vez que se generalizó el uso de la vacuna, el número de personas infectadas por la rubéola en ese país disminuyó de forma considerable. Se cree que la rubéola se eliminó de Estados Unidos en 2004. Aunque ya no es endémica (presente de forma continua) en ese país, esta enfermedad sigue entrando en él procedente de otros países.

Durante la última gran epidemia de rubéola en Estados Unidos, de 1964 a 1965, se estima que 12.5 millones de personas contrajeron la rubéola, 11000 mujeres embarazadas abortaron, 2100 recién nacidos murieron y 20000 bebés nacieron con síndrome de rubéola congénita.[40] Las discapacidades congénitas que se observan en el síndrome de rubéola congénita son muy parecidas a las que se observan en la infección por el virus del Zika. Debido a la reciente disminución de las tasas de vacunación, la rubéola congénita vuelve a ser una amenaza. A su vez, ahora se exige al personal de los SEM que pregunte a las mujeres embarazadas si han recibido atención prenatal.

Fisiopatología

La rubéola se transmite a través de gotas y se propaga cuando una persona infectada tose o estornuda. Una persona con rubéola puede contagiar la enfermedad a otras hasta una semana antes de que aparezca la erupción. El periodo de incubación es de 12 a 23 días posteriores a la exposición. Una persona infectada puede seguir siendo contagiosa hasta 7 días después de la aparición de la erupción. Entre 25 y 50% de las personas infectadas con rubéola no desarrollan una erupción ni tienen ningún síntoma.[41] Esto hace que la vacunación sea un factor crítico para la protección frente a la exposición.

Evaluación

Por lo general, la rubéola es una enfermedad leve. Las personas infectadas presentan una erupción que por lo regular se inicia en la cara y luego se extiende al resto del cuerpo. Otros signos y síntomas son dolor de cabeza, conjuntivitis leve, inflamación y aumento de tamaño de los ganglios linfáticos, tos y secreción nasal.

Tratamiento

No existe un tratamiento específico para la rubéola.

Inteligencia en la calle

La prevención es importante. Conozca su historial de enfermedades infantiles y si no está protegido, vacúnese. Si no está protegido, coloque una mascarilla quirúrgica al paciente. Si no puede colocársela a él, entonces use usted una mascarilla.

COVID-19

COVID-19 es un nuevo **coronavirus** que se cree que se originó en China en 2019. Según los CDC y la OMS, se transmite por gotas y por contacto directo. En 2020, COVID-19 fue declarado formalmente pandemia. La transmisión tal vez se produjo primero de animal a humano, y las pruebas más sólidas sugieren que un murciélago puede haber sido la fuente original. Los murciélagos son una fuente común de transmisión del virus. El primer brote de esta nueva enfermedad se produjo en un mercado de Wuhan, China; sin embargo, nuevos datos sugieren que los casos en la zona de Wuhan pueden haber sido anteriores al brote del mercado y que el virus puede haberse desarrollado en un laboratorio de virología. COVID-19 estaba presente en Estados Unidos antes del descubrimiento de la persona que se denominó primer caso; es decir, los análisis de sangre donada han demostrado que este virus estaba presente en siete estados de ese país antes de diciembre de 2019. Cada vez se dispone de más información sobre los orígenes, la propagación y la naturaleza de esta enfermedad a medida que continúa la investigación sobre el COVID-19.[42]

Fisiopatología

Al principio de la pandemia, tanto los CDC como la OMS afirmaron que el método de transmisión eran las gotas y el contacto directo. Se ha documentado el contacto estrecho tanto con secreciones respiratorias infectadas como con saliva como medio de transmisión. Las gotas pueden expulsarse al toser, estornudar, hablar y cantar. También se cree que el COVID-19 se transmite por contacto indirecto, como el contacto con una superficie u objeto contaminado; sin embargo, se ha determinado que este no es un método primario de transmisión de la enfermedad.[43]

La transmisión aérea de COVID-19 puede ocurrir durante procedimientos generadores de aerosoles. La posibilidad de que se acumulen pequeñas gotas y partículas respiratorias en suspensión es en especial preocupante en lugares cerrados con una ventilación inadecuada o una mala circulación del aire. Este factor de riesgo ilustra la importancia de utilizar el extractor trasero de la ambulancia.[44]

Evaluación

Las personas sospechosas de tener COVID-19 deben ser evaluadas para detectar fiebre, tos, dificultad para respirar, dolor de cabeza, pérdida del sentido del olfato o del gusto, dolores musculares, dolor de garganta y escalofríos. El control de la fuente es el foco para bloquear la transmisión de la enfermedad. De acuerdo con las directrices de los CDC para el personal de los SEM, se debe aconsejar a los pacientes con síntomas que sugieran la presencia de COVID-19 que utilicen una mascarilla antes de que llegue el personal de los SEM a la escena.

Tratamiento

Si el paciente no puede llevar una mascarilla quirúrgica para evitar la propagación de gotas en el aire, se puede utilizar una mascarilla de oxígeno. Los respiradores N95 o de nivel superior y la protección ocular están indicados cuando se realizan procedimientos generadores de aerosoles. Estos procedimientos deben realizarse con la orientación del control médico. Si es necesario transportar al paciente, el extractor trasero de la ambulancia debe colocarse en la posición alta y el sistema de calefacción debe ajustarse a un ciclo de no recirculación.

COVID-19 es un virus con envoltura. Cuando un virus de este tipo cae sobre una superficie, la envoltura se abre, dejando los componentes virales susceptibles a cualquier desinfectante de bajo nivel. Por lo tanto, después del transporte de un paciente con COVID-19, no se necesita una solución de limpieza especial para la ambulancia; cualquier agente de limpieza/desinfección registrado por la EPA es apropiado.

Las instalaciones médicas están obligadas a notificar al RDCI si un equipo ha transportado a un paciente con COVID-19. El representante entrevistará entonces a la tripulación para determinar si se ha producido una exposición.

Fisiopatología, evaluación y tratamiento de las enfermedades de transmisión aérea

Tuberculosis

La **tuberculosis (TB)** ha sido una causa importante de discapacidad y muerte en gran parte de países en desarrollo. Esta enfermedad alguna vez estuvo muy extendida en Estados Unidos, pero ya no supone un riesgo tan grande. En 2019, se documentó la incidencia de TB más baja de la historia de Estados Unidos, con 8 916 casos notificados en el país.[45] La OMS y los CDC están trabajando juntos para eliminar esta enfermedad en todo el mundo. Su fecha objetivo original de 2019 no se alcanzó debido a la escasez de medicamentos y a las guerras en las zonas donde los casos de la enfermedad son más elevados. Su nuevo objetivo para la eliminación de la enfermedad es 2030.

Fisiopatología

La TB no es una enfermedad muy contagiosa. Existen tres tipos de TB: la *típica*, que es transmisible, la *atípica* y la *extrapulmonar* (TB ósea, renal, de los ganglios linfáticos, etc.), que no son transmisibles. Para efectos estadísticos, la incidencia de TB incluye los tres tipos de TB. La tasa de casos de TB es elevada en la población reclusa debido a las condiciones de hacinamiento y a una atención sanitaria inadecuada. Las personas inmunodeprimidas, aquellas sin hogar y los residentes en centros de atención a largo plazo también corren un mayor riesgo de contraer tuberculosis. En Estados Unidos, la tasa más alta de esta enfermedad se da en la población asiática.[46]

La *infección* por tuberculosis latente (TB latente) significa que una persona ha dado positivo en las pruebas de exposición a la TB pero no tiene, y puede que nunca desarrolle, la enfermedad activa. Las personas con infección tuberculosa no suponen un riesgo para los demás. *Enfermedad* TB significa que la persona tiene una enfermedad TB activa verificada mediante pruebas de laboratorio, una radiografía de tórax positiva y una prueba de laboratorio confirmatoria. En la actualidad se dispone de pruebas rápidas, cuyos resultados se obtienen en 2 horas.

La TB resistente a los fármacos puede producirse por el mal uso o la mala administración de los medicamentos utilizados para tratar esta enfermedad. La TB multirresistente (TB MR) significa que la bacteria es resistente a dos o más de los medicamentos de primera línea (de los varios disponibles) utilizados para tratar la TB. La tuberculosis extremadamente resistente a los fármacos (TB ERF) es un tipo poco común de TB resistente a dos de los medicamentos orales de primera línea y al menos a uno de los tres medicamentos inyectables de segunda línea.[47] Tanto la TB MR como la TB ERF siguen siendo enfermedades tratables.

Perlas de sabiduría

El incumplimiento del tratamiento de la TB se ha abordado mediante la aplicación de la terapia de observación directa, que consiste en que el personal de enfermería observe a los pacientes mientras toman su medicamento (estrategia DOTS, *Directly observed treatment, short-course*). Con los avances tecnológicos, el cumplimiento del medicamento también se puede supervisar mediante aplicaciones de telesalud. Debido a que ahora se atiende a los pacientes con tuberculosis mientras viven en sus propios hogares, los familiares a menudo asumen la responsabilidad de garantizar el cumplimiento al medicamento.

La transmisión de la TB se produce a través de partículas grandes transportadas por el aire desde una persona con una enfermedad activa no tratada. En general, ese tipo de contagio se produce entre personas que tienen contacto prolongado con o exposición íntima a la persona infectada (sobre todo personas que viven en el mismo hogar). En el caso de los paramédicos, es probable que dicha exposición intensa solo se produzca cuando se administre ventilación boca a boca a un paciente con TB activa no tratada o cuando se realicen operaciones de intubación y aspiración sin que el profesional lleve puesto el EPP.

El periodo de incubación de la TB es de 4 a 12 semanas. Esta enfermedad solo es transmisible cuando se desarrolla una lesión activa en los pulmones y las bacterias son expulsadas al aire al toser. De los pacientes que reciben tratamiento, 10% deja de ser transmisible después de 2 días de tratamiento. A los 14 días de tratamiento, casi todos los pacientes dejan de ser transmisibles.

Inteligencia en la calle

Notifique a su RDCI si cree que puede haber estado expuesto a la TB. El centro médico está obligado a informar al representante si un paciente que ha transportado puede tener TB o se sospecha que tiene.

La infección temprana por TB puede ser detectada mediante una **prueba cutánea de tuberculina** o por el **análisis de sangre para la detección de tuberculosis**. Existen en el mercado dos análisis de sangre para TB: QuantiFERON-TB Gold y el T-spot TB.

El análisis de sangre para la detección de la TB es una extracción de sangre que se realiza una sola vez y cuyos resultados exactos están disponibles en 24 horas. Los departamentos de salud y de bomberos y los servicios médicos de emergencia de todo Estados Unidos utilizan hoy día la prueba de tuberculina en sangre porque es confiable y cómoda. Todos los proveedores de atención médica, incluidos los paramédicos, deben someterse a una prueba de tuberculina al inicio de su empleo y no volver a hacerlo a menos que exista una exposición documentada.[48] Si existe un historial positivo conocido cuando se contrata a una persona, el empleado debe rellenar un cuestionario, que luego revisa el médico designado. Como ya se ha mencionado, la TB solo se desarrolla en 10% de las personas con una prueba de tuberculina positiva. La activación de la enfermedad depende del estado de salud general de la persona en etapas posteriores de su vida. La radiografía de tórax solo está indicada para una primera prueba positiva; no se requiere una adicional o de rutina.

Evaluación

La presentación clásica de la TB incluye una tos persistente durante más de 3 semanas, más uno o más de los siguientes síntomas: sudores nocturnos, dolor de cabeza, fiebre, fatiga, pérdida de peso, hemoptisis, ronquera o dolor torácico. Esta presentación clínica debe hacer sonar la alarma. La identificación de sintomático respiratorio se define como la persona que tiene tos y expectoración por más de 2 semanas.

Tratamiento

Como medida preventiva, coloque una mascarilla quirúrgica al paciente sospechoso de tener TB. Si no se puede ponerle mascarilla al paciente, póngase una usted mismo para reducir el riesgo de transmisión de la TB. De acuerdo con las Directrices para la tuberculosis de 2005 de los CDC y su aplicación por parte de la OSHA, no se requieren los respiradores N95 o HEPA para el transporte por los SEM de un paciente con sospecha de TB.[49] El paciente puede requerir el manejo adecuado de la vía aérea o ventilación y uso de oxígeno suplementario según el caso. Si el paciente necesita oxígeno suplementario, considere la posibilidad de utilizar una mascarilla de oxígeno en lugar de una cánula nasal. Puede administrar la misma fracción de oxígeno inspirado a la vez que limita la propagación de gotas cuando el paciente tose.

Si no se han tomado medidas preventivas, informe del incidente a su RDCI. Debido a que el periodo de incubación de la tuberculosis oscila entre 4 y 12 semanas, si sospecha que ha estado expuesto a la TB, colabore con el RDCI del departamento para evaluar la necesidad de realizar pruebas de referencia y, a continuación, vuelva a someterse a las pruebas en 8 o 10 semanas. Si durante ese tiempo una prueba posterior es positiva, tendrá que hacerse una radiografía de tórax para descartar la infección y, por lo general, se le ofrecerá un tratamiento antibiótico de 12 semanas, según las recomendaciones de la OMS/CDC.[50] Debido a que los antibióticos son tóxicos para el hígado, no debe consumir alcohol mientras toma estos fármacos, y las pruebas de la función hepática se deben realizar mensualmente.

No se requieren medidas especiales después de trasladar a un paciente sospechoso de tener TB activa. El vehículo debe limpiarse como de costumbre. No se requiere aireación.

Varicela zóster (varicela)

La **varicela zóster** es una enfermedad muy contagiosa. El virus de la varicela zóster (VVZ) pertenece a la familia de los virus herpes. La reactivación de una infección latente por VVZ causa el herpes zóster.

Desde 1995 existe una vacuna contra la varicela. Se han notificado menos brotes desde la introducción del programa de vacunación de dos dosis contra la varicela, que previene de manera eficaz los casos graves.[51] Las personas que se vacunan también están protegidas contra herpes zóster más adelante. Por desgracia, los casos de varicela han aumentado en Estados Unidos en los últimos años, debido a la reticencia de algunos padres a vacunar a sus hijos contra esta enfermedad.

Fisiopatología

La infección primaria por el VVZ causa varicela. Posterior a la infección primaria, el VVZ permanece en el organismo (en los ganglios nerviosos sensoriales) como infección latente.

La transmisión del virus puede producirse de dos maneras: por contacto directo o por inhalación de aerosoles procedentes de las lesiones. Las secreciones respiratorias también pueden transmitir esta enfermedad. El periodo de incubación oscila entre 14 y 16 días posteriores a la exposición, pero el plazo medio oscila entre 10 y 21 días.

Evaluación

Las personas que tuvieron varicela desarrollan inmunidad al virus de por vida. Obtenga una historia clínica completa si el paciente presenta una erupción que comienza en el abdomen y se extiende a otras partes del cuerpo, o si tiene fiebre y fotosensibilidad (quiere estar en la oscuridad), **FIGURA 23-5**.

Tratamiento

Cuando se atienda a un paciente diagnosticado de varicela o sospechoso de padecerla, se deben tomar precauciones contra la transmisión aérea y contra el contacto. No existe un tratamiento específico para la varicela, pero los agentes antipruriginosos pueden ayudar a aliviar la comezón. Se debe observar al paciente para detectar signos de infección secundaria de las lesiones. La infección por *Streptococcus* del grupo A (estreptococos carnívoros) suele ser la causa de la infección secundaria por varicela.

La exposición a la varicela se define como un contacto de más de 5 minutos a 1 hora en la misma habitación (puertas adentro) o cara a cara. Si se produce una exposición sin protección, póngase en contacto con el RDCI. La vacuna puede administrarse en un plazo de 72 horas para evitar que se produzca la infección en un proveedor de atención médica no inmune. Sin embargo, si el proveedor expuesto es una mujer embarazada o alguien inmunodeprimido, no puede administrarse la vacuna. Deberá solicitarse una inmunoglobulina especial (inmunoglobulina contra la varicela zóster), VariZig, para lograr la protección. También deberán aplicarse restricciones laborales durante los 18 días siguientes al evento de exposición.

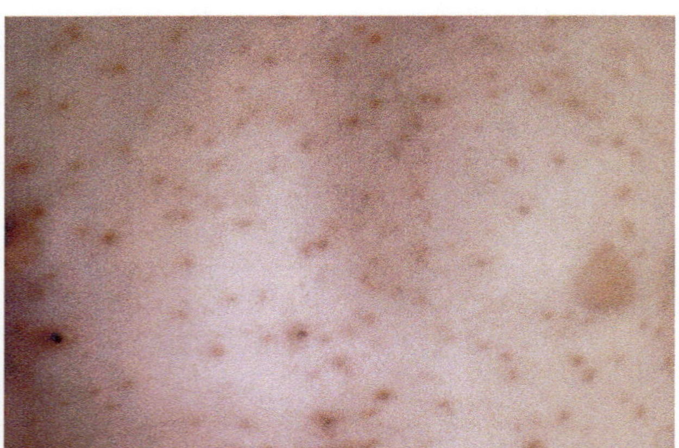

FIGURA 23-5 La distintiva erupción producida por la varicela se compone de pequeñas vesículas en forma de ampolla que surgen en racimos.

Cortesía de los Centers for Disease Control and Prevention.

Sarampión

El **sarampión** (rubéola, que no debe confundirse con el sarampión alemán [rubella]) se considera altamente transmisible. Se han producido brotes en muchos estados de Estados Unidos a lo largo de los años. En 1963 se dispuso de una vacuna contra el sarampión, pero antes de que estuviera disponible se documentaban unos 500 000 casos al año. Entre esos 500 000 casos, se produjeron unas 500 muertes, 48 000 fueron hospitalizados y unas 1 000 personas sufrieron daños cerebrales debido a la encefalitis. Todavía se producen brotes de sarampión; se documentaron varios entre 2015 y 2019.[52]

Fisiopatología

El sarampión es causado por un virus que se transmite cuando una persona infectada tose o estornuda. El virus del sarampión puede permanecer en el aire durante 2 horas. El periodo de incubación del sarampión es de 7 a 18 días posteriores a la exposición.

Evaluación

En la fase temprana (prodrómica), el sarampión se caracteriza por fiebre, conjuntivitis y coriza (rinitis aguda). A continuación, aparecen la tos, una erupción roja con manchas (que suele empezar en la cabeza) y manchas blanco-grisáceas en la mucosa bucal (conocidas como manchas de Koplik), **FIGURA 23-6**. La erupción se extiende de la cabeza al tronco y a las

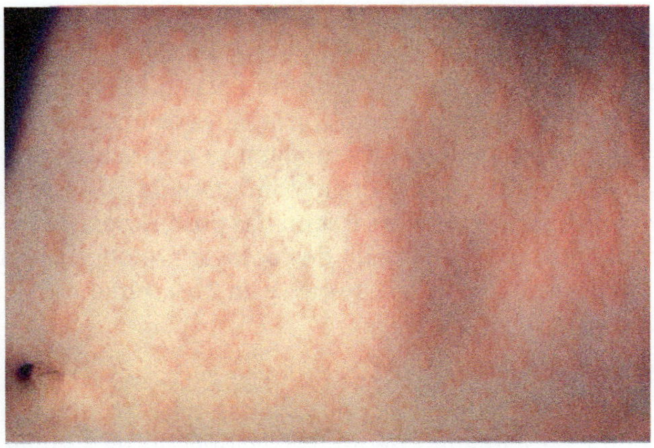

FIGURA 23-6 Una erupción roja con manchas es característica del sarampión.

Cortesía del Dr. Heinz F. Eichenwald/CDC.

extremidades inferiores. Se considera que los pacientes son contagiosos desde 4 días antes hasta 4 días después de la aparición de la erupción.

Las complicaciones comunes del sarampión incluyen otitis media, bronconeumonía, laringotraqueobronquitis y diarrea.

Tratamiento

El cuidado de un paciente con sarampión es de apoyo. No existe ningún tratamiento para el sarampión aparte de reducir la fiebre y mantener la comodidad. Aunque la colocación de una mascarilla al paciente puede prevenir la transmisión, la única protección segura contra el sarampión es la inmunidad. La exposición se define como el transporte de un paciente o estar en la misma habitación que él. Para reducir el riesgo en una ambulancia, es fundamental el uso del extractor posterior.

Perlas de sabiduría

Las personas vacunadas entre 1963 y 1967 deben revacunarse con la vacuna viva contra el sarampión. Durante esos años, se utilizó una vacuna con virus muertos que ha demostrado no ser protectora.

Las personas nacidas durante o después de 1957 que no tengan evidencia de inmunidad contra el sarampión deben recibir al menos una dosis de la vacuna triple viral.[53]

La prevención se basa en la vacunación. Todos los proveedores de atención médica deben recibir la vacuna contra el sarampión. Cualquier persona que haya padecido sarampión o que haya recibido dos dosis de vacuna contra el sarampión de virus vivos después de 1968 deberá poder documentar su inmunidad frente al sarampión. Si usted recibió una vacuna entre 1963 y 1967, debe revacunarse con una vacuna de virus vivos contra el sarampión. Se debe evaluar el estado de inmunidad de todos los empleados del cuerpo de bomberos y de los SEM. El tratamiento posterior a la exposición incluye la vacunación si no es inmune. Si se produce una exposición sin protección, la vacuna triple viral puede administrarse en las 72 horas siguientes a la exposición.

USTED es el Paramédico

Parte 3

Inicia la evaluación de la paciente. Cuando se le pregunta, ella dice que ha tenido náusea y diarrea durante unos días. También dice que está demasiado débil para estar de pie y que no ha podido tragar agua. Cuando su compañero palpa el pulso de la paciente, al pellizcarle la piel del antebrazo, se aprecia un evidente signo del pliegue.

Tiempo de registro:	5 minutos
Respiraciones	18 respiraciones/min
Pulso	106 latidos/min
Piel	Pálida, fresca, seca; se nota signo del pliegue
Presión arterial	98/58 mm Hg
Saturación de oxígeno (Spo_2)	97% en aire ambiente
Pupilas	Pupilas iguales, redondas y reactivas a la luz (PIRRL)

5. ¿Cuál es su primera opción de tratamiento para esta paciente?
6. ¿Hay alguna notificación que deba hacer en relación con la escena?

Poblaciones especiales

Debido a la relativa inmadurez de sus sistemas inmunológicos, los lactantes y los niños pequeños son en especial susceptibles a las enfermedades infecciosas. Las vacunas pediátricas previenen enfermedades en los niños que las reciben y protegen a los que entran en contacto con personas no vacunadas. Aunque la incidencia de enfermedades prevenibles mediante vacunación ha disminuido en Estados Unidos, siguen existiendo los virus y bacterias que las causan. De acuerdo con los CDC, se recomiendan las siguientes vacunas para todos los niños:[54]

- Difteria, tosferina y tétanos
- *H. influenzae* tipo b
- Hepatitis A
- Hepatitis B
- Virus del papiloma humano
- Poliovirus inactivado
- Sarampión, paperas y rubéola
- Meningococo ACWY
- Meningococo B
- Neumococo conjugado
- Polisacárido neumocócico
- Rotavirus
- Influenza
- Varicela

No se requieren medidas especiales de desinfección para la ambulancia después de transportar a un paciente que se sabe que tiene sarampión. Basta con lavar las zonas de contacto con el paciente y la ropa de cama sucia. No es necesario poner el vehículo fuera de servicio ni aplicar aire.

Otras infecciones de la vía aérea

Mononucleosis

Fisiopatología

La **mononucleosis** (mono) es causada por el virus de Epstein-Barr. También se sospecha que este virus causa una enfermedad relacionada, el síndrome de fatiga crónica. El virus de Epstein-Barr crece en el epitelio de la orofaringe y se excreta en la saliva, de ahí el apodo de "enfermedad del beso" para la mononucleosis. La mayoría de los casos de mononucleosis no produce síntomas, lo que significa que la infección es subclínica. Al menos uno de cada cuatro adolescentes y adultos jóvenes que adquieren el virus de Epstein-Barr se infecta de mononucleosis.[55] No es obligación reportar esta enfermedad en todos los estados de Estados Unidos.

La transmisión del virus de Epstein-Barr se produce por contacto directo con la saliva de una persona infectada. Algunos casos también se han relacionado con transfusiones de sangre contaminada. El periodo de incubación es de 4 a 6 semanas posteriores a la exposición, con un periodo de contagio prolongado. La mayoría de los casos se resuelve en 2 a 4 semanas.

Evaluación

Los signos y síntomas de la mononucleosis incluyen dolor de garganta, fiebre, secreciones de la faringe, ganglios linfáticos inflamados (en especial los ganglios cervicales posteriores), malestar, anorexia, dolor de cabeza, erupción cutánea, dolor muscular y aumento del tamaño del hígado o del bazo. Las secreciones faríngeas pueden persistir durante 1 año o más posterior a la infección. En los casos graves, las complicaciones pueden incluir anemia, deshidratación, rotura del bazo, convulsiones o neumonía.

Tratamiento

La prevención de la mononucleosis implica el uso de guantes y buenas técnicas de lavado de manos cuando se está en contacto directo con las secreciones orales de un paciente (precauciones estándar). No se requieren soluciones de limpieza especiales para limpiar la ambulancia posterior al transporte del paciente. Además, no se indica ni recomienda ningún seguimiento médico en caso de exposición.

Perlas de sabiduría

Los casos de neumonía neumocócica están disminuyendo debido al uso generalizado de la vacuna contra la neumonía. La clave para prevenir los casos de neumonía es la vacunación de las personas en los grupos de edad recomendados. La vacuna neumocócica conjugada (VNC) se recomienda a todos los niños menores de 5 años, a todos los adultos mayores de 65 años y a las personas de 6 años o más con determinados factores de riesgo. La vacuna neumocócica polisacárida (VNPS) se recomienda a todos los adultos mayores de 65 años. Los programas de vacunación están orientados a reducir o eliminar las enfermedades prevenibles mediante vacunación.

La neumonía se trata en el capítulo 14, *Emergencias respiratorias*.

Fisiopatología, evaluación y tratamiento de las ITS

Como su nombre indica, las **infecciones de transmisión sexual** (ITS) por lo regular se adquieren por contacto sexual. Aunque el término *ITS* por lo regular evoca diagnósticos como la gonorrea o la sífilis, la gama de enfermedades de transmisión sexual es muy amplia e incluye afecciones como el herpes, la hepatitis y la infección por VIH. La hepatitis, la infección por VIH y la sífilis son enfermedades de transmisión sanguínea. En esta sección se revisan las características de las infecciones por gonorrea, sífilis, sarna y herpes genital, así como otras ITS. En la mayoría de los casos, usted no sabrá que un paciente tiene una ITS; por lo tanto, las precauciones estándar y un buen lavado de manos son apropiados con todos los pacientes.

En general, no existe un tratamiento prehospitalario específico para las ITS. Proteja la intimidad y el pudor del paciente. Su evaluación revelará los signos y síntomas que requieren tratamiento, sobre todo dolor, náusea y vómito, hemorragia y fiebre. Si está indicado, coloque una vía IV (adaptar a los signos vitales del paciente) y administre analgésicos y antieméticos.

Gonorrea

Fisiopatología

La **gonorrea** es una infección causada por una bacteria gonocócica, *Neisseria gonorrhoeae*. Es en especial frecuente en personas de 15 a 24 años. La transmisión se produce por vía sexual, por contacto con el líquido que contiene pus de las mucosas de las personas infectadas. En consecuencia, cualquier persona que mantenga relaciones sexuales sin protección está en riesgo. El periodo de incubación por lo regular es de 2 a 7 días, pero puede ser más largo. Si no se trata, esta infección es transmisible durante meses; si se trata, la enfermedad es no transmisible en cuestión de horas. En 2019, se reportaron 580000 casos de gonorrea en Estados Unidos, lo que representa un aumento de 5% en el número de casos desde 2018.[56] De igual modo, se ha encontrado una nueva cepa resistente a los antibióticos en la población estadounidense.

Evaluación

Los signos y síntomas de la gonorrea difieren entre hombres y mujeres. Los varones por lo regular experimentan a través de la uretra una secreción que contiene pus y con frecuencia refieren dolor al orinar (disuria) a partir de unos días después de la exposición. En las mujeres, la inflamación inicial de la uretra o el cuello uterino puede ser tan leve que pase desapercibida, y la enfermedad puede evolucionar a enfermedad pélvica inflamatoria (EPI), con signos y síntomas de abdomen agudo. Según las prácticas sexuales del paciente, la infección gonorreica también puede afectar al ano y la garganta.

Tratamiento

El riesgo de adquirir cualquier ITS por una vía distinta al contacto sexual es remoto. La prevención (precauciones estándar) incluye el uso de guantes si se tocan secreciones de la zona genital y el lavado exhaustivo de las manos. Atender a una persona con gonorrea no se consideraría un riesgo de salud en el trabajo ni un evento de exposición.

Sífilis

Fisiopatología

La **sífilis** está causada por la bacteria en forma de espiral *Treponema pallidum*. Debido a que esta enfermedad progresa en tres etapas, se considera tanto una enfermedad aguda como una crónica. Su incidencia ha ido en aumento en Estados Unidos durante los últimos 10 años. En 2019, se notificaron cerca de 37000 casos en ese país.[57] El grupo con la mayor tasa de incidencia está formado por personas de 20 a 69 años. Se ha identificado una alta tasa de incidencia en este grupo de edad en todo el país, y las comunidades de personas mayores se han añadido a la lista de grupos de alto riesgo. Los CDC publicaron al inicio un plan para eliminar esta enfermedad en Estados Unidos para 2010. Sin embargo, debido a las nuevas directrices sobre las ITS, este objetivo se reajustó, y la nueva meta es 2025. Las pruebas de sífilis son ahora una parte rutinaria de la atención médica y forman parte de las pruebas posteriores a la exposición de un paciente fuente.

La transmisión de *T pallidum* se produce por contacto directo con fluidos infecciosos procedentes de la lesión primaria o el chancro. La bacteria puede transmitirse a través de la placenta de una madre infectada a su feto, por contacto sexual o por transfusión sanguínea. El periodo de incubación es de 10 días a 3 meses; el periodo de contagio varía. Si se trata con penicilina, una persona infectada se considera no contagiosa en 48 horas.

Evaluación

La infección primaria por sífilis produce una lesión ulcerosa, denominada **chancro**, de la piel o la mucosa en el lugar de la infección. Los chancros se localizan con mayor frecuencia en la región genital. La *infección secundaria* es el término utilizado para describir la presencia de erupciones cutáneas, caída irregular del cabello e inflamación de los ganglios linfáticos. Las complicaciones de la sífilis en la fase terciaria (tercera) pueden incluir complicaciones cardíacas, oftalmológicas, auditivas y del sistema nervioso central, así como lesiones de los tejidos y los huesos. La consecuencia sanitaria más trágica es la muerte de recién nacidos relacionada con la sífilis congénita, que aumentaron 22% de 2017 a 2018 (de 77 a 94 muertes).[56]

Tratamiento

Las medidas preventivas contra la transmisión de la sífilis incluyen tomar las precauciones estándar: guantes y buenas técnicas de lavado de manos. No se requieren precauciones especiales de limpieza. El riesgo ocupacional de transmisión a un proveedor de atención médica es por un pinchazo con una aguja contaminada. Si esto ocurre, informe a su RDCI. Existe tratamiento con penicilina procaína G. Si usted es alérgico a la penicilina, la tetraciclina y la doxiciclina son alternativas. Las pruebas rápidas de sífilis con tira reactiva dan resultados en 10 a 15 minutos y pueden realizarse en emergencias.

La sífilis es una coinfección frecuente en personas infectadas por el VIH. Del mismo modo, la coinfección se observa a menudo en personas infectadas por el VHC.

Herpes genital

Fisiopatología

El herpes genital es una enfermedad crónica y recurrente producida por la infección por el virus del herpes simple, el cual se clasifica a su vez en dos tipos: el tipo 1 se transmite por lo regular por contacto con secreciones orales, y el tipo 2, por contacto sexual. Todas las personas sexualmente activas corren el riesgo de contraer esta infección. Los casos de herpes genital no tienen que reportarse a los CDC, por lo que no se dispone de datos oficiales sobre la incidencia de esta enfermedad.

La infección por herpes simple tipo 1 por lo regular se activa a partir de un estado latente por estrés y enfermedad febril. Produce una úlcera en forma de ampolla, por lo regular en los labios o en el interior de la boca. Los bebés pueden infectarse si nacen a través del canal de parto de una mujer con la enfermedad activa.

El periodo de incubación es de 2 a 12 días. Se ha observado que la secreción del virus en la saliva persiste hasta 7 semanas después de la aparición de la lesión. Las lesiones genitales permanecen infecciosas de 4 a 7 días. Esta enfermedad es escurridiza; puede reactivarse de manera repentina, a menudo de forma repetida, a lo largo de muchos años. Los brotes con frecuencia se relacionan con el estrés.

Evaluación

El herpes genital se caracteriza por lesiones vesiculares, **FIGURA 23-7**. En las mujeres, las vesículas aparecen al inicio en el cuello uterino; durante las infecciones recurrentes, también pueden aparecer vesículas alrededor de la vulva, las piernas y los glúteos. En los hombres, las lesiones suelen aparecer en el pene y alrededor del ano, dependiendo de las prácticas sexuales. Las lesiones orales del herpes tipo 1 pueden aparecer en la boca del paciente.

Tratamiento

El herpes genital no tiene cura. Sin embargo, el tratamiento con aciclovir, valaciclovir o famciclovir durante 7 a 10 días puede reducir los brotes. Entre las medidas preventivas se incluyen las precauciones estándar —el uso de guantes al tocar el drenado de las lesiones y buenas técnicas de lavado de manos—. No se requieren precauciones especiales de limpieza.

Si tiene un corte abierto en la mano o el dedo y entra en contacto con el drenado de una lesión oral

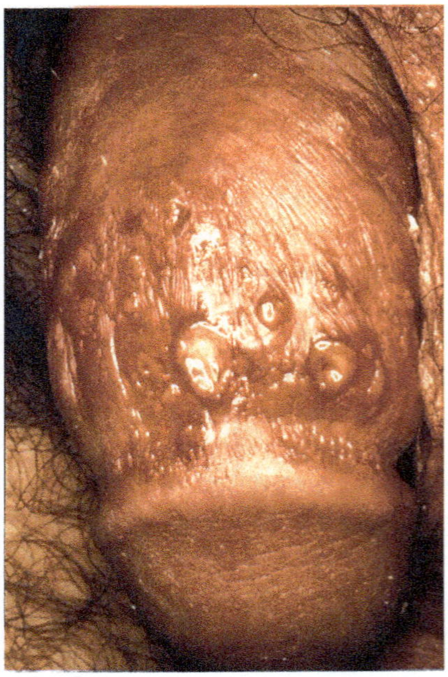

FIGURA 23-7 Herpes genital.

Cortesía del Dr. N. J. Fumara y el Dr. Gavin Hart/CDC.

herpética de tipo 1, puede desarrollar panadizo herpético (infección herpética del dedo), lo que se considera un riesgo ocupacional. Para evitar estos riesgos, es fundamental el uso de guantes al succionar o intubar a un paciente con lesiones orales. No existe tratamiento posterior a la exposición para esta infección.

Clamidia

Fisiopatología

Las infecciones por **clamidia** son la ITS bacteriana con mayor número de reportes en Estados Unidos.[58] En 2019, se reportaron más de 1.7 millones de casos a los CDC, un incremento de 3% con respecto a 2018. Este aumento se atribuye a la disponibilidad de pruebas de detección más sensibles y a la tendencia hacia las pruebas de detección de rutina.

La transmisión de la clamidia ocurre a través del contacto sexual. Las infecciones perinatales pueden provocar rotura prematura de membranas, parto prematuro o mortinato. Se cree que el periodo de incubación es de 7 a 14 días o más. Se desconoce el periodo de contagio.

Evaluación

En la mayoría de las mujeres con clamidia, la infección al inicio permanece asintomática. Sin embargo, en muchas mujeres infectadas por *Chlamydia trachomatis* acaba desarrollándose una enfermedad pélvica inflamatoria, EPI. En los hombres, la infección puede provocar epididimitis, prostatitis, proctitis y proctocolitis.

Los signos y síntomas incluyen inflamación de la uretra, el epidídimo, el cuello uterino y las trompas de Falopio cuando la infección se adquiere por transmisión sexual. La secreción uretral puede ser gris o blanca. La cantidad de secreción varía.

Tratamiento

La infección por clamidia se trata con antibióticos. Las medidas preventivas incluyen el uso de guantes cuando se está en contacto con secreciones de la zona genital y el uso de buenas técnicas de lavado de manos. No hay requisitos especiales de limpieza para el vehículo o la ropa de cama de los SEM.

Sarna

Fisiopatología

La **sarna** está causada por la infección a través del parásito *Sarcoptes scabiei.* Durante los últimos años, la incidencia de esta enfermedad ha ido en aumento en Estados Unidos y Europa. Esta infección suele afectar a familias, niños, parejas sexuales, enfermos crónicos y personas que viven en hogares colectivos. Personas de todas las razas y clases sociales son vulnerables a la infección por sarna.

La transmisión se produce a través del contacto directo piel con piel, como en la lucha libre, durante las relaciones sexuales y al compartir ropa interior, toallas y sábanas. El periodo de incubación es de 4 a 6 semanas para las personas sin exposición previa al patógeno. Una segunda o subsiguiente infestación puede aparecer en solo unos días. El periodo de contagio dura hasta que se destruyen los ácaros y los huevos mediante tratamiento. El ácaro hembra puede vivir en un huésped humano durante varias semanas. Sin embargo, sin huésped, el parásito muere en 2 o 4 días. La transmisión por lo regular requiere un contacto directo prolongado.

Evaluación

Los signos y síntomas de la sarna incluyen una erupción de pequeñas protuberancias rojas y elevadas donde el ácaro ha penetrado en la piel, causando una comezón intensa, en especial por la noche. La erupción aparece en las manos, los flexores de las muñecas, los pliegues axilares, los tobillos, los dedos de los pies, la zona genital, los glúteos y el abdomen. Una erupción entre los dedos es un signo común de sarna, **FIGURA 23-8**. El paciente puede desarrollar úlceras por rascarse la erupción.

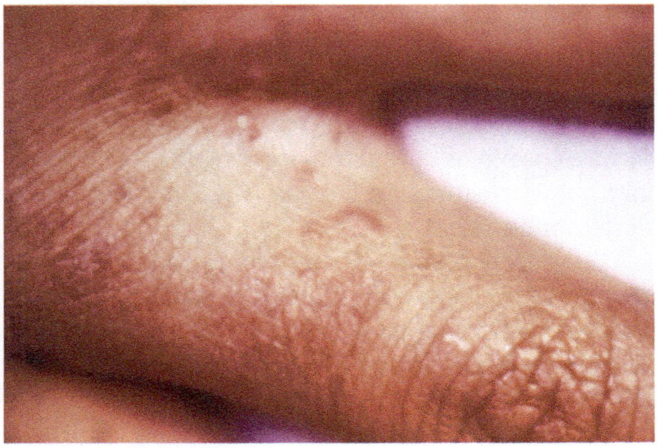

FIGURA 23-8 Erupción producida por la sarna.

Cortesía de los Centers for Disease Control and Prevention.

Tratamiento

La prevención de la sarna mediante precauciones estándar consiste en el uso de guantes y la práctica de buenas técnicas de lavado de manos. La ropa de cama de los vehículos solo requiere un lavado rutinario con agua caliente, con una limpieza rutinaria del vehículo después del transporte del paciente. Los productos utilizados para tratar la sarna se denominan *escabicidas* porque matan los ácaros de la sarna; algunos también matan los huevos de los ácaros. Estos medicamentos requieren receta médica. No se debe aplicar ninguna crema o loción de tratamiento de forma rutinaria debido a los informes de toxicidad. En caso de exposición documentada, se seguirá un tratamiento y pueden ordenarse restricciones laborales de la atención al paciente.

La sarna se considera un riesgo sanitario laboral. A su vez, la exposición debe notificarse al RDCI.

Piojos

Fisiopatología

Los **piojos** son pequeños insectos que se arrastran por el pelo y se alimentan de sangre a través de la piel. No pueden saltar ni volar. Existen tres tipos de piojos: el piojo de la cabeza (*Pediculus humanus capitis*), el piojo del cuerpo (*Pediculus humanus corporis*) y el piojo del pubis (*Phthirus pubis*).

Todos los tipos de piojos se adquieren por contacto directo con una persona infestada. Los piojos de la cabeza y del cuerpo también pueden adquirirse a través de objetos como sombreros, peines o ropa infestados de piojos. Los huevos de los piojos parecen pequeños puntos blancos o tostados en la piel. Los huevos eclosionan al cabo de 1 semana, y los nuevos piojos maduran en 1 o 2 semanas. A partir de entonces, empezará a reaparecer un piojo adulto y pondrá huevos durante los 28 días siguientes. Los piojos de la cabeza pueden encontrarse en el pelo y en otras zonas pilosas de la cabeza, como cejas, pestañas, bigotes y barbas. Los piojos del cuerpo por lo regular se encuentran en las costuras de la ropa y pueden transmitir ciertas enfermedades.

Cuando hablamos de los piojos como ITS, nos centramos en los piojos púbicos. El parásito *P pubis* por lo regular es de color gris. Los piojos son comunes en personas con una higiene deficiente, en aquellas que viven en hogares colectivos y en personas con múltiples parejas sexuales.

La transmisión de los piojos púbicos se produce por contacto físico o sexual. El periodo de incubación dura de 8 a 10 días después de la eclosión de los huevos. El periodo de contagio termina cuando se destruyen todos los piojos y huevos mediante tratamiento.

Evaluación

Los signos y síntomas de los piojos púbicos incluyen comezón e irritación de leves a intensos y, tal vez, llagas. Pueden verse liendres (huevos) adheridas al vello púbico, perianal o perineal. Los piojos púbicos también pueden infestar las pestañas, las cejas, las axilas, el cuero cabelludo y otros vellos corporales.

Tratamiento

Las medidas preventivas incluyen las precauciones estándar, es decir, el uso de guantes y la práctica de buenas técnicas de lavado de manos. La limpieza rutinaria del vehículo después del transporte es suficiente. En caso de exposición documentada, puede prescribirse un tratamiento con crema de permetrina e indicarse restricciones en la atención al paciente hasta que el paramédico esté libre de piojos.

Los piojos se consideran un riesgo para la salud ocupacional. Cualquier exposición a ellos debe ser comunicada al RDCI.

Otras ITS y afecciones relacionadas

Verrugas genitales y virus del papiloma humano

Las **verrugas genitales** (también llamadas condilomas acuminados y verrugas venéreas) están causadas por el **virus del papiloma humano (VPH)**. De los más de 100 tipos de VPH que se han identificado (la mayoría es inofensiva), alrededor de 30 tipos se transmiten por contacto sexual. El VPH es la ITS más común, con millones de casos nuevos cada año. Las fuentes estiman que entre 75 y 80% de todas las personas de Estados Unidos estarán infectadas por el VPH en algún momento de su vida.[59] Algunas personas infectadas por el VPH no presentan síntomas. En otras, aparecen múltiples tumores en las zonas genitales, es decir, en la vagina, la vulva, el cuello uterino o el recto, o en el pene y el escroto en los hombres. El VPH se ha identificado como agente causante de cáncer de cuello uterino, vulva y ano. En las mujeres embarazadas, pueden desarrollarse verrugas lo suficientemente grandes como para impedir la micción u obstruir el canal del parto. Si el virus se transmite al feto, el niño puede desarrollar *papilomatosis laríngea* (verrugas en la garganta que obstruyen la vía aérea), una enfermedad potencialmente mortal.

Chancroide o chancro blando

El **chancroide** se debe a la infección por la bacteria *Haemophilus ducreyi.* Se trata de una enfermedad contagiosa pero curable. Se sabe que el chancroide facilita la transmisión del VIH. Provoca llagas dolorosas (úlceras), por lo regular genitales. También pueden aparecer ganglios linfáticos inflamados y dolorosos o bubones inguinales en la zona de la ingle. Las mujeres pueden ser asintomáticas y, por lo tanto, desconocer que padecen la enfermedad. El tratamiento prehospitalario es solo de apoyo.

Tricomoniasis

La **tricomoniasis** es una infección parasitaria causada por *Trichomonas vaginalis*, un parásito unicelular que se transmite por contacto sexual. De acuerdo con los CDC,[60] en los hombres, la uretra es la parte del cuerpo más comúnmente infectada; en las mujeres, el tracto genital inferior (p. ej., vulva, vagina, cuello uterino, uretra) es el que se infecta con mayor frecuencia. Alrededor de 70% de las personas infectadas es asintomático. Cuando se presentan, los síntomas suelen aparecer entre 5 y 28 días después de la exposición, pero pueden aparecer mucho más tarde. En los hombres, los signos y síntomas pueden incluir una sensación de comezón o irritación en el interior del pene, micción frecuente, ardor después de orinar o eyacular y, tal vez, secreción purulenta del pene. En las mujeres, los signos y síntomas pueden incluir flujo vaginal maloliente de color claro, blanco, amarillo, gris o verde. También ellas pueden quejarse de comezón y sensibilidad vaginales, micción frecuente y manchado.

La tricomoniasis puede tratarse con medicamentos orales. Si no se trata, la infección puede provocar bajo peso al nacer o parto prematuro en las mujeres embarazadas y aumentar la susceptibilidad a la infección por VIH.

Vaginosis bacteriana

La **vaginosis bacteriana** es una de las enfermedades más comunes que afectan a las mujeres. En esta infección, las bacterias normales de la vagina son sustituidas por un crecimiento excesivo de otras formas bacterianas. Los síntomas pueden incluir comezón, ardor o dolor, que pueden ir acompañados de un flujo con olor a pescado. Si no se trata, en los casos de embarazo la vaginosis bacteriana puede provocar un parto prematuro o bajo peso al nacer, hacer que la paciente sea más susceptible a infecciones más graves y provocar una EPI.

La vaginosis bacteriana se trata con metronidazol, un antibiótico. Si la paciente consume alcohol mientras toma este tratamiento, pueden aparecer náusea y vómito graves.

Candidiasis

La **candidiasis** o *aftas* puede desarrollarse después de mantener relaciones sexuales con alguien que también esté infectado por esta enfermedad. No se define técnicamente como una ITS, sino que se conoce más como una infección por hongos. La candidiasis se da tanto en mujeres embarazadas como no embarazadas, aunque parece ser más frecuente durante el embarazo debido a los cambios químicos que se producen en la vagina (el aumento de glucógeno facilita el crecimiento). Entre los factores de riesgo se incluyen la diabetes mal controlada y la diabetes gestacional, la toma de antibióticos, el uso de ropa ajustada (que aumenta el calor y disminuye el flujo de aire), la menstruación, el uso excesivo de aerosoles o duchas vaginales y otras actividades tan insignificantes como un baño de burbujas (que puede causar una irritación que provoque una infección).[61]

El tratamiento consiste en el uso de cremas recetadas y medicamentos de venta libre. En el contexto del embarazo, el feto no se verá afectado por esta infección mientras esté en el útero. Un lactante puede desarrollar candidiasis bucal después del parto si la infección está activa durante un parto vaginal o si la mujer amamanta.

Fisiopatología, evaluación y tratamiento de las enfermedades comunes de transmisión a través de la sangre

Tipos de hepatitis viral

La **hepatitis viral** es una inflamación del hígado producida por un virus. Existen cinco formas distintas de hepatitis viral (A, B, C, D y E). Son producidas por virus diferentes y varían en su forma de transmisión. Sin embargo, todos los tipos presentan los mismos signos y síntomas, por lo que el tipo que causa la enfermedad se determina en última instancia mediante análisis de sangre. El VHA y el virus de la hepatitis E (VHE) se tratan en este capítulo como enfermedades entéricas (intestinales) porque no son infecciones transmitidas por la sangre. El VHE no está muy extendido en Estados Unidos.

Infección por el virus de la hepatitis B

El virus de la hepatitis tipo B (VHB), también conocido como **hepatitis sérica**, se transmite a través de sangre, semen y otros fluidos corporales infecciosos sobre todo por contacto sexual, transfusión de sangre o punción de la piel con agujas contaminadas u otros instrumentos punzocortantes contaminados.[62]

En Estados Unidos, la tasa de nuevas infecciones por VHB ha disminuido cerca de 82% desde 1991, cuando se puso en marcha un programa nacional de inmunización para eliminar la infección por VHB.[63] Las infecciones por hepatitis B adquiridas en el lugar de trabajo son ahora un acontecimiento poco frecuente. No se recomiendan pruebas rutinarias de títulos ni refuerzos.

Fisiopatología

Las agujas, incluidas las utilizadas para tatuajes y acupuntura, y en ocasiones otros objetos, como máquinas de afeitar compartidas, se han implicado en la transmisión del VHB. La hepatitis de tipo B es frecuente entre los consumidores de drogas IV que comparten agujas.

Un estudio sugirió que el VHB puede sobrevivir fuera del cuerpo en medio de sangre seca durante 7 días, por ejemplo, en presencia de sangre seca sobre acero inoxidable en un centro de hemodiálisis. El periodo de incubación del VHB varía en gran medida, de 60 a 90 días, y la aparición de los síntomas se inicia en promedio 90 días después de la exposición al VHB. En 2016, de acuerdo con la OMS,[64] menos de 5% de todas las personas infectadas por el VHB se convirtieron en portadores crónicos; se esperaba que entre 20 y 30% de las personas infectadas crónicamente por el VHB sufrieran cirrosis hepática o cáncer de hígado.

Evaluación

Los signos y síntomas de la infección por VHB incluyen pérdida de apetito, náusea, vómito, fatiga general y malestar, fiebre baja, molestias abdominales vagas y, a veces, dolor en las articulaciones. El simple olor de la comida puede provocar náusea, y los fumadores con frecuencia notan un repentino desagrado por los cigarrillos. En este punto, los signos y síntomas disminuyen en 50 a 60% de las personas infectadas, lo que explica por qué muchas de ellas nunca saben que han contraído la enfermedad. En la segunda fase, la orina empieza a oscurecerse. Uno o dos días más tarde, el paciente desarrolla **ictericia**, una coloración amarillenta de la piel, e **ictericia escleral**, una coloración amarillenta de la esclerótica (el blanco de los ojos), **FIGURA 23-9**.

Los síntomas del VHB por lo regular duran varias semanas, aunque la recuperación completa puede tardar de 3 a 4 meses. Algunas personas se infectan de forma crónica. Los medicamentos que limitan la replicación del virus pueden proteger el hígado y mejorar la salud general de la persona, aunque por el momento no existe cura.

Tratamiento

La prevención de la transmisión del VHB se centra en la práctica de las precauciones estándar, es decir, el uso de guantes al manipular sangre, OMPI o materiales que contengan sangre visible. Asimismo, es fundamental una buena técnica de lavado de manos. Los paramédicos deben ser inmunizados contra el VHB cuando son contratados, si no han sido vacunados antes. La vacunación, que es segura y eficaz, protege contra el VHB de por vida; también protege de forma indirecta contra la infección por el virus de la hepatitis D (VHD) (porque una persona debe estar infectada con el tipo B para adquirir el tipo D). La OSHA exige

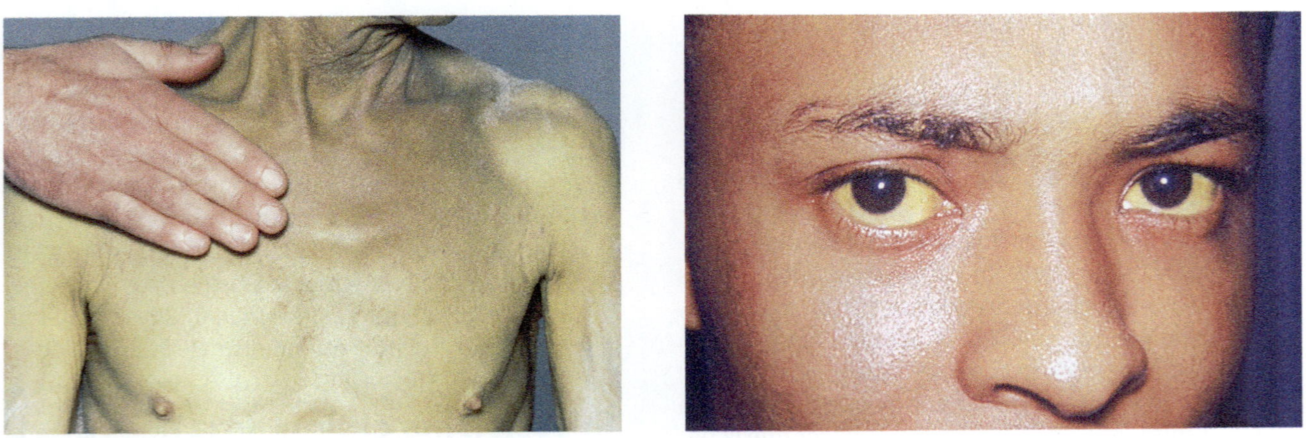

A B

FIGURA 23-9 Signos de infección causada por el virus de la hepatitis tipo B. **A.** Ictericia. **B.** Ictericia escleral.

A: Cortesía de los Centers for Disease Control and Prevention; **B:** © SPL/Science Source..

que los empleadores de trabajadores de la salud ofrezcan sin costo la inmunización contra el VHB a miembros del personal de riesgo. Si usted es alérgico a los hongos, informe a quien aplica la vacuna y se tomarán las medidas necesarias para obtener la vacuna adecuada a sus necesidades. Tradicionalmente, la vacuna se ha administrado en una serie de tres dosis a lo largo de un periodo de 6 meses. Sin embargo, ahora existe una vacuna de dos dosis (Heplisav-B) que es más protectora; esta serie se completa en 2 meses. Para ambos tipos de vacuna, se administra una segunda dosis 4 semanas después de la primera. Sin embargo, la vacuna original requiere una tercera dosis 6 meses después de la primera, mientras que Heplisav-B no requiere una tercera dosis.[65] Con cualquiera de los dos tipos de vacuna, una vez completada la serie, debe realizarse un análisis de sangre (título) 1 o 2 meses después para asegurarse de que ha respondido su sistema inmunológico. No es necesario ni recomendable realizar pruebas periódicas de titulación. Es fundamental completar todas las dosis para lograr la protección.

Para evitar la transmisión del VHB, tome las precauciones estándar. Si está expuesto, notifíquelo a su RDCI. Él verificará los resultados de las pruebas del paciente fuente. Si tiene un título positivo en el archivo, no necesita tratamiento de seguimiento. Si no tiene un informe de títulos en sus archivos y el paciente es positivo para la infección por VHB, se solicitará una prueba de títulos para usted. El tratamiento dependerá de los resultados de la prueba del título. Si no se ha vacunado y el paciente es positivo para el VHB, se le ofrecerá una dosis de inmunoglobulina contra la hepatitis B (IGHB) y la serie de vacunas.

Infección por el virus de la hepatitis C

El VHC se transmite sobre todo a través del contacto con la sangre de una persona infectada. La infección resultante puede ser aguda o crónica. La infección aguda por el VHC se produce en los primeros 6 meses posteriores a la exposición al virus. Una infección aguda con frecuencia conduce a una infección crónica; de hecho, se calcula que entre 75 y 85% de las personas que se infectan por el VHC sufrirán una infección crónica.[66] El VHC crónico se produce cuando el virus permanece presente en el organismo de una persona. Puede provocar problemas hepáticos graves, como cirrosis (cicatrización del hígado) o cáncer de hígado. El VHC es la principal causa de trasplante de hígado en Estados Unidos, Europa y Japón.[67]

Entre 15 y 25% de las infecciones por el VHC se resuelven por sí solas.[68] En los últimos años, los nuevos métodos de análisis y medicamentos para el tratamiento han cambiado las opciones de diagnóstico y tratamiento de la infección por el VHC, y ahora esta enfermedad se puede curar. Las pruebas rápidas de detección del VHC mediante punción digital son el estándar de atención para las pruebas en la fuente-paciente, con resultados disponibles en 20 a 30 minutos.

Fisiopatología

La transmisión del VHC se produce con mayor frecuencia al compartir agujas, jeringas u otros equipos para inyectarse drogas, al pincharse con una aguja en entornos sanitarios y al nacer de una madre infectada por el VHC. En el pasado, el VHC solía propagarse a través de las transfusiones de sangre y productos sanguíneos y los trasplantes de órganos. En la actualidad, este método de transmisión del VHC es poco frecuente en Estados Unidos gracias a los análisis de sangre para la detección del virus que empezaron a estar disponibles en 1992. El VHC se transmite con menos frecuencia al compartir objetos de aseo personal que puedan haber estado en contacto con la sangre de otra persona, como navajas de afeitar o cepillos de dientes, o al tener relaciones sexuales con una persona infectada por el VHC.

Se tienen informes de dos casos de transmisión del VHC a través de salpicaduras de sangre en el ojo.[69] El último, reportado en 2003, se produjo en un laboratorio. Los estudios no han demostrado que el VHC se propague a través de centros de tatuaje comerciales autorizados; sin embargo, la transmisión del VHC (y de otras enfermedades infecciosas) es posible cuando se utilizan prácticas deficientes de control de infecciones durante la realización de tatuajes o piercings.[70]

Este virus puede sobrevivir en superficies ambientales hasta 16 horas a temperatura ambiente si no se limpian de manera adecuada.

Evaluación

Se calcula que entre 70 y 80% de las personas con infección aguda por el VHC no presentan ningún síntoma.[71] Cuando se producen signos y síntomas, por lo general se presentan entre 6 y 9 semanas después de la exposición, aunque este periodo puede oscilar entre 4 y 12 semanas. Los signos y síntomas son los mismos que aquellos de la infección por VHB: falta de apetito, náusea y vómito, fiebre baja, malestar abdominal, molestias articulares, orina oscura, deposiciones de color arcilla, ictericia y una sensación general de enfermedad y astenia. El diagnóstico se establece mediante pruebas de anticuerpos del VHC y pruebas de genotipo. Existen seis genotipos que causan la infección por el VHC.

Tratamiento

Para evitar la transmisión del VHC, adopte las precauciones previas estándar: utilice guantes cuando esté en contacto directo con sangre u OMPI, y utilice dispositivos seguros o sin aguja. Cualquier derrame de sangre, incluida la sangre seca, debe limpiarse utilizando una dilución de una parte de cloro de uso doméstico por 100 partes de agua.[72]

Si usted ha sufrido una exposición, las pruebas empezarán con el paciente fuente; no se requiere permiso para realizar la prueba del VHC. Se deben realizar pruebas rápidas del VHC en la fuente, con resultados en 1 hora. Si la fuente es VHC positiva, se realizará una segunda prueba de carga viral; sus resultados estarán disponibles en unas 3 horas. Las pruebas de carga viral son importantes porque la infección se resuelve en 15% de las personas, lo que significa que las pruebas de anticuerpos por sí solas no revelarán la infección. Si el paciente tiene una carga viral, se le realizará una prueba de anticuerpos del VHC de referencia y una prueba de la función hepática. También debe realizarse una prueba de ARN del VHC (prueba del virus) 3 semanas después del evento de exposición.[73,74] Si es negativa, usted no contrajo el VHC a causa de la exposición. Si es positiva, se le ofrecerán entre 8 y 12 semanas de tratamiento.

El tratamiento disponible hoy día es muy eficaz para resolver esta infección y puede curar los seis genotipos del VHC. Sin embargo, en la actualidad no existe ningún medicamento que pueda ofrecerse después de la exposición para prevenir la infección. En la actualidad se sometió a prueba una vacuna para prevenir la infección por el VHC en humanos; se considera una vacuna terapéutica porque solo se administra a las personas recién diagnosticadas. La compensación de los trabajadores cubre todos los tratamientos aprobados por la FDA.

Infección por el virus de la hepatitis D

Un huésped debe estar infectado por el VHB antes de que pueda producirse la infección por el VHD (también llamado hepatitis delta). Por este motivo, el VHD se considera un parásito del VHB. Se conocen tres genotipos del VHD. El genotipo 1 tiene una distribución mundial; el genotipo 2 existe en Taiwán, Japón y el norte de Asia, y el genotipo 3 se encuentra en Sudamérica. Esta infección viral es poco frecuente en Estados Unidos.

Fisiopatología

La transmisión por lo general se produce por exposición percutánea, ya que el VHD no se transmite de manera eficaz por contacto sexual. La transmisión perinatal es rara. El periodo de incubación de la infección por el VHD oscila entre 30 y 180 días. La sangre se considera infecciosa durante todas las fases de la enfermedad.

Evaluación

Los signos y síntomas son los mismos que los asociados a la infección por VHB.

Tratamiento

El primer paso para protegerse contra la transmisión del VHD es recibir la vacuna contra el VHB. Si usted está protegido contra el VHB, no puede contraer el VHD. Además, tome las precauciones estándar: use guantes cuando esté en contacto con sangre u OMPI, utilice dispositivos seguros o sin aguja y realice la limpieza rutinaria del vehículo después del traslado del paciente. No revise los bolsillos de los consumidores conocidos de drogas IV que se encuentren inconscientes porque pueden contener objetos punzocortantes contaminados. Si se produce una exposición documentada, informe a su RDCI. Las pruebas se inician con el paciente de origen de acuerdo con las leyes estatales referentes a las pruebas. No se necesita consentimiento para realizar pruebas de detección de virus de la hepatitis. Si la fuente es positiva para el VHD y usted está protegido contra el VHB, no está indicado ningún otro tratamiento.

Infección por el virus de la inmunodeficiencia humana y síndrome de inmunodeficiencia adquirida

El **virus de la inmunodeficiencia humana (VIH)**, tipo 1, existe en Estados Unidos desde al menos mediados y finales de la década de 1970. En 2015, los CDC informaron de que había alrededor de 40000 nuevos casos diagnosticados de infección por el VIH en Estados

> **Poblaciones especiales**
>
> El VIH es una enfermedad de transmisión sanguínea que puede contagiarse de madre a hijo en el proceso del parto. En Estados Unidos, todas las mujeres embarazadas que reciben atención prenatal se someten a la prueba del VIH. La tasa de infección de madre a hijo es solo de 1 a 2%, ya que las madres infectadas son tratadas con fármacos antirretrovirales a partir del segundo trimestre de embarazo.[78]

Unidos.[75] Se estima que se produjeron 2.1 millones de nuevos casos de VIH en 2015 en todo el mundo.[76] La notificación de la infección por el VIH a las autoridades de salud pública no es legalmente obligatoria en todos los estados de Estados Unidos. Gracias a los avances en las pruebas y el tratamiento, las personas con VIH y SIDA pueden vivir como miembros productivos de la sociedad 50 años o más después del diagnóstico.[77]

Fisiopatología

Además de contagiarse por contacto con la sangre u OMPI, incluida la transmisión sexual, el VIH puede transmitirse a través de transfusiones de sangre. Aunque toda la sangre donada se analiza para detectar el VIH, no es 100% segura. Sin embargo, la tasa de transmisión es muy baja desde que se introdujeron los análisis para detectar la presencia de P24 (una proteína presente desde el principio del ciclo vital del VIH) en la sangre donada. El análisis de P24 en la sangre donada permite detectar el virus entre 1 y 6 días después de la infección.

El VIH no se transmite por contactos casuales o incluso domésticos. Incluso entre las personas que comparten de manera habitual utensilios para comer, cepillos de dientes y rastrillos de afeitar con pacientes infectados por el VIH, no hay pruebas de que aumente la tasa de infección por el VIH. Esta enfermedad no se transmite por vía aérea ni por gotas.

El patógeno del VIH se envuelve en células infectadas y ataca al sistema inmunológico y a otros órganos del cuerpo. Como resultado, el sistema inmunológico no puede ayudar a proteger a una persona infectada de otras enfermedades. El virus tarda alrededor de 7 días en envolverse en una célula, y este proceso puede producirse entre 4 y 6 semanas después de la exposición. Se desconoce el periodo de contagio, pero se cree que abarca desde el inicio de la infección hasta unas 48 semanas después del comienzo del tratamiento con medicamentos. Después de 48 semanas de tratamiento, estudios replicados muestran que no hay virus circulante y, por lo tanto, no hay riesgo de transmisión de la enfermedad.[79] Se ha demostrado que uno de los medicamentos más recientes produce una carga viral indetectable después de 8 semanas de tratamiento. Además, una carga viral reducida o inexistente significa que la infección del paciente tiene menos probabilidades de progresar a **síndrome de inmunodeficiencia adquirida (SIDA)**, el proceso terminal de la enfermedad.

Un paciente con SIDA es vulnerable a numerosas **infecciones oportunistas** que no afectarían a una persona con un sistema inmunológico intacto. Los pacientes que responden al tratamiento con el coctel de fármacos (96% de todos los pacientes que reciben esta terapia) hacen que el virus no pueda multiplicarse, lo que significa que no pueden transmitir la enfermedad. Así pues, la prevención mediante el tratamiento es posible.

El periodo de incubación del SIDA abarca el tiempo transcurrido entre la infección documentada (es decir, el hecho de ser seropositivo) y el desarrollo de la enfermedad terminal; viene determinado por el recuento de células CD4 y la presencia de infecciones oportunistas. La Ley Ryan White CARE (1990) hace que la terapia del VIH esté disponible para todas las personas de Estados Unidos, con o sin capacidad de pago.

Evaluación

Los signos y síntomas pueden incluir enfermedad febril aguda, malestar, inflamación de los ganglios linfáticos, dolor de cabeza y, tal vez, erupción cutánea. Posterior a la infección inicial por el VIH, la mayoría de las personas presenta un agrandamiento de los ganglios linfáticos, pero por lo demás parecen sanas. Sin embargo, si la infección no se trata, el número de linfocitos T cooperadores (células CD4) disminuye de forma gradual. Los linfocitos T cooperadores son componentes esenciales del sistema inmunológico que median en la inmunidad celular y humana. La seroconversión, es decir, la detección de anticuerpos en la sangre suele producirse en los 3 meses siguientes a la exposición. Sin embargo, las pruebas rápidas pueden detectar dos proteínas presentes al principio del ciclo vital de este virus. A las personas **seropositivas** al VIH se les prescribe un tratamiento con medicamentos antirretrovirales (tratamiento combinado de doble fármaco). Las pruebas rápidas con tira reactiva dan resultados en 1 minuto. Para diagnosticar a las personas que pueden no ser conscientes de su infección, el *Preventive Services Task Force* de Estados Unidos recomienda que los médicos realicen pruebas de detección a todos los pacientes de 15 a 65 años de edad.[80]

El desarrollo de infecciones bacterianas, virales y fúngicas oportunistas específicas define la transición de la infección por VIH al SIDA. Estas enfermedades se conocen como *enfermedades definitorias de SIDA* o *relacionadas con el SIDA*. Entre ellas se incluyen la neumonía por *Pneumocystis jirovecii* (antes conocida como *Pneumocystis carinii*) en lactantes o personas con sistemas inmunológicos comprometidos; el citomegalovirus, que puede causar ceguera; cánceres de piel roja o morada conocidos como sarcoma de Kaposi; la TB atípica, y la meningitis criptocócica. El desarrollo de estas infecciones oportunistas es ahora poco frecuente gracias a la disponibilidad de medicamentos y atención médica para las personas infectadas por el VIH.

Tratamiento

La prevención se centra en las precauciones estándar: uso de guantes cuando se está en contacto directo con la sangre del paciente u OMPI, uso de dispositivos seguros o sin aguja, buena técnica de lavado de manos y limpieza rutinaria del vehículo después del transporte. No es necesario volver a prohibir estrictamente a las embarazadas el contacto con pacientes con infección por VIH o SIDA conocida.

El riesgo de contraer la infección por el VIH para los proveedores de atención médica está relacionado con la manipulación y eliminación de objetos punzocortantes. Hasta el 5 de septiembre de 2020 se habían documentado casos de infección por VIH adquirida profesionalmente en 58 proveedores de atención médica; ninguno de ellos era personal de bomberos o de los SEM.[81] De estas infecciones profesionales, 50 fueron el resultado de una exposición a un pinchazo con aguja. Una exposición al VIH por pinchazo de aguja incluye los siguientes elementos: un pinchazo profundo con una aguja hueca de gran calibre, sangre visible en el dispositivo, un paciente seropositivo con una carga viral elevada y un dispositivo que había estado en la vena o arteria del paciente. Después de este tipo de exposición, el riesgo de transmisión es de 0.23% para la exposición a la membrana mucosa del ojo y de 0.09% para la piel no intacta (solo se ha notificado y documentado un caso).

Si se produce una exposición, informe a su RDCI. El paciente fuente será sometido a pruebas de acuerdo con la ley estatal, de manera ideal utilizando el método de prueba rápida del VIH. Sus resultados son precisos y están disponibles en menos de 1 hora. Si la prueba es negativa, no está indicado realizar más pruebas. Si la fuente es positiva, se envía una muestra de sangre para evaluar la carga viral, y los resultados están disponibles en 2 o 3 horas. Si el paciente fuente es positivo para el VIH y tiene virus circulante, y el tipo de exposición cumple los criterios de los CDC, se puede ofrecer al proveedor medicamento antirretroviral posterior a la exposición. Sin embargo, con base en los nuevos datos relacionados con la carga viral, disminuyó la necesidad de estos fármacos posterior a una exposición. Los CDC establecen los criterios para el uso de estos fármacos; no se administran de forma automática. La OSHA aplica las directrices de los CDC para la profilaxis posterior a la exposición en virtud de la normativa sobre patógenos transmitidos por la sangre (CFR 1910.1030). Los CDC recomiendan que se consulte a un médico experto en el uso de estos fármacos. Si no se dispone de uno, el médico debe ponerse en contacto con la línea directa de profilaxis posterior a la exposición (PPE), disponible las 24 horas del día, llamando al 1-888-448-4911 antes de recetar estos fármacos. La línea directa PEP está atendida por médicos especialistas en enfermedades infecciosas que determinarán si es adecuada la PPE.[82,83]

Como se ha señalado antes, los medicamentos antirretrovirales más recientes ofrecen protección frente a la transmisión mediante el tratamiento. Los medicamentos antirretrovirales son tóxicos, por lo que debe proporcionarse un asesoramiento cuidadoso y completo a los proveedores de atención médica expuestos. Antes de iniciar la terapia antirretroviral, deben realizarse pruebas de laboratorio de referencia, en concreto un hemograma completo y pruebas de las funciones hepática y renal. En el caso de las mujeres en edad fértil, es conveniente realizar pruebas de embarazo. Estas deben repetirse cada 2 semanas durante el tratamiento farmacológico.

Palabras de sabiduría

A menos que contengan sangre visible, los siguientes fluidos corporales no transmiten enfermedades de transmisión hemática: saliva, lágrimas, sudor, orina, heces, vómito, secreciones nasales y esputo.

Inteligencia en la calle

Las enfermedades adquiridas a través del contacto con patógenos transmitidos por la sangre se consideran condiciones protegidas por la *Americans with Disabilities Act*.

Infecciones de la piel por hongos

Infecciones por dermatofitos

Fisiopatología

Las infecciones fúngicas de la piel son frecuentes y por lo regular superficiales. En la mayoría de los casos, son el resultado de un grupo de hongos llamados *dermatofitos*. La mayoría se identifica por la palabra *tiña*, seguida de un término que denota la localización de la lesión. En el **CUADRO 23-4** se presentan las infecciones por tiñas más frecuentes y su localización.

Evaluación

La anamnesis y los hallazgos físicos variarán en función del tipo de tiña. En la mayoría de los casos, el paciente presenta una erupción escamosa y prurito asociado. El diagnóstico diferencial varía según el tipo de tiña (véase el cuadro 23-4), ya que otros tipos de dermatitis pueden simular una tiña.

CUADRO 23-4 Sitios de infección por tiña

Nombre	Localización	Aspecto
Tiña de la cabeza	Cabeza, cuero cabelludo	Zona redondeada y escamosa en la que no crece pelo; descamación difusa
Tiña corporal	Cuerpo	Aparece una lesión redonda en una zona pequeña; tiña
Tiña crural	Ingle, genitales	Zona muy delimitada con descamación elevada, bordes geográficos
Tiña pedis	Pies	Adelgazamiento del tejido entre los dedos, descamación en las plantas o los lados del pie, a veces vesículas o pústulas, **FIGURA 23-10**
Tinea manuum	Manos	Descamación seca y difusa, por lo regular en la palma de la mano
Tiña unguium	En o debajo de las uñas de las manos o de los pies	Restos oscuros bajo las uñas
Tiña versicolor	Tronco	Manchas rosadas, bronceadas o blancas con zonas de piel escamosa

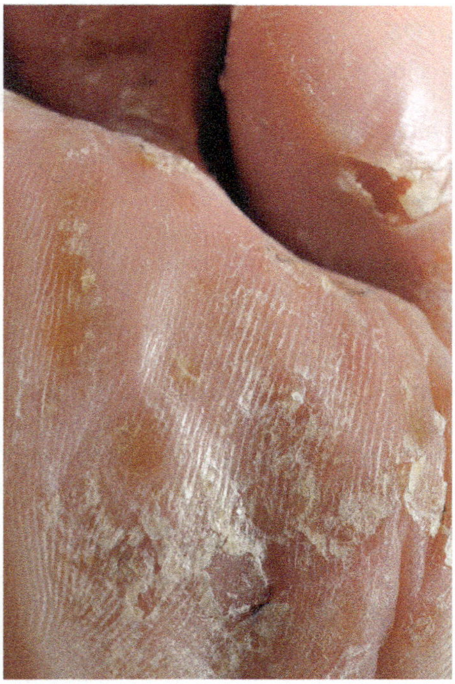

FIGURA 23-10 Tiña pedis.

Tratamiento

Debido a que la mayoría de las infecciones por dermatofitos afecta a zonas limitadas, responden bien a los antifúngicos tópicos. Las complicaciones son poco frecuentes.[84]

Helmintos

Un helminto es una lombriz clasificada como parásito que vive en los seres humanos. Los huevos de helmintos pueden contaminar a los animales domésticos, ganado y agua. Los humanos pueden entrar en contacto con helmintos al tocar agua contaminada o un animal y no lavarse las manos después. A continuación, pueden ingerir los huevos, que eclosionan en el intestino. Los síntomas habituales de las infecciones por helmintos son fatiga, pérdida de peso, calambres abdominales, náusea y vómito. El tratamiento incluye medicamentos como albendazol, ivermectina, mebendazol y pamoato de pirantel. Aunque la toxicidad de estos medicamentos varía, pueden causar efectos secundarios como malestar gastrointestinal, dolor de cabeza, debilidad, taquicardia e hipotensión.

Anquilostoma

Ancylostoma duodenale y *Necator americanus* son dos anquilostomas que infectan al ser humano. En el proceso de infección, la larva (lombrices inmaduras) de estos parásitos penetra en la piel intacta, entra en la circulación, viaja a los pulmones, es tosida y tragada, y se desarrolla hasta la edad adulta en el intestino delgado.[85] Las lombrices adultas ponen entonces huevos, que se liberan en las heces. La puesta de huevos comienza entre 4 y 8 semanas después de la exposición y puede durar hasta 5 años. El principal método de transmisión se produce al caminar descalzo sobre suelo contaminado. También puede transmitirse a través de la ingesta de larvas.[86]

Aunque algunas personas pueden no presentar síntomas, los primeros signos de infección pueden ser comezón y erupción cutánea localizada. A medida que la infección empeora, el paciente puede presentar dolor abdominal, diarrea, pérdida de apetito, pérdida de peso y fatiga. El diagnóstico se realiza mediante un examen de heces en busca de óvulos y parásitos.

Oxiuros

La infección por oxiuros, causada por un pequeño ascáride llamado *Enterobius vermicularis*, es común en condiciones de hacinamiento, como guarderías, escuelas e instituciones psiquiátricas.[85] Esta infección se transmite por vía fecal-oral. Las larvas eclosionan en el intestino delgado y se desplazan al intestino grueso, donde maduran en 2 a 6 semanas. Los oxiuros hembra abandonan el intestino a través del ano durante el sueño y depositan sus huevos en la piel circundante.[87] Estos depósitos de huevos pueden causar comezón y transmitirse de mano a boca cuando la persona infectada se rasca la zona inflamada. Los oxiuros pueden sobrevivir durante largos periodos en el polvo que se acumula sobre las puertas, en los alféizares de las ventanas y debajo de las camas en las habitaciones de las personas infectadas. La transmisión indirecta puede producirse al manipular ropa, ropa de cama, alimentos u objetos de juego contaminados.

El diagnóstico por lo regular se lleva a cabo mediante la prueba de la cinta adhesiva, en la que se aplica cinta transparente a la piel que rodea el ano. Esta cinta se examina con un microscopio en busca de huevos. La infección por oxiuros puede tratarse con medicamentos de venta sin receta o con receta médica.

Perlas de sabiduría

Las chinches son pequeños insectos de color marrón rojizo, del tamaño de una garrapata que se alimentan de la sangre de los humanos, así como de otros animales de sangre caliente como perros, gatos, pájaros y roedores. Se esconden en las grietas y hendiduras de las camas, sobre todo a lo largo de las costuras de los colchones, y en equipajes, bolsas de viaje, ropa doblada y muebles. Las infestaciones de chinches suelen producirse en las zonas donde duermen las personas, como casas suburbanas, apartamentos, hoteles y dormitorios. A veces aparecen en cines, centros sanitarios y edificios de oficinas.

Las chinches por lo regular pican a los humanos por la noche, mientras duermen, y se arrastran hasta una zona apartada para digerir su comida después de alimentarse. Las picaduras suelen producirse en la cara, el cuello, los hombros, la espalda, los brazos y las piernas. Como las chinches inyectan un anestésico y un anticoagulante al morder, es posible que la persona no se dé cuenta de que la han picado. Aunque algunas personas desarrollan una roncha roja que pica al cabo de un día de la picadura, otras apenas reaccionan. Para tratar las picaduras se utilizan corticoesteroides tópicos. Las chinches pueden albergar diversos patógenos, pero no se ha demostrado la transmisión de enfermedades al ser humano; por lo tanto, las chinches no suponen un riesgo de transmisión de enfermedades.[88]

Para erradicar las chinches se puede utilizar una botella de aerosol y alcohol a 90%, que se puede comprar en una ferretería o farmacia local. Las chinches mueren por contacto al rociarlas. El exterminio a fondo, que a veces es necesario, consiste en lavar y secar toda la ropa de cama a alta temperatura y colocar el colchón y el somier en una funda de plástico con cierre.

Perlas de sabiduría

Algunas enfermedades requieren una combinación de precauciones basadas en cómo se transmite la enfermedad. Por ejemplo, el Ébola requiere tomar precauciones estándar, por gotas y por contacto.

Ébola

El **Ébola** es una enfermedad que entra en dos categorías de precauciones: contacto y gotas. No es una enfermedad nueva; los proveedores de atención médica han estado tratando con el Ébola durante más de 40 años. Sin embargo, su presencia se ha limitado a África Occidental en la mayoría de los brotes. No se ha determinado dónde se esconde este virus entre brotes, pero ahora se sabe que el murciélago frugívoro africano desempeña un papel importante en su transmisión. En el pasado, los brotes se limitaban a un área local, pero el reciente brote de 2013-2014 se produjo en la frontera entre tres países, lo que resultó problemático. El brote más reciente de Ébola en la República Democrática del Congo terminó en junio de 2020. La FDA ha aprobado una vacuna contra el Ébola que es 100% eficaz.

El virus del Ébola es un virus envuelto, lo que significa que se puede matar con facilidad mediante la aplicación de muchos agentes comunes registrados por la EPA. Este virus muere al cabo de unas horas en las superficies.

Fisiopatología

El virus del Ébola puede contagiarse a otras personas por contacto directo a través de la piel o las mucosas no intactas. El periodo de incubación es de 2 a 21 días posteriores a la exposición. Las fuentes de transmisión son las siguientes:[89]

- Contacto directo a través de piel o membranas mucosas no intactas
- Murciélagos frugívoros o primates (simios y monos) infectados cuando son sacrificados y utilizados como alimento

- Sangre o fluidos corporales (incluidos, entre otros, la orina, la saliva, el sudor, las heces, el vómito, la leche materna y el semen) de una persona enferma o fallecida de Ébola
- Agujas y jeringas contaminadas con fluidos corporales de una persona enferma de Ébola
- El cadáver de una persona que haya fallecido por Ébola
- Contacto con superficies contaminadas

Las personas procedentes de África Occidental que llegan a Estados Unidos entran en el país a través de aeropuertos designados como centros de tratamiento; si se detecta que están infectadas por el Ébola, son transportadas por unidades médicas formadas en esos centros. Este sistema reduce el número de personas que podrían entrar en contacto con el virus.

Evaluación

El historial de viajes es importante para el Ébola y muchas otras enfermedades. Determine si el paciente ha venido de África Occidental o ha estado en contacto con una persona con Ébola. Evalúe si hay fiebre. Los síntomas iniciales incluyen fiebre repentina (38.6 °C), debilidad intensa, dolor muscular, dolor de cabeza y de garganta. A medida que la enfermedad progresa, el paciente suele presentar diarrea y vómito profusos, erupción cutánea y deterioro de las funciones renal y hepática. Algunas personas infectadas experimentan hemorragias internas y externas.

Tratamiento

En el caso del cuidado del paciente durante el transporte de un paciente sospechoso de tener Ébola, siga las directrices de los SEM, no las del hospital. Limite el uso de objetos punzocortantes y los procedimientos invasivos. Mantenga una lista con los nombres de las personas implicadas en el cuidado del paciente para poder contactar con ellas en caso necesario.

No existe un tratamiento específico para el Ébola. Más bien, el tratamiento es de apoyo: rehidratación, equilibrio de líquidos y electrólitos, y mantenimiento de la oxigenación y la PA. Los CDC recomiendan tomar precauciones estándar, de gotas y de contacto cuando se esté a menos de 1 m (3 pies) del paciente.[89] Se debe colocar una mascarilla quirúrgica al paciente cuando sea posible; de lo contrario, el proveedor de atención médica debe llevar una mascarilla quirúrgica. También debe utilizarse una bata y anteojos protectores. Los cubrezapatos y los guantes dobles solo son necesarios en caso de vómito profuso y diarrea. Si el paciente está vomitando, entréguele una bolsa de riesgo biológico para contener cualquier emesis; si tiene diarrea profusa, considere envolverlo en una sábana impermeable para reducir la contaminación de otras superficies. Cuando traslade a un paciente con sospecha de Ébola, informe con antelación al centro receptor para que puedan tomarse las precauciones adecuadas de control de la infección antes de su llegada.

Se debe tener cuidado al retirar el EPP contaminado. No se necesita ninguna solución de limpieza especial para el Ébola, ya que este virus puede eliminarse con muchos agentes químicos comunes, incluido el cloro doméstico. No hay requisitos especiales de lavado. Siga la normativa estatal sobre residuos médicos para la eliminación de residuos médicos.

Perlas de sabiduría

La eficacia de los EPP depende de su retiro correcto. El procedimiento para quitarse el EPP en caso de patógenos difiere de aquel para quitarse el EPP para materiales peligrosos. ¡Siempre es importante lavarse las manos después de quitarse los guantes!

En caso de que se produzca un evento de exposición, como una lesión por pinchazo de aguja contaminada o el contacto de la mucosa con fluidos corporales, realice los primeros auxilios e informe a su RDCI. Es posible que sea necesario tratar las restricciones laborales hasta 21 días.

Fisiopatología, evaluación y tratamiento de las enfermedades entéricas (intestinales)

Infección por norovirus

Fisiopatología

Antes denominado agente Norwalk, el norovirus causa cerca de 90% de los brotes epidémicos no bacterianos de **gastroenteritis** en el mundo. El norovirus puede ser responsable de hasta 50% de todos los brotes de origen alimentario en Estados Unidos. Este virus afecta a personas de todas las edades. Los norovirus se clasifican en seis genogrupos, tres de los cuales causan enfermedades humanas (GI, GII y GIV).[90]

Cuando el norovirus (un organismo que forma esporas) entra en el cuerpo, empieza a multiplicarse en el intestino delgado. La transmisión puede producirse de persona a persona, por ingestión de alimentos o agua contaminados por heces infectadas (vía fecal-oral) o por superficies contaminadas. Los síntomas pueden aparecer en 1 o 2 días. Los síntomas agudos suelen empezar en 24 a 28 horas y pueden durar de 24 a 60 horas. El virus puede diseminarse durante semanas después de la infección.

Evaluación

Los pacientes presentan náusea, vómito fuerte, diarrea acuosa, dolor abdominal, debilidad y fiebre baja. Rara vez ingresan en el hospital.

Tratamiento

Las precauciones estándar incluyen el uso de guantes y la práctica de una buena técnica de lavado de manos con jabón y agua tibia. Los desinfectantes con alcohol no se consideran eficaces contra el norovirus. Este virus está encerrado en una estructura llamada cápside; por lo tanto, la limpieza después del transporte requiere el uso de un producto a base de cloro, como el cloro diluido en agua, para matar las esporas.

Fisiopatología, evaluación y manejo de los virus de la hepatitis no transmitidos por la sangre

Infección por el virus de la hepatitis A

Fisiopatología

El VHA, o **hepatitis infecciosa**, era uno de los tipos más comunes de hepatitis en Estados Unidos. En el pasado, se reportaron brotes de esta enfermedad en varios estados. La transmisión se produce por vía fecal-oral. Los brotes epidémicos suelen deberse a la contaminación del agua potable, la leche, la carne rebanada y el marisco poco cocinado. Sin embargo, en años recientes, los brotes han estado relacionados en gran medida con manipuladores de alimentos infectados y con la población de indigentes. Desde principios de la década de 1980 no se ha registrado ningún caso relacionado con el agua de las inundaciones. Como resultado de los programas centrados en la vacunación de los niños contra todas las enfermedades prevenibles mediante vacunación, el número de casos de VHA ha ido disminuyendo cada año. Además, se ha emprendido la vacunación de las poblaciones de indigentes para controlar la fuente, dadas las tendencias actuales de los brotes.

El VHA se describe a menudo como una enfermedad benigna porque su adquisición proporciona inmunidad de por vida frente a ella. Desde el año 2000, los niños de Estados Unidos son vacunados para protegerlos de contraer esta enfermedad. La vacuna por lo regular se aplica a los 12 meses de edad (con un intervalo entre los 12 y los 23 meses de edad). Los niños que no hayan sido vacunados a los 2 años de edad deben vacunarse lo antes posible.

El periodo de incubación suele ser de 2 a 4 semanas, aunque puede oscilar entre 15 y 50 días posteriores a la ingestión del virus. El periodo de contagio quizá comienza hacia el final del periodo de incubación y continúa durante unos días después de que el paciente presente ictericia.

Evaluación

Los signos y síntomas en la fase 1 de la infección por VHA incluyen fatiga, pérdida de apetito, fiebre, náusea y dolor abdominal; los fumadores pierden el interés por fumar. En la fase 2, los pacientes presentan ictericia, orina de color oscuro y heces pálidas de color arcilla.

Como ya se ha señalado, los pacientes con VHB y VHC pueden desarrollar una enfermedad hepática crónica o cáncer de hígado. En cambio, el VHA no se asocia a enfermedad a largo plazo y se considera una enfermedad "leve" porque se resuelve al cabo de varias semanas.

Tratamiento

La prevención consiste en tomar las precauciones estándar: lavarse bien las manos y, en caso de contacto con las heces del paciente, utilizar guantes. No es necesaria una limpieza especial del vehículo. Se recomienda la vacuna contra el VHA para los miembros de los equipos de respuesta de la *Federal Emergency Management Agency*, que puedan responder *fuera* de Estados Unidos, pero no para otros grupos de proveedores de atención médica o equipos de respuesta a emergencias que respondan dentro de Estados Unidos.

Infección por el virus de hepatitis E

Fisiopatología

El VHE también se conoce como hepatitis no A, no B de transmisión entérica. El VHE es más común en países en vías de desarrollo con un suministro de agua inadecuado y un saneamiento ambiental deficiente. Cuando se produce un caso sintomático de VHE en Estados Unidos, por lo regular es el resultado de un viaje a un país en vías de desarrollo donde esta enfermedad es endémica. Se han identificado algunos casos esporádicos de VHE no relacionados con viajes en países desarrollados.[91] Para estos casos no relacionados con viajes adquiridos en el país, no se ha encontrado una exposición clara.

La transmisión por lo regular se produce por vía fecal-oral por ingestión de agua potable contaminada con heces. Los animales también pueden propagar el VHE; algunos casos de VHE se han producido después de ingerir carne de cerdo o de ciervo sin cocinar o poco cocinada.

Esta enfermedad tiene un periodo de incubación de unos 15 a 60 días, siendo la media de 40 días posteriores a la exposición. No se ha determinado el periodo de contagio.

Evaluación

Los signos y síntomas de la infección por VHE son los mismos que para otras formas de hepatitis.

Tratamiento

La HEV por lo regular solo requiere tratamiento sintomático y se resuelve por sí sola. Se suele pedir a los pacientes que mantengan una nutrición y líquidos adecuados, eviten el alcohol y pidan consejo a sus médicos antes de tomar cualquier medicamento que pueda dañar el hígado, en especial el paracetamol. La prevención incluye el uso de guantes cuando se está en contacto con las heces, una buena técnica de lavado de manos y la limpieza del equipo contaminado.

Fisiopatología, evaluación y tratamiento de las enfermedades transmitidas por vectores y zoonóticas (transmitidas por animales)

Las enfermedades que se transmiten a través de un vector (enfermedades transmitidas por vectores) por lo regular se transmiten por garrapatas o mosquitos. Incluyen enfermedades como la fiebre maculosa de las Montañas Rocallosas, la enfermedad de Lyme, el virus del Nilo Occidental, el dengue y el Zika. Estas enfermedades también pueden denominarse enfermedades **zoonóticas**.

Enfermedades transmitidas por mosquitos

Virus del Nilo Occidental

El **virus del Nilo Occidental (VNO)** está presente en Estados Unidos desde hace varios años. Este virus se detectó en Uganda en la década de 1930 y por primera vez en Norteamérica en 1999. En Estados Unidos, los únicos estados que no han reportado casos de VNO son Alaska y Hawái.

Fisiopatología

La transmisión del virus del Nilo Occidental suele producirse por la picadura de un mosquito portador del virus, que se alimenta de aves infectadas. Sin embargo, se ha documentado un pequeño número de infecciones humanas después de transfusiones de sangre, trasplantes de órganos, exposición en un laboratorio y de madre a hijo durante el embarazo, el parto o la lactancia.[92] Esta infección no se transmite de persona a persona, por lo que no hay periodo de transmisibilidad. El periodo de incubación por lo regular es de 2 a 6 días, pero oscila entre 2 y 14 días después de la transmisión.

USTED es el Paramédico

PARTE 4

Después de iniciar una vía IV y administrar líquidos, traslada a la paciente a su unidad para su transporte. El traslado transcurre sin incidentes y usted informa al personal del centro receptor a su llegada. La PA de la paciente mejora un poco en respuesta a la administración de fluidos. Luego de trasladar al paciente a la cama del hospital, observa que las sábanas de la camilla están mojadas.

Tiempo de registro:	10 minutos
Respiraciones	18 respiraciones/min
Pulso	96 latidos/min
Piel	Fresca, pálida y seca
Saturación de oxígeno (SpO_2)	97% en aire ambiente
Presión arterial	102/60 mm Hg
Pupilas	PERRLA

7. ¿Qué medidas de descontaminación debe utilizar para su camilla?
8. ¿Qué medidas debe adoptar para lavarse las manos?

Evaluación

En la mayoría de los casos, la enfermedad por el VNO es leve y sin complicaciones; 80% de las personas que adquieren esta infección no saben que la tienen.[93] Muchos casos se identifican cuando una persona va a donar sangre. Las personas sintomáticas suelen presentar fiebre, dolor de cabeza, fatiga, debilidad, dolor articular, vómito, diarrea o erupción cutánea. Los síntomas leves aparecen en las personas mayores y en las inmunodeprimidas. En las personas sanas, el sistema inmunológico combate la enfermedad. La enfermedad neurológica grave, como la encefalitis o la meningitis, se desarrolla en menos de 1% de las personas infectadas.[93]

Tratamiento

Utilice dispositivos seguros para evitar lesiones por objetos punzocortantes contaminados cuando se sospeche una infección por el VNO. Si usted sufre una lesión con dichos objetos mientras atiende a un paciente con VNO, informe a su RDCI. No se recomienda ningún tratamiento médico de seguimiento. No se necesita ni se recomienda una limpieza especial del vehículo.

Fiebre del dengue

El **dengue** es transmitido entre personas por los mosquitos *Aedes aegypti* y *Aedes albopictus*, que se encuentran en todo el mundo. Este mosquito también es vector del chikungunya y del virus del Zika. Existen cuatro virus del dengue (DENV-1, -2, -3 y -4). Si se contrae uno, se adquiere la inmunidad al que se ha contraído, pero no a los otros tres. Según los CDC, casi todos los casos de dengue notificados en los 48 estados contiguos de Estados Unidos se han presentado en viajeros infectados en otros lugares.[94]

Fisiopatología

Como se acaba de señalar, la transmisión suele producirse por la picadura de un mosquito. De 8 a 12 días después de que un mosquito se infecte, puede transmitir el virus picando a una persona sana; este es su periodo de incubación. Aunque la picadura del mosquito es el método más común de transmisión del dengue, también se han citado casos de transmisión a través de trasplantes de órganos, transfusiones de sangre de donantes infectados y de una mujer embarazada infectada a su feto.

Evaluación

Los signos y síntomas comienzan entre 4 y 7 días después de la picadura del mosquito y suelen durar entre 3 y 10 días. Los principales signos y síntomas del dengue son fiebre alta acompañada de dos o más de los siguientes síntomas: dolor de cabeza intenso, dolor intenso detrás de los ojos, dolor articular, dolor muscular u óseo, erupción cutánea o hemorragia leve (p. ej., hemorragia nasal o de las encías, petequias, hematomas de fácil aparición).

En algunos pacientes, el dengue puede evolucionar a fiebre de dengue hemorrágico. Los signos de advertencia pueden aparecer a medida que la fiebre del paciente desciende, anunciando el inicio de un periodo de 24 a 48 horas en el que los capilares se vuelven permeables, permitiendo que el líquido escape de los vasos sanguíneos al peritoneo (causando ascitis) y a la cavidad pleural (provocando derrames pleurales). Esto puede provocar hemorragia, shock hipovolémico y, tal vez, la muerte si no se recibe un tratamiento rápido y adecuado.

Tratamiento

No existe un tratamiento específico para la fiebre del dengue. No hay riesgo de salud ocupacional para los proveedores de atención médica que atienden a un paciente con dengue. En 2019, la FDA aprobó una vacuna para su uso en niños de 9 a 16 años que viven en áreas donde el dengue es común, incluidos los territorios estadounidenses de Samoa Americana, Puerto Rico y las Islas Vírgenes de Estados Unidos.[95]

Fiebre chikungunya

El virus de **chikungunya** parece haberse originado en África. Su descubrimiento se produjo hace casi 200 años, y el virus hizo su aparición más reciente en 2013. En Cuba se le llamaba dengue, pero desde entonces se han diferenciado los dos virus. El mosquito que transmite el dengue, *Aedes aegypti*, también transmite el virus chikungunya. Estos mosquitos se reproducen en los recipientes llenos de lluvia que por lo común se encuentran alrededor de los hogares y lugares de trabajo, como recipientes para almacenar agua, platillos debajo de las plantas en macetas y bebederos para animales domésticos, así como en neumáticos desechados, baños para pájaros y recipientes de alimentos. En 2019, se notificaron 192 casos de chikungunya en Estados Unidos en personas que habían viajado desde áreas donde esta enfermedad es común.[96]

Fisiopatología

La transmisión del chikungunya se produce por la picadura del mosquito *A aegypti*. Rara vez es mortal.

Evaluación

Los síntomas incluyen fiebre, que por lo regular dura de 5 a 7 días, y dolor articular intenso, tal vez incapacitante. El paciente puede no ser consciente de la picadura del mosquito.

Tratamiento

No existe un tratamiento específico para el chikungunya, pero pueden utilizarse analgésicos y antiinflamatorios no esteroideos (AINE) para reducir el dolor y el edema. Debe evitarse la aspirina.

El virus del chikungunya no constituye un riesgo sanitario laboral relacionado con la atención al paciente. Se están realizando ensayos clínicos para evaluar una vacuna experimental contra el chikungunya.[97]

Virus del Zika

El virus del **Zika** es relativamente nuevo en Estados Unidos, habiendo aparecido por primera vez a mediados de 2015. Hasta ahora, los casos se han relacionado con viajes a zonas donde esta infección es prevalente. El Zika se transmite por la picadura del mosquito *Aedes aegypti*, conocido por picar más a menudo en las horas diurnas que en las nocturnas. La mayoría de los casos en Estados Unidos se ha adquirido en otros lugares; sin embargo, se han producido algunos casos nuevos en la zona de Miami (Florida).

Se ha documentado la transmisión de una madre infectada a su feto, que provoca microcefalia, dificultad para tragar y problemas de aprendizaje. También se ha documentado la transmisión sexual de un varón infectado a sus parejas sexuales. También existe una correlación bien documentada entre el virus del Zika y la aparición del síndrome de Guillain-Barré, como ya se ha descrito en este capítulo.

No se han registrado casos de transmisión del virus Zika a través de transfusiones de sangre. Para protegerse contra esta posibilidad, las personas que han viajado a zonas donde se encuentra el Zika no pueden donar sangre durante los 28 días posteriores a su regreso a Estados Unidos. En la actualidad, toda la sangre donada en Estados Unidos se analiza para detectar el virus del Zika. En 2019, no se confirmaron casos documentados.[98]

Fisiopatología

El periodo de incubación es de 3 a 14 días después de la picadura del mosquito. El virus está entonces presente en la orina, la saliva y el semen. Existe una prueba aprobada para el Zika, y se cree que la prueba de orina es el medio más preciso para identificar la presencia de infección.

Evaluación

Muchas personas infectadas por el virus del Zika son asintomáticas.[99] Entre las que presentan síntomas, los más comunes son fiebre, erupción cutánea, dolor articular, conjuntivitis (sin secreción), dolor muscular y dolor de cabeza. Al evaluar a un paciente por esta infección, anote cualquier antecedente de viaje a zonas donde el virus del Zika es prevalente.

Tratamiento

El cuidado de los pacientes con infección por Zika es de apoyo, líquidos, analgésicos y antipiréticos. Tome las precauciones estándar para el cuidado del paciente. En la actualidad no hay recomendaciones sobre equipos de protección especiales para el personal médico, excepto para evitar la transmisión de persona a persona a través de la sangre o los fluidos corporales. Todo lo que se necesita o recomienda son precauciones estándar rutinarias. Si las heridas y las zonas de la piel han estado expuestas a sangre o fluidos corporales, deben lavarse de inmediato con agua y jabón. Las membranas mucosas deben lavarse con abundante agua limpia.

> **Perlas de sabiduría**
>
> El control de los mosquitos es una parte fundamental de la reducción del riesgo de enfermedades transmitidas por mosquitos. Elimine los charcos de agua estancada. Lleve ropa que cubra las zonas del cuerpo expuestas y utilice repelente de insectos.

Se deben tomar precauciones estándar cuando se atienda a un paciente con sospecha de Zika. El riesgo laboral puede estar relacionado con una herida por arma punzocortante contaminada. Informe directamente al RDCI todas las lesiones por objetos punzocortantes.

Enfermedades transmitidas por garrapatas

Enfermedad de Lyme

La **enfermedad de Lyme** recibe su nombre de Lyme, Connecticut, la ciudad donde se le identificó por primera vez. Es la enfermedad transmitida por garrapatas más común en Estados Unidos. La garrapata del ciervo puede ser un vector de la bacteria *Borrelia burgdorferi*; la picadura de la garrapata inyecta el patógeno en el torrente sanguíneo de un huésped humano. En 1982 se estableció un sistema nacional de notificación de esta infección. La mayor prevalencia de la enfermedad de Lyme se da en los estados del noreste de Estados Unidos. La temporada alta de esta enfermedad es entre junio y agosto, y las tasas de incidencia disminuyen a principios de otoño. Cada año se registran alrededor de 30 000 casos en Estados Unidos, lo que convierte a la enfermedad de Lyme en la enfermedad transmitida por vectores más comúnmente registrada en este país. En 2014, fue la quinta enfermedad de reportes obligatorios más común a nivel nacional (cada estado tiene una lista de enfermedades que deben reportarse al departamento de salud pública); sin embargo, esta enfermedad *no* se da en todo el país, sino que se concentra en gran medida en el noreste y el medio oeste superior.[77]

Fisiopatología

La enfermedad de Lyme es más frecuente en niños menores de 10 años y en adultos de mediana edad. No se transmite de persona a persona. El periodo de incubación oscila entre 3 y 32 días.

Evaluación

La enfermedad de Lyme afecta sobre todo la piel, el corazón, las articulaciones y el sistema nervioso. Algunos pacientes permanecen asintomáticos. En aquellos en los que aparecen signos y síntomas, la enfermedad suele dividirse en tres fases: localizada temprana, diseminada temprana y manifestaciones tardías:

1. **Fase localizada temprana.** La fase inicial se caracteriza por una lesión cutánea redonda y roja. Esta erupción en forma de ojo de buey (llamada así porque se extiende hacia afuera con un anillo en el centro) es más común en el área de la ingle, el muslo o la axila, **FIGURA 23-11**. Si está presente, es caliente al tacto y puede formar ampollas o costras.
2. **Fase diseminada temprana.** En esta fase las lesiones secundarias pueden aparecer en cuestión de días y el paciente puede referir síntomas similares a los de la influenza: fiebre, escalofríos, dolor de cabeza, malestar general y dolor muscular. Puede haber tos no productiva, inflamación testicular, dolor de garganta, bazo engrosado y ganglios linfáticos agrandados. La afectación neurológica, incluyendo meningoencefalitis y neuropatías craneal y periférica, se produce en pacientes no tratados en un plazo de 2 a 8 semanas. En pacientes no tratados se presenta una afectación cardíaca, incluyendo pericarditis, miocarditis y dificultades de conducción aurículo-ventricular.
3. **Manifestaciones tardías.** En la tercera fase de la enfermedad, puede aparecer artritis en pacientes no tratados, que comienza días o años después de la infección inicial. Los pacientes pueden sufrir dolores articulares intermitentes que duran de días a meses. Los síntomas neurológicos crónicos son poco frecuentes. En Estados Unidos, los síntomas más comunes de la enfermedad de Lyme son problemas de memoria, depresión y fatiga intensa.

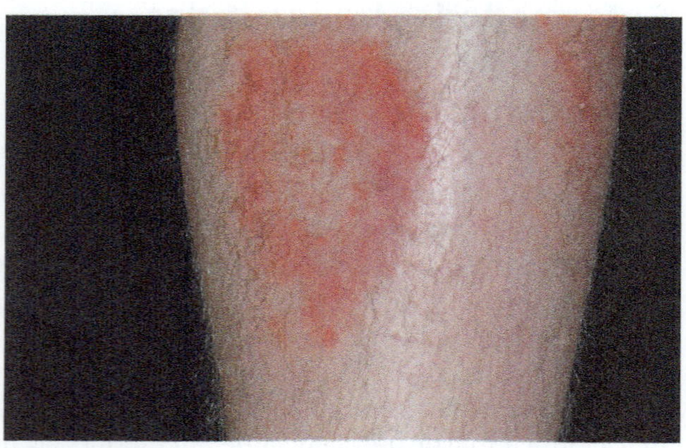

FIGURA 23-11 La erupción en forma de ojo de buey de la enfermedad de Lyme se observa con mayor frecuencia en la zona de la ingle, el muslo o la axila.

Tratamiento

La prevención incluye el uso de mangas y pantalones largos en zonas infestadas de garrapatas y el empleo de insecticidas que contengan carabaril, diazinón, clorpirifos o ciflutrina. Si le pica una garrapata, utilice la técnica adecuada para extraerla. No se justifica ni recomienda el tratamiento posterior a la exposición con antibióticos.

Fiebre maculosa de las Montañas Rocallosas

La fiebre maculosa de las Montañas Rocallosas (FMMR) es una enfermedad transmitida por garrapatas y causada por la bacteria *Rickettsia rickettsii.* Este organismo es una causa de enfermedad humana potencialmente mortal en Norteamérica y Sudamérica. La transmisión al hombre se produce por la picadura de garrapatas infectadas. En Estados Unidos, entre ellas se encuentran la garrapata del perro americano (*Dermacentor variabilis*), la garrapata de la madera de las Montañas Rocallosas (*Dermacentor andersoni*) y la garrapata marrón del perro (*Rhipicephalus sanguineous*).

Desde el 1 de enero de 2010 se reportaron casos de FMMR. En Estados Unidos hubo alrededor de 1 985 casos en 2010, pero solo se confirmaron 156, con la mayor incidencia en Missouri y Tennessee.[77] En los últimos 20 años, la incidencia pasó de 495 casos en 2000 a un pico de 6 248 en 2017. Sin embargo, en 2018 se reportaron menos casos.[100]

Fisiopatología

La FMMR puede ser una enfermedad grave o incluso mortal si no se trata en los primeros días de los síntomas. Los pacientes que tienen una infección en particular grave que requiere hospitalización prolongada pueden experimentar problemas de salud a largo plazo causados por esta enfermedad.

Evaluación

Los síntomas típicos incluyen fiebre, dolor de cabeza, dolor abdominal, vómito y dolor muscular. También puede aparecer una erupción, pero no suele presentarse en los primeros días; en algunos pacientes, nunca aparece.

El diagnóstico inicial se basa en los signos y síntomas clínicos y en la historia clínica, y puede confirmarse después mediante pruebas de laboratorio especializadas. Sin embargo, la incapacidad de diferenciar entre las especies de *Rickettsia* del grupo de las fiebres manchadas mediante las pruebas serológicas disponibles por lo regular hace que no esté claro cuántos casos son de FMMR y cuántos son el resultado de otras fiebres manchadas. La FMMR y otras enfermedades transmitidas por garrapatas pueden prevenirse protegiéndose de las picaduras de garrapatas.

Tratamiento

La doxiciclina es el tratamiento de primera línea para adultos y niños de todas las edades. Este tratamiento es más eficaz si se inicia antes del quinto día de los síntomas.

La FMMR no es una enfermedad transmisible. No se transmite de un paciente a un paramédico. Para estar expuesta, una persona tiene que ser picada por la garrapata.

Infección por hantavirus

La infección por **hantavirus**, también conocida como *fiebre hemorrágica con síndrome pulmonar*, se asocia con el ratón ciervo, el ratón de patas blancas y la rata algodonera, pero también se ha encontrado en ratas de zonas urbanas. También puede darse el síndrome pulmonar por hantavirus, caracterizado por síntomas parecidos a los de la influenza que pueden evolucionar con rapidez a problemas respiratorios potencialmente mortales.

La infección por hantavirus se identificó por primera vez en Corea a principios de la década de 1950 y en el suroeste de Estados Unidos en 1993. De acuerdo con los CDC,[101] en 2017 se habían notificado unos 728 casos en Estados Unidos. En 2017, la mayoría de estos casos se reportó en Colorado, Arizona, Nuevo México y California. En Canadá y Estados Unidos, el ratón ciervo, portador del hantavirus Sin Nombre, es el responsable de la mayoría de los casos de hantavirus.

Fisiopatología

El hantavirus se encuentra en la orina, las heces y la saliva de roedores infectados crónicamente. La transmisión se produce por contacto directo con los desechos de los roedores, a menudo por inhalación de aerosoles, que puede producirse al limpiar zonas infestadas como hogares, graneros y cobertizos. El periodo de incubación por lo regular dura de 12 a 16 días después de la exposición, pero se ha observado que oscila entre 5 y 42 días. Esta enfermedad no se transmite de persona a persona, por lo que no existe un periodo de transmisibilidad.

Evaluación

Los signos y síntomas de la infección por hantavirus comienzan con la aparición repentina de fiebre, que dura de 3 a 8 días. Se acompaña de dolor de cabeza, dolor abdominal, pérdida de apetito y vómito. En el síndrome pulmonar, los signos y síntomas se presentan en dos fases. En la fase 1, los síntomas pueden ser fiebre, escalofríos, dolor de cabeza, dolores musculares, vómito, diarrea y dolor abdominal. En la fase 2, el paciente puede desarrollar tos con secreciones, dificultad para respirar y acumulación de líquido en los pulmones. También puede observarse PA baja e insuficiencia cardíaca.

Tratamiento

La prevención se centra en las precauciones estándar. Lo único que está indicado es la limpieza rutinaria del vehículo. Según el estadio de la enfermedad del paciente y de los síntomas previos, tal vez sean necesarias otras medidas de apoyo como parte de la atención de los SEM. Puede estar indicada la respiración asistida mediante el manejo avanzado de la vía aérea o la ventilación mecánica. Asimismo, tal vez es necesaria la oxigenoterapia. El transporte rápido es primordial, ya que el diagnóstico se hará en el centro médico después de las pruebas de anticuerpos para hantavirus.

El hantavirus no es una enfermedad profesional porque no se transmite de persona a persona.

Rabia

La **rabia** (hidrofobia) se encuentra en todo el mundo. En Estados Unidos, los casos humanos han ido disminuyendo desde que empezaron los programas de control de la rabia en la década de 1940. A lo largo de los años, las muertes por rabia reportadas en Estados Unidos han disminuido de más de 100 al año a una a dos al año.[102] La vacunación de animales domésticos y el desarrollo de una vacuna y de inmunoglobulina antirrábica han reducido en gran medida el número de muertes en humanos que contraen la rabia.

Fisiopatología

La transmisión de la rabia está relacionada sobre todo con la mordedura directa de un animal infectado. El virus se excreta en la saliva del animal desde el momento en que se infecta. Los animales por lo común más identificados como portadores de la rabia son los mapaches, los zorrillos, los zorros, los coyotes y los murciélagos insectívoros. Otras vías de transmisión (poco frecuentes) son la contaminación de las mucosas (ojos, nariz, boca), la transmisión aérea y los trasplantes de córnea y de órganos. En general, sin embargo, son raras las exposiciones a la rabia sin mordedura: arañazos, abrasiones, heridas abiertas o membranas mucosas contaminadas con saliva u OMPI de un animal rabioso. No hay casos documentados de transmisión de la rabia de persona a persona. El periodo de incubación suele ser de 2 a 8 semanas, pero varía en función de la gravedad de la mordedura y la localización de la herida.

Evaluación

Los signos y síntomas de la rabia en el ser humano por lo regular son inespecíficos, parecidos a los de la influenza: fiebre, escalofríos, dolor de garganta, malestar, dolor de cabeza y debilidad. Puede aparecer parestesia (sensación de hormigueo en la piel sin causa aparente) en el lugar de exposición o cerca de él. Después de estos signos iniciales, aparece la fase neurológica de la enfermedad: hiperactividad, convulsiones, comportamiento extraño e hidrofobia. Los pacientes también pueden tener miedo a la vista del agua o al beberla como resultado de espasmos graves de los músculos de la garganta y maseteros (masticación). A medida que la enfermedad progresa, puede desarrollarse parálisis y el estado mental puede deteriorarse, llegando al coma. Aunque la rabia suele considerarse una enfermedad mortal, recién se han registrado varios casos de supervivencia incluso después de la aparición de los síntomas.

Tratamiento

Como medida preventiva, tome las precauciones estándar para el cuidado del paciente y la limpieza del vehículo. Si es mordido o arañado por un animal sospechoso, se le ofrecerá una inyección de inmunoglobulina humana y se le administrará la vacuna contra la rabia humana si se considera apropiado. Los CDC no recomiendan la vacunación antirrábica de forma rutinaria para el personal de los SEM. El seguimiento incluiría el cuidado de las heridas. Recuerde, los primeros auxilios siempre vienen antes de informar a su RDCI.

Síndrome respiratorio de Oriente Medio

El **síndrome respiratorio de Oriente Medio (MERS**, por sus siglas en inglés) es una enfermedad viral que presenta un riesgo muy bajo para los proveedores de atención médica y el público en general en Estados Unidos. En mayo de 2014 se identificaron y trataron dos casos de MERS en Estados Unidos: uno en Florida y otro en Indiana. Ambos casos afectaron a profesionales de la salud que trabajaban y vivían en Arabia Saudita. Adquirieron la enfermedad en Arabia Saudita, se les diagnosticó y trató, y luego se les diagnosticó en Estados Unidos.

Fisiopatología

El MERS-CoV (coronavirus relacionado con el MERS) es un coronavirus, un tipo de patógeno que se ha asociado a pacientes que desarrollan una enfermedad respiratoria aguda grave. Los estudios han relacionado esta enfermedad con las secreciones nasales y la orina de los camellos. La transmisión se produce por contacto estrecho con una persona infectada y puede ocurrir incluso en el entorno de la salud. Las investigaciones no han documentado una transmisión continua en las comunidades. Las personas infectadas han mostrado, en su mayoría, síntomas muy parecidos a los asociados al resfriado común. Las personas con enfermedades subyacentes han sufrido neumonía o insuficiencia renal. El periodo de incubación parece ser de 5 a 6 días, pero puede durar hasta 14 días.

En la mayoría de los pacientes infectados por el MERS-CoV se ha observado un nivel reducido de linfocitos en la sangre (linfopenia), como también se observó en las infecciones por SRAS.

Las pruebas de laboratorio para detectar el MERS-CoV por lo regular no están disponibles. Sin embargo, los departamentos de salud estatales, los CDC y algunos laboratorios internacionales disponen de pruebas de reacción en cadena de la polimerasa para el MERS-CoV.

Evaluación

Si se sospecha esta infección, obtenga los antecedentes de viaje del paciente para identificar los viajes hacia o desde la península arábiga y el posible contacto con camellos (orina o secreciones nasales), leche o carne de camello. Evalúe la presencia de fiebre, tos y dificultad respiratoria. También puede haber trastornos GI, como náusea y vómito. Las personas que desarrollan trastornos graves pueden necesitar asistencia respiratoria para el síndrome de dificultad respiratoria aguda.

Tratamiento

No existe ningún tratamiento antiviral específico para el MERS-CoV; más bien, la atención médica se centra en el alivio de los síntomas. Los proveedores de atención médica que atiendan a pacientes con esta infección deben tomar precauciones estándar, de contacto y de transmisión aérea. Estas últimas para los SEM implican el uso del sistema de intercambio de aire y una mascarilla quirúrgica.

Si se produce una exposición sin protección, informe directamente a su RDCI. En la actualidad no existe vacuna para el MERS y no se ha recomendado ningún tratamiento específico. El tratamiento actual es de apoyo.

Tétanos

De acuerdo con los CDC,[103] los casos de tétanos notificados han disminuido más de 95% y las muertes por tétanos han disminuido más de 99% en Estados Unidos desde 1947, cuando la enfermedad empezó a reportarse a nivel nacional. El tétanos es más común en zonas agrícolas y subdesarrolladas, donde el contacto con desechos animales es más probable y la inmunización es inadecuada. El tétanos es una enfermedad prevenible mediante vacunación. Las vacunas se administran a los 2, 4, 6 y 18 meses de edad, seguidas de dosis a los 4 y 6 años. Se recomienda una dosis de refuerzo para los niños de entre 11 y 12 años; a partir de entonces, debe administrarse una dosis de refuerzo cada 10 años. Siguen produciéndose casos ocasionales de tétanos en adultos, en especial en aquellos que no fueron vacunados en la infancia o que no mantuvieron al día sus dosis de refuerzo a los 10 años.

Fisiopatología

El bacilo del tétanos se encuentra en los intestinos de los caballos y otros animales, pero algunos casos se han relacionado con el uso de medicamentos IV. La transmisión se produce cuando las esporas del tétanos entran en el cuerpo por una de estas dos vías: (1) una herida punzante contaminada con heces de animales, polvo de la calle o tierra; o (2) drogas callejeras contaminadas. El tétanos no se transmite de persona a persona. En ocasiones, se han dado casos posoperatorios o después de lesiones al parecer leves.

El periodo de incubación es de unos 14 días desde la exposición, pero se han documentado casos de tan solo 3 días. Los casos que tienen periodos de incubación cortos tienden a tener un mayor nivel de contaminación.

Evaluación

Los signos y síntomas se inician en el lugar de la herida, seguidos de contracciones musculares dolorosas o rigidez (tetania) en los músculos del cuello, cara, mandíbula y tronco. El signo clave que sugiere tétanos, en especial en niños, es la rigidez abdominal, aunque esta puede estar confinada al lugar de la lesión. También pueden aparecer disfagia, hidrofobia, babeo y dificultad respiratoria.

Tratamiento

La prevención consiste en tomar las precauciones estándar: uso de guantes al tratar cualquier herida del paciente y manejo del drenado. Un paciente con tétanos puede requerir soporte de la vía aérea y ventilación en ruta. Se puede solicitar oxígeno, junto con fluidos IV. Se recomienda la inmunoglobulina antitetánica para el tratamiento del tétanos. En general se recomienda una dosis intramuscular única de 3 000 a 5 000 unidades para niños y adultos, con parte de la dosis infiltrada alrededor de la herida si se puede identificar.

Se debe ofrecer a los paramédicos dosis de refuerzo contra el tétanos cada 10 años para protegerlos contra esta infección. No son necesarias rutinas especiales de limpieza después del transporte de un paciente con tétanos.

Fisiopatología, evaluación y manejo de la infección por organismos resistentes a los antibióticos y organismos multirresistentes a los medicamentos

El uso excesivo y abusivo de los antibióticos ha llevado a algunos patógenos a desarrollar resistencia a los fármacos antibióticos comúnmente prescritos para erradicarlos. En el pasado, a la comunidad médica le preocupaba que algunas infecciones pudieran llegar a ser intratables debido a la resistencia. Esta situación ya se ha producido. En la actualidad no se están desarrollando nuevos antibióticos. En consecuencia, las farmacias de los centros médicos y los CDC restringen ahora el uso de muchos antibióticos, un enfoque denominado administración de antibióticos.

Los pacientes infectados por algunos tipos de organismos resistentes a los antibióticos, en particular los enterococos resistentes a la vancomicina (ERV) y el *Staphylococcus aureus* resistente a la meticilina (SARM), pueden estar protegidos por la *Americans with Disabilities Act* (la infección por estos organismos se trata en las secciones siguientes), dependiendo de la definición de "discapacidad" utilizada en la legislación de su estado.

Staphylococcus aureus resistente a la meticilina

El **Staphylococcus aureus** se hizo resistente a la penicilina a finales de la década de 1950. A principios de los años 1960 se empezó a utilizar la meticilina para tratar las infecciones por *S. aureus*. A mediados de la década de 1970, el SARM estaba presente en los hospitales de Estados Unidos; desde entonces se ha trasladado a la comunidad. En la actualidad, la mayoría de los casos son de SARM adquirido en la comunidad. El número de casos de SARM asociados a la atención médica está empezando a disminuir con el aumento de la atención prestada al control de las infecciones en todos los entornos de salud. En 2010, los resultados alentadores de un estudio de los CDC mostraron que en los centros de salud están disminuyendo las infecciones por SARM potencialmente mortales.[104] Las infecciones por SARM que empezaron en los hospitales se redujeron 54% entre 2005 y 2011, y se reportaron 30 800 casos menos de SARM grave.[105] La disminución de las tasas de infección fue incluso mayor en los pacientes con infecciones del torrente sanguíneo. Sin embargo, un estudio reciente realizado por los CDC y los *Centers for Medicare and Medicaid Services* (CMS) mostró que entre 30 y 50% de las prescripciones de antibióticos en emergencias y centros de atención de urgencia son innecesarias.[106]

Las cepas de SARM también son resistentes a otros antibióticos, como las cefalosporinas, las eritromicinas, la clindamicina (Cleocin), las tetraciclinas y los aminoglucósidos. Aunque se ha demostrado que la vancomicina (Vancocin) trata de manera eficaz el SARM, algunas cepas también han mostrado resistencia a este fármaco. Otros fármacos utilizados para tratar el SARM son una combinación de quinupristina y dalfopristina (Synercid), linezolid (Zyvox) y daptomicina (Cubicin).

Poblaciones especiales

La infección por SARM adquirido en la comunidad con el clon USA300 es una causa importante de enfermedad infecciosa en niños, la cual se presenta sobre todo como una infección superficial de los tejidos blandos y puede tratarse con facilidad mediante incisión y drenaje sin el uso de antibióticos.

Fisiopatología

En los entornos de atención médica, se cree que el SARM se transmite de paciente a paciente a través de las manos sin lavar de los profesionales de la atención médica. Los estudios han demostrado que 33% de las personas es portador de estafilococos en la nariz y que dos de cada 100 personas son portadoras de SARM.[107] Después, el patógeno puede transferirse a la piel y a otras áreas del cuerpo a través de una ruptura en la piel, lo que lleva a la infección, **FIGURA 23-12**. Las superficies contaminadas con SARM no parecen ser importantes en la transmisión. Se ha documentado la presencia de SARM en ambulancias y parques de bomberos, lo que sugiere que no se siguen las rutinas de limpieza y las buenas técnicas de lavado de manos. Entre los factores que aumentan el riesgo de contraer SARM se incluyen la terapia antibiótica, las estancias hospitalarias prolongadas, la estancia en una unidad de cuidados intensivos o en una unidad de quemados y la exposición a un paciente infectado. Muchos pacientes que contraen SARM viven en centros de cuidados de larga duración.

Evaluación

Los pacientes con SARM pueden estar **colonizados** por este organismo o infectados. El periodo de incubación parece ser de entre 5 y 45 días. El periodo de contagio varía; los pacientes con infección activa pueden

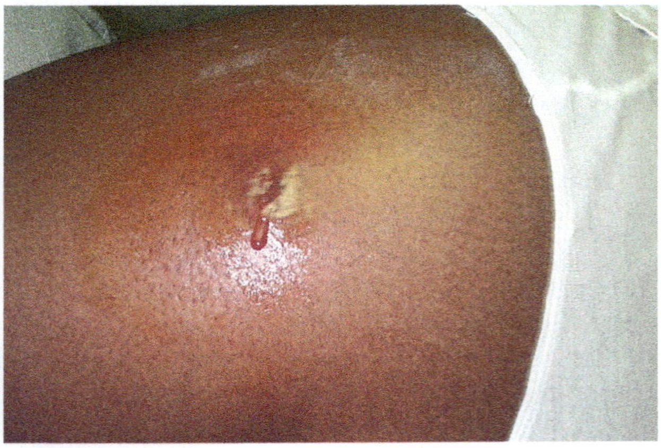

FIGURA 23-12 Absceso cutáneo purulento y supurante en el muslo causado por *Staphylococcus aureus* resistente a la meticilina. Considere que cualquier secreción de una herida es potencialmente infecciosa y tome las precauciones de contacto adecuadas.

Cortesía de Bruno Coignard, MD/Jeff Hageman, MHS/CDC.

ser portadores de SARM durante meses. En los casos adquiridos en la comunidad, el SARM provoca infecciones de tejidos blandos. Las manifestaciones pueden incluir abscesos cutáneos localizados y celulitis, empiema y endocarditis. La sepsis se encuentra en pacientes de edad avanzada con infecciones por *S aureus*. Después de una infección del torrente sanguíneo por SARM, se pueden desarrollar infecciones secundarias, como osteomielitis y artritis séptica, en lugares distintos del sitio inicial de la infección por SARM.

Tratamiento

Los pacientes con infecciones de tejidos blandos se tratan mediante incisión y drenado. No es necesario indicar antibióticos. Este tratamiento se ajusta a las directrices publicadas por la *Infectious Disease Society of America*. La mayoría de las infecciones de tejidos blandos por SARM desaparece después de la incisión y el drenado.

Para prevenir la transmisión del SARM, tome precauciones estándar (guantes y buena técnica de lavado de manos) y precauciones de contacto cuando esté en contacto con heridas y piel no intacta. Si está en contacto directo con el drenado de la herida, pero su piel está intacta, no se producirá exposición. No se requiere una limpieza especial y es adecuado lavar la ropa de cama. Si tiene una exposición real, informe a su RDCI. No se recomienda ningún tratamiento posterior a la exposición.

S aureus resistente a la vancomicina

La vancomicina es uno de los principales fármacos para el tratamiento de las infecciones por estafilococos. Sin embargo, una vez que el organismo se ha vuelto resistente a este fármaco, deja de ser eficaz en el tratamiento de las infecciones. Al igual que el SARM, las infecciones por *S aureus* resistente a la vancomicina (SARV) se presentan en forma de granos, forúnculos y otras afecciones cutáneas. Las infecciones por SARV pueden agravarse y provocar sepsis, una peligrosa infección sistémica del torrente sanguíneo. Hoy en día, la incidencia de esta infección es rara en Estados Unidos.

Fisiopatología

Las personas con riesgo de desarrollar infecciones por SARV son aquellas con múltiples enfermedades subyacentes (p. ej., diabetes y enfermedad renal), infecciones previas por SARM, catéteres permanentes (p. ej., catéteres urinarios permanentes), hospitalizaciones recientes y exposición reciente a vancomicina u otros agentes antimicrobianos.

Evaluación

Los signos y síntomas pueden incluir abscesos cutáneos localizados y celulitis, neumonía, infecciones del torrente sanguíneo, meningitis u osteomielitis. Por lo regular se presenta fiebre, escalofríos, debilidad y dolor corporal, tos, dolor torácico y dificultad para respirar, pero otros signos y síntomas dependerán de la localización de la infección.

Tratamiento

En la actualidad, la infección por VRSA se puede tratar con antibióticos. Es importante tomar precauciones estándar y de contacto y limpiar de manera sistemática el vehículo y el equipo de atención al paciente después de cada llamada, así como lavarse las manos de forma rutinaria. Asegúrese de cubrir todos los cortes abiertos en la piel. No se recomienda ningún tratamiento posterior a la exposición, pero si está expuesto, informe a su RDCI.

Enterococos resistentes a la vancomicina

El **enterococo** es un organismo común que por lo regular se encuentra en los tractos GI, urinario y genitourinario. Existen más de 450 especies de enterococos, muchas de las cuales son resistentes a los agentes antimicrobianos. Estos organismos crecen en condiciones de oxígeno y oxigenación reducidos. Cuando se vuelven resistentes a la vancomicina —el principal fármaco utilizado para tratar la infección enterocócica— se dice que el paciente tiene enterococos resistentes a la vancomicina (ERV).

De acuerdo con recientes encuestas de *National Nosocomial Infections Surveillance* en Estados Unidos,[108] los enterococos siguen siendo uno de los tres principales patógenos causantes de infecciones asociadas a la asistencia sanitaria en ese país. Estas infecciones se han producido en la población general hospitalizada. Se calcula que, en los hospitales estadounidenses, cada año se producen entre 20000 y 85000 casos de ERV.

Fisiopatología

La infección por ERV es sobre todo una infección asociada a la atención sanitaria. Los pacientes identificados con infecciones por ERV fuera del ámbito hospitalario suelen vivir en residencias de ancianos o acudir a centros de hemodiálisis. De hecho, las personas no son susceptibles a la infección por ERV a menos que ya estén enfermas o inmunocomprometidas. Los pacientes en especial vulnerables a esta enfermedad son aquellos en la UCI y los receptores de trasplantes.

El ERV puede encontrarse en infecciones del tracto urinario (ITU) e infecciones del torrente sanguíneo; estos patógenos también se han identificado en heces de ganado, pollo crudo y personas que trabajan en granjas o plantas de procesamiento. Los organismos infecciosos pueden vivir en las superficies durante largos periodos, por lo que la transmisión puede producirse por contacto directo con superficies o equipos contaminados.

Una persona puede estar colonizada o infectada por ERV, pero solo los pacientes infectados pueden transmitir el organismo. Así pues, la transmisión puede producirse cuando se tiene contacto directo con el drenado de una herida y un corte o llaga abiertos permiten la entrada del organismo en el cuerpo. La infección por ERV puede tratarse con un nuevo antibiótico sintético, el linezolid.

Evaluación

El ERV puede causar ITU, sobre todo en pacientes que tienen sondas urinarias. Otros tipos de catéteres, como las vías centrales, pueden servir como puerto de entrada para el ERV, causando bacteriemia que a veces evoluciona a sepsis. Las heridas quirúrgicas, en especial en pacientes sometidos a cirugía abdominal o torácica, también pueden infectarse con ERV.

Tratamiento

La prevención se basa en la adopción de precauciones previas estándar/de contacto, el uso de guantes y la práctica de una buena técnica de lavado de manos cuando se está en contacto con el drenado de la herida. La bata solo es necesaria si el uniforme puede entrar en contacto con las secreciones de la herida. Es importante limpiar después del traslado todas las zonas que hayan estado en contacto con el paciente, pero no se necesita ninguna solución de limpieza especial. Si sospecha que ha estado en contacto directo con una herida abierta y fluidos corporales de un paciente con una infección por ERV, informe a su RDCI y llene un informe de exposición. No está indicado ningún tratamiento médico posterior a la exposición.

Clostridioides difficile

El *C diff* no es un organismo multirresistente, pero se trata como tal. La infección por este patógeno puede producirse después de un tratamiento con antibióticos, ya que algunos de ellos pueden destruir las bacterias normales del intestino, permitiendo que tomen el control los organismos *C diff.* Antes, las infecciones por *C diff* solían estar relacionadas con la estancia en un centro de salud, pero ahora se dan sobre todo en el entorno comunitario, en gran parte debido a problemas con la prescripción de antibióticos.

Fisiopatología

La bacteria formadora de esporas *C diff* produce dos endotoxinas que causan diarrea acuosa, el principal síntoma de la infección. La transmisión se produce por contacto con superficies contaminadas con heces. En particular, la bacteria puede transmitirse a los pacientes por contacto por parte del personal de la salud con las manos sin lavar. El diagnóstico por lo regular se lleva a cabo mediante un coprocultivo. La enfermedad se resuelve entre 2 y 3 días después de suspender los antibióticos. Sin embargo, la recurrencia es común, en especial en personas mayores de 65 años.

Evaluación

La infección por *C diff* causa diarrea acuosa, verde y maloliente frecuente, náusea y vómito, fiebre, pérdida de apetito y malestar abdominal. Las enfermedades asociadas a la infección por *C diff* incluyen colitis seudomembranosa, sepsis y perforación colónica. En los pacientes que presentan estos signos y síntomas, el paramédico debe preguntar sobre los medicamentos del paciente, en especial si está tomando antibióticos.

Tratamiento

Las precauciones estándar/de contacto para *C diff* incluyen el uso de guantes y una buena técnica de lavado de manos. Además, en el tratamiento de *C diff* es importante la limpieza de las superficies contaminadas con un agente de limpieza adecuado. Debido a que esta bacteria es un agente formador de esporas, se requiere una solución de limpieza a base de cloro para erradicarlo. Además, las espumas y geles a base de alcohol para lavarse las manos no eliminan las esporas, por lo que debe utilizarse jabón y agua tibia. Informe a su RDCI de la contaminación de las zonas abiertas de la piel. No se recomienda seguimiento médico posterior a la exposición a *C diff.*

Enterobacterias resistentes a los carbapenemes

Las enterobacterias resistentes a los carbapenemes (ERC) son bacterias muy resistentes a la mayoría de los antibióticos. Este grupo de antibióticos incluye los agentes carbapenemes, que se utilizan como último recurso para tratar infecciones. Las ERC llegaron a Estados Unidos a través del turismo médico (personas que salen de Estados Unidos para obtener atención médica a menor costo); se cree que se originó en la India. Por razones obvias, este factor hace que sea muy importante conocer el historial de viajes del paciente. La pregunta es: "¿ha pasado la noche hospitalizado fuera de Estados Unidos en los últimos 6 meses?". Se estima que la tasa de mortalidad por infección de ERC es de cerca de 40%, pero podría ser más alta.[109]

Fisiopatología

Las enterobacterias son bacterias que por lo regular se encuentran en los tractos GI y vaginal, pero muchas han adquirido la capacidad de contrarrestar los antibióticos. Estas bacterias —*Klebsiella* o *Escherichia coli*— desarrollan resistencia debido al tratamiento antibiótico. La transmisión se produce a través de las manos sin lavar y superficies contaminadas. No se ha determinado cuánto tiempo puede vivir la bacteria en una superficie. La ERC es un organismo formador de esporas, una característica que afecta a la selección de los productos de limpieza y lavado de manos.

Evaluación

Los síntomas de la infección por CRE pueden variar de un paciente a otro dependiendo de la localización de la bacteria. Observe al paciente en busca de signos de sepsis y de un dispositivo permanente (es decir, catéter intravenoso, catéter urinario permanente, respiradores). Los pacientes pueden presentar fiebre, ITU, fatiga, escalofríos y sepsis. Pregunte también sobre el uso de tratamientos antibióticos de venta libre para las úlceras abiertas. Evalúe si el paciente ha estado en tratamiento antibiótico a largo plazo.

Tratamiento

Tome precauciones estándar y de contacto si el paciente tiene heridas que drenan. Utilice jabón y agua tibia para lavarse las manos; los productos de limpieza a base de alcohol no eliminan las esporas. Utilice una solución limpiadora a base de cloro para los vehículos y equipos utilizados en la atención al paciente.

Fisiopatología, evaluación y tratamiento de enfermedades recién reconocidas

Antes, una enfermedad "saltaba" de los animales a los seres humanos cada 20 o 30 años. En la actualidad, este tipo de salto es mucho más frecuente. Algunos ejemplos recientes son la infección por VIH, la viruela del mono, el síndrome respiratorio agudo severo (SRAS) y la influenza aviar. Los dos últimos se analizan a continuación.

Síndrome respiratorio agudo grave

El **síndrome respiratorio agudo grave (SRAS)** es una enfermedad nueva que surgió de la fusión de dos virus, uno de mamíferos y otro de aves. La fuente de este virus ha sido identificada como murciélagos encontrados en Hong Kong. El SRAS se declaró por primera vez en Asia en febrero de 2003. En pocos meses, la enfermedad se había extendido de Asia a Canadá, Sudamérica y Europa. En la primavera de 2003, la OMS había registrado un total de 8 098 casos en todo el mundo y 774 muertes.[110] En Estados Unidos, hubo ocho casos confirmados (todos leves) y ninguna muerte; todos los casos en Estados Unidos fueron de personas que habían viajado a zonas donde se habían registrado casos de SRAS.[110] Los últimos casos de SRAS se registraron en abril de 2004 en China y fueron consecuencia de un accidente de laboratorio. En Estados Unidos, ningún proveedor de atención médica se ha contagiado de SRAS.

Fisiopatología

La transmisión del SRAS se produce por contacto personal estrecho, es decir, por vivir y cuidar a una persona con la enfermedad o por tener contacto directo con las secreciones respiratorias o los líquidos corporales de una persona infectada (p. ej. por besar o abrazar, compartir cubiertos o estar a menos de 1 m de una persona infectada que está hablando). El periodo de incubación es de unos 10 días a partir de la fecha de exposición; el periodo de contagio no está bien definido.

Evaluación

Los signos y síntomas incluyen fiebre superior a 38 °C (100.4 °F), dolor de cabeza, sensación general de malestar y dolores corporales. En un inicio, el SRAS se asemeja a cualquier enfermedad gripal general. Sin embargo, al cabo de 2 a 7 días aparece una tos seca, y los casos graves pueden evolucionar a neumonía. En esta fase, los pacientes pueden necesitar soporte respiratorio.

Tratamiento

Si atiende a una persona sospechosa de padecer SRAS, debe utilizar el EPP adecuado, informar a su RDCI, llenar un formulario de exposición y tal vez ser puesto en cuarentena durante 10 días. El departamento de salud pública es responsable del seguimiento de los contactos.

Perlas de sabiduría

La medida más importante que debe tomar si cree que ha estado expuesto a un organismo multirresistente es lavarse las manos de inmediato y limpiar cualquier equipo o ropa contaminados. Informe del incidente a su RDCI. No es necesario ni recomendable ningún seguimiento médico de las infecciones por organismos multirresistentes.

Influenza aviar

Los primeros casos de **influenza aviar** en humanos se registraron en Hong Kong en 1997; 18 personas se infectaron y seis murieron en este brote.[111] Ha habido dos casos de influenza aviar en Canadá. Los pacientes contrajeron la enfermedad de sus bandadas pero se recuperaron, y no se informó de ninguna transmisión adicional. Se han identificado nuevas cepas, pero los brotes recientes se han limitado a las aves de corral. Aun así, estos desarrollos siguen preocupando a la OMS y a las Naciones Unidas. No se ha observado que la influenza aviar produzca una transmisión sostenida de persona a persona.

Fisiopatología

La influenza aviar está causada por un virus que aparece de forma natural en la población de aves. Este virus se transporta en el tracto intestinal de las aves silvestres y no suele causar enfermedades en los seres humanos. Sin embargo, es muy frecuente en las poblaciones de aves domésticas (p. ej., pollos, patos, pavos). Las aves adquieren el virus por contacto con excrementos contaminados o superficies contaminadas con excrementos. Si un ave infectada se utiliza como alimento y se cocina, no supone un riesgo para las personas que la comen.

No se han registrado casos de rápida propagación de esta enfermedad entre humanos. En cambio, los casos en humanos se han producido en estrecho contacto con aves infectadas. El riesgo de transmisión para los humanos es bastante bajo.

Existe cierta preocupación por la posibilidad de que alguien infectado con un virus de influenza tipo A normal pueda coinfectarse con la influenza aviar, permitiendo que los dos virus se fusionen y formen un nuevo virus. En agosto de 2011, las Naciones Unidas informaron de que la influenza aviar estaba aumentando de nuevo en Asia. En 2013, un brote en China involucró una nueva cepa del virus. Otros brotes se produjeron en China en 2016-2017 y 2019.

Evaluación

En el caso de los pacientes con sospecha de influenza aviar, es importante obtener un historial de viajes. Los signos y síntomas de la influenza aviar incluyen fiebre, dolor de garganta, tos y dolores musculares; también se han observado algunas infecciones oculares. La enfermedad puede evolucionar a neumonía y dificultad respiratoria grave.

Tratamiento

Las medidas preventivas incluyen la colocación de una mascarilla quirúrgica al paciente para contener las secreciones. Si el estado del paciente no permite esta medida, usted puede llevar una mascarilla quirúrgica para su propia protección. Siga las directrices vigentes de los CDC relativas a la protección de proveedores de atención médica. De acuerdo con el sistema actual de intercambio de información, un centro médico debe informar al RDCI si un paciente trasladado por un SEM es diagnosticado después con influenza aviar. Si se documenta una exposición, se puede ofrecer un medicamento antiviral en las 48 horas siguientes a la exposición. Los antivirales no previenen la influenza, pero pueden reducir la gravedad de la enfermedad. Asimismo, es importante vacunarse cada año contra la influenza para garantizar la protección frente a los virus del tipo A. En la actualidad existe una vacuna contra la influenza aviar.

USTED es el Paramédico RESUMEN

1. ¿Cuál es su primera preocupación en esta escena?

Debido a que la infección por *C diff* es una posibilidad, usted debe ponerse guantes de inmediato durante esta llamada.

2. ¿Qué es la *C diff* y qué precauciones debe tomar para el transporte?

Clostridioides difficile es una bacteria que se elimina en las heces. Para evitar la contaminación por *C diff*, utilice

USTED es el Paramédico RESUMEN continuación

una buena técnica de lavado de manos con jabón y agua tibia, y limpie las superficies contaminadas con una solución limpiadora a base de cloro. Utilice las precauciones previas al contacto además de las precauciones estándar.

3. **¿Qué puede determinar ahora sobre el estado de la paciente?**

Los miembros del personal han informado de que la paciente ha estado enferma durante varios días, ha estado vomitando y tiene diarrea. Usted ha visto a la paciente intentar vomitar, pero no ha vomitado nada. Esta información, junto con la inflamación de la piel del antebrazo, debería hacerle pensar que existe una deshidratación importante.

4. **Debido a que no se ha confirmado el diagnóstico de infección por *C diff* en esta paciente, ¿le preocupa la exposición?**

Sí debería preocuparle la exposición. Sin embargo, es importante señalar que no se recomienda ningún tratamiento posterior a ella. La gastroenteritis, también conocida como influenza estomacal, abarca muchos tipos de infecciones e irritaciones del tracto GI, incluidas las causadas por norovirus. Los pacientes experimentan síntomas como náusea y vómito, fiebre, calambres abdominales y diarrea. En personas sanas, la gastroenteritis no suele ser grave. Sin embargo, en niños, personas de edad avanzada y pacientes con enfermedades crónicas pueden aparecer complicaciones graves, como la deshidratación. Algunas de las cepas virales son en extremo contagiosas.

5. **¿Cuál es su primera opción de tratamiento para esta paciente?**

Debe centrarse en la reposición de líquidos debido a la evidencia de deshidratación. Debería considerar una reposición de líquidos después de evaluar los ruidos pulmonares. Considere la posibilidad de empezar con 250 ml y repetir la administración de fluidos hasta alcanzar el efecto deseado o lo que sea apropiado en su protocolo.

6. **¿Hay alguna notificación que deba hacer en relación con la escena?**

La Ley Ryan White federal, Parte G (2009), exige que todos los organismos de respuesta a emergencias cuenten con un representante designado para el control de infecciones (RDCI). Esta persona es la encargada de garantizar que los empleados y voluntarios expuestos reciban el tratamiento médico y el asesoramiento adecuados después de la exposición. El tratamiento médico posterior a la exposición se ofrece para evitar que los proveedores de atención médica contraigan la enfermedad a la que han estado expuestos. El tratamiento debe ofrecerse en un plazo de 24 a 48 horas posteriores a la exposición, aunque el plazo real dependerá del diagnóstico. La exposición a meningitis bacteriana, por ejemplo, requeriría tratamiento en las 24 horas siguientes.

7. **¿Qué medidas de descontaminación debe utilizar para su camilla?**

Retire las sábanas usadas de la camilla justo después de su uso y colóquelas en una bolsa de plástico o en el receptáculo designado en el departamento de emergencias. Limpie la camilla con una solución germicida-virucida registrada por la EPA o con una solución 1:100 de cloro/agua.

8. **Qué medidas debe adoptar para lavarse las manos?**

Ya debería haber utilizado las precauciones estándar/contraindicaciones. Estas precauciones se aplican a todas las sustancias corporales excepto el sudor. También debe lavarse bien las manos, con agua tibia y jabón, porque las soluciones para lavarse las manos a base de alcohol no matan a los organismos formadores de esporas. Si su uniforme está contaminado, debe ponerse uno limpio y lavarse la piel expuesta. Si la exposición es significativa, informe a su RDCI o siga la política de su dependencia.

Reporte de atención de paciente prehospitalario (RAPP)

Fecha: 07-30-22	**Incidente núm.:** 9678	**Naturaleza de la llamada:** vómito		**Ubicación:** Blvd. Asistencia médica núm. 550	
Despacho: 09:50	**En camino:** 09:50	**En el escenario:** 09:55	**Transporte:** 10:15	**En el hospital:** 10:20	**En servicio:** 10:35

Información del paciente	
Edad: 86 **Sexo:** F **Peso:** 54 kg (120 lb)	**Alergias:** Niega tener **Medicamentos:** Diltiazem (Cardizem) **Antecedentes médicos:** Cardiopatía, diabetes **Principal manifestación:** N/V durante 48 h

USTED es el Paramédico RESUMEN continuación

Signos vitales				
Hora: 10:00	**PA:** 98/58	**Pulso:** 106	**Respiraciones:** 18	**SpO_2:** 97% con aire ambiente
Hora: 10:05	**PA:** 102/60	**Pulso:** 96	**Respiraciones:** 18	**SpO_2:** 97% con aire ambiente
Tratamiento en SEM (circule todo lo aplicable)				
Oxígeno @ __ L/min por (circular uno): **NC** **NRM** **Dispositivo de bolsa y mascarilla**		**Ventilación asistida**	**Dispositivo de la vía aérea**	**RCP**
Desfibrilación	**Control de la hemorragia**	**Vendaje**	**Inmovilización**	**Otro:** IV establecido, 250 ml
Narrativa				

Llegada al centro de vida asistida de The Springs para una mujer de 86 años que lleva 48 horas n/v. La paciente parece débil y dice que no puede mantenerse en pie a causa de la debilidad. La paciente intentó vomitar, pero no produjo nada. La evaluación reveló que la piel del antebrazo de la paciente estaba enrojecida. Se establece una vía intravenosa de 250 ml según el protocolo. Los ruidos pulmonares eran claros en todos los campos antes y después de la provocación. La paciente tuvo una leve mejoría del VS durante el traslado al hospital. Informe entregado a A. Baxter, RN.

Fin del reporte

Kit de preparación

Resumen rápido

- Agencias gubernamentales de Estados Unidos como la *Occupational Safety and Health Administration* (OSHA), los *Centers for Disease Control and Prevention* (CDC) y los departamentos de salud pública estatales y del condado tienen la responsabilidad de proteger al público de enfermedades, prevenir epidemias y controlar los brotes.
- Limpie y desinfecte la ambulancia y su equipo para proteger a los pacientes de las infecciones. Concéntrese en los objetos que más se tocan.
- Las enfermedades contagiosas pueden transmitirse de una persona a otra en determinadas condiciones.
- Las enfermedades infecciosas están causadas por microorganismos patógenos, por lo regular bacterias o virus, pero a veces también hongos y parásitos.
- Las enfermedades infecciosas pueden transmitirse de una persona a otra por varios mecanismos específicos: transmisión por contacto (directo o indirecto), transmisión por gotas y transmisión aérea.
- Las precauciones basadas en la transmisión se refieren a las prácticas de control de infecciones que reducen la posibilidad de que se produzca una exposición en la atención diaria a los pacientes. Las precauciones estándar añaden el elemento de protección frente a sustancias corporales húmedas que pueden transmitir infecciones bacterianas o virales.
- Es fundamental quitarse de manera correcta el equipo de protección personal (EPP). Siempre es importante lavarse las manos después de quitarse los guantes.
- La protección contra las enfermedades transmisibles y la reducción de su incidencia implican al RDCI, al departamento de salud pública, precauciones estándar, inmunizaciones y vacunaciones,

Kit de preparación continuación

EPP, seguimiento médico posterior a la exposición y un plan de control de la exposición.

- Un paciente sospechoso de padecer una enfermedad infecciosa o transmisible se evalúa como cualquier otro paciente médico.
- El manejo general de un paciente con sospecha de enfermedad transmisible se centra primero en tratar cualquier condición que ponga en riesgo su vida, colocarlo en una posición cómoda, administrarle fluidos IV si es necesario, tratarlo con empatía, tomar las precauciones estándar y desechar de manera adecuada los objetos punzocortantes, y seguir las instrucciones de su dependencia.
- La infección implica una cadena típica de acontecimientos a través de los cuales se propaga una enfermedad transmisible.
- El riesgo de infección depende del tipo y la dosis del organismo, su virulencia, su modo de entrada y la resistencia del huésped.
- Para protegerse de la infección, el cuerpo humano utiliza varias defensas, como la piel, las mucosas y el sistema inmunológico.
- Entre las enfermedades transmitidas por gotas se encuentran la meningitis, diversas afecciones respiratorias, la influenza estacional, la tosferina, las paperas, la rubéola y el COVID-19. Las precauciones contra las gotas incluyen la colocación de una mascarilla quirúrgica al paciente, la aplicación de medidas básicas de control de infecciones y el uso del sistema de circulación de aire de la ambulancia.
- Las enfermedades de transmisión aérea son la tuberculosis, la varicela y el sarampión.
- Las precauciones de transmisión aérea incluyen la colocación de una mascarilla quirúrgica al paciente y el uso del sistema de circulación de aire de la ambulancia. La ventilación es clave para reducir el riesgo. Las enfermedades de transmisión aérea implican pequeñas gotas y partículas que pueden viajar largas distancias, por lo regular 2 m (6 pies) o más, antes de caer al suelo. En las enfermedades transmitidas por gotas, cuando una persona infectada tose o estornuda se generan gotas y partículas grandes y pequeñas que en general recorren 2 m (6 pies) o menos antes de caer al suelo.
- Otras infecciones de la vía aérea son la mononucleosis y el síndrome de fatiga crónica.
- Las infecciones de transmisión sexual (ITS) suelen adquirirse por contacto sexual y están causadas por una gran variedad de organismos.
- Las enfermedades de transmisión sanguínea más comunes son la hepatitis viral y el virus de la inmunodeficiencia humana (VIH), el síndrome de inmunodeficiencia adquirida (SIDA), el virus de la hepatitis C (VHC) y la sífilis.
- El cuidado de pacientes infectados por el virus del Ébola requiere precauciones tanto de contacto como de gotas. Las precauciones de contacto incluyen el uso de guantes, una bata si la ropa puede contaminarse y la limpieza de los objetos que se tocan con frecuencia.
- Las enfermedades entéricas son enfermedades infecciosas que afectan al tracto GI. Los organismos que causan infecciones entéricas incluyen parásitos y bacterias.
- Los virus de la hepatitis no transmitidos por la sangre incluyen los virus de la hepatitis A y E.
- Un vector es un organismo que alberga patógenos que son inofensivos para el organismo pero que causan enfermedades cuando se transmiten a un huésped humano. El patógeno puede transmitirse al ser humano mediante una picadura, la inhalación de heces de animales contaminados u otros medios.
- Las enfermedades transmitidas por mosquitos incluyen el virus del Nilo Occidental, la fiebre de dengue, la fiebre chikungunya y el virus del Zika.
- Las enfermedades transmitidas por garrapatas incluyen la enfermedad de Lyme y la fiebre maculosa de las Montañas Rocallosas.
- Las enfermedades zoonóticas incluyen la infección por hantavirus, la rabia, el síndrome respiratorio de Oriente Medio y el tétanos.
- El uso excesivo y abusivo de los antibióticos ha llevado a algunos patógenos a desarrollar resistencia a los fármacos por lo común recetados para erradicarlos. Algunos ejemplos son el *S aureus* resistente a la meticilina, *S aureus* resistente a la vancomicina, enterococos resistentes a la vancomicina y enterobacterias resistentes a los carbapenemes.

Kit de preparación continuación

- *Clostridioides difficile* no es un organismo multirresistente, pero se trata como tal. La infección por este patógeno puede producirse después de un tratamiento antibiótico porque algunos antibióticos pueden destruir las bacterias normales del intestino, permitiendo que los organismos *C diff* tomen el control.
- Antes, una enfermedad "saltaba" de los animales a los humanos cada 20 o 30 años. Hoy en día, esta transmisión es mucho más frecuente, con ejemplos recientes como la infección por VIH, la viruela del mono, el síndrome respiratorio agudo severo (SRAS) y la influenza aviar.

Vocabulario esencial

Análisis de sangre para la detección de tuberculosis Medición a través de ensayos de liberación de interferón-gamma de cómo reacciona el sistema inmunológico a las bacterias que causan la tuberculosis; ofrece resultados precisos en 24 horas; también se denomina análisis de sangre *Mycobacterium tuberculosis.*

Artículos de alto contacto Artículos que se utilizan para atender al paciente o superficies que están en contacto con el paciente.

Bacterias Pequeños organismos que pueden crecer y volver a producirse fuera de la célula humana en presencia de la temperatura y los nutrientes adecuados; causan enfermedades al invadir y multiplicarse en los tejidos del huésped.

Candidiasis Infección vaginal que no es técnicamente una infección de transmisión sexual; puede darse en mujeres embarazadas y no embarazadas, pero es más frecuente en el embarazo; también se denomina candidiasis o infección por hongos.

Chancro Lesión dura o úlcera primaria de la sífilis que se produce en el lugar de entrada de la infección.

Chancroide Infección de transmisión sexual muy contagiosa causada por la bacteria *Haemophilus ducreyi,* que provoca llagas dolorosas (úlceras), por lo regular en los genitales.

Chikungunya Virus originario de África transmitido por el mosquito *Aedes aegypti.* Los signos y síntomas son fiebre, que por lo regular dura de 5 a 7 días, y dolores articulares quizás incapacitantes.

Clamidia Infección de transmisión sexual causada por la bacteria *Chlamydia trachomatis,* que es la infección de transmisión sexual más frecuente; los signos y síntomas incluyen inflamación de la uretra, el epidídimo, el cuello uterino y las trompas de Falopio, y secreción de la uretra.

Colonizado Un patógeno está presente pero no ha provocado ninguna enfermedad en el huésped; a menudo evoluciona a una infección activa. Un huésped colonizado suele denominarse portador porque puede transmitir el patógeno a otras personas.

Contaminado Presencia de sangre u otros materiales potencialmente infecciosos en un objeto o superficie.

Coronavirus Cualquiera de un grupo de virus ARN que causan una variedad de enfermedades respiratorias, gastrointestinales y neurológicas en humanos y otros animales.

Dengue Virus transmitido por los mosquitos *Aedes aegypti* y *Aedes albopictus,* presentes en todo el mundo. La mayoría de las personas con dengue es asintomática; si se desarrolla la forma grave, se caracteriza por hemorragia, shock hipovolémico y potencialmente la muerte.

Depósito En el contexto de las enfermedades transmisibles, un lugar donde los organismos pueden vivir y multiplicarse.

Ébola Virus antes limitado a África Occidental, que se propaga por contacto directo a través de la piel o las mucosas no intactas, y cuyos síntomas iniciales incluyen fiebre, debilidad intensa, dolor muscular, cefaleas y dolor de garganta; algunas personas infectadas experimentan hemorragias internas y externas. Esta enfermedad requiere precauciones tanto por contacto como por gotas.

Endémico Presencia o prevalencia constante en una población o zona geográfica.

Kit de preparación continuación

Enfermedad de Lyme Enfermedad transmitida por garrapatas que afecta sobre todo la piel, el corazón, las articulaciones y el sistema nervioso y se caracteriza por una lesión redonda y roja o erupción en forma de ojo de buey.

Enfermedad infecciosa Enfermedad causada por organismos patógenos.

Enfermedad transmisible Enfermedad infecciosa que puede transmitirse de una persona a otra por contacto directo o indirecto a través de un vector o fómite; también denominada enfermedad contagiosa.

Enterococo Organismo común y normal del tracto gastrointestinal, el tracto urinario y el tracto genitourinario que puede ser patógeno y resistente a la vancomicina.

Epidemia Brote de enfermedad que excede sustancialmente lo esperado según la experiencia reciente.

Fómites Objetos inanimados contaminados con microorganismos que sirven como medio de transmisión de una enfermedad.

Gastroenteritis Término que comprende muchos tipos de infecciones e irritaciones del tracto gastrointestinal; los síntomas incluyen náusea y vómito fuerte, fiebre baja, dolor abdominal y diarrea; también llamada influenza estomacal.

Gonorrea Infección de transmisión sexual que provoca una infección causada por la bacteria gonocócica *Neisseria gonorrheae*; los signos y síntomas incluyen secreción con pus por la uretra y dolor al orinar en los varones, y signos y síntomas de abdomen agudo en las mujeres.

Hantavirus Tipo de virus que se encuentra en los roedores salvajes y que también puede causar enfermedades en los seres humanos; se caracteriza por fiebre, dolor de cabeza, dolor abdominal, pérdida de apetito y vómito. Las enfermedades causadas incluyen fiebre hemorrágica con síndrome renal y síndrome pulmonar por hantavirus.

Hepatitis infecciosa Otro nombre para la hepatitis A; una inflamación provocada por un virus que causa fatiga leve, pérdida de apetito, fiebre, náusea, dolor abdominal y, con el tiempo, ictericia, orina de color oscuro y heces pálidas de color arcilla.

Hepatitis sérica Infección por el virus de la hepatitis B, que se transmite por contacto sexual, transfusión de sangre o punción de la piel con agujas u otros instrumentos punzantes contaminados. Los signos y síntomas incluyen pérdida de apetito, náusea, vómito, fatiga y malestar general, fiebre baja, molestias abdominales vagas y, a veces, dolor en las articulaciones.

Hepatitis viral Inflamación del hígado producida por una de las cinco formas distintas del virus de la hepatitis: A, B, C, D y E. Los tipos difieren en su modo de transmisión, pero presentan los mismos signos y síntomas.

Hongos Pequeños organismos que pueden crecer rápidamente en presencia de los nutrientes y la materia orgánica necesarios y pueden causar infecciones relacionadas con el contacto con materia orgánica en descomposición o a partir de esporas transportadas por el aire en el medio ambiente, como los mohos.

Ictericia Presencia de un exceso de pigmentos biliares en el torrente sanguíneo que dan a la piel, las membranas mucosas y los ojos un marcado color amarillo; suele asociarse a enfermedades hepáticas.

Individuo fuente Toda persona, viva o muerta, cuya sangre u otros materiales potencialmente infecciosos pueden ser fuente de exposición profesional para otra persona. Los ejemplos incluyen, entre otros, a pacientes de hospitales y clínicas, clientes de instituciones para discapacitados, víctimas de traumatismos, clientes de centros de tratamiento de drogas y alcohol, residentes de hospicios y residencias de adultos mayores, restos humanos y personas que donan o venden sangre o componentes sanguíneos.

Infección Invasión de un huésped o de un tejido del huésped por organismos patógenos como bacterias, virus o parásitos, que produce una enfermedad que puede tener o no manifestaciones clínicas.

Infección asociada a la atención médica Infección adquirida 2 días después del ingreso en un centro de salud o 30 días después del alta de dicho centro.

Infecciones de transmisión sexual (ITS) Grupo de enfermedades que por lo regular se adquieren por contacto sexual; incluyen gonorrea, sífilis, clamidia,

Kit de preparación continuación

sarna, piojos públicos, herpes, hepatitis e infección por el virus de la inmunodeficiencia humana.

Infecciones oportunistas Infecciones en las que el organismo invasor prospera porque el sistema inmunológico se ha visto comprometido por una enfermedad, medicamentos quimioterapéuticos o fármacos antirrechazo en un receptor de trasplante de órganos. Estos hongos, bacterias, virus y parásitos suelen ser controlados por un sistema inmunológico sano.

Influenza Infección respiratoria causada por diversos virus. Se diferencia del resfriado común en que la influenza cursa con fiebre, escalofríos, dolor de cabeza, dolor muscular, malestar general y pérdida de apetito. Los síntomas respiratorios incluyen tos seca, a menudo prolongada, ronquera y secreción nasal.

Influenza aviar Enfermedad causada por un virus que se da de forma natural en la población de aves; los signos y síntomas incluyen fiebre, dolor de garganta, tos y dolores musculares.

Inmunización Proceso de producción de inmunidad generalizada frente a una enfermedad infecciosa específica entre un grupo determinado mediante la inoculación de miembros individuales de la población; también puede referirse a un conjunto de vacunas administradas juntas o según un calendario recomendado.

Meningitis Inflamación de las membranas que recubren el cerebro y la médula espinal; suele estar causada por un virus o una bacteria. El tipo viral no es transmisible y es menos grave que el tipo bacteriano, que puede provocar daños cerebrales, pérdida de audición, problemas de aprendizaje o la muerte.

Meningitis meningocócica Tipo de meningitis causada por la bacteria meningocócica *Neisseria meningitidis.*

Mononucleosis Mononucleosis infecciosa o mono (fiebre glandular); causada por el virus de Epstein-Barr y a menudo denominada enfermedad del beso; también se transmite al toser o estornudar.

Otros materiales potencialmente infecciosos (OMPI) Líquido cefalorraquídeo, líquido pericárdico, líquido amniótico, líquido sinovial, líquido peritoneal y cualquier líquido que contenga sangre visible.

Pandemia Brote de enfermedad que se produce a escala mundial.

Paperas Infección viral que afecta sobre todo a las glándulas parótidas, que son uno de los tres pares de glándulas salivales; causa edema delante de las orejas.

Parásitos Organismos que viven en o sobre cualquier otro ser vivo; se aprovechan del huésped alimentándose de células y tejidos.

Patógenos transmitidos por la sangre Microorganismos patógenos que están presentes en la sangre humana y pueden causar enfermedades en los seres humanos. Estos patógenos incluyen, entre otros, el virus de la hepatitis B, el virus de la inmunodeficiencia humana, el virus de la hepatitis C y la sífilis.

Periodo de incubación Periodo entre la exposición a un organismo y los primeros síntomas de la enfermedad, durante el cual el organismo se multiplica dentro del cuerpo y empieza a producir síntomas.

Periodo transmisible Periodo durante el cual una persona infectada puede transmitir una enfermedad transmisible a otra persona.

Piojos Insectos parásitos diminutos y sin alas que se alimentan de sangre; una infestación se propaga con facilidad a través del contacto personal cercano. Hay piojos de la cabeza, del cuerpo y públicos.

Portadores Personas que albergan un agente infeccioso y, aunque no estén personalmente enfermas, pueden transmitir la enfermedad a otros a través de su sangre y del contacto sexual.

Precauciones basadas en la transmisión Precauciones que van más allá de las estándar y que están diseñadas para interrumpir vías específicas de transmisión de enfermedades; los tres tipos son por vía aérea, por gotas y por contacto. Pueden utilizarse solas o en combinación; siempre se utilizan junto con las precauciones estándar.

Precauciones contra las gotas Uso de una mascarilla quirúrgica en el paciente y precauciones aéreas para evitar la transmisión de gotas; se utiliza en pacientes con posible influenza, meningitis, tosferina, paperas, rubéola (sarampión alemán), Ébola y COVID-19; también se denomina "control de la fuente".

Kit de preparación continuación

Precauciones de contacto Uso de precauciones (guantes, bata y limpieza de los objetos que se tocan con frecuencia) para evitar la transmisión por contacto; se utiliza en pacientes que presentan heridas que drenan, infecciones multirresistentes, piojos, norovirus o Ébola.

Precauciones de transmisión aérea Colocación de una mascarilla quirúrgica al paciente y uso de medidas de flujo de aire para prevenir la transmisión aérea; se aplican a las infecciones que se propagan por exposición a gotas respiratorias compuestas de pequeñas gotas y partículas que pueden viajar a grandes distancias, por lo regular 2 m (6 pies) o más, antes de caer al suelo.

Precauciones estándar Término utilizado actualmente para describir las prácticas de control de infecciones que reducen la posibilidad de que se produzca una exposición en la atención diaria de los pacientes; considera que todas las sustancias corporales, excepto el sudor, presentan un posible riesgo. Sustituyó a los antiguos términos "precauciones universales" y "aislamiento de sustancias corporales" en 2005.

Procedimientos generadores de aerosoles Procedimientos que pueden aumentar el número y la carga de gotas procedentes del paciente. Algunos ejemplos son la intubación y la aspiración o la realización de una reanimación boca a boca.

Protozoos Organismos eucariotas unicelulares, por lo regular microscópicos, como amebas, ciliados, flagelados y esporozoos; un tipo de parásito.

Prueba cutánea de tuberculina Prueba para determinar si una persona ha estado infectada de tuberculosis.

Rabia Infección mortal del sistema nervioso central causada por la mordedura de un animal infectado por el virus de la rabia.

Representante designado para el control de infecciones (RDCI) Persona encargada de garantizar que un empleado o voluntario expuesto reciba el tratamiento médico y el asesoramiento adecuados posterior a la exposición.

Resistencia del huésped Capacidad de una persona para luchar contra la infección.

Rubéola Enfermedad viral similar al sarampión, más conocida por la característica erupción roja en la piel; no es tan infecciosa ni grave como el sarampión.

Sarampión Enfermedad viral infecciosa que suele aparecer a finales del invierno y en primavera. Comienza con fiebre, conjuntivitis y coriza (rinitis aguda); aparición de tos y una erupción rojiza que se extiende desde la cabeza hasta el tronco y las extremidades inferiores.

Sarna Infestación de la piel por el ácaro *Sarcoptes scabiei*; se propaga rápidamente con el contacto piel con piel.

Sepsis Disfunción orgánica potencialmente mortal causada por una respuesta desregulada del huésped a la infección.

Seropositivo Análisis de sangre positivo para un agente infeccioso, como el virus de la inmunodeficiencia humana o los virus de la hepatitis B o C.

Shock séptico Sepsis acompañada de anormalidades circulatorias y celulares/metabólicas lo bastante profundas como para aumentar de manera sustancial la mortalidad.

Sífilis Infección de transmisión sexual causada por la bacteria en forma de espiral *Treponema pallidum*; los signos y síntomas incluyen una lesión ulcerosa o chancro de la piel o mucosa en el lugar de la infección, por lo regular en la región genital.

Síndrome de inmunodeficiencia adquirida (SIDA) Proceso de enfermedad en fase terminal causado por el virus de la inmunodeficiencia humana; provoca una vulnerabilidad extrema a numerosas infecciones bacterianas, virales y fúngicas oportunistas que no afectarían a una persona con un sistema inmunológico intacto.

Síndrome respiratorio agudo severo (SRAS) Infección viral potencialmente mortal que suele empezar con síntomas parecidos a los de una influenza.

Síndrome respiratorio de Oriente Medio (MERS, por sus siglas en inglés) Enfermedad originaria de la península arábiga que se transmite por contacto estrecho con orina o secreciones nasales, leche o carne de camello. Los síntomas incluyen fiebre, tos,

Kit de preparación continuación

dificultad para respirar y trastornos gastrointestinales; los proveedores de atención médica deben tomar precauciones estándar, de contacto y de transmisión aérea.

Sistemas sin aguja Dispositivos que no utilizan agujas para la recolección de fluidos corporales o la extracción de fluidos corporales una vez establecido el acceso venoso o arterial inicial, la administración de medicamentos o fluidos, o cualquier otro procedimiento que implique la posibilidad de exposición profesional a patógenos transmitidos por la sangre a través de heridas percutáneas provocadas por objetos punzocortantes contaminados.

Staphylococcus aureus Cepa bacteriana que se ha hecho resistente a la meticilina, creando una nueva cepa; los síntomas incluyen infecciones de tejidos blandos y posibles abscesos cutáneos localizados y celulitis, empiema y endocarditis.

Tétanos Enfermedad causada por esporas que penetran en el organismo a través de una herida punzante contaminada con heces de animales, polvo de la calle o tierra, o a través de drogas callejeras contaminadas; los signos y síntomas comienzan en el lugar de la herida, seguidos de contracciones musculares dolorosas en los músculos del cuello, la cara, la mandíbula y el tronco.

Tosferina Enfermedad transmisible aguda causada por la bacteria *Bordetella pertussis* y caracterizada por una fase catarral, seguida de una tos paroxística que termina en una inspiración ferina; también llamada tos convulsiva.

Transmisión aérea Transmisión de un agente infeccioso por inhalación de pequeñas partículas que se convierten en aerosol cuando la persona infectada tose, estornuda, habla o exhala; las partículas pueden permanecer suspendidas en el aire durante algún tiempo y desplazarse 2 m (6 pies) o más.

Transmisión por contacto Transmisión de un agente infeccioso a través del contacto directo o indirecto con las personas infectadas, como el contacto piel con piel o el contacto con el entorno o el equipo del paciente.

Transmisión por gotas Transmisión de un agente infeccioso a través de la exposición a gotas y partículas grandes y pequeñas generadas cuando una persona infectada tose o estornuda, que por lo general recorren 2 m (6 pies) o menos antes de caer al suelo.

Tricomoniasis Infección parasitaria causada por *Trichomonas vaginalis*, un parásito unicelular que se transmite por contacto sexual.

Tuberculosis (TB) Infección que puede evolucionar a una enfermedad caracterizada por tos persistente durante más de 3 semanas y uno o más de los siguientes síntomas: sudoración nocturna, dolor de cabeza, fiebre, fatiga, pérdida de peso, hemoptisis, ronquera o dolor torácico.

Vacunaciones Inoculaciones con una vacuna, en general por inyección o inhalación, para provocar la inmunidad de una persona a una enfermedad específica.

Vacunas Productos formulados para producir inmunidad introduciendo en el organismo un virus muerto o debilitado contra el que el sistema inmunológico produce anticuerpos.

Vaginosis bacteriana Crecimiento excesivo de bacterias en la vagina, caracterizado por comezón, ardor o dolor, que puede ir acompañado de un flujo maloliente con olor a pescado.

Varicela zóster Enfermedad muy contagiosa causada por el virus de la varicela zóster, que pertenece a la familia de los herpesvirus, y que se produce con mayor frecuencia en invierno y a principios de primavera; también se denomina varicela.

Vector Organismo que alberga agentes patógenos inofensivos para él, pero que causan enfermedades cuando se transmiten a un huésped humano.

Verrugas genitales Verrugas causadas por el virus del papiloma humano, una infección de transmisión sexual; también llamadas condilomas acuminados o verrugas venéreas.

Vesículas Pequeños sacos llenos de líquido; pequeñas ampollas.

Virulencia Capacidad de un organismo de invadir y provocar una enfermedad en un huésped; también se refiere a la capacidad de un organismo de sobrevivir fuera del huésped vivo.

Virus Pequeños organismos que solo pueden multiplicarse en el interior de un huésped, como el ser humano, y causar enfermedades.

Kit de preparación continuación

Virus de la inmunodeficiencia humana (VIH) Virus que puede provocar el síndrome de inmunodeficiencia adquirida; las células del sistema inmunológico mueren o resultan dañadas, por lo que el organismo es incapaz de luchar contra las infecciones y determinados cánceres.

Virus del Nilo Occidental (VNO) Tipo de virus transmitido por mosquitos. Suele causar una enfermedad leve en el ser humano, pero puede provocar encefalitis, meningitis y muerte; los síntomas, si los hay, incluyen fiebre, dolor de cabeza, fatiga, debilidad, dolor en las articulaciones, vómito, diarrea o erupción cutánea.

Virus del papiloma humano (VPH) La infección de transmisión sexual más común, que puede causar verrugas genitales y algunos tipos de cáncer.

Zika Tipo de virus transmitido por el mosquito *Aedes aegypti*; la mayoría de las personas infectadas es asintomática. La transmisión puede producirse de una madre infectada a su feto y de un hombre infectado a sus parejas sexuales; se relaciona con la aparición del síndrome de Guillain-Barré.

Zoonótica Se refiere a enfermedades infecciosas de los animales que pueden transmitirse a los humanos y causar enfermedades.

Referencias

1. Infectious Diseases and Circumstances Relevant to Notification of Emergency Response Employees: Implementation of Sec. 2695 of the Ryan White HIV/AIDS Treatment Extension Act of 2009, March, 2020. Infectious diseases and circumstances relevant to notification requirements. Centers for Disease Control and Prevention website. https://www.cdc.gov/niosh/docs/2020-119/default.html. Consultada el 22 de marzo de 2021.
2. Centers for Disease Control and Prevention. Notes from the field: occupationally acquired HIV infection among health care workers—United States, 1985–2013. *MMWR*. 2015;63(53):1245-1246.
3. Recommended work restrictions for communicable diseases in health care workers. Association of Occupational Health Professionals in Healthcare website. https://aohp.org/aohp/Portals/0/Documents/MemberServices/templateandform/WR4CD-HCW.pdf. Publicada el 24 de octubre de 2014. Consultada el 22 de marzo de 2021.
4. Science brief: SARS-CoV-2 and potential airborne transmission. Centers for Disease Control and Prevention website. https://www.cdc.gov/coronavirus/2019-ncov/science/science-briefs/scientific-brief-sars-cov-2.html. Actualizada el 5 de octubre de 2020. Consultada el 10 de abril de 2021.
5. Dbouk T, Drikakis D. On coughing and airborne droplet transmission to humans. *Phys Fluids*. https://aip.scitation.org/doi/10.1063/5.0011960. Publicada el 19 de mayo de 2020. Consultada el 6 de diciembre de 2020.
6. I. Review of scientific data regarding transmission of infectious agents in healthcare settings. Centers for Disease Control and Prevention website. https://www.cdc.gov/infectioncontrol/guidelines/isolation/scientific-review.html. Revisada el 22 de julio de 2019. Consultada el 7 de julio de 2021.
7. How fast is a sneeze versus a cough? Cover your mouth either way. American Lung Association website. https://www.lung.org/blog/sneeze-versus-cough. Actualizada el 9 de abril de 2020. Consultada el 10 de abril de 2021.
8. Transmission-based precautions. Centers for Disease Control and Prevention website. https://www.cdc.gov/infectioncontrol/basics/transmission-based-precautions.html. Revisada el 6 de enero de 2016. Consultada el 10 de abril de 2021.
9. Interim guidance for emergency medical services (EMS) systems and 9-1-1 public safety answering points (PSAPs) for management of patients under investigation (PUIs) for Ebola virus disease (EVD) in the United States. Centers for Disease Control and Prevention website. http://www.cdc.gov.vhf/ebola/hep/interim-guidance-emergency-medical-services-systems. Actualizada el 10 de septiembre de 2015. Consultada el 22 de marzo de 2021.
10. Handwashing: clean hands save lives. Centers for Disease Control and Prevention website. https://www.cdc.gov/handwashing/when-how-handwashing.html. Última revisión el 24 de noviembre de 2020. Consultada el 22 de marzo de 2021.
11. Bucher J, Donovan C, Ohman-Strickland P, McCoy J. Hand washing practices among emergency medical services providers. *Western J Emerg Med*. 2015;16(5): 727-735. doi:10.5811/westjem.2015.7.25917.
12. Teter J, Millin MG, Bissell R. Hand hygiene in emergency medical services. *Prehosp Emerg Care*. 2015;19(2): 313-319. doi:10.3109/10903127.2014.967427.
13. Centers for Disease Control and Prevention. Immunization of health-care personnel: recommendations of the Advisory Committee on Immunization Practices (ACIP), 2011. *MMWR*. 2011;60(7):1-72
14. OSHA Act 1970 General Duty Clause. US Department of Labor, Occupational Safety and Health Administration website. https://www.osha.gov/laws-regs/oshact/section5-duties. Consultada el 22 de marzo de 2021.

Kit de preparación continuación

15. National Fire Protection Association. *NFPA 1581: Standard on Fire Department Infection Control Program.* Quincy, MA: National Fire Protection Association; 2015.
16. Hand hygiene in healthcare settings. Centers for Disease Control and Prevention website. https://www.cdc.gov/handhygiene/index.html. Revisada el 30 de enero de 2020. Consultada el 22 de marzo de 2021.
17. N95 respirators and surgical masks. Centers for Disease Control and Prevention website. https://blogs.cdc.gov/niosh-science-blog/2009/10/14/n95. Consultada el 22 de marzo de 2021.
18. Ang B, Fong Poh B, Win Kyaw M, A Chow. Surgical masks for protection of health care personnel against pandemic novel swine-origin influenza A (H1N1)–2009: results from an observational study. *Clin Infect Dis.* 2010;50(7):1011-1014
19. Influenza (flu): prevention strategies for seasonal influenza in healthcare settings. Centers for Disease Control and Prevention website. https://www.cdc.gov/flu/professionals/infectioncontrol/healthcaresettings.htm. Última revisión 30 de octubre de 2018. Consultada el 22 de marzo de 2021.
20. Diaz K, Smaldone GC. Quantifying exposure risk: surgical mask and respirators, *Am J Infect Control.* 2010;38(7):501-508. doi:10.1016/j.ajic.2010.06.002.
21. Loeb M, Dafoe N, Mahoney J, et al. Surgical mask vs N95 respirator for preventing influenza among health care workers. *JAMA.* 2009;302(17):1865-1871. doi:10.1001/jama.2009.1466.
22. Standard interpretations. US Department of Labor, Occupational Safety and Health Administration website. https://www.osha.gov/laws-regs/standardinterpretations/publicationdate/currentyear. Consultada el 22 de marzo de 2021.
23. Waseem M. Body fluid exposures. https://emedicine.medscape.com/article/782611-overview. Actualizada el 19 de junio de 2019. Consultada el 22 de marzo de 2021.
24. Occupational and safety health standards. US Department of Labor, Occupational Safety and Health Administration website. https://www.osha.gov/pls/oshaweb/owastand.display_standard_group?p_part_number=1910&p_toc_level=1. Consultada el 23 de marzo de 2021.
25. Stop sticks campaign. Centers for Disease Control and Prevention website. https://www.cdc.gov/nora/councils/hcsa/stopsticks/default.html. Consultada el 23 de marzo de 2021.
26. PL 106-430: Needlestick Safety and Prevention Act. US Government Publishing Office website. https://www.govinfo.gov/content/pkg/PLAW-106publ430/html/PLAW-106publ430.htm. Consultada el 23 de marzo de 2021.
27. Bloodborne pathogen exposure. Centers for Disease Control and Prevention website. https://www.cdc.gov/niosh/docs/2007-157/default.html. Consultada el 17 de agosto de 2021.
28. Bloodborne pathogen exposure incidents. US Department of Labor, Occupational Safety and Health Administration website. https://www.osha.gov/OshDoc/data_BloodborneFacts/bbfact04.html. Consultada el 23 de marzo de 2021.
29. Enforcement procedures for the occupational exposure to bloodborne pathogens. CPL 02-02.069: November 27, 2001; paragraph (d)(3)(ii). US Department of Labor, Occupational Safety and Health Administration website. https://www.osha.gov/pls/oshaweb/owadisp.show_document?p_table=directives&p_id=2570. Consultada el 23 de marzo de 2021.
30. Assistant Secretary for Preparedness and Response, US Department of Health and Human Services. *EMS Infectious Disease Playbook.* EMS.gov website. https://www.ems.gov/pdf/ASPR-EMS-Infectious-Disease-Playbook-June-2017.pdf. Consultada el 10 de abril de 2021.
31. Centers for Disease Control and Prevention. Vital signs: epidemiology of sepsis. Prevalence of health care factors and opportunities for prevention. *MMWR.* 2016;65(33):864-869.
32. Rhodes A, Evans L, Alhazzani W, et al. Surviving Sepsis Campaign: international guidelines for management of sepsis and septic shock: 2016. *Crit Care Med.* 2017;45(3):486-552.
33. Lamontagne F, Harrison DA, Rowan KM. qSOFA for identifying sepsis among patients with infection. *JAMA.* 2017;317(3):267-268. doi:10.1001/jama.2016.19684.
34. Centers for Disease Control and Prevention. Prevention and control of meningococcal disease: recommendations of the Advisory Committee on Immunization Practices (ACIP). *MMWR.* 2013;62(2):1-22
35. The 2009 H1N1 pandemic: summary highlights, April 2009–April 2010. Centers for Disease Control and Prevention website. https://cdc.gov/h1n1flu/cdcresponse.htm. Consultada el 23 de marzo de 2021.
36. Estimated influenza illnesses, medical visits, hospitalizations, and deaths in the United States—2018–2019 influenza season. Centers for Disease Control and Prevention website. https://www.cdc.gov/flu/about/burden/2018-2019.html. Consultada el 23 de marzo de 2021.
37. Pertussis: summary of vaccine recommendations. Centers for Disease Control and Prevention website. https://www.cdc.gov/vaccines/vpd/pertussis/recs-summary.html. Consultada el 23 de marzo de 2021.
38. Mumps cases and outbreaks. Centers for Disease Control and Prevention website. https://www.cdc.gov/mumps/outbreaks.html. Consultada el 29 de marzo de 2021.
39. Mumps. Centers for Disease Control and Prevention website. https://www.cdc.gov/mumps/hcp.html. Consultada el 23 de marzo de 2021.
40. Rubella (German measles, three-day measles). Centers for Disease Control and Prevention website. https://www.

Kit de preparación continuación

cdc.gov/rubella/about/in-the-us.html. Consultada el 23 de marzo de 2021.

41. Rubella (German measles, three-day measles): for healthcare professionals. Centers for Disease Control and Prevention website. https://www.cdc.gov/rubella/hcp.html. Revisada el 31 de diciembre de 2020. Consultada el 23 de marzo de 2021.
42. Modes of transmission of virus causing COVID-19: implications for ICP precaution recommendations: scientific brief. World Health Organization website. https://www.who.int/publications/i/item/modes-of-transmission-of-virus-causing-covid-19-implications-for-ipc-precaution-recommendations. 29 de marzo de 2020. Consultada el 25 de marzo de 2021.
43. Science brief: SARS-CoV-2 and surface (fomite) transmission for indoor community environments. Centers for Disease Control and Prevention website. https://www.cdc.gov/coronavirus/2019-ncov/more/science-and-research/surface-transmission.html. Actualizada el 5 de octubre de 2020. Consultada el 11 de abril de 2021.
44. Coronavirus disease (COVID-19): ventilation and air conditioning in public spaces and buildings. World Health Organization; July 29, 2020. https://www.who.int/news-room/q-a-detail/coronavirus-disease-covid-19-ventilation-and-air-conditioning-in-public-spaces-and-buildings. Actualizada el 2 de marzo de 2021. Consultada el 25 de marzo de 2021.
45. Centers for Disease Control and Prevention. Tuberculosis trends—United States, 2014. *MMWR.* 2015;64(10): 265-269.
46. Health disparities in HIV/AIDS, viral hepatitis, STDs, and TB. Centers for Disease Control and Prevention website. https://www.cdc.gov/nchhstp/healthdisparities/asians.html. Consultada el 23 de marzo de 2021.
47. Tuberculosis: drug-resistant TB. Centers for Disease Control and Prevention website. https://www.cdc.gov/tb/topic/drtb/default.htm. Consultada el 23 de marzo de 2021.
48. Tuberculosis screening, testing, and treatment of U.S. health care personnel: recommendations from the National Tuberculosis Controllers Association and CDC, 2019. *MMWR.* 2019;68(19):439-443.
49. Enforcement procedures and scheduling for occupational exposure to tuberculosis. US Department of Labor, Occupational Safety and Health Administration website. https://www.osha.gov/OshDoc/Directive_pdf/CPL_02-02-078.pdf. Consultada el 23 de marzo de 2021.
50. TB elimination: treatment options for latent tuberculosis infection. Centers for Disease Control and Prevention website. https://www.cdc.gov/tb/publications/factsheets/treatment/ltbitreatmentoptions.pdf. Consultada el 23 de marzo de 2021.
51. Chickenpox (varicella): outbreak identification, investigation, and control. Centers for Disease Control and Prevention website. http://www.cdc.gov/chickenpox/outbreaks.html. Consultada el 23 de marzo de 2021.
52. Centers for Disease Control and Prevention. Measles—United States, January 4–April 2, 2015. *MMWR.* 2015;64(14):373-376.
53. Vaccines and preventable diseases: measles, mumps, rubella (MMR) vaccination—what everyone should know. Centers for Disease Control and Prevention website. https://www.cdc.gov/vaccines/vpd/mmr/public/index.html. Consultada el 24 de marzo de 2021.
54. Immunization schedules: child and adolescent schedule. Centers for Disease Control and Prevention. https://www.cdc.gov/vaccines/schedules/hcp/imz/child-adolescent.html. Consultada el 23 de marzo de 2021.
55. Epstein-Barr virus and infectious mononucleosis: about infectious mononucleosis. Centers for Disease Control and Prevention website. https://www.cdc.gov/Epstein-barr/about-mono.html. Consultada el 24 de marzo de 2021.
56. NCHHSTP newsroom: new CDC report: STDs continue to increase in the U.S. Centers for Disease Control and Prevention website. https://www.cdc.gov/nchhstp/newsroom/2019/2018-STD-surveillance-report-press-release.html. Edición del 8 de octubre, 2019. Consultada el 24 de marzo de 2021..
57. 2015 STD surveillance report press release. Centers for Disease Control and Prevention website. https://www.cdc.gov/nchhstp/newsroom/2016/std-surveillance-report-2015-press-release.html. Actualizada el 19 de octubre de 2016. Consultada el 24 de marzo de 2021.
58. Chlamydia: chlamydia—CDC fact sheet. Centers for Disease Control and Prevention website. https://www.cdc.gov/std/chlamydia/stdfact-chlamydia-detailed.htm. Consultada el 24 de marzo de 2021.
59. Centers for Disease Control and Prevention. Sexually transmitted diseases treatment guidelines, 2015: recommendations and reports. *MMWR.* 2015;64(3):1-137.
60. Trichomoniasis: CDC fact sheet. Centers for Disease Control and Prevention website. https://www.cdc.gov/std/trichomonas/stdfact-trichomoniasis.htm. Consultada el 24 de marzo de 2021.
61. Leifer G. Reproductive anatomy and physiology. En: *Maternity Nursing: An Introductory Text.* 11th ed. St. Louis, MO: Saunders; 2012:16-28.
62. Viral hepatitis—hepatitis B information: the ABCs of hepatitis fact sheet. Centers for Disease Control and Prevention website. https://www.cdc.gov/hepatitis/hbv/profresourcesb.htm. Consultada el 22 de marzo de 2021.
63. Viral hepatitis—hepatitis B information: hepatitis B questions and answers for health professionals. Centers for Disease Control and Prevention website. https://www.cdc.gov/hepatitis/hbv/hbvfaq.htm#overview. Consultada el 24 de marzo de 2021.
64. Hepatitis B: fact sheet. World Health Organization website. https://www.who.int/news-room/fact-sheets/detail/hepatitis-b. Actualizada en julio de 2020. Consultada el 24 de marzo de 2021.

Kit de preparación continuación

65. Heplisav-B (HepB-CpG) vaccine. Centers for Disease Control and Prevention website. https://www.cdc.gov/vaccines/schedules/vacc-updates/heplisav-b.html. Revisada el 24 de abril de 2018. Consultada el 10 de abril de 2021.
66. Viral hepatitis—hepatitis C information: hepatitis C questions and answers. Centers for Disease Control and Prevention website. https://www.cdc.gov/hepatitis/hcv/cfaq.htm. Consultada el 24 de marzo de 2021.
67. Tsoulfas G, Goulis I, Giakoustidis D, et al. Hepatitis C and liver transplantation. *Hippokratia*. 2009;13(4):211-215
68. Centers for Disease Control and Prevention. Recommendations for prevention and control of hepatitis C virus (HCV) infection and HCV-related chronic disease. *MMWR*. 1998;47(19):1-39.
69. Hosoqlu S, MK Celen, S Akalin, et al. Transmission of hepatitis C by blood splash into conjunctiva in a nurse. *Am J Infect Control*. 2003;31(8):502-504.
70. Hepatitis C and tattoos. Hepatitis Central website. www.hepatitiscentral.com/hcv/hepatitis/tattoos/. Consultada el 24 de marzo de 2021.
71. Viral hepatitis—hepatitis C information: hepatitis C questions and answers for the public. Centers for Disease Control and Prevention website. https://www.cdc.gov/hepatitis/hcv/cfaq.htm. Consultada el 24 de marzo de 2021.
72. Healthcare Infection Control Practices Advisory Committee (HICPAC). Guideline for disinfection and sterilization in healthcare facilities, 2008. Centers for Disease Control and Prevention website. https://www.cdc.gov/hicpac/disinfection_sterilization/6_0disinfection.html. Consultada el 24 de marzo de 2021.
73. Interpretation of results of tests for hepatitis C virus (HCV) infection and further actions. Centers for Disease Control and Prevention website. https://www.cdc.gov/hepatitis/hcv/HCVTestResults-InterpretationAndActions.htm. Revisada el 2 de mayo de 2019. Consultada el 30 de marzo de 2021.
74. Viral hepatitis and liver disease. U.S. Department of Veterans Affairs website. https://www.hepatitis.va.gov/patient/hcv/testing/time-required-to-test-positive.asp. Consultada el 24 de marzo de 2021.
75. HIV: basic statistics. Centers for Disease Control and Prevention website. https://www.cdc.gov/hiv/basics/statistics.html. Consultada el 24 de marzo de 2021.
76. Fact sheet November 2020 global HIV & AIDS statistics. UNAIDS website. www.unaids.org/en/resources/fact-sheet. Consultada el 24 de marzo de 2021.
77. Centers for Disease Control and Prevention. Final 2015 reports of nationally notifiable infectious diseases and conditions. *MMWR*. 2016;65(46):1306-1321.
78. Centers for Disease Control and Prevention. Revised recommendations for HIV screening of pregnant women. *MMWR*. 2001;50(19)59-86.
79. Guidelines for the use of antiretroviral agents in adults and adolescents with HIV. Clinical Info HIV.gov. https://clinicalinfo.hiv.gov/sites/default/files/guidelines/documents/AdultandAdolescentGL.pdf. Consultada el 18 de diciembre de 2019. Consultada el 24 de marzo de 2021.
80. Final recommendation statement. Human immunodeficiency virus (HIV) infection: screening. US Preventive Services Task Force. https://www.uspreventiveservicestaskforce.org/uspstf/recommendation/human-immunodeficiency-virus-hiv-infection-screening. Publicada el 11 de junio de 2019. Consultada el 24 de marzo de 2021.
81. Centers for Disease Control and Prevention. Notes from the field: occupationally acquired HIV infection among health care workers—United States, 1985-2013. *MMWR*. 2015;63(53):1245-1246.
82. Centers for Disease Control and Prevention. Updated US Public Health Service guidelines for the management of occupational exposures to HBV, HCV, and HIV and recommendations for postexposure prophylaxis. *MMWR*. 2001;50(11):1-42.
83. Centers for Disease Control and Prevention. *Updated U.S. Public Health Service Guidelines for the Management of Occupational Exposures to Human Immunodeficiency Virus and Recommendations for Postexposure Prophylaxis*. Chicago, IL: University of Chicago Press; July 6, 2015. https://npin.cdc.gov/publication/updated-us-public-health-service-guidelines-management-occupational-exposures-human. Consultada el 24 de marzo de 2021.
84. Lookingbill DP, Marks JG. *Principles of Dermatology*. 3rd ed. Philadelphia, PA: Saunders; 2000.
85. Nematodes. En: MurrayPR, RosenthalKS, PfallerMA, eds. *Medical Microbiology*. 6th ed. St. Louis, MO: Mosby; 2009:853-870.
86. Parasites—hookworm: hookworm FAQs. Centers for Disease Control and Prevention website. https://www.cdc.gov/parasites/hookworm/gen_info/faqs.html Consultada el 24 de marzo de 2021.
87. Parasites—enterobiasis (also known as pinworm infection): pinworm infection FAQs. Centers for Disease Control and Prevention website. https://www.cdc.gov/parasites/pinworm/gen_info/faqs.html. Consultada el 24 de marzo de 2021.
88. Parasites—bed bugs: bed bugs FAQs. Centers for Disease Control and Prevention website. https://www.cdc.gov/parasites/bedbugs/faqs.html. Consultada el 24 de marzo de 2021.
89. Ebola—Ebola virus disease: interim guidance for emergency medical services (EMS) systems and 9-1-1 public safety answering points (PSAPs) for management of patients under investigation (PUIs) for Ebola virus disease (EVD) in the United States. Centers for Disease Control and Prevention website. https://www.cdc.gov/vhf/ebola/healthcare-us/emergency-services/ems-systems.html. Actualizada el 10 de septiembre de 2015. Consultada el 24 de marzo de 2021.

Kit de preparación continuación

90. Rooney BL, Pettipas J, Grudeski E, et al. Detection of circulating norovirus genotypes: hitting a moving target. *Virol J.* 2014;11:129. doi:10.1186/1743-422X-11-129.
91. Viral hepatitis—hepatitis E information: hepatitis E questions and answers for health professionals. CDC website. Centers for Disease Control and Prevention website. https://www.cdc.gov/hepatitis/hev/hevfaq.htm. Consultada el 24 de marzo de 2021.
92. West Nile virus: transmission. Centers for Disease Control and Prevention website. https://www.cdc.gov/westnile/transmission/index.html. Consultada el 24 de marzo de 2021.
93. West Nile virus. Centers for Disease Control and Prevention website. https://www.cdc.gov/westnile/index.html. Consultada el 24 de marzo de 2021.
94. Dengue: dengue in the US states and territories. Centers for Disease Control and Prevention website. https://www.cdc.gov/dengue/areaswithrisk/in-the-us.html. Consultada el 24 de marzo de 2021.
95. Dengue vaccine. Centers for Disease Control and Prevention website. https://www.cdc.gov/dengue/prevention/dengue-vaccine.html. Revisada el 23 de septiembre de 2010. Consultada el 10 de abril de 2021.
96. Chikungunya virus. Centers for Disease Control and Prevention website. https://www.cdc.gov/chikungunya/geo/united-states-2019.html. Revisada el 2 de diciembre de 2020. Consultada el 10 de abril de 2021.
97. National Institute of Allergy and Infectious Diseases. Experimental chikungunya vaccine is safe and well-tolerated in early trials. National Institutes of Health website. https://www.niaid.nih.gov/news-events/experimental-chikungunya-vaccine-safe-and-well-tolerated-early-trial. Publicada el 17 de abril de 2020. Consultada el 10 de abril de 2021.
98. Statistics and maps. Centers for Disease Control and Prevention website. https://www.cdc.gov/zika/reporting/index.html. Revisada el 3 de marzo de 2021. Consultada el 10 de abril de 2021.
99. Zika virus: symptoms. Centers for Disease Control and Prevention website. https://www.cdc.gov/zika/symptoms/symptoms.html. Consultada el 24 de marzo de 2021.
100. Epidemiology and statistics: Rocky Mountain spotted fever (RMSF). Centers for Disease Control and Prevention. https://www.cdc.gov/rmsf/stats/index.html. Última revisión el 7 de abril de 2020. Consultada el 24 de marzo de 2021.
101. Hantavirus: hantavirus disease, by state of reporting. Centers for Disease Control and Prevention website. https://www.cdc.gov/hantavirus/surveillance. Consultada el 24 de marzo de 2021.
102. Rabies: rabies in the U.S. Centers for Disease Control and Prevention website. https://www.cdc.gov/rabies/location/usa/index.html. Consultada el 24 de marzo de 2021.
103. Tetanus: surveillance. Centers for Disease Control and Prevention website. https://www.cdc.gov/tetanus/surveillance.html. Consultada el 24 de marzo de 2021.
104. Malani PN. National burden of invasive methicillin-resistant *Staphylococcus aureus* infection. *JAMA.* 2014;311(14):1438-1439. doi:10.1001/jama.2014.1666.
105. Methicillin-resistant *Staphylococcus aureus* (MRSA). Centers for Disease Control and Prevention website. https://www.cdc.gov/mrsa/tracking/index.html. Consultada el 24 de marzo de 2021.
106. Antibiotic use in the United States: progress and opportunities. Centers for Disease Control and Prevention; 2017. https://www.cdc.gov/antibiotic-use/stewardship-report/pdf/stewardship-report.pdf. Consultada el 24 de marzo de 2021.
107. Methicillin-resistant *Staphylococcus aureus* (MRSA): healthcare settings. Centers for Disease Control and Prevention website. https://www.cdc.gov/mrsa/healthcare/index.html. Consultada el 24 de marzo de 2021.
108. VRE has a domino effect among regional hospitals. Infection Control Today website. https://www.infectioncontroltoday.com/view/vre-has-domino-effect-among-regional-hospitals. Consultada el 24 de marzo de 2021.
109. New carbapenem-resistant Enterobacteriaceae warrant additional action by healthcare providers. Infectious Diseases Society of America website. http://www.idsociety.org/CDCHAN341.htm. 14 de febrero de 2013. Consultada el 24 de marzo de 2021.
110. Severe acute respiratory syndrome (SARS). Centers for Disease Control and Prevention website. https://www.cdc.gov/sars/about/fs-sars.html. Revisada el 8 de diciembre de 2018. Consultada el 10 de abril de 2021.
111. Highly pathogenic Asian avian influenza A (H5N1) virus. Centers for Disease Control and Prevention website. https://www.cdc.gov/flu/avianflu/h5n1-virus.htm. Revisada el 8 de diciembre de 2018. Consultada el 30 de marzo de 2021.

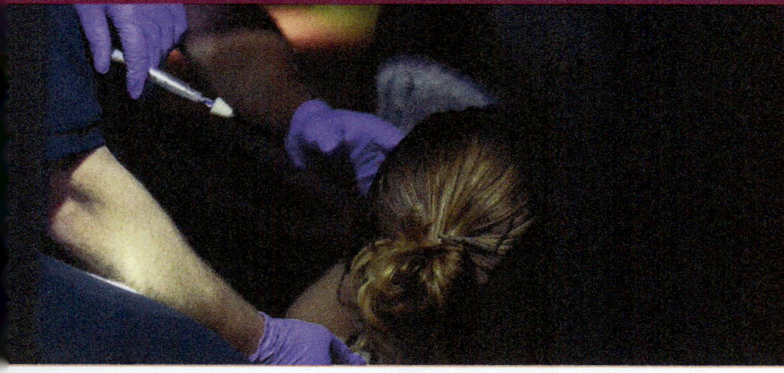

Capítulo 24

Toxicología

COMPETENCIAS DEL ESTÁNDAR NACIONAL DE EDUCACIÓN EN EL SEM

Medicina

Integra los resultados de la evaluación con los principios de epidemiología y fisiopatología para formular una impresión inicial e implementar un plan integral de tratamiento/disposición para un paciente con una afección médica.

Toxicología

Reconocimiento y manejo de
- Intoxicación por monóxido de carbono (pp. 1562-1563)
- Intoxicación por agentes nerviosos (pp. 1561-1562)

Cómo y cuándo contactar con un centro toxicológico. (pp. 1530-1531)

Anatomía, fisiología, fisiopatología, evaluación y manejo de:
- Tóxicos inhalados (pp. 1532-1534)
- Tóxicos ingeridos (pp. 1531-1532)
- Tóxicos inyectados (p. 1534)
- Tóxicos que se absorben por vía dérmica (pp. 1534-1535)
- Intoxicación alcohólica y síndrome de abstinencia (pp. 1545-1546)
- Toxidrome opioide (pp. 1535-1536)

Anatomía, fisiología, epidemiología, fisiopatología, impacto psicosocial, presentaciones, pronóstico y manejo de los siguientes toxidromes e intoxicaciones:
- Toxidrome colinérgico (p. 1536)
- Toxidrome anticolinérgico (p. 1536)
- Toxidrome simpaticomimético (p. 1536)
- Toxidrome hipnótico-sedantes (pp. 1554-1557)
- Toxidrome opioide (pp. 1557-1558)
- Toxidrome serotoninérgico (pp. 1536, 1576)
- Intoxicación alcohólica y síndrome de abstinencia (pp. 1545-1546)
- Intoxicación por medicamentos de venta libre y con prescripción médica (pp. 1531-1532, 1548-1549, 1576-1578)
- Intoxicación por monóxido de carbono (pp. 1562-1563)
- Intoxicación por sustancias psicoactivas ilícitas (pp. 1546-1554)
- Intoxicación por preparados a base de plantas (p. 1582)

OBJETIVOS COGNITIVOS

1. Definir toxicología, tóxico y sobredosis. (pp. 1528-1529)
2. Describir las vías de ingreso de las sustancias tóxicas en el organismo, incluidas la ingesta, la inhalación, la inyección y la vía dérmica. (pp. 1531-1535)
3. Explicar el uso adecuado del carbón activado, incluidas las situaciones en las que puede ser más beneficioso para el paciente. (pp. 1532, 1555-1556)
4. Explicar la importancia del conocimiento de la situación y de una correcta evaluación de la escena al responder a una emergencia toxicológica. (pp. 1533, 1539-1540, 1547)
5. Discutir los principales toxidromes y su aplicación en la evaluación y manejo de emergencias toxicológicas. (pp. 1535-1536)
6. Identificar los signos y síntomas comunes de las intoxicaciones. (p. 1537)

7. Discutir el abuso de sustancias y los conceptos asociados a ellas. (pp. 1535, 1538-1539)
8. Describir la evaluación y el tratamiento del paciente con sospecha de intoxicación o sobredosis. (pp. 1539-1542)
9. Reconocer el papel del manejo de la vía aérea en el paciente con sospecha de intoxicación o sobredosis. (p. 1540)
10. Identificar los principales tipos de tóxicos y toxinas y sus efectos. (pp. 1561-1562, 1579-1582)
11. Discutir las emergencias relacionadas con las intoxicaciones graves, incluido el trastorno por consumo de alcohol. (pp. 1542-1546)
12. Describir la evaluación y el tratamiento del paciente con sospecha de intoxicación por plantas u hongos. (p. 1579-1583)
13. Describir la evaluación y el tratamiento del paciente con sospecha de intoxicación alimentaria. (pp. 1583-1584)

OBJETIVOS DE DESTREZA

1. Demostrar los pasos en la evaluación y tratamiento del paciente con sospecha de intoxicación. (pp. 1561-1573)
2. Demostrar los pasos en la evaluación y tratamiento del paciente con sospecha de sobredosis. (pp. 1539-1540)

Introducción

Las emergencias toxicológicas son algunas de las situaciones más desafiantes a las que se enfrentará como paramédico. Las emergencias toxicológicas requieren un pensamiento crítico para identificar las sustancias implicadas, determinar el diagnóstico diferencial y formular un plan de tratamiento basado en la evolución clínica prevista del paciente. Las sustancias **lícitas** (legales) e **ilícitas** (ilegales) con frecuencia desempeñan un papel en las situaciones que se le presenten en la escena (**FIGURA 24-1**), incluso cuando el consumo de sustancias no sea el motivo principal de la llamada al 9-1-1. Una de las piedras angulares de la medicina de emergencias prehospitalaria es un conocimiento sólido de las diversas sustancias y medicamentos, así como de la farmacocinética (el proceso de los fármacos en el organismo a lo largo del tiempo incluye los procesos de absorción, distribución y eliminación). En este capítulo, se creará un conocimiento práctico de las sustancias comunes a las que los pacientes pueden haber estado expuestos y sus efectos. Esta base le permitirá iniciar el tratamiento adecuado de los pacientes con intoxicación o sobredosis por sustancias psicoactivas. Aunque las sustancias psicoactivas ilícitas como la heroína y la metanfetamina siguen siendo comunes en las calles, las oleadas de nuevas sustancias, químicamente modificadas también pueden estar abriéndose camino en su comunidad local.

En primer lugar, hay que definir algunos términos clave. La **toxicología** es el estudio de las sustancias tóxicas o venenosas. Un **tóxico** es una sustancia cuya acción química puede dañar estructuras o alterar funciones cuando se introduce en el organismo. Incluso una pequeña cantidad puede causar síntomas graves y la posible muerte. Por el contrario, un **fármaco** es una sustancia con efecto terapéutico (como reducir la inflamación, combatir las bacterias o producir euforia)

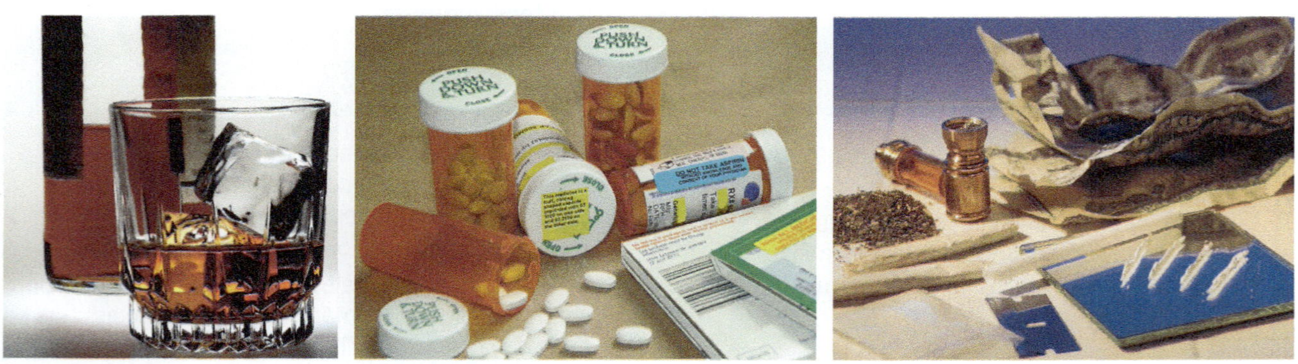

A B C

FIGURA 24-1 **A.** El alcohol es una sustancia psicoactiva lícita. **B.** Los medicamentos son sustancias lícitas de las que se puede hacer un mal uso. **C.** Las sustancias ilegales también pueden consumirse indebidamente.

A: © Ed Isaacs/Shutterstock; **B:** © Anne Kitzman/Shutterstock; **C:** © Comstock Images/Getty Images.

cuando se administra en las circunstancias y dosis adecuadas. Una **toxina** es una sustancia nociva producida por bacterias, animales o plantas. Una **sobredosis** se produce cuando una sustancia (lícita o ilícita) se toma en exceso. Una sobredosis puede ser una verdadera emergencia médica debido a los profundos efectos de la sustancia en el organismo.

> **Perlas de sabiduría**
>
> Un tóxico es siempre un tóxico, mientras que una sustancia lícita o ilícita puede intoxicar a una persona si se toma en exceso.

La *biodisponibilidad* es la cantidad de sustancia inalterada, expresada en porcentaje, que está presente en la circulación sistémica. La *vida media* describe el tiempo necesario para que una persona sana metabolice o elimine 50% de una sustancia en el plasma. La vida media de un fármaco suele expresarse en minutos, pero puede durar horas o incluso días. Por último, la *excreción* se utiliza para describir cómo se elimina un fármaco del organismo.

Tipos de emergencias toxicológicas

Las **emergencias toxicológicas** por lo general se clasifican en: intencionales y no intencionales. Según el *National Capital Poison Center*, 76.6% de todas las exposiciones a tóxicos reportadas en 2019 fueron no intencionales. Sin embargo, las exposiciones intencionales tuvieron 30 veces más probabilidades de presentar resultados graves (es decir, efectos importantes o fatales) que las exposiciones no intencionales.[1] Los analgésicos son la causa más común tanto de intoxicaciones en adultos como de muertes pediátricas. Las emergencias toxicológicas intencionales involucran con frecuencia a personas con depresión que pueden estar intentando suicidarse. El paciente puede haber ingerido varias sustancias, por lo que hay que ser minucioso en la entrevista y la evaluación. Los proveedores de los servicios de emergencias médicas (SEM), también se han encontrado con un aumento de las tasas de suicidios por sustancias químicas en los últimos años (discutido más adelante en este capítulo). Estas situaciones suponen una amenaza importante para usted y para otros respondedores que no son conscientes de la presencia de gases tóxicos en espacios confinados.

Las sobredosis intencionales también pueden desempeñar un papel en la sumisión química. Históricamente, medicamentos como el flunitrazepam (Rohypnol®) y el ácido gamma-hidroxibutirato (GHB) se han utilizado para facilitar las agresiones sexuales. Estos medicamentos pueden causar amnesia tanto anterógrada como retrógrada, por lo que la capacidad del paciente para recordar los acontecimientos de la agresión puede verse significativamente afectada. El flunitrazepam se trata más adelante en este capítulo. Por último, otro tipo de intoxicación intencional son los químicos utilizados para las guerras.

Una emergencia toxicológica no intencional puede ocurrir de muchas maneras, como negligencia, descuido, una reacción idiosincrática o confusiones en la prescripción y administración de medicamentos (Las reacciones idiosincráticas se tratan en el capítulo 10, *Principios de farmacología*). Por ejemplo, consideremos a un hombre mayor que olvida que ya ha tomado su dosis diaria de un betabloqueador, prescrito para controlar su hipertensión. Entonces toma una segunda dosis, que le hace sentirse débil y mareado,

> **USTED es el Paramédico**
>
> **PARTE 1**
>
> A las 14:30 horas, su unidad es enviada a una vivienda unifamiliar. El operador le informa que los familiares han encontrado una mujer inconsciente. Los bomberos se encuentran en la escena, pero no se ha enviado a ningún agente de seguridad. Cuando llegan, encuentran a una mujer de mediana edad recostada en la cama. La habitación está limpia y cuidada. Nada parece fuera de lugar ni sospechoso. Su primera exploración revela que la paciente apenas respira, pero tiene un pulso fuerte. La familia informa que la paciente tuvo una cirugía de espalda hace 4 días. La familia dice que la última vez que se le vio actuando normal fue hace 6 horas, cuando se recostó a dormir la siesta. La paciente tuvo problemas para dormir durante la noche anterior debido al dolor de espalda.
>
> 1. ¿Cuál es su primera impresión de esta paciente?
> 2. ¿Cuál es su prioridad en la atención de la paciente?

ya que su frecuencia cardíaca y su presión arterial descienden en respuesta al aumento de los niveles del medicamento en su organismo.

Debe ser capaz de descifrar la lista de medicamentos del paciente, prestando especial atención a cualquier medicamento nuevo o cambio en la posología. Compruebe si el paciente está tomando varios medicamentos, recetados por distintos médicos para la misma indicación. Es posible que el paciente no entienda que dos medicamentos similares, con nombres comerciales diferentes, como los betabloqueadores carvedilol (Coreg®) y metoprolol (Toprol XL®), podrían causar una peligrosa interacción farmacológica si se mezclan. Los cambios recientes en las políticas y procedimientos de las farmacias han intentado evitar estas situaciones. También deberá tener en cuenta los medicamentos de venta libre (OTC, *over-the-counter*), los remedios caseros y las terapias a base de hierbas para obtener un panorama completo de lo que ha estado tomando el paciente. La posibilidad de una sobredosis por polifarmacia (con varios medicamentos) debe tenerse en cuenta en cualquier emergencia toxicológica.

SEGURIDAD

Para evitar una intoxicación involuntaria en los pacientes, debe ser diligente en la administración de todos los medicamentos. Un simple error de cálculo, en el volumen o la dosis puede hacer que administre 10 mg de morfina a un paciente pediátrico en lugar de 1 mg como había previsto. Este error puede ser la diferencia entre el control terapéutico del dolor y la búsqueda rápida de un dispositivo bolsa-mascarilla para asistir al paciente con depresión respiratoria aguda. Siempre que sea posible, confirme las dosis de medicamentos pediátricos y de alto riesgo con otro profesional sanitario formado o con una fuente de referencia confiable.

Las intoxicaciones involuntarias son frecuentes en los niños. Cualquiera que haya pasado algún tiempo con niños sabe que exploran el mundo con la boca, lo que puede causar ingestas no intencionales (**FIGURA 24-2**). Desde bayas durante las vacaciones de invierno hasta las gomitas prenatales de colores brillantes, los niños pueden enfermar después de probar su nuevo tesoro.

Por último, pueden presentarse intoxicaciones involuntarias en el lugar de trabajo. Por ejemplo, durante sus tareas diarias, los empleados de una planta de ensamblaje de aviones pueden trabajar en varias zonas que contienen productos químicos, incluidos hidrocarburos y ácido fluorhídrico. Un paciente que experimente dificultad respiratoria podría haber estado expuesto a cualquiera de estas sustancias químicas, por lo que sería prudente realizar un reconocimiento exhaustivo del lugar de los hechos y una anamnesis, para ayudar a identificar los tóxicos y toxinas a las que pudo haber estado expuesto el paciente.

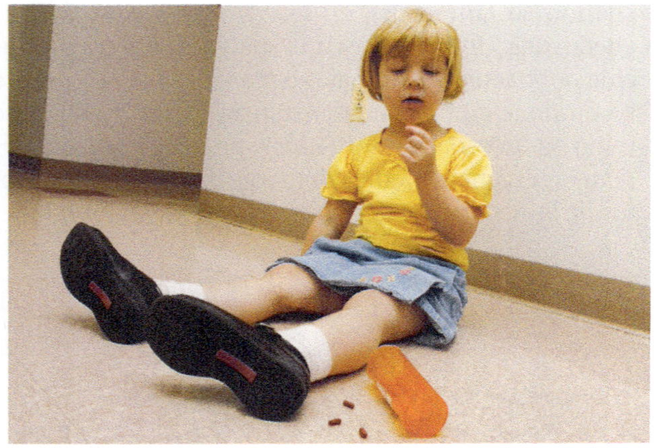

FIGURA 24-2 Un niño puede confundir pastillas de colores brillantes con caramelos. Esta exposición involuntaria puede provocar una enfermedad potencialmente mortal, incluso con la ingestión de pequeñas cantidades de la sustancia.

Centros de toxicología

Dada la variedad de sustancias ilícitas y el continuo crecimiento del uso indebido de medicamentos con receta, incluso a los paramédicos veteranos les puede resultar difícil mantenerse al día con las diversas sustancias que se venden en las calles hoy en día. Por este motivo, la *American Association of Poison Control Centers* (AAPCC) puede ser una ayuda indispensable. La *American Association of Poison Control Centers* apoya a los centros de control de intoxicaciones del país en sus esfuerzos por prevenir y tratar las exposiciones a tóxicos y toxinas. El número de teléfono del Centro de Toxicología en Estados Unidos (EU) es 1-800-222-1222 (disponible 24 horas al día, 7 días a la semana). Algunas aplicaciones para dispositivos móviles, como *Epocrates*, pueden ayudar a identificar formas farmacéuticas como tabletas o comprimidos, si se introduce información básica (tamaño, forma, color o marcas), el software puede ayudarle a reducir la lista de posibles medicamentos. El *National Capital Poison Center* dispone de una herramienta en línea y una aplicación en inglés para dispositivos móviles llamada webPOISONCONTROL, que pueden utilizar tanto los profesionales sanitarios como el personal que no es de la salud.

Supongamos que le llaman a una casa donde una madre frenética se encuentra sobre un niño que está sentado junto a un paquete vacío que contenía la medicación antipulgas del perro. ¿Es tóxico el medicamento? ¿Qué tan tóxico es? ¿Hay algún **antídoto** (algo que contrarreste el efecto del tóxico o toxina)? En tal caso, puede llamar al centro de toxicología y obtener un informe rápido sobre el riesgo de la ingestión, su potencial tóxico y las medidas para contrarrestar sus efectos. Con esta información, puede iniciar la atención adecuada del paciente mientras se pone en contacto con el control médico en línea, si es necesario para obtener órdenes o instrucciones específicas si van más allá de su alcance.

Los centros de toxicología son una verdadera mina de oro de información que debe añadir a su caja de herramientas de paramédico. Nunca dude en recurrir a estos recursos cuando se enfrente a un tóxico o toxina con el que esté poco o nada familiarizado. En caso de duda, ¡llame!

Al mismo tiempo, su llamada ayuda al personal del centro a recopilar datos sobre las intoxicaciones en su región. Estos datos pueden analizarse para ayudar a conocer tendencias, detectar problemas de salud pública en desarrollo y evaluar los protocolos actuales de tratamiento de las distintas intoxicaciones.

Perlas de sabiduría

El *National Capital Poison Center* se fundó en 1980 para ayudar a prevenir las intoxicaciones, limitar las lesiones por intoxicaciones y salvar vidas. La organización está acreditada por la *American Association of Poison Control Centers* y ofrece orientación por parte de especialistas certificados en intoxicaciones las 24 horas del día. Médicos toxicólogos certificados respaldan al equipo de especialistas y ayudan a gestionar cada caso.

Además de saber cómo ponerse en contacto con el *National Capital Poison Center*, familiarícese con la información sobre intoxicaciones disponible en el sitio web de *Disease Control and Prevention* (CDC). Este sitio web documenta las tendencias recientes y las estadísticas actuales para ayudar a los profesionales sanitarios a mantenerse informados.

Perlas de sabiduría

En toxicología, es importante observar y registrar todos los síntomas y signos clínicos del paciente. No subestime los cambios sutiles o los síntomas aparentemente benignos que pueda comunicar el paciente. Una documentación minuciosa puede ser la clave para determinar las sustancias a las que ha estado expuesto el paciente.

Fisiopatología

Vías de ingreso

Para que una sustancia haga efecto, primero debe entrar en el organismo. Los cuatro métodos principales de entrada son ingestión, inhalación, inyección y por vía dérmica. La velocidad a la que un tóxico es absorbido por el organismo varía en función de la vía de entrada. Una vez que ingresa al organismo, la combinación de la cantidad y la velocidad relativa a la que se metaboliza afecta tanto a la biodisponibilidad del tóxico como la tasa de excreción.

Intoxicación por ingestión

Un tóxico ingerido puede producir daños inmediatos en los tejidos o los efectos tóxicos pueden demorarse varias horas. Los daños pueden producirse con rapidez cuando se ingiere una sustancia cáustica. Un limpiador doméstico que contenga una sustancia ácida o alcalina fuerte causará de inmediato daños importantes en los tejidos locales. Los productos de cuidado personal y de limpieza siguen siendo la fuente de exposición frecuente en pacientes pediátricos. Los analgésicos representan la mayoría de las ingestas en pacientes mayores de 20 años.[1]

En el caso que el paciente haya ingerido una sustancia tóxica, debe considerar todas las posibilidades relativas a la sustancia y si la ingesta fue intencional o no. Por ejemplo, piense en un niño que ingiere por error, una cápsula de detergente líquido para la ropa después de pensar que es un caramelo **FIGURA 24-3**. Considere ahora a una persona que toma analgésicos prescritos posterior a una intervención quirúrgica. Para controlar el dolor, el paciente puede ingerir varias dosis, de más de un medicamento que contenga opioides. Ambas situaciones se consideran ingestas no intencionales.

Los indicios que apuntan a una ingestión pueden ser tan evidentes como una planta con las hojas parcialmente masticadas o una sección de la planta a la que le falten frutos. Busque dedos, labios o lengua manchados. Cualquier paciente que manifieste repentinamente cólico abdominal con o sin náusea, emesis o diarrea puede tener una afección relacionada con la ingesta. Los frascos de tabletas o comprimidos bajo prescripción médica y de venta libre pueden proporcionarle información valiosa en su evaluación del paciente y de la escena. Preste especial atención a la fecha en que se emitieron las prescripciones médicas. ¿Tiene sentido que el frasco de tabletas o comprimidos esté vacío después de haber sido iniciado o abierto hace 4 semanas? Es posible. ¿Y si la prescripción médica se emitió solo 2 días antes? Estas claves pueden brindarle cuadros muy diferentes.

FIGURA 24-3 Aunque las empresas han creado nuevos dispositivos de seguridad en los envases de detergente y han reenvasado las cápsulas de detergente para ropa (en la imagen) para que resulten menos atractivas visualmente para los niños, aún pueden producirse ingestas involuntarias.

Después de ingerir una sustancia, el tiempo que pasa en el estómago puede variar de una persona a otra. Debido a que en el estómago se produce poca absorción, se dispone de tiempo para identificar la sustancia ingerida. El objetivo del tratamiento es desarrollar un plan para eliminar o neutralizar el tóxico antes de que ingrese al intestino delgado, sitio donde se produce la mayor absorción. La inducción de emesis forzado mediante la administración de ipecacuana no está indicada en ningún paciente. El carbón activado con sorbitol puede ser apropiado, dependiendo de la sustancia, porque puede ayudar a disminuir la absorción del tóxico. El carbón activado es más eficaz cuando se administra cerca del momento de la ingesta, y puede ser más beneficioso cuando se trata una ingesta de cápsulas de liberación prolongada. El carbón activado no se une a determinadas sustancias, como los alcoholes, por lo que no debe administrarse en caso de ingesta de dichas sustancias. La descontaminación gástrica puede realizarse en el hospital después de una evaluación clínica precisa y un tratamiento ya instaurado. Una intoxicación por ingestión también puede evidenciarse en personas que intentan ocultar o transportar sustancias psicoactivas ilícitas.

Los *body packers* ocultan sustancias psicoactivas en sus cavidades corporales para transportarlas en secreto, por lo general a través de fronteras internacionales. Las sustancias psicoactivas suelen empaquetarse cuidadosamente con materiales específicos, como látex o preservativos. Los *body stuffers* (a veces llamados "mulas") ingieren con rapidez las sustancias psicoactivas con cualquier envoltorio que se encuentre disponible, para evitar ser descubiertos por parte de oficiales de seguridad. Este embalaje es susceptible de fallas Los *body packers* y *stuffers* son susceptibles de presentar sobredosis masivas potencialmente mortales si los paquetes o envoltorios se abren y liberan la sustancia psicoactiva de forma inesperada en el interior del cuerpo. Se debe sospechar de la presencia de envoltorios o paquetes con sustancias psicoactivas en situaciones en las que se produce una sobredosis masiva en individuos que viajan desde el extranjero o que intentan huir de los oficiales de seguridad.

Intoxicación por inhalación

Una persona puede intoxicarse por inhalación cuando el agente tóxico está presente en la atmósfera circundante. Esta situación también supone un alto riesgo para usted como paramédico. Al igual que la ingestión, la intoxicación por inhalación puede ser involuntaria o intencional. La evaluación de la escena debe incluir precauciones adicionales ante la posibilidad de un tóxico inhalado. Si el paciente permanece en el entorno potencialmente peligroso, cualquiera que intente moverlo debe ir equipado con un equipo de respiración autónoma. No cometa el error de apresurarse a ayudar al paciente, para convertirse usted mismo en paciente.

Aunque en la información inicial de despacho no se haya comentado de la presencia de un tóxico inhalado, debe permanecer alerta ante esta posibilidad como causa de los síntomas del paciente. Por ejemplo, le llaman para evaluar a un hombre que se ha desmayado en una piscina. De camino, puede que piense que el paciente podría tener un golpe de calor o una afección cardíaca. Cuando llega, los bomberos le informan que han encontrado a otras dos personas desmayadas detrás de un edificio próximo a la piscina. En este punto, las sirenas de advertencia deberían estar sonando dentro de su cabeza, y usted debería reevaluar de inmediato la seguridad de la escena. Si no incluye la posibilidad de un tóxico inhalado, corre el riesgo de pasar por alto este punto de decisión crítico. Si no piensa en ello, entonces no podrá detectarlo.

Tenga en cuenta también un método de suicidio en Estados Unidos que pone en peligro a los SEM, bomberos y los oficiales de seguridad.[2] El **suicidio químico**, también llamado suicidio con detergentes, es un método que consiste en mezclar determinados productos químicos domésticos en un espacio confinado para generar gases tóxicos (como sulfuro de hidrógeno y cianuro de hidrógeno), que posteriormente se inhalan. Los vapores químicos resultantes suelen ser incoloros y pueden tener o no un olor reconocible.

En los casos de suicidio químico, el personal de emergencias corre el riesgo de presentar lesiones graves al intentar acceder al vehículo, a la zona o al paciente después de observar que una persona no reacciona en su interior. En algunos casos, la víctima ha dejado una nota advirtiendo a los transeúntes y al personal de emergencias de la presencia de sustancias químicas tóxicas. Por lo tanto, manténgase alerta y, antes de abrir alguna puerta, asegúrese de leer cualquier nota que encuentre. En otros casos, los transeúntes que ayudan y los equipos de emergencia se han visto expuestos a sustancias químicas extremadamente peligrosas al intentar acceder y evaluar a una persona que ya ha fallecido.

Desde una perspectiva fisiológica, las toxinas inhaladas producen signos y síntomas rápidamente. El tóxico ingresa al organismo a través de la vía aérea y llega inmediatamente a los alvéolos, donde la simple difusión permite que el tóxico atraviese la membrana alveolocapilar y sea transportada con facilidad a través del sistema cardiovascular.

El monóxido de carbono es un ejemplo de un tóxico inhalado. Tiene una gran afinidad por la hemoglobina y la intoxicación grave por monóxido de carbono suele ser mortal. Además, puede producirse por la rápida distribución sistémica del monóxido de carbono, los signos y síntomas son de aparición inmediata. Por esta razón, la ventana de tiempo para la identificación del problema y su posterior tratamiento es limitada.

Perlas de sabiduría

Su equipo de diagnóstico es solo una pieza del rompecabezas. Tenga en cuenta que la intoxicación por monóxido de carbono y cianuro pueden generar valores de lecturas erróneas del pulsioxímetro. El monóxido de carbono se une a la hemoglobina con mayor afinidad, y el cianuro impide la entrega de oxígeno a nivel celular. Por lo tanto, no se debe tener una falsa sensación de seguridad ante una lectura de saturación de oxígeno de 100% en un paciente gravemente enfermo. Si un paciente de manera aguda presenta dificultad para respirar, después de una exposición o sospecha de exposición, adminístrele una concentración elevada de oxígeno. Considere la posibilidad de utilizar un medidor de monóxido de carbono portátil (si está disponible) para evaluar inmediatamente la presencia de monóxido de carbono en el torrente sanguíneo del paciente.

La intoxicación por monóxido de carbono se trata más adelante en este capítulo.

Cuando se encuentre manejando un incidente por inhalación, la primera consideración general es la seguridad en el lugar de los hechos. Solo el personal con el equipo de respiración adecuado debe considerar trasladar al paciente o pacientes a un entorno seguro antes de iniciar cualquier evaluación o tratamiento.

SEGURIDAD

La seguridad de la escena es su principal preocupación cuando se le llama a un incidente por inhalación. Sospeche de algún tipo de intoxicación cuando varios pacientes presenten síntomas o hallazgos similares. Su pensamiento crítico es lo que le salvará; no confíe solo en su sentido de la vista o del olfato. Los gases tóxicos pueden ser inodoros e incoloros y no distinguen entre el personal de respuesta y los pacientes.

Una vez que haya identificado la posibilidad de un incidente por inhalación, no permita que sus emociones nublen su capacidad de tomar decisiones sensatas con respecto a su seguridad y la de sus compañeros de intervención. No podrá ayudar a su paciente si usted mismo se convierte en paciente.

Los tóxicos inhalados, producen una amplia variedad de signos y síntomas, muchos son exclusivos del tóxico implicado. Es fundamental utilizar toda la información disponible para determinar los tóxicos implicados. En las llamadas residenciales, confíe en sus sospechas e instintos. Haga las preguntas oportunas sobre los sucesos recientes y las posibles sustancias implicadas. Si se encuentra en un entorno industrial o en un lugar de trabajo grande, busque pistas, como de seguridad (HDS), un manifiesto de carga, un conocimiento de embarque o carteles de transporte.

La *National Library of Medicine* ha desarrollado el *Wireless Information System for Emergency Responders.* WISER está disponible para su descarga a través de ordenadores personales, así como de aplicaciones para celulares. WISER proporciona información sobre productos químicos peligrosos u otras sustancias, incluida información sobre la salud humana y el tratamiento.[3]

Hable con los compañeros de trabajo del paciente sobre las sustancias que pueden encontrarse en el área de trabajo del paciente o almacenadas en las instalaciones. Esa información, junto con la ayuda del centro de toxicología y las indicaciones del director médico, determinarán su plan de tratamiento. La corrección de la hipoxia es imprescindible; suministre una alta concentración de oxígeno y mantenga una ventilación adecuada si es necesario. Establezca un acceso vascular, realice un electrocardiograma (EKG), y realice una pulsioximetría y una capnografía.

Perlas de sabiduría

Los cigarrillos electrónicos son muy populares debido a su costo relativamente bajo, su gran variedad de sabores y la posibilidad de utilizarlos en interiores, pero se están convirtiendo en un tipo de intoxicación poco frecuente pero emergente. La nicotina líquida contenida en el cigarrillo electrónico suele ser el agente causal. La vía de exposición más común es la inhalación, pero también se han registrado casos de ingestión y absorción cutánea u ocular. Las náuseas, emesis e irritación ocular son síntomas comunes después de una exposición.[4]

Intoxicación por inyección

Las toxinas inyectadas suelen acceder al organismo a través de picaduras o mordeduras de diversos insectos y animales. Dependiendo de su ubicación geográfica, las posibilidades de intoxicación por inyección existen con frecuencia en el entorno. Por ejemplo, las mordeduras de serpiente y las picaduras de escorpión son más frecuentes en el suroeste de Estados Unidos, mientras que los habitantes de zonas costeras tienen más probabilidades de sufrir picaduras de medusas como la carabela portuguesa, lo erizos de mar o las anémonas de mar. Las avispas, las avispas amarillas y los avispones tienen una distribución geográfica más amplia.

Algunas de estas toxinas inyectadas producen reacciones locales o sistémicas, mientras que otras pueden ser neurotóxicas. Cuando una mordedura o picadura alcanza un vaso sanguíneo, la toxina inyectada entra de inmediato al torrente sanguíneo. El resultado es mucho más peligroso que cuando la misma toxina penetra en la masa muscular, a partir de la cual la toxina tiene un ritmo de absorción y distribución mucho más lento.

Al evaluar las mordeduras y picaduras, los hallazgos físicos suelen proporcionar las claves más evidentes, en especial las reacciones locales, como el dolor en el lugar de la herida. Los signos y síntomas del paciente pueden variar en función de la toxina específica. En ocasiones, el paciente puede ser capaz de identificar al responsable, simplificando en gran medida el proceso de evaluación. En el capítulo 35, *Emergencias ambientales,* se tratan en detalle las mordeduras y picaduras.

El uso indebido de sustancias psicoactivas intravenosas (IV) como la heroína, la cocaína y las anfetaminas es motivo de llamar al SEM. El *speedballing* se refiere al consumo simultáneo de heroína y cocaína. Aunque es posible que el paciente o los transeúntes no faciliten información sobre las sustancias implicadas, usted puede centrar su atención en la evaluación física, los signos y los síntomas para una posible identificación. Además, la presentación del paciente quizá le ayude a identificar el tipo de sustancia psicoactiva implicada. Por ejemplo, las sustancias psicoactivas que se inyectan directo en el torrente sanguíneo tendrán un inicio más rápido, que las que se inyectan en el músculo o en el tejido subcutáneo.

SEGURIDAD

Todos los instrumentos utilizados para inyectar sustancias o perforar la piel deben considerarse de riesgo biológico. Las agujas, cuchillas o dispositivos de inyección pueden ser compartidos entre consumidores de sustancias psicoactivas y ser portadores del virus de inmunodeficiencia humana, hepatitis u otros agentes patógenos. Asegúrese de eliminar correctamente materiales peligrosos colocando todos los objetos punzantes en un contenedor para objetos punzantes.

Intoxicación por vía dérmica

Algunos tóxicos acceden al organismo a través de la piel. Cuando considere el tiempo desde la exposición hasta la aparición de los síntomas, recuerde que las sustancias que se absorben a través de la piel tienen un tiempo más largo hasta la aparición de sus efectos, en comparación con las sustancias que se inhalan o se inyectan. Las intoxicaciones causadas por plaguicidas como los organofosforados y sustancias similares suelen ser las más graves cuando se absorben por vía dérmica. Debido a la naturaleza altamente tóxica de los organofosforados, la seguridad de la escena sigue siendo primordial cuando se sospecha una exposición a estas sustancias. Puede ser necesario descontaminar a los pacientes. Siga los protocolos de descontaminación de su centro, que pueden incluir el uso de un equipo para materiales peligrosos (*HAZMAT*). Los organofosforados se tratan en detalle más adelante en este capítulo.

En 2017, el *American College of Medical Toxicology* (ACMT) y la *American Academy of Clinical Toxicology* (AACT) publicaron una declaración conjunta en la que manifestaban su preocupación con la posible exposición ocupacional al fentanilo y análogos del fentanilo para el personal de respuesta de emergencias, incluido el personal de seguridad, los bomberos y los servicios de emergencias médicas. Este documento concluía que el riesgo de toxicidad grave por opioides es improbable con una educación, formación y uso adecuado del equipo de protección individual (EPI) estándar del servicio de emergencias medicas, incluidos los guantes de nitrilo. Si existe la posibilidad de que haya partículas en forma de aerosol, los autores recomiendan que los paramédicos lleven una mascarilla respiratoria N-95 o P-100 para evitar la inhalación.[5]

Perlas de sabiduría

La absorción de sustancias tóxicas a través de la piel es un problema común en la agricultura y la industria manufacturera. La mayoría de los disolventes, insecticidas, herbicidas y pesticidas son tóxicos y pueden absorberse con facilidad a través de la piel.

Comprender y utilizar los toxidromes

Cuando se considera la creciente lista de miles de sustancias potencialmente nocivas, fármacos de venta libre y medicamentos bajo prescripción médica, se puede sentirse abrumado. Por fortuna, muchos fármacos reaccionan de forma similar cuando entran en el organismo. Al realizar una evaluación exhaustiva del paciente, es posible que pueda observar un patrón en los signos y síntomas. Por ejemplo, considere la categoría de los estimulantes. Independientemente de que el estimulante sea un producto natural derivado de la planta de coca (cocaína) o un compuesto sintético creado en un laboratorio improvisado (metanfetamina), todas las sustancias psicoactivas de este grupo actúan de forma similar estimulando el sistema nervioso central (SNC), por lo que producen signos y síntomas similares. El conjunto de signos y síntomas asociados con una clase o grupo de agentes tóxicos similares se denominan síndrome tóxico o **toxidrome**. El conocimiento de los toxidromes más comunes puede ayudar a orientar la evaluación y el tratamiento de afecciones en las que intervienen diferentes sustancias que se encuentran bajo el mismo paquete clínico. Existen seis toxidromes principales: opioide, simpaticomimético, hipnótico-sedante, colinérgico, anticolinérgico y serotoninérgico (**CUADRO 24-1**). Los signos y síntomas de los toxidromes pueden enmascararse u ocultarse en casos de polifarmacia.[6]

Los signos y síntomas comunes de intoxicación se enumeran en el **CUADRO 24-2**. Si usted considera la historia del paciente y los hallazgos al examen físico, en conjunto con sus signos vitales, puede desarrollar un diagnóstico de trabajo que le permitirá proporcionar la atención médica de emergencia apropiada hasta que entregue al paciente al centro receptor. Por ejemplo, supongamos que un paciente presenta depresión respiratoria, bradicardia, hipotensión y pupilas mióticas. Utilizando el **CUADRO 24-1**, podría ver que los opioides producen todos esos signos y síntomas. Ahora imagine que un paciente similar presenta los mismos síntomas, pero tiene las pupilas midriáticas. ¿Cambiaría ese hallazgo su diagnóstico de trabajo para el paciente? En caso afirmativo, ¿qué agente causal encajaría mejor? Considere un barbitúrico como agente causal.

Panorama general del abuso de sustancias

Durante su carrera como paramédico, sin duda entrará en contacto con pacientes con trastornos por consumo de sustancias. Aparte de los efectos físicos relacionados con el abuso de sustancias, la adicción conlleva a un estigma social que puede provocar sentimientos de aislamiento, paranoia y depresión. Constantemente se desarrollan métodos innovadores para sintetizar nuevas sustancias o alterar las existentes con el fin de mejorar sus efectos. Debido a estos cambios continuos en el grupo de fármacos que pueden estar tomando los pacientes y el gran número de fármacos disponibles en la actualidad, los científicos e investigadores se enfrentan a la interminable tarea de documentar los efectos de cada sustancia y el potencial de uso indebido.

En los últimos años, uno de los debates más interesantes sobre la definición del abuso de sustancias tiene que ver con la marihuana. Durante siglos, esta sustancia psicoactiva se utilizó con fines recreativos por sus propiedades euforizantes y psicoactivas. Sin embargo, investigaciones recientes han demostrado usos medicinales de la marihuana. Por ejemplo, un extracto de marihuana llamado cannabidiol puede ser eficaz para controlar la actividad convulsiva. Se ha diseñado un tipo específico de marihuana con un alto contenido de cannabidiol y un bajo contenido de tetrahidrocannabinol (THC, el componente psicoactivo de la marihuana). La *Food and Drug Administration* (FDA) de Estados Unidos, aprobó su uso para el tratamiento de epilepsia infantil grave. La *Food and Drug Administration* también aprobó los medicamentos dronabinol y nabilona para el tratamiento de náusea y vómito provocados por la quimioterapia y para el tratamiento de la anorexia asociada con la pérdida de peso en personas con SIDA. Se sigue debatiendo si su uso para afecciones médicas compensa los posibles efectos negativos asociados con el consumo recreativo.

Otro componente del debate en torno al consumo abusivo sustancias psicoactivas, señala que la definición social del consumo de sustancias psicoactivas puede tener poca relación con el daño potencial de la sustancia consumida. Por ejemplo, aparte de la decisión de los estados de establecer una edad legal para

CUADRO 24-1 Toxidromes principales

Toxidrome	Ejemplos de medicamentos	Signos y síntomas
Opioides	Morfina, codeína, heroína, metadona, opio, hidromorfona, fentanilo, oxicodona y combinaciones con aspirina	Estado mental alterado, hipoventilación, paro respiratorio, pupilas mióticas (puntiformes), bradicardia, hipotensión, huellas (trastorno por uso de sustancias intravenosas), somnolencia, coma
Simpaticomimético	Seudoefedrina, fenilefrina, fenilpropanolamina, anfetamina, metanfetamina, cocaína, cafeína, descongestionantes nasales, catinonas sintéticas (sales de baño)	Hipertensión, diaforesis, taquicardia, taquipnea, midriasis, agitación, convulsiones, hipertermia, delirio/paranoia
Hipnótico-sedante	Fenobarbital, secobarbital, diazepam, tiopental, midazolam, lorazepam, propofol, etanol, flunitrazepam, tartrato de zolpidem	Hipoventilación, paro respiratorio, somnolencia, desinhibición, ataxia, dificultad para hablar, confusión mental, depresión respiratoria, alteración progresiva del sistema nervioso central, hipotensión
Colinérgico	Organofosforados, acefato, diazinón, malatión, paratión, sarín, tabún, agente V	**DUMBBELLES** (por sus siglas en inglés de Diarrea, Micción, Miosis, Bradicardia/Broncoespasmo/Broncorrea [secreción de mucosidad de los pulmones], Emesis [vómito], Lagrimeo [lagrimeo excesivo de los ojos], Convulsiones/salivación/sudoración), depresión respiratoria, apnea, coma y taquicardia pueden aparecer de manera temprana, desarrollando bradicardia a medida que progresa la toxicidad
Anticolinérgico	Atropina, escopolamina, antihistamínicos, difenhidramina, clorfeniramina, antidepresivos tricíclicos, antipsicóticos, Datura Stramonium (estramonio)	Eritema Xerosis, estado mental alterado Midriasis Hipertermia Retención urinaria Taquicardia e hipertensión
Serotoninérgico	Por lo general se genera por el uso de dos o más sustancias serotoninérgicas, incluyendo ISRS, IRSN, IMAO, antidepresivos tricíclicos, bupropión, sustancias psicoactivas ilícitas (LSD, anfetaminas, éxtasis, cocaína), opioides, suplementos herbales (hierba de San Juan, ginseng, nuez moscada), medicamentos de venta libre que contienen dextrometorfano, medicamentos antimigrañosos	Se presenta con al menos tres de los siguientes síntomas: agitación, ataxia, diaforesis, diarrea, hiperreflexia, cambios del estado mental, mioclonía, escalofríos, temblor, hipertermia, taquicardia

Abreviaturas: LSD,: dietilamida del ácido lisérgico; IMAO, inhibidores de la monoaminooxidasa; IRSN, inhibidores de la recaptación de serotonina y norepinefrina; ISRS, inhibidores selectivos de la recaptación de serotonina.

Datos de *National Model EMS Clinical Guidelines: Version 2.2.* National Association of State EMS Officials. https://nasemso.org/wp-content/uploads/National-Model-EMS-Clinical-Guidelines-2017-PDF-Version-2.2.pdf. Publicado en enero de 2019. Consultado el 30 de septiembre de 2021.

CUADRO 24-2 Signos y síntomas comunes de intoxicación

Signo o síntoma	Tipo	Posibles agentes causantes
Olor	Almendras amargas	Cianuro
	Ajo	Arsénico, organofosforados, fósforo
	Acetona	Alcohol metílico, alcohol isopropílico, aspirina, acetona, diabetes
	Leña dulce	Salicilato de metilo
	Peras	Hidrato de cloral
	Pino	Trementina
	Alcanfor	Alcanfor
	Alcohol	Alcohol
Púpilas	Miosis	Opioides, organofosforados, *Datura Stramonium*, nuez moscada, propoxifeno (Darvon®)
	Midriasis	Barbitúricos, atropina, anfetamina, glutetimida (Doriden®), LSD, cianuro, monóxido de carbono
Boca	Salivación	Organofosforados, arsénico, estricnina, mercurio, salicilatos
	Boca seca	Atropina (belladona), anfetaminas, difenhidramina (Benadryl®), opioides
	Quemaduras en la boca	Formaldehído, yodo, lejía, plantas tóxicas, fenoles, fósforo, aceite de pino, nitrato de plata, ácidos
Piel	Prurito	*Datura Stramonium*, belladona, ácido bórico
	Piel seca y caliente	Atropina (en la belladona), botulismo, nuez moscada
	Diaforesis	Organofosforados, arsénico, aspirina, anfetaminas, barbitúricos, setas, naftalina
Respiratorio	Respiración deprimida	Opioides, alcohol, propoxifeno, monóxido de carbono, barbitúricos
	Taquipnea	Aspirina, anfetaminas, ácido bórico, cianuro, queroseno, alcohol metílico, nicotina
	Edema pulmonar	Organofosforados, productos derivados del petróleo, opiáceos, monóxido de carbono
Cardiovascular	Taquicardia	Alcohol, anfetaminas, arsénico, atropina, aspirina, cocaína, algunos medicamentos para el asma
	Bradicardia	Betabloqueadores, antagonistas de canales de calcio, digital, gasolina, nicotina, setas, opioides, cianuro, muérdago, rododendro
	Hipertensión	Anfetaminas, plomo, nicotina, antiasmáticos
	Hipotensión	Betabloqueadores, antagonistas de canales de calcio, barbitúricos, opioides, tranquilizantes, plantas de interior, muérdago, nitroglicerina, anticongelantes
Sistema nervioso central	Convulsiones	Anfetaminas, alcanfor, cocaína, estricnina, arsénico, monóxido de carbono, productos derivados del petróleo, picadura de escorpión
	Coma	Todos los depresores (como opioides, barbitúricos, tranquilizantes, alcohol), monóxido de carbono, cianuro
	Alucinaciones	Atropina, LSD, setas, disolventes orgánicos, PCP, nuez moscada
	Cefalea	Monóxido de carbono, alcohol, disulfiram (Antabuse®)
	Temblores	Organofosforados, monóxido de carbono, anfetaminas, tranquilizantes, animales marinos venenosos
	Debilidad o parálisis	Organofosforados, botulismo, anguilas, cicuta, pez globo, aceite de pino, rododendro
Gastrointestinal	Cólico, náusea, emesis o diarrea	Muchos, si no la mayoría, de los tóxicos y toxinas ingeridos

Abreviaturas: LSD, dietilamida del ácido lisérgico; PCP, fenciclidina.

FIGURA 24-4 Pulmón enfermo debido al consumo frecuente de tabaco.

comprar tabaco, nuestra cultura no impone restricciones al consumo compulsivo y a largo plazo de esta sustancia, a pesar de que contribuye de forma significativa a enfermedades cardiovasculares y respiratorias (**FIGURA 24-4**). En comparación, es menos probable que el consumo de marihuana provoque problemas pulmonares y cardíacos a largo plazo (cuando se consume en un contexto ocasional y recreativo), aunque a menudo se imponen multas o penas de prisión. Existe un movimiento creciente para despenalizar o legalizar el consumo recreativo de marihuana en muchas jurisdicciones.

Perlas de sabiduría

El trastorno por consumo de sustancias no se limita a los miembros de la generación más joven ni a ningún sector concreto de la sociedad. Se da en todos los grupos de edad y en todos los niveles sociales.

La siguiente lista define algunos términos y conceptos básicos relacionados con el abuso de sustancias:

- **Uso indebido de sustancias**. Cualquier uso de una sustancia que cause daños físicos, psicológicos, económicos, legales o sociales al usuario o a otras personas afectadas por su comportamiento.
- **Habituación**. Dependencia física y psicológica de una sustancia.

Inteligencia en la calle

Como defensor principal de la salud en su comunidad, sea consciente de las palabras que utiliza para describir los trastornos por consumo de sustancias. Las palabras que caracterizan negativamente a una persona, como "adicto", "alcohólico" o "drogadicto", pueden reforzar sus sentimientos de vergüenza y culpa. Las personas que no se sienten merecedoras de tratamiento o que temen al juicio social derivado de la búsqueda de un tratamiento, tienen obviamente menos probabilidades de recibir el tratamiento que necesitan. Además, cuando estas palabras sesgadas se utilizan en procedimientos judiciales, es más probable que la persona sea considerada un delincuente y castigada con mayor severidad.[7] Se ha demostrado que el uso de palabras no prejuiciosas, como "trastorno por consumo de sustancias", "abuso de sustancias" y "adicción al alcohol", disminuye el estigma en torno a estos trastornos y mejora la probabilidad de que una persona busque tratamiento.[7] Elija sus palabras con cuidado y anime a sus compañeros de trabajo y a otros miembros de su comunidad a hacer lo mismo.

- **Dependencia física**. Estado fisiológico de adaptación a una sustancia, provocado por su consumo crónico, que suele caracterizarse por la tolerancia a los efectos de la sustancia y el síndrome de abstinencia si se interrumpe su consumo (en especial de forma brusca).
- **Dependencia psicológica**. El estado emocional de desear una sustancia para mantener una sensación de bienestar.
- **Tolerancia**. Adaptación fisiológica a los efectos de una sustancia de forma que se requieren dosis cada vez mayores del mismo para conseguir el mismo efecto.
- **Síndrome de abstinencia**. Conjunto predecible de signos y síntomas, que implica una alteración de la actividad del sistema nervioso central, se produce después del cese brusco de una sustancia o luego de una rápida disminución de la dosis habitual de una sustancia.
- **Toxicomanía**. Trastorno crónico caracterizado por el consumo compulsivo de una sustancia que provoca daños físicos, psicológicos, económicos, legales o sociales al consumidor; el consumidor sigue consumiendo la sustancia a pesar de los daños.
- **Antagonista**. Molécula que bloquea la capacidad de una sustancia química determinada de unirse a su receptor, impidiendo una respuesta biológica.

- **Potenciación**. Potenciación del efecto de una sustancia por otra.
- **Sinergismo**. Acción de dos sustancias, como los medicamentos, en la que los efectos totales son mayores que la suma de los efectos independientes de las dos sustancias.

Evaluación del paciente

El enfoque general de la evaluación es el mismo para todos los pacientes: reconocimiento de la escena, evaluación inicial, anamnesis, evaluación secundaria y reevaluación. Si el estado mental del paciente está alterado, vigile con diligencia su vía aérea y su respiración, para prevenir una broncoaspiración y garantizar una ventilación minuto adecuada. Prepare el equipo de aspiración. Asegúrese de obtener un buen panorama del cuadro clínico del paciente. Por ejemplo, ¿es capaz de mantener la vía aérea o tiene dificultades para deglutir o eliminar secreciones? Si el paciente no responde, obtenga los signos vitales y realice una exploración rápida de todo el cuerpo; si es posible, obtenga los antecedentes del paciente de los transeúntes y los familiares. Si el paciente responde, utilice la nemotecnia OPQRST (inicio [*Onset*], Provocación/paliación, calidad [*Quality*], Región/radiación, Severidad, Tiempo) para determinar la afección principal. A continuación, obtenga los signos vitales del paciente y realice una evaluación tipo SAMPLE (Signos y síntomas, Alergias, Medicamentos, antecedentes Pertinentes, última [*Last*] ingesta oral, Eventos previos a la enfermedad o lesión). A continuación, realice una exploración rápida de todo el cuerpo antes de pasar a un examen físico completo.

No olvide que los pacientes con emergencias toxicológicas también pueden haber presentado lesiones traumáticas antes de su llegada.

Evaluación de la escena

La seguridad en la escena es primordial en las emergencias toxicológicas. Reevalúe continuamente su entorno desde el momento en que llega al lugar. A medida que se acerque al paciente, busque indicios como frascos de pastillas, productos de limpieza domésticos o notas escritas a manos que puedan serle útiles (**FIGURA 24-5**). Tenga en cuenta que los pacientes que tienen una sobredosis pueden ser bastante peligrosos. Si es necesario, pida refuerzos a los oficiales

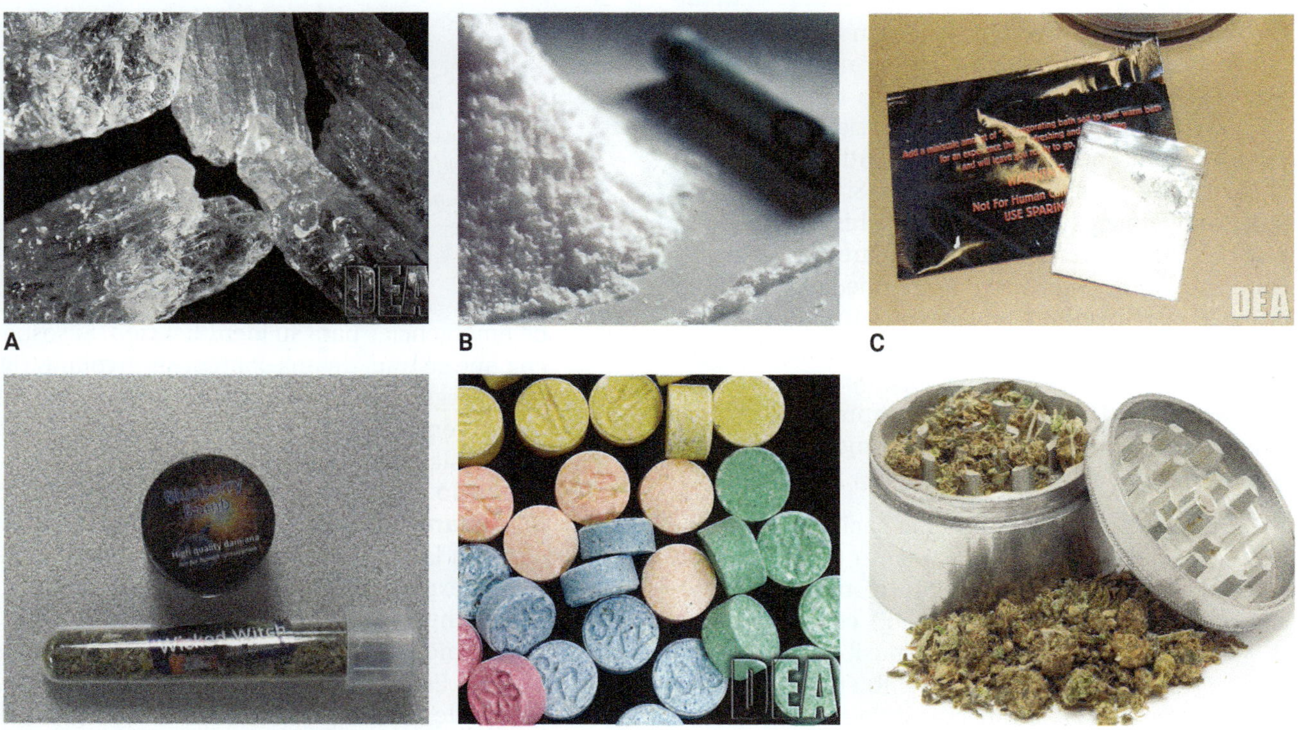

FIGURA 24-5 Entre las sustancias de uso indebido, se incluye una amplia gama de sustancias callejeras en constante evolución, como la metanfetamina **(A)**, la cocaína **(B)**, las sales de baño (Flakka) **(C)**, los cannabinoides sintéticos (Spice) **(D)**, el éxtasis **(E)** y la marihuana **(F)**.

A, C, D y **E:** Cortesía del US Department of Justice, Drug Enforcement Administration; **B:** © Andrew Burns/Shutterstock; **F:** © Cabezonication/iStock/Getty Images Plus/Getty Images.

de seguridad o a una unidad de crisis para minimizar la posibilidad de que usted y su equipo sufran lesiones.

Evaluación primaria

La evaluación primaria de un paciente con una sobredosis por sustancias o que se ha intoxicado comienza con su impresión general. Puede ser tan simple como "una mujer adulta tumbada en decúbito prono en la cama". La evaluación primaria trata de identificar con rapidez las amenazas para la vida: cualquier problema con el estado mental, la vía aérea, la respiración y la circulación que requiera una intervención rápida. Al final de la evaluación primaria, debe ser capaz de identificar la naturaleza de la enfermedad (NE) o el posible mecanismo de lesión (ML). En función de sus hallazgos, puede determinar la gravedad del estado del paciente y empezar a establecer sus prioridades para el resto de la llamada.

El manejo básico de la vía aérea es una habilidad crucial que le dará tiempo para obtener la información necesaria para tomar las decisiones adecuadas sobre el tratamiento del paciente. Si puede ventilar al paciente de forma eficaz, tendrá tiempo para decidir lo que hay que hacer.

Historia clínica

Las emergencias toxicológicas suelen implicar a pacientes sintomáticos, por lo que es necesario organizar la queja principal utilizando la mnemotécnica OPQRST como parte de la anamnesis. Trabaje para establecer una buena relación mientras obtiene un SAMPLE directamente del paciente. Si el paciente no puede o no quiere hablar, obtenga la historia OPQRST y SAMPLE de los transeúntes y familiares, si es posible. Obtenga toda la información que pueda al principio de la llamada, porque pueden producirse cambios agudos en el estado mental del paciente que le impidan obtener información adicional.

Para elegir la línea de acción apropiada en una emergencia toxicológica, obtenga como mínimo la siguiente información específica:

- **¿Cuál es la sustancia?** Si el paciente tiene una sobredosis de un medicamento prescrito, lleve el frasco y el medicamento restante al departamento de emergencias (DE) con el paciente (**FIGURA 24-6**). Considere la posibilidad de llevar la HDS si está disponible. También puede copiar o fotografiar la información de la etiqueta del fármaco para que la revise el personal del hospital si no puede transportar el envase de forma segura. Si el paciente ingirió una planta, averigüe qué parte (raíces, hojas, tallo, flor o fruto) consumió y lleve una muestra de la planta al departamento de emergencias para su identificación. Si sospecha que se trata de una sobredosis involuntaria, haga preguntas sobre los medicamentos, fármacos de venta libre o remedios caseros que pueda haber estado tomando el paciente.
- **¿Cuándo se ingirió, inyectó, aplicó o inhaló la sustancia?** A menudo, el tiempo juega en contra a la hora de tratar a un paciente que ha estado expuesto a una sustancia tóxica. Cuanto más tiempo permanezca el tóxico o toxina en el organismo, más tiempo tendrá para causar sus efectos. Es importante obtener una cronología exacta de la intoxicación. Como regla general, los síntomas de inicio agudo suelen indicar un escenario más grave para el paciente, que los síntomas de inicio tardío; por ejemplo, si el paciente comenzó de inmediato a tener dolor torácico opresivo después de fumar crack.

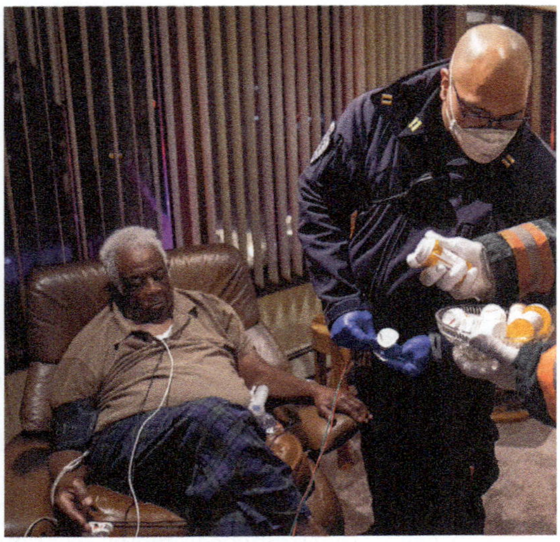

FIGURA 24-6 Si el paciente ha presentado una sobredosis de un medicamento prescrito, lleve el envase del medicamento y su contenido restante al departamento de emergencias.

Poblaciones especiales

En una sobredosis o intoxicación no intencional, un paciente adulto mayor puede haberse confundido sobre su prescripción médica. La persona pudo haber olvidado si se había tomado una dosis del medicamento y pudo haber repetido la dosis una o más veces. El paciente también pudo haber olvidado las instrucciones del médico de desechar la medicación sobrante y haber tomado el medicamento actual como el más antiguo, lo que provoca un aumento de los efectos o interacciones farmacológicas no deseadas.

- **¿Qué cantidad ha tomado, inyectado, aplicado o inhalado?** En casi todos los casos, la dosis del tóxico es directamente proporcional a sus efectos en el organismo. Una sobredosis involuntaria consiste en tomar demasiada cantidad de medicamento. Puede ser más difícil determinar la cantidad que se tomó en una sobredosis intencional. Es posible que el paciente no quiera o no pueda decirle cuánto ha tomado, por lo que deberá confiar en su capacidad de observación. Observe la etiqueta del medicamento para determinar la cantidad que habría en el envase cuando estaba lleno y compárela con la cantidad que queda.
- **¿Qué más se tomó?** La mayoría de las intoxicaciones intencionales (intentos de suicidio) o sobredosis de sustancias ilegales implican ingesta de varias sustancias, a menudo el alcohol es una de ellas. El paciente también pudo haber intentado tomar un antídoto. Esta información puede ser muy valiosa para el personal del departamento de emergencias a la hora de decidir qué pruebas de laboratorio solicitar.

Documentación y comunicación

Cuando documente el contenido de cualquier frasco de medicamentos, especifique el número y el tipo de tabletas que ha contado, incluso si en un frasco hay varios tipos de tabletas. Considere la posibilidad de que otra persona, por ejemplo, una enfermera del departamento de emergencia, cuente las tabletas a su llegada al hospital. Esta práctica le ayudará a contabilizar todos los medicamentos que había en el momento de llevar al paciente al hospital. Incluya los detalles de este recuento (incluyendo quién estaba presente) en su documentación. Este paso se considera una buena práctica y ayudará a mitigar cualquier reclamación en caso de que falten medicamentos.

Documentación y comunicación

Como paramédico, usted es el único enlace fiable entre el lugar de la emergencia y el hospital. El personal del hospital confiará en usted para que les proporcione la información pertinente desde el lugar de los hechos. Asegúrese de haber obtenido todos los detalles pertinentes sobre la sustancia implicada en una intoxicación mientras se encuentra en el lugar de los hechos. Anote el tipo y la cantidad de sustancias implicadas. Por último, asegúrese de que sus informes verbales y escritos son completos y minuciosos.

- **¿El paciente tuvo un episodio de emesis o se ha broncoaspirado?** En caso afirmativo, ¿al poco tiempo de la ingesta o exposición? ¿Qué cantidad? Inspeccionar la emesis en busca de fragmentos de medicamento. Si el paciente tuvo emesis en una bolsa transparente, considere la posibilidad de transportar el contenido al departamento de emergencias.
- **¿Por qué se tomó la sustancia?** Haga esta pregunta a todos los pacientes. No haga suposiciones. El paciente pudo haber tomado la sustancia por error, o podría tratarse de un intento de suicidio causado por una depresión grave. Siempre que sea posible, utilice comillas para registrar las propias palabras del paciente en el informe de atención al paciente.

Evaluación secundaria

Después de completar la evaluación primaria, comience la evaluación secundaria. Las emergencias toxicológicas suelen ser solo emergencias médicas. Complete la evaluación secundaria apropiada para cada paciente. Recuerde que la evaluación secundaria es una exploración sistemática que le permite observar cualquier anomalía que pueda estar presente. Los tóxicos y las toxinas, toxinas pueden afectar a un único sistema corporal o provocar un evento sistémico crítico. Debe ser capaz de apreciar las diferencias que pueden estar presentes en función de las interacciones del tóxico o toxina con el organismo. Estas interacciones pueden ir desde una sutil taquipnea hasta una intoxicación evidente por organofosforados, con hallazgos anormales en casi todos los sistemas del cuerpo. No dude en utilizar los principales toxidrome (véase cuadro 24-1) o mnemotecnias para ayudarle a recordar la amplia variedad de presentaciones anormales asociadas con las emergencias toxicológicas.

Los pacientes con una emergencia toxicológica pueden presentar alteraciones del estado mental y ser susceptibles de náusea y emesis. La náusea y el vómito pueden causar un problema crítico de la vía aérea, así que asegúrese de realizar una evaluación exhaustiva y desarrollar un plan de acción basado en sus hallazgos.

Controversias

Si un paciente pediátrico se encuentra estable y tiene antecedente de una única y pequeña ingesta de un agente de bajo riesgo, algunos sistemas de servicio de emergencias médicas permiten cancelar el transporte previo acuerdo del control médico. Aunque este enfoque puede ser médicamente correcto, elimina la oportunidad de evaluar los factores psicosociales y de riesgo en el departamento de emergencias.

Si también hay traumas, realice la evaluación de trauma adecuada (exploración rápida de todo el cuerpo o examen focalizado) en función de si el paciente tiene un mecanismo de lesión significativo. Debido a que algunos pacientes con una emergencia toxicológica pueden presentar lesiones autoinfligidas impactantes (p. ej., autoevisceración), concéntrese en completar todo el examen. Debe ser capaz de priorizar de manera adecuada su tratamiento e intervenciones.

Reevaluación

La reevaluación se centra en monitorizar el estado del paciente, cambiar las prioridades si es necesario y comprobar la eficacia de las intervenciones realizadas. La reevaluación suele hacerse en la ambulancia mientras se dirige al departamento de emergencias. Vigilar de forma continua a todos los pacientes que hayan ingerido, inyectado, aplicado o inhalado una sustancia tóxica.

Asistencia médica de emergencia

Desde el punto de vista del manejo, la atención de soporte vital avanzado para emergencias toxicológicas se basa en los siguientes aspectos básicos:

- Confirmar que la escena es segura para el acceso y la salida.
- Mantener la vía aérea.
- Asegurar que la respiración es adecuada.
- Asegurar que la circulación no está comprometida (por hipoperfusión o disritmia).
- Administrar oxígeno suplementario para mantener niveles de saturación superiores a 94%.
- Establecer acceso vascular.
- Considerar la administración de un antídoto o medicación atenuante, si está disponible.
- Prepárese para tratar shock, coma, convulsiones y disritmias.
- Transportar al paciente lo antes posible. Si existe riesgo de emesis, coloque al paciente en decúbito lateral izquierdo para reducir el riesgo de broncoaspiración.

Fisiopatología, evaluación y tratamiento del abuso y la sobredosis de sustancias específicas

Alcohol

La forma de alcohol que consumen los seres humanos en las bebidas alcohólicas es el alcohol etílico (o etanol). No está reconocido de manera convencional como un tóxico, a pesar de que tiene muchas propiedades de un tóxico cuando se ingiere en cantidades suficientes. Sin embargo, es innegable que el alcohol forma parte de la sociedad humana. La gente suele beber alcohol para relajarse, socializar y celebrar. Según un estudio de 2019 del *National Institute on Alcohol*

USTED es el Paramédico

PARTE 2

Usted comprueba el pulso carotídeo de la paciente y observa que es fuerte y regular, con una frecuencia de 100 latidos/min. La paciente respira a una frecuencia de unas 4 respiraciones/min, por lo que le pide a su compañero que le coloque una vía aérea nasofaríngea y le ayude a respirar con un dispositivo de bolsa-mascarilla conectado a oxígeno suplementario. Mientras considera una lista de diagnósticos diferenciales, se dirige a los miembros de la familia para preguntarles sobre los acontecimientos que condujeron a la llamada al 9-1-1.

Tiempo de grabación:	2 minutos
Apariencia	Inconsciente
Nivel de conciencia	No responde
Vía aérea	Permeable
Respiración	4 respiraciones/min
Circulación	Pulso carotídeo fuerte y regular a 100 latidos/min.

3. Si esta paciente ha sufrido una sobredosis, ¿en qué grupo farmacológico se centraría?
4. Dé algunos ejemplos de medicamentos que hagan parte de ese grupo farmacológico.

Abuse and Alcoholism (NIAAA) en el 2019, alrededor de 86% de las personas de 18 años o más han consumido alcohol en algún momento de su vida. Además, casi 26% de las personas de 18 años o más informaron que habían participado en borracheras (consumo excesivo ocasional) en el último mes.[8]

La *National Institute on Alcohol Abuse and Alcoholism* describe el consumo abusivo de alcohol como "beber de una manera, en una situación, en una cantidad o con una frecuencia que podría causar daños a la persona que bebe o a quienes le rodean".[9] Por lo tanto, el consumo de alcohol por parte de personas que no han alcanzado la edad mínima legal para beber o de mujeres embarazadas constituye un abuso de alcohol.[9] Un mayor consumo de alcohol conlleva a un mayor riesgo de desarrollar un **trastorno por consumo de alcohol**, una afección médica caracterizada por una dependencia física y psicológica al etanol, la cual puede ir de leve a grave. Esta condición se considera un desorden cerebral. Los cambios que se producen en el cerebro como consecuencia del consumo abusivo de alcohol perpetúan el trastorno y hacen que la persona sea propensa a recaer.[10] El trastorno por consumo de alcohol engloba los trastornos antes denominados abuso de alcohol, dependencia del alcohol, adicción al alcohol y alcoholismo.

Los trastornos por consumo de alcohol se dan en todos los estratos sociales y en casi todas las culturas, desde las comunidades cerradas de millones de dólares hasta las urbanizaciones de bajos ingresos. La *Diagnostic and Statistical Manual of Mental Disorders, Fifth Edition* describe los criterios utilizados para diagnosticar un trastorno por consumo de alcohol. Entre las señales de alarma más comunes se encuentran las siguientes:[11]

- Consumir alcohol en grandes cantidades o durante un periodo prolongado
- Dedicar un tiempo considerable a actividades necesarias para obtener alcohol, consumirlo o recuperarse de sus efectos
- Causar o agravar problemas sociales o interpersonales debido al consumo de alcohol
- Reducción de las actividades sociales, laborales o recreativas debido al consumo de alcohol
- Seguir consumiendo alcohol incluso después de reconocer los problemas físicos o psicológicos causados o agravados por el consumo de alcohol

Fisiopatología

Como se ha mencionado antes, la dependencia psicológica del alcohol implica beber para funcionar "con normalidad" y sentirse bien. El alcohol actúa como depresor en el lóbulo frontal y puede alterar el proceso de toma de decisiones o disminuir las inhibiciones de una persona. Debido a la desinhibición y la euforia que acompañan al consumo de alcohol, las personas suelen utilizarlo como "lubricante social" para sentirse más cómodas en situaciones sociales. En algunas personas, la percepción de aceptación social o de mayor facilidad social puede influir en que beban más. Las personas perciben que pueden escapar de sus preocupaciones o volverse más simpáticas mientras están bajo los efectos del alcohol. La dependencia psicológica se intensifica hasta el punto de que las personas sientan que necesitan el alcohol para sobrevivir social o emocionalmente.

La dependencia física es el resultado del consumo regular de grandes cantidades de alcohol. En este nivel de dependencia, si una persona deja de consumir alcohol de manera abrupta, se producen síntomas de abstinencia. La gravedad del síndrome de abstinencia puede variar en función de la gravedad de la dependencia. El síndrome de abstinencia leve se caracteriza por inquietud, ansiedad, dificultad para dormir, agitación y temblores. En el caso de las personas con una dependencia física más grave, la abstinencia repentina puede provocar síntomas importantes, como hipertensión, taquicardia, emesis, alucinaciones y *delirium tremens* (analizado más adelante en este capítulo).

Perlas de sabiduría

Es frecuente encontrarse con pacientes que han consumido alcohol. Cuando evalúe a un paciente con un estado mental alterado y antecedentes de consumo reciente de alcohol, nunca asuma que el paciente "solo está intoxicado". Realice las evaluaciones apropiadas y recuerde tener en cuenta otras posibles causas de la alteración del estado mental.

Las personas con dependencia grave pueden llegar a extremos para obtener alcohol. Las personas con trastorno crónico por consumo de alcohol (o las que carecen de medios económicos para permitirse bebidas alcohólicas) recurren a la ingesta de productos peligrosos con contenido alcohólico (p. ej., enjuague bucal, desinfectante para manos). Cuando atienda a un paciente que ha ingerido una sustancia tóxica solo por su contenido en alcohol, tenga siempre en cuenta los demás componentes de esas sustancias. Por ejemplo, el producto químico tóxico metanol se utiliza a veces en los desinfectantes para manos y puede causar una enfermedad crítica o la muerte cuando se consume.

Una persona con trastorno por consumo de alcohol es susceptible de desarrollar muchas enfermedades y lesiones graves (**CUADRO 24-3**). El alcohol tiene profundos efectos en el sistema neurológico, cardiovascular y gastrointestinal (GI).

El sistema nervioso central es particularmente vulnerable al abuso del alcohol. Desde los desequilibrios de los neurotransmisores hasta la descomposición estructural de las células, el organismo experimentará una ralentización de las capacidades cognitivas y motoras cuando una persona consume alcohol. En un paciente intoxicado de gravedad, puede notar dificultad para hablar, pérdida de memoria y marcha inestable debido a los efectos del alcohol sobre los neurotransmisores (como el glutamato).

Cuando el alcohol se desplaza por el aparato digestivo, irrita sus tejidos y puede dañar el revestimiento del estómago provocando desequilibrios en el ácido, inflamación y malestar gástrico agudo. A menudo, el resultado es gastritis (estómago inflamado), enfermedad por reflujo gastroesofágico o ardor en el estómago. Cuanto más se bebe, más probabilidades hay de que se irrite el sistema gastrointestinal. El consumo abusivo de alcohol es también un factor de riesgo de algunos tipos de cáncer, principalmente de boca y esófago. El *National Cancer Institute* informa que cerca de 3.5% de todas las muertes por cáncer están relacionadas con el consumo de alcohol. Las personas que consumen alcohol tienen hasta cinco veces más probabilidades de desarrollar ciertos tipos de cáncer que las que no lo consumen.[12]

Los efectos tóxicos del alcohol sobre el hígado producen diversas complicaciones, como coagulopatías (facilidad para sangrar y escasa capacidad de coagulación), hipoglucemia y hemorragias digestivas. A través de manifestaciones que van desde la enfermedad del hígado graso hasta la cirrosis, el alcohol puede afectar de forma significativa a la capacidad del organismo para metabolizar y filtrar sustancias nocivas. Esta alteración también provoca una congestión de líquidos y puede causar presiones elevadas en el sistema hepático. Al aumentar la presión, los vasos más pequeños

CUADRO 24-3 Afecciones médicas a las que son susceptibles las personas con trastorno por consumo de alcohol

Condición	Factores contribuyentes
Hematoma subdural	Caídas frecuentes; mecanismos de coagulación alterados; la atrofia cerebral permite un movimiento significativo durante el impacto.
Hemorragia gastrointestinal	Irritación de la mucosa del estómago (que provoca gastritis); alteración de los mecanismos de coagulación; cirrosis (exceso de tejido cicatricial) del hígado, que provoca la obstrucción de las venas esofágicas (varices esofágicas).
Pancreatitis	Secreción de enzimas, causando inflamación.
Hipoglucemia	Daños en el hígado; alteración de la gluconeogénesis.
Neumonía	Aspiración de vómito durante intoxicación y coma; supresión del sistema inmunológico por el alcohol.
Quemaduras	Comportamientos de riesgo durante la intoxicación; disminución de la sensibilidad al dolor durante la intoxicación.
Hipotermia	Insensibilidad a las temperaturas extremas en estado de embriaguez; quedarse dormido al aire libre en el frío; alteración de la termorregulación.
Convulsiones	Efecto de la abstinencia por alcohol; desequilibrio de neurotransmisores o electrólitos.
Disritmias (fibrilación auricular o taquicardia ventricular)	Efectos tóxicos del alcohol en el corazón; hipertensión; desequilibrio electrolítico.
Cáncer	Los productos del alcohol metabolizados por el hígado son tóxicos para las células; pueden causar alteraciones en las vías celulares normales.
Varices esofágicas	Se desarrollan cuando se bloquea el flujo sanguíneo normal al hígado y la sangre se acumula en los vasos sanguíneos más pequeños y frágiles del esófago.

que desembocan en el hígado pueden obstruirse con sangre e inflamarse. Esta inflamación es la patología de las varices esofágicas, que pueden romperse y provocar hemorragias en el esófago y la orofaringe. Esta afección requiere una aspiración rápida y un manejo eficaz de la vía aérea.

Intoxicación aguda por alcohol

El alcohol suprime los neurotransmisores excitatorios, por lo que actúa como depresor del sistema nervioso central. Cuando se considera la cantidad de alcohol que alguien ha consumido, también hay que tener en cuenta el tamaño de la persona. Por ejemplo, un hombre de 109 kg (240 libras) puede consumir tres copas y tener una tasa de alcoholemia de 0.07% (tenga en cuenta que la mayoría de los estados definen la intoxicación legal como una tasa de alcoholemia igual o superior a 0.08%). Sin embargo, una mujer de 64 kg de peso puede consumir las mismas tres bebidas y tener una tasa de alcoholemia de 0.14%. Observe siempre el cuadro clínico completo. Tenga en cuenta el concepto de proporción.[13] Los síntomas suelen progresar de manera proporcional a la tasa de alcoholemia. La muerte por intoxicación etílica puede producirse con niveles de alcohol en sangre de 0.40% (400 mg/dl).[14]

SEGURIDAD

Debe permanecer alerta ante comportamientos violentos o extraños inesperados de personas intoxicadas por el alcohol. Tome medidas para mantener su seguridad y la de su equipo durante los encuentros con personas intoxicadas, en especial en lugares en los que haya varias personas intoxicadas.

Uno de los riesgos más importantes para una persona intoxicada gravemente, es la depresión respiratoria o la aspiración de emesis, secundarias a la incapacidad de proteger la vía aérea. Si un paciente intoxicado está inconsciente, trátelo como lo haría con cualquier paciente inconsciente. Evalúe la permeabilidad de la vía aérea. ¿Es capaz de mantener la vía aérea? ¿Deglute de manera espontánea? ¿Se acumulan secreciones en la orofaringe (un claro indicador de una marcada depresión o ausencia del reflejo nauseoso)? Debido al alto riesgo de broncoaspiración, considere el manejo avanzado de la vía aérea si el paciente es incapaz de mantenerla. Tenga siempre preparado y al alcance de la mano un equipo de aspiración.

Además, proporcione oxígeno suplementario para mantener niveles adecuados de saturación de oxígeno. Ayude en las ventilaciones según sea necesario. No emplee una fuerza excesiva al ventilar al paciente. La insuflación gástrica puede provocar emesis y complicar aún más el manejo de la vía aérea si ventila con excesiva fuerza o demasiado rápido. Establezca un acceso vascular. Monitorice el ritmo del EKG. Evalúe el nivel de glucosa en sangre del paciente y trate la hipoglucemia si se detecta. Los protocolos locales o el control médico en línea pueden indicar la administración de tiamina intravenosa para prevenir el síndrome de Wernicke-Korsakoff (aparición aguda de confusión y delirio secundarios a la deficiencia de tiamina). Por último, traslade al paciente a un centro adecuado.

Perlas de sabiduría

El alcohol puede ser una pequeña pieza del rompecabezas clínico. Aunque el olor a alcohol etílico en el aliento de un paciente intoxicado puede ser uno de los signos más evidentes durante su evaluación, recuerde que el alcohol se utiliza a menudo junto con otras sustancias tanto en intoxicaciones involuntarias como intencionales.

Convulsiones por abstinencia

Una persona que ha bebido mucho durante un periodo prolongado y deja de beber de forma repentina puede experimentar diversos fenómenos de abstinencia. Los ataques suelen producirse en un plazo de 12 a 48 horas, pero pueden aparecer inclusive 6 horas después del último trago o tan tarde como 72 horas después. El tratamiento de un paciente con convulsiones por abstinencia debe ser similar al de un paciente intoxicado. Las convulsiones breves y aisladas no requieren tratamiento, pero el control médico puede indicar la administración de una benzodiacepina como profilaxis contra otra convulsión. Las convulsiones prolongadas suelen responder al Lorazepam. Tenga en cuenta que los pacientes con trastorno por consumo crónico de alcohol pueden presentar tolerancia cruzada a los medicamentos utilizados para tratar el síndrome de abstinencia o la actividad convulsiva.[14]

Perlas de sabiduría

El alcohol puede mermar la capacidad de una persona para tomar decisiones sanitarias, como rechazar el tratamiento o el transporte. Evaluar con cuidado la capacidad de toma de decisiones del paciente cuando se sospeche consumo de alcohol y consultar a la dirección médica en caso de ser necesario.

Delirium Tremens

Una de las complicaciones más graves y potencialmente letales de la abstinencia alcohólica es el ***delirium tremens* (DT)**. Los síntomas suelen comenzar entre 48 y 72 horas después de la última ingesta de alcohol, aunque la aparición puede retrasarse varios días. Los signos y síntomas incluyen confusión, temblores, inquietud, fiebre, diaforesis, taquicardia e hipotensión, a menudo secundarias a la deshidratación. El paciente que experimenta *delirium tremens* es susceptible de tener alucinaciones vívidas y es muy sensible a los estímulos externos. La función cognitiva suele disminuir a medida que aumentan la frecuencia cardíaca y la temperatura. Esta afección puede provocar un aumento de la mortalidad si el paciente no recibe un tratamiento agresivo.

El tratamiento de un paciente con *delirium tremens* tiene como objetivo protegerlo de lesiones y apoyar el sistema cardiovascular. Intente mantener la calma del paciente. Minimice los estímulos externos si es posible. No se sitúe en una zona oscura porque el paciente puede confundirle con otra cosa (como una amenaza) durante las alucinaciones. Siga los protocolos locales para la administración de benzodiacepinas si el paciente está agitado o combativo. La contención física puede causar agitación adicional y empeorar el estado del paciente, pero tenga siempre en cuenta ante todo su seguridad. Considere la posibilidad de ponerse en contacto con el control médico en línea para discutir el uso agresivo de benzodiacepinas. Además, administre oxígeno suplementario y establezca un acceso vascular. Controle la hipotensión con una infusión de solución salina normal; esta administración también puede ayudar a controlar el aumento de la temperatura corporal. Mantenga un diálogo continuo con el paciente durante el transporte para orientarle y tranquilizarle.

Estimulantes

Los estimulantes, tanto en sus formas lícitas como ilícitas, pueden tener efectos devastadores en las personas que abusan de ellos. Los estimulantes van desde la cocaína fumable (crack) y la metanfetamina (meth), hasta los suplementos nutricionales prescritos y los medicamentos para el trastorno por déficit de atención. En algún momento de su carrera como paramédico, sin duda atenderá a un paciente que esté bajo los efectos de estimulantes.

Los estimulantes se presentan en diversas formas que permiten su absorción por ingesta, inhalación o inyección. La mayoría de los estimulantes potencian la liberación de catecolaminas, que estimulan el sistema nervioso central (en concreto, los receptores alfa y beta). Esta estimulación del sistema nervioso central

USTED es el Paramédico

PARTE 3

Su compañero ha colocado una vía aérea nasofaríngea y está asistiendo la respiración de la paciente con un dispositivo de bolsa-mascarilla y oxígeno suplementario mientras usted termina la exploración rápida de todo el cuerpo. Observa que la paciente no reacciona, presenta depresión respiratoria y pupilas puntiformes. La lectura del pulsioxímetro era en un inicio de 90%, pero no ha dejado de aumentar. Los familiares informan que a la paciente se le recetaron 10 mg de hidrocodona para controlar el dolor después de su intervención quirúrgica. La receta se dispensó 4 días antes, y solo faltan dos comprimidos del frasco. Se preguntan si dos comprimidos podrían haber producido una presentación tan drástica de la paciente.

Tiempo de grabación:	5 minutos
Respiraciones	Asistidas mediante dispositivo bolsa-mascarilla
Pulso	100 latidos/min
Piel	Cianosis peribucal; seca y fría
Presión arterial	92/58 mm Hg
Saturación de oxígeno (Spo_2)	90% aire ambiente; aumentando con ventilación bolsa-mascarilla
Pupilas	Puntiformes, no reactivas

5. ¿Debe intubar a esta paciente?

6. ¿Cuál es su siguiente paso en el tratamiento de esta paciente una vez controlada la vía aérea?

puede aumentar el estado de alerta y crear una sensación de euforia. Sin embargo, el aumento de la liberación de catecolaminas también puede provocar agitación, hipertermia, taquicardia, hipertensión y convulsiones.

La excitación del sistema nervioso central causa agitación, ansiedad, delirio y midriasis. Puede observar que el paciente se esfuerza por permanecer sentado e inquieto con frecuencia. La hipertermia y la taquicardia harán que el paciente esté hipermetabólico. Puede observar diaforesis al evaluar la piel. Dado que el cuerpo funciona constantemente a mayor velocidad y agota las reservas de energía, la persona que consume estimulantes de forma crónica puede parecer delgada. Observe si hay signos de abuso de sustancias, como estigmas de inyecciones intravenosas o quemaduras en los dedos por una pipa de *crack*. Recuerde que los pacientes que consumen o abusan de estimulantes pueden estar privados de sueño, con ansiedad e incluso paranoia. Mantenga siempre conciencia de la situación para garantizar un entorno seguro para usted y su compañero.

SEGURIDAD

Mientras atiende a un paciente que experimenta los efectos de un potente simpaticomimético, se pueden utilizar sedantes para ayudar a tratar y transportar al paciente de forma segura. No permita que la agitación o combatividad del paciente le distraiga mientras calcula una dosis apropiada para el paciente. Tómese el tiempo necesario para volver a comprobar la dosis y el volumen que se dispone a administrar. Antes de administrar el sedante, comunique la dosis a su compañero. Este paso podría ayudar a evitar un grave error de medicación.

Cocaína

La **cocaína** es un alcaloide natural que se extrae de las hojas de la planta de *Erythroxylum coca*, que crece en Sudamérica. Después de la transformación de las hojas en clorhidrato de cocaína, el principio activo de las hojas aumenta su potencia. En el siglo XIX y principios del XX, los elixires solían contener cocaína como principio activo para tratar diversas enfermedades. Los otorrinolaringólogos utilizaban la cocaína como anestésico local. Las cualidades eufóricas y adictivas de la cocaína han contribuido a su demanda en las calles.

Según la *National Survey on Drug Use and Health*, el consumo de cocaína ha disminuido ligeramente entre las personas de 12 a 25 años, pero el consumo general entre las personas de 26 años o más se ha mantenido prácticamente igual.[15] La cantidad de cocaína biológicamente activa puede variar de una forma a otra. Puede existir cierta variación en función de la presencia y cantidad de otras sustancias (que potencialmente puede consistir en adulterantes) utilizadas para diluir o "cortar" la sustancia. Cuanto mayor sea la pureza de la cocaína, más grave será el potencial de dependencia. En otras palabras, las personas que en ocasiones consumen una solución menos pura de la sustancia, no son tan dependientes psicológica o fisiológicamente como alguien que consume una solución más pura. Los consumidores de cocaína con graves problemas de dependencia pueden tener importantes problemas de salud, así como problemas sociales y psicológicos.

Fisiopatología

La cocaína es un anestésico local y un estimulante del sistema nervioso. Aumenta la liberación y la actividad de neurotransmisores en el organismo, como norepinefrina, dopamina y serotonina. El aumento de la actividad de la dopamina es responsable de la euforia que se experimenta con el consumo de cocaína, se caracteriza por un mayor estado de alerta y una enorme sensación de bienestar. En conjunto, esta variedad de efectos convierte a la cocaína en una de las sustancias psicológicamente más adictivas que existen. El aumento de la actividad de la norepinefrina provoca la estimulación del sistema nervioso simpático. La manifestación física de esta estimulación explica muchos de los efectos adversos comunes asociados con el consumo de la cocaína, como taquicardia, hipertensión e hipertermia. Además, esta estimulación del sistema nervioso simpático puede poner en riesgo todos los sistemas orgánicos debido a una vasoconstricción significativa, junto con un aumento de las demandas metabólicas celulares y de oxígeno.

Una forma química de la cocaína, el clorhidrato, una sal soluble en agua, se absorbe rápido a través de todas las membranas mucosas, lo que permite aplicarla tópicamente, inhalarla (esnifarla), tragarla o inyectarla por vía intravenosa. Otra forma de cocaína, el *crack*, es simplemente cocaína mezclada con dos ingredientes baratos, bicarbonato de sodio y agua. Una vez mezclados los ingredientes en una pasta y cocidos u horneados, el resultado final es cocaína fumable.

Cuando la cocaína se esnifa por vía nasal, el paciente puede empezar a sentir los efectos entre 1 a 5 minutos. Cuando el *crack* se fuma y los alvéolos se llenan de humo cargado de cocaína, el inicio de los efectos es mucho más rápido (entre 8 y 10 segundos). La cocaína inyectada, tiene un inicio igual de rápido al entrar en la circulación cerebral. Se sabe que fumar e inyectarse cocaína produce una aceleración seguido de gran euforia.[16] La duración de los efectos dependerá del nivel de tolerancia del paciente y de la pureza de la sustancia. Las personas que tienen un alto nivel de tolerancia o que consumen de manera habitual cocaína de mayor pureza, repiten sus dosis con mayor frecuencia debido a la dependencia del organismo a niveles más altos de la sustancia.

Cuando los efectos de la cocaína desaparecen, el consumidor experimenta el llamado "*crash*", que se caracteriza por depresión, irritabilidad y agotamiento. Dependiendo de la cantidad y duración del consumo de la cocaína, la persona puede experimentar un síndrome denominado *síndrome de lavado de cocaína* (*cocaine washout syndrome*). Este síndrome se presenta como un estado hipoactivo relacionado con la falta de neurotransmisores sinápticos. Grandes cantidades de neurotransmisores interactúan con el sistema nervioso central y periférico mientras el consumidor experimenta los efectos. Una vez que desaparecen los efectos de la cocaína, todos esos neurotransmisores se vuelven menos activos o no están disponibles para su uso por el organismo.

El paciente que experimenta el síndrome de lavado de cocaína puede ser difícil de evaluar. Los signos de hiperactividad pueden haberse disipado ya. Sin embargo, el paciente puede estar en una cuesta abajo de los efectos, por lo que puede ser hipoactivo. Recuerde evaluar otras patologías durante su evaluación. Considere otras causas potenciales y mucho más ominosas del estado hipoactivo del paciente, como un evento cerebro vascular o un infarto del miocardio (IM) con shock profundo.

Para agravar el problema, una persona con adicción a la cocaína que intenta evitar los efectos desagradables de un "*crash*", puede consumir más cocaína o un sedante (como diazepam [Valium®], alcohol o heroína). Esto puede ocasionar que el paciente tenga varios tipos de sustancias en su organismo cuando requiera la asistencia del síndrome de lavado de cocaína. Las personas con adicción a la heroína pueden consumir cocaína para abstenerse o desintoxicarse de la heroína, disminuyendo de forma gradual la cantidad de heroína consumida y aumentando al mismo tiempo la cantidad de cocaína consumida.

Evaluación

Una persona con una sobredosis de cocaína puede presentar cualquiera de los signos y síntomas del consumo abusivo de estimulantes, como dolor torácico, dificultad respiratoria, diaforesis y psicosis. Pueden observarse efectos cardíacos como disritmias ventriculares, infarto del miocardio o paro cardíaco súbito. Debido a las propiedades bloqueadoras de los canales de sodio de la cocaína, puede observarse un complejo QRS ensanchado o un intervalo QT prolongado en un trazo del EKG. Los consumidores crónicos pueden presentar una hipertrofia ventricular izquierda significativa.

Como ya se ha mencionado, la importante vasoconstricción desencadenada por el consumo de cocaína significa que la sustancia puede afectar a cualquier sistema del cuerpo. Durante su evaluación, esté atento a signos de lesión neurológica e insuficiencia renal. Evalúe siempre a su paciente con base en la presentación clínica y los síntomas.

Anfetamina, metanfetamina y sustancias anfetamínicas

Las **anfetaminas** son estructuralmente similares a los derivados de la feniletilamina; incluyen la metanfetamina (*crank* o *ice*), la metilendioxianfetamina (MDA, Adan) y la metilendioximetanfetamina (MDMA, Eva, Éxtasis). La anfetamina y las sustancias similares tienen varias aplicaciones clínicas legales, como descongestionantes nasales y en el tratamiento de la narcolepsia, el trastorno por déficit de atención y el trastorno por déficit de atención e hiperactividad (**FIGURA 24-7**). Se ha observado un aumento del consumo de anfetaminas en las escuelas. A los adolescentes con trastornos de la atención, se les pueden prescribir anfetaminas para aumentar el estado de alerta y la concentración, pero pueden hacer un mal uso de la medicación prescrita o participar en el

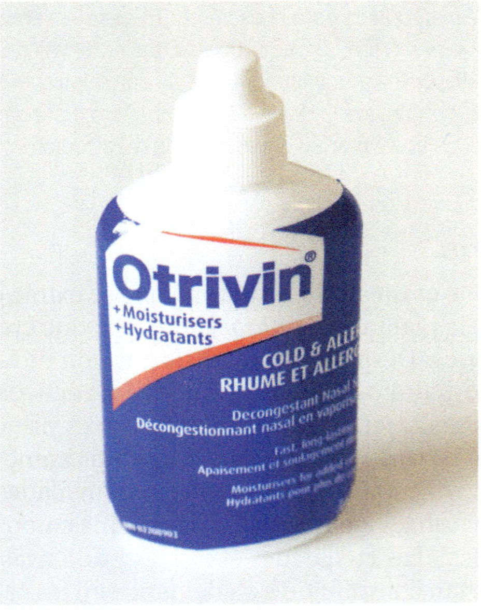

FIGURA 24-7 Fármacos como los descongestionantes nasales y las tabletas para bajar de peso suelen entrar en la categoría de las anfetaminas.

desvío de sustancias o fármacos (es decir, transferir una medicación prescrita a otra persona) para obtener un beneficio económico.

Molly, la forma de polvo de cristal "químicamente pura" de la metilendioximetanfetamina, es muy deseada en las calles por sus grandes efectos. La mayoría de los consumidores de sustancias, no se dan cuenta de que puede estar contaminada con otros aditivos que podrían producir efectos adversos y afecciones médicas importantes. Las investigaciones han demostrado que la prevalencia real del consumo de metilendioximetanfetamina está subnotificada debido a la confusión o al desconocimiento de que Molly es un tipo de metilendioximetanfetamina.[17]

La **metanfetamina** es un estimulante de bajo costo y acción prolongada, altamente adictiva. Los ingredientes necesarios para fabricar metanfetamina pueden adquirirse en comercios. Sin embargo, la normativa federal pretende interrumpir la obtención de grandes cantidades de seudoefedrina y otros ingredientes necesarios. El proceso de fabricación de la metanfetamina implica el uso de sustancias químicas peligrosas que pueden suponer un riesgo para su salud y la de sus compañeros. Cuando evalúe a un paciente que pueda haber estado implicado en el proceso de fabricación, tenga muy presente la seguridad de la escena.

La presentación clínica del paciente que abusa de las anfetaminas o metanfetaminas es casi idéntica a la de una persona que abusa de la cocaína, con la principal excepción de que los efectos de las anfetaminas duran más que los de la cocaína. Debe estar alerta ante la posibilidad de inestabilidad emocional y psicológica en personas con un trastorno por consumo de sustancias, sobre todo en pacientes que han abusado del consumo. Con cada día que pasa sin dormir y con poca o ninguna comida, se vuelven cada vez más paranoicos. Su comportamiento puede volverse violento con rapidez, así que tenga siempre presente su estrategia de salida cuando se encuentre en el lugar de los hechos. No dude en solicitar el apoyo de los oficiales de seguridad de la policía, si la escena es susceptible de desestabilizarse.

Catinonas sintéticas (sales de baño)

Las catinonas sintéticas, también conocidas como sales de baño, constituyen un grupo emergente de sustancias similares a la metilendioximetanfetamina. Las catinonas sintéticas son sustancias psicoactivas derivadas de un compuesto químico de la derivadas planta del *khat*, originaria de África oriental. Las hojas de khat se mastican de manera tradicional para obtener un efecto estimulante y eufórico. Las catinonas sintéticas se modifican químicamente para que tengan una potencia mayor que el compuesto natural. Sin embargo, las sales de baño no deben confundirse con productos de baño como la sal de Epsom (sulfato de magnesio).

Algunos de los componentes químicos utilizados en las catinonas sintéticas entran a Estados Unidos procedentes de países como China. A principios del 2015, entre tres y cuatro personas fueron hospitalizadas cada día en zonas del sur de Florida por el consumo de una catinona sintética llamada *Flakka*. La presión internacional para que los gobiernos prohibieran las sustancias utilizadas para fabricar catinonas sintéticas ha frenado parte de la producción y por lo tanto, la frecuencia con la que estas sustancias aparecen en la calle.[18] Sin embargo, se han encontrado sustancias y sustitutos químicamente similares a las catinonas sintéticas.

Las catinonas sintéticas son populares porque ofrecen efectos similares a estimulantes como la cocaína y las anfetaminas, pero suelen costar menos. Las sales de baño se venden a veces como alimento para plantas o limpiadores, y llevan la etiqueta "no apto para consumo humano". Las catinonas sintéticas tienen un aspecto cristalino blanco o marrón y vienen en paquetes de aluminio con nombres como *Flakka*, *Cloud Nine* o *White Lightning*. Pueden venderse en tiendas de comestibles o gasolineras, lo que las hace más accesibles que otras sustancias psicoactivas ilícitas. Es difícil identificar las nuevas sustancias psicoactivas y sus características únicas, lo que a su vez crea enormes dificultades a la hora de reconocer y tratar a los pacientes que han consumido estas sustancias.

Al igual que otros estimulantes, las catinonas sintéticas pueden ingerirse, inhalarse (esnifarse), fumarse o inyectarse. La velocidad de aparición depende de la vía de absorción. Según el *National Institute on Drug Abuse* (NIDA), las dos vías asociadas con las tasas de mortalidad más elevadas son la inhalación y la inyección.[19] El consumo de catinona sintética se ha asociado con paranoia significativa, alucinaciones, fuerza importante, delirio excitado y otros comportamientos extraños. También puede aparecer taquicardia, diaforesis, náusea e hipertermia.

Manejo del abuso de estimulantes

Las manifestaciones más peligrosas para la vida relacionadas con el abuso de estimulantes incluyen disritmias, eventos vasculares, hipertensión, hipertermia, convulsiones y agitación. El tratamiento del abuso de estimulantes y la toxicidad incluye cuidados de soporte, mantenimiento de la oxigenación, monitorización adecuada y evaluación de la necesidad de una intervención apropiada con líquidos intravenosos o medicamentos, como se indica a continuación:

- Establecer y mantener la vía aérea. Considere la posibilidad de una vía aérea avanzada si es necesario.
- Proporcionar oxígeno suplementario para mantener niveles de saturación superior a 94%.
- Establecer un acceso vascular.
- Colocar el monitor de EKG, el pulsioxímetro y el capnómetro.
- Para controlar la ansiedad y las convulsiones, administrar benzodiacepinas según los protocolos locales.
- Controlar la hipotensión con infusiones seriadas de solución salina normal.
- Para los pacientes que demuestren un comportamiento violento, seguir los protocolos locales o ponerse en contacto con el control médico para la sedación.
- Transportar al centro adecuado.

Puede ser necesaria la reanimación con líquidos en pacientes con signos de hipoperfusión. Evalúe al paciente en busca de disritmias cardíacas que puedan requerir tratamiento. Tratar el dolor torácico como un síndrome coronario agudo y considerar otros síntomas (como dificultad respiratoria) como una presentación atípica del síndrome coronario agudo. Si se sospecha un síndrome coronario agudo, considere la administración de nitroglicerina sublingual, si no está contraindicada. Siga los protocolos locales y consulte al director médico según sea necesario para el paciente que experimente una sobredosis de estimulantes.

Se cree que la agitación grave y el delirio excitado están relacionados con la sobredosis de estimulantes. Si el paciente muestra un comportamiento extraño, está vestido de forma inadecuada para el entorno o tiene antecedentes de incumplimiento de la medicación psiquiátrica, este hallazgo puede aumentar la sospecha de sobredosis de estimulantes y delirio excitado. La contención química y la sedación pueden estar indicadas para mantener a salvo tanto al paciente como a uno mismo. Los protocolos locales pueden determinar qué agente utilizar para este fin. Los antipsicóticos, las benzodiacepinas y los agentes disociativos se utilizan con frecuencia en la escena.

Puede estar indicado un enfriamiento agresivo si el paciente está hipertérmico y presenta signos de delirio o agitación grave. Considere la posibilidad de colocar compresas frías externas en la ingle, la axila y los antebrazos. Siga los protocolos locales. Durante todo el proceso de reanimación, es esencial mantener la diuresis con una fluidoterapia agresiva.

Si el paciente presenta una convulsión, las benzodiacepinas siguen siendo el tratamiento de elección. Además, puede ser necesario el bloqueo neuromuscular para controlar la actividad motora y evitar la hipertermia, la acidosis y, potencialmente, la **rabdomiólisis** (destrucción del tejido muscular que provoca la liberación de potasio y mioglobina). Por lo general, será necesario un control médico en línea antes de llegar a este paso del algoritmo de tratamiento.

Marihuana y compuestos del cannabis

Cuando se cosechan y secan las hojas y los capullos florales de la planta *Cannabis sativa*, el producto final se denomina **marihuana** (también conocida como hierba, marihuana, droga y cogollo) (**FIGURA 24-8**). La resina producida por las flores en maduración también puede cosecharse y utilizarse para producir hachís (también conocido como hash). En la última década, algunos estados de Estados Unidos han legalizado la marihuana y algunos de sus compuestos para uso médico; otros estados la han legalizado para cualquier uso. Esta medida ha creado muchos debates controvertidos sobre el consumo de marihuana. Según los resultados de la *National Survey on Drug Use and Health* del NIDA, la marihuana sigue siendo la sustancia psicoactiva ilícita más consumida en Estados Unidos, con un aproximado de 32% de personas entre 18 y 25 años que consumieron marihuana en el último año.[15] Por estas razones, es importante conocer a fondo la marihuana y sus compuestos.

La marihuana contiene varios compuestos del cannabis, que pueden tener diferentes efectos terapéuticos. El cannabidiol (CBD), es una de las principales sustancias químicas activas. Aunque sus beneficios

FIGURA 24-8 Una planta de marihuana.

terapéuticos son muy variados, desde la analgesia hasta el tratamiento de enfermedades mentales, la investigación clínica sobre sus efectos es limitada. Una enfermedad para la que se ha estudiado a fondo y para la que la *Food and Drug Administration* ha aprobado su uso, son los síndromes de epilepsia refractaria.[20] El cannabidiol no tiene los efectos eufóricos o embriagadores del tetrahidrocannabinol, y ha servido de motor para que algunos estados generen leyes que permitan el acceso al aceite de cannabidiol o a variedades de marihuana con alto contenido en cannabidiol.

Fisiopatología

Como ya se ha mencionado, el principal componente psicoactivo de la marihuana y el hachís es el delta 9-tetrahidrocannabinol o THC. El tetrahidrocannabinol se une a los receptores cannabinoides de todo el cerebro. El consumo de marihuana puede aumentar la percepción sensorial y la euforia del consumidor. Estos efectos inusuales pueden causar ansiedad o pánico. Los efectos comunes a corto plazo del consumo de marihuana incluyen taquicardia, problemas del equilibrio y coordinación, aumento del apetito, inyección conjuntival, sequedad de boca y posible pérdida de la memoria. También puede producirse somnolencia y relajación después del consumo de esta sustancia. El consumo crónico de marihuana puede causar síntomas pulmonares sin la condición obstructiva de la vía aérea que se observa comúnmente con el consumo de tabaco.[21]

Fumar marihuana suele provocar euforia y relajación de 4 a 6 horas. La motricidad fina, la concentración y la percepción de la profundidad pueden verse alteradas hasta 24 horas, lo que afecta a la capacidad de la persona para realizar con seguridad actividades como conducir o manejar maquinaria pesada.[21] Los productos derivados de la marihuana también pueden ingerirse, inhalarse, vaporizarse y aplicarse tópicamente sobre la piel.

SEGURIDAD

Debido al tiempo relativamente prolongado durante el cual el consumo de marihuana puede perjudicar la capacidad de un servicio de emergencias médicas para realizar su trabajo y a la presencia de tetrahidrocannabinol en la sangre, los servicios de emergencias médicas deben considerar la adopción de políticas de tolerancia cero para el consumo de marihuana.

Evaluación y manejo

Cuando evalúe al paciente que ha consumido marihuana o compuestos de cannabis, sepa que aunque la intoxicación y el síndrome de abstinencia de la marihuana no ponen en peligro la vida, puede causar taquicardia que puede alterar la perfusión miocárdica en personas de edad avanzada.[22] Los consumidores novatos pueden sentir pánico o ansiedad debido a la euforia, la desorientación espacial y la alteración del sentido de la realidad que pueden producirse. A menudo, lo único que se necesita es apoyo emocional y cuidados de soporte. Las benzodiacepinas pueden considerarse para la sedación, si el paciente presenta ansiedad significativa. Si el paciente presenta signos y síntomas graves o potencialmente mortales, hay que considerar la posibilidad de que se deba a otra sustancia o fármaco mientras se continúa con la evaluación y la búsqueda de otras causas.

A veces los pacientes no son conscientes de su exposición, como cuando alguien ha ingerido marihuana en un *brownie* sin saberlo. Los pacientes pediátricos pueden experimentar signos y síntomas más graves después de ingerir un alimento que ha sido adulterado con marihuana (p. ej., caramelos, *brownies* o gomas). En tal caso, póngase en contacto con el centro de control de intoxicaciones y traslade rápido al niño al hospital, ya que es probable que requiera hospitalización en función de sus síntomas.[23]

En ocasiones, puede encontrarse con un paciente con síndrome de hiperémesis cannabinoide. Este síndrome consiste en episodios cíclicos de náusea y emesis en consumidores crónicos de cannabis. Están indicados líquidos intravenosos y antieméticos durante el transporte al centro más adecuado.[21]

Spice

Similar a las catinonas sintéticas, el ***spice*** es un cannabinoide sintético que entra en la categoría de nuevas sustancias psicoactivas. Dado que los cannabinoides actúan sobre los mismos receptores que el tetrahidrocannabinol el *spice* suele comercializarse como marihuana sintética. Sin embargo, el principio activo es una mezcla de sustancias químicas que se pulverizan sobre material vegetal para fumar o se vende como líquido para vaporizar en cigarrillos electrónicos. Algunos consumidores manifiestan una euforia similar a la asociada con el consumo de marihuana; sin embargo, estas sustancias químicas pueden ser más peligrosas que la marihuana. Los efectos adversos del consumo de *spice* pueden incluir psicosis, alucinaciones, taquicardia, vómito, afecciones renales y convulsiones.

Al igual que con las catinonas sintéticas, puede ser difícil obtener una buena evaluación y elaborar un plan de tratamiento para alguien que ha consumido *spice*. Recuerde que con el *spice* pueden haberse utilizado diversas sustancias químicas, por lo que la presentación de los pacientes puede variar. Los cuidados de soporte con líquidos y antieméticos suelen ser adecuados. Si el paciente presenta convulsiones, la medicación de elección son las benzodiacepinas.

Alucinógenos

Un **alucinógeno** es una sustancia que puede alterar el juicio, modificar la percepción de la realidad y crear una sensación realista de imágenes o sonidos que en realidad no existen. Las experiencias con alucinógenos son impredecibles y varían notablemente de una persona a otra. La experiencia general con la sustancia se ve reflejada por la experiencia previa del consumidor, la dosis ingerida y el entorno social. Tenga en cuenta esta información cuando traslade al paciente a un entorno con luces brillantes, sirenas ruidosas, golpes y vibraciones importantes, como la ambulancia.

Las sustancias alucinógenas se clasifican en dos categorías: sintéticas y naturales. Las sintéticas incluyen la dietilamida de ácido lisérgico (LSD), la fenciclidina (PCP) y la ketamina. Los alucinógenos naturales son la mescalina, las setas de psilocibina y las semillas de estramonio.

LSD

La dietilamida de ácido lisérgico procede de un hongo que contamina la harina de centeno y el trigo. Suele ingerirse por vía oral y se vende en la calle en comprimidos, cápsulas o en forma líquida. También se pueden impregnar con dietilamida de ácido lisérgico pequeños cuadros de papel de colores y colocarlos debajo de la lengua. Una sola dosis equivale a un cuadro de papel. El tiempo hasta la aparición de los efectos es de 30 a 60 minutos y la duración de los efectos puede durar hasta 24 horas. La dietilamida de ácido lisérgico se considera una sustancia que no crea hábito, aunque puede producirse tolerancia si se consume durante varios días seguidos.

Fisiopatología

La dietilamida de ácido lisérgico es un agonista de los receptores de serotonina. Tiene la capacidad de distorsionar la realidad, cambiar el estado de ánimo y alterar las percepciones. La dietilamida de ácido lisérgico también puede hacer que el usuario experimente sinestesias. Las sinestesias, un cruce de los sentidos, a menudo llevan al usuario a responder a la pregunta "¿Qué estabas haciendo?" con una respuesta extraña, como "Estaba saboreando los colores que brillaban en ese semáforo". Los usuarios pueden consumir dietilamida de ácido lisérgico por autoexploración o por motivos religiosos.

Debido a la potencia de la dietilamida de ácido lisérgico, incluso pequeñas dosis pueden crear una experiencia significativa para el que lo consume por primera vez. Dosis más altas pueden ocasionar una experiencia más intensa o de mayor duración. Se puede desarrollar tolerancia a la dietilamida de ácido lisérgico, lo que obliga a los consumidores crónicos a tomar dosis más altas, pero casi no existe evidencia de dependencia física o síndrome de abstinencia si el usuario deja de consumir la sustancia.

Desde una perspectiva fisiológica, los efectos de la dietilamida de ácido lisérgico son principalmente simpaticomiméticos, y suelen consistir en taquicardia leve, palpitaciones, midriasis y sudoración. En un "mal viaje", el consumidor tiene experiencias vividas y aterradoras similares a una pesadilla, provocando ataques agudos de ansiedad y efectos físicos secundarios al aumento de la ansiedad. El mal viaje no termina hasta que desaparece el efecto de la sustancia.

Evaluación y manejo

El tratamiento de un paciente que consume dietilamida de ácido lisérgico es principalmente de apoyo, centrándose en los aspectos psicológicos de la experiencia con la sustancia. Siga los protocolos locales cuando considere la administración de ansiolíticos para pacientes con ansiedad grave.

Durante el transporte de un paciente que ha tomado dietilamida de ácido lisérgico, intente limitar al máximo la estimulación sensorial; por ejemplo, evitando el uso de las luces y la sirena de emergencia. El transporte rutinario al centro adecuado y la prestación de apoyo emocional suelen ser todo lo que se requiere para estos pacientes.

Fenciclidina

La fenciclidina, también llamada polvo de ángel o combustible para cohetes, es un anestésico disociativo que tiene propiedades alucinógenas. Se desarrolló en los años 50 como anestésico intravenoso, pero los pacientes sufrían delirios importantes luego de su administración. Ya no se utiliza con fines médicos en Estados Unidos. Aunque se suele vender en forma de polvo, cristal o tabletas, algunos consumidores mojan los cigarrillos de marihuana con fenciclidina (conocida como *wets* o *superhierba*). La fenciclidina suele combinarse con otras sustancias ilícitas para crear un efecto más intenso. Esta práctica puede ocurrir sin el conocimiento del usuario. Los usuarios pueden creer que se van a relajar después de fumar un porro de marihuana (cigarrillo), solo para descubrir que ha sido mezclado con fenciclidina.

Fisiopatología

La fenciclidina actúa sobre los receptores de *N*-metil-D-aspartato (NMDA). Como sustancia disociativa, la fenciclidina puede distorsionar la visión, la audición y hacer que los consumidores se sientan separados de su propio cuerpo. Suele fumarse o esnifarse, aunque también puede inyectarse. Dosis de 5 a 10 mg pueden producir signos y síntomas de intoxicación en un adulto. Disartria, ataxia, taquicardia, hipertensión, mirada perdida durante largos periodos y nistagmo horizontal (movimiento rítmico e involuntario de los ojos) son síntomas habituales del consumo de fenciclidina. Los consumidores también pueden mostrar una fuerza extraordinaria, tener una sensación de invencibilidad o no ser conscientes del dolor y ser funcionales a pesar de lesiones ortopédicas traumáticas. Un hombre pequeño y delgado que consuma fenciclidina puede ser capaz de atacar con éxito a varias personas más grandes a pesar de sufrir lesiones, lo que puede convertirse en un problema importante a la hora de considerar la seguridad en la escena y el tratamiento de un paciente combativo.

Evaluación y manejo

La fenciclidina puede causar uno de los comportamientos más violentos y difíciles que se pueden encontrar en la escena. El estado de ánimo del paciente puede cambiar rápidamente, y el paciente puede atacar a otras personas sin previo aviso. Por este motivo, la seguridad del equipo del servicio de emergencias médicas es una preocupación continua cuando se responde a llamadas en las que hay usuarios con consumo de fenciclidina. La atención de la emergencia se centra en intentar calmar al paciente y atender cualquier herida. Se puede considerar el uso de sedantes intramusculares (IM) para un paciente agresivo o combativo. Coordine sus esfuerzos con sus compañeros para asegurarse de que todos conocen el plan antes de proceder a administrar la medicación. Puede ser factible obtener acceso intravenoso después de que el paciente haya sido sedado inicialmente. Administre oxígeno, controle los signos vitales y traslade al paciente a un centro adecuado.

Ketamina

La ketamina (especial K, vitamina K) es otro anestésico disociativo (discutido más a fondo en el capítulo 25, *Emergencias psiquiátricas*). Este medicamento es de acción relativamente corta y tiene usos clínicos en el campo veterinario y para sedación en procedimientos, para el manejo de pacientes agitados o violentos y para el control del dolor. La ketamina corre el riesgo de ser desviada de clínicas u hospitales veterinarios y una cantidad significativa de ketamina ilícita ha sido introducida de contrabando en Estados Unidos desde México. En ocasiones, la ketamina se añade a otras sustancias ilícitas para generar una experiencia más intensa.

Fisiopatología

Al igual que la fenciclidina, la ketamina actúa sobre los receptores *N*-metil-D-aspartato. También se une a los receptores mu-opioides, lo que le confiere propiedades analgésicas. En dosis bajas, el consumidor presenta un ligero estado de embriaguez, euforia y mayor sociabilidad. A dosis más altas, el paciente puede presentar náusea pronunciada, dificultad para moverse y alucinaciones significativas, así como otros efectos sistémicos.[24]

Evaluación y manejo

Aunque los brotes de violencia en los pacientes son mucho menos probables con la ketamina que con la fenciclidina, los principios del manejo son los mismos para los pacientes que han consumido cualquiera de las dos sustancias. Asegure bien al paciente, evalúe el XABCDE y gestione cualquier amenaza para la vida, proporcione oxigenoterapia, establezca un acceso vascular si el paciente está receptivo y proporcione un transporte seguro al centro adecuado. Vigile de cerca al paciente porque el comportamiento violento puede aparecer de repente. Las benzodiacepinas pueden ayudar a calmar a un paciente agitado que esté experimentando un delirio importante.

Peyote y mescalina

Las tribus nativas del suroeste de Estados Unidos y México llevan miles de años consumiendo alucinógenos, principalmente con fines religiosos, siendo la mescalina la sustancia preferida. La mescalina es el agente alucinógeno que se encuentra en el pequeño cactus peyote. El peyote y la mescalina son sustancias de la Lista I, con un alto potencial de uso indebido y sin uso médico actualmente aceptado en Estados Unidos.

Fisiopatología

No se ha determinado el mecanismo de acción exacto de la mescalina. Los "botones" de las flores secas pueden ingerirse o diluirse en agua para producir una infusión con mescalina (**FIGURA 24-9**). Los botones tienen un sabor amargo y son un potente irritante gástrico. La experiencia psicodélica suele comenzar con sensaciones de mayor sensibilidad a la estimulación sensorial. Se observan destellos de color, por lo general en patrones geométricos. Al igual que con el consumo de otros alucinógenos, la experiencia puede estar guiada por el entorno social del consumidor; son comunes las alucinaciones que involucran animales que hablan y experiencias vividas basadas en la naturaleza. Los consumidores experimentan una distorsión del tiempo y el espacio y es habitual que se produzcan experiencias extracorpóreas.

Estructuralmente, la mescalina se parece más a la anfetamina, lo que explica sus efectos físicos: midriasis, aumento del pulso, hipertensión leve y aumento de la temperatura corporal.

FIGURA 24-9 Los botones florales secos del cactus peyote contienen mescalina y producen un efecto alucinógeno si se ingieren.

FIGURA 24-10 Las setas que contienen psilocibina son alucinógenas si se ingieren.

Evaluación y manejo

La atención médica de emergencia en la escena es principalmente de soporte. Administre oxígeno suplementario, controle los signos vitales, proporcione apoyo emocional y organice el transporte seguro al centro receptor. Considere la administración de líquidos y antieméticos si el paciente tiene náusea y vómito intensos.

Setas de psilocibina

Algunos hongos contienen las sustancias alucinógenas psilocibina y psilocina (**FIGURA 24-10**). En Estados Unidos, las setas de las que más se abusa son la *Psilocybe mexicana* y la *Psilocybe cyaescens*, pero también existen diversas variedades que contienen psilocibina y psilocina y que son autóctonas de climas tropicales y subtropicales de América del Norte, Central y del Sur. Estas setas suelen tener un sabor amargo, y pueden combinarse con otros líquidos o alimentos para disimular el mal sabor.

Fisiopatología

El inicio de los síntomas y los efectos alucinógenos (similares a los de la dietilamida de ácido lisérgico LSD, pero menos intensos) se produce a los 30 minutos de la ingesta y los efectos suelen durar de 4 a 6 horas. Los signos y síntomas incluyen debilidad muscular, somnolencia, náusea y emesis, midriasis, taquicardia leve e hipertensión leve. La probabilidad de efectos adversos graves es baja, aunque en algunos pacientes se han producido convulsiones e hipertermia.

Evaluación y manejo

Proporcionar cuidados de soporte. Es probable que las alucinaciones resuelvan con rapidez si el paciente se encuentra en un entorno seguro. El manejo del XABCDE y la monitorización de los signos vitales suele ser todo lo que se necesita, junto con un transporte seguro al centro adecuado. Si el tiempo y las circunstancias lo permiten, establezca un acceso vascular para facilitar el control de las convulsiones con benzodiacepinas, si es necesario.

Hipnóticos y sedantes

Los fármacos de la categoría **hipnótico-sedantes** tienen una amplia gama de aplicaciones y beneficios terapéuticos bien establecidos. Estos fármacos actúan como depresores del sistema nervioso central y pueden producir diversos efectos, desde una ligera sedación hasta la anestesia total. Los fármacos sedantes se utilizan para reducir la ansiedad y calmar a los pacientes agitados. Los fármacos con cualidades hipnóticas se utilizan como somníferos, ayudando a producir somnolencia y sueño. Debido a la eficacia de los medicamentos hipnóticos y sedantes, tienen un alto potencial de uso indebido y presentan un elevado riesgo de desvío de fármacos en el ámbito médico.

Barbitúricos

Los **barbitúricos** son una clase de medicamentos que actúan como depresores del sistema nervioso central. Como tal, tienen usos terapéuticos establecidos como ansiolíticos, anticonvulsivantes e hipnóticos. El uso de barbitúricos se asocia con efectos analgésicos, pero estos suelen ser mínimos. Desde el punto de vista clínico, los barbitúricos son similares al del alcohol en cuanto a dependencia y síntomas de abstinencia.

La combinación frecuente de alcohol y barbitúricos como mecanismo de suicidio, unida a la elevada incidencia de sobredosis involuntarias, obligó a los investigadores a desarrollar fármacos hipnóticos-sedantes que tuvieran menos efectos depresores sobre el sistema respiratorio y fueran menos letales. Hoy en día, la probabilidad de muerte por la ingestión de un hipnótico-sedante de un solo grupo, como el diazepam (Valium®), es pequeña.

Fisiopatología

Los barbitúricos potencian el ácido gamma-aminobutírico (GABA) en receptores específicos para inhibir la excitación celular. Al aumentar la dosis, los barbitúricos se unen a otros receptores y provocan una depresión más generalizada del sistema nervioso central. Los barbitúricos se clasifican en cuatro grupos básicos: acción prolongada, acción intermedia, acción corta y acción ultracorta. Los barbitúricos de acción ultracorta son muy liposolubles y tienen un inicio rápido porque atraviesan rápidamente la barrera hematoencefálica. Estas sustancias se prefieren cuando el tiempo apremia, como en el manejo de la vía aérea o para detener una convulsión. Los barbitúricos de acción prolongada son menos liposolubles; por lo tanto, tienen un inicio de acción retardado y se prefieren cuando se requiere un nivel terapéutico sostenido de un medicamento durante un periodo prolongado. El hígado metaboliza la mayoría de los barbitúricos en metabolitos inactivos, aunque los barbitúricos que unen débilmente a las proteínas tienden a excretarse sin cambios por la orina.

Evaluación

Los hallazgos de la evaluación del paciente reflejarán la dosificación y la clasificación del barbitúrico. La intoxicación por barbitúricos de leve a moderada es similar a la intoxicación por alcohol; los síntomas incluyen disminución del estado de alerta, nistagmo, ataxia, confusión mental y dificultad para hablar. A medida que aumenta la dosis, el paciente desciende en la escala de depresión del sistema nervioso central, volviéndose cada vez más letárgico y finalmente, sin capacidad de respuesta. Tenga en cuenta el potencial de depresión respiratoria.

Medicina basada en evidencia

No se ha demostrado que la administración de carbón activado para la sobredosis de barbitúricos disminuya la morbimortalidad en general.[25] Históricamente, el lavado gástrico (o vaciado gástrico) se practicaba con regularidad en medicina de emergencias. Esta práctica puede haberse considerado para sustancias ingeridas varias horas antes o que no podían ser adsorbidas por el carbón activado. La investigación no ha logrado demostrar los beneficios del lavado gástrico para la descontaminación gástrica.[26]

Manejo

Debido a que es probable que se produzca cierto grado de depresión del sistema nervioso central con la sobredosis de barbitúricos, estos pacientes suelen tener riesgo de vómito y broncoaspiración. Por lo tanto, preste especial atención a la permeabilidad de la vía aérea del paciente. Si el paciente es incapaz de proteger la vía aérea, se debe asegurar. La oxigenación y ventilación adecuadas deben controlarse con pulsioximetría y capnografía.

Perlas de sabiduría

El carbón activado puede ser un fármaco complicado de administrar. Considere la posibilidad de proporcionar una pajita a través de la cual el paciente pueda beber la solución. A menudo, los pacientes no seguirán bebiendo la solución después de verla u olerla. Tenga a mano una bolsa o un recipiente grande por si el paciente tiene un episodio de emesis durante o después de la administración.

Si los signos de shock son evidentes, administre líquidos de soporte tipo cristaloides aumentando de a 250 ml (hasta 2 L). Reevalúe frecuentemente los ruidos respiratorios para asegurarse de que no se está desarrollando un edema pulmonar. Si persiste la hipotensión a pesar de una adecuada reposición de líquidos, considere la administración de un vasopresor de acuerdo con los protocolos locales.

Si está tratando a un paciente consciente a la hora siguiente de la ingesta de una sobredosis de barbitúricos, considere la posibilidad de administrar carbón activado. Asegúrese de que el paciente puede mantener la vía aérea antes de esta administración. El carbón activado puede resultar más beneficioso para las sobredosis de barbitúricos de acción prolongada.

Perlas de sabiduría

Considere la posibilidad de una afección relacionada por fármacos en cualquier paciente que presente cambios de comportamiento inexplicables, estupor, coma o convulsiones.

Las personas que consumen barbitúricos desarrollan con rapidez tolerancia y necesitan dosis cada vez mayores para producir los efectos deseados. El consumo prolongado provoca adicción física. La interrupción brusca en una persona que ha consumido barbitúricos durante mucho tiempo producirá los signos y síntomas típicos del síndrome de abstinencia en un aproximado de 24 horas. En caso de síndrome de abstinencia leve, el paciente puede presentar síntomas similares a los observados en un paciente con síndrome de abstinencia alcohólica: inquietud, temblores, insomnio, diaforesis, cólico abdominal, náusea y emesis. En los pacientes con síndrome de abstinencia grave, también puede observarse delirio, alucinaciones, psicosis, hipertermia y colapso cardiovascular. El síndrome de abstinencia potencialmente mortal, similar al del *delirium tremens*, es posible con la interrupción brusca de grandes dosis de barbitúricos.

Si se encuentra con un síndrome de abstinencia por barbitúricos en el entorno prehospitalario, centre sus esfuerzos de tratamiento en prevenir las convulsiones (las benzodiacepinas IV son una opción común) y el colapso cardiovascular (bolos de líquidos seriados). El transporte rápido al departamento de emergencias, con posterior ingreso a cuidados intensivos, para tratar al paciente de la mejor manera posible a largo plazo.

Benzodiacepinas

Las **benzodiacepinas** también pertenecen a la familia de los hipnótico-sedantes. Se utilizan sobre todo para tratar la ansiedad, las convulsiones y el síndrome de abstinencia. En los últimos años, el uso de benzodiacepinas de acción rápida, como el tartrato de zolpidem (Ambien®) para el tratamiento del insomnio, ha ido en aumento. Estos fármacos suelen conseguirse fácilmente en Internet o a través de personas que venden sus medicamentos prescritos para obtener un beneficio económico.

Fisiopatología

Al igual que los barbitúricos, las benzodiacepinas ejercen sus efectos estimulando la vía del receptor ácido gamma-aminobutírico (GABA), lo que produce sedación y reducción de la ansiedad. Cuando ingieren, estos medicamentos se absorben con facilidad en el tracto gastrointestinal. La administración intravenosa permite un inicio de acción más rápido y una dosificación más controlada. Las inyecciones intramusculares pueden tener una tasa de absorción variable. Estos medicamentos se metabolizan principalmente en el hígado.

Evaluación

En una sobredosis de una sola sustancia, las benzodiacepinas tienen una tasa relativamente baja de morbilidad y mortalidad. Los efectos clínicos más comunes de la sobredosis por benzodiacepinas incluyen alteraciones mentales, somnolencia, confusión, dificultad para hablar, ataxia y pérdida general de coordinación. La sobredosis por benzodiacepinas, rara vez causa hipotensión y no se sabe que provoque disritmias. Si se presenta alguna de estas condiciones, hay que buscar otra causa.[25] En caso de sobredosis intencional, es probable que el paciente haya ingerido varias sustancias. Utilice sus habilidades de investigación y evaluación para guiar la atención clínica del paciente. En ocasiones, pueden producirse reacciones extrapiramidales junto con reacciones hepatotóxicas o hematológicas.

La abstinencia por benzodiacepinas puede provocar taquicardia, temblores, confusión y, quizá, convulsiones. Aunque el síndrome de abstinencia por benzodiacepinas no suele poner en peligro la vida del paciente, puede complicarse con el síndrome de abstinencia por otras sustancias, como el alcohol. El flumazenil (Romazicon®), un antagonista de los receptores de las benzodiacepinas, no está indicado en caso de sospecha de sobredosis de benzodiacepinas porque puede precipitar convulsiones refractarias/intratables si el paciente es dependiente a las benzodiacepinas.[6]

Manejo

El tratamiento de la sobredosis por benzodiacepinas incluye los siguientes pasos:

- Evaluar y controlar la vía aérea, proporcionando asistencia ventilatoria en caso necesario.
- Administrar oxígeno suplementario.
- Establecer un acceso vascular.
- Colocar el monitor de EKG, el pulsioxímetro y el capnómetro.
- Considerar la posibilidad de retos hídricos para la hipotensión.
- Considerar la administración de vasopresores si persiste la hipotensión a pesar de una adecuada reanimación con líquidos.
- Considerar la administración de carbón activado (consultando con toxicología o control médico), en especial con medicamentos de liberación prolongada.
- Transporte al centro adecuado.

Opioides

Un **opioide** es un fármaco que actúa como depresor del sistema nervioso central y produce insensibilidad o estupor. Un opioide puede ser un producto natural derivado de la planta de opio o adormidera (denominado más específicamente **opiáceo**) o un producto sintético diseñado para producir efectos similares. En los últimos años, ha aumentado el consumo de sustancias en las calles increíblemente potentes como el alfentanilo y la desomorfina. El carfentanilo es un tranquilizante para animales que se utiliza en grandes mamíferos, como los elefantes. Es mucho más potente que la morfina o el fentanilo y su consumo puede ser mortal en personas con trastornos por consumo de sustancias que buscan un rápido efecto de los opioides.

Perlas de sabiduría

El término *narcótico* se refería originalmente a una sustancia que aturdía los sentidos y aliviaba el dolor. En el lenguaje cotidiano, a menudo se utiliza para referirse a todas las sustancias ilegales, pero técnicamente solo se refiere a los opioides. Para evitar confusiones, *opioide* es el término preferido en la comunidad médica.

Los proveedores prehospitalarios han visto un aumento significativo en el número de sobredosis por opioides desde el año 2000. Según la *Disease Control and Prevention*, más de 70 000 muertes por sobredosis de sustancias psicoactivas ocurrieron en Estados Unidos en el 2019, dos tercios de los cuales (49 860) involucraron opioides.[27] Los opioides con prescripción médica y la heroína fueron las principales sustancias asociadas con muertes por sobredosis.[28] La comunidad médica ha respondido a estas alarmantes estadísticas con cambios en las prácticas relacionadas con el uso de medicamentos opioides. En 2016, la *Food and Drug Administration* (FDA) publicó un informe especial que esbozaba un enfoque multifacético para ayudar a combatir esta epidemia. El enfoque de la FDA trabaja para abordar las cuestiones de las necesidades individuales y los riesgos sociales. Crea guías claras para el uso de opioides, aborda la falta de alternativas para el tratamiento del dolor, identifica lineamientos para la prescripción de opioides y orienta mejor el uso de medicamentos opioides con base en la evidencia.[29]

Un autoinyector aprobado por la FDA, se puede administrar por vía intramuscular o subcutánea naloxona (Narcan®), para revertir la sobredosis de opioides. La FDA también ha aprobado dispositivos intranasales, que permiten la administración rápida de naloxona para tratar la sobredosis. Las farmacias locales pueden vender este antídoto a personas con o sin prescripción médica. Los agentes de seguridad pueden administrar naloxona antes de la llegada de los del servicio de emergencias médicas. Pregunte siempre si la naloxona ha sido administrada por familiares, transeúntes u otros auxiliadores. Ampliar el acceso a la naloxona es una forma de hacer frente a la mortal epidemia de los opioides. Es importante recordar que una dosis de naloxona puede no revertir permanentemente los efectos de un opioide y el paciente puede volver a quedar inconsciente debido a la vida media más corta de la naloxona en comparación con el opioide.

Como paramédico, ¿qué papel desempeña usted en esta epidemia? El reconocimiento rápido de la sobredosis por opioides seguido del tratamiento adecuado es fundamental. Es importante educar a los pacientes e identificar a las personas con alto riesgo de abuso de opioides. Sin embargo, este riesgo de adicción o uso indebido no debe influir en su decisión de tratar el dolor agudo en el entorno prehospitalario. Una parte significativa de la epidemia del abuso de opioides está generada por el uso indebido de analgésicos bajo prescripción médica. Para el tratamiento del dolor agudo en una emergencia, la administración de opiáceos es en la actualidad la opción más comúnmente disponible. Sin embargo, muchos servicios de emergencias han desarrollado protocolos que utilizan ketamina (un no opioide) para tratar el dolor intenso.

No olvide lo básico en cuanto a la inmovilización, posicionamiento y cuidados de soporte, pero no deje de prescribir analgésicos tipo opioides por temor a que el paciente pueda caer en una adicción. Considere sus opciones a la hora de elegir cómo tratar el dolor de un paciente. Por ejemplo, ¿el paciente tiene un dedo del pie golpeado que puede tratarse mejor con una bolsa de hielo? ¿O tiene una fractura abierta de fémur con dolor intenso? Realice un examen exhaustivo e intente aliviar el dolor con maniobras básicas antes de considerar la administración de opioides.

Fisiopatología

Los opioides afectan el sistema nervioso central uniéndose a tres receptores opioides principales: delta, kappa y mu. Estos receptores pueden producir analgesia y una sensación de euforia. Las mayores concentraciones de receptores opioides se encuentran en el sistema límbico, las cortezas frontal y temporal, el tálamo, el hipotálamo, el mesencéfalo y la médula espinal.

Los opioides pueden ingerirse, insuflarse (es decir, soplado dentro de una cavidad corporal), inhalarse e inyectarse. Como ocurre con otras sustancias, la vía de absorción ayudará a determinar la rapidez de aparición y la duración de los efectos. Cuando se ingieren, los efectos disminuyen debido a su importante metabolismo de primer paso a través del hígado, en comparación con sus efectos cuando se administran por vía parenteral. Los opioides también pueden absorberse a través de la piel mediante parches transdérmicos.

SEGURIDAD

Recuerde la importancia de realizar una exploración rápida de todo el cuerpo a los pacientes que han tenido una sobredosis por opioides. Recuerde que las personas pueden utilizar múltiples vías de administración cuando abusan de los opioides. En particular, busque parches transdérmicos. Pasar por alto un parche de fentanilo que estaba cubierto por la ropa podría hacer que el paciente volviera a entrar en paro respiratorio. Si no ha encontrado y retirado el parche, es posible que no consiga tratar la sobredosis potencialmente mortal.

La morfina y el fentanilo son dos analgésicos de uso común en el ámbito prehospitalario. El fentanilo es un fármaco mucho más potente que la morfina. Esta potencia no significa que el fentanilo sea un medicamento más fuerte o mejor; simplemente se necesita menos cantidad del medicamento para lograr un efecto terapéutico. La morfina tiene algunas propiedades vasodilatadoras debidas a la liberación de histamina, y el fentanilo tiene una vida media más corta. En función de la situación clínica, uno de estos medicamentos puede ser más apropiado para el paciente que el otro.

Evaluación

La presentación clásica del consumo de opioides causa euforia, hipotensión, depresión respiratoria y pupilas puntiformes. Dependiendo del agente específico, también puede aparecer náusea, emesis y estreñimiento. Con dosis mayores es frecuente el coma, las convulsiones (por lo general secundarias a la hipoxia) y el paro cardíaco (normalmente secundaria a paro respiratorio).

La morfina y la heroína producen un estado de sueño. Poco después de inyectarse heroína, el consumidor parece desmayarse. Sin embargo, el consumidor suele estar lúcido y sigue siendo muy consciente de lo que se hace o dice, aunque parezca que se ha quedado dormido.

Manejo

Debido a los efectos depresores del sistema nervioso central de los opioides, el tratamiento del paciente se centra inicialmente en establecer y mantener una vía aérea permeable y proporcionar una ventilación adecuada. Un paciente que experimenta una sobredosis por opioides suele estar hipoventilando, con respiraciones lentas y superficiales. La hipoventilación creará una mayor retención de dióxido de carbono (hipercapnia) y acidosis respiratoria. En lugar de proceder de inmediato a la intubación, coloque una vía aérea nasofaríngea u orofaríngea y proporcione ventilación con bolsa-mascarilla con 15 L/min de oxígeno suplementario.

A continuación, establezca un acceso vascular y administre naloxona. Recuerde que la naloxona se administra para mejorar el esfuerzo respiratorio espontáneo del paciente. Puede titular la naloxona intravenosa para mejorar el cuadro respiratorio sin llevar al paciente de nuevo a un estado pleno de consciencia y alerta. Los efectos adversos de la administración rápida de naloxona incluyen hipotensión, emesis y agitación potencial asociada con la recuperación de la consciencia del paciente. Las vía intramuscular e intranasal también son opciones válidas para la administración de naloxona si no se dispone de acceso intravenosa.

A veces, el paciente puede no responder a la dosis inicial de naloxona y permanecer inconsciente. El paciente puede estar bajo la influencia de una dosis muy potente o grande del opioide. Siga los protocolos locales o considere la posibilidad de ponerse en contacto con control médico si cree que el paciente necesita dosis más altas de naloxona. Otra posibilidad es que el coma sea de otro origen, como un evento cerebro-vascular o una sobredosis por polifarmacia. En cualquiera de los casos, debe insertar un dispositivo de vía aérea avanzada, proporcionar los cuidados de soporte necesarios y trasladar al paciente a un centro adecuado.

Cuando se produce un paro cardíaco por sobredosis de opioides, suele ser consecuencia de una pérdida de la permeabilidad de la vía aérea y de una ventilación inadecuada.[30] Por lo tanto, la atención inicial debe centrarse en permeabilizar la vía aérea y proporcionar ventilación con bolsa-mascarilla. Dado que ningún estudio ha demostrado que la administración de naloxona durante un paro cardíaco mejore la evolución del paciente, a continuación deben realizarse compresiones torácicas de alta calidad.[30] Si tiene una alta sospecha de que la intoxicación por opioides puede haber precipitado el paro cardíaco, está indicada la administración de naloxona, además de las medidas de reanimación habituales, siempre que su administración no retrase la realización de la reanimación cardiopulmonar (**FIGURA 24-11**).

Medicamentos cardíacos

Fisiopatología

Los medicamentos cardíacos pueden beneficiar a los pacientes con trastornos cardiovasculares crónicos relacionados con la presión arterial, la frecuencia

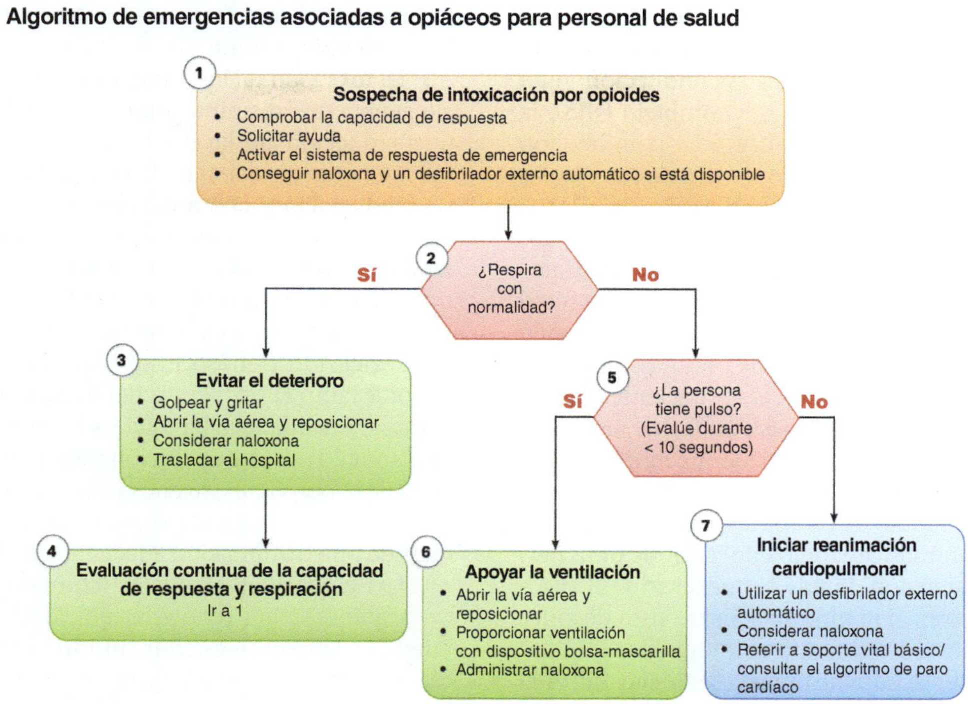

FIGURA 24-11 Algoritmo de la *American Heart Association* para la sobredosis de opioides potencialmente mortal.

cardíaca o las disritmias. Como paramédico, también tiene la capacidad de tratar eventos potencialmente mortales con dosis adecuadas de estos medicamentos. Sin embargo, estos medicamentos pueden producir efectos graves en el organismo cuando alcanzan niveles tóxicos. Los fármacos cardiovasculares incluyen los antiarrítmicos, los betabloqueadores, los bloqueadores de los canales de calcio, los glucósidos cardíacos y los inhibidores de la enzima convertidora de angiotensina. Estos medicamentos se clasifican mediante el sistema *Vaughan-Williams.* Los medicamentos que tienen mecanismos de acción similares se clasifican como Clase I, Clase II, Clase III o Clase IV, como se discute en el capítulo 10, *Principios de farmacología.*

Las sobredosis por medicamentos cardiovasculares suelen ser involuntarias. Una sola tableta o comprimido de muchos de estos medicamentos cardíacos puede causar efectos graves o la muerte en niños pequeños y lactantes que los ingieren de forma involuntaria.

Evaluación y manejo

Debido a la amplia variedad de presentaciones asociadas con las diferentes clases de antiarrítmicos, utilice la historia clínica del paciente y la lista de medicamentos como guía para identificar qué sustancias están implicadas en la sobredosis. La identificación es clave porque muchos tratamientos estándar pueden ser ineficaces debido a los niveles tóxicos de la medicación. Trabaje para minimizar los efectos negativos de la sobredosis mientras determina si hay un antídoto disponible. Como en todas las emergencias, asegúrese de que la vía aérea esté permeable y la ventilación sea adecuada y administre oxígeno suplementario si es necesario.

En casos de sobredosis de la mayoría de los fármacos cardiovasculares, debe ponerse en contacto con un centro de toxicología o de control médico al principio del tratamiento del paciente. Puede recibir una orden de control médico para administrar carbón activado sin sorbitol si el paciente se encuentra dentro de la primera hora post ingesta. Si puede confirmar que se ha ingerido un medicamento de liberación prolongada, entonces esta información puede crear una consideración adicional para el carbón activado. No administre carbón activado si el paciente tiene riesgo de presentar un rápido deterioro de su estado mental.

Con los bloqueadores de los canales de sodio, las sobredosis pueden causar prolongación del QRS, prolongación del QT, hipotensión secundaria a la contractilidad miocárdica deprimida y disritmias ventriculares. Considere el sulfato de atropina para el paciente con bradicardia sintomática. En ciertos casos, se le puede pedir que administre bicarbonato de sodio intravenoso para tratar la conducción lenta del impulso (ensanchamiento del complejo QRS), la bradicardia y la hipotensión, al revertir la inhibición de los canales rápidos de sodio dentro de las células cardíacas.

Los pacientes con toxicidad por betabloqueadores suelen presentar hipotensión, bradicardia o síntomas relacionados como letargo, debilidad, dificultad respiratoria y posibles convulsiones. También puede producirse hipoglucemia después de una sobredosis de betabloqueadores, en especial en pacientes pediátricos. Es posible que se produzca un broncoespasmo luego de una sobredosis de betabloqueadores en pacientes con enfermedad reactiva de la vía aérea.

Considerar sulfato de atropina para pacientes con bradicardia sintomática y bolos de líquidos para personas con hipotensión. Puede ser necesario un vasopresor en infusión, si la hipotensión persiste después de una reanimación adecuada con líquidos. Si el paciente experimenta convulsiones, el midazolam es la medicación de elección.

La toxicidad aguda de los bloqueadores de los canales de potasio puede presentarse con hipotensión, bradicardia o ciertas disritmias ventriculares. Uno de los efectos predominantes observados en el EKG es un intervalo QT prolongado. El tratamiento de la toxicidad aguda por bloqueadores de los canales del potasio es fundamentalmente de soporte, aunque puede utilizarse sulfato de magnesio intravenoso para tratar la *torsades de pointes*.

La toxicidad de los antagonistas de canales de calcio genera una disminución de la frecuencia del pulso, una reducción de la conducción auriculoventricular (AV), una disminución de la contractilidad miocárdica y vasodilatación. Los antagonistas de los canales de calcio también pueden provocar náusea y emesis, alteraciones del estado mental y acidosis metabólica. El tratamiento inicial de la toxicidad de los antagonistas de los canales de calcio es cloruro de calcio o gluconato de calcio intravenoso. El glucagón intravenoso puede mejorar tanto la frecuencia del pulso como la contractilidad miocárdica. Si hay signos de hipoperfusión, administrar 20 ml/kg de solución salina normal o Lactato de Ringer por vía intravenosa. Considerar la administración de un vasopresor si persiste la hipotensión después de una reanimación adecuada con líquidos.

Los glucósidos cardíacos (como la digoxina) son un problema para mantener en rangos terapéuticos. Puede ser difícil mantener un rango terapéutico eficaz de estos medicamentos sin aumentar la dosis hasta un nivel tóxico. La toxicidad aguda por digoxina cursa con náusea, emesis, trastornos gastrointestinales e hiperpotasemia letal. El tratamiento definitivo de la toxicidad aguda por digoxina son los anticuerpos antidigoxina (Digibind®), que suele administrarse en un entorno hospitalario. Los cuidados de soporte y la consideración de gluconato de calcio pueden ser razonables en un paciente con sospecha de toxicidad

USTED es el Paramédico

PARTE 4

Le coloca a la paciente el monitor cardíaco y observa una taquicardia sinusal. Se pregunta si podría haber algún otro fármaco en el organismo de la paciente, por lo que pide a la familia que vuelva a registrar el baño. Mientras se prepara para iniciar el acceso intravenoso, nota algo debajo de la camisa de la paciente. Al girar a la paciente, descubre que toda su espalda está cubierta de parches de fentanilo.

Tiempo de grabación:	10 minutos
Respiraciones	Asistidas
Pulso	100 latidos/min
Piel	La cianosis se está resolviendo
Presión arterial	98/56 mm Hg
Saturación de oxígeno (Spo_2)	96% (asistido con dispositivo bolsa-mascarilla y oxígeno al 100%)
Pupilas	Puntiformes y no reactivas

7. ¿Cuál es su medicamento de elección y la dosis para tratar a esta paciente?
8. ¿Qué debe hacer si este medicamento no corrige la sobredosis?

por digoxina. Debido a la sofisticación de los fármacos cardiovasculares y a la probabilidad de que el paciente pueda estar tomando múltiples medicamentos cardiovasculares y de otro tipo, es prudente ponerse en contacto con control médico.

Organofosforados

Los **organofosforados** son uno de los principales componentes de muchos insecticidas utilizados en la agricultura comercial y en el hogar. Los organofosforados se desarrollaron a principios del siglo xx, cuando los científicos alemanes intentaban reducir la dependencia de las importaciones de alimentos, creando nuevos insecticidas que aumentaran el rendimiento de las cosechas nacionales. Las personas expuestas a estos insecticidas experimentaron graves efectos adversos y rápidamente se reconoció la posibilidad de utilizar los organofosforados como armas químicas. Los organofosforados se clasifican como inhibidores de la acetilcolinesterasa. Esta clasificación también incluye el acefato (Orthene®), el diazinón (Spectracide®), el malatión (Cythion®), los carbamatos y los agentes nerviosos (sarín, somán, agente V).

Los intentos de suicidio suponen una parte considerable de las intoxicaciones por organofosforados y las ingesta representa la mayor parte de estas exposiciones.[31] La exposición involuntaria de origen agrícola, es otra causa común de intoxicación por organofosforados y las personas implicadas en la fabricación de organofosforados y compuestos similares también están en riesgo.

Fisiopatología

Los organofosforados ejercen efectos tóxicos en las uniones (sinapsis) de las células nerviosas del sistema nervioso autónomo. La conducción de un impulso de un nervio a otro se produce a través de la liberación de acetilcolina (ACh) en la sinapsis. La acetilcolina funciona como un mensajero químico, que cruza la hendidura sináptica para despolarizar el nervio del otro lado de la unión. Los organofosforados y los carbamatos son potentes inhibidores de la acetilcolinesterasa, que sirve para interrumpir las transmisiones sinápticas. Esta terminación crea acetilcolina en abundancia en el sistema nervioso central y en el sistema nervioso periférico. Cuando se sobrestimula los receptores muscarínicos y nicotínicos, se produce una respuesta predecible en el organismo.

Independientemente de que el tóxico haya sido ingerido, inhalado o aplicado, los síntomas de la intoxicación por organofosforados son fundamentalmente los mismos. Los pacientes que han ingerido un organofosforado pueden tener un inicio tardío de los síntomas, mientras que la exposición a vapores causará síntomas casi inmediatos. La respuesta predecible es la base del toxidrome representado por la mnemotecnia DUMBBELLS (véase cuadro 24-1). En pacientes con intoxicación moderada a grave por organofosforados, también pueden presentarse los siguientes síntomas: fasciculaciones musculares, dificultad respiratoria grave, convulsiones y parálisis flácida.

Evaluación y manejo

El primer componente de la evaluación y el tratamiento del paciente es la descontaminación, que probablemente la llevará a cabo un equipo de materiales peligrosos de acuerdo con el protocolo local. Si es posible, coloque al paciente no ambulatorio en decúbito lateral para permitir el drenaje pasivo de las secreciones orales y ayudar a prevenir la aspiración involuntaria. Reconozca que la ropa contaminada puede ser una fuente de exposición continua al tóxico.

Después de una descontaminación adecuada, se puede evaluar al paciente. Considere las siguientes medidas para un paciente con intoxicación por organofosforados:

- Establecer y mantener la vía aérea. Considerar una vía aérea avanzada si es necesario.
- Succión según sea necesario.
- Administrar oxígeno para mantener niveles de saturación superiores a 94%.
- Establecer un acceso vascular (intravenoso o intraóseo [IO]), si es posible sin retrasar la atención posterior.
- Administrar atropina intravenosa/intraóseo bolo o por autoinyector y repetir hasta que se produzca una mejoría en la ventilación y una reducción de las secreciones (atropinización).
- Administrar pralidoxima (2-PAM) al mismo tiempo con atropina en la primera hora después de la exposición. Pueden ser necesarias dosis múltiples para pacientes con exposición grave.
- Colocar el monitor de EKG, el pulsioxímetro y el capnómetro.
- Notificar pronto al hospital receptor y trasládelo al centro adecuado.

La atropina es el principal antídoto para la intoxicación por inhibidores de la acetilcolinesterasa. Administrar de forma generosa dosis repetidas a los pacientes sintomáticos. La resolución del broncoespasmo y la disminución de la broncorrea indican mejoría clínica. No confiar en la respuesta pupilar del paciente o en la frecuencia cardíaca para determinar el punto final clínico de la administración de atropina. La frecuencia cardíaca del paciente puede estar dentro de los límites normales, con bradicardia o taquicardia durante la exposición. Tratar las convulsiones con benzodiacepinas.

Perlas de sabiduría

La mayoría de los vehículos del servicio de emergencias médicas no llevan de forma rutinaria suficiente atropina para tratar a un paciente con una intoxicación importante por organofosforados o a varios pacientes con síntomas moderados. El servicio de emergencias médicas y otros auxiliadores en entornos de alto riesgo de exposición accidental o actividades terroristas deben seguir los protocolos locales, que pueden incluir tener disponibles mayores cantidades de atropina.

Monóxido de carbono

Como ya se ha mencionado, el monóxido de carbono es una de las causas más comunes de intoxicaciones mortales. El monóxido de carbono se produce durante la combustión incompleta de compuestos orgánicos, como el motor de un vehículo, un generador o un aparato de calefacción doméstica. La intoxicación por monóxido de carbono puede ser más frecuente en climas fríos debido al uso de calefactores de gas en zonas mal ventiladas.[32] Un vehículo de motor encendido en un garaje cerrado puede generar con rapidez una concentración letal de monóxido de carbono, por lo que la inhalación de monóxido de carbono es un método habitual de suicidio. Cuando atienda a estos pacientes, recuerde que las personas que intentan suicidarse suelen tomar otras sustancias (p. ej., alcohol, tabletas) antes de intentar la intoxicación por monóxido de carbono. El monóxido de carbono también contribuye en gran medida a la muerte en los incendios domésticos.

Perlas de sabiduría

El monóxido de carbono puede ser peligroso para los respondedores. Si varios pacientes de la misma residencia están enfermos, las alarmas deben sonar en su cabeza. Considere la posibilidad de evacuar a todos a un lugar seguro. Permita que los bomberos con equipos de respiración autónoma comprueben la calidad del aire de ese lugar.

Fisiopatología

Según la *Disease Control and Prevention,* cada año se producen más de 400 muertes por intoxicación accidental (no relacionada con incendios) por monóxido de carbono.[32] El monóxido de carbono es un gas incoloro, inodoro e insípido, por lo que las personas expuestas a este tóxico no tienen ni idea de que están inhalando una sustancia tóxica hasta que es demasiado tarde. El monóxido de carbono desplaza al oxígeno de la molécula de hemoglobina en los glóbulos rojos, debido a su mayor afinidad para unirse a la hemoglobina. Incluso concentraciones relativamente pequeñas de este gas en la atmósfera pueden convertir una proporción significativa de hemoglobina en carboxihemoglobina (COHb, hemoglobina combinada con monóxido de carbono), haciéndola ineficaz como transportadora de oxígeno.

Cualquier aumento de las demandas metabólicas o de oxígeno del organismo, como fiebre, taquicardia o ejercicio, aumentará la gravedad de la intoxicación. Los niños, cuyas tasas metabólicas son intrínsecamente superiores a las de los adultos, tienden a presentar síntomas más graves en cualquier nivel de exposición.

Evaluación

La intoxicación por monóxido de carbono puede ser difícil de diagnosticar en la escena. Considere el entorno del paciente. ¿Había una ventilación adecuada? ¿Había una fuente de combustión (p. ej., un motor de gasolina)? ¿Hay otras personas con signos y síntomas similares? Dada la dificultad para detectar este gas, muchas organizaciones del servicio de emergencias médicas han colocado detectores de monóxido de carbono en los equipos portátiles que se llevan al lugar de la emergencia para alertar a la tripulación del peligro.

Los signos y síntomas de la intoxicación por monóxido de carbono varían. La intoxicación leve por monóxido de carbono puede provocar cefalea, náusea, vértigo, aturdimiento y fatiga. Con una intoxicación por monóxido de carbono de moderada a grave, el paciente puede experimentar alteración del estado mental, confusión, taquipnea, taquicardia y paro cardíaco. El color rojo cereza que puede observarse en personas de piel clara es un signo tardío de intoxicación por monóxido de carbono; es decir, puede verse en la morgue.

Para evaluar de manera adecuada a los pacientes con sospecha de exposición, es necesario sacarlos del entorno tóxico lo antes posible. Evalúe el XABCDE del paciente y sus signos vitales, incluidas la pulsioximetría, la temperatura y la capnografía, si dispone de ellas. Tenga en cuenta que la pulsioximetría no proporcionará una evaluación real de la oxigenación arterial en estas circunstancias, ya que el dispositivo no puede determinar que está unido a la hemoglobina, si es el monóxido de carbono o el oxígeno. Por lo tanto, no confíe en un nivel de Spo_2 de 99% en un paciente sintomático con sospecha de intoxicación por monóxido de carbono. Utilice un monitor cardíaco, obtenga una lectura de EKG de 12 derivaciones si dispone de ese equipo y evalúe el nivel de glucosa en sangre del paciente. La medición no invasiva de los

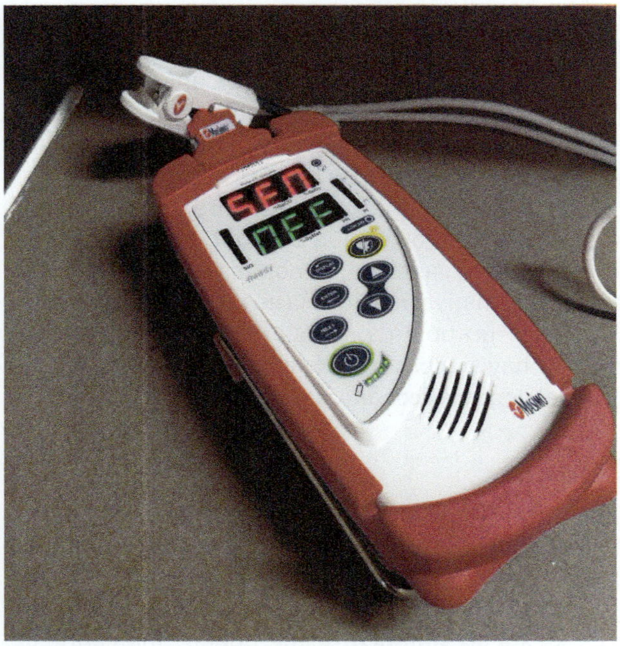

FIGURA 24-12 Cuando utilice un medidor portátil de monóxido de carbono, como el que se muestra aquí, asegúrese de documentar el nivel detectado.

niveles de monóxido de carbono en sangre (Spco) que indican intoxicación puede realizarse en la escena (de forma similar a la pulsioximetría), lo que ayuda a resolver el problema del retraso en el diagnóstico. Una lectura alta en un medidor de monóxido de carbono (**FIGURA 24-12**) ayudará a confirmar las sospechas de intoxicación por monóxido de carbono; sin embargo, no permita que una lectura baja excluya la intoxicación por monóxido de carbono de su diagnóstico diferencial. Se están realizando investigaciones para determinar la correlación entre las lecturas del medidor de monóxido de carbono y los valores de carboxihemoglobina en una muestra de sangre.

Manejo

El tratamiento en la escena de la intoxicación por monóxido de carbono tiene como objetivo proporcionar la mayor concentración de oxígeno posible para intentar desplazar las moléculas de monóxido de carbono de la hemoglobina. Para los pacientes con síntomas leves, la vida media de eliminación de la hemoglobina en carboxihemoglobina es de aproximadamente 4 horas. En comparación, si el paciente respira oxígeno a 100%, la vida media puede reducirse cerca de 1.5 horas. La oxigenoterapia hiperbárica a 2.5 atmósferas de presión puede reducir aún más el tiempo de eliminación entre 15 y 20 minutos. La reevaluación oportuna y seriada del estado mental y la función motora del paciente pueden ser útiles para determinar la respuesta a las intervenciones y la necesidad de terapia hiperbárica.[6] Dado que los niveles maternos de hemoglobina en carboxihemoglobina no reflejan con exactitud los niveles fetales de hemoglobina en carboxihemoglobina, las pacientes embarazadas con sospecha de intoxicación por monóxido de carbono pueden tener más probabilidades de recibir oxigenoterapia hiperbárica.

Si sospecha una intoxicación por monóxido de carbono, tome las siguientes medidas:

- Retire al paciente del entorno de exposición.
- Establezca y mantenga la vía aérea, utilizando un dispositivo para vía aérea avanzada si es necesario.
- Administre oxígeno de alto flujo con una máscara de no reinhalación.
- Establezca un acceso vascular.
- Mantenga al paciente tranquilo y en reposo para minimizar la demanda de oxígeno.
- Vigile el ritmo del EKG, el estado mental y la función motora del paciente.
- Transporte al centro adecuado. Si el paciente no reacciona o presenta signos de intoxicación grave por monóxido de carbono, es preferible trasladarlo directamente a un centro con disponibilidad de medicina hiperbárica.
- En el caso de pacientes con lesiones o enfermedades provocadas por un incendio estructural o de un vehículo, considere la posibilidad de una intoxicación combinada por monóxido de carbono y cianuro, en especial si el paciente pre senta signos de shock o alteración del estado mental. Póngase en contacto con control médico para que ordene la administración de hidroxocobalamina o tiosulfato sódico, si están disponibles.

La intoxicación por monóxido de carbono puede revertirse si se diagnostica y trata a tiempo. El reconocimiento oportuno y la intervención temprana pueden tener un efecto significativo en la recuperación del paciente. Sin embargo, aunque el paciente se recupere, la intoxicación aguda por monóxido de carbono puede afectar de manera permanente órganos vitales y provocar déficit neurológico de leve a grave.

Gas cloro

Los incidentes relacionados con el gas cloro son relativamente frecuentes, debido al uso generalizado de compuestos de cloro en el hogar y en entornos laborales. Las exposiciones domésticas pueden producirse cuando alguien mezcla un producto de limpieza que contiene hipoclorito de sodio (como lejía) con un ácido fuerte o con amoniaco, en un intento exagerado de limpieza o desinfección. La reacción química resultante libera gas cloro, a menudo en concentraciones lo suficientemente altas como para ser tóxicas. Pueden producirse ingestas domésticas si las soluciones que contienen cloro se guardan en recipientes sin etiquetar. Sin embargo, la mayoría de los casos de exposición al gas cloro se producen fuera del hogar. Las exposiciones agudas suelen ser causadas por válvulas o bombas industriales defectuosas que vierten grandes cantidades de gas al medio ambiente, exponiendo posiblemente a muchas personas. La fuga de gas cloro de un tanque de almacenamiento industrial, un camión o un vagón de ferrocarril también puede provocar un incidente con múltiples víctimas.

Fisiopatología

Los signos y síntomas de la exposición al gas cloro dependen de la concentración del gas inhalado y de la duración de la exposición. El gas cloro es extremadamente irritante para todas las mucosas. Cuando entra en contacto con la humedad de esas superficies, puede formar ácido clorhídrico y otras sustancias perjudiciales para los tejidos humanos. Con una exposición leve, el paciente experimentará sensaciones de ardor en ojos, nariz y garganta, junto con una ligera tos. Una exposición más intensa al gas cloro provoca opresión torácica, asfixia, tos paroxística, cefalea, náusea y emesis y sibilancias difusas. Los pacientes con exposiciones más graves también pueden desarrollar cianosis, edema pulmonar, shock, convulsiones y pérdida de la conciencia.

Evaluación y manejo

Cuando atienda a pacientes que hayan estado expuestos a gas cloro, su prioridad es sacarlos de la zona de exposición. Tome las mismas precauciones que se aplicarían en una situación de materiales peligrosos a la hora de elegir dónde colocar su vehículo y seleccionar su equipo de protección personal.

Después de trasladar a los pacientes a un entorno seguro y realizar la descontaminación, clasifique con rapidez a los pacientes (la clasificación se trata en el capítulo 44, *Manejo de incidentes y accidentes masivos*). Evalúe con rapidez el estado respiratorio, el estado mental y la oxigenación del paciente. Controle la pulsioximetría y la capnografía para detectar signos de descompensación. Las personas con disnea, sibilancias, tos intensa u otros signos de dificultad respiratoria son pacientes que se debe priorizar; administre oxígeno (humidificado, si está disponible) con mascarilla. Deben administrarse broncodilatadores nebulizados (p. ej., albuterol, ipratropio) a los pacientes con dificultad respiratoria y signos de broncoespasmo. Puede desarrollarse edema pulmonar no cardiogénico en pacientes entre las 6 y 24 horas después de una exposición significativa. El uso de presión positiva continua o presión positiva binivel de la vía aérea puede beneficiar a estos pacientes. Considere la intubación temprana en pacientes con quemaduras de la vía aérea, estridor o edema de la vía aérea o en aquellos que se fatiguen y ya no puedan compensar.

Irrigar con agua los ojos que arden o pican, así como cualquier zona de la piel que haya estado en contacto con el gas cloro. Establezca un acceso vascular y evalúe el nivel de glucosa en sangre del paciente. Administre un bolo de cristaloide intravenoso de 20 ml/kg si hay signos de hipoperfusión. Traslade al paciente al centro adecuado.

Cianuro

El cianuro es una sustancia química subproducto de la combustión de materiales sintéticos que contienen carbono y nitrógeno. La combustión de artículos domésticos como aislantes, alfombras, tapicerías, plásticos y caucho sintético puede liberar una cantidad significativa de cianuro. El cianuro de hidrógeno es un líquido incoloro o azul pálido a temperaturas inferiores de 25.6 °C (78 °F) y un gas incoloro a temperaturas superiores.[33] El cianuro de sodio y el cianuro de potasio son polvos blancos.

Históricamente, el cianuro se ha utilizado en la guerra como arma química. El cianuro y los compuestos que lo contienen también se utilizan en pesticidas y fumigantes, en la minería para extraer oro y en la fabricación de plásticos, papel y textiles. La intoxicación por cianuro se ha utilizado como método de ejecución, genocidio y suicidio.

Las semillas de algunas frutas comunes (p. ej., albaricoques, manzanas, melocotones) pueden contener cantidades sustanciales de sustancias químicas que se metabolizan en cianuro.[34] Además, algunos alimentos y plantas, como las habas, las almendras y las semillas de manzana, contienen pequeñas cantidades de cianuro. Aunque se ha informado que el cianuro tiene un olor a "almendra amarga", muchas personas no pueden detectarlo y la presencia del olor no proporciona una advertencia adecuada de concentraciones peligrosas.

Fisiopatología

El cianuro es uno de los venenos más mortíferos y de acción más rápida y puede afectar al organismo por ingesta, inhalación, contacto con la piel o con los ojos. Es un tóxico mitocondrial que produce daños al combinarse con una enzima celular importante, la citocromo oxidasa, bloqueando el uso del oxígeno a nivel celular. Como resultado, la hipoxia celular puede desarrollarse rápidamente en todo el cuerpo, causando colapso cardiovascular y muerte. El cerebro es el órgano diana más sensible de la intoxicación por cianuro, seguido del corazón, ya que estos órganos requieren cantidades más significativas de oxígeno.[34]

Según su forma, el cianuro puede ingresar al organismo por inhalación, ingesta o absorción a través de la piel (**CUADRO 24-4**). La rapidez del inicio de los síntomas está relacionada con la concentración, duración y vía de exposición. Por ejemplo, los síntomas comienzan en segundos o minutos después de la exposición por inhalación y la muerte puede ocurrir en minutos. La ingesta de soluciones de cianuro de hidrógeno o de sales de cianuro puede ser rápidamente mortal. La aparición de los síntomas puede ser inmediata o retrasarse de 30 a 60 minutos después de la absorción a través de la piel.[34]

Evaluación y manejo

Después de trasladar al paciente a un entorno seguro y realizar la descontaminación si está indicada, evalúe rápido el estado respiratorio, el estado mental y la oxigenación del paciente. Inicie el tratamiento lo antes posible, incluida la administración de oxígeno a 100% a través de una máscara de no reinhalación o ventilación con bolsa-mascarilla. El objetivo del tratamiento es desplazar el cianuro de la citocromo oxidasa utilizando otra sustancia química que "atraiga" al cianuro y se una a él. Evaluar los signos vitales del paciente, incluyendo temperatura, pulsioximetría y capnografía. Dado que el cianuro afecta la capacidad del organismo para entregar de manera correcta las moléculas de oxígeno a nivel celular, hay que tener en cuenta que la lectura del pulsioxímetro puede ser alta a pesar de que exista una hipoxia real a nivel celular. Vigile de cerca al paciente para detectar signos de descompensación, independientemente de las lecturas de pulsioximetría obtenidas.

Conectar un monitor cardíaco y obtener un EKG de 12 derivaciones. Establecer un acceso vascular y evaluar el nivel de glucosa en sangre del paciente. Póngase en contacto con el control médico para que ordene la administración de hidroxocobalamina o tiosulfato sódico, si están disponibles. La hidroxocobalamina pertenece a la familia de la vitamina B_{12} y es el único agente considerado seguro para tratar la intoxicación por cianuro en la paciente embarazada. Existen kits para los servicios de emergencias médicas, con disponibilidad de hidroxocobalamina, además incluyen tubos para obtener una muestra de sangre (si es factible). La hidroxocobalamina se considera un antídoto relativamente seguro, la alergia y la anafilaxia son la principal preocupación con su uso. Los pacientes también experimentarán algunos efectos temporales, como enrojecimiento de piel, ojos y orina, así como picor, luego de su administración.

CUADRO 24-4 Efectos de la exposición al cianuro

Ruta de exposición	Efectos del cianuro
Exposición por ingesta	Dolor abdominal, náusea/emesis, sensación de ardor en la boca y la garganta
Exposición cutánea	Irritación Absorción rápida que se produce aún con más facilidad cuando la temperatura ambiente y la humedad relativamente son elevadas
Exposición por inhalación, exposición leve a moderada	Sistema nervioso central: alteración del estado mental (confusión), cefalea, inquietud, ansiedad, mareo, debilidad y pérdida de la conciencia Sistema cardiovascular: palpitaciones, opresión torácica Sistema respiratorio: disnea, taquipnea/hiperpnea (temprana), bradipnea/apnea (tardía) Sistema gastrointestinal: náusea/vómito
Exposición por inhalación, exposición grave	Sistema nervioso central: convulsiones, coma, pupilas fijas y midriáticas Sistema cardiovascular: disritmias, hipotensión, shock, paro cardíaco Sistema respiratorio: taquipnea/hiperpnea (temprana), bradipnea/apnea (tardía), edema pulmonar, paro respiratorio Ojos: pupilas fijas y midriáticas, inflamación de la superficie ocular, ceguera temporal Otros: espasmos musculares en los que la cabeza, el cuello y la columna vertebral se arquean hacia atrás

Datos de: About cyanide poisoning. Sitio web de Cyanokit. https://www.cyanokit.com/about-cyanide-poisoning. Consultado el 4 de octubre de 2021; Facts about cyanide. Sitio web de los Centers for Disease Control and Prevention https://emergency.cdc.gov/agent/cyanide/basics/facts.asp. Revisado el 4 de abril de 2018. Consultado el 4 de octubre de 2021; y Hydrogen cyanide (AC): systemic agent. Sitio web de los Centers for Disease Control and Prevention. https://www.cdc.gov/niosh/ershdb/emergencyresponsecard_29750038.html. Revisado el 12 de mayo de 2011. Consultado el 4 de octubre de 2021.

El nitrito de amilo y el nitrito de sodio ya no se utilizan como antídotos del cianuro y ya no están disponibles en los paquetes comerciales.[6]

Transportar al paciente sin demora a un centro adecuado. El cianuro ingerido reacciona con los ácidos del estómago, generando cianuro en forma de gas, denominado cianuro de hidrógeno, que puede liberarse cuando el paciente eructa o tiene un episodio de emesis. Durante el transporte, maximizar la circulación de aire en el compartimiento del paciente para reducir el riesgo de exposición.

Perlas de sabiduría

El aspecto más importante del tratamiento de pacientes con inhalaciones tóxicas es retirar al paciente del entorno tóxico. No se puede ayudar al paciente si uno mismo se enferma, por lo que siempre hay que asegurarse de que el rescate lo realiza alguien que utilice un dispositivo respiratorio autónomo adecuado.

Cáusticos

Los **cáusticos** incluyen ácidos fuertes (pH < 2.0) y álcalis fuertes (pH > 12.0). Ambos tipos de productos químicos se utilizan con frecuencia en la industria, en la agricultura (amoniaco anhidro) y en el hogar como agentes de limpieza (**CUADRO 24-5** y **FIGURA 24-13**). Según el *Annual Report of the AAPCC's National Poison Data System,* en el 2019 se produjeron casi 185 000 exposiciones a agentes cáusticos en adultos y niños.[35] Una vez más, las ingestas pediátricas son por lo general involuntarias. Si el paciente es un adulto, la ingesta de cáusticos suele ser un intento de suicidio.

A

B

FIGURA 24-13 Los productos químicos cáusticos se utilizan de forma habitual en la industria. **A.** Tanque de amoniaco anhidro utilizado en la agricultura. **B.** Agentes de fontanería utilizados en el hogar.

CUADRO 24-5 Sustancias cáusticas comunes

Sustancia	Ejemplo	Fuente
Ácidos	Ácido clorhídrico	Limpiadores de inodoros, limpiadores de piscinas
	Ácido sulfúrico	Ácido de batería, limpiadores de inodoros (como el bisulfato)
	Otros	Desinfectantes con lejía o blanqueadores, limpiadores de pizarra
Álcalis	Lejía (hidróxido sódico o potásico)	Quitapinturas, detergentes en polvo, limpiadores de drenajes o desagües (como Drano®, Liquid-Plumr®, Plunge®), pilas de botón, comprimidos de Clinitest®.
	Hipoclorito sódico	Blanqueador (Clorox®)
	Carbonato sódico	Blanqueador (Purex®), detergentes sin fosfatos
	Amoniaco	Tintes para el cabello, limpiadores de joyas, limpiadores o abrillantadores de metales, antioxidantes
	Permanganato potásico	Detergentes para lavavajillas eléctricos

> **Perlas de sabiduría**
>
> Si un paciente ha ingerido un agente cáustico y presenta dificultad respiratoria, trasládelo rápido al hospital. La tos, la taquipnea y el estridor son signos preocupantes. Puede desarrollarse un edema hipofaríngeo significativo y requerir de una vía aérea quirúrgica.

Fisiopatología

Las sustancias cáusticas provocan lesiones químicas directas en los tejidos con los que entran en contacto. Los ácidos provocan necrosis de coagulación. Por lo general, se forma una capa tipo escara (tejido cicatricial coriáceo) que contiene el tejido dañado. Los álcalis provocan necrosis de licuefacción, una descomposición del tejido en pus y contenido líquido de las células implicadas. Los signos y síntomas de una exposición cáustica incluyen sialorrea, quemaduras, dificultad para hablar o deglutir e hipoperfusión o shock (raro, normalmente secundario a hemorragias internas).

> **Perlas de sabiduría**
>
> Algunas sustancias químicas reaccionan vigorosamente con el agua, así que asegúrese de consultar las advertencias o la etiqueta correspondiente para obtener información. Cuando descontamine a un paciente con agua, haga todo lo posible por evitar exposiciones secundarias de los tejidos circundantes mientras se retiran las sustancias del punto de contacto primario.

En el hogar, los líquidos cáusticos pueden empezar a gotear de los envases originales y el propietario opta por almacenar el producto en una botella de plástico o guardar una pequeña cantidad en un vaso de plástico abierto mientras lo utiliza. Estas prácticas aumentan la probabilidad de que alguien beba de manera involuntaria del recipiente e ingiera una sustancia cáustica. Cuando el líquido entra en la boca y empieza a arder, el paciente puede retirar de manera simultánea la botella y girar la cabeza, lo que provoca quemaduras en la boca, la lengua, la cara y el cuello.

Como ya se ha señalado, la mezcla intencional de diferentes productos químicos domésticos también puede provocar la liberación de vapores tóxicos (p. ej., cloro, cloramina).

Evaluación y manejo

La mayoría de los pacientes que han ingerido sustancias cáusticas presentan dolor intenso en la boca, la garganta o el pecho. La dificultad respiratoria, si existe, es probablemente por la inflamación de los tejidos blandos de la laringe, la epiglotis o las cuerdas vocales, lo que significa que el paciente corre peligro inmediato de obstrucción completa de la vía aérea. Identifique la sustancia específica y llame al centro de toxicología o póngase en contacto con el control médico en línea. La colocación de una sonda gástrica está contraindicada porque puede causar más daño tisular. Establecer un acceso vascular, por lo general en el camino, porque está indicado el transporte rápido al departamento de emergencias.

Con la exposición dérmica a un ácido fuerte, el resultado es un dolor inmediato e insoportable. En el caso de un álcali fuerte, la aparición del dolor se retrasa un poco, lo que deja más tiempo antes de que el paciente reaccione y aumente la gravedad de la quemadura. En este tipo de lesiones, el objetivo principal del tratamiento en la escena es diluir y eliminar la sustancia cáustica. Los ácidos tienden a ser más solubles en agua que los álcalis, por lo que a menudo pueden diluirse relativamente rápido. En el caso de los álcalis, es más importante mantener un flujo continuo de agua, ya que por lo general se tarda mucho más en diluir la sustancia.

Para una exposición ocular, corte la sección de la punta de una cánula nasal, colóquela en el puente de la nariz del paciente, conecte un equipo de administración intravenoso de macrogoteo y abra completamente el regulador de flujo (llave) para proporcionar una irrigación continua. Esta práctica también le permite realizar otras tareas. También puede utilizar una lente de Morgan después de que se haya realizado la irrigación ocular inicial. El uso de una lente de Morgan se trata en el capítulo 30, *Trauma de cara y cuello*.

Una de las exposiciones cáusticas más comunes en el entorno agrícola es con amoniaco anhidro. Esta exposición suele producirse durante la conexión o desconexión de un tanque. La exposición de los ojos al amoniaco anhidro puede causar daños devastadores en menos de 1 minuto, provocando cataratas o ceguera. Además, la exposición por inhalación puede generar dificultad respiratoria secundaria a un edema pulmonar. Después de descontaminar adecuadamente al paciente, inicie el manejo apropiado de la vía aérea y los cuidados de soporte.

Tenga en cuenta los siguientes puntos para los pacientes con ingestiones cáusticas:

- *No* administrar ninguna "sustancia neutralizante" por vía oral. Recomendaciones ya obsoletas que aconsejaban incorrectamente la administración de un ácido después de la ingestión de un álcali o viceversa. La mezcla de un ácido y un álcali puede producir una *reacción exotérmica*, añadiendo una lesión térmica a la lesión química.
- *No* provoque emesis. La reexposición a una sustancia cáustica empeorará los daños.
- *No* realice lavado gástrico.
- *No* administre carbón activado. Es ineficaz en la ingesta de ácidos o álcalis y puede interferir con la atención médica posterior del paciente al ennegrecer el campo de visión cuando se utiliza un endoscopio para inspeccionar el esófago y el estómago en busca de daños.

Artículos domésticos comunes

Desde una perspectiva toxicológica, el ambiente del hogar está lleno de sustancias peligrosas: desde plantas de colores hasta productos de limpieza de olor dulce. La identificación de la sustancia implicada es la parte más importante de la historia cuando se ingiere. No es posible, dentro del alcance de este capítulo, discutir todas las posibilidades cuando se trata de intoxicaciones domésticas. Como siempre, tenga en cuenta que el centro de toxicología es un recurso invaluable.

Uso indebido de sustancias con fines sexuales

Entre las sustancias que se consumen de manera indebida con fines sexuales se encuentran las que aumentan la gratificación sexual y las que se utilizan para facilitar las agresiones sexuales.

Sustancias que aumentan la satisfacción sexual

Los inhibidores de la fosfodiesterasa tipo 5 (PDE5) (es decir, sildenafilo, tadalafilo y vardenafilo) se encuentran entre los fármacos más recetados para tratar la disfunción eréctil. Alcanzar niveles tóxicos de manera no intencionales, suelen ser el resultado de una dosificación agresiva para alcanzar el máximo rendimiento sexual. En ocasiones, el paciente pudo haber recibido sin saberlo una dosis de inhibidores de la fosfodiesterasa tipo 5 como broma. Los niveles elevados producen hipotensión, taquicardia, dolor torácico opresivo, taquiarritmias y priapismo prolongado que requiere evaluación urológica. Los cuidados de soporte suelen ser lo único que se requiere en caso de sobredosis de inhibidores de la fosfodiesterasa tipo 5. Si está tratando a un paciente con síndrome coronario agudo, evite los nitratos porque pueden causar hipotensión significativa.

La cocaína y otras sustancias estimulantes (como las anfetaminas y la metanfetamina) son opciones populares entre las personas que buscan una experiencia sexual más intensa. El tratamiento es idéntico al descrito anteriormente en este capítulo en relación con el abuso de estimulantes. Tenga en cuenta que el estimulante pudo haber sido mezclado con otra sustancia para intensificar la respuesta del paciente.

Otra sustancia que aumenta la gratificación sexual es el nitrito de amilo (también conocido como *poppers*, *rush* y *happy snaps*). Esta sustancia de nitrato orgánico puede triturarse e inhalarse para producir una experiencia sexual intensa. Como ya se ha mencionado, su uso puede provocar metahemoglobinemia, afectando la capacidad del transporte de oxígeno en la sangre y ocasionar los efectos isquémicos asociados. Como con cualquier nitrato, puede producirse hipotensión por acumulación en sangre debido a los efectos vasodilatadores de las sustancias.

Una de las únicas sustancias de este grupo es la metilendioximetanfetamina (éxtasis, Adam), ya mencionada en la sección sobre estimulantes. La metilendioximetanfetamina es un análogo de la metanfetamina y puede tener efectos tóxicos similares en menor escala. La liberación de serotonina, una sensación de euforia y desinhibición son los efectos asociados cuando se toma para mejorar la experiencia sexual de una persona. También pueden producirse efectos adversos más importantes (como hipertermia) y anomalías electrolíticas (como hiponatremia). Los cuidados de soporte son apropiados durante el transporte.

El dextrometorfano (DXM), que se encuentra en varios antitusígenos de venta libre, puede producir una sensación eufórica de flotar o una experiencia "extracorpórea". Estructuralmente relacionado con la codeína, el dextrometorfano produce un leve efecto estimulante que puede mejorar la experiencia sexual. El consumo de grandes cantidades de dextrometorfano puede provocar alucinaciones, visiones psicodélicas, pérdida del control motor, confusión, visión borrosa, euforia onírica y sensaciones extracorpóreas.

Sustancias utilizadas para facilitar la agresión sexual

Las sustancias utilizadas para facilitar las agresiones sexuales suelen administrarse a una persona desprevenida, con frecuencia disueltas en una bebida alcohólica. Los depredadores sexuales utilizan estas sustancias para incapacitar a otras personas, lo que explica por qué se denominan sustancias de "violación en citas". Se tratan con más detalle en el capítulo 19, *Emergencias ginecológicas*.

GHB

El gamma-hidroxibutirato (GHB) es un metabolito endógeno del ácido gamma-aminobutírico que provoca una intoxicación similar al consumo de alcohol. A finales de la década de 1980, el gamma-hidroxibutirato se hizo popular entre los jóvenes como una sustancia de clubes, ganándose el nombre de "éxtasis líquido" por sus efectos eufóricos en los *raves* (fiestas de baile que duran toda la noche). A mediados de 1990, el gamma-hidroxibutirato se asociaba cada vez más con las agresiones sexuales. En 1990, la *Food and Drug Administration* prohibió su venta sin prescripción médica.

El gamma-hidroxibutirato es un líquido incoloro e inodoro que puede pasar desapercibido cuando se introduce en una bebida. Una vez ingerido, atraviesa rápido la barrera hematoencefálica, ejerciendo sus efectos en un plazo de 30 a 60 minutos. Su ingesta puede producir desinhibición, pasividad extrema (es decir, falta de voluntad para resistirse) y amnesia anterógrada. El uso asociado con alcohol aumenta el riesgo de depresión respiratoria, coma y muerte. El gamma-hidroxibutirato también presenta un síndrome de abstinencia similar al del consumo de alcohol o benzodiacepinas.[36]

El tratamiento de la intoxicación por gamma-hidroxibutirato se centra en los cuidados de soporte. El paciente puede ser incapaz de proteger la vía aérea. En primer lugar, establecer y mantener la vía aérea, insertando un dispositivo de vía aérea avanzada si es necesario. Vigilar la oxigenación y la ventilación. Administrar oxígeno suplementario según sea necesario. Establecer un acceso vascular. Colocar el monitor de EKG, el pulsioxímetro y el capnómetro. Por último, trasladar rápido al paciente al departamento de emergencias.

Flunitrazepam (Rohypnol®)

También conocida como *roofies*, esta sustancia es una potente benzodiacepina que también se utiliza para facilitar las agresiones sexuales. Cuando se combina con otra sustancia depresora del sistema nervioso central, el flunitrazepam puede hacer que el paciente experimente efectos profundos, como inconsciencia, depresión respiratoria y muerte. La fabricación y distribución de esta sustancia es ilegal, por lo que la mayor parte de la oferta que se encuentra en Estados Unidos entra al país desde México.

Alcoholes tóxicos

Como se ha mencionado antes, la forma de alcohol consumida por los seres humanos en las bebidas alcohólicas (etanol) no se reconoce de manera convencional como tóxico. En cambio, se considera que los alcoholes tóxicos engloban los alcoholes fabricados con fines industriales o no gastronómicos, como el alcohol metílico y el etilenglicol.

Alcohol metílico

El alcohol metílico (también conocido como alcohol de madera o metanol) está presente en pinturas, removedores de pintura, líquidos limpiaparabrisas,

A

B

FIGURA 24-14 El alcohol metílico está presente en pinturas, removedores de pintura, líquidos limpiaparabrisas y barnices **(A)** y en anticongelantes y combustibles enlatados **(B)**.

barnices, anticongelantes y combustibles enlatados como el Sterno® (**FIGURA 24-14**). El metanol puede ser un sustituto popular del etanol entre las personas con trastorno por consumo de alcohol cuando no disponen de medios para obtenerlo. Este líquido incoloro tiene un olor único. La ingesta de tan solo 60 a 250 ml en adultos o de 8 a 10 ml en niños se asocia con toxicidad grave.

Fisiopatología

Cuando se ingiere metanol, sus productos de descomposición metabólica (formaldehído y ácido fórmico) son responsables de los signos y síntomas característicos de la intoxicación por metanol. Una vez ingerido, el metanol se absorbe rápido en el tracto gastrointestinal, alcanzándose los niveles máximos en sangre en un plazo de 30 a 90 minutos. En caso de toxicidad leve, la vida media del metanol es de 14 a 20 horas. A medida que aumenta la toxicidad, la vida media aumenta de 24 a 30 horas. El hígado elimina entre un 90 a 95% del metanol.

Evaluación

Los síntomas de la intoxicación por metanol no suelen aparecer de inmediato, sino que comienzan entre 12 y 18 horas y en ocasiones hasta 72 horas después de la ingesta. Debido a este periodo de latencia, puede ser difícil determinar el origen de los síntomas. Sea minucioso en la anamnesis y la evaluación. Las quejas del paciente incluyen náusea y vómito (en casi 50% de los casos), cefalea o vértigo, dolor abdominal (a menudo por pancreatitis) y visión borrosa (el paciente puede decir: "Parece una tormenta de nieve"). Los hallazgos en el examen físico incluyen aliento alcohólico, alteración del estado de conciencia que va desde la agitación hasta el coma, midriasis, hiperpnea y taquipnea (por acidosis metabólica), y bradicardia e hipotensión como presentación tardía.

Manejo

Los cuidados en la escena para la intoxicación por metanol son principalmente de soporte. Establezca y controle la vía aérea, considerando un dispositivo de vía aérea avanzada si es necesario. Establecer un acceso vascular. Evaluar el nivel de glucosa en sangre y administrar glucosa si el paciente tiene hipoglucemia. El carbón activado no se une bien al alcohol y el metanol se absorbe rápido en el estómago. Por estas razones, el carbón activado suele estar contraindicado, a menos que se hayan identificado otras sustancias ingeridas para las que el carbón activado pueda ser beneficioso.[37]

El control médico puede ordenar bicarbonato de sodio para ayudar a atrapar los iones y contrarrestar la acidosis metabólica. La morbilidad y la mortalidad dependen a menudo de la cantidad de metanol ingerida y de la rapidez con que el paciente reciba el tratamiento definitivo. Traslade rápido al paciente a un centro adecuado.[38]

Etilenglicol

El etilenglicol es un líquido incoloro e inodoro que se encuentra en diversos productos comerciales, como anticongelantes, refrigerantes, descongelantes, abrillantadores y pinturas. Al igual que el metanol, puede ser utilizado por personas con trastorno por consumo de alcohol que no pueden obtener etanol. Se calcula que la dosis letal del etilenglicol es de 2 ml/kg o tan solo 150 ml en un adulto de tamaño promedio.

Fisiopatología

El etilenglicol es hidrosoluble. Si se ingiere por vía oral, se absorbe rápido, alcanzando los niveles máximos en sangre entre 1 y 4 horas posingesta. El hígado y los riñones metabolizan el etilenglicol en una serie de metabolitos tóxicos, como aldehídos, lactato, oxalato y glicolato. A su vez, estos metabolitos inhiben la respiración celular y el metabolismo de la glucosa; también alteran la función celular a través de una acidosis metabólica con brecha aniónica elevada.

Evaluación

La toxicidad del etilenglicol se produce en tres etapas, por lo que los signos y síntomas variarán en función del momento en que se encuentre con el paciente en relación con el momento de la ingesta:

- **Fase 1.** La depresión del sistema nervioso central es la característica distintiva de la fase inicial. El paciente parece intoxicado, se evidencia dificultad para hablar y ataxia, sin que exista un olor evidente a alcohol. Estos síntomas progresan hasta incluir náusea, emesis, convulsiones o coma a medida que los metabolitos comienzan a acumularse en el organismo. La fase 1 comienza poco después de la ingesta y puede durar hasta 12 horas.
- **Fase 2.** Los síntomas cardiopulmonares aparecen cuando el paciente entra en la segunda fase. El paciente puede presentar hipertensión, hipotensión o taquicardia. La lesión pulmonar puede presentarse como edema pulmonar, neumonitis o síndrome de dificultad respiratoria aguda. El

paciente presenta hipocalcemia debido a la precipitación de oxalato de calcio. El estadio 2 puede desarrollarse entre 12 y 24 horas postingesta.

- **Tercer estadio.** El dolor en los flancos, la anuria y la hematuria suelen caracterizar la tercera fase. Los riñones se lesionan y puede desarrollarse una insuficiencia renal aguda. El estadio 3 puede desarrollarse entre 24 y 72 horas postingesta.

Manejo

El plan de tratamiento de un paciente con sospecha de intoxicación por etilenglicol es el mismo que el de un paciente con intoxicación por metanol.

Hidrocarburos

Los **hidrocarburos** son moléculas orgánicas estructuralmente simples compuestas solo de hidrógeno y carbono. Los hidrocarburos se encuentran en una gran variedad de productos domésticos, como el gas natural (metano, butano y propano), los productos de limpieza, los destilados del petróleo (gasolina, aceite para lámparas y disolventes de pintura) y los fluorocarbonos (utilizados como propelentes en los aerosoles). Aunque naturalmente se centre en memorizar las sustancias psicoactivas ilícitas, no se olvide de las sustancias nocivas que pueden adquirirse en la ferretería local o en la tienda de suministros de oficina.

Inhalación de hidrocarburos

Debido a la amplia disponibilidad de productos que contienen hidrocarburos, la inhalación suele ser la vía de exposición para los consumidores que no tienen acceso a sustancias psicoactivas o no disponen de fondos para comprarlas. El consumo recreativo de hidrocarburos puede observarse tanto en la población pediátrica como en la adulta. Los tres métodos más comunes de inhalación son *huffing*, *sniffing* y *bagging* (aspirar, esnifar y embolsar). Aspirado suele consistir en impregnar una tela en una sustancia y luego mantener la tela sobre la boca y la nariz. Esnifado implica inhalar la sustancia directamente a través de la nariz. El embolsado consiste en inhalar los vapores de una bolsa de plástico en la que se ha pulverizado la sustancia. Los hidrocarburos de baja viscosidad pueden abarcar una gran superficie pulmonar y producir un inicio de acción rápido.

La inhalación de hidrocarburos puede producir un efecto de euforia, creando un alto potencial de abuso por parte de quienes buscan un "viaje barato". Los signos y síntomas de la inhalación afectan a los sistemas cardiopulmonar y nervioso central. El estado mental alterado, las convulsiones, la taquicardia, la disnea y las disritmias ventriculares pueden ocurrir con inhalaciones tóxicas por hidrocarburos. El **CUADRO 24-6** enumera los compuestos inhalados comúnmente mal utilizados.

Cuando se atiende a un paciente que ha inhalado hidrocarburos, los objetivos principales se centran en la retirada del entorno nocivo, la administración de oxígeno suplementario a altas concentraciones y el traslado rápido al centro adecuado.

Ingesta de hidrocarburos

Fisiopatología

Los hidrocarburos representan un peligro cuando se ingieren porque muchos artículos domésticos comunes contienen estas sustancias. Incluso cuando se almacenan de manera adecuada en recipientes etiquetados, los hidrocarburos pueden ser ingeridos por error por un niño que busca algo de beber. Es probable que la ingesta de hidrocarburos por parte de adultos sea intencional, para autolesionarse. Los hidrocarburos de alta viscosidad, como el aceite de motor, tienen menos probabilidades de ser aspirados. Sin embargo, los hidrocarburos de baja viscosidad, como la gasolina, pueden ser aspirados con facilidad cuando el paciente tose o vomita después de la ingesta. Es probable que los pacientes que presenten síntomas o signos de dificultad respiratoria a los pocos minutos de la ingesta hayan aspirado y necesiten atención inmediata.

La baja viscosidad también facilita la captación de los hidrocarburos por los tejidos del sistema nervioso central y, por lo tanto, sus efectos anestésicos. Al principio, el paciente puede experimentar excitación y euforia, seguidas de pérdida de la motricidad fina, somnolencia, confusión y coma. También pueden presentarse disritmias cardíacas durante la monitorización.

Muchos productos que contienen hidrocarburos provocan irritación gástrica, que se traduce en fuertes dolores abdominales, diarrea y eructos, que a veces duran horas después del incidente. Por el contrario, una sola exposición a un hidrocarburo simple puede causar toxicidad potencialmente mortal.

Evaluación y manejo

Es posible que los pacientes asintomáticos no deseen ser trasladados al hospital. Póngase en contacto con el control médico local para solicitar asesoría. Traslade rápido al departamento de emergencia a todos los pacientes sintomáticos con sospecha de ingesta de hidrocarburos, en especial a los pacientes con síntomas

CUADRO 24-6 Compuestos mal utilizados con frecuencia para aspirar, esnifar y embolsar

Ejemplo	Fuentes	Signos y síntomas de toxicidad
Hidrocarburos halogenados		
1,1,1-tricloroetano (metilcloroformo)	Disolventes para limpieza, líquido corrector para máquinas de escribir, propulsor en aerosol	Irritación ocular, mareo, falta de coordinación, depresión del sistema nervioso central, insuficiencia respiratoria, disritmias cardíacas, muerte súbita
Tricloroetileno	Desengrasante, propulsor en aerosol, cemento de caucho, cemento plástico	Euforia, anestesia, debilidad, vómito, cólico abdominal, pérdida de la coordinación, neuropatía, ceguera, disritmias cardíacas, "rubor del desengrasante" (cara, cuello y hombros enrojecidos cuando se toma junto con alcohol)
Tetracloroetileno (percloroetileno)	Disolvente, agente de limpieza en seco	Comportamiento de embriaguez, mareo, aturdimiento, dificultad para caminar, entumecimiento, somnolencia, alteraciones visuales, alteraciones de la memoria, irritación ocular, rubor cutáneo, muerte súbita
Cloruro de metileno (diclorometano)	Refrigerante, removedor de pintura, propulsor de aerosol	Fatiga, debilidad, escalofríos, somnolencia, náusea, mareo, falta de coordinación, edema pulmonar
Tetracloruro de carbono	Líquido limpiador	Narcosis, muerte súbita
Hidrocarburos derivados del petróleo		
Benceno	Limpiador de cables, disolventes industriales, cemento de caucho	Delirio, agitación, convulsiones, muerte súbita
Tolueno	Pintura en aerosol, cemento para maquetas y plásticos, diluyente de lacas	Narcosis, alucinaciones, manía; pérdida de la motricidad fina; comportamiento impulsivo, destructivo, comportamiento propenso a sufrir accidentes; muerte súbita
Gasolina	Depósito de gasolina/lata de gasolina portátil	Muerte súbita

respiratorios. El tratamiento debe incluir las siguientes medidas:

- Asegúrese de que el paciente con piel o ropa contaminada ha sido descontaminado antes del tratamiento, ya que los vapores pueden ser nocivos para otras personas (incluido el personal sanitario).
- Establezca y mantenga la vía aérea y asegure una ventilación adecuada.
- Administre oxígeno para mantener niveles de saturación sanguínea superiores a 94%.
- Establezca un acceso vascular.
- Monitorice de manera continua el ritmo del EKG; considere la obtención de un EKG de 12 derivaciones.
- Administre bolos seriados de solución salina normal para tratar la hipotensión.
- Transporte al paciente al centro más adecuado.

Ácido fluorhídrico/fluoruro de hidrógeno

Fisiopatología

El ácido fluorhídrico es fluoruro de hidrógeno mezclado en una solución acuosa. Esta potente sustancia cáustica puede causar una toxicidad local y sistémica devastadora con una exposición extremadamente pequeña del líquido concentrado. El fluoruro de hidrógeno se utiliza de manera principal en entornos industriales como producto de limpieza para eliminar impurezas del acero, piezas de automóviles, vidrio y porcelana, aunque también se han producido exposiciones en aficionados al grabado de vidrio. El fluoruro de hidrógeno extrae el calcio y el magnesio de los tejidos corporales, provocando hipocalcemia e hipomagnesemia severas y a menudo letales. Estas alteraciones electrolíticas también desencadenan el desarrollo de hiperpotasemia después de una liberación masiva de potasio secuestrado en la circulación sistémica. Los efectos sistémicos de la intoxicación por fluoruro de hidrógeno están relacionados principalmente con los desequilibrios electrolíticos. Las disritmias, los temblores, las convulsiones, la depresión del sistema nervioso central, la acidemia y la insuficiencia renal son frecuentes con la exposición a grandes cantidades de fluoruro de hidrógeno.

La exposición dérmica suele tener un periodo latente durante el cual el paciente no siente dolor y no se da cuenta de la exposición. A medida que el fluoruro de hidrógeno penetra en la piel, se produce con rapidez un daño tisular local significativo, necrosis y dolor persistente, a menudo sin lesión dérmica evidente.

Después de la inhalación, el fluoruro de hidrógeno puede causar molestias en la garganta, broncoespasmo, estridor y lesiones locales de la vía aérea. La auscultación pulmonar revela sibilancias, ronquera o crepitaciones (antes denominados estertores). Las exposiciones graves por inhalación pueden causar neumonitis química retardada o edema pulmonar.

La ingesta de fluoruro de hidrógeno puede provocar emesis, dolor abdominal y gastritis, además de una profunda toxicidad sistémica. La ingesta de grandes cantidades o de soluciones concentradas de fluoruro de hidrógeno suele ser letal.

Evaluación y manejo

Los pacientes expuestos al fluoruro de hidrógeno pueden deteriorarse con rapidez; es fundamental una vigilancia cuidadosa. Como siempre, controle el XABCD. También puede administrarse gluconato de calcio para la exposición al fluoruro de hidrógeno. Puede aplicarse a las quemaduras locales un lubricante hidrosoluble y gluconato de calcio al 10%. La administración intravenosa de gluconato de calcio al 10% puede estar autorizada por los protocolos locales o control médico en línea en pacientes que presenten alteración cardíaca.

Sulfuro de hidrógeno

Fisiopatología

El sulfuro de hidrógeno (H_2S) es un gas incoloro muy tóxico que suele identificarse por su característico olor a huevo podrido; la intoxicación por H_2S suele producirse por inhalación. Este gas afecta a todos los órganos, pero tiene mayor efecto sobre los pulmones y el SNC.

Los trabajadores en entornos industriales pueden estar expuestos a bajas concentraciones de H_2S durante un periodo prolongado. La exposición a bajas concentraciones provoca irritación de ojos, nariz y garganta, así como cefalea y bronquitis. Los trabajadores en espacios confinados (en especial espacios que contienen pescado, aguas residuales o estiércol) corren un alto riesgo de exposición al H_2S. Cuando los pacientes se exponen a altas concentraciones del gas, presentan náusea y vómito, confusión, disnea y a menudo, pérdida inmediata de la conciencia. Con frecuencia, los compañeros de trabajo sin protección respiratoria adecuada mueren posteriormente en su intento de rescatar al paciente inicial. La exposición a concentraciones muy elevadas puede provocar convulsiones, shock, coma y paro cardiorrespiratorio.

Evaluación y manejo

No existe ningún antídoto probado para la intoxicación por H_2S. Por lo tanto, retire rápido al paciente de la zona contaminada. Una vez que el paciente ha sido trasladado a una zona segura, el tratamiento es principalmente de soporte. Vigile y asista la función respiratoria y cardiovascular del paciente.

Óxidos de nitrógeno

El grupo de gases conocidos como óxidos de nitrógeno incluye el óxido nítrico y el dióxido de nitrógeno. Estos gases se forman como subproducto de la combustión de combustibles. El óxido nítrico es incoloro o marrón a temperatura ambiente y tiene un olor dulce. El dióxido de nitrógeno también suele ser incoloro o marrón y se describe como un gas de olor fuerte. Los pacientes pueden estar expuestos a concentraciones muy elevadas de estos gases a través de calentadores de queroseno en sus hogares o en un entorno ocupacional en instalaciones que producen ácido nítrico.

Fisiopatología

La exposición a los óxidos de nitrógeno puede provocar irritación de la garganta y de la vía aérea superior, edema pulmonar, dificultad para respirar y debilidad. Los síntomas pueden retrasarse a menos que el paciente se haya encontrado con niveles muy altos de la sustancia en el ambiente.

Evaluación y manejo

Tome precauciones, incluido un equipo de respiración autónoma, antes de entrar al lugar. El tratamiento prehospitalario incluye retirar de inmediato al paciente del entorno. Proporcione cuidados de soporte, obtenga un acceso intravenoso y prepárese para manejar la vía aérea del paciente.

Medicamentos psiquiátricos

Los medicamentos psiquiátricos están diseñados para modificar las disfunciones del estado de ánimo y el afecto (con más frecuencia depresión) y del pensamiento, la orientación o la percepción; por lo tanto, son agentes farmacológicos sofisticados. Según el *National Poison Data System* de la *American Association of Poison Control Centers*, los antidepresivos representaron más de 137 000 exposiciones en el 2019.[33] Al igual que con otras emergencias toxicológicas, la ingesta de cantidades excesivas de estos medicamentos puede ser intencional. Busque otras sustancias que puedan haber sido utilizadas en una sobredosis por polifarmacia. Los diversos mecanismos de acción de los diferentes medicamentos psiquiátricos crearán una situación difícil de manejar.

Antidepresivos tricíclicos

Fisiopatología

Los **antidepresivos tricíclicos (ATC)** son medicamentos que se prescribían con frecuencia para la depresión y es posible que los vea prescritos para el insomnio, los trastornos de la alimentación y de la personalidad. Esta clase de medicamentos tiene una ventana terapéutica muy estrecha, que causa dificultades al paciente que no cumple el tratamiento. Los antidepresivos tricíclicos más comunes son amitriptilina, doxepina, nortriptilina y clomipramina.

El organismo absorbe los antidepresivos tricíclicos en las dos primeras horas después de su ingesta y atraviesan con facilidad la barrera hematoencefálica. Actúan como inhibidores de la recaptación de norepinefrina y serotonina. La sobredosis puede provocar efectos simpaticomiméticos y serotoninérgicos. Algunos de los efectos cardíacos son consecuencia del bloqueo rápido del canal de sodio y del canal de potasio. Los antidepresivos tricíclicos también pueden causar bloqueo muscarínico y de la histamina.

Evaluación

Los antidepresivos tricíclicos afectan al organismo a través de varios mecanismos, por lo que hay que estar alerta ante diferentes tipos de presentaciones en una sobredosis por tricíclicos. Es probable que los pacientes con ingesta tóxica presenten taquicardia, taquipnea, hipotensión e hipertermia debido a la respuesta simpaticomimética. El efecto antimuscarínico puede producir signos y síntomas similares al toxidrome anticolinérgico; es decir, el paciente presentará hipertermia, midriasis, piel y mucosas secas, piel enrojecida y agitación o delirio. Debido al bloqueo de los canales de sodio y de potasio, hay que estar alerta a los cambios en el EKG, que incluyen un intervalo PR prolongado, taquicardia, ensanchamiento del complejo QRS, una onda R terminal mayor de 3 mm en derivaciones derechas del vector aumentado (aVR) y un intervalo QT prolongado (**FIGURA 24-15**). Alteración del estado mental, delirio y agitación o delirio. La ingesta tóxica de los antidepresivos tricíclicos también puede provocar alteraciones del estado mental, delirio y convulsiones.

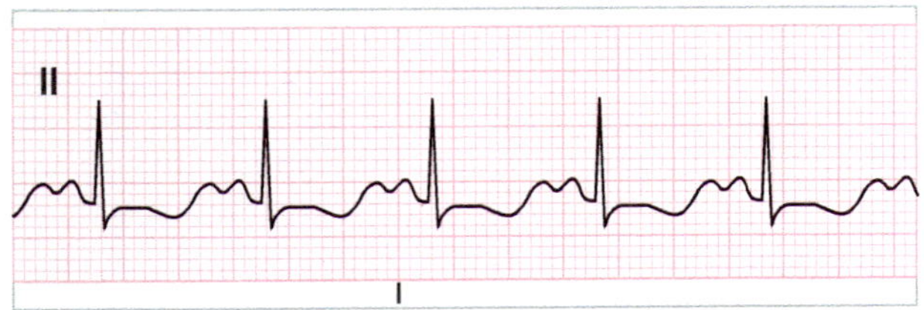

FIGURA 24-15 Prolongación del QT.

Reproducida de *Arrhythmia Recognition: The Art of Interpretation*, cortesía de Tomas B. Garcia, MD.

En un número significativo de las sobredosis por antidepresivos tricíclicos también están implicadas otras sustancias, con mayor frecuencia el alcohol, lo que contribuye a aumento de la morbilidad y la mortalidad. Un paciente que presente signos y síntomas graves en las 6 horas siguientes a la ingesta debe considerarse en estado crítico.

Manejo

El tratamiento de los pacientes con sobredosis por antidepresivos tricíclicos incluye las siguientes medidas:

- Mantener la vía aérea. Si el estado mental del paciente se deteriora de manera repentina (como suele ocurrir), inserte un dispositivo de vía aérea avanzada.
- Administrar oxígeno para mantener los niveles de saturación sanguínea por encima de 94%.
- Establecer un acceso vascular.
- Monitorizar de forma continua el EKG (vigilar el ensanchamiento del complejo QRS).
- Administrar carbón activado según órdenes de control médico.
- Consultar con control médico para considerar la administración de bicarbonato de sodio (si se observan anomalías en el EKG).
- Administrar una reposición de líquidos intravenoso tipo cristaloides (20 ml/kg) para la hipotensión; considerar la administración de vasopresores si la hipotensión persiste a pesar de una reanimación con líquidos adecuada. Estar alerta ante la posibilidad de edema pulmonar, ya que ocurre con frecuencia en pacientes con sobredosis por antidepresivos tricíclicos.
- Evaluar los niveles de glucosa en sangre. Administrar dextrosa intravenosa si el paciente está hipoglucémico.
- Esté alerta por si hay agitación o violencia. Tranquilice y administre benzodiacepinas, si es necesario.

- Tratar las convulsiones con benzodiacepinas.
- Proporcionar transporte rápido al centro adecuado.

Inhibidores de la monoaminooxidasa

Fisiopatología

Los **inhibidores de la monoaminooxidasa (IMAO)** se utilizan principalmente para tratar la depresión atípica. La norepinefrina, la serotonina y la dopamina son los principales neurotransmisores que contribuyen a mejorar el estado del ánimo y el afecto cuando están presentes en determinadas células y circuitos del cerebro. La monoaminooxidasa (MAO) es una enzima que suprime estos neurotransmisores del cerebro. La MAO impide la eliminación regular de los neurotransmisores, dando lugar a un aumento de los niveles en circulación. Cuando alcanzan niveles tóxicos, la monoaminooxidasa puede bloquear estas enzimas durante un periodo corto o largo en función del medicamento. Con algunas ingestas, el organismo no puede sintetizar una nueva serie de enzimas hasta pasados varios días. Algunos ejemplos de inhibidores de la monoaminooxidasa son fenelzina y tranilcipromina.

Evaluación

Los síntomas de la toxicidad de los inhibidores de la monoaminooxidasa suelen ser tardíos, se presentan entre 6 y 12 horas después de la ingesta del medicamento. Los efectos cardiovasculares de la toxicidad de los inhibidores de la monoaminooxidasa incluyen hipertensión, taquicardia, palpitaciones, dolor torácico, diaforesis y disritmias auriculares. En pacientes con toxicidad grave puede aparecer hipertermia marcada, rigidez muscular, insuficiencia respiratoria, delirio y convulsiones. Una vez que comiencen a aparecer los signos y síntomas, prepárese para manejar un evento potencialmente mortal. Cuando se produce la muerte por sobredosis de inhibidores de la monoaminooxidasa, suele ser secundaria a una falla orgánica multisistémica.

Manejo

En un paciente con sospecha de sobredosis por inhibidores de la monoaminooxidasa, establezca y mantenga la vía aérea, insertando un dispositivo de vía aérea avanzado si es necesario. Además, administre oxígeno. Si se requiere intubación de secuencia rápida, se recomienda el uso de un relajante no despolarizante como el rocuronio durante este procedimiento porque los inhibidores de la monoaminooxidasa pueden potenciar las acciones de la succinilcolina. Establezca un acceso vascular de gran calibre. Monitorice el ritmo del EKG, mantenerse alerta ante cambios indicativos de hiperpotasemia. Consulte con control médico para obtener orientación adicional o seguir los protocolos locales.

Si el estado del paciente se deteriora, trate la hipotensión con bolos secuenciales de solución salina normal. Si se producen convulsiones, trátelas con benzodiacepinas según el protocolo local; de lo contrario, las convulsiones persistentes pueden contribuir a problemas combinados de acidosis metabólica, hiperpotasemia y rabdomiólisis. Considere la administración de midazolam si el paciente está hipertérmico.

Inhibidores selectivos de la recaptación de serotonina

Fisiopatología

Su mayor ventana terapéutica ha contribuido a que los **inhibidores selectivos de la recaptación de serotonina (ISRS)** sean una opción farmacológica habitual para tratar la depresión. Los inhibidores selectivos de la recaptación de serotonina potencian la neurotransmisión serotoninérgica e inhiben la degradación de la serotonina. Los ISRS tienen pocos efectos cardíacos o anticolinérgicos, por lo que son una opción más segura para el tratamiento de la depresión que los antidepresivos tricíclicos. Los inhibidores selectivos de la recaptación de serotonina más conocidos son fluoxetina (Prozac®), paroxetina (Pasil®), citalopram (Celexa®) y sertralina (Zoloft®).

Evaluación

Cuando se toman inhibidores selectivos de la recaptación de serotonina junto con alcohol, los signos y síntomas más frecuentes son taquicardia, hipotensión leve y letargo. Otros síntomas son náusea, emesis y temblores. Con menos frecuencia se observa midriasis, agitación, hipotensión o hipertensión, convulsiones y alucinaciones. Las disritmias también son raras, pero pueden incluir prolongación del intervalo QT y *torsades de pointes*.

Manejo

Una sobredosis pura por inhibidores selectivos de la recaptación de serotonina sin otros fármacos o alcohol implicados, suele producir efectos tóxicos limitados, con la excepción de convulsiones o síndrome serotoninérgico (discutido más adelante en esta sección). Como tal, el manejo de una sobredosis por inhibidores selectivos de la recaptación de serotonina se aproxima al enfoque general para pacientes intoxicados:

- Establecer y mantener la vía aérea.
- Administrar oxígeno para mantener los niveles de saturación sanguínea por encima de 94%.
- Establecer un acceso vascular.
- Realizar una monitorización continua del EKG y tratar las disritmias de acuerdo con las guías de reanimación actuales.
- Controlar la hipertermia con medidas de enfriamiento.

- Administrar una reposición de líquidos intravenosos de cristaloides (20 ml/kg) en caso de hipotensión; considerar la administración de vasopresores si persiste la hipotensión a pesar de una adecuada reanimación con líquidos.
- Tratar las convulsiones y la agitación con benzodiacepinas según el protocolo local.
- Transportar al centro adecuado.

Síndrome serotoninérgico

El **síndrome serotoninérgico** es una complicación idiosincrática que se produce en ocasiones con antidepresivos. Esta afección no se limita a los pacientes que toman inhibidores selectivos de la recaptación de serotonina, sino que también puede ocurrir cuando los pacientes toman hierba de San Juan o cualquier combinación de fármacos que aumentan la neurotransmisión central de la serotonina (véase cuadro 24-1). La aparición del síndrome serotoninérgico suele producirse en las 6 horas posingesta (y es posible que sea el resultado de algo tan simple como el aumento de la dosis de un medicamento). El tratamiento prehospitalario es de soporte. Considere medidas de enfriamiento si hay hipertermia. Los síntomas pueden persistir más de 24 horas en casos graves o si se trata de medicamentos de liberación prolongada.

Litio

A pesar de los grandes avances logrados en muchos ámbitos de la psiquiatría, el **litio** sigue siendo un estabilizador del estado de ánimo muy utilizado en el tratamiento del trastorno bipolar. En 1949, las sales de litio hicieron su debut para el tratamiento de la manía. Con el tiempo, se descubrió que eran mucho más eficaces para el tratamiento del trastorno bipolar y siguen siendo el principal tratamiento de esta enfermedad. El litio ayuda a amortiguar los cambios de humor en lugar de afectar al estado de ánimo normal.

Fisiopatología

El litio se absorbe casi por completo en el tracto gastrointestinal en un aproximado de 8 horas después de su ingesta. La bioeliminación es relativamente lenta y alrededor de un tercio de la dosis permanece en el organismo durante las dos semanas siguientes a su administración. Dada su pequeña ventana terapéutica y su lento proceso de excreción, la amenaza de niveles tóxicos y sobredosis está siempre presente.

Evaluación

Los primeros signos y síntomas de sobredosis por litio son náusea, emesis, cefalea, temblor de manos, polidipsia y dificultad para hablar. Con el aumento de la toxicidad aumentan los síntomas neurológicos: ataxia, debilidad muscular y falta de coordinación, termorregulación anormal, visión borrosa e hiperreflexia (espasmos). Por último, el paciente puede presentar convulsiones y entrar en coma.

Manejo

El manejo de un paciente con sospecha de sobredosis por litio es principalmente de soporte. Establezca y mantenga la vía aérea, inserte un dispositivo de vía aérea avanzado si es necesario. Proporcione oxígeno suplementario a altas concentraciones y establezca un acceso vascular. Si el paciente experimenta hipotensión, administre bolos seriados de solución salina normal. Mantenga una monitorización continua del EKG, esté alerta ante posibles bloqueos auriculoventriculares y disritmias ventriculares. Por último, traslade al paciente a un centro adecuado. La hemodiálisis y la terapia de reemplazo renal continua pueden estar indicadas en el hospital, así que considere estas posibilidades al determinar el destino del transporte.

Analgésicos sin prescripción médica

Los medicamentos utilizados para el tratamiento del dolor constituyen una gran parte del mercado de medicamentos de venta libre. En los establecimientos donde venden medicamentos con y sin prescripción médica, los antiinflamatorios no esteroideos (AINES) son algunas de las opciones más populares para el alivio del dolor, el control de la fiebre y la acción antiinflamatoria. Sus esquemas cómodos de dosificación y amplias ventanas terapéuticas, junto con su historial de seguridad con relación a la ingesta aguda y la sobredosis, aumentan su popularidad.

Fisiopatología

Los antiinflamatorios no esteroideos se absorben rápido en el tracto gastrointestinal antes de ser eliminados por la orina y las heces. La vida media de estos agentes varía de manera amplia, desde 2 a 4 horas para el ibuprofeno, alrededor de 15 horas para los inhibidores selectivos de la ciclooxigenasa-2, 50 horas para algunos agentes de acción prolongada. Los pacientes que toman a la vez litio y antiinflamatorios no esteroideos tienen un aclaramiento renal del litio más lento, lo que aumenta la probabilidad de que se alcance de forma inadvertida a niveles tóxicos de litio.

La mayoría de las afecciones asociadas con los antiinflamatorios no esteroideos, implican un uso prolongado; los pacientes pueden presentar hemorragias digestivas y disfunción renal. La ingesta aguda y las sobredosis son raras y el ibuprofeno es el antiinflamatorio no esteroideo más frecuente en el contexto agudo.

Evaluación

Muchas sobredosis por antiinflamatorios no esteroideos son asintomáticas. Por lo general se requieren dosis muy grandes antes de que aparezcan signos o síntomas de toxicidad. A concentraciones tóxicas, los signos y síntomas por sobredosis de antiinflamatorios no esteroideos pueden incluir náusea con emesis y dolor abdominal. La toxicidad grave por antiinflamatorios no esteroideos puede provocar acidosis metabólica.

Manejo

Para los pacientes sintomáticos, la atención médica de emergencia suele ser de soporte. Establezca y mantenga la vía aérea, inserte un dispositivo de vía aérea avanzado si es necesario. Administre oxígeno suplementario a altas concentraciones y establezca un acceso vascular. Administre bolos de líquidos tipo cristaloides a los pacientes con hipotensión. Trate las convulsiones con benzodiacepinas según el protocolo local. Por último, traslade al paciente a un centro adecuado.

Un efecto adverso exclusivo de los antiinflamatorios no esteroideos es la meningitis aséptica, en la que el paciente presenta rigidez del cuello, cefalea y fiebre varias horas después de ingerir un antiinflamatorio no esteroideo. La interrupción del tratamiento con antiinflamatorios no esteroideos suele resolver esta afección, pero los pacientes deben ser evaluados en el hospital para descartar otras causas.

Salicilatos

Aunque la aspirina (ácido acetilsalicílico [AAS]) puede estar implicada en un evento tóxico, es más típico que los productos de venta libre que contienen **salicilatos** causen una intoxicación involuntaria. Por ejemplo, una sola dosis de 30 ml de subsalicilato de bismuto (Pepto-Bismol®) contiene 261 mg de salicilato (dos tercios de la dosis total de una aspirina). La dosificación agresiva de salicilatos para la analgesia o el control de la fiebre puede generar niveles tóxicos de la sustancia.

Fisiopatología

La ingesta de 150 mg/kg o menos suele provocar una toxicidad leve. A este nivel, los síntomas principales suelen ser náusea, emesis y dolor abdominal. Con un rango de dosis de 150 a 300 mg/kg, los signos y síntomas pueden incluir zumbidos en los oídos (tinnitus), edema pulmonar y alteraciones del equilibrio ácido-base. En niveles de 300 mg/kg, la toxicidad grave puede producir acidosis metabólica. Aunque no pueda analizar los valores reales de lo gases arteriales en la escena, puede observar que el paciente presenta taquipnea e hiperpnea: el mecanismo compensatorio del organismo para corregir la acidosis metabólica.

Un episodio agudo por salicilatos en un adulto suele implicar una sobredosis intencional, es un perfil habitual en mujeres jóvenes con antecedentes de abuso de sustancias o trastornos psiquiátricos. Es posible que se produzca un evento mortal si un adulto con sospecha por sobredosis de salicilatos no responde durante la evaluación primaria y presenta fiebre elevada, convulsiones o disritmias cardíacas.

Evaluación y manejo

No se dispone de ningún antídoto o antagonista de los salicilatos, por lo que el tratamiento en la escena es fundamentalmente de soporte. Establezca y mantenga la vía aérea, inserte un dispositivo de vía aérea avanzado si es necesario. Suministre oxígeno suplementario y controle los niveles de dióxido de carbono con capnografía. Si está ventilando el paciente, puede considerar no corregir de inmediato la hipocapnia. El paciente estaba compensando al respirar rápido. Si no se proporciona una frecuencia de ventilación similar a la frecuencia compensatoria, pueden aumentar los niveles de dióxido de carbono y empeorar la acidosis. Obtener un acceso vascular. Si se produce hipotensión, administre bolos seriados de solución salina normal. El control médico puede pedirle que administre carbón activado debido a la absorción errática del AAS. Por último, traslade al paciente a un centro adecuado.

Acetaminofén

El paracetamol es un fármaco de venta libre, bien tolerado y con pocos efectos adversos. Estas características han hecho de este fármaco uno de los analgésicos más vendidos en Estados Unidos y un culpable habitual de exposiciones tóxicas. Al igual que ocurre con otros antiinflamatorios no esteroideos, muchos medicamentos de venta libre tienen paracetamol como principio activo. Pueden producirse intoxicaciones involuntarias cuando se toman junto con varios medicamentos que contienen paracetamol. Estas sobredosis involuntarias pueden producirse varias veces a lo largo de un día o varios días y el paciente puede llegar a niveles tóxicos sin saberlo.

Fisiopatología

Una vez ingerido, el paracetamol se absorbe rápido en el tracto gastrointestinal, generando niveles séricos máximos de 30 a 120 minutos. La absorción se ralentiza cuando el fármaco se combina con difenhidramina (Tylenol PM®) o con propoxifeno (Darvocet®). Un aspecto único de la toxicidad por paracetamol es

CUADRO 24-7 Signos y síntomas de toxicidad por paracetamol

Escenario	Duración	Signos y síntomas
I	< 24 h	Náusea, emesis, pérdida del apetito, palidez, malestar general
II	24-72 h	Dolor abdominal en el cuadrante superior derecho; abdomen sensible a la palpación
III	72-96 h	Acidosis metabólica, insuficiencia renal, coagulopatías, síntomas gastrointestinales recurrentes
IV	4-14 días (o más)	La recuperación comienza lentamente, o la insuficiencia hepática progresa y el paciente muere

que los signos y síntomas se dividen en cuatro etapas (**CUADRO 24-7**).

Evaluación y manejo

Es importante calcular con exactitud el momento de la ingesta, porque esta información ayuda al proceso de toma de decisiones para la atención del paciente tanto en la escena como en el hospital. Existe un antídoto para la toxicidad por paracetamol: la acetilcisteína (Acetadote®). Lo ideal es administrar este fármaco en menos de 8 horas postingesta. Sin embargo, por lo general se administra en función de los resultados de laboratorio del paciente; como tal, no es una intervención que se realiza en la escena.

El manejo del paciente en la escena se centra en primer lugar en establecer y mantener la vía aérea, insertar un dispositivo de vía aérea avanzado en caso de ser necesario. Establecer un acceso vascular. Considerar la administración de carbón activado después de consultar con el control médico en caso de ingestas recientes (en la primera hora) y tiempos de transporte prolongados hasta la atención definitiva. Trasladar al paciente a un centro adecuado.

Metales y metaloides

Aunque las exposiciones agudas a metales y metaloides son relativamente raras, cuando ocurren pueden producir resultados devastadores, por lo general debido a un diagnóstico tardío o erróneo. Los pacientes asintomáticos o con síntomas vagos e inespecíficos pueden ser difíciles de diagnosticar. Esta dificultad para llegar al diagnóstico correcto puede contribuir a aumentar la mortalidad o la morbilidad debido a un tratamiento tardío o inadecuado. Las exposiciones tóxicas a metales o metaloides suelen manifestarse en cuatro sistemas corporales: neurológico, hematológico, renal y gastrointestinal.

Hierro

Aunque solo se requiere una pequeña cantidad de hierro como parte de una dieta sana, muchas multivitaminas para adultos y niños contienen hierro. Los niños menores de 6 años están expuestos con frecuencia al hierro, por lo general como consecuencia de la ingesta de vitaminas masticables. Muchas vitaminas masticables se comercializan con aspecto y sabor a caramelo. Las vitaminas prenatales son una fuente frecuente de ingestas letales de hierro en niños. En comparación, la mayoría de las exposiciones tóxicas en adultos son intencionales.

Fisiopatología

En un adulto promedio de 70 kg (155 libras), el aporte total de hierro es de solo 4 g. De ese total, aproximadamente 65% se encuentra en la hemoglobina. Un exceso de hierro en el organismo puede acelerar la formación de radicales libres de oxígeno, generando una acidosis metabólica. También pueden afectar la cascada de coagulación y al hígado, provocando una coagulopatía importante.

Desde una perspectiva práctica, los efectos tóxicos por una exposición al hierro reflejan la cantidad de hierro elemental ingerida. Con una ingesta de 20 a 60 mg/kg, cabe esperar una toxicidad de leve a moderada. Con una dosis superior a 60 mg/kg, cabe la posibilidad de una toxicidad grave y potencialmente letal.

Evaluación y manejo

Desde el momento de la ingesta, la intoxicación por hierro suele causar síntomas en las primeras 6 horas. Si los pacientes no presentan síntomas durante este tiempo, es poco probable que experimenten una toxicidad grave. Las primeras fases de la intoxicación por hierro pueden incluir emesis, diarrea, dolor abdominal, hematemesis, taquicardia, hipotensión y alteración del estado mental. Los pacientes suelen presentar acidosis metabólica y taquipnea, ya que el organismo intenta corregir el pH aumentando la eliminación de dióxido de carbono. Un paciente en las últimas fases de intoxicación por hierro presentará un shock profundo, convulsiones, hipertermia, insuficiencia hepática y coagulopatía.

Desafortunadamente, poco se puede hacer sobre la escena en casos de intoxicación por hierro, aparte de prestar atención al XABCD y trasladar al paciente al hospital para una evaluación más exhaustiva y estudios de laboratorio. Proporcione cuidados de soporte dirigidos a mantener una perfusión y oxigenación adecuadas. El carbón activado no adsorbe el hierro y no debe utilizarse a menos que se hayan ingerido otros tóxicos.

Arsénico

En el 2019, la *American Association of Poison Control Centers* informó que el arsénico (no contenido en plaguicidas) estuvo implicado en alrededor de 8% de todas las intoxicaciones por metales pesados.[33] Este metal se utiliza en diversas industrias y aparece en muchos compuestos, por lo que suele ser la fuente de exposiciones no intencionales. Las exposiciones intencionales incluyen el uso del arsénico en homicidios y suicidios.

Fisiopatología

El arsénico puede ingresar al organismo por ingesta, inhalación y por vía dérmica a través de una herida. Se elimina del organismo a través de los riñones.

Evaluación

La presentación clínica de la intoxicación por arsénico depende del tipo, la cantidad y la concentración de arsénico que entra al organismo y de la velocidad de absorción y eliminación. En general, los síntomas aparecen entre 30 minutos y varias horas después de la ingesta de arsénico. La intoxicación por arsénico debe sospecharse en pacientes que presentan hipotensión de causa desconocida después de un episodio de gastroenteritis grave.

Los signos y síntomas de la intoxicación por arsénico incluyen dolor abdominal intenso, náusea, diarrea explosiva, "sabor metálico" en la boca, disfagia, malestar general, debilidad, hipotensión, edema pulmonar, rabdomiólisis, acidosis metabólica e insuficiencia renal. Pueden aparecer cambios en el EKG y disritmias (por lo general taquicardia supraventricular), pero también son posibles cambios inespecíficos del segmento ST y de la onda T, así como prolongación del QT. También puede producirse taquicardia ventricular y *torsades de pointes.*

Manejo

Un paciente con toxicidad aguda por arsénico se encuentra en estado crítico y requiere intervenciones agresivas. Establecer y mantener la vía aérea, insertar un dispositivo de vía aérea avanzado si es necesario. Administre oxígeno suplementario y establezca un acceso vascular. Para los pacientes con hipotensión, administrar bolos seriados de solución salina normal. Si la hipotensión resulta refractaria a la fluidoterapia, administrar un vasopresor. Monitorizar de manera continua el EKG y seguir los algoritmos de soporte vital avanzado para las disritmias. Por último, proporcione transporte rápido a un centro adecuado.

Plantas tóxicas

De los miles de variedades de plantas, solo unas pocas son tóxicas (**FIGURA 24-16**). Curiosamente, las plantas tóxicas son algunos de los arbustos ornamentales de jardín y plantas de interior comunes. Tal vez por esa razón, cerca de 58% de las exposiciones relacionadas con las plantas involucran a niños menores de 5 años. En el informe anual de la *American Association of Poison Control Centers,* en el 2019 la ingesta de plantas se incluyeron en las 25 principales categorías de sustancias más frecuentes involucradas en exposiciones humanas y en las 10 principales sustancias en exposiciones pediátricas.[33] Afortunadamente, las muertes por ingesta de plantas son raras; en el 2019, solo se informaron tres ingestas fatales en más de 45 000 casos informados. La mayoría de las ingestas de plantas resultan en síntomas mínimos, a menos que se ingiera una gran cantidad o la sustancia se haya concentrado en un té o pasta. El **CUADRO 24-8** enumera las plantas que pueden causar resultados tóxicos y en algunos casos, la muerte.

Fisiopatología

La omnipresente ***Dieffenbachia*** es una preciosa planta verde de hojas anchas y variegadas. Se le conoce con el sobrenombre de "caña muda" porque su consumo puede impedir el habla. Todas las partes de la *Dieffenbachia* (hojas, tallos y raíces) contienen cristales afilados de oxalato de calcio. Cuando se ingieren, estos cristales provocan quemaduras en la boca y la lengua y, a veces, parálisis de las cuerdas vocales. En casos graves, el edema de la lengua y la laringe pueden comprometer la vía aérea. El ***Caladium*** con sus impresionantes hojas multicolores, es otra planta peligrosa; la intoxicación por cal *Caladium* tiene una presentación similar a la intoxicación por *Dieffenbachia.*

Las azaleas y los rododendros tienen un mecanismo de toxicidad similar gracias a las grayanotoxinas presentes en las plantas. La ingesta de las hojas o flores de las plantas, así como del néctar de la miel

FIGURA 24-16 Plantas tóxicas. **A.** *Dieffenbachia*. **B.** *Caladium*. **C.** Lantana. **D.** Ricino. **E.** Dedalera.

A: © Andriy Doriy/Shutterstock; B: © Hatem Eldoronki/Shutterstock; C: © MaxFX/Shutterstock; D: Cortesía de Brian Prechtel/USDA; E: © Jean Ann Fitzhugh/Shutterstock.

CUADRO 24-8 Tóxicos y toxinas en algunas plantas comunes

Planta	Parte venenosa	Tóxicos y toxinas	Signos y síntomas de intoxicación
Acebos	Bayas	Ilicina	Gastroenteritis, coma
Adelfa	Toda la planta	Oleanina	Calambres, bradicardia, midriasis, diarrea sanguinolenta, coma, apnea (una hoja es letal)
Albaricoque	Semillas	Cianuro	Cefalea, mareo, debilidad, náusea, emesis, coma, convulsiones, acidosis metabólica
Arisaema triphyllum	Todas las partes	Oxalato de calcio	Gastroenteritis grave

Planta	Parte venenosa	Tóxicos y toxinas	Signos y síntomas de intoxicación
Azafrán de otoño	Toda la planta	Colchicina	Calambres tardíos, náusea, diarrea, deshidratación, coagulopatía, falla multiorgánica
Azalea	Toda la planta	Grayanotoxinas	Náusea, sialorrea, emesis, mareo, disnea, síntomas colinérgicos
Belladona	Bayas, hojas, raíces	Atropina	Hipertermia, convulsiones, alucinaciones, síntomas anticolinérgicos
Caladium	Hojas y raíces	Oxalato de calcio	Ardor en las mucosas, edema de lengua y garganta, sialorrea, gastroenteritis
Cerezo	Corteza, hojas, semillas	Amigdalina	Estupor, parálisis de las cuerdas vocales, convulsiones, coma
Cinamomo	Bayas; hojas y corteza en menor medida	Neurotoxinas tetranortriterpenoides	Emesis, diarrea, a veces excitación o depresión
Datura stramonium	Todas las partes	Atropina	Boca seca; piel caliente y diaforética; cefalea; alucinaciones; taquicardia; hipertensión; delirio; convulsiones
Dieffenbachia	Hojas y raíces	Oxalato de calcio	Daños en la mucosa similares a los del *Caladium*
Filodendros	Toda la planta	Oxalato de calcio	Edema en la lengua, garganta
Flor de pascua	Hojas, tallos, savia	Múltiples	Dermatitis de contacto, gastroenteritis
Glicinas	Vainas	Glucósido	Gastroenteritis grave, shock
Ipomoea violacea	Semillas	LSD	Alucinaciones
Jacinto	Bulbo	Múltiples	Gastroenteritis grave
Laurel	Todas las partes	Andromedotoxina	Salivación, lagrimeo, rinorrea, emesis, convulsiones, bradicardia, hipotensión, parálisis
Lirio de los valles	Hojas, flores	Glucósidos	Hiperpotasemia, disritmias cardíacas, gastroenteritis, alteración del estado mental
Muérdago	Todas las partes	Tiramina	Bradicardia, gastroenteritis, hipertensión, disnea, delirio, sudoración, shock
Narciso	Bulbo	Múltiple	Gastroenteritis
Patata	Tubérculos verdes, brotes nuevos	Solanina	Gastroenteritis grave, cefalea, apnea, shock
Ranúnculo	Toda la planta	Protoanemonina	Gastroenteritis, convulsiones
Rododendro	Toda la planta	Grayanotoxina	Náusea, sialorrea, emesis, mareos, disnea, síntomas colinérgicos
Ruibarbo	Solo hojas	Ácido oxálico	Calambres, náusea, emesis, anuria
Sanguinaria	Raíces	Sanguinaria	Calambres, diarrea, mareos, parálisis, coma
Saúco	Hojas, brotes, corteza	Sambunigrina	Gastroenteritis

Abreviatura: LSD, dietilamida del ácido lisérgico.

elaborada por las abejas que se alimentan de ellas, puede provocar síntomas colinérgicos.[39]

La **lantana** (también conocida como salvia roja o salvia silvestre), es un arbusto de flores perennes, con racimos de pequeñas bayas rojas. Estas bayas pueden provocar graves intoxicaciones, sobre todo cuando están maduras. Incluso cuando aún están verdes, las bayas contienen lantadeno A, una toxina que provoca trastornos GI, debilidad muscular, shock y, a veces, la muerte.

Otra planta peligrosa es el **ricino**. Las semillas de este atractivo arbusto son muy tóxicas: masticar unas pocas semillas (y en algunos casos, una sola) puede matar a un niño. La ricina, la toxina de las semillas de ricino, provoca diversos efectos tóxicos: ardor en la boca y la garganta; náusea, emesis, diarrea y fuertes dolores de estómago; postración; pérdida de la visión e insuficiencia renal (la causa habitual de muerte).

La **dedalera**, que tiene hermosas flores en forma de trompeta, contiene glucósidos cardíacos y se utilizan para la fabricación de los digitálicos. Junto con náusea, emesis, diarrea y cólico abdominal, la ingesta de la dedalera puede producir hiperpotasemia y disritmias cardíacas, por lo general bradiarritmias.

Evaluación

Cuando se encuentre con un paciente pediátrico intoxicado por plantas, obtenga toda la información que pueda de los padres o cuidadores y a continuación, consulte a su centro regional de toxicología para que le asesoren:

- **¿Cuándo se ingirió la planta?** Si fue hace más de 12 horas y el paciente sigue asintomático, es probable que no experimente ninguna emergencia médica. La mayoría de las intoxicaciones por plantas producen signos y síntomas de toxicidad, si es que van a hacerlo, en las 4 horas siguientes a la ingesta. Una excepción notable es el ricino, cuyos síntomas pueden no aparecer sino hasta 1 o 3 días post ingesta.
- **¿Qué comió exactamente el niño?** Intente averiguar no solo qué tipo de planta, sino también qué partes de la planta (hoja, raíz, tallo, flor o fruto) se comió. Si es posible, calcule la cantidad ingerida (p. ej., un mordisco o dos de una hoja o tres o cuatro hojas). Si lleva el niño al hospital, lleve también la planta implicada (o lo que quede de ella).
- **¿Qué signos o síntomas presenta el niño?**

Manejo

Si el paciente presenta síntomas, trate esta ingesta como cualquier otra e inicie el transporte al centro más apropiado. Sin embargo, la mayoría de las exposiciones relacionadas por plantas no requieren tratamiento, una decisión que puede tomarse después de consultar con el centro toxicológico y el control médico según el protocolo local. Si hay un adulto responsable que pueda vigilar de cerca al niño durante al menos 4 a 6 horas después de la ingesta, no es necesario trasladarlo al hospital.

Setas tóxicas

Hay cuatro grupos de personas con más probabilidades de tener intoxicaciones relacionadas con la ingesta de setas: los recolectores de setas silvestres, las personas que buscan setas alucinógenas, las personas que intentan suicidarse o cometer un homicidio y los niños pequeños que las comen por accidente. Incluso entre las personas conocedoras a las que les gusta recoger sus propias setas en la naturaleza, pueden ocurrir errores. En el 2019, los centros de control de intoxicaciones recibieron más de 5 700 llamadas relacionadas con ingesta de setas y 55% de estas ingestas se produjeron en niños menores de 5 años. Por fortuna, la mayoría de estos eventos resultan en efectos tóxicos limitados o inexistentes; solo se informaron dos ingestas fatales.[33]

Fisiopatología

Diversos factores determinan si la ingesta de una seta producirá resultados tóxicos: la edad de la seta, la estación en la que se recolectó, la cantidad ingerida y el método de preparación. Los efectos tóxicos varían desde signos y síntomas gastrointestinales leves hasta efectos citotóxicos graves, incluso letales. En Estados Unidos, las muertes por ingesta de setas suelen estar relacionadas con la especie de *Amanita* (*Amanita phalloides, Amanita virosa* y *Amanita verna*) (**FIGURA 24-17**).

Las setas se clasifican según las toxinas que producen. En esta clasificación los ciclopéptidos (amatoxinas), la giromitrina, la orellanina, la muscarina, el muscimol, los coprinos, la psilocibina y los irritantes gastrointestinales.

Perlas de sabiduría

Los preparados a base de plantas pueden causar interacciones potencialmente graves con los medicamentos tradicionales. Se han registrado casos de sobredosis con preparados a base de plantas. Asegúrese de determinar todos los medicamentos que puedo haber tomado el paciente, incluidos los medicamentos o suplementos a base de plantas.

FIGURA 24-17 **A.** La seta mortal *Amanita*. **B**. Una seta comestible no tóxica.

A: © Ivor Toms/Alamy Stock Photo; **B:** © paul prescott/Shutterstock.

Evaluación

La hora de aparición de los síntomas puede servir para predecir la posible gravedad. Si el paciente presenta síntomas en las 2 horas postingesta, lo más probable es que el episodio no ponga en peligro su vida. Por el contrario, si los síntomas aparecen a las 6 horas o más tarde, la probabilidad de que el episodio sea grave y potencialmente mortal es mucho mayor. Las quejas más frecuentes de los pacientes son dolor abdominal, diarrea, emesis, hemorragia digestiva, anuria y cefalea. Dependiendo de las toxinas implicadas, puede producirse falla multiorgánica alrededor de las 24 horas después de la ingesta. La insuficiencia renal puede requerir hemodiálisis.

Manejo

El tratamiento de un paciente sintomático con ingesta de hongos tóxicos incluye medidas de soporte. Establecer y mantener la vía aérea y establecer un acceso vascular. En caso de hipotensión secundaria a vómito y diarrea, administrar bolos de líquido con solución salina normal. Póngase en contacto con el centro de toxicología y control médico según el protocolo local y traslade al paciente a un centro adecuado.

Intoxicación alimentaria

Siempre que encuentre a dos o más personas enfermas al mismo tiempo y en el mismo lugar con síntomas similares, piense en una intoxicación alimentaria o una intoxicación por monóxido de carbono: es probable que su corazonada sea correcta. También es posible que se le pida que evalúe a pacientes preocupados tras recibir notificaciones por la retirada alimentos en los supermercados o en restaurantes locales.

Fisiopatología

Tres toxinas, *Salmonella, Listeria* y *Toxoplasma* se asocian con frecuencia a muertes relacionadas con los alimentos. La intoxicación por *Clostridium botulinum*, una toxina extremadamente mortal, suele ser consecuencia de un almacenamiento o enlatado inadecuado de los alimentos. Además, las toxinas producidas por dinoflagelados en las "mareas rojas" pueden contaminar mariscos bivalvos como ostras, almejas y mejillones y producir una intoxicación paralizante por mariscos mortales o potencialmente mortales. La cocción no elimina estas toxinas.

Evaluación

Dependiendo de la toxina, la aparición de signos y síntomas puede variar desde varias horas postingesta hasta días o semanas. Este retraso puede dificultar el aislamiento del agente causal mientras se valora al paciente. Los síntomas gastrointestinales son los más comunes e incluyen dolor abdominal, náusea, emesis y diarrea. Con episodios prolongados de vómito o diarrea, es probable que se produzca hipotensión secundaria a la pérdida de líquidos y desequilibrio electrolítico. Con toxinas como el *C. botulinum* o las que se encuentran en la intoxicación paralítica por mariscos puede producirse dificultad o paro respiratorio.

Manejo

La atención a los pacientes con intoxicación alimentaria suele ser de soporte, ya que la mayoría de los casos no ponen en peligro la vida y los signos y síntomas de la gastroenteritis aguda suelen ser autolimitados. Controlar la vía aérea del paciente o mantener la respiración con oxígeno suplementario según sea necesario. Establezca un acceso vascular y trate la hipotensión secundaria a la pérdida de líquidos con bolos de solución salina normal. Considere la administración de antieméticos, según el protocolo local. Para los pacientes con rubor facial (probablemente secundario a la liberación de histamina), considere la administración de difenhidramina según el protocolo local. Por último, traslade al paciente a un centro adecuado.

USTED es el Paramédico RESUMEN

1. ¿Cuál es su primera impresión de esta paciente?

La paciente se encuentra en estado crítico. Al comenzar la evaluación y la entrevista, es probable que se le ocurran varias ideas sobre la posible causa de su estado. Evento cerebro vascular, hipoglucemia, sepsis y sobredosis podrían ser algunas de las posibles causas. Una vez que haya determinado que la paciente está gravemente enferma, comience a establecer prioridades para la atención de la paciente y a buscar cualquier causa reversible.

2. ¿Cuál es su prioridad en la atención a la paciente?

La paciente tiene un pulso carotídeo fuerte con depresión respiratoria. Tome las medidas apropiadas para mantener una vía aérea permeable al tiempo que garantiza una frecuencia ventilatoria y un volumen corriente adecuados. Tenga la succión preparada y lista al lado del paciente. La colocación de una vía aérea nasofaríngea u orofaríngea sería apropiada según la presentación clínica de la paciente.

3. Si esta paciente ha sufrido una sobredosis, ¿en qué clasificación de fármacos se centraría?

Los problemas más críticos de la paciente son la hipoventilación y la depresión respiratoria. Estos problemas son componentes de dos toxidromes principales: opioide e hipnótico-sedante hipnótico. Puede afinar su diagnóstico diferencial basándose en hallazgos físicos adicionales o realizando una entrevista exhaustiva a la paciente y un estudio de la escena para determinar qué sustancias o medicamentos pueden estar presentes en el hogar.

4. Dé algunos ejemplos de sustancias que se ajusten a esta clasificación.

Los opioides son la morfina, la codeína, la heroína, el fentanilo (Sublimaze®), la oxicodona (OxyContin®), la meperidina (Demerol®), el propoxifeno (Darvon®) y el dextrometorfano. Los opioides se utilizan principalmente en medicina como analgésicos, mientras que la sustancia psicoactiva ilícita heroína se utiliza por la euforia única que produce. Los hipnótico-sedantes son los barbitúricos y las benzodiacepinas.

5. ¿Debería intubar a esta paciente?

El manejo avanzado de la vía aérea puede estar en el futuro de esta paciente, pero empiece primero por lo básico. Su acción inicial debe ser proporcionar oxígeno suplementario y ventilaciones asistidas con un dispositivo bolsa-mascarilla. La paciente presenta hipoventilación e hipercapnia. Los niveles elevados de dióxido de carbono pueden causar que el paciente tenga un estado mental alterado. Primero corrija los problemas sobre los que pueda tener un efecto inmediato y luego determine su siguiente paso después de evaluar la respuesta del paciente al tratamiento.

6. ¿Cuál es su siguiente paso en el tratamiento de este paciente una vez controlada la vía aérea?

Como paramédico, siempre debe moverse con determinación y tratar de anticipar las necesidades futuras de la paciente. Asegúrese de que la paciente está conectada adecuadamente a todos los equipos de monitorización, incluidos el monitor cardíaco, el tensiómetro no invasivo, el pulsioxímetro y el detector de dióxido de carbono (lateral o conectado al dispositivo de bolsa-mascarilla). Obtenga un acceso intravenoso y siga buscando la causa subyacente del estado de la paciente. Aunque tendrá una lista de prioridades para el tratamiento, piense siempre: "Si no es esto, a continuación, buscaré aquello". Convulsiones, evento cerebrovascular, hipoglucemia, sepsis, tóxicos y toxinas deben estar en su mente mientras trata a esta paciente.

7. ¿Cuál es su medicación de elección y la dosis para tratar a esta paciente?

Administre de 0.4 a 2 mg de naloxona (Narcan®). Lo mejor es extraer 2 mg de naloxona en una jeringa de 10 ml y llenar el resto de la jeringa con solución salina normal. Administre la naloxona hasta el momento en que mejoren las respiraciones de la paciente. No es necesario que "despierte" a la paciente del todo; basta con que mejore su estado respiratorio. Administrar una dosis demasiado grande o incluso una dosis adecuada demasiado rápido puede provocar emesis o síndrome de abstinencia en la paciente. Ambas situaciones podrían perjudicar a la paciente.

USTED es el Paramédico RESUMEN continuación

8. **¿Qué debe hacer si este medicamento no corrige la sobredosis?**

   A veces la paciente puede no responder a la naloxona y algunos opioides pueden requerir dosis más altas de naloxona para combatir la depresión respiratoria. Esta situación también puede ser una sobredosis mixta en la que se ha tomado más de un fármaco. Si el protocolo lo permite, repita la dosis de naloxona o solicite la orden de aumentar la dosis. Recuerde que las maniobras básicas de la vía aérea y la ventilación con bolsa-mascarilla satisfactoria, le dan más tiempo para determinar el siguiente curso de acción. Esta paciente puede requerir un manejo avanzado de la vía aérea. Si la paciente sigue presentando un alto riesgo de aspiración, proteja su vía aérea y realice una intubación endotraqueal.

Reporte de atención de paciente prehospitalario (RAPP)

Fecha: 08-10-22	**Incidente núm.:** 4563	**Naturaleza de la llamada:** sobredosis		**Ubicación:** Calle Edenvale	
Despacho: 14:30	**En camino:** 14:31	**En el escenario:** 14:38	**Transporte:** 14:50	**En el hospital:** 15:10	**En servicio:** 15:25

Información del paciente

Edad: 45 **Sexo:** F **Peso:** 70 kg (154 lb)	**Alergias:** Desconocida **Medicamentos:** Hidrocodona **Antecedentes médicos:** Cirugía de espalda **Principal manifestación:** Posible sobredosis

Signos vitales

Hora: 14:43	**PA:** 92/58	**Pulso:** 100	**Respiraciones:** 4	**Spo_2:** 90% con aire ambiente
Hora: 14:48	**PA:** 98/56	**Pulso:** 100	**Respiraciones:** asistida	**Spo_2:** 96% O_2
Hora: 14:54	**PA:** 100/60	**Pulso:** 98	**Respiraciones:** 12	**Spo_2:** 97% O_2
Hora: 15:05	**PA:** 112/64	**Pulso:** 94	**Respiraciones:** 12	**Spo_2:** 98% O_2
Hora: 15:10	**PA:** 108/84	**Pulso:** 92	**Respiraciones:** 14	**Spo_2:** 98% O_2

Tratamiento en el SEM (circule todo lo aplicable)

Oxígeno @ 15 L/min por (circular uno): **NC NRM (Dispositivo de bolsa y mascarilla)**		**(Ventilación asistida:)**	**(Dispositivo de la vía aérea:)**	**RCP**
Desfibrilación	**Control de la hemorragia**	**Vendaje**	**Inmovilización**	**Otro:**

Narrativa

Llegamos al lugar y se encontró a una paciente en decúbito supino en la cama. La paciente tiene antecedentes recientes de cirugía de espalda y consumo de opioides (hidrocodona, 10 mg). Fue vista por última vez a las 08:00 de la mañana. La paciente está inconsciente con una respiración de 4 por minuto. La paciente tiene un pulso carotídeo fuerte. Vía aérea mantenida con dispositivo nasofaríngeo y bolsa-mascarilla a 15 L/min asistida a un ritmo de 12 respiraciones/min. Taquicardia sinusal en el monitor. Acceso intravenoso establecido, nivel de glucosa en sangre es de 120 mg/dl. Se encontraron parches de fentanilo en la espalda de la paciente y se retiraron. Naloxona (Narcan®) administrada a 0.4 mg bolo intravenoso sin cambios. Dosis repetida × 2 según protocolo con aumento del esfuerzo respiratorio. La paciente responde a estímulos dolorosos después de la administración de Narcan® y es capaz de mantener la vía aérea. Trasladada de emergencia al hospital regional. Informe al Dr. Phillips a su llegada.

Fin del reporte

Kit de preparación

Resumen rápido

- Las emergencias toxicológicas pueden clasificarse como no intencionales o intencionales.
- Tanto las sustancias lícitas como las ilícitas evolucionan de manera constante. También puede encontrarse con pacientes con cuadros complejos en los que intervienen varias sustancias con farmacocinética diferente. Por esta razón, los centros de toxicología pueden ser una ayuda indispensable.
- Los cuatro métodos principales por los que un tóxico o toxina suelen entrar al organismo son ingesta, inhalación, inyección y la vía dérmica.
- Los toxidromes pueden ayudarle a identificar la sustancia tóxica en situaciones en las que no se dispone de esa información. Una vez realizada la evaluación e identificada la presentación, podrá proceder a un plan de tratamiento específico.
- Como paramédico, se encontrará con pacientes con trastornos por consumo de sustancias. Los efectos fisiológicos y sociales de los trastornos por consumo de alcohol son bien conocidos y están ampliamente documentados. Los efectos de las nuevas sustancias y nuevas variaciones son más difíciles de conocer y documentar debido a su continua evolución.
- Por lo general, los pacientes con emergencias toxicológicas se consideran pacientes clínicos, aunque las emergencias toxicológicas también pueden provocar traumas.
- Mantenga un alto nivel de conciencia situacional cuando responda a emergencias toxicológicas. Los pacientes que han presentado una sobredosis pueden ser bastante peligrosos.
- El manejo básico de la vía aérea es importante en estos pacientes y es uno de los pilares de la evaluación primaria.
- Obtenga toda la información posible sobre la sustancia, al principio de la llamada.
- El tratamiento de las emergencias toxicológicas incluye cuidados de soporte vital avanzado con base en los principios básicos:
  - Asegúrese de que la escena es segura para el acceso y la salida.
  - Mantenga la vía aérea; asegúrela si es necesario.
  - Asegúrese de que la respiración es adecuada.
  - Asegurarse de que la circulación no está comprometida (por hipoperfusión o disritmia).
  - Mantener niveles adecuados de saturación de oxígeno (95%).
  - Establecer un acceso vascular.
  - Considerar la administración de un antídoto, si está disponible.
  - Esté preparado para tratar shock, coma, convulsiones y disritmias.
  - Transportar al paciente lo antes posible. Colocar al paciente en decúbito lateral izquierdo si existe riesgo de emesis para reducir el riesgo de broncoaspiración.
- El tratamiento adicional del abuso de estimulantes incluye la obtención de un electrocardiograma (EKG), valores de pulsioximetría y una lectura de capnografía; la administración de benzodiacepinas según el protocolo local para la ansiedad y las convulsiones; y reanimación con líquidos para manejar la hipotensión.
- El consumo de marihuana es legal en algunos estados con fines médicos y en otros para cualquier fin. El tratamiento de estos pacientes es principalmente de soporte y puede incluir benzodiacepinas para la sedación.
- Los alucinógenos incluyen dietilamida de ácido lisérgico (LSD), fenciclidina (PCP) y ketamina. La atención médica de emergencia es principalmente de soporte y la seguridad de la escena sigue siendo una preocupación; pueden ser necesarios sedantes intramusculares. Las benzodiacepinas pueden ser útiles para calmar a un paciente que delira debido al uso de ketamina.
- Los hipnótico-sedantes incluyen los barbitúricos y las benzodiacepinas. En los pacientes que han consumido barbitúricos, es probable que se produzca una depresión del sistema nervioso central, lo que hace que el manejo de la vía aérea sea crítico. Las benzodiacepinas, aunque también se utilizan como agente prehospitalario para la sedación, también son potenciales sustancias de abuso. Existe un antídoto para la sobredosis por benzodiacepinas.
- Los opioides se han convertido en la causa principal de la mayoría de las muertes por sobredosis. El tratamiento de un paciente con sobredosis de

Kit de preparación continuación

opioides se centra en el manejo de la vía aérea. Puede administrarse naloxona (Narcan®) para mejorar el esfuerzo respiratorio espontáneo del paciente. Siga el algoritmo de la *American Heart Association* para el manejo de una sobredosis de opioides potencialmente mortal.

- Un paso adicional cuando un paciente presenta intoxicación por organofosforados es realizar una descontaminación antes de la evaluación y el tratamiento. Pueden ser necesarios medicamentos específicos como atropina y pralidoxima. Realice también una pulsioximetría, capnografía y monitorización del EKG.
- Si un paciente presenta intoxicación por monóxido de carbono, retírelo del entorno de exposición, proporciónele la mayor concentración de oxígeno posible, establezca un acceso intravenoso y realice una monitorización con EKG.
- En caso de ingesta de sustancias cáusticas, identifique la sustancia específica y póngase en contacto con el centro de toxicología o con el control médico en línea para obtener más instrucciones.
- Póngase en contacto con control médico en relación con el uso de carbón activado; a menudo está contraindicado cuando se desconoce(n) la(s) sustancia(s) exacta(s) ingerida(s). Este tratamiento puede utilizarse por lo general 1 hora después de la ingesta en las siguientes sobredosis: barbitúricos conocidos de acción prolongada, antidepresivos tricíclicos, inhibidores selectivos de la recaptación de serotonina, salicilatos o paracetamol. También puede utilizarse con la mayoría de las sobredosis de medicamentos cardiovasculares. El paciente debe ser capaz de mantener la vía aérea antes y durante su administración.
- Los hidrocarburos pueden ser inhalados o ingeridos. Los principales objetivos del tratamiento de un paciente que ha inhalado hidrocarburos son la retirada del entorno de exposición, la administración de oxígeno a altas concentraciones y el transporte inmediato. Los principales objetivos del tratamiento de un paciente que ha ingerido hidrocarburos son descontaminación, administración de oxígeno a alto flujo, monitorización del EKG y reanimación con líquidos si hay hipotensión.
- La mayoría de las intoxicaciones por plantas ingeridas se tratan como cualquier otra ingesta. La mayoría de las exposiciones relacionadas con plantas no requieren tratamiento, pero esta decisión debe determinarla el servicio de toxicología.

Vocabulario esencial

Abuso de sustancias Cualquier consumo de sustancias que cause daños físicos, psicológicos, económicos, legales o sociales al consumidor o a otras personas afectadas por su comportamiento.

Adicción a las sustancias Trastorno crónico caracterizado por el consumo compulsivo de una sustancia que provoca daños físicos, psicológicos o sociales al consumidor, que sigue consumiendo la sustancia a pesar de los daños.

Alucinógeno Agente que produce falsas percepciones en cualquiera de los cinco sentidos.

Anfetaminas Clase de sustancias que aumentan el estado de alerta y la excitación (estimulantes); incluyen la metanfetamina (*crank* o *ice*), metilendioxianfetamina (MDA, Adan) y metilendioximetanfetamina (MDMA, Eva, Éxtasis).

Antagonista Molécula que bloquea la capacidad de una sustancia química determinada para unirse a su receptor, impidiendo una respuesta biológica.

Antidepresivos tricíclicos (ATC) Grupo de fármacos utilizados para tratar la depresión grave y controlar el dolor; mínimos errores de dosificación pueden provocar resultados tóxicos.

Antídoto Algo que contrarresta el efecto de un tóxico o toxina.

Barbitúricos Potentes hipnótico-sedantes utilizados históricamente como somníferos, como ansiolíticos y como parte del régimen para el control de las convulsiones; incluyen fármacos como tiopental (Pentotal®, Trapanal®) y metohexital (Brevital®).

Benzodiacepinas Familia de hipnótico-sedantes que proporcionan relajación muscular y sedación

Kit de preparación continuación

leve; se utilizan con mayor frecuencia para tratar ansiedad, convulsiones y síndrome de abstinencia alcohólica; incluyen fármacos como diazepam (Valium®) y midazolam (Versed®).

Caladium Planta de interior común que contiene cristales de oxalato de calcio; su ingesta provoca náusea, emesis y diarrea.

Cáusticos Sustancias químicas que son ácidos o álcalis; causan lesiones químicas directas a los tejidos con los que entran en contacto.

Cocaína Un estimulante; un alcaloide natural que se extrae de las hojas de la planta *Erythroxylum coca,* que se encuentra en Sudamérica.

Dedalera Planta que contiene glucósidos cardíacos y se utiliza en la fabricación de digitálicos; la ingesta de hojas provoca náusea, emesis, diarrea, cólico abdominal, hiperpotasemia y diversas disritmias.

***Delirium tremens* (DT)** Síndrome de abstinencia grave que se observa en personas con trastorno por consumo de alcohol que se ven privadas de alcohol etílico; se caracteriza por inquietud, fiebre, hiperhidrosis, desorientación, agitación y convulsiones; puede ser mortal si no se trata.

Dependencia física Estado fisiológico de adaptación a una sustancia, por lo general caracterizado por la tolerancia a los efectos de la sustancia y un síndrome de abstinencia si se interrumpe el consumo de la sustancia, en especial de forma brusca.

Dependencia psicológica Estado emocional por una sustancia para mantener una sensación de bienestar.

Dieffenbachia Planta de interior común que también recibe el nombre de caña muda; su ingesta provoca quemaduras en boca y lengua y probablemente parálisis de las cuerdas vocales, náusea y emesis; en casos graves, puede producirse edema de la lengua y la laringe, con el consiguiente compromiso de la vía aérea.

DUMBBELLS Acrónimo en inglés que representa los síntomas de la intoxicación por organofosforados: diarrea, micción, miosis, bradicardia/broncoespasmo/broncorrea, emesis, lagrimeo, convulsiones/salivación/sudoración (*Diarrhea, Urination, Miosis, Bradycardia/Bronchospasm/Bronchorrhea, Emesis, Lacrimation, and Seizures/Salivation/Sweating*).

Emergencias toxicológicas Emergencias médicas causadas por agentes tóxicos o toxinas; pueden ser intencionales o no.

Habituación Tolerancia física y dependencia psicológica a una sustancia o sustancias.

Hidrocarburos Compuestos formados principalmente por átomos de hidrógeno y carbono; se obtienen sobre todo de la destilación del petróleo.

Hipnótico-sedante Fármaco utilizado para reducir la ansiedad, calmar a los pacientes agitados y ayudar a producir somnolencia y sueño; es un depresor del sistema nervioso central.

Ilícito En relación con las sustancias, sustancias ilegales como marihuana, cocaína y dietilamida de ácido lisérgico.

Inhibidores de la monoaminooxidasa (IMAO) Medicamentos psiquiátricos utilizados principalmente para tratar la depresión atípica aumentando los niveles de norepinefrina y serotonina en el sistema nervioso central.

Inhibidores selectivos de la recaptación de serotonina (ISRS) Clase de antidepresivos que inhiben la recaptación de serotonina.

Lantana Arbusto con flores perennes, con racimos de bayas rojas que pueden provocar intoxicaciones graves e incluso mortales. También conocida como salvia roja o salvia silvestre; su ingesta provoca trastornos estomacales, debilidad muscular, shock y en ocasiones, la muerte.

Lícito En relación con las sustancias, sustancias legalizadas como café, alcohol y tabaco.

Litio Estabilizador común del estado de ánimo, utilizado en el tratamiento del trastorno bipolar.

Marihuana Las hojas secas y los capullos florales de la planta *Cannabis sativa,* que se fuman para conseguir un efecto.

Medicamento Sustancia que tiene algún efecto terapéutico (como reducir la inflamación, combatir las bacterias o producir euforia) cuando se administra en las circunstancias y dosis adecuadas.

Kit de preparación continuación

Metanfetamina Sustancia altamente adictiva de la familia de las anfetaminas.

Opiáceo Diversos alcaloides derivados de la planta del opio o adormidera.

Opioide Sustancia que actúa como depresor del sistema nervioso central y produce insensibilidad o estupor. Un opioide puede ser un producto natural derivado de la planta del opio o la adormidera o un producto sintético diseñado para producir efectos similares.

Organofosforados Clase de sustancias químicas presentes en muchos insecticidas utilizados en la agricultura y en el hogar.

Potenciación Aumento del efecto de un fármaco por otro medicamento.

Rabdomiólisis Destrucción del tejido muscular que provoca una liberación de potasio y mioglobina.

Ricino Semilla que contiene la toxina denominada ricina. Su ingesta provoca diversos efectos tóxicos: ardor en la boca y la garganta; náusea, emesis, diarrea y fuertes dolores de estómago; postración; pérdida de visión, e insuficiencia renal, que es la causa habitual de muerte.

Salicilatos Sustancias químicas presentes en las plantas; ingrediente principal de la aspirina.

Síndrome de abstinencia Conjunto previsible de signos y síntomas, que suelen implicar una alteración de la actividad del sistema nervioso central, que se produce después del cese brusco de una sustancia o después de la disminución rápida de la dosis habitual de un fármaco.

Síndrome serotoninérgico Complicación idiosincrática que se produce con el tratamiento antidepresivo en la que los pacientes presentan rigidez muscular de las extremidades inferiores, confusión o desorientación o agitación.

Sinergismo Acción de dos sustancias, como los fármacos, en la que los efectos totales son mayores que la suma de los efectos independientes de las dos sustancias.

Sobredosis Trastorno que se produce cuando se expone a una sustancia (lícita o ilícita) en exceso; puede tener consecuencias tóxicas o letales.

Spice Sustancia ilícita consistente en una mezcla de cannabinoides sintéticos; puede producir delirio y efectos psicóticos a corto y largo plazos.

Suicidio químico Método de suicidio que consiste en mezclar determinados productos químicos domésticos en un espacio cerrado para crear gases tóxicos, como sulfuro de hidrógeno y cianuro de hidrógeno, al combinarse los productos químicos; también llamado suicidio con detergente.

Tolerancia Adaptación fisiológica a los efectos de un fármaco o cualquier sustancia, de forma que se requieren dosis cada vez mayores del mismo para conseguir el mismo efecto.

Tóxico Sustancia química cuya acción química puede dañar estructuras o alterar funciones cuando se introduce en el organismo.

Toxicología Estudio de las sustancias tóxicas.

Toxidrome Síntomas similares a los del síndrome de cualquier clase o grupo de agentes tóxicos.

Toxina Sustancia nociva producida por bacterias, animales o plantas.

Trastorno por consumo de alcohol Enfermedad caracterizada por una adicción física y psicológica al etanol que puede ir de leve a grave.

Referencias

1. Poison statistics: national data 2019. National Capital Poison Center website. http://www.poison.org/poison-statistics-national. Consultado septiembre 1, 2021.
2. Chemical suicides: the risk to emergency responders. Chemical Hazards Emergency Medical Management website. https://chemm.hhs.gov/chemicalsuicide.htm. Consultado septiembre 1, 2021.
3. WebWISER home. US National Library of Medicine, National Institutes of Health, Department of Health and Human Services. https://webwiser.nlm.nih.gov. Consultado septiembre 1, 2021.
4. New CDC study finds dramatic increase in e-cigarette–related calls to poison centers. Centers for Disease Control and Prevention website. https://www.cdc.gov /

Kit de preparación continuación

media/releases/2014/p0403-e-cigarette-poison.html. Publicado abril 3, 2014. Consultado septiembre 1, 2021.

5. Moss MJ, Warrick BJ, Nelson LS, et al. ACMT and AACT position statement: preventing occupational fentanyl and fentanyl analog exposure to emergency responders. *J Med Toxicol*. 2017;13(4):347-351. doi:10.1007/s13181-017-0628-2.
6. National Model EMS Clinical Guidelines: Version 2.2. National Association of State EMS Officials website. https://nasemso.org/wp-content/uploads/National-Model-EMS-Clinical-Guidelines-2017-PDF-Version-2.2.pdf. Publicado enero 2019. Consultado septiembre 30, 2021
7. Volkow ND, Gordon JA, Koob GF. Choosing appropriate language to reduce the stigma around mental illness and substance use disorders. *Neuropsychopharmacology*. 2021. https://doi.org/10.1038/s41386-021-01069-4.
8. Alcohol facts and statistics. National Institute on Alcohol Abuse and Alcoholism website. https://www.niaaa.nih.gov/publications/brochures-and-fact-sheets/alcohol-facts-and-statistics. Actualizado junio 2021. Consultado septiembre 2, 2021.
9. When it comes to reducing alcohol-related stigma, words matter. National Institute on Alcohol Abuse and Alcoholism website. https://www.niaaa.nih.gov/alcohols-effects-health/reducing-alcohol-related-stigma. Consultado octubre 4, 2021.
10. Understanding alcohol use disorder. National Institute on Alcohol Abuse and Alcoholism website. https://www.niaaa.nih.gov/publications/brochures-and-fact-sheets/understanding-alcohol-use-disorder. Consultado octubre 4, 2021.
11. American Psychiatric Association. *Diagnostic and Statistical Manual of Mental Disorders*, 5th ed. Washington, DC: American Psychiatric Association; 2013.
12. Alcohol and cancer risk. National Cancer Institute website. http://www.cancer.gov/about-cancer/causes-prevention/risk/alcohol/alcohol-fact-sheet. Actualizado julio 14, 2021. Consultado septiembre 2, 2021.
13. State of California Department of Motor Vehicles. California Driver Handbook: Alcohol and Drugs. https://www.dmv.ca.gov/portal/handbook/california-driver-handbook/alcohol-and-drugs/. Consultado septiembre 2, 2021.
14. O'Malley GF, O'Malley R. Alcohol toxicity and withdrawal. Merck Manuals Professional Edition. https://www.merckmanuals.com/professional/special-subjects/recreational-drugs-and-intoxicants/alcohol-toxicity-and-withdrawal. Publicado enero 2016. Consultado septiembre 2, 2021.
15. Key substance use and mental health indicators in the United States: results from the 2019 National Survey on Drug Use and Health. Substance Abuse and Mental Health Services Administration website. https://www.samhsa.gov/data/report/2019-nsduh-annual-national-report. Publicado septiembre 2020. Consultado septiembre 2, 2021.
16. Cocaine overview: pharmacology. MethOIDE: Methamphetamine and Other Illicit Drug Education website. http://methoide.fcm.arizona.edu/infocenter/index.cfm?stid=170. Consultado septiembre 1, 2021.
17. Communications NYU. Rolling on Molly: US high school seniors underreport Ecstasy use when not asked about Molly. https://www.nyu.edu/about/news-publications/news/2016/june/rolling-on-molly-us-high-school-seniors-underreport-ecstasy-use-when-not-asked-about-molly.html. Publicado junio 9, 2016. Consultado septiembre 1, 2021.
18. Stores C. Is Flakka gone for good? http://www.cnn.com/2016/04/18/health/flakka-drug-disappearance/. Publicado abril 18, 2016. Consultado septiembre 1, 2021.
19. Synthetic cathinones ("bath salts"). DrugFacts. National Institute on Drug Abuse website. https://www.drugabuse.gov/publications/drugfacts/synthetic-cathinones-bath-salts. Publicado julio 2020. Consultado septiembre 2, 2021.
20. VanDolah HJ, Bauer BA, Mauck KF. Clinicians' guide to cannabidiol and hemp oils. *Mayo Clin Proc*. August 21, 2019. https://www.mayoclinicproceedings.org/article/S0025-6196(19)30007-2/fulltext. Consultado octubre 4, 2021.
21. O'Malley GF, O'Malley R. Marijuana (cannabis). Merck Manuals Professional Edition. https://www.merckmanuals .com/professional/special-subjects/recreational-drugs-and-intoxicants/marijuana-cannabis. Actualizado mayo 2020. Consultado septiembre 6, 2021.
22. Zukkoor Zorn S. Cardiovascular risk of marijuana. American College of Cardiology website. https://www.acc.org/latest-in-cardiology/articles/2021/06/10/03/08/cardiovascular-risk-of-marijuana#:~:text=Data%20analyzed%20from%20the%20US,lenient%20approaches%20to%20cannabis%20dispensing. Publicado junio 10, 2021. Consultado noviembre 5, 2021.
23. Acute marijuana intoxication. Children's Hospital Colorado website. https://www.childrenscolorado.org/conditions-and-advice/conditions-and-symptoms/conditions/acute-marijuana-intoxication/. Consultado septiembre 6, 2021.
24. Orhurhu VJ, Vashisht R, Claus LE, Cohen SP. Ketamine toxicity. StatPearls [Internet]. https://www.ncbi.nlm.nih.gov/books/NBK541087/. Actualizado julio 25, 2021. Consultado noviembre 5, 2021.
25. O'Malley GF, O'Malley R. Anxiolytics and sedatives. Merck Manuals Professional Edition. http://www.merckmanuals.com/professional/special-subjects/recreational-drugs-and-intoxicants/anxiolytics-and-sedatives. Revisado mayo 2020. Consultado septiembre 6, 2021.
26. Benson BE, Hoppu K, Troutman WG, et al. Position paper update: gastric lavage for gastrointestinal decontamination. *Clin Toxicol*. 2013;51(3):140-146.

Kit de preparación continuación

27. Drug overdose deaths. Centers for Disease Control and Prevention website. https://www.cdc.gov/drugoverdose/data/statedeaths.html. Última revisión marzo 3, 2021. Consultado septiembre 6, 2021.
28. Rudd RA, Aleshire N, Zibbell JE, Gladden RM. Increases in drug and opioid overdose deaths—United States, 2000–2014. *Morb Mortal Wkly Rep*. 2016;64(50-51):1378-1382.
29. Cliff RM, Woodcock J, Ostroff S. A proactive response to prescription opioid abuse. *NEJM*. 2016;374(15):1480-1485.
30. Panchal AR, Bartos JA, Cabañas JG, et al. Part 3: adult basic and advanced life support: 2020 American Heart Association guidelines for cardiopulmonary resuscitation and emergency cardiovascular care. *Circulation*. 2020;142(16 suppl 2):S366-S468.
31. Bertolote JM, Fleischmann A, Eddleston M, Gunnell D. Deaths from pesticide poisoning: are we lacking a global response? *Br J Psychiatry*. 2006;189:201-203.
32. Preventing carbon monoxide poisoning after an emergency. Centers for Disease Control and Prevention website. https://www.cdc.gov/disasters/cofacts.html. Revisado septiembre 27, 2017. Consultado septiembre 6, 2021.
33. Hydrogen cyanide (AC): systemic agent. Centers for Disease Control and Prevention website. https://www.cdc.gov/niosh/ershdb/emergencyresponsecard_29750038.html. Revisado mayo 12, 2011. Consultado octubre 4, 2021.
34. Facts about cyanide. Centers for Disease Control and Prevention website. https://emergency.cdc.gov/agent/cyanide/basics/facts.asp. Revisado abril 4, 2018. Consultado octubre 4, 2021.
35. Gummin DD, Mowry JB, Beuhler MC, et al. 2019 Annual report of the American Association of Poison Control Centers' National Poison Data System (NPDS): 36th annual report. *Clin Toxicol*. 2020;58(12):1360-1541.
36. O'Malley GF, O'Malley R. Gamma hydroxybutyrate. Merck Manuals Professional Edition. https://www.merckmanuals.com/professional/special-subjects/recreational-drugs-and-intoxicants/gamma-hydroxybutyrate. Revisado mayo 2020. Consultado septiembre 6, 2021.
37. McMartin K, Jacobsen D, Hovda KE. Antidotes for poisoning by alcohols that form toxic metabolites. *Br J Clin Pharmacol*. 2016;81(3):505-515.
38. O'Malley GF, O'Malley R. Specific poisons. Merck Manuals Professional Edition. http://www.merckmanuals.com/professional/injuries-poisoning/poisoning/specific-poisons. Actualizado abril 2020. Consultado septiembre 6, 2021.
39. Mekonnen S. Azaleas and rhododendrons. http://www.poison.org/articles/2015-mar/azaleas-and-rhododendrons. Consultado septiembre 6, 2021.

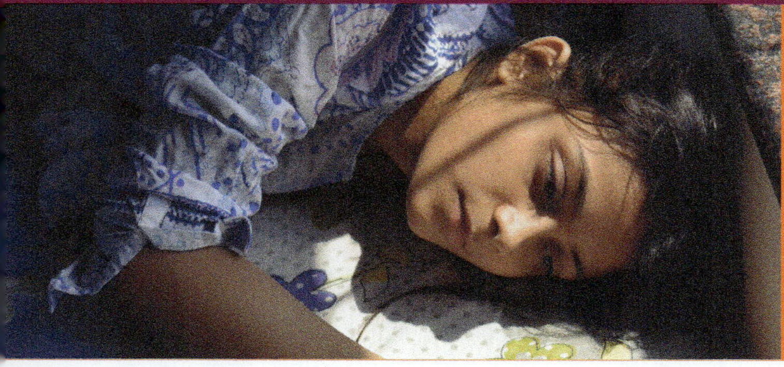

Capítulo 25

Emergencias psiquiátricas

COMPETENCIAS DEL ESTÁNDAR NACIONAL DE EDUCACIÓN EN EL SEM

Medicina

Integra los resultados de la evaluación con los principios de epidemiología y fisiopatología para formular una impresión inicial e implementar un plan integral de tratamiento/disposición para un paciente con una afección médica.

Psiquiatría

Reconocimiento de:

- Comportamientos que suponen un riesgo para el proveedor del SEM, el paciente u otras personas. (pp. 1600-1601)

Evaluación y manejo de:

- Principios básicos del sistema de salud mental. (pp. 1599-1604)
- Suicidio/riesgo. (pp. 1617-1618)

Anatomía, fisiología, epidemiología, fisiopatología, impacto psicosocial, presentaciones, evaluación, pronóstico y manejo de la:

- Psicosis aguda (pp. 1612-1614)
- Delirio agitado (pp. 1615-1617)
- Trastornos cognitivos (pp. 1615-1617)
- Trastornos del pensamiento (pp. 1612-1614, 1622)
- Trastornos del estado de ánimo (pp. 1620-1622)
- Trastornos neuróticos (pp. 1622-1624)
- Trastornos relacionados con sustancias/comportamientos adictivos (pp. 1624-1625)
- Trastornos somatomorfos (pp. 1625-1626)
- Trastornos facticios (pp. 1626-1627)
- Trastornos de la personalidad (p. 1627)
- Patrones de violencia/abuso/negligencia (pp. 1618-1620)
- Psicosis orgánicas (p. 1622)

OBJETIVOS COGNITIVOS

1. Discutir las posibles causas de las emergencias de comportamiento, incluidas las sobredosis de drogas, el comportamiento violento y las enfermedades mentales. (pp. 1597-1598)
2. Definir comportamiento normal, anormal, manifiesto y encubierto. (p. 1594)
3. Identificar la prevalencia de las enfermedades mentales en Estados Unidos (EU). (p. 1596)
4. Discutir las consideraciones médico-legales y su papel en las emergencias psiquiátricas. (pp. 1596-1597)
5. Discutir las causas orgánicas y ambientales del comportamiento anormal. (pp. 1597-1598)
6. Explicar cómo se clasifican los signos y síntomas psiquiátricos. (pp. 1598-1599)
7. Describir el proceso de evaluación de los pacientes con emergencias psiquiátricas, incluidas las pautas de seguridad y las preguntas específicas que deben formularse. (pp. 1599-1604)
8. Discutir la importancia de la anamnesis en la evaluación de un paciente con una emergencia psiquiátrica. (pp. 1602-1603)
9. Identificar estrategias para comunicarse con los pacientes durante las crisis conductuales. (pp. 1604-1605)

10. Discutir los cuidados generales de un paciente con una emergencia psiquiátrica. (pp. 1605-1606)
11. Comparar la contención física con la química, incluyendo ejemplos de cuándo podría utilizarse cada una y situaciones en las que la contención podría estar justificada. (pp. 1606-1611)
12. Describir la atención médica de emergencia de un paciente con psicosis. (p. 1614)
13. Describir la atención médica de emergencia de un paciente con delirio agitado. (p. 1617)
14. Explicar cómo reconocer el comportamiento de un paciente con riesgo de suicidio, incluyendo la atención médica de emergencia de dicho paciente. (pp. 1617-1618)
15. Discutir los factores que indican que un paciente está en riesgo de volverse violento. (p. 1619)
16. Explicar el enfoque para atender con seguridad a un paciente potencialmente violento. (pp. 1619-1620)
17. Enumerar los trastornos psiquiátricos específicos que pueden caracterizarse por un estado de psicosis aguda o delirio agitado. (p. 1612)
18. Discutir la evaluación y el manejo de emergencias psiquiátricas específicas, incluidas las relacionadas con trastornos del estado de ánimo, esquizofrenia, trastornos neuróticos, consumo de sustancias, trastornos somatomorfos, trastornos facticios, trastornos del control de impulsos y trastornos de la personalidad. (pp. 1620-1627)
19. Discutir los medicamentos utilizados para tratar los trastornos psiquiátricos y gestionar las emergencias conductuales. (pp. 1627-1629)
20. Reconocer los problemas específicos del trastorno de estrés postraumático y del veterano de combate que regresa. (pp. 1598, 1629-1631)

OBJETIVOS DE DESTREZA

1. Demostrar la técnica utilizada para realizar la contención física de cuatro puntos de un paciente. (p. 1609, Práctica de destreza 25-1)

Introducción

La mente y el cuerpo no son entidades separadas; son partes inseparables de un ser humano completo. Cuando una persona presenta una enfermedad, esta afectará de manera inevitable su comportamiento, a menudo con ansiedad o depresión. Del mismo modo, los cambios en el estado mental afectan a la salud física del cuerpo. Las personas con depresión, por ejemplo, pueden perder el apetito o volverse más susceptibles a las enfermedades corporales. Por lo tanto, siempre que examine a un paciente, debe verlo como una persona completa. Intente conocer los factores físicos y mentales que contribuyen al malestar del paciente.

Como paramédico, atenderá a pacientes que atraviesan una crisis psicológica o conductual. Este capítulo cubre varios tipos de emergencias conductuales. Estas emergencias pueden implicar sobredosis, comportamiento violento y enfermedad mental. Este capítulo también aborda las preocupaciones legales en la atención médica de emergencia de pacientes que se encuentran perturbados.

Definición de emergencia conductual

El concepto de **comportamiento** ha sido objeto de debate a lo largo de los años. La mayoría de los expertos lo definen como la forma en que las personas actúan o se comportan o cómo responden ante una situación. El comportamiento incluye todas las cosas que las personas hacen y las razones por las que las hace. Quién define el comportamiento anormal y normal es fuente de debate. Estos conceptos pueden ser definidos por la sociedad en general, una comunidad o grupo social en particular, un padre, un jefe, un amigo o incluso un extraño. Tanto el comportamiento normal como el anormal pueden ser manifiestos. Los **comportamientos manifiestos** son abiertos y por lo general comprendidos por quienes rodean a la persona. Los **comportamientos encubiertos** son aquellos que tienen significados o intenciones ocultos que solo entiende la persona que muestra el comportamiento.

El comportamiento anormal en sí mismo puede no ser una afección médica y no es motivo de alarma. Las verdaderas preguntas son: "¿Cuándo requiere el comportamiento anormal una intervención médica?" y "¿cuándo requiere una respuesta de los servicios de emergencia médica (SEM)?". Casi todos los comportamientos desordenados representan el esfuerzo de la persona por adaptarse a algún estrés interno o externo. El comportamiento desordenado suele ser temporal, desvaneciéndose cuando la persona ha conseguido movilizar sus mecanismos psicológicos de defensa.

Las **emergencias conductuales** son situaciones en las que el problema que presenta el paciente es algún trastorno del estado de ánimo, del pensamiento o del comportamiento que interfiere con las **actividades de la vida diaria (AVD)**. Las AVD son actividades cotidianas como vestirse y sacar la basura. Cuando una persona está tan deprimida que le resulta imposible levantarse por la mañana, ducharse y prepararse el desayuno, o cuando alguien tiene **delirios** (creencias falsas) o **alucinaciones** (percepciones sensoriales que no se basan en la realidad objetiva) que le impiden mantener un empleo, el trastorno se convierte en una emergencia conductual.

Una **emergencia psiquiátrica** se produce cuando el comportamiento anormal amenaza la salud y la seguridad de una persona o la salud y la seguridad de otra persona. En los casos más extremos, una persona tiene un episodio suicida, homicida o psicótico. En un episodio psicótico, la persona suele experimentar delirios o alucinaciones e ilusiones (errores de percepción) que provocan la pérdida de contacto con la realidad. Por ejemplo, un paciente que ha consumido drogas ilícitas puede experimentar una alteración de la realidad: un "mal viaje". Los episodios psicóticos pueden ser peligrosos para el paciente, los transeúntes y para usted como interviniente, ya que el paciente puede mostrar un comportamiento violento, que suele ser por miedo exagerado o paranoia.

Independiente a cómo definan los libros de texto una emergencia psiquiátrica, la definición operativa de una emergencia conductual o psiquiátrica la da la persona que marca el 9-1-1. Una emergencia conductual o psiquiátrica a menudo se convierte en una "emergencia" debido al pánico experimentado por el paciente, la familia, los transeúntes o todos los presentes. Ese pánico, a su vez, puede traducirse en una demanda de acción por su parte, por lo que puede verse sometido a una intensa presión para hacer algo. Por ejemplo, puede verse presionado para trasladar al paciente al servicio de emergencias (DE). Paradójicamente, es justo en una situación en la que el paciente se comporta de forma extraña y los transeúntes claman por que actúe, cuando usted puede sentirse menos capaz de hacer algo.

Inteligencia en la calle

Cuando le llamen para una emergencia psiquiátrica, tenga en cuenta que rara vez se encontrará con una enfermedad de nueva aparición. El paciente u otras personas que se encuentren en el lugar de los hechos pueden ofrecer información útil, como los tratamientos a los que se está sometiendo o cómo se resolvió una situación similar en el pasado. Considere la posibilidad de formular preguntas como las siguientes para orientar su enfoque:

- ¿Qué es diferente hoy?
- ¿Ha tomado la medicación que le han recetado?
- ¿Ha ocurrido algo que le haya molestado?

Aunque la compasión es imperativa cuando se trata de un problema de comportamiento, permanezca alerta ante posibles episodios de violencia, en especial cuando responda a llamadas relacionadas con el consumo de drogas ilícitas. Si el paciente está cada vez más agitado, abandone el lugar y solicite ayuda adicional.

USTED es el Paramédico

PARTE 1

Lo envían al tercer piso de un edificio de apartamentos para atender a un hombre de 44 años que dice temer por su vida. Le informan que la policía lleva 20 minutos atendiendo al paciente, que no quiere salir de la vivienda. El edificio de apartamentos es conocido por albergar a residentes con trastornos psiquiátricos. Cuando llega al edificio, un agente le indica que se dirija al ascensor y le dice que el paciente no está armado, pero que los agentes permanecen en el lugar por si se pone violento.

Sube a la tercera planta, donde se reúne con usted otro agente. Le informa que el paciente ha llamado al personal de seguridad y ha declarado que alguien intenta matarle. Ha dicho al personal de seguridad que ha oído una información que no iba dirigida a él y que ahora alguien planea matarle. La puerta del departamento está abierta y se ve al paciente. No parece tener un arma, pero se niega a salir del departamento o a dejar entrar a alguien.

1. ¿Cuáles son los componentes iniciales de la evaluación de este paciente?
2. ¿Cuáles son sus preocupaciones de seguridad al tratar con este paciente?

Puede tener dificultades para rendir al máximo de su capacidad cuando intenta comprender los sentimientos confusos y crispados que suele presentar el paciente durante una emergencia psiquiátrica. Algunos paramédicos pueden sentirse más cómodos tratando problemas sencillos como fracturas de piernas, arritmias cardíacas o sobredosis de narcóticos. Los paramédicos suelen ser personas orientadas a la acción a las que les gusta ver resultados tangibles, como la mejoría de un paciente con hipoglucemia después de un bolo de glucosa, o la reanimación cardiopulmonar (RCP) y desfibrilación de un paciente clínicamente muerto. ¿Qué recompensas tangibles puede obtener al acompañar a un paciente confuso y alucinado a un centro médico, o al atender a un paciente beligerante y violento que grita obscenidades?

La intervención conductual prehospitalaria *es* posible y a menudo crítica en estas emergencias. Usted puede marcar la diferencia en la vida de un paciente que está alterado, y puede aprender las habilidades como cualquier otra destreza. De hecho, estas habilidades que se aprenden para tratar el comportamiento anormal pueden ser mucho más críticas para su trabajo que destrezas como la intubación endotraqueal. Por ejemplo, ¿cuántas de sus llamadas requieren la colocación de una vía aérea avanzada? Muchas más llamadas requerirán que atienda a personas con enfado, depresión, agitación, pánico o fuera de control. Está claro que se beneficiará en gran medida si aprende a adoptar un enfoque organizado y sistemático de las emergencias que implican un comportamiento anormal.

Prevalencia

Según los *Centers for Disease Control and Prevention* (CDC), el promedio de días mentalmente insalubres (aquellos que incluyen estrés, **depresión** y problemas con las emociones) en EU ha aumentado. En 2013, en EU se reportaron un promedio de 3.7 días mentalmente insalubres por mes, pero en 2019, este número había aumentado a 4.3 días.[1]

En un año cualquiera, se calcula que 43.5 millones de adultos de 18 años o más han presentado una enfermedad mental en el último año.[2] Esta cifra representa 18.1% de todos los adultos de EU.[2] Se calcula que casi 10 millones de adultos de 18 años o más, que representan 4.2% de la población de EU, ha tenido una enfermedad mental grave en el último año. La enfermedad mental grave se define por lo general como el diagnóstico de un trastorno psiquiátrico, por ejemplo, con deterioro funcional grave.[2] La prevalencia de enfermedades mentales graves entre grupos de edad y etnias específicas se muestra en el **CUADRO 25-1**. Según el *National Institute of Drug Abuse*, 7.7 millones de adultos en EU tienen a la vez una enfermedad mental y un trastorno por consumo de sustancias, lo que puede complicar su evaluación y tratamiento.[3]

CUADRO 25-1 Prevalencia de enfermedades mentales graves en subgrupos de población en EU seleccionados, 2018

Población	Prevalencia de enfermedades mentales graves (% de la población)
Sexo	
Mujeres mayores de 18 años	5.7
Hombres, 18 años o más	3.4
Empleo	
Adultos desempleados	7.9
Adultos empleados de tiempo parcial	5.8
Adultos empleados de tiempo completo	3.9
Raza	
Blanca	5.1
Indio americano o nativo de Alaska	6.4
Hispano o latino	3.6
Negro o afroamericano	3.6
Asiático	2.1

Datos de: resultados de la 2018 National Survey on Drug Use and Health: Mental Health Detailed Tables. Substance Abuse and Mental Health Services Administration website. https://www.samhsa.gov/data/sites/default/files/cbhsq-reports/NSDUHDetailedTabs2018R2/NSDUHDetTabsSect8pe2018.htm. Consultado el 3 de noviembre de 2021.

Consideraciones médico-legales

Cada llamada tiene complicaciones legales potenciales, en especial las llamadas por emergencias de comportamiento. Cuando el comportamiento, el habla y los pensamientos de un paciente son erráticos y desorganizados, puede encontrar dificultades para comunicarse con claridad y comprender la situación. Prepárese para pasar tiempo con el paciente. No tenga prisa: en su lugar, transmita el mensaje de que dispone de tiempo y se preocupa por saber qué le preocupa al paciente. Obtenga el consentimiento, como con cualquier otro paciente, siempre que sea posible. Si el paciente se niega a dialogar con usted, siga hablando de la situación. Explique sus responsabilidades ahora que ha sido llamado a la escena y ha respondido.

Si el paciente rechaza el transporte, siga los protocolos locales y las órdenes permanentes para proporcionar transporte en contra de la voluntad del paciente. A menudo necesitará ayuda de la policía. En la mayoría de las jurisdicciones, los paramédicos (y otros) no están autorizados a sujetar o transportar a personas en contra de su voluntad, excepto posiblemente por orden expresa de un médico de salud mental.

Sea claro al explicar los tratamientos y medicamentos que va a administrar. No dé por sentado que el paciente no puede entender lo que está haciendo, independientemente de su estado de ánimo. Como siempre, incluya al paciente en la medida de lo posible. Cuando evalúe y trate a un paciente con problemas de salud mental, debe dedicar más tiempo a registrar de manera minuciosa la llamada. Sea objetivo y puntual e incluya los comentarios que haga el paciente. Comunicarse bien, seguir las normas y protocolos y tener paciencia será su mejor protección contra las acciones legales.

Fisiopatología

Causas del comportamiento anormal

El comportamiento anormal suele ser el resultado de una compleja interacción de causas biológicas u orgánicas, factores de desarrollo, factores de estrés psicológico, estímulos emocionales e influencias socioculturales. Estas causas pueden clasificarse en cuatro grandes categorías: (1) causas biológicas u orgánicas, (2) causas derivadas del entorno de la persona, (3) causas derivadas de lesiones o enfermedades agudas y (4) causas relacionadas con sustancias.

Causas biológicas u orgánicas

Muchos pacientes que presentan síntomas psiquiátricos están afectados en realidad por factores biológicos u orgánicos que interfieren con la función cerebral normal. A estos pacientes se les denominaba como que tenían **síndrome cerebral orgánico**. Este término englobaba los trastornos debidos a causas orgánicas o fisiológicas en contraposición a las causas puramente psiquiátricas. Sin embargo, la distinción era algo arbitraria; ahora se entiende que muchas personas con lo que antes se consideraban anomalías no orgánicas tienen una disfunción fisiológica en el cerebro que está causando su enfermedad psiquiátrica. Ejemplos de causas biológicas u orgánicas de comportamiento anormal incluyen condiciones como hipoxia crónica, convulsiones, lesión cerebral traumática (LCT), trastorno crónico por consumo de alcohol y sustancias, y tumores cerebrales (**CUADRO 25-2**). Estas afecciones

CUADRO 25-2 Estados de enfermedad seleccionados que pueden producir síntomas psicóticos

Estado de la enfermedad	Síntomas psicóticos
Estados tóxicos y carenciales	Psicosis inducidas por drogas, en especial por: • Digitálicos • Esteroides • Disulfiram • Anfetaminas • LSD, PCP y otros psicodélicos Trastornos de la nutrición: • Trastorno por consumo de alcohol • Carencias vitamínicas Intoxicación con bromuro u otros metales pesados: • Insuficiencia renal • Insuficiencia hepática
Infecciones	• Sífilis • Parásitos • Encefalitis viral (p. ej., después del sarampión) • Absceso cerebral
Enfermedad neurológica	• Trastornos convulsivos (en especial convulsiones del lóbulo temporal) • Tumores cerebrales primarios y metastásicos • Demencia • Evento vascular cerebral • Lesión craneal cerrada
Trastornos cardiovasculares	• Bajo gasto cardíaco (p. ej., en insuficiencia cardíaca)
Trastornos endocrinos	• Hiperfunción tiroidea (tirotoxicosis) • Hiperfunción suprarrenal (síndrome de Cushing)
Trastornos metabólicos	• Desequilibrios electrolíticos (p. ej., luego de una diarrea grave) • Hipoglucemia • Cetoacidosis diabética

Abreviaturas: LSD, dietilamida del ácido lisérgico; PCP, fenciclidina.

alteran el funcionamiento normal del cerebro y pueden causar alteraciones del comportamiento. Los causantes más comunes son con probabilidad el alcohol y las drogas, pero también hay que considerar la demencia y el delirio.

Causas medioambientales

El entorno de una persona ejerce una enorme influencia en su comportamiento. Por lo general, ese entorno incluye influencias psicosociales y socioculturales en el comportamiento.

Cuando las personas están constantemente expuestas a acontecimientos psicosociales estresantes (p. ej., traumas infantiles) o a influencias del desarrollo (p. ej., padres que les privaron de amor, cariño, apoyo y estímulo), pueden desarrollar reacciones anormales. Cuando las necesidades básicas de una persona se ven amenazadas, esa persona se enfrenta a una crisis. Las personas en crisis tienen dos alternativas para hacer frente a esta amenaza: (1) sobrellevarla encontrando formas de alterar la situación o su percepción de la misma para que ya no sea tan estresante, o (2) intentar aliviar el malestar escapando del estrés. La huida puede adoptar muchas formas, como el alcohol, las drogas, los síntomas psiquiátricos e incluso el suicidio (que se analiza más adelante en este capítulo).

El ser humano es un animal social que prefiere vivir en grupo. Por lo tanto, no es de extrañar que los factores socioculturales afecten de forma directa a la biología, el comportamiento y las respuestas al estrés de las emergencias. Por ejemplo, una agresión, una violación, la violencia racial o la muerte de un ser querido pueden producir cambios significativos en el comportamiento de una persona.

Lesiones y enfermedades como causas

Una enfermedad aguda puede abrumar a una persona y provocar cambios en su comportamiento. Afecciones médicas como las infecciones graves, las anomalías electrolíticas y muchos tipos de trastornos metabólicos estresan los mecanismos de afrontamiento y pueden causar comportamientos anormales.

Los acontecimientos traumáticos que se producen en la población general han aumentado tanto en frecuencia como en intensidad en los últimos años. Una situación traumática aguda genera una gran cantidad de estrés para la persona que experimenta el trauma, así como para quienes la rodean. Como paramédico, usted no es inmune a este estrés. El **trastorno de estrés postraumático (TEPT)** es una forma grave de ansiedad derivada de una experiencia traumática. En esta afección, la persona revive el estrés de la situación original. Las causas del TEPT pueden ser el combate militar, los atentados terroristas, los accidentes de tráfico, la violencia doméstica y las agresiones sexuales (**FIGURA 25-1**). El TEPT se trata con más detalle más adelante en este capítulo.

FIGURA 25-1 El trastorno de estrés postraumático puede ser causado por un acontecimiento traumático, como un accidente de tráfico mortal.

Cortesía del Capitán David Jackson, Departamento de Bomberos de Saginaw.

Causas relacionadas con las sustancias

Los trastornos relacionados con sustancias incluyen el consumo de alcohol, cigarrillos, drogas ilícitas y otras sustancias para cambiar la forma en que una persona siente, se comporta o piensa. Estos trastornos cuestan miles de vidas y miles de millones de dólares al año. En la actualidad se reconoce que los trastornos relacionados con sustancias son un problema biológico y psicológico complejo y no un signo de debilidad moral.

Signos y síntomas psiquiátricos

Cuando la salud física de una persona se ve amenazada, el organismo moviliza diversas defensas para corregir la anomalía. El paciente experimenta los efectos de esas anomalías y medidas correctoras como síntomas y usted observa esos efectos como signos. Los síntomas y signos físicos revelan el intento del cuerpo de mantener su equilibrio frente al estrés físico. Cuando la salud mental de una persona se ve amenazada, se movilizan mecanismos o comportamientos psicológicos similares para ayudar a devolver el estado mental de la persona a la homeostasis. Estos mecanismos de defensa presentan diversos signos, síntomas o comportamientos psiquiátricos que usted puede observar.

Al igual que los síntomas y signos de las enfermedades físicas, los síntomas y signos psiquiátricos pueden agruparse según los "sistemas" a los que afectan. Aquí, sin embargo, la atención se centra en los sistemas de funcionamiento psicológico (y no fisiológico). Las funciones psicológicas que pueden verse afectadas son la conciencia, la actividad motora, el habla, el pensamiento, el **afecto** (la expresión externa de los sentimientos internos de una persona, como alegría, tristeza, enfado, miedo o retraimiento), la memoria, la orientación y la percepción. Los signos y síntomas psiquiátricos incluyen estas áreas, así como cambios en la progresión del pensamiento, en el contenido del pensamiento, en el estado de ánimo y en la inteligencia (**CUADRO 25-3**).

Evaluación del paciente

Su evaluación del paciente con una emergencia psiquiátrica difiere en al menos dos aspectos de los métodos típicos de evaluación de pacientes que ha estudiado hasta ahora. En primer lugar, cuando evalúa

CUADRO 25-3 Clasificación de los signos y síntomas psiquiátricos

Función afectada	Signos y síntomas psiquiátricos
Conciencia	• Distracción y falta de atención • Confusión • Delirio • Estupor y coma
Actividad motriz	• Inquietud • **Movimientos estereotipados** (repetición de movimientos que no parecen tener ninguna utilidad) • **Compulsiones** (acciones repetitivas que se llevan a cabo para aliviar la ansiedad de los pensamientos obsesivos) • Movimientos lentos
Discurso	• Habla lenta • Aceleración o **presión del habla** (el derramamiento de palabras como el agua que escapa bajo presión) • **Neologismos** (palabras que inventa el paciente) • **Ecolalia** (el paciente hace eco de las palabras que oye) • **Mutismo** (el paciente no habla en absoluto)
Progresión del pensamiento	• **Fuga de ideas** (pensamiento acelerado en el que la mente salta muy rápido de un pensamiento a otro) • Lentitud de pensamiento • **Perseverancia** (repetición de la misma idea una y otra vez) • **Pensamiento circunstancial** (inclusión de muchos detalles irrelevantes)
Contenido del pensamiento	• Delirios • Obsesiones • **Fobias** (miedos obsesivos e irracionales a cosas o situaciones específicas, como el miedo a las alturas, a los lugares abiertos o cerrados, o a determinados animales)
Estado de ánimo y afecto	• Ansiedad • Euforia • Depresión • **Afecto inapropiado** (emoción que no está sincronizada con la situación; p. ej., sonreír mientras se habla de la muerte de un padre) • **Afecto plano** (ausencia de emoción; apariencia de no sentir emoción alguna)
Memoria	• Amnesia • **Confabulación** (inventar experiencias para llenar lagunas o vacíos en la memoria)
Orientación	• Desorientación respecto a la persona, el lugar y el tiempo
Percepción	• Ilusiones • Alucinaciones
Inteligencia	• Dificultades de aprendizaje

a un paciente con un traumatismo o una enfermedad aguda, utiliza instrumentos de diagnóstico para medir las funciones vitales y detectar anomalías, como un estetoscopio para evaluar los ruidos respiratorios y un esfigmomanómetro para medir la presión arterial. Sin embargo, cuando evalúa a un paciente alterado, *usted* es el instrumento de diagnóstico. Debe utilizar sus procesos de pensamiento para evaluar los procesos de pensamiento de otra persona, sus percepciones para comprobar la validez de las percepciones de otra persona y sus sentimientos para medir los sentimientos de otra persona. Esta habilidad requiere práctica porque la mayoría de los SEM no están acostumbrados a utilizar sus sentimientos de esta manera. Por ejemplo, si se siente enfadado por algo que dice alguien, su instinto puede ser responder con ira. Sin embargo, al trabajar en una llamada de emergencia, un paradigma más útil es "Me siento enfurecido con ese paciente, por lo que es probable que esté paranoico, porque los pacientes con paranoia suelen provocar la ira de los demás".

Una segunda forma en que la evaluación en una emergencia conductual difiere de la evaluación en una enfermedad aguda o trauma agudo es que la evaluación es parte del tratamiento, tan pronto como hable, su voz y sus modales afectarán al estado del paciente, para bien o para mal. Su proceso de escuchar al paciente al describir el problema en cuestión también puede mitigarlo.

Evalúe al paciente en el lugar de la emergencia. No se apresure a llevar de inmediato al paciente al centro médico, porque es probable que el centro médico sea un lugar extraño e intimidatorio para el paciente. Su prisa por llegar a un centro médico puede reforzar la creencia del paciente de que algo va terriblemente mal. Deje que el paciente intente recuperarse en un entorno familiar cuando sea médicamente posible.

Evaluación de la escena

Los problemas de seguridad en una emergencia conductual pueden no parecer tan amenazadores como un derrame de sustancias químicas peligrosas o un accidente de tráfico en una autopista con mucho tráfico. Sin embargo, una situación que implique a una persona angustiada con depresión grave o a una persona con adicción a las drogas que experimenta un brote psicótico agudo plantea sus propias amenazas únicas. Aunque todas las situaciones pueden deparar sorpresas, las que tienen un fuerte componente conductual son las que tienen más probabilidades de presentar hallazgos inesperados. Al principio, estas llamadas pueden parecer simples llamadas de "herida con hemorragia" o "dificultad respiratoria", pero el problema superficial puede derivarse en realidad del comportamiento errático del paciente. Siga las pautas generales que se muestran en el **CUADRO 25-4** para garantizar su seguridad en la escena de una emergencia conductual.

La evaluación del entorno puede dar pistas sobre el estado del paciente o la causa de la emergencia. En una crisis de conducta, es especialmente importante buscar claves en la historia social del paciente; las condiciones generales de vida; la disponibilidad de apoyo social y familiar; el nivel de actividad; la medicación; el aspecto general con respecto a la nutrición, la salud general, la limpieza y la higiene personal, y la actitud y el bienestar mental.

Por último, hay que tener en cuenta el mecanismo de la lesión o la naturaleza de la enfermedad. Por ejemplo, un paciente con diabetes puede tener un estado mental alterado debido a un nivel bajo de glucosa en sangre.

Evaluación primaria

Identifíquese con claridad. Dígale al paciente quién es usted y qué intenta hacer. Si el paciente está confuso o con delirio, es posible que tenga que explicarle quién es usted a intervalos frecuentes. Hágalo en un tono de voz no argumentativo y emocionalmente neutro. ("No, Sr. Jones, no soy de la Agencia Central de Inteligencia. Soy paramédico del servicio de ambulancias de la ciudad y estoy aquí para ayudarle").

El estado general del paciente y la naturaleza de la emergencia psiquiátrica determinarán qué parte de la evaluación puede realizar. Un paciente perturbado puede preferir que no se le toque. Usted debe respetar ese deseo a menos que exista una razón médica convincente para hacer lo contrario (p. ej., una hemorragia profusa de las muñecas cortadas o una disminución del nivel de conciencia por una sobredosis). Como mínimo, debe ser capaz de evaluar el aspecto general del paciente, como su vestimenta, limpieza y aseo. Todos estos factores son indicios de la autopercepción del paciente. Observe la postura del paciente. ¿Parece frustrado, enfadado, apesadumbrado o **catatónico** (sin expresión o movimiento, o rígido)?

También debe evaluar con cuidado las pupilas porque pueden indicar otras causas de alteración del estado mental. Por ejemplo, las pupilas contraídas pueden indicar ingestión de opioides, y las pupilas desiguales pueden indicar traumatismo cerebral.

Cuando realice su evaluación, limite el número de personas alrededor del paciente. Recuerde que debe permanecer alerta ante posibles peligros. Un paciente en estado inestable puede ponerse violento en cualquier momento. Esté atento a signos de agitación o

CUADRO 25-4 Pautas de seguridad para emergencias de comportamiento

Evalúe la escena. Si el paciente está armado o en posesión de objetos potencialmente dañinos, haga que el personal de seguridad se lo retire antes de prestarle atención médica de emergencia.

Prepárese para dedicar más tiempo. Es posible que necesite más tiempo del habitual para evaluar, escuchar y preparar al paciente para el transporte.

Tenga un plan de acción definitivo. Decidir quién hará qué. Si es necesaria la contención, ¿cómo se aplicará?

Conozca dónde se encuentran las salidas. Identifique su estrategia de salida en caso de que la situación se vuelva inestable. Nunca deje que un paciente se interponga entre usted y la puerta. Aparque su vehículo de emergencia en un lugar que le ofrezca una salida fácil y segura en caso de que sea necesario abandonar el lugar.

Póngase el equipo de protección personal (EPP). Un paciente agitado puede intentar escupirle o algo peor. Anticípese a la amenaza llevando el EPP necesario.

Reduzca de manera urgente el nivel de agitación del paciente. Es fundamental evitar que una situación de gran presión desemboque en violencia.

Identifíquese con calma. Intente ganarse la confianza del paciente. Si empieza a gritar, es probable que el paciente grite más fuerte o se agite más. Mantenga una voz y un comportamiento tranquilos para asegurar una influencia tranquilizadora.

Sea directo. Exponga sus intenciones y lo que espera del paciente.

Permanezca con el paciente. *No deje que el paciente abandone la zona, y no abandone usted la zona a menos que el personal de seguridad pueda y quiera quedarse con el paciente.* De lo contrario, el paciente puede ir a otra habitación y conseguir armas, cerrar las puertas para que no entre el personal sanitario o tomar pastillas.

Fomente el movimiento intencionado. Ayude al paciente a vestirse y a recoger sus pertenencias para llevarlas al centro médico.

Exprese interés por la historia del paciente. Deje que el paciente le cuente con sus propias palabras lo que ha pasado o lo que está pasando ahora. Sin embargo, no le siga el juego a las alteraciones auditivas o visuales, ya que hacerlo puede reforzar el delirio o la alucinación del paciente.

Mantenga una distancia de seguridad con el paciente. Todo el mundo necesita espacio personal. Asegúrese de que puede moverse con rapidez si el paciente se pone violento o intenta huir. No hable físicamente al paciente ni se enfrente a él de manera directa. Una aproximación en cuclillas y con un ángulo de 45° no suele ser conflictiva, pero puede dificultar sus movimientos. No permita que el paciente se interponga entre usted y la salida.

Evite discutir o pelearse con el paciente. No entre en una lucha de poder. Recuerde que el paciente no le está respondiendo de manera normal; esta persona puede estar luchando con fuerzas internas sobre las que ninguno de los dos tiene control. Usted y otras personas pueden estar estimulando estas fuerzas internas sin saberlo. Si puede responder con comprensión a los sentimientos que expresa el paciente, ya sea ira, miedo o desesperación, es posible que pueda conseguir su cooperación. Si tiene que utilizar la fuerza, asegúrese de que cuenta con la ayuda adecuada y acérquese al paciente en silencio y con firmeza segura.

Sea sincero y tranquilizador. Si el paciente pregunta si es necesario el transporte al centro médico, su respuesta debe ser: "Sí, allí es donde puede recibir ayuda médica".

No juzgue. Puede que vea comportamientos que le desagraden. Deje a un lado esos sentimientos y concéntrese en dar asistencia médica de emergencia.

agresividad. Separe al paciente de los transeúntes o familiares que parezcan estar empeorando su estado. Puede pedir a esas personas que pasen a otra habitación y hablen con su compañero, o puede llevar al paciente a la ambulancia antes de comenzar su evaluación primaria, si procede.

Atienda en primer lugar a la vía aérea, la respiración y la circulación del paciente (ABC). Evalúe la vía aérea para asegurarse de que es permeable y adecuada. A continuación, evalúe la respiración del paciente. Realice las intervenciones adecuadas en función de los resultados de su evaluación. Sin embargo, en la mayoría de los pacientes con emergencias conductuales, el problema será más psiquiátrico que fisiológico. Durante la evaluación, busque signos y síntomas de funcionamiento o comportamiento anormal y manténgase alerta para detectar gestos amenazadores.

Evaluar la frecuencia, la calidad y el ritmo del pulso del paciente. Obtenga la presión arterial sistólica y diastólica cuando sea posible. Evaluar la presencia de shock y hemorragia. Evaluar el nivel de perfusión del paciente valorando el color de la piel, la temperatura, el estado y el tiempo de relleno capilar.

Los pacientes que estén alterados de gravedad deben ser evaluados por un médico para su posible hospitalización. Muchos de estos pacientes consentirán en ser trasladados a un centro médico. Otros no querrán su ayuda e intentarán impedir que los lleve a un centro médico. Dado que transportar a los pacientes en contra de su voluntad les priva de sus libertades civiles, nunca debe tomar esta decisión a la ligera. Incluso un psiquiatra experimentado puede tener dificultades para definir el comportamiento que justifica el alejamiento de la sociedad o que constituye el llamado comportamiento peligroso. Además, las leyes varían de una región a otra, así que conozca los requisitos legales de su comunidad.

Como norma general, un adulto alerta debe dar su consentimiento para ser trasladado a un centro médico. Si el paciente niega este consentimiento, solo podrá ser trasladado a petición expresa del personal de seguridad o del médico de salud mental correspondiente (en muchas jurisdicciones). La misma política se aplica al uso de restricciones forzosas. Si estas medidas se consideran necesarias, llame al personal de seguridad.

Además, cada sistema del SEM debe tener protocolos definidos con claridad, elaborados con asesoramiento jurídico, para tratar a los pacientes que requieren internación involuntaria. Siga esos protocolos sin desviarse y consulte a control médico cuando sea necesario.

Historia clínica

El **examen del estado mental (EEM)** es una parte clave de la evaluación de un paciente que está experimentando una emergencia psiquiátrica aguda. Para realizar el EEM, debe comprobar cada uno de los

USTED es el Paramédico

PARTE 2

Al acercarse a la vivienda, observa que el paciente se pasea de un lado a otro justo en el umbral de la puerta. Aprieta y afloja los puños. Lo oye repetir en voz baja: "Vienen por mí". Hablando con calma, le pregunta al paciente su nombre y le dice que es usted de los servicios de emergencias médicas y que está aquí para ayudarle. El paciente deja de caminar, se vuelve hacia usted y le dice su nombre. Le dice que no puede ayudarle porque "ellos" van a matarle.

Le repite que quiere ayudarle y le pide que le cuente por qué se siente así. Él mira nervioso a su alrededor y dice que debe susurrar porque "ellos" pueden oírle. Sigue negándose a entrar en el pasillo porque dice que allí sería un blanco más fácil. Le pregunta si puede entrar y sentarse con él. Lo deja entrar y se sienta en una silla cerca de la puerta para no bloquear el acceso a la salida. El apartamento parece limpio. No hay indicios visibles de alcohol en la cocina ni en el salón. El paciente está completamente vestido con ropa arrugada que parece limpia. No percibe olores extraños. En este momento se limita a una evaluación visual del paciente.

Tiempo de registro:	0 minutos
Apariencia	Agitada, ansiosa
Nivel de conciencia	Alerta y orientada a persona y lugar; distraída por delirios
Vía aérea	Permeable
Respiración	Parece adecuada; en ocasiones rápida
Circulación	El color de la piel parece apropiado para el tipo de piel de referencia

3. ¿Cuál es su impresión inicial sobre este paciente? ¿Qué factores, signos o síntomas le llevan a esta conclusión?
4. ¿Este paciente necesita ser evaluado en un centro médico?

"sistemas" de la función mental en orden. Una nemotecnia útil para los elementos del EEM es COASTMAP:

- **Consciencia.** Determine el nivel de consciencia del paciente (alerta, confuso, responde al dolor, no responde). Observe la capacidad del paciente para prestar atención a una conversación y concentrarse. ¿Se distrae con facilidad o es capaz de centrarse en lo que está sucediendo?
- **Orientación.** Pregunte al paciente el año o mes en curso y la localidad (país, estado, ciudad o lugar concreto). Si el paciente no está seguro, pídale que haga una estimación.
- **Actividad.** Examine el comportamiento del paciente. ¿Está inquieto y agitado, caminando arriba y abajo? ¿Tiene temblores? ¿Está quieto, apenas se mueve? ¿Realiza movimientos extraños o repetitivos (exploración del entorno, gestos extraños o repetitivos)?
- **Habla (*Speech*).** Identifique la forma, más que el contenido, del habla del paciente. Observe el ritmo, el volumen, la fluidez, la articulación y la entonación del habla. ¿Es demasiado rápido o demasiado lento? ¿Demasiado alto o demasiado bajo? ¿El habla es confusa o arrastrada (disartria)? ¿El paciente tartamudea o murmura? ¿Usa palabras extrañas?
- **Pensamiento (*Thought*).** Escucha la historia del paciente. ¿Piensa con claridad? ¿Tiene sentido? ¿Expresa ideas en apariencia falsas (delirios), como la creencia de que le están siguiendo? ¿Experimenta impresiones sensoriales falsas (alucinaciones), como oír voces? ¿Experimenta una fuga de ideas (cambios rápidos de ideas)?
- **Memoria.** Desarrolle una impresión general de la memoria del paciente, incluyendo eventos recientes, remotos e inmediatos. Si el paciente tiene pérdida de memoria, determine si es constante o variable. Algunos pacientes pueden crear recuerdos para reemplazar cosas que no pueden recordar (confabulación).
- **Afecto y estado de ánimo.** El estado de ánimo del paciente puede observarse de manera objetiva a través del lenguaje corporal. ¿El estado de ánimo es eufórico o triste? ¿Es **lábil** (cambia con rapidez entre diferentes estados emocionales)? ¿El afecto parece adecuado a la situación o es animado, colérico, plano o retraído?
- **Percepción.** La detección de trastornos de la percepción puede resultar difícil porque los pacientes suelen dudar a la hora de responder a preguntas directas sobre alucinaciones o ilusiones. A veces es útil preguntar al paciente: "¿Alguna vez oye cosas que otras personas no pueden oír?".

Se puede realizar casi todo el EEM con solo observar y escuchar (y sabiendo qué observar y escuchar). Solo la evaluación de la memoria, la orientación y, tal vez, la percepción requiere que se formulen preguntas directas.

Perlas de sabiduría

Practique la observación. Mientras esté sentado en un restaurante, escuche a escondidas a la camarera que habla con otros clientes y repase de manera sistemática la secuencia COASTMAP para evaluar su estado mental. Acostúmbrese a observar cómo hablan, se mueven y expresan sus sentimientos otras personas y practique la descripción de esos elementos a su compañero.

Evaluación secundaria

Aunque gran parte de su evaluación se centra en entrevistar al paciente sobre sus antecedentes psiquiátricos y realizar el EEM, también debe buscar signos de una causa orgánica del comportamiento del paciente:

- Obtener los signos vitales del paciente para identificar fiebre o indicios de aumento de la presión intracraneal.
- Examinar la temperatura y la humedad de la piel. Las cicatrices pueden indicar automutilación en pacientes con **trastorno límite de la personalidad**.
- Inspeccionar la cabeza en busca de indicios de traumatismo.
- Comprobar el tamaño, la igualdad y la reacción a la luz de las pupilas. Las anomalías pupilares pueden indicar una ingestión tóxica o un proceso intracraneal como origen del comportamiento del paciente.
- Observar cualquier olor inusual en el aliento del paciente, como venenos, alcohol o cetonas de la cetoacidosis diabética.
- Al examinar las extremidades, compruebe si hay huellas de agujas, temblores y debilidad unilateral o pérdida de sensibilidad.

Reevaluación

Vuelva a evaluar al paciente durante el transporte. Este es un buen momento para explorar más a fondo el estado mental del paciente o confirmar los hallazgos que ya ha obtenido.

Los pacientes con conductas anómalas suelen estar físicamente tranquilos cuando se inicia la evaluación. Sin embargo, sus mentes pueden estar todavía en un estado de cambio, lo que podría causar un comportamiento impulsivo. Vigile con atención a los pacientes por si se producen cambios repentinos de pensamiento o comportamiento, sobre todo en el tránsito a medida que se acerca al centro médico. Si los pacientes no quieren ayuda, pueden intentar saltar de la ambulancia o hacerse daño en un intento de suicidio antes de llegar al centro médico. Incluso pueden dirigir ese comportamiento agresivo e impulsivo hacia usted.

Su informe por radio al centro médico debe incluir su informe habitual del historial médico y de salud mental, los medicamentos prescritos y los resultados de la evaluación basados en los protocolos y pautas locales. Además, incluya la información pertinente del EEM para crear una imagen clara del paciente.

Discutir con el centro médico la necesidad de utilizar medios de contención o medicación para controlar el comportamiento antes de instituir estas intervenciones, siempre que sea posible. Si ya se han utilizado estas medidas o se han acatado otras órdenes permanentes para proteger al paciente y a los proveedores, informe al personal del centro médico.

Si el paciente es agresivo o potencialmente violento, avise con antelación al personal del DE para que puedan movilizar a la seguridad o ayuda adicional antes de su llegada.

Asistencia médica de emergencia

La atención al paciente con una emergencia psiquiátrica sigue el enfoque utilizado a lo largo de este texto. En primer lugar, hay que garantizar la seguridad de la escena y centrarse en las afecciones potencialmente mortales. En segundo lugar, si el comportamiento errático es causado por un trastorno médico (p. ej., hipoglucemia, sobredosis o hipoxia), trate al paciente por el trastorno médico antes de asumir que el comportamiento del paciente tiene una causa emocional o psiquiátrica. Estas medidas pueden incluir oxigenoterapia, análisis del nivel de glucosa en sangre y administración de dextrosa, así como intervenciones generales para la hipotermia o el shock.

Técnicas de comunicación

Como siempre, una buena comunicación forma parte del tratamiento de un paciente con una emergencia psiquiátrica.

Cuando se evalúa a un paciente traumatizado, por lo general se puede obtener suficiente información para seleccionar el tratamiento inicial adecuado con base solo en los hallazgos de la exploración física, incluso si el paciente no responde y no puede proporcionar una historia clínica. Sin embargo, cuando usted evalúa a un paciente con una emergencia conductual, prácticamente toda la información diagnóstica, y gran parte del beneficio terapéutico, proviene de su comunicación con el paciente. Por lo tanto, su habilidad para entrevistar a un paciente con una crisis conductual es fundamental para el tratamiento de las emergencias psiquiátricas.

Establezca reglas básicas para la entrevista. Hágale saber al paciente lo que espera y lo que el paciente puede esperar de usted. ("Está bien que llore o incluso grite, pero no vamos a dejar que se haga daño a sí mismo ni a nadie"). Deje que el paciente cuente la historia a su manera. No intente dirigir la conversación, pero permita que el paciente se desahogue. A continuación, se ofrecen algunas pautas de comunicación:

- **Empiece con una pregunta abierta.** Una pregunta abierta no da al paciente posibles respuestas, sino que le permite formarse una respuesta. Por ejemplo, puede decir: "Está claro que se ha sentido mal. Cuénteme algo sobre el tipo de problemas que ha estado teniendo". (Empiece con preguntas más directas cuando deba obtener información específica con rapidez, como "¿Qué tipo de pastillas ha tomado? ¿Cuántas?").
- **Deje que el paciente hable y cuente la historia a su manera, aunque le lleve un poco más de tiempo.** Dejar hablar al paciente le permite adquirir cierto control sobre sí mismo y su situación. Al mismo tiempo, le permite evaluar el habla, el afecto y los procesos de pensamiento del paciente.
- **Escuche y demuestre que está escuchando.** Su expresión facial, su postura, el contacto visual, un asentimiento ocasional, todo ello puede mostrar al paciente que está prestando atención a lo que se le dice (**FIGURA 25-2**).
- **No tenga miedo de las pausas silenciosas, aunque parezcan intolerablemente largas.** Mantenga una actitud atenta y relajada hasta que el paciente retome el relato. Es esencial guardar silencio cuando el paciente deja de hablar debido a una emoción abrumadora. Evite la tentación de lanzarse al silencio para consolar al paciente o adelantarse a las expresiones de emoción, como el llanto. La expresión de sentimientos es a menudo terapéutica en sí misma, y el paciente con probabilidad será más capaz de

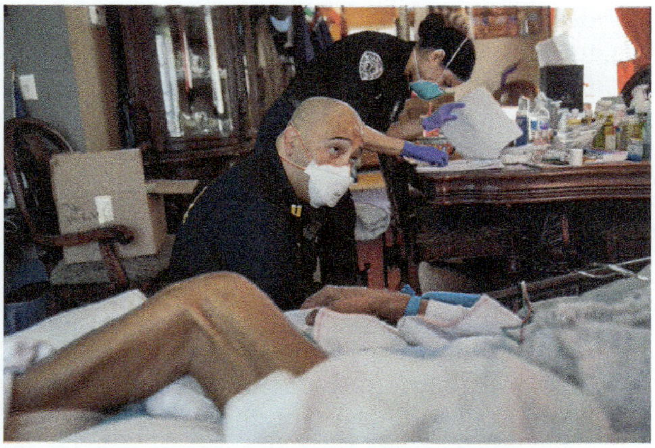

FIGURA 25-2 Establecer contacto visual con un paciente puede proporcionar pistas útiles sobre su estado emocional. Tenga cuidado, sin embargo, de no mirar de manera fija al paciente.

describir lo que está sucediendo después de esta liberación emocional.

- **Reconozca y etiquete los sentimientos del paciente.** El paciente alterado puede sentirse abrumado por sentimientos intensos y caóticos. Identificar esos sentimientos y darles un nombre (p. ej., "Pareces enfadado") puede ayudar al paciente a controlarlos.
- **No discuta.** Si el paciente tiene una percepción errónea de la realidad, tome nota de ella, pero no intente disuadirle. Cuando una percepción errónea asuste o angustie al paciente, puede intentar una vez hacer una afirmación objetiva, en un tono de voz neutro ("Sí, eso se parece mucho a una serpiente, pero es solo una sombra"). Pero no entre en una disputa sobre la naturaleza de la realidad.
- **Facilite la comunicación.** La facilitación es una técnica utilizada para animar al paciente a comunicarse mediante gestos o palabras no comprometedoras, como un movimiento de cabeza o una frase como "Continúa", "Ya veo" o "¿Qué pasó después?". También puede utilizar la facilitación para devolver al paciente a un tema sobre el que le gustaría profundizar. Por ejemplo, un paciente puede haber hecho una referencia pasajera a pensamientos suicidas y luego haber pasado a otro tema. Cuando el paciente termine, usted podría comentar: "¿Dice que ha tenido pensamientos suicidas?". Este comentario indica al paciente que usted ha estado prestando atención a su historia y que le gustaría saber más.
- **Dirija la atención del paciente.** **Confrontar** significa señalar algo de interés en la conversación o el comportamiento del paciente, dirigiendo así la atención del paciente hacia algo en lo que puede no haber reparado. Las confrontaciones describen la forma en que el paciente aparece ante el entrevistador y se basan en observaciones, *no* en juicios. Por ejemplo, se puede comentar: "Parece preocupado" o "Parece triste". Estos comentarios suelen suscitar una expresión más libre de los sentimientos del paciente. Las confrontaciones deben formularse con cuidado para que no suenen pesadas o condescendientes.
- **Haga preguntas.** Cuando el paciente termine de relatar el problema, usted querrá hacerle preguntas. Que sean lo más abiertas posible. Evite hacer preguntas que puedan responderse con un sí o un no ("¿Está enfadada?") o preguntas capciosas ("¿Cree que su pareja es parte del problema?"). En su lugar, plantee preguntas abiertas sobre *cómo* y *qué* ("¿Cómo se sintió cuando ocurrió eso?". "¿Qué factores han contribuido a que se sienta así ahora?").
- **Adapte su enfoque según sea necesario.** Algunos pacientes tienen dificultades con la falta de estructura en las preguntas abiertas y pueden ponerse ansiosos durante los silencios. Esta reacción es en especial común entre los adolescentes, las personas con depresión grave y los pacientes confusos o desorganizados. Si sus preguntas abiertas son recibidas con un silencio de incomprensión, intente otro enfoque y realice una entrevista más estructurada.

Habilidades de intervención en crisis

Las siguientes guías se aplican a la atención de cualquier paciente con una emergencia psiquiátrica:

- **Sea lo más tranquilo y directo posible.** Los pacientes alterados suelen tener miedo de perder el autocontrol. Su comportamiento debe mostrar que confía en la capacidad del paciente para mantener el control. Uno de los principales objetivos de la entrevista es ayudar al paciente a restablecer cierto autodominio. Si muestra ansiedad o pánico, no hace más que afirmar la convicción del paciente de que la situación es abrumadora.
- **Excluya a las personas molestas.** En la mayoría de los casos, debe entrevistar al paciente a solas. Los familiares y espectadores deben esperar en otra habitación, donde su compañero pueda entrevistarlos. Sin embargo, algunos pacientes se ponen nerviosos si se les separa de una persona importante, como uno de sus padres o un amigo. Si otra persona tiene un efecto

tranquilizador sobre el paciente, pídale que permanezca presente.

- **Siéntese.** Tome asiento para entrevistar al paciente, de preferencia en un ángulo de 45° respecto a él, para no invadir su espacio personal (**FIGURA 25-3**).
- **Mantenga una actitud no crítica.** Acepte el derecho del paciente a sentir cosas y no le culpe, juzgue ni critique por ello.
- **Tranquilice con sinceridad.** Ofrezca información de apoyo y veraz. Por ejemplo, puede decir: "Muchas personas pasan por periodos de desesperanza como el que usted está pasando, pero hoy en día disponemos de tratamientos eficaces para esos sentimientos." Al mismo tiempo, evite tranquilizar en exceso, como "Todo va a ir bien". Esas afirmaciones no hacen más que convencer a los pacientes de que usted no comprende lo mal que les van las cosas.
- **Desarrolle un plan de acción.** Cuando el paciente haya terminado de hablar y usted haya concluido su evaluación, puede desarrollar un plan de acción específico. Este paso da al paciente la sensación de que se está haciendo algo para ayudarle, lo que puede aliviar la ansiedad. Además, las personas en crisis necesitan orientación. No le dé al paciente una serie de opciones (p. ej., "¿Quiere ir al centro médico o prefiere quedarse en casa y llamar a su médico mañana?"). En su lugar, diga lo que cree que es mejor ("Creo que es importante que vaya al centro médico. Allí hay médicos que pueden ayudarle"). Cuando se haya determinado el plan y usted haya empezado a llevarlo a cabo, permita que el paciente tome decisiones y ejerza así cierto control sobre la situación. Puede preguntarle, por ejemplo, si prefiere que le lleven en camilla o caminar hasta la ambulancia. Estas pequeñas decisiones pueden parecer menores, pero permiten al paciente alcanzar cierta autonomía y respeto por sí mismo.
- **Fomente la actividad motriz.** Moverse puede ayudar a calmar la ansiedad. Si va a llevar al paciente al centro médico, ayúdele a recoger sus cosas. Deje que el paciente haga todo lo posible por sí mismo.
- **Permanezca con el paciente en todo momento.** Cuando haya respondido a la emergencia, la seguridad del paciente pasa a ser su responsabilidad. Por lo tanto, no permita que el paciente se aleje de usted. Por ejemplo, si permite que el paciente vaya solo al baño, podría tragarse el contenido de un frasco de pastillas.
- **Lleve todos los medicamentos del paciente al centro médico.** Si el paciente está recibiendo tratamiento por un trastorno psiquiátrico, conocer los medicamentos que ya se le han recetado puede ayudar a los médicos a identificar la enfermedad por la que ha sido tratado. Los medicamentos para otras afecciones médicas pueden causar efectos adversos o interacciones inusuales que alteren el comportamiento.
- **No dé por sentado que es imposible hablar con algún paciente hasta que lo haya intentado.** Aunque el paciente permanezca sentado en silencio y parezca no darse cuenta de su presencia, dé por sentado que puede oír y entender todo lo que le diga.

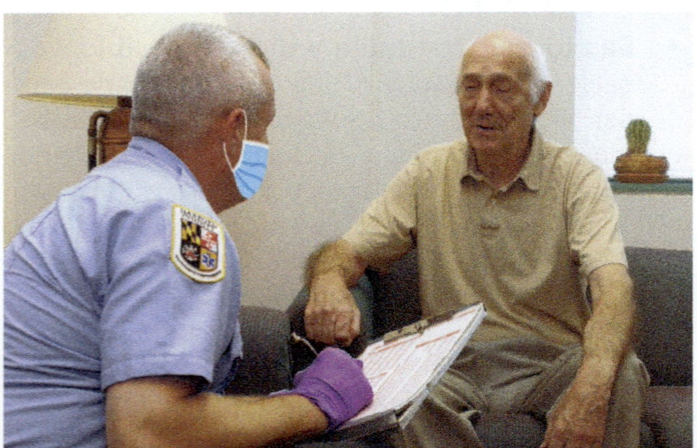

FIGURA 25-3 Al entrevistar al paciente, sentarse en un ángulo de 45° es una forma de evitar invadir su espacio personal.

Uso de la fuerza y tipos de inmovilización

Cuando las intervenciones verbales no consiguen reducir la agitación grave de un paciente, hay que considerar el uso de la contención física o química.

Restricción física

Algunos dispositivos utilizados para la contención física pueden improvisarse con materiales del vehículo de emergencia; otros se fabrican de manera comercial con cuero o nailon acolchado para mayor comodidad y seguridad. La mayoría de las sujeciones comerciales se colocan en las muñecas y los tobillos para impedir el movimiento de brazos y piernas. Algunas se colocan alrededor de la cintura para restringir el movimiento del torso.

Las sujeciones de tipo chaleco se aplican desde la parte delantera del paciente y pueden incluir manguitos para impedir que se muevan los brazos. Asegúrese de estar familiarizado con las sujeciones que usa su centro antes de tener que utilizarlas.

Antes de intentar sujetar al paciente, asegúrese de que dispone de personal suficiente para dominarlo y sujetarlo de forma eficaz. Debe disponer de una fuerza abrumadora para aplicar una contención física, lo que significa un mínimo de cinco personas o entrenadas: una para cada extremidad y otra para la cabeza. Asigne de antemano una extremidad específica a cada paramédico. Designe a un líder para que dirija al equipo y mantenga contacto verbal con el paciente.

Antes de empezar, discuta el plan de acción. El personal de seguridad suele estar entrenado en las técnicas verbales y físicas utilizadas para someter a las personas violentas. Deben estar incluidos en cualquier plan para contener de manera física a un paciente violento. También pueden ofrecer una visión objetiva de la situación. Sin embargo, el personal de seguridad a veces se niega a ayudar a sujetar a un paciente sin una orden de arresto o pruebas de que la persona representa una amenaza inmediata para los demás. Por lo tanto, los paramédicos deben estar preparados para contener físicamente a los pacientes por su cuenta cuando sea necesario y deben practicar estas técnicas con regularidad.

Cuando someta a un paciente alterado, utilice la mínima fuerza necesaria. Evite los actos de fuerza física que puedan lesionar al paciente. No se acerque de inmediato al paciente; dar la oportunidad de elegir un comportamiento alternativo no violento.

Si la demostración de fuerza no calma al paciente, el personal de emergencias debe prepararse para inmovilizarlo. Quítese cualquier equipo o joya de su propio cuerpo que pueda utilizarse como arma (p. ej., tarjeta de identificación, tijeras que lleva en el cinturón, llavero, pendientes). Asegúrese de que dispone de inmediato de dispositivos de inmovilización adecuados, de preferencia correas de cuero o nylon acolchados.

La posición decúbito supino es la mejor para sujetar al paciente a la camilla, con ambas piernas y ambos brazos sujetos a un lado de la camilla y con la cabeza del paciente girada hacia un lado. Esta posición evita

USTED es el Paramédico

PARTE 3

El paciente accede a sentarse en una silla frente a usted. Le pregunta si sabe qué día es. Responde correctamente el día de la semana. Usted utiliza el método COASTMAP para continuar su evaluación del estado mental de este paciente. El paciente está inquieto en su asiento. Se agarra al borde de la silla y se balancea hacia delante y hacia atrás. Le pregunta si tiene algún problema médico. Le dice que va al médico con regularidad porque tiene esquizofrenia. Debe tomar medicamentos todos los días, pero no lo ha tomado en la última semana. Dice que los oyó por casualidad en la farmacia cuando estaba surtiendo sus recetas. Cuando se dio cuenta de que sabían que lo había oído por casualidad, dejó de tomar sus medicamentos porque estaban envenenados. Le explica que quería tomar los medicamentos, pero tiene miedo. Dice que no puede salir a comprar más.

Le pregunta al paciente si su compañero puede controlar sus signos vitales mientras usted revisa los medicamentos que toma. Él consiente y se dirige a una cesta sobre la mesa con frascos de medicamentos. Localiza dos nuevos frascos indicados para el tratamiento de la esquizofrenia: (1) tioridazina (Mellaril®), 200 mg dos veces al día, y (2) mesoridazina (Serentil®), 50 mg dos veces al día.

Tiempo de grabación:	8 minutos
Respiraciones	20 respiraciones/min
Pulso	110 latidos/min
Piel	Caliente, sequedad y color típicos de la línea de base
Presión arterial	130/84 mm Hg
Saturación de oxígeno (Spo_2)	99% con aire ambiente
Pupilas	Pupilas iguales, redondas, reactivas a la luz y acomodadas (PIRRL)

5. ¿Qué conclusiones podría sacar sobre el cumplimiento de la medicación y la historia clínica del paciente?

6. Si el paciente se niega a ser trasladado, ¿qué opciones debe considerar como paramédico?

la aspiración en caso de vómito. *Nunca* coloque a un paciente boca abajo, ya que no puede monitorizarlo de manera adecuada en esta posición, además puede inhibir la respiración de un paciente deteriorado o agotado. Tenga cuidado de no colocar las sujeciones de forma que comprometan la respiración del paciente. No ate nunca los tobillos y las muñecas del paciente como si fueran uno solo; se sabe que este tipo de sujeción puede provocar la muerte. No ate nunca a un paciente "cojeando" (atando solo los pies). Colocar a un paciente boca abajo en una camilla Reeves también puede ser peligroso y provocar asfixia posicional o aspiración.

Durante todo el proceso, alguien (de preferencia usted o su compañero) debe hablar con el paciente. Recuerde tratar al paciente con dignidad y sensibilidad en todo momento. Mantener al paciente informado de forma tranquila y respetuosa reduce la cantidad de estímulos que experimenta. Una vez colocadas las sujeciones, no se las quite. No negocie ni haga tratos.

Perlas de sabiduría

Durante el proceso de contención de un paciente agitado o inquieto, el paciente puede intentar morderle o escupirle. Tome las precauciones adecuadas para evitar ambas acciones. Se puede utilizar una mascarilla quirúrgica como protección contra escupir. Considere el uso de una mascarilla no reinhalación para el paciente que pueda estar hipóxico.

Vigile de manera continua al paciente para comprobar que la vía aérea y la respiración están despejadas, que no hay vómito, obstrucción de la vía aérea y estabilidad cardiovascular. La intoxicación por drogas o alcohol puede causar en un inicio un comportamiento violento, pero después provocar problemas físicos como vómito y aspiración o depresión respiratoria.

Compruebe la circulación periférica del paciente cada pocos minutos para asegurarse de que las sujeciones no están demasiado apretadas (**FIGURA 25-4**). Compruebe los pulsos radiales en los brazos y los pulsos dorsales en los pies.

Tenga cuidado si un paciente combativo se vuelve de repente tranquilo y cooperativo. Un cambio tan brusco de comportamiento no indica que haya que relajarse, sino que hay que permanecer alerta. El paciente puede volver a ser combativo de repente y lesionar a alguien.

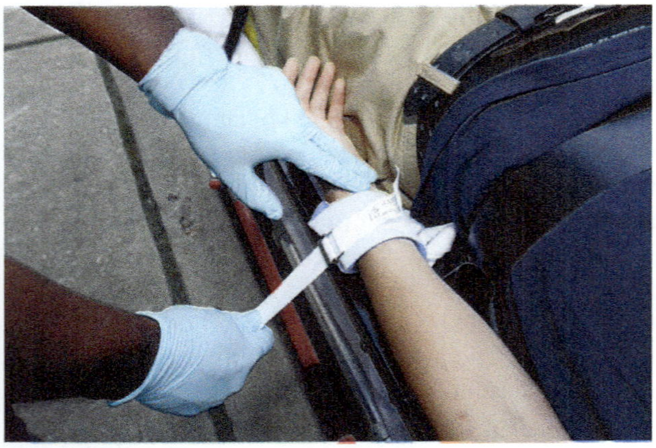

FIGURA 25-4 Evalúe la circulación con frecuencia mientras el paciente está inmovilizado.

Su documentación debe incluir las razones por las que se utilizaron medios de contención. Sea específico, dando ejemplos del comportamiento del paciente e indicadores del potencial de violencia; el número de personas utilizadas para someter o contener al paciente; los dispositivos de inmovilización utilizados y el estado de la vía aérea, la respiración y la circulación periférica del paciente después de la aplicación de las sujeciones. Recuerde que puede utilizar una fuerza razonable para defenderse de una agresión por parte de un paciente con trastornos emocionales. Tener testigos presentes, incluso durante el transporte, y documentar su presencia, puede ser muy útil para protegerse de falsas acusaciones.

El uso correcto de la técnica de contención física de cuatro puntos se muestra en la **PRÁCTICA DE DESTREZA 25-1**. Se requiere precaución al considerar esta técnica. Debido a que los proveedores no pueden girar al paciente y succionar el vómito con esta técnica, por lo general se utiliza solo si no hay preocupación médica y el paciente está alerta. Muchos servicios sujetan al paciente a una tabla o camilla, que puede inclinarse hacia un lado para ayudar a despejar la vía aérea según sea necesario mientras se mantiene al paciente sujeto.

Una técnica de sujeción en dos puntos es una opción permitida por los protocolos locales. Esta técnica se realiza de la misma manera que la sujeción en cuatro puntos, pero en lugar de sujetar las cuatro extremidades a la estructura fija de la camilla, se coloca un brazo hacia arriba, en dirección a la cabeza, y el otro se coloca hacia la cintura.

Práctica de destreza 25-1 Sujeción de un paciente

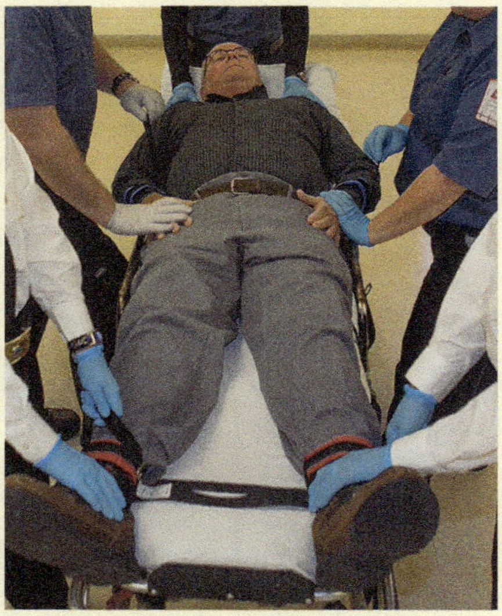

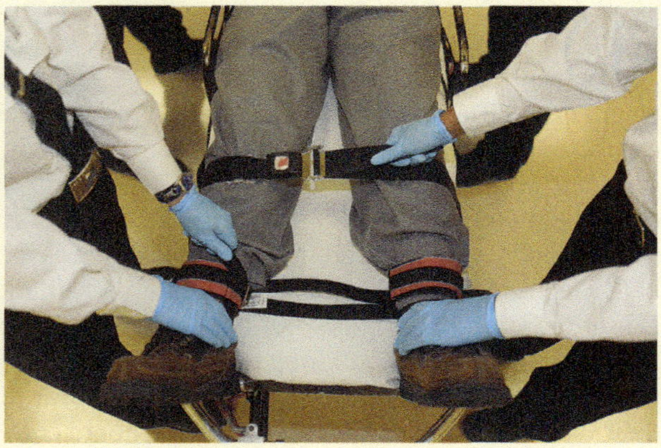

Paso 1

Asegúrese de que dispone de personal suficiente para realizar esta maniobra (cinco auxiliadores formados/entrenados). Coloque al paciente en decúbito prono. A continuación, actuando al mismo tiempo, sujete al paciente en decúbito supino o decúbito lateral izquierdo con muñequeras y tobilleras. Algunos servicios exigen el uso de una camilla para sujetar a un paciente que no reacciona o que vomita, de modo que se le pueda girar con rapidez sobre un lado para controlar la vía aérea.

Paso 2

Utilice correas de camilla o sábanas para asegurar las piernas del paciente.

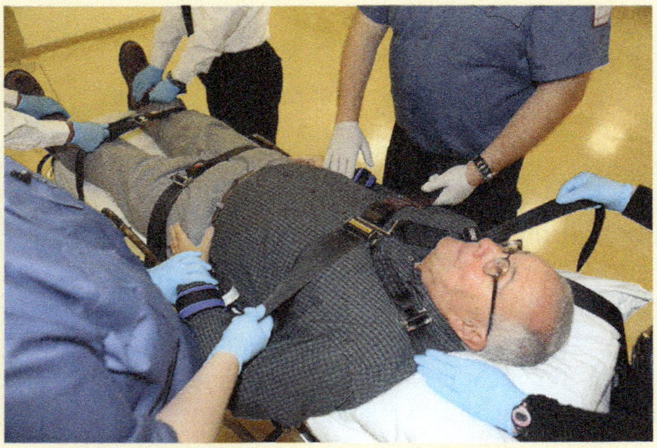

Paso 3

Abroche el resto de las correas de la camilla. Continúe tranquilizando y calmando verbalmente al paciente luego de la contención física. Compruebe con regularidad la circulación de las extremidades.

Restricción química

La contención física de un paciente por comportamiento agresivo y psicótico puede ser complicada y peligrosa tanto para usted como para el paciente. Una alternativa a la contención física es la **contención química**, el uso de medicación para someter/contener a un paciente. Esta opción solo debe utilizarse con la aprobación del control médico y siguiendo protocolos y pautas locales establecidas con claridad.

La contención química no siempre es más fácil de aplicar que la física, y tiene sus propios riesgos. Las combinaciones de medicamentos sedantes pueden producir interacciones farmacológicas inesperadas y deben evitarse. Utilice la contención física o química solo después de que hayan fracasado los intentos verbales de tranquilizar a un paciente con delirio agitado. Dar al paciente una manta o una almohada, o intentar que se sienta cómodo, puede ayudar a reducir la ansiedad que acompaña a la **psicosis** (un estado de delirio en el que la persona no está en contacto con la realidad). Tanto el delirio excitado como la psicosis se tratan más adelante en este capítulo.

Poblaciones especiales

Cuando administre medicamentos psiquiátricos a pacientes de edad avanzada, comience con dosis más bajas (como con cualquier medicamento). Repita la dosis con base en el consejo del control médico.

Benzodiacepinas

Las benzodiacepinas como diazepam (Valium®), lorazepam (Ativan®) y midazolam (Versed®) pueden administrarse mediante inyección intramuscular (IM) o intravenosa (IV). Sin embargo, solo el midazolam y el lorazepam tienen una absorción IM fiable. Los efectos adversos más frecuentes son somnolencia, disminución de la agudeza mental, sedación y ataxia. Sin embargo, es posible la depresión respiratoria. Aunque raras, las respuestas paradójicas a las benzodiacepinas, como el insomnio y la agitación, son más comunes entre los adultos mayores.

Debido a que los comportamientos agresivos y peligrosos suelen ser causados por el consumo de drogas ilícitas (p. ej., cocaína, metanfetaminas, fenciclidina [PCP]), las benzodiacepinas suelen ser una forma más segura y eficaz de contención química en comparación con otros medicamentos.

Las benzodiacepinas de acción corta, como el midazolam, pueden administrarse por vía intranasal utilizando un dispositivo atomizador para mucosas. Este método permite una preparación fácil y una administración rápida con menos riesgos para el personal sanitario en comparación con las inyecciones IM o IV. Cuando administre midazolam mediante un dispositivo atomizador, administre la mitad de la dosis total en cada fosa nasal. Considere una solución más concentrada debido al volumen limitado de medicación que las fosas nasales pueden absorber de forma fiable.

El inicio de la acción de las distintas benzodiacepinas varía en función de la vía de administración y de la dosis. El diazepam, el lorazepam y el midazolam pueden administrarse a pacientes pediátricos o adultos. Las dosis para estos y otros medicamentos que se analizan en esta sección se enumeran en el capítulo 12, *Medicamentos de emergencia*.

Medicamentos antipsicóticos

También puede utilizar medicamentos antipsicóticos, como droperidol (Inapsine®), haloperidol (Haldol®) y ziprasidona (Geodon®), en el tratamiento de pacientes agitados. Sin embargo, la FDA ha emitido una advertencia de recuadro negro para el droperidol debido a su asociación con síndromes de QT prolongado.[4] Las dosis más altas y la administración IV de haloperidol, un antipsicótico típico, también parecen asociarse con un mayor riesgo de prolongación del QT y *torsades de pointes*.

SEGURIDAD

Tenga precaución al administrar droperidol y haloperidol en pacientes con sospecha de desequilibrios electrolíticos o anomalías cardíacas conocidas, o en pacientes que estén tomando fármacos que afecten al intervalo QT. Cuando cualquiera de los dos medicamentos se administra por vía IV, se recomienda la monitorización electrocardiográfica (EKG).

Los antipsicóticos típicos, como droperidol y el haloperidol, pueden causar convulsiones o una amplia gama de síntomas extrapiramidales, como movimientos involuntarios, temblores, rigidez, contracciones musculares, inquietud y cambios en la respiración y el pulso. Los antipsicóticos atípicos más recientes, como olanzapina (Zyprexa®) y ziprasidona, presentan menos síntomas extrapiramidales. La incidencia de efectos anticolinérgicos también puede ser menor con los agentes atípicos. El uso combinado de estos medicamentos con alcohol y otros depresores del sistema nervioso central (SNC) puede empeorar la depresión del SNC. Vigile la hipotensión, bradicardia y niveles de glucosa en pacientes que reciben antipsicóticos atípicos.

Poblaciones especiales

Tenga cuidado al administrar antipsicóticos a pacientes pediátricos. El droperidol no se recomienda de forma rutinaria, pero el haloperidol puede utilizarse en pacientes pediátricos. Se dispone de datos limitados sobre el uso de olanzapina y ziprasidona en pacientes pediátricos.

Los pacientes de edad avanzada con psicosis relacionada con la demencia tratados con medicamentos antipsicóticos tienen mayor riesgo de muerte.[5] La administración de olanzapina parenteral y una benzodiacepina al mismo paciente puede provocar hipotensión ortostática grave, así como depresión cardíaca o respiratoria. Evite esta combinación de medicamentos en pacientes geriátricos.

Medicina basada en evidencia

Los medicamentos más utilizados para la contención química son las benzodiacepinas de acción corta, los antipsicóticos, los agentes disociativos y los antihistamínicos. Muchos de estos medicamentos no han sido aprobados por la *Food and Drug Administration* (FDA) para la contención química. Además, la FDA ha emitido advertencias de recuadro negro para algunos de estos medicamentos. Una advertencia de recuadro negro indica que el medicamento está asociado con efectos adversos graves.[6]

Debido a su rápido inicio de acción y a las múltiples vías de administración, la ketamina ha surgido como un fármaco potencialmente preferido para el control de la agitación del paciente en el entorno prehospitalario.[7] Sin embargo, la ketamina se ha asociado con emesis, taquicardia, hipertensión, palpitaciones, depresión respiratoria, laringoespasmo, hipersalivación y reacción de emergencia; por lo tanto, considere el riesgo frente a los beneficios antes de administrar este medicamento. Por ejemplo, una dosis reducida puede estar justificada para minimizar el riesgo de problemas respiratorios.[8]

Antihistamínicos

Los antihistamínicos, en concreto la difenhidramina (Benadryl®), se han utilizado durante muchos años en el tratamiento de pacientes psiquiátricos. Aunque la difenhidramina es más conocida por sus propiedades sedantes, también produce un efecto anticolinérgico que afecta a los neurotransmisores cerebrales que influyen en el comportamiento. Puede utilizarse tanto en pacientes adultos como pediátricos.

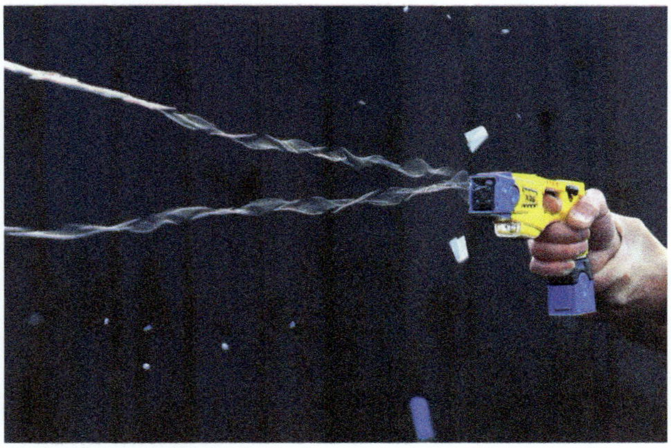

FIGURA 25-5 TASER X26P. Al desplegarse, el nitrógeno comprimido proyecta dos pequeñas sondas de hasta 7.6 m (25 pies), que emiten una descarga eléctrica de 5 segundos cuando las sondas entran en contacto con el cuerpo o la ropa. Esta descarga tiene como objetivo provocar una incapacitación inmediata, pero temporal.

SEGURIDAD

Muchos elementos de seguridad utilizan un arma de energía conducida (AEC), como un TASER, como medida de fuerza menos letal para inmovilizar a personas que se comportan de forma violenta o agresiva (**FIGURA 25-5**).

Los pacientes sometidos al despliegue de un AEC pueden presentar diversas lesiones, como abrasiones, hematomas, laceraciones, distensiones musculares, marcas de la aplicación del AEC, traumatismos en la cabeza y el torso, luxaciones o fracturas.[9] Además, el paciente puede correr el riesgo de sufrir complicaciones médicas derivadas de una enfermedad subyacente. Debe identificar estas afecciones subyacentes y garantizar una atención médica de emergencia adecuada. Estas afecciones incluyen síndromes de sobredosis de drogas, delirio agitado, descompensación psiquiátrica aguda, hipoglucemia, insolación, encefalopatía hepática, trastornos convulsivos, demencia y encefalitis. Los funcionarios encargados de hacer cumplir la ley no reciben formación rutinaria para reconocer estas afecciones. Dependen de usted para tomar las decisiones médicas apropiadas en el lugar de los hechos.

Fisiopatología, evaluación y tratamiento de emergencias específicas

Son muchos los factores que contribuyen a las alteraciones del comportamiento. Algunas de estas influencias son identificables con facilidad y tratables, pero otras puede que nunca se comprendan con claridad. Las causas, signos, síntomas y manejo de la conducta anormal pueden agruparse en varias áreas comunes, que se muestran en el **CUADRO 25-5**. Las áreas más relevantes para los paramédicos son la psicosis aguda, el delirio agitado, el suicidio y los patrones de violencia, abuso y negligencia. Por último, hablaremos de trastornos psiquiátricos específicos.

Psicosis aguda

Fisiopatología

Recuerde que la psicosis es un estado de delirio en el que la persona está fuera de contacto con la realidad. Las personas afectadas sintonizan con su propia realidad interna de ideas y sentimientos, que confunden con la realidad del mundo exterior. Para la persona que experimenta un episodio psicótico agudo, la línea que diferencia la realidad de la fantasía es más borrosa que nítida, como lo es en las personas sin psicosis. Esa realidad interna hace que los pacientes se muestren beligerantes y enfadados con los demás. De forma alternativa, estos pacientes pueden volverse mudos y retraídos al poner toda su atención a las voces y sentimientos internos.

Las psicosis o episodios psicóticos se deben a muchas causas. Estas pueden ser biológicas u orgánicas,

CUADRO 25-5 Categorización de los trastornos psiquiátricos

Tipo de trastorno	Trastorno específico
Cognitivo	• Delirio agitado
Pensamiento	• Esquizofrenia • Psicosis aguda
Estado de ánimo	• Trastorno bipolar del estado de ánimo • Comportamiento maniaco • Depresión
Neurótico	• Trastorno de ansiedad generalizada • Fobias • Trastorno de pánico
Trastornos relacionados con sustancias y conductas adictivas	• Consumo de sustancias • Intoxicación por sustancias • Abuso de sustancias • Dependencia de sustancias • Trastornos alimentarios (bulimia nerviosa, anorexia nerviosa)
Somatomorfo	• Hipocondría • Trastorno de conversión (problema físico que no tiene una fisiopatología identificable; es el resultado de un conflicto psicológico)
Facticia	Condición en la que una persona produce o finge de manera deliberada síntomas de una enfermedad • Síndrome de Münchausen (tipo más grave de trastorno facticio; la mayoría de los síntomas son físicos) • Síndrome de Münchausen por poderes (enfermedad mental en la que el cuidador inventa o produce una enfermedad o lesión en una persona a la que cuida; por ejemplo, un padre enferma de manera intencionada a un hijo; también llamado trastorno facticio por poderes)
Control de los impulsos	• Trastorno explosivo intermitente (impulsos agresivos que implican la destrucción de bienes) • Cleptomanía (necesidad de robar cosas) • Piromanía (necesidad de provocar incendios) • Juego patológico
Personalidad	• Trastornos extraños o excéntricos • Trastornos dramáticos, erráticos o emocionales • Trastornos de ansiedad o miedo

Inteligencia en la calle

Los términos que caracterizan de forma negativa a una persona, como "loco", "psicópata" o "PTE" (una abreviatura que se utiliza a menudo en los DE y personal de seguridad para referirse a *una persona con trastornos emocionales*), pueden ser estigmatizantes y afectar la forma en que las personas con trastornos mentales se ven a sí mismas, pero también la forma en que los demás las perciben y las tratan. Cuando la formulación del diagnóstico parece describir el carácter de la persona (p. ej., "es un esquizofrénico"), en lugar del trastorno de la persona (p. ej., "tiene esquizofrenia"), es menos probable que la persona reciba la ayuda que necesita. Al final, estamos condicionados a considerar los trastornos como tratables, pero las personalidades como inamovibles. Como defensor clave de la salud en su comunidad, tenga cuidado de utilizar un lenguaje que no etiquete a los pacientes por su enfermedad.

o resultado de una enfermedad mental o del abuso de sustancias. El consumo de sustancias que alteran la mente es una de las causas más comunes, y ese episodio psicótico puede limitarse al tiempo durante el cual la sustancia se metaboliza en el organismo. Otras causas están más relacionadas con el entorno o la enfermedad mental del paciente. Estas causas pueden incluir estrés intenso, trastornos delirantes y, más a menudo, esquizofrenia (tratada más adelante en este capítulo). Algunos episodios psicóticos duran breves periodos; otros duran toda la vida.

La **desorganización** y la **desorientación** no son diagnósticos, sino formas en que pueden presentarse diversas afecciones como la esquizofrenia o los síndromes cerebrales orgánicos. Estas formas de presentación son la causa de muchas llamadas al SEM, sobre todo en personas mayores. Aunque no es necesario hacer un diagnóstico específico en estos casos, sí es necesario saber cómo atender a estos pacientes en la escena.

Evaluación

El rasgo más característico de la psicosis es un profundo trastorno del pensamiento, a menudo acompañado de alteraciones del estado de ánimo y de la percepción. Los pacientes suelen ser incoherentes o divagar al hablar, aunque pueden orientarse por personas y lugares. A menudo deambulan por la calle, vestidos de forma extraña y pronuncian palabras y frases sin sentido. Rara vez es posible realizar un examen exhaustivo del paciente, y su principal objetivo es trasladarlo al centro médico sin traumatismos.

Utilizando la nemotécnica COASTMAP, la siguiente lista describe los signos y síntomas comunes del paciente con psicosis:

- **Conciencia.** El paciente con psicosis está despierto y alerta, pero puede distraerse con facilidad, sobre todo si pone atención a las alucinaciones. Si el nivel de conciencia fluctúa, sospeche de un síndrome orgánico cerebral.
- **Orientación.** Los trastornos de la orientación son más frecuentes en los trastornos orgánicos que en las psicosis, pero el paciente con psicosis grave puede estar desorientado en cuanto al tiempo y el lugar.
- **Actividad.** La actividad suele ser acelerada, caracterizada por agitación e hiperactividad, pero también puede ser reducida. Son frecuentes los movimientos extraños y estereotipados.
- **Habla.** El habla puede estar presionada o sonar extraña debido a palabras inusuales que el paciente ha inventado (neologismos).
- **Pensamiento.** El pensamiento está perturbado en su progresión y contenido y puede mostrar cualquiera de los siguientes trastornos:
  - Vuelo de ideas, con la mente del paciente sumergiéndose de un pensamiento a otro.
  - **Pérdida de asociaciones**, en las que la conexión lógica entre una idea y la siguiente se vuelve oscura, al menos para el oyente. En casos extremos, el discurso del paciente puede resultar por completo incomprensible.
  - Delirios, en especial de persecución.
  - **Emisión de pensamientos** (la creencia de que los pensamientos se emiten en voz alta y pueden ser escuchados por los demás).
  - **Inserción de pensamientos** (la creencia de que otra persona está introduciendo pensamientos en la mente del paciente) y **retirada de pensamientos** (la creencia de que se están eliminando pensamientos).
- **Memoria.** La memoria puede estar relativa o totalmente intacta en la psicosis. Puede encontrar dificultades para obtener la cooperación del paciente para realizar pruebas formales de memoria.
- **Afecto y estado de ánimo.** Es probable que el estado de ánimo esté alterado en la psicosis. La alteración puede adoptar la forma de euforia, tristeza o grandes oscilaciones en el estado de ánimo; el afecto puede reflejar esos estados internos o ser plano.
- **Percepción.** Las alucinaciones auditivas son frecuentes en la psicosis. Los pacientes oyen voces que comentan su comportamiento o les dicen lo que tienen que hacer. Sospeche que los

pacientes oyen esas voces cuando parezcan estar atendiendo a una conversación distinta de la suya o hablando solos.

Manejo

Tratar con un paciente con psicosis aguda es difícil. Es poco probable que los métodos habituales de razonamiento con un paciente sean eficaces porque la persona tiene sus propias reglas de lógica que pueden ser muy diferentes de las que rigen el pensamiento no psicótico.

Además, es probable que se sienta incómodo en presencia de una persona con psicosis. Esos sentimientos incómodos son uno de sus instrumentos de diagnóstico incorporados. Son provocados por el miedo, la sospecha y la hostilidad que el paciente transmite a través del lenguaje corporal. Use sus sentimientos incómodos para ayudar a hacer un diagnóstico tentativo de un problema psicótico.

El paciente que experimenta desorganización necesita estructura. Explique en lenguaje sencillo lo que está haciendo y cuál es el papel del paciente. Las instrucciones deben ser sencillas, coherentes y firmes. Quizá sea imposible obtener un historial detallado; un nombre y una dirección pueden ser la única información que reúna. Explique a estos pacientes que necesitan ser atendidos por un médico y que usted lo llevará al centro médico para que reciban ayuda.

En el cuidado del paciente que experimenta desorientación, la clave es orientar al paciente sobre el tiempo, el lugar y las personas del entorno tan a menudo como sea necesario. Dígale al paciente quién es usted y explíquele lo que está haciendo. Puede que tenga que repetir esa información varias veces durante el trayecto. Tranquilice al paciente y señale puntos de referencia para ayudarle a orientarse.

Perlas de sabiduría

¡Esté prevenido! El paciente que oye voces que le ordenan causar daño a sí mismo o a otros debe ser considerado peligroso.

Cuando el comportamiento de un paciente se vuelve tan exaltado que pone en peligro su bienestar o la seguridad de los demás, hay que tomar medidas más agresivas para evitar lesiones. Estas medidas pueden incluir la contención física o química y, a veces, ambas. Cuando evalúe la necesidad de inmovilización, considere también la posibilidad de llamar al personal de seguridad si aún no se ha puesto en contacto con él.

Poblaciones especiales

Algunas comunidades cuentan con equipos de intervención en crisis (EIC) formados por agentes de la ley con formación especializada en reconocer y responder a las personas con una crisis de salud mental. La función principal del EIC es evitar que los pacientes giren a través del sistema de justicia penal y el centro médico. Como alternativa a esta pauta, el programa trata de establecer cuidados a largo plazo y otras soluciones para las personas con enfermedades mentales crónicas y persistentes. De otro modo, estos pacientes podrían carecer de los recursos o el apoyo necesarios para obtener esa ayuda.

Las personas con un episodio psicótico no suelen cumplir los tratamientos, en especial la administración de medicación. A menudo se marchan antes de que se les haga o realice una vía IV y se les administre un sedante. Pueden tener ideas delirantes y pensar que se les está inyectando algo nocivo. Se deben emplear primero intervenciones no farmacológicas, como se ha comentado antes. Desarrollar la confianza es una terapia importante, pero hacerlo puede ser difícil de conseguir con un paciente en un estado de agitación aguda.

Cuando estos métodos fallan, es apropiado sujetar al paciente de forma segura y administrarle una medicación para tratar el comportamiento. Si es posible una administración segura, un medicamento ansiolítico como una benzodiacepina (p. ej., midazolam) administrado por vía intranasal, o un medicamento antipsicótico como el haloperidol administrado por vía intramuscular, debe ayudar a calmar al paciente. Siga las indicaciones de su control médico y las órdenes permanentes cuando utilice medicamentos para controlar el comportamiento.

Delirio

Fisiopatología

El delirio es un trastorno de la función cognitiva que puede cursar con desorientación, alucinaciones o delusiones. Los síntomas suelen comenzar en unas horas o unos pocos días y suelen afectar, aunque no siempre, a los adultos mayores. La **demencia** es un proceso más crónico que produce graves déficits de memoria, pensamiento abstracto y juicio. Existen tres tipos principales de delirio:

Inteligencia en la calle

Comunicación centrada en el paciente

Su estilo personal de interactuar con la gente (forma de hablar, valores, creencias y capacidad de escuchar) es fundamental para tratar a pacientes con trastornos psiquiátricos. Es vital suspender cualquier juicio sobre el paciente y proporcionarle una sensación de seguridad emocional. Los pacientes con trastornos psiquiátricos pueden no saber por qué se sienten agitados, tensos, deprimidos o caóticos y fuera de control. Usted debe proporcionar una sensación de seguridad en esta situación para que el paciente confíe en usted y le permita a usted y a los otros proveedores ayudarle. Desafortunadamente, muchos pacientes tienen experiencias de vida que han erosionado su sentido del mundo como un lugar seguro, lo que significa que la carga recae en el paramédico para ir más allá.

Para ayudar a establecer la confianza con el paciente, utilice varias técnicas, entre ellas mantener la sensibilidad cultural. Los trastornos psiquiátricos se ven de forma diferente en las distintas culturas, y las normas sobre el espacio interpersonal y el contacto visual varían mucho. Sea sensible a estas diferencias. Además, extienda el respeto para ganarse la confianza del paciente. La mayoría de los pacientes reconocen cuando se acerca a ellos con auténtica compasión. Por el contrario, si lo primero que piensa es "Este paciente es un imbécil irresponsable", lo más probable es que el paciente haya decidido con la misma rapidez que usted no es sincero y que no puede ayudarle. Independiente a su aspecto o comportamiento, acérquese a cada paciente como a un ser humano que está sufriendo algo de lo que no puede escapar sin ayuda.

Cuando una persona tenga un trastorno psiquiátrico, reconozca su angustia. Identifíquese con la lucha interna del paciente. Transmita el mensaje de que, aunque usted no siente lo que siente el paciente, entiende que se sienta así (p. ej., "Debe de ser muy frustrante", "Hablemos más de ello"). Escuche de manera activa y responda en lugar de reaccionar. Concéntrese en lo que dice el paciente y responda parafraseando sus palabras y emociones. El objetivo es que el paciente se sienta comprendido. Continúe, aclarando cuando sea necesario.

Sobre todo, no ofrezca soluciones ni dé consejos. Puede sentir la tentación de adelantarse con respuestas u opciones antes de que el paciente esté preparado para escucharlas, pero resista este impulso. Escuchar de manera activa no significa sondear o bombardear al paciente con preguntas que se responden con un simple "sí" o "no". No significa ofrecer falsos consuelos ("Todo saldrá bien"). No significa identificarse con el paciente revelando información inapropiada ("Me identifico con tu situación, ayer discutí con mi pareja"). Por el contrario, la escucha activa significa comprender al paciente, implicarle en el proceso de tratamiento, explorar el problema, reconocer sus sentimientos (sobre todo como forma de desactivar los sentimientos negativos) e incluso responder a los delirios y las alucinaciones.

Adopte estas medidas para fomentar la escucha activa:[10]

- Siéntese erguido y de cara al paciente.
- Inclínese ligeramente hacia delante, hacia el paciente.
- Mantenga una postura abierta (brazos y piernas sin cruzar).
- Mantenga un contacto visual cómodo y sin miradas.
- Relájese.
- Esté atento.
- Asiente con la cabeza y anime al paciente (p. ej., "Continúe").
- Evite las interrupciones.

- El delirio hiperactivo implica periodos de agitación e inquietud.
- El delirio hipoactivo, asociado con inactividad, puede ocurrir en personas que toman depresores del SNC o que tienen fiebre o insuficiencia hepática o renal.
- El delirio mixto se caracteriza por delirios hiperactivos e hipoactivos.

El delirio hiperactivo suele tratarse con haloperidol. Los síntomas de delirio que comienzan de repente deben hacer buscar causas reversibles como hipoglucemia, hipoxia, sepsis, deficiencia de tiamina y sobredosis de medicación.

Aunque los pacientes que experimentan delirio no suelen ser peligrosos, pueden atacar de forma irracional si muestran agitación, un comportamiento caracterizado por una actividad física inquieta e irregular. Por lo tanto, uno de los factores más importantes a tener en cuenta en estas situaciones es su seguridad. Las personas que experimentan delirio pueden volverse agitadas y violentas cuando los factores estresantes les desbordan. El resultado es similar al de un paciente que experimenta un estado psicótico agudo.

El **delirio agitado** es un término utilizado para describir un estado potencialmente mortal de agitación y delirio extremo.[11] Las características clínicas del delirio agitado incluyen un inicio agudo de agitación, agresividad, tolerancia al dolor significativo, vestimenta inadecuada para el entorno (que puede reflejar la hipertermia del paciente), comportamiento psicótico agudo, comportamientos extraños, incumplimiento de las instrucciones del personal de seguridad o médico, sudoración profusa, habla incoherente, fuerza sobrehumana, hiperactividad, paro respiratorio y muerte. Los estudios de autopsia no han revelado hallazgos que indiquen de forma exclusiva un diagnóstico de delirio agitado; además, los niveles de intoxicación tienden a estar en un nivel recreativo más que en un nivel mortalmente tóxico. Como tal, el diagnóstico es de exclusión.[11] Entre las afecciones que pueden asociarse con el delirio agitado o simularlo se incluyen la hipoglucemia, la tormenta tiroidea, algunos tipos de convulsiones, traumatismos craneoencefálicos o intoxicación por cocaína, alucinógenos o metanfetaminas.

Controversias

Las características primarias que definen el delirio agitado (es decir, excitación y delirio) aumentan la probabilidad de que el personal de seguridad, médico e institucional utilice la fuerza física, quizá incluyendo intervenciones farmacológicas, cuando responda a la persona.[11] El uso de la contención por la fuerza puede causar la muerte por asfixia posicional o compresiva, y la administración de fármacos sedantes-hipnóticos y disociativos en una persona cuyo historial de medicación puede desconocerse por completo es una práctica peligrosa y potencialmente mortal. La *American Medical Association* (AMA) publicó una declaración para abordar la preocupación de que las fuerzas del orden y otros intervinientes estén empleando de manera innecesaria métodos peligrosos cuando responden a personas que presentan una emergencia conductual. Después de una reunión especial de su cámara de delegados en 2021, la AMA adoptó una política que se opone al uso del *delirio agitado* como diagnóstico médico hasta que se haya establecido un conjunto claro de criterios diagnósticos.[12] Además, reafirma la necesidad de una supervisión médica dirigida por médicos en situaciones extrahospitalarias consideradas emergencias médicas. La AMA hace hincapié en el riesgo que plantean los fármacos sedantes-hipnóticos y disociativos cuando se administran sin un conocimiento adecuado del paciente. La política de la AMA se guía por una preocupación por las prácticas policiales violentas nacidas del racismo institucional. Al pedir que se ponga fin al uso del término delirio agitado, la AMA espera deslegitimar un concepto que, en su opinión, se utiliza a menudo para "encubrir" prácticas policiales peligrosas que tienden a dirigirse contra miembros de comunidades marginadas y minoritarias a los que sería más útil aplicar intervenciones conductuales, como la desescalada.[11,12]

El término *delirio excitado* suele utilizarse como sinónimo de delirio agitado. Aunque la literatura médica utiliza los mismos términos y factores de riesgo para ambas condiciones, el término delirio agitado se utiliza principalmente cuando los casos implican víctimas mortales. Tanto el delirio agitado como el delirio excitado describen las mismas características *premortem* del paciente, incluyendo tanto los casos no letales como los letales.[1] Ninguno de estos términos aparece actualmente en la Clasificación Internacional de Enfermedades ni en el *Diagnostic and Statistical Manual of Mental Disorders, Fifth Edition*, y casi todas las investigaciones publicadas sobre estos trastornos se limitan a estudios y series de casos retrospectivos.[11]

Evaluación

Si puede acercarse con seguridad al paciente con delirio, muéstrese tranquilo, comprensivo y empático. Escuche de manera activa asintiendo con la cabeza, indicando comprensión y limitando las interrupciones de los comentarios del paciente. Es fundamental acercarse al paciente despacio y con decisión, y respetar su territorio. Limite al máximo el contacto físico con el paciente. No deje al paciente desatendido a menos que la situación se vuelva insegura para usted o su compañero.

Dependiendo del nivel de deterioro, primero debe intentar reorientar a los pacientes hacia su entorno y sus circunstancias. A continuación, utilice con cuidado técnicas de entrevista para evaluar el funcionamiento cognitivo del paciente. Intente determinar de manera indirecta la orientación, la memoria, la concentración y el juicio del paciente haciéndole preguntas sencillas como "¿Cuándo empezó a notar estas sensaciones?". A través de la entrevista, intente determinar qué está pensando el paciente. ¿Están desorganizados los pensamientos del paciente? Por ejemplo, ¿el paciente empieza a responder a su pregunta y luego se aleja para empezar a hablar de un amigo de la infancia? ¿Está teniendo delirios o alucinaciones? ¿Tiene preocupaciones o miedos inusuales?

Realice una evaluación exhaustiva, que incluya los antecedentes médicos y la medicación, para ayudar a diferenciar el delirio de la demencia o identificar otras causas. Ponga especial atención a la capacidad del paciente para comunicarse con claridad y tome notas sobre su estado de ánimo aparente. ¿El paciente está ansioso, deprimido o alegre en circunstancias inapropiadas? ¿Está agitado? Ponga atención al aspecto, la vestimenta y la higiene personal del paciente. Si determina que el paciente requiere contención porque supone una amenaza para sí mismo o para los demás, asegúrese de que dispone de personal adecuado y bien formado para ayudarle antes de acercarse al paciente. Si el paciente parece estar teniendo una sobredosis, llévese todos los frascos de medicamentos o sustancias ilegales al centro médico. Transporte al paciente a un hospital con instalaciones psiquiátricas capaces de tratar su estado. Siempre que sea posible, absténgase de utilizar las luces y la sirena porque estas imágenes y sonidos pueden agravar el estado del paciente.

Manejo

Los pacientes con delirio agitado a menudo no responden a los intentos de tranquilizar de manera verbal la situación. En consecuencia, a menudo es necesario recurrir a personal de seguridad para que procedan a su contención. Se debe permitir el acceso de los SEM al paciente tan pronto como sea seguro. Una lucha continua puede aumentar la temperatura del paciente, provocar la respuesta de lucha o huida, causar desequilibrios ácido-base y aumentar el riesgo de muerte súbita.

Identificar el factor estresante o la afección metabólica puede ayudar a identificar posibles tratamientos (p. ej., reducir la fiebre, administrar glucosa para la hipoglucemia, tratar las arritmias para mejorar la hipoperfusión). Siga los protocolos locales para tratar cada afección. La sedación se considera el tratamiento principal del delirio agitado.[13] Las opciones incluyen ketamina, benzodiacepinas (p. ej., midazolam, lorazepam) y antipsicóticos (p. ej., haloperidol, droperidol). Proporcione monitorización cardíaca y manejo avanzado de la vía aérea cuando administre cualquiera de estos medicamentos. Siga los protocolos locales y consulte a control médico para obtener más instrucciones.

Ideación suicida

Fisiopatología

El suicidio es cualquier acto voluntario destinado a acabar con la propia vida. Es la décima causa de muerte en EU.[14] El suicidio es más frecuente entre los hombres que entre las mujeres, en especial entre los caucásicos y los solteros, viudos o divorciados. Además, los pacientes con depresión tienen mayor riesgo de suicidio. El trastorno por consumo de alcohol es otro factor de riesgo importante. Aunque muchos intentos de suicidio no se comunican, se calcula que más de 1 millón de personas en EU se autolesionan de manera intencionada cada año.[15] En el **CUADRO 25-6** se resumen los factores de riesgo de suicidio.

CUADRO 25-6 Factores de riesgo de suicidio

- Depresión o mejoría repentina de la depresión
- Sexo masculino, edad < 55 años
- Soltero, viudo o divorciado
- Abuso de alcohol u otras sustancias
- Pérdida reciente del cónyuge o de una relación importante
- Enfermedad crónica y debilitante
- Esquizofrenia
- Expresa pensamientos suicidas y planes concretos para llevarlos a cabo
- Caucásico
- Aislamiento social
- Intento(s) previo(s) de suicidio
- Contratiempo financiero o pérdida de empleo
- Antecedentes familiares de suicidio

Los intentos de suicidio suelen producirse cuando la persona siente que peligran vínculos afectivos estrechos o cuando ha perdido a alguien o algo importante. La persona con ideación suicida también puede tener sentimientos característicos de la depresión: sentimientos de inutilidad, falta de autoestima y sensación de ser incapaz de manejar la vida.

SEGURIDAD

Cuando atienda a un paciente que muestre o reconozca ideación suicida, no descuide su propia seguridad ni la de los demás presentes en el lugar. Un paciente que experimenta este nivel de angustia también puede estar considerando dañar a otros. Del mismo modo, un intento de suicidio puede poner en peligro de forma involuntaria a otras personas.

Evaluación

Su evaluación de *cada* paciente con depresión debe incluir una evaluación del riesgo de suicidio. Desafortunadamente, muchos paramédicos son reacios a preguntar de forma directa a un paciente sobre pensamientos suicidas porque temen meter ideas en la cabeza del paciente. Recuerde, sin embargo, que el suicidio no es una idea original y que un paciente con depresión habrá pensado en ello. Además, la mayoría de los pacientes con depresión se sienten aliviados cuando usted saca el tema porque les da "permiso" para hablar de sus ideas suicidas.

Puede que a usted y al paciente les resulte más fácil abordar el tema utilizando un enfoque gradual. Por ejemplo, puede empezar preguntando: "¿Alguna vez ha pensado que no valía la pena vivir?". A partir de ahí, puede proceder por grados formulando las siguientes preguntas:

- ¿Alguna vez ha pensado que estaría mejor muerto?
- ¿Ha pensado alguna vez en hacerse daño? ¿Se siente así ahora?
- ¿Tiene un plan para llevarlo a cabo? ¿Tiene lo que necesita para llevarlo a cabo?
- ¿Ha muerto alguien de su familia por suicidio?
- ¿Alguna vez ha intentado suicidarse?

Los pacientes que han intentado suicidarse con anterioridad, los que han elaborado planes detallados y concretos de suicidio y los que tienen antecedentes de suicidio entre parientes cercanos tienen riesgo mayor y deben ser evaluados en un centro médico.

Muchos pacientes hacen esfuerzos de última hora para comunicar sus intenciones suicidas. Cuando una persona telefonea para amenazar con suicidarse, alguien debe permanecer en la línea hasta que el equipo de rescate haya llegado al lugar. A su llegada, garantice su seguridad y examine rápido la zona en busca de cualquier utensilio que el paciente pudiera utilizar para autolesionarse y retírelo de forma discreta. Anime al paciente a hablar de sus sentimientos. Pregúntele sobre sus ideas y planes suicidas.

Manejo

Siempre que encuentre a un paciente con depresión grave o tenga otro motivo para sospechar que un paciente está en riesgo de suicidio, siga estas directrices:

- **No deje solo al paciente.** El bienestar del paciente es su responsabilidad hasta que sea transferido al cuidado de otro profesional médico.
- **Recoja los utensilios.** Lleve al centro médico cualquier instrumento de autodestrucción potencial que haya encontrado en el lugar (frascos de pastillas, armas).
- **Reconozca los sentimientos del paciente.** No discuta su deseo de morir, pero tranquilícelo con sinceridad. Por ejemplo, puede decir: "No es raro que una persona se sienta como usted después de perder a alguien cercano. A veces ayuda hablar de ello".
- **Fomente el transporte.** Si el paciente se niega a ser trasladado, intente que las personas cercanas le ayuden a cooperar. Si el paciente sigue resistiéndose, puede que tenga que pedir ayuda a personal de seguridad.

Cuando una persona ha intentado suicidarse, el tratamiento médico tiene prioridad. El paciente que ha tomado una sobredosis de fármacos sedantes o depresores debe ser tratado por posible depresión respiratoria o colapso circulatorio. El paciente que se ha cortado las venas debe ser tratado para controlar la hemorragia y restablecer el volumen circulante. No obstante, si el paciente sigue alerta, hay que intentar establecer la comunicación y pedirle que hable de la situación.

Una persona que intenta suicidarse sufre una enorme angustia. Una de las habilidades más importantes que se pueden adquirir es ver más allá del comportamiento de una persona para descubrir la angustia subyacente. Por ejemplo, cuando le llamen para tratar a una persona que ha intentado suicidarse, diga algo para comunicar empatía al paciente, como "La vida debe haberle parecido insoportable para hacer algo así. Es hora de buscar ayuda". Esta afirmación también es un buen recordatorio para uno mismo de ser compasivo en tales situaciones.

Patrones de violencia, maltrato y abandono

Pocas situaciones son tan complejas como tratar con un paciente hostil y enfadado, o con una persona que ha sufrido malos tratos o abandono. Necesitará una gran dosis de madurez y experiencia para comprender sus propios sentimientos, seguir siendo profesional y positivo, y proporcionar la mejor atención médica de emergencia posible a todas las partes.

Malos tratos y abandono

Los autores de la violencia y los malos tratos, o sus víctimas, pueden tener una enfermedad mental que contribuya a agravar la situación. Como paramédico astuto, debe evaluar al paciente y el entorno, así como a otras personas implicadas. Busque indicios de abuso, negligencia o violencia. Documente sus hallazgos para que puedan ser utilizados para apoyar una acusación legal de negligencia o abuso. Comunique sus preocupaciones sobre posibles malos tratos o negligencia de acuerdo con los protocolos locales. En estas situaciones, sus prioridades son la seguridad y el tratamiento de las afecciones médicas y traumáticas agudas.

Violencia

La ira puede ser una respuesta a la enfermedad. El paciente puede utilizar un comportamiento agresivo para hacer frente a sus sentimientos de impotencia, como si dijera: "Me pasa algo y no está haciendo todo lo posible por ayudarme". Puede sentir la tentación de responder con ira, pero hacerlo rara vez sirve para algo.

Puede calmar a la mayoría de los pacientes enfadados transmitiéndoles una actitud de confianza en que el paciente se comportará bien. Puede resultarle útil preguntar de forma directa al paciente sobre su enfado: "¿Puede explicarme por qué está enfadado conmigo?". Dar al paciente la oportunidad de hablar sobre estos sentimientos suele brindar la oportunidad de superarlos.

Uno de los retos más difíciles a los que se enfrentará es un paciente violento o que amenace con la violencia. Debe prepararse de antemano, tanto psicológica como tácticamente, para hacer frente a un comportamiento hostil o violento. Un encuentro con un paciente violento siempre conlleva el riesgo de que alguien resulte herido, ya sea el paciente, un espectador, los paramédicos o todos.

Evaluar el potencial de violencia no es solo un ejercicio académico. La mayoría de los paramédicos están expuestos a algún tipo de violencia durante su carrera. Dicha violencia puede adoptar la forma de intimidación verbal, abuso verbal, abuso físico, acoso sexual o agresión sexual. Manténgase alerta ante posibles encuentros violentos y tome medidas para prevenirlos.

Identificación de situaciones potencialmente violentas

Comience su acción preventiva preparándose de manera psicológica para un posible encuentro violento. Sea consciente de esa posibilidad durante su respuesta a cada llamada. No confíe por completo en la información que le proporcione su expedidor.

Estar psicológicamente preparado para la violencia *no* significa volverse paranoico o tratar a todos los pacientes con desconfianza. Sin embargo, sí significa desarrollar un "olfato para el peligro", también conocido como conciencia situacional.

Factores de riesgo de violencia

Aunque los proveedores deben garantizar su seguridad personal en todas las llamadas, ciertas señales de advertencia, como las siguientes, deben elevar su nivel de preocupación por la violencia en el lugar de los hechos:

- Situaciones de consumo de alcohol o drogas ilícitas (p. ej., taberna, fiesta)
- Incidentes con grandes multitudes (p. ej., mítines políticos, marchas de protesta, acontecimientos deportivos)
- Incidentes en los que ya se ha producido violencia (p. ej., tiroteos, apuñalamientos, disturbios domésticos)

Entre las personas con más probabilidades de ser violentas se encuentran las intoxicadas por alcohol o drogas (en especial PCP, dietilamida del ácido lisérgico [LSD], anfetaminas y cocaína), las que tienen abstinencia de alcohol o drogas, las que padecen psicosis (en especial de tipo maniaco y paranoide) o las que presentan delirio por cualquier causa (p. ej., hipoglucemia, sepsis).

Las claves más importantes sobre el potencial violento del paciente se encuentran en el comportamiento y el lenguaje corporal de la persona. Busque las siguientes señales de advertencia:

- **Postura:** el paciente se sienta tenso en el borde de la silla o se agarra al reposabrazos.
- **Habla:** el discurso del paciente es fuerte, crítico, amenazante o lleno de blasfemias.
- **Actividad motora:** el paciente no puede permanecer sentado, camina de un lado a otro o en círculos, o se sobresalta con facilidad.
- **Otro lenguaje corporal:** el paciente muestra los puños cerrados, evita el contacto visual y se da la vuelta cuando se le habla.
- **Sus propios sentimientos:** sea consciente de su propia respuesta "visceral" ante el paciente. Si su instinto le dice que está en peligro, ¡ponga atención!

Tratamiento del paciente violento

Una vez que haya llegado a la conclusión, por el motivo que sea, de que una situación puede ser violenta, debe actuar con rapidez.

Evalúe la situación en su conjunto. ¿Hay factores en el entorno que contribuyan a la escalada de violencia (p. ej., amigos que alienten el comportamiento del paciente)? ¿Pueden eliminarse esos factores? ¿Hay indicios de consumo de drogas, alcohol o lesiones en la cabeza? ¿Algún transeúnte puede darle información sobre los antecedentes? Por ejemplo, ¿el comportamiento del paciente fue gradual o repentino? ¿Tiene antecedentes de comportamiento violento? ¿Hay alguna enfermedad conocida, como diabetes?

Observe su entorno. Asegúrese de tener una vía de escape. Colóquese entre el paciente y la puerta, pero no se mueva detrás de un paciente agitado. No dé la espalda al paciente, ni siquiera por un momento. Fíjese en los muebles u otras posibles barreras. Examine la zona en busca de cualquier objeto que pueda utilizarse como arma (p. ej., objetos pesados o afilados) si el nivel de violencia aumenta.

Si un paciente violento está armado, no intente resolver la situación usted mismo. Retroceda y avise al personal de seguridad. Asegúrese de que las demás personas que se encuentran en el lugar no corren peligro mientras usted espera la llegada del personal de seguridad.

Aunque el paciente esté desarmado, debe mantener una distancia de seguridad. Acercarse demasiado a un paciente violento en potencia puede aumentar su nivel de ansiedad. Mantenga una zona de seguridad de dos longitudes de brazo. Si el paciente se aleja de usted, entonces está demasiado cerca. Deje que el paciente encuentre una distancia cómoda. No se coloque directamente cara a cara con el paciente, sino ligeramente a un lado en un ángulo de 45°, con su ruta de escape sin obstáculos.

Pruebe primero con intervenciones verbales. La ira y el comportamiento agresivo suelen ser respuestas a la enfermedad o al sentimiento de impotencia. Solo hablar con la persona enfadada de forma calmada y comprensiva puede calmar parte de la ira. Tenga en cuenta las siguientes pautas:

- Dedique un momento a concentrar sus propios pensamientos para poder transmitir al paciente una impresión de calma y autocontrol.
- Identifíquese como un profesional médico que está ahí para ayudar. Mantenga un tono de voz bajo, una técnica que obliga al paciente a detenerse y concentrarse en lo que usted dice.
- Reconozca el comportamiento del paciente y reafirme su voluntad de ayudarle. ("Parece alterado. ¿En qué podemos ayudarle?")
- Anime al paciente a hablar de lo que le preocupa. Escuche lo que dice y demuestre que le está escuchando, parafraseando sus palabras. ("Creo que lo entiendo. ¿Está diciendo que...?")
- Pregunte al paciente en específico sobre cualquier tipo de arma o la posibilidad de perder el control.
- Defina lo que espera del comportamiento del paciente. Reconozca el potencial de la persona para hacer daño ("Realmente podrías herir a alguien con esa palanca..."), pero enfatice al paciente que no está permitido perder el control.
- Si la desescalada verbal no funciona, retírese y busque ayuda. ("Señor, creo que tenemos que hacer una pausa para ver si puede recuperarse, pero no me voy. Volveremos a hablar dentro de unos minutos. Si eso no funciona, entonces voy a traer a algunas personas conmigo para evitar que haga daño a alguien").

Trastornos psiquiátricos específicos

Como paramédico, no diagnosticará los siguientes trastornos, pero debe estar familiarizado con ellos como posibles causas de psicosis aguda o delirio agitado. La evaluación y el tratamiento de pacientes con estas afecciones siguen los principios generales discutidos antes en este capítulo.

Trastornos del estado de ánimo

Los **trastornos del estado de ánimo**, formalmente conocidos como trastornos afectivos, se encuentran entre los trastornos psiquiátricos más comunes. Un aproximado de 20% de la población en EU tendrá un trastorno del estado de ánimo, como una **enfermedad maniaco-depresiva** o una depresión grave, en algún momento de su vida.[16] Hasta 45% de estos trastornos se clasifican como graves.[16]

Aunque sentimientos como la depresión y la alegría son universales, los trastornos del estado de ánimo difieren de los episodios normales de tristeza o felicidad. En estos trastornos, los cambios de afecto van acompañados de otros síntomas, y el efecto neto es causar una alteración importante de la capacidad de funcionamiento de la persona. Los pacientes que experimentan depresión o manía presentan un trastorno unipolar del estado de ánimo. Es decir, su estado de ánimo se mantiene en un solo polo del continuo depresión-manía. Por el contrario, los pacientes que alternan entre manía y depresión (ambos polos del continuo) tienen un **trastorno bipolar del estado de ánimo**. La mayoría de los pacientes con un trastorno unipolar del estado de ánimo tienen depresión. La manía unipolar es relativamente rara.

Comportamiento maniaco

La **manía** es uno de los trastornos psiquiátricos más llamativos. Es improbable que un paciente con manía crea que algo va mal, por lo que suele ser un testigo o un familiar quien pide ayuda al SEM. De hecho, el paciente con manía es propenso a decir que está "en la cima del mundo; nunca me he sentido mejor en mi vida". Las personas que experimentan manía suelen tener una percepción exagerada de felicidad, alegría o euforia, con hiperactividad e insomnio.

Los pacientes con manía suelen estar despiertos y alerta, pero se distraen con facilidad. También suelen ser marcadamente hiperactivos y pueden declarar que son incapaces de concentrarse. Casi todos los pacientes con manía manifiestan una disminución significativa de la necesidad de dormir, y pueden pasar días enteros sin dormir.

En la conversación, las personas que experimentan manía son habladoras y demuestran un habla presionada y rápida. La fuga de ideas (cambio rápido de pensamientos) y los delirios de grandeza (creencia exagerada sobre la propia fama, riqueza, poder o inteligencia) hacen que les resulte difícil centrarse en una cosa. Los pacientes pueden referir que sus pensamientos van a toda velocidad. Sus monólogos pueden mostrar un **pensamiento tangencial**, que se caracteriza por saltar rápido de un tema a otro. (El pensamiento tangencial difiere del pensamiento circunstancial, que se refiere a la inclusión de muchos detalles irrelevantes). Sus ideas suelen ser grandilocuentes. Por ejemplo, pueden tener planes poco realistas de embarcarse en una gran aventura empresarial o de presentarse a un alto cargo público. Los pacientes también pueden creer que tienen poderes especiales o que son famosos y ricos.

La memoria de un paciente con manía suele estar intacta, pero puede estar distorsionada por delirios subyacentes. El afecto es eufórico (el sello distintivo de la manía). El paciente parece estar "colocado" y se muestra inusual y contagiosamente alegre. Sin embargo, el buen humor puede ser frágil y la persona puede volverse irritable con rapidez, sarcástica y hostil con poca provocación. Una persona con un episodio maniaco agudo también puede mostrar síntomas psicóticos, como alucinaciones.

Las personas que experimentan episodios maniacos agudos suelen meterse en problemas de un tipo u otro. Por ejemplo, pueden hacer gastos desenfrenados, realizar inversiones comerciales insensatas, conducir de forma temeraria, cometer indiscreciones sexuales o buscar pelea. Por lo general, se llama al DE cuando la persona se ha metido en algún lío o cuando su comportamiento se ha vuelto intolerablemente perturbador.

Debido a que es poco probable que los pacientes con manía se consideren enfermos, es posible que no estén de acuerdo en que necesitan tratamiento. Cuando trate con un paciente así, mantenga la calma, sea firme y paciente. No discuta ni entre en una lucha de poder. Reduzca al mínimo la estimulación externa. Hable con el paciente en un lugar tranquilo, lejos de otras personas. Mientras tanto, pida a su compañero que obtenga la historia clínica por separado de familiares o testigos. Cuando traslade al paciente, no utilice sirenas.

Si el paciente rechaza el transporte, consulte a control médico. Obtenga ayuda del servicio de seguridad para el transporte si su director médico indica que es necesaria la evaluación del centro médico.

Depresión

En 2019 se estimó que 19.4 millones de adultos de 18 años o más en EU informaron que habían experimentado al menos un episodio depresivo mayor en el último año.[17] Esa cifra representa 7.8% de todos los adultos de EU.[17] Los pacientes con depresión suelen identificarse con facilidad por su expresión triste, episodios de llanto y comportamiento apático o desganado. Expresan sentimientos de inutilidad, culpa y pesimismo. Estos pacientes pueden querer que los dejen solos, afirmando que nadie los comprende ni se preocupa por ellos y que sus problemas no tienen solución.

La depresión puede presentarse en episodios de inicio repentino y duración limitada. Este hallazgo es frecuente en el trastorno depresivo mayor, en el que el paciente siente un sufrimiento y un dolor considerables que interfieren en su funcionamiento social o laboral. En otros pacientes, la depresión puede ser de inicio sutil y naturaleza crónica. Cuando una persona experimenta signos y síntomas de depresión durante la mayoría de los días a lo largo de al menos 2 años, puede padecer una forma crónica de depresión conocida como trastorno distímico. Los signos y síntomas del trastorno distímico causan malestar social y laboral, pero rara vez requieren hospitalización, a menos que la persona tenga tendencias suicidas.

Las características diagnósticas de la depresión se recuerdan con facilidad con la nemotecnia GAS PIPES:

- **Culpa (*Guilt*) y el autorreproche son rasgos característicos de la depresión.** Una forma de explorar los sentimientos de culpa del paciente es formularle una pregunta del tipo: "¿Está deprimido consigo mismo?" o "¿Alguna vez siente que no vale nada?".
- **Apetito anormal en la depresión.** Suele estar disminuido, pero una minoría de pacientes con depresión puede referir un aumento del apetito.
- **Alteraciones del sueño (*Sleep*) que suelen adoptar la forma de insomnio.** El paciente típico con depresión se despierta a las 3:00 o 4:00 horas y es incapaz de volver a dormirse.
- **Poner atención.** El paciente con depresión tiene una capacidad de concentración disminuida. A veces, el trastorno es grave. Pregunte al paciente:

"Cuando está leyendo un libro o un periódico, ¿puede llegar hasta el final de lo que está leyendo, o su mente empieza a divagar después de un par de minutos?".

- **Interés.** El paciente con depresión pierde interés por cosas que antes eran importantes. Ya no siente entusiasmo por el trabajo o las aficiones. Puede preguntarle: "¿Es usted aficionado a [nombre del equipo local]?". Si la respuesta es afirmativa, pregunte: "¿Qué tal les va esta temporada?". El paciente le dirá: "Bueno, la verdad es que últimamente no los sigo".
- **Anomalías psicomotoras.** En el paciente con depresión, las capacidades psicomotoras pueden estar aumentadas (por agitación) o ralentizadas. Aunque muchos pacientes parecen hacerlo todo en cámara lenta, un porcentaje significativo de pacientes con depresión muestran un comportamiento agitado, como pasearse de un lado a otro, retorcerse las manos o hurgarse.
- **Energía.** Las personas con depresión no tienen energía. Están cansadas todo el tiempo y no tienen ganas de hacer nada.
- **Pensamientos suicidas.** Lo más preocupante es que las personas con depresión tienden a tener pensamientos suicidas generalizados y recurrentes.

Esquizofrenia

La **esquizofrenia** es un trastorno complejo que no es fácil de definir ni de tratar, pero que afecta en gran medida a la sociedad. Es difícil obtener cifras precisas de prevalencia de la esquizofrenia debido a factores médicos y de recopilación de datos, pero se calcula que la esquizofrenia y los trastornos relacionados afectan a entre 0.25 y 0.64% de la población de EU.[18] A escala mundial, las estimaciones de prevalencia oscilan entre 0.3 y 0.75%.[18] El inicio típico se produce durante los primeros años de la edad adulta, y los síntomas disfuncionales se hacen más prominentes con el tiempo.

Algunas personas diagnosticadas de esquizofrenia muestran signos durante la primera infancia. Su enfermedad puede estar asociada con daños cerebrales en los primeros años de vida. Otros factores que se cree que contribuyen a este trastorno son la genética, las influencias neurobiológicas y las influencias psicológicas y sociales.

Las personas con esquizofrenia experimentan delirios, alucinaciones, apatía, mutismo, un afecto plano, falta de interés por el placer, habla errática, respuestas excesivamente emocionales y un comportamiento motor extremo (ya sea falta de comportamiento motor o comportamiento motor excesivo).

Trastornos neuróticos

Los **trastornos neuróticos** son un conjunto de trastornos psiquiátricos sin síntomas psicóticos y que carecen de la intensa psicopatología de otros trastornos del estado de ánimo. Estos trastornos causan muchos problemas a las personas, a sus familias y a la sociedad en general. El tratamiento de los trastornos neuróticos

USTED es el Paramédico

PARTE 4

El paciente parece haber tolerado que le tomen los signos vitales, pero sigue mirando nervioso al personal de seguridad que se encuentra fuera de su departamento. Le explica al paciente que puede ayudarle transportándolo al centro médico, donde puede obtener medicación y tratamiento seguros. Le explica que debe seguir tomando la medicación para tratar su enfermedad. Le ofrece llevarlo en la ambulancia, donde estará seguro. Él parece considerar esta opción, pero sigue mostrándose aprensivo.

El paciente se agita cada vez más y se niega a ser trasladado al centro médico. Les dice que es peligroso para él salir de su departamento. Los agentes expresan su preocupación por permitirle rechazar el transporte debido a la posibilidad de que se haga daño a sí mismo o a otros en caso de que su estado empeore.

Considera sus opciones y se pone en contacto con el control médico para pedir recomendaciones. El médico ordena la administración de haloperidol (Haldol®) 5 mg IM. Le preocupa cómo pueda reaccionar el paciente ante esta decisión, pero le explica que el médico del centro médico considera que debe ser evaluado y tratado por su estado y ha ordenado algunos medicamentos para ayudarle a relajarse.

7. ¿Cuáles son sus consideraciones y preocupaciones sobre la administración de este medicamento a un paciente que no coopera?
8. ¿Cuáles son las implicaciones legales de llevar a este paciente al centro médico sin su consentimiento?

tiene un precio elevado; sin embargo, el costo para la sociedad de no tratar estos trastornos (en términos de pérdida de producción y de eficiencia) probablemente sea mayor.

La categoría de afecciones neuróticas incluye los **trastornos de ansiedad**, trastornos mentales en los que los estados de ánimo dominantes son el miedo y la aprensión. Todo el mundo experimenta ansiedad en ocasiones, y un cierto grado de ansiedad ayuda a las personas a adaptarse de forma constructiva al estrés. Sin embargo, los pacientes con trastornos de ansiedad experimentan una ansiedad persistente e incapacitante en ausencia de amenazas externas. En EU, la prevalencia de adultos con algún trastorno de ansiedad en los últimos 12 meses es de 19.1%.[19] Varios tipos de trastornos de ansiedad, como el trastorno de ansiedad generalizada, las fobias y el trastorno de pánico, pueden provocar una llamada de asistencia del SEM o afectar a la prestación de la atención prehospitalaria.

Trastorno de ansiedad generalizada

Aunque cierta ansiedad en la vida cotidiana es normal, cuando una persona se preocupa por todo sin ninguna razón en particular, o si esa preocupación es improductiva y la persona no puede decidir qué hacer ante una situación inminente, puede estar teniendo un **trastorno de ansiedad generalizada (TAG)**. Para que a una persona se le diagnostique TAG, los síntomas (ansiedad y preocupación) deben estar presentes la mayoría de los días durante al menos 6 meses, y la preocupación debe ser difícil de desactivar o controlar. El TAG es uno de los trastornos de ansiedad más frecuentes. Es posible que los pacientes con TAG no necesiten tratamiento hasta que los síntomas les impidan realizar las actividades cotidianas. El tratamiento suele incluir tanto agentes farmacológicos como asesoramiento. Los síntomas agudos de ansiedad y preocupación pueden llegar a ser abrumadores en el TAG, llevando a un miembro de la familia o a un compañero de trabajo a pedir ayuda al SEM.

Cuando atienda a un paciente con TAG, identifíquese de forma tranquila y segura. Escuche con atención al paciente y hable con la persona en general sobre sus sentimientos.

Fobias

Los **trastornos fóbicos** consisten en un miedo, aprensión o temor irracional a una situación o cosa específica. El paciente con una **fobia simple** centra todas sus ansiedades en una clase de objetos (p. ej., ratones, arañas, perros) o situaciones (p. ej., lugares altos, oscuridad, volar). Las investigaciones sugieren que alrededor de 7% de los estadounidenses tienen un trastorno de ansiedad social o fobia social.[20] Las personas con fobias sociales temen las situaciones sociales cotidianas, como ir a fiestas, conocer gente nueva, hablar o comer en público.

Cuando se enfrenta al objeto o situación temidos, la persona con fobia experimenta ansiedad intolerable y todos los síntomas autonómicos que conlleva la ansiedad. El paciente suele reconocer que el miedo es irracional, pero no puede hacer nada al respecto.

Cuando atienda a un paciente con fobia, explíquele de manera detallada cada paso del tratamiento antes de llevarlo a cabo (**FIGURA 25-6**): "Primero le daremos oxígeno para ayudarle a respirar. Luego vamos a trasladarte a la camilla para poder llevarle abajo".

Inteligencia en la calle

El TAG puede presentar síntomas graves (p. ej., disnea, dolor torácico) que obliguen a llamar al SEM. Estos síntomas no deben descartarse como "brotes" pasajeros del TAG de la persona. Los antecedentes de TAG de un paciente tampoco deben hacer que el personal sanitario pase por alto otras causas de dichos síntomas.

Trastorno de pánico

El **trastorno de pánico** se caracteriza por sentimientos repentinos, por lo general inesperados y abrumadores de miedo y temor, acompañados de otros síntomas

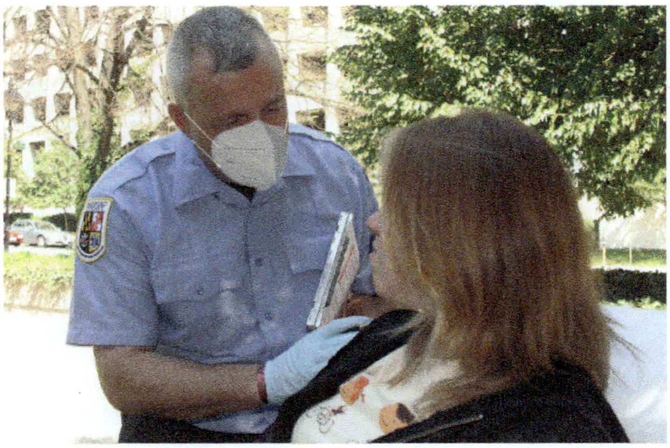

FIGURA 25-6 Cuando atienda a un paciente con una fobia, explíquele de manera detallada cada paso del tratamiento antes de llevarlo a cabo.

diversos producidos por una activación masiva del sistema nervioso autónomo. Este trastorno afecta más a las mujeres que a los hombres.[21]

Los ataques suelen comenzar entre los 20 y 29 años de edad. La mayoría de las personas afectadas pueden identificar un acontecimiento estresante que precedió a su primer ataque, como una enfermedad o la pérdida de un ser querido. A partir de entonces, los ataques pueden surgir "de la nada", sin ningún factor estresante precipitante aparente. Si se permite que continúen, los ataques de pánico pueden limitar gravemente el estilo de vida del paciente. La persona tiene miedo de ir a trabajar, de compras o de salir de casa, por temor a sufrir un ataque fuera de casa. El miedo a ir a lugares públicos se denomina **agorafobia** (literalmente, "miedo al mercado").

Los signos y síntomas clásicos del trastorno de pánico se resumen en el **CUADRO 25-7**. Un gran porcentaje de estos signos y síntomas, como palpitaciones y sudoración, son consecuencia de una descarga del sistema nervioso autónomo, mientras que otros (p. ej., molestias torácicas, parestesias) reflejan hiperventilación. Los síntomas suelen alcanzar su máxima intensidad en unos 10 minutos y durar cerca de una hora.

Cuando llegue al lugar de los hechos, el paciente que está teniendo un ataque de pánico puede estar rodeado de muchas personas ansiosas y agitadas, que contribuyen a agravar el problema. En consecuencia, debe tomar las siguientes medidas para controlar la situación con rapidez:

- **Separe al paciente de los testigos aterrorizados.** Sin embargo, si puede encontrar a un amigo o familiar tranquilo, puede ser útil que esté presente.
- **Cree un entorno tranquilo.** El entorno debe ser lo más tranquilo posible mientras transporta al paciente al centro médico.
- **Tolerar la incapacidad del paciente.** Es posible que el paciente con un ataque de ansiedad no coopere o no responda a las preguntas al principio debido al miedo y la angustia intensos. Sus modales deben transmitir que todo está bajo control.
- **Garantizar la seguridad del paciente.** La palabra *seguro* a menudo puede reducir los síntomas a un nivel más manejable: "Vamos a bajarle por estas escaleras en la camilla. Todo va a ir bien. Iremos despacio y con cuidado para mantenerle a salvo mientras lo movemos".
- **Ponga nombre a los síntomas del paciente.** Después de comprobar los signos vitales y el EKG del paciente, asegúrele que no hay peligro inmediato de muerte: "Sé que la sensación de pánico que siente es angustiosa, pero no pone en peligro su vida".
- **Ayude al paciente a recuperar el control.** Anime al paciente a hacer cosas en la medida de lo posible, para ayudarle a recuperar la sensación de control.

Un ataque de pánico puede simular una serie de trastornos físicos en su presentación. Por el contrario, los síntomas de ansiedad pueden ser la queja principal en afecciones médicas como arritmias cardíacas, estados de abstinencia, anafilaxia, hipertiroidismo y ciertos tumores. Por lo tanto, cualquier paciente que experimente un ataque de pánico, especialmente cuando es por primera vez, debe ser evaluado en profundidad en un centro médico.

CUADRO 25-7 Signos y síntomas de un ataque de pánico

- Falta de aliento o sensación de ahogo
- Palpitaciones o taquicardia
- Sudoración
- Náusea o malestar abdominal
- Escalofríos o sofocos
- Miedo a morir
- Sensación de irrealidad o de alejamiento de uno mismo
- Sensación de mareo, inestabilidad, aturdimiento o desmayo
- Temblores
- Sensación de ahogo
- Parestesias
- Dolor o molestias en el pecho
- Miedo a perder el control o volverse loco

Datos de: American Psychiatric Association. *Diagnostic and Statistical Manual of Mental Disorders.*. 5th ed. Washington, DC: Asociación American Psychiatric Association; 2013.

Perlas de sabiduría

Un paciente que está hiperventilando no debe ser tratado con la "terapia de la bolsa de papel". El uso de una bolsa de papel al respirar puede causar complicaciones graves o incluso la muerte por hipoxemia en pacientes cuya ansiedad es consecuencia de una embolia pulmonar o un problema cardíaco insospechados. La mejor forma de tratar la hiperventilación es enseñar a los pacientes a respirar más despacio hasta que recuperen el control.

Trastornos relacionados con sustancias y conductas adictivas

Los trastornos relacionados con el consumo de sustancias, la adicción y el control personal suelen evolucionar a lo largo de un periodo relativamente largo. Debido a la naturaleza crónica de estos problemas, por lo general se llamará al SEM cuando un problema subyacente se agrave de forma aguda. Por ejemplo, un paciente con bulimia puede experimentar desequilibrios electrolíticos que produzcan una aparición repentina de debilidad, mareos, problemas cardíacos o respiratorios, o convulsiones, o un paciente con alcoholismo puede experimentar depresión respiratoria debido a un consumo excesivo de alcohol. La atención médica de emergencia para estos pacientes suele centrarse en el tratamiento de las afecciones sintomáticas y los signos y síntomas que presentan.

Trastornos relacionados con sustancias

Los trastornos relacionados con sustancias incluyen trastornos psicológicos asociados con el consumo de alcohol, tabaco, drogas ilícitas y otras sustancias que modifican la forma de sentir, comportarse o pensar de una persona. Estos trastornos cuestan miles de vidas y miles de millones de dólares al año.[22–24] Se estima que 20.8% de la población en EU consumió drogas ilícitas en 2019.[17]

Los trastornos relacionados con sustancias se agrupan en cuatro niveles:

- En el **consumo de sustancias**, una persona puede consumir cantidades moderadas de una sustancia sin que afecte de gravedad a sus AVD (actividades de la vida diaria) (p. ej., un bebedor social).
- La **intoxicación por sustancias** describe el consumo de una sustancia que provoca alteraciones del pensamiento y de la función motora (p. ej., un conductor en estado de ebriedad).
- El **trastorno por consumo de sustancias** describe el consumo de una sustancia que altera las AVD (p. ej., una persona tiene dificultades con el trabajo, la escuela o las relaciones).
- La **dependencia de sustancias** describe la adicción a una sustancia. La persona es fisiológicamente dependiente y necesita cantidades cada vez mayores para producir el mismo efecto. Una persona con dependencia de sustancias puede mostrar conductas de búsqueda de drogas, como el consumo repetido de la sustancia, tomar medidas desesperadas para ingerir más cantidad de la sustancia, robar dinero o quedarse a la intemperie para fumar un cigarrillo.

Determinar el tratamiento más eficaz para los trastornos relacionados con sustancias requiere un enfoque integrador que tenga en cuenta las dimensiones sociales, biológicas, culturales, cognitivas y psicológicas del problema. Como paramédico, es posible que no pueda explorar todas estas áreas durante un transporte corto al centro médico, sobre todo porque gran parte de su tiempo estará dedicado a garantizar la seguridad de su equipo y a gestionar el ABC del paciente. Comprender la compleja naturaleza de los trastornos relacionados con sustancias es su primer paso para proporcionar una atención profesional, competente y compasiva a todas las personas afectadas.

Trastornos alimentarios

La incidencia de los trastornos alimentarios comenzó a aumentar con rapidez en las décadas de 1950 y 1960. Hoy en día, los trastornos alimentarios son comunes en el mundo desarrollado y están emergiendo como un problema en los países en vías de desarrollo. En algunos países, los trastornos alimentarios se han multiplicado por cuatro.[25] Las personas más propensas a presentar estos trastornos son las mujeres de entre 12 y 25 años.[26]

Los dos tipos principales de trastornos alimentarios son la **bulimia nerviosa** y la **anorexia nerviosa**. En ambas formas, pueden producirse graves desequilibrios electrolíticos, que ocasionan afecciones cardíacas, convulsiones e insuficiencia renal, así como erosión del esmalte dental y agrandamiento de las glándulas salivales. La ansiedad, la depresión y los trastornos por consumo de sustancias también suelen estar presentes en los pacientes diagnosticados de trastornos alimentarios.[27]

La bulimia nerviosa se caracteriza por el consumo de grandes cantidades de comida, por lo general más comida chatarra que frutas y verduras. Muchas personas con este trastorno describen su forma de comer como "descontrolada". La mayoría de los pacientes compensan los atracones purgándose mediante vómito, laxantes, diuréticos o ejercicio excesivo. Las personas con bulimia pueden sentirse humilladas tanto por el problema como por la falta de control.

Los enfermos de anorexia se diferencian de los de bulimia en un aspecto importante: pierden tanto peso que ponen en peligro su salud e incluso su vida. Pueden incluso darse atracones, aunque con cantidades menores de comida. Las personas con anorexia pierden peso ejerciendo un control extraordinario sobre su consumo de alimentos. La persona típica con anorexia tiene un peso corporal bajo para su edad y estatura, y demuestra un miedo intenso a la obesidad a pesar de tener un peso inferior al normal. Si la persona con un trastorno alimentario es una mujer en edad fértil, puede experimentar amenorrea (ausencia de menstruación).

Trastornos somatomorfos

Las personas muy preocupadas por su salud física y su aspecto pueden tener un **trastorno somatomorfo** si esa preocupación domina su vida. La hipocondriasis es el ejemplo clásico de trastorno somatomorfo. En la hipocondriasis, los pacientes tienen una ansiedad o un miedo extremos a tener una enfermedad grave. Están tan convencidos de que están enfermos que ni siquiera un médico es capaz de convencerles de lo contrario. Aunque el principal problema de la hipocondriasis es la ansiedad, la persona está preocupada por otros síntomas imaginarios. En el trastorno de somatización, los pacientes también tienen múltiples afecciones, pero están más preocupados por los síntomas que por su significado.

En los trastornos de conversión, una afección física (p. ej., parálisis, ceguera o convulsiones) no tiene una fisiopatología identificable, sino que es el resultado de simular o fingir un trastorno físico.

Trastornos facticios

Un **trastorno facticio**, también llamado síndrome de Münchausen, es una afección en la que una persona produce o finge de manera intencionada signos o síntomas físicos o psicológicos. En estos casos, el paciente desea estar enfermo. Los pacientes pueden tener diversos motivos para tal comportamiento, como evitar responsabilidades legales o llamar la atención. Los síntomas que experimenta el paciente están bajo control voluntario y no existe ninguna causa fisiológica evidente de los mismos.

Los síntomas que experimenta el paciente pueden ser físicos, psicológicos o ambos; suelen ser dramáticos e indican una necesidad inmediata de atención médica. Los pacientes suelen presentarse por la noche o los fines de semana con la esperanza de encontrar proveedores de atención sanitaria menos cualificados o de impedir que se encuentre su seguro o su historial médico.

Un tipo de trastorno facticio es el trastorno facticio por poderes, también llamado síndrome de Münchausen por poderes. En este trastorno, un padre o cuidador

USTED es el Paramédico

PARTE 5

El paciente intenta levantarse y pasar a su lado mientras prepara la medicación. Su compañero ya ha explicado al personal de seguridad la medicación que se le ha ordenado. Los agentes se mueven con rapidez para sujetar al paciente a la silla. Continúan sujetándole mientras usted le administra la medicación en un punto del músculo recto femoral a través de los pantalones.

Espera ver cambios en el paciente en 10 minutos, así que los agentes siguen sujetando al paciente a la silla mientras su compañero prepara la camilla y usted obtiene otra serie de signos vitales, incluido el nivel de glucosa en sangre. Sigue contándole al paciente lo que está ocurriendo y recoge su medicación e identificación. El paciente se ha relajado mucho y está sujeto a la camilla.

Usted y su compañero trasladan al paciente a la ambulancia con la ayuda de dos agentes. Durante el transporte, usted reevalúa los signos vitales del paciente cada 5 minutos, vigilando que no se produzcan efectos adversos de la medicación. A su llegada, entrega su informe a la enfermera receptora y coloca al paciente en el área de tratamiento psiquiátrico del DE. Completa su informe de atención al paciente, comprendiendo la importancia de una buena documentación para el paciente con una emergencia conductual.

Tiempo de grabación:	20 minutos
Respiraciones	14 respiraciones/min
Pulso	88 latidos/min
Piel	Cálida, seca y color típico de la línea de base
Presión arterial	118/78 mm Hg
Saturación de oxígeno (Spo_2)	98% con aire ambiente
Pupilas	PIRRL
Nivel de glucosa en sangre	96 mg/dl

9. ¿Por qué debe comprobar los niveles de glucosa en sangre en un paciente con una emergencia conductual?
10. ¿Cuál es el efecto adverso más frecuente del haloperidol y cómo se trata?
11. ¿Cuáles son algunos elementos importantes de la documentación de un paciente que tiene una emergencia conductual que debe incluir en su informe?

enferma de forma intencionada a un niño para llamar la atención y obtener compasión. Este trastorno se considera una forma atípica de maltrato infantil.

Trastornos del control de los impulsos

Las personas con **trastornos del control de los impulsos** carecen de la capacidad de resistirse a una tentación o no pueden evitar actuar siguiendo un impulso. Algunos ejemplos de trastornos del control de los impulsos son el trastorno explosivo intermitente, la cleptomanía, la piromanía y la ludopatía.

Por supuesto, no todos los incendiarios tienen piromanía, ni todos los que roban tienen cleptomanía. Los trastornos del control de los impulsos suelen asociarse con otros trastornos, como la depresión, los trastornos antisociales o fronterizos de la personalidad y la enfermedad de Alzheimer. Este grupo de trastornos es poco frecuente.

El tratamiento de los trastornos del control de los impulsos en un centro médico se basa en intervenciones cognitivas y conductuales para identificar los desencadenantes y las influencias subyacentes.

Trastornos de la personalidad

Según la *American Psychiatric Association*, los **trastornos de la personalidad** se describen como "una forma de pensar, sentir y comportarse que se desvía de las expectativas de la cultura, causa angustia o problemas de funcionamiento y perdura en el tiempo".[28] Las definiciones comunes de personalidad incluyen el carácter distintivo de un individuo. La forma de pensar o comportarse en el mundo y con los demás puede ser desconfiada, extrovertida, temerosa o excesivamente dramática. Cuando estas formas de relacionarse con los demás se vuelven disfuncionales o causan angustia a otras personas, se considera que la persona tiene un trastorno de la personalidad.

Los verdaderos trastornos de la personalidad son raros en la población general. Cuando una persona tiene un trastorno de la personalidad, es probable que al mismo tiempo tenga otra enfermedad psiquiátrica. A estos pacientes no les suele ir bien durante el tratamiento. Por ejemplo, los pacientes con depresión además de tener un trastorno de la personalidad suelen tener más dificultades para controlar la depresión en comparación con los pacientes que no tienen un trastorno de la personalidad.

Es posible que tenga dificultades para tratar a pacientes con trastornos de la personalidad debido a su escasa interacción con ellos. No obstante, debe comprender estos comportamientos anormales para poder responder de manera adecuada cuando se encuentre con ellos. Por ejemplo, un paciente con personalidad antisocial no dudará en hacerle daño si está agitado, y un paciente con personalidad histriónica puede ser exigente y dictar el nivel de atención médica de emergencia. Mantenga la calma y la profesionalidad en sus interacciones con pacientes que presenten estos rasgos.

> **Perlas de sabiduría**
>
> Los medicamentos psicotrópicos actúan sobre el sistema nervioso autónomo inhibiendo o estimulando los sistemas nerviosos simpático o parasimpático. Debe conocer a fondo estos dos sistemas y saber cómo los medicamentos de su botiquín podrían interactuar con los medicamentos psicotrópicos.

Medicamentos para trastornos psiquiátricos y emergencias conductuales

Los pacientes con emergencias psiquiátricas pueden tomar varios tipos de **medicamentos psicotrópicos**, que afectan al estado de ánimo, el pensamiento o el comportamiento. Durante su evaluación, identifique los medicamentos que se han prescrito al paciente y determine si realmente los está tomando.

En el capítulo 24, *Toxicología*, se tratan los medicamentos psiquiátricos y otros temas psiquiátricos, como trastornos por consumo de sustancias, drogas ilegales y síntomas de abstinencia.

Tipos de medicación psiquiátrica

Antidepresivos

Los antidepresivos se recetan para combatir los síntomas de la enfermedad depresiva. Los principales tipos de antidepresivos son los inhibidores selectivos de la recaptación de serotonina (ISRS), los inhibidores de la recaptación de serotonina y norepinefrina (IRSN), los antidepresivos tricíclicos (ATC) y los inhibidores de la monoaminooxidasa (IMAO), que se tratan en el capítulo 12, *Medicamentos de emergencia*. La mayoría de los antidepresivos actúan alterando los niveles de neurotransmisores (p. ej., serotonina, norepinefrina o dopamina) en el sistema nervioso autónomo.

El antidepresivo más recetado en EU es citalopram (Celexa®), un ISRS.[29] Otros ISRS son fluoxetina, sertralina y paroxetina. Los ISRS se utilizan principalmente para tratar los episodios depresivos graves, pero también son útiles en los trastornos de ansiedad, como TAG, trastorno de pánico y trastorno obsesivo-compulsivo.

Los antidepresivos heterocíclicos (tricíclicos y tetracíclicos) son un grupo de medicamentos, algunos en uso desde la década de 1950, que se han utilizado principalmente para la depresión mayor, pero también pueden ser eficaces para el trastorno de pánico, la agorafobia, el trastorno obsesivo-compulsivo, la enuresis y la fobia escolar. Algunos ejemplos son amitriptilina, desipramina, imipramina y nortriptilina. Los antidepresivos heterocíclicos no suelen recetarse hoy en día debido a sus efectos adversos potencialmente graves.

Una tercera clase de antidepresivos, los IMAO, se recomiendan para los episodios depresivos mayores atípicos. Los IMAO también son útiles a veces en determinados casos de depresión mayor y trastorno de pánico refractarios a los heterocíclicos.

Benzodiacepinas

Las benzodiacepinas no son un sustituto de una terapia más formal, pero un médico puede recetar benzodiacepinas a una persona que experimenta una angustia emocional grave, incluso si el paciente no tiene psicosis o no es una amenaza inminente para sí mismo o para los demás. La terapia farmacológica a corto plazo puede ayudar al paciente con ansiedad que experimenta crisis o reacciones de pánico agudas.

Otros usos de las benzodiacepinas son la relajación muscular, el control de las convulsiones y el tratamiento de la abstinencia de alcohol, sedantes o hipnóticos.

Antipsicóticos

Los medicamentos antipsicóticos se introdujeron en la década de 1950 para tratar enfermedades mentales como la esquizofrenia y otras psicosis. Revolucionaron el tratamiento de este tipo de trastornos por su efecto sobre la función neurológica del paciente, lo que dio lugar al nombre de *neurolépticos*. Estos medicamentos más antiguos, denominados antipsicóticos típicos, siguen utilizándose hoy en día, pero se sabe que tienen diversos grados de efectos adversos. Los medicamentos antipsicóticos más recientes, conocidos como fármacos antipsicóticos atípicos (APA), se asocian con menor riesgo de efectos adversos y son más eficaces en el tratamiento de la disfunción cognitiva asociada con las psicosis. La farmacocinética de todos los medicamentos antipsicóticos es similar. En el **CUADRO 25-8** se enumeran los medicamentos antipsicóticos.

CUADRO 25-8 Medicamentos antipsicóticos

Tipo	Nombre genérico	Nombre comercial
Agentes antipsicóticos atípicos	Aripiprazol	Abilify®
	Clozapina	Clozaril®
	Olanzapina	Zyprexa®
	Quetiapina	Seroquel®
	Risperidona	Risperdal®
	Ziprasidona	Geodon®
Antipsicóticos tradicionales (típicos)	Clorpromazina	Thorazine®
	Clorprotixeno	Taractan®
	Flufenazina	Prolixina®, Permitil®
	Haloperidol	Haldol®
	Loxapina	Loxitane®, Daxolin®
	Mesoridazina	Serentil®
	Molindone	Moban®
	Perfenazina	Trilafon®
	Tioridazina	Mellaril®
	Tiotixeno	Navane®
	Trifluoperazina	Estelazina®

Los agentes de la APA suelen utilizarse como terapia de primera línea porque no solo alivian síntomas como los delirios y las alucinaciones, sino que también mejoran la calidad de vida del paciente al reducir los síntomas afectivos de ansiedad y depresión y disminuir las tendencias suicidas. Sin embargo, los medicamentos APA pueden causar efectos metabólicos adversos como desregulación de la glucosa, hipercolesterolemia e hipertensión.

Los efectos cardiovasculares de los antipsicóticos típicos y atípicos dependen del medicamento específico. Estos agentes afectan directamente al corazón y los vasos sanguíneos, pero también actúan de manera indirecta a través del SNC y los reflejos autonómicos para producir otros cambios cardiovasculares. Los resultados pueden ir desde una simple hipotensión ortostática hasta afecciones tan complejas como cambios en el EKG.

Una subcategoría de los antipsicóticos tradicionales, conocida como fenotiazinas, puede reducir la contractilidad del corazón. El haloperidol, que se utiliza de manera habitual en paramedicina para el tratamiento de la psicosis aguda, pertenece a esta clase. Los cambios en el EKG observados con las fenotiazinas pueden incluir la prolongación de los intervalos QT y PR, el aplanamiento de las ondas T y la depresión del segmento ST.

Los pacientes que toman agentes antipsicóticos pueden experimentar en ocasiones una **reacción distónica aguda** en la que el paciente desarrolla espasmos musculares de cuello, cara y espalda a los pocos días de iniciar el tratamiento con la medicación. Se puede corregir rápido una reacción distónica aguda administrando por vía IV difenhidramina (Benadryl®), de 25 a 50 mg. Sin embargo, es probable que los espasmos musculares reanuden después de que desaparezca el efecto de la difenhidramina.

Los medicamentos antipsicóticos típicos también tienen **efectos similares a los de la atropina** (efectos anticolinérgicos). Por lo tanto, los pacientes que toman medicamentos antipsicóticos pueden experimentar los efectos adversos asociados con el uso de atropina, como sequedad de boca, visión borrosa, retención urinaria y arritmias cardíacas.

Anfetaminas

Las anfetaminas son potentes estimulantes del SNC y del sistema nervioso parasimpático (SNP) similares a otros medicamentos simpaticomiméticos (p. ej., epinefrina). Las anfetaminas (p. ej., Adderall®) se prescriben como tratamiento del trastorno por déficit de atención con hiperactividad tanto en adultos como en niños. Además, se utilizan para tratar la narcolepsia en adultos. Estos medicamentos elevan tanto la presión arterial sistólica como la diastólica, al tiempo que suelen ralentizar la frecuencia del pulso. Pueden producirse arritmias cardíacas con dosis elevadas. Los efectos psicológicos dependen de la dosis, del estado mental del paciente y de su personalidad, pero pueden incluir estado de alerta, reducción de la sensación de fatiga, elevación del estado de ánimo, aumento de la concentración, euforia y aumento de las actividades motoras y del habla.

Problemas asociados con el incumplimiento de la medicación

La mayoría de los medicamentos psicotrópicos están diseñados para alterar el estado mental del paciente, en la mayoría de los casos para sedarlo o calmarlo. El embotamiento de los sentidos y la ralentización del pensamiento son razones comunes por las que los pacientes deciden no cumplir con estos medicamentos (es decir, no seguir con su medicación).

Otro factor del **incumplimiento de la medicación** puede ser el costo de los medicamentos. Por ejemplo, los pacientes a los que se han recetado anfetaminas, pero no pueden permitírselas o no tienen seguro médico pueden consumir bebidas energéticas con altas dosis de cafeína o suplementos de hierbas que contienen efedra (ma huang) para compensar. Este incumplimiento de la medicación suele provocar conflictos con los demás cuando el paciente muestra comportamientos anómalos.

Los cambios de comportamiento no siempre son consecuencia de un trastorno por consumo de sustancias. Los cambios de comportamiento también pueden deberse al incumplimiento de la medicación prescrita y dispensada para tratar los síntomas de salud mental.

El incumplimiento de la medicación combinado con el abuso de sustancias aumenta el riesgo de que una persona con una enfermedad mental grave cometa un acto violento. Cuando obtenga el historial de medicación del paciente, intente siempre identificar los medicamentos prescritos antes y las dosis olvidadas.

Uso de medicamentos de emergencia

Hasta cierto punto, todas las llamadas que atiende tienen un componente conductual, además del trauma o el problema médico del paciente. Por ejemplo, el hombre de negocios que está teniendo un infarto puede parecer tranquilo y sereno, pero sigue estando ansioso.

Si es probable que una crisis de comportamiento, como un episodio psicótico agudo, se agrave, la amenaza para el paciente, los testigos y los profesionales sanitarios pueden ser demasiado grande como para no intervenir, y puede estar indicado el uso de medicamentos de emergencia. La intensidad de la situación, la respuesta del paciente y sus protocolos determinarán si es necesaria una intervención verbal, física o química.

Antes de decidir administrar medicamentos para controlar el comportamiento del paciente, realice una evaluación completa. Asegúrese de conocer a fondo la queja principal del paciente, sus alergias y su historial médico y de medicación. La administración de antipsicóticos o benzodiacepinas puede ser beneficiosa en situaciones de agresividad, pero debe sopesar sus beneficios frente a los posibles riesgos.

Las preocupaciones específicas y los enfoques para manejar las emergencias conductuales o psiquiátricas en pacientes pediátricos y geriátricos se discuten en el capítulo 40, *Emergencias pediátricas*, y en el capítulo 41, *Emergencias geriátricas*.

Los efectos psicológicos de la guerra: el regreso de los veteranos de combate

Un último tema merece atención en este capítulo. Los acontecimientos estresantes, como divorcio, fracaso, rechazo y los reveses económicos, suelen formar parte de la experiencia humana. Estas experiencias contribuyen a moldear quiénes somos y cómo será nuestro comportamiento. En 1980, la tercera edición del *Diagnostic and Statistical Manual of Mental Disorders* introdujo el concepto de que los acontecimientos traumáticos estresantes ajenos al control de la persona, como la guerra, la tortura, las agresiones sexuales, los desastres naturales, los accidentes aéreos y las explosiones en fábricas, pueden provocar traumas de naturaleza psicológica, no solo física.[31]

El personal militar que experimentó el combate tiene una alta incidencia de TEPT (trastorno de estrés postraumático). Hasta 20% de los veteranos de las guerras de Irak y Afganistán, 10% de los veteranos de la guerra del Golfo y 30% de los veteranos de la guerra de Vietnam tuvieron TEPT.[32,33] Los recuerdos de sus experiencias en el ejército, como la cobertura informativa o las reuniones de veteranos, también pueden ser desencadenantes emocionales.

Un estudio de 2008 analizó los efectos de la guerra en los militares desplegados para la *Operation Enduring Freedom in Afghanistan and Operation Iraqi Freedom in Iraq.*[34] Los resultados del estudio se centraron en el TEPT, la depresión mayor y la LCT (lesión cerebral traumática). Estas tres afecciones son importantes no solo por el gran interés político que suscitan, sino también porque, a diferencia de las heridas físicas de la guerra, a menudo no son reconocidas ni admitidas por otros miembros del servicio, familiares y la sociedad en general.[34] Las tres afecciones interfieren en el estado de ánimo, los pensamientos y el comportamiento.[34]

Según el *US Department of Veterans Affairs* (VA), el TEPT puede producirse después de que una persona sufra un acontecimiento traumático, como un combate, una agresión o una catástrofe.[35] Según datos sobre la utilización de los servicios sanitarios del VA entre 2002 y 2015, los tres diagnósticos más frecuentes entre los veteranos fueron (1) dolencias musculoesqueléticas (en especial trastornos articulares y de espalda), (2) trastornos mentales y (3) síntomas, signos y afecciones mal definidas.[36] Por término medio, 57% de estas consultas se referían a trastornos mentales, de los cuales el TEPT y los trastornos depresivos ocupaban el primer y segundo lugar de la lista, respectivamente.[36]

Los síntomas del TEPT varían en gravedad, pero suelen clasificarse en cuatro categorías:[37]

- **Pensamientos intrusivos**, como sueños angustiosos, regresiones o pesadillas. Estos pensamientos pueden incluir la sensación de revivir la experiencia.
- **Evitar recordatorios del suceso**, incluyendo personas, lugares, objetos, situaciones, etc. El paciente puede negarse a hablar del suceso o de los sentimientos relacionados con él.
- **Pensamientos y sentimientos negativos**, como miedo, ira, culpa y vergüenza, o un sentimiento de desapego hacia los demás.
- **Síntomas de excitación y reactivos** relacionados con el suceso que causan problemas para dormir o concentrarse en las actividades, o incluso conductas autodestructivas.

Las personas que experimentan angustia intensa suelen desarrollar síntomas a los pocos días del suceso, una afección conocida como *trastorno por estrés agudo.* El diagnóstico del trastorno por estrés agudo se realiza en el primer mes de la aparición de los síntomas.[38] Los síntomas difieren de los del TEPT en que son síntomas disociativos, como amnesia, despersonalización o sensación de embotamiento emocional.[38] El trastorno de estrés agudo se considera un precursor del TEPT; si los

Inteligencia en la calle

El TEPT afecta a quienes trabajan en los SEM, los bomberos y personal de seguridad. En un informe de 2016 publicado por la *National Association of EMTs, National Survey on EMS Mental Health Services*, la mayoría de los paramédicos encuestados se sentían personalmente afectados por problemas de salud mental.[30] Cuídese y esté atento a los signos de depresión y otras enfermedades mentales en sus compañeros de trabajo. Como proveedores del SEM, tenemos que cuidarnos los unos a los otros. Algunos recursos útiles sobre este tema son EMS Strong (www.emsstrong.org) y Code Green Campaign (codegreencampaign.org) disponibles en inglés.

Perlas de sabiduría

Una caja de esperanza es un pequeño recipiente que se guarda físicamente con una persona. Puede ser una caja de zapatos, un sobre o una bolsa de plástico que contenga fotos significativas, citas o recuerdos de momentos felices y memorias agradables. Las cajas de esperanza se utilizan para dar ánimos y esperanza cuando un veterano se siente ansioso o estresado. Pueden distraer la atención de comportamientos más negativos.

También existe una aplicación para celulares. Al igual que una caja de esperanza física, una caja de esperanza virtual puede ayudar al paciente a cambiar pensamientos o comportamientos de angustia. Algunos ejemplos de elementos que pueden incluirse en una caja de esperanza virtual son videos, grabaciones sonoras, fotos o juegos.

Cuando trabaje con un veterano de combate, pregúntele si tiene una caja de esperanza o una caja de esperanza virtual para llevar al hospital. La caja de la esperanza puede ser una herramienta útil cuando se trabaja con esta población.[39]

síntomas continúan más allá de un mes, una evaluación más exhaustiva puede conducir al diagnóstico de TEPT.[38]

Los síntomas del TEPT incluyen sentimientos de impotencia, ansiedad, ira y miedo. Las personas con TEPT pueden evitar las cosas que les recuerdan el trauma original, incluidos los ruidos fuertes o los olores, y a veces pueden evitar las interacciones con otras personas. Este distanciamiento emocional y físico de los demás puede afectar de forma negativa a la calidad de vida de la persona. Los recuerdos del trauma perduran y siguen siendo perturbadores. Los síntomas del TEPT pueden empeorar en el contexto de otros problemas de salud mental.

El sistema nervioso simpático proporciona la respuesta de lucha o huida para ayudar a protegernos en situaciones percibidas como peligrosas. Este mecanismo no debe activarse durante más tiempo del necesario para mitigar la amenaza. Las personas con TEPT, sin embargo, experimentan una excitación del sistema nervioso que es continua y no se suprime con facilidad. El ritmo cardíaco aumenta para canalizar más sangre hacia el corazón, los pulmones y el cerebro; las pupilas se dilatan y aumenta la presión arterial sistólica. Los sentidos se agudizan y la agudeza mental aumenta. El paciente puede estar hipervigilante o mostrar una respuesta de sobresalto exagerada ante la percepción de peligro.

Los síntomas del TEPT pueden desarrollarse varios meses después del suceso original, pero a veces su aparición puede retrasarse incluso más. El TEPT causa importantes problemas de funcionamiento o la incapacidad de responder con normalidad a situaciones cotidianas, razón por la cual puede ser llamado a una situación como paramédico.

Las personas con TEPT pueden revivir el acontecimiento traumático a través de pensamientos intrusivos, pesadillas o incluso regresiones. Las regresiones (*flashbacks*) son acontecimientos incontrolables desencadenados por un sonido, una vista o un olor. El paciente puede experimentar la misma respuesta visceral que se produjo durante el encuentro inicial con el estrés. Estos episodios pueden durar segundos u horas y ocurrir en cualquier momento, incluso años después de la exposición. La persona teme la incapacidad de controlar una regresión y le preocupa que se presente como un comportamiento irracional. Los acontecimientos traumáticos recientes también pueden desencadenar viejos recuerdos y crear una reacción refleja de preparación para lo peor. Una persona que ha experimentado regresiones puede preocuparse por la percepción de peligro. La hipervigilancia y los problemas para dormir no son inusuales.

Con el TEPT disociativo, la persona intenta encontrar una vía de escape a una angustia interna constante o a un acontecimiento en especial perturbador. La alteración de la conciencia de la persona le permite seguir funcionando en condiciones adversas. Algunas personas pueden tener una experiencia extracorpórea; otras experimentan delirios. En las personas con un subtipo disociativo de TEPT pueden desarrollarse otras afecciones psicológicas, como trastornos de la personalidad y un mayor deterioro funcional.

La culpa, la vergüenza, la paranoia, la hostilidad y la depresión no son raras en los veteranos de combate. El consumo de alcohol o drogas suele representar un intento de suprimir la actividad del sistema nervioso simpático y ralentizar el organismo. Este intento de anestesia puede convertirse rápido en una adicción.

Otra consideración a tener en cuenta cuando se atiende a veteranos de combate es su mayor incidencia de LCT sufrida por un traumatismo secundario a la explosión de un artefacto explosivo improvisado (AEI). En algunos casos, la LCT puede no diagnosticarse porque sus manifestaciones son similares a los síntomas del TEPT o porque el paciente resta importancia a los síntomas. Las personas con LCT pueden experimentar disfunción sensorial, dolores de cabeza por confusión, pérdida de memoria y desorientación general. La pérdida de memoria puede incluir amnesia retrógrada y anterógrada (que afecta a los recuerdos formados antes y después del suceso, respectivamente).

Cuando trate a un veterano de combate con TEPT, intente eliminar el exceso de ruido. No toque ni haga nada al veterano sin una explicación. Es curioso, los humos del gasóleo pueden ser un desencadenante para los veteranos de combate, así que mantenga su equipo de gasóleo/diésel lo suficientemente lejos como para que sus olores no sean perceptibles para el paciente.

El veterano de combate que regresa es un paciente que requiere un nivel único de comprensión, compasión y atención especializada. Estos pacientes experimentan dolor tanto emocional como físico. Desarrollar la competencia cultural militar es una habilidad específica que puede ayudarle a identificar los indicadores, a veces sutiles, de que un paciente es un militar licenciado. La cultura militar, las creencias y los ideales de defensa de una nación o identidad nacional están influidos por el valor, la lealtad, el sacrificio por encima de uno mismo (también conocido como *servicio desinteresado*) y el compromiso con la sociedad. Estas creencias pueden ser una fuente de fortaleza durante situaciones estresantes, pero también pueden causar angustia cuando una sensación de fracaso o injusticia desafía los valores militares del paciente. Cuando se encuentre con miembros del servicio militar que estén experimentando problemas médicos o de comportamiento agudos, utilice la misma compasión, comprensión y protocolos que utilizaría con los civiles, pero sea consciente de su origen cultural.[40]

USTED es el Paramédico RESUMEN

1. ¿Cuáles son los componentes iniciales de la evaluación de este paciente?

La seguridad del proveedor es esencial. Evalúe con cuidado la escena en busca de peligros o armas. Formar su impresión general de la escena es importante para identificar pistas sobre el estado/comportamiento del paciente. Forme también una impresión general del paciente, incluyendo su comportamiento, higiene personal y postura. Evalúe visualmente al paciente en busca de amenazas para su vida, como signos de alteración de la respiración, circulación inadecuada o hemorragia evidente.

2. ¿Cuáles son sus preocupaciones de seguridad al tratar con este paciente?

Este paciente presenta comportamientos que sugieren un episodio psicótico agudo. Tiene delirios y una percepción alterada de la realidad. Presenta signos de riesgo de violencia, como negarse a permitir que el personal de seguridad entre en su departamento, negarse a salir de su departamento, delirios de violencia contra sí mismo y un nivel socioeconómico bajo/potencial historial de enfermedad psiquiátrica basado en su residencia.

3. ¿Cuál es su impresión inicial sobre este paciente? ¿Qué factores, signos o síntomas le llevarían a esta conclusión?

El paciente parece estar teniendo un episodio psicótico agudo, posiblemente relacionado con la esquizofrenia. Parece agitado, como lo demuestra su ritmo. Muestra un comportamiento repetitivo apretando y soltando los puños. Tiene delirios paranoides de gente que quiere matarlo. Su estado de ánimo parece ansioso y desconfía de los extraños.

4. ¿Este paciente necesita ser evaluado en un centro médico?

Este paciente necesita ser evaluado en un centro médico porque está presentando un episodio agudo. Debido a sus delirios, puede ser una amenaza para sí mismo o para los demás. Puede no ser competente para rechazar el tratamiento y el transporte en su estado actual.

5. ¿Qué conclusiones podría sacar sobre el cumplimiento de la medicación y el historial médico del paciente?

Teniendo en cuenta que el paciente es consciente de su enfermedad, afirma que acude a un médico con regularidad y que ha surtido su receta recientemente, es probable que el paciente cumpla con normalidad con la medicación. Con base en los resultados observados con el incumplimiento de la medicación, el episodio actual de comportamiento psicótico del paciente es quizá el resultado de no haber tomado la medicación durante alrededor de una semana. Es posible que los niveles terapéuticos hayan disminuido tanto que el estado del paciente haya empeorado o su comportamiento se haya vuelto anormal.

6. Si el paciente se niega a ser trasladado, ¿qué opciones debe considerar como paramédico?

Los protocolos locales pueden abordar el uso de la contención o la intervención personal de seguridad en esta situación. Los estatutos locales pueden requerir que el personal de seguridad intervenga por preocupación por el paciente y la seguridad de los demás en función de su estado. Considere las implicaciones legales, incluida la competencia del paciente para tomar decisiones. El control médico es un recurso excelente. El control médico puede conceder órdenes para aplicar restricciones físicas o administrar medicamentos con fines de restricción química.

7. ¿Cuáles son sus consideraciones y preocupaciones para la administración de este medicamento a un paciente que no coopera?

Las benzodiacepinas suelen considerarse la clase de medicamentos más segura para este fin por su capacidad de administración intranasal. Administrar un medicamento como el haloperidol IM significa que usted expondrá una aguja grande. Si el paciente no está sujeto o lo está de forma ineficaz, usted podría resultar herido durante el intento de administración. El paciente puede considerar cualquier medicación administrada como peligrosa o una amenaza para su persona. Todos los medicamentos tienen riesgos de efectos adversos. Una ventaja potencial de este curso de acción es que usted puede administrar haloperidol a través de la ropa en este tipo de situación.

8. ¿Cuáles son las implicaciones legales de llevar a este paciente al centro médico sin su consentimiento?

Más adelante puede determinarse que el paciente es competente, y sus acciones pueden constituir una violación de sus derechos. Los resultados adversos pueden generar otros posibles motivos de litigio, así como perjuicios para el paciente.

9. ¿Por qué debe comprobar los niveles de glucosa en sangre en un paciente con una emergencia conductual?

Puede obtener con facilidad los niveles de glucosa en sangre y descartar así un trastorno médico como la hipoglucemia como causa del comportamiento anormal. Los pacientes con trastornos psiquiátricos pueden no estar manteniendo una nutrición adecuada; la hipoglucemia puede estar presente y contribuir al estado del paciente.

USTED es el Paramédico RESUMEN continuación

10. ¿Cuál es el efecto adverso más frecuente del haloperidol y cómo se trata?

El efecto adverso más frecuente son los síntomas extrapiramidales. Si se producen dichos síntomas, puede administrar clorhidrato de difenhidramina en una dosis de 25 a 50 mg, dependiendo de los protocolos locales. Debido al riesgo de este efecto adverso, y suponiendo que los protocolos permitan el clorhidrato de difenhidramina, debe tener este medicamento disponible con facilidad después de administrar haloperidol (Haldol®).

11. ¿Cuáles son algunos de los elementos importantes de la documentación de un paciente con una emergencia conductual que debe incluir en su informe?

Tómese el tiempo y el cuidado necesarios para elaborar un informe exhaustivo sobre la atención al paciente. Documente todos los resultados de la evaluación. Sea objetivo en sus conclusiones y en sus declaraciones. Utilice citas directas para incorporar cualquier comentario que haga el paciente. Identifique a todo el personal que atendió al paciente, incluido el nombre del médico que dio las órdenes. Documente todos los esfuerzos para convencer al paciente de que dé su consentimiento al tratamiento o al transporte.

Reporte de atención de paciente prehospitalario (RAPP)

Fecha: 08-14-22	**Incidente núm.:** 201035684	**Naturaleza de la llamada:** emergencia psiquiátrica		**Ubicación:** Calle Abbott 906, Depto. 312	
Despacho: 15:28	**En camino:** 15:29	**En el escenario:** 15:35	**Transporte:** 16:04	**En el hospital:** 16:10	**En servicio:** 16:25

Información del paciente

Edad: 44 **Sexo:** M **Peso:** 76.4 kg (168 lb)	**Alergias:** desconocida **Medicamentos:** Mellaril 200 mg dos veces al día, Serentil 50 mg dos veces al día **Antecedentes médicos:** Esquizofrenia **Principal manifestación:** Delirios paranoicos

Signos vitales

Hora: 15:43	**PA:** 130/84	**Pulso:** 110	**Respiraciones:** 20	**Spo_2:** 99%
Hora: 15:55	**PA:** 118/78	**Pulso:** 88	**Respiraciones:** 14	**Spo_2:** 98%
Hora:	**PA:**	**Pulso:**	**Respiraciones:**	**Spo_2:**

Tratamiento en SEM (circule todo lo aplicable)

Oxígeno @_ L/min por (circular uno): **NC NRM Dispositivo de bolsa y mascarilla**		**Ventilación asistida**	**Dispositivo de la vía aérea**	**RCP**
Desfibrilación	**Control de la hemorragia**	**Vendaje**	**Inmovilización**	**Otro:** Haloperidol 5 mg

Narrativa

El SEM registró la presencia de un hombre que temía por su vida. A su llegada, se le encontró en el departamento, ansioso y agitado, paseándose por la sala de estar. Había varios elementos de seguridad en el pasillo. El paciente se negó a salir del departamento. El paciente repetía: "Vienen por mí". Los paramédicos entraron en el departamento. El paciente se sentó en una silla, seguía apretando las manos y parecía inquieto. El paciente informó que tiene historial de esquizofrenia, pero no ha tomado sus medicamentos durante alrededor de 1 semana porque "sabe que lo están envenenando". El SEM avisa sobre la necesidad de transporte a un centro médico para evaluación y tratamiento. El paciente se negó a ser trasladado. Se contactó con la dirección médica. El Dr. Jones ordenó la administración de 5 mg de haloperidol IM para la agitación y el transporte al City Memorial Medical Center para más evaluación y tratamiento. Se administraron 5 mg de haloperidol IM según lo ordenado. El paciente fue colocado en una camilla y cargado en una ambulancia para transporte no urgente. El nivel de glucosa en sangre era de 96 mg/dl. El paciente se relajó y se tranquilizó durante el transporte. El paciente fue reevaluado sin cambios. Se llamó al DE antes de la llegada, con el estado actual del paciente y el tiempo estimado de llegada. A su arribo, el paciente fue colocado en la camilla del DE con las barandillas a ambos lados, y se entregó el informe a la enfermera. Se obtuvo la firma del médico para la orden de medicación.

Fin del reporte

Kit de preparación

Resumen rápido

- Las emergencias del comportamiento, como las sobredosis de drogas, el comportamiento violento y las enfermedades mentales, pueden presentar retos únicos en la atención al paciente. El pánico del paciente, de la familia, de los testigos o de todas estas partes puede crear una demanda de acción por su parte. Concéntrese en reducir el estrés del paciente sin exponerse a riesgos innecesarios.
- Una emergencia conductual o psiquiátrica es cualquier reacción a los acontecimientos que interfiere con las actividades de la vida diaria. Una persona que ya no es capaz de responder de manera adecuada al entorno y cuyo comportamiento anómalo amenaza la salud y la seguridad propia o de los demás puede estar presentando una verdadera emergencia psiquiátrica.
- No todas las emergencias de comportamiento implican un problema de salud mental. Algunas emergencias son una respuesta temporal a un acontecimiento traumático.
- Las llamadas por emergencias de comportamiento tienen consideraciones médicas y legales especiales. Estas consideraciones pueden incluir la necesidad de obtener el consentimiento, seguir las pautas locales y las órdenes permanentes para el transporte de pacientes en contra de su voluntad, y obtener la asistencia de personal de seguridad cuando sea apropiado hacerlo.
- Tiene una autoridad legal limitada para exigir a un paciente que se someta a cuidados médicos de emergencia en ausencia de una urgencia que ponga en peligro su vida. La mayoría de los estados tienen disposiciones que permiten al personal de seguridad poner bajo custodia a personas con trastornos mentales para que se les pueda brindar dicha atención. Siempre que le llamen para asistir a un paciente con una crisis psiquiátrica o de comportamiento grave, involucre al personal de seguridad.
- Si un paciente supone una amenaza inmediata, abandone la zona hasta que las fuerzas del orden aseguren el lugar. Consulte siempre a control médico y póngase en contacto con el personal de seguridad para pedir ayuda.
- Las causas subyacentes de las emergencias conductuales se dividen en cuatro grandes categorías: causas biológicas (orgánicas), causas derivadas del entorno de la persona, causas derivadas de lesiones o enfermedades agudas y causas relacionadas con sustancias.
- Los signos y síntomas psiquiátricos se producen cuando la salud mental de una persona se ve afectada y se movilizan mecanismos o comportamientos psicológicos para ayudar a que el estado mental de la persona vuelva a la homeostasis. Los signos y síntomas psiquiátricos pueden agruparse según los sistemas de funcionamiento psicológico (más que fisiológico) a los que afectan: conciencia, actividad motora, habla, pensamiento, afecto, memoria, orientación y percepción.
- Evaluar a un paciente con una emergencia conductual difiere de otros métodos de evaluación de pacientes del que está perturbado, usted es el instrumento de diagnóstico, utilizando sus procesos de pensamiento, percepciones y sentimientos para evaluar y medir al paciente. Con una emergencia conductual, la evaluación también forma parte del tratamiento porque su voz y sus modales afectan a la respuesta del paciente.
- Cuando brinde atención médica de emergencia a un paciente que tenga una urgencia conductual, sea directo, sincero y tranquilo; tenga un plan de acción definitivo; permanezca con el paciente en todo momento, pero no se acerque demasiado, y manifieste interés por la historia del paciente, pero no juzgue su comportamiento. Trate siempre a los pacientes con respeto.
- Cuando esté evaluando la escena, ponga especial atención a los peligros y amenazas potenciales (objetos que puedan utilizarse como armas, productos químicos peligrosos y similares). Retire los objetos potencialmente dañinos. Las situaciones con un fuerte componente conductual tienen un gran potencial para dar giros repentinos e inesperados de los acontecimientos, así que siga las pautas de seguridad establecidas cuando responda.
- La evaluación primaria en caso de emergencia conductual incluye identificarse con claridad, formarse una impresión del estado general del paciente y de la naturaleza de la emergencia psiquiátrica, realizar el reconocimiento primario, tomar una decisión sobre el transporte y realizar

Kit de preparación continuación

una historia clínica mediante el examen del estado mental. Una nemotecnia útil para el examen es COASTMAP: conciencia, orientación, actividad, habla, pensamiento, memoria, afecto/modo y percepción.

- La evaluación secundaria incluye la búsqueda de signos de una causa orgánica de la emergencia conductual del paciente. Esto incluye inspeccionar al paciente en busca de traumatismos craneales, comprobar el tamaño de las pupilas, observar cualquier olor inusual en el aliento del paciente y examinar las extremidades en busca de huellas de agujas, temblores o debilidad/pérdida unilateral de sensibilidad.
- El cuidado del paciente con una emergencia conductual se centra en garantizar la seguridad de la escena y mantener la conciencia de las condiciones que amenazan la vida, mientras se trata al paciente por cualquier trastorno médico antes de asumir una causa emocional o psiquiátrica para el problema.
- Las técnicas de comunicación efectivas para una emergencia conductual incluyen comenzar con una pregunta abierta, permitir que el paciente hable, mostrar que está escuchando, permitir el silencio cuando sea apropiado, reconocer y etiquetar los sentimientos del paciente, evitar discusiones, facilitar la comunicación, dirigir la atención del paciente, hacer preguntas y ajustar su enfoque según sea necesario.
- Las habilidades de intervención en crisis incluyen mantener la calma y ser lo más directo posible, excluir a cualquier persona perturbadora de la escena, sentarse a entrevistar al paciente, mantener una actitud no crítica, tranquilizar de manera honesta, desarrollar un plan de acción, fomentar cierta actividad motora, permanecer con el paciente en todo momento, llevar todos los medicamentos del paciente al centro médico y asumir que el paciente puede oír y entender todo lo que se le dice.
- El uso de sujeciones físicas o químicas se reserva para cuando la intervención verbal no consigue reducir la agitación grave. Familiarícese con el tipo de medios de contención y medicación que utiliza su centro antes de encontrarse con una situación en la que sean necesarios. Si es necesario sujetar a una persona, utilice la mínima fuerza posible. Evalúe el ABC (vía aérea, respiración, circulación) con frecuencia mientras el paciente está sujeto, y mantenga un diálogo constante con el paciente durante todo el proceso de sujeción. Mantener una vigilancia constante para proteger la seguridad y documentar todo lo que se haga.
- Los factores fisiopatológicos que contribuyen a las alteraciones del comportamiento incluyen el deterioro cognitivo (delirio excitado), los trastornos del pensamiento (incluida la esquizofrenia y la psicosis), los trastornos del estado de ánimo (trastorno del estado de ánimo bipolar, comportamiento maniaco y depresión), los trastornos neuróticos (trastorno de ansiedad generalizada, fobias y trastorno de pánico), los trastornos relacionados con sustancias y el comportamiento adictivo, los trastornos somatomorfos (hipocondriasis y trastorno de conversión), los trastornos facticios, los trastornos del control de impulsos y los trastornos de la personalidad. Cada trastorno tiene su propia fisiopatología, así como normas de evaluación y tratamiento, por lo que hay que familiarizarse con cada uno de ellos.
- Puede encontrarse con pacientes con psicosis, un trastorno del pensamiento caracterizado por un estado de delirio en el que la persona está fuera de contacto con la realidad. Los pacientes pueden mostrarse beligerantes y enfadados, o silenciosos y retraídos. Es poco probable que los métodos habituales para razonar con un paciente sean eficaces con pacientes con psicosis, así que asegúrese de aprender las pautas para atender a estos pacientes. Estas pautas incluyen calma, franqueza y la no confrontación.
- También puede encontrarse con pacientes con delirio agitado, que es un deterioro de la función cognitiva que se presenta con desorientación, alucinaciones o delirios, y se caracteriza por una actividad física inquieta e irregular. Uno de los factores más importantes a tener en cuenta al atender a estos pacientes es su seguridad personal. Utilice técnicas de entrevista cuidadosas y absténgase de alterar aún más al paciente.
- La amenaza de suicidio requiere una intervención inmediata. La depresión es el factor de riesgo

Kit de preparación continuación

de suicidio más importante, pero otros factores de riesgo son los antecedentes personales o familiares de intentos de suicidio, las enfermedades crónicas debilitantes, los contratiempos económicos y las enfermedades mentales graves. Las pautas para tratar al paciente suicida incluyen no dejarle nunca solo, recoger cualquier instrumento de autodestrucción, reconocer los sentimientos del paciente y proporcionarle transporte.

- Las situaciones que implican violencia, abuso y negligencia pueden presentar un desafío particular debido a su potencial para la escalada y para evocar respuestas emocionales en usted. Los pacientes violentos representan solo un pequeño porcentaje de las personas que experimentan una crisis psiquiátrica o de conducta, pero debe evaluar los factores de riesgo de este tipo de pacientes. Los factores de riesgo de violencia incluyen historia clínica, postura, escena, patrones del habla y otras actividades vocales, agitación, depresión y actividad física. El manejo del paciente violento requiere que usted evalúe toda la situación, observe su entorno, mantenga una distancia de seguridad, intente primero intervenciones verbales y, por supuesto, solicite personal de seguridad si aún no están presentes.
- Los pacientes con emergencias psiquiátricas pueden estar tomando varios tipos de medicamentos psicotrópicos. Durante la evaluación, debe identificar qué medicamentos se le han recetado al paciente y si en realidad los está tomando. Los tipos de medicamentos psiquiátricos incluyen antidepresivos, benzodiacepinas, antipsicóticos y anfetaminas. El incumplimiento de la medicación por parte de los pacientes suele causar comportamientos anómalos y a conductas de confrontación con los demás.
- Los veteranos de combate que regresan tienen una alta incidencia de TEPT. Desarrollar la competencia cultural militar y tratar a estos pacientes con compasión y comprensión.

Vocabulario esencial

Actividades de la vida diaria (AVD) Actividades básicas que una persona suele realizar durante un día normal, como comer, vestirse y asearse.

Afecto Expresión externa de los sentimientos internos de una persona (p. ej., alegría, tristeza, enfado, miedo, retraimiento).

Afecto inadecuado Emoción que no está sincronizada con la situación (p. ej., sonreír mientras se habla de la muerte de un padre).

Afecto plano Ausencia de emoción; apariencia de no sentir emoción alguna.

Agorafobia Literalmente, "miedo al mercado"; miedo a entrar en un lugar público del que pueda impedirse la huida.

Alucinaciones Percepciones sensoriales no fundadas en la realidad objetiva; percepciones falsas.

Anorexia nerviosa Trastorno alimentario en el que la persona hace dieta ejerciendo un control extraordinario sobre la alimentación, y pierde peso hasta el punto de poner en peligro su salud y su vida.

Bulimia nerviosa Trastorno alimentario caracterizado por el consumo de grandes cantidades de comida, que el paciente suele compensar con técnicas de purga.

Catatónico Carece de expresión o movimiento o parece rígido.

Comportamiento Cómo funciona o actúa una persona en respuesta al entorno.

Comportamientos encubiertos Comportamientos que tienen un significado o una intención ocultos que solo la persona entiende.

Comportamientos manifiestos Comportamientos abiertos y por lo general comprendidos por quienes rodean a la persona.

Compulsiones Acciones repetitivas llevadas a cabo para aliviar la ansiedad de los pensamientos obsesivos.

Confabulación Invención de experiencias para cubrir lagunas de la memoria, que se observa en pacientes con ciertos síndromes cerebrales orgánicos.

Kit de preparación continuación

Confrontación Acto de señalar algo de interés en la conversación o el comportamiento del paciente, dirigiendo así su atención hacia algo.

Consumo de sustancias Consumo de cantidades moderadas de una sustancia sin que afecte de gravedad a las actividades de la vida diaria.

Contención química Uso de medicación para someter/contener a un paciente.

Delirio agitado Estado de enfrentamiento agudo caracterizado por una alteración global del pensamiento, la percepción, el juicio y la memoria.

Delirios Creencias fijas que no comparten otras personas de la misma cultura o formación y que no pueden cambiarse mediante argumentos razonables; creencias falsas.

Demencia Proceso crónico que produce graves déficits de memoria, pensamiento abstracto y juicio.

Dependencia de sustancias Consumo de una sustancia que provoca adicción y dependencia fisiológica de la misma.

Depresión Trastorno de salud mental caracterizado por un estado de ánimo persistente de tristeza, desesperación y desánimo; puede ser un síntoma de muchos trastornos mentales y físicos diferentes, o puede ser un trastorno por sí solo.

Desorganización Estado en el que una persona muestra pensamientos incontrolados y desconectados, suele ser incoherente o divagar al hablar, y puede o no estar orientada hacia una persona y un lugar.

Desorientación Estado en el que una persona puede estar confusa respecto a la persona, el lugar o el tiempo; una de las formas en que pueden presentarse trastornos como la esquizofrenia o el síndrome orgánico cerebral.

Ecolalia El paciente hace eco sin sentido de las palabras del entrevistador.

Efectos similares a los de la atropina Efectos adversos similares a los observados con la atropina, incluyendo sequedad de boca, visión borrosa, retención urinaria y arritmias cardíacas; puede ocurrir con el uso de algunos medicamentos antipsicóticos.

Emergencia psiquiátrica Emergencia en la que un comportamiento anormal amenaza la salud y la seguridad de una persona o la salud y la seguridad de otra persona, como en el caso de una persona con tendencias suicidas u homicidas, o que tiene un episodio psicótico.

Emergencias conductuales Puntos en los que las reacciones de una persona a los acontecimientos interfieren con las actividades de la vida diaria; se convierten en emergencias psiquiátricas cuando provocan una interrupción importante de la vida, como un intento de suicidio.

Emisión de pensamientos La creencia de que los pensamientos se emiten en voz alta y pueden ser escuchados por los demás.

Enfermedad maniaco-depresiva Trastorno bipolar en el que el estado de ánimo fluctúa entre la depresión y la manía; las alteraciones del estado de ánimo suelen ser episódicas y recurrentes.

Esquizofrenia Trastorno mental complejo difícil de identificar y cuya aparición típica se produce durante los primeros años de la edad adulta. Los síntomas disfuncionales suelen hacerse más prominentes con el tiempo e incluyen delirios, alucinaciones, apatía, mutismo, afecto plano, falta de interés por el placer, habla errática, respuestas emocionales disfuncionales y comportamiento motor disfuncional.

Examen del estado mental (EEM) Instrumento para medir los "signos vitales mentales" de un paciente perturbado. Para realizar este examen puede utilizarse el mnemotécnico COASTMAP, que evalúa conciencia, orientación, actividad, habla, pensamiento, memoria, afecto y estado de ánimo y la percepción.

Fobia simple Temor centrado en una clase de objetos (p. ej., ratones, arañas, perros) o situaciones (p. ej., lugares altos, oscuridad, volar).

Fobias Temor anormal y persistente ante determinados objetos o situaciones.

Fuga de ideas Pensamiento acelerado en el que la mente salta muy rápido de un pensamiento al siguiente.

Incumplimiento de la medicación Situación en la que un paciente decide no tomar los medicamentos según lo prescrito, por razones que pueden incluir efectos adversos indeseables o un costo prohibitivo.

Kit de preparación continuación

Inserción de pensamientos La creencia de que otra persona está introduciendo pensamientos en la mente de uno.

Intoxicación por sustancias Consumo de una sustancia que provoca alteraciones del pensamiento y de la función motora.

Lábil Cambia rápidamente entre diferentes estados emocionales.

Manía Trastorno mental caracterizado por una felicidad, alegría o euforia anormalmente exageradas, con hiperactividad, insomnio e ideas grandiosas.

Medicamentos psicotrópicos Medicamentos que afectan al estado de ánimo, el pensamiento o el comportamiento.

Movimientos estereotipados Movimientos repetitivos que no parecen tener ninguna finalidad.

Mutismo Ausencia de habla.

Neologismos Palabras inventadas que solo tienen significado para su inventor.

Pensamiento circunstancial Situación en la que el paciente incluye muchos detalles irrelevantes en un relato de las cosas.

Pensamiento tangencial Tendencia a abandonar el tema actual de conversación para hablar de otra cosa, lo que inhibe la comunicación interpersonal.

Perseverancia Repetir una y otra vez la misma idea.

Presión del habla Discurso en el que las palabras parecen salir a borbotones bajo una inmensa presión emocional.

Psicosis Trastorno mental caracterizado por la pérdida de contacto con la realidad.

Reacción distónica aguda Síndrome que puede producirse en pacientes que toman agentes antipsicóticos típicos; se caracteriza por la aparición de espasmos musculares de cuello, cara y espalda a los pocos días de iniciar el tratamiento con el medicamento.

Relajación de las asociaciones Situación en la que la conexión lógica entre una idea y la siguiente se vuelve oscura, al menos para el oyente.

Retraimiento del pensamiento La creencia de que los pensamientos se eliminan de la mente.

Síndrome cerebral orgánico Disfunción temporal o permanente del cerebro, causada por una alteración del funcionamiento físico o fisiológico del tejido cerebral.

Trastorno bipolar del estado de ánimo Trastorno en el que una persona alterna entre manía y depresión.

Trastorno de ansiedad generalizada (TAG) Trastorno en el que una persona se preocupa por todo sin ninguna razón en particular, o en el que la preocupación es improductiva y la persona no puede decidir qué hacer ante una situación inminente.

Trastorno de estrés postraumático (TEPT) Forma grave de ansiedad derivada de una experiencia traumática; se caracteriza por la reviviscencia del estrés y las pesadillas de la situación original.

Trastorno de pánico Trastorno caracterizado por sentimientos repentinos, por lo general inesperados y abrumadores de miedo y temor, acompañados de una variedad de otros síntomas producidos por una activación masiva del sistema nervioso autónomo.

Trastorno facticio Trastorno en el que una persona desea estar enferma y produce o finge de forma intencionada signos o síntomas físicos o psicológicos. Los síntomas están bajo control voluntario, sin razón fisiológica evidente.

Trastorno límite de la personalidad Trastorno caracterizado por imágenes desordenadas de sí mismo, comportamiento impulsivo e impredecible, cambios marcados en el estado de ánimo e inestabilidad en las relaciones con los demás.

Trastorno por consumo de sustancias Consumo de una sustancia que altera las actividades de la vida diaria.

Trastorno somatomorfo Enfermedad en la que una persona se preocupa en exceso por su salud física y su aspecto hasta el punto de dominarlo todo (p. ej., hipocondría).

Trastornos de ansiedad Trastornos mentales en los que el estado de ánimo dominante es el miedo y la aprensión.

Trastornos de la personalidad Condiciones en las que una persona se comporta o piensa de forma disfuncional o causa angustia a otras personas.

Kit de preparación continuación

Trastornos del control de los impulsos Trastornos en los que una persona carece de capacidad para resistirse a una tentación o no puede dejar de actuar por impulso.

Trastornos del estado de ánimo Trastornos en los que la alteración del estado de ánimo va acompañada de un síndrome maniaco o depresivo total o parcial.

Trastornos fóbicos Trastornos que implican un miedo, aprensión o temor irracional a una situación o cosa específica.

Trastornos neuróticos Conjunto de trastornos psiquiátricos sin síntomas psicóticos y que carecen de la intensa psicopatología de otros trastornos del estado de ánimo; incluye los trastornos de ansiedad, las fobias y el trastorno de pánico.

Referencias

1. Average number of poor mental health days reported in the last 30 days among all adults by sex. Kaiser Family Foundation website. https://www.kff.org/other/state-indicator/poor-mental-health-by-sex/?currentTimeframe=0&sortModel=%7B%22colId%22:%22Location%22,%22sort%22:%22asc%22%7D. Consultado julio 14, 2021.
2. Mental health and mental disorders. Healthy People 2020. Office of Disease Prevention and Health Promotion website. https://www.healthypeople.gov/2020/topics-objectives/topic/mental-health-and-mental-disorders. Consultado julio 14, 2021.
3. Comorbidity: substance use and other mental disorders. National Institute on Drug Abuse website. https://www.drugabuse.gov/drug-topics/trends-statistics/infographics/comorbidity-substance-use-other-mental-disorders. Publicado agosto 15, 2018. Consultado julio 14, 2021.
4. Ristich K. FDA strengthens warnings and precautions for droperidol. Medscape website. https://www.medscape.com/viewarticle/786350. Publicado diciembre 6, 2001. Consultado julio 14, 2021.
5. Marcinkowska M, Sniecikowska J, Fajkis N, et al. Management of dementia-related psychosis, agitation and aggression: a review of the pharmacology and clinical effects of potential drug candidates. *CNS Drugs*. 2020;34(3):243-268.
6. Mattingly BB, Schraga ED. Chemical restraint. Medscape website. https://emedicine.medscape.com/article/109717-overview Updated March 2, 2021. Consultado el 30 de septiembre, 2021.
7. Report 2 of the Council on Science and Public Health (June 2021): use of drugs to chemically restrain agitated individuals outside of hospital settings (Reference Committee E). American Medical Association website. https://www.ama-assn.org/system/files/2021-05/j21-csaph02.pdf. Publicado en 2021. Consultado el 30 de septiembre, 2021.
8. O'Brien ME, Fuh L, Raja AS, White BA, Yun BJ, Hayes BD. Reduced-dose intramuscular ketamine for severe agitation in an academic emergency department. *Clin Toxicol (Phila)*. 2020;58(4):294-298.
9. Winslow JE, Bozeman WP, Fortner MC, Alson RL. Conducted energy weapon: a case report. *Ann Emerg Med*. 2007;50(5):584-586.
10. Sheldon LK. *Communication for Nurses Talking With Patients*. 2nd ed. Sudbury, MA: Jones and Bartlett; 2009.
11. Strommer EMF, Leith W, Zeegers MP, Freeman MD. The role of restraint in fatal excited delirium: a research synthesis and pooled analysis. *Forens Sci Med Pathol*. 2020;16:680-692.
12. Takeuchi A, Ahern TL, Henderson SO. Excited delirium. *West J Emerg Med*. 2011;12(1):77-83.
13. Roach B, Echols K, Burnett A. Excited delirium and the dual response. Federal Bureau of Investigation website. https://leb.fbi.gov/articles/featured-articles/excited-delirium-and-the-dual-response-preventing-in-custody-deaths. Publicado julio 8, 2014. Consultado el 14 julio, 2021.
14. National Center for Health Statistics. Leading causes of death. Centers for Disease Control and Prevention website. https://www.cdc.gov/nchs/fastats/leading-causes-of-death.htm. Revisado marzo 1, 2021. Consultado el 30 de septiembre, 2021.
15. Suicide statistics. American Foundation for Suicide Prevention website. https://afsp.org/suicide-statistics/. Consultado el 30 de septiembre, 2021.
16. Any mood disorder among adults. National Institute of Mental Health website. https://www.nimh.nih.gov/health/statistics/any-mood-disorder. Actualizado en noviembre, 2017. Consultado el 14 de julio, 2021.
17. Substance Abuse and Mental Health Services Administration. *Key Substance Use and Mental Health Indicators in the United States: Results From the 2019 National Survey on Drug Use and Health* (HHS Publication No. PEP20–07-01-001, NSDUH Series H-55). Washington, DC: Center for Behavioral Health Statistics and Quality, Substance Abuse and Mental Health Services Administration; 2020.
18. Schizophrenia. National Institute of Mental Health website. https://www.nimh.nih.gov/health/statistics/prevalence/schizophrenia.shtml. Actualizado mayo 2018. Consultado el 14 de julio, 2021.

Kit de preparación continuación

19. Any anxiety disorder. National Institute of Mental Health website. https://www.nimh.nih.gov/health/statistics/prevalence/any-anxiety-disorder-among-adults.shtml. Actualizado noviembre 2017. Consultado el 14 de julio, 2021.
20. Social anxiety disorder: more than just shyness. National Institute of Mental Health website. https://www.nimh.nih.gov/health/publications/social-anxiety-disorder-more-than-just-shyness/index.shtml. Consultado el 30 de septiembre, 2021.
21. Panic disorder. National Institute of Mental Health website. https://www.nimh.nih.gov/health/statistics/panic-disorder. Actualizado en noviembre, 2017. Consultado el 14 de julio, 2021.
22. National Drug Intelligence Center. *The Economic Impact of Illicit Drug Use on American Society*. Washington, DC: US Department of Justice; Abril 2011.
23. Excessive drinking is draining the U.S. economy. Centers for Disease Control and Prevention website. https://www.cdc.gov/features/alcoholconsumption/. Revisado el 30 de diciembre, 2019. Consultado el 14 de julio, 2021.
24. US Department of Health and Human Services. *The Health Consequences of Smoking—50 Years of Progress. A Report of the Surgeon General*. Atlanta, GA: US Department of Health and Human Services, Centers for Disease Control and Prevention, National Center for Chronic Disease Prevention and Health Promotion, Office on Smoking and Health; 2014. Impreso con correcciones, en enero de 2014.
25. Pike KM, Dunne PE. The rise of eating disorders in Asia: a review. *J Eat Disord*. 2015;3:33.
26. Child and Adolescent Eating Disorders Program. Anorexia nervosa. University of Rochester Medicine Golisano Children's Hospital website. https://www.urmc.rochester.edu/childrens-hospital/adolescent/eating-disorders/teens/anorexia-nervosa.aspx. Consultado el 14 de julio, 2021.
27. Eating disorders. Anxiety and Depression Association of America website. https://www.adaa.org/understanding-anxiety/related-illnesses/eating-disorders. Consultado septiembre 30, 2021.
28. American Psychiatric Association. *Diagnostic and Statistical Manual of Mental Disorders*. 5th ed. Washington, DC: American Psychiatric Association; 2013.
29. Coupland C. Antidepressant use and risk of suicide and attempted suicide or self harm in people aged 20 to 64: cohort study using a primary care database. *Brit Med J*. 2015;350:h517.
30. NAEMT national survey finds EMS mental health services lacking. National Association of Emergency Medical Technicians website. http://www.naemt.org/docs/default-source/member-resources-documents/naemt-news/2016/fall-2016-issue-low-res.pdf. Publicado otoño 2016. Consultado el 27 de septiembre, 2021.
31. Friedman MJ. PTSD history and overview. US Department of Veterans Affairs website. https://www.ptsd.va.gov/professional/treat/essentials/history_ptsd.asp. Consultado el 14 de julio, 2021.
32. How common is PTSD in veterans? US Department of Veterans Affairs website. https://www.ptsd.va.gov/understand/common/common_veterans.asp. Consultado el 15 de julio, 2021.
33. Gradus JL. Epidemiology of PTSD. US Department of Veterans Affairs website. https://www.ptsd.va.gov/professional/treat/essentials/epidemiology.asp. Consultado el 14 de julio, 2021.
34. Tanielian T, Jaycox LH, Adamson DM, et al. Invisible wounds of war: psychological and cognitive injuries, their consequences, and services to assist recovery. RAND Corporation website. http://www.rand.org/pubs/monographs/MG720.html. Consultado el 14 de julio, 2021.
35. PTSD basics. US Department of Veterans Affairs website. https://www.ptsd.va.gov/understand/what/ptsd_basics.asp. Consultado el 14 de julio, 2021.
36. Epidemiology Program, Post-Deployment Health Group, Office of Patient Care Services, Veterans Health Administration, Department of Veterans Affairs. *Analysis of VA Health Care Utilization Among Operation Enduring Freedom (OEF), Operation Iraqi Freedom (OIF), and Operation New Dawn (OND) Veterans: Cumulative From 1st Qtr FY 2002 Through 3rd Qtr FY 2015*. Washington, DC: US Department of Veterans Affairs; 2017. http://www.publichealth.va.gov/docs/epidemiology/healthcare-utilization-report-fy2015-qtr3.pdf. Consultado el 14 de julio, 2021.
37. What is posttraumatic stress disorder? American Psychiatric Association website. https://www.psychiatry.org/patients-families/ptsd/what-is-ptsd?_ga=1.133267214.1055821636.1488863540. Consultado el 14 de julio, 2021.
38. Gibson LE. Acute stress disorder. US Department of Veterans Affairs website. https://www.ptsd.va.gov/professional/treat/essentials/acute_stress_disorder.asp. Consultado el 14 de julio, 2021.
39. Smartphone virtual "hope box" could help reduce suicidal thoughts. US Department of Veterans Affairs website. https://www.research.va.gov/news/research_highlights/hope_box-012913.cfm. Consultado el 14 de julio, 2021.
40. Convoy S, Westphal RJ. The importance of developing military cultural competence. *J Emerg Nurs*. 2013;39(6):591-594.

Glosario: Volumen 1

Abdomen agudo Aparición súbita de dolor en el abdomen, por lo regular indicativo de peritonitis; requiere tratamiento médico o quirúrgico inmediato.

Abducción Movimiento de una extremidad que se aleja de la línea media.

Aberración Término que describe la forma del complejo QRS en latidos conducidos de forma aberrante (anormal).

Absceso Zona del cerebro o la médula espinal en la que las células han sido atacadas, por lo general por un agente infeccioso. Para evitar la propagación de la infección, el sistema inmunológico "cierra" la zona, en la que puede acumularse pus.

Absceso rectal Infección que consiste en una acumulación de pus en las paredes rectales como consecuencia de la obstrucción de los conductos mucosos rectales.

Absorción (1) En las reacciones alérgicas, cuando un material extraño se deposita sobre la piel y se desplaza hacia ella. (2) Proceso por el que las moléculas de una sustancia se trasladan desde el lugar de entrada o administración a la circulación sistémica.

Abuso de sustancias Cualquier consumo de sustancias que cause daños físicos, psicológicos, económicos, legales o sociales al consumidor o a otras personas afectadas por su comportamiento.

Acción acumulativa Varias dosis más pequeñas de un medicamento concreto son capaces de producir los mismos efectos clínicos que una sola dosis más grande de ese mismo medicamento.

Acetábulo Receptáculo formado por el hueso iliaco o coxal (cadera) donde se acopla estrechamente la cabeza femoral esférica.

Acetilcolina (ACh) Neurotransmisor liberado en las sinapsis dentro del sistema nervioso autónomo y por neuronas motoras para estimular la contracción del músculo esquelético.

Acetilcolina (Ach) Neurotransmisor químico del sistema nervioso parasimpático.

Acetilcolinesterasa Enzima que descompone la acetilcolina.

Acetilcolinesterasa Enzima que se encuentra en el sistema nervioso central, los eritrocitos y las placas motoras terminales del músculo esquelético, y causa la descomposición de la acetilcolina.

Ácido desoxirribonucleico (ADN) Estructura química especializada dentro de la célula que porta el material genético para la reproducción.

Ácido láctico Producto metabólico terminal de la fragmentación de glucosa que se acumula cuando el metabolismo procede en ausencia de oxígeno.

Ácidos Moléculas que pueden liberar iones hidrógeno y, por lo tanto, aumentar su concentración de en una solución acuosa.

Ácidos nucleicos Grandes moléculas orgánicas o macromoléculas que transportan la información genética o forman estructuras dentro de las células; incluyen a los ácidos desoxirribonucleico y ribonucleico.

Acidosis (1) Afección patológica resultante de la acumulación de ácidos en el cuerpo. (2) Aumento de los iones H^+ extracelulares; un pH sanguíneo menor a 7.35.

Acidosis láctica Producto de la respiración celular anaeróbica que se produce cuando los tejidos y los órganos no reciben la perfusión suficiente, como en el shock y el paro cardíaco.

Acidosis metabólica Estado patológico caracterizado por un pH sanguíneo menor a 7.35 y causado por una acumulación de ácidos en el organismo por una causa metabólica.

Acidosis respiratoria Afección patológica caracterizada por un pH sanguíneo menor de 7.35; causado por la acumulación de ácidos por una causa respiratoria en el cuerpo.

Acomodación Capacidad del cristalino ocular de cambiar su forma para enfocar un objeto cercano.

Acreditación Proceso de obtención, verificación y evaluación de las calificaciones de un profesional para prestar asistencia en una dependencia de salud específica.

Acromion Punta del hombro, sitio de inserción de la clavícula y varios músculos.

Actina Proteína contráctil que se encuentra en los filamentos delgados de las células del músculo esquelético.

Activación En la respuesta inflamatoria, fase en la que los mediadores de la inflamación desencadenan la aparición de selectinas e integrinas en las superficies de las células endoteliales y los neutrófilos polimorfonucleares, respectivamente.

Actividad clónica Tipo de movimiento convulsivo que implica la contracción y relajación de grupos musculares.

Actividad eléctrica sin pulso (AESP) Ritmo cardíaco organizado (distinto de la taquicardia ventricular) en un monitor de EKG que no va acompañado de un pulso detectable.

Actividad tónica Tipo de movimiento convulsivo que implica la contracción y el temblor constantes de grupos musculares.

Actividades de la vida diaria (AVD) Actividades básicas que una persona suele realizar durante un día normal, como comer, vestirse y asearse.

Adaptación Disminución temporal o permanente de la sensibilidad ante un estímulo particular.

Adhesión En la respuesta inflamatoria, fase que se caracteriza por la adhesión de los neutrófilos polimorfonucleares a las células endoteliales, mediada por selectinas e integrinas.

Adicción a las sustancias Trastorno crónico caracterizado por el consumo compulsivo de una sustancia que provoca daños físicos, psicológicos o sociales al consumidor, que sigue consumiendo la sustancia a pesar de los daños.

Adrenérgico Con las características de la división simpática del sistema nervioso autónomo.

Aducción Movimiento de una extremidad hacia la línea media.

Adventicio Anormal.

Afasia Alteración del lenguaje que afecta la producción o comprensión del discurso y la capacidad de leer o escribir.

Afecto Estado emocional del paciente que se refleja en su comportamiento físico; expresión externa de los sentimientos internos de una persona (p. ej., alegría, tristeza, enfado, miedo, retraimiento).

Afecto inadecuado Emoción que no está sincronizada con la situación (p. ej., sonreír mientras se habla de la muerte de un padre).

Afecto plano Ausencia de emoción; apariencia de no sentir emoción alguna.

Afinidad Capacidad de un medicamento de unirse a un receptor concreto.

Afonía Incapacidad de hablar.

Agentes quelantes Medicamentos que se unen a los metales pesados del organismo y crean un compuesto que puede eliminarse; se utilizan en casos de ingestión o envenenamiento.

Agónico Relativo al periodo de la muerte.

Agonista parcial Sustancia química que se une al lugar del receptor pero no inicia tanta actividad o cambio celular como otros agonistas; disminuye la eficacia de otras sustancias químicas agonistas presentes en las células.

Agorafobia Literalmente, "miedo al mercado"; miedo a entrar en un lugar público del que pueda impedirse la huida.

Agotamiento La pérdida de fortaleza física o emocional.

Agua corporal total (ACT) Cantidad total del líquido en el cuerpo humano; contribuye con casi 60% del peso de un adulto masculino sano; se divide en diversos compartimientos.

Agudeza visual Determinada por la capacidad o incapacidad de ver y a qué distancia.

Albúmina Las más pequeñas de las proteínas plasmáticas; constituyen casi 60% del plasma y se encargan de presión oncótica en la vasculatura, lo que así regula el desplazamiento de agua hacia y desde la circulación.

Alcalosis Afección patológica resultante de la acumulación de bases en el cuerpo; disminución de los iones H^+ extracelulares; pH sanguíneo mayor a 7.45.

Alcalosis metabólica Estado patológico caracterizado por un pH sanguíneo mayor a 7.45 y causado por una acumulación de bases en el organismo por una causa metabólica.

Alcalosis respiratoria Afección patológica caracterizada por un pH sanguíneo mayor de 7.45; resulta de la acumulación de bases por una causa respiratoria en el cuerpo.

Aldosterona Hormona que estimula los riñones para que reabsorban sodio de la orina y excreten potasio alterando el gradiente osmótico de la sangre.

Alelos Formas variantes de un gen, que pueden ser idénticas o ligeramente diferentes en una secuencia del ácido desoxirribonucleico.

Alérgeno Cualquier sustancia que provoca una reacción de hipersensibilidad; sustancia que produce síntomas alérgicos en un paciente.

Alergia Reacción de hipersensibilidad a la presencia de un agente (alérgeno).

Alerta y orientado (A × O) Una determinación que se hace cuando se evalúa el estado mental al indagar si el paciente está orientado en cuatro aspectos: persona, lugar, tiempo y el suceso mismo. Cada elemento provee información en cuanto a diferentes aspectos de su memoria.

Alucinaciones (1) Estimulación sensorial que no puede ser verificada por otros. (2) Percepciones sensoriales no fundadas en la realidad objetiva; percepciones falsas.

Alucinógeno Agente que produce falsas percepciones en cualquiera de los cinco sentidos.

Alvéolos Sacos aéreos pulmonares en los cuales ocurre el intercambio de oxígeno y dióxido de carbono; también los receptáculos óseos de los dientes ubicados en la mandíbula y el maxilar.

Ambigüedad médica Aspectos vagos o poco claros de la medicina.

Ámbito de investigación Área (clínica, ciencia básica, sistemas o educación) en la que influirá un estudio.

Amenorrea Ausencia de menstruación.

Aminas vasoactivas Sustancias como la histamina y la serotonina que aumentan la permeabilidad vascular, provocan vasodilatación y pueden causar broncoconstricción, náuseas y vómitos.

Amnesia anterógrada Incapacidad de recordar sucesos después del inicio de la amnesia.

Ampollas Pequeños recipientes de vidrio sellados y cuyo contenido está esterilizado.

Anabolismo Estructuración de sustancias más grandes al conjuntar las pequeñas, como las proteínas a partir de aminoácidos.

Anafilaxia Forma sistémica extrema de una reacción alérgica que afecta a uno, dos o más sistemas corporales.

Analgesia Estado de insensibilidad al dolor mientras se está consciente.

Análisis de sangre para la detección de tuberculosis Medición a través de ensayos de liberación de interferón-gamma de cómo reacciona el sistema inmunológico a las bacterias que causan la tuberculosis; ofrece resultados precisos en 24 horas; también se denomina análisis de sangre *Mycobacterium tuberculosis*.

Anatomía Estudio de la estructura de un organismo y sus partes.

Anatomía topográfica Puntos de referencia superficiales del cuerpo que sirven de guía a las estructuras que se encuentran debajo de ellos.

Andrógenos Hormonas sexuales masculinas que regulan los cambios corporales asociados al desarrollo sexual (pubertad), incluidos los estirones, el engrosamiento de la voz, el crecimiento del vello facial y púbico, y el crecimiento y la fuerza muscular.

Anemia falciforme Enfermedad que provoca la deformación de los glóbulos rojos, lo que se traduce en una escasa capacidad de transporte de oxígeno y puede ocasionar que los glóbulos rojos se alojen en los vasos sanguíneos o en el bazo.

Anemia ferropénica El tipo más común de anemia, en la que las reservas de hierro son escasas o inexistentes y la concentración sérica de hierro es baja.

Anemia Nivel de hemoglobina o eritrocitos inferior al normal.

Anemia hemolítica Enfermedad caracterizada por una mayor destrucción de eritrocitos. Este trastorno tiene varias causas, como una reacción a una transfusión de sangre con factor Rh (más probable en la población neonatal), un trastorno del sistema inmunológico y la exposición a toxinas bacterianas o productos químicos como el benceno.

Anestesia Falta de sensibilidad en una parte del cuerpo.

Anestésico Medicamento que provoca la incapacidad de sentir sensaciones.

Anestésico disociativo Medicamento que distorsiona la percepción de vistas y ruidos e induce un sentimiento de desapego del paciente de su ambiente y de sí mismo.

Aneurisma aórtico Protuberancia en la pared de una porción de la aorta, causada por el debilitamiento y la dilatación de la pared del vaso; la rotura de un aneurisma aórtico es potencialmente mortal.

Anfetaminas Clase de sustancias que aumentan el estado de alerta y la excitación (estimulantes); incluyen la metanfetamina (*crank* o *ice*), metilendioxianfetamina (MDA, Adan) y metilendioximetanfetamina (MDMA, Eva, Éxtasis).

Angina de pecho Dolor súbito que se produce cuando el aporte de oxígeno al miocardio es insuficiente para satisfacer la demanda, lo que provoca cambios isquémicos en el tejido.

Angina estable Angina de pecho caracterizada por dolor intermitente con un patrón predecible.

Angina inestable Angina de pecho caracterizada por un patrón de dolor variable e impredecible, que puede ser señal de un infarto agudo de miocardio inminente.

Angina microvascular Tipo de angina causada por espasmos en las paredes de las arterias coronarias más pequeñas del corazón.
Angina variante Tipo de angina causada por el espasmo de las arterias coronarias que se produce cuando la persona está en reposo, cuando las necesidades de oxígeno son mínimas; también denominada angina de Prinzmetal.
Angina variante Tipo de angina causada por el espasmo de las arterias coronarias que se produce cuando la persona está en reposo, cuando las necesidades de oxígeno son mínimas; también denominada angina de Prinzmetal.
Angiogénesis Crecimiento de nuevos vasos sanguíneos.
Ángulo de Louis Prominencia del esternón que indica el punto donde se le une la segunda costilla; también llamado ángulo esternal o unión manubrio esternal.
Anisocoria Pupilas desiguales con una diferencia superior a 1 milímetro.
Anomalía de la aurícula derecha Dilatación de la aurícula derecha que se produce cuando la presión venosa de retorno es elevada o la presión pulmonar es alta.
Anomalía de la aurícula izquierda Dilatación de la aurícula izquierda que puede producirse en pacientes con cardiopatía valvular (en particular estenosis de la válvula mitral o aórtica), enfermedad hipertensiva, cardiomiopatía o enfermedad coronaria; también puede producirse en un atleta.
Anorexia nerviosa Trastorno alimentario en el que la persona hace dieta ejerciendo un control extraordinario sobre la alimentación, y pierde peso hasta el punto de poner en peligro su salud y su vida.
Anoxia Ausencia de oxígeno.
Antagonista Molécula que bloquea la capacidad de una sustancia química determinada para unirse a su receptor, impidiendo una respuesta biológica.
Antagonistas competitivos Medicamentos que se unen de manera temporal a los sitios receptores celulares, desplazando a las sustancias químicas agonistas.
Antagonistas no competitivos Medicamentos que se unen de manera permanente a los sitios receptores e impiden la activación por sustancias químicas agonistas.
Antecedentes médicos Información obtenida durante el proceso de historia clínica, como el estado general de salud, las enfermedades de la infancia y en la edad adulta, intervenciones quirúrgicas y hospitalizaciones, afecciones psiquiátricas y mentales o lesiones traumáticas, que podrían tener relación con el estado mental del paciente.
Antecubital Cara anterior del codo.
Anterior Superficie anterior del cuerpo; el lado que mira hacia usted en posición anatómica.
Antibióticos Medicamentos utilizados para combatir las infecciones matando a los microorganismos o impidiendo su multiplicación para que el sistema inmunológico del organismo pueda vencerlos.
Anticoagulantes Sustancias que impiden la coagulación de la sangre.
Anticuerpo (1) Proteína que el organismo produce en respuesta a un antígeno; una inmunoglobulina. (2) Proteína secretada por determinadas células inmunológicas que se une a los antígenos para hacerlos más visibles al sistema inmunológico.
Antidepresivos tricíclicos (ATC) Grupo de fármacos utilizados para tratar la depresión grave y controlar el dolor; mínimos errores de dosificación pueden provocar resultados tóxicos.
Antídoto Algo que contrarresta el efecto de un tóxico o toxina.
Antifúngicos Medicamentos utilizados para tratar las infecciones fúngicas.
Antígeno Agente que, cuando se introduce en el organismo, estimula la formación de proteínas protectoras específicas denominadas anticuerpos; Sustancia extraña reconocida por el sistema inmunológico.
Antígenos Proteínas, polisacáridos, glucoproteínas, o glucolípidos que, por lo general, se encuentran en las superficies de los eritrocitos y estimulan una respuesta del sistema inmunológico con la formación de anticuerpos; las células aprenden a reconocer los antígenos como "propios" o "extraños" (no propios).
Antimicrobianos Medicamentos utilizados para eliminar o suprimir el crecimiento de microorganismos.
Antisépticos Sustancias químicas utilizadas para limpiar una zona antes de realizar un procedimiento invasivo, como la colocación de una vía intravenosa; no son tóxicas para los tejidos vivos. Algunos ejemplos son la clorhexidina, el alcohol isopropílico y el yodo.
Antónimos Pares de raíces de palabras, prefijos o sufijos que tienen significados opuestos.
Anuria Cese completo de la producción de la orina.
Aorta La principal arteria que emerge de la porción izquierda del corazón y conduce sangre fresca oxigenada al cuerpo; la más grande del cuerpo.
Aorta descendente La porción de la aorta que se extiende por el tórax y el abdomen hacia la pelvis.
Aoscarga Gradiente de presión contra el cual debe bombear el corazón; su aumento puede disminuir el gasto cardíaco.
Aparato circulatorio Complejo arreglo de tubos conectados que incluyen arterias, arteriolas, capilares, vénulas y venas, que conducen sangre, oxígeno, nutrimentos, dióxido de carbono y residuos celulares por el cuerpo.
Aparato reproductor Sistema en hombres y mujeres que regula los procesos reproductivos a través de órganos y glándulas que crean células sexuales y las transportan a zonas donde puede ocurrir la fecundación.
Apendicitis Inflamación del apéndice.
Ápice Extremo puntiagudo de una estructura cónica.
Aponeurosis Hoja o banda de tejido conectivo fibroso fuerte que cubre, sostiene y separa los músculos, y que también cubre a arterias, venas, tendones y ligamentos.
Aponeurosis profunda Densa capa de tejido fibroso bajo el tejido subcutáneo, constituida por bandas rígidas de tejido que rodean a los músculos y otras estructuras internas.
Apoptosis Muerte celular normal.
Arco reflejo Mensaje sensorial que alcanza la médula espinal y llega a un nervio motor para causar una acción, que ocurre sin primero mandar un mensaje hasta el encéfalo para dar lugar a la actividad de manera voluntaria.
Arritmia Ausencia de ritmo cardíaco o de actividad organizada; asistolia o paro ventricular.
Artefacto Producto artificial; en cardiología, se utiliza para referirse al ruido o las interferencias en un trazo de EKG.
Arteria circunfleja (Cx) Una de las dos ramas de la arteria coronaria principal izquierda; las ramas de la Cx irrigan la aurícula izquierda, parte de la superficie lateral del ventrículo izquierdo, la superficie inferior del ventrículo izquierdo en de alrededor de 15% de las personas, la superficie posterior del ventrículo izquierdo en 15%, el nódulo sinoauricular en cerca de 40% y el haz auriculoventricular entre 10 y 15%.
Arteria coronaria circunfleja Una de las dos ramas de la arteria coronaria principal izquierda.
Arteria coronaria derecha (ACD) Arteria que suministra sangre oxigenada a las paredes de la aurícula y el ventrículo derechos, a una porción de la parte inferior del ventrículo izquierdo y a porciones del sistema de conducción.
Arteria coronaria derecha Vaso sanguíneo que provee sangre oxigenada a las cavidades derechas del corazón.
Arteria coronaria descendente anterior izquierda Una de dos ramas de la arteria coronaria principal izquierda, que provee sangre al ventrículo izquierdo y otras zonas del corazón.

Arteria descendente anterior izquierda (DAI) Una de las dos ramas de la arteria coronaria principal izquierda; las ramas de la DAI irrigan el ventrículo izquierdo, el tabique interventricular y parte del ventrículo derecho.
Arteria pulmonar Una de las dos que conduce sangre desoxigenada del ventrículo derecho a los pulmones.
Arterias coronarias Vasos sanguíneos que suministran sangre a los tejidos del corazón.
Arterioesclerosis Estado patológico en el que el engrosamiento y la rigidez de las paredes arteriales hacen que las arterias sean menos elásticas.
Articulación en silla de montar Dos superficies en forma de silla de montar orientadas en ángulo recto entre sí, de modo que las superficies complementarias se articulen; un ejemplo es el del pulgar.
Articulaciones cartilaginosas Articulaciones que se conectan por cartílago hialino, o fibrocartílago, como las que separan a las vértebras.
Articulaciones fibrosas Articulaciones que yacen entre los huesos que entran en contacto estrecho con otros y están unidos por un tejido conectivo denso delgado.
Articulaciones sacroiliacas Puntos de unión de ilion y sacro.
Articulaciones sinoviales Articulaciones complejas que permiten el movimiento libre de los huesos que las forman y se lubrican con líquido sinovial.
Artículos de alto contacto Artículos que se utilizan para atender al paciente o superficies que están en contacto con el paciente.
Asa de Henle La porción en forma de U del túbulo renal que se extiende entre los túbulos contorneados proximal y distal; concentra el filtrado y lo convierte en orina.
Ascitis (1) Acumulación anormal de líquido en la cavidad peritoneal. (2) Edema abdominal que suele indicar insuficiencia hepática.
Asepsia médica Práctica que consiste en evitar la contaminación del paciente mediante una técnica aséptica.
Asistolia Ausencia de contracción ventricular o de actividad eléctrica; EKG rectilíneo o plano.
Asma Enfermedad inflamatoria crónica de la vía aérea inferior que provoca sibilancias intermitentes y una producción excesiva de mucosidad.
Aspiración Ingreso de líquidos o sólidos a la tráquea, los bronquios y los pulmones; el acto de extraer material mediante presión negativa.
Aspiración traqueobronquial Inserción de un catéter de aspiración al tubo endotraqueal para retirar las secreciones pulmonares.
Astigmatismo Afección donde partes de la imagen están fuera de foco y otras enfocadas; causada por irregularidades en la forma del cristalino ocular.
Ataque isquémico transitorio (AIT) Trastorno en el que las células cerebrales dejan de funcionar de manera temporal por falta de oxígeno, provocando síntomas similares a los del EVC que se resuelven por completo a las 24 horas de su aparición.
Ataque sexual Cualquier acto sexual no consensuado proscrito por la ley federal, tribal o estatal, con inclusión de aquella víctima que carece de la capacidad de consentimiento.
Ataxia Alteración de la capacidad para realizar movimientos coordinados, como caminar.
Ateroesclerosis Acumulación de grasa en el interior de un vaso sanguíneo que estrecha el diámetro de la luz.
Ateroesclerosis Acumulación de grasa en el interior de un vaso sanguíneo que estrecha el diámetro de la luz.
Ateroma Masa de tejido graso que se calcifica de manera progresiva, endureciéndose en forma de placa ateromatosa que se infiltra en la pared arterial, disminuyendo su elasticidad.
Atlas Primera vértebra cervical (C1), que da apoyo a la cabeza.
Atópico Tendencia alérgica.
Atrofia Disminución del tamaño celular debida a la pérdida de componentes subcelulares.
Aura Sensaciones que se experimentan de manera habitual antes de que se produzca un ataque o una migraña; pueden incluir cambios visuales además de alucinaciones.
Aurículas Las dos cámaras superiores del corazón.
Auscultación El acto de usar un estetoscopio para escuchar sonidos dentro del cuerpo.
Autoanticuerpos Anticuerpos dirigidos contra uno mismo.
Autoinmunidad Producción de anticuerpos o células T que actúan contra los tejidos del propio cuerpo, produciendo reacciones de hipersensibilidad o enfermedad autoinmune.
Automaticidad Capacidad de las células marcapasos cardíacas para iniciar un impulso eléctrico espontáneo sin el estímulo de otra fuente (como un nervio).
Automatismo Estado en el que las células cardíacas están en reposo, a la espera de que se genere un impulso espontáneo desde el interior.
Autosomas Cromosomas que no portan genes determinantes del sexo.
Autosómico dominante Patrón de herencia en el que intervienen genes situados en los autosomas (cualquier cromosoma distinto de los cromosomas sexuales). La herencia de una sola copia de una forma particular de un gen es necesaria para mostrar el rasgo.
Autosómico recesivo Patrón de herencia en el que intervienen genes situados en los autosomas (cualquier cromosoma distinto de los cromosomas sexuales). Se necesita la herencia de dos copias de una forma particular de un gen para mostrar el rasgo.
AVDI Un método de evaluación del estado mental por determinación de si el paciente está despierto y Alerta, con respuesta a estímulos Verbales o dolor, o sin respuesta; se usa principalmente en la evaluación primaria.
Axón Extensión larga y esbelta de una neurona (célula nerviosa) que conduce impulsos eléctricos lejos de su cuerpo (soma) hacia células adyacentes.
Ayuda mutua Acuerdos con jurisdicciones vecinas o regionales para apoyo mutuo en caso de incidente a gran escala.
Azoemia Aumento de los residuos nitrogenados en la sangre.
Bacterias Pequeños organismos que pueden crecer y volver a producirse fuera de la célula humana en presencia de la temperatura y los nutrientes adecuados; causan enfermedades al invadir y multiplicarse en los tejidos del huésped.
Banda de frecuencia ultra alta (UHF, por sus siglas en inglés) Parte del espectro de radiofrecuencia comprendida entre 300 y 3 000 megahertz.
Banda de muy alta frecuencia (VHF, por sus siglas en inglés) Parte del espectro de radiofrecuencias comprendida entre 30 y 300 megahertz.
Banda estrecha Reasignación de frecuencias por parte de la *Federal Communications Commission* a una separación de 12.5 megahertz, ahora exigida para todos los sistemas de radio de los SEM y de seguridad pública.
Barbitúricos Potentes hipnótico-sedantes utilizados históricamente como somníferos, como ansiolíticos y como parte del régimen para el control de las convulsiones; incluyen fármacos como tiopental (Pentotal®, Trapanal®) y metohexital (Brevital®).
Barorreceptores Terminaciones nerviosas estimuladas por cambios de la presión que incluyen el aumento de la presión arterial; se localizan en el arco aórtico y los senos carotídeos.
Barotraumatismo Traumatismo resultante de una presión excesiva.
Barrera hematoencefálica Capa de células estrechamente adheridas que protege al encéfalo y la médula espinal de la

exposición a medicamentos, sustancias tóxicas y partículas infecciosas.

Basófilos (1) Glóbulos blancos que trabajan para producir mediadores químicos durante una respuesta inmunológica. (2) Leucocitos que contienen gránulos de histamina y otras sustancias, que se liberan durante las respuestas inflamatoria y alérgica.

Benzodiacepinas Familia de hipnótico-sedantes que proporcionan relajación muscular y sedación leve; se utilizan con mayor frecuencia para tratar ansiedad, convulsiones y síndrome de abstinencia alcohólica; incluyen fármacos como diazepam (Valium®) y midazolam (Versed®).

Bigeminismo Disritmia en la que uno de cada dos complejos es un complejo prematuro, lo que provoca un patrón de latido *normal-temprano-normal-temprano*; puede ser auricular, de la unión o ventricular.

Bilateral En anatomía, parte del cuerpo o afección que aparece a ambos lados de la línea media.

Bilirrubina Producto de desecho de la destrucción de eritrocitos que presenta metabolismo adicional en el hígado.

Biodisponibilidad Porcentaje del medicamento inalterado que alcanza la circulación sistémica.

Biotelemetría Transmisión de datos fisiológicos, como un electrocardiograma, desde el paciente a un punto de recepción distante (por lo común conocida en los SEM como telemetría).

Biotransformación Proceso con cuatro efectos posibles sobre un medicamento absorbido por el organismo: (1) una sustancia inactiva puede convertirse en activa, capaz de producir efectos clínicos deseados o no deseados. (2) Un medicamento activo puede transformarse en otro medicamento activo. (3) Un medicamento activo puede inactivarse total o parcialmente. (4) Un medicamento se transforma en una sustancia (activa o inactiva) más fácil de eliminar por el organismo.

Bloqueador neuromuscular despolarizante Fármaco que se une de manera competitiva con los sitios receptores de acetilcolina, pero no se afecta tan rápido por la acetilcolinesterasa; un ejemplo es el cloruro de succinilcolina.

Bloqueadores neuromusculares no despolarizantes Fármacos que se unen a los sitios receptores de la acetilcolina; no causan despolarización de la fibra muscular; son ejemplos el vecuronio (Norcuron®) y el pancuronio (Pavulon®); también llamados paralizantes.

Bloqueo AV de primer grado Retraso en la conducción del impulso despolarizante desde el nodo SA hasta los ventrículos, lo que prolonga el intervalo PR; también denominado bloqueo cardíaco de primer grado.

Bloqueo bifascicular Bloqueo de dos fascículos o vías de conducción cualesquiera: bloqueo de rama derecha del haz de His (BRDHH) con hemibloqueo anterior, BRDHH con hemibloqueo posterior, o hemibloqueo anterior y hemibloqueo posterior (una combinación conocida como bloqueo de rama izquierda del haz de His).

Bloqueo de rama del haz de His (BRHH) Alteración de la conducción intraventricular que implica la impedancia de los impulsos eléctricos desde el haz de His a la rama derecha o izquierda del haz.

Bloqueo fascicular (hemibloqueo) Incapacidad de los fascículos anterior o posterior del corazón para conducir impulsos eléctricos debido a una enfermedad o isquemia.

Bloqueo trifascicular Bloqueo o alteración de los tres componentes del sistema de conducción ventricular, con uno de ellos trabajando de manera ocasional para proporcionar conducción AV.

Bloqueos salinos Tipos especiales de dispositivos intravenosos que eliminan la necesidad de colgar una bolsa de líquido intravenoso; también se denominan tapones conectores o INT (intermitente); se utilizan habitualmente en pacientes que no necesitan bolos de líquido pero que pueden requerir tratamiento farmacológico.

Boca anastomótica En el contexto de la vía aérea, el orificio de una traqueotomía que conecta la tráquea con el aire ambiente; localizada en la línea media de la cara anterior del cuello.

Bocio Masa visible en la parte anterior del cuello causada por el agrandamiento de la glándula tiroides.

Bolo "En una masa"; en la administración de medicamentos, una dosis única administrada por vía intravenosa o intraósea; puede ser una cantidad pequeña o grande del fármaco.

Bolsa Pequeño saco, similar a un cojinete o una cavidad llena con una pequeña cantidad de líquido sinovial que ayuda a disminuir el grado de fricción entre un tendón y un hueso, o entre un tendón y un ligamento, por lo general localizada cerca de una articulación.

Bomba de infusión Dispositivo mecánico que infunde un volumen intravenoso preciso programado por el médico.

Bomba de sodio-potasio Mecanismo por el que la célula ingresa dos iones de potasio y libera tres de sodio.

Borborigmos Sonido intestinal caracterizado por una mayor actividad dentro del intestino; también llamado hiperperistaltismo.

Bóveda craneana Huesos que rodean y protegen al encéfalo, incluidos parietal, temporal, frontal, occipital, esfenoides y etmoides; techo de la cabeza (cráneo).

Bradicardia sinusal Ritmo sinusal caracterizado por una frecuencia cardíaca inferior a 60 latidos/min.

Bradicinesia Ralentización de los movimientos voluntarios del cuerpo; se da en pacientes con enfermedad de Parkinson.

Bradipnea Frecuencia respiratoria lenta.

Broncoconstricción Estrechamiento de los bronquios.

Broncodilatación Ensanchamiento de los bronquios.

Broncofonía Una prueba de disminución de los ruidos ventilatorios que se hace colocando el diafragma del estetoscopio sobre la zona en cuestión, mientras el paciente expresa "noventa y nueve"; un sonido fuerte, claro señala una consolidación pulmonar.

Bucal Entre la mejilla y las encías.

Bulbo raquídeo Parte inferior del tronco encefálico que se continúa por debajo con la médula espinal; sirve para la conducción de las vías nerviosas ascendentes y descendentes; se encarga de mantener las funciones básicas vitales, como la frecuencia cardíaca y la respiración.

Bulimia nerviosa Trastorno alimentario caracterizado por el consumo de grandes cantidades de comida, que el paciente suele compensar con técnicas de purga.

Caladium Planta de interior común que contiene cristales de oxalato de calcio; su ingesta provoca náusea, emesis y diarrea.

Calcáneo Hueso del talón; el más grande de los que constituyen el tarso.

Calcitonina Hormona secretada por la glándula tiroides que ayuda a mantener niveles normales de calcio en la sangre.

Cálculos biliares Masas de aspecto pétreo en la vesícula biliar o sus conductos causadas por la precipitación de sustancias contenidas en la bilis, como el colesterol y la bilirrubina; también conocidas como colelitiasis.

Cálculos renales Masas cristalinas sólidas que se forman en el riñón, como resultado de un exceso de sales insolubles o ácido úrico que se cristalizan en la orina; pueden atraparse en cualquier sitio de las vías urinarias. También se llaman cálculos renales.

Calibre Diámetro interno de un catéter o aguja intravenosa.

Caloría Cantidad de calor necesaria para elevar la temperatura de 1 g de agua por 1 °C; cantidad de energía que se puede obtener de los nutrimentos incluidos en los alimentos; también llamada kilocaloría.

Calumnia Declaración falsa por escrito que puede ser perjudicial para la reputación actual o futura de una persona.

Cámara de destello Área de un catéter intravenoso que se llena de sangre para ayudar a indicar cuándo se canaliza una vena.

Cámara de goteo Zona del equipo de administración en la que se acumula líquido para que los tubos se llenen de líquido.

Cambios recíprocos Cambios del punto J, del segmento ST y de la onda T observados en el EKG durante un SCA.

Canalización Inserción de un catéter en una cavidad corporal, conducto o vaso para permitir el flujo de fluidos.

Canalización de venas periféricas Técnica en la que se inserta una cánula (tubo) en las venas de las zonas periféricas, es decir, las venas que se pueden ver o palpar. Ejemplos de venas periféricas son las de la mano, el brazo y la extremidad inferior, así como la vena yugular externa.

Candidiasis Infección vaginal que no es técnicamente una infección de transmisión sexual; puede darse en mujeres embarazadas y no embarazadas, pero es más frecuente en el embarazo; también se denomina candidiasis o infección por hongos.

Cánula nasal Dispositivo que permite proveer oxígeno a través de dos puntas pequeñas que se ajustan a las narinas del paciente; con una velocidad de flujo de oxígeno de 1 a 6 L/min se puede aportar a una concentración de 24 a 44%.

Cánula nasofaríngea Tubo blando de hule de casi 15 cm de longitud que se inserta a través de la nariz en la parte posterior de la faringe detrás de la lengua, lo que así permite el paso de aire de la nariz a la vía aérea inferior.

Cánula orofaríngea Dispositivo de plástico duro curvado que se ajusta sobre la parte posterior de la lengua, con la punta en la parte posterior de la faringe.

Capacidad vital Cantidad de aire que se desplaza dentro y fuera de los pulmones con la inspiración y exhalación máximas.

Capnografía Uso de un recurso de diagnóstico incruento que puede rápida y eficazmente proveer información sobre el estado ventilatorio y circulatorio de un paciente con una representación gráfica y digital similar a un electrocardiograma.

Capnografía de forma de onda Representación de forma de onda del dióxido de carbono exhalado.

Capnógrafo Dispositivo que se acopla entre el tubo endotraqueal y el dispositivo de ventilación; provee información gráfica acerca de la presencia de dióxido de carbono exhalado.

Capnometría Uso de un capnómetro, dispositivo de vigilancia que se usa para medir la cantidad de dióxido de carbono exhalado. La lectura suele darse en forma digital.

Capnómetro Dispositivo que tiene la misma función y se aplica de la misma forma que un capnógrafo, pero provee una lectura digital del dióxido de carbono exhalado.

Cápsula articular Envoltura sacciforme que abarca la cavidad de una articulación sinovial.

Cápsula glomerular (de Bowman) Una copa de doble capa con la interna que infiltra y rodea los capilares del glomérulo.

Carbohidratos Sustancias (que incluyen azúcares y almidones) que proveen gran parte de la energía requerida por las células corporales y ayudan a constituir estructuras celulares.

Carboxihemoglobina (COHb) Hemoglobina cargada con monóxido de carbono.

Cardiomiopatía hipertrófica Enfermedad genética en la que la pared del músculo cardíaco es inusualmente gruesa, lo que obliga al corazón a bombear con más fuerza para expulsar la sangre del ventrículo izquierdo.

Cardioversión sincronizada Uso de una descarga eléctrica sincronizada de corriente continua (CC) para convertir una taquidisritmia (como la taquicardia supraventricular) en un ritmo sinusal normal.

Carina Punto de bifurcación de la tráquea en los bronquios primarios derecho e izquierdo (tronco primario).

Cartílago cricoides Puente firme de cartílago que forma la parte inferior de la laringe; el primer anillo de la tráquea y la única estructura de vía aérea alta que forma un anillo completo; también llamada anillo cricoideo.

Cartílago tiroides Prominencia firme de cartílago que forma la parte alta de la laringe; la manzana de Adán.

Cartílagos aritenoides Seis pares de cartílagos apilados uno sobre otro en la faringe.

Cascada de coagulación Conjunto de interacciones de estructuras y sustancias que llevan a la formación de un coágulo de fibrina; Proceso por el que los factores de coagulación actúan en conjunto para formar finalmente la fibrina.

Cascada de fibrinólisis Descomposición de la fibrina en los coágulos sanguíneos y prevención de la polimerización de la fibrina en nuevos coágulos.

Casi accidente Evento no previsto que aun cuando no causó una lesión, enfermedad o daño tenía sin embargo el potencial de hacerlo.

Caso de estudio Tipo de investigación en el que se investiga y documenta un solo caso durante un periodo determinado.

Catabolismo Fragmentación de moléculas más grandes en pequeñas.

Cataratas Opacificación de los cristalinos oculares o sus membranas transparentes circundantes.

Catatónico Carece de expresión o movimiento o parece rígido.

Catecolaminas Sustancias amínicas, como dopamina, epinefrina y norepinefrina, que actúan como neurotransmisores, hormonas o ambos.

Catéter con punta de amígdala Un tubo delgado para aspiración, duro o rígido, también llamado cánula de Yankauer.

Catéter mariposa Dispositivo de canalización venosa rígido y hueco que se identifica por sus "alas" de plástico que actúan como puntos de anclaje para fijar el catéter.

Catéter sobre la aguja Catéter de teflón (plástico) insertado sobre una aguja hueca.

Catéteres con punta de silbato Aquellos de plástico blando, no rígidos; también llamados de French.

Cáusticos Sustancias químicas que son ácidos o álcalis; causan lesiones químicas directas a los tejidos con los que entran en contacto.

Células cebadas Células localizadas en tejidos conectivos a las que atacan los anticuerpos formados en respuesta a los antígenos, que estallan y liberan mediadores químicos en respuesta a una reacción antígeno-anticuerpo.

Células de Schwann Células de neuroglía en el sistema nervioso periférico que forman una vaina de mielina alrededor de los axones.

Células diploides Células que portan un par de cada uno de los 23 cromosomas, uno del padre y uno de la madre.

Células haploides Células que transportan instrucciones genéticas a través de 23 cromosomas individuales.

Células madre Células que pueden convertirse en otros tipos de células del organismo.

Células plasmáticas Células que producen anticuerpos (inmunoglobulinas) para destruir antígenos o partículas que los contienen; se forman a partir de linfocitos B que se dividen y diferencian.

Células T asesinas Células liberadas durante una reacción alérgica de tipo IV que matan a las células diana portadoras de antígenos.

Células T auxiliares Tipo de linfocito T que participa en las respuestas inmunológicas mediadas por células y anticuerpos; segrega citocinas que estimulan las células B y otras células T.

Centro apnéustico Porción de la protuberancia anular que se cree actúa conforme al grupo respiratorio pontino para regular la longitud y profundidad de la inspiración.

Cerebelo Región del encéfalo involucrada en la coordinación muscular fina y gruesa; encargado de la interpretación del movimiento real y la corrección de cualquiera que interfiera con la coordinación y posición del cuerpo.

Cerebro La parte más grande del encéfalo; constituido por varios lóbulos que regulan el movimiento, la audición, el equilibrio, el habla, la percepción visual, las emociones y la personalidad; se divide en hemisferios derecho e izquierdo; también llamado materia gris.

Certificación Proceso mediante el cual se evalúa y reconoce que una persona, institución o programa cumple con ciertas normas predeterminadas para brindar atención segura y ética.

Cerumen Cera del oído.

Cérvix La porción más estrecha (tercio inferior del cuerpo) del útero que se abre en la vagina.

Cetoacidosis Estado acidótico creado por la producción de cetonas a través del metabolismo de las grasas.

Cetoacidosis alcohólica Estado metabólico acidótico que se manifiesta debido a hábitos nutricionales inadecuados asociados al abuso crónico del alcohol. El hígado y el cuerpo experimentan reservas inadecuadas de glucógeno y, por lo tanto, tienen que cambiar al metabolismo de los ácidos grasos.

Cetoacidosis diabética (CAD) Forma de acidosis en la diabetes no controlada en la que se acumulan ciertos ácidos cuando no se dispone de insulina.

Cetonas Subproductos ácidos del metabolismo de las grasas.

Cetonemia Cantidad excesiva de cuerpos cetónicos en la sangre.

Chancro Lesión dura o úlcera primaria de la sífilis que se produce en el lugar de entrada de la infección.

Chancroide Infección de transmisión sexual muy contagiosa causada por la bacteria *Haemophilus ducreyi*, que provoca llagas dolorosas (úlceras), por lo regular en los genitales.

Chikungunya Virus originario de África transmitido por el mosquito *Aedes aegypti*. Los signos y síntomas son fiebre, que por lo regular dura de 5 a 7 días, y dolores articulares quizás incapacitantes.

Cianosis Piel azul o púrpura; indica la presencia de cifras inadecuadas de oxígeno en la sangre.

Ciclo cardíaco Proceso de bombeo repetitivo iniciado con la contracción del músculo cardíaco y que termina apenas antes del principio de la siguiente; cada ciclo consta de una contracción (sístole) y relajación (diástole) ventriculares.

Ciclo del ácido cítrico Secuencia de reacciones enzimáticas que involucra el metabolismo de las cadenas de carbono de glucosa, ácidos grasos y aminoácidos, para producir dióxido de carbono, agua y enlaces de fosfato de alta energía; también conocido como ciclo de Krebs o de los ácidos tricarboxílicos.

Cifosis Curvatura externa de la columna torácica.

Circulación pulmonar Flujo de sangre desde el ventrículo derecho por las arterias pulmonares y todas sus ramas y capilares en los pulmones, y de retorno a la aurícula izquierda por las vénulas y venas pulmonares; también llamada circulación menor.

Cirrosis Insuficiencia temprana del hígado; se caracteriza por hipertensión portal, deficiencias de la coagulación y disminución de la desintoxicación.

Cistitis Infección causada por bacterias provenientes del perineo, a través del aparato genital, hacia el meato uretral; también llamada infección vesical.

Citoblastos Células que conservan la capacidad de dividirse en forma repetida sin especializarse, lo que permite su proliferación y renovación continuas.

Citocinas Productos de las células que afectan a la función de otras células.

Citoplasma Material parecido a un gel que llena una célula y donde están suspendidos sus organelos; constituye la mayor parte del volumen celular.

Cizallamiento del catéter Acontecimiento en el que una aguja se vuelve a introducir en el catéter y lo corta, creando un segmento que flota libremente.

Clamidia Infección de transmisión sexual causada por la bacteria *Chlamydia trachomatis*, que es la infección de transmisión sexual más frecuente; los signos y síntomas incluyen inflamación de la uretra, el epidídimo, el cuello uterino y las trompas de Falopio, y secreción de la uretra.

Clase de medicamento Agrupación a la que pertenece un medicamento. Los medicamentos se agrupan según sus características, rasgos o componentes primarios.

Clasificación de Cormack-Lehane Sistema usado para predecir la dificultad de intubación con base en las estructuras de la vía aérea observadas durante la laringoscopia.

Clasificación de Mallampati Un sistema para predecir la dificultad relativa de la intubación con base en la cantidad de estructuras orofaríngeas visibles en un paciente sentado en forma recta que puede abrir por completo la boca.

Clasificación de Vaughan-Williams Esquema de clasificación de medicamentos basado en el mecanismo de acción y no en grupos específicos de medicamentos.

Claudicación Dolor, calambres, tensión muscular, fatiga o debilidad de las piernas durante la actividad física como consecuencia de una mayor demanda de oxígeno por parte del tejido muscular de las piernas, caderas y glúteos.

Clítoris Una masa cilíndrica pequeña de tejido eréctil y nervioso localizada en la unión anterior de los labios menores, similar al glande masculino.

Cloruro de succinilcolina Bloqueador neuromuscular despolarizante que se usa con frecuencia como de inicio durante una intubación en secuencia rápida; causa fasciculaciones musculares.

Coagulación intravascular diseminada (CID) Enfermedad que comienza con una activación generalizada de la cascada de la coagulación, que agota los factores de coagulación y las plaquetas, y acaba provocando una hemorragia incontrolada.

Coagulopatía Cualquier tipo de trastorno hemorrágico que interfiera en la activación o continuación de la cascada de coagulación o hemostasia.

Cocaína Un estimulante; un alcaloide natural que se extrae de las hojas de la planta *Erythroxylum coca*, que se encuentra en Sudamérica.

Cociente inspiratorio/exhalatorio (I/E) Expresión para comparar la duración de la inspiración con la de la exhalación, por lo regular 1:2, que significa que la exhalación tiene doble de duración respecto de la inspiración (no medida en segundos).

Cóclea Porción del oído interno con receptores auditivos, o caracol.

Código diez Sistema de códigos de radio que utiliza el número 10 más otro número. Ya no se utiliza en muchos sistemas del SEM.

Colangitis Inflamación del conducto biliar.

Colecistitis Inflamación de la vesícula biliar.

Colelitiasis Presencia de cálculos dentro de la vesícula biliar.

Colinérgico(a) (1) Con las características de la división parasimpática del sistema nervioso autónomo; también se refiere a otras estructuras o funciones relacionadas con la acetilcolina. (2) Término utilizado para describir las fibras del sistema nervioso parasimpático que liberan una sustancia química llamada acetilcolina

Colitis ulcerosa Inflamación generalizada del colon que provoca un recto debilitado y dilatado, haciéndolo susceptible a infecciones y hemorragias.
Colonizado Un patógeno está presente pero no ha provocado ninguna enfermedad en el huésped; a menudo evoluciona a una infección activa. Un huésped colonizado suele denominarse portador porque puede transmitir el patógeno a otras personas.
Coma Estado en el que una persona no responde a estímulos verbales ni dolorosos.
Coma mixedematoso Enfermedad poco frecuente que puede producirse en pacientes con hipotiroidismo grave no tratado.
Comorbilidad Existencia de dos o más enfermedades o condiciones crónicas en un paciente.
Competencia cultural Conocimiento de las culturas predominantes en la zona geográfica en la que el paramédico presta atención al paciente.
Complejo de ataque de membrana Moléculas que se insertan en la membrana bacteriana, debilitando esas zonas de la membrana.
Complejo QRS Desviación del EKG producida por la despolarización ventricular.
Complicaciones sistémicas Reacciones que afectan a sistemas del organismo.
Comportamiento Cómo funciona o actúa una persona en respuesta al entorno.
Comportamientos encubiertos Comportamientos que tienen un significado o una intención ocultos que solo la persona entiende.
Comportamientos manifiestos Comportamientos abiertos y por lo general comprendidos por quienes rodean a la persona.
Compuesto Sustancia que puede fragmentarse en los dos o más elementos que contiene.
Compulsiones Acciones repetitivas llevadas a cabo para aliviar la ansiedad de los pensamientos obsesivos.
Comunicación terapéutica Comunicación con el paciente utilizando estrategias específicas para procurar que este exprese lo que piensa y siente, así como transmitirle respeto y aceptación.
Concentración iónica Cantidad de partículas cargadas que se encuentran en una zona determinada.
Concentración Peso total de un fármaco contenido en un volumen específico de líquido.
Conductividad Propiedad que permite a una célula cardíaca recibir un impulso eléctrico y pasarlo a una célula vecina.
Conducto cervicouterino Interior del cuello uterino.
Conducto torácico Uno de los dos grandes vasos linfáticos; desemboca en la vena cava superior.
Confabulación Invención de experiencias para cubrir lagunas de la memoria, que se observa en pacientes con ciertos síndromes cerebrales orgánicos.
Confrontación Acto de señalar algo de interés en la conversación o el comportamiento del paciente, dirigiendo así su atención hacia algo.
Conjuntivas Las cubiertas membranosas de la cara anterior del ojo y que también revisten los párpados.
Conjuntivitis Inflamación de la conjuntiva.
Conjunto mínimo de datos La información estándar de evaluación clínica obligatoria que debe documentarse en cada llamada de emergencia, según lo determinado por *Medicare* y *Medicaid*, y por la *National Highway Traffic Safety Administration* con el fin de informar al sistema nacional de datos de Estados Unidos.
Conos Uno de los dos tipos de fotorreceptores en la retina sensibles a la luz, pero que no discriminan colores; producen una imagen que es algo menos enfocada y esencialmente en blanco y negro.
Consejo de revisión institucional (IRB) Grupo o institución que sigue una serie de requisitos para revisar las investigaciones propuestas diseñadas por el Servicio de Salud Pública de Estados Unidos.
Consorcio de investigación Grupo de dependencias que colaboran en el estudio de un tema concreto.
Constricción Estrechamiento anormal de una estructura; también llamado estenosis.
Consumo de sustancias Consumo de cantidades moderadas de una sustancia sin que afecte de gravedad a las actividades de la vida diaria.
Contacto directo Exposición a una enfermedad transmisible o su contagio de una persona a otra por contacto físico.
Contacto indirecto Exposición a la transmisión de enfermedad de una persona a otra por contacto con un objeto inanimado contaminado.
Contaminado Presencia de sangre u otros materiales potencialmente infecciosos en un objeto o superficie.
Contención química Uso de medicación para someter/contener a un paciente.
Contractilidad Capacidad de las células del miocardio de acortarse en respuesta a un impulso, que da lugar una contracción.
Contraindicaciones Cualquier condición, en especial cualquier enfermedad, que hace que una determinada línea de tratamiento sea inadecuada o indeseable.
Contralateral En el lado opuesto del cuerpo.
Control de calidad Responsabilidad del director médico de garantizar que el personal del SEM cumple con las normas de atención médica adecuadas en cada llamada.
Control de la temperatura objetivo (CTO) Utilización de líquidos fríos para llevar al paciente a un estado hipotérmico selectivo durante diversas situaciones críticas.
Control de las infecciones Procedimientos para disminuir la transmisión de infecciones entre pacientes y el personal de atención sanitaria.
Control médico en línea (directo) Dirección médica aplicada en tiempo real a un servicio o proveedor del SEM.
Control médico en línea Órdenes de atención del paciente proporcionadas de forma directa al paramédico por el médico de control médico por radio o teléfono.
Control médico fuera de línea Órdenes de atención al paciente en forma de protocolos u órdenes permanentes que no requieren contacto directo con el médico de control médico.
Control médico sin servicios electrónicos (indirecto) Dirección médica impartida a través de un conjunto de protocolos, políticas o normas.
Convulsión Disparo súbito y errático de las neuronas; episodio neurológico causado por una oleada de actividad eléctrica en el cerebro. Puede ser una convulsión caracterizada por una actividad muscular generalizada y descoordinada, y puede ir asociada con una pérdida de conciencia.
Córnea Capa transparente de tejido frente a la pupila y el iris oculares.
Coroides Capa media vascular, pigmentada, de la pared ocular.
Coronavirus Cualquiera de un grupo de virus ARN que causan una variedad de enfermedades respiratorias, gastrointestinales y neurológicas en humanos y otros animales.
Corpúsculo renal Componente inicial de filtración sanguínea de la nefrona.
Corte transversal Producto del corte transversal de un objeto, perpendicular a su eje longitudinal.
Corteza cerebral Cobertura externa de materia gris en los hemisferios cerebrales; regula el movimiento esquelético voluntario y tiene participación importante en el grado de alerta del individuo.
Corteza renal Porción externa de cada riñón; forma columnas y tiene túbulos delgados vinculados con las nefronas.

Corteza suprarrenal Capa externa de la glándula suprarrenal; produce hormonas importantes para regular el equilibrio del agua y las sales del cuerpo.

Corticoesteroides (1) Hormonas que regulan el metabolismo, el equilibrio de sal y agua en el organismo, el sistema inmunológico y la función sexual. (2) Cualquiera de los diversos esteroides que secreta la glándula suprarrenal.

Cortisol (1) Glucocorticoide liberado por la porción media de la corteza suprarrenal que influye en el metabolismo de proteínas y grasas y estimula la síntesis de glucosa a partir de productos diferentes a los carbohidratos. (2) Hormona que estimula la producción de energía de la mayoría de las células del cuerpo.

Cráneo Zona de la cabeza por arriba de los oídos y ojos; la parte del cráneo que aloja al encéfalo.

Crepitación Un sonido crujiente, áspero, o rechinante que suele percibirse cuando se frotan los fragmentos de huesos rotos.

Cricotiroidotomía con aguja Inserción de un catéter intravenoso de calibre 14 a 16 sobre aguja (como un Angiocath) a través de la membrana cricotiroidea en la tráquea.

Cricotiroidotomía quirúrgica Incisión de emergencia de la membrana cricotiroidea con un bisturí y la inserción de un tubo endotraqueal o de traqueotomía directamente a la región subglótica de la tráquea.

Crisis aplásica Detención temporal de la producción de glóbulos rojos; puede producirse como consecuencia de la anemia falciforme.

Crisis de Addison Insuficiencia suprarrenal aguda.

Crisis de secuestro esplénico Agrandamiento agudo y doloroso del bazo causado por la anemia falciforme.

Crisis drepanocítica Enfermedad en la que un paciente con anemia drepanocítica experimenta un dolor importante debido al paso insuficiente de oxígeno y nutrientes a los tejidos y articulaciones a causa de la congestión de los vasos.

Crisis hemolítica Enfermedad en la que los glóbulos rojos se descomponen rápido; puede producirse como consecuencia de la anemia falciforme.

Crisis vaso oclusiva Isquemia y dolor causados por glóbulos rojos en forma de hoz que obstruyen el flujo sanguíneo a una parte del cuerpo.

Cristalino Disco transparente dentro del ojo; refracta la luz para enfocar las imágenes en la retina.

Cromosoma homólogo Cromosoma del mismo número de par del otro progenitor.

Cromosomas Estructuras formadas a partir de fibras condensadas y proteínas, de ácido desoxirribonucleico, filiformes y que se encuentran en el núcleo de las células.

Cromosomas sexuales Cromosomas que determinan el sexo, X y Y.

Cuadrantes Las cuatro secciones de la cavidad abdominal mostradas por dos líneas imaginarias que se cruzan en el ombligo, dividiendo el abdomen en cuatro áreas iguales.

Cualitativa Tipo de estadística descriptiva en la investigación que no utiliza información numérica.

Cuantitativa Tipo de medición en investigación que utiliza datos numéricos y estadísticos, como la media, la mediana, la moda y la desviación estándar.

Cuello uterino Tercio inferior o cérvix del útero.

Cuerdas tendinosas Bandas delgadas de tejido fibroso que se unen a las válvulas auriculoventriculares en el corazón y evitan su inversión.

Cuerpo calloso Puente profundo de fibras nerviosas que conecta los hemisferios cerebrales.

Cuerpo ciliar Estructura asociada con la capa coroidea del ojo que secreta el humor acuoso y contiene al músculo ciliar.

Cultura de seguridad En una organización del SEM, un sistema de creencias y prácticas que (1) reconoce que las organizaciones realizan actividades de alto riesgo; (2) determina la importancia de las operaciones congruentes y seguras para contrarrestar estas actividades; (3) apoya un entorno libre de culpas en el que los errores se pueden notificar sin miedo al castigo, y (4) mantiene el compromiso organizacional para abordar los errores reportados y los problemas de seguridad.

Cultura Sistema de creencias, actitudes y comportamientos aprendidos y compartidos por los miembros de un grupo.

Curva dosis-respuesta Ilustración gráfica de la respuesta de un fármaco en función de la dosis administrada.

D_5W Solución intravenosa compuesta por 5% de dextrosa en agua.

Dedalera Planta que contiene glucósidos cardíacos y se utiliza en la fabricación de digitálicos; la ingesta de hojas provoca náusea, emesis, diarrea, cólico abdominal, hiperpotasemia y diversas disritmias.

Defensa Contracción de los músculos abdominales que indica irritación peritoneal. Puede ser voluntaria o involuntaria.

Delirio Un estado de confusión aguda caracterizado por alteración global del pensamiento, la percepción, el juicio y la memoria.

Delirio agitado Estado de enfrentamiento agudo caracterizado por una alteración global del pensamiento, la percepción, el juicio y la memoria.

Delirios (1) Creencias fijas que no comparten otras personas de la misma cultura o formación y que no pueden cambiarse mediante argumentos razonables; creencias falsas. (2) Pensamientos, ideas o capacidades percibidas que no tienen base en la realidad común.

***Delirium tremens* (DT)** Síndrome de abstinencia grave que se observa en personas con trastorno por consumo de alcohol que se ven privadas de alcohol etílico; se caracteriza por inquietud, fiebre, hiperhidrosis, desorientación, agitación y convulsiones; puede ser mortal si no se trata.

Demencia (1) La aparición lenta y progresiva de desorientación, disminución de la capacidad de atención y pérdida de la función cognitiva. (2) Deterioro gradual y penetrante o la pérdida de las funciones cognitivas corticales. (3) Proceso crónico que produce graves déficits de memoria, pensamiento abstracto y juicio.

Dendritas Ramificaciones de las células nerviosas que reciben impulsos o información sensorial de las células cercanas y los conducen hacia el cuerpo neuronal.

Dengue Virus transmitido por los mosquitos *Aedes aegypti* y *Aedes albopictus*, presentes en todo el mundo. La mayoría de las personas con dengue es asintomática; si se desarrolla la forma grave, se caracteriza por hemorragia, shock hipovolémico y potencialmente la muerte.

Dependencia Necesidad física, conductual o emocional de un medicamento o sustancia química para mantener una función fisiológica "normal".

Dependencia de sustancias Consumo de una sustancia que provoca adicción y dependencia fisiológica de la misma.

Dependencia física Estado fisiológico de adaptación a una sustancia, por lo general caracterizado por la tolerancia a los efectos de la sustancia y un síndrome de abstinencia si se interrumpe el consumo de la sustancia, en especial de forma brusca.

Dependencia psicológica Estado emocional por una sustancia para mantener una sensación de bienestar.

Depósito En el contexto de las enfermedades transmisibles, un lugar donde los organismos pueden vivir y multiplicarse.

Depresión Trastorno de salud mental caracterizado por un estado de ánimo persistente de tristeza, desesperación y desánimo; puede ser un síntoma de muchos trastornos mentales y físicos diferentes, o puede ser un trastorno por sí solo.

Depresor Sustancia química o medicamento que disminuye el funcionamiento del sistema nervioso central o del sistema nervioso simpático.
Derivación (1) Una conexión entre los sistemas arterial y venoso donde no hay intercambio de gases. (2) Diferencia de potencial eléctrico entre dos puntos. Por ejemplo, la derivación I representa la diferencia de potencial eléctrico entre los electrodos del brazo derecho e izquierdo.
Derivación intrapulmonar Evitación del paso de sangre baja en oxígeno a través de alvéolos no funcionales.
Derivaciones bipolares En un EKG, derivaciones que contienen un polo positivo y otro negativo: derivaciones I, II y III.
Derivaciones contiguas Derivaciones que visualizan zonas geográficamente similares del miocardio, como las derivaciones II, III y aVF; útiles para localizar zonas de isquemia.
Derivaciones de las extremidades Las derivaciones del EKG conectadas a las extremidades; juntas, las derivaciones estándar de las extremidades (I, II y III) y las derivaciones aumentadas de las extremidades (aVR, aVL y aVF) forman el sistema de referencia hexaxial a lo largo del plano frontal.
Derivaciones de extremidades aumentadas En un EKG, derivaciones aVR, aVL y aVF. Solo contienen un polo verdadero; el otro extremo es una combinación de información de otras derivaciones. Un EKG estándar de 12 derivaciones consta de las tres derivaciones aumentadas, las tres derivaciones estándar de las extremidades y las seis derivaciones precordiales.
Derivaciones precordiales Término utilizado para describir las derivaciones torácicas en un EKG.
Dermatomas Zonas de la piel provistas de nervios raquídeos sensoriales específicos.
Descriptivo Formato de investigación en el que se observa un acontecimiento, pero sin intentar alterarlo o cambiarlo.
Desdoblamiento En el contexto de los ruidos cardíacos, una situación en la que los sucesos del lado derecho del corazón ocurren ligeramente después que los del lado izquierdo, lo que crea dos ruidos discernibles, más bien que uno solo.
Desequilibrio $\dot{V}/\dot{Q}$ Diferencia entre las porciones anatómicas del pulmón ventiladas (V) y las perfundidas (Q).
Desfibrilación Proceso mediante el cual se administra al corazón una descarga eléctrica de corriente continua (CC) no sincronizada para poner fin a la fibrilación ventricular o a la taquicardia ventricular sin pulso.
Desfibrilador externo automático (DEA) Desfibrilador inteligente que puede analizar el ritmo del EKG del paciente, determinar si es necesaria una descarga desfibriladora y guiar al usuario durante la reanimación mediante comandos de voz.
Desfibrilador manual Dispositivo que requiere que el paramédico u otro reanimador entrenado interprete el ritmo cardíaco y determine si es necesaria la desfibrilación (en lugar de confiar en que un dispositivo haga esa determinación de manera automática).
Deshidratación Agotamiento del volumen de líquido sistémico del cuerpo.
Desinfectantes Sustancias químicas utilizadas en objetos no vivos para matar organismos; son tóxicas para los tejidos vivos.
Desnitrogenación Proceso de sustitución con oxígeno del nitrógeno en los pulmones para mantener una saturación normal del primero durante la intubación.
Desorganización Estado en el que una persona muestra pensamientos incontrolados y desconectados, suele ser incoherente o divagar al hablar, y puede o no estar orientada hacia una persona y un lugar.
Desorientación Estado en el que una persona puede estar confusa respecto a la persona, el lugar o el tiempo; una de las formas en que pueden presentarse trastornos como la esquizofrenia o el síndrome orgánico cerebral.
Despacho Enviar a un destino específico o encargar una tarea.
Despacho asistido por computadora (DAC) Consolas de computadora conectadas a centros de despacho y terminales de datos móviles montados en vehículos.
Despacho de emergencias médicas (DEM) (1) Programa diseñado específicamente para satisfacer las necesidades únicas de respuesta de los servicios de emergencia médica y de las personas que llaman para informar de una emergencia médica, incluidas las instrucciones de primeros auxilios que dan los despachadores capacitados a las personas que llaman por teléfono mientras una ambulancia está en camino hacia la llamada. (2) Sistema que ayuda a los despachadores a seleccionar las unidades correspondientes para responder a una llamada de ayuda en particular y proporciona instrucciones vitales a las personas que llaman hasta la llegada de los equipos del SEM.
Desplazamiento Un mecanismo de defensa caracterizado por la redirección de una emoción de una persona a otra.
Despolarización (1) En respuesta a un potencial de acción, el movimiento rápido de electrólitos a través de la membrana celular, que cambia la carga eléctrica total de la célula. Esta desviación rápida de electrólitos y cargas constituye el principal catalizador de las contracciones musculares y las transmisiones neurológicas. (2) Proceso de descarga de las fibras musculares cardíacas en reposo mediante un impulso eléctrico que estimula la contracción.
Despolarizante competitivo Término utilizado para describir los agentes paralizantes que actúan en la unión neuromuscular uniéndose a los receptores nicotínicos de los músculos, provocando fasciculaciones e impidiendo la activación adicional por la acetilcolina.
Desviación del eje Movimiento del eje QRS del corazón a la derecha o a la izquierda de su posición normal.
Desviación en pronación El desvío descendente en pronación de uno de los brazos hacia los pies de un paciente mientras los mantiene con las palmas de las manos hacia arriba y los ojos cerrados; puede ser signo de un accidente cerebrovascular.
Desviación estándar Medida del rango de puntuaciones en un conjunto de datos en relación con la puntuación media.
Detector colorímetro de dióxido de carbono Dispositivo que se acopla entre el tubo endotraqueal y el dispositivo de ventilación; utiliza un papel especial que al cambiar de púrpura a amarillo durante la exhalación indica la presencia de dióxido de carbono.
Diabetes Grupo de trastornos metabólicos complejos con muchas causas; incluye la diabetes mellitus, la diabetes gestacional, la hipoglucemia/hiperglucemia, la cetoacidosis diabética y el síndrome hiperglucémico hiperosmolar.
Diabetes gestacional Diabetes que se desarrolla durante el embarazo en mujeres que no padecían diabetes antes del embarazo.
Diabetes insípida (DI) Trastorno poco frecuente que presenta algunas de las mismas características que la diabetes, como poliuria y polidipsia, en el que el organismo es incapaz de regular los líquidos por falta de hormona antidiurética (diabetes insípida central) o los riñones son incapaces de responder adecuadamente (diabetes insípida nefrogénica).
Diabetes mellitus Enfermedad caracterizada por la incapacidad del organismo de metabolizar lo suficiente la glucosa; se produce porque el páncreas no produce la insulina necesaria o porque las células no responden a los efectos de la insulina producida.
Diabetes tipo 1 Tipo de enfermedad diabética que suele comenzar en la infancia y requiere inyecciones diarias de insulina sintética suplementaria para controlar los niveles de glucosa en sangre; anteriormente denominada diabetes mellitus insulinodependiente (DMID) o diabetes de inicio juvenil.
Diabetes tipo 2 Tipo de enfermedad diabética que normalmente se desarrolla en pacientes adultos de mediana edad y que a

menudo puede controlarse mediante dieta y medicamento oral; anteriormente denominada diabetes de inicio en la edad adulta.

Diáfisis Vástago de un hueso largo.

Diaforesis Sudoración excesiva; a menudo relacionada con el estado de shock.

Diafragma Gran músculo esquelético que tiene participación importante en la respiración y separa a la cavidad torácica de la abdominal.

Diagnóstico Identificación de una enfermedad basada en sus signos y síntomas.

Diagnóstico diferencial El proceso de ponderar la probabilidad de una enfermedad con otra al comparar datos clínicos que puedan contribuir; también se refiere a la lista de posibles afecciones consideradas con base en los signos y síntomas del paciente.

Diagnóstico preliminar El diagnóstico de una lista del diagnóstico diferencial que se usa como base del plan terapéutico del paciente.

Diálisis renal Técnica de filtración de la sangre para eliminar residuos tóxicos y líquidos excesivos y reestablecer el equilibrio normal de electrólitos.

Diapédesis Proceso por el que los leucocitos se desplazan a través de la pared de un capilar y salen hacia los tejidos donde se necesitan más.

Diarrea Heces líquidas.

Diástole Fase del ciclo cardíaco en la que las aurículas y los ventrículos se relajan entre las contracciones e ingresa sangre a su interior.

Dieffenbachia Planta de interior común que también recibe el nombre de caña muda; su ingesta provoca quemaduras en boca y lengua y probablemente parálisis de las cuerdas vocales, náusea y emesis; en casos graves, puede producirse edema de la lengua y la laringe, con el consiguiente compromiso de la vía aérea.

Diencéfalo Porción del encéfalo entre el tronco encefálico y el cerebro; contiene al epitálamo, el tálamo, el hipotálamo y el subtálamo.

Difamación Declaración verbal falsa que lesiona el buen nombre de una persona.

Diferenciación Proceso de especialización de una célula.

Difusión Proceso de las partículas que se desplazan de una zona de mayor concentración a una de menor concentración, de acuerdo con un gradiente, hasta que se alcanza el equilibrio.

Difusión facilitada Proceso por el que las moléculas de medicamento se unen a las proteínas transportadoras cuando no se gasta energía.

Digestión (1) Descomposición mecánica y química de las moléculas grandes de los alimentos en moléculas pequeñas que pueden absorberse en el tracto GI y convertirse en energía para la función celular. (2) Digestión Fragmentación química del material alimentario en pequeñas porciones que se pueden absorber hacia el aparato circulatorio.

Diluyente Solución (normalmente agua o solución salina normal) utilizada para diluir un medicamento.

Diplopía Visión doble.

Dirección médica Dirección asignada a un sistema o proveedor del SEM por parte de un médico.

Disección Proceso por el que las capas íntima y media de un vaso se separan (disecan) tras después de producirse un desgarro en una porción aneurismática de la pared arterial. Con cada sístole ventricular, un chorro de sangre se introduce en la pared arterial desgarrada, creando y propagando un falso canal.

Diseño longitudinal Método de recopilación de datos en el que la información se recoge en varios intervalos establecidos, y no solo en un momento determinado.

Diseño transversal Método de recopilación de datos en el que se recogen todos los datos en un momento determinado, lo que sirve esencialmente como una "instantánea" de los acontecimientos y la información.

Disfonía Dificultad para hablar.

Dislipidemia Nivel excesivo de lípidos (grasas) circulantes en la sangre, que aumenta el riesgo de aterosclerosis y enfermedad coronaria.

Disnea Dificultad para la respiración, o su realización laboriosa.

Disnea paroxística nocturna (DPN) Dificultad respiratoria grave que se produce por la noche después de varias horas en decúbito, durante la cual se acumula líquido en los pulmones; la persona se ve obligada a sentarse para respirar; causada por insuficiencia cardíaca izquierda o descompensación de enfermedad pulmonar obstructiva crónica.

Displasia Alteración del tamaño, la forma y la organización de las células.

Dispositivo de atomización para mucosa (MAD, por sus siglas en inglés) Dispositivo que se acopla al extremo de una jeringa y que se utiliza para rociar (atomizar) determinados medicamentos por vía intranasal.

Dispositivo de bolsa-mascarilla Dispositivo de ventilación manual que consta de bolsa, mascarilla, reservorio y entrada de oxígeno; capaz de proveerlo hasta a 100%.

Dispositivo infusor a presión Manguito que se coloca alrededor de la bolsa para infusión intravenosa y se infla para forzar el flujo de líquido desde la bolsa para infusión intravenosa hasta el tubo.

Dispositivo King LT Vía aérea artificial de una sola luz que se inserta de manera ciega en el esófago; cuando es colocada de manera apropiada, un manguito sella el órgano y el otro la orofaringe.

Dispositivos de acceso vascular implantados Dispositivos que se implantan en cirugía, suturados bajo la piel, con el fin de administrar medicamento por tiempo prolongado, nutrición parenteral total, quimioterapia, administración de hemoderivados y toma de muestras de sangre venosa, por ejemplo, una fístula arteriovenosa.

Dispositivos de acceso vascular no canalizables Dispositivos que se han insertado mediante venopunción directa a través de la piel directamente en una vena seleccionada con el fin de administrar medicamento por tiempo prolongado a largo plazo, nutrición parenteral total, quimioterapia y toma de muestras de sangre venosa; por ejemplo, los catéteres centrales insertados periféricamente y los catéteres venosos centrales.

Dispositivos FAST Dispositivos de primer acceso para shock y trauma; dispositivos intraóseos esternales manuales utilizados en pacientes de 12 años o más; incluyen un tubo de infusión, un portal subcutáneo, un introductor, un parche de alivio de tensión/objetivo y una cúpula protectora.

Disritmia sinusal Variación del ciclo de un ritmo sinusal que suele asociarse con fluctuaciones del ciclo respiratorio; la frecuencia aumenta durante la inspiración y disminuye durante la espiración.

Disritmias Alteraciones del ritmo cardíaco.

Distal Más alejado del tronco o un punto específico y más próximo al extremo libre de la extremidad.

Distensibilidad pulmonar Capacidad de los alvéolos de expandirse cuando ingresa aire a los pulmones durante la ventilación a presión negativa o positiva.

Distensión gástrica Aumento de volumen o expansión del estómago, a menudo por aire; puede ser una complicación de la ventilación por el esófago en lugar de la tráquea.

Distensión venosa yugular (DVY) La protrusión visible de las venas yugulares cuando el paciente se encuentra en posición de semi-Fowler o Fowler completa; indica un desplazamiento inadecuado de sangre a través del corazón y/o los pulmones.

Distonía Contracciones del cuerpo en posiciones extrañas.

Distónico Relativo a los movimientos musculares voluntarios que están distorsionados o alterados debido a un tono muscular anormal.

Distribución Movimiento y transporte de un medicamento por el torrente sanguíneo hasta los tejidos y células y, en última instancia, hasta su receptor objetivo.

Diuresis Producción de grandes cantidades de orina por el riñón.

Diurético Sustancia química que aumenta la diuresis.

Diverticulitis Inflamación de las bolsas del colon; estas bolsas se forman como resultado de la dificultad para mover las heces a través del colon. Las bacterias pueden quedar atrapadas en las bolsas, lo que provoca inflamación e infección.

Divertículo Zona débil del colon que presenta pequeños afloramientos que se convierten en bolsas.

Doble documentación Acto de documentar más de una vez la atención y el tratamiento proporcionados en un incidente, lo que aumenta el riesgo de errores e inconsistencias.

Dolor fantasma Sensación de dolor en una parte del cuerpo que ya no está presente.

Dolor parietal Dolor causado por la inflamación del peritoneo parietal que en general se describe como constante, doloroso y agravado por el movimiento.

Dolor referido Dolor que se percibe como si se hubiese originado en una parte corporal diferente a la del sitio estimulado.

Dolor somático Dolor causado por la activación de receptores del dolor en los tejidos superficiales del cuerpo, como la piel, los huesos, los músculos y las articulaciones; en comparación con el dolor visceral, en general, es más intenso y de localización más precisa.

Dolor visceral Dolor profundo, causado por la activación de receptores de dolor en las zonas internas del cuerpo que se incluyen dentro de una cavidad, como el tórax, el abdomen o la pelvis.

Dorsal Superficie posterior del cuerpo, incluido el dorso de la mano.

Dosificación Cantidad especificada de un medicamento que debe administrarse a intervalos concretos.

Dosis deseada Cantidad de un medicamento que el médico ordena para un paciente; la orden del medicamento.

Dosis letal media (DL_{50}) Dosis basada en el peso de un medicamento que causó la muerte en 50% de los animales probados.

Dosis media eficaz (DE_{50}) Dosis basada en el peso de un medicamento que fue eficaz en 50% de los seres humanos y animales sometidos a prueba.

Dosis tóxica media (DT_{50}) Dosis basada en el peso de un medicamento que demostró toxicidad en 50% de los animales probados.

Drenaje de Penrose Tipo de drenaje quirúrgico utilizado a menudo como banda restrictiva.

DUMBBELLS Acrónimo en inglés que representa los síntomas de la intoxicación por organofosforados: diarrea, micción, miosis, bradicardia/broncoespasmo/broncorrea, emesis, lagrimeo, convulsiones/salivación/sudoración (*Diarrhea, Urination, Miosis, Bradycardia/Bronchospasm/Bronchorrhea, Emesis, Lacrimation, and Seizures/Salivation/Sweating*).

Dúplex Sistema de radio que utiliza frecuencias emparejadas para permitir el uso de repetidoras remotas o la transmisión y recepción simultáneas.

Duración (de la acción) En un contexto farmacológico, el tiempo que puede esperarse que la concentración de un medicamento permanezca por encima del nivel mínimo necesario para proporcionar la acción prevista.

Duramadre La más externa de las tres meninges que envuelven al encéfalo y la médula espinal; es la más dura.

Ébola Virus antes limitado a África Occidental, que se propaga por contacto directo a través de la piel o las mucosas no intactas, y cuyos síntomas iniciales incluyen fiebre, debilidad intensa, dolor muscular, cefaleas y dolor de garganta; algunas personas infectadas experimentan hemorragias internas y externas. Esta enfermedad requiere precauciones tanto por contacto como por gotas.

Ecolalia El paciente hace eco sin sentido de las palabras del entrevistador.

Ectópico Impulso o ritmo que se origina en un lugar distinto del nódulo SA.

ECV Interrupción del flujo sanguíneo al cerebro que provoca la pérdida de la función cerebral; también llamado ataque cerebral.

ECV hemorrágico Uno de los dos tipos principales de EVC; se produce como resultado de una hemorragia dentro del cerebro.

ECV isquémico Uno de los dos tipos principales de ictus, también llamado ictus oclusivo; se produce cuando el flujo sanguíneo a una parte concreta del cerebro se interrumpe por una obstrucción, como un coágulo de sangre, dentro de una arteria.

Edema Hinchazón causada por un exceso de líquido atrapado en los tejidos corporales.

Edema pulmonar Congestión de los espacios aéreos pulmonares con exudado y espuma, a menudo secundaria a insuficiencia ventricular izquierda.

Efecto cronotrópico Efecto relacionado con la velocidad de contracción del corazón.

Efecto de primer paso Alteración de un medicamento a través del metabolismo en el tracto gastrointestinal antes de que llegue a la circulación sistémica.

Efecto inotrópico Efecto sobre la contractilidad del tejido muscular, en especial el cardíaco.

Efecto placebo En un contexto farmacológico, los efectos positivos y negativos de un medicamento inactivo en una persona que están relacionados con las expectativas de la persona y otros factores.

Efectos adversos Efectos anormales o perjudiciales para un organismo causados por la exposición a una sustancia química; indicados por algún resultado como la muerte, un cambio en el consumo de alimentos o agua, la alteración del peso corporal y de los órganos, la alteración de los niveles de enzimas o una enfermedad visible.

Efectos perjudiciales Cambios clínicos provocados por un medicamento que causan daño o molestias a un paciente; también conocidos como efectos adversos.

Efectos similares a los de la atropina Efectos adversos similares a los observados con la atropina, incluyendo sequedad de boca, visión borrosa, retención urinaria y arritmias cardíacas; puede ocurrir con el uso de algunos medicamentos antipsicóticos.

Eficacia En un contexto farmacológico, la capacidad de un medicamento para producir el efecto deseado.

Egofonía Una prueba de disminución de los ruidos ventilatorios realizada colocando el diafragma del estetoscopio sobre la zona en cuestión, en tanto el paciente emite un sonido prolongado de "iiiii" o "eeeiiiii" indica consolidación pulmonar.

Eje Línea imaginaria que une los electrodos positivo y negativo de una derivación; también la segunda vértebra cervical.

Eje anteroposterior Eje que va perpendicular al plano coronal.

Eje hipotalámico-hipofisario-suprarrenal Parte principal del sistema neuroendocrino que controla las reacciones al estrés; mecanismo de un conjunto de interacciones entre glándulas, hormonas y partes del mesencéfalo que median en el síndrome de adaptación general.

Eje horizontal Eje que va perpendicular al plano sagital; también denominado eje mediolateral.

Eje longitudinal Eje perpendicular al plano transversal.

Eje QRS Vector único que representa la media (o promedio) de todos los vectores creados por los ventrículos durante la despolarización.

Electrólitos Sustancias de tipo sal o ácido que se tornan en conductores iónicos cuando están disueltas en un solvente (como el agua); sustancias químicas disueltas en la sangre.

Elevación Una sensación que se percibe al palpar la pared del tórax en la que los latidos cardíacos son en extremo fuertes; sugiere hipertrofia; también llamada tirón.

Eliminación En un contexto farmacológico, la eliminación de un medicamento o sus subproductos del organismo.

Eliminación de orden cero Proceso en el que se elimina una cantidad fija de una sustancia durante un periodo determinado, independientemente de la cantidad total en el organismo.

Eliminación de primer orden Proceso en el que la velocidad de eliminación está directamente influida por los niveles plasmáticos de una sustancia.

Embarazo ectópico Uno en el que el oocito fecundado se implanta en un sitio diferente al útero.

Embolia aérea Presencia de aire en la circulación venosa, que forma burbujas que pueden bloquear la salida de sangre del ventrículo derecho hacia el pulmón; puede causar paro cardiaco, estado de shock y otras complicaciones de riesgo para la vida.

Embolia pulmonar Coágulo de sangre o materia extraña atrapada en la circulación pulmonar.

Embolia pulmonar Obstrucción de una o más arterias pulmonares por un sólido, líquido o gas que ha atravesado el lado derecho del corazón hasta llegar a los pulmones.

Embrión Un oocito fecundado.

Emergencia hipertensiva Elevación aguda de la presión arterial hasta 180/120 mm Hg o más con evidencia de daño en los órganos finales (cardiovascular, neurológico o renal); antes denominada crisis hipertensiva o hipertensión maligna.

Emergencia hipertensiva Elevación aguda de la presión arterial hasta 180/120 mm Hg o más con evidencia de daño en los órganos finales (cardiovascular, neurológico o renal); antes denominada crisis hipertensiva o hipertensión maligna.

Emergencia psiquiátrica Emergencia en la que un comportamiento anormal amenaza la salud y la seguridad de una persona o la salud y la seguridad de otra persona, como en el caso de una persona con tendencias suicidas u homicidas, o que tiene un episodio psicótico.

Emergencias conductuales Puntos en los que las reacciones de una persona a los acontecimientos interfieren con las actividades de la vida diaria; se convierten en emergencias psiquiátricas cuando provocan una interrupción importante de la vida, como un intento de suicidio.

Emergencias toxicológicas Emergencias médicas causadas por agentes tóxicos o toxinas; pueden ser intencionales o no.

Emisión de pensamientos La creencia de que los pensamientos se emiten en voz alta y pueden ser escuchados por los demás.

Encarcelada Tipo de hernia en la que un órgano queda atrapado en su nueva ubicación; la mayoría de las veces obstruye el intestino.

Encéfalo Parte del sistema nervioso central localizada dentro del cráneo; contiene miles de millones de neuronas con una variedad de funciones, que incluyen la conciencia, la percepción, el control de las reacciones al ambiente, las respuestas emocionales y el juicio.

Encefalopatía hepática Alteración de la función cerebral resultante de una insuficiencia hepática.

Endémico Presencia o prevalencia constante en una población o zona geográfica.

Endocardio Delgada membrana que reviste el interior del corazón.

Endocarditis Inflamación del endocardio como consecuencia de una infección.

Endógeno Procedente del interior del organismo (cuerpo).

Endolinfa Fluido que contiene los receptores nerviosos y reside dentro del laberinto membranoso. Las ondas sónicas convertidas en ondas de presión se transmiten a través de este fluido hacia los nervios auditivos.

Endometrio Capa interna de la pared uterina.

Endometriosis La presencia de tejido fuera del útero que simula al endometrio tanto en estructura como en función.

Endometritis Inflamación del endometrio que suele vincularse con una infección bacteriana.

Endotoxinas Toxinas liberadas por algunas bacterias cuando mueren.

Enema Solución líquida, que contiene medicamentos suplementarios, que se administra por vía rectal para aliviar diversas complicaciones gastrointestinales.

Enfermedad arterial coronaria (EAC) Proceso patológico caracterizado por el estrechamiento ateroesclerótico progresivo y la eventual obstrucción de las arterias coronarias.

Enfermedad cardiovascular (ECV) Grupo de trastornos del corazón y los vasos sanguíneos.

Enfermedad coronaria (EC) Enfermedad de las arterias coronarias y sus signos, síntomas y complicaciones asociados, como la angina de pecho y el infarto agudo del miocardio.

Enfermedad de Alzheimer Enfermedad orgánica progresiva en la que las neuronas del cerebro mueren, provocando demencia.

Enfermedad de Crohn Inflamación del íleon y quizá de otras partes del tracto gastrointestinal, en la que el sistema inmunológico ataca partes de las paredes intestinales, provocando su cicatrización, estrechamiento, rigidez y debilitamiento.

Enfermedad de Graves Trastorno autoinmune que provoca hipertrofia de la glándula tiroides e hipertiroidismo grave.

Enfermedad de Hashimoto Tipo de hipertiroidismo en el que la glándula tiroides aumenta de tamaño al estar infiltrada por linfocitos T y células plasmáticas.

Enfermedad de Lyme Enfermedad transmitida por garrapatas que afecta sobre todo la piel, el corazón, las articulaciones y el sistema nervioso y se caracteriza por una lesión redonda y roja o erupción en forma de ojo de buey.

Enfermedad de Parkinson Enfermedad neurológica en la que la parte del cerebro responsable de la producción de dopamina está dañada o se utiliza en exceso, lo que provoca temblores.

Enfermedad de von Willebrand Trastorno hemorrágico en el que el paciente carece del factor von Willebrand (una proteína esencial para la adhesión de las plaquetas); su ausencia hace que la sangre no coagule bien.

Enfermedad del suero Enfermedad en la que los complejos antígeno-anticuerpo formados en el torrente sanguíneo se depositan en lugares del cuerpo, sobre todo en los riñones, provocando reacciones inflamatorias.

Enfermedad infecciosa Aquella causada por la proliferación y diseminación de microorganismos lesivos dentro del cuerpo, o que es capaz de transmitirse con o sin contacto directo. (2) Enfermedad causada por organismos patógenos.

Enfermedad inflamatoria intestinal (EII) Inflamación crónica de todo o parte del tracto gastrointestinal.

Enfermedad maniaco-depresiva Trastorno bipolar en el que el estado de ánimo fluctúa entre la depresión y la manía; las alteraciones del estado de ánimo suelen ser episódicas y recurrentes.

Enfermedad pélvica inflamatoria (EPI) Una infección de los órganos reproductivos femeninos.

Enfermedad por reflujo gastroesofágico (ERGE) Enfermedad en la que el esfínter entre el esófago y el estómago se abre, permitiendo que el ácido estomacal se desplace hacia arriba; puede causar una sensación de ardor en el pecho (acidez); también llamada enfermedad por reflujo ácido.

Enfermedad transmisible (1) Cualquier padecimiento que se pueda diseminar de una persona a otra o de un animal a una persona. (2) Enfermedad infecciosa que puede transmitirse de una persona a otra por contacto directo o indirecto a través de un vector o fómite; también denominada enfermedad contagiosa.

Enfermedades vasculares del colágeno Grupo de trastornos autoinmunes que afectan al colágeno de tendones, huesos y tejidos conjuntivos.

Enlace iónico Enlace químico en el que se atraen iones con carga opuesta.

Enmascaramiento Diseño de investigación en el que el paciente y los proveedores no saben si el sujeto (paciente) está recibiendo la intervención bajo investigación o un placebo. Todos los demás aspectos del estudio (es decir, el consentimiento) deben cumplir los requisitos del IRB que lo aprueba.

Enterococo Organismo común y normal del tracto gastrointestinal, el tracto urinario y el tracto genitourinario que puede ser patógeno y resistente a la vancomicina.

Enzimas Sustancias diseñadas para acelerar la velocidad de reacciones bioquímicas específicas.

Eosinófilos Leucocitos que pueden tener participación después de una infección en diversas zonas del cuerpo.

Epicardio Hoja de pericardio seroso que yace estrechamente unida al corazón; también llamada pericardio visceral.

Epidemia Brote de enfermedad que excede sustancialmente lo esperado según la experiencia reciente.

Epididimitis Una infección que causa inflamación del epidídimo, ubicado en el borde posterior del testículo; una posible complicación de las infecciones de vías urinarias masculinas.

Epífisis Extremos de un hueso largo.

Epigástrico Región del abdomen directamente inferior a la apófisis xifoides y superior al ombligo.

Epiglotis Estructura cartilaginosa en forma de hoja que cierra la tráquea durante la deglución. (2) Estructura delgada a manera de alerón, que permite al aire pasar a la tráquea, pero impide que los alimentos y líquidos lo hagan.

Epinefrina Hormona producida por la médula suprarrenal que tiene participación vital en la función de la división simpática del sistema nervioso autónomo; media la respuesta de luchar o huir; también llamada adrenalina. (2) Hormona producida por la médula suprarrenal que desempeña un papel vital en la función del sistema nervioso simpático.

Epónimo Nombre de una enfermedad, aparato, procedimiento o medicamento que se basa en la persona que lo inventó, descubrió o describió por primera vez.

Equilibrio de líquidos Proceso de mantener la homeostasia mediante una ingestión (agua ingerida) y excreción (agua expulsada del cuerpo) equivalentes.

Equimosis Hematoma localizado o colección de sangre dentro o bajo la piel.

Equipo de administración Tubo que se conecta al puerto de acceso de la bolsa para infusión intravenosa y al catéter para administrar el fluido intravenoso.

Equipos de macrogoteo Equipos de administración denominados así por el gran orificio existente entre la espiga de perforación y la cámara de goteo; permiten un flujo rápido de fluido hacia el sistema vascular; la velocidad de flujo máxima es de 10 o 15 gtt/ml, según el fabricante.

Equipos de microgoteo Equipos de administración denominados así por el pequeño orificio en forma de aguja que hay entre la espiga de perforación y la cámara de goteo; permiten un flujo de fluido totalmente controlado y son ideales para la administración de medicamentos; la velocidad de flujo máxima es de 60 gtt/ml.

Eritrocitos Glóbulos rojos.

Errores de muestreo Errores previstos que se producen en la fase de muestreo de la investigación.

Escafoides Forma cóncava del abdomen; puede deberse a una evisceración.

Escala Celsius Escala para medir la temperatura, en la que el agua se congela a 0° y hierve a 100°.

Escala de coma de Glasgow (ECG) Un recurso de valoración para determinar el grado de conciencia mediante la evaluación y asignación de puntos (calificaciones) a la abertura ocular, las respuestas verbal y motora, que después se suman; eficaz para ayudar a predecir los resultados de los pacientes.

Escala Fahrenheit Escala para medir la temperatura en la que el agua se congela a 32° y hierve a 212°.

Escarcha urémica Acumulación de urea en polvo, en especial sobre la piel de la cara.

Escarlatina Enfermedad causada por la bacteria *Streptococcus pyogenes*, que se caracteriza por dolor de garganta, fiebre, erupción cutánea y "lengua de fresa".

Esclerodermia Enfermedad autoinmune del tejido conjuntivo que provoca cambios fibróticos (similares a cicatrices) en la piel, los vasos sanguíneos, los músculos y los órganos internos.

Esclerosis lateral amiotrófica (ELA) Enfermedad que afecta a las neuronas motoras voluntarias, provocando su muerte. La enfermedad se caracteriza por fatiga y debilidad general de los grupos musculares; con el tiempo, el paciente se vuelve incapaz de caminar, comer o hablar; también conocida como enfermedad de Lou Gehrig.

Esclerosis múltiple (EM) Enfermedad autoinmune en la que el organismo ataca la mielina que aísla el cerebro y la médula espinal, provocando cicatrices.

Esclerótica Capa fibrosa, blanca, externa, del globo ocular.

Escoliosis Curvatura lateral de la columna vertebral.

Escroto Bolsa de piel y tejido subcutáneo que cuelga de la región abdominal inferior, detrás del pene.

Esfigmomanómetro Un dispositivo para medir la presión arterial; un manguito de presión arterial.

Esfínter precapilar Músculo liso localizado en la entrada de un capilar: responsable de la respuesta a las necesidades tisulares locales.

Esfínteres Músculos dispuestos en círculo que pueden disminuir el diámetro de los conductos. Se encuentran ejemplos en el recto, la vejiga y los vasos sanguíneos.

Esofagitis Inflamación del esófago.

Espacio intersticial Espacio entre las células.

Espacio intraóseo Hueso esponjoso y poroso de la epífisis y la cavidad medular de la diáfisis, colectivamente.

Espacio pleural Espacio potencial entre las pleuras parietal y visceral.

Espacio subaracnoideo Espacio localizado entre la piamadre y la membrana aracnoides.

Espasmo carpopedal Posición contorsionada en la que los dedos de las manos o de los pies se flexionan en forma de garra; puede deberse a hiperventilación o hipocalcemia.

Espermatogénesis Proceso por el que se forman los espermatozoides.

Espiga de perforación Espiga de plástico duro y afilado en el extremo del equipo de administración diseñado para perforar la membrana estéril de la bolsa para infusión intravenosa.

Esqueleto apendicular Porción del sistema esquelético constituida por las extremidades superiores, la cintura escapular, la cintura pélvica y las extremidades inferiores.

Esqueleto axial Porción de la osamenta constituida por cráneo, caja torácica y columna vertebral.

Esquizofrenia Trastorno mental complejo difícil de identificar y cuya aparición típica se produce durante los primeros años de la edad adulta. Los síntomas disfuncionales suelen hacerse más prominentes con el tiempo e incluyen delirios, alucinaciones, apatía, mutismo, afecto plano, falta de interés por el placer, habla errática, respuestas emocionales disfuncionales y comportamiento motor disfuncional.

Estación base Radio situada en un lugar fijo (p. ej., un hospital o un centro de despacho) que consta de un transmisor, un receptor y una antena.

Estado de salud actual Una imagen compuesta por varios factores en la vida de un paciente, como los hábitos alimentarios, los medicamentos de uso actual, las alergias, el ejercicio, el uso de alcohol o tabaco, el uso de drogas recreativas, los patrones de sueño y sus alteraciones, y las inmunizaciones.

Estado epiléptico Estado en el que las crisis se repiten en pocos minutos o se producen crisis consecutivas sin que se recupere la consciencia entre ellas.

Esteatorrea Heces espumosas y grasas asociadas a insuficiencia hepática o condiciones de la vesícula biliar.

Estenosis Estrechamiento, como el de un vaso sanguíneo o una boca anastomótica.

Estéril Desprovisto de todo organismo vivo; se consigue mediante calor, gas o productos químicos.

Estertores (1) Ruidos húmedos de traqueteo, burbujeo o crepitación que indican la presencia de líquido en la vía aérea pequeñas. (2) Ruidos producidos por alvéolos llenos de líquido que se abren con chasquido bajo una presión inspiratoria creciente; pueden ser finos o gruesos; anteriormente llamados crepitaciones.

Estilete En el contexto de la intubación, un alambre semirrígido que se inserta dentro de un tubo endotraqueal para moldearlo y mantener su forma.

Estimulación transcutánea (ETC) Intervención utilizada para despolarizar el músculo cardíaco mediante un estímulo externo; unas almohadillas colocadas en el pecho del paciente suministran energía eléctrica al corazón, provocando la contracción muscular.

Estimulante Medicamento o sustancia química que mejora temporalmente el funcionamiento del sistema nervioso central y del sistema nervioso simpático.

Estrabismo Pérdida de la percepción de profundidad con superposición o imágenes dobles.

Estrangulada Tipo de hernia que causa la obstrucción completa de la circulación sanguínea en un órgano determinado como resultado de la compresión o el atrapamiento; una situación de emergencia que causa la muerte del tejido.

Estrato córneo La capa más externa o inanimada de la piel.

Estremecimiento Un sonido anormal *susurrante* de riego sanguíneo turbulento a través de una arteria estenótica; suele escucharse en las arterias carótidas.

Estrés Una reacción del cuerpo ante cualquier sujeto o situación que requiere adaptación de la persona.

Estrías Marcas verticales de estiramiento que se producen cuando una persona sube o baja de peso rápidamente.

Estridor (1) Ruido inspiratorio de tono alto que se crea por el movimiento de aire a través de una obstrucción dentro o justo arriba de la abertura glótica. (2) Un ruido ventilatorio de tono alto, burdo, producido conforme el aire se mueve a través de una obstrucción dentro o inmediatamente arriba de la abertura glótica; se asocia con una obstrucción grave de la vía aérea superior.

Estrógeno Hormona femenina primaria que produce las características sexuales secundarias en la pubertad.

Estrógenos Hormonas liberadas por los ovarios que estimulan al revestimiento uterino durante el ciclo menstrual.

Estudio de cohortes Tipo de investigación que examina patrones de cambio, una secuencia de acontecimientos o tendencias a lo largo del tiempo en una determinada población de sujetos de estudio.

Estudio no enmascarado Tipo de estudio en el que se informa a los sujetos de todos los aspectos del estudio.

Estudio prospectivo Tipo de investigación que recopila información a medida que ocurren los hechos en tiempo real.

Estudio retrospectivo Investigación realizada a partir de la información disponible en el momento.

Ética Comportamiento esperado de una persona o grupo que sigue un conjunto de normas.

Etnocentrismo Ver otras culturas basándose solo en las normas y valores de la propia cultura; creencia en la superioridad inherente de la propia cultura o grupo étnico.

Evaluación de la escena Un paso en el proceso en la evaluación del paciente que implica la valoración rápida de la escena y su medio circundante para obtener información en cuanto a la seguridad global y estabilización, y el mecanismo de lesión o la naturaleza de la enfermedad. Este proceso se hace antes de ingresar a la escena e iniciar la atención de un paciente.

Evaluación primaria Parte del proceso de estudio de un paciente que se centra en identificar condiciones inmediatas o potenciales que ponen en riesgo la vida, de manera que se pueda iniciar la atención para salvarla.

Evaluación secundaria Proceso por el que obtiene información más detallada, cuantificable y objetiva del paciente en cuanto a su estado total de salud.

Eventración Tipo de hernia en la que el contenido intestinal se hernia a través de una incisión; por ejemplo, después de una intervención quirúrgica abdominal.

Examen del estado mental (EEM) Instrumento para medir los "signos vitales mentales" de un paciente perturbado. Para realizar este examen puede utilizarse el mnemotécnico COASTMAP, que evalúa conciencia, orientación, actividad, habla, pensamiento, memoria, afecto y estado de ánimo y la percepción.

Excitabilidad Capacidad de las células de músculo cardíaco de responder a un estímulo eléctrico, químico o mecánico.

Exhalación Parte pasiva del proceso de respiración, en la que el diafragma y los músculos intercostales se relajan, lo que fuerza al aire fuera de los pulmones.

Exoftalmos Protrusión de los ojos de la posición normal dentro de la cuenca.

Exógeno Se origina fuera del organismo (cuerpo).

Exotoxinas Toxinas secretadas por células vivas para contribuir a la muerte y digestión de otras células.

Exploración de cuerpo completo Una revisión sistemática de cabeza a pies, que se realiza durante la evaluación secundaria de un paciente que sufrió un mecanismo de lesión significativo, no presenta respuesta, o se encuentra en estado crítico

Exploración dirigida Un tipo de exploración física que suele hacerse en los pacientes que responden y sufrieron una lesión aislada; se basa en la principal manifestación y se centra en un aparato, sistema o parte corporal.

Extensión Enderezamiento de una articulación.

Extravasación Filtración de sangre y medicamentos en el tejido que rodea el vaso sanguíneo.

Extubación Proceso de retiro de un tubo endotraqueal de un paciente.

EZ-IO Conductor manual alimentado por baterías al que se acopla una aguja intraósea especial; se utiliza para la inserción de la aguja intraósea en la tibia proximal de niños y adultos.

Factor estresante Cualquier sujeto o situación que cause estrés, ya sea bueno o malo.

Factor Rh Antígeno que se encuentra en los eritrocitos de la mayoría de las personas; cuando una mujer sin esta proteína se

embaraza de un hombre que sí la presenta, puede crear anticuerpos que atacarán a los productos de embarazos futuros.
Factores de coagulación Sustancias de la sangre necesarias para la coagulación; también denominadas factores de coagulación.
Fagocitos Leucocitos que engullen y consumen material extraño, como microorganismos y restos celulares.
Fagocitosis Forma de endocitosis en la que una célula rodea a una partícula extraña y la engulle.
Faringe Zona entre la cavidad nasal y la laringe, localizada detrás de la cavidad bucal; la garganta.
Fármaco Sustancia que tiene algún efecto terapéutico (como reducir la inflamación, combatir las bacterias o producir euforia) cuando se administra en las circunstancias y dosis adecuadas.
Farmacocinética Actividad de los medicamentos en el organismo a lo largo del tiempo, como su absorción, distribución y eliminación.
Farmacodinámica Efectos bioquímicos y fisiológicos y mecanismo de acción de un medicamento en el organismo.
Farmacología Estudio científico del modo en que diversas sustancias interactúan con los organismos vivos o alteran su funcionamiento.
Fasciculación Movimiento descoordinado y visible de pequeños grupos musculares; puede estar causada por la administración de un agente bloqueador neuromuscular despolarizante (en concreto, succinilcolina).
Fasciculaciones Descargas breves no coordinadas de pequeños grupos musculares en la cara, el cuello, el tronco y las extremidades; pueden presentarse después de la administración de bloqueadores neuromusculares despolarizantes (p. ej., cloruro de succinilcolina).
Fatiga por compasión También conocida como trastorno de estrés secundario; una afección caracterizada por la disminución gradual de la compasión con el transcurso del tiempo.
***Federal Communications Commission* (FCC, Comisión Federal de Comunicaciones)** Agencia gubernamental independiente que en Estados Unidos regula las comunicaciones interestatales e internacionales por radio, televisión, cable y satélite en los 50 estados, el Distrito de Columbia y los territorios estadounidenses.
Fenómeno de reemergencia Aparición de sueños, pesadillas o delirio que experimenta una persona que recibió ketamina conforme esta alcanza el final de su semivida.
Fenotipo Aspecto, condición de salud u otras características vinculadas con un genotipo particular.
Feocromocitoma Tumor de la glándula suprarrenal, generalmente en la médula, que provoca una liberación excesiva de las hormonas epinefrina y norepinefrina.
Fibras de Purkinje Red de fibras musculares cardíacas distribuidas por las superficies internas de las paredes ventriculares que causan el impulso de excitación desde las ramas del haz hasta el miocardio ventricular.
Fibrina Proteína insoluble blanca formada por la acción de la trombina sobre el fibrinógeno durante el proceso de la coagulación sanguínea; forma la matriz de un coágulo sanguíneo. (2) Proteína que polimeriza (se une) para formar el componente fibroso de un coágulo sanguíneo.
Fibrinógeno Proteína plasmática importante para la coagulación sanguínea.
Fibrinólisis Proceso de disolución de los coágulos sanguíneos.
Fiebre reumática Enfermedad inflamatoria causada por bacterias estreptocócicas; la enfermedad puede causar estenosis de las válvulas mitral o aórtica.
Filtración (1) Movimiento de un fluido del líquido intravascular bajo alta presión hacia el fluido intersticial, que en general se encuentra a presión baja. (2) Uso de la presión hidrostática para forzar el paso de agua o partículas disueltas a través de una membrana semipermeable.
Fimosis Incapacidad de retraer el prepucio sobre el glande.
Fisiología Estudio de los procesos y funciones del organismo vivo.
Fisiopatología Estudio de la fisiología del funcionamiento alterado en presencia de una enfermedad.
Fístula (1) Una conexión quirúrgicamente creada entre una arteria y una vena, por lo general en el brazo, de acceso para diálisis. (2) Conexión anormal entre dos cavidades.
Fístula traqueoesofágica (FTE) Conexión entre el esófago y la tráquea.
Fisuras anales Desgarros lineales del revestimiento mucoso del ano y sus proximidades, tal vez causados por la evacuación de heces grandes y duras; causa de hemorragia GI baja.
Flexión Doblar una articulación.
Flujo exhalatorio máximo Aproximación del grado de la broncoconstricción; se usa para determinar si el tratamiento (como un broncodilatador inhalado) es eficaz.
Flujómetro con válvula de Bourdon Flujómetro de oxígeno que suele usarse porque no se ve afectado por la fuerza de gravedad y se puede colocar en cualquier posición.
Flujómetro de presión compensada Aparato para medir el flujo de oxígeno que incorpora una esfera flotante en un tubo plano calibrado; asciende o desciende de acuerdo con el flujo del gas en su interior; es modificado por la fuerza de gravedad y debe mantenerse en posición vertical para su lectura exacta.
Fobia simple Temor centrado en una clase de objetos (p. ej., ratones, arañas, perros) o situaciones (p. ej., lugares altos, oscuridad, volar).
Fobias Temor anormal y persistente ante determinados objetos o situaciones.
Focos ectópicos Lugares de generación de impulsos eléctricos distintos de las células marcapasos normales.
Fómites Objetos inanimados contaminados con microorganismos que sirven como medio de transmisión de una enfermedad.
Fontanelas Puntos blandos del cráneo de un neonato y un lactante donde las suturas del cráneo aún no se han sellado.
Forma combinada Raíz, prefijo o sufijo de una palabra seguido de una vocal.
Formación de conceptos Patrón de comprensión basado en la información obtenida de inicio; primera fase del proceso de pensamiento crítico en la atención prehospitalaria.
Fosfolípidos Moléculas de lípidos que constituyen la membrana celular.
Fracción de compresión torácica Periodo durante el cual se administran compresiones dividido por el tiempo total del intento de reanimación.
Fracción de oxígeno inspirada (FIO_2) Porcentaje de oxígeno en el aire inhalado.
Fractura patológica Aquella que ocurre cuando se aplican fuerzas normales a estructuras óseas anormales.
Fractura traumática Fractura que ocurre cuando se aplican fuerzas anormales sobre estructuras óseas normales.
Frecuencia Número de oscilaciones (o ciclos) por segundo de una señal de radio.
Frémito Una vibración de zumbido que puede palparse a través de la pared del tórax y sugiere un soplo subyacente.
Frote de fricción pleural (1) Resultado de una inflamación que causa engrosamiento de la pleura, lo que disminuye el espacio entre sus hojas y permite que se froten. (2) Ruidos chirriantes o de rallado que se presentan cuando los revestimientos pleurales se frotan entre sí, lo que podría percibirse en la inspiración, exhalación o ambas; por lo general, causados por la inflamación de la pleura.
Fuga de ideas Pensamiento acelerado en el que la mente salta muy rápido de un pensamiento al siguiente.

Ganglios basales Estructuras localizadas profundamente en el cerebro, el diencéfalo y el mesencéfalo, con una participación importante en la coordinación de los movimientos y la postura.

Ganglios linfáticos Estructuras redondeadas o reniformes dispersas en el trayecto de los vasos linfáticos, que filtran la linfa y sirven como fuente de linfocitos.

Gangrena de Fournier Una afección producto de bacterias que ingresan a la piel del escroto o perineo, causan infección y necrosis subsiguiente del tejido subcutáneo y del músculo del escroto.

Gastritis Estado preulceroso en el que el estómago está inflamado, pero aún no se ha producido la erosión.

Gastroenteritis Término que comprende muchos tipos de infecciones e irritaciones del tracto gastrointestinal; los síntomas incluyen náusea y vómito fuerte, fiebre baja, dolor abdominal y diarrea; también llamada influenza estomacal.

Gastroenteritis aguda Familia de condiciones que giran en torno a un tema central de infección con fiebre, dolor abdominal, diarrea, náusea y vómito.

Genotipo La disposición de los genes de una persona y sus características se basa en la combinación de alelos, de un gen o muchos.

Gestión de recursos de personal (CRM, por sus siglas en inglés) Práctica operativa diseñada para mejorar la comunicación, el trabajo en equipo y reducir así los errores que se pueden prevenir.

Glándula hipófisis Glándula endocrina encargada de modificar directa o indirectamente todas las funciones corporales; también llamada pituitaria.

Glándula pineal Glándula del encéfalo que sintetiza y secreta melatonina, una hormona que modifica los patrones de sueño y despertar.

Glándula tiroides Una glándula endocrina grande localizada en la base del cuello; produce y secreta hormonas que influyen en el crecimiento, el desarrollo y el metabolismo.

Glándulas de Bartolino Las que secretan moco para la lubricación sexual.

Glándulas endocrinas Glándulas sin conducto, que secretan directamente hacia un líquido tisular o la sangre.

Glándulas exocrinas Glándulas que secretan sustancias químicas hacia conductos que se abren sobre una superficie para su eliminación.

Glándulas lagrimales Glándulas que producen líquido para mantener húmedo el ojo.

Glándulas paratiroides Cuatro glándulas embebidas en la porción posterior de cada lóbulo tiroideo; producen y secretan hormona paratiroidea.

Glándulas sebáceas Glándulas que producen una sustancia oleosa llamada sebo, que se descarga a lo largo de los cuerpos de los pelos.

Glándulas sudoríparas Glándulas que secretan sudor, localizadas en la dermis cutánea.

Glándulas suprarrenales Glándulas endocrinas pares localizadas en la parte alta de los riñones; secretan epinefrina y norepinefrina cuando son estimuladas por el sistema nervioso simpático; cada una consta de médula y corteza.

Glaucoma Enfermedad ocular causada por aumento de la presión del ojo; cuando es suficientemente grave puede dañar al nervio óptico y potencialmente causar la pérdida permanente de la visión.

Globulinas Anticuerpos formados por el hígado o los tejidos linfáticos que representan casi 36% de las proteínas plasmáticas.

Glotis Formada por las cuerdas vocales verdaderas y su abertura.

Glucagón Hormona producida por el páncreas que es vital para el control del metabolismo corporal y el nivel de glucosa en sangre. El glucagón estimula la descomposición del glucógeno en glucosa.

Glucógeno Polímero largo que se forma a partir de la glucosa en el hígado (almidón animal).

Glucogenólisis Fragmentación de glucógeno a glucosa.

Glucólisis Proceso por el que la glucosa y otros azúcares se fragmentan para obtener ácido láctico (glucólisis anaeróbica) o ácido pirúvico (glucólisis aeróbica), y obtiene energía en forma de trifosfato de adenosina.

Gluconeogénesis Proceso que estimula al hígado y los riñones para producir glucosa a partir de moléculas diferentes a los carbohidratos.

Glucosuria Eliminación de grandes cantidades de orina que contienen glucosa.

Gonorrea Infección de transmisión sexual que provoca una infección causada por la bacteria gonocócica *Neisseria gonorrhea*; los signos y síntomas incluyen secreción con pus por la uretra y dolor al orinar en los varones, y signos y síntomas de abdomen agudo en las mujeres.

Gramnegativo Reacción de las bacterias a una tinción de Gram en la que las bacterias no retienen la tinción púrpura oscura; estas bacterias tienen paredes celulares compuestas en gran parte de lípidos y tienen cualidades patógenas que las hacen especialmente problemáticas para los seres humanos.

Grampositivo Reacción de las bacterias a una tinción de Gram en la que las bacterias retienen la tinción púrpura oscura; estas bacterias tienen paredes celulares gruesas compuestas de muchas capas de peptidoglicano (aminoácidos y glucosa).

Grupo respiratorio dorsal (GRD) Porción del bulbo raquídeo que actúa como centro de integración respiratoria; recibe impulsos de varias fuentes que incluyen al grupo respiratorio pontino, los nervios glosofaríngeo y vago, quimiorreceptores centrales en el bulbo raquídeo y quimiorreceptores periféricos.

Grupo respiratorio pontino (GRP) Porción de la protuberancia anular que envía información a los grupos ventilatorios ventral y dorsal; se cree que aligera la transición entre cada fase del ciclo respiratorio y modifica la respiración al acortar cada movimiento y hacerlo más o menos profundo, dependiendo de las necesidades corporales.

Grupo respiratorio ventral (GRV) Una zona del bulbo raquídeo que puede causar inspiración o espiración, dependiendo de qué neuronas motoras se estimulen.

gtt Unidad de medida que indica gotas.

Guía elástica de bougie Dispositivo flexible que se inserta a través de la glotis bajo laringoscopia directa; el tubo endotraqueal se enrolla sobre el dispositivo y facilita su ingreso a la tráquea. También se llama introductor de tubo traqueal.

Habituación (1) Tolerancia física y dependencia psicológica a una sustancia o sustancias. (2) Tolerancia inusual a los efectos terapéuticos y clínicos adversos de un medicamento o sustancia química.

Hantavirus Tipo de virus que se encuentra en los roedores salvajes y que también puede causar enfermedades en los seres humanos; se caracteriza por fiebre, dolor de cabeza, dolor abdominal, pérdida de apetito y vómito. Las enfermedades causadas incluyen fiebre hemorrágica con síndrome renal y síndrome pulmonar por hantavirus.

Hapteno Sustancia que por lo general no estimula una respuesta inmunológica, pero que puede combinarse con un antígeno y, posteriormente, iniciar por sí sola una respuesta específica de anticuerpos.

Haz de His Porción del sistema de conducción del corazón situada en la parte superior del tabique interventricular que conduce los impulsos eléctricos desde la unión auriculoventricular (AV) hasta las ramas derecha e izquierda del haz; también denominado haz AV.

Heces acólicas Heces ligeras, de color arcilloso, indicativas de insuficiencia hepática.

Hematemesis Vómito con sangre; puede tener aspecto de granos de café, lo que indica la presencia de sangre parcialmente digerida, o contener sangre de color rojo brillante, lo que indica una hemorragia activa.

Hematocrito (1) Medida del porcentaje relativo de células sanguíneas (sobre todo eritrocitos) en un volumen determinado de sangre completa. (2) Porcentaje de glóbulos rojos en una muestra de sangre. (3) Proporción de glóbulos rojos en el volumen total de sangre.

Hematología Estudio de la fisiología de la sangre.

Hematoma Acumulación de sangre en los tejidos bajo la piel; una complicación potencial de la terapia intravenosa.

Hematoquecia Evacuación de heces en las que se distingue sangre de color rojo brillante; causada por una hemorragia gastrointestinal baja.

Hematuria Presencia de sangre en la orina.

Hemiparesia Debilidad de un lado del cuerpo.

Hemiplejía Parálisis de un lado del cuerpo.

Hemocromatosis Enfermedad hereditaria (autosómica recesiva) en la que el organismo absorbe más hierro del que necesita y lo almacena en el hígado, los riñones y el páncreas.

Hemofilia (1) Trastorno hemorrágico principalmente hereditario, en el que la coagulación no se produce o se produce de forma insuficiente. (2) Trastorno hereditario ligado al género caracterizado por hemorragias excesivas.

Hemoglobina Pigmento que contiene hierro y se encuentra en los eritrocitos, transporta oxígeno hacia las células de los pulmones y dióxido de carbono desde ellas al exterior. (2) Proteína de la sangre rica en hierro que transporta oxígeno. (3) Proteína que contiene hierro ubicada en los eritrocitos, con capacidad de combinarse con el oxígeno.

Hemoglobina reducida Hemoglobina de la que se liberó el oxígeno hacia las células.

Hemólisis Destrucción de los glóbulos rojos por alteración de la membrana celular.

Hemorragia uterina disfuncional Aquella anormal en cantidad o frecuencia (de más que cada 21 días).

Hemostasia (1) Detención de la hemorragia; implica los pasos de espasmo vascular, formación del tapón plaquetario y coagulación sanguínea. (2) Mecanismo natural del cuerpo para la coagulación de la sangre.

Hendidura sináptica Espacio entre las neuronas; también llamada compuerta sináptica.

Hepatitis Inflamación del hígado, en general causada por un virus, que provoca fiebre, pérdida de apetito, ictericia, fatiga y alteraciones de la función hepática.

Hepatitis infecciosa Otro nombre para la hepatitis A; una inflamación provocada por un virus que causa fatiga leve, pérdida de apetito, fiebre, náusea, dolor abdominal y, con el tiempo, ictericia, orina de color oscuro y heces pálidas de color arcilla.

Hepatitis sérica Infección por el virus de la hepatitis B, que se transmite por contacto sexual, transfusión de sangre o punción de la piel con agujas u otros instrumentos punzantes contaminados. Los signos y síntomas incluyen pérdida de apetito, náusea, vómito, fatiga y malestar general, fiebre baja, molestias abdominales vagas y, a veces, dolor en las articulaciones.

Hepatitis viral Inflamación del hígado producida por una de las cinco formas distintas del virus de la hepatitis: A, B, C, D y E. Los tipos difieren en su modo de transmisión, pero presentan los mismos signos y síntomas.

Hernia (1) Desplazamiento de una estructura desde su ubicación normal a otro espacio. (2) Protrusión de un asa de un órgano o tejido a través de una abertura corporal anormal.

Hernia hiatal Protrusión de una porción del estómago a través del diafragma.

Hertz (Hz) Unidad de medida de una frecuencia igual a 1 ciclo por segundo; 1 millón de Hz equivale a un megahertz y 1 000 megahertz equivalen a un gigahertz.

Hidrocarburos Compuestos formados principalmente por átomos de hidrógeno y carbono; se obtienen sobre todo de la destilación del petróleo.

Hidrófilo Atraído por las moléculas de agua.

Himen Una membrana que protege el introito vaginal antes del primer coito.

Hipercalcemia Aumento del nivel de calcio en suero.

Hipercapnia Aumento del contenido de dióxido de carbono en la sangre arterial.

Hipercolesterolemia Nivel elevado de colesterol en sangre.

Hiperextensión Extensión máxima o más allá de la amplitud normal de movimiento.

Hiperflexión Flexión máxima o más allá de la amplitud normal de movimiento.

Hiperfosfatemia Aumento del nivel de fosfato en suero.

Hiperglucemia Nivel anormalmente alto de glucosa en sangre.

Hipermagnesemia Aumento de la concentración sérica de magnesio.

Hipermetropía Vista de lejos; capacidad de observar objetos distantes, combinada con la dificultad de enfocar los cercanos.

Hipernatremia Nivel sérico de sodio superior o igual a 143 mEq/L.

Hiperperistaltismo Aumento de la actividad intestinal; también llamado borborigmo.

Hiperplasia Aumento del número real de células en un órgano o tejido, que suele dar lugar a un aumento del tamaño del órgano o tejido.

Hiperplasia prostática benigna (HPB) Crecimiento no canceroso de la próstata relacionado con la edad.

Hiperpotasemia Concentración elevada de potasio en la sangre.

Hipersensibilidad (1) Término genérico que designa las respuestas del organismo a una sustancia a la que el paciente presenta una sensibilidad aumentada. (2) Ocurre cuando un paciente reacciona con síntomas alérgicos exagerados o inapropiados después de tener contacto con una sustancia que el organismo percibe como nociva.

Hipertensión Hipertensión arterial; existe hipertensión en estadio 2 cuando la presión arterial sistólica es igual o superior a 140 mm Hg o la presión arterial diastólica es igual o superior a 90 mm Hg.

Hipertensión portal Aumento de la presión en las venas portales; causado por la incapacidad de la sangre para fluir de manera normal a través del hígado; puede provocar la ruptura de estos vasos.

Hipertónica Solución cuya concentración de solutos es más alta en comparación con otra.

Hipertrofia Aumento del tamaño de las células debido a la síntesis de más componentes subcelulares, lo que a su vez provoca un aumento del tamaño de los tejidos y órganos.

Hipertrofia ventricular derecha (HVD) Enfermedad cardíaca en la que el ventrículo derecho aumenta de tamaño, por lo general como consecuencia de la hipertensión pulmonar.

Hipertrofia ventricular izquierda (HVI) Enfermedad cardíaca en la que el ventrículo izquierdo aumenta de tamaño, casi siempre como consecuencia de la hipertensión.

Hiperventilación Circunstancia en la que ingresa una cantidad aumentada de aire a los alvéolos; la eliminación de dióxido de carbono rebasa a su producción.

Hipnótico-sedante Fármaco utilizado para reducir la ansiedad, calmar a los pacientes agitados y ayudar a producir somnolencia y sueño; es un depresor del sistema nervioso central.

Hipocalcemia (1) Concentración baja de calcio en la sangre. (2) Disminución del nivel de calcio en suero.

Hipocapnia Disminución del contenido de dióxido de carbono en la sangre arterial.

Hipofosfatemia Disminución del nivel de fosfato en suero.

Hipoglucemia Nivel anormalmente bajo de glucosa en sangre.

Hipomagnesemia Disminución del nivel de magnesio en suero.

Hiponatremia Nivel sérico de sodio inferior o igual a 135 mEq/L.

Hipoperfusión Estado que se produce cuando el nivel de perfusión tisular disminuye por debajo de lo normal.

Hipoperistaltismo Disminución de la actividad intestinal.

Hipopotasemia (1) Concentración baja de potasio en la sangre. (2) Disminución del nivel de potasio en suero.

Hipotálamo Zona del diencéfalo que constituye el principal enlace entre el sistema endocrino y el nervioso; encargada de regular muchas funciones corporales, que incluyen la frecuencia cardíaca, la digestión, el desarrollo sexual, la temperatura, las emociones, el hambre, la sed y el ciclo de sueño.

Hipotensión ortostática Caída de la presión arterial al cambiar a la posición de pie.

Hipotónica Solución cuya concentración de solutos es menor en comparación con otra.

Hipoventilación Circunstancia en la que ingresa una cantidad disminuida de aire a los alvéolos; la producción de dióxido de carbono rebasa a la capacidad corporal de eliminarlo por ventilación.

Hipoxemia Decremento de la cifra arterial de oxígeno.

Hipoxia Carencia de oxígeno en células y tejidos.

Histamina (1) Amina vasoactiva que aumenta la permeabilidad vascular, provoca vasodilatación y puede causar broncoconstricción, náusea y vómito.(2) Sustancia que se encuentra en grandes cantidades en los basófilos y aumenta la inflamación de los tejidos. (3) Sustancia química que se encuentra en los mastocitos y que, cuando se libera, provoca vasodilatación, filtración capilar y broncoconstricción.

Histeria de conversión Una reacción en la que una persona de manera subconsciente transforma su ansiedad en una disfunción corporal. Tal vez no pueda ver u oír, o quizás presente parálisis parcial.

Historia clínica del paciente Información en cuanto a su manifestación principal, los síntomas presentes, y las enfermedades previas.

Historia de la enfermedad actual Una narración detallada de los síntomas que un paciente experimenta, por lo general obtenida con las siglas nemotécnicas OPQRST.

Historia social Una subsección de la historia clínica del paciente que provee información valiosa acerca de su estado de salud total y ayuda a identificar factores de riesgo de diversos procesos patológicos; incluye aspectos como el uso de tabaco, alcohol y drogas, la conducta sexual, la alimentación, la historia de viajes, el ambiente de vida y la ocupación.

Hoja curva del laringoscopio Aquella diseñada para ajustarse en la vallécula, con elevación indirecta de la epiglotis y exposición de las cuerdas vocales; también llamada hoja de Macintosh.

Hoja recta de laringoscopio Hoja diseñada para elevar la epiglotis y exponer las cuerdas vocales; también llamada hoja de Miller.

Homeostasia Tendencia a la constancia o estabilidad del ambiente interno del cuerpo; proceso que equilibra la demanda y la satisfacción de las necesidades corporales.

Homónimos Palabras que suenan igual, pero se escriben distinto y tienen significados diferentes.

Hongos Pequeños organismos que pueden crecer rápidamente en presencia de los nutrientes y la materia orgánica necesarios y pueden causar infecciones relacionadas con el contacto con materia orgánica en descomposición o a partir de esporas transportadas por el aire en el medio ambiente, como los mohos.

Hormona adrenocorticotrópica (ACTH) Hormona que estimula la corteza suprarrenal para fabricar y secretar cortisol (un glucocorticoide).

Hormona antidiurética (ADH) Hormona segregada por el lóbulo posterior de la glándula pituitaria que contrae los vasos sanguíneos y eleva la presión arterial; también llamada vasopresina.

Hormona estimulante del tiroides (TSH) Hormona que controla la liberación de hormona tiroidea de la glándula tiroides.

Hormona luteinizante (LH) Hormona que regula la producción de óvulos y espermatozoides, así como la producción de hormonas reproductivas.

Hormona paratiroidea (PTH) Hormona producida y secretada por las glándulas paratiroides; mantiene niveles normales de calcio en sangre y respalda la función neuromuscular normal; actúa como antagonista de la calcitonina; se segrega cuando los niveles de calcio en sangre son bajos.

Hormona suprarrenocorticotrópica (ACTH) Hormona cuya diana es la corteza suprarrenal donde causa la secreción de cortisol (un glucocorticoide).

Hormonas Sustancias que se producen en un tejido u órgano y se liberan a la sangre para conducirse a otros órganos (diana), donde actúan para causar una respuesta específica.

Hueso hioides Hueso pequeño, con forma de herradura al que se unen la mandíbula, la lengua, la epiglotis y el cartílago tiroides.

Huesos del carpo Los ocho pequeños huesos de la muñeca.

Humidificador de oxígeno Frasco pequeño de agua a través del cual el oxígeno que abandona el tanque se humedece antes de llegar al paciente.

Humor acuoso Fluido semejante al agua que llena la cavidad anterior del ojo; su cantidad determina la presión intraocular, que es crítica para la vista.

Humor vítreo Líquido similar a la jalea que llena la cavidad posterior del ojo y ayuda al globo ocular a mantener su forma sin distorsionar la luz.

i-gel Vía aérea supraglótica artificial en la que se usa una mascarilla no inflable de consistencia semejante a un gel para aislar la laringe y facilitar la ventilación.

Iatrogenia Relacionado con un efecto secundario o la complicación del uso de medicamentos u otros métodos terapéuticos. Impresión inicial. Una conclusión acerca del problema del paciente en el campo de su ejercicio profesional con base en el cuadro clínico y la exclusión de otras posibles causas, por consideración del diagnóstico diferencial.

Ictericia (1) Coloración amarillenta de la conjuntiva (el blanco de los ojos) causada por la acumulación de bilirrubina en la sangre durante una insuficiencia hepática. (2) Presencia de un exceso de pigmentos biliares en el torrente sanguíneo que dan a la piel, las membranas mucosas y los ojos un marcado color amarillo; suele asociarse a enfermedades hepáticas.

Idiopática De causa desconocida.

Idiosincrásico En un contexto farmacológico, susceptibilidad anormal a un medicamento, posiblemente debida a rasgos genéticos o a la disfunción de una enzima metabólica, que es peculiar de un paciente individual (y por lo general inexplicable).

Idioventricular Relativo solo a los ventrículos; producido por los ventrículos.

Ilícito En relación con las sustancias, sustancias ilegales como marihuana, cocaína y dietilamida de ácido lisérgico.

Imagen posterior Percepción de que aún está presente un estímulo después de que se retiró.

Impresión general La impresión inicial total que determina la prioridad de la atención de un paciente; con base en el ambiente circundante, el mecanismo de lesiones, los signos y síntomas, y la manifestación principal.

Impulso hipóxico Situación en la que el estímulo de una persona para respirar proviene de un decremento de la Pao_2 más bien que de uno normal, el de aumento de la $Paco_2$.

Incidencia Número de casos nuevos de una enfermedad en una población.

Incidente crítico Un evento que supera la capacidad de enfrentamiento, ya sea en el escenario o después.

Incontinencia urinaria Imposibilidad de regular la salida de orina de la vejiga; pérdida del control vesical.

Incumplimiento de la medicación Situación en la que un paciente decide no tomar los medicamentos según lo prescrito, por razones que pueden incluir efectos adversos indeseables o un costo prohibitivo.

Indicación Circunstancia que señala o muestra la causa, patología, tratamiento o cuestión de un ataque de enfermedad; lo que señala; lo que sirve de guía o advertencia.

Índice terapéutico Relación entre la dosis media eficaz y la dosis media letal o la dosis media tóxica; también se conoce como relación terapéutica.

Individuo fuente Toda persona, viva o muerta, cuya sangre u otros materiales potencialmente infecciosos pueden ser fuente de exposición profesional para otra persona. Los ejemplos incluyen, entre otros, a pacientes de hospitales y clínicas, clientes de instituciones para discapacitados, víctimas de traumatismos, clientes de centros de tratamiento de drogas y alcohol, residentes de hospicios y residencias de adultos mayores, restos humanos y personas que donan o venden sangre o componentes sanguíneos.

Infarto Muerte (necrosis) de una zona localizada de tejido causada por isquemia.

Infarto agudo del miocardio (IAM) Isquemia cardíaca que se produce cuando el estrechamiento repentino o la oclusión completa de una arteria coronaria provoca la muerte (necrosis) del tejido miocárdico.

Infarto del miocardio subendocárdico Tipo de infarto agudo del miocardio en el que el proceso isquémico afecta solo a la capa interna del músculo.

Infarto del miocardio transmural Tipo de infarto agudo del miocardio en el que el infarto se extiende por toda la pared del ventrículo.

Infección asociada a la atención médica Infección adquirida 2 días después del ingreso en un centro de salud o 30 días después del alta de dicho centro.

Infección (1) Infección de un huésped o sus tejidos por microorganismos como bacterias, virus o parásitos, que pueden o no causar signos o síntomas de enfermedad. (2) Invasión de un huésped o de un tejido del huésped por organismos patógenos como bacterias, virus o parásitos, que produce una enfermedad que puede tener o no manifestaciones clínicas.

Infección vaginal por levaduras Aquella causada por el hongo *Candida albicans*, por su sobrepoblación en la vagina.

Infecciones de transmisión sexual (ITS) Grupo de enfermedades que por lo regular se adquieren por contacto sexual; incluyen gonorrea, sífilis, clamidia, sarna, piojos púbicos, herpes, hepatitis e infección por el virus de la inmunodeficiencia humana.

Infecciones de vías urinarias (IVU) Procesos infecciosos, por lo general de las vías urinarias bajas (uretra y vejiga), que ocurren cuando la flora normal (bacterias que pueblan la piel en forma natural) ingresa a la uretra y prolifera.

Infecciones oportunistas Infecciones en las que el organismo invasor prospera porque el sistema inmunológico se ha visto comprometido por una enfermedad, medicamentos quimioterapéuticos o fármacos antirrechazo en un receptor de trasplante de órganos. Estos hongos, bacterias, virus y parásitos suelen ser controlados por un sistema inmunológico sano.

Inferencial Formato de investigación que utiliza una hipótesis para probar un hallazgo a partir de otro.

Inferior Por debajo o más cerca de los pies.

Infiltración Escape de líquido hacia el tejido circundante; resultado de la perforación de una vena durante la canalización intravenosa.

Influenza Infección respiratoria causada por diversos virus. Se diferencia del resfriado común en que la influenza cursa con fiebre, escalofríos, dolor de cabeza, dolor muscular, malestar general y pérdida de apetito. Los síntomas respiratorios incluyen tos seca, a menudo prolongada, ronquera y secreción nasal.

Influenza aviar Enfermedad causada por un virus que se da de forma natural en la población de aves; los signos y síntomas incluyen fiebre, dolor de garganta, tos y dolores musculares.

Información objetiva Información observable y mensurable, como la presión arterial de un paciente.

Información subjetiva Información que se obtiene del paciente pero que no se puede ver, como los síntomas que describe un paciente.

Infusión intraósea Técnica de administración de líquidos, sangre y hemoderivados, y medicamentos en el espacio intraóseo de un hueso largo, normalmente la tibia proximal.

Ingestión Comer o beber materiales para su absorción a través del tracto gastrointestinal.

Inhalación Proceso activo de introducir aire a los pulmones; también llamada inspiración; también una vía de administración de medicamentos.

Inhalador de dosis medida (IDM) Frasco presurizado que administra una dosis específica de un medicamento; se utiliza comúnmente para broncodilatadores beta agonistas.

Inhibidores de la monoaminooxidasa (IMAO) Medicamentos psiquiátricos utilizados principalmente para tratar la depresión atípica aumentando los niveles de norepinefrina y serotonina en el sistema nervioso central.

Inhibidores selectivos de la recaptación de serotonina (ISRS) Clase de antidepresivos que inhiben la recaptación de serotonina.

Inicio Tiempo necesario para que la concentración del medicamento en el tejido objetivo alcance el nivel mínimo eficaz.

Injerto arteriovenoso Una conexión quirúrgica entre una arteria y una vena.

Inmunidad Capacidad del cuerpo de protegerse de las enfermedades.

Inmunidad adquirida Inmunidad que se produce cuando el cuerpo se expone a una sustancia o enfermedad extraña y produce anticuerpos contra el invasor; también denominada inmunidad adquirida.

Inmunidad humoral Tipo de inmunidad en la que los linfocitos de células B producen anticuerpos denominados inmunoglobulinas, que reconocen un antígeno específico y reaccionan con él.

Inmunidad mediada por células Proceso inmunológico por el que los linfocitos de células T (1) reconocen antígenos y segregan citocinas (en concreto linfocinas) que atraen a otras células o (2) se convierten en células citotóxicas y eliminan células infectadas o anormales.

Inmunidad natural Respuesta celular y humana (anticuerpos) inespecífica que actúa como primera línea de defensa del organismo frente a patógenos; también denominada inmunidad nativa.

Inmunización Proceso de producción de inmunidad generalizada frente a una enfermedad infecciosa específica entre un grupo determinado mediante la inoculación de miembros individuales de la población; también puede referirse a un conjunto de vacunas administradas juntas o según un calendario recomendado.

Inmunodeficiencia Estado anormal en el que alguna parte del sistema inmunológico del organismo es inadecuada y, en consecuencia, disminuye la resistencia a las enfermedades infecciosas.

Inmunógeno Antígeno capaz de generar una respuesta inmunológica.
Inmunoglobulinas Anticuerpos secretados por los linfocitos B.
Inserción de pensamientos La creencia de que otra persona está introduciendo pensamientos en la mente de uno.
Inserción Parte móvil del cuerpo a la que se sujeta un músculo esquelético en una articulación móvil; su acción se opone a la del origen.
Inspección Observación del paciente, ya sea en general o de una región específica (p. ej., su aspecto general visto desde la puerta de entrada, en comparación con su observación específica de la pared torácica en cuanto a anomalías/deformidades).
Insuficiencia cardíaca Síndrome que se produce cuando el corazón es incapaz de bombear con suficiente potencia o rapidez para vaciar sus cavidades; como consecuencia, la sangre retrocede al circuito sistémico, al pulmonar o a ambos.
Insuficiencia suprarrenal primaria Enfermedad rara en la cual las glándulas suprarrenales se atrofian o se destruyen, lo que provoca deficiencias de todas las hormonas esteroides producidas por estas glándulas; también conocida como enfermedad de Addison.
Insuficiencia suprarrenal secundaria Enfermedad relativamente frecuente caracterizada por la falta de secreción de la hormona adrenocorticotrópica (también llamada corticotrofina) por la hipófisis.
Insuficiencia ventricular derecha (ICD) Enfermedad en la que el lado derecho del corazón debe esforzarse cada vez más para bombear sangre a los vasos pulmonares obstruidos y, a la larga, no puede mantener el aumento de la carga de trabajo.
Insuficiencia ventricular izquierda (IVI) Enfermedad en la que el ventrículo izquierdo debe esforzarse más para bombear sangre a todo el cuerpo. Con la insuficiencia sistólica, el ventrículo izquierdo no se contrae con normalidad y tiene problemas para bombear toda la sangre de la cavidad al organismo; con la insuficiencia diastólica, el ventrículo izquierdo se contrae con normalidad, pero se ha vuelto rígido, lo que impide su capacidad para relajarse y llenarse de sangre entre cada contracción del corazón.
Insulina Hormona producida por el páncreas que es vital para el control del metabolismo del cuerpo y el nivel de glucosa en sangre; hace que el azúcar, los ácidos grasos y los aminoácidos sean absorbidos y metabolizados por las células.
Inteligencia cultural Capacidad de funcionar eficazmente a través de varios contextos, interacción con personas de todas las nacionalidades y la relación con todos aquellos que presentan diferencias étnicas, políticas y generacionales.
Interferencia Situación en la que un medicamento o sustancia química que toma un paciente menoscaba la eficacia de otro medicamento que toma o se le administra.
Interferón Proteína producida por las células en respuesta a la invasión viral que se libera en el torrente sanguíneo o en el líquido intercelular para inducir a las células sanas a fabricar una enzima que contrarreste la infección.
Interleucinas Componentes químicos que atraen a los eritrocitos a las zonas de lesiones e invasiones bacterianas.
Interoperabilidad Sistemas de comunicación de seguridad pública compatibles entre todas las dependencias locales, tribales, estatales y federales.
Interpretación de datos Proceso de llegar a conclusiones basándose en la comparación de la presentación del paciente con la información de su capacitación, educación y experiencias pasadas; la segunda fase del proceso de pensamiento crítico en la atención prehospitalaria.
Intervalo PR (IPR) Distancia entre el inicio de la onda P (despolarización auricular) y el inicio del complejo QRS (despolarización ventricular), que indica el tiempo necesario para que las aurículas se despolaricen y el impulso de excitación atraviese la unión auriculoventricular.
Intervalo R-R Periodo entre el inicio de un complejo QRS y el inicio del siguiente complejo QRS.
Intervención coronaria percutánea (ICP) Procedimiento mínimamente invasivo realizado con guía fluoroscópica, en el que se hace avanzar un balón, un *stent* u otro dispositivo a través de un catéter arterial periférico hasta un vaso coronario obstruido para diagnosticar y tratar una obstrucción arterial coronaria.
Intoxicación por sustancias Consumo de una sustancia que provoca alteraciones del pensamiento y de la función motora.
Intradérmica Capa de la dermis situada justo debajo de la epidermis; vía de administración de medicamentos.
Intramuscular (IM) En un músculo; vía de administración de medicamentos.
Intranasal Dentro de la nariz.
Intraósea (IO) Dentro del hueso.
Intravenoso (IV) Dentro de una vena.
Intubación cara a cara Realización de la intubación al mismo nivel que la cara del paciente; se usa cuando no es posible la posición estándar. En esta intubación el paramédico sostiene en la mano derecha el laringoscopio y el tubo endotraqueal en la izquierda.
Intubación en secuencia diferida (ISD) Procedimiento en el que un paciente se seda para fines de oxigenación antes de administrar un bloqueador neuromuscular y de la intubación.
Intubación en secuencia rápida (ISR) Conjunto específico de procedimientos que se hacen en serie con rapidez para inducir sedación y parálisis e intubar a un paciente.
Intubación endotraqueal (ET) Inserción de un tubo endotraqueal a través de la abertura glótica y su sellado con un manguito que se infla para alcanzar la pared de la tráquea.
Intubación nasotraqueal Inserción de un tubo endotraqueal en la tráquea a través de la nariz.
Intubación orotraqueal Inserción de un tubo endotraqueal a través de la boca.
Intususcepción Doblamiento de los intestinos dentro de sí mismos.
Inyección En las reacciones alérgicas, cuando se perfora la piel y se deposita material extraño en ella.
Iones Átomos con carga positiva o negativa, por la cesión o captación de un electrón.
Ipsilateral Del mismo lado del cuerpo.
Islotes de Langerhans (1) Grupo especializado de células del páncreas que actúan como un órgano dentro de otro órgano, segregando glucagón de las células alfa, insulina de las células beta y somatostatina de las células delta. (2) Grupos de células localizadas en el páncreas que producen insulina, glucagón, somatostatina y el polipéptido pancreático.
Isoinmunidad Formación de anticuerpos o células T dirigidas contra los antígenos de las células de otra persona (normalmente luego del trasplante de un órgano o tejido).
Isquemia Anoxia tisular causada por la disminución del flujo sanguíneo, por lo general como consecuencia del estrechamiento u oclusión de una arteria.
Isquemia mesentérica Interrupción del suministro de sangre al mesenterio.
Jadeos agónicos Ventilaciones lentas poco profundas e irregulares, o que en ocasiones resultan de la anoxia cerebral.
Jeringas precargadas Jeringas preenvasadas con medicamentos y preparadas con una concentración específica.
Kilocaloría Cantidad de energía que se puede obtener de los nutrimentos presentes en los alimentos; por lo general, referida simplemente como caloría en el contexto nutricional.

Laberinto óseo Conjunto de huecos en el peñasco del temporal que provee protección del daño y la estimulación extraña a las estructuras del oído interno.

Lábil Cambia rápidamente entre diferentes estados emocionales.

Labios mayores (1) Dos pliegues de piel prominentes, redondeados, por fuera de los labios menores de los genitales externos femeninos. (2) Un par de pliegues de piel redondeados, prominentes, cubiertos por vello púbico, que protegen a la vagina.

Labios menores Par de pliegues cutáneos carentes de vello púbico que protegen a la vagina. Par de pliegues cutáneos en los genitales externos femeninos que bordean al vestíbulo.

Lámina cribiforme Placa horizontal ósea perforada por numerosas aberturas para el paso de los filamentos del nervio olfatorio desde la cavidad nasal.

Lantana Arbusto con flores perennes, con racimos de bayas rojas que pueden provocar intoxicaciones graves e incluso mortales. También conocida como salvia roja o salvia silvestre; su ingesta provoca trastornos estomacales, debilidad muscular, shock y en ocasiones, la muerte.

Laringe Estructura completa formada por epiglotis, cartílagos tiroides, cricoides, aritenoides, corniculados y cuneiformes; también llamada caja vocal.

Laringectomía parcial Exéresis quirúrgica de una porción de la laringe.

Laringectomía Procedimiento quirúrgico en el que se extirpa la laringe.

Laringectomía total Retiro quirúrgico de toda la laringe.

Laringoscopia bimanual Técnica eficaz para mejorar la vista laringoscópica de las cuerdas vocales durante la manipulación externa de la laringe.

Laringoscopia directa Visualización de la vía aérea con un laringoscopio.

Laringoscopio Dispositivo que se usa junto con su hoja para hacer la observación directa de la laringe o laringoscopia.

Lateral En anatomía, partes del cuerpo alejadas de la línea media.

Lesión pulmonar relacionada con la transfusión Reacción a la transfusión caracterizada por un aumento de la permeabilidad capilar pulmonar, que provoca un edema pulmonar no cardiogénico.

Lesión renal aguda (LRA) Decremento súbito en el filtrado a través de los glomérulos.

Lesión renal aguda intrarrenal (LRAI) Un tipo de lesión renal aguda caracterizado por daño del riñón mismo, a menudo por enfermedades inmunológicas, lesión renal aguda prerrenal, sustancias tóxicas, metales pesados, algunos medicamentos y compuestos orgánicos.

Lesión renal aguda posrenal Un tipo de lesión renal aguda causado por obstrucción del flujo de orina desde los riñones, por lo general causado por un bloqueo de la uretra por la próstata crecida, coágulos sanguíneos o estenosis.

Lesión renal aguda prerrenal Un tipo de lesión renal aguda causado por hipoperfusión en los riñones, resultante de la hipovolemia (hemorragia, deshidratación), traumatismos, estado de shock, septicemia o insuficiencia cardíaca (secundaria a un infarto de miocardio); a menudo reversible si la afección subyacente se puede identificar y se reestablece la perfusión renal.

Lesiones Regiones localizadas de la piel que no se parecen a la zona que las circunda.

Leucemia Cáncer (neoplasia) de los órganos hematopoyéticos que afecta sobre todo a los glóbulos blancos, que se desarrollan de forma anormal o excesiva a expensas de las células sanguíneas normales.

Leucocitos Glóbulos blancos.

Leucocitosis Aumento del número de leucocitos en la sangre, a menudo debido a una inflamación; aumento del número total de glóbulos blancos.

Leucopenia Reducción del número de glóbulos blancos.

Leucotrienos Metabolitos del ácido araquidónico que funcionan como mediadores químicos de la inflamación; también conocidos como sustancias de reacción lenta de la anafilaxia.

Ley de Boyle Ley de los gases que enuncia que conforme aumenta la presión, el volumen disminuye; a temperatura constante, el volumen de un gas es inversamente proporcional a su presión (si se duplica la presión de un gas, entonces baja a la mitad su volumen); se representa como $PV = k$, donde P = presión, V = volumen, y k = una constante.

Ley de Henry Ley de los gases que establece que la cantidad de gas en una solución varía directamente con la presión parcial que ejerce ahí.

Licencia Proceso por el que un estado permite a personas calificadas realizar un acto regulado.

Lícito En relación con las sustancias, sustancias legalizadas como café, alcohol y tabaco.

Línea isoeléctrica Línea de base del EKG; isoeléctrico significa ni positivo ni negativo.

Linfa Líquido poco espeso formado por el líquido intersticial, que fluye a través de los vasos linfáticos y ganglios; ayuda a la respuesta inmunitaria y el retiro de detritos.

Linfoblastos Célula inmadura precursora del linfocito.

Linfocinas Citocinas liberadas por los linfocitos, incluidas muchas de las interleucinas, el interferón gamma, el factor de necrosis tumoral beta y las quimiocinas.

Linfocitos Leucocitos con importante participación en la inmunidad.

Linfocitos B Linfocitos presentes en la sangre y abundantes en los ganglios linfáticos, la médula ósea, el revestimiento intestinal y el bazo; también llamados células B.

Linfocitos T Linfocitos que interactúan directamente con los antígenos, que producen la respuesta inmunológica celular; también estimulan a los linfocitos B para producir anticuerpos.

Linfomas Enfermedades malignas que surgen en el sistema linfoide; incluyen los linfomas no Hodgkin y Hodgkin.

Lípidos Grasas o sustancias similares (colesterol y fosfolípidos) y aceites, que aportan energía para los procesos corporales y participan en la formación de ciertas estructuras.

Lipofílico Atraído por grasas y lípidos.

Lipólisis Metabolismo (descomposición o destrucción) de la grasa almacenada que se ha liberado a la circulación.

Líquido cefalorraquídeo (LCR) Fluido producido en los ventrículos cerebrales que fluye hacia el espacio subaracnoideo y baña a las meninges.

Líquido extracelular (LEC) Fluido del exterior de la célula que contiene la mayor parte del aporte corporal de sodio; constituye 15 a 20% del peso corporal.

Líquido intercelular (LIC) Líquido dentro de las células en el que se contiene el aporte más grande de potasio del cuerpo; contribuye con 40 a 45% del peso corporal.

Líquido intersticial Líquido localizado fuera de los vasos sanguíneos en los espacios entre las células corporales.

Líquido intravascular Líquido fuera de las células, pero dentro del sistema circulatorio; en su mayor parte consta de plasma, el componente fluido de la sangre.

Líquido sinovial Líquido secretado por las membranas sinoviales que lubrica las articulaciones sinoviales.

Líquido transcelular Líquido clasificado como extracelular, pero que se forma a partir de las actividades de transporte de las células; son ejemplos el líquido cefalorraquídeo, la orina, el humor acuoso y el líquido sinovial.

Litio Estabilizador común del estado de ánimo, utilizado en el tratamiento del trastorno bipolar.

Lordosis Curvatura interna de la columna lumbar apenas arriba de las nalgas. Su forma exagerada da lugar a la circunstancia conocida como hiperlordosis o lomo hundido.

Lumen Espacio interior hueco dentro de una arteria u otra estructura hueca.

Lupus eritematoso sistémico Enfermedad autoinmune multisistémica.

Macrófagos Células grandes, por lo general derivadas de los monocitos, especializadas para la fagocitosis; eliminan microorganismos patógenos, absorben materiales extraños y ralentizan las infecciones y a los agentes que las producen.

Mácula Depresión amarilla en la retina donde surge la visión aguda; también conocida como mácula lútea.

Manejo del estrés por incidentes críticos (MEIC) Un proceso en el que se recurre a asesores entrenados que confrontan las respuestas a incidentes críticos, y ayudan a calmarlas, dirigen al personal de servicios de emergencia hacia el equilibrio físico y emocional.

Manía Trastorno mental caracterizado por una felicidad, alegría o euforia anormalmente exageradas, con hiperactividad, insomnio e ideas grandiosas.

Manifestación principal El motivo por el que el paciente busca ayuda.

Maniobra de BURP Presión retrógrada, ascendente y a la derecha que se usa durante la intubación para mejorar la vista laringoscópica de la abertura glótica y las cuerdas vocales; también se llama manipulación laríngea externa.

Maniobra de elevación de lengua-mandíbula Maniobra manual que implica sujetar la lengua y la mandíbula y elevarlas; se usa con frecuencia para aspirar la vía aérea y colocar ciertos dispositivos de vía aérea artificiales.

Maniobra de impulso abdominal Compresión del abdomen que se hace para aliviar una obstrucción de la vía aérea por un cuerpo extraño.

Maniobra de impulso mandibular Técnica para abrir la vía aérea al colocar los dedos detrás del ángulo mandibular y con impulso anterógrado de la mandíbula; se usa cuando un paciente tal vez presente una lesión cervical raquídea.

Maniobra de inclinación de cabeza-elevación del mentón Maniobra de vía aérea que implica inclinar la cabeza hacia atrás mientras se levanta el mentón; se usa para abrir la vía aérea de un paciente no traumatológico sin respuesta.

Maniobra de Valsalva Esfuerzo o espiración forzada contra una glotis cerrada, cuyo efecto es estimular el nervio vago, ralentizando así el ritmo cardíaco.

Marcapasos transcutáneo Dispositivo que despolariza el tejido miocárdico enviando una pequeña carga eléctrica a través de la piel del tórax entre una almohadilla de estimulación colocada externamente y otra.

Marcha Patrones de marcha o deambulación.

Marginación En la respuesta inflamatoria, fase en la que la pérdida de líquido de los vasos sanguíneos en el tejido inflamado o infectado aumenta la viscosidad de la sangre que permanece en los vasos, lo que desacelera el flujo sanguíneo y produce estasis.

Marihuana Las hojas secas y los capullos florales de la planta *Cannabis sativa*, que se fuman para conseguir un efecto.

Mascarilla de recirculación parcial Mascarilla similar a aquella sin recirculación, pero sin la válvula unidireccional entre mascarilla y reservorio; no se lleva al interior aire ambiente durante la inspiración; el aire residual expulsado se mezcla en la mascarilla y se reintroduce.

Mascarilla laríngea (ML) Un dispositivo que rodea la abertura laríngea con un manguito de silicona inflable que se ubica en la hipofaringe; una alternativa de la ventilación con bolsa-mascarilla.

Mascarilla sin recirculación Sistema de combinación de mascarilla y bolsa reservorio en la que el oxígeno llena esta última, acoplada a la mascarilla por una válvula unidireccional que permite al paciente inhalar desde ella, pero no exhalar a su interior; con una velocidad de flujo de 15 L/min puede proveer oxígeno de 90 a 100% en la inspiración.

Mascarilla Venturi Mascarilla con cierto número de adaptadores intercambiables que llevan aire ambiente a su interior junto con el flujo de oxígeno; permite la administración de concentraciones altas específicas de oxígeno.

Mastocitos Basófilos que se localizan en los tejidos.

Materia blanca Haces de nervios mielinizados.

Mecanismo de acción Forma en que un medicamento produce la respuesta prevista.

Mecanismo de lesión (ML) La serie de sucesos resultantes en lesiones traumáticas; fuerzas que actúan sobre el cuerpo y causan lesión.

Mecanismos de defensa Formas psicológicas de aliviar el estrés, que suelen ser automáticas o inconscientes; incluyen negación, regresión, proyección y desplazamiento.

Mediadores químicos Sustancias químicas que provocan la respuesta inmunológica o alérgica; por ejemplo, la histamina.

Medial Más próximo a la línea media.

Mediastino Espacio entre los pulmones en el centro del tórax, que contiene al corazón, los grandes vasos, parte del esófago, los conductos linfáticos, la tráquea, los bronquios primarios y los nervios pares, vago y frénico.

Medicamento (1) Sustancia que tiene algún efecto terapéutico (como reducir la inflamación, combatir las bacterias o producir euforia) cuando se administra en las circunstancias y dosis adecuadas. (2) Sustancia utilizada para tratar una enfermedad o afección.

Medicamentos agonistas Grupo de medicamentos que inician o alteran una actividad celular uniéndose a sitios receptores, provocando una respuesta celular.

Medicamentos antagonistas Grupo de medicamentos que impiden que las sustancias químicas agonistas endógenas o exógenas alcancen los receptores celulares e inicien o alteren una actividad celular determinada.

Medicamentos por vía enteral Administración de un medicamento a través de una parte del tracto gastrointestinal.

Medicamentos psicotrópicos Medicamentos que afectan al estado de ánimo, el pensamiento o el comportamiento.

Medicina de recetario de cocina Seguir a ciegas un protocolo o algoritmo sin pensar en lo que se hace y si funciona.

Médula ósea Tejido blando que llena el interior de los huesos y es sitio de producción de eritrocitos, plaquetas y la mayoría de los leucocitos.

Médula renal Porción interna de cada riñón; constituida por pirámides renales cónicas y que contiene estrías.

Meiosis Tipo de división celular que ocurre en la producción de óvulos y espermatozoides.

Mejora continua de la calidad (MCC) Sistema de revisiones y auditorías internas y externas de todos los aspectos de un sistema del SEM.

Melanina Pigmento que da color a la piel.

Melena Heces oscuras, alquitranadas y malolientes causadas por una hemorragia GI alta.

Membrana celular Pared de la célula; una capa con permeabilidad selectiva que rodea a su contenido y regula el movimiento de sustancias hacia adentro y afuera; también llamada membrana citoplásmica o plasmática.

Membrana cricotiroidea Delgada hoja de aponeurosis localizada entre los cartílagos tiroides y cricoides, relativamente avascular y que contiene pocos nervios; sitio de acceso de urgencia a la vía aérea.

Membrana mucosa Revestimiento de las cavidades corporales y las vías que comunican directa o indirectamente con el ambiente externo.

Membrana respiratoria Sitio donde ocurre el intercambio de gases; en este punto de contacto, el oxígeno es captado por la corriente sanguínea y el dióxido de carbono se elimina a través de los pulmones.

Membrana sinovial Revestimiento de una articulación que secreta líquido sinovial hacia su espacio.

Menarquia Primer ciclo menstrual; inicio de las menstruaciones.

Meninges Conjunto de tres membranas rígidas —duramadre, aracnoides y piamadre— que rodean a todo el encéfalo y la médula espinal.

Meningitis Inflamación de las membranas que recubren el cerebro y la médula espinal; suele estar causada por un virus o una bacteria. El tipo viral

Meningitis meningocócica Tipo de meningitis causada por la bacteria meningocócica *Neisseria meningitidis.*

Menopausia Periodo durante el cual cesa el ciclo reproductivo de una mujer; también llamado climaterio femenino.

Menstruación Descamación cíclica del endometrio que reviste la cavidad uterina.

Mesencéfalo Porción más superior del tronco encefálico; actúa junto con la protuberancia para dirigir la información desde sitios altos en el encéfalo hacia la médula espinal y viceversa.

Metabolismo Proceso químico que provee a las células de energía y nutrimentos.

Metabolismo aeróbico Metabolismo que solo procede en presencia de oxígeno.

Metabolismo anaeróbico Metabolismo que ocurre en ausencia de oxígeno.

Metabolitos activos Medicamentos que han tenido una biotransformación y son capaces de alterar un proceso celular o una función corporal.

Metabolitos inactivos Medicamentos que han presentado una biotransformación y ya no son capaces de alterar un proceso celular o una función corporal; no son farmacológicamente activos.

Metacarpianos Los cinco huesos que forman la palma y el dorso de la mano.

Metahemoglobina (metHb) Compuesto formado por la oxidación del hierro en la hemoglobina.

Metanfetamina Sustancia altamente adictiva de la familia de las anfetaminas.

Metaplasia Adaptación celular reversible en la que un tipo de célula adulta es sustituido por otro tipo de célula adulta.

Metástasis Proceso por el que las células de una neoplasia maligna se desprenden del lugar de origen, como el pulmón, y se desplazan por el torrente sanguíneo o el sistema linfático a otras localizaciones corporales, como el cerebro.

Método CHARTE Método de redacción narrativa que permite dividir la narración en secciones logísticas similares a los pasos de la valoración del paciente; los componentes incluyen la queja principal, los antecedentes (es decir, los antecedentes del suceso y los antecedentes médicos del paciente), la evaluación, el tratamiento, el traslado y las excepciones.

Método SOAP Método de redacción narrativa en el que la información se organiza en cuatro categorías: información Subjetiva, información Objetiva, evAluación y Plan (para el tratamiento).

Miastenia grave Enfermedad en la que el organismo genera anticuerpos contra sus propios receptores de acetilcolina, lo que provoca debilidad muscular, a menudo en la cara.

Microangiopatía Deterioro microscópico de las paredes vasculares causado principalmente por la adherencia de lípidos sanguíneos a las paredes vasculares.

Microorganismos patógenos de transmisión hemática Aquellos presentes en la sangre humana y que pueden causar enfermedad, por ejemplo: virus de la hepatitis B y de la inmunodeficiencia humana, entre otros.

Mieloma múltiple Enfermedad en la que el número de células plasmáticas de la médula ósea aumenta de forma anormal, lo que provoca la formación de tumores en los huesos.

Mineral Elemento inorgánico esencial para el metabolismo humano.

Miocardio Capa media más gruesa del corazón; contiene fibras de músculo cardíaco que causan la contracción del órgano, así como el sistema de conducción y riego sanguíneo.

Miocarditis Inflamación del miocardio.

Mioclonía Movimientos espasmódicos involuntarios del cuerpo.

Mioglobina Pigmento sintetizado en los músculos que da a los esqueléticos su color pardo rojizo.

Miopía Visión cercana; capacidad de ver objetos cercanos combinada con la dificultad de ver los alejados.

Miosina Proteína contráctil que se encuentra en los filamentos gruesos de las células de músculo esquelético.

Mitosis División de los cromosomas en un núcleo celular.

Mix-o-Vial Un solo vial dividido en dos compartimentos por un tapón de goma; el succinato sódico de metilprednisolona (Solu-Medrol) se almacena de esta forma.

Mixedema pretibial Apariencia de "piel de naranja" y edema sin fóvea de la piel en la parte anterior de la pierna por debajo de la rodilla.

Moco Secreción opaca y pegajosa de las membranas mucosas que lubrica las aberturas corporales.

Monitores del dióxido de carbono de ventilación terminal ($ETCO_2$) Dispositivos que detectan la presencia de dióxido de carbono en el aire exhalado.

Monocitos Leucocitos que maduran en la sangre y después se dirigen a los tejidos, donde se diferencian en macrófagos; funcionan principalmente como barredores para los tejidos.

Monografía o perfil del medicamento Documento que ofrece información detallada sobre los medicamentos, como sus indicaciones y usos, información sobredosificación, precauciones, contraindicaciones y efectos adversos.

Mononucleosis Mononucleosis infecciosa o mono (fiebre glandular); causada por el virus de Epstein-Barr y a menudo denominada enfermedad del beso; también se transmite al toser o estornudar. no es transmisible y es menos grave que el tipo bacteriano, que puede provocar daños cerebrales, pérdida de audición, problemas de aprendizaje o la muerte.

Monosacáridos Las moléculas más simples de los carbohidratos.

Monte de Venus Un cojinete redondo de tejido graso que cubre la sínfisis del pubis por delante de las aberturas uretral y vaginal.

Morbilidad Presencia de una enfermedad o la incidencia o prevalencia de una enfermedad.

Mortalidad Número de muertes por una enfermedad en cada población.

Moteado Un patrón de manchas de la piel; un dato característico de estados de hipoperfusión grave prolongada y estado de shock.

Movimiento asimétrico de la pared torácica Desplazamiento no equivalente de los dos hemitórax; indica disminución del flujo de aire a un pulmón.

Movimiento paradójico Movimiento del tórax al interior durante la inhalación y al exterior durante la exhalación; opuesto a los movimientos normales de la pared torácica durante la respiración.

Movimientos estereotipados Movimientos repetitivos que no parecen tener ninguna finalidad.

Muerte súbita cardíaca (MSC) Paro cardíaco súbito en la que el intento de reanimación no tiene éxito.

Muesca supraesternal Indentación formada por el borde superior del manubrio y las clavículas, que a menudo se usa como punto de referencia para procedimientos como el acceso a la vena subclavia; también conocida como escotadura yugular.

Muestreo de conveniencia Tipo de investigación en el que los sujetos se asignan de manera manual a una persona o equipo específico, en lugar de asignarse de forma aleatoria; el componente menos preferido de la investigación.

Muestreo de tiempo alternativo Parámetros de tiempo que se establecen durante un proyecto de investigación.

Muestreo sistemático Lista generada por computadora de sujetos o grupos para la investigación.

Multifocal Surgido o perteneciente a muchos focos o localizaciones.

Múltiplex Sistema de transmisión simultánea de varios flujos de datos, en general señales de voz y electrocardiogramas.

Musculoesquelético Huesos y músculos voluntarios del cuerpo.

Músculos accesorios Aquellos que por lo regular no se usan durante la respiración normal e incluyen al esternocleidomastoideo en el cuello, el pectoral mayor en el tórax y los abdominales.

Músculos extrínsecos En el ojo, los seis que se unen a la cara externa del globo ocular y son regulados por los nervios craneales.

Músculos papilares Músculos unidos a las cuerdas tendinosas de las válvulas auriculoventriculares cardíacas y el músculo ventricular del corazón.

Mutismo Ausencia de habla.

Nasofaringe Parte de la faringe que yace por arriba del nivel del paladar.

Naturaleza de la enfermedad (NE) El tipo general de afección que un paciente está aparentemente experimentando.

Nebulizador Dispositivo para producir una fina atomización o niebla que se utiliza para administrar medicamentos inhalados.

Necesidad médica Norma utilizada por *Medicare* para determinar si en una situación concreta, el estado de un paciente requiere el traslado en ambulancia.

Necrosis Muerte de un tejido, por lo general causada por el cese de su riego sanguíneo.

Nefritis intersticial Una inflamación crónica de las células intersticiales que rodean a las nefronas.

Nefronas Las unidades estructurales y funcionales del riñón que forman la orina; constituidas por el glomérulo, la cápsula glomerular (de Bowman), el túbulo contorneado proximal, el asa de Henle y el túbulo contorneado distal.

Nefropatía crónica (NC) Función renal inadecuada progresiva e irreversible a causa de la pérdida permanente de nefronas.

Nefropatía terminal (NT) Una afección en la que el riñón no puede funcionar y se acumulan residuos tóxicos en la sangre del paciente; ocurre después de una lesión renal aguda o crónica.

Negación Una respuesta temprana a una emergencia médica grave, que se aminora o disminuye al mínimo. La negación es el primer mecanismo de enfrentamiento de las personas que creen que van a morir.

Negativos pertinentes Ausencia de ciertos signos y síntomas que normalmente se esperan ante enfermedades o condiciones específicas; estos hallazgos no justifican ninguna atención o intervención médica, pero demuestran lo exhaustivo de la exploración del paciente y su historia clínica.

Neologismos Palabras inventadas que solo tienen significado para su inventor.

Neoplasia (1) Masa de tejido producida por un crecimiento y división celular anormales que puede ser maligna (cancerosa) o benigna. (2) Un tumor.

Nervio motor Nervio que transporta información del sistema nervioso central a los músculos del cuerpo.

Nervios craneales Los 12 pares de nervios que surgen de la base del encéfalo.

Nervios raquídeos Los 31 pares que se originan de la médula espinal y salen de ella a cada lado entre las vértebras; cada uno tiene una raíz sensorial y una motora, y se encarga de enviar y recibir mensajes sensoriales y motores hacia y desde el sistema nervioso central, desde una porción del cuerpo.

Nervios sensoriales Nervios que transportan señales sensitivas de tacto, gusto, calor, frío, dolor y otras modalidades, del cuerpo hacia el sistema nervioso central.

Neuroglía Conjunto de células de soporte que proveen un esqueleto de sostén para los tejidos neurales, aíslan y protegen a las membranas celulares de las neuronas, regulan la composición de líquido intersticial, defienden a los tejidos neurales de microorganismos patógenos y ayudan a la reparación de las lesiones.

Neuronas Células nerviosas básicas del sistema nervioso que contienen un núcleo dentro del soma o cuerpo y una o más extensiones; los conjuntos de estas células forman los tejidos nerviosos.

Neuronas motoras Células nerviosas que transmiten instrucciones del sistema nervioso central a los órganos terminales; también conocidas como neuronas eferentes.

Neuropatía periférica Grupo de enfermedades en las que los nervios que salen de la médula espinal están dañados, distorsionando las señales hacia o desde el cerebro. Un tipo está causado por la diabetes; los nervios periféricos se dañan al aumentar el nivel de glucosa en sangre, lo que provoca falta de sensibilidad, entumecimiento, ardor, dolor, parestesias y debilidad muscular.

Neurotransmisores Sustancias químicas liberadas desde un nervio que atraviesan la hendidura sináptica para alcanzar a un receptor.

Neutrófilos Uno de los tres tipos de granulocitos; estas células tienen núcleos multilobulados que simulan una cadena de pelotas de béisbol que se mantienen juntas por una banda delgada; destruyen bacterias, complejos antígeno-anticuerpo y materiales extraños.

Neutrófilos polimorfonucleares (PMN) Tipo de leucocito formado por el tejido de la médula ósea que tiene un núcleo formado por varias partes o lóbulos unidos por finos filamentos.

Neutropenia Número anormalmente bajo de neutrófilos.

Nistagmo Sacudidas involuntarias y rítmicas de los ojos.

Nivel umbral En un contexto farmacológico, concentración de medicamento a partir de la cual se inicia o altera la actividad celular.

No despolarizante Término utilizado para describir los fármacos que producen relajación muscular al interferir con los impulsos entre la terminación nerviosa y el receptor muscular.

No iónico No cargado.

Nodo auriculoventricular (AV) Grupo de células que conduce un impulso eléctrico por el corazón; localizado en el piso de la aurícula derecha, justo detrás de la válvula tricúspide y cerca de la abertura del seno coronario.

Nodo sinoauricular (SA) Sitio normal de origen de los impulsos eléctricos cardíacos; localizado en la parte alta de la aurícula derecha, es el marcapasos natural del corazón.

Nódulo auriculoventricular (AV) Grupo de células que frena los impulsos eléctricos procedentes del nódulo sinoauricular antes de transmitirlos a los ventrículos; situado en el suelo de la aurícula derecha, inmediatamente detrás de la válvula tricúspide y cerca de la abertura del seno coronario.

Nódulo sinoauricular (SA) Marcapasos dominante del corazón, situado en la unión de la vena cava superior y la aurícula derecha.

Norepinefrina (1) Catecolamina natural que actúa como neurotransmisor y hormona suprarrenal; se sintetiza por la médula suprarrenal, los nervios simpáticos periféricos y el sistema nervioso central, y produce vasoconstricción por sus propiedades α-estimulantes. También disponible como fármaco, que a veces se usa para el tratamiento de la hipotensión grave. (2) Hormona producida por las glándulas suprarrenales que es vital en la función del sistema nervioso simpático.

Notificación automática de accidentes (ACN, por sus siglas en inglés) Sistemas informáticos especializados a bordo de los vehículos de motor que en caso de accidente envían de manera automática datos telemétricos a una estación de control, que a su vez los transmite a los servicios de emergencia; también se denomina notificación automática avanzada de accidentes.

Núcleo En el contexto de una célula, un organelo que contiene la información genética y regula su función y estructura. En el contexto de un átomo, su porción central, que contiene protones y neutrones.

Nuevo dispositivo intraóseo (NIO) Dispositivo accionado por resorte que no contiene ni taladro ni batería; se utiliza para insertar una aguja intraósea en la tibia proximal de un paciente adulto.

Nutrimentos Sustancias que constituyen recursos para el crecimiento, como carbohidratos, lípidos, proteínas, vitaminas, minerales y agua.

Obesidad Acumulación malsana de grasa corporal; índice de masa corporal igual o superior a 30 kg/m^2.

Obesidad mórbida Acumulación excesiva de grasa corporal, definida como un índice de masa corporal superior o igual a 40 kg/m^2.

Objetos punzocortantes Cualquier elemento contaminado que pueda causar lesiones; incluye agujas y catéteres intravenosos, ampollas o viales rotos, o cualquier otra cosa que pueda penetrar o lacerar la piel.

Ocular Relativo al ojo.

Oftalmoscopio Un instrumento usado para explorar los ojos de un paciente y visualizar la retina y el líquido llamado humor acuoso; consta de un espejo cóncavo y una lámpara de baterías que suelen contenerse dentro de un mango.

Ojo de Murphy Abertura lateral de un tubo endotraqueal en su punta distal que permite hacer la ventilación incluso si se ocluye esta por sangre, moco o la pared traqueal.

Oligosacáridos Azúcares simples compuestos por dos a 10 monosacáridos.

Oliguria (1) Disminución de la diuresis. (2) Gasto urinario menor de 500 ml/día

Onda delta Deslizamiento del trazo ascendente de la primera parte del complejo QRS que se produce en el síndrome de Wolff-Parkinson-White.

Onda P Primera onda del complejo EKG, que representa la despolarización de las aurículas.

Onda T Onda vertical, plana o invertida que sigue al complejo QRS del EKG y representa la repolarización ventricular.

Onda U Onda pequeña y plana que se observa a veces después de la onda T y antes de la siguiente onda P.

Oocitos Células sexuales femeninas inmaduras producidas en el ovario, que pueden desarrollarse por meiosis hasta constituir óvulos.

Oogénesis Proceso de formación de óvulos que se inicia en la pubertad.

Opiáceo Diversos alcaloides derivados de la planta del opio o adormidera.

Opioides Fármacos que actúan como depresores del sistema nervioso central y producen insensibilidad o estupor. Puede tratarse de un producto natural derivado del opio o la adormidera (referido más específicamente como opiáceo) o un producto sintético diseñado para producir efectos similares.

Opsonización Proceso por el que un anticuerpo recubre un antígeno para facilitar su reconocimiento por las células inmunológicas.

Órbitas Cavidades oculares en el cráneo.

Orden permanente Tipo de protocolo escrito firmado por el director médico del sistema de los SEM en el que se describen instrucciones específicas, permisos y, en ocasiones, prohibiciones relacionadas con la atención al paciente que se presta antes de ponerse en contacto con el control médico.

Órgano de Corti Órgano receptor primario del sonido; formado por miles de cilios individuales, cada uno con su propio nervio asociado.

Organofosforados Clase de sustancias químicas presentes en muchos insecticidas utilizados en la agricultura y en el hogar.

Orgánulos Estructuras dentro de las células que tienen funciones especializadas.

Origen Una parte relativamente inmóvil del cuerpo donde se sujeta un músculo esquelético en una articulación móvil; su acción se opone a la de una inserción.

Orina Líquido con productos de desecho que se filtra por el aparato urinario al exterior.

Orofaringe Estructura tubular que se extiende en sentido vertical del dorso de la boca al esófago y la tráquea.

Orquitis Una complicación de una infección de vías urinarias masculinas donde uno o ambos testículos se infectan, aumentan de volumen y se tornan hipersensibles, lo que causa dolor y edema en el escroto.

Ortopnea (1) Disnea grave que se experimenta cuando se está recostado y que se alivia con un cambio de posición, como sentarse o ponerse de pie. (2) Disnea posicional.

Osificación Formación de hueso por los osteoblastos.

Osmolaridad Capacidad de influir en el movimiento del agua a través de una membrana semipermeable.

Ósmosis Movimiento de un disolvente, como el agua, desde una zona de baja concentración de soluto a otra de alta concentración a través de una membrana selectivamente permeable para igualar las concentraciones de un soluto a ambos lados de la membrana.

Osmótico Caracterizado por el movimiento de un disolvente, como el agua, a través de una membrana semipermeable (p. ej., la pared celular) desde una zona de menor concentración de soluto a otra de mayor concentración.

Osteoblastos Células involucradas en la formación de tejidos óseos.

Osteocitos Células óseas maduras.

Osteoclastos Macrófagos de la superficie de un hueso que disuelven su matriz y retornan minerales al líquido extracelular.

Osteogénesis imperfecta Enfermedad ósea congénita que da lugar a huesos frágiles.

Osteomielitis Inflamación del hueso y el músculo causada por una infección.

Ótica Perteneciente al oído.

Otolitos Par de sacos llenos de líquido dentro del oído interno que usa el sistema nervioso central para colectar información acerca del movimiento y la orientación en el espacio.

Otoscopio Un instrumento usado para explorar los oídos de un paciente; consta de un cabezal y un mango. El primero contiene una fuente de luz eléctrica y lentes de aumento de baja potencia.

Otros materiales potencialmente infecciosos (OMPI) Líquido cefalorraquídeo, líquido pericárdico, líquido amniótico, líquido sinovial, líquido peritoneal y cualquier líquido que contenga sangre visible.

Ovarios (1) Glándulas femeninas que producen hormonas sexuales y óvulos. (2) Par de órganos femeninos de la reproducción que liberan oocitos (óvulos) que, cuando son fecundados, se desarrollan para formar un feto.

Ovulación Liberación de un oocito (óvulo) a mitad del ciclo menstrual.

Oxigenación Proceso de carga de moléculas de oxígeno a las de hemoglobina en la corriente sanguínea.

Oxigenación apneica La captación continua de oxígeno alveolar, incluso cuando el paciente presenta apnea; se puede facilitar administrando oxígeno por cánula nasal durante la intubación.

Oxihemoglobina (HbO_2) (1) Hemoglobina ocupada por oxígeno. (2) Hemoglobina a la que se unen moléculas de oxígeno.

Oximetría de pulso Un recurso de valoración que se usa para medir la saturación de oxígeno de la hemoglobina en los lechos capilares.

Oxímetro de monóxido de carbono Dispositivo que permite medir la absorción a varias longitudes de onda para distinguir entre oxihemoglobina y carboxihemoglobina.

Oxímetro de pulso Dispositivo para medir el grado de saturación de oxígeno, Spo_2.

Pabellón auricular Oído externo; formación cartilaginosa que protege al oído y colecta los sonidos que dirige por el conducto auditivo, mientras permite alguna percepción de la dirección de donde provienen; también llamado oreja.

Palabras compuestas Palabras que contienen más de una raíz.

Paladar Techo de la cavidad nasal que la separa de la cavidad bucal.

Paladar blando Porción posterior del paladar, constituida por membrana mucosa, fibras musculares y glándulas mucosas; recibe este nombre porque no tiene soporte óseo.

Paladar duro Porción anterior del paladar con soporte óseo (principalmente el maxilar).

Palidez Coloración de la piel distinta del tono basal y sugiere disminución del riego sanguíneo o la oxigenación.

Palmar Parte de la mano orientada hacia adelante en posición anatómica.

Palpación Contacto físico con el propósito de obtener información (p. ej., detectar hipersensibilidad).

Palpitaciones Sensación de latidos cardíacos anormalmente rápidos o irregulares.

Páncreas Órgano con funciones tanto endocrinas como exocrinas; la mayor fuente de enzimas digestivas y que produce la hormona insulina.

Pancreatitis Inflamación del páncreas.

Pancuronio Bloqueador neuromuscular no despolarizante; se usa para mantener la parálisis después de la intubación facilitada por la succinilcolina.

Pandemia Brote de enfermedad que se produce a escala mundial.

Panhipopituitarismo Producción inadecuada o ausencia de hormonas hipofisarias, como la hormona adrenocorticotrópica, el cortisol, la tiroxina, la hormona luteinizante, la hormona foliculoestimulante, los estrógenos, la testosterona, la hormona del crecimiento y la hormona antidiurética.

Pánico ciego Una reacción de miedo que desencadena la pérdida total del juicio es especialmente peligrosa, ya que puede generar un pánico colectivo en los demás.

Paperas Infección viral que afecta sobre todo a las glándulas parótidas, que son uno de los tres pares de glándulas salivales; causa edema delante de las orejas.

Paradójico Lo contrario de lo esperado.

Parafimosis Una afección en la que se retrae el prepucio sobre el glande y lo atrapa; la constricción del glande causa que se inflame todavía más.

Parálisis de Bell Parálisis temporal del nervio facial (nervio craneal VII), que controla los músculos de cada lado de la cara.

Paralizante Fármaco que inmoviliza los músculos esqueléticos; se usa en circunstancias de emergencia para facilitar la intubación; también denominado bloqueador neuromuscular.

Parámetros Medidas generales que pueden ser difíciles de obtener en un proyecto de investigación.

Parásitos Organismos que viven en o sobre cualquier otro ser vivo; se aprovechan del huésped alimentándose de células y tejidos.

Pareado Dos complejos ventriculares prematuros consecutivos (pareados).

Parestesia Sensación de hormigueo o cambio sensorial; entumecimiento en una parte del cuerpo.

Paro cardíaco Cese de la actividad mecánica cardíaca, confirmado por la ausencia de signos de circulación; también llamado paro cardiopulmonar.

Paro cardíaco súbito (PCS) Paro cardíaco inesperado que da lugar a intentos de restablecer la circulación.

Patógenos transmitidos por la sangre Microorganismos patógenos que están presentes en la sangre humana y pueden causar enfermedades en los seres humanos. Estos patógenos incluyen, entre otros, el virus de la hepatitis B, el virus de la inmunodeficiencia humana, el virus de la hepatitis C y la sífilis.

Patrón precordial concordante Patrón de EKG en el que los complejos QRS están todos en la misma dirección en las derivaciones precordiales como resultado de una colocación incorrecta de las derivaciones, IM de la pared anterior, TV u otras variables.

Patrón precordial concordante Patrón de EKG en el que los complejos QRS están todos en la misma dirección en las derivaciones precordiales como resultado de una colocación incorrecta de las derivaciones, IM de la pared anterior, TV u otras variables.

Pectoriloquia susurrada Una prueba de disminución de los ruidos ventilatorios realizada colocando el diafragma del estetoscopio sobre la zona en cuestión, mientras el paciente susurra "noventa y nueve"; un sonido claro de gran volumen que indica consolidación pulmonar.

Pelvis Sitio de unión al cuerpo de las extremidades inferiores, constituida por el sacro y los dos huesos iliacos.

Pelvis renal Zona cónica de colección que conecta el uréter y el riñón.

Pene Órgano sexual masculino, cilíndrico; conduce orina y semen a través de la uretra.

Pensamiento circunstancial Situación en la que el paciente incluye muchos detalles irrelevantes en un relato de las cosas.

Pensamiento tangencial Tendencia a abandonar el tema actual de conversación para hablar de otra cosa, lo que inhibe la comunicación interpersonal.

Péptido natriurético auricular Hormona producida por las aurículas cuando se distienden por un aumento del volumen sanguíneo; inhibe la absorción de agua y sodio en los túbulos renales, lo que así aumenta la eliminación de agua.

Péptidos Moléculas proteínicas constituidas por aminoácidos unidos por enlaces peptídicos.

Percepción Darse cuenta o comprender algo por medio de los sentidos.

Percusión Golpes suaves de la superficie del cuerpo, por lo general, sobre diversas cavidades, para detectar cambios en las densidades de las estructuras subyacentes.

Percutáneo A través de la piel o la mucosa.

Perfusión (1) Circulación de sangre oxigenada dentro de un órgano o tejido en cantidades adecuadas para cubrir las necesidades actuales de las células. (2) La circulación de sangre oxigenada a través de los tejidos y vasos corporales. (3) Suministro de oxígeno y nutrientes y eliminación de desechos de las células, órganos y tejidos por el sistema circulatorio.

Pericardio En el corazón, una membrana delgada de doble hoja constituida por una fibrosa y una serosa.

Pericarditis Inflamación del saco pericárdico.

Perilinfa Líquido dentro del laberinto óseo que rodea y protege al laberinto membranoso y permite transmitir las ondas de presión causadas por el sonido.

Perineo La región entre el introito vaginal y el ano.

Periodo de incubación Periodo entre la exposición a un organismo y los primeros síntomas de la enfermedad, durante el cual el organismo se multiplica dentro del cuerpo y empieza a producir síntomas.

Periodo refractario (PR) Periodo breve inmediatamente posterior a la despolarización durante el cual los miocitos aún no se han repolarizado y son incapaces de disparar o conducir un impulso (el periodo refractario absoluto) o se han repolarizado de manera parcial y pueden despolarizarse en respuesta a un estímulo eléctrico (el periodo refractario relativo).

Periodo refractario absoluto (PRA) Fase temprana de la repolarización cardíaca, durante la cual el músculo cardíaco no puede ser estimulado para despolarizarse; también conocido como periodo refractario efectivo.

Periodo refractario relativo (PRR) (1) Porción del potencial de acción cardíaco que se extiende desde la mitad de la fase 3 hasta el comienzo de la fase 4; durante este tiempo, el músculo cardíaco se ha repolarizado parcialmente y puede despolarizarse en respuesta a un estímulo eléctrico. (2) Periodo del ciclo de disparo celular en el que es posible pero difícil volver a estimular a la célula para que dispare otro impulso.

Periodo transmisible Periodo durante el cual una persona infectada puede transmitir una enfermedad transmisible a otra persona.

Peristaltismo Contracción ondulatoria del músculo liso por la que los uréteres u otros órganos tubulares impulsan su contenido por toda su longitud.

Peritoneo Membrana serosa de doble hoja que reviste la cavidad abdominal y cubre los órganos localizados en la cavidad abdominopélvica.

Peritonitis Inflamación del peritoneo, la membrana protectora que recubre las cavidades abdominal y pélvica.

Permeable Abierto.

Perseverancia Repetir una y otra vez la misma idea.

pH Medida de la acidez o alcalinidad de una solución.

Piamadre La más interna de las tres meninges que rodean al encéfalo y la médula espinal, sobre los que yace directamente.

Pico En un contexto farmacológico, el punto de máximo efecto de un fármaco.

Pielonefritis Una infección de vías urinarias superiores en las que se afectan los riñones, infección renal.

Pinchazo contaminado Punción de la piel de un profesional de urgencias con una aguja o catéter utilizado en un paciente.

Pinocitosis (1) Forma de endocitosis en la que la membrana celular se invagina y así la célula ingiere gotas de líquido extracelular. (2) Proceso por el que las células ingieren el líquido extracelular y su contenido.

Pinza de Magill Tipo específico de pinza curva que permite a los paramédicos maniobrar dentro de la vía aérea.

Piojos Insectos parásitos diminutos y sin alas que se alimentan de sangre; una infestación se propaga con facilidad a través del contacto personal cercano. Hay piojos de la cabeza, del cuerpo y púbicos.

Pirógenos Componentes químicos o proteínas que viajan hasta el cerebro, donde afectan al hipotálamo y estimulan un aumento de la temperatura corporal.

Pistola de inyección ósea (BIG, por sus siglas en inglés) Dispositivo accionado por resorte que se utiliza para insertar una aguja intraósea en la tibia proximal en pacientes adultos y pediátricos.

Placa epifisaria Disco de crecimiento de un hueso largo; un sitio importante de desarrollo óseo durante la niñez; también llamada fisis.

Plano coronal (frontal) Plano imaginario en el que el cuerpo se divide en partes anterior y posterior.

Plano medio sagital (línea media) Línea vertical imaginaria trazada desde el centro de la frente hasta el suelo, pasando por la nariz y el ombligo.

Plano sagital (lateral) Plano del cuerpo que pasa verticalmente de adelante hacia atrás, dividiendo al cuerpo en porciones izquierda y derecha.

Plano transversal (axial) Plano imaginario que atraviesa horizontalmente el cuerpo a la altura de la cintura, dividiéndolo en dos mitades.

Plantar La planta o superficie inferior del pie.

Plaquetas Elementos formes de la sangre que actúan en la coagulación sanguínea; también llamadas trombocitos.

Plasma (1) Componente de la sangre, formado por 92% de agua, entre 6 y 7% de proteínas y electrolitos, factores de coagulación y glucosa; el plasma representa 55% del volumen total de la sangre. (2) Líquido acuoso amarillo que transporta células sanguíneas y nutrimentos, así como materiales de desecho hacia los órganos de excreción.

Plasmina Enzima natural que disuelve las fibras de fibrina en los coágulos sanguíneos; por lo general, presente en el cuerpo en una forma inactiva, el plasminógeno; enzima natural que disuelve los coágulos.

Plegamiento Una condición en la que la piel se retrae en forma lenta después de pinzarse y jalarse ligeramente alejándose del cuerpo; un signo de deshidratación.

Pleura parietal Revestimiento de la cavidad pleural, unido estrechamente al interior de la caja torácica.

Pleura visceral Revestimiento de la cavidad pleural que se adhiere estrechamente a la superficie del pulmón.

Pleuras Membranas serosas que cubren los pulmones y revisten la cavidad torácica.

Plexo coroideo Grupo de células especializadas en los ventrículos cerebrales; filtra la sangre a través de los capilares para crear el líquido cefalorraquídeo.

Plexos Conjuntos de raíces nerviosas que permiten a que los nervios periféricos se reúnan y actúen como grupo.

Polarización Condición en la que el transporte activo de los iones al interior y fuera de las células en reposo crea un gradiente electroquímico a través de la membrana celular.

Policitemia Sobreabundancia o sobreproducción de glóbulos rojos, glóbulos blancos y plaquetas.

Polidipsia Sed intensa.

Polifagia Aumento del apetito.

Poliomielitis Infección viral, en la actualidad poco frecuente, que ataca y destruye los axones nerviosos, en especial los axones motores; la enfermedad puede causar debilidad, parálisis y parada respiratoria.

Polipéptido Péptido formado por muchos aminoácidos unidos en una cadena. Cuando tiene más de 100 moléculas se considera una proteína.

Polisacáridos Carbohidratos complejos que contienen muchas unidades de azúcar simple fusionadas, como el almidón vegetal. Algunas, como la celulosa, no pueden fragmentarse para la nutrición del ser humano, pero tienen participación importante en la digestión.

Poliuria Micción frecuente y abundante.

Portadores Personas que albergan un agente infeccioso y, aunque no estén personalmente enfermas, pueden transmitir la enfermedad a otros a través de su sangre y del contacto sexual.

Poscarga Presión dentro de la aorta contra la que debe bombear sangre el ventrículo izquierdo.

Posición anatómica La posición de referencia en la que el paciente está de pie frente a usted, con los brazos a los lados y las palmas de las manos mirando hacia adelante.

Posición de Fowler Posición sentada, con la cabeza elevada en un ángulo de 90° (sentado erguido).

Posición de recuperación Posición de decúbito lateral izquierdo; se usa en todos los pacientes sin respuesta que no sufren traumatismos y pueden mantener su propia vía aérea de manera espontánea y respirar de manera adecuada.

Posterior En anatomía, la superficie posterior del cuerpo; el lado opuesto a usted en la posición anatómica estándar.

Postictal Periodo posterior a un ataque en el que el cerebro reorganiza su actividad.

Postura Pose corporal anormal que indica daños cerebrales.

Postura extensora anormal Extensión anormal de los brazos con rotación de las muñecas junto con los dedos de los pies en punta, también conocida como descerebrada; este hallazgo indica lesión del tronco encefálico.

Postura flexora anormal Flexión anormal de los brazos hacia el pecho con los dedos de los pies en punta, también conocida como decorticada; este hallazgo indica daño cerebral inferior.

Potencia Relación entre la respuesta deseada de un medicamento y la dosis necesaria para lograr dicha respuesta.

Potenciación Aumento del efecto de un fármaco por otro medicamento.

Potenciales de acción Secuencias de cambios en el potencial de membrana que se presentan cuando se estimula una célula excitable (neurona o muscular).

Práctica basada en la evidencia El uso de prácticas que han demostrado ser eficaces para mejorar los resultados de los pacientes; se basa en gran medida en la bibliografía revisada, pero incorpora la experiencia y la formación del proveedor, así como las características de la población.

Precarga (1) Presión sanguínea en el corazón al final de la diástole; se modifica por el retorno venoso. (2) Volumen de sangre presente en el ventrículo al final de la diástole; principalmente reflejo del retorno venoso (la sangre que regresa al corazón).

Precauciones basadas en la transmisión Precauciones que van más allá de las estándar y que están diseñadas para interrumpir vías específicas de transmisión de enfermedades; los tres tipos son por vía aérea, por gotas y por contacto. Pueden utilizarse solas o en combinación; siempre se utilizan junto con las precauciones estándar.

Precauciones contra las gotas Uso de una mascarilla quirúrgica en el paciente y precauciones aéreas para evitar la transmisión de gotas; se utiliza en pacientes con posible influenza, meningitis, tosferina, paperas, rubéola (sarampión alemán), Ébola y COVID-19; también se denomina "control de la fuente".

Precauciones de contacto Uso de precauciones (guantes, bata y limpieza de los objetos que se tocan con frecuencia) para evitar la transmisión por contacto; se utiliza en pacientes que presentan heridas que drenan, infecciones multirresistentes, piojos, norovirus o Ébola.

Precauciones de transmisión aérea Colocación de una mascarilla quirúrgica al paciente y uso de medidas de flujo de aire para prevenir la transmisión aérea; se aplican a las infecciones que se propagan por exposición a gotas respiratorias compuestas de pequeñas gotas y partículas que pueden viajar a grandes distancias, por lo regular 2 m (6 pies) o más, antes de caer al suelo.

Precauciones estándar (1) Las medidas de protección diseñadas por los *Centers for Disease Control and Prevention* para prevenir la exposición a enfermedades transmisibles a través de objetos, sangre, líquidos corporales, o similares, son ampliamente utilizadas en la actualidad. (2) Término utilizado actualmente para describir las prácticas de control de infecciones que reducen la posibilidad de que se produzca una exposición en la atención diaria de los pacientes; considera que todas las sustancias corporales, excepto el sudor, presentan un posible riesgo. Sustituyó a los antiguos términos «precauciones universales» y «aislamiento de sustancias corporales» en 2005.

Prediabetes Condición identificada en personas que presentan determinados factores de riesgo asociados a la diabetes de tipo 2; existe cuando los niveles de glucosa en sangre o los niveles de hemoglobina A1c son más altos de lo normal, pero no lo suficientemente altos como para ser diagnosticados como diabetes.

Preexcitación Despolarización precoz temprana del tejido ventricular a través de una vía accesoria entre las aurículas y los ventrículos.

Prefijo Parte de un término que aparece antes de la raíz de una palabra, cambiando el significado del término.

Pregunta abierta Pregunta que no tiene una respuesta de "sí" o "no" y que no da al paciente opciones específicas entre las que elegir.

Pregunta cerrada Pregunta específica y centrada, que requiere una respuesta de "sí" o "no", o una respuesta elegida entre opciones específicas; este tipo de pregunta es útil para los pacientes que tienen dificultad para respirar.

Preparados digitálicos Fármacos utilizados en el tratamiento de la insuficiencia cardíaca y de algunas disritmias auriculares.

Presbicia Mayor dificultad de enfoque de los objetos; ocurre con el envejecimiento.

Presión arterial (PA) Medición de la fuerza ejercida contra las paredes de los vasos sanguíneos conforme el corazón se contrae y relaja; se calcula como el producto del gasto cardíaco y la resistencia vascular periférica.

Presión de perfusión cerebral (PPC) Presión dentro de las arterias cerebrales, índice del riego sanguíneo del encéfalo; se calcula restando la presión intracraneal de la presión arterial media.

Presión del habla Discurso en el que las palabras parecen salir a borbotones bajo una inmensa presión emocional.

Presión del pulso Diferencia entre las presiones sistólica y diastólica arteriales.

Presión diastólica Resultado de la presión residual en el aparato circulatorio mientras el ventrículo izquierdo se relaja (p. ej., en diástole).

Presión hidrostática Presión del agua contra las paredes de un recipiente.

Presión oncótica Presión del agua para desplazarse, por lo general, al interior de los capilares, como resultado de la presencia de las proteínas plasmáticas.

Presión osmótica Presión ejercida por la concentración de solutos en un espacio dado, para detener el flujo de solvente a través de una membrana semipermeable.

Presión parcial Presión que ejerce un gas individual en una mezcla.

Presión positiva al final de la espiración (PEEP) Mantenimiento mecánico de la presión dentro de la vía aérea al final de la exhalación para aumentar el volumen de gas que permanece dentro de los pulmones.

Presión positiva continua de la vía aérea (PPCVA) Método de ventilación que provee una sola presión; se usa principalmente en el tratamiento de pacientes en estado crítico con dificultad respiratoria y puede prevenir la necesidad de intubación endotraqueal.

Presión positiva de dos niveles en vía aérea (BiPAP) Forma no invasiva de ventilación a presión positiva que provee dos presiones (una inspiratoria más alta y una exhalatoria, más baja).

Presión residual segura La presión a la que un tanque de oxígeno debería sustituirse con uno lleno; se define como de 200 psi a menudo.

Presión sistólica Aquella creada por el ventrículo izquierdo cuando se contrae (p. ej., en la sístole).

Prevalencia Número de casos de una enfermedad o afección en una población concreta dentro de un periodo determinado.

Priapismo Una erección dolorosa, hipersensible, persistente del pene; puede ser resultado de una lesión de la medula espinal, fármacos para la disfunción eréctil o drepanocitemia.

Procedimientos generadores de aerosoles Procedimientos que pueden aumentar el número y la carga de gotas procedentes del paciente. Algunos ejemplos son la intubación y la aspiración o la realización de una reanimación boca a boca.

Pródromo Signo o síntoma temprano que se produce antes de que una enfermedad o afección aparezca por completo (p. ej., mareo antes de desmayo).

Profesión Conjunto especializado de conocimientos, habilidades o experiencia.

Profesional de la salud Persona que sigue los atributos profesionales específicos que se describen en esta profesión.

Profundo Más al interior del cuerpo y alejado de la piel.

Progesterona (1) Hormona femenina liberada de los ovarios que promueve cambios en el útero durante el ciclo reproductivo, modifica las glándulas mamarias y ayuda a regular la secreción de gonadotropinas. (2) Hormona femenina primaria que contribuye a la regulación del ciclo menstrual.

Programa de asistencia de empleados (PAE) Un programa de asesoramiento para ayudar con situaciones que quizás afecten la salud y el bienestar de los proveedores de atención prehospitalaria del SEM.

Programa de investigación Preguntas específicas que un estudio pretende responder y los métodos precisos con los que se recopilarán los datos.

Prolapso uterino Una circunstancia en la que el útero se desplaza o desciende hacia la vagina.

Pronación (1) Girar las palmas de las manos hacia abajo (hacia el suelo). (2) Rotación de la parte inferior de los brazos con las palmas hacia abajo.

Prono Tendido en posición horizontal, boca abajo.

Propiocepción (1) Conocimiento del movimiento y la posición de una parte corporal. (2) Percepción de la posición y el movimiento del cuerpo o las extremidades.

Prostaglandinas Grupo de lípidos que actúan como mensajeros químicos en la reproducción, la respuesta inflamatoria a las infecciones y la percepción del dolor. (2) Lípidos formados a partir del ácido araquidónico que suelen actuar más localmente que las hormonas, son muy potentes, estimulan las secreciones hormonales y ayudan a regular la presión arterial.

Prostatitis Inflamación de la próstata.

Proteínas Péptidos grandes creados a partir de aminoácidos que incluyen enzimas, proteínas plasmáticas, componentes musculares (actina y miosina), hormonas y anticuerpos.

Protocolo Plan de tratamiento desarrollado para una enfermedad o lesión específica.

Protozoos Organismos eucariotas unicelulares, por lo regular microscópicos, como amebas, ciliados, flagelados y esporozoos; un tipo de parásito.

Protrombina Proteína sintetizada en el hígado y que se libera hacia la sangre; se convierte en trombina en el proceso de la coagulación sanguínea.

Protuberancia anular Zona del tronco encefálico que contiene los centros del sueño y la respiración del cuerpo, y que, junto con el bulbo raquídeo, regulan la respiración.

Proximal Más próximo al tronco o un punto específico.

Proyección Un mecanismo de defensa caracterizado por el desvío de la culpa hacia otros por sentimientos, motivos o deseos inaceptables.

Prueba cutánea de tuberculina Prueba para determinar si una persona ha estado infectada de tuberculosis.

Prurito Comezón; picazón.

Psicosis (1) Estado caracterizado por la ruptura con la realidad común y que existe principalmente dentro de un mundo interno. (2) Trastorno mental caracterizado por la pérdida de contacto con la realidad.

Ptosis Prolapso de una parte del cuerpo; a menudo se refiere a la caída del párpado.

Puerto de acceso Centro sellado en un equipo de administración diseñado para proporcionar acceso estéril al fluido intravenoso.

Pulso La onda de presión creada conforme el corazón se contrae y fuerza la sangre fuera del ventrículo izquierdo y hacia las arterias principales; se palpa en un punto donde la arteria pasa cerca de un hueso.

Pulso paradójico Descenso de la presión arterial sistólica de 10 mm Hg o más; suele presentarse en pacientes con taponamiento cardíaco o asma grave.

Punto de impulso máximo (PIM) Latido palpable del ápex del corazón contra la pared torácica durante la contracción ventricular; por lo general se palpa en el quinto espacio intercostal izquierdo a lo largo de la línea medioclavicular.

Punto de respuesta de seguridad pública (PSAP, por sus siglas en inglés) Lugar al que se dirigen las llamadas del 9-1-1, que puede o no servir como centro de despacho.

Puntos muertos de radio Zonas en las que las radios móviles o portátiles no pueden comunicarse con un repetidor o entre sí.

Quiasma óptico Localización donde casi la mitad de las fibras nerviosas de cada ojo se cruza al lado opuesto del cerebro.

Quimiorreceptores Órganos sensitivos que vigilan la concentración de oxígeno y dióxido de carbono, así como el pH del líquido cefalorraquídeo y la sangre; proveen retroalimentación a los centros respiratorios para modificar la secuencia y profundidad de la respiración con base en las necesidades corporales en un momento dado.

Quimiotaxinas Componentes del sistema de complemento activado que atraen leucocitos de la circulación para ayudar a combatir infecciones.

Quimiotaxis Movimiento de neutrófilos polimorfonucleares hacia el lugar de la inflamación en respuesta a factores quimiotácticos liberados por bacterias o formados a partir del complemento activado, quimiocinas o derivados del ácido araquidónico (como los leucotrienos) en respuesta a una lesión celular.

Quiste de ovario Un saco lleno de líquido que se forma sobre o dentro de un ovario.

Quiste ovárico roto Un saco lleno de líquido dentro del ovario que estalla por presión interna.

Rabdomiólisis Destrucción del tejido muscular que provoca una liberación de potasio y mioglobina.

Rabia Infección mortal del sistema nervioso central causada por la mordedura de un animal infectado por el virus de la rabia.

Radicales libres Moléculas a las que les falta un electrón en su capa externa.

Radio digital Transmisión de información a través de ondas de radio utilizando datos digitales nativos (computadora) o señales analógicas (voz) convertidas en una señal digital comprimidas.

Raíz de la palabra La base de una palabra; establece el significado básico de una palabra.

Rango de movimiento Toda la amplitud de movimiento de una articulación.

Rastro de marcas Cicatrices visibles de la canalización repetida de una vena; normalmente asociadas al consumo de drogas ilícitas.

Reabsorción tubular Proceso que desplaza sustancias del líquido tubular a la sangre, dentro del capilar peritubular.

Reacción alérgica Respuesta inmunológica anormal que desarrolla el organismo al volver a exponerse a una sustancia o alérgeno.

Reacción anafiláctica Respuesta alérgica extrema que no implica la mediación de anticuerpos de inmunoglobulina E. Se desconoce el mecanismo exacto, pero un evento de este tipo puede producirse sin que el paciente haya estado expuesto previamente al agente agresor.

Reacción bifásica Reacción alérgica bifásica en la que los síntomas del paciente mejoran y luego reaparecen sin necesidad de exponerse al desencadenante (alérgeno) por segunda vez; los síntomas pueden reaparecer hasta 8 horas o más después del incidente inicial.

Reacción de estrés agudo Aquella que se presenta durante una situación tensa.

Reacción de estrés diferida La tensión que sigue a una situación estresante.

Reacción distónica aguda Síndrome que puede producirse en pacientes que toman agentes antipsicóticos típicos; se caracteriza por la aparición de espasmos musculares de cuello, cara y espalda a los pocos días de iniciar el tratamiento con el medicamento.

Reacción local Cuando el organismo limita la respuesta a una zona específica después de exponerse a una sustancia extraña.

Reacción pirogénica Reacción caracterizada por una elevación brusca de la temperatura (hasta 41 °C [106 °F]) con escalofríos intensos, dolor de espalda, dolor de cabeza, debilidad, náusea y vómito; una complicación potencial de la terapia intravenosa o intraósea.

Reacción sistémica Reacción que se produce en todo el organismo, puede afectar a múltiples sistemas corporales.

Reacciones de estrés acumulativas Tensión prolongada o excesiva.

Reacciones prolongadas (persistentes) Síntomas de anafilaxia que se prolongan en el tiempo, con una duración que oscila entre 5 y 32 horas.

Reacciones transfusionales Respuestas fisiológicas similares a las reacciones anafilácticas, en las que el organismo reacciona a la infusión de sangre; se producen rápido y pueden causar un colapso circulatorio grave y la muerte.

Realidad común Estimulación sensorial que puede ser verificada por otros.

Receptor Área especializada del tejido que inicia determinadas acciones luego de una estimulación específica.

Receptores sensoriales Estructuras localizadas en la dermis que inician los impulsos nerviosos que alcanzan la percepción consciente del individuo.

Reciprocidad Proceso por el que se concede la licencia o certificación a un proveedor de otro estado o dependencia.

Reconstitución farmacológica Inyección de agua estéril o línea de vapor de un vial a otro vial que contiene un medicamento en polvo.

Recorrido corporal total rápido Una revisión sistemática y palpación del cuerpo de un paciente de 60 a 90 segundos para identificar lesiones que deben tratarse o protegerse de inmediato; también llamado barrido rápido de todo el cuerpo.

Reducible Tipo de hernia que vuelve a su localización normal de forma espontánea o mediante manipulación manual.

Reentrada Propagación de un impulso a través de un tejido ya estimulado por ese mismo impulso.

Reevaluación La porción del proceso de evaluación en la que la condición del paciente se revalora y se ponderan las respuestas al tratamiento.

Reflejo corneal Movimiento de protección que provoca el parpadeo, el desplazamiento posterior de la cabeza y la constricción pupilar.

Reflejo de Cushing Combinación de pulso decreciente, presión arterial creciente, y un patrón ventilatorio errático; un signo grave de los pacientes con traumatismo cefálico o accidente cerebrovascular.

Reflejo de Hering-Breuer Mecanismo de protección que termina la inhalación, y así previene la sobreexpansión de los pulmones.

Reflejo nauseoso (1) Reacción automática cuando alguien toca la región profunda de la cavidad bucal y ayuda a proteger la vía aérea inferior de la aspiración. (2) Respuesta neural normal que se despierta por el tacto del paladar blando o la parte posterior de la faringe; lleva a una elevación simétrica del paladar, la retracción de la lengua y la contracción de los músculos faríngeos.

Reflejos Respuestas motoras involuntarias ante estímulos sensoriales específicos, como un golpe en una rodilla o la caricia de una pestaña.

Reflejos primitivos Reacciones automáticas, como los de Babinski, de sujeción, y de succión, que normalmente muestran los lactantes.

Registro Proporcionar información a una entidad que la almacena en algún tipo de libro de registro. En el contexto de los SEM, los registros de su educación, licencia estatal o local y recertificación están en manos de una junta reconocida.

Regla 3-3-2 Método usado para predecir la intubación difícil. Una abertura bucal menor al ancho de tres dedos, una longitud mandibular menor al ancho de tres dedos y una distancia del hioides a la escotadura tiroidea menor de dos dedos de ancho indican una posible vía aérea difícil.

Regresión Un mecanismo de defensa caracterizado por el retorno a una conducta infantil mientras se enfrenta el estrés.

Regulación a la baja Proceso en el que un mecanismo que reduce los receptores celulares disponibles para un medicamento concreto provoca tolerancia.

Regulador terapéutico Dispositivo que se acopla al cuerpo del tanque de oxígeno y disminuye la presión alta hasta un rango seguro (de casi 50 psi).

Relajación de las asociaciones Situación en la que la conexión lógica entre una idea y la siguiente se vuelve oscura, al menos para el oyente.

Renina Hormona producida por las células del aparato yuxtaglomerular cuando la presión arterial es baja.

Repetidor Transceptor de radio remoto que recibe señales de radio y las retransmite a mayor potencia, ampliando el alcance de un sistema de radiocomunicación.

Repolarización Proceso por el que los iones pasan a través de la membrana de la célula para regresarla a un estado polarizado.

Reporte de atención de paciente prehospitalario (RAPP) Documento legal utilizado para registrar todas las actividades de atención al paciente durante un incidente; informe manuscrito o electrónico que describe la naturaleza de las lesiones o la enfermedad del paciente en el lugar del accidente y el tratamiento proporcionado; también conocido como reporte de atención prehospitalaria.

Representante designado para el control de infecciones (RDCI) Persona encargada de garantizar que un empleado o voluntario expuesto reciba el tratamiento médico y el asesoramiento adecuados posterior a la exposición.

Resistencia a la insulina Estado en el que el páncreas produce suficiente insulina, pero el cuerpo no puede utilizarla con eficacia.

Resistencia del huésped Capacidad de una persona para luchar contra la infección.

Resistencia vascular sistémica Resistencia que la sangre debe superar para poder desplazarse dentro de los vasos sanguíneos, relacionada con el grado de su dilatación o constricción.

Respiración Intercambio de gases entre un organismo vivo y su ambiente.

Respiración celular Proceso bioquímico que da como resultado la producción de energía en forma de trifosfato de adenosina.

Respiraciones apnéusticas Inspiraciones de jadeo prolongado seguidas por exhalaciones en extremo breves e ineficaces; se relacionan con lesiones del tronco encefálico.

Respiraciones de Biot (atáxicas) Patrón irregular de la frecuencia y profundidad de las respiraciones con periodos intermitentes de apnea; resultado del aumento de la presión intracraneal.

Respiraciones de Cheyne-Stokes Ventilaciones con incremento gradual de la frecuencia y profundidad seguidas por un decremento gradual y periodos intermitentes de apnea; se vincula con una lesión de tronco encefálico.

Respiraciones de Kussmaul Patrón ventilatorio característico de la cetoacidosis diabética que incluye hiperpnea notoria y taquipnea; representa el intento del cuerpo para compensar la acidosis.

Respuesta de luchar o huir Una reacción fisiológica ante un factor de estrés importante y que ayuda a la persona a abordar la situación; incluye aumento del tono simpático y causa dilatación de pupilas, aumento de la frecuencia cardíaca, dilatación bronquial, movilización de glucosa, desviación de sangre del tubo digestivo al encéfalo y aumento del flujo sanguíneo a los músculos esqueléticos.

Respuesta inflamatoria Reacción de los tejidos del organismo ante una irritación o lesión, caracterizada por dolor, edema, enrojecimiento y calor.

Respuesta inmunológica Reacción de defensa del organismo ante cualquier sustancia que reconoce como extraña.

Respuesta primaria El primer encuentro con la sustancia extraña que inicia la respuesta inmunológica.

Respuesta secundaria Reacción del organismo cuando se expone a un antígeno para el que ya tiene anticuerpos, en la que responde eliminando la sustancia invasora.

Retención urinaria Vaciamiento incompleto de la vejiga o una carencia completa de la capacidad de vaciarla.

Retina Parte interna del globo ocular, que incluye a los receptores visuales.

Retracciones Movimientos al interior de los músculos intercostales y los supraclaviculares, que pueden ocurrir ante la dificultad respiratoria.

Retraimiento del pensamiento La creencia de que los pensamientos se eliminan de la mente.

Retroalimentación negativa Concepto de que una vez que se logró el efecto deseado de un proceso, se inhibe su continuación hasta que se vuelva a requerir; también llamada inhibición por retroalimentación.

Revisión bibliográfica Forma de investigación en la que se revisa la bibliografía existente y el investigador analiza el conjunto de investigaciones para obtener una conclusión.

Revisión por expertos Proceso utilizado por revistas médicas, publicaciones especializadas y otras publicaciones para garantizar la calidad y validez de un artículo antes de su publicación, y que consiste en enviar el artículo a expertos en la materia para que revisen el contenido y los métodos de investigación.

Ricino Semilla que contiene la toxina denominada ricina. Su ingesta provoca diversos efectos tóxicos: ardor en la boca y la garganta; náusea, emesis, diarrea y fuertes dolores de estómago; postración; pérdida de visión, e insuficiencia renal, que es la causa habitual de muerte.

Rigidez Afección en la que los músculos no se contraen ni se relajan con suavidad, lo que provoca rigidez de movimiento; se da en pacientes con enfermedad de Parkinson. (2) Un signo importante en la clínica que se caracteriza por irritación peritoneal notoria y defensa voluntaria, que indica una lesión o enfermedad para la que puede requerirse una intervención quirúrgica emergente.

Riñones Órganos sólidos con forma de frijol que se alojan en el espacio retroperitoneal, filtran sangre y excretan residuos corporales en forma de orina.

Ritmo agónico Frecuencia ventricular inferior a 20 latidos/min; este ritmo se observa justo antes de que el corazón deje de latir por completo.

Ritmo de escape de la unión Disritmia que surge de la unión auriculoventricular con una frecuencia intrínseca de 40 a 60 latidos/min; también se denomina ritmo de la unión.

Ritmo sinusal normal Ritmo normal del corazón que tiene una frecuencia intrínseca de 60 a 100 latidos/min; el ritmo es regular, con una variación mínima entre los intervalos R-R, y todas las mediciones están dentro de los límites normales.

Rocuronio Bloqueador neuromuscular no despolarizante que se usa para mantener la parálisis después de la intubación facilitada por la succinilcolina.

Roncos Ruido de tono bajo continuo que indica la presencia de moco o líquido en la vía aérea inferior más grande.

Roncus Ruidos ventilatorios de bajo tono gruesos que se escuchan en los pacientes por la presencia crónica de moco en la vía aérea superior.

Rotación interna Rotación de la superficie anterior de una extremidad hacia la línea media.

Rubéola Enfermedad viral similar al sarampión, más conocida por la característica erupción roja en la piel; no es tan infecciosa ni grave como el sarampión.

Rubor Enrojecimiento; uno de los signos clásicos de la inflamación.

Ruido Interferencia en una señal de radio.

Ruidos broncovesiculares Una combinación de ruidos ventilatorios traqueales y vesiculares; se escuchan donde se encuentran los alvéolos de la vía aérea, en la parte alta del esternón y entre las escápulas.

Ruidos bronquiales Sonidos de tono bajo, tubulares, huecos, que se auscultan sobre la tráquea.

Ruidos de Korotkoff Sonidos relacionados con la medición de la presión arterial que se auscultan por el estetoscopio.

Ruidos respiratorios traqueales Los escuchados colocando el diafragma del estetoscopio sobre la tráquea o el esternón; también llamados ruidos bronquiales respiratorios.

Ruidos respiratorios vesiculares Ruidos respiratorios blandos amortiguados en los que la fase exhalatoria es apenas audible.

Ruidos ventilatorios adventicios Ruidos anormales, como sibilancias, roncos, estertores, estridores, y frotes de fricción pleural.

Ruidos vesiculares Ruidos ventilatorios normales que hace el aire al moverse dentro y fuera de los alvéolos.

Salicilatos Sustancias químicas presentes en las plantas; ingrediente principal de la aspirina.

Sarampión Enfermedad viral infecciosa que suele aparecer a finales del invierno y en primavera. Comienza con fiebre, conjuntivitis y coriza (rinitis aguda); aparición de tos y una erupción rojiza que se extiende desde la cabeza hasta el tronco y las extremidades inferiores.

Sarna Infestación de la piel por el ácaro *Sarcoptes scabiei*; se propaga rápidamente con el contacto piel con piel.

Sección longitudinal Vista de un objeto cortada a lo largo de su eje longitudinal.

Secreción tubular Proceso que desplaza sustancias de la sangre en los capilares peritubulares hacia el túbulo renal.

Sedación Disminución de la ansiedad de un paciente; inducción de amnesia y supresión del reflejo nauseoso, por lo general, por medios farmacológicos.

Segmento ST Intervalo entre el final del complejo QRS (el punto J) y el comienzo de la onda T; cuando hay isquemia o lesión miocárdica importante, el segmento ST suele estar deprimido o elevado con respecto a la línea isoeléctrica.

Seguridad del paciente Disminución del riesgo y daño innecesarios vinculados con los servicios médicos de emergencia, que se mantienen en un mínimo aceptable, y se define por los límites de la mejor evidencia, equipo,

Semipermeable Propiedad de la membrana celular que describe su capacidad de permitir que ciertos elementos pasen mientras impide el paso de otros.

Semivida Tiempo necesario en una persona media para el metabolismo o la eliminación de 50% de una sustancia en el plasma.

Seno coronario Drenaje venoso de la circulación coronaria hacia la aurícula derecha.

Senos Cavidades formadas por los huesos del cráneo que atrapan a los contaminantes antes de su ingreso al tracto respiratorio y actúan como tributarias de líquido hacia y desde las trompas de Eustaquio y los conductos lagrimales.

Senos paranasales Secciones huecas de hueso al frente de la cabeza, revestidas por membrana mucosa, que drenan hacia la cavidad nasal; los senos frontal, etmoideo, esfenoideo y maxilar.

Sensibilidad a los medicamentos Reacción de leve a grave después de la primera exposición a un medicamento u otra sustancia, que suele presentar muchos de los mismos signos y síntomas que una reacción inmunomediada.

Sensibilidad Capacidad de reconocer una sustancia extraña la próxima vez que se encuentre con ella.

Sensibilidad de rebote Dolor que el paciente siente cuando se libera la presión en contraposición a cuando se aplica presión; característico de la apendicitis.

Sentidos generales Sensaciones reguladas por receptores dispersos en muchos tejidos diferentes del cuerpo.

Señales de radio codificadas Señales incorporadas que permiten a varios usuarios compartir frecuencias y repetidoras.

Sepsis Disfunción orgánica potencialmente mortal causada por una respuesta desregulada del huésped a la infección.

Septicemia Infección generalizada del torrente sanguíneo.

Seropositivo Análisis de sangre positivo para un agente infeccioso, como el virus de la inmunodeficiencia humana o los virus de la hepatitis B o C.

Serotonina Amina vasoactiva que aumenta la permeabilidad vascular, provoca vasodilatación y puede causar broncoconstricción, náusea y vómito.

Servicios de emergencias médicas (SEM) Sistema de atención médica diseñado para prestar atención inmediata en la escena a quienes la necesitan, junto con el traslado a un centro de atención médica definitiva.

Shock anafiláctico Reacción de hipersensibilidad grave que implica broncoconstricción y colapso cardiovascular; también denominada anafilaxia.

Shock cardiogénico Estado causado por la pérdida de 40% o más del miocardio funcional; el corazón no puede hacer circular suficiente sangre para mantener un aporte periférico de oxígeno adecuado.

Shock central Tipo de shock causado por una falla de la bomba central, incluidos el shock cardiogénico y el shock obstructivo.

Shock distributivo Tipo de shock causado por la dilatación generalizada de los vasos de resistencia (arteriolas pequeñas), los vasos de capacitancia (vénulas pequeñas) o ambos.

Shock hipovolémico Tipo de shock que se produce cuando el volumen de sangre circulante es insuficiente para suministrar al organismo el oxígeno y los nutrientes adecuados.

Shock neurogénico Tipo de shock que suele ser consecuencia de una lesión de la médula espinal; se produce una pérdida del tono normal del sistema nervioso simpático y vasodilatación.

Shock obstructivo Tipo de shock que se produce cuando el flujo sanguíneo se bloquea en el corazón o en los grandes vasos.

Shock periférico Shock causado por anomalías circulatorias periféricas; incluye el shock hipovolémico y el shock distributivo.

Shock séptico Sepsis acompañada de anormalidades circulatorias y celulares/metabólicas lo bastante profundas como para aumentar de manera sustancial la mortalidad. (2) Tipo de shock que se produce como consecuencia de una infección generalizada, normalmente bacteriana; si no se trata, el resultado es un síndrome de disfunción orgánica múltiple y, a menudo, la muerte.

Sibilancia Sonido agudo de tono alto que se puede escuchar durante la inspiración, la exhalación o en ambas; indica el movimiento de aire a través de una vía aérea inferior constreñida, como en el asma.

Sífilis Infección de transmisión sexual causada por la bacteria en forma de espiral *Treponema pallidum*; los signos y síntomas incluyen una lesión ulcerosa o chancro de la piel o mucosa en el lugar de la infección, por lo regular en la región genital.

Silenciador Sistema de filtrado para bloquear el ruido de fondo, pero que permite escuchar las señales de radio.

Simpaticomiméticos Medicamentos administrados para estimular el sistema nervioso simpático.

Símplex Comunicación por radio que utiliza una sola frecuencia.

Sinapsis Conexión funcional donde las neuronas se comunican con otras células.

Síncope Desmayo; breve pérdida de conciencia causada por un flujo sanguíneo transitoriamente inadecuado al cerebro.

Síndrome cerebral orgánico Disfunción temporal o permanente del cerebro, causada por una alteración del funcionamiento físico o fisiológico del tejido cerebral.

Síndrome de abstinencia Conjunto previsible de signos y síntomas, que suelen implicar una alteración de la actividad del sistema nervioso central, que se produce después del cese brusco de una sustancia o después de la disminución rápida de la dosis habitual de un fármaco.

Síndrome de Boerhaave Vómito intenso que provoca un desgarro en el esófago que se extiende a lo largo de la pared esofágica, creando un orificio.

Síndrome de Cushing Enfermedad causada por la producción excesiva de cortisol por las glándulas suprarrenales o por el uso excesivo de cortisol u otras hormonas corticoesteroides (glucocorticoides) similares.

Síndrome de desequilibrio Una afección caracterizada por náusea, vómito, cefalea y confusión, que ocurre cuando la diálisis produce desvío de agua inicialmente del flujo sanguíneo al líquido cefalorraquídeo, con aumento leve de la presión intracraneal.

Síndrome de disfunción multiorgánica (SDMO) Enfermedad grave, pero a veces reversible, de un paciente crítico, caracterizada por el fallo simultáneo de dos o más órganos o sistemas orgánicos que inicialmente no habían sido dañados por el trastorno o lesión aguda que causó la enfermedad actual del paciente.

Síndrome de Guillain-Barré Enfermedad poco frecuente que comienza con una sensación de debilidad y hormigueo en las piernas, que se traslada a los brazos y el tórax; el trastorno puede provocar parálisis en 2 semanas.

Síndrome de inmunodeficiencia adquirida (sida) Proceso de enfermedad en fase terminal causado por el virus de la inmunodeficiencia humana; provoca una vulnerabilidad extrema a numerosas infecciones bacterianas, virales y fúngicas oportunistas que no afectarían a una persona con un sistema inmunológico intacto.

Síndrome de Lown-Ganong-Levine Trastorno que causa preexcitación del tejido ventricular y se caracteriza en el EKG por un intervalo PR corto y una duración normal del QRS.

Síndrome de Mallory-Weiss Enfermedad en la que se desgarra la unión entre el esófago y el estómago, provocando hemorragias graves y, potencialmente, la muerte.

Síndrome de QT largo (SQTL) Enfermedad caracterizada por un intervalo QT superior a alrededor de 0.44 segundos (440 milisegundos).

Síndrome de secreción inapropiada de hormona antidiurética (SIADH) Trastorno endocrino en el que un exceso de hormona antidiurética provoca una disminución de la diuresis y, a su vez, una sobrecarga sistémica de líquidos.

Síndrome de secuestro esplénico agudo Enfermedad en la que los glóbulos rojos quedan atrapados en el bazo, lo que provoca una disminución drástica de la cantidad de hemoglobina disponible en la circulación; suele ocurrir en lactantes o niños pequeños.

Síndrome de Stevens-Johnson Reacción grave, posiblemente mortal, que imita una quemadura; puede deberse a un medicamento.

Síndrome de Wolff-Parkinson-White (WPW) Síndrome de preexcitación caracterizado por un intervalo PR corto, una onda delta, un complejo QRS ensanchado y cambios inespecíficos de la onda ST-T, lo que indica la presencia de una vía accesoria.

Síndrome del intestino irritable (SII) Enfermedad en la que los pacientes presentan dolor abdominal y cambios en sus hábitos intestinales; por lo general, el dolor y los cambios que lo acompañan deben estar presentes durante al menos 3 días al mes en un periodo mínimo de 3 meses para que se considere esta enfermedad.

Síndrome general de adaptación Reacción en tres fases ante factores estresantes, ya sean físicos (como una lesión) o emocionales (como la pérdida de un ser querido). Las fases incluyen alarma, resistencia o adaptación y agotamiento.

Síndrome hiperglucémico hiperosmolar no cetósico (SHHNC) Enajenación metabólica que se produce principalmente en pacientes con diabetes de tipo 2; se caracteriza por hiperglucemia, hiperosmolaridad y ausencia de cetosis significativa. Anteriormente conocido como coma hiperosmolar no cetósico (CHNC).

Síndrome pospolio Muerte de las fibras nerviosas como consecuencia tardía de la poliomielitis; se caracteriza por dificultades para tragar, debilidad, fatiga y problemas respiratorios.

Síndrome respiratorio agudo severo (SRAS) Infección viral potencialmente mortal que suele empezar con síntomas parecidos a los de una influenza.

Síndrome respiratorio de Oriente Medio (MERS, por sus siglas en inglés) Enfermedad originaria de la península arábiga que se transmite por contacto estrecho con orina o secreciones nasales, leche o carne de camello. Los síntomas incluyen fiebre, tos, dificultad para respirar y trastornos gastrointestinales; los proveedores de atención médica deben tomar precauciones estándar, de contacto y de transmisión aérea.

Síndrome serotoninérgico Complicación idiosincrática que se produce con el tratamiento antidepresivo en la que los pacientes presentan rigidez muscular de las extremidades inferiores, confusión o desorientación o agitación.

Síndrome torácico agudo Crisis vaso oclusiva que puede estar asociada con la neumonía; los signos y síntomas comunes incluyen dolor torácico, fiebre y tos; asociado con la anemia falciforme.

Síndromes coronarios agudos (SCA) Serie de afecciones cardíacas causadas por una reducción brusca del flujo sanguíneo de las arterias coronarias.

Sinergismo Acción de dos sustancias, como los fármacos, en la que los efectos totales son mayores que la suma de los efectos independientes de las dos sustancias.

Sinónimos Pares de raíces, prefijos o sufijos que tienen el mismo o casi el mismo significado.

Sintetizar Combinar varias cosas, como elementos de la historia, en un todo coherente.

Sistema ABO Sistema de clasificación sanguínea de uso más común; se basa en los antígenos presentes o ausentes.

Sistema cinina Grupo de polipéptidos que median las respuestas inflamatorias estimulando el músculo liso visceral y relajando el músculo liso vascular para producir vasodilatación.

Sistema de coagulación Sistema que desempeña un papel vital en la formación de coágulos en los vasos sanguíneos. La inflamación desencadena la cascada de coagulación, iniciando una compleja serie de reacciones que favorecen la formación de fibrina.

Sistema de conducción eléctrica En el corazón, el tejido cardíaco especializado que inicia y conduce los impulsos eléctricos; incluye el nódulo SA, las vías de conducción internodal, el nódulo auriculoventricular, el haz de His y la red de Purkinje.

Sistema de despacho de prioridad médica (MPDS, por sus siglas en inglés) Sistema de despacho que utiliza un formato específico para indicar la naturaleza de la emergencia (protocolo de MED) y su prioridad (nivel/número determinante).

Sistema de información geográfica (SIG) Tecnología que utiliza el sistema de posicionamiento global y otros datos para (1) realizar un seguimiento y predecir los tiempos de respuesta de las ambulancias; (2) determinar la distancia al centro de traumatología u otros hospitales más cercanos desde ubicaciones específicas; (3) realizar un seguimiento de la frecuencia de las colisiones de vehículos de motor y la gravedad de las lesiones desde diferentes ubicaciones geográficas; (4) determinar la ubicación de los helipuertos de emergencia, y (5) proporcionar otra información útil para las operaciones y la planificación del sistema del SEM.

Sistema de refracción Serie de estructuras transparentes dentro del ojo que redirige la luz a su paso por medios de diferentes densidades.

Sistema del citocromo P-450 Hemoproteína implicada en la desintoxicación de muchos fármacos.

Sistema del complemento Grupo de proteínas plasmáticas que atraen a los leucocitos a los focos de inflamación, los activan y los destruyen directamente.

Sistema endocrino Complejo sistema de mensajes y regulación que integra muchas funciones corporales, que incluyen la secreción de hormonas.

Sistema hematopoyético Sistema que incluye todos los componentes de la sangre y los órganos implicados en su desarrollo y producción.

Sistema inmunológico Sistema corporal que incluye todas las estructuras y procesos relacionados con la defensa del organismo frente a sustancias extrañas y agentes patógenos.

Sistema límbico Estructuras del cerebro y el diencéfalo que influyen en las emociones, la motivación, el estado de ánimo y las sensaciones de dolor y placer.

Sistema linfático Red de capilares, vasos, conductos, ganglios y órganos que ayuda a mantener el ambiente líquido corporal por la producción de linfa y su transporte en el cuerpo.

Sistema linfoide Sistema constituido principalmente por la médula ósea, los ganglios linfáticos y el bazo, que participa en la formación de linfocitos y en las respuestas inmunes; también denominado sistema linfático.

Sistema métrico Sistema de medición basado en múltiplos de 10 (es decir, un sistema decimal) que se utiliza para medir la longitud, el peso y el volumen.

Sistema nervioso Sistema que regula casi todas las actividades del cuerpo, tanto voluntarias como involuntarias.

Sistema nervioso autónomo (SNA) Subdivisión del sistema nervioso que regula principalmente las funciones corporales involuntarias; constituido por los sistemas nerviosos simpático y parasimpático.

Sistema nervioso central (SNC) El encéfalo y la médula espinal.

Sistema nervioso intestinal (SNI) Subdivisión del sistema nervioso autónomo que regula al aparato digestivo.

Sistema nervioso periférico (SNP) Porción del sistema nervioso que consta de 31 pares de nervios raquídeos y 12 de nervios craneales, encargados de la comunicación entre el sistema nervioso central y el resto del cuerpo. Incluyen nervios sensoriales, motores y de conexión.

Sistema nervioso somático Parte del sistema nervioso que regula las actividades sobre las que hay regulación voluntaria.

Sistema porta hepático Parte especializada del sistema venoso que conduce sangre del tubo digestivo al hígado y, después, hacia la vena cava inferior.

Sistema respiratorio Todas las estructuras del cuerpo que contribuyen al proceso de la respiración, constituida por vía aérea alta y baja y sus partes componentes.

Sistema reticular activador (SRA) Grupo de neuronas especializadas en el tronco encefálico; involucradas en los ciclos de sueño y despertar, que mantiene el estado de vigilia.

Sistema reticuloendotelial Sistema del organismo que se utiliza principalmente para defenderse de las infecciones.

Sistema tegumentario El más grande sistema orgánico del cuerpo, constituido por la piel y las estructuras accesorias (p. ej., pelo, uñas, glándulas sudoríparas y pilosas).

Sistema urinario Órganos que regulan la descarga de ciertos materiales de desecho filtrados desde la sangre que se excretan como orina.

Sistemas 9-1-1 mejorados Sistemas de comunicaciones de emergencia que recopilan información sobre las llamadas al 9-1-1 de la red telefónica, como el número de teléfono y la ubicación de la persona que llama, y distribuyen esta información en la terminal de computadora del despacho.

Sistemas amortiguadores Defensas de acción rápida contra los cambios acidobásicos, que proveen protección casi inmediata contra las variaciones en la concentración de hidrogeniones del líquido extracelular.

Sistemas de radio troncalizados Frecuencias de radio computarizadas compartidas por varias unidades, dependencias o sistemas.

Sistemas de traumatología Colaboración de la medicina prehospitalaria e intrahospitalaria que se centra en optimizar el uso de los recursos y activos de cada una de ellas, con el objetivo principal de reducir la mortalidad y morbilidad de los pacientes traumatizados.

Sistemas sin aguja Dispositivos que no utilizan agujas para la recolección de fluidos corporales o la extracción de fluidos corporales una vez establecido el acceso venoso o arterial inicial, la administración de medicamentos o fluidos, o cualquier otro procedimiento que implique la posibilidad de exposición profesional a patógenos transmitidos por la sangre a través de heridas percutáneas provocadas por objetos punzocortantes contaminados.

Situación, antecedentes, evaluación y recomendación (SBAR, por sus siglas en inglés) Formato de reporte estructurado del paciente diseñado para transmitir información importante de forma concisa.

Sobredosis Trastorno que se produce cuando se expone a una sustancia (lícita o ilícita) en exceso; puede tener consecuencias tóxicas o letales.

Sobrehidratación Aumento del volumen de líquido sistémico del organismo.

Sobrepeso Acumulación poco saludable de grasa corporal; índice de masa corporal de 25 a 29.9 kg/m^2.

Soluble en agua Propiedad que indica que un material puede disolverse en agua.

Solución Mezcla de un solvente y un soluto.

Solución cristaloide isotónica Solución intravenosa que no provoca un desplazamiento de líquido hacia el interior o el exterior de la célula; algunos ejemplos son la solución salina normal y la solución Lactato de Ringer.

Solución hipertónica Solución con mayor concentración de sodio que la célula; el aumento de la presión osmótica puede extraer agua de la célula y provocar su colapso.

Solución hipotónica Solución con una concentración de sodio inferior a la de la célula; el aumento de la presión osmótica permite la entrada de agua en la célula, lo que provoca su edema y posible rotura.

Solución isotónica (1) Solución que contiene una concentración equivalente de solutos y agua a cada lado de una membrana semipermeable. En este caso, el agua no pasa a través de la membrana, y no hay modificación de la forma de las células. (2) Solución que tiene la misma concentración de sodio que la célula. Su presencia no provoca el desplazamiento del agua, por lo que no se produce ningún cambio en la forma de la célula.

Solución Lactato de Ringer (RL) Solución cristaloide estéril e isotónica que contiene cantidades específicas de cloruro cálcico, cloruro potásico, cloruro sódico y lactato sódico en agua.

Solución salina normal Solución de coloide sódico al 0.9%; un cristaloide isotónico.

Soluciones coloides Soluciones que contienen moléculas (por lo regular proteínas) demasiado grandes para salir de las membranas capilares y, por lo tanto, permanecen en el compartimento vascular.

Soluciones cristaloides Soluciones de cristales disueltos (p. ej., sales o azúcares) en agua; contienen compuestos que se disocian rápidamente en solución.

Soluto Conjunto de las partículas disueltas en un solvente.

Solvente Líquido que disuelve a un soluto, o sustancia en la que el soluto se disuelve o mezcla.

Somatostatina Hormona que inhibe la secreción de insulina y glucagón por el páncreas.

Sonda gástrica Tubo que se inserta en el estómago para retirar su contenido.

Sonda nasogástrica (NG) Tubo que se inserta en el estómago a través de la nariz.

Sonda orogástrica (BG) Sonda gástrica que se inserta en el estómago a través de la boca.

Sondas gástricas Sondas que normalmente se insertan en pacientes en el entorno prehospitalario para descomprimir el estómago; también se pueden utilizar para administrar determinados medicamentos enterales.

Soplo (1) Ruido cardíaco anormal que se escucha como "silbido" y señala el riego sanguíneo turbulento dentro del corazón. (2) Sonido anormal sibilante que indica la turbulencia dentro de un vaso sanguíneo estrecho, por lo general se ausculta en las arterias carótidas.

Soplos Sonidos silbantes anormales que indican un flujo sanguíneo turbulento dentro de un vaso estrechado; suelen oírse en las arterias carótidas.

Spice Sustancia ilícita consistente en una mezcla de cannabinoides sintéticos; puede producir delirio y efectos psicóticos a corto y largo plazos.

Staphylococcus aureus Cepa bacteriana que se ha hecho resistente a la meticilina, creando una nueva cepa; los síntomas incluyen infecciones de tejidos blandos y posibles abscesos cutáneos localizados y celulitis, empiema y endocarditis.

Subcutáneo En el tejido situado entre la piel y el músculo; una vía de administración de medicamentos.

Sublingual Bajo la lengua; vía de administración de medicamentos.

Sufijo Parte de un término que va después de la raíz de la palabra, al final del término.

Suicidio químico Método de suicidio que consiste en mezclar determinados productos químicos domésticos en un espacio cerrado para crear gases tóxicos, como sulfuro de hidrógeno y cianuro de hidrógeno, al combinarse los productos químicos; también llamado suicidio con detergente.

Superficial Más cerca o en la superficie de la piel.

Superior Por encima o más cerca de la cabeza.

Supinación Girar las palmas de las manos hacia arriba (hacia el cielo).

Supino Tendido boca arriba.

Supositorio Fármaco mezclado en una base firme que se funde a la temperatura corporal y se moldea para ajustarse al recto.

Surfactante Sustancia proteínica líquida que cubre los alvéolos en los pulmones, disminuye su tensión superficial y los mantiene expandidos; su concentración baja en un lactante prematuro contribuye al síndrome de dificultad respiratoria.

Suturas Costuras que ocurren solo entre los huesos del cráneo; constituyen un tipo de articulación fibrosa.

Tabique Pared gruesa que separa los lados derecho e izquierdo del corazón.

Tálamo Estructura del diencéfalo que actúa como tablero sensorial del cerebro, a través del cual casi todas señales transcurren en su camino hacia o desde este.

Talasemia Tipo de anemia en la que no se produce suficiente hemoglobina o la hemoglobina es defectuosa.

Taponamiento cardíaco Estado patológico caracterizado por la restricción de la contracción cardíaca, la disminución del gasto cardíaco y el shock como consecuencia de la acumulación de líquido pericárdico.

Taponamiento pericárdico Alteración del llenado diastólico de los ventrículos derecho e izquierdo debido a la presencia de cantidades importantes de líquido en el saco pericárdico que rodea el corazón, lo que provoca una disminución del gasto cardíaco.

Taquicardia sinusal Ritmo sinusal caracterizado por una frecuencia cardíaca superior a 100 latidos/min.

Taquifilaxia Trastorno en el que la administración de dosis repetidas de un medicamento en un breve periodo provoca tolerancia con rapidez, lo que hace que el medicamento sea prácticamente ineficaz.

Tasa metabólica basal Velocidad a la que se consumen los nutrimentos en el cuerpo.

Técnica aséptica Método de limpieza utilizado para evitar la contaminación de un lugar por agentes patógenos cuando se realiza un procedimiento invasivo, como la colocación de una vía intravenosa.

Tejido areolar Tipo de tejido conectivo laxo que une a la piel con los órganos subyacentes y llena los espacios entre los músculos.

Tejido muscular Tejido contráctil constituido por filamentos de actina y miosina, que se deslizan uno sobre otro, acortando las células.

Tejido muscular esquelético Tejido muscular voluntario unido a los huesos y constituido por células largas, a manera de cintas, con estrías claras y oscuras.

Tejidos Grupos de células que comparten una estructura y función similares.

Tejidos conectivos Aquellos que unen, dan sostén, protegen, estructuran y llenan estructuras corporales; también almacenan grasa, producen células sanguíneas, reparan tejidos y protegen contra las infecciones.

Tejidos epiteliales Tejidos corporales que cubren órganos, forman el revestimiento de las cavidades y de los órganos huecos.

Tejidos nerviosos Tejidos compuestos por neuronas y neuroglía.

Teléfono fijo Sistema de comunicación conectado por cables, por lo regular en referencia a un sistema de telefonía convencional.

Teléfonos celulares Teléfonos inalámbricos que se comunican por ondas de radio con el sistema telefónico a través de una red interconectada de estaciones repetidoras denominadas células.

Telemedicina Sistema por computadora que permite la transmisión bidireccional en tiempo real de sonido, video, signos vitales, trazados de EKG y otros datos de diagnóstico entre el paramédico y el médico de control.

Temblor de intención Temblor que se produce al intentar realizar una tarea.

Temblor de reposo Temblor que se produce incluso cuando los músculos del paciente están relajados (p. ej., las manos apoyadas en el regazo).

Temblor postural Temblor que se produce cuando la persona mantiene quieta una parte del cuerpo.

Temblores Movimientos involuntarios y rítmicos, generalmente de las manos o la cabeza.

Tentorio Proyección horizontal de la duramadre que separa al cerebelo del cerebro.

Teoría del filamento deslizable Explicación de la acción de la contracción muscular que se centra en cómo los sarcómeros se acortan, con filamentos gruesos y delgados que se deslizan pasando uno sobre el otro hacia el centro desde ambos extremos.

Terapia de reperfusión Tratamiento destinado a facilitar la reanudación del flujo sanguíneo a través de un vaso obstruido; la terapia puede ser de procedimiento, como el cateterismo cardíaco, o farmacológica, como la administración de un agente fibrinolítico.

Terapia fibrinolítica Uso de medicamentos que actúan para disolver los coágulos sanguíneos.

Terapia intravenosa Canalización de una vena con un catéter intravenoso para tener acceso al sistema vascular del paciente.

Tercer espaciamiento Desplazamiento de líquido hacia los tejidos, creando edema.

Terminal remota Terminal que recibe transmisiones de telemetría y voz desde el terreno y transmite mensajes de vuelta, por lo regular a través de la estación base.

Termorregulación Proceso por el que el cuerpo mantiene la temperatura por una combinación de ganancia por procesos metabólicos y movimiento muscular, y pérdida por respiración, evaporación, conducción, convección y sudoración.

Testosterona Andrógeno masculino que favorece la producción de esperma sano, determina las características sexuales masculinas secundarias, como la producción de vello, y estimula el crecimiento. (2) La hormona sexual masculina (andrógeno) más importante.

Tétanos (1) Enfermedad causada por esporas que penetran en el organismo a través de una herida punzante contaminada con heces de animales, polvo de la calle o tierra, o a través de drogas callejeras contaminadas; los signos y síntomas comienzan en el lugar de la herida, seguidos de contracciones musculares dolorosas en los músculos del cuello, la cara, la mandíbula y el tronco.

Texto claro Uso de un lenguaje normal (sencillo) y de términos aceptados para mejorar la claridad de la comunicación, en lugar de utilizar decodificaciones u otros sistemas de códigos.

Tiempo de espera universal Pausa programada antes de iniciar un procedimiento que mejora la seguridad y la comunicación entre todo el personal y ayuda a evitar errores humanos.

Tiempo de llenado capilar Prueba realizada en las uñas de las manos o de los pies que consiste en apretar brevemente la uña del pie o de la mano y evaluar el tiempo que tarda en recuperar el color.

Timo Órgano linfático localizado en el tórax, importante para la inmunidad temprana; disminuye de volumen con la edad y, en un momento dado, es sustituido por otros tipos de tejido.

Timpánico Sonido fuerte y agudo, similar al de un tambor, que se oye al percutir un espacio hueco (por ejemplo, el estómago vacío o una mejilla hinchada).

Tirotoxicosis Estado tóxico causado por niveles excesivos de hormona tiroidea circulante.

Tiroxina (T_4) La principal hormona metabólica del organismo. La tiroxina estimula la producción de energía en las células, lo que aumenta la velocidad a la que estas consumen oxígeno y utilizan los carbohidratos, las grasas y las proteínas.

Titina Proteína no contráctil que se encuentra en las sarcómeras en los músculos cardíaco y esquelético.

Tolerancia (1) Adaptación fisiológica a los efectos de un fármaco o cualquier sustancia, de forma que se requieren dosis cada vez mayores del mismo para conseguir el mismo efecto. (2) Estado que se desarrolla tras el uso repetido de un medicamento por parte de un paciente y que se traduce en una disminución de su eficacia o potencia.

Tolerancia cruzada Proceso en el que la exposición repetida a un medicamento de una clase determinada provoca una tolerancia que puede "transferirse" a otros medicamentos de la misma clase.

Tormenta tiroidea Condición rara, potencialmente mortal, que puede producirse en pacientes con tirotoxicosis; suele desencadenarse por un acontecimiento estresante o por un aumento del volumen de hormonas tiroideas en la circulación.

Torsión ovárica Una afección dolorosa en la que el ovario gira sobre su eje.

Torsión testicular Giro del testículo sobre el cordón espermático, del que está suspendido; se asocia con dolor y edema escrotales y constituye una emergencia médica.

Tosferina Enfermedad transmisible aguda causada por la bacteria *Bordetella pertussis* y caracterizada por una fase catarral, seguida de una tos paroxística que termina en una inspiración ferina; también llamada tos convulsiva.

Tóxico Sustancia química cuya acción química puede dañar estructuras o alterar funciones cuando se introduce en el organismo.

Toxicología Estudio de las sustancias tóxicas.

Toxidrome Síntomas similares a los del síndrome de cualquier clase o grupo de agentes tóxicos.

Toxina Sustancia nociva producida por bacterias, animales o plantas.

Tracción distal Suave tracción hacia abajo o lateral sobre la piel.

Transceptores Radios que contienen un transmisor y un receptor; radios bidireccionales.

Transdérmica A través de la piel; vía de administración de medicamentos.

Transmigración (diapedesis) En la respuesta inflamatoria, fase en la que los neutrófilos polimorfonucleares atraviesan la pared vascular y pasan al espacio intersticial.

Transmisión La transmisión de un microorganismo patógeno de un individuo a otro puede ocurrir por medio de diferentes vías, que incluyen el contacto directo o indirecto, la vía respiratoria, la alimentaria, y a través de vectores como insectos o roedores.

Transmisión aérea Transmisión de un agente infeccioso por inhalación de pequeñas partículas que se convierten en aerosol cuando la persona infectada tose, estornuda, habla o exhala; las partículas pueden permanecer suspendidas en el aire durante algún tiempo y desplazarse 2 m (6 pies) o más. (2) La diseminación de un microorganismo en forma de aerosol, gotitas o polvo.

Transmisión por contacto Transmisión de un agente infeccioso a través del contacto directo o indirecto con las personas infectadas, como el contacto piel con piel o el contacto con el entorno o el equipo del paciente.

Transmisión por gotas Transmisión de un agente infeccioso a través de la exposición a gotas y partículas grandes y pequeñas generadas cuando una persona infectada tose o estornuda, que por lo general recorren 2 m (6 pies) o menos antes de caer al suelo.

Transporte activo (1) Método utilizado para desplazar compuestos a través de la membrana celular para crear o mantener un desequilibrio de cargas, por lo general en contra de un gradiente de concentración y que requiere el gasto de energía. (2) Proceso de unión de moléculas con proteínas transportadoras cuando se utiliza energía para mover las moléculas contra un gradiente de concentración.

Traqueotomía Abertura quirúrgica en la tráquea.

Trastorno bipolar del estado de ánimo Trastorno en el que una persona alterna entre manía y depresión.

Trastorno de ansiedad generalizada (TAG) Trastorno en el que una persona se preocupa por todo sin ninguna razón en particular, o en el que la preocupación es improductiva y la persona no puede decidir qué hacer ante una situación inminente.

Trastorno de estrés postraumático (TEPT) (1) Forma grave de ansiedad derivada de una experiencia traumática; se caracteriza por la reviviscencia del estrés y las pesadillas de la situación original. (2) Una reacción de estrés tardía ante un suceso previo, generalmente se debe a uno o varios aspectos no resueltos relacionados con el incidente en cuestión.

Trastorno de pánico Trastorno caracterizado por sentimientos repentinos, por lo general inesperados y abrumadores de miedo y temor, acompañados de una variedad de otros síntomas producidos por una activación masiva del sistema nervioso autónomo.

Trastorno facticio Trastorno en el que una persona desea estar enferma y produce o finge de forma intencionada signos o síntomas físicos o psicológicos. Los síntomas están bajo control voluntario, sin razón fisiológica evidente.

Trastorno hematológico Cualquier trastorno de la sangre.

Trastorno límite de la personalidad Trastorno caracterizado por imágenes desordenadas de sí mismo, comportamiento impulsivo e impredecible, cambios marcados en el estado de ánimo e inestabilidad en las relaciones con los demás.

Trastorno por consumo de alcohol Enfermedad caracterizada por una adicción física y psicológica al etanol que puede ir de leve a grave.

Trastorno por consumo de sustancias Consumo de una sustancia que altera las actividades de la vida diaria.

Trastorno somatomorfo Enfermedad en la que una persona se preocupa en exceso por su salud física y su aspecto hasta el punto de dominarlo todo (p. ej., hipocondría).

Trastornos de ansiedad Trastornos mentales en los que el estado de ánimo dominante es el miedo y la aprensión.

Trastornos de la personalidad Condiciones en las que una persona se comporta o piensa de forma disfuncional o causa angustia a otras personas.

Trastornos del control de los impulsos Trastornos en los que una persona carece de capacidad para resistirse a una tentación o no puede dejar de actuar por impulso.

Trastornos del estado de ánimo Trastornos en los que la alteración del estado de ánimo va acompañada de un síndrome maniaco o depresivo total o parcial.

Trastornos del tracto biliar Grupo de trastornos que implican inflamación de la vesícula biliar; incluyen colangitis, colelitiasis, colecistitis y colecistitis acalculosa.

Trastornos fóbicos Trastornos que implican un miedo, aprensión o temor irracional a una situación o cosa específica.

Trastornos generalizados del desarrollo (TGD) Grupo de trastornos que causan retrasos en muchas áreas del desarrollo infantil, como el desarrollo de habilidades para comunicarse e interactuar socialmente y que pueden incluir movimientos corporales repetitivos y dificultad con los cambios de rutina; incluyen el autismo y el síndrome de Asperger, entre otros.

Trastornos hemolíticos Trastornos relacionados con la descomposición de los glóbulos rojos.

Trastornos hemostáticos Anomalías de la hemorragia y la coagulación.

Trastornos neuróticos Conjunto de trastornos psiquiátricos sin síntomas psicóticos y que carecen de la intensa psicopatología de otros trastornos del estado de ánimo; incluye los trastornos de ansiedad, las fobias y el trastorno de pánico.

Tríada de Beck El trío clásico de signos asociados con el taponamiento cardíaco: estrechamiento de la presión del pulso, tonos cardíacos apagados y distensión de la vena yugular.

Tricomoniasis Infección parasitaria causada por *Trichomonas vaginalis*, un parásito unicelular que se transmite por contacto sexual.

Trifosfato de adenosina (ATP) Nucleótido que se forma por el metabolismo de nutrimentos en la célula; involucrado en el metabolismo energético; se usa para almacenar energía.

Trigeminismo Disritmia en la que uno de cada tres complejos es un complejo prematuro, lo que provoca un *patrón de latido normal-temprano*; puede ser auricular, de la unión o ventricular.

Trismo (1) Cierre forzado de los dientes causado por espasmos de los músculos mandibulares. (2) Contracción involuntaria de la boca que provoca el apretamiento de los dientes; se produce durante convulsiones y traumatismos craneoencefálicos.

Trocar Aguja perforante sólida.

Trombina Enzima que causa la conversión de fibrinógeno a fibrina, que se une a un tapón plaquetario y forma el coágulo maduro final.

Trombo Coágulo sanguíneo fijo que puede obstruir el paso del flujo sanguíneo a través de una arteria.

Trombocitopenia Reducción del número de plaquetas.

Trombocitos Plaquetas.

Trombocitosis Enfermedad en la que el organismo produce demasiadas plaquetas.

Tromboembolia Coágulo sanguíneo que se formó en un inicio dentro de un vaso sanguíneo pero que ahora circula por el torrente sanguíneo.

Tromboflebitis Inflamación de una vena relacionada con un trombo (coágulo de sangre).

Tromboplastina Sustancia química que estimula la coagulación sanguínea.

Trombosis Coagulación o coagulación de la sangre en un vaso sanguíneo.

Trombosis venosa Desarrollo de un coágulo sanguíneo estacionario en la circulación venosa.

Trompa de Eustaquio Rama del conducto auditivo interno que conecta al oído medio con orofaringe.

Trompa de Falopio Estructura anatómica que conecta cada ovario con el útero y provee una vía de paso para los oocitos.

Tronco encefálico Zona del encéfalo entre la médula espinal y el cerebro que contiene al mesencéfalo, la protuberancia anular y el bulbo raquídeo; regula las funciones necesarias para la vida, como la respiración.

Tropomiosina Proteína de unión a la actina que regula la contracción muscular y otras funciones mecánicas relacionadas con esta en el cuerpo.

Troponina Proteína reguladora de los filamentos de actina del músculo esquelético y cardíaco que se une a la tropomiosina.

Tuberculosis (TB) Infección que puede evolucionar a una enfermedad caracterizada por tos persistente durante más de 3 semanas y uno o más de los siguientes síntomas: sudoración nocturna, dolor de cabeza, fiebre, fatiga, pérdida de peso, hemoptisis, ronquera o dolor torácico.

Tubo de sangre Tipo especial de equipo de administración de macrogoteo diseñado para facilitar la administración la sustitución rápida a de líquidos mediante infusión manual de múltiples bolsas intravenosas o combinaciones de reposición de sangre intravenosa.

Tubo de traqueotomía Tubo de plástico que se coloca dentro del sitio de la traqueotomía (boca anastomótica).

Tubo endotraqueal (ET) Uno que se inserta en la tráquea para el mantenimiento definitivo de la vía aérea, equipado con un manguito distal, un puerto de inflado proximal, un adaptador de 15/22 mm y marcas laterales en centímetros.

Túbulo contorneado distal (TCD) Se conecta con los túbulos colectores del riñón.

Túbulo contorneado proximal (TCP) Una de las dos secciones complejas de la nefrona; el túbulo contorneado proximal incluye un aumento de dimensiones en su extremo llamado cápsula glomerular.

Túbulos renales Porciones de la nefrona que contienen líquido tubular que fue filtrado por el glomérulo.

Túnica adventicia Capa externa de tejido de una pared vascular, constituida por tejido conectivo elástico y fibroso.

Túnica íntima Revestimiento liso y delgado de un vaso sanguíneo.

Túnica media Capa media, más gruesa, de una pared vascular, constituida por tejido elástico y células de músculo liso que permiten la expansión del vaso o su contracción en respuesta a cambios en la presión arterial y las demandas de los tejidos.

Úlcera péptica Enfermedad en la que se erosiona la mucosa que recubre el estómago y el duodeno, permitiendo que el ácido penetre en estos órganos.

Umbilical Región del abdomen que rodea el ombligo.

Unidades móviles de cuidados intensivos (UMCI) Denominación inicial de una unidad de tipo ambulancia.

Unifocal Procedente de un único lugar.

Unilateral Ocurre o aparece en un solo lado del cuerpo.

Unión a proteínas plasmáticas Proceso en el que las moléculas de medicamento se unen de manera temporal a las proteínas del plasma sanguíneo, alterando de forma significativa la distribución del medicamento en el organismo.

Unión auriculoventricular (AV) Porción del sistema de conducción del corazón formada por el nódulo AV y la porción no ramificada del haz de His.

Unión neuromuscular Conexión entre una neurona motora y una fibra muscular.

Uremia (1) Insuficiencia renal grave que provoca la acumulación de productos de desecho en la sangre; con el tiempo deteriora la función cerebral. (2) La presencia de cantidades excesivas de urea y otros productos residuales en la sangre.
Uréteres (1) Pequeños tubos huecos, que conducen orina de los riñones a la vejiga. (2) Un par de conductos huecos de pared gruesa que transportan orina de los riñones a la vejiga.
Uretra Conducto que conduce la orina de la vejiga al exterior del cuerpo. (2) Una estructura tubular hueca que drena orina de la vejiga y la expulsa del cuerpo.
Urgencia hipertensiva Elevación aguda de la PA a 180/120 mm Hg o más sin signos o síntomas de daño de órganos terminales.
Urticaria (1) En las personas de piel pálida, suele aparecer en forma de manchas enrojecidas y elevadas en la piel (p. ej., ronchas); en las personas de piel oscura, puede aparecer en forma de manchas protuberantes e inflamadas y una coloración de la piel ligeramente más clara o más oscura de lo habitual; erupción pruriginosa. (2) Múltiples áreas pequeñas y elevadas en la piel que pueden ser uno de los signos de alerta de anafilaxia inminente; también conocida como urticaria.
Útero Órgano muscular con forma de pera invertida donde se desarrolla el feto; yace entre la vejiga urinaria y el recto.
Vacunaciones Inoculaciones con una vacuna, en general por inyección o inhalación, para provocar la inmunidad de una persona a una enfermedad específica.
Vacunas Productos formulados para producir inmunidad introduciendo en el organismo un virus muerto o debilitado contra el que el sistema inmunológico produce anticuerpos.
Vacutainer Dispositivo cilíndrico que se acopla a una aguja de toma de muestras calibre 18 o 20; acompaña a los tubos de sangre autosellantes cuando se obtienen muestras de sangre.
Vagina Conducto genital en la mujer que sirve como vía para la eliminación de los líquidos menstruales, recibe al pene durante el coito, retiene a los espermatozoides antes de su paso al interior del útero y sirve como vía del parto.
Vaginitis Una inflamación de la vagina causada por infección.
Vaginosis bacteriana Crecimiento excesivo de bacterias en la vagina, caracterizado por comezón, ardor o dolor, que puede ir acompañado de un flujo maloliente con olor a pescado.
Válvula aórtica Válvula semilunar que regula el riego sanguíneo del ventrículo izquierdo hacia la aorta.
Válvula mitral Válvula auriculoventricular cardíaca, que separa la aurícula del ventrículo izquierdo.
Válvula pulmonar Válvula semilunar que regula el flujo de sangre entre el ventrículo derecho y la arteria pulmonar; también llamada válvula semilunar pulmonar.
Válvula tricúspide Válvula auriculoventricular que separa la aurícula del ventrículo derecho.
Válvulas auriculoventriculares (AV) Válvulas mitral y tricúspide, a través de las cuales fluye la sangre en su trayecto de las aurículas a los ventrículos.
Válvulas semilunares (SL) Válvulas aórtica y pulmonar, que tienen forma de medialuna y separan al corazón de la aorta y las arterias pulmonares.
Varicela zóster Enfermedad muy contagiosa causada por el virus de la varicela zóster, que pertenece a la familia de los herpesvirus, y que se produce con mayor frecuencia en invierno y a principios de primavera; también se denomina varicela.
Várices esofagogástricas Vasos sanguíneos dilatados del esófago, por lo regular causados por la dificultad del flujo sanguíneo a través del hígado; su presencia puede provocar la rotura de los vasos.
Vasculitis Inflamación de los vasos sanguíneos.
Vasoconstricción Estrechamiento del diámetro de un vaso sanguíneo.
Vasodilatación Ampliación del diámetro de un vaso sanguíneo.
Vasos linfáticos Unidireccionales, de pared delgada, a través de los cuales circula la linfa en el cuerpo; transcurren cerca de las principales venas.
Vector Organismo que alberga agentes patógenos inofensivos para él, pero que causan enfermedades cuando se transmiten a un huésped humano.
Vecuronio Bloqueador neuromuscular no despolarizante; usado para mantener la parálisis después de la intubación facilitada por la succinilcolina.
Vejiga (1) Saco detrás de la sínfisis del pubis formado por músculo liso que colecta y almacena la orina. (2) Un saco muscular hueco en la línea media de la región abdominal baja que almacena la orina hasta que se expulsa del cuerpo.
Vena yugular externa (YE) Vena grande del cuello, lateral a la arteria carótida.
Venas pulmonares Las cuatro que retornan sangre oxigenada de los pulmones a la aurícula izquierda del corazón.
Venas varicosas Venas de la pierna que son grandes, retorcidas y en forma de cuerda y que pueden causar dolor, edema o prurito.
Ventana oval Abertura entre el estribo y el oído interno.
Ventilación a presión negativa Conducción de aire al interior de los pulmones; flujo de aire de una región de mayor presión (fuera del cuerpo) a una en la que es menor (pulmones); ocurre durante la respiración normal (sin asistencia).
Ventilación a presión positiva Introducción forzada de aire a los pulmones.
Ventilación con catéter translaríngeo Método usado en combinación con la cricotiroidotomía con aguja para ventilar a un paciente; requiere de un ventilador a chorro de alta presión.
Ventilación Proceso mecánico de desplazar aire dentro y fuera de los pulmones en dos fases separadas: inhalación (inspiración) y exhalación (espiración).
Ventilador automático de transporte (VTA) Aparato mecánico portátil acoplado a una caja de dominio que permite al proveedor ajustar las variables de la ventilación (p. ej., frecuencia ventilatoria y volumen tidal).
Ventral Superficie anterior del cuerpo.
Verrugas genitales Verrugas causadas por el virus del papiloma humano, una infección de transmisión sexual; también llamadas condilomas acuminados o verrugas venéreas.
Vesículas Pequeños sacos llenos de líquido; pequeñas ampollas.
Vesículas sinápticas Pequeños sacos que contienen neurotransmisores.
Vestíbulo Estructura a la que se abre la vagina en la parte posterior, y en la que también se abre la uretra femenina en la línea media; además, la parte central del laberinto auditivo detrás de la cóclea y frente a los conductos semicirculares.
Vía parenteral Vía de administración de un medicamento por una vía distinta del tracto gastrointestinal.
Viales Frascos pequeños de vidrio o plástico que contienen medicamentos; pueden contener dosis únicas o múltiples.
Vías internodales Las tres vías auriculares de conducción eléctrica que transmiten impulsos desde el nódulo sinoauricular hasta el nódulo auriculoventricular.
Videolaringoscopia Visualización de la epiglotis y las cuerdas vocales a través de una pantalla de video acoplada con un laringoscopio.
Violación Penetración oral, anal o vaginal no consensuada de la víctima por partes corporales u objetos con el uso de la fuerza, amenazas de daño corporal, o al sacar ventaja de una víctima incapacitada o incapaz de dar su consentimiento.
Virulencia (1) Capacidad de un organismo de invadir y provocar una enfermedad en un huésped; también se refiere a la capacidad de un organismo de sobrevivir fuera del huésped vivo. (2) Medida de la capacidad de un microorganismo para causar enfermedades.

Virus Pequeños organismos que solo pueden multiplicarse en el interior de un huésped, como el ser humano, y causar enfermedades.

Virus de la inmunodeficiencia humana (VIH) Virus que puede provocar el síndrome de inmunodeficiencia adquirida; las células del sistema inmunológico mueren o resultan dañadas, por lo que el organismo es incapaz de luchar contra las infecciones y determinados cánceres.

Virus del Nilo Occidental (VNO) Tipo de virus transmitido por mosquitos. Suele causar una enfermedad leve en el ser humano, pero puede provocar encefalitis, meningitis y muerte; los síntomas, si los hay, incluyen fiebre, dolor de cabeza, fatiga, debilidad, dolor en las articulaciones, vómito, diarrea o erupción cutánea.

Virus del papiloma humano (VPH) La infección de transmisión sexual más común, que puede causar verrugas genitales y algunos tipos de cáncer.

Visión binocular Combinación de dos imágenes en una.

Visión de túnel Centrarse o considerar solo un aspecto de una situación sin antes tener en cuenta todas las posibilidades.

Vitaminas Compuestos orgánicos requeridos para el metabolismo normal.

Vocal combinatoria Vocal utilizada para combinar dos raíces o una raíz y un prefijo o sufijo.

Volumen corriente La cantidad de aire que se desplaza al interior y fuera de los pulmones en una respiración relajada; de aproximadamente 500 ml en un adulto.

Volumen de distribución Grado de difusión de un medicamento en el organismo.

Volumen de reserva inspiratoria Cantidad adicional de aire que se puede inhalar después de que se alcanzó el volumen de ventilación pulmonar normal.

Volumen disponible Cantidad de líquido que tiene a mano, como la cantidad de líquido de una bolsa para infusión intravenosa o la cantidad de líquido de un vial con medicamento.

Volumen espiratorio de reserva Cantidad de aire que se puede exhalar después de una exhalación normal; el volumen es de casi 1 200 ml en promedio.

Volumen minuto Cantidad de aire que se desplaza dentro y fuera de los pulmones por minuto menos el espacio muerto; también llamado ventilación minuto.

Volumen residual Cantidad de aire restante en los pulmones y la vía aérea que no puede expulsarse después de una exhalación forzada máxima.

Volumen sistólico (VS) Volumen de sangre que se impulsa con cada contracción ventricular.

Volutrol Tipo especial de equipo de microgoteo que cuenta con una cámara de goteo calibrada de 100 o 200 ml; se utiliza para la regulación de fluidos en pacientes susceptibles de sobrecarga circulatoria, como los pediátricos y de edad avanzada; también se denomina Buretrol.

Vólvulo Retorcimiento del intestino hasta que se produce una enroscadura; provoca la obstrucción del flujo.

Vulvovaginitis Inflamación de la vulva y la vagina.

Zika Tipo de virus transmitido por el mosquito *Aedes aegypti*; la mayoría de las personas infectadas es asintomática. La transmisión puede producirse de una madre infectada a su feto y de un hombre infectado a sus parejas sexuales; se relaciona con la aparición del síndrome de Guillain-Barré.

Zoonótica Se refiere a enfermedades infecciosas de los animales que pueden transmitirse a los humanos y causar enfermedades.

Índice: Volumen 1

Nota: Las figuras y cuadros se indican con *f* y *c* a continuación de los números de página.

C

D

E

F

G

I

J

K

L

M

N

O

P

Q

R

S

T

U

V

W

X

Y

Z